DICIONÁRIO da LÍNGUA PORTUGUESA

ENSINO PORTUGUÊS NO ESTRANGEIRO

DICIONÁRIOS MODERNOS

Phoebes book

A **cópia ilegal** viola os direitos dos autores.
Os prejudicados somos todos nós.

Rua da Restauração, 365
4099-023 Porto | Portugal

www.**portoeditora**.pt

SET/2011

Execução gráfica **Bloco Gráfico, Lda.** Unidade Industrial da Maia. **Sistema de Gestão Ambiental** certificado pela APCER, com o n.º 2006/AMB.258

DEP. LEGAL 332641/11 **ISBN** 978-972-0-05757-0

Índice

O Acordo Ortográfico no dicionário

O Acordo Ortográfico é o documento oficial que visa regular e unificar a ortografia da língua portuguesa no epaço lusófono.

As palavras que, com o Acordo Ortográfico, foram alteradas ou passaram a admitir dupla grafia (podem ser escritas de duas maneiras), encontram-se destacadas. No final deste dicionário, nos anexos, um guia do Acordo Ortográfico apresenta as principais mudanças.

As grafias que deixam de ser válidas são registadas e remetem para as novas grafias, que foram marcadas com AO.

actual (ac.tu:al) [ɐ'twał] *a nova grafia é* **atual**AO

atual (a.tu:al)AO [ɐ'twał] *adj.2g.* **1** relativo ao tempo presente SIN. moderno; contemporâneo **2** que existe; real

fim-de-semana (fim-.de-.se.ma.na) [fĩdəsə'mɐnɐ] *a nova grafia é* **fim de semana**AO

fim de semana (fim de se.ma.na)AO [fĩdəsə'mɐnɐ] *n.m.* ⟨*pl.* fins de semana⟩ período em que geralmente não se trabalha, e que vai da sexta-feira à noite até domingo à noite

As palavras que se podem escrever de duas formas (grafias duplas) são registadas lado a lado e assinaladas com a mesma marcação AO. A forma mais corrente surge em primeiro lugar e é usada no texto do dicionário.

caracterização (ca.rac.te.ri.za.ção)AO [kɐrɐktəri zɐ'sɐ̃w̃] ou **caraterização**AO *n.f.* **1** descrição dos traços principais (de uma pessoa) **2** utilização de cosméticos e outros acessórios para dar ao ator a aparência da personagem que interpreta

infecionar (in.fe.ci:o.nar)AO [ĩfɛsju'nar] ou **infeccionar**AO *v.* **1** originar uma infeção em; contaminar; contagiar **2** ganhar infeção; ficar infecionado

Guia de utilização

aberto **(a.ber.to)** [ɐ'bɛrtu] *adj.* **1** que não está fechado: *A porta está aberta.* **ANT.** fechado **2** diz--se do espaço que não tem cobertura **3** diz-se da flor que desabrochou **4** diz-se do céu sem nuvens ♦ **em aberto** por decidir ou resolver

a entrada é a palavra a definir

abertura **(a.ber.tu.ra)** [ɐbər'turɐ] *n.f.* **1** buraco ou fenda numa superfície **2** início de uma atividade, de um espetáculo ou de um trabalho **3** inauguração de um espaço, de uma loja, ponte, etc.

sílaba tónica

abeto **(a.be.to)** [ɐ'betu] *n.m.* árvore alta e de folha persistente, cuja madeira é utilizada em marcenaria e no fabrico de papel

divisão silábica

abismado **(a.bis.ma.do)** [ɐbiʒ'madu] *adj.* muito admirado: *Ele ficou abismado com a notícia.* **SIN.** espantado

fonética

abismal **(a.bis.mal)** [ɐbiʒ'maɫ] *adj.2g.* **1** relativo a abismo **2** *fig.* que é imenso; colossal: *Existe uma diferença abismal entre eles.* **3** *fig.* que causa pavor; assustador

categoria gramatical

abismo **(a.bis.mo)** [ɐ'biʒmu] *n.m.* **1** buraco profundo numa rocha; precipício **2** *fig.* diferença ou distância entre pessoas ou coisas ♦ **à beira do abismo 1** (pessoa) desesperado **2** (instituição, empresa) à beira da ruína

definição

introduz expressões e locuções no final da entrada

abissal **(a.bis.sal)** [ɐbi'saɫ] *adj.2g.* **1** relativo a abismo **2** *fig.* que é enorme; imenso

abjeção **(ab.je.ção)**[AO] [ɐbʒɛ'sɐ̃w̃] *n.f.* degradação

o nível de uso da palavra indica-se de forma abreviada e em itálico

abjecção **(ab.jec.ção)** [ɐbʒɛ'sɐ̃w̃] *a nova grafia é* **abjeção**[AO]

abjecto **(ab.jec.to)** [ɐ'bʒɛtu] *a nova grafia é* **abjeto**[AO]

abjeto **(ab.je.to)**[AO] [ɐ'bʒɛtu] *adj.* desprezível; ignóbil

assinala grafias novas ou grafias duplas introduzidos pelo Acordo Ortográfico

ablação **(a.bla.ção)** [ɐblɐ'sɐ̃w̃] *n.f.* operação cirúrgica para extrair parte do corpo, órgão ou tumor

ablativo **(a.bla.ti.vo)** [ɐblɐ'tivu] *n.m.* caso que, nas línguas declináveis, exprime geralmente as funções de complementos circunstanciais, como de lugar, tempo, meio, companhia, etc.; **ablativo absoluto** oração subordinada, cujo sujeito está no caso ablativo e o predicado é um particípio que concorda com o sujeito

abnegação **(ab.ne.ga.ção)** [ɐbnəgɐ'sɐ̃w̃] *n.f.* **1** sacrifício dos próprios desejos ou interesses; desprendimento **2** dedicação total; altruísmo

Os algarismos destacam diferentes sentidos da entrada

abnegar-se **(ab.ne.gar-.se)** [ɐbnə'garse(ə)] *v.* renunciar aos próprios desejos ou interesses, sacrificando-se em favor de uma pessoa, causa ou ideal

aboamado **(a.bo:a.ma.do)** [abwɐ'madu] *adj.* [ANG.] absorto; admirado

a área geográfica onde a palavra é usada indica-se de forma abreviada entre parênteses retos

bola (bo.la)[1] ['bɔlɐ] *n.f.* **1** objeto esférico de borracha, ou de outro material, usado em vários desportos: *A bola saiu pela linha lateral do campo.* **2** qualquer corpo redondo: *No meu gelado, quero duas bolas de chocolate e uma de baunilha.* **3** *coloq.* futebol: *Ele gosta de jogar à bola.* **4** *coloq.* cabeça; **não bater bem da bola** não ter juízo ■ **bolas** *n.f.pl. coloq.* testículos ◆ **bolas!** exclamação que exprime zanga, desaprovação ou enfado; [BRAS.] **não dar bola a 1** não dar confiança a **2** não dar atenção a; *coloq.* **(não) ir à bola com** (não) gostar de

bola (bo.la)[2] ['bolɐ] *n.f.* massa, com forma redonda e cozida no forno, com que se faz a broa de milho ◆ **bola de carne** massa de pão, misturada com carnes variadas e cozida no forno

os algarismos em expoente distinguem palavras com a mesma grafia e pronúncia diferente

separa diferentes categorias gramaticais

brincar (brin.car) [brĩ'kar] *v.* **1** ⟨**+a**⟩ entreter-se com brincadeiras infantis: *Eles gostam de brincar aos polícias e ladrões.* **2** ⟨**+com**⟩ divertir-se; entreter-se **3** ⟨**+com**⟩ dizer piadas: *Estava só a brincar.* **4** ⟨**+com**⟩ proceder com leviandade: *Andas a brincar!* ◆ **a brincar, a brincar** a pouco e pouco; **nem a brincar** de forma nenhuma; nem pensar

brinco (brin.co) ['brĩku] *n.m.* **1** adorno para as orelhas **2** coisa muito arrumada ou muito bem feita: *A tua casa está um brinco.* **SIN.** primor

brincos-de-princesa (brin.cos-.de-.prin.ce.sa) [brĩkuʒdəprĩ'sezɐ] *n.m.pl.* 👁 planta com flores pendentes avermelhadas ou cor-de-rosa

indica a preposição que deve ser usada com a entrada

sinónimo

indica que a palavra é ilustrada por uma imagem

brochado (bro.cha.do) [bru'ʃadu] *adj.* (livro) cosido e com capa de papel ou cartolina

o contexto em que se usa a palavra é indicado entre parênteses curvos

brócolos (bró.co.los) ['brɔkuluʃ] *n.m.pl.* planta com pequenos ramos de flores verdes usados na alimentação

> Note-se que a palavra **brócolos** escreve-se com **o** (e não com **u**).

nota gramatical acerca da entrada

Como usar o dicionário

A palavra que se encontra no canto superior à esquerda e à direita de cada página é a cabeça ou palavra-guia e serve para indicar qual é a primeira e a última entrada desse conjunto de entradas.

A entrada é a palavra que se procura. Está destacada a azul para ser encontrada mais facilmente. As entradas podem ser simples (constituídas por uma só palavra) ou compostas (com duas ou mais palavras). A sílaba tónica da entrada encontra-se sublinhada e foi marcada segundo critérios fonéticos.

álbum (ál.bum) ['atbũ] *n.m.* **1** livro para colecionar e guardar fotografias, selos, etc. **2** gravação de temas musicais, geralmente apresentada num único disco

algodão-doce (al.go.dão-.do.ce) [atgudɐ̃w̃'dos(ə)] *n.m.* ⟨*pl.* algodões-doces⟩ doce de feira feito de fios de açúcar muito finos que se juntam em flocos em redor de um pauzinho

Geralmente, as entradas são registadas com inicial minúscula exceto no caso dos nomes próprios, como planetas, festas, etc. Quando uma palavra tem um sentido diferente quando é escrita com minúscula ou maiúscula, a forma com maiúscula aparece por extenso dentro da entrada escrita com minúscula.

Neptuno (Nep.tu.no) [nɛ'ptunu] *n.m.* planeta do sistema solar, situado entre Urano e Plutão

renascimento (re.nas.ci.men.to) [ʀənɐʃsi'mẽtu] *n.m.* **1** ato ou efeito de renascer **2** reaparecimento ▪ **Renascimento** movimento cultural e artístico dos séculos XV e XVI, que se baseou nos modelos da Antiguidade clássica grega e romana

As entradas são registadas no masculino. Por exemplo, se quiser saber o significado de *professora*, deverá procurar a entrada no masculino: *professor*. No entanto, estão registadas no feminino as palavras que, enquanto nome feminino, têm um sentido próprio, como no caso de *macaca*, *pata*, etc.

professor (pro.fes.sor) [prufə'sor] *n.m.* ⟨*f.* professora⟩ pessoa que dá aulas

macaca (ma.ca.ca) [mɐ'kakɐ] *n.f.* **1** fêmea do macaco **2** jogo infantil em que se salta sobre uma figura desenhada no chão

pata (pa.ta) ['patɐ] *n.f.* **1** pé e perna de um animal **2** fêmea do pato ♦ *coloq.* **à pata** à mão; **meter a pata 1** cometer uma gafe **2** estragar uma situação

Quando a forma feminina de uma palavra é muito diferente da forma masculina, essa informação é apresentada no corpo da entrada.

ator **(a.tor)**[AO] [a'tor] *n.m.* ⟨*f.* atriz⟩ **1** pessoa que representa no teatro, cinema, televisão, etc. **SIN.** intérprete **2** pessoa que desempenha um papel importante num acontecimento **SIN.** protagonista

abade **(a.ba.de)** [ɐ'bad(ə)] *n.m.* ⟨*f.* abadessa⟩ **1** superior de abadia ou mosteiro **SIN.** pároco **2** pároco de uma freguesia ◆ **comer como um abade** comer muito

Além das formas femininas irregulares, são também apresentadas as formas de plurais irregulares ou pouco comuns, plurais de palavras compostas com hífen, plurais de palavras de origem estrangeira e informações sobre a estrutura interna das entradas (aumentativos, diminutivos e superlativos).

abaixo-assinado **(a.bai.xo-.as.si.na.do)** [ɐbajʃ wɐsi'nadu] *n.m.* ⟨*pl.* abaixo-assinados⟩ documento assinado por várias pessoas para protestar ou para exigir alguma coisa

blackout [blɛ'kaut] *n.m.* ⟨*pl.* blackouts⟩ **1** corte de energia **2** *fig.* silêncio; **blackout informativo** recusa de transmissão de informações aos meios de comunicação social por uma determinada entidade; bloqueio informativo

pouquíssimo **(pou.quís.si.mo)** [po(w)'kisimu] ⟨*superl. de* pouco⟩ *adj.* muito pouco; quase nada

Após a entrada, é apresentada a divisão silábica da palavra. A divisão silábica mostra como a palavra deve ser dividida em casos de translineação e é feita segundo critérios ortográficos. Os dois pontos (:) significam que as duas vogais formam um ditongo crescente.

apreciação **(a.pre.ci:a.ção)** [ɐprəsjɐ'sɐ̃w̃] *n.f.* **1** opinião sobre alguma coisa **2** avaliação do valor de algo **3** estima que se tem por alguém ou por algo

advertência **(ad.ver.tên.ci:a)** [ɐdvər'tẽsjɐ] *n.f.* **1** aviso **2** conselho

A categoria gramatical (verbo, nome, adjetivo, advérbio, etc.) aparece em itálico, de forma abreviada. A lista de abreviaturas e a sua descodificação por extenso encontram-se na página 14 deste dicionário.

atentamente **(a.ten.ta.men.te)** [ɐtẽtɐ'mẽt(ə)] *adv.* **1** de forma atenta; cuidadosamente **2** (fórmula em cartas) com consideração; atenciosamente

absolver **(ab.sol.ver)** [ɐbsoɫ'ver] *v.* **1** ⟨**+de**⟩ declarar inocente e isento de culpa: *A comissão absolveu-o de qualquer culpa.* **2** ⟨**+de**⟩ conceder perdão a (alguém): *O padre absolveu o homem da falta cometida.* **SIN.** perdoar

Além das categorias gramaticais, as entradas podem ter as seguintes indicações: elemento de locução, abreviatura, sigla e símbolo.

avessas (a.ves.sas) [ɐ'vɛsɐʃ] *elem. da loc.* **às avessas** ao contrário; do avesso
Dr(a). *abreviatura de* Doutor(a)
ECG [ɛseʒe] *sigla de* eletrocardiograma
cm *símbolo de* centímetro

Por vezes, uma palavra pode ter diferentes categorias gramaticais. Nesse caso, as diferentes categorias são separadas pelo símbolo ■.

capital (ca.pi.tal) [kɐpi'taɫ] *adj.2g.* principal; fundamental ■ *n.f.* principal cidade de um país, onde se encontra a sede de governo: *Lisboa é a capital de Portugal.* ■ *n.m.* dinheiro ou bens que constituem o fundo ou o património de uma empresa: *É preciso muito capital para investir neste projeto.*
melhor (me.lhor) [mə'ʎɔr] *adj.2g.* **1** que é superior em qualidade, valor ou importância **ANT.** pior **2** que está menos doente ■ *n.m.* **1** aquilo que é mais acertado ou mais conveniente **2** o que é considerado superior a tudo ou a todos ◆ **levar a melhor** vencer

A definição explica o significado da entrada e está escrita de forma clara e fácil de entender.
Após a definição, em muitas entradas são apresentadas informações adicionais, como complementos, exemplos, etc., que ajudam a compreender plenamente o sentido das palavras definidas e o seu uso numa frase ou em determinado contexto.

balanço (ba.lan.ço) [bɐ'lɐ̃su] *n.m.* **1** movimento de um lado para o outro: *Comprei uma cadeira de balanço.* **2** resultado global: *O balanço da feira do livro foi positivo.*
advertir (ad.ver.tir) [ɐdvər'tir] *v.* **1** ⟨**+de**⟩ avisar: *Ela advertiu-o do perigo que corria.* **2** repreender: *O pai advertiu o filho.*

Muitas vezes as palavras têm significados diferentes em função do contexto em que são usadas. Esses diferentes sentidos das entradas estão identificados por meio de algarismos árabes.

choque (cho.que) ['ʃɔk(ə)] *n.m.* **1** encontro violento de dois corpos em movimento: *Houve um choque frontal de dois carros na estrada nacional.* **SIN.** colisão **2** perturbação emocional: *Foi um grande choque para a família a morte do rapaz.* **SIN.** comoção **3** estímulo repentino dos nervos, com contração muscular, provocado por uma descarga elétrica: *Ao ligar a televisão à corrente, apanhei um choque.* **4** conflito; luta

Uma palavra também pode ter um sentido próprio quando é usada no plural. Nesses casos, a palavra no plural está registada no corpo da entrada, seguida da respetiva categoria gramatical e definição.

abdominal **(ab.do.mi.nal)** [ɐbdumi'naɫ] *adj.2g.* relativo ao abdómen: *Teve uma dor abdominal.* ▪ *n.m.* cada um dos músculos localizados no abdómen ▪ **abdominais** *n.m.pl.* exercícios para fortalecer os músculos do abdómen: *Tento fazer 30 abdominais por dia.*

satisfação **(sa.tis.fa.ção)** [sɐtiʃfɐ'sɐ̃w̃] *n.f.* contentamento; alegria ▪ **satisfações** *n.f.pl.* explicação que se dá a alguém para um determinado comportamento (uma falta, um atraso, etc.); justificações; desculpas

Quando a forma reflexa de um verbo tem um sentido próprio, essa forma encontra-se registada no corpo da entrada e é introduzida pelo símbolo ▪.

adaptar **(a.dap.tar)** [ɐdɐ'ptar] *v.* **1** ajustar (uma coisa a outra) **2** modificar (obra literária ou musical): *O livro foi adaptado para cinema.* ▪ **adaptar-se** ⟨**+a**⟩ ajustar-se: *Adaptou-se rapidamente às novas tecnologias.*

licenciar **(li.cen.ci:ar)** [lisẽ'sjar] *v.* dar licença ou permissão ▪ **licenciar-se** ⟨**+em**⟩ tirar um curso superior; formar-se: *Licenciou-se em Psicologia.*

Em alguns verbos, o pronome "se" encontra-se entre parênteses. Nestes casos, o verbo pode ser usado reflexamente, com o mesmo significado da sua forma não reflexa.

abastecer(-se) **(a.bas.te.cer(-se))** [ɐbɐʃtə'ser(sə)] *v.* ⟨**+de**⟩ prover(-se) do necessário: *abastecer o mercado; abastecer de provisões*

acanhar(-se) **(a.ca.nhar(-se))** [ɐkɐ'ɲar(sə)] *v.* deixar ou ficar pouco à vontade **SIN.** envergonhar(-se)

Em algumas entradas aparece o símbolo + seguido de uma preposição, antes da definição. Isso significa que essa é a preposição que deve ser usada com a entrada.

caber **(ca.ber)** [kɐ'ber] *v.* **1** ⟨**+em**⟩ poder estar contido (num dado espaço): *O telemóvel não cabe no bolso.* **2** ⟨**+em**⟩ poder entrar ou passar (num dado lugar): *A cama não cabe naquele corredor.* **3** ⟨**+a**⟩ ser obrigação (de alguém): *Cabe-te a ti resolver o problema.* **4** ⟨**+a**⟩ ficar a pertencer (a alguém): *Coube-lhe (a ela) o primeiro prémio.* **5** vir a propósito: *Não cabe agora fazer perguntas.*

gostar **(gos.tar)** [guʃ'tar] *v.* **1** ⟨**+de**⟩ achar bom ou agradável; apreciar: *Eu gosto de dançar. Gostaste da viagem?* **2** ⟨**+de**⟩ sentir simpatia por: *Gostam muito ou do outro.*

Por vezes, as palavras são usadas para significar algo diferente do sentido principal da palavra. Nesses casos, usa-se a palavra em sentido figurado. Também se pode usar uma palavra num registo coloquial, ou seja, entre amigos ou em situações pouco formais, num sentido pejorativo, ou seja, de modo desagradável, em calão, ou seja, de modo mal-educado ou ofensivo, em sentido irónico ou em linguagem infantil.

adoçar (a.do.çar) [ɐdu'sar] *v.* **1** pôr açúcar ou adoçante em **2** *fig.* suavizar

alarve (a.lar.ve) [ɐ'larv(ə)] *n.2g. pej.* pessoa que come demasiado

baril (ba.ril) [bɐ'riɫ] *adj.2g. coloq.* muito bom; ótimo ■ *adv. coloq.* muito bem; excelente

dói-dói (dói-.dói) [dɔj'dɔj] *n.m.* ⟨*pl.* dói-dóis⟩ *infant.* ferida; dor

Quando uma palavra ou um sentido de uma palavra são usados apenas numa região ou país, essa indicação geográfica é dada antes da definição.

açougue (a.çou.gue) [ɐ'so(w)g(ə)] *n.m.* [BRAS.] talho

bacela (ba.ce.la) [bɐ'sɛlɐ] *n.m.* [MOÇ.] aquilo que se dá a mais na compra de um produto; brinde

biznesse (biz.nes.se) [biz'nɛs] *n.m.* [ANG., MOÇ.] negócio

suangue (su:an.gue) ['swɐ̃g(ə)] *n.m.* [TIM.] feiticeiro; bruxo

Muitas vezes combinam-se duas ou mais palavras para formar expressões com um significado próprio. Essas expressões aparecem a azul, introduzidas pelo símbolo ◆ e seguidas das respetivas definições.

abismo (a.bis.mo) [ɐ'biʒmu] *n.m.* **1** buraco profundo numa rocha; precipício **2** *fig.* diferença ou distância entre pessoas ou coisas ◆ **à beira do abismo 1** (pessoa) desesperado **2** (instituição, empresa) à beira da ruína

barba (bar.ba) ['barbɐ] *n.f.* conjunto de pelos que nascem no queixo e nas faces do homem adulto, ou no focinho de alguns animais: *Durante as férias, deixei crescer a barba.* ◆ **já ter barbas** ser muito antigo; **nas barbas de** na presença de; diante de

bom-tom (bom-.tom) [bõ'tõ] *n.m.* comportamento considerado correto a nível social ◆ **de bom--tom** de acordo com as regras da boa educação; **ser de bom-tom** de acordo com as regras da boa educação

Quando uma entrada tem uma forma ou grafia mais comum ou mais correta, é indicado em que entrada se deve procurar a definição. Essa indicação é feita com uma seta, que indica em que entrada se deve procurar a definição.

alto-falante (al.to-.fa.lan.te) [ałtufɐ'lɐ̃t(ə)] *n.m.* ⇒ **altifalante**

altifalante (al.ti.fa.lan.te) [ałtifɐ'lɐ̃t(ə)] *n.m.* aparelho usado para ampliar o som da voz; megafone

quivi (qui.vi) [ki'vi] *n.m.* ⇒ **kiwi**

kiwi [ki'vi] *n.m.* **1** fruto de casca castanha e polpa esverdeada e doce, com pequenas sementes pretas, que é rico em vitamina C **2** ave da Nova Zelândia com plumagem castanha, bico longo e asas muito curtas, que a impedem de voar

Em algumas entradas, para ajudar a perceber melhor a definição ou para enriquecer o vocabulário do utilizador, é indicada a relação de semelhança (sinónimos) ou de diferença (antónimos) que a entrada tem com outras palavras.

legume (le.gu.me) [lə'gum(ə)] *n.m.* nome genérico de plantas herbáceas e leguminosas usadas na alimentação humana **SIN.** hortaliça; verdura

devagar (de.va.gar) [dəvɐ'gar] *adv.* **1** sem pressa; lentamente **ANT.** depressa **2** de forma gradual **SIN.** progressivamente **ANT.** depressa

No final de algumas entradas encontram-se notas gramaticais. O seu objetivo é esclarecer dúvidas acerca do uso de alguma palavra, chamar a atenção para erros comuns ou explicar a diferença entre duas palavras parecidas.

aonde (a.on.de) [ɐ'õd(ə)] *adv.* **1** a que lugar; para onde: *Aonde vais?* **2** em que lugar; onde: *Aonde ficaste?*

Não confundir **aonde** (advérbio que indica movimento) com **onde** (advérbio que indica permanência): *Aonde vais agora? Onde moras?*

Em algumas entradas são apresentadas também notas culturais sobre Portugal e os outros países lusófonos.

constituição (cons.ti.tu:i.ção) [kõʃtitwi'sɐ̃w̃] *n.f.* **1** lei fundamental que estabelece os direitos e deveres dos cidadãos e a organização política de um Estado **2** conjunto de elementos que constituem uma coisa; composição **3** conjunto das características físicas de uma pessoa; estrutura

A saber que a **Constituição Portuguesa** que estabeleceu o Estado de direito democrático, foi aprovada em 1976, ficando aí definidas as linhas gerais do atual sistema político português.

Abreviaturas

adj.	adjetivo/adjetival
adv.	advérbio/adverbial
ANT.	antónimo
art.	artigo
card.	cardinal
conj.	conjunção/conjuncional
contr.	contração
def.	definido
dem.	demonstrativo
det.	determinante
elem.	elemento
f.	feminino
frac.	fracionário
ind.	indefinido
int.	interrogativo
interj.	interjeição
inv.	invariável
loc.	locução
m.	masculino
mult.	multiplicativo
n.	nome
num.	numeral
OBS.	observação
ord.	ordinal
pes.	pessoal
pl.	plural
pos.	possessivo
prep.	preposição/preposicional
prn.	pronome
rel.	relativo
SIN.	sinónimo
univ.	universal
v.	verbo
2g.	2 géneros (m. e f.)
2n.	2 números (invariável)

Variantes

ANG.	Angola
BRAS.	Brasil
CV.	Cabo Verde
GB.	Guiné-Bissau
MOÇ.	Moçambique
REG.	regionalismo
STP.	São Tomé e Príncipe
TIM.	Timor-Leste

Registos

cal.	calão	indica vocabulário usado por grupos restritos ou marginais, geralmente de carácter expressivo, humorístico e/ou transgressor
coloq.	coloquial	indica vocabulário usado em situações informais
fig.	figurado	indica sentidos não literais
gír.	gíria	indica vocabulário próprio de grupos socioprofissionais restritos
infant.	infantil	indica palavras próprias das crianças, bem como as que os adultos utilizam quando falam com elas
irón.	irónico	indica sentidos opostos ao que geralmente uma palavra significa
pej.	pejorativo	indica sentidos com uma conotação desfavorável ou negativa
pop.	popular	indica vocabulário próprio do povo

Símbolos

■	separa diferentes categorias gramaticais e introduz formas verbais pronominais
◆	introduz expressões em que a entrada se combina com outras palavras
⇒	remete para a palavra onde se encontra a definição
1, 2, ...	separam diferentes sentidos de uma palavra
[ ]	delimita uma explicação dentro do verbete ou a área geográfica em que é usada a entrada
( )	delimita um contexto ou um complemento
/ /	delimita a indicação de pronúncia
⟨ ⟩	delimita a preposição que acompanha o verbo
/	indica um elemento alternativo
®	identifica uma marca registada
AO	assinala grafias novas ou duplas do Acordo Ortográfico

A

a[1] [a] *n.m.* primeira letra e primeira vogal do alfabeto ◆ **de A a Z** do princípio ao fim; **por a mais b** de forma incontestável

a[2] [ɐ] *det.art.def.* ⟨*m.* o⟩ antes de um nome, indica o seu género e número: *a casa; a rapariga* ■ *prn.pess.* substitui *ela* ou uma palavra referida antes: *Viu a mãe e cumprimentou-a.* ■ *prn.dem.* substitui *esta, essa, aquela*: *Na foto, a Maria é a da esquerda.* ■ *prep.* exprime várias relações: a) direção: *ir a casa*; b) tempo: *a meio da tarde; a 8 de maio*; c) modo de agir: *sair a correr*

à (à) [a] *contr. de prep.* a + *det. art. def.* ou *pron. dem.* a

---

Não confundir **à** (contração) com **há** (forma do verbo *haver*): *Vais à festa de anos da Maria? Há tanto tempo que não a vejo!*

---

aba (a.ba) ['abɐ] *n.f.* **1** rebordo do chapéu: *O chapéu tem uma aba larga.* **2** parte pendente de uma peça de roupa **3** base de montanha

abacate (a.ba.ca.te) [ɐbɐ'kat(ə)] *n.m.* 👁 fruto semelhante a uma pera, de casca acastanhada, polpa doce e cor amarelada

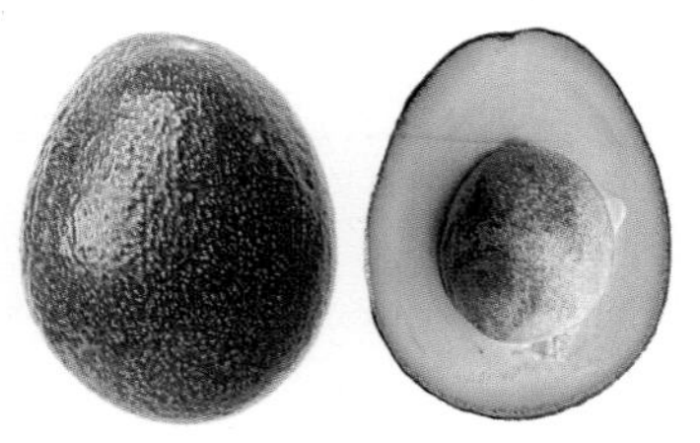

abacateiro (a.ba.ca.tei.ro) [ɐbɐkɐ'tɐjru] *n.m.* árvore tropical que produz o abacate

abacaxi (a.ba.ca.xi) [ɐbɐkɐ'ʃi] *n.m.* **1** fruto doce e aromático, semelhante ao ananás **2** planta que dá esse fruto

abade (a.ba.de) [ɐ'bad(ə)] *n.m.* ⟨*f.* abadessa⟩ **1** superior de abadia ou mosteiro **SIN.** pároco **2** pároco de uma freguesia ◆ **comer como um abade** comer muito

abadia (a.ba.di.a) [ɐbɐ'diɐ] *n.f.* igreja onde vive uma comunidade religiosa **SIN.** mosteiro

abafado (a.ba.fa.do) [ɐbɐ'fadu] *adj.* **1** coberto; tapado **2** quente; pesado: *Está um dia abafado.*

abafador (a.ba.fa.dor) [ɐbɐfɐ'dor] *n.m.* dispositivo que impede ou amortece a vibração sonora de certos instrumentos musicais

abafar (a.ba.far) [ɐbɐ'far] *v.* **1** cobrir (algo) para manter o calor: *Abafei os scones para mantê-los quentinhos.* **SIN.** tapar **2** esconder (um facto, uma informação): *É preciso abafar o escândalo.* **SIN.** ocultar **3** impedir o desenvolvimento de (um processo): *abafar a criatividade de alguém* **SIN.** travar **4** não poder respirar: *Já estou a abafar com o calor.* **SIN.** asfixiar

abaixar (a.bai.xar) [ɐbaj'ʃar] *v.* **1** tornar(-se) mais baixo **2** fazer descer **3** inclinar **4** diminuir a intensidade de ■ **abaixar-se** inclinar-se; curvar-se: *Ele abaixou-se para apanhar o jornal.*

abaixo (a.bai.xo) [ɐ'bajʃu] *adv.* **1** em posição inferior: *Ver tabela mais abaixo.* **ANT.** acima **2** em local menos elevado: *Fica um andar abaixo.* **3** em direção descendente: *Corri pelas escadas abaixo.* ◆ **abaixo de** em lugar/situação inferior a: *temperatura abaixo de zero; abaixo da média*; **deitar abaixo 1** fazer cair; derrubar **2** criticar duramente; **ir-se abaixo** perder as forças

abaixo-assinado (a.bai.xo-.as.si.na.do) [ɐbajʃwɐsi'nadu] *n.m.* ⟨*pl.* abaixo-assinados⟩ documento assinado por várias pessoas para protestar ou para exigir alguma coisa

abajur (a.ba.jur) [ɐba'ʒur] *n.m.* peça de candeeiro que serve para reduzir a intensidade da luz

abalado (a.ba.la.do) [ɐbɐ'ladu] *adj.* **1** que não está firme ou seguro: *A estrutura ficou abalada depois do terramoto.* **SIN.** instável **2** *fig.* que sofreu um choque ou uma comoção: *Ele ficou abalado com a notícia.* **SIN.** perturbado

abalar (a.ba.lar) [ɐbɐ'lar] *v.* **1** fazer tremer; sacudir: *abalar um edifício* **2** *fig.* causar choque ou comoção: *A notícia abalou-a muito.* **SIN.** perturbar

abalizado (a.ba.li.za.do) [ɐbɐli'zadu] *adj.* que tem muita competência: *Eles consultaram pessoas abalizadas na matéria.* **SIN.** competente

abalo (a.ba.lo) [ɐ'balu] *n.m.* **1** estremecimento; trepidação **2** *fig.* perturbação emocional; choque: *Sentiu um abalo ao ver a destruição das suas culturas.* ◆ **abalo de terra** terramoto, sismo

abalroamento (a.bal.ro:a.men.to) [ɐbałʀwɐ'mẽtu] *n.m.* choque (de embarcações ou veículos); colisão

abalroar (a.bal.ro:ar) [ɐbał'ʀwar] *v.* **1** ir (barco, automóvel) de encontro a um obstáculo: *O petroleiro abalroou o veleiro.* **2** *coloq.* ir (uma pessoa) de encontro a (outra): *Eu abalroei o João.*

aban (a.ban) [ɐ'bɐn] *adv.* [TIM.] amanhã

abanador (a.ba.na.dor) [ɐbɐnɐ'dor] *n.m.* objeto de palha com cabo de madeira que serve para atear o lume

abananado (a.ba.na.na.do) [ɐbɐnɐ'nadu] *adj. fig.* desorientado; espantado: *Até fiquei meio abananado depois do que me contaram.*

abanão (a.ba.não) [ɐbɐ'nɐ̃w̃] *n.m.* **1** movimento rápido ou brusco: *dar um abanão a alguém* **SIN.** safanão **2** reação emocional muito forte **SIN.** abalo; choque

abanar (a.ba.nar) [ɐbɐ'nar] *v.* **1** agitar o ar com abanador ou com leque: *É preciso abanar o fogo.* **2** deslocar ou agitar de um lado para o outro: *O cão abanou a cauda.* **SIN.** sacudir **3** tremer; oscilar: *A casa abanou durante o sismo.*

abanat (a.ba.nat) [ɐbɐ'nat] *n.m.* [TIM.] feitiço para conquistar alguém; maninga

abancar (a.ban.car) [ɐbɐ̃'kar] *v.* **1** ⟨**+à**⟩ *coloq.* sentar-se: *Abancou à mesa e começou a comer.* **2** ⟨**+em**⟩ *coloq.* ficar: *Abancou em casa dos pais.*

abandalhar (a.ban.da.lhar) [ɐbɐ̃dɐ'ʎar] *v.* **1** fazer perder a dignidade; aviltar: *As más companhias abandalharam-no.* **2** descuidar; descurar: *abandalhar o serviço*

abandonado (a.ban.do.na.do) [ɐbɐ̃du'nadu] *adj.* **1** diz-se do lugar onde não há pessoas nem atividade: *A casa está abandonada.* **2** que não recebe atenção ou que não tem companhia: *Sentiu-se abandonado pelos seus amigos.*

abandonar (a.ban.do.nar) [ɐbɐ̃du'nar] *v.* **1** não cuidar de (alguém ou alguma coisa): *A mãe abandonou o filho.* **2** deixar (um lugar, uma atividade) temporária ou eternamente: *Ele abandonou a escola.* **SIN.** sair ■ **abandonar-se** ⟨**+a**⟩ deixar-se vencer por: *Abandonou-se ao desespero.* **SIN.** entregar-se

abandono (a.ban.do.no) [ɐbɐ̃'donu] *n.m.* **1** ato de deixar de cuidar de alguém ou de alguma coisa: *É proibido o abandono de animais.* **2** partida definitiva de um lugar: *Foi acusado de abandono do domicílio conjugal.* ◆ **ao abandono** sem proteção

abanico (a.ba.ni.co) [ɐbɐ'niku] *n.m.* ⇒ **leque**

abarbatar (a.bar.ba.tar) [ɐbɐrbɐ'tar] *v.* **1** *coloq.* surripiar; roubar: *Abarbataram a minha saca.* **2** *coloq.* conseguir obter: *Abarbatou o prémio.*

abarcar (a.bar.car) [ɐbɐr'kar] *v.* **1** incluir; conter: *A conferência abarcou vários assuntos.* **2** alcançar com a vista: *Do cimo do monte, abarcamos toda a povoação.*

abarrotado (a.bar.ro.ta.do) [ɐbɐʀu'tadu] *adj.* **1** cheio; superlotado: *A mala do carro está completamente abarrotada.* **2** *fig.* empanturrado; farto

abarrotar (a.bar.ro.tar) [ɐbɐʀu'tar] *v.* encher em demasia: *Abarrotou o armário com roupa.* ◆ **a abarrotar** completamente cheio: *O cinema estava a abarrotar.*

abastado (a.bas.ta.do) [ɐbɐʃ'tadu] *adj.* **1** que tem muito dinheiro ou muitos bens **SIN.** rico **2** que tem em abundância **SIN.** abundante

abastecedor (a.bas.te.ce.dor) [ɐbɐʃt(ə)sə'dor] *adj.,n.m.* fornecedor: *O mercado abastecedor abre às 7h da manhã.*

abastecer(-se) (a.bas.te.cer(-se)) [ɐbɐʃtə'ser(sə)] *v.* ⟨**+de**⟩ prover(-se) do necessário: *abastecer o mercado; abastecer de provisões*

abastecido (a.bas.te.ci.do) [ɐbɐʃt(ə)'sidu] *adj.* que tem aquilo que é necessário

abastecimento (a.bas.te.ci.men.to) [ɐbɐʃt(ə)si'mẽtu] *n.m.* **1** ação de fornecer provisões **SIN.** fornecimento **2** sistema de distribuição de eletricidade ou água potável para as populações

abate (a.ba.te) [ɐ'bat(ə)] *n.m.* **1** corte (de árvores) **2** matança (de animais) **3** (preço, valor) redução

abater (a.ba.ter) [ɐbɐ'ter] *v.* **1** fazer cair; derrubar: *Ele abateu dois pinheiros.* **2** matar (animais): *Tiveram de abater o cão doente.* **3** ir abaixo: *A morte do marido abateu-a profundamente.* **4** ⟨**+a**⟩ fazer diminuir (preço, valor): *Ele abateu 20€ ao valor total das compras.* **SIN.** descontar; reduzir ■ **abater-se** ⟨**+sobre**⟩ cair com força; atingir com violência: *Uma forte tempestade abateu-se sobre a cidade.*

abatido (a.ba.ti.do) [ɐbɐ'tidu] *adj.* **1** que foi deitado abaixo; caído **2** diz-se do animal que foi morto **3** diz-se da pessoa que está desanimada

abatimento (a.ba.ti.men.to) [ɐbɐti'mẽtu] *n.m.* **1** ato de abater ou fazer cair **2** diminuição de preço: *Ele fez-me um abatimento ao preço do casaco.* **SIN.** desconto **3** perda de força ou de ânimo **SIN.** desânimo

abaular (a.bau.lar) [ɐbaw'lar] *v.* dar ou adquirir forma curva: *O peso das garrafas abaulou a prateleira.* **SIN.** arquear; curvar

abc (abc) [abe'se] *n.m.* **1** alfabeto **2** noções básicas de uma disciplina ou de uma arte **SIN.** rudimentos

abcesso (ab.ces.so) [ɐ'bsesu] *n.m.* acumulação de pus (num dente, por exemplo), causada por inflamação: *Ele está com um abcesso num dente.*

> Note-se que **abcesso** se escreve primeiro com um **c** e depois com dois **s**.

abcissa (ab.cis.sa) [ɐ'bsisɐ] *n.f.* primeira das coordenadas que define um ponto num plano ou espaço: *eixo da abcissa*

abdicação (ab.di.ca.ção) [ɐbdikɐ'sɐ̃w̃] *n.f.* **1** renúncia **2** desistência

abdicar **(ab.di.car)** [ɐbdi'kar] *v.* **1** ⟨**+de**⟩ renunciar a (cargo, função, poder, título): *Ele abdicou do cargo de presidente.* **2** ⟨**+em**⟩ ceder (poder) a outra pessoa: *Ele abdicou em favor do filho.* **3** ⟨**+de**⟩ desistir de: *Ele teve de abdicar de muita coisa.*

abdómen **(ab.dó.men)** [ɐ'bdɔmɛn] *n.m.* ⟨*pl.* abdómenes⟩ parte do corpo humano onde se encontram o estômago e os intestinos **SIN.** barriga; ventre

abdominal **(ab.do.mi.nal)** [ɐbdumi'naɫ] *adj.2g.* relativo ao abdómen: *Teve uma dor abdominal.* ■ *n.m.* cada um dos músculos localizados no abdómen ■ **abdominais** *n.m.pl.* exercícios para fortalecer os músculos do abdómen: *Tento fazer 30 abdominais por dia.*

á-bê-cê **(á-.bê-.cê)** [abe'se] *n.m.* ⟨*pl.* á-bê-cês⟩ ⇒ **abc**

abecedário **(a.be.ce.dá.ri:o)** [abs'darju] *n.m.* conjunto das letras de uma língua colocadas por ordem alfabética **SIN.** alfabeto

abécula **(a.bé.cu.la)** [ɐ'bɛkulɐ] *n.f. coloq., pej.* pessoa desajeitada ou pouco inteligente

abeirar(-se) **(a.bei.rar(-se))** [ɐbɐj'rar(sə)] *v.* ⟨**+de**⟩ aproximar(-se); acercar(-se): *Abeirou o carro da porta. O João abeirou-se da namorada.*

abelha **(a.be.lha)** [ɐ'bɐ(j)ʎɐ] *n.f.* inseto voador que pode picar, vive em enxames e produz cera e mel

Um conjunto de abelhas forma um **enxame**.

abelha-mestra **(a.be.lha-.mes.tra)** [ɐbɐ(j)ʎɐ'mɛʃtrɐ] *n.f.* ⟨*pl.* abelhas-mestras⟩ abelha que põe os ovos **SIN.** rainha

abelhão **(a.be.lhão)** [ɐb(ə)'ʎɐ̃w̃] *n.m.* macho da abelha, que não produz mel **SIN.** zângão

abençoado **(a.ben.ço:a.do)** [ɐbẽ'swadu] *adj.* **1** que recebeu bênção **2** *fig.* que é feliz ou bem-sucedido: *É um dia abençoado.*

abençoar **(a.ben.ço:ar)** [ɐbẽ'swar] *v.* **1** dar bênção a: *Que Deus te abençoe!* **SIN.** benzer **2** *fig.* proteger; favorecer

aberração **(a.ber.ra.ção)** [ɐbəʀɐ'sɐ̃w̃] *n.f.* **1** desvio em relação à norma **2** defeito de uma forma da natureza **SIN.** distorção; deformação **3** desvio da lógica ou do bom senso: *O que tu estás a dizer é uma aberração!* **SIN.** disparate; absurdo ♦ **aberração da natureza** fenómeno natural que se apresenta sob forma desconhecida ou incompreensível

aberta **(a.ber.ta)** [ɐ'bɛrtɐ] *n.f.* **1** buraco ou abertura numa superfície **2** interrupção da chuva ou da neblina **3** *fig.* ocasião favorável; oportunidade: *Assim que tive uma aberta, falei-lhe do problema.*

abertamente **(a.ber.ta.men.te)** [ɐbɛrtɐ'mẽt(ə)] *adv.* **1** com franqueza; sem rodeios: *Ele falou abertamente dos seus problemas.* **2** de modo claro; claramente: *Esta decisão ofende abertamente os princípios éticos.*

aberto **(a.ber.to)** [ɐ'bɛrtu] *adj.* **1** que não está fechado: *A porta está aberta.* **ANT.** fechado **2** diz-se do espaço que não tem cobertura **3** diz-se da flor que desabrochou **4** diz-se do céu sem nuvens ♦ **em aberto** por decidir ou resolver

abertura **(a.ber.tu.ra)** [ɐbər'turɐ] *n.f.* **1** buraco ou fenda numa superfície **2** início de uma atividade, de um espetáculo ou de um trabalho **3** inauguração de um espaço, de uma loja, ponte, etc.

abeto **(a.be.to)** [ɐ'betu] *n.m.* árvore alta e de folha persistente, cuja madeira é utilizada em marcenaria e no fabrico de papel

abismado **(a.bis.ma.do)** [ɐbiʒ'madu] *adj.* muito admirado: *Ele ficou abismado com a notícia.* **SIN.** espantado

abismal **(a.bis.mal)** [ɐbiʒ'maɫ] *adj.2g.* **1** relativo a abismo **2** *fig.* que é imenso; colossal: *Existe uma diferença abismal entre eles.* **3** *fig.* que causa pavor; assustador

abismo **(a.bis.mo)** [ɐ'biʒmu] *n.m.* **1** buraco profundo numa rocha; precipício **2** *fig.* diferença ou distância entre pessoas ou coisas ♦ **à beira do abismo** **1** (pessoa) desesperado **2** (instituição, empresa) à beira da ruína

abissal **(a.bis.sal)** [ɐbi'saɫ] *adj.2g.* **1** relativo a abismo **2** *fig.* que é enorme; imenso

abjeção **(ab.je.ção)**[AO] [ɐbʒɛ'sɐ̃w̃] *n.f.* degradação

abjecção **(ab.jec.ção)** [ɐbʒɛ'sɐ̃w̃] *a nova grafia é* **abjeção**[AO]

abjecto **(ab.jec.to)** [ɐ'bʒɛtu] *a nova grafia é* **abjeto**[AO]

abjeto **(ab.je.to)**[AO] [ɐ'bʒɛtu] *adj.* desprezível; ignóbil

ablação **(a.bla.ção)** [ɐbla'sɐ̃w̃] *n.f.* operação cirúrgica para extrair parte do corpo, órgão ou tumor

ablativo **(a.bla.ti.vo)** [ɐblɐ'tivu] *n.m.* caso que, nas línguas declináveis, exprime geralmente as funções de complementos circunstanciais, como de lugar, tempo, meio, companhia, etc.; **ablativo absoluto** oração subordinada, cujo sujeito está no caso ablativo e o predicado é um particípio que concorda com o sujeito

abnegação **(ab.ne.ga.ção)** [ɐbnəgɐ'sɐ̃w̃] *n.f.* **1** sacrifício dos próprios desejos ou interesses; desprendimento **2** dedicação total; altruísmo

abnegar-se **(ab.ne.gar-.se)** [ɐbnə'garse(ə)] *v.* renunciar aos próprios desejos ou interesses, sacrificando-se em favor de uma pessoa, causa ou ideal

aboamado **(a.bo:a.ma.do)** [abwɐ'madu] *adj.* [ANG.] absorto; admirado

abóbada (a.bó.ba.da) [ɐ'bɔbɐdɐ] *n.f.* teto em forma de arco ◆ **abóbada celeste** céu

abóbora (a.bó.bo.ra) [ɐ'bɔburɐ] *n.f.* fruto da aboboreira, com polpa comestível de cor alaranjada; cabaça

aboboreira (a.bo.bo.rei.ra) [ɐbubu'rɐjrɐ] *n.f.* planta rasteira que produz abóboras; cabaceira

abolição (a.bo.li.ção) [ɐbuli'sɐ̃w̃] *n.f.* desaparecimento total

abolicionismo (a.bo.li.ci:o.nis.mo) [ɐbulisju'niʒmu] *n.m.* doutrina que defendia a abolição da escravatura negra

abolicionista (a.bo.li.ci:o.nis.ta) [ɐbulisju'niʃtɐ] *adj.2g.* relativo a abolição ou a abolicionismo ■ *n.2g.* pessoa que defende o abolicionismo

abolido (a.bo.li.do) [abu'lidu] *adj.* que foi eliminado; que deixou de existir

abolir (a.bo.lir) [ɐbu'lir] *v.* acabar com; eliminar; extinguir: *abolir a pena de morte*

abominado (a.bo.mi.na.do) [ɐbumi'nadu] *adj.* que é detestado; odiado

abominar (a.bo.mi.nar) [ɐbumi'nar] *v.* odiar; detestar: *ele abominava aquela mulher*

abominável (a.bo.mi.ná.vel) [ɐbumi'navɛɫ] *adj.2g.* horrível

abonação (a.bo.na.ção) [ɐbunɐ'sɐ̃w̃] *n.f.* 1 ato ou efeito de abonar 2 documento, palavra ou ato por meio do qual se assegura uma obrigação, um compromisso, ou uma intenção; fiança; caução 3 expressão ou frase, geralmente de autor consagrado, utilizada para exemplificar o emprego de uma palavra ou de uma construção; citação

abonar (a.bo.nar) [ɐbu'nar] *v.* 1 assegurar; garantir: *abonar a qualidade do serviço* 2 servir como prova de: *As suas ações abonam a sua fama de especialista.* 3 dar ou emprestar (dinheiro): *Abonaram-lhe metade do salário.* 4 justificar, através de citação, a existência e uso de um dado vocábulo: *abonar o uso de uma palavra*

abono (a.bo.no) [ɐ'bonu] *n.m.* 1 ajuda financeira; subsídio 2 fiança; garantia 3 quantia paga como adiantamento de vencimentos, honorários, etc.; adiantamento (de dinheiro) 4 *fig.* elogio; louvor ◆ **abono de família** determinada quantia que os funcionários recebem mensalmente do Estado ou de empresas particulares por cada filho, até certa idade, ou por pessoa de família a seu cargo; **em abono da verdade** na realidade; de facto

abordagem (a.bor.da.gem) [ɐbur'daʒɐ̃j̃] *n.f.* 1 aproximação de um navio ao cais 2 primeiro contacto com um assunto 3 modo de encarar alguma coisa; ponto de vista

abordar (a.bor.dar) [ɐbur'dar] *v.* 1 aproximar-se de alguém, falando-lhe 2 tratar ligeiramente (um assunto)

aborígene (a.bo.rí.ge.ne) [ɐbu'riʒən(ə)] *n.2g.* pessoa que é natural de uma região ou de um país SIN. indígena

aborrecer (a.bor.re.cer) [ɐbuʀə'ser] *v.* 1 causar aborrecimento; maçar: *Não me aborreças que eu agora estou a trabalhar.* 2 irritar; enervar: *Para de me aborrecer!* ■ **aborrecer-se** 1 ⟨+com, +de⟩ sentir-se aborrecido ou incomodado: *Ele aborreceu-se com a espera.* 2 ⟨+de⟩ cansar-se: *Ele aborreceu-se de tanto discutir.* 3 ⟨+com, +de⟩ zangar-se: *Eu aborreci-me com ele.*

aborrecido (a.bor.re.ci.do) [ɐbuʀə'sidu] *adj.* 1 que aborrece; maçador ANT. divertido 2 irritado; zangado

aborrecimento (a.bor.re.ci.men.to) [ɐbuʀəsi'mẽtu] *n.m.* 1 sentimento de tédio ou de mal-estar 2 coisa ou situação que aborrece

abortar (a.bor.tar) [ɐbur'tar] *v.* 1 expulsar o feto do útero, de forma natural ou por meios artificiais, antes de completar o tempo de gestação que lhe permita sobreviver 2 cancelar (comando, programa) antes da sua conclusão normal 3 *fig.* falhar; frustrar (missão, plano)

aborto (a.bor.to) [ɐ'bortu] *n.m.* 1 expulsão do feto do útero, de forma espontânea ou provocada, antes de completar o seu desenvolvimento: *Ela teve um aborto.* 2 *fig., pej.* pessoa disforme; monstro 3 *fig., pej.* anormalidade; anomalia

abotoar (a.bo.to:ar) [ɐbu'twar] *v.* fechar (peça de roupa) com botões ANT. desabotoar

abracadabra (a.bra.ca.da.bra) [abrɐkɐ'dabrɐ] *n.m.* palavra mágica à qual se atribuía determinados poderes

abraçado (a.bra.ça.do) [ɐbrɐ'sadu] *adj.* **1** cingido com os braços **2** *fig.* cercado; rodeado **3** *fig.* seguido; adotado

abraçar (a.bra.çar) [ɐbrɐ'sar] *v.* **1** envolver (alguém) com os braços: *Ela abraçou a criança.* **2** *fig.* aderir a (crença, ideia): *abraçar uma causa* **3** *fig.* dedicar-se a (causa, profissão): *abraçar a profissão de médico* ■ **abraçar-se 1** ⟨+a⟩ envolver (alguém) com os braços: *Abraçaram-se um ao outro.* **2** dar um abraço

abraço (a.bra.ço) [ɐ'brasu] *n.m.* ato de apertar alguém entre os braços em sinal de afeto, amizade, etc.: *Ele deu-me um abraço.*

abrandamento (a.bran.da.men.to) [ɐbrɐ̃dɐ'mẽtu] *n.m.* **1** diminuição da força ou da intensidade de (chuva, dor, sentimento etc.) **2** redução da velocidade ou da temperatura

abrandar (a.bran.dar) [ɐbrɐ̃'dar] *v.* **1** diminuir a intensidade de **2** diminuir de intensidade (chuva, dor, vento) **3** reduzir a velocidade (automóvel)

abrangência (a.bran.gên.ci:a) [ɐbrɐ̃'ʒẽsjɐ] *n.f.* **1** qualidade do que é abrangente **2** alcance; extensão

abrangente (a.bran.gen.te) [ɐbrɐ̃'ʒẽt(ə)] *adj.2g.* que se aplica a vários casos SIN. amplo; vasto

abranger (a.bran.ger) [ɐbrɐ̃'ʒer] *v.* **1** incluir; conter: *Este império abrangia grande parte da Europa.* **2** (assunto, tema) cobrir; abordar: *O estudo dele abrangia muitas matérias.* **3** aplicar-se a: *As novas regras abrangem todos os trabalhadores.*

abre-cartas (a.bre-.car.tas) [abʀə'kartɐʃ] *n.m.2n.* espátula com lâmina para abrir envelopes

abre-garrafas (a.bre-.gar.ra.fas) [abrə'gɐ'ʀafɐʃ] *n.m.2n.* utensílio próprio para tirar cápsulas de garrafas

abre-latas (a.bre-.la.tas) [abrə'latɐʃ] *n.m.2n.* utensílio cortante que serve para abrir latas de conserva

abrev. *abreviatura de* abreviatura

abreviação (a.bre.vi:a.ção) [ɐbrəvjɐ'sɐ̃w] *n.f.* **1** redução no tempo ou no espaço **2** forma reduzida de uma palavra SIN. abreviatura

abreviado (a.bre.vi:a.do) [ɐbrə'vjadu] *adj.* **1** resumido **2** conciso **3** que ocorreu antes da data prevista SIN. antecipado

abreviar (a.bre.vi:ar) [ɐbrə'vjar] *v.* **1** reduzir no tempo ou no espaço: *Teve de abreviar as férias.* SIN. encurtar **2** condensar em poucas palavras: *abreviar uma tese de doutoramento* SIN. resumir **3** fazer com que se realize mais cedo: *abreviar uma viagem* SIN. antecipar **4** criar uma abreviatura: *Abrevie o seu nome.*

abreviatura (a.bre.vi:a.tu.ra) [ɐbrəvjɐ'turɐ] *n.f.* letra ou grupo de letras seguidas de ponto que representam uma palavra inteira (por exemplo, *p.* e *pág.* são abreviaturas de *página*)

abrigado (a.bri.ga.do) [ɐbri'gadu] *adj.* protegido de uma ameaça, da chuva ou do frio

abrigar (a.bri.gar) [ɐbri'gar] *v.* **1** ⟨+em⟩ dar abrigo: *Abrigou os jovens em sua casa.* **2** ⟨+de⟩ proteger (de ameaça, chuva, frio): *Um barraco abrigou-os da tempestade.* ■ **abrigar-se** ⟨+em⟩ proteger-se; resguardar-se: *abrigar-se do vento*

abrigo (a.bri.go) [ɐ'brigu] *n.m.* **1** local que serve para abrigar **2** proteção contra o mau tempo ou contra uma ameaça ◆ **ao abrigo de** a salvo de; protegido contra

abril (a.bril)[AO] [ɐ'bril] *n.m.* quarto mês do ano

A saber que, no dia **25 de abril**, celebra-se a Revolução dos Cravos de 1974. Dirigida pelo Movimento das Forças Armadas, essa revolução derrubou, sem utilizar a força e sem causar vítimas, o Estado Novo, um regime político ditatorial que tinha sido instituído por Oliveira Salazar, dando então início à democracia em Portugal.

---

abrir (a.brir) [ɐ'brir] *v.* **1** descerrar: *Abre a janela.* ANT. fechar **2** retirar a tampa de (embalagem, garrafa): *abrir uma garrafa* ANT. fechar **3** dar início a (atividade, espetáculo): *abrir os festejos; o evento abriu com um discurso* **4** desabrochar (a flor) **5** ligar (aquecimento) ANT. desligar **6** acender (luz) ANT. apagar; desligar **7** desembrulhar (embalagem) ANT. embrulhar **8** desabotoar (peça de roupa) ANT. abotoar; apertar **9** *coloq.* ficar verde (semáforo) **10** [MOÇ.] ir-se embora; fugir ■ **abrir-se 1** ⟨+com⟩ desabafar **2** ⟨+a⟩ mostrar recetividade a ◆ **num abrir e fechar de olhos** num instante, rapidamente

abrótea (a.bró.te:a) [ɐ'brɔtjɐ] *n.f.* peixe semelhante ao bacalhau, comum nos mares frios e temperados

abrupto (a.brup.to) [ɐ'bruptu] *adj.* **1** (terreno) íngreme **2** (facto) inesperado **3** (pessoa) rude

ABS [abe'ɛs] *n. m.* sistema de antibloqueio das rodas de um automóvel OBS. Sigla de *anti-lock braking system*

absentismo (ab.sen.tis.mo) [ɐbsẽ'tiʒmu] *n.m.* **1** ausência sistemática (do local de trabalho, da escola) **2** decisão de não votar

abside (ab.si.de) [ɐ'bsid(ə)] *n.f.* construção semicircular ou arqueada, na nave principal junto ao altar-mor

absinto (ab.sin.to) [ɐ'bsĩtu] *n.m.* **1** planta aromática cujas folhas têm um sabor amargo **2** bebida alcoólica feita com essas folhas

absolutamente **(ab.so.lu.ta.men.te)** [ɐbsulutɐ'mẽt(ə)] *adv.* inteiramente; totalmente: *É absolutamente verdade.* ♦ **absolutamente!** de modo nenhum!

absolutismo **(ab.so.lu.tis.mo)** [ɐbsulu'tiʒmu] *n.m.* sistema político em que quem governa tem todos os poderes **SIN.** despotismo

absolutista **(ab.so.lu.tis.ta)** [ɐbsulu'tiʃtɐ] *adj.2g.* relativo ao absolutismo ■ *adj.,n.2g.* partidário do absolutismo

absoluto **(ab.so.lu.to)** [ɐbsu'lutu] *adj.* **1** que não depende de nada; independente **2** que não tem limites; total **3** diz-se do sistema político em que um chefe tem todo o poder ♦ **em absoluto 1** de modo nenhum **2** inteiramente

absolver **(ab.sol.ver)** [ɐbsoɫ'ver] *v.* **1** ⟨**+de**⟩ declarar inocente e isento de culpa: *A comissão absolveu-o de qualquer culpa.* **2** ⟨**+de**⟩ conceder perdão a (alguém): *O padre absolveu o homem da falta cometida.* **SIN.** perdoar

absolvição **(ab.sol.vi.ção)** [ɐbsoɫvi'sɐ̃w̃] *n.f.* **1** sentença que declara o réu isento de culpa **2** perdão de pecados e culpas

absolvido **(ab.sol.vi.do)** [ɐbsoɫ'vidu] *adj.* **1** que foi declarado inocente e isento de pena **2** perdoado de pecados e culpas

absorção **(ab.sor.ção)** [ɐbsɔr'sɐ̃w̃] *n.f.* **1** ato ou efeito de absorver **2** passagem dos alimentos ingeridos para o sangue

absorto **(ab.sor.to)** [ɐ'bsortu] *adj.* concentrado nos próprios pensamentos: *Ele estava absorto no trabalho.* **SIN.** distraído; alheado

absorvente **(ab.sor.ven.te)** [ɐbsor'vẽt(ə)] *adj.2g.* **1** que absorve **2** *fig.* que atrai ou cativa

absorver **(ab.sor.ver)** [ɐbsor'ver] *v.* **1** recolher e reter em si uma substância (líquido, pó, etc.) **SIN.** encher-se de **2** puxar para dentro **SIN.** aspirar; sorver **3** assimilar (conhecimentos, cultura) **4** gastar; consumir (tempo, energia)

absorvido **(ab.sor.vi.do)** [ɐbsor'vidu] *adj.* **1** embebido (líquido) **2** inalado; aspirado (gás, pó) **3** diz-se da pessoa que está concentrada nos próprios pensamentos

abstemia **(abs.te.mi.a)** [ɐbʃtə'miɐ] *n.f.* **1** privação da ingestão de bebidas alcoólicas; abstinência **2** sobriedade; moderação

abstémio **(abs.té.mi:o)** [ɐbʃ'tɛmju] *adj.,n.m.* que ou pessoa que não ingere bebidas alcoólicas

abstenção **(abs.ten.ção)** [ɐbʃtẽ'sɐ̃w̃] *n.f.* recusa voluntária em votar ou em participar em

abster-se **(abs.ter-.se)** [ɐbʃ'ters(ə)] *v.* **1** ⟨**+de**⟩ não fazer (algo): *Absteve-se de comentar.* **2** ⟨**+de**⟩ não votar **3** ⟨**+de**⟩ privar-se: *Decidiu abster-se do álcool.*

abstinência **(abs.ti.nên.ci:a)** [ɐbʃti'nẽsjɐ] *n.f.* **1** privação voluntária da satisfação de uma necessidade ou de um desejo **2** privação voluntária ou forçada de certos comportamentos (alimentares, sexuais) ou de certas substâncias (álcool, droga)

abstração **(abs.tra.ção)**[AO] [ɐbʃtra'sɐ̃w̃] *n.f.* **1** ideia ou pensamento sobre determinada coisa **2** processo de formação de ideias a partir de coisas concretas

abstracção **(abs.trac.ção)** [ɐbʃtra'sɐ̃w̃] *a nova grafia é* **abstração**[AO]

abstract [abʃ'trakt] *n.m.* resumo dos pontos principais de um artigo, de uma tese, conferência, etc. **SIN.** sinopse

abstracto **(abs.trac.to)** [ɐbʃ'tratu] *a nova grafia é* **abstrato**[AO]

abstrair **(abs.tra.ir)** [ɐbʃtrɐ'ir] *v.* considerar separadamente: *abstrair a forma da matéria* ■ **abstrair-se 1** ⟨**+de**⟩ não pensar; alhear-se: *abstrair-se dos problemas* **2** ⟨**+em**⟩ concentrar-se; absorver-se: *abstrair-se na leitura de uma revista*

abstrato **(abs.tra.to)**[AO] [ɐbʃ'tratu] *adj.* **1** que não é concreto; que não se pode tocar **2** diz-se do nome que designa ações, estados, qualidades ou sentimentos **ANT.** concreto ♦ **em abstrato** sem referência à realidade

absurdo **(ab.sur.do)** [ɐ'bsurdu] *adj.* que se opõe à razão e ao bom senso **SIN.** disparatado ■ *n.m.* aquilo que é contrário à razão **SIN.** disparate

abundância **(a.bun.dân.ci:a)** [ɐbũ'dɐ̃sjɐ] *n.f.* grande quantidade; fartura **ANT.** escassez ♦ **em abundância** em grande quantidade

abundante **(a.bun.dan.te)** [ɐbũ'dɐ̃t(ə)] *adj.2g.* **1** que existe em muita quantidade: *É um terreno abundante em água.* **SIN.** farto **ANT.** escasso **2** (verbo) que tem duas ou mais formas equivalentes, como as do particípio passado (por exemplo: *matado* e *morto*)

abundar **(a.bun.dar)** [ɐbũ'dar] *v.* ⟨**+em**⟩ existir ou ter em grande quantidade: *Os rios abundam em trutas. Os erros abundam.* **ANT.** escassear

aburguesado **(a.bur.gue.sa.do)** [ɐburgə'zadu] *adj.* que adquiriu hábitos e/ou modos de burguês

abusado **(a.bu.sa.do)** [ɐbu'zadu] *adj.* **1** que foi vítima de abuso **2** atrevido; ousado

abusador **(a.bu.sa.dor)** [ɐbuzɐ'dor] *adj.,n.m.* que ou o que abusa

abusar **(a.bu.sar)** [ɐbu'zar] *v.* **1** ⟨**+de**⟩ usar de maneira incorreta: *abusar da máquina* **2** ⟨**+de**⟩ usar em excesso: *abusar do álcool* **3** ⟨**+de**⟩ aproveitar-se de (algo, alguém): *abusar dos trabalhadores* **4** ⟨**+de**⟩ forçar ou maltratar sexualmente

abusivo **(a.bu.si.vo)** [ɐbu'zivu] *adj.* **1** excessivo: *preços abusivos* **2** impróprio

abuso **(a.bu.so)** [ɐ'buzu] *n.m.* **1** mau uso ou uso impróprio **2** falta de comedimento **SIN.** exagero; excesso **3** ato de usar a confiança ou amizade de alguém para obter alguma coisa para si próprio; **abuso sexual** prática de atos sexuais com alguém contra a sua vontade

abutre **(a.bu.tre)** [ɐ'butr(ə)] *n.m.* ave de rapina diurna, grande, sem pelo na cabeça e no pescoço, que se alimenta de animais mortos

a/c *abreviatura de* ao cuidado de

a.C. *abreviatura de* antes de Cristo

acabado **(a.ca.ba.do)** [ɐkɐ'badu] *adj.* **1** concluído; terminado **2** gasto pelo tempo ou pela idade **SIN.** envelhecido

acabamento **(a.ca.ba.men.to)** [ɐkɐbɐ'mẽtu] *n.m.* **1** ato ou efeito de acabar; fim **2** trabalho final para completar ou aperfeiçoar algo; retoque

acabar **(a.ca.bar)** [ɐkɐ'bar] *v.* **1** ⟨**+com**⟩ concluir; terminar: *O João acabou o trabalho. O professor acabou com a confusão.* **ANT.** começar **2** ⟨**+em**⟩ chegar ao fim: *A festa acabou.* **3** ⟨**+com**⟩ matar: *Acabei com as formigas.* **4** ⟨**+com**⟩ destruir: *O escândalo acabou com a carreira política dele.* **5** ⟨**+com**⟩ *coloq.* terminar (relação amorosa): *Eles acabaram o namoro. A Maria acabou com o João.* **6** ⟨**+de** [+ *inf.*]⟩ indica fim de uma ação muito recente: *Acabei de chegar.* **7** ⟨**+por** [+ *inf.*]⟩ chegar a um determinado resultado: *Acabamos por comprar um carro.* ■ **acabar-se** **1** chegar ao fim: *Acabou-se o espetáculo.* **2** ser consumido: *Acabou-se o leite.* **SIN.** esgotar-se ◆ **acabou-se!** exclamação que se usa quando se quer pôr fim a algo que desagrada

acabrunhado **(a.ca.bru.nha.do)** [ɐkɐbru'ɲadu] *adj.* **1** com falta de ânimo; abatido **2** que foi humilhado; vexado

acabrunhar(-se) **(a.ca.bru.nhar(-se))** [ɐkɐbru'ɲar(sə)] *v.* **1** abater(-se); prostrar(-se) **2** humilhar(-se); envergonhar(-se)

acácia **(a.cá.ci:a)** [ɐ'kasjɐ] *n.f.* 👁 árvore que dá flores amarelas e perfumadas

academia **(a.ca.de.mi.a)** [ɐkɐdə'miɐ] *n.f.* **1** escola de ensino superior; faculdade **2** grupo de escritores, artistas ou cientistas que têm interesses comuns e se reúnem para trocar ideias; sociedade **3** local onde se ensinam e praticam várias atividades desportivas

académico **(a.ca.dé.mi.co)** [ɐkɐ'dɛmiku] *adj.* **1** relativo a academia **2** relativo a um estabelecimento de ensino superior ou aos seus alunos: *habilitações académicas* **3** que segue rigorosamente os modelos consagrados pela tradição ■ *n.m.* **1** membro de uma academia **2** pessoa que se dedica aos estudos de ensino superior

açafrão **(a.ça.frão)** [ɐsɐ'frɐ̃w̃] *n.m.* **1** planta de cuja flor se extrai um corante alaranjado **2** erva aromática usada como condimento

acagaçar(-se) **(a.ca.ga.çar(-se))** [ɐkɐgɐ'sar(sə)] *v. cal.* amedrontar(-se)

açaimar **(a.çai.mar)** [ɐsaj'mar] *v.* **1** pôr açaime; amordaçar **2** *fig.* fazer calar

açaime **(a.çai.me)** [ɐ'sajm(ə)] *n.m.* peça de couro ou metal que se põe no focinho dos animais para eles não morderem

acalmar **(a.cal.mar)** [ɐkaɫ'mar] *v.* tornar calmo; tranquilizar ■ **acalmar-se** ficar calmo; tranquilizar-se

acalmia **(a.cal.mi.a)** [ɐkaɫ'miɐ] *n.f.* **1** tempo sereno que sucede à chuva **2** período de calma que se segue a outro de agitação

acalorado **(a.ca.lo.ra.do)** [ɐkɐlu'radu] *adj.* **1** que sente muito calor **2** *fig.* entusiasmado; animado

acalorar(-se) **(a.ca.lo.rar(-se))** [ɐkɐlu'rar(sə)] *v.* **1** aquecer(-se) **2** *fig.* animar(-se)

acamado **(a.ca.ma.do)** [ɐkɐ'madu] *adj.* **1** deitado na cama; estendido **2** (pessoa) que está de cama, doente **3** disposto em camadas **4** alisado

acamar **(a.ca.mar)** [ɐkɐ'mar] *v.* **1** deitar **2** adoecer

açambarcar **(a.çam.bar.car)** [ɐsɐ̃bɐr'kar] *v.* **1** monopolizar **2** tomar posse de

acampamento **(a.cam.pa.men.to)** [ɐkɐ̃pɐ'mẽtu] *n.m.* **1** lugar onde se montam tendas para aí ficar durante algum tempo: *acampamento de férias* **2** parque de campismo ◆ **levantar acampamento** ir-se embora; partir

acampar **(a.cam.par)** [ɐkɐ̃'par] *v.* **1** ⟨**+em**⟩ montar e instalar-se em tenda num campo ou num parque de campismo: *O exército acampou no bosque.* **2** ⟨**+em**⟩ *fig.* instalar-se provisoriamente: *acampar no escritório*

acanhado **(a.ca.nha.do)** [ɐkɐ'ɲadu] *adj.* **1** diz-se do espaço que é pequeno; apertado **2** diz-se de quem é tímido; envergonhado

acanhamento **(a.ca.nha.men.to)** [ɐkɐɲɐ'mẽtu] *n.m.* timidez; vergonha

acanhar(-se) (a.ca.nhar(-se)) [ɐkɐ'ɲar(sə)] *v.* deixar ou ficar pouco à vontade **SIN.** envergonhar(-se)

ação (a.ção)[AO] [a'sɐ̃w̃] *n.f.* **1** maneira de agir; atuação: *entrar em ação* **2** aquilo que se faz; ato: *fazer uma boa ação* **3** efeito de uma coisa sobre outra; influência **4** sucessão de acontecimentos de uma narrativa, de um filme, etc.; enredo ♦ **ação de formação** curso ou sessão de atualização de conhecimentos profissionais

acariciar (a.ca.ri.ci:ar) [ɐkɐri'sjar] *v.* **1** fazer carícias ou festas (a alguém); afagar **2** passar a mão sobre (um tecido, uma superfície)

acarinhar (a.ca.ri.nhar) [ɐkɐri'ɲar] *v.* **1** tratar com carinho **2** fazer festas a

ácaro (á.ca.ro) ['akɐru] *n.m.* animal minúsculo, que vive na pele de certos animais e que pode transmitir doenças

acarretar (a.car.re.tar) [ɐkɐʀə'tar] *v.* **1** transportar: *Andou a manhã toda a acarretar lenha.* **2** ser causa de; causar: *acarretar dificuldades* **3** ⟨+com⟩ aguentar: *acarretar com as consequências*

acasalar (a.ca.sa.lar) [ɐkɐzɐ'lar] *v.* **1** ⟨+com⟩ juntar (macho e fêmea) para procriar **SIN.** cruzar **2** formar pares; emparelhar: *acasalar as meias*

acaso (a.ca.so) [ɐ'kazu] *n.m.* **1** conjunto de factos que não se podem prever; destino **2** acontecimento que não se esperava; casualidade ♦ **ao acaso** sem pensar; à toa; **por acaso** de modo inesperado

acastanhado (a.cas.ta.nha.do) [ɐkɐʃtɐ'ɲadu] *adj.* que tem cor semelhante ao castanho

acatar (a.ca.tar) [ɐkɐ'tar] *v.* **1** mostrar consideração por (alguém, algo) **SIN.** respeitar **2** obedecer (ordem, regulamento) **SIN.** cumprir

acautelado (a.cau.te.la.do) [ɐkawtə'ladu] *adj.* **1** prudente; precavido **2** prevenido; avisado

acautelar(-se) (a.cau.te.lar(-se)) [ɐkawtə'lar(sə)] *v.* **1** ⟨+de, +contra⟩ pôr(-se) de sobreaviso: *Acautelei-o do perigo. Acautele-se, não vá ser atropelado.* **SIN.** prevenir(-se) **2** tomar medidas para se proteger de possíveis danos ou perigos: *acautelar os interesses de alguém* **SIN.** resguardar(-se)

acção (ac.ção) [a'sɐ̃w̃] *a nova grafia é* **ação**[AO]

accionado (ac.ci:o.na.do) [asju'nadu] *a nova grafia é* **acionado**[AO]

accionar (ac.ci:o.nar) [asju'nar] *a nova grafia é* **acionar**[AO]

accionista (ac.ci:o.nis.ta) [asju'niʃtɐ] *a nova grafia é* **acionista**[AO]

aceção (a.ce.ção)[AO] [ɐsɛ'sɐ̃w̃] *n.f.* sentido de uma palavra ou frase de acordo com o contexto em que é usada (por exemplo, *rato* é um animal e um acessório do computador, portanto tem duas aceções diferentes) **SIN.** significado; sentido

aceder (a.ce.der) [ɐsə'der] *v.* **1** ⟨+a⟩ ter acesso a: *aceder ao edifício; aceder à internet* **2** ⟨+a⟩ concordar; consentir: *aceder a um pedido*

acéfalo (a.cé.fa.lo) [ɐ'sɛfɐlu] *adj.* **1** que não tem cabeça **2** *fig.* sem vontade própria; fraco

aceitação (a.cei.ta.ção) [ɐsɐjtɐ'sɐ̃w̃] *n.f.* **1** ato de receber aquilo que é oferecido **2** ato de concordar com algo **3** boa recetividade (do público)

aceitar (a.cei.tar) [ɐsɐj'tar] *v.* **1** receber (o que é dado ou oferecido): *Aceita uma bebida?* **2** concordar: *Ela aceitou falar-nos do seu passado.* **3** tolerar: *Não aceito esse tipo de linguagem.*

aceitável (a.cei.tá.vel) [ɐsɐj'tavɛɫ] *adj.2g.* **1** que se pode aceitar **SIN.** admissível **2** que está entre o bom e o mau **SIN.** razoável

aceite (a.cei.te) [ɐ'sɐjt(ə)] *adj.2g.* **1** que se aceitou **2** que é admitido ou aprovado

acelera (a.ce.le.ra) [ɐsə'lɛrɐ] *n.2g. coloq.* pessoa que conduz um veículo a grande velocidade

aceleração (a.ce.le.ra.ção) [ɐsələrɐ'sɐ̃w̃] *n.f.* **1** aumento de velocidade de um veículo **2** rapidez na execução de uma atividade ou de um trabalho **3** redução do tempo que dura alguma coisa (um processo, um tratamento, etc.)

acelerado (a.ce.le.ra.do) [ɐsələ'radu] *adj.* **1** diz-se do movimento que está mais rápido **2** diz-se da pessoa que tem muita pressa

acelerador (a.ce.le.ra.dor) [ɐsələrɐ'dor] *n.m.* **1** aquilo que acelera ou que aumenta a velocidade **2** pedal para aumentar a velocidade de um veículo

acelerar (a.ce.le.rar) [ɐsələ'rar] *v.* **1** aumentar a velocidade ou o movimento de **2** reduzir o tempo de; encurtar

acenar (a.ce.nar) [ɐsə'nar] *v.* fazer sinais com a cabeça ou com as mãos para chamar a atenção de alguém, mostrar algo, dizer adeus, etc.

acender (a.cen.der) [ɐsẽ'der] *v.* **1** pegar fogo a; fazer arder: *acender uma fogueira/um cigarro* **ANT.** apagar **2** pôr(-se) em funcionamento; ligar(-se): *acender a luz/os faróis; uma luz vermelha acendeu* **3** despertar (sentimento, desejo) **4** provocar (debate, discussão)

aceno (a.ce.no) [ɐ'senu] *n.m.* sinal que se faz com a cabeça ou com as mãos **SIN.** gesto

acento (a.cen.to) [ɐ'sẽtu] *n.m.* **1** maior força ou intensidade com que se pronuncia uma sílaba de uma palavra **2** sinal que se coloca sobre uma vogal para indicar a sílaba tónica ou o modo de a pronunciar

> Não confundir **acento** (sinal ortográfico) com **assento** (lugar para sentar).

acentuação (a.cen.tu:a.ção) [ɐsẽtwɐ'sɐ̃w̃] *n.f.* 1 colocação de acentos gráficos nas palavras 2 pronúncia de uma sílaba com maior intensidade ou clareza do que as restantes da mesma palavra

acentuado (a.cen.tu:a.do) [ɐsẽ'twadu] *adj.* 1 que tem acento tónico ou gráfico 2 *fig.* que se destaca

acentuar (a.cen.tu:ar) [ɐsẽ'twar] *v.* 1 colocar acento gráfico ou tónico em: *Acentua o "o".* 2 *fig.* pôr em destaque; sublinhar: *acentuar a importância da informação* ■ **acentuar-se** 1 ter acento gráfico ou tónico em: *Esta palavra acentua-se na última sílaba.* 2 intensificar-se

acepção (a.cep.ção) [ɐsɛ'sɐ̃w̃] *a nova grafia é* **aceção**[AO]

acepipe (a.ce.pi.pe) [ɐsə'pip(ə)] *n.m.* 1 aperitivo 2 petisco

acerca de (a.cer.ca de) [a'serkɐ 'd(ə)] *loc.* a respeito de; sobre

---

Não confundir **acerca de** (que significa *a respeito de*) com **há cerca de** (que significa *há perto de*): *Eles falaram* ***acerca do*** *assunto. Vi-o* ***há cerca de*** *três dias.*

---

acercar(-se) (a.cer.car(-se)) [ɐsər'kar(sə)] *v.* ⟨+de⟩ aproximar(-se); abeirar(-se): *O João acercou-se da irmã.*

acérrimo (a.cér.ri.mo) [ɐ'sɛʀimu] ⟨*superl.* de acre⟩ *adj.* 1 muito azedo 2 persistente; obstinado

acertado (a.cer.ta.do) [ɐsər'tadu] *adj.* 1 bem dito ou bem feito 2 correto; certo

acertar (a.cer.tar) [ɐsər'tar] *v.* 1 ⟨+em⟩ atingir (alvo): *Acertou com a pedra na árvore.* ANT. errar 2 ⟨+em⟩ ter o resultado ou efeito esperado: *Acertamos em todas as questões.* 3 ⟨+com⟩ descobrir; encontrar: *acertar com o caminho; acertar com as causas do problema* 4 ajustar: *Ajustámos os pormenores da viagem.* 5 fazer ficar certo (relógio)

acerto (a.cer.to) [ɐ'sertu] *n.m.* 1 ato ou efeito de acertar 2 correção ◆ **acerto de contas** vingança

acervo (a.cer.vo) [ɐ'servu] *n.m.* 1 grande quantidade SIN. montão 2 conjunto de bens que integram um património

aceso (a.ce.so) [ɐ'sezu] *adj.* 1 que se acendeu (luz, fósforo) 2 que tem chama (lareira, vela)

acessibilidade (a.ces.si.bi.li.da.de) [ɐsəsibili'dad(ə)] *n.f.* 1 qualidade ou carácter do que é acessível 2 facilidade de acesso ou de aproximação a algo 3 [também no plural] conjunto das condições de acesso a serviços, equipamentos ou edifícios destinadas a pessoas com mobilidade reduzida ou com necessidades especiais

acessível (a.ces.sí.vel) [ɐsə'sivɛɫ] *adj.2g.* 1 que é fácil de atingir 2 que é fácil de entender 3 que tem um valor razoável

acesso (a.ces.so) [ɐ'sɛsu] *n.m.* 1 entrada 2 circulação; passagem 3 manifestação súbita

acessório (a.ces.só.ri:o) [ɐsə'sɔrju] *adj.* 1 que se junta a um elemento principal, complementando-o 2 que não é fundamental; secundário

acetato (a.ce.ta.to) [ɐsə'tatu] *n.m.* folha de plástico transparente que se usa no retroprojetor

acetinado (a.ce.ti.na.do) [ɐsəti'nadu] *adj.* 1 (tecido) semelhante a cetim; lustroso 2 (pele) suave; macio

acetona (a.ce.to.na) [ɐsə'tonɐ] *n.f.* líquido incolor, de cheiro forte, usado como dissolvente de verniz, cera, etc.

acha (a.cha) ['aʃɐ] *n.f.* pedaço de madeira para queimar ◆ **deitar achas na fogueira** piorar ainda mais uma situação

achacado (a.cha.ca.do) [ɐʃɐ'kadu] *adj.* adoentado

achado (a.cha.do) [ɐ'ʃadu] *adj.* encontrado; descoberto ■ *n.m.* 1 aquilo que se achou; descoberta: *achados arqueológicos* 2 *coloq.* coisa que se compra por um preço muito baixo SIN. pechincha ◆ **ser um achado** vir mesmo a calhar

achaque (a.cha.que) [ɐ'ʃak(ə)] *n.m.* doença ou sensação de mal-estar sem gravidade

achar (a.char) [ɐ'ʃar] *v.* 1 pensar; considerar: *Acho que ele está a ser sincero.* 2 encontrar; descobrir: *Ele achou um livro antigo no sótão.* 3 supor: *Acho que é o pai dele.*

achatado (a.cha.ta.do) [ɐʃɐ'tadu] *adj.* 1 plano; liso 2 amassado; amarrotado

achatar(-se) (a.cha.tar(-se)) [ɐʃɐ'tar(sə)] *v.* tornar(-se) chato ou plano SIN. aplanar(-se); alisar(-se)

achega (a.che.ga) [ɐ'ʃegɐ] *n.f.* 1 acrescento 2 ajuda

achigã (a.chi.gã) [ɐʃi'gɐ̃] *n.m.* peixe de água doce que se encontra geralmente no fundo arenoso dos rios e dos lagos

achincalhar (a.chin.ca.lhar) [ɐʃĩkɐ'ʎar] *v.* 1 ridicularizar 2 humilhar

achocolatado (a.cho.co.la.ta.do) [ɐʃukulɐ'tadu] *adj.* 1 semelhante a chocolate 2 que sabe a chocolate: *leite achocolatado*

acidentado (a.ci.den.ta.do) [ɐsidẽ'tadu] *adj.* diz-se de um terreno com altos e baixos ■ *n.m.* pessoa que sofreu um acidente SIN. ferido

acidental (a.ci.den.tal) [ɐsidẽ'taɫ] *adj.2g.* que acontece por acaso: *Foi um encontro acidental.* SIN. casual

acidente (a.ci.den.te) [ɐsi'dẽt(ə)] *n.m.* 1 acontecimento casual ou inesperado; acaso 2 acontecimento desagradável ou infeliz que causa dor ou morte; desastre: *Ele teve um acidente muito grave.* ◆ **acidente de viação** desastre que envolve veículos automóveis; **acidente de trabalho** lesão física ou doença que ocorre no exercício da atividade profissional, causando a perda, total ou parcial, permanente ou temporária, da capacidade de trabalho; *fig.* **acidente de percurso** facto imprevisto que interrompe a evolução normal de um fenómeno ou de um processo; **por acidente** por acaso

acidez (a.ci.dez) [ɐsi'deʃ] *n.f.* **1** qualidade do que é ácido **2** *fig.* mau humor; má vontade

ácido (á.ci.do) ['asidu] *adj.* que tem sabor azedo, como o do vinagre ▪ *n.m.* composto que contém um ou mais átomos de hidrogénio e que reage com uma base para formar um sal

acima (a.ci.ma) [ɐ'simɐ] *adv.* **1** em posição superior: *Ver tabela mais acima.* **ANT.** abaixo **2** em local mais elevado: *Fica um andar acima.* **3** em direção ascendente: *Corri pelas escadas acima.* ♦ **acima de** em lugar/situação superior a: *temperatura acima de zero; cultura acima da média*; **acima de tudo** sobretudo: *Ela foi, acima de tudo, uma boa colega.*

acinzentado (a.cin.zen.ta.do) [ɐsĩzẽ'tadu] *adj.* que tem cor semelhante a cinzento

acionado (a.ci:o.na.do)AO [asju'nadu] *adj.* **1** posto em movimento ou em funcionamento **2** ligado; ativado **3** levado a tribunal **SIN.** processado

acionar (a.ci:o.nar)AO [asju'nar] *v.* **1** pôr em funcionamento: *acionar o alarme* **SIN.** ligar **2** mover ação judicial contra alguém: *Acionou a empresa.* **SIN.** processar

acionista (a.ci:o.nis.ta)AO [asju'niʃtɐ] *n.2g.* pessoa que detém ações ▪ *adj.2g.* relativo a ação (título de crédito)

acirrar (a.cir.rar) [ɐsi'ʀar] *v.* **1** incitar (animal) para atacar: *Acirrou o cão contra o assaltante.* **2** irritar: *A discussão acirrou os espectadores.*

aclamação (a.cla.ma.ção) [ɐklɐmɐ'sɐ̃w̃] *n.f.* aplauso; ovação

aclamar (a.cla.mar) [ɐklɐ'mar] *v.* **1** aplaudir; saudar: *aclamar o vencedor* **2** proclamar; declarar: *Foi aclamado rei.* **3** eleger (alguém) para cargo ou função: *Aclamaram-no presidente.*

aclarar(-se) (a.cla.rar(-se)) [ɐklɐ'rar(sə)] *v.* **1** tornar(-se) claro **SIN.** iluminar(-se) **2** ficar mais claro **SIN.** esclarecer(-se)

aclimatação (a.cli.ma.ta.ção) [ɐklimɐtɐ'sɐ̃w̃] *n.f.* adaptação; habituação

aclimatar(-se) (a.cli.ma.tar(-se)) [ɐklimɐ'tar(sə)] *v.* **1** ⟨**+a**⟩ habituar(-se) a um clima diferente daquele em que se tem vivido **2** ⟨**+a**⟩ adaptar(-se) a um novo meio

acne (ac.ne) ['akn(ə)] *n.f.* afeção da pele causada pela inflamação das glândulas sebáceas

ACNUR [ak'nur(ə)] *sigla de* Alto-Comissariado das Nações Unidas para os Refugiados

aço (a.ço) ['asu] *n.m.* metal muito duro que se obtém a partir do ferro; **aço inoxidável** liga de ferro e crómio resistente à corrosão ♦ **de aço** que tem muita resistência

Não confundir **aço** (metal) com **asso** (forma do verbo *assar*): *O prego é de* **aço**. *No outono* **asso** *castanhas.*

acobardar(-se) (a.co.bar.dar(-se)) [ɐkubɐr'dar(sə)] *v.* **1** tornar(-se) cobarde **SIN.** amedrontar(-se) **2** tornar(-se) tímido **SIN.** intimidar(-se)

acocorar(-se) (a.co.co.rar(-se)) [ɐkuku'rar(sə)] *v.* pôr(-se) de cócoras **SIN.** agachar(-se)

açoitar (a.çoi.tar) [ɐsoj'tar] *v.* bater com açoite ou instrumento semelhante

açoite (a.çoi.te) [ɐ'sojt(ə)] *n.m.* **1** palmada **2** castigo

acolá (a.co.lá) [ɐku'la] *adv.* naquele lugar; ali; além: *Senta-te aqui que eu sento-me acolá.*

acolchoado (a.col.cho:a.do) [ɐkoɫ'ʃwadu] *adj.* que tem forro **SIN.** forrado

acolchoar (a.col.cho:ar) [ɐkoɫ'ʃwar] *v.* **1** estofar (objeto) **2** forrar (roupa)

acolhedor (a.co.lhe.dor) [ɐkuʎə'dor] *adj.* que oferece bom acolhimento

acolher (a.co.lher) [ɐku'ʎer] *v.* **1** oferecer refúgio ou proteção: *Acolheram um cão abandonado.* **2** dar hospitalidade; hospedar: *Acolhemos o João em nossa casa.* **3** reagir; receber: *Como é que acolheram a tua sugestão?*

acolhimento (a.co.lhi.men.to) [ɐkuʎi'mẽtu] *n.m.* **1** maneira de receber alguém ou algo: *A ideia teve bom acolhimento por parte do grupo.* **SIN.** receção **2** hospitalidade

acólito (a.có.li.to) [ɐ'kɔlitu] *n.m.* **1** na Igreja Católica, aquele que acompanha e auxilia o sacerdote no serviço religioso **2** *fig.* pessoa que acompanha ou auxilia outra; ajudante; assistente

acometer (a.co.me.ter) [ɐkumə'ter] *v.* atacar: *acometer o adversário; a tristeza acometeu-a*

acomodação (a.co.mo.da.ção) [ɐkumudɐ'sɐ̃w̃] *n.f.* **1** alojamento **2** adaptação **3** arrumação

acomodar (a.co.mo.dar) [ɐkumu'dar] *v.* **1** ⟨**+em**⟩ hospedar; alojar: *Acomodou os convidados no quarto.* **2** arrumar; dispor: *Acomodou as compras na dispensa.* ▪ **acomodar-se 1** ⟨**+a**⟩ adaptar-se: *Acomodou-se a viver naquela cidade.* **2** ⟨**+a**⟩ conformar-se: *Acomodei-me à situação.* **3** ⟨**+em**⟩ pôr-se em posição confortável

acompanhamento (a.com.pa.nha.men.to) [ɐkõpɐɲɐ'mẽtu] *n.m.* **1** orientação (dada por especialista) **SIN.** supervisão **2** alimentos (salada, arroz, batatas, etc.) servidos com um prato de carne ou de peixe

acompanhante (a.com.pa.nhan.te) [ɐkõpɐ'ɲɐ̃t(ə)] *n.2g.* **1** pessoa que acompanha **2** músico que acompanha quem canta ou toca outro instrumento

acompanhar (a.com.pa.nhar) [ɐkõpɐ'ɲar] *v.* **1** fazer companhia a (alguém): *Acompanhei-a até casa.* **2** seguir: *Gosto de acompanhar o que se passa no mundo.* **3** ⟨**+com**⟩ ser servido juntamente com (prato culinário): *acompanhar o bife com arroz*

aconchegado (a.con.che.ga.do) [ɐkõʃə'gadu] *adj.* **1** confortável; cómodo **2** agasalhado; aquecido

aconchegante (a.con.che.gan.te) [ɐkõʃə'gɐ̃t(ə)] *adj.2g.* acolhedor

aconchegar (a.con.che.gar) [ɐkõʃə'gar] *v.* **1** colocar em lugar ou posição confortável: *Aconchegou o filho no sofá.* **2** ajeitar (roupa, lençol, etc.): *aconchegou o cachecol ao pescoço*

aconchego (a.con.che.go) [ɐkõ'ʃegu] *n.m.* sensação de conforto e proteção

acondicionamento (a.con.di.ci:o.na.men.to) [ɐkõdisjunɐ'mẽtu] *n.m.* **1** adaptação a determinadas condições **2** empacotamento **3** embalagem

acondicionar (a.con.di.ci:o.nar) [ɐkõdisju'nar] *v.* **1** guardar em lugar apropriado **2** embrulhar; empacotar

aconselhado (a.con.se.lha.do) [ɐkõsə'ʎadu] *adj.* **1** que recebeu conselho **2** sugerido; recomendado

aconselhamento (a.con.se.lha.men.to) [ɐkõsə ʎɐ'mẽtu] *n.m.* **1** ato ou efeito de pedir ou dar conselho(s); orientação **2** indicação da necessidade ou conveniência de; consulta; recomendação **3** auxílio ou orientação prestada por um profissional (psicólogo, etc.) a uma pessoa nas decisões que deve tomar em relação à escolha de profissão, curso, etc.

aconselhar (a.con.se.lhar) [ɐkõsə'ʎar] *v.* **1** dar conselho(s): *Aconselhou-nos vivamente a aceitar.* **2** indicar que é necessário ou conveniente: *aconselhar um livro* **SIN.** sugerir; recomendar ■ **aconselhar-se** ⟨**+com**⟩ pedir conselho(s) a alguém: *Aconselhar-se com um advogado.*

aconselhável (a.con.se.lhá.vel) [ɐkõsə'ʎavɛɫ] *adj.2g.* que se pode ou deve recomendar

acontecer (a.con.te.cer) [ɐkõtə'ser] *v.* ter lugar (acontecimento, facto): *O que é que aconteceu? Estão a acontecer mudanças profundas na economia.* ◆ **aconteça o que acontecer** independentemente das circunstâncias

acontecimento (a.con.te.ci.men.to) [ɐkõtəsi 'mẽtu] *n.m.* **1** aquilo que acontece; facto **2** *fig.* grande êxito; sucesso

acoplado (a.co.pla.do) [ɐku'pladu] *adj.* que foi unido, para formar um conjunto

acoplar (a.co.plar) [ɐku'plar] *v.* **1** ligar (corpos, objetos) de modo a formar um conjunto capaz de funcionar como um todo **2** estabelecer ligação entre veículos espaciais

açor (a.çor) [ɐ'sor] *n.m.* 👁 ave de rapina diurna, menor que a águia, que se alimenta de aves mais pequenas

açorda (a.çor.da) [ɐ'sordɐ] *n.f.* refeição preparada com pão esmigalhado, temperado com azeite, alho e ervas aromáticas

acordado (a.cor.da.do) [ɐkur'dadu] *adj.* **1** que despertou do sono **2** decidido; resolvido

acórdão (a.cór.dão) [ɐ'kɔrdɐ̃w̃] *n.m.* sentença proferida por um tribunal coletivo

acordar (a.cor.dar) [ɐkur'dar] *v.* **1** despertar (alguém) do sono: *Acordaste o bebé! Acordou em sobressalto.* **2** ⟨**+de**⟩ voltar a si: *Acordou da anestesia.* **3** decidir; resolver: *Acordamos a data da reunião.* **4** ⟨**+em**⟩ concordar: *Acordou em receber-me.*

acorde (a.cor.de) [ɐ'kɔrd(ə)] *n.m.* **1** conjunto de três ou mais sons combinados que produzem harmonia **2** som musical

acordeão (a.cor.de.ão) [ɐkɔr'djɐ̃w̃] *n.m.* instrumento musical formado por uma caixa com um fole no meio, com teclado num lado e botões no outro, que se abre e fecha para produzir som

acordeonista (a.cor.de:o.nis.ta) [ɐkɔrdju'niʃtɐ] *n.2g.* pessoa que toca acordeão

acordo (a.cor.do) [ɐ'kordu] *n.m.* **1** pacto entre duas ou mais pessoas sobre determinado assunto **2** entendimento; harmonia **ANT.** desacordo ◆ **estar de acordo** ter a mesma opinião **SIN.** concordar

açoriano (a.ço.ri:a.no) [ɐsu'rjɐnu] *adj.* relativo ao arquipélago dos Açores ■ *n.m.* natural ou habitante dos Açores

acorrentar(-se) (a.cor.ren.tar(-se)) [ɐkuʀẽ'tar(sə)] *v.* **1** prender(-se) com corrente **SIN.** encadear(-se) **2** *fig.* subjugar(-se); submeter(-se)

acorrer (a.cor.rer) [ɐku'ʀer] *v.* **1** ⟨**+a, +em**⟩ acudir; socorrer: *Acorreu ao amigo.* **2** ⟨**+a**⟩ ir apressadamente: *Acorreu às escadas.*

acostagem (a.cos.ta.gem) [ɐkuʃ'taʒɐ̃j] *n.f.* 1 (embarcação) ato ou efeito de acostar 2 aproximação ao cais ou a outra embarcação

acostar (a.cos.tar) [ɐkuʃ'tar] *v.* 1 navegar junto à costa 2 aproximar (embarcação) do cais ou de outra embarcação ■ **acostar-se** estender-se durante algum tempo SIN. recostar-se

acostumar(-se) (a.cos.tu.mar(-se)) [ɐkuʃtu'mar(sə)] *v.* ⟨+a⟩ habituar(-se); adaptar(-se): *Eles acostumaram os filhos a deitar-se cedo. Acostumou-se ao clima.*

açoteia (a.ço.tei:a) [ɐsu'tɐjɐ] *n.f.* terraço no alto de uma casa que substitui o telhado

acotovelamento (a.co.to.ve.la.men.to) [ɐkutuvəlɐ'mẽtu] *n.m.* 1 empurrão com o cotovelo 2 aperto

acotovelar (a.co.to.ve.lar) [ɐkutuvə'lar] *v.* 1 dar cotoveladas 2 empurrar com os cotovelos, normalmente para abrir caminho

açougue (a.çou.gue) [ɐ'so(w)g(ə)] *n.m.* [BRAS.] talho

ACP [ase'pe] *sigla de* Automóvel Clube de Portugal

acre (a.cre) ['akrə] *n.m.* unidade de medida para superfícies agrárias ■ *adj.2g.* (sabor) azedo; picante

acreditação (a.cre.di.ta.ção) [ɐkrəditɐ'sɐ̃w̃] *n.f.* 1 reconhecimento oficial de pessoa ou entidade para efeitos legais ou profissionais 2 autorização para o exercício de uma atividade

acreditado (a.cre.di.ta.do) [ɐkrədi'tadu] *adj.* 1 digno de confiança 2 (diplomata) reconhecido por um país junto de outro

acreditar (a.cre.di.tar) [ɐkrədi'tar] *v.* 1 ⟨+em⟩ aceitar como verdadeiro: *O João acredita em tudo o que a Maria diz.* 2 ⟨+em⟩ ter confiança em: *acreditar nos amigos* 3 considerar possível ou provável: *Acredito que vamos conseguir.*

acrescentar (a.cres.cen.tar) [ɐkrəʃsẽ'tar] *v.* 1 ⟨+a⟩ juntar (uma coisa a outra); adicionar: *Acrescentou o nome à lista.* 2 tornar maior (em tamanho ou número); aumentar: *acrescentar selos à coleção*

acrescento (a.cres.cen.to) [ɐkrəʃ'sẽtu] *n.m.* aquilo que se acrescenta

acrescer (a.cres.cer) [ɐkrəʃ'ser] *v.* 1 aumentar: *A espera acresceu a sua impaciência.* 2 ⟨+a⟩ adicionar; juntar: *Acresceu o copo partido à conta.* 3 acrescentar (argumentos, factos)

acréscimo (a.crés.ci.mo) [ɐ'krɛʃsimu] *n.m.* 1 aumento 2 o que se acrescenta ♦ **por acréscimo** para além do indispensável

acriançado (a.cri.an.ça.do) [ɐkriɐ̃'sadu] *adj.* que tem modos de criança

acrílico (a.crí.li.co) [ɐ'kriliku] *n.m.* ácido usado no fabrico de plásticos

acrobacia (a.cro.ba.ci.a) [ɐkrubɐ'siɐ] *n.f.* exercício de ginástica que consiste em manter o equilíbrio em cima de uma corda ou em fazer saltos difíceis ♦ **acrobacia aérea** conjunto de manobras difíceis e arriscadas realizadas num avião, em pleno voo

acrobata (a.cro.ba.ta) [ɐkru'batɐ] *n.2g.* pessoa que faz exercícios de equilíbrio e habilidade

acrobático (a.cro.bá.ti.co) [ɐkru'batiku] *adj.* 1 relativo a acrobacia 2 *fig.* difícil de executar; arriscado

acrochado (a.cro.cha.do) [ɐkrɔ'ʃadu] *adj.* [CV.] preso; retido

acromático (a.cro.má.ti.co) [ɐkru'matiku] *adj.* 1 que não tem cor 2 que não distingue as cores

acronímia (a.cro.ní.mi:a) [ɐkrɔ'nimjɐ] *n.f.* processo de formação de uma unidade lexical, a partir de uma combinação de letras ou sílabas de um grupo de palavras, e que se pronuncia como uma palavra (por exemplo: PALOP)

acrónimo (a.cró.ni.mo) [ɐ'krɔnimu] *n.m.* palavra formada a partir da combinação de letras de várias palavras (por exemplo: SMS, MP3)

acrópole (a.cró.po.le) [ɐ'krɔpul(ə)] *n.f.* parte mais elevada e fortificada das antigas cidades gregas

acróstico (a.crós.ti.co) [ɐ'krɔʃtiku] *n.m.* poema em que as letras iniciais, médias ou finais de cada verso formam nomes, quando são lidas na vertical

acta (ac.ta) ['atɐ] *a nova grafia é* **ata**[AO]

activação (ac.ti.va.ção) [ativɐ'sɐ̃w̃] *a nova grafia é* **ativação**[AO]

activar (ac.ti.var) [ati'var] *a nova grafia é* **ativar**[AO]

actividade (ac.ti.vi.da.de) [ativi'dad(ə)] *a nova grafia é* **atividade**[AO]

activismo (ac.ti.vis.mo) [ati'viʒmu] *a nova grafia é* **ativismo**[AO]

activista (ac.ti.vis.ta) [ati'viʃtɐ] *a nova grafia é* **ativista**[AO]

activo (ac.ti.vo) [a'tivu] *a nova grafia é* **ativo**[AO]

acto (ac.to) ['atu] *a nova grafia é* **ato**[AO]

actor (ac.tor) [a'tor] *a nova grafia é* **ator**[AO]

actuação (ac.tu:a.ção) [ɐtwɐ'sɐ̃w̃] *a nova grafia é* **atuação**[AO]

actual (ac.tu:al) [ɐ'twał] *a nova grafia é* **atual**[AO]

actualidade (ac.tu:a.li.da.de) [ɐtwɐli'dad(ə)] *a nova grafia é* **atualidade**[AO]

actualização (ac.tu:a.li.za.ção) [ɐtwɐlizɐ'sɐ̃w̃] *a nova grafia é* **atualização**[AO]

actualizar (ac.tu:a.li.zar) [ɐtwɐli'zar] *a nova grafia é* **atualizar**[AO]

actualmente (ac.tu:al.men.te) [ɐtwał'mẽt(ə)] *a nova grafia é* **atualmente**[AO]

actuar (ac.tu:ar) [ɐ'twar] *a nova grafia é* **atuar**[AO]

açúcar (a.çú.car) [ɐ'sukɐr] *n.m.* substância doce que se obtém da cana-de-açúcar e da beterraba

açucarado (a.çu.ca.ra.do) [ɐsukɐ'radu] *adj.* 1 em que se deitou açúcar SIN. adoçado 2 que tem açúcar SIN. doce

açucarar (a.çu.ca.rar) [ɐsukɐ'rar] *v.* misturar com açúcar; adoçar

açucareiro (a.çu.ca.rei.ro) [ɐsukɐ'rɐjru] *n.m.* recipiente para guardar ou servir açúcar

açucena (a.çu.ce.na) [ɐsu'senɐ] *n.f.* planta que produz flores brancas muito perfumadas

açude (a.çu.de) [ɐ'sud(ə)] *n.m.* construção feita para travar um curso de água, geralmente para o conduzir para regas, abastecimento, etc.; represa

acudir (a.cu.dir) [ɐku'dir] *v.* 1 ⟨+a⟩ ajudar; socorrer (alguém): *O João acudiu à Maria.* 2 ⟨+a⟩ atender rapidamente a (pedido, ordem, convite) 3 ⟨+por⟩ defender: *Ele acudiu pelo pai.*

acuidade (a.cui.da.de) [ɐkwi'dad(ə)] *n.f.* 1 perspicácia 2 sensibilidade 3 importância; relevância

aculturação (a.cul.tu.ra.ção) [ɐkułturɐ'sɐ̃w̃] *n.f.* 1 adaptação de uma pessoa a uma cultura diferente da sua 2 processo de fusão de culturas

aculturar-se (a.cul.tu.rar-.se) [ɐkułtu'rars(ə)] *v.* adaptar-se a uma cultura diferente

acumulação (a.cu.mu.la.ção) [ɐkumulɐ'sɐ̃w̃] *n.f.* 1 conjunto de coisas reunidas ou amontoadas 2 reunião de grande número de pessoas ou coisas 3 ato de juntar em grandes quantidades (dinheiro, riqueza)

acumulado (a.cu.mu.la.do) [ɐkumu'ladu] *adj.* 1 amontoado 2 reunido 3 poupado

acumulador (a.cu.mu.la.dor) [ɐkumulɐ'dor] *adj.* que acumula ■ *n.m.* aparelho que transforma energia química em energia elétrica

acumular (a.cu.mu.lar) [ɐkumu'lar] *v.* 1 colocar em monte; amontoar 2 juntar (dinheiro, riqueza) 3 ocupar (cargos, funções) simultaneamente ■ **acumular-se** amontoar-se

acupunctor (a.cu.punc.tor)[AO] [ɐkupũ'ktor] ou **acupuntor**[AO] *n.m.* pessoa que pratica acupunctura; especialista em acupunctura

acupunctura (a.cu.punc.tu.ra)[AO] [ɐkupũ'kturɐ] ou **acupuntura**[AO] *n.f.* método de origem chinesa para tratar doenças e aliviar dores por meio de picadas com agulhas muito finas, em regiões específicas do corpo

acusação (a.cu.sa.ção) [ɐkuzɐ'sɐ̃w] *n.f.* 1 atribuição de uma falta ou culpa a alguém; incriminação 2 relato de um delito ou crime às autoridades; denúncia

acusado (a.cu.sa.do) [ɐku'zadu] *adj.* 1 que sofreu acusação; incriminado 2 que foi denunciado ■ *n.m.* pessoa que é acusada de alguma coisa

acusador (a.cu.sa.dor) [ɐkuzɐ'dor] *adj.* que acusa ou incrimina; denunciante ■ *n.m.* 1 pessoa que acusa 2 pessoa que procura demonstrar a um tribunal a responsabilidade de alguém num crime

acusar (a.cu.sar) [ɐku'zar] *v.* 1 ⟨+de⟩ atribuir falta, culpa ou delito a (alguém): *acusaram-no de homicídio* SIN. incriminar; culpar 2 comunicar (receção de correspondência) por escrito: *Acusamos a receção da sua carta.* SIN. notificar 3 dar indícios de: *O rosto dela acusava a pressão dos últimos meses.* SIN. mostrar; revelar ■ **acusar-se** ⟨+de⟩ declarar-se culpado

acusativo (a.cu.sa.ti.vo) [ɐkuzɐ'tivu] *adj.* em que há acusação ■ *n.m.* caso que, nas línguas declináveis, exprime a função de complemento direto e de certos complementos circunstanciais

acústica (a.cús.ti.ca) [ɐ'kuʃtikɐ] *n.f.* 1 ciência que estuda os sons 2 conjunto de características de um local (sala de espetáculos, etc.) que favorecem ou prejudicam a propagação do som

acústico (a.cús.ti.co) [ɐ'kuʃtiku] *adj.* 1 relativo ao ouvido ou à audição 2 relativo a som

acutilante (a.cu.ti.lan.te) [ɐkuti'lɐ̃t(ə)] *adj.2g.* 1 agudo; penetrante 2 *fig.* incisivo

A.D. Ano do Senhor OBS. Abreviatura de *Anno Domini*

adágio (a.dá.gi:o) [ɐ'daʒju] *n.m.* 1 andamento musical lento 2 expressão popular; provérbio

adaptação (a.dap.ta.ção) [ɐdɐptɐ'sɐ̃w̃] *n.f.* 1 ato de ajustar uma coisa a outra 2 utilização de uma coisa para um fim diferente daquele para que foi criada 3 capacidade que têm os seres vivos de se acomodarem ao meio ambiente

adaptado (a.dap.ta.do) [ɐdɐ'ptadu] *adj.* 1 que está ajustado a 2 utilizado para fim diferente daquele para que foi criado 3 diz-se da obra (literária, musical) que foi modificada

adaptador (a.dap.ta.dor) [ɐdɐptɐ'dor] *n.m.* 1 dispositivo que serve para ligar peças de máquina, aparelho ou instrumento 2 em informática, dispositivo que permite trocar dados entre equipamentos que não têm ligação direta

adaptar (a.dap.tar) [ɐdɐ'ptar] *v.* 1 ajustar (uma coisa a outra) 2 modificar (obra literária ou musical): *O livro foi adaptado para cinema.* ■ **adaptar-se** ⟨+a⟩ ajustar-se: *Adaptou-se rapidamente às novas tecnologias.*

adaptável (a.dap.tá.vel) [ɐdɐ'ptavɛł] *adj.2g.* que se pode adaptar SIN. ajustável

adás (a.dás) [ɐ'daʃ] *interj.* 1 [CV.] usada como cumprimento de despedida 2 [CV.] exprime desagrado ou recusa

adega (a.de.ga) [ɐ'dɛgɐ] *n.f.* lugar, geralmente subterrâneo, onde se guarda vinho SIN. cave

◆ **adega cooperativa** instituição em que uma associação de produtores, prepara, trata e comercializa o vinho

adelgaçante (a.del.ga.çan.te) [ɐdɛɫgɐ'sɐ̃t(ə)] *adj.2g.* que torna mais fino ou magro ■ *n.m.* produto que combate os efeitos da acumulação de gordura na própria área do corpo afetada

adelgaçar(-se) (a.del.ga.çar(-se)) [ɐdɛɫgɐ'sar(sə)] *v.* **1** tornar(-se) fino ou delgado **2** emagrecer

adenda (a.den.da) [ɐ'dẽdɐ] *n.f.* suplemento; apêndice

adentro (a.den.tro) [ɐ'dẽtru] *adv.* em direção à parte interior de: *Entrou pela casa adentro.* **SIN.** para dentro

adepto (a.dep.to) [ɐ'dɛptu] *n.m.* pessoa que apoia (uma teoria, um clube, etc.) **SIN.** apoiante

adequação (a.de.qua.ção) [ɐdəkwɐ'sɐ̃w̃] *n.f.* ato de colocar duas ou mais coisas de acordo ou em harmonia

adequado (a.de.qua.do) [ɐdə'kwadu] *adj.* **1** que está de acordo com **2** que é próprio para

adequar (a.de.quar) [ɐdə'kwar] *v.* ⟨**+a**⟩ pôr em harmonia com: *adequar às necessidades* **SIN.** adaptar; ajustar ■ **adequar-se** ⟨**+a**⟩ ser apropriado: *Aquela roupa não se adequava à situação.*

aderecista (a.de.re.cis.ta) [ɐdərə'siʃtɐ] *n.2g.* pessoa responsável pelos adereços num filme, numa peça ou num espetáculo

adereço (a.de.re.ço) [ɐdə'resu] *n.m.* **1** objeto de adorno (brinco, colar, pulseira, etc.) **2** peças de roupa ou de decoração que são usadas num filme ou numa peça de teatro

aderência (a.de.rên.ci:a) [ɐdə'rẽsjɐ] *n.f.* **1** ligação; união **2** atrito entre os pneus e o pavimento que impede o deslizamento

aderente (a.de.ren.te) [ɐdə'rẽt(ə)] *adj.2g.* **1** que cola ou adere **2** que está ligado a **3** que é partidário de ■ *n.2g.* **1** pessoa que adere a um serviço; associado **2** partidário; adepto; seguidor **3** companheiro; amigo

aderir (a.de.rir) [ɐdə'rir] *v.* **1** ⟨**+a**⟩ colar: *A tinta não adere à parede.* **2** ⟨**+a**⟩ ligar-se: *Os países que aderiram à União Europeia.*

adesão (a.de.são) [ɐdə'zɐ̃w̃] *n.f.* **1** ligação física; união **2** aceitação dos princípios de (religião, política, modo de vida, etc.)

adesivo (a.de.si.vo) [ɐdə'zivu] *adj.* que adere ou cola ■ *n.m.* fita em que uma das faces adere a uma superfície, usada em feridas, curativos, etc.

adestrar (a.des.trar) [ɐdəʃ'trar] *v.* **1** ensinar; instruir (pessoa) **2** treinar; amestrar (animal)

adeus (a.deus) [ɐ'dewʃ] *interj.* usada quando alguém se vai embora ■ *n.m.* **1** palavra ou gesto de despedida **2** separação física; despedida

adiamento (a.di:a.men.to) [ɐdjɐ'mẽtu] *n.m.* mudança (de aula, reunião, prazo) para outro dia

adiantado (a.di:an.ta.do) [ɐdjɐ̃'tadu] *adj.* **1** que acontece antes da data prevista **2** que está à frente de algo ou de alguém

adiantamento (a.di:an.ta.men.to) [ɐdjɐ̃tɐ'mẽtu] *n.m.* **1** progresso; avanço **2** dinheiro pago antes da data marcada

adiantar (a.di:an.tar) [ɐdjɐ̃'tar] *v.* **1** mover para a frente **SIN.** avançar **2** acelerar a realização de (um trabalho, uma tarefa) **3** fazer com que algo aconteça antes da data prevista **4** pagar antes da data marcada ■ **adiantar-se 1** ⟨**+a**⟩ colocar-se à frente de **2** ⟨**+a**⟩ antecipar-se: *Ele adiantou-se a mim e comprou o bilhete.* **3** funcionar (relógio) mais depressa do que o normal

adiante (a.di:an.te) [ɐ'djɐ̃t(ə)] *adv.* **1** na frente de: *Caminhava adiante do grupo.* **2** (no tempo) no futuro: *Adiante veremos o que acontece.* ■ *interj.* exclamação usada para dar estímulo ou abreviar um assunto de que não se deseja falar ◆ **levar adiante** prosseguir

adiar (a.di:ar) [ɐ'djar] *v.* ⟨**+para**⟩ mudar (aula, reunião, prazo) para outra data: *Ela adiou a viagem para daqui a 2 meses.* **SIN.** protelar

adiável (a.di:á.vel) [ɐ'djavɛɫ] *adj.2g.* que pode ser adiado

adição (a.di.ção) [ɐdi'sɐ̃w̃] *n.f.* **1** ato de acrescentar algo **2** operação de somar; soma

adicional (a.di.ci:o.nal) [ɐdisju'naɫ] *adj.2g.* que se acrescenta **SIN.** suplementar

adicionar (a.di.ci:o.nar) [ɐdisju'nar] *v.* **1** ⟨**+a**⟩ acrescentar; juntar: *adicionar a farinha ao bolo* **2** fazer uma adição (operação matemática) **SIN.** somar

adido (a.di.do) [ɐ'didu] *n.m.* funcionário de embaixada ou delegação que representa interesses específicos de um governo ou de um país no estrangeiro

adipose (a.di.po.se) [ɐdi'pɔz(ə)] *n.f.* acumulação excessiva de gordura no corpo; obesidade

adiposo (a.di.po.so) [ɐdi'pozu] *adj.* **1** que tem gordura **2** gordo; obeso

aditamento (a.di.ta.men.to) [ɐditɐ'mẽtu] *n.m.* **1** acrescento **2** suplemento

aditivo (a.di.ti.vo) [ɐdi'tivu] *n.m.* **1** substância que se junta a outra para melhorar as suas qualidades **2** na operação de adição, parcela que está depois do sinal +

adivinha (a.di.vi.nha) [ɐdi'viɲɐ] *n.f.* pergunta difícil, que contém pistas para a resposta **SIN.** enigma

adivinhar (a.di.vi.nhar) [ɐdivi'ɲar] *v.* **1** descobrir a resposta a uma adivinha **2** acertar em alguma coisa por puro acaso **3** descobrir algo do passado ou do futuro por artes mágicas

adivinho (a.di.vi.nho) [ɐdi'viɲu] *n.m.* homem que adivinha factos do passado ou do futuro; bruxo

adjacência (ad.ja.cên.ci:a) [ɐdʒɐ'sẽsjɐ] *n.f.* **1** proximidade **2** vizinhança

adjacente (ad.ja.cen.te) [ɐdʒɐ'sẽt(ə)] *adj.2g.* que está junto de SIN. próximo; contíguo

adjectivação (ad.jec.ti.va.ção) [ɐdʒɛtivɐ'sɐ̃w̃] *a nova grafia é* **adjetivação**AO

adjectivar (ad.jec.ti.var) [ɐdʒɛti'var] *a nova grafia é* **adjetivar**AO

adjectivo (ad.jec.ti.vo) [ɐdʒɛ'tivu] *a nova grafia é* **adjetivo**AO

adjetivação (ad.je.ti.va.ção)AO [ɐdʒɛtivɐ'sɐ̃w̃] *n.f.* uso de adjetivos

adjetivar (ad.je.ti.var)AO [ɐdʒɛti'var] *v.* **1** qualificar com adjetivos **2** empregar adjetivos

adjetivo (ad.je.ti.vo)AO [ɐdʒɛ'tivu] *n.m.* palavra que concorda com o nome em género e número, atribuindo-lhe qualidades

Note-se que os adjetivos usam-se em vários contextos: a) depois do nome (*dia lindo*); b) antes do nome (*novo professor*); c) a seguir a um verbo de ligação (*ela é bonita*) ou ao objeto desse verbo (*vi a Joana contente*); d) como aposto (*Alegres, eles saíram.*)

adjudicação (ad.ju.di.ca.ção) [ɐdʒudikɐ'sɐ̃w̃] *n.f.* **1** atribuição (de obra, projeto) por concurso público; concessão **2** transferência de bens para alguém

adjudicado (ad.ju.di.ca.do) [ɐdʒudi'kadu] *adj.* que foi concedido; atribuído

adjudicar (ad.ju.di.car) [ɐdʒudi'kar] *v.* **1** ⟨+a⟩ atribuir (execução de obra, projeto) por concurso público: *adjudicar um contrato a uma firma* SIN. conceder **2** ⟨+a⟩ entregar, por sentença judicial, a posse de

adjudicatário (ad.ju.di.ca.tá.ri:o) [ɐdʒudikɐ'tarju] *n.m.* pessoa a quem algo é adjudicado

adjunto (ad.jun.to) [ɐd'ʒũtu] *adj.* **1** que auxilia; auxiliar **2** que está situado próximo; pegado; contíguo **3** (palavra, expressão) que serve para modificar ou restringir o sentido de outra palavra ▪ *n.m.* **1** pessoa que auxilia; assistente; assessor **2** pessoa que substitui outra; suplente; substituto **3** pessoa que se associa a outra(s) ou a uma organização; sócio; associado

administração (ad.mi.nis.tra.ção) [ɐdminiʃtrɐ'sɐ̃w̃] *n.f.* **1** ato de administrar **2** conjunto de pessoas que administram uma empresa, um serviço SIN. direção; gerência **3** gestão de negócios públicos ou privados; **administração pública** conjunto dos serviços públicos ligados ao governo ou ao Estado

administrador (ad.mi.nis.tra.dor) [ɐdminiʃtrɐ'dor] *n.m.* gestor

administrar (ad.mi.nis.trar) [ɐdminiʃ'trar] *v.* **1** dirigir (um negócio, uma empresa, etc.); gerir **2** dar a tomar (um medicamento)

administrativo (ad.mi.nis.tra.ti.vo) [ɐdminiʃtrɐ'tivu] *adj.* relativo a administração

admiração (ad.mi.ra.ção) [ɐdmirɐ'sɐ̃w̃] *n.f.* **1** sentimento de respeito e consideração por algo ou alguém **2** surpresa perante algo que não se esperava

admirado (ad.mi.ra.do) [ɐdmi'radu] *adj.* **1** respeitado **2** surpreendido

admirador (ad.mi.ra.dor) [ɐdmirɐ'dor] *n.m.* **1** pessoa que admira algo ou alguém **2** pessoa que tem grande admiração por uma figura pública SIN. fã **3** pessoa que sente paixão ou amor por alguém: *Ela tem um admirador secreto que lhe envia sempre flores.* SIN. apaixonado

admirar (ad.mi.rar) [ɐdmi'rar] *v.* **1** observar com prazer: *Ele ficou a admirar a paisagem.* **2** ⟨+por⟩ sentir respeito ou consideração por: *Eu admiro-o pelo seu trabalho.* **3** causar surpresa ou espanto: *o que mais o admirou foi...* ▪ **admirar-se** ⟨+com, +de⟩ ficar surpreendido

admirável (ad.mi.rá.vel) [ɐdmi'ravɛɫ] *adj.2g.* **1** que causa admiração **2** excelente

admissão (ad.mis.são) [ɐdmi'sɐ̃w̃] *n.f.* **1** aceitação **2** entrada

admissível (ad.mis.sí.vel) [ɐdmi'sivɛɫ] *adj.2g.* aceitável

admitir (ad.mi.tir) [ɐdmi'tir] *v.* **1** ⟨+em⟩ aceitar: *Admitiram-no na escola.* **2** concordar com: *Admito que tens razão.* **3** ⟨+em⟩ deixar entrar (alguém) em (recinto, estabelecimento, etc.): *admitir a entrada de jovens na discoteca* **4** contratar (alguém) para o exercício de determinada atividade: *admitir um empregado*

admoestar (ad.mo:es.tar) [ɐdmwɛʃ'tar] *v.* **1** censurar; repreender **2** advertir; avisar

ADN [ade'ɛn] *sigla de* ácido desoxirribonucleico

adoçante (a.do.çan.te) [ɐdu'sɐ̃t(ə)] *n.m.* substância, que se usa em vez de açúcar, para adoçar um alimento ou bebida

adoção (a.do.ção)AO [ɐdɔ'sɐ̃w̃] *n.f.* **1** ato de tomar legalmente como filho uma criança que nasceu de outros pais **2** aceitação de (uma ideia, um hábito)

adoçar (a.do.çar) [ɐdu'sar] *v.* **1** pôr açúcar ou adoçante em **2** *fig.* suavizar

adocicado (a.do.ci.ca.do) [ɐdusi'kadu] *adj.* **1** um pouco doce **2** *fig.* afetado

adoecer (a.do:e.cer) [ɐdwi'ser] *v.* ficar doente

adoentado (a.do:en.ta.do) [ɐdwẽ'tadu] *adj.* que está um pouco doente

adolescência (a.do.les.cên.ci:a) [ɐduləʃ'sẽsjɐ] *n.f.* período da vida humana entre a infância e o estado adulto

adolescente (a.do.les.cen.te) [ɐduləʃ'sẽt(ə)] *adj.2g.* relativo à adolescência ▪ *n.2g.* pessoa que está na adolescência **SIN.** jovem

adopção (a.dop.ção) [ɐdɔ'sɐ̃w̃] *a nova grafia é* **adoção**AO

adoptado (a.dop.ta.do) [ɐdɔ'tadu] *a nova grafia é* **adotado**AO

adoptar (a.dop.tar) [ɐdɔ'tar] *a nova grafia é* **adotar**AO

adoptivo (a.dop.ti.vo) [ɐdɔ'tivu] *a nova grafia é* **adotivo**AO

adoração (a.do.ra.ção) [ɐdurɐ'sɐ̃w̃] *n.f.* **1** admiração profunda **2** amor muito forte

adorar (a.do.rar) [ɐdu'rar] *v.* **1** prestar culto a (deus, santos) **2** respeitar muito; venerar **3** amar com paixão

adorável (a.do.rá.vel) [ɐdu'ravɛɫ] *adj.2g.* muito agradável; encantador

adormecer (a.dor.me.cer) [ɐdurmə'ser] *v.* **1** fazer dormir **ANT.** acordar **2** começar a dormir

adormecido (a.dor.me.ci.do) [ɐdurmə'sidu] *adj.* que adormeceu **ANT.** acordado

adornar (a.dor.nar) [ɐdur'nar] *v.* enfeitar

adorno (a.dor.no) [ɐ'dornu] *n.m.* enfeite

adotado (a.do.ta.do)AO [ɐdɔ'tadu] *adj.* **1** reconhecido legalmente como filho **2** tomado como próprio; assumido

adotar (a.do.tar)AO [ɐdɔ'tar] *v.* **1** aceitar legalmente como filho **2** seguir (uma ideia, um hábito)

adotivo (a.do.ti.vo)AO [ɐdɔ'tivu] *adj.* que foi adotado

adquirir (ad.qui.rir) [ɐdki'rir] *v.* **1** conseguir; obter **2** comprar

adrenalina (a.dre.na.li.na) [ɐdrənɐ'linɐ] *n.f.* **1** hormona responsável por reações do organismo face a estímulos externos **2** *coloq.* energia; força

adriático (a.dri:á.ti.co) [ɐ'drjatiku] *adj.* relativo ao mar Adriático ▪ **Adriático** *n.m.* braço do Mediterrâneo que banha as costas da Itália e da Península Balcânica

adro (a.dro) ['adru] *n.m.* espaço em frente ou à volta da igreja

ADSE [adeɛsj'ɛ] *sigla de* Assistência na Doença aos Servidores do Estado

ADSL [adeɛs'ɛl] tecnologia de acesso à internet a alta velocidade através de uma linha telefónica normal **OBS.** Sigla de *Asymmetrical Digital Subscriber Line*

aduana (a.du:a.na) [ɐ'dwɐnɐ] *n.f.* ⇒ **alfândega**

aduaneiro (a.du:a.nei.ro) [ɐdwɐ'nɐjru] *adj.* relativo a alfândega

adubar (a.du.bar) [ɐdu'bar] *v.* usar adubo(s) para fertilizar a terra

adubo (a.du.bo) [ɐ'dubu] *n.m.* produto que se mistura na terra para a fertilizar

adular (a.du.lar) [ɐdu'lar] *v.* gabar com interesse próprio **SIN.** bajular

adulteração (a.dul.te.ra.ção) [ɐduɫtərɐ'sɐ̃w̃] *n.f.* **1** alteração das características próprias **2** falsificação

adulterar (a.dul.te.rar) [ɐduɫtə'rar] *v.* falsificar; viciar ▪ **adulterar-se** estragar-se

adultério (a.dul.té.ri:o) [ɐduɫ'tɛrju] *n.m.* infidelidade conjugal

adúltero (a.dúl.te.ro) [ɐ'duɫtəru] *n.m.* pessoa que comete adultério

adulto (a.dul.to) [ɐ'duɫtu] *n.m.* **1** pessoa que atingiu o seu pleno desenvolvimento físico e psicológico **2** pessoa que atingiu a maioridade ▪ *adj.* **1** que passou a fase da adolescência e completou o seu crescimento **2** relativo ou próprio de pessoas adultas **3** *fig.* maduro; crescido

Advento (Ad.ven.to) [ɐd'vẽtu] *n.m.* período de quatro semanas que precedem o Natal, como preparação para a vinda de Cristo

adverbial (ad.ver.bi:al) [ɐdvər'bjaɫ] *adj.2g.* relativo a advérbio

advérbio (ad.vér.bi:o) [ɐd'vɛrbju] *n.m.* palavra invariável que se junta a verbos, adjetivos e a outros advérbios para exprimir tempo, modo, lugar, etc.

adversário (ad.ver.sá.ri:o) [ɐdvər'sarju] *n.m.* pessoa que se opõe

adversativo (ad.ver.sa.ti.vo) [ɐdvərsɐ'tivu] *adj.* que indica oposição

adversidade (ad.ver.si.da.de) [ɐdvərsi'dad(ə)] *n.f.* **1** situação hostil ou desfavorável **2** má sorte; infelicidade

adverso (ad.ver.so) [ɐd'vɛrsu] *adj.* **1** oposto; contrário **2** hostil; inimigo

advertência (ad.ver.tên.ci:a) [ɐdvər'tẽsjɐ] *n.f.* **1** aviso **2** conselho

advertir (ad.ver.tir) [ɐdvər'tir] *v.* **1** ⟨+de⟩ avisar: *Ela advertiu-o do perigo que corria.* **2** repreender: *O pai advertiu o filho.*

advir (ad.vir) [ɐd'vir] *v.* **1** ⟨+de⟩ resultar: *Esta doença adveio de problemas profissionais.* **2** acontecer: *quando o desastre adveio...*

advocacia (ad.vo.ca.ci.a) [ɐdvukɐ'siɐ] *n.f.* **1** profissão que consiste em aconselhar pessoas sobre questões jurídicas e representá-las em tribunal **2** exercício dessa profissão

advogado (ad.vo.ga.do) [ɐdvu'gadu] *n.m.* **1** profissional, licenciado em direito e inscrito na Ordem dos Advogados, que ajuda as pessoas em assuntos jurídicos e as defende em tribunal **2** *fig.* defensor; protetor ◆ *coloq.* **advogado do diabo** pessoa que levanta objeções a qualquer opinião ou argumento, criando todo o tipo de dificuldades

advogar (ad.vo.gar) [ɐdvu'gar] *v.* **1** exercer as funções de advogado **2** interceder por (alguém) **3** defender (alguém ou algo) com razões e argumentos

AEP [aɛ'pe] *sigla de* Associação Empresarial de Portugal

aéreo (a.é.re:o) [ɐ'ɛrju] *adj.* **1** próprio do ar ou da atmosfera **2** relativo a avião ou a aviação

aeróbica (a.e.ró.bi.ca) [ɐɛ'rɔbikɐ] *n.f.* ginástica para modelar o corpo através de exercícios rápidos acompanhados de música

aerobus (a.e.ro.bus) [ɐɛrɔ'buʃ] *n.m.* avião de grandes dimensões utilizado para transporte de passageiros

aeroclube (a.e.ro.clu.be) [ɐɛrɔ'klub(ə)] *n.m.* **1** centro de formação de pilotos **2** lugar onde se reúnem pessoas que praticam ou se interessam por desportos aéreos

aerodinâmica (a.e.ro.di.nâ.mi.ca) [ɐɛrɔdi'nɐmikɐ] *n.f.* estudo do movimento dos sólidos em relação ao ar

aerodinâmico (a.e.ro.di.nâ.mi.co) [ɐɛrɔdi'nɐmiku] *adj.* diz-se do sólido que, devido à sua forma geométrica, tem baixa resistência ao passar através de um fluido (como acontece com o ar ou a água)

aeródromo (a.e.ró.dro.mo) [ɐɛ'rɔdrumu] *n.m.* recinto para descolagem e aterragem de aeronaves

aeromoça (a.e.ro.mo.ça) [ɐɛrɔ'mosɐ] *n.f.* [BRAS.] hospedeira de bordo

aeromodelismo (a.e.ro.mo.de.lis.mo) [ɐɛrɔmudə'liʒmu] *n.m.* **1** construção de modelos de aviões em miniatura **2** atividade desportiva ou recreativa que consiste em controlar à distância um modelo de avião em miniatura

aeronáutica (a.e.ro.náu.ti.ca) [ɐɛrɔ'nawtikɐ] *n.f.* **1** ciência que se dedica ao desenho, construção e pilotagem de aeronaves **2** força armada responsável pela aviação militar e pela defesa do espaço aéreo de um país

aeronaval (a.e.ro.na.val) [ɐɛrɔnɐ'vaɫ] *adj.2g.* relativo, simultaneamente, à força aérea e à marinha de guerra

aeronave (a.e.ro.na.ve) [ɐɛrɔ'nav(ə)] *n.f.* qualquer aparelho que se desloca no ar

aeroplano (a.e.ro.pla.no) [ɐɛrɔ'plɐnu] *n.m.* veículo aéreo mais pesado que o ar

aeroporto (a.e.ro.por.to) [ɐɛrɔ'portu] *n.m.* lugar de onde partem e onde chegam os aviões que transportam pessoas e mercadorias

aerossol (a.e.ros.sol) [ɐɛrɔ'sɔɫ] *n.m.* ⟨*pl.* aerossóis⟩ **1** suspensão de partículas sólidas ou líquidas num gás **2** dispositivo que permite espalhar essas partículas

aerostática (a.e.ros.tá.ti.ca) [ɐɛrɔʃ'tatikɐ] *n.f.* estudo das leis do equilíbrio no ar

aeróstato (a.e.rós.ta.to) [ɐɛ'rɔstɐtu] *n.m.* 👁 aparelho que se enche de um gás mais leve do que o ar para o elevar e manter na atmosfera (um balão, por exemplo)

aerotransportar (a.e.ro.trans.por.tar) [ɐɛrɔtrɐ̃ʃpur'tar] *v.* transportar por via aérea

afagar (a.fa.gar) [ɐfɐ'gar] *v.* acariciar

afago (a.fa.go) [ɐ'fagu] *n.m.* carícia

afamado (a.fa.ma.do) [ɐfɐ'madu] *adj.* que tem fama; famoso; célebre

afastado (a.fas.ta.do) [ɐfɐʃ'tadu] *adj.* **1** que está a certa distância **2** que aconteceu há muito tempo **3** que não tem parentesco direto

afastamento (a.fas.ta.men.to) [ɐfɐʃtɐ'mẽtu] *n.m.* **1** separação física entre seres, objetos, etc. **2** distância entre pessoas ou coisas

afastar (a.fas.tar) [ɐfɐʃ'tar] *v.* **1** ⟨**+de**⟩ colocar (algo) a certa distância: *Afasta a cadeira do lume!*

ANT. aproximar **2** ⟨**+para**⟩ deslocar para longe: *Afastou o sofá para o canto.* ■ **afastar-se 1** ⟨**+de**⟩ distanciar-se: *Não te afastes muito de mim!* **2** retirar-se: *Ele afastou-se durante uma semana.* **3** perder o contacto: *Afastou-se da família.*

afável **(a.fá.vel)** [ɐ'favɛɫ] *adj.2g.* delicado; amável

afazeres **(a.fa.ze.res)** [ɐfɐ'zerəʃ] *n.m.2n.* tarefas a cumprir; obrigações

afeção **(a.fe.ção)**AO [ɐfɛ'sɐ̃w̃] *n.f.* perturbação fisiológica ou psíquica

afecção **(a.fec.ção)** [ɐfɛ'sɐ̃w̃] *a nova grafia é* **afeção**AO

afectação **(a.fec.ta.ção)** [ɐfɛtɐ'sɐ̃w̃] *a nova grafia é* **afetação**AO

afectado **(a.fec.ta.do)** [ɐfɛ'tadu] *a nova grafia é* **afetado**AO

afectar **(a.fec.tar)** [ɐfɛ'tar] *a nova grafia é* **afetar**AO

afectividade **(a.fec.ti.vi.da.de)** [ɐfɛtəvi'dad(ə)] *a nova grafia é* **afetividade**AO

afectivo **(a.fec.ti.vo)** [ɐfɛ'tivu] *a nova grafia é* **afetivo**AO

afecto **(a.fec.to)** [ɐ'fɛtu] *a nova grafia é* **afeto**AO

afectuoso **(a.fec.tu:o.so)** [ɐfɛ'twozu] *a nova grafia é* **afetuoso**AO

afegão **(a.fe.gão)** [ɐfə'gɐ̃w̃] *adj.* relativo ao Afeganistão (país da Ásia Central) ■ *n.m.* pessoa natural do Afeganistão

afeição **(a.fei.ção)** [ɐfɐj'sɐ̃w̃] *n.f.* sentimento de ternura e simpatia por alguém

afeiçoar(-se) **(a.fei.ço:ar(-se))** [ɐfɐj'swar(sə)] *v.* ⟨**+a**⟩ sentir afeto ou carinho por: *Ela afeiçoou-se muito à professora.*

afeito **(a.fei.to)** [ɐ'fɐjtu] *adj.* habituado; acostumado

aferição **(a.fe.ri.ção)** [ɐfəri'sɐ̃w̃] *n.f.* avaliação de conhecimentos

aferir **(a.fe.rir)** [ɐfə'rir] *v.* **1** avaliar **2** examinar a exatidão de **3** comparar

aferrar-se **(a.fer.rar-.se)** [ɐfə'ʀars(ə)] *v.* ⟨**+a**⟩ apegar-se a (ideia, princípio): *aferrar-se à vida*

aferroar **(a.fer.ro:ar)** [ɐfə'ʀwar] *v.* **1** picar **2** provocar

afetação **(a.fe.ta.ção)**AO [ɐfɛtɐ'sɐ̃w̃] *n.f.* **1** falta de naturalidade **2** presunção

afetado **(a.fe.ta.do)**AO [ɐfɛ'tadu] *adj.* **1** diz-se de quem está atacado por uma doença **2** diz-se da pessoa que recebeu uma má notícia ou que sofreu um acidente **3** que se julga melhor que os outros; presumido

afetar **(a.fe.tar)**AO [ɐfɛ'tar] *v.* **1** atingir **2** afligir **3** dizer respeito a

afetividade **(a.fe.ti.vi.da.de)**AO [ɐfɛtəvi'dad(ə)] *n.f.* **1** tendência natural para a ternura **2** capacidade individual para experimentar sentimentos e emoções **SIN.** emotividade

afetivo **(a.fe.ti.vo)**AO [ɐfɛ'tivu] *adj.* carinhoso; afetuoso

afeto **(a.fe.to)**AO [ɐ'fɛtu] *n.m.* sentimento de carinho e ternura por uma pessoa ou por um animal

afetuoso **(a.fe.tu:o.so)**AO [ɐfɛ'twozu] *adj.* carinhoso; meigo

afiado **(a.fi:a.do)** [ɐ'fjadu] *adj.* aguçado; cortante

afiador **(a.fi:a.dor)** [ɐfjɐ'dor] *n.m.* **1** instrumento usado para afiar objetos cortantes **2** apara-lápis; aguça

afia-lápis **(a.fi:a-.lá.pis)** [ɐfjɐ'lapiʃ] *n.m.2n.* instrumento próprio para afiar lápis **SIN.** aguça

afiançar **(a.fi:an.çar)** [ɐfjɐ̃'sar] *v.* **1** responsabilizar-se por **2** garantir; assegurar

afiar **(a.fi:ar)** [ɐ'fjar] *v.* aguçar (lápis, objeto cortante)

aficionado **(a.fi.ci:o.na.do)** [ɐfisju'nadu] *n.m.* **1** pessoa que demonstra grande interesse por uma determinada atividade **SIN.** entusiasta **2** pessoa que aprecia certos espetáculos, especialmente touradas **SIN.** fã

afilhado **(a.fi.lha.do)** [ɐfi'ʎadu] *n.m.* ⟨*f.* afilhada⟩ **1** pessoa em relação aos seus padrinhos **2** *fig.* protegido

afiliado **(a.fi.li:a.do)** [ɐfi'ljadu] *n.m.* pessoa que se filiou (em grupo ou corporação); associado

afiliar **(a.fi.li:ar)** [ɐfi'ljar] *v.* admitir em (grupo, corporação): *O clube pretende afiliar novos membros.* ■ **afiliar-se** ⟨**+a**⟩ associar-se a: *Afiliou-se ao partido da terra.*

afim **(a.fim)** [ɐ'fĩ] *adj.2g.* **1** semelhante **2** próximo ■ *n.2g.* parente por afinidade

afinação **(a.fi.na.ção)** [ɐfinɐ'sɐ̃w̃] *n.f.* **1** ajuste do tom de um instrumento musical ao tom de outro instrumento ou de uma voz **2** harmonia entre todas as notas de um instrumento, de uma orquestra, etc.

afinado **(a.fi.na.do)** [ɐfi'nadu] *adj.* **1** diz-se do instrumento musical posto na altura correta **2** diz-se do motor que foi regulado **3** *coloq.* diz-se de quem está irritado

afinador **(a.fi.na.dor)** [ɐfinɐ'dor] *adj.* que serve para afinar ■ *n.m.* **1** pessoa que se dedica a afinar instrumentos musicais, sobretudo pianos **2** utensílio próprio para afinar instrumentos musicais

afinal **(a.fi.nal)** [ɐfi'naɫ] *adv.* **1** contrariamente ao que se esperava: *Afinal ele não era rico.* **2** concluindo: *Afinal, o que queres?* **3** por fim; finalmente: *Afinal chegou às lojas o livro tão esperado.* ■ *interj.* [MOÇ.] indica admiração ou espanto ◆ **afinal de contas** concluindo; como conclusão

afinar (a.fi.nar) [ɐfi'nar] *v.* 1 pôr em harmonia (instrumentos musicais ou vozes) 2 regular (uma peça ou um motor) 3 ficar zangado com; irritar-se 4 [MOÇ.] assumir ares de importante

afinco (a.fin.co) [ɐ'fĩku] *n.m.* 1 perseverança 2 empenho

afinidade (a.fi.ni.da.de) [ɐfəni'dad(ə)] *n.f.* 1 parentesco por casamento 2 coincidência de gostos ou de interesses 3 semelhança

afirmação (a.fir.ma.ção) [ɐfirmɐ'sɐ̃w̃] *n.f.* 1 ato de afirmar alguma coisa; declaração 2 ato de dizer que sim a uma pergunta ou a um pedido

afirmar (a.fir.mar) [ɐfir'mar] *v.* 1 dizer (algo); declarar 2 dizer que é verdade; garantir

afirmativo (a.fir.ma.ti.vo) [ɐfirmɐ'tivu] *adj.* 1 que inclui afirmação 2 diz-se da resposta positiva a uma pergunta ou a um pedido

afixação (a.fi.xa.ção) [ɐfiksɐ'sɐ̃w̃] *n.f.* 1 colagem de cartaz ou aviso em lugar público 2 processo de formação de palavras que consiste em acrescentar um afixo a uma forma de base

afixar (a.fi.xar) [ɐfi'ksar] *v.* 1 prender; segurar 2 colar (cartaz, aviso) em lugar público

afixo (a.fi.xo) [ɐ'fiksu] *n.m.* elemento (prefixo, infixo e sufixo) que se associa a uma palavra para formar outra palavra

aflição (a.fli.ção) [ɐfli'sɐ̃w̃] *n.f.* estado de quem está aflito SIN. preocupação

afligir (a.fli.gir) [ɐfli'ʒir] *v.* causar aflição a; preocupar: *Um outro pensamento afligia-me.* ■ **afligir-se** ⟨**+com**⟩ ficar aflito; preocupar-se: *Não se aflija com isso.*

aflitivo (a.fli.ti.vo) [ɐfli'tivu] *adj.* que causa aflição SIN. angustiante

aflito (a.fli.to) [ɐ'flitu] *adj.* 1 que está muito preocupado 2 *coloq.* que está com vontade de ir ao quarto de banho

aflorar (a.flo.rar) [ɐflu'rar] *v.* 1 vir à tona 2 surgir; aparecer 3 nivelar (superfície) 4 abordar (assunto, questão)

afluência (a.flu:ên.ci:a) [ɐ'flwẽsjɐ] *n.f.* 1 enchente 2 abundância

afluente (a.flu:en.te) [ɐ'flwẽt(ə)] *n.m.* rio que desagua noutro rio

---

Não confundir **afluente** (rio que desagua noutro) com **efluente** (curso de água que deriva de outro maior).

---

afluir (a.flu:ir) [ɐ'flwir] *v.* 1 ⟨**+a**⟩ (rio) desaguar em: *Muitos rios afluem ao Oceano Atlântico.* 2 ⟨**+a**⟩ chegar (pessoas, veículos) em grande número a: *Os estudantes afluíram à praça.*

afluxo (a.flu.xo) [ɐ'fluksu] *n.m.* 1 grande quantidade; enchente 2 fluxo; corrente

afogado (a.fo.ga.do) [ɐfu'gadu] *adj.* que se afogou

afogamento (a.fo.ga.men.to) [ɐfugɐ'mẽtu] *n.m.* asfixia causada por se estar debaixo de água muito tempo e não se poder respirar

afogar (a.fo.gar) [ɐfu'gar] *v.* 1 matar por asfixia pela entrada de água ou outro líquido nos órgãos respiratórios 2 submergir 3 (motor de veículo) deixar de funcionar por excesso de gasolina ou devido à deficiente entrada de ar no carburador ■ **afogar-se** matar-se ou morrer por asfixia pela entrada de água ou outro líquido nos órgãos respiratórios

afogueado (a.fo.gue:a.do) [ɐfu'gjadu] *adj.* 1 ardente; escaldante 2 muito corado

afoguear (a.fo.gue:ar) [ɐfu'gjar] *v.* 1 pegar fogo a 2 pôr em brasa 3 corar

afoito (a.foi.to) [ɐ'fojtu] *adj.* 1 ousado; destemido 2 corajoso; valente

afónico (a.fó.ni.co) [ɐ'fɔniku] *adj.* que não tem voz

afonsino (a.fon.si.no) [ɐfõ'sinu] *adj.* 1 muito antigo 2 antiquado ◆ **nos tempos afonsinos** antigamente

aforismo (a.fo.ris.mo) [ɐfu'riʒmu] *n.m.* máxima; ditado

aforro (a.for.ro) [ɐ'foʀu] *n.m.* 1 liberdade 2 poupança

afortunado (a.for.tu.na.do) [ɐfurtu'nadu] *adj.* 1 feliz 2 sortudo

afortunar(-se) (a.for.tu.nar(-se)) [ɐfurtu'nar(sə)] *v.* tornar(-se) feliz

africanismo (a.fri.ca.nis.mo) [ɐfrikɐ'niʒmu] *n.m.* palavra ou expressão originária de uma língua africana

africanizado (a.fri.ca.ni.za.do) [ɐfrikɐni'zadu] *adj.* 1 que tem características africanas 2 que foi influenciado por uma cultura africana

africano (a.fri.ca.no) [ɐfri'kɐnu] *adj.* relativo a África ■ *n.m.* natural ou habitante de África

afro-árabe (a.fro-.á.ra.be) [afrɔ'arɐb(ə)] *adj.* ⟨*pl.* afro-árabes⟩ relativo a África e à Arábia ■ *n.m.* indivíduo árabe de ascendência africana

afro-cubano (a.fro-.cu.ba.no) [afrɔku'bɐnu] *adj.* ⟨*pl.* afro-cubanos⟩ relativo a África e a Cuba ■ *n.m.* indivíduo cubano de ascendência africana

afrodisíaco (a.fro.di.sí.a.co) [ɐfrɔdi'ziɐku] *adj.,n.m.* que ou substância que estimula o desejo sexual

afronta (a.fron.ta) [ɐ'frõtɐ] *n.f.* ofensa; insulto

afrontado (a.fron.ta.do) [ɐfrõ'tadu] *adj.* 1 ofendido; insultado 2 que sofre de má digestão; enjoado

afrontar (a.fron.tar) [ɐfrõ'tar] *v.* 1 colocar frente a frente SIN. confrontar 2 encarar de frente SIN. enfrentar 3 ofender; insultar

afrouxar **(a.frou.xar)** [ɐfro(w)'ʃar] *v.* **1** diminuir o rigor de (normas, princípios) **2** relaxar (músculos) **3** diminuir (velocidade) **4** atenuar (dor) ■ **afrouxar-se 1** tornar-se relaxado **2** descuidar-se

afta **(af.ta)** ['aftɐ] *n.f.* pequena bolha superficial e dolorosa que aparece sobretudo na boca

aftershave [aftɐr'ʃɐjv] *n.m.* ⟨*pl.* aftershaves⟩ loção para aplicar na pele depois de fazer a barba

afugentar **(a.fu.gen.tar)** [ɐfuʒẽ'tar] *v.* expulsar; enxotar

afundar(-se) **(a.fun.dar(-se))** [ɐfũ'dar(sə)] *v.* **1** (fazer) ir ao fundo (em água ou noutro líquido) **2** ⟨**+em**⟩ *fig.* pôr (alguém) numa situação difícil ou embaraçosa: *A guerra afundou o país na miséria.*

afunilado **(a.fu.ni.la.do)** [ɐfuni'ladu] *adj.* **1** em forma de funil **2** estreito **3** pontiagudo

afunilar **(a.fu.ni.lar)** [ɐfuni'lar] *v.* **1** dar forma de funil **2** estreitar

agachado **(a.ga.cha.do)** [ɐga'ʃadu] *adj.* de cócoras; abaixado

agachar **(a.ga.char)** [ɐga'ʃar] *v.* colocar de cócoras; abaixar ■ **agachar-se 1** ficar de cócoras; abaixar-se **2** submeter-se a situação humilhante **SIN.** humilhar-se

agarrado **(a.gar.ra.do)** [ɐgɐ'ʀadu] *adj.* **1** preso com força **2** *fig.* muito unido **3** *fig.* avarento

agarrar **(a.gar.rar)** [ɐgɐ'ʀar] *v.* **1** ⟨**+em**⟩ segurar com força: *Agarrou na caneta e escreveu.* **2** prender; deter: *Ainda não agarraram o assassino.* **3** aproveitar (ocasião, oportunidade) ■ **agarrar-se 1** ⟨**+a**⟩ segurar-se: *Agarrei-me ao corrimão.* **2** ⟨**+a**⟩ colar-se: *A lama agarrou-se aos sapatos.* **3** ⟨**+a**⟩ afeiçoar-se a (alguém): *Agarrou-se muito aos sobrinhos.*

agasalhar **(a.ga.sa.lhar)** [ɐgɐzɐ'ʎar] *v.* cobrir com agasalho ■ **agasalhar-se** proteger-se (do frio, da chuva) com agasalho

agasalho **(a.ga.sa.lho)** [ɐgɐ'zaʎu] *n.m.* peça de roupa que protege do frio ou da chuva

agastado **(a.gas.ta.do)** [ɐgɐʃ'tadu] *adj.* **1** irritado **2** zangado

ágata **(á.ga.ta)** ['agɐtɐ] *n.f.* 👁 variedade de pedra semipreciosa de diversas cores, usada no fabrico de joias

agência **(a.gên.ci:a)** [ɐ'ʒẽsjɐ] *n.f.* escritório onde se prestam serviços (marcação de viagens, aluguer de automóveis, venda de casas, etc.); **agência de publicidade** empresa que se dedica à organização, execução, distribuição e controlo de campanhas de publicidade dos seus clientes; **agência noticiosa/de notícias** empresa que elabora e fornece regularmente informações jornalísticas para órgãos de comunicação (jornais, televisão, rádio)

agenciar **(a.gen.ci:ar)** [ɐʒẽ'sjar] *v.* **1** esforçar-se para obter (algo) **2** tratar de (negócios alheios)

agenda **(a.gen.da)** [ɐ'ʒẽdɐ] *n.f.* **1** livro onde se regista aquilo que tem de se fazer em cada dia, aniversários, etc. **2** lista de assuntos a tratar numa reunião **SIN.** ordem de trabalhos

agendar **(a.gen.dar)** [ɐʒẽ'dar] *v.* **1** registar (compromisso, data) na agenda **2** incluir (assunto) na ordem de trabalhos

agente **(a.gen.te)** [ɐ'ʒẽt(ə)] *adj.,n.2g.* que age ou atua ■ *n.2g.* **1** pessoa que pratica uma ação **2** polícia ■ *n.m.* **1** o que origina algo **SIN.** causa; motivo **2** aquele que executa a ação expressa pelo verbo; **agente da (voz) passiva** complemento verbal de uma frase passiva, que indica o ser que executou a ação do verbo, e que se inicia pela preposição *por* e, às vezes, *de*

ágil **(á.gil)** ['aʒiɫ] *adj.2g.* **1** veloz **2** desembaraçado

agilidade **(a.gi.li.da.de)** [ɐʒəli'dad(ə)] *n.f.* **1** destreza **2** desembaraço

agilizar(-se) **(a.gi.li.zar(-se))** [ɐʒili'zar(sə)] *v.* **1** tornar(-se) mais ágil **2** tornar(-se) mais rápido

agiotagem **(a.gi:o.ta.gem)** [ɐʒju'taʒɐ̃j] *n.f.* **1** especulação que procura obter lucro com as oscilações de preços de moedas, títulos de crédito e mercadorias **2** empréstimo de dinheiro a juros superiores à taxa legal **SIN.** usura

agiotar **(a.gi:o.tar)** [ɐʒju'tar] *v.* praticar agiotagem **SIN.** especular

agir **(a.gir)** [ɐ'ʒir] *v.* **1** fazer alguma coisa: *O criminoso agiu sozinho.* **SIN.** atuar **2** ⟨**+com**, **+por**⟩ proceder de determinado modo: *Ela agia com cautela.* **3** ⟨**+sobre**⟩ produzir efeito: *Este remédio age sobre o sistema imunitário.*

agitação **(a.gi.ta.ção)** [ɐʒitɐ'sɐ̃w̃] *n.f.* **1** movimento repetido e irregular **2** situação de desordem **3** estado de preocupação

agitado **(a.gi.ta.do)** [ɐʒi'tadu] *adj.* **1** que se movimenta muito **2** perturbado

agitar **(a.gi.tar)** [ɐʒi'tar] *v.* **1** mover com força e repetidamente **2** perturbar; preocupar

aglomeração **(a.glo.me.ra.ção)** [ɐglumərɐ'sɐ̃w̃] *n.f.* **1** ato de juntar (coisas ou pessoas); reunião **2** grande quantidade de coisas ou pessoas

aglomerado (a.glo.me.ra.do) [ɐglumə'radu] *adj.* acumulado; reunido ■ *n.m.* conjunto de coisas ou pessoas reunidas

aglomerar(-se) (a.glo.me.rar(-se)) [ɐglumə'rar(sə)] *v.* reunir(-se) por aglomeração **SIN.** amontoar(-se)

aglutinação (a.glu.ti.na.ção) [ɐglutinɐ'sɐ̃w̃] *n.f.* **1** junção; ligação **2** processo de formação de palavras que consiste em juntar duas ou mais palavras numa palavra única

aglutinar (a.glu.ti.nar) [ɐgluti'nar] *v.* **1** ligar por meio físico ou químico **SIN.** juntar **2** juntar duas ou mais palavras para formar um todo significativo **3** unir (tecidos orgânicos)

agnosticismo (ag.nos.ti.cis.mo) [ɐgnɔʃti'siʒmu] *n.m.* doutrina filosófica que defende a impossibilidade de se alcançar um conhecimento absoluto de determinados problemas (metafísicos)

agnóstico (ag.nós.ti.co) [ɐ'gnɔʃtiku] *adj.* **1** relativo ao agnosticismo **2** (pessoa) que defende o agnosticismo ■ *n.m.* indivíduo partidário do agnosticismo

agoirar (a.goi.rar) [ɐgoj'rar] *v.* ⇒ **agourar**

agoiro (a.goi.ro) [ɐ'gojru] *n.m.* ⇒ **agouro**

agonia (a.go.ni.a) [ɐgu'niɐ] *n.f.* **1** estado de sofrimento antes da morte **2** *fig.* angústia; aflição

agoniado (a.go.ni:a.do) [ɐgu'njadu] *adj.* **1** angustiado; aflito **2** *coloq.* enjoado

agoniar(-se) (a.go.ni:ar(-se)) [ɐgu'njar(sə)] *v.* **1** causar ou sentir agonia ou aflição **SIN.** atormentar(-se) **2** provocar ou sentir enjoo **SIN.** enjoar

agonizar (a.go.ni.zar) [ɐguni'zar] *v.* **1** estar a morrer **2** atormentar **3** sofrer

agora (a.go.ra) [ɐ'gɔrɐ] *adv.* **1** neste momento; neste instante **2** na época em que estamos; atualmente **3** de hoje em diante ♦ **agora mesmo** há muito pouco tempo; há instantes; **agora ou nunca** neste momento ou jamais; **agora que** uma vez; desde que; **até agora** até este momento; **de agora** presente; atual; **de agora em diante** daqui para a frente; **essa/esta agora!** exprime admiração e, por vezes, reprovação; **por agora** por enquanto; para já

ágora (á.go.ra) ['agurɐ] *n.f.* praça pública das antigas cidades gregas

agosto (a.gos.to)[AO] [ɐ'goʃtu] *n.m.* oitavo mês do ano

agourar (a.gou.rar) [ɐgo(w)'rar] ou **agoirar** *v.* **1** prever (algo) **2** ser sinal de

agouro (a.gou.ro) [ɐ'go(w)ru] *n.m.* **1** presságio baseado na observação de factos ou de objetos **2** profecia **3** sinal de coisa negativa

agraciado (a.gra.ci:a.do) [ɐgrɐ'sjadu] *adj.* que recebeu título ou distinção; condecorado

agraciar (a.gra.ci:ar) [ɐgrɐ'sjar] *v.* ⟨**+com**⟩ condecorar: *Agraciaram o João com a medalhe de honra.*

agradar (a.gra.dar) [ɐgrɐ'dar] *v.* **1** ⟨**+a**⟩ ser agradável: *É fácil agradar-lhe.* **ANT.** desagradar **2** dar prazer; satisfazer: *Este restaurante não me agrada.*

agradável (a.gra.dá.vel) [ɐgrɐ'davɛɫ] *adj.2g.* **1** que agrada; que satisfaz **ANT.** desagradável **2** que demonstra delicadeza **SIN.** amável **3** aprazível pelo clima **SIN.** ameno **ANT.** desagradável

agradecer (a.gra.de.cer) [ɐgrɐdə'ser] *v.* **1** ⟨**+a**⟩ mostrar gratidão: *Agradeça-lhe da minha parte.* **2** ⟨**+a**⟩ retribuir com agradecimentos: *Como hei de agradecer ao João a gentileza?*

agradecido (a.gra.de.ci.do) [ɐgrɐdə'sidu] *adj.* grato

agradecimento (a.gra.de.ci.men.to) [ɐgrɐdəsi'mẽtu] *n.m.* manifestação de gratidão

agrado (a.gra.do) [ɐ'gradu] *n.m.* **1** sentimento de satisfação **ANT.** desagrado **2** consentimento; aprovação

agrafador (a.gra.fa.dor) [ɐgrɐfɐ'dor] *n.m.* aparelho para agrafar folhas de papel, etc.

agrafar (a.gra.far) [ɐgrɐ'far] *v.* ⟨**+a**⟩ prender com agrafo(s): *Agrafou os papéis. Agrafei o certificado ao processo.*

agrafo (a.gra.fo) [ɐ'grafu] *n.m.* pequeno fio metálico, curvo nas pontas, que serve geralmente para prender folhas de papel

agramatical (a.gra.ma.ti.cal) [ɐgrɐmɐti'kaɫ] *adj.2g.* que não está de acordo com as regras da gramática

agrário (a.grá.ri:o) [ɐ'grarju] *adj.* **1** relativo ao campo **2** relativo à agricultura

agravado (a.gra.va.do) [ɐgrɐ'vadu] *adj.* que se tornou pior ou mais grave

agravamento (a.gra.va.men.to) [ɐgrɐvɐ'mẽtu] *n.m.* aumento de intensidade de (doença, conflito, etc.)

agravante (a.gra.van.te) [ɐgrɐ'vɐ̃t(ə)] *n.f.* circunstância que torna mais grave ■ *adj.2g.* que agrava; que piora

agravar(-se) (a.gra.var(-se)) [ɐgrɐ'var(sə)] *v.* **1** tornar(-se) mais grave **SIN.** piorar **2** aumentar (imposto, obrigação) **3** tornar(-se) intenso

agravo (a.gra.vo) [ɐ'gravu] *n.m.* **1** ofensa; insulto **2** recurso interposto para tribunal superior

agredir (a.gre.dir) [ɐgrə'dir] *v.* **1** atacar **2** insultar

agregação (a.gre.ga.ção) [ɐgrəgɐ'sɐ̃w̃] *n.f.* **1** reunião (de pessoas ou coisas) em grupo **SIN.** aglomeração **2** habilitação obtida por doutorados após provas públicas e que permite transitar para o grau de professor agregado da carreira docente do ensino superior **3** concurso para obtenção dessa habilitação

agregado (a.gre.ga.do) [ɐgrəˈgadu] *adj.* que está junto ■ *n.m.* **1** conjunto de pessoas ou coisas **2** conjunto de pessoas que habitam juntas; **agregado familiar** conjunto de pessoas da mesma família que vivem na mesma casa **3** no ensino superior, professor que obteve a agregação

agregar(-se) (a.gre.gar(-se)) [ɐgrəˈgar(sə)] *v.* ⟨**+a**⟩ juntar(-se); reunir(-se): *Agregou vários textos num só volume.*

agremiação (a.gre.mi:a.ção) [ɐgrəmjɐˈsɐ̃w̃] *n.f.* **1** ação de juntar(-se) em grémio **2** grupo de pessoas que se juntam com objetivos ou interesses comuns **SIN.** associação

agressão (a.gres.são) [ɐgrəˈsɐ̃w̃] *n.f.* **1** ataque (físico ou moral) contra alguém **2** hostilidade; provocação

agressividade (a.gres.si.vi.da.de) [ɐgrəsəviˈdad(ə)] *n.f.* **1** disposição para agredir ou provocar alguém **2** atitude de competição e de afirmação em qualquer área de atividade

agressivo (a.gres.si.vo) [ɐgrəˈsivu] *adj.* **1** que agride **SIN.** hostil **2** que se volta para o ataque **SIN.** combativo

agressor (a.gres.sor) [ɐgrəˈsor] *n.m.* aquele que agride

agreste (a.gres.te) [ɐˈgrɛʃt(ə)] *adj.2g.* **1** relativo aos campos; silvestre **2** diz-se da pessoa rude ou grosseira

agrião (a.gri.ão) [ɐgriˈɐ̃w̃] *n.m.* ⟨*pl.* agriões⟩ planta de sabor acre, cujos talos e folhas são muito utilizados em saladas e sopas

agrícola (a.grí.co.la) [ɐˈgrikulɐ] *adj.2g.* relativo à agricultura

agricultor (a.gri.cul.tor) [ɐgrikuɫˈtor] *n.m.* aquele que cultiva os campos; lavrador

agricultura (a.gri.cul.tu.ra) [ɐgrikuɫˈturɐ] *n.f.* atividade de cultivo da terra para dela se obterem vegetais **SIN.** lavoura; **agricultura biológica** sistema de produção agrícola que usa métodos e produtos naturais com vista a melhorar a qualidade dos seus produtos animais ou vegetais, e a manter o equilíbrio dos ecossistemas

agridoce (a.gri.do.ce) [agriˈdo(sə)] *adj.2g.* amargo e doce ao mesmo tempo

agrilhoar (a.gri.lho:ar) [ɐgriˈʎwar] *v.* **1** prender com grilhões **SIN.** acorrentar **2** *fig.* oprimir; constranger

agroalimentar (a.gro.a.li.men.tar)[AO] [agrɔɐli mẽˈtar] *adj.,n 2g.* relativo à transformação, armazenamento e comercialização de produtos alimentares de origem agrícola

agro-alimentar (a.gro-.a.li.men.tar) [agrɔɐli mẽˈtar] *a nova grafia é* **agroalimentar**[AO]

agroindústria (a.gro.in.dús.tri:a)[AO] [agrɔĩˈduʃtrjɐ] *n.f.* atividade económica que se dedica à transformação de produtos agrícolas

agro-indústria (a.gro-.in.dús.tri:a) [agrɔĩˈduʃtrjɐ] *a nova grafia é* **agroindústria**[AO]

agroindustrial (a.gro.in.dus.tri:al)[AO] [agrɔĩ duʃˈtrjaɫ] *adj.,n 2g.* relativo, simultaneamente, à agricultura e à indústria

agro-industrial (a.gro-.in.dus.tri:al) [agrɔĩ duʃˈtrjaɫ] *a nova grafia é* **agroindustrial**[AO]

agronomia (a.gro.no.mi.a) [ɐgrunuˈmiɐ] *n.f.* ciência que se dedica ao estudo da agricultura

agrónomo (a.gró.no.mo) [ɐˈgrɔnumu] *n.m.* especialista em agronomia

agropecuária (a.gro.pe.cu:á.ri:a)[AO] [agrɔ pəˈkwarjɐ] *n.f.* **1** estudo do desenvolvimento e das relações entre a agricultura e a pecuária **2** atividade que se baseia no cultivo da terra com vista à produção animal

agro-pecuária (a.gro-.pe.cu:á.ri:a) [agrɔ pəˈkwarjɐ] *a nova grafia é* **agropecuária**[AO]

agropecuário (a.gro.pe.cu:á.ri:o)[AO] [agrɔ pəˈkwarju] *adj.* relativo à agropecuária

agro-pecuário (a.gro-.pe.cu:á.ri:o) [agrɔ pəˈkwarju] *a nova grafia é* **agropecuário**[AO]

agroturismo (a.gro.tu.ris.mo)[AO] [agrɔtuˈriʒmu] *n.m.* turismo em zona rural, geralmente com a possibilidade de participar nas tarefas agrícolas

agro-turismo (a.gro-.tu.ris.mo) [agrɔtuˈriʒmu] *a nova grafia é* **agroturismo**[AO]

agrupado (a.gru.pa.do) [ɐgruˈpadu] *adj.* reunido em grupo

agrupamento (a.gru.pa.men.to) [ɐgrupɐˈmẽtu] *n.m.* **1** ato de agrupar; reunião **2** grupo; conjunto

agrupar(-se) (a.gru.par(-se)) [ɐgruˈpar(sə)] *v.* ⟨**+em**⟩ reunir(-se) em grupo(s): *Agrupámos os alunos em conjuntos de três.*

água (á.gua) [ˈagwɐ] *n.f.* líquido transparente, sem cor, sabor ou cheiro, que se encontra nos lagos, rios e mares ♦ **água benta** água utilizada pelo sacerdote no batismo; **água potável** água própria para se beber; **deitar água na fervura** acalmar os ânimos; *coloq.* **ficar em águas de bacalhau** não ter sucesso **SIN.** fracassar; **ir por água abaixo** não resultar; fracassar; **levar/trazer água no bico** ter uma intenção reservada

aguaceiro (a.gua.cei.ro) [agwɐˈsɐjru] *n.m.* chuva forte e passageira que surge de repente

água-de-colónia (á.gua-.de-.co.ló.ni:a) [agwɐdə kuˈlɔnjɐ] *n.f.* ⟨*pl.* águas-de-colónia⟩ solução aromática preparada com álcool, água e essências perfumadas

água-de-lume (á.gua-.de-.lu.me) [agwɐd(ə)'lum(ə)] *a nova grafia é* **água de lume**[AO]

água de lume (á.gua de lu.me)[AO] [agwɐd(ə)'lum(ə)] *n.f.* ⟨*pl.* águas de lume⟩ [CV.] álcool puro

aguado (a.gua.do) [a'gwadu] *adj.* que contém água

água-flebê (á.gua-.fle.bê) [agwɐflɛ'be] *n.f.* [STP.] água mineral ligeiramente gasosa e sulfurosa

água-mato (á.gua-.ma.to) [agwɐ'matu] *n.f.* [STP.] inundação; cheia

água-oxigenada (á.gua-.o.xi.ge.na.da) [agwɔksi ʒə'nadɐ] *n.f.* ⟨*pl.* águas-oxigenadas⟩ líquido desinfetante usado para limpar feridas

aguar (a.guar) [a'gwar] *v.* **1** dissolver em água **2** molhar (com água ou outro líquido) **3** adulterar (vinho, leite)

aguardar (a.guar.dar) [ɐgwɐr'dar] *v.* ⟨**+por**⟩ estar à espera de: *aguardar ordens; aguardar que chamem; aguardar pelo melhor momento* **SIN.** esperar

aguardente (a.guar.den.te) [agwar'dẽt(ə)] *n.f.* bebida muito alcoólica que se obtém da destilação do vinho, do bagaço de uvas, de cereais, frutos e sementes, depois de fermentados

aguarela (a.gua.re.la) [agwɐ'rɛlɐ] *n.f.* **1** tinta diluída em água **2** pintura feita com essa tinta

águas-furtadas (á.guas-.fur.ta.das) [agwɐʃfur'ta dɐʃ] *n.f.pl.* último andar de uma casa, com janelas sobre o telhado

aguça (a.gu.ça) [ɐ'gusɐ] *n.m.* instrumento para aguçar lápis **SIN.** apara-lápis

aguçado (a.gu.ça.do) [ɐgu'sadu] *adj.* **1** que termina em bico ou ponta fina; afiado **2** *fig.* (comentário) que fere ou incomoda; mordaz **3** *fig.* (sentido) que revela perspicácia; apurado

aguçar (a.gu.çar) [ɐgu'sar] *v.* **1** tornar mais fino **2** afiar (lápis ou objeto cortante) **3** *fig.* estimular; excitar

agudo (a.gu.do) [ɐ'gudu] *adj.* **1** diz-se de um som muito fino **2** (palavra) que tem acento tónico na última sílaba: *avó; fenomenal* **3** (acento) que indica som vocálico tónico, geralmente aberto: *avó; lápis; académico* **4** (dor) que é forte ou intenso **5** (doença) que apresenta evolução rápida **6** *fig.* (sentido) apurado; perspicaz

aguentar (a.guen.tar) [ɐgwẽ'tar] *v.* **1** segurar; sustentar: *Isso não vai aguentar o peso dele.* **2** suportar; tolerar: *aguentar a dor; aguentar uma crítica* **3** resistir: *Este material aguenta temperaturas elevadas.*

aguerrido (a.guer.ri.do) [ɐgə'ʀidu] *adj.* **1** exaltado **2** destemido

águia (á.gui:a) ['agjɐ] *n.f.* ave de rapina, diurna, muito robusta, com grande capacidade de visão e bico e garras fortes

aguilhão (a.gui.lhão) [ɐgi'ʎɐ̃w̃] *n.m.* ponta de ferro das varas com que se picam os bois

agulha (a.gu.lha) [ɐ'guʎɐ] *n.f.* **1** pequena haste de metal aguçada numa das pontas e com um buraco na outra, por onde se enfia linha para coser **2** folha fina de algumas árvores **3** ponteiro de relógio ou de bússola ♦ **procurar uma agulha num palheiro** procurar uma coisa (quase) impossível de encontrar

ah (ah) [a] *interj.* exprime admiração, alegria ou espanto

ai (ai) [aj] *n.m.* grito aflitivo; gemido ▪ *interj.* exprime dor

aí (a.í) [ɐ'i] *adv.* **1** nesse lugar: *Senta-te aí que eu sento-me aqui.* **2** nesse ponto: *Aí é que está o problema.* **3** cerca de; aproximadamente: *Convidei aí umas vinte pessoas.* **4** nesse caso; então: *Foi aí que percebi. Se ela chegar, aí diz-me.* ♦ **e por aí fora** e assim por diante; **por aí** em lugar incerto

aia (ai.a) ['ajɐ] *n.f.* **1** senhora encarregada da educação de um príncipe ou de um nobre **2** dama de companhia

aiatola (ai.a.to.la) [ajɐ'tɔlɐ] *n.m.* líder religioso islâmico

ai-jesus (ai-.je.sus) [ajʒə'zuʃ] *interj.* exprime aflição ou espanto ▪ *n.m.2n. coloq.* predileto

ainda (a.in.da) [ɐ'ĩdɐ] *adv.* **1** até este momento: *Ele ainda está na cama.* **2** até aquele momento: *Quando cheguei, ela ainda não tinha saído.* **3** um dia; no futuro: *Ainda me vais dar razão.* **4** além disso: *Dei-lhe os apontamentos e ainda resmunga.* **5** pelo menos: *Ainda se fosses compreensivo, mas não és.* ♦ **ainda agora** neste instante; neste momento; **ainda assim** de qualquer forma; seja como for; apesar disso; **ainda bem** felizmente; tanto melhor; **ainda que** embora; mesmo que

AIP [ai'pe] *sigla de* Associação Industrial Portuguesa

aipo (ai.po) ['ajpu] *n.m.* 👁 planta herbácea, com um caule grosso e suculento, usado em culinária

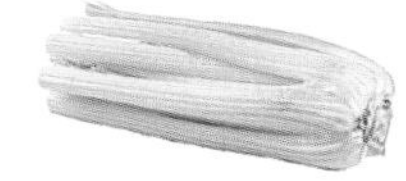

aiquidô (ai.qui.dô) [ajki'do] *n.m.* arte marcial japonesa cujo objetivo é neutralizar o adversário através de movimentos de rotação do corpo e da aplicação de chaves e torções às articulações do oponente

airbag [ɛr'bɛg] *n.m.* ⟨*pl.* airbags⟩ almofada que existe nos veículos automóveis e que se enche de ar para proteger o condutor e os passageiros em caso de choque

airbus [ɛr'bɐz] *n.m.* ⟨*pl.* airbuses⟩ avião próprio para transporte de passageiros

airoso (ai.ro.so) [aj'rozu] *adj.* **1** diz-se do que tem boa aparência **2** diz-se do comportamento ou dito acertado

ajardinado (a.jar.di.na.do) [ɐʒɐrdi'nadu] *adj.* **1** que tem jardim **2** que se converteu em jardim

ajardinar (a.jar.di.nar) [ɐʒɐrdi'nar] *v.* **1** transformar em jardim **2** tratar das plantas

ajeitar (a.jei.tar) [ɐʒɐj'tar] *v.* compor; arranjar: *ajeitar os óculos/o cabelo* ■ **ajeitar-se 1** ⟨**+a**⟩ acomodar-se; habituar-se: *Não se ajeitou à situação.* **2** *coloq.* desenrascar-se: *Ele ajeita-se sozinho.*

ajoelhado (a.jo:e.lha.do) [ɐʒwə'ʎadu] *adj.* **1** posto de joelhos **2** *fig.* humilhado

ajoelhar(-se) (a.jo:e.lhar(-se)) [ɐʒwə'ʎar(sə)] *v.* **1** pôr(-se) de joelhos **2** *fig.* humilhar(-se)

ajuda (a.ju.da) [ɐ'ʒudɐ] *n.f.* **1** auxílio; socorro **2** apoio financeiro; **ajudas de custo** quantia paga a um funcionário por despesas de representação ao serviço de uma empresa, que abrange geralmente alojamento, refeições e deslocação ♦ **com a ajuda de** com o apoio de

ajudante (a.ju.dan.te) [ɐʒu'dɐ̃t(ə)] *n.2g.* **1** pessoa que ajuda **2** pessoa que trabalha sob as ordens de outra **SIN.** assistente

ajudar (a.ju.dar) [ɐʒu'dar] *v.* **1** ⟨**+a**⟩ dar ajuda ou apoio: *Posso ajudar? Eu ajudo-te com os sacos.* **2** ⟨**+em**⟩ prestar socorro ou assistência (a alguém): *Ajudei a senhora a atravessar a rua.* **SIN.** socorrer

ajuizado (a.ju:i.za.do) [ɐʒwi'zadu] *adj.* que tem juízo; sensato

ajuizar (a.ju:i.zar) [ɐʒwi'zar] *v.* **1** julgar; ponderar **2** tomar juízo

ajuntamento (a.jun.ta.men.to) [ɐʒũtɐ'mẽtu] *n.m.* grupo de pessoas; multidão

ajustado (a.jus.ta.do) [ɐʒuʃ'tadu] *adj.* **1** que está na medida certa **2** que está de acordo com **3** que foi combinado

ajustar (a.jus.tar) [ɐʒuʃ'tar] *v.* **1** tornar certo ou exato (balança, mecanismo) **2** ⟨**+a**⟩ adaptar (uma coisa a outra): *ajustar as despesas às receitas* **3** pôr em ordem (contas, dívidas) **4** combinar (data, negócio) **5** apertar (peça de roupa) ■ **ajustar-se** ⟨**+a**⟩ adaptar-se: *ajustar-se às circunstâncias*

ajuste (a.jus.te) [ɐ'ʒust(ə)] *n.m.* **1** ato de ajustar (uma balança, um mecanismo) **2** estabelecimento de um acordo; pacto **3** acerto ♦ **ajuste de contas** vingança

Al. *abreviatura de* alameda

ala (a.la) ['alɐ] *n.f.* **1** parte lateral de um edifício **2** setor de um determinado grupo **3** em jogos de equipa, cada um dos lados da linha de ataque ♦ **abrir alas** formar filas de modo a permitir passagem

alabastro (a.la.bas.tro) [ɐlɐ'baʃtru] *n.m.* pedra de gesso pouco dura, muito branca, utilizada em escultura

alado (a.la.do) [ɐ'ladu] *adj.* **1** que tem asas **2** com forma de asa

alagado (a.la.ga.do) [ɐlɐ'gadu] *adj.* cheio de água; inundado

alagar(-se) (a.la.gar(-se)) [ɐlɐ'gar(sə)] *v.* cobrir ou ficar coberto de água **SIN.** inundar

alambique (a.lam.bi.que) [ɐlɐ̃'bik(ə)] *n.m.* aparelho próprio para fazer destilação

alameda (a.la.me.da) [ɐlɐ'medɐ] *n.f.* rua com árvores de ambos os lados

álamo (á.la.mo) ['alɐmu] *n.m.* árvore com flores pequenas e casca rugosa, que fornece madeira clara e leve

alapar-se (a.la.par-.se) [ɐlɐ'pars(ə)] *v.* ⟨**+em**⟩ *coloq.* sentar-se; instalar-se: *Alapou-se na cadeira.*

alar (a.lar) [ɐ'lar] *adj.2g.* relativo a asa ■ *v.* **1** levantar; erguer **2** içar (bandeira)

alaranjado (a.la.ran.ja.do) [ɐlɐrɐ̃'ʒadu] *adj.* de cor semelhante ao cor de laranja

alarde (a.lar.de) [ɐ'lard(ə)] *n.m.* atitude exibicionista; ostentação; **fazer alarde de** exibir-se, dar espetáculo

alargamento (a.lar.ga.men.to) [ɐlɐrgɐ'mẽtu] *n.m.* **1** aumento; ampliação **2** prolongamento

alargar (a.lar.gar) [ɐlɐr'gar] *v.* **1** tornar (mais) largo: *alargar a estrada/o cinto* **2** aumentar; ampliar: *alargar as ruas* **3** prolongar (prazo) **4** ⟨**+a**⟩ tornar extensivo a: *Alargou o convite a todos os professores.* **SIN.** estender ■ **alargar-se** exceder-se (em discurso, exposição): *alargar-se sobre determinado tema*

alarido (a.la.ri.do) [ɐlɐ'ridu] *n.m.* barulho de vozes

alarmante (a.lar.man.te) [ɐlɐr'mɐ̃t(ə)] *adj.2g.* **1** que causa inquietação **SIN.** inquietante; preocupante **2** que assusta **SIN.** assustador

alarmar (a.lar.mar) [ɐlɐr'mar(sə)] *v.* **1** ⟨**+com**⟩ assustar(-se); sobressaltar(-se): *Alarmei-me com o barulho.* **2** ⟨**+com**⟩ preocupar(-se): *Alarmaram-se com o meu atraso.*

alarme (a.lar.me) [ɐ'larm(ə)] *n.m.* **1** sinal ou aviso de perigo **SIN.** alerta **2** grande agitação ou susto **3** dispositivo de segurança instalado em portas, janelas ou recintos fechados, que emite um sinal em caso de tentativa de roubo, invasão de propriedade, etc.

alarmismo (a.lar.mis.mo) [ɐlɐr'miʒmu] *n.m.* **1** tendência para exagerar os aspetos perigosos de uma situação **2** propensão para se assustar ou preocupar demasiado

alarmista (a.lar.mis.ta) [ɐlɐr'miʃtɐ] *adj.,n.2g.* **1** que ou pessoa que exagera os aspetos perigosos de uma situação **2** que ou pessoa que se preocupa demasiado

alarve (a.lar.ve) [ɐ'larv(ə)] *n.2g. pej.* pessoa que come demasiado

alastrar(-se) (a.las.trar(-se)) [ɐlɐʃ'trar(sə)] *v.* **1** espalhar(-se) gradualmente: *O fogo alastrou aos armazéns.* **SIN.** estender-se **2** promover a difusão de: *alastrar um boato* **SIN.** difundir(-se) **3** agravar-se rapidamente: *A doença alastra na aldeia.* **SIN.** propagar(-se)

alaúde (a.la.ú.de) [ɐlɐ'ud(ə)] *n.m.* antigo instrumento de cordas de origem árabe, com a parte de trás curva, tampo plano com uma abertura redonda e braço largo

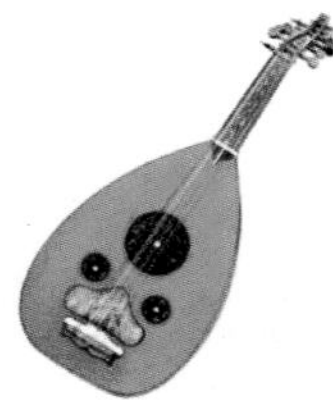

alavanca (a.la.van.ca) [ɐlɐ'vɐ̃kɐ] *n.f.* **1** barra de material resistente usada para erguer um objeto pesado **2** peça com uma das extremidades fixas e outra móvel para controlar uma máquina ou um veículo; **alavanca de velocidades** barra vertical apoiada num ponto fixo e com uma extremidade móvel, utilizada pelo condutor para controlar o movimento do veículo **3** *fig.* meio usado para atingir um fim

alba (al.ba) ['aɫbɐ] *n.f.* **1** primeira luz da manhã; aurora **2** túnica de linho

albanês (al.ba.nês) [aɫbɐ'neʃ] *n.m.* **1** pessoa natural da Albânia **2** língua falada na Albânia ■ *adj.* relativo à Albânia

albarda (al.bar.da) [aɫ'bardɐ] *n.f.* sela própria para animais de carga

albatroz (al.ba.troz) [aɫbɐ'trɔʃ] *n.m.* ave marinha de cor branca e asas muito compridas

albergar (al.ber.gar) [aɫbər'gar] *v.* **1** ⟨+em⟩ dar hospedagem (a alguém): *Albergou um sem-abrigo.* **SIN.** hospedar **2** *fig.* conter: *O museu alberga mais de cem quadros do Renascimento.*

albergaria (al.ber.ga.ri.a) [aɫbərgɐ'riɐ] *n.f.* casa onde se recebem hóspedes mediante pagamento; pousada

albergue (al.ber.gue) [aɫ'bɛrg(ə)] *n.m.* **1** lugar onde se recebem hóspedes **2** residência de férias para jovens

alberguista (al.ber.guis.ta) [aɫbər'giʃtɐ] *adj.2g.* relativo a albergue

albinismo (al.bi.nis.mo) [aɫbi'niʒmu] *n.m.* diminuição ou falta total de pigmentação da pele e dos pelos

albino (al.bi.no) [aɫ'binu] *n.m.* pessoa ou animal que tem albinismo

albite (al.bi.te) [aɫ'bit(ə)] *n.m.* [CV.] petisco; pitéu

albufeira (al.bu.fei.ra) [aɫbu'fɐjrɐ] *n.f.* **1** lagoa formada pelo mar e pelas marés **2** lago artificial criado por barragem

álbum (ál.bum) ['aɫbũ] *n.m.* **1** livro para colecionar e guardar fotografias, selos, etc. **2** gravação de temas musicais, geralmente apresentada num único disco

albumina (al.bu.mi.na) [aɫbu'minɐ] *n.f.* cada uma das proteínas solúveis na água, existentes nos organismos animais e vegetais

alça (al.ça) ['aɫsɐ] *n.f.* **1** tira, geralmente de tecido, usada para segurar peças de roupa pelos ombros **2** asa que permite levantar um objeto **SIN.** pega

> Note-se que a palavra **alça** escreve-se com **ç** (e não com **s**).

alcachofra (al.ca.cho.fra) [aɫkɐ'ʃofrɐ] *n.f.* planta herbácea utilizada em medicina e em culinária

alçada (al.ça.da) [aɫ'sadɐ] *n.f.* **1** jurisdição; competência **2** área de atuação

alçado (al.ça.do) [aɫ'sadu] *adj.* erguido; levantado ■ *n.m.* desenho da fachada de um edifício

alcaide (al.cai.de) [aɫ'kajd(ə)] *n.m.* **1** antigo governador de castelo ou província **2** autoridade administrativa espanhola

alcalino (al.ca.li.no) [aɫkɐ'linu] *adj.* **1** que reage com ácidos para formar sais; básico **2** que tem pH maior que 7

alcançado (al.can.ça.do) [aɫkɐ̃'sadu] *adj.* **1** atingido **2** conquistado **3** *fig.* compreendido

alcançar (al.can.çar) [aɫkɐ̃'sar] *v.* **1** atingir **2** conquistar **3** *fig.* compreender

alcançável (al.can.çá.vel) [aɫkɐ̃'savɛɫ] *adj.2g.* que pode ser alcançado **SIN.** atingível

alcance (al.can.ce) [aɫ'kɐ̃(sə)] *n.m.* **1** distância que pode se pode alcançar com a vista, a voz ou o toque **2** distância compreendida entre o ponto de origem da trajetória de um projétil e o ponto de queda **3** *fig.* compreensão

alçapão (al.ça.pão) [aɫsɐ'pɐ̃w̃] *n.m.* porta ou tampa ao nível do chão que permite a comunicação com um espaço que fica por baixo

alçar (al.çar) [aɫ'sar] *v.* **1** levantar; erguer **2** construir; edificar **3** içar (bandeira)

alcateia (al.ca.tei.a) [aɫkɐ'tɐjɐ] *n.f.* grupo de lobos

alcatifa (al.ca.ti.fa) [aɫkɐ'tifɐ] *n.f.* tapete com que se cobre totalmente o chão de uma divisão

alcatifado **(al.ca.ti.fa.do)** [atkɐti'far] *adj.* coberto com alcatifa

alcatifar **(al.ca.ti.far)** [atkɐti'far] *v.* cobrir com alcatifa

alcatrão **(al.ca.trão)** [atkɐ'trɐ̃w̃] *n.m.* substância pastosa e escura, extraída do carvão e do petróleo, que é usada para pavimentar ruas e estradas

alcatroado **(al.ca.tro:a.do)** [atkɐ'trwadu] *adj.* (pavimento) revestido com alcatrão; asfaltado

alcatroar **(al.ca.tro:ar)** [atkɐ'trwar] *v.* cobrir com alcatrão

alce **(al.ce)** ['at(sə)] *n.m.* veado grande com pelagem escura e chifres largos, espalmados e recortados, que vive nas regiões frias do norte da Europa

alcofa **(al.co.fa)** [at'kofɐ] *n.f.* berço, geralmente com asas, para transportar crianças de colo

álcool **(ál.co:ol)** ['atkwɔt] *n.m.* ⟨*pl.* álcoois⟩ **1** líquido transparente que arde e se evapora com facilidade, usado para desinfetar feridas; **álcool etílico** substância obtida da fermentação de açúcares, usada em bebidas e perfumaria; etanol **2** bebida alcoólica

alcoólatra **(al.co.ó.la.tra)** [at'kwɔlɐtrɐ] *n.2g.* pessoa viciada na ingestão de bebidas alcoólicas

alcoolemia **(al.co:o.le.mi.a)** [atkwulə'miɐ] *n.f.* presença de álcool no sangue

alcoólico **(al.co:ó.li.co)** [at'kwɔliku] *adj.* **1** que contém álcool **2** que abusa de bebidas com álcool

alcoolímetro **(al.co:o.lí.me.tro)** [atkwu'limətru] *n.m.* instrumento que mede o teor de álcool no sangue

alcoolismo **(al.co:o.lis.mo)** [atkwu'liʒmu] *n.m.* **1** abuso de bebidas alcoólicas **2** doença causada pelo abuso de bebidas alcoólicas

alcoolizado **(al.co:o.li.za.do)** [atkwuli'zadu] *adj.* **1** que contém álcool **2** embriagado; bêbado

alcoolizar **(al.co:o.li.zar)** [atkwuli'zar] *v.* **1** juntar álcool a **2** embebedar ▪ **alcoolizar-se** ficar bêbedo; embebedar-se

alcorão **(al.co.rão)** [atku'rɐ̃w̃] *n.m.* religião muçulmana; islamismo ▪ **Alcorão** livro sagrado dos muçulmanos, que contém as revelações feitas por Alá ao profeta Maomé **SIN.** Corão

alcova **(al.co.va)** [at'kovɐ] *n.f.* pequeno quarto interior de dormir

alcoviteiro **(al.co.vi.tei.ro)** [atkuvi'tɐjru] *n.m.* **1** pessoa que serve de intermediário em relações amorosas **2** pessoa que faz mexericos ▪ *adj.* **1** casamenteiro **2** mexeriqueiro

alcunha **(al.cu.nha)** [at'kuɲɐ] *n.f.* nome que se dá a uma pessoa por causa de uma dada característica **SIN.** cognome

aldeamento **(al.de:a.men.to)** [atdjɐ'mẽtu] *n.m.* conjunto de casas ou apartamentos utilizados para turismo

aldeão **(al.de.ão)** [at'djɐ̃w̃] *adj.* relativo a aldeia; rústico ▪ *n.m.* ⟨*f.* aldeã, *pl.* aldeões, aldeãos, aldeães⟩ natural ou habitante de uma aldeia; camponês

aldeia **(al.dei.a)** [at'dɐjɐ] *n.f.* povoação pequena, menor do que a vila, e com poucos habitantes ♦ **aldeia global** visão do mundo atual como uma pequena comunidade, devido ao progresso tecnológicos

al dente [at'dẽtɛ] *adj.2g.* (massa, arroz) cozido ligeiramente, de modo a manter a consistência

aldeola **(al.de:o.la)** [at'djɔlɐ] *n.f.* aldeia pequena

aldraba **(al.dra.ba)** [at'drabɐ] *n.f.* **1** peça de ferro para fechar portas e janelas do lado de dentro **2** peça metálica em forma de argola para bater à porta

aldrabado **(al.dra.ba.do)** [atdrɐ'badu] *adj.* **1** *coloq.* enganado **2** *coloq.* feito à pressa

aldrabão **(al.dra.bão)** [atdrɐ'bɐ̃w̃] *adj.,n.m.* **1** mentiroso **2** trapalhão

aldrabar **(al.dra.bar)** [atdrɐ'bar] *v.* **1** fazer (algo) depressa e mal **2** mentir

aldrabice **(al.dra.bi.ce)** [atdrɐ'bi(sə)] *n.f.* **1** mentira **2** trapalhada

aleatoriamente **(a.le:a.to.ri:a.men.te)** [ɐljɐtɔrjɐ'mẽt(ə)] *adv.* de forma casual; à sorte: *escolhidos aleatoriamente*

aleatório **(a.le:a.tó.ri:o)** [ɐljɐ'tɔrju] *adj.* **1** casual; fortuito **2** imprevisível

alecrim **(a.le.crim)** [ɐlə'krĩ] *n.m.* arbusto aromático com flores azul-claras, brancas ou rosadas, usado em perfumaria

alegação **(a.le.ga.ção)** [ɐləgɐ'sɐ̃w̃] *n.f.* **1** explicação; justificação **2** exposição oral ou escrita dos argumentos por cada parte litigiosa de um processo jurídico, contestando as provas apresentadas e retirando as respetivas consequências jurídicas

alegado **(a.le.ga.do)** [ɐlə'gadu] *adj.* **1** que foi citado ou referido como argumento ou prova **2** suposto

alegar **(a.le.gar)** [ɐlə'gar] *v.* **1** apresentar (facto, prova) em defesa de **2** apresentar (motivo, facto) como pretexto, desculpa ou justificação

alegoria **(a.le.go.ri.a)** [ɐləgu'riɐ] *n.f.* **1** representação de uma coisa abstrata através de uma coisa concreta (usando metáforas, imagens e comparações) **2** obra literária ou artística que representa simbolicamente uma ideia abstrata

alegórico **(a.le.gó.ri.co)** [ɐlə'gɔriku] *adj.* relativo a alegoria **SIN.** simbólico

alegrar **(a.le.grar)** [ɐlə'grar] *v.* causar alegria a: *A decisão alegrou-me muito.* ▪ **alegrar-se** ⟨**+com**,

+de, **+por**⟩ ficar alegre: *Ela alegrou-se muito por vos ver.*

alegre (a.le.gre) [ɐ'lɛgr(ə)] *adj.2g.* **1** que sente ou manifesta alegria **SIN.** contente **2** que faz sentir alegria **SIN.** divertido **3** diz-se da cor de tom vivo **4** *coloq.* ligeiramente bêbedo

alegria (a.le.gri.a) [ɐlə'griɐ] *n.f.* **1** estado de satisfação ou contentamento **2** acontecimento feliz **3** festa; divertimento

alegro (a.le.gro) [ɐ'lɛgro] *n.m.* **1** andamento musical vivo e alegre **2** trecho musical com esse andamento

aleijado (a.lei.ja.do) [ɐlɐj'ʒadu] *adj.* magoado; ferido ■ *adj.,n.m.* que ou pessoa que apresenta lesão ou deficiência física

aleijar(-se) (a.lei.jar(-se)) [ɐlɐj'ʒar(sə)] *v.* causar ferimento a ou ficar ferido **SIN.** magoar(-se)

aleitamento (a.lei.ta.men.to) [ɐlɐjtɐ'mẽtu] *n.m.* ato de alimentar com leite materno **SIN.** amamentação

aleluia (a.le.lui.a) [alɛ'lujɐ] *n.f.* cântico de alegria ou de ação de graças ■ *interj.* manifestação de alegria

além (a.lém) [a'lɐ̃j] *adv.* **1** acolá; ali; lá **2** mais à frente; mais adiante **3** em lugar distante; longe ■ *n.m.* **1** lugar longínquo **2** vida após a morte ◆ **estar para além de** estar acima da capacidade de; **não ser nada por aí além** não ser nada de especial

alemão (a.le.mão) [ɐlə'mɐ̃w̃] *adj.* relativo à Alemanha ■ *n.m.* **1** pessoa natural da Alemanha **2** língua oficial da Alemanha, da Áustria, de parte da Suíça, da Bélgica e do Luxemburgo

alembamento (a.lem.ba.men.to) [ɐlẽbɐ'mẽtu] *n.m.* [ANG.] dote

além-fronteiras (a.lém-.fron.tei.ras) [alɐ̃jfrõ'tɐjrɐʃ] *adv.* no estrangeiro

além-mundo (a.lém-.mun.do) [alɐ̃j'mũdu] *adv.* na vida depois da morte ■ *n.m.* eternidade; Além

alentar (a.len.tar) [ɐlẽ'tar] *v.* **1** dar alento **SIN.** encorajar **2** tomar alento **SIN.** respirar **3** *fig.* alimentar (sonho, esperança)

alentejano (a.len.te.ja.no) [ɐlẽtə'ʒɐnu] *adj.* relativo ao Alentejo ■ *n.m.* pessoa natural do Alentejo

alento (a.len.to) [ɐ'lẽtu] *n.m.* **1** coragem; ânimo **2** fôlego; respiração

alergia (a.ler.gi.a) [ɐlər'ʒiɐ] *n.f.* **1** sensibilidade anormal do corpo provocada por algumas substâncias **2** *fig.* aversão

alérgico (a.lér.gi.co) [ɐ'lɛrʒiku] *adj.* **1** relativo a alergia **2** que sofre de alergia

alergologista (a.ler.go.lo.gis.ta) [ɐlɛrgulu'ʒiʃtɐ] *n.2g.* médico especialista em doenças alérgicas

alerta (a.ler.ta) [a'lɛrtɐ] *adv.* com muita atenção e vigilância ■ *n.m.* sinal para se estar atento ou vigilante ■ *interj.* usada para chamar a atenção ou avisar de perigo

Note-se que **alerta** é um nome masculino.

alertar (a.ler.tar) [ɐlər'tar] *v.* **1** ⟨**+para**, **+de**⟩ dar sinal de perigo: *Tenho de alertar a polícia.* **SIN.** avisar **2** ⟨**+para**, **+de**⟩ chamar a atenção (de alguém para alguma coisa): *O jornal alertou-me para essa realidade.*

aletria (a.le.tri.a) [ɐlə'triɐ] *n.f.* doce feito com uma massa de fios muito finos, ovos, leite, açúcar e canela

alfabético (al.fa.bé.ti.co) [aɫfɐ'bɛtiku] *adj.* **1** relativo ao alfabeto **2** que segue a ordem das letras do alfabeto

alfabetismo (al.fa.be.tis.mo) [aɫfɐbə'tiʒmu] *n.m.* **1** sistema de escrita que tem por base o alfabeto **2** aprendizagem da leitura e da escrita; instrução

alfabetização (al.fa.be.ti.za.ção) [aɫfɐbətizɐ'sɐ̃w̃] *n.f.* processo de ensino e aprendizagem da leitura e da escrita; instrução

alfabetizado (al.fa.be.ti.za.do) [aɫfɐbəti'zadu] *adj.* que aprendeu a ler e a escrever

alfabetizar(-se) (al.fa.be.ti.zar(-se)) [aɫfɐbəti'zar(sə)] *v.* **1** ensinar ou aprender o alfabeto **2** ensinar ou aprender a ler e a escrever

alfabeto (al.fa.be.to) [aɫfɐ'bɛtu] *n.m.* **1** conjunto das letras de uma língua dispostas segundo determinada ordem **SIN.** abecedário **2** qualquer sistema de sinais convencionado para representar letras, sons, palavras, etc.; **alfabeto fonético** sistema convencional de sinais que representam graficamente os sons de uma língua e que são usados na transcrição fonética

alface (al.fa.ce) [aɫ'fa(sə)] *n.f.* 👁 planta herbácea comestível, de folhas largas, muito utilizada em saladas ◆ **estar fresco como uma alface** estar bem-disposto/animado

alfacinha (al.fa.ci.nha) [aɫfɐ'siɲɐ] *adj.2g. coloq.* relativo a Lisboa; lisboeta ■ *n.2g. coloq.* pessoa natural de Lisboa; lisboeta

alfaia (al.fai.a) [aɫ'fajɐ] *n.f.* utensílio; ferramenta; **alfaias agrícolas** instrumentos usados na agricultura

alfaiate (al.fai.a.te) [aɫfɐj'at(ə)] *n.m.* aquele que faz roupas de homem por medida

alfândega (al.fân.de.ga) [aɫ'fɐ̃dəgɐ] *n.f.* **1** repartição pública fiscal onde se registam mercadorias de importação e exportação e se cobram direitos de entrada e saída daquelas no país **2** edifício onde funciona essa repartição

alfandegário (al.fan.de.gá.ri:o) [aɫfɐ̃də'garju] *adj.* relativo a alfândega; aduaneiro

alfanumérico (al.fa.nu.mé.ri.co) [aɫfɐnu'mɛriku] *adj.* **1** (sistema de codificação) que utiliza, simultaneamente, letras do alfabeto e algarismos **2** (dispositivo) que funciona com base naquele sistema

alfarrábio (al.far.rá.bi:o) [aɫfɐ'ʀabju] *n.m.* livro antigo ■ *n.m.2n.* registos antigos; anotações

alfarrabista (al.far.ra.bis.ta) [aɫfɐʀɐ'biʃtɐ] *n.2g.* **1** pessoa que negoceia em livros antigos ou usados **2** loja onde se compram e vendem livros antigos ou usados

alfarroba (al.far.ro.ba) [aɫfɐ'ʀobɐ] *n.f.* fruto em forma de vagem, de cor castanha e sabor adocicado

alfavaca (al.fa.va.ca) [aɫfɐ'vakɐ] *n.f.* planta aromática cujas folhas são utilizadas como condimento

alfazema (al.fa.ze.ma) [aɫfɐ'zemɐ] *n.f.* planta com pequenas flores azuis muito perfumadas, utilizada em perfumaria; lavanda

alfena (al.fe.na) [aɫ'fenɐ] *n.f.* arbusto com flores brancas e aromáticas e bagas negras

alferes (al.fe.res) [aɫ'fɛr(ə)ʃ] *n.2g.2n.* oficial subalterno de posto imediatamente inferior ao de tenente

alfinetada (al.fi.ne.ta.da) [aɫfinə'tadɐ] *n.f.* **1** picada com alfinete **2** dor aguda **3** *fig.* crítica mordaz; censura

alfinete (al.fi.ne.te) [aɫfi'net(ə)] *n.m.* **1** pequena haste de metal, pontiaguda de um lado e com cabeça no outro, que serve para pregar roupa **2** acessório para gravata ou vestuário feminino ◆ **alfinete de bebé/segurança** espécie de gancho cujo bico encaixa na extremidade oposta, em forma de cavidade, para não se desprender e não picar

alfinete-de-ama (al.fi.ne.te-.de-.a.ma) [aɫfinetə'dɐmɐ] *a nova grafia é* **alfinete de ama**[AO]

alfinete de ama (al.fi.ne.te de a.ma)[AO] [aɫfinetə'dɐmɐ] *n.m.* ⟨*pl.* alfinetes de ama⟩ alfinete cujo bico encaixa numa cavidade, numa das extremidades, para não se desprender e não picar; alfinete de segurança

alfineteira (al.fi.ne.tei.ra) [aɫfinə'tɐjrɐ] *n.f.* pequena almofada onde se espetam alfinetes para não se perderem

alforge (al.for.ge) [aɫ'fɔrʒ(ə)] *n.m.* espécie de saco fechado nas extremidades que se coloca sobre o animal de carga

alforreca (al.for.re.ca) [aɫfu'ʀɛkɐ] *n.f.* animal marinho de cor transparente e consistência mole

alforria (al.for.ri.a) [aɫfu'ʀiɐ] *n.f.* **1** liberdade concedida a um escravo; **carta de alforria** documento passado pelo senhor que concedia a libertação a um escravo **2** qualquer libertação; emancipação; independência

alforriar (al.for.ri:ar) [aɫfu'ʀjar] *v.* **1** conceder alforria a (escravo) SIN. libertar **2** libertar de qualquer domínio ou opressão SIN. emancipar

alga (al.ga) ['aɫgɐ] *n.f.* planta com diversas formas que vive em águas salgadas ou doces

algália (al.gá.li:a) [aɫ'galjɐ] *n.f.* sonda oca usada para extração de urina ou observação de pedras na bexiga

algarismo (al.ga.ris.mo) [aɫgɐ'riʒmu] *n.m.* sinal gráfico com que se representam os números

algarvio (al.gar.vi.o) [aɫgɐr'viu] *adj.* relativo ao Algarve ■ *n.m.* pessoa natural do Algarve

algazarra (al.ga.zar.ra) [aɫgɐ'zaʀɐ] *n.f.* **1** gritaria **2** confusão

álgebra (ál.ge.bra) ['aɫʒəbrɐ] *n.f.* **1** disciplina matemática que, trata por meio de fórmulas, problemas nos quais as grandezas são representadas por símbolos **2** tratado ou compêndio dessa disciplina

algema (al.ge.ma) [aɫ'ʒemɐ] *n.f.* argola de metal usada para prender alguém pelos pulsos

algemar (al.ge.mar) [aɫʒə'mar] *v.* prender com algemas

algibeira (al.gi.bei.ra) [aɫʒi'bɐjrɐ] *n.f.* bolso

algo (al.go) ['aɫgu] *prn.indef.* alguma coisa; qualquer coisa: *Passava-se algo. Algo te fez mal.* ■ *adv.* um pouco; um tanto: *Sentia-se algo estranho.*

algodão (al.go.dão) [aɫgu'dɐ̃w̃] *n.m.* **1** conjunto de fios brancos de toque suave que cobrem as sementes do algodoeiro e são usados para fazer tecidos ou limpar a pele **2** tecido feito desses fios ◆ **algodão em rama** algodão simples, que não foi tratado

algodão-doce (al.go.dão-.do.ce) [aɫgudɐ̃w̃'do(sə)] *n.m.* ⟨*pl.* algodões-doces⟩ doce de feira feito de fios de açúcar muito finos que se juntam em flocos em redor de um pauzinho

algodoeiro (al.go.do.ei.ro) [aɫgu'dwɐjru] *n.m.* planta, de flores brancas ou amarelas, que produz o algodão

algorítmico (al.go.rít.mi.co) [aɫgu'ritmiku] *adj.* relativo a algoritmo

algoritmo (al.go.rit.mo) [aɫgu'ritmu] *n.m.* processo de cálculo para resolver problemas matemáticos

algoz (al.goz) [aɫ'gɔʃ] *n.m.* **1** carrasco **2** *fig.* pessoa cruel

alguém (al.guém) [aɫ'gɐ̃j̃] *prn.indef.* **1** pessoa cuja identidade não é referida: *Alguém falou nisso.* **2** pessoa importante: *Queria crescer e ser alguém.*

alguidar (al.gui.dar) [aɫgi'dar] *n.m.* recipiente circular de fundo chato e bordas altas, feito de louça, metal, plástico, etc.

algum (al.gum) [aɫ'gũ] *det.,prn.indef.* ⟨*f.* alguma⟩ **1** um de entre dois ou mais: *Alguns dos teus amigos não foram ao Mosteiro dos Jerónimos em Lisboa.* **2** qualquer: *Se tiveres algum problema, avisa.* **3** indica quantidade indeterminada: *Recebi alguns emails.*

alguma (al.gu.ma) [aɫ'gumɐ] *n.f.* **1** *coloq.* coisa negativa ou inconveniente **2** *coloq.* asneira; disparate; **fazer alguma** fazer uma asneira

algures (al.gu.res) [aɫ'gurəʃ] *adv.* em algum lugar; em alguma parte **ANT.** O livro está por aí, algures na sala

alhada (a.lha.da) [ɐ'ʎadɐ] *n.f. coloq.* situação difícil; trapalhada ♦ *coloq.* **estar metido numa alhada** estar envolvido numa situação difícil ou embaraçosa

alheado (a.lhe:a.do) [ɐ'ʎjadu] *adj.* **1** concentrado nos próprios pensamentos; distraído **2** sem juízo; alienado; louco

alheamento (a.lhe:a.men.to) [ɐʎjɐ'mẽtu] *n.m.* **1** estado de quem desatento ao que o rodeia **SIN.** distração **2** estado de quem permanece indiferente **SIN.** insensibilidade

alhear (a.lhe:ar) [ɐ'ʎjar] *v.* **1** ceder ou transferir (direito, domínio) **SIN.** alienar **2** manter afastado **SIN.** desviar ■ **alhear-se 1** ⟨**+de**⟩ ficar desatento **SIN.** distrair-se **2** ⟨**+de**⟩ ficar indiferente **SIN.** distanciar-se

alheio (a.lhei.o) [ɐ'ʎɐju] *adj.* **1** que pertence a outra pessoa **2** distante **3** desatento ■ *n.m.* o que pertence a outrem

alheira (a.lhei.ra) [ɐ'ʎɐjrɐ] *n.f.* chouriça feita com miolo de pão, alho e várias carnes picadas

alheta (a.lhe.ta) [ɐ'ʎetɐ] *n.f.* parte curva do costado do navio junto à popa ♦ *coloq.* **pôr-se na alheta** afastar-se sorrateiramente **SIN.** fugir

alho (a.lho) ['aʎu] *n.m.* **1** planta de cheiro muito forte utilizada em culinária como condimento **2** bolbo (cabeça) dessa planta ♦ *coloq.* **falar alhos, responder bugalhos** responder algo diferente do que foi perguntado; **misturar alhos com bugalhos** confundir coisas distintas

alho-francês (a.lho-.fran.cês) [aʎufrɐ̃'seʃ] *n.m.* ⟨*pl.* alhos-franceses⟩ **1** planta cujo bolbo e folhas são maiores que o alho comum e são usados em culinária **2** bolbo e folhas dessa planta

alho-porro (a.lho-.por.ro) [aʎu'poʀu] *n.m.* ⟨*pl.* alhos-porros⟩ ⇒ **alho-francês**

ali (a.li) [ɐ'li] *adv.* naquele lugar; lá **ANT.** aqui

aliado (a.li:a.do) [ɐ'ljadu] *adj.* diz-se de pessoa, país ou grupo que está ligado a outro por aliança ou pacto ■ *n.m.* **1** pessoa que apoia outra **SIN.** apoiante **2** membro de uma associação **SIN.** associado

aliança (a.li:an.ça) [ɐ'ljɐ̃sɐ] *n.f.* **1** anel de noivado ou casamento **2** acordo entre pessoas, empresas, partidos ou países **SIN.** pacto

aliar(-se) (a.li:ar(-se)) [ɐ'ljar(sə)] *v.* **1** ⟨**+a**⟩ estabelecer união com **SIN.** ligar(-se) **2** ⟨**+a**⟩ reunir(-se) num objetivo comum **SIN.** associar(-se) **3** ⟨**+a**⟩ ligar(-se) por matrimónio **SIN.** unir(-se)

aliás (a.li:ás) [ɐ'ljaʃ] *adv.* **1** ou melhor; ou por outra; de outro modo **2** além disso; além do mais **3** a propósito

álibi (á.li.bi) ['alibi] *n.m.* prova que uma pessoa acusada apresenta para provar que estava num local diferente daquele em que o crime aconteceu

alicate (a.li.ca.te) [ɐli'kat(ə)] *n.m.* ferramenta que serve para segurar pequenas peças metálicas, torcer ou cortar arame, etc.

alicerçar (a.li.cer.çar) [ɐlisər'sar] *v.* **1** fazer os alicerces de (construção) **2** ⟨**+em**⟩ *fig.* basear: *Alicerçava a sua opinião no senso comum.* **3** *fig.* consolidar: *alicerçar uma amizade*

alicerce (a.li.cer.ce) [ɐli'sɛr(sə)] *n.m.* **1** base de um edifício ou de uma construção **2** *fig.* aquilo que serve de base a alguma coisa **SIN.** fundamento

aliciado (a.li.ci:a.do) [ɐli'sjadu] *adj.* **1** que foi atraído; seduzido **2** que foi subornado **3** que foi instigado; incitado

aliciante (a.li.ci:an.te) [ɐli'sjɐ̃t(ə)] *adj.2g.* que provoca interesse; estimulante

aliciar (a.li.ci:ar) [ɐli'sjar] *v.* **1** atrair para si: *aliciar clientes* **2** agradar: *A ideia de umas férias prolongadas aliciava-o.*

alienação (a.li:e.na.ção) [ɐljenɐ'sɐ̃w̃] *n.f.* **1** transmissão do direito de propriedade sobre um bem **2** alheamento da realidade; afastamento **3** anomalia psíquica que torna uma pessoa incapaz de se comportar segundo as normas do seu grupo social

alienado (a.li:e.na.do) [ɐlje'nadu] *adj.* **1** (propriedade, domínio) que foi transferido; cedido **2** (pessoa) indiferente; alheado ■ *n.m.* pessoa que sofre de alienação mental

alienar (a.li:e.nar) [ɐlje'nar] *v.* **1** transferir ou ceder (bens) **SIN.** alhear **2** alucinar; perturbar ▪ **alienar-se** ⟨**+de**⟩ afastar-se da realidade circundante **SIN.** alhear-se

alienatário (a.li:e.na.tá.ri:o) [ɐljenɐ'tarju] *n.m.* pessoa para quem se transfere um bem

alienável (a.li:e.ná.vel) [ɐlje'navɛɫ] *adj.2g.* que se pode alienar ou transferir

alienígena (a.li:e.ní.ge.na) [ɐlje'niʒənɐ] *adj.,n.2g.* **1** que ou pessoa que é natural de outro país **SIN.** estrangeiro **2** *fig.* que ou pessoa que pertence a outro planeta **SIN.** forasteiro

aligátor (a.li.gá.tor) [ɐli'gator] *n.m.* réptil cujo focinho é mais curto e mais largo que o do crocodilo e do jacaré

aligeirado (a.li.gei.ra.do) [ɐliʒɐj'radu] *adj.* **1** leve **2** atenuado **3** apressado

aligeirar (a.li.gei.rar) [ɐliʒɐj'rar] *v.* **1** tornar mais leve **2** atenuar **3** apressar

alimentação (a.li.men.ta.ção) [ɐlimẽtɐ'sɐ̃w̃] *n.f.* **1** ato de dar ou tomar alimento **2** aquilo que se come **SIN.** comida

alimentador (a.li.men.ta.dor) [ɐlimẽtɐ'dor] *n.m.* **1** aquele que alimenta **2** dispositivo de uma máquina onde é carregado o material necessário ao seu funcionamento **3** (fotocopiadora, impressora) dispositivo onde é colocado o papel **SIN.** tabuleiro **4** (arma de fogo) peça que faz avançar os cartuchos

alimentar (a.li.men.tar) [ɐlimẽ'tar] *adj.2g.* **1** relativo a alimento ou a alimentação **2** que alimenta **SIN.** nutritivo ▪ *v.* **1** dar alimento: *Ela alimentava os porcos com restos.* **SIN.** nutrir **2** abastecer do necessário ao funcionamento de (máquina, circuito, etc.): *alimentar um circuito elétrico* **3** *fig.* fomentar; incentivar: *O relatório alimentou a polémica.* ▪ **alimentar-se 1** ⟨**+a**, **+com**, **+de**⟩ ingerir alimentos: *Estes animais alimentam-se de raízes.* **2** *fig.* fortalecer-se

alimentício (a.li.men.tí.ci:o) [ɐlimẽ'tisju] *adj.* que alimenta; nutritivo

alimento (a.li.men.to) [ɐli'mẽtu] *n.m.* **1** substância que serve para alimentar **SIN.** comida **2** *fig.* o que sustenta

alínea (a.lí.ne:a) [ɐ'linjɐ] *n.f.* **1** linha que abre um novo parágrafo **2** subdivisão de um artigo, decreto ou contrato **3** subdivisão de uma unidade textual, representada por uma letra minúscula ou por um número e seguida de um parêntese: *a), b), c)... ou 1), 2), 3)...*

alinhado (a.li.nha.do) [ɐli'ɲadu] *adj.* **1** colocado em linha reta **2** colocado numa posição simétrica ou paralela

alinhamento (a.li.nha.men.to) [ɐliɲɐ'mẽtu] *n.m.* **1** ato de pôr em linha reta **2** fila de pessoas ou coisas em linha reta

alinhar (a.li.nhar) [ɐli'ɲar] *v.* **1** pôr em linha reta: *O treinador alinhou os jogadores.* **2** dispor (elementos gráficos) em linhas e colunas **3** ⟨**+em**⟩ *coloq.* participar: *Alinhas connosco na organização da festa?* **4** *fig.* enveredar pelo bom caminho

alinhavar (a.li.nha.var) [ɐliɲɐ'var] *v.* **1** coser com pontos largos antes da costura final **2** *fig.* esboçar **3** *fig.* fazer à pressa e mal

alinhavo (a.li.nha.vo) [ɐli'ɲavu] *n.m.* **1** costura provisória com pontos largos **2** *fig.* arranjo prévio; esboço

alinho (a.li.nho) [ɐ'liɲu] *n.m.* **1** asseio; esmero **2** *fig.* correção

alisar (a.li.sar) [ɐli'zar] *v.* tornar liso

alistar (a.lis.tar) [ɐliʃ'tar] *v.* **1** colocar em lista **2** ⟨**+em**⟩ inscrever para o serviço militar **3** ⟨**+em**⟩ tornar membro de (partido, organização, etc.) **SIN.** filiar ▪ **alistar-se 1** ⟨**+em**⟩ inscrever-se para o serviço militar **2** ⟨**+em**⟩ tornar-se membro de (partido, organização, etc.) **SIN.** filiar-se

aliteração (a.li.te.ra.ção) [ɐlitərɐ'sɐ̃w̃] *n.f.* repetição das mesmas letras, sílabas ou sons, numa frase

aliviado (a.li.vi:a.do) [ɐlə'vjadu] *adj.* **1** livre de um peso ou de uma dificuldade **2** que está tranquilo

aliviar (a.li.vi:ar) [ɐlə'vjar] *v.* **1** diminuir o peso de **2** reduzir (uma dor, um sentimento)

alívio (a.lí.vi:o) [ɐ'livju] *n.m.* **1** diminuição de um peso ou de uma dificuldade **2** redução da intensidade de uma dor

alma (al.ma) ['aɫmɐ] *n.f.* **1** parte do ser humano que não é material **SIN.** espírito; **alma do outro mundo** fantasma **2** *fig.* pessoa que anima um grupo ou uma atividade **3** *fig.* personalidade; carácter ♦ **alma gémea** pessoa com a qual outra se identifica perfeitamente; **de alma e coração** com dedicação/empenho; **vender a alma ao Diabo** alcançar um objetivo sem olhar aos meios

almanaque (al.ma.na.que) [aɫmɐ'nak(ə)] *n.m.* publicação anual com calendário, informações científicas, tabelas, etc.

almejar (al.me.jar) [aɫmə'ʒar] *v.* desejar com ânsia **SIN.** ansiar

almirante (al.mi.ran.te) [ałmiˈrɐ̃t(ə)] *n.2g.* oficial superior da armada

almíscar (al.mís.car) [ałˈmiʃkar] *n.m.* substância de origem animal e cheiro intenso, muito usada em perfumaria

almoçadeira (al.mo.ça.dei.ra) [ałmusɐˈdɐjrɐ] *n.f.* chávena grande e larga

almoçar (al.mo.çar) [ałmuˈsar] *v.* tomar o almoço

almoço (al.mo.ço) [ałˈmosu] *n.m.* **1** refeição que se toma geralmente depois do meio-dia **2** comida servida nessa refeição

almofada (al.mo.fa.da) [ałmuˈfadɐ] *n.f.* **1** espécie de saco cheio de uma substância mole (esponja, penas, etc.) para assento, apoio ou decoração **2** capa de tecido que envolve e protege a almofada **SIN.** fronha

almofadado (al.mo.fa.da.do) [ałmufɐˈdadu] *adj.* forrado com substância fofa **SIN.** acolchoado

almofariz (al.mo.fa.riz) [ałmufɐˈriʃ] *n.m.* recipiente usado para esmagar substâncias sólidas com um instrumento próprio

almôndega (al.môn.de.ga) [ałˈmõdəgɐ] *n.f.* pequena bola de carne picada que se come depois de frita, geralmente com molho

alô (a.lô) [aˈlo] *interj.* [BRAS.] usa-se para cumprimentar, chamar alguém ou quando se atende o telefone **SIN.** olá

alocação (a.lo.ca.ção) [ɐlukɐˈsɐ̃w̃] *n.f.* **1** divisão de verbas por diferentes setores **2** atribuição de recursos a um sistema informático para ele poder funcionar

alocar (a.lo.car) [ɐluˈkar] *v.* **1** destinar (verba) para determinado fim ou setor **2** reservar um recurso computacional (espaço em memória ou disco) para uso exclusivo de um processo (aplicação, serviço, etc.)

alocução (a.lo.cu.ção) [ɐlukuˈsɐ̃w̃] *n.f.* discurso breve em ocasião solene

aloé (a.lo:é) [aˈlwɛ] *n.m.* **1** planta perene das regiões desérticas, de onde se extrai um gel usado em farmácia **2** gel extraído das folhas dessa planta

aloés (a.lo:és) [aˈlwɛʃ] *n.m.2n.* ⇒ **aloé**

aloirado (a.loi.ra.do) [ɐlojˈradu] *adj.* ⇒ **alourado**

aloirar (a.loi.rar) [ɐlojˈrar] *v.* ⇒ **alourar**

alojamento (a.lo.ja.men.to) [ɐluʒɐˈmẽtu] *n.m.* **1** ato ou efeito de alojar **2** lugar onde alguém se hospeda por um certo tempo

alojar (a.lo.jar) [ɐluˈʒar] *v.* **1** receber (alguém) numa casa durante um certo tempo: *Alojou o amigo por uns dias.* **SIN.** hospedar **2** ter capacidade para; acomodar: *A pensão aloja dez pessoas.* ■ **alojar-se 1** ⟨+em⟩ instalar-se em determinado lugar: *alojar-se no hotel* **2** ⟨+em⟩ ficar preso: *A bala alojou-se na cabeça.*

alongado (a.lon.ga.do) [ɐlõˈgɐdu] *adj.* cuja forma é longa **SIN.** comprido

alongamento (a.lon.ga.men.to) [ɐlõgɐˈmẽtu] *n.m.* **1** aumento de comprimento **2** exercício físico destinado a esticar os músculos

alongar (a.lon.gar) [ɐlõˈgar] *v.* **1** tornar mais longo: *alongar uma saia/o prazo* **SIN.** estender **2** tornar distanciado **SIN.** afastar **3** tornar maior em duração **SIN.** prolongar **4** esticar (corpo): *alongar os músculos* ■ **alongar-se 1** estender-se ao longo de (espaço): *Os dias alongavam-se.* **SIN.** prolongar-se **2** falar por demasiado tempo: *alongar-se sobre um assunto* **SIN.** demorar-se

aloquete (a.lo.que.te) [ɐluˈket(ə)] *n.m.* fechadura móvel **SIN.** cadeado

alourado (a.lou.ra.do) [ɐlo(w)ˈradu] *adj.* **1** (cabelo) um tanto louro; claro **2** (alimento) dourado; tostado

alourar (a.lou.rar) [ɐlo(w)ˈrar] *v.* **1** tornar(-se) louro **2** dourar (alimento) pela ação do calor ou fogo **SIN.** tostar

alpaca (al.pa.ca) [ałˈpakɐ] *n.f.* 👁 animal mamífero ruminante, de pelagem longa e espessa, que habita na América do Sul

alpendre (al.pen.dre) [ałˈpẽdr(ə)] *n.m.* cobertura saliente na entrada de uma casa

alperce (al.per.ce) [ałˈpɛr(sə)] *n.m.* fruto pequeno, esférico, de polpa branca ou rosada e casca aveludada **SIN.** damasco

alperceiro (al.per.cei.ro) [ałpərˈsɐjru] *n.m.* árvore produtora de alperces

alpestre (al.pes.tre) [ałˈpɛʃtr(ə)] *adj.2g.* **1** alpino **2** *fig.* montanhoso

alpinismo (al.pi.nis.mo) [ałpiˈniʒmu] *n.m.* desporto que consiste em escalar montanhas **SIN.** montanhismo

alpinista (al.pi.nis.ta) [ałpiˈniʃtɐ] *adj.2g.* relativo a alpinismo ■ *n.2g.* pessoa que pratica alpinismo

alpino (al.pi.no) [ałˈpinu] *adj.* **1** relativo aos Alpes (cadeia montanhosa) **2** próprio dos montes elevados **SIN.** montanhoso

alpista **(al.pis.ta)** [aɫ'piʃtɐ] *n.f.* planta que produz os grãos usados na alimentação dos pássaros

alquimia **(al.qui.mi.a)** [aɫki'miɐ] *n.f.* química medieval que procurava o remédio para todos os males e a pedra filosofal, que transformaria todos os metais em ouro

alquimista **(al.qui.mis.ta)** [aɫki'miʃtɐ] *n.2g.* pessoa que se dedica à alquimia

alta **(al.ta)** ['aɫtɐ] *n.f.* **1** autorização dada por um médico a um doente para deixar o hospital e voltar para casa **ANT.** baixa **2** na bolsa, valorização das cotações dos títulos

alta-costura **(al.ta-.cos.tu.ra)** [aɫtɐkuʃ'tura] *n.f.* ⟨*pl.* altas-costuras⟩ **1** atividade de criação de modelos exclusivos de vestuário **2** indústria de produção desse tipo de vestuário

alta-fidelidade **(al.ta-.fi.de.li.da.de)** [aɫtɐfidəli'dad(ə)] *n.f.* ⟨*pl.* altas-fidelidades⟩ **1** técnica de gravação e reprodução áudio que permite processar um impulso sonoro com um mínimo de distorção **2** aparelhagem eletrónica produzida segundo esta técnica ▪ *adj.* diz-se do sistema eletrónico que reproduz e amplifica a informação áudio original com baixos níveis de ruído e distorção

altamente **(al.ta.men.te)** [aɫtɐ'mẽt(ə)] *interj. coloq.* exprime concordância ou satisfação ▪ *adj. coloq.* muito bom; excelente

altaneiro **(al.ta.nei.ro)** [aɫtɐ'nɐjru] *adj.* **1** (árvore, torre) que se eleva muito alto **2** (pessoa) altivo **3** (ave) que voa a grande altitude

altar **(al.tar)** [aɫ'tar] *n.m.* mesa em que se celebra a missa, na religião católica ◆ **levar alguém ao altar** casar-se com alguém

altar-mor **(al.tar-.mor)** [aɫtar'mɔr] *n.m.* ⟨*pl.* altares-mores⟩ altar principal de uma igreja

alta-voz **(al.ta-.voz)** [aɫtɐ'vɔʃ] *n.m.* sistema que permite, num veículo, usar um sistema telefónico sem ter de segurar no microfone ou auscultador

altear **(al.te:ar)** [aɫ'tjar] *v.* tornar mais alto; elevar

alteração **(al.te.ra.ção)** [aɫtərɐ'sɐ̃w̃] *n.f.* mudança de estado ou de posição **SIN.** modificação

alterado **(al.te.ra.do)** [aɫtə'radu] *adj.* que sofreu alteração **SIN.** modificado

alterar(-se) **(al.te.rar(-se))** [aɫtə'rar(sə)] *v.* **1** causar ou sofrer mudança **SIN.** modificar(-se) **2** causar inquietação ou inquietar-se **3** decompor(-se); deteriorar(-se) **4** *fig.* revoltar(-se)

alterável **(al.te.rá.vel)** [aɫtə'ravɛɫ] *adj.2g.* que pode ser alterado; mutável

altercação **(al.ter.ca.ção)** [aɫtərkɐ'sɐ̃w̃] *n.f.* **1** discussão **2** polémica

alter ego [aɫtɛ'rɛgu] *n.m.* **1** pessoa ou personagem como se fosse um outro eu de alguém **2** *fig.* pessoa em quem se deposita confiança absoluta; grande amigo ou confidente

alteridade **(al.te.ri.da.de)** [aɫtəri'dad(ə)] *n.f.* qualidade ou estado do que é diferente

alternadamente **(al.ter.na.da.men.te)** [aɫtərnadɐ'mẽt(ə)] *adv.* **1** um de cada vez **2** por turnos

alternado **(al.ter.na.do)** [aɫtər'nadu] *adj.* que se sucede cada qual por sua vez

alternância **(al.ter.nân.ci:a)** [aɫtər'nɐ̃sjɐ] *n.f.* **1** repetição de elementos de um conjunto, sempre obedecendo à mesma ordem **2** revezamento periódico de culturas diferentes num mesmo terreno

alternar **(al.ter.nar)** [aɫtər'nar] *v.* ⟨**+com**⟩ fazer suceder em alternância: *Ele alternava tarefas pesadas com outras mais leves.* ▪ **alternar-se** suceder-se em alternância: *Eles alternavam-se para ver o bebé.* **SIN.** revezar-se

alternativa **(al.ter.na.ti.va)** [aɫtərnɐ'tivɐ] *n.f.* **1** sucessão de duas coisas, cada uma por sua vez **2** escolha entre duas coisas

alternativo **(al.ter.na.ti.vo)** [aɫtərnɐ'tivu] *adj.* **1** que ocorre com alternância; alternado **2** que oferece possibilidade de escolha **3** (medicina, tratamento) que se propõe como substituto do sistema vigente **4** (arte, estilo) que se desenvolve fora dos modelos convencionais

Alteza **(Al.te.za)** [aɫ'tezɐ] *n.f.* título honorífico e forma de tratamento dado hoje a príncipes e princesas

altifalante **(al.ti.fa.lan.te)** [aɫtifɐ'lɐ̃t(ə)] *n.m.* aparelho usado para ampliar o som da voz; megafone

Altíssimo **(Al.tís.si.mo)** [aɫ'tisimu] *n.m.* Deus

altista **(al.tis.ta)** [aɫ'tiʃtɐ] *n.2g.* pessoa que faz subir os valores na Bolsa ▪ *adj.2g.* relativo à subida de valores

altitude **(al.ti.tu.de)** [aɫti'tud(ə)] *n.f.* altura de um ponto da Terra em relação ao nível do mar

altivez **(al.ti.vez)** [aɫti'veʃ] *n.f.* **1** grandeza; majestade **2** orgulho; arrogância

altivo **(al.ti.vo)** [aɫ'tivu] *adj.* orgulhoso; arrogante

alto **(al.to)** ['aɫtu] *adj.* **1** que tem grande altura **ANT.** baixo **2** que está levantado **SIN.** erguido **3** caro; excessivo ▪ *adv.* **1** em voz alta **2** em lugar elevado ▪ *interj.* usada para mandar parar ◆ **altos e baixos** situação boa e situação má; alegria e tristeza; **de alto a baixo** completamente; de uma ponta a outra

alto-astral **(al.to-.as.tral)** [aɫtwɐʃ'traɫ] *n.m.* **1** [BRAS.] boa disposição; otimismo **2** [BRAS.] sorte; sucesso ▪ *adj.2g.* **1** [BRAS.] bem disposto **2** [BRAS.] agradável ▪ *n.2g.* [BRAS.] pessoa otimista ou feliz

alto-comissário **(al.to-.co.mis.sá.ri:o)** [aɫtukumi'sarju] *n.m.* delegado especial do governo, com amplos poderes

alto-falante **(al.to-.fa.lan.te)** [aɫtufɐ'lɐ̃t(ə)] *n.m.* ⇒ **altifalante**

alto-mar **(al.to-.mar)** [aɫtu'mar] *n.m.* ⟨*pl.* altos-mares⟩ qualquer ponto de mar afastado da costa

alto-relevo **(al.to-.re.le.vo)** [aɫtuʀə'levu] *n.m.* ⟨*pl.* altos-relevos⟩ tipo de escultura em que as figuras se destacam em relação ao fundo

altruísmo **(al.tru.ís.mo)** [aɫtru'iʒmu] *n.m.* sentimento de preocupação pelo bem-estar e felicidade das outras pessoas **SIN.** filantropia

altruísta **(al.tru.ís.ta)** [aɫtru'iʃtɐ] *adj.,n.2g.* que ou aquele que procura melhorar a situação dos outros sem esperar nada em troca **SIN.** filantropo

altura **(al.tu.ra)** [aɫ'turɐ] *n.f.* **1** medida de um corpo, da base até ao cimo **2** estatura de uma pessoa **3** ponto elevado; elevação **4** momento determinado; ocasião **5** frequência de um som ♦ **estar à altura de** ter competência para; estar em condições de

aluado **(a.lu:a.do)** [ɐ'lwadu] *adj.* **1** que anda distraído por influência da Lua; lunático **2** que tem acessos de loucura **3** que está com o cio

alucinação **(a.lu.ci.na.ção)** [ɐlusinɐ'sɐ̃w̃] *n.f.* **1** perturbação mental que leva uma pessoa a ver e ouvir coisas que não existem na realidade **SIN.** delírio **2** *fig.* delírio; ilusão; fantasia

alucinado **(a.lu.ci.na.do)** [ɐlusi'nadu] *adj.* **1** que sofreu alucinação **2** louco **3** *fig.* fascinado

alucinante **(a.lu.ci.nan.te)** [ɐlusi'nɐ̃t(ə)] *adj.2g.* **1** que faz perder o juízo **2** deslumbrante; extraordinário

alucinar **(a.lu.ci.nar)** [ɐlusi'nar] *v.* **1** fazer perder o juízo **2** deslumbrar; encantar **3** perder o juízo; enlouquecer

alucinogénio **(a.lu.ci.no.gé.ni:o)** [ɐlusinɔ'ʒɛnju] *adj.,n.m.* que ou substância que provoca alucinações ou estados eufóricos artificiais

aludir **(a.lu.dir)** [ɐlu'dir] *v.* ⟨**+a**⟩ fazer referência rápida a; mencionar: *Aludiu a alguns dos problemas que nos afetam.*

alugar **(a.lu.gar)** [ɐlu'gar] *v.* ⟨**+a**⟩ [uso generalizado] ceder o uso ou usar (um bem) temporariamente e mediante pagamento: *alugar uma casa; alugar um carro*

Em geral, o verbo **alugar** e o verbo **arrendar** são usados como sinónimos. Mas, em linguagem jurídica, **alugar** diz respeito a bens móveis (carros, filmes, etc.) enquanto **arrendar** se usa com bens imóveis (apartamentos, prédios).

---

aluguer **(a.lu.guer)** [ɐlu'gɛr] *n.m.* **1** ato de ceder ou tomar um bem móvel ou um serviço durante algum tempo mediante pagamento **2** prestação periódica paga ao proprietário por essa cedência **SIN.** renda

aluimento **(a.lu:i.men.to)** [ɐlwi'mẽtu] *n.m.* desabamento; derrocada

aluir **(a.lu:ir)** [ɐ'lwir] *v.* **1** fazer cair ou cair por desmoronamento **SIN.** desabar **2** abalar a firmeza de **SIN.** sacudir

alumínio **(a.lu.mí.ni:o)** [ɐlu'minju] *n.m.* elemento químico metálico usado em aviões, automóveis, utensílios de cozinha, embalagens, etc.

alunar **(a.lu.nar)** [ɐlu'nar] *v.* pousar na superfície da Lua

aluno **(a.lu.no)** [ɐ'lunu] *n.m.* pessoa que recebe ensinamentos de um professor **SIN.** estudante

alusão **(a.lu.são)** [ɐlu'zɐ̃w̃] *n.f.* referência vaga ou indireta

alusivo **(a.lu.si.vo)** [ɐlu'zivu] *adj.* que diz respeito a; relativo

aluvião **(a.lu.vi.ão)** [ɐlu'vjɐ̃w̃] *n.m.* depósito de materiais trazidos para um lugar pelas águas correntes

alva **(al.va)** ['aɫvɐ] *n.f.* primeira luz da manhã, antes do nascer do Sol **SIN.** alvorada

alvará **(al.va.rá)** [aɫvɐ'ra] *n.m.* licença

alvejado **(al.ve.ja.do)** [aɫvə'ʒadu] *adj.* **1** tomado como alvo **2** atingido (com arma de fogo)

alvejar **(al.ve.jar)** [aɫvə'ʒar] *v.* procurar atingir com uma arma de fogo

alvenaria **(al.ve.na.ri.a)** [aɫvənɐ'riɐ] *n.f.* **1** profissão ou atividade de pedreiro **2** arte de construir com pedra e cal

alveolar **(al.ve:o.lar)** [aɫvju'lar] *adj.2g.* **1** pertencente a alvéolo **2** semelhante a alvéolo

alvéolo **(al.vé.o.lo)** [aɫ'vɛulu] *n.m.* **1** 👁 cada uma das pequenas cavidades da colmeia onde as abelhas depositam o mel e os ovos **SIN.** favo **2** pequena cavidade no corpo humano; **alvéolo pulmonar** cavidade com paredes elásticas, existente no pulmão, através das quais se efetuam trocas de gases

alvíssaras (al.vís.sa.ras) [aɫ'visɐrɐʃ] *n.f.pl.* recompensa dada por uma boa notícia

alvo (al.vo) ['aɫvu] *n.m.* **1** ponto em que se procura acertar com tiro, flecha, etc. **2** *fig.* centro de interesse ou de atenção **3** *fig.* objetivo ■ *adj.* branco

alvor (al.vor) [aɫ'vor] *n.m.* **1** alvorada **2** brancura

alvorada (al.vo.ra.da) [aɫvu'radɐ] *n.f.* **1** primeira claridade da manhã **SIN.** alva **2** toque de corneta ou de outros instrumentos dado ao nascer do dia para os militares se levantarem

alvorecer (al.vo.re.cer) [aɫvurə'ser] *v.* começar o dia; amanhecer ■ *n.m.* o começo do dia; amanhecer

alvoroçar(-se) (al.vo.ro.çar(-se)) [aɫvuru'sar(sə)] *v.* **1** colocar ou ficar em alvoroço **SIN.** agitar(-se) **2** causar ou sentir susto **SIN.** assustar(-se) **3** pôr ou entrar em revolta **SIN.** amotinar(-se) **4** causar ou sentir entusiasmo **SIN.** animar(-se)

alvoroço (al.vo.ro.ço) [aɫvu'rosu] *n.m.* **1** agitação; sobressalto **2** motim; revolta **3** manifestação de alegria ou entusiasmo

a.m. antemeridiano (anterior ao meio-dia) **OBS.** Abreviatura de *ante meridiem*

ama (a.ma) ['ɐmɐ] *n.f.* **1** mulher que cria ou toma conta de uma criança que não é sua **SIN.** ama-seca **2** mulher que amamenta uma criança que não é sua **SIN.** ama de leite

amabilidade (a.ma.bi.li.da.de) [ɐmɐbəli'dad(ə)] *n.f.* qualidade de quem é amável **SIN.** gentileza

amabilíssimo (a.ma.bi.lís.si.mo) [ɐmɐbi'lisimu] ⟨*superl. de* amável⟩ *adj.* muito amável

amachucar (a.ma.chu.car) [ɐmɐʃu'kar] *v.* **1** enrugar por compressão **SIN.** amarrotar **2** deformar (um corpo ou um objeto) por meio de força

amaciador (a.ma.ci:a.dor) [ɐmɐsjɐ'dor] *n.m.* **1** produto usado na lavagem da roupa para a tornar mais macia **2** creme que se usa depois do champô para tornar o cabelo mais fácil de pentear

amaciar (a.ma.ci:ar) [ɐmɐ'sjar] *v.* **1** tornar macio **SIN.** suavizar **2** tornar brando **SIN.** serenar

ama-de-leite (a.ma-.de-.lei.te) [ɐmɐdə'lɐjt(ə)] *a nova grafia é* **ama de leite**[AO]

ama de leite (a.ma de lei.te)[AO] [ɐmɐdə'lɐjt(ə)] *n.f.* ⟨*pl.* amas de leite⟩ mulher que amamenta uma criança que não é sua **SIN.** ama

amado (a.ma.do) [ɐ'madu] *adj.,n.m.* que ou aquele que é muito querido ■ *n.m.* pessoa a quem se ama

amador (a.ma.dor) [ɐmɐ'dor] *adj.,n.m.* que ou pessoa que faz alguma coisa por gosto ou prazer e não como profissão ■ *adj. pej.* inexperiente

amadorismo (a.ma.do.ris.mo) [ɐmɐdu'riʒmu] *n.m.* **1** dedicação a uma atividade ou a um desporto por gosto, e não como profissão **2** *pej.* inexperiência

amadurecer (a.ma.du.re.cer) [ɐmɐdurə'ser] *v.* **1** ficar maduro (fruto) **2** *fig.* ganhar experiência (pessoa)

amadurecido (a.ma.du.re.ci.do) [ɐmɐdurə'sidu] *adj.* **1** que se tornou maduro (fruto) **2** *fig.* que se tornou experiente (pessoa)

amadurecimento (a.ma.du.re.ci.men.to) [ɐmɐdurəsi'mẽtu] *n.m.* **1** ato ou efeito de amadurecer **2** estado de maduro

âmago (â.ma.go) ['ɐmɐgu] *n.m.* **1** parte mais interior de qualquer coisa; cerne **SIN.** cerne **2** *fig.* parte mais importante de (um problema, uma teoria)

amaldiçoar (a.mal.di.ço:ar) [amaɫdi'swar] *v.* lançar maldição sobre **SIN.** praguejar

amálgama (a.mál.ga.ma) [ɐ'maɫgɐmɐ] *n.2g.* **1** mistura de coisas diferentes que formam um todo **2** processo de formação de palavras que consiste na fusão de duas ou mais unidades lexicais truncadas

amamentação (a.ma.men.ta.ção) [ɐmɐmẽtɐ'sɐ̃w̃] *n.m.* ato de alimentar com leite materno **SIN.** aleitamento

amamentar (a.ma.men.tar) [ɐmɐmẽ'tar] *v.* dar de mamar a

amancebado (a.man.ce.ba.do) [ɐmɐ̃sə'badu] *adj.,n.m.* que ou o que vive maritalmente, sem ser casado

amancebar-se (a.man.ce.bar-.se) [ɐmɐ̃sə'bars(ə)] *v.* viver maritalmente com alguém, sem estar casado

amanhã (a.ma.nhã) [amɐ'ɲɐ̃] *adv.* **1** no dia a seguir a hoje **2** em época futura incerta **SIN.** futuramente ■ *n.m.* **1** o dia seguinte ao de hoje **2** o futuro ◆ **depois de amanhã** no dia imediatamente a seguir ao de hoje

amanhado (a.ma.nha.do) [ɐmɐ'ɲadu] *adj.* **1** (terra) lavrado; cultivado **2** (peixe) preparado para ser cozinhado **3** *coloq.* arranjado

amanhar (a.ma.nhar) [ɐmɐ'ɲar] *v.* **1** cultivar (a terra) **2** preparar (peixe) para cozinhar

amanhecer (a.ma.nhe.cer) [ɐmɐɲə'ser] *v.* começar o dia; alvorecer ■ *n.m.* o começo do dia; alvorecer

amanho (a.ma.nho) [ɐ'mɐɲu] *n.m.* **1** cultivo (da terra); lavoura **2** arranjo

amansado (a.man.sa.do) [ɐmɐ̃'sadu] *adj.* que se tornou manso; acalmado

amansar(-se) (a.man.sar(-se)) [ɐmɐ̃'sar(sə)] *v.* **1** tornar(-se) manso **SIN.** domesticar(-se) **2** tornar(-se) calmo **SIN.** sossegar(-se) **3** tornar(-se) moderado **SIN.** conter(-se)

amante **(a.man.te)** [ɐ'mɐ̃t(ə)] *n.2g.* **1** pessoa que tem uma relação amorosa com outra, com quem não está casada **2** pessoa que tem muito gosto por algo

amanteigado **(a.man.tei.ga.do)** [ɐmɐ̃tɐj'gadu] *adj.* **1** com sabor ou consistência de manteiga **2** preparado com grande quantidade de manteiga

amar **(a.mar)** [ɐ'mar] *v.* **1** manifestar amor por: *amar alguém* **2** ⟨**+a**⟩ ter devoção a: *amar a Deus* **3** *coloq.* gostar de; adorar: *O João ama jogos de computador.* **ANT.** odiar

amarar **(a.ma.rar)** [ɐmɐ'rar] *v.* **1** fazer-se (embarcação) ao mar **2** pousar (hidroavião) na água

amarelado **(a.ma.re.la.do)** [ɐmɐrə'ladu] *adj.* **1** semelhante a amarelo **2** pálido; descorado

amarelo **(a.ma.re.lo)** [ɐmɐ'rɛlu] *n.m.* cor da gema do ovo, do limão maduro e do sol ▪ *adj.* que está pálido ou sem cor

amarelo-canário **(a.ma.re.lo-.ca.ná.ri:o)** [ɐmɐrɛlukɐ'narju] *n.m.,adj.* (tom) amarelo-claro ligeiramente esverdeado, como o de certos canários

amarelo-claro **(a.ma.re.lo-.cla.ro)** [ɐmɐrɛlu'klaru] *n.m.* ⟨*pl.* amarelos-claros⟩ tom claro de amarelo

amarelo-escuro **(a.ma.re.lo-.es.cu.ro)** [ɐmɐrɛluʃ'kuru] *n.m.* ⟨*pl.* amarelos-escuros⟩ tom escuro de amarelo

amarelo-torrado **(a.ma.re.lo-.tor.ra.do)** [ɐmɐrɛlutu'ʀadu] *n.m.* ⟨*pl.* amarelos-torrados⟩ tom de amarelo semelhante a castanho

amarfanhar **(a.mar.fa.nhar)** [ɐmɐrfɐ'ɲar] *v.* **1** enrugar por compressão **SIN.** amarrotar **2** *fig.* humilhar

amargamente **(a.mar.ga.men.te)** [ɐmargɐ'mẽt(ə)] *adv.* com amargura; com tristeza

amargar **(a.mar.gar)** [ɐmɐr'gar] *v.* **1** ter sabor amargo **2** tornar amargo **3** *fig.* causar ou sentir desgosto

amargo **(a.mar.go)** [ɐ'margu] *adj.* **1** que tem um sabor acre e desagradável **2** que não é doce **SIN.** azedo

amargura **(a.mar.gu.ra)** [ɐmɐr'gurɐ] *n.f.* **1** sabor amargo **2** *fig.* aflição; angústia

amargurado **(a.mar.gu.ra.do)** [ɐmɐrgu'radu] *adj.* que sente amargura; angustiado

amargurar **(a.mar.gu.rar)** [ɐmɐrgu'rar] *v.* **1** dar sabor acre **SIN.** azedar **2** *fig.* angustiar; afligir ▪ **amargurar-se** **1** *fig.* ficar desgostoso e ressentido **2** *fig.* angustiar-se; afligir-se

amarra **(a.mar.ra)** [ɐ'maʀɐ] *n.f.* corrente ou cabo que prende o navio à âncora ou à boia ◆ **cortar/soltar as amarras com** separar(-se) de algo ou de alguém que serviu de apoio

amarração **(a.mar.ra.ção)** [ɐmɐʀɐ'sɐ̃w̃] *n.f.* **1** ato de amarrar uma embarcação **2** conjunto de cabos usados para amarrar uma embarcação

amarrado **(a.mar.ra.do)** [ɐmɐ'ʀadu] *adj.* **1** (navio) preso com amarras; ancorado **2** *coloq.* comprometido

amarrar **(a.mar.rar)** [ɐmɐ'ʀar] *v.* **1** ⟨**+a**⟩ prender (com corda, fita, etc.) **SIN.** atar **2** prender (embarcação) ao cais **SIN.** ancorar ▪ **amarrar-se** **1** ⟨**+a**⟩ *fig.* agarrar-se (ideias, opiniões, etc.) **2** ⟨**+a**⟩ *fig.* afeiçoar-se

amarrotado **(a.mar.ro.ta.do)** [ɐmɐʀu'tadu] *adj.* que tem vincos ou pregas **SIN.** enrugado

amarrotar **(a.mar.ro.tar)** [ɐmɐʀu'tar] *v.* fazer pregas ou vincos em (papel, tecido)

ama-seca **(a.ma-.se.ca)** [ɐmɐ'sekɐ] *n.f.* ⟨*pl.* amas-secas⟩ mulher que toma conta de crianças **SIN.** ama

amassado **(a.mas.sa.do)** [ɐmɐ'sadu] *adj.* **1** (ingrediente, substância) que foi reduzido a massa; misturado **2** (veículo) amolgado **3** (tecido) vincado; enrugado

amassar **(a.mas.sar)** [ɐmɐ'sar] *v.* **1** transformar em massa ou pasta **2** deformar (um corpo ou um objeto) por meio de força **SIN.** amolgar

amável **(a.má.vel)** [ɐ'mavɛɫ] *adj.2g.* delicado; simpático

amazona **(a.ma.zo.na)** [ɐmɐ'zonɐ] *n.f.* **1** mulher que monta a cavalo **2** mulher guerreira

ambanine **(am.ba.ni.ne)** [ɐ̃ba'nin(ə)] *interj.* [MOÇ.] usa-se como cumprimento de despedida

ambaquista **(am.ba.quis.ta)** [ɐ̃bɐ'kiʃtɐ] *adj.2g.* relativo a Ambaca, região de Angola ▪ *n.2g.* pessoa natural de Ambaca

âmbar **(âm.bar)** ['ɐ̃bar] *n.m.* substância acastanhada ou amarelada e quase transparente que se obtém da resina das árvores e usada em joalharia

ambição **(am.bi.ção)** [ɐ̃bi'sɐ̃w̃] *n.f.* **1** desejo intenso de riqueza, poder ou sucesso **2** aspiração

ambicionar **(am.bi.ci:o.nar)** [ɐ̃bisju'nar] *v.* **1** desejar muito **SIN.** cobiçar **2** ter como aspiração **SIN.** ansiar

ambicioso **(am.bi.ci:o.so)** [ɐ̃bi'sjozu] *adj.* **1** diz-se da pessoa que deseja riqueza, poder ou sucesso **2** diz-se daquilo que exige muita coragem; arrojado

ambidestro **(am.bi.des.tro)** [ɐ̃bi'dɛʃtru] *adj.* que usa ambas as mãos com facilidade

ambientação **(am.bi:en.ta.ção)** [ɐ̃bjẽtɐ'sɐ̃w̃] *n.f.* **1** adaptação ao meio ambiente **2** acomodação a novos usos e costumes

ambientado **(am.bi:en.ta.do)** [ɐ̃bjẽ'tadu] *adj.* adaptado a um determinado meio; integrado

[m] mal [n] noz [ɲ] unha [ʎ] lhe [o] tolo [ɔ] pó [p] pé [r] era [ʀ] carro [s] som [ʃ] ás [t] tio [u] nu [w] qual [v] via [z] zoo

ambientador **(am.bi:en.ta.dor)** [ɐ̃bjẽtɐ'dor] *n.m.* produto ou dispositivo que elimina maus odores em locais fechados, através da evaporação de uma substância perfumada

ambiental **(am.bi:en.tal)** [ɐ̃bjẽ'taɫ] *adj.2g.* **1** relativo ao ambiente **2** próprio do ambiente

ambientalismo **(am.bi:en.ta.lis.mo)** [ɐ̃bjẽtɐ'liʒmu] *n.m.* **1** estudo do meio físico em que estão integrados os seres vivos com vista à sua proteção **2** movimento que visa a proteção do meio ambiente e defende o equilíbrio entre o homem e o meio em que está integrado

ambientalista **(am.bi:en.ta.lis.ta)** [ɐ̃bjẽtɐ'liʃtɐ] *adj.2g.* relativo ao ambiente ▪ *n.2g.* pessoa que se dedica ao estudo e à proteção do meio ambiente

ambientar(-se) **(am.bi:en.tar(-se))** [ɐ̃bjẽ'tar(sə)] *v.* ⟨**+a**⟩ adaptar(-se) a um ambiente: *ambientar-se a uma nova escola*

ambiente **(am.bi:en.te)** [ɐ̃'bjẽt(ə)] *adj.,n.2g.* relativo ao meio circundante ▪ *n.m.* **1** conjunto de fatores físicos e biológicos que rodeia os seres vivos **2** conjunto de condições sociais e culturais em que as pessoas vivem ◆ **ambiente de trabalho** interface de um sistema operativo onde aparecem menus, janelas e ícones de programas ou ficheiros

ambiguidade **(am.bi.gui.da.de)** [ɐ̃bigwi'dad(ə)] *n.f.* qualidade do que tem mais de um sentido ou que pode ser entendido de maneiras diferentes

ambíguo **(am.bí.guo)** [ɐ̃'bigwu] *adj.* **1** que pode ter diferentes sentidos **2** que causa dúvida

âmbito **(âm.bi.to)** ['ɐ̃bitu] *n.m.* **1** espaço compreendido dentro de determinados limites **2** área de conhecimentos ou de atividade

ambivalência **(am.bi.va.lên.ci:a)** [ɐ̃bivɐ'lẽsjɐ] *n.f.* **1** qualidade do que tem dois aspetos ou dois valores **2** coexistência de sentimentos opostos em determinada situação

ambivalente **(am.bi.va.len.te)** [ɐ̃bivɐ'lẽt(ə)] *adj.2g.* **1** relativo a ambivalência; em que há ambivalência **2** que tem dois valores (opostos ou diferentes) **3** (palavra, expressão) que pode ter duas interpretações opostas ou diferentes

ambos **(am.bos)** ['ɐ̃buʃ] *det.,prn.indef.* um e outro; os dois juntos; tanto um como o outro

ambulância **(am.bu.lân.ci:a)** [ɐ̃bu'lɐ̃sjɐ] *n.f.* veículo equipado para transportar e prestar os primeiros socorros a doentes e feridos

ambulante **(am.bu.lan.te)** [ɐ̃bu'lɐ̃t(ə)] *adj.2g.* que se desloca de lugar para lugar

ambulatório **(am.bu.la.tó.ri:o)** [ɐ̃bulɐ'tɔrju] *adj.* **1** que não tem lugar fixo; que se move **2** (doença, tratamento) que não obriga o doente a ficar de cama ▪ *n.m.* secção de hospital onde são prestados os primeiros socorros; banco

ambundo **(am.bun.do)** [ɐ̃'bũdu] *adj.* relativo aos ambundos; quimbundo ▪ *n.m.* indivíduo pertencente aos ambundos; quimbundo ▪ *n.m.2n.* (também com maiúscula) grupo banto que habita diversas províncias de Angola

ameaça **(a.me:a.ça)** [ɐ'mjasɐ] *n.f.* **1** palavra, gesto ou sinal que indica que se quer fazer mal a alguém **2** indício (de coisa negativa, doença, etc.) **3** aviso; advertência

ameaçado **(a.me:a.ça.do)** [ɐmjɐ'sadu] *adj.* **1** que recebeu ameaça **2** que está em risco de desaparecer

ameaçador **(a.me:a.ça.dor)** [ɐmjɐsɐ'dor] *adj.* que ameaça

ameaçar **(a.me:a.çar)** [ɐmjɐ'sar] *v.* **1** mostrar ou dizer que se quer fazer mal a alguém **2** estar quase a acontecer **3** pôr em perigo

amealhar **(a.me:a.lhar)** [ɐmjɐ'ʎar] *v.* **1** juntar (dinheiro) ao longo do tempo SIN. economizar; poupar **2** *fig.* acumular

Note-se que a palavra **amealhar** escreve-se com **e** (e não com **i**).

amedrontado **(a.me.dron.ta.do)** [ɐmədrõtɐ'do] *adj.* assustado

amedrontar(-se) **(a.me.dron.tar(-se))** [ɐmədrõ'tar(sə)] *v.* ⟨**+com**⟩ causar ou sentir medo: *amedrontou-se com o barulho* SIN. assustar(-se)

ameia **(a.mei.a)** [ɐ'mɐjɐ] *n.f.* abertura no alto da muralha de uma fortaleza por onde se vê quem se aproxima

amêijoa **(a.mêi.jo:a)** [ɐ'mɐjʒwɐ] *n.f.* 👁 animal de corpo mole coberto por uma concha que vive no mar e é comestível

ameixa **(a.mei.xa)** [ɐm'ɐjʃɐ] *n.f.* fruto arredondado de pele fina, amarelada ou vermelho-escura, produzido pela ameixeira

ameixal **(a.mei.xal)** [ɐmɐj'ʃaɫ] *n.m.* campo plantado de ameixeiras

ameixeira **(a.mei.xei.ra)** [ɐmɐj'ʃɐjrɐ] *n.f.* pequena árvore que produz ameixas

ameixoal **(a.mei.xo:al)** [ɐmɐj'ʃwaɫ] *n.m.* pomar de ameixeiras

ameixoeira **(a.mei.xo.ei.ra)** [ɐmɐj'ʃwɐjrɐ] *n.f.* árvore que produz as ameixas

amém (a.mém) [a'mɐ̃j] *interj.* designativa de concordância ■ *n.m.* aprovação; concordância; consentimento ◆ **dizer amém a** concordar com

ámen (á.men) ['amɛn] *interj.* usa-se no final das orações, na missa, para indicar que se está de acordo; assim seja!

amêndoa (a.mên.do:a) [ɐ'mẽdwɐ] *n.f.* semente comestível da amendoeira com casca dura, castanha, e miolo branco, usada em doçaria e da qual se extrai um óleo utilizado em cosmética, culinária e farmácia

amendoado (a.men.do:a.do) [ɐmẽ'dwadu] *adj.* **1** com forma de amêndoa **2** com sabor a amêndoa **3** feito com amêndoas

amendoal (a.men.do:al) [ɐmẽ'dwaɫ] *n.m.* pomar de amendoeiras

amendoeira (a.men.do.ei.ra) [ɐmẽ'dwɐjrɐ] *n.f.* árvore que produz amêndoas

amendoim (a.men.do:im) [ɐmẽ'dwĩ] *n.m.* semente cilíndrica, amarela e comestível de uma planta com o mesmo nome

ameninado (a.me.ni.na.do) [ɐməni'nadu] *adj.* com aspeto ou modos de criança **SIN.** acriançado

amenizar(-se) (a.me.ni.zar(-se)) [ɐməni'zar(sə)] *v.* **1** tornar(-se) ameno; suavizar(-se) **2** tornar(-se) menos difícil ou penoso

ameno (a.me.no) [ɐ'menu] *adj.* **1** agradável; aprazível **2** calmo; tranquilo

amenorreia (a.me.nor.rei.a) [ɐmənu'ʀɐjɐ] *n.f.* ausência de menstruação na mulher

americanice (a.me.ri.ca.ni.ce) [ɐmərikɐ'ni(sə)] *n.f. pej.* procedimento característico do gosto americano; excentricidade

americanizar (a.me.ri.ca.ni.zar) [ɐmərikɐni'zar] *v.* dar carácter de americano a ■ **americanizar-se** **1** adquirir modos ou hábitos americanos **2** obter nacionalidade americana

americano (a.me.ri.ca.no) [ɐməri'kɐnu] *adj.* relativo à América (continente) ou aos Estados Unidos da América ■ *n.m.* pessoa natural da América ou dos Estados Unidos da América

amestrado (a.mes.tra.do) [ɐmɛʃ'tradu] *adj.* diz-se do animal treinado

amestrar (a.mes.trar) [ɐmɛʃ'trar] *v.* ensinar (animais) a desenvolver habilidades **SIN.** treinar

ametista (a.me.tis.ta) [ɐmə'tiʃtɐ] *n.f.* pedra preciosa de cor púrpura ou roxa

AMI [a'mi] *sigla de* Assistência Médica Internacional

amianto (a.mi:an.to) [ɐ'mjɐ̃tu] *n.m.* silicato natural hidratado de cálcio e magnésio, de estrutura fibrosa, branca e brilhante, resistente ao fogo e a altas temperaturas

amicíssimo (a.mi.cís.si.mo) [ɐmi'sisimu] (*superl. de* amigo) *adj.* muito amigo

amido (a.mi.do) [ɐ'midu] *n.m.* composto formado por moléculas de glicose que existe nos vegetais

amieiro (a.mi.ei.ro) [ɐ'mjɐjru] *n.m.* árvore frequente nas terras húmidas, cuja madeira é aproveitada para construção e a casca para preparar curtumes

amigalhaço (a.mi.ga.lha.ço) [ɐmigɐ'ʎasu] *n.m. coloq.* grande amigo **SIN.** amigão

amigável (a.mi.gá.vel) [ɐmi'gavɛɫ] *adj.2g.* **1** próprio de amigo **2** feito com o acordo das pessoas envolvidas **3** que é fácil de aprender ou de usar **4** (jogo) disputado não para competição, mas para treino, confraternização ou por beneficência

amígdala (a.míg.da.la) [ɐ'migdɐlɐ] *n.f.* cada um dos órgãos em forma de amêndoa situados à entrada da garganta

amigdalite (a.mig.da.li.te) [ɐmigdɐ'lit(ə)] *n.f.* inflamação das amígdalas

amigo (a.mi.go) [ɐ'migu] *adj.* que tem amizade a alguém ■ *n.m.* **1** aquele que sente amizade por alguém **ANT.** inimigo **2** aquele que ajuda outra pessoa ◆ *coloq.* **amigo da onça** falso amigo; (atitude, produto, tecnologia) **amigo do ambiente** que evita os efeitos negativos sobre o ambiente

aminoácido (a.mi.no.á.ci.do) [ɐminɔ'asidu] *n.m.* composto orgânico em cuja composição entram a função amina e a função ácido

amistoso (a.mis.to.so) [ɐmiʃ'tozu] *adj.* próprio de amigo **SIN.** amigável

amiúde (a.mi:ú.de) [ɐ'mjud(ə)] *adv.* com frequência

amizade (a.mi.za.de) [ɐmi'zad(ə)] *n.f.* **1** sentimento de grande afeto ou simpatia por alguém **ANT.** inimizade **2** lealdade entre amigos **SIN.** companheirismo **3** entendimento e cooperação entre pessoas, entidades, países **SIN.** aliança

amnésia (am.né.si:a) [ɐ'mnɛzjɐ] *n.f.* perda parcial ou total da memória

amnésico (am.né.si.co) [ɐ'mnɛziku] *n.m.* pessoa que sofre de amnésia ■ *adj.* **1** que sofre de amnésia **2** que provoca amnésia

amniocentese (am.ni:o.cen.te.se) [ɐmnjɔsẽ'tɛz(ə)] *n.f.* recolha de líquido amniótico para análise, durante a gravidez

amniótico (am.ni:ó.ti.co) [ɐ'mnjɔtiku] *adj.* diz-se do líquido que envolve o feto durante a gestação ou da bolsa que contém esse líquido: *saco amniótico*

amnistia (am.nis.ti.a) [ɐmniʃ'tiɐ] *n.f.* perdão concedido por um governo a alguns presos

amnistiar (am.nis.ti:ar) [ɐmniʃ'tjar] *v.* **1** conceder amnistia a **2** perdoar

amo (a.mo) ['ɐmu] *n.m.* **1** chefe; patrão **2** tratamento que era dado ao rei pelos vassalos

amolador (a.mo.la.dor) [ɐmulɐ'dor] *n.m.* homem que afia facas, tesouras e outros objetos cortantes

amolar (a.mo.lar) [ɐmu'lar] *v.* afiar (objetos cortantes)

amolecer(-se) (a.mo.le.cer(-se)) [ɐmulə'ser(sə)] *v.* **1** tornar(-se) mole ou flexível **ANT.** endurecer **2** enfraquecer; entorpecer **3** *fig.* comover(-se); enternecer(-se)

amolgadela (a.mol.ga.de.la) [ɐmoɫgɐ'dɛlɐ] *n.f.* deformação por pancada ou pressão ligeira **SIN.** mossa

amolgado (a.mol.ga.do) [ɐmoɫ'gadu] *adj.* amassado

amolgar (a.mol.gar) [ɐmoɫ'gar] *v.* deformar por pancada ou pressão ligeira **SIN.** amassar

amoniacal (a.mo.ni:a.cal) [ɐmunjɐ'kaɫ] *adj.2g.* **1** que contém amoníaco **2** que tem as propriedades do amoníaco

amoníaco (a.mo.ní.a.co) [ɐmu'niɐku] *n.m.* gás sem cor e de cheiro muito forte, usado em produtos de limpeza e na indústria

amontoado (a.mon.to:a.do) [ɐmõ'twadu] *adj.* colocado em monte e sem ordem; empilhado ■ *n.m.* conjunto de coisas amontoadas

amontoar (a.mon.to:ar) [ɐmõ'twar] *v.* colocar em monte e sem ordem; empilhar

amor (a.mor) [ɐ'mor] *n.m.* **1** sentimento de afeto muito forte **2** dedicação (a uma causa ou atividade); *coloq.* **amor à camisola** dedicação de um desportista ou adepto na representação do seu clube **3** *coloq.* pessoa muito simpática: *Ela é um amor, ajuda-me sempre.* ◆ *coloq.* **amor com amor se paga** retribuir da mesma maneira; *coloq.* **fazer amor** ter relações sexuais; **(não) morrer de amores por** (não) gostar de; (não) simpatizar com; **por amor de Deus!** por favor!; por caridade!

amora (a.mo.ra) [ɐ'mɔrɐ] *n.f.* fruto doce de cor vermelho-escura que se come ao natural e em compotas

amordaçar (a.mor.da.çar) [ɐmurdɐ'sar] *v.* **1** tapar a boca para impedir (alguém) de falar **2** *fig.* calar; oprimir

amoreira (a.mo.rei.ra) [ɐmu'rɐjrɐ] *n.f.* arbusto que produz amoras e cujas folhas são usadas na alimentação do bicho-da-seda

amorfismo (a.mor.fis.mo) [ɐmur'fiʒmu] *n.m.* **1** estado de amorfo **2** ausência de forma definida **3** deformação

amorfo (a.mor.fo) [ɐ'mɔrfu] *adj.* **1** que não tem uma forma bem definida **2** *fig.* (pessoa) sem iniciativa

amoroso (a.mo.ro.so) [ɐmu'rozu] *adj.* **1** que tem ou demonstra amor **2** carinhoso; terno

amor-perfeito (a.mor-.per.fei.to) [ɐmorpər'fɐjtu] *n.m.* ⟨*pl.* amores-perfeitos⟩ planta com flores coloridas em forma de violetas grandes

amor-próprio (a.mor-.pró.pri:o) [ɐmor'prɔprju] *n.m.* ⟨*pl.* amores-próprios⟩ respeito que cada pessoa tem por si própria

amortalhar (a.mor.ta.lhar) [ɐmurtɐ'ʎar] *v.* **1** envolver em mortalha **2** dispor (cadáver) em caixão

amortecedor (a.mor.te.ce.dor) [ɐmurtəsə'dor] *n.m.* aparelho que reduz o efeito de choques e vibrações

amortecer (a.mor.te.cer) [ɐmurtə'ser] *v.* diminuir a força de (choque, queda)

amortecimento (a.mor.te.ci.men.to) [ɐmurtəsi'mẽtu] *n.m.* diminuição da força ou da intensidade

amortização (a.mor.ti.za.ção) [ɐmurtizɐ'sɐ̃w̃] *n.f.* **1** pagamento gradual de uma dívida **2** cada uma das verbas utilizadas para pagar uma dívida

amortizar (a.mor.ti.zar) [ɐmurti'zar] *v.* pagar o total ou parte de uma dívida

amostra (a.mos.tra) [ɐ'mɔʃtrɐ] *n.f.* **1** pequena quantidade de qualquer coisa **2** prova de que algo existe; sinal **3** apresentação; demonstração

amostragem (a.mos.tra.gem) [ɐmuʃ'traʒɐ̃j̃] *n.f.* **1** conjunto de amostras **2** recolha de pequenas quantidades de um produto para o analisar

amostrar (a.mos.trar) [ɐmuʃ'trar] *v.* mostrar

amover (a.mo.ver) [ɐmu'ver] *v.* **1** tirar a posse de **SIN.** expropriar **2** afastar; distanciar

amovível (a.mo.ví.vel) [ɐmu'vivɛɫ] *adj.2g.* **1** que pode ser deslocado **2** temporário; transitório

amparar (am.pa.rar) [ɐ̃pɐ'rar] *v.* **1** impedir queda de **SIN.** suster **2** dar apoio a: *amparar um amigo* **SIN.** ajudar **3** dar subsistência a: *amparar uma família* **SIN.** sustentar **4** ⟨**+de, contra**⟩ dar proteção a: *amparar contra o frio* **SIN.** defender ■ **amparar-se 1** ⟨**+a**, **+em**⟩ encostar-se: *Ampara-te a mim.* **2** ⟨**+a**, **+em**⟩ apoiar-se; segurar-se: *Amparou-se na família.*

amparo (am.pa.ro) [ɐ̃'paru] *n.m.* **1** apoio; ajuda **2** pessoa que ajuda ou socorre

ampere (am.pe.re) [ɐ̃'pɛr(ə)] *n.m.* unidade de intensidade da corrente elétrica

ampere-hora (am.pe.re-.ho.ra) [ɐ̃pɛ'rɔrɐ] *n.m.* unidade de medida de carga elétrica igual à quantidade elétrica que atravessa, durante uma hora, um condutor com intensidade de um ampere (um ampere-hora equivale a 3600 coulombs)

amplamente (am.pla.men.te) [ɐ̃plɐ'mẽt(ə)] *adv.* **1** em grande quantidade **2** por muitas pessoas

ampliação (am.pli:a.ção) [ɐ̃pljɐ'sɐ̃w̃] *n.f.* **1** ato ou efeito de ampliar **2** aumento (de uma fotografia, de uma imagem, etc.)

ampliador (am.pli:a.dor) [ɐ̃pljɐ'dor] *n.m.* aparelho que aumenta uma imagem

ampliar (am.pli.ar) [ɐ̃pli'ar] *v.* **1** aumentar (em tamanho, extensão ou intensidade) **2** reproduzir em formato maior

ampliável (am.pli.á.vel) [ɐ̃pli'avɛł] *adj.2g.* que se pode ampliar

amplificação (am.pli.fi.ca.ção) [ɐ̃plifikɐ'sɐ̃w̃] *n.f.* aumento da intensidade (de um som) ou do tamanho (de um objeto)

amplificador (am.pli.fi.ca.dor) [ɐ̃plifikɐ'dor] *n.m.* aparelho que amplifica a intensidade do som

amplificar (am.pli.fi.car) [ɐ̃plifi'kar] *v.* **1** aumentar a intensidade ou o tamanho de **2** aumentar (valor ou qualidades) em demasia **SIN.** exagerar

amplitude (am.pli.tu.de) [ɐ̃pli'tud(ə)] *n.f.* **1** grande extensão **2** *fig.* importância

amplo (am.plo) ['ɐ̃plu] *adj.* **1** que é grande ou tem muito espaço **SIN.** espaçoso **2** extensivo; abrangente

ampola (am.po.la) [ɐ̃'polɐ] *n.f.* pequeno tubo de vidro que contém um líquido e que é fechado para não deixar entrar ar

ampulheta (am.pu.lhe.ta) [ɐ̃pu'ʎetɐ] *n.f.* instrumento composto por dois vasos que comunicam por um orifício, que serve para contar tempo pela passagem de areia de um vaso para o outro

amputação (am.pu.ta.ção) [ɐ̃putɐ'sɐ̃w̃] *n.f.* remoção cirúrgica de um órgão, de um membro ou de parte de um membro

amputar (am.pu.tar) [ɐ̃pu'tar] *v.* cortar (um órgão ou um membro)

amuado (a.mu:a.do) [ɐ'mwadu] *adj.* que está aborrecido ou de mau humor

amuanado (a.mu:a.na.do) [ɐmwɐ'nadu] *adj.* [MOÇ.] acriançado

amuar (a.mu:ar) [ɐ'mwar] *v.* ficar aborrecido e calado

amuleto (a.mu.le.to) [ɐmu'letu] *n.m.* objeto que se usa para dar sorte ou proteger do azar **SIN.** talismã

amuo (a.mu.o) [ɐ'muu] *n.m.* aborrecimento ou mau humor **SIN.** enfado

ANA ['ɐnɐ] *sigla de* Aeroportos e Navegação Aérea

anaeróbio (a.na.e.ró.bi:o) [ɐnɐɛ'rɔbju] *adj.* diz-se do ser vivo capaz de viver sem ar ou oxigénio

anafado (a.na.fa.do) [ɐnɐ'fadu] *adj.* que é gordo; rechonchudo

anafar (a.na.far) [ɐnɐ'far] *v.* engordar

anáfora (a.ná.fo.ra) [ɐ'nafurɐ] *n.f.* figura de estilo em que se repete uma ou mais palavras no princípio de frases ou versos sucessivos

anafórico (a.na.fó.ri.co) [ɐnɐ'fɔriku] *adj.* relativo a anáfora

anagrama (a.na.gra.ma) [ɐnɐ'grɐmɐ] *n.m.* palavra formada alterando a ordem das letras de outra palavra: *prato/trapo; amor/Roma*

anais (a.nais) [ɐ'najʃ] *n.m.2n.* narração de factos históricos, organizada ano a ano

anal (a.nal) [ɐ'nał] *adj.2g.* relativo ao ânus

analepse (a.na.lep.se) [ɐnɐ'lɛp(sə)] *n.f.* narração de factos anteriores a eventos já narrados; flashback

analfabético (a.nal.fa.bé.ti.co) [ɐnałfɐ'bɛtiku] *adj.* **1** que não sabe ler nem escrever **2** que não tem conhecimentos (científicos, artísticos, etc.)

analfabetismo (a.nal.fa.be.tis.mo) [ɐnałfɐbə'tiʒmu] *n.m.* **1** desconhecimento do alfabeto **2** falta de conhecimento ou de instrução

analfabeto (a.nal.fa.be.to) [ɐnałfɐ'bɛtu] *adj.,n.m.* **1** que ou pessoa que não sabe ler nem escrever **2** que ou pessoa que tem falta de conhecimentos (científicos, artísticos, etc.)

analgésico (a.nal.gé.si.co) [ɐnał'ʒɛziku] *adj.,n.m.* que ou substância que diminui ou elimina a dor

analgia (a.nal.gi.a) [ɐnał'ʒiɐ] *n.f.* perda ou ausência de sensibilidade à dor

analisador (a.na.li.sa.dor) [ɐnɐlizɐ'dor] *adj.,n.m.* que ou aquele que analisa; analista

analisar (a.na.li.sar) [ɐnɐli'zar] *v.* **1** fazer a análise de **2** examinar com atenção

---

Note-se que a palavra **analisar** escreve-se com s (e não com z).

---

analisável (a.na.li.sá.vel) [ɐnɐli'zavɛł] *adj.2g.* que se pode analisar; que pode ser estudado

análise (a.ná.li.se) [ɐ'naliz(ə)] *n.f.* **1** observação e estudo cuidadoso (de um texto, de uma obra, de um problema) **2** conjunto de operações que se efetuam sobre a linguagem; **análise sintática** decomposição e classificação de um período gramatical em orações e de cada oração nos seus elementos de acordo com a sua função sintática ▪ **análises** *n.f.pl.* exame laboratorial realizado a partir de amostras de material colhido do organismo (sangue, urina, fezes, etc.) para fins de diagnóstico ♦ **em última análise** finalmente; em conclusão

analista (a.na.lis.ta) [ɐnɐ'liʃtɐ] *n.2g.* **1** pessoa que analisa **2** pessoa que comenta ou critica **3** psicanalista

analítico (a.na.lí.ti.co) [ɐnɐ'litiku] *adj.* relativo a análise

analogia (a.na.lo.gi.a) [ɐnɐlu'ʒiɐ] *n.f.* semelhança; similitude ◆ **por analogia** por semelhança com

analógico (a.na.ló.gi.co) [ɐnɐ'lɔʒiku] *adj.* **1** relativo a analogia **2** em que há analogia **3** que varia de modo contínuo e gradual (por oposição a digital)

análogo (a.ná.lo.go) [ɐ'nalugu] *adj.* semelhante; parecido

ananás (a.na.nás) [ɐnɐ'naʃ] *n.m.* ⟨*pl.* ananases⟩ fruto oval, de casca alaranjada, com folhas no cimo e com o interior doce

anão (a.não) [ɐ'nɐ̃w̃] *n.m.* ⟨*f.* anã, *pl.* anões e anãos⟩ pessoa que é muito mais baixa que o normal **ANT.** gigante

anarquia (a.nar.qui.a) [ɐnɐr'kiɐ] *n.f.* **1** negação do princípio da autoridade **2** Estado ou regime em que não há governo **3** desordem; confusão

anárquico (a.nár.qui.co) [ɐ'narkiku] *adj.* **1** relativo a anarquia **2** que causa anarquia **3** desordenado; confuso

anarquismo (a.nar.quis.mo) [ɐnɐr'kiʒmu] *n.m.* doutrina que defende a abolição de qualquer forma de autoridade organizada

anarquista (a.nar.quis.ta) [ɐnɐr'kiʃtɐ] *adj.2g.* relativo a anarquismo ■ *adj.,n.2g.* que ou pessoa que defende o anarquismo

anarquizar (a.nar.qui.zar) [ɐnɐrki'zar] *v.* **1** provocar anarquia em **2** colocar anarquia em **SIN.** desorganizar

anatomia (a.na.to.mi.a) [ɐnɐtu'miɐ] *n.f.* ciência que estuda a organização interna dos seres vivos

anatómico (a.na.tó.mi.co) [ɐnɐ'tɔmiku] *adj.* relativo a anatomia

anca (an.ca) ['ɐ̃kɐ] *n.f.* parte lateral do corpo humano, da cintura até à coxa

ancestral (an.ces.tral) [ɐ̃sɘʃ'traɫ] *adj.2g.* muito antigo ■ *n.m.* pessoa da família que viveu antes de nós; antepassado

anchova (an.cho.va) [ɐ̃'ʃovɐ] *n.f.* peixe marinho que se come sobretudo em conserva

ancião (an.ci.ão) [ɐ̃'sjɐ̃w̃] *adj.* velho ■ *n.m.* ⟨*f.* anciã, *pl.* anciãos, anciães, anciões⟩ homem muito velho

ancinho (an.ci.nho) [ɐ̃'siɲu] *n.m.* instrumento de ferro em forma de pente usado para arrastar palha ou feno e para preparar a terra para o cultivo

âncora (ân.co.ra) ['ɐ̃kurɐ] *n.f.* **1** peça de ferro usada para prender uma embarcação ao fundo do mar **2** *fig.* proteção; amparo

ancorado (an.co.ra.do) [ɐ̃ku'radu] *adj.* **1** preso com âncora **2** *fig.* que não se move; fixo

ancoradouro (an.co.ra.dou.ro) [ɐ̃kurɐ'do(w)ru] *n.m.* lugar próprio para as embarcações ancorarem **SIN.** porto

ancoragem (an.co.ra.gem) [ɐ̃ku'raʒɐ̃j̃] *n.f.* lançamento de âncora

ancorar (an.co.rar) [ɐ̃ku'rar] *v.* ⟨**+em**⟩ lançar âncora: *O navio ancorou no porto.* **SIN.** fundear

andaime (an.dai.me) [ɐ̃'dajm(ɘ)] *n.m.* armação de madeira ou de ferro que permite trabalhar em construções altas

andaluz (an.da.luz) [ɐ̃dɐ'luʃ] *adj.* **1** da Andaluzia (região de Espanha) **2** da raça de cavalos de origem espanhola ■ *n.m.* **1** natural da Andaluzia **2** dialeto falado na Andaluzia

andamento (an.da.men.to) [ɐ̃dɐ'mẽtu] *n.m.* **1** modo de andar **2** evolução (de um processo ou de um trabalho) **3** ritmo de execução de uma peça musical **4** cada uma das partes de uma composição musical

andanças (an.dan.ças) [ɐ̃'dɐ̃sɐʃ] *n.f.pl.* **1** *coloq.* trabalho difícil **2** *coloq.* viagens; aventuras

andante (an.dan.te) [ɐ̃'dɐ̃t(ɘ)] *adj.2g.* **1** que anda sem rumo; errante **2** que procura aventuras; aventureiro ■ *n.m.* **1** cartão eletrónico recarregável que permite viajar em qualquer um dos meios de transporte aderentes (metro, autocarro, comboio) dentro da Área Metropolitana do Porto **2** andamento moderado, entre o adágio e o alegro **3** trecho musical com esse andamento

andar (an.dar) [ɐ̃'dar] *v.* **1** deslocar-se a pé: *Andaram dois quilómetros.* **SIN.** caminhar **2** mover-se; deslocar-se: *A Terra anda à volta do Sol.* **3** ⟨**+de**⟩ deslocar-se em meio de transporte: *andar de carro, autocarro, avião, etc.* **4** passar; decorrer (tempo): *Os minutos andavam rápido.* **5** funcionar; trabalhar (aparelho, mecanismo): *O relógio não anda.* **6** estar; sentir-se: *Ele tem andado doente.* **7** ⟨**+com**⟩ conviver: *Ele anda com amigos muito estranhos.* **8** ⟨**+com**⟩ *coloq.* namorar: *Eles andam há quatro anos.* **9** ⟨**+de**⟩ vestir; calçar: *Ela anda de chinelos/calça de ganga.* **10** ⟨**+com**⟩ usar: *Já não ando com este carro.* **11** ⟨**+por**⟩ rondar: *Ele anda pelos cinquenta anos.* **12** usa-se no imperativo para convidar, pedir ou exigir algo a alguém: *Anda! Anda ao papá! Andem depressa!* **13** ⟨**+a** [+ *nome ou inf.*]⟩ indica que uma ação se prolonga no tempo: *Ele anda à procura de casa. Ela anda a estudar para os exames.* **14** ⟨**+para** [+ *inf.*]⟩ tencionar: *Ando para telefonar ao João há muito.* ■ *n.m.* **1** modo como se anda **2** piso (de edifício) **3** apartamento ◆ *coloq.* **andar aos ss (e rr)** cambalear de bêbedo; **não andar, nem desandar** estar parado; não evoluir; **não saber a quantas anda** estar desorientado; **pôr a andar** mandar embora; **pôr-se a andar** ir-se embora rapidamente

andarilho (an.da.ri.lho) [ɐ̃dɐ'riʎu] *n.m.* **1** aparelho constituído por uma estrutura de metal ou plástico, assente em pequenas rodas, usado para ajudar as crianças quando começam a andar; voador **2** estrutura metálica leve, assente em quatro pernas, sobre a qual uma pessoa com dificuldades de locomoção se apoia para andar

andar-modelo (an.dar-.mo.de.lo) [ɐ̃darmu'delu] *n.m.* ⟨*pl.* andares-modelo⟩ apartamento totalmente equipado, apresentado como exemplo para promoção de um empreendimento imobiliário

andas (an.das) ['ɐ̃dɐʃ] *n.f.pl.* pernas altas de pau usadas por acrobatas ou em certos espetáculos

andebol (an.de.bol) [ɐ̃də'bɔɫ] *n.m.* desporto entre duas equipas de sete jogadores cada, em que se joga a bola com as mãos

andebolista (an.de.bo.lis.ta) [ɐ̃dəbu'liʃtɐ] *n.2g.* jogador de andebol

andor (an.dor) [ɐ̃'dor] *n.m.* espécie de padiola ornamentada para conduzir, nas procissões, as imagens dos santos ♦ *coloq.* **ir no andor** deixar-se enganar

andorinha (an.do.ri.nha) [ɐ̃du'riɲɐ] *n.f.* pequeno pássaro escuro, de bico curto e largo, que aparece na primavera

androceu (an.dro.ceu) [ɐ̃drɔ'sew] *n.m.* conjunto dos órgãos masculinos da flor; estame

andrógino (an.dró.gi.no) [ɐ̃'drɔʒinu] *adj.,n.m.* que ou indivíduo que apresenta características de ambos os sexos; hermafrodita

andropausa (an.dro.pau.sa) [ɐ̃drɔ'pawzɐ] *n.f.* conjunto de alterações fisiológicas e psicológicas que ocorrem no homem, geralmente a partir dos 50 anos, com redução progressiva da atividade sexual

anedota (a.ne.do.ta) [ɐnə'dɔtɐ] *n.f.* história breve e divertida; piada

anedótico (a.ne.dó.ti.co) [ɐnə'dɔtiku] *adj.* **1** relativo a anedota **2** cómico; divertido

anel (a.nel) [ɐ'nɛɫ] *n.m.* ⟨*pl.* anéis⟩ **1** pequena argola que se usa no dedo **2** cada uma das peças de uma corrente **SIN.** elo **3** caracol ou cacho de cabelo ♦ **vão-se os anéis, ficam os dedos** renunciar ao que é acessório, para guardar o que é indispensável

anelamento (a.ne.la.men.to) [ɐnəlɐ'mẽtu] *n.m.* [MOÇ.] noivado

anelar (a.ne.lar) [ɐnə'lar] *adj.2g.* que tem forma de anel ▪ *v.* [MOÇ.] pedir (alguém) em casamento

anemia (a.ne.mi.a) [ɐnə'miɐ] *n.f.* diminuição dos glóbulos vermelhos no sangue que provoca fraqueza, palidez e cansaço

anémico (a.né.mi.co) [ɐ'nɛmiku] *adj.* **1** relativo a anemia **2** que tem anemia

anemómetro (a.ne.mó.me.tro) [ɐnə'mɔmətru] *n.m.* instrumento que mede a velocidade do vento

anémona (a.né.mo.na) [ɐ'nɛmunɐ] *n.f.* **1** planta herbácea com flores muito coloridas **2** animal marinho de corpo mole **SIN.** anémona-do-mar

anemoterapia (a.ne.mo.te.ra.pi.a) [ɐnəmɔtərɐ'piɐ] *n.f.* tratamento médico por meio de inalações

anestesia (a.nes.te.si.a) [ɐnəʃtə'ziɐ] *n.f.* **1** substância que diminui ou suprime total ou parcialmente a sensibilidade do corpo **2** supressão temporária da sensibilidade para fins operatórios, exploratórios, terapêuticos; **anestesia geral** supressão da sensibilidade em todo o corpo, com perda de consciência, aplicando anestésico por via venosa ou respiratória

anestesiante (a.nes.te.si:an.te) [ɐnəʃtə'zjɐ̃t(ə)] *adj.,n.2g.* (substância) que diminui ou suprime a sensibilidade

anestesiar (a.nes.te.si:ar) [ɐnəʃtə'zjar] *v.* **1** reduzir ou suprimir a sensibilidade física através da aplicação de um anestésico **2** *fig.* tornar apático

anestésico (a.nes.té.si.co) [ɐnəʃ'tɛziku] *adj.* **1** (substância) que diminui ou elimina a sensibilidade **2** *fig.* que provoca apatia ▪ *n.m.* **1** produto que diminui ou elimina a sensibilidade **2** *coloq.* médico que aplica anestesia; anestesista

anestesista (a.nes.te.sis.ta) [ɐnəʃtə'ziʃtɐ] *n.2g.* médico especialista em anestesia

aneurisma (a.neu.ris.ma) [ɐnew'riʒmɐ] *n.m.* dilatação de uma artéria

anexação (a.ne.xa.ção) [ɐnɛksɐ'sɐ̃w̃] *n.f.* junção; união

anexar (a.ne.xar) [ɐnɛ'ksar] *v.* **1** ⟨**+a**⟩ juntar (algo) a outro considerado principal: *anexar uma crónica ao artigo; anexar um ficheiro ao email* **SIN.** acrescentar **2** ⟨**+a**⟩ incorporar (país, região) a outro: *Aquele país anexou parte do outro ao seu território.* **SIN.** integrar ▪ **anexar-se** ⟨**+a**⟩ unir-se; juntar-se: *anexar-se ao grupo*

anexo (a.ne.xo) [ɐ'nɛksu] *n.m.* **1** coisa que está ligada a outra, da qual faz parte **2** texto ou documento que se acrescenta a um outro

anfetamina (an.fe.ta.mi.na) [ɐ̃fətɐ'minɐ] *n.f.* substância excitante do sistema nervoso central

anfíbio (an.fí.bi:o) [ɐ̃'fibju] *adj.* diz-se do ser vivo que pode viver tanto em terra como na água

anfiteatro (an.fi.te:a.tro) [ɐ̃fi'tjatru] *n.m.* **1** edifício circular ou oval, com degraus à volta de uma arena, onde os romanos realizavam combates entre gladiadores e outros espetáculos **2** sala de aula ou de espetáculos com bancos dispostos como degraus

anfitrião (an.fi.tri.ão) [ɐ̃fitri'ɐ̃w̃] *n.m.* ⟨*f.* anfitriã⟩ pessoa que recebe convidados em sua casa

ânfora **(ân.fo.ra)** ['ɐ̃furɐ] *n.f.* vaso grande para líquidos, com duas asas

angariação **(an.ga.ri:a.ção)** [ɐ̃gɐrjɐ'sɐ̃w̃] *n.f.* **1** recolha (de assinaturas, dinheiro, etc.) **2** recrutamento (de pessoas)

angariar **(an.ga.ri:ar)** [ɐ̃gɐ'rjar] *v.* **1** procurar obter (apoio, dinheiro, etc.) por meio de pedido **2** procurar a adesão de **SIN.** recrutar

angelical **(an.ge.li.cal)** [ɐ̃ʒəli'kał] *adj.2g.* ⇒ **angélico**

angélico **(an.gé.li.co)** [ɐ̃'ʒɛliku] *adj.* próprio de anjo

angina **(an.gi.na)** [ɐ̃'ʒinɐ] *n.f.* **1** inflamação da garganta **2** dor com características de espasmo; **angina de peito** doença provocada por deficiência do afluxo sanguíneo ao miocárdio, que se manifesta por uma forte dor torácica

angioma **(an.gi:o.ma)** [ɐ̃'ʒjomɐ] *n.m.* tumor vascular benigno

anglicanismo **(an.gli.ca.nis.mo)** [ɐ̃glikɐ'niʒmu] *n.m.* religião oficial da Inglaterra

anglicanista **(an.gli.ca.nis.ta)** [ɐ̃glikɐ'niʃtɐ] *adj.2g.* relativo a anglicanismo ■ *adj.,n.2g.* partidário do anglicanismo

anglicano **(an.gli.ca.no)** [ɐ̃gli'kɐnu] *adj.* **1** relativo ao anglicanismo **2** relativo ou pertencente à Inglaterra ■ *n.m.* pessoa que professa a religião anglicana

anglicismo **(an.gli.cis.mo)** [ɐ̃gli'siʒmu] *n.m.* termo formado a partir de palavra ou locução inglesa

anglo-americano **(an.glo-.a.me.ri.ca.no)** [ɐ̃glɔɐməri'kɐnu] *adj.* relativo à Inglaterra e aos Estados Unidos da América ■ *n.m.* ⟨*pl.* anglo-americanos⟩ pessoa que tem ascendência inglesa e norte-americana

anglófono **(an.gló.fo.no)** [ɐ̃'glɔfunu] *adj.* (país, povo) que tem o inglês como língua oficial ou dominante ■ *n.m.* pessoa que fala inglês, sobretudo como primeira língua

anglo-saxão **(an.glo-.sa.xão)** [ɐ̃glɔsa'ksɐ̃w̃] *adj.* relativo ao povo que resultou da fusão dos anglos, jutos e saxões ■ *n.m.* ⟨*pl.* anglo-saxões⟩ pessoa pertencente a esse povo

anglo-saxónico **(an.glo-.sa.xó.ni.co)** [ɐ̃glɔsa'ksɔniku] *adj.,n.m.* ⟨*pl.* anglo-saxónicos⟩ ⇒ **anglo-saxão**

angolanidade **(an.go.la.ni.da.de)** [ɐ̃gulɐni'dad(ə)] *n.f.* conjunto das características e das maneiras de pensar, de sentir e de se exprimir próprios dos angolanos

angolano **(an.go.la.no)** [ɐ̃gu'lɐnu] *adj.* relativo a Angola ■ *n.m.* pessoa natural de Angola

angra **(an.gra)** ['ɐ̃grɐ] *n.f.* pequena baía; enseada

angular **(an.gu.lar)** [ɐ̃gu'lar] *adj.2g.* **1** relativo a ângulo **2** que forma ângulo(s)

ângulo **(ân.gu.lo)** ['ɐ̃gulu] *n.m.* **1** figura geométrica formada por duas semirretas que se cruzam; **ângulo reto** ângulo que mede 90° **2** canto; esquina **3** posição da câmara (fotográfica, de filmar) em relação ao objeto focado **4** *fig.* ponto de vista; perspetiva

angurizado **(an.gu.ri.za.do)** [ɐ̃guri'zadu] *adj.* [MOÇ.] muito embriagado

angústia **(an.gús.ti:a)** [ɐ̃'guʃtjɐ] *n.f.* grande aflição; ansiedade

angustiado **(an.gus.ti:a.do)** [ɐ̃guʃ'tjadu] *adj.* aflito; ansioso

angustiante **(an.gus.ti:an.te)** [ɐ̃guʃ'tjɐ̃t(ə)] *adj.2g.* que provoca angústia; preocupante; aflitivo

angustiar(-se) **(an.gus.ti:ar(-se))** [ɐ̃guʃ'tjar(sə)] *v.* provocar ou sentir angústia **SIN.** afligir(-se)

anho **(a.nho)** ['ɐɲu] *n.m.* filhote de ovelha; cordeiro

anião **(a.ni.ão)** [ɐ'njɐ̃w̃] *n.m.* ião com carga elétrica negativa

anil **(a.nil)** [ɐ'nił] *n.m.* substância de cor azul que se obtém de algumas plantas e é usada como corante **SIN.** índigo

anilha **(a.ni.lha)** [ɐ'niʎɐ] *n.f.* **1** pequena argola ou arco **2** acessório para certas aplicações de parafusos

animação **(a.ni.ma.ção)** [ɐnimɐ'sɐ̃w̃] *n.f.* **1** ato de pôr (algo) em movimento **2** sentimento de alegria ou entusiasmo **3** técnica de produção de imagens em movimento a partir de desenhos ou bonecos

animado **(a.ni.ma.do)** [ɐni'madu] *adj.* **1** que tem vida e movimento **ANT.** desanimado **2** que parece ter movimento (desenho, imagem) **3** que é alegre ou bem-disposto

animador **(a.ni.ma.dor)** [ɐnimɐ'dor] *n.m.* **1** pessoa que apresenta um espetáculo ou um programa **2** pessoa que faz animação de imagens para cinema **3** pessoa responsável por dinamizar atividades; **animador social** profissional que coordena e/ou desenvolve atividades de animação e desenvolvimento de grupos, integradas nos planos sociais da administração local ou de organismos públicos ou privados

animal (a.ni.mal) [ɐni'maɫ] *n.m.* ⟨*pl.* animais⟩ ser vivo capaz de se mover e que tem sensibilidade; **animal de estimação** animal de companhia que vive com o seu dono ▪ *adj.2g.* **1** relativo a animal **2** próprio do animal **3** *pej.* estúpido; besta **4** *pej.* desumano; cruel

animalesco (a.ni.ma.les.co) [ɐnimɐ'leʃku] *adj.* **1** próprio de animal **2** *fig.* cruel

animar (a.ni.mar) [ɐni'mar] *v.* **1** dar vida ou movimento: *animar uma festa* **SIN.** avivar **2** ⟨+a⟩ dar coragem ou ânimo: *A carta dela animou-o.* **SIN.** incentivar **ANT.** desanimar ▪ **animar-se** ⟨+com⟩ alegrar-se: *Animaram-se com a descoberta.*

anímico (a.ní.mi.co) [ɐ'nimiku] *adj.* relativo a alma

ânimo (â.ni.mo) ['ɐnimu] *n.m.* **1** estado de espírito em determinado momento **SIN.** humor **2** força de vontade perante uma dificuldade ou um obstáculo **SIN.** coragem **ANT.** desânimo ▪ *interj.* exclamação que se usa para encorajar ♦ **de ânimo leve** sem refletir; levianamente

animosidade (a.ni.mo.si.da.de) [ɐnimuzi'dad(ə)] *n.f.* **1** aversão; má vontade **2** rancor; ressentimento

aninhar (a.ni.nhar) [ɐni'ɲar] *v.* colocar em posição confortável ▪ **aninhar-se** meter-se na cama; deitar-se

aniquilação (a.ni.qui.la.ção) [ɐnikilɐ'sɐ̃w̃] *n.f.* **1** destruição **2** extermínio

aniquilamento (a.ni.qui.la.men.to) [ɐnikilɐ'mẽtu] *n.m.* ⇒ **aniquilação**

aniquilar (a.ni.qui.lar) [ɐniki'lar] *v.* **1** destruir **2** exterminar

anis (a.nis) [ɐ'niʃ] *n.m.* **1** planta herbácea cultivada pelos seus frutos aromáticos, usados para extração de um óleo, do qual se fazem licores e xaropes **2** semente dessa planta **3** licor ou xarope preparado com essa planta

aniversariante (a.ni.ver.sa.ri:an.te) [ɐnivərsɐ'rjɐ̃t(ə)] *n.2g.* pessoa que faz anos

aniversário (a.ni.ver.sá.ri:o) [ɐnivər'sarju] *n.m.* **1** dia em que se celebra o nascimento de alguém **2** festa de anos **3** dia em que se comemora um acontecimento

anjinho (an.ji.nho) [ɐ̃'ʒiɲu] ⟨*dim. de* anjo⟩ *n.m.* **1** pequeno anjo **2** *fig.* criança muito sossegada **3** *irón.* pessoa inocente

anjo (an.jo) ['ɐ̃ʒu] *n.m.* **1** para os cristãos, mensageiro entre e Deus os homens, representado como um jovem com asas **2** *fig.* pessoa muito bondosa ♦ **como um anjo** maravilhosamente; **dormir com os anjos** dormir bem; ter um sono tranquilo

anjo-da-guarda (an.jo-.da-.guar.da) [ɐ̃ʒu dɐ'gwardɐ] *a nova grafia é* **anjo da guarda**AO

anjo da guarda (an.jo da guar.da)AO [ɐ̃ʒu dɐ'gwardɐ] *n.m.* ⟨*pl.* anjos da guarda⟩ **1** anjo que protege uma pessoa ou uma entidade coletiva **2** *fig.* pessoa que protege ou defende outra **SIN.** protetor

anno Domini [anɔ'dɔmini] *loc.* ano da era de Cristo; ano do Senhor

ano (a.no) ['ɐnu] *n.m.* espaço de 365 dias ou de 12 meses ♦ **ano letivo** período durante o qual se realizam as atividades escolares; **Ano Novo** primeiro dia do ano (1 de janeiro)

ânodo (â.no.do) ['ɐnudu] *n.m.* elétrodo positivo, para onde se dirigem os iões negativos

anoitecer (a.noi.te.cer) [ɐnojtə'ser] *v.* começar a noite ▪ *n.m.* o fim do dia

ano-luz (a.no-.luz) [ɐnu'luʃ] *n.m.* unidade de medida igual à distância percorrida pela luz, em linha reta, no espaço, à velocidade de 300 000 quilómetros por segundo, num ano de 365,25 dias ♦ **estar a anos-luz de** estar muito distante para igualar alguém ou algo

anomalia (a.no.ma.li.a) [ɐnɔmɐ'liɐ] *n.f.* desvio em relação ao normal; irregularidade

anómalo (a.nó.ma.lo) [ɐ'nɔmɐlu] *adj.* que não é normal ou que tem defeito **SIN.** anormal; irregular

anonimato (a.no.ni.ma.to) [ɐnuni'matu] *n.m.* **1** qualidade do que é anónimo **2** hábito de escrever sem assinar

anónimo (a.nó.ni.mo) [ɐ'nɔnimu] *adj.* **1** que não tem o nome ou a assinatura do autor **2** que não revela o seu nome

anoraque (a.no.ra.que) [ɐnɔ'rak(ə)] *n.m.* casaco de tipo desportivo, impermeável, com capuz

anoréctico (a.no.réc.ti.co) [ɐnɔ'rɛtiku] *a nova grafia é* **anorético**AO

anorético (a.no.ré.ti.co)AO [ɐnɔ'rɛtiku] *adj.* **1** relativo a anorexia **2** que sofre de anorexia ▪ *n.m.* pessoa que sofre de anorexia

anorexia (a.no.re.xi.a) [ɐnɔrɛ'ksiɐ] *n.f.* redução ou falta de apetite

anoréxico (a.no.ré.xi.co) [ɐnɔ'rɛksiku] *adj.,n.m.* ⇒ **anorético**

anormal (a.nor.mal) [ɐnɔr'maɫ] *adj.,n.2g.* **1** que ou aquilo que está fora da norma ou da média **2** *pej.* tarado

anormalidade (a.nor.ma.li.da.de) [ɐnɔrmɐli'dad(ə)] *n.f.* **1** condição do que é anormal **2** desvio em relação ao normal

anotação (a.no.ta.ção) [ɐnutɐ'sɐ̃w̃] *n.f.* **1** apontamento; nota **2** comentário; observação

anotado (a.no.ta.do) [ɐnu'tadu] *adj.* registado por escrito; apontado

anotar (a.no.tar) [ɐnu'tar] *v.* 1 tomar nota de **SIN.** registar 2 comentar por meio de notas

anseio (an.sei.o) [ɐ̃'sɐju] *n.m.* 1 aflição; angústia 2 desejo intenso; aspiração

ânsia (ân.si:a) ['ɐ̃sjɐ] *n.f.* 1 angústia causada por incerteza ou por receio **SIN.** aflição 2 desejo muito forte

ansiar (an.si:ar) [ɐ̃'sjar] *v.* 1 causar ou sentir ânsia **SIN.** afligir; angustiar 2 ⟨+por⟩ desejar muito: *O João anseia (por) ver a irmã.*

ansiedade (an.si:e.da.de) [ɐ̃sjɛ'dad(ə)] *n.f.* 1 estado de preocupação ou sofrimento **SIN.** aflição; agonia 2 incerteza aflitiva **SIN.** inquietação; impaciência 3 desejo veemente

ansiolítico (an.si:o.lí.ti.co) [ɐ̃sjɔ'litiku] *adj.,n.m.* que ou medicamento que atenua a ansiedade; tranquilizante

ansioso (an.si:o.so) [ɐ̃'sjozu] *adj.* 1 angustiado 2 inquieto; impaciente 3 cheio de vontade; desejoso

anta (an.ta) ['ɐ̃tɐ] *n.f.* 1 👁 monumento pré-histórico feito de grandes pedras dispostas em forma de mesa **SIN.** dólmen 2 *coloq.* palerma

antagónico (an.ta.gó.ni.co) [ɐ̃tɐ'gɔniku] *adj.* contrário; oposto

antagonismo (an.ta.go.nis.mo) [ɐ̃tɐgu'niʒmu] *n.m.* 1 oposição 2 rivalidade 3 incompatibilidade

antagonista (an.ta.go.nis.ta) [ɐ̃tɐgu'niʃtɐ] *n.2g.* 1 pessoa que atua em sentido oposto 2 pessoa que luta contra alguém ou contra alguma coisa 3 rival; adversário ▪ *n.m.* 1 músculo que realiza um movimento contrário ao de outro músculo 2 medicamento cuja ação se opõe à de outro

antagonizar(-se) (an.ta.go.ni.zar(-se)) [ɐ̃tɐguni'zar(sə)] *v.* ⟨+com⟩ fazer ou ficar em oposição: *Antagonizou-se com os colegas todos.* **SIN.** opor(-se)

antárctico (an.tárc.ti.co) [ɐ̃'tartiku] *a nova grafia é* **antártico**[AO]

antártico (an.tár.ti.co)[AO] [ɐ̃'tartiku] *adj.* 1 relativo ao Polo Sul 2 situado no sul; meridional; austral ▪ **Antártico** *n.m.* oceano situado no Polo Sul

ante (an.te) ['ɐ̃t(ə)] *prep.* 1 diante de; perante: *a sua atitude ante a vida* 2 em presença de: *Ele apareceu ante o Rei.* 3 em consequência de; face a: *Ante esta situação, tivemos de aceitar o desafio.*

antebraço (an.te.bra.ço) [ɐ̃tə'brasu] *n.m.* parte do membro superior do corpo humano entre o cotovelo e o pulso

antecâmara (an.te.câ.ma.ra) [ɐ̃ntə'kɐmɐrɐ] *n.f.* 1 sala de espera 2 compartimento que precede a sala de receção 3 compartimento que precede o quarto de dormir 4 espaço que precede a câmara do navio

antecedência (an.te.ce.dên.ci:a) [ɐ̃təsə'dẽsjɐ] *n.f.* qualidade do que acontece ou está antes ◆ **com antecedência** antes da data ou da hora marcada

antecedente (an.te.ce.den.te) [ɐ̃təsə'dẽt(ə)] *adj.2g.* que acontece ou está antes; anterior ▪ *n.m.* 1 facto que acontece antes de outro e o explica 2 em matemática, o primeiro dos dois termos de uma relação

anteceder (an.te.ce.der) [ɐ̃təsə'der] *v.* vir ou estar antes: *A conferência vai anteceder o espetáculo.* **SIN.** preceder

antecessor (an.te.ces.sor) [ɐ̃təsə'sor] *n.m.* pessoa que viveu ou fez algo antes de outra **SIN.** predecessor

antecipação (an.te.ci.pa.ção) [ɐ̃təsipɐ'sɐ̃w̃] *n.f.* 1 facto de uma coisa acontecer antes da data prevista 2 previsão de que algo vai acontecer

antecipadamente (an.te.ci.pa.da.men.te) [ɐ̃təsipadɐ'mẽt(ə)] *adv.* antes da data própria ou prevista

antecipado (an.te.ci.pa.do) [ɐ̃təsi'padu] *adj.* 1 feito ou acontecido antes da data prevista; adiantado 2 percebido antes de acontecer; previsto

antecipar (an.te.ci.par) [ɐ̃təsi'par] *v.* 1 fazer acontecer antes do tempo previsto: *antecipar a consulta* **SIN.** adiantar 2 adivinhar; prever: *Antecipou o que o adversário ia fazer.* 3 anunciar com antecedência: *Antecipou-lhe a sua opinião.* **SIN.** avisar ▪ **antecipar-se** ⟨+a⟩ chegar antes de: *A empresa antecipou-se à lei.* **SIN.** adiantar-se

antemão (an.te.mão) [ɐ̃tə'mɐ̃w̃] *elem. da loc.* **de antemão** antecipadamente; previamente

antena (an.te.na) [ɐ̃'tenɐ] *n.f.* 1 condutor elétrico para a difusão e a receção de emissões de rádio e de televisão 2 chifre fino e comprido de alguns animais, que funciona como órgão do tato e do olfato ◆ **antena parabólica** antena em forma de disco côncavo que capta programas de televisão transmitidos por satélite

anteontem (an.te:on.tem) [ɐ̃'tjõtɐ̃j̃] *adv.* no dia antes de ontem

antepassado (an.te.pas.sa.do) [ɐ̃təpɐ'sadu] *adj.* já passado ou decorrido **SIN.** anterior; precedente ▪ *n.m.* pessoa da família que viveu antes de nós

antepenúltimo **(an.te.pe.núl.ti.mo)** [ɐ̃tɘpɘ'nuɫtimu] *adj.* que está antes do penúltimo

antepor **(an.te.por)** [ɐ̃tɘ'por] *v.* **1** ⟨+a⟩ pôr ou colocar antes: *Antepôs o adjetivo ao nome.* **2** ⟨+a⟩ considerar mais importante: *Antepôs o trabalho ao divertimento.* **SIN.** preferir

anteposição **(an.te.po.si.ção)** [ɐ̃tɘpuzi'sɐ̃w̃] *n.f.* **1** posição anterior; precedência **2** preferência

anteprojecto **(an.te.pro.jec.to)** [ɐ̃tɘpru'ʒɛtu] *a nova grafia é* **anteprojeto**[AO]

anteprojeto **(an.te.pro.je.to)**[AO] [ɐ̃tɘpru'ʒɛtu] *n.m.* conjunto dos estudos preliminares do projeto de uma obra

antera **(an.te.ra)** [ɐ̃'tɛrɐ] *n.f.* parte do estame da flor onde se formam os grãos de pólen

anterior **(an.te.ri:or)** [ɐ̃tɘ'rjor] *adj.2g.* **1** que está antes (no tempo) **ANT.** posterior **2** que está à frente (no espaço)

anterioridade **(an.te.ri:o.ri.da.de)** [ɐ̃tɘrjuri'dad(ɘ)] *n.f.* **1** precedência de tempo ou lugar **2** prioridade de data

anteriormente **(an.te.ri:or.men.te)** [ɐ̃tɘrjor'mẽt(ɘ)] *adv.* em tempo anterior; antes

anterrosto **(an.ter.ros.to)** [ɐ̃tɘ'ʀoʃtu] *n.m.* primeira página de um livro que, geralmente, só contém o título

antes **(an.tes)** ['ɐ̃t(ɘ)ʃ] *adv.* **1** num tempo passado **ANT.** depois **2** em primeiro lugar **3** de preferência **4** pelo contrário ♦ **antes de** [seguido de infinitivo, nome ou pronome] primeiro que; **antes que** [seguido de conjuntivo] primeiro que; **antes de tudo/mais** desde logo; imediatamente

antestreia **(an.tes.trei.a)** [ɐ̃tɘʃ'trɐjɐ] *n.f.* apresentação de produto ou espetáculo a um público restrito, que precede a apresentação ao público em geral

antever **(an.te.ver)** [ɐ̃tɘ'ver] *v.* **1** ver ou perceber algo antes de acontecer **SIN.** prever **2** imaginar futuro de **SIN.** conjeturar

antevéspera **(an.te.vés.pe.ra)** [ɐ̃tɘ'vɛʃpɘrɐ] *n.f.* dia anterior à véspera

antiaderente **(an.ti.a.de.ren.te)** [ɐ̃tiɐdɘ'rẽt(ɘ)] *adj.2g.* (revestimento) que evita a aderência

antiaéreo **(an.ti.a.é.re:o)** [ɐ̃tiɐ'ɛrju] *adj.* que protege de ataques aéreos

antialérgico **(an.ti.a.lér.gi.co)** [ɐ̃tiɐ'lɛrʒiku] *n.m.* substância que combate ou evita alergias

antibacteriano **(an.ti.bac.te.ri:a.no)** [ɐ̃tibɐktɘ'rjɐnu] *adj.* que destrói ou impede o desenvolvimento de bactérias

antibiótico **(an.ti.bi:ó.ti.co)** [ɐ̃ti'bjɔtiku] *n.m.* medicamento que destrói as bactérias que causam doenças

anticaspa **(an.ti.cas.pa)** [ɐ̃ti'kaʃpɐ] *adj.inv.* que evita o aparecimento da caspa

anticiclone **(an.ti.ci.clo.ne)** [ɐ̃tisi'klɔn(ɘ)] *n.m.* região de altas pressões atmosféricas

anticiclónico **(an.ti.ci.cló.ni.co)** [ɐ̃tisi'klɔniku] *adj.* relativo a anticiclone

anticoagulante **(an.ti.co:a.gu.lan.te)** [ɐ̃tikwɐgu'lɐ̃t(ɘ)] *adj.2g.,n.m.* que ou substância que evita a coagulação do sangue

anticoncecional **(an.ti.con.ce.ci:o.nal)**[AO] [ɐ̃tikõsɛsju'naɫ] *adj.2g.* que impede a conceção ■ *n.m.* método ou substância destinado a possibilitar relações sexuais sem fecundação; contracetivo

anticoncepcional **(an.ti.con.cep.ci:o.nal)** [ɐ̃tikõsɛsju'naɫ] *a nova grafia é* **anticoncecional**[AO]

anticonstitucional **(an.ti.cons.ti.tu.ci:o.nal)** [ɐ̃tikõʃtitusju'naɫ] *adj.2g.* contrário à constituição política de um país

anticorpo **(an.ti.cor.po)** [ɐ̃ti'korpu] *n.m.* proteína do sangue que reage à entrada de uma substância estranha (uma bactéria, um vírus) no organismo, destruindo-a ou enfraquecendo-a

anticorrosivo **(an.ti.cor.ro.si.vo)** [ɐ̃tikuʀu'zivu] *adj.,n.m.* que ou aquilo que impede ou atenua a corrosão

antidemocrata **(an.ti.de.mo.cra.ta)** [ɐ̃tidɘmu'kratɐ] *adj.,n.2g.* que ou pessoa que é contrária às ideias democráticas

antidepressivo **(an.ti.de.pres.si.vo)** [ɐ̃tidɘprɘ'sivu] *adj.,n.m.* que ou medicamento que combate a depressão

antiderrapante **(an.ti.der.ra.pan.te)** [ɐ̃tidɘʀɐ'pɐ̃t(ɘ)] *adj.2g.,n.m.* que ou substância que evita derrapagens

antidesportista **(an.ti.des.por.tis.ta)** [ɐ̃tidɘʃpur'tiʃtɐ] *adj.,n.2g.* que ou pessoa que não gosta de desporto

antidesportivo **(an.ti.des.por.ti.vo)** [ɐ̃tidɘʃpur'tivu] *adj.* que é contrário às regras do desporto

antidoping [ɐ̃ti'dɔpĩg] *adj.inv.* que se opõe ao uso de substâncias que provoquem alterações no organismo ■ *n.m.* conjunto de exames de controlo que visam detetar a presença de substâncias ilegais no sangue dos atletas

antídoto **(an.tí.do.to)** [ɐ̃'tidutu] *n.m.* substância que diminui ou anula os efeitos de um veneno **SIN.** antiveneno

antifascismo **(an.ti.fas.cis.mo)** [ɐ̃tifaʃ'siʒmu] *n.m.* doutrina contrária ao fascismo

antiferrugem **(an.ti.fer.ru.gem)** [ɐ̃tifɘ'ʀuʒɐ̃j̃] *adj.inv.* que previne ou elimina a ferrugem

antifogo **(an.ti.fo.go)** [ɐ̃tisi'fogu] *adj.inv.* (equipamento, produto) que impede ou dificulta a propagação do fogo

antigamente **(an.ti.ga.men.te)** [ɐ̃tigɐ'mẽt(ə)] *adv.* em tempos passados; dantes

antigo **(an.ti.go)** [ɐ̃'tigu] *adj.* **1** que existiu no passado; anterior **2** que já não se usa; desatualizado ▪ *n.m.pl.* pessoas que viveram há muito tempo

antigripal **(an.ti.gri.pal)** [ɐ̃tigri'paɫ] *adj.2g.,n.m.* que ou substância que combate a gripe

antiguidade **(an.ti.gui.da.de)** [ɐ̃tigwi'dad(ə)] *n.f.* **1** qualidade do que é antigo **2** objeto antigo e valioso ▪ **Antiguidade** tempo que vai do início da era cristã até ao século V

anti-histamínico **(an.ti-.his.ta.mí.ni.co)** [ɐ̃tiiʃtɐ'miniku] *n.m.* ⟨*pl.* anti-histamínicos⟩ substância que combate os sintomas de inchaço e irritação presentes em alergias

anti-inflamatório **(an.ti-.in.fla.ma.tó.ri:o)** [ɐ̃tiĩflɐmɐ'tɔrju] *n.m.* ⟨*pl.* anti-inflamatórios⟩ substância que combate as inflamações

antilhense **(an.ti.lhen.se)** [ɐ̃ti'ʎẽ(sə)] *adj.2g.* relativo às Antilhas ▪ *n.2g.* pessoa natural das Antilhas (na América Central)

antílope **(an.tí.lo.pe)** [ɐ̃'tilup(ə)] *n.m.* mamífero ruminante muito veloz, com chifres longos e pernas finas e altas

antimíssil **(an.ti.mís.sil)** [ɐ̃ti'misiɫ] *adj.2g.* (dispositivo, sistema) que se destina a intercetar, combater ou destruir mísseis ▪ *n.m.* míssil destinado a intercetar, combater ou destruir outros mísseis

antinatural **(an.ti.na.tu.ral)** [ɐ̃tinɐtu'raɫ] *adj.2g.* **1** que se opõe às leis da natureza **2** artificial

antinuclear **(an.ti.nu.cle:ar)** [ɐ̃tinu'kljar] *adj.2g.* **1** que se opõe à utilização de energia nuclear **2** que protege dos efeitos da radiação nuclear

antioxidante **(an.ti.o.xi.dan.te)** [ɐ̃tiɔksi'dɐ̃t(ə)] *adj.2g.* que protege da ferrugem

antipatia **(an.ti.pa.ti.a)** [ɐ̃tipɐ'tiɐ] *n.f.* sentimento de desagrado em relação a alguém **ANT.** simpatia

antipático **(an.ti.pá.ti.co)** [ɐ̃ti'patiku] *adj.* que provoca desagrado **ANT.** simpático

antipatizar **(an.ti.pa.ti.zar)** [ɐ̃tipɐti'zar] *v.* ⟨**+com**⟩ não gostar de: *Não sei porquê, mas antipatizo com ele.* **ANT.** simpatizar

antipedagógico **(an.ti.pe.da.gó.gi.co)** [ɐ̃tipədɐ'gɔʒiku] *adj.* contrário às regras da pedagogia

antipirético **(an.ti.pi.ré.ti.co)** [ɐ̃tipi'rɛtiku] *n.m.* substância que faz baixar a febre

antípoda **(an.tí.po.da)** [ɐ̃'tipudɐ] *adj.2g.* contrário; oposto ▪ **antípodas** *n.m.pl.* **1** pessoas que habitam em pontos opostos da Terra **2** lugares da superfície da Terra situados em pontos opostos

antipoluente **(an.ti.po.lu:en.te)** [ɐ̃tipu'lwẽt(ə)] *adj.2g.,n.m.* que ou substância que reduz ou combate a poluição ambiental

antipoluição **(an.ti.po.lu:i.ção)** [ɐ̃tipulwi'sɐ̃w̃] *adj.inv.* que previne ou combate a poluição

antipopular **(an.ti.po.pu.lar)** [ɐ̃tipupu'lar] *adj.2g.* que é contrário ao povo ou à opinião pública

antiquado **(an.ti.qua.do)** [ɐ̃ti'kwadu] *adj.* **1** que já não se usa **2** que não está na moda

antiquário **(an.ti.quá.ri:o)** [ɐ̃ti'kwarju] *n.m.* **1** pessoa que coleciona ou comercializa antiguidades **2** estabelecimento onde se comercializam antiguidades

antiqueda **(an.ti.que.da)** [ɐ̃ti'kɛdɐ] *adj.inv.* que previne ou combate a queda de cabelo

antiquíssimo **(an.ti.quís.si.mo)** [ɐ̃ti'kwisimu] ⟨*superl. de* antigo⟩ *adj.* muito antigo

anti-racismo **(an.ti-.ra.cis.mo)** [ɐ̃tiʀɐ'siʒmu] *a nova grafia é* **antirracismo**[AO]

anti-racista **(an.ti-.ra.cis.ta)** [ɐ̃tiʀɐ'siʃtɐ] *a nova grafia é* **antirracista**[AO]

antirracismo **(an.tir.ra.cis.mo)**[AO] [ɐ̃tiʀɐ'siʒmu] *n.m.* doutrina ou atitude contrária ao racismo

antirracista **(an.tir.ra.cis.ta)**[AO] [ɐ̃tiʀɐ'siʃtɐ] *adj.2g.* que se opõe ao racismo ▪ *adj.,n.2g.* partidário do antirracismo

antirrugas **(an.tir.ru.gas)**[AO] [ɐ̃ti'ʀugɐʃ] *adj.inv.* (creme) que se usa para prevenir ou atenuar as rugas (geralmente do rosto)

anti-rugas **(an.ti-.ru.gas)** [ɐ̃ti'ʀugɐʃ] *a nova grafia é* **antirrugas**[AO]

anti-séptico **(an.ti-.sép.ti.co)** [ɐ̃ti'sɛtiku] *a nova grafia é* **antisséptico**[AO]

anti-sísmico **(an.ti-.sís.mi.co)** [ɐ̃ti'siʒmiku] *a nova grafia é* **antissísmico**[AO]

antisséptico **(an.tis.sép.ti.co)**[AO] [ɐ̃ti'sɛtiku] ou **antissético**[AO] *n.m.* medicamento que combate as infeções

antissísmico **(an.tis.sís.mi.co)**[AO] [ɐ̃ti'siʒmiku] *adj.* (construção, edifício) que foi concebido para resistir aos fenómenos sísmicos

antitabaco **(an.ti.ta.ba.co)** [ɐ̃titɐ'baku] *adj.inv.* **1** que é contrário à dependência do consumo de tabaco **2** que combate os efeitos do tabagismo

antitabagismo **(an.ti.ta.ba.gis.mo)** [ɐ̃titɐbɐ'ʒiʒmu] *n.m.* corrente ou atitude contrária ao consumo de tabaco

antiterrorismo **(an.ti.ter.ro.ris.mo)** [ɐ̃titəʀu'riʒmu] *n.m.* movimento ou luta contra o terrorismo

antiterrorista **(an.ti.ter.ro.ris.ta)** [ɐ̃titəʀu'riʃtɐ] *adj.2g.* que combate o terrorismo ▪ *adj.,n.2g.* partidário do antiterrorismo

antítese **(an.tí.te.se)** [ɐ̃'titəz(ə)] *n.f.* oposição entre palavras ou ideias

ntitetânico (an.ti.te.tâ.ni.co) [ɐ̃titə'tɐniku] *adj.* diz-se do medicamento que evita ou combate o tétano

ntitússico (an.ti.tús.si.co) [ɐ̃ti'tusiku] *adj.,n.m.* que ou substância que combate a tosse

ntiveneno (an.ti.ve.ne.no) [ɐ̃tivə'nenu] *n.m.* substância que diminui ou anula os efeitos de um veneno **SIN.** antídoto

ntiviral (an.ti.vi.ral) [ɐ̃tivi'raɫ] *adj.2g.* (agente) que atua contra um vírus

ntivírus (an.ti.ví.rus) [ɐ̃ti'viruʃ] *n.m.2n.* programa que identifica e elimina um vírus num sistema informático

ntologia (an.to.lo.gi.a) [ɐ̃tulu'ʒiɐ] *n.f.* coleção de textos de vários autores **SIN.** coletânea

ntológico (an.to.ló.gi.co) [ɐ̃tu'lɔʒiku] *adj.* **1** relativo a antologia **2** digno de figurar numa antologia **3** que merece ser registado

ntologista (an.to.lo.gis.ta) [ɐ̃tulu'ʒiʃtɐ] *n.2g.* pessoa que se dedica à organização de antologias

ntonímia (an.to.ní.mi:a) [ɐ̃tu'nimjɐ] *n.f.* oposição de sentido entre duas ou mais palavras

ntónimo (an.tó.ni.mo) [ɐ̃'tɔnimu] *n.m.* palavra com significado oposto ao de outra **ANT.** sinónimo

ntracite (an.tra.ci.te) [ɐ̃tra'sit(ə)] *adj.inv.* que é cinzento muito escuro, semelhante a carvão ▪ *n.f.* carvão fóssil, negro, com elevado teor de carbono

ntraz (an.traz) [ɐ̃'traʃ] *n.m.* **1** infeção cutânea provocada por bactérias geradoras de pus, com o aspeto de um aglomerado de furúnculos **2** doença infeciosa grave que afeta o gado bovino e ovino, e outros animais herbívoros, e que pode ser transmitida ao homem **SIN.** carbúnculo

ntro (an.tro) ['ɐ̃tru] *n.m.* **1** caverna profunda **2** habitação miserável ou sombria; espelunca **3** *fig.* local onde decorrem atividades ilícitas

ntropocêntrico (an.tro.po.cên.tri.co) [ɐ̃trɔpɔ'sẽtriku] *adj.* diz-se do sistema de pensamento que coloca o Homem no centro do universo

ntropocentrismo (an.tro.po.cen.tris.mo) [ɐ̃trɔpɔsẽ'triʒmu] *n.m.* teoria que considera o ser humano o centro do universo

ntropofagia (an.tro.po.fa.gi.a) [ɐ̃trɔpɔfɐ'ʒiɐ] *n.f.* hábito de comer carne humana

antropófago (an.tro.pó.fa.go) [ɐ̃trɔ'pɔfɐgu] *n.m.* pessoa que come carne humana

antropoide (an.tro.poi.de)[AO] [ɐ̃trɔ'pɔjd(ə)] *adj.2g.* semelhante ao homem ▪ *n.m.* macaco sem cauda, semelhante ao homem (como o orangotango, o chimpanzé e o gorila)

antropóide (an.tro.pói.de) [ɐ̃trɔ'pɔjd(ə)] *a nova grafia é* **antropoide**[AO]

antropologia (an.tro.po.lo.gi.a) [ɐ̃trupulu'ʒiɐ] *n.f.* estudo do Homem nos seus diversos aspetos (físico, cultural, social, etc.)

antropológico (an.tro.po.ló.gi.co) [ɐ̃trupu'lɔʒiku] *adj.* relativo a antropologia

antropólogo (an.tro.pó.lo.go) [ɐ̃tru'pɔlugu] *n.m.* especialista em antropologia

antropomorfia (an.tro.po.mor.fi.a) [ɐ̃trɔpɔmur'fiɐ] *n.f.* semelhança com o homem, do ponto de vista morfológico

antropomórfico (an.tro.po.mór.fi.co) [ɐ̃trɔpɔ'mɔrfiku] *adj.* relativo à antropomorfia

antropomorfo (an.tro.po.mor.fo) [ɐ̃trɔpɔ'morfu] *adj.* que tem forma ou características semelhantes às do homem

antropónimo (an.tro.pó.ni.mo) [ɐ̃tru'pɔnimu] *n.m.* nome próprio de uma pessoa

anual (a.nu:al) [ɐ'nwaɫ] *adj.2g.* **1** que acontece uma vez por ano **2** que dura um ano

anualidade (a.nu:a.li.da.de) [ɐnwɐli'dad(ə)] *n.f.* **1** qualidade de anual **2** quantia paga por ano; anuidade

anualmente (a.nu:al.men.te) [ɐnwaɫ'mẽt(ə)] *adv.* em cada ano

anuário (a.nu:á.ri:o) [ɐ'nwarju] *n.m.* **1** publicação anual com informações sobre determinada área de atividade **2** registo das atividades de uma organização durante um ano

anuência (a.nu:ên.ci:a) [ɐ'nwẽsjɐ] *n.f.* consentimento; aprovação

anuidade (a.nu:i.da.de) [ɐnwi'dad(ə)] *n.f.* **1** quantia paga por ano; anualidade **2** importância fixa entregue anualmente por um devedor ao seu credor para amortizar uma dívida

anuir (a.nu:ir) [ɐ'nwir] *v.* **1** ⟨**+a**⟩ ceder: *O João anuiu ao pedido da irmã.* **2** ⟨**+em**⟩ concordar: *anuir a uma proposta*

anulação (a.nu.la.ção) [ɐnulɐ'sɐ̃w̃] *n.f.* **1** ato de tornar nulo ou sem valor **2** eliminação de alguma coisa

anulado (a.nu.la.do) [ɐnu'ladu] *adj.* **1** sem efeito ou sem valor **2** completamente destruído

anular (a.nu.lar) [ɐnu'lar] *v.* **1** tornar nulo ou sem valor **2** fazer desaparecer; eliminar

anulável (a.nu.lá.vel) [ɐnu'lavɛɫ] *adj.2g.* que se pode anular

anunciação (a.nun.ci:a.ção) [ɐnũsjɐ'sɐ̃w̃] *n.f.* **1** ato ou efeito de anunciar; participação **2** divulgação em qualquer meio de comunicação ■ **Anunciação** **1** mensagem do anjo Gabriel à Virgem Maria, anunciando o nascimento de Jesus **2** festa comemorativa desse acontecimento

anunciado (a.nun.ci:a.do) [ɐnũ'sjadu] *adj.* que foi tornado público; divulgado

anunciante (a.nun.ci:an.te) [ɐnũ'sjɐ̃t(ə)] *n.2g.* pessoa ou entidade que recorre a anúncios publicitários para divulgar determinado produto ou serviço ■ *adj.2g.* que anuncia em qualquer meio de comunicação

anunciar (a.nun.ci:ar) [ɐnũ'sjar] *v.* **1** tornar público (um facto) **SIN.** divulgar; noticiar **2** fazer publicidade de **3** dizer antecipadamente o que vai acontecer **SIN.** prognosticar

anúncio (a.nún.ci:o) [ɐ'nũsju] *n.m.* **1** notícia de um facto **2** mensagem publicitária **3** sintoma

ânus (â.nus) ['ɐnuʃ] *n.m.2n.* orifício que termina o tubo digestivo pelo qual se expelem as fezes e os gases

anzol (an.zol) [ɐ̃'zɔɫ] *n.m.* ⟨*pl.* anzóis⟩ pequeno gancho metálico usado para pescar

ao (ao) [aw] *contr. de prep.* a + *det. art. def.* ou *pron. dem.* o

aonde (a.on.de) [ɐ'õd(ə)] *adv.* **1** a que lugar; para onde: *Aonde vais?* **2** em que lugar; onde: *Aonde ficaste?*

> Não confundir **aonde** (advérbio que indica movimento) com **onde** (advérbio que indica permanência): *Aonde vais agora? Onde moras?*

aorta (a.or.ta) [ɐ'ɔrtɐ] *n.f.* artéria que conduz sangue às diversas partes do corpo

apadrinhar (a.pa.dri.nhar) [ɐpɐdri'ɲar] *v.* **1** ser padrinho/madrinha de **2** apoiar, usando influência e autoridade **SIN.** patrocinar **3** lutar em favor de **SIN.** defender

apagado (a.pa.ga.do) [ɐpɐ'gadu] *adj.* **1** que já não arde; extinto (fogo) **2** que está desligado (aparelho) **3** que foi eliminado com apagador ou borracha (texto)

apagador (a.pa.ga.dor) [ɐpɐgɐ'dor] *n.m.* utensílio com uma esponja usado para apagar o que se escreveu num quadro

apagão (a.pa.gão) [ɐpɐ'gɐ̃w̃] *n.m. coloq.* interrupção temporária do fornecimento de eletricidade a determinada região

apagar (a.pa.gar) [ɐpɐ'gar] *v.* **1** fazer desaparecer (fogo) **2** desligar (aparelho elétrico) **3** eliminar (o que se escreveu)

apaixonado (a.pai.xo.na.do) [ɐpajʃu'nadu] *adj.* **1** que sente paixão por **2** que gosta muito de

apaixonante (a.pai.xo.nan.te) [ɐpajʃu'nɐ̃t(ə)] *adj.2g.* **1** que apaixona; cativante **2** que entusiasma; empolgante

apaixonar (a.pai.xo.nar) [ɐpajʃu'nar] *v.* **1** inspirar paixão a: *A beleza dela apaixonou-o.* **2** encher de entusiasmo: *O futebol apaixona milhões de pessoas.* ■ **apaixonar-se** **1** ⟨**+por**⟩ sentir paixão ou amor forte: *Apaixonei-me pelo João.* **2** ⟨**+por**⟩ encher-se de entusiasmo: *Apaixonou-se pelos livros escritos por ela.*

apalavrar (a.pa.la.vrar) [ɐpɐlɐ'vrar] *v.* **1** combinar verbalmente (negócio, reunião) **2** assumir compromisso

apalermar(-se) (a.pa.ler.mar(-se)) [ɐpɐlɛr'mar(sə)] *v.* tornar(-se) palerma **SIN.** aparvalhar(-se)

apalhaçado (a.pa.lha.ça.do) [ɐpɐʎɐ'sadu] *adj.* **1** com aspeto de palhaço **2** com modos de palhaço

apalpadela (a.pal.pa.de.la) [ɐpaɫpɐ'dɛlɐ] *n.f.* **1** *coloq.* ato de apalpar ligeira ou rapidamente com intenção libidinosa **2** *fig.* pesquisa; sondagem ◆ **andar às apalpadelas** andar com dúvidas ou hesitações

apalpanço (a.pal.pan.ço) [ɐpaɫ'pɐ̃su] *n.m. coloq.* = **apalpão**

apalpão (a.pal.pão) [ɐpaɫ'pɐ̃w̃] *n.m.* **1** toque forte com a mão **2** *coloq.* ato de apalpar ligeira e rapidamente com intenção libidinosa

apalpar (a.pal.par) [ɐpaɫ'par] *v.* **1** tocar com a mão **2** *fig.* procurar descobrir (algo)

apanágio (a.pa.ná.gi:o) [ɐpɐ'naʒju] *n.m.* **1** característica própria; atributo **2** vantagem particular; privilégio

apanha (a.pa.nha) [ɐ'pɐɲɐ] *n.f.* colheita (de frutos, legumes, etc.)

apanha-bolas (a.pa.nha-.bo.las) [ɐpɐɲɐ'bɔlɐʃ] *n.2g.2n.* pessoa que apanha as bolas que saem do campo de ténis durante um jogo

apanhado (a.pa.nha.do) [ɐpɐ'ɲadu] *adj.* **1** recolhido do chão; levantado **2** que foi pescado ou caçado (animal) **3** que foi feito prisioneiro (pessoa) **4** encontrado de repente a fazer algo (sobretudo um crime ou uma falta) ■ *n.m.* resumo

apanhador (a.pa.nha.dor) [ɐpɐɲɐ'dor] *n.m.* p[...] para apanhar o lixo

apanhar (a.pa.nhar) [ɐpɐ'ɲar] *v.* **1** recolher do chão: *Apanha o lápis que deixaste cair!* **2** colher (fruta, legumes) **3** pescar ou caçar **4** fazer prisioneiro **5** ficar afetado por (doença): *apanhar uma constipação* **6** ser agredido fisicamente **7** ⟨**+a**⟩ surpreender (alguém ou a si mesmo): *Apanhei o João a comer bolo.* **8** *coloq.* compreender facilmente (ideia, mensagem): *Apanhei tudo o que o professor disse.*

apaparicar (a.pa.pa.ri.car) [ɐpɐpɐri'kar] *v.* **1** dar paparicos (guloseimas) a **2** dar mimo a; mimar

apaparicos (a.pa.pa.ri.cos) [ɐpɐpɐ'rikuʃ] *n.m.2n.* 1 mimos 2 guloseimas

apara (a.pa.ra) [ɐ'parɐ] *n.f.* pedaço de madeira, papel, ou outro material que se solta ou raspa; limalha

aparador (a.pa.ra.dor) [ɐpɐrɐ'dor] *n.m.* móvel da sala de jantar onde se guardam louças e utensílios para a refeição

aparafusar (a.pa.ra.fu.sar) [ɐpɐrɐfu'zar] *v.* 1 fixar com parafuso 2 *fig.* matutar; cismar

apara-lápis (a.pa.ra-.lá.pis) [ɐparɐ'lapiʃ] *n.m.2n.* instrumento para afiar lápis SIN. aguça

Note-se que a palavra **apara-lápis** tem a mesma forma no singular e no plural: *um apara-lápis, dois apara-lápis.*

aparar (a.pa.rar) [ɐpɐ'rar] *v.* 1 segurar com as mãos SIN. segurar 2 dar a forma que convém, cortando os excessos SIN. desbastar 3 aguçar (lápis) SIN. afiar 4 cortar ligeiramente (cabelo)

aparato (a.pa.ra.to) [ɐpɐ'ratu] *n.m.* 1 preparativo para uma festa ou cerimónia 2 demonstração exagerada de luxo

aparatoso (a.pa.ra.to.so) [ɐpɐrɐ'tozu] *adj.* 1 cheio de luxo ou riqueza 2 que chama a atenção; espetacular

aparcar (a.par.car) [ɐpɐr'kar] *v.* estacionar (veículo)

aparecer (a.pa.re.cer) [ɐpɐrə'ser] *v.* 1 ⟨+em⟩ tornar-se visível: *O sol apareceu no horizonte.* SIN. mostrar-se; revelar-se ANT. desaparecer 2 ⟨+em⟩ comparecer; apresentar-se: *Ele não apareceu.* 3 ⟨+em⟩ ser encontrado: *As chaves já apareceram.* 4 começar a manifestar-se: *Apareceram-lhe umas manchas na pele.* SIN. surgir 5 ser publicado

aparecido (a.pa.re.ci.do) [ɐpɐrə'sidu] *adj.* que surgiu ou se encontrou de repente

aparecimento (a.pa.re.ci.men.to) [ɐpɐrəsi'mẽtu] *n.m.* 1 ato ou efeito de aparecer 2 princípio; origem

aparelhado (a.pa.re.lha.do) [ɐpɐrə'ʎadu] *adj.* (cavalo) selado; arreado

aparelhagem (a.pa.re.lha.gem) [ɐpɐrə'ʎaʒɐ̃j] *n.f.* conjunto de aparelhos (leitor de CDs, amplificador, colunas) que servem para reproduzir e gravar sons

aparelhar (a.pa.re.lhar) [ɐpɐrə'ʎar] *v.* 1 pôr arreios em (cavalo) 2 preparar; equipar

aparelho (a.pa.re.lho) [ɐpɐ'rɐ(j)ʎu] *n.m.* 1 instrumento ou máquina para determinado fim SIN. ferramenta; equipamento 2 conjunto de órgãos com funções semelhantes ou complementares: *aparelho respiratório, digestivo, reprodutor, etc.* 3 objeto próprio para corrigir a má formação de uma parte do corpo (por exemplo, os dentes) 4 qualquer peça ou equipamento de ginástica (argolas, cavalo, bola, etc.) usado na execução de exercícios

aparência (a.pa.rên.ci:a) [ɐpɐ'rẽsjɐ] *n.f.* 1 forma exterior SIN. aspeto 2 aspeto exterior pelo qual se julga pessoas ou coisas 3 *fig.* impressão falsa ◆ **manter as aparências** comportar-se de modo a não revelar uma situação embaraçosa ou sujeita a preconceito social; **não se fiar nas aparências** suspeitar do aspeto aparente

aparentar (a.pa.ren.tar) [ɐpɐrẽ'tar] *v.* 1 mostrar na aparência: *aparentar menos idade* 2 dar aparência de: *aparentar riquezas* SIN. simular; fingir ■ **aparentar-se** ⟨+com⟩ tornar-se semelhante SIN. parecer-se; assemelhar-se

aparente (a.pa.ren.te) [ɐpɐ'rẽt(ə)] *adj.2g.* 1 que parece real mas não é; fingido 2 que se pode ver; visível

aparentemente (a.pa.ren.te.men.te) [ɐpɐrẽtə'mẽt(ə)] *adv.* 1 pelo que se pode observar 2 ao que parece

aparição (a.pa.ri.ção) [ɐpɐri'sɐ̃w̃] *n.f.* 1 ato ou efeito de aparecer; aparecimento 2 visão de uma pessoa morta; fantasma

aparo (a.pa.ro) [ɐ'paru] *n.m.* peça metálica que se coloca na ponta da caneta para escrever

apartado (a.par.ta.do) [ɐpɐr'tadu] *n.m.* caixa privativa em estação de correio, onde é depositada a correspondência do destinatário; caixa postal ■ *adj.* 1 separado 2 afastado; distante

apartamento (a.par.ta.men.to) [ɐpɐrtɐ'mẽtu] *n.m.* parte independente de um edifício destinado a residência SIN. andar

apartar(-se) (a.par.tar(-se)) [ɐpɐr'tar(sə)] *v.* ⟨+de⟩ afastar(-se); separar(-se): *Tentaram apartar os desordeiros.*

aparte (a.par.te) [a'part(ə)] *n.m.* 1 comentário que interrompe quem está a falar 2 expressão do pensamento de uma personagem em voz alta, simulando falar consigo e destinado apenas aos espectadores

Não confundir **aparte** (comentário) com **à parte** (em particular): *Ele fez um aparte desnecessário. Vamos conversar à parte.*

apartheid [ɐpar'tajd] *n.m.* ⟨*pl.* apartheids⟩ 1 sistema de discriminação imposto à população negra pela minoria branca na África do Sul (1948-1991) 2 qualquer forma de segregação racial

aparthotel [ɐpartɔ'tɛɫ] *n.m.* 1 estabelecimento hoteleiro constituído por apartamentos com cozinha 2 cada um desses apartamentos

aparvalhado (a.par.va.lha.do) [ɐpɐrvɐ'ʎadu] *adj.* 1 parvo; embasbacado 2 confuso; desconcertado

aparvalhar(-se) (a.par.va.lhar(-se)) [ɐpɐrvɐ'ʎar(sə)] *v.* **1** tornar(-se) parvo; apalermar(-se) **2** confundir(-se); desorientar(-se)

apascentar (a.pas.cen.tar) [ɐpɐʃsẽ'tar] *v.* levar ao pasto (o gado)

apassivar (a.pas.si.var) [ɐpɐsi'var] *v.* colocar ou utilizar (verbo, construção) na voz passiva

apatia (a.pa.ti.a) [ɐpɐ'tiɐ] *n.f.* **1** falta de energia; moleza **2** indiferença; desinteresse

apático (a.pá.ti.co) [ɐ'patiku] *adj.* **1** que não tem energia; mole **2** que revela apatia; indiferente; desinteressado

apavorado (a.pa.vo.ra.do) [ɐpɐvu'radu] *adj.* cheio de medo **SIN.** aterrado

apavorar(-se) (a.pa.vo.rar(-se)) [ɐpɐvu'rar(sə)] *v.* causar ou sentir pavor **SIN.** assustar(-se); aterrorizar(-se)

apaziguamento (a.pa.zi.gua.men.to) [ɐpɐzigwɐ'mẽtu] *n.m.* conciliação; pacificação

apaziguar(-se) (a.pa.zi.guar(-se)) [ɐpɐzi'gwar(sə)] *v.* acalmar(-se); pacificar(-se)

apeadeiro (a.pe:a.dei.ro) [ɐpjɐ'dɐjru] *n.m.* lugar onde os comboios param só para deixar ou receber passageiros

apear(-se) (a.pe:ar(-se)) [ɐ'pjar(sə)] *v.* **1** ⟨**+de**⟩ (fazer) sair de (veículo): *apear-se do comboio* **2** ⟨**+de**⟩ (fazer) descer de (animal): *apear-se do cavalo*

apedrejar (a.pe.dre.jar) [ɐpədrə'ʒar] *v.* **1** atirar pedras a **2** *fig.* insultar; ofender

apegar (a.pe.gar) [ɐpə'gar] *v.* **1** ⟨**+a**⟩ fazer sentir apego **SIN.** afeiçoar **2** ⟨**+a**⟩ fazer adquirir um hábito ou costume **SIN.** habituar; acostumar ■ **apegar-se** ⟨**+a**⟩ afeiçoar-se: *Ele apegou-se muito àqueles amigos.*

apego (a.pe.go) [ɐ'pegu] *n.m.* **1** ligação afetiva; estima **2** dedicação a (algo)

APEL [a'pɛl] *sigla de* Associação Portuguesa de Editores e Livreiros

apelar (a.pe.lar) [ɐpə'lar] *v.* **1** ⟨**+a**⟩ pedir auxílio: *O João apelou aos amigos.* **2** ⟨**+de**⟩ recorrer de sentença a juiz ou tribunal superior **3** ⟨**+para**⟩ fazer apelo: *O terrorista apelou para a violência.*

apelativo (a.pe.la.ti.vo) [ɐpəlɐ'tivu] *adj.* **1** que apela ou chama **2** que atrai a atenção

apelidar (a.pe.li.dar) [ɐpəli'dar] *v.* **1** dar apelido a: *Os pais apelidaram-no David.* **2** ⟨**+de**⟩ nomear; chamar: *Apelidaram o João de mentiroso.*

apelido (a.pe.li.do) [ɐpə'lidu] *n.m.* **1** nome de família; sobrenome **2** nome que se dá a alguém por causa de uma dada característica; alcunha

apelo (a.pe.lo) [ɐ'pelu] *n.m.* **1** pedido de ajuda; chamamento **2** recurso

apenas (a.pe.nas) [ɐ'penɐʃ] *adv.* só; somente: *Tem apenas 10 anos.* ■ *conj.* logo que; assim que; mal: *Apenas tinha chegado a casa quando o telefone tocou.*

apêndice (a.pên.di.ce) [ɐ'pẽdi(sə)] *n.m.* **1** parte que se acrescenta no fim de uma obra **2** saliência do intestino grosso, em forma de dedo

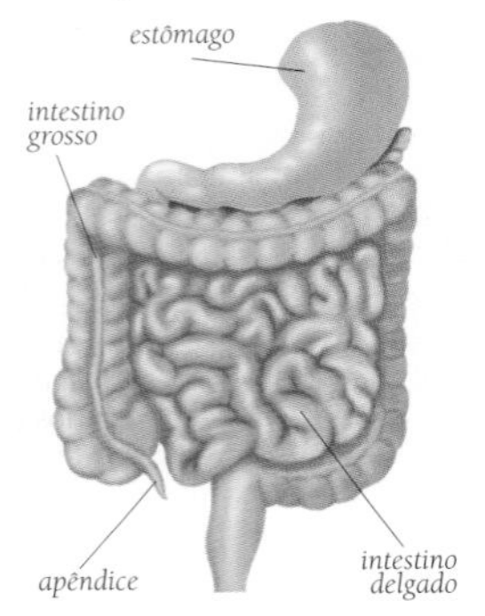

apendicite (a.pen.di.ci.te) [ɐpẽdi'sit(ə)] *n.f.* inflamação do apêndice

apenso (a.pen.so) [ɐ'pẽsu] *adj.,n.m.* anexo

apepsia (a.pep.si.a) [ɐpɛ'psiɐ] *n.f.* ausência ou anomalia da função digestiva

aperaltado (a.pe.ral.ta.do) [ɐpəraɫ'tadu] *adj.* janota; coquete

aperceber-se (a.per.ce.ber-.se) [ɐpərsə'bers(ə)] *v.* ⟨**+de**⟩ dar-se conta de: *Ele apercebeu-se do perigo.* **SIN.** notar; reparar

aperfeiçoamento (a.per.fei.ço:a.men.to) [ɐpərfɐjswɐ'mẽtu] *n.m.* melhoramento (de alguma coisa)

aperfeiçoar (a.per.fei.ço:ar) [ɐpərfɐj'swar] *v.* **1** tornar perfeito **2** terminar (o que está incompleto) **3** retocar ■ **aperfeiçoar-se** ⟨**+em**⟩ melhorar-se; aprimorar-se: *Aperfeiçoou-se em inglês.*

aperitivo (a.pe.ri.ti.vo) [ɐpəri'tivu] *n.m.* bebida ou petisco que se toma antes da refeição

aperrear (a.per.re:ar) [ɐpə'ʀjar] *v.* **1** aborrecer; apoquentar **2** *fig.* oprimir; reprimir

apertado (a.per.ta.do) [ɐpər'tadu] *adj.* **1** que se apertou; atado **2** que tem pouco espaço; acanhado **3** que tem pouco tempo **4** que sofre pressão **5** *coloq.* que tem vontade de urinar

apertar (a.per.tar) [ɐpər'tar] *v.* **1** fazer pressão sobre **2** unir com força **3** tornar estreito **4** aparafusar (rosca, parafuso) **5** estar justo (calçado, roupa) **6** reduzir (custos, despesas) **7** tornar mais severo ou rigoroso

aperto (a.per.to) [ɐ'pertu] *n.m.* **1** pressão com as mãos ou com algum instrumento; **aperto de mão** cumprimento em que duas pessoas cingem as suas mãos direitas como saudação ou validação de um compromisso **2** lugar estreito ou apertado **3** *fig.* situação difícil ou embaraçosa **4** *fig.* grande angústia; aflição

apesar (a.pe.sar) [ɐpə'zar] *adv.* **1 apesar de** não obstante; a despeito de **2 apesar de tudo** de qualquer modo; ainda assim **3 apesar de que** ainda que; se bem que

apetecer (a.pe.te.cer) [ɐpətə'ser] *v.* ter a vontade ou o desejo de **SIN.** querer

apetecível (a.pe.te.cí.vel) [ɐpətə'sivɛɫ] *adj.2g.* **1** desejável **2** apetitoso

apetência (a.pe.tên.ci:a) [ɐpə'tẽsjɐ] *n.f.* **1** vontade; desejo **2** gosto natural por; vocação

apetite (a.pe.ti.te) [ɐpə'tit(ə)] *n.m.* **1** vontade de comer **2** disposição para fazer algo ◆ **abrir o apetite (a alguém)** despertar a curiosidade (a alguém); **bom apetite!** expressão que se formula a quem está a comer ou vai começar a comer

apetitoso (a.pe.ti.to.so) [ɐpəti'tozu] *adj.* **1** que tem bom sabor; saboroso **2** que atrai; tentador

apetrechar(-se) (a.pe.tre.char(-se)) [ɐpətrə'ʃar(sə)] *v.* ⟨**+com**, **+de**⟩ munir(-se) de apetrechos **SIN.** equipar(-se)

apetrecho (a.pe.tre.cho) [ɐpə'trɐ(j)ʃu] *n.m.* utensílio; equipamento

ápice (á.pi.ce) ['api(sə)] *n.m.* **1** ponto mais alto; cume; cimo **2** *fig.* grau mais elevado; apogeu; máximo ◆ **num ápice** num instante

apicultor (a.pi.cul.tor) [ɐpikuɫ'tor] *n.m.* pessoa que cria abelhas

apicultura (a.pi.cul.tu.ra) [ɐpikuɫ'turɐ] *n.f.* criação de abelhas

apimentar (a.pi.men.tar) [ɐpimẽ'tar] *v.* **1** temperar com pimenta **2** *fig.* estimular; despertar **3** *fig.* tornar (conversa, comentário) malicioso

apinhado (a.pi.nha.do) [ɐpi'ɲadu] *adj.* cheio de pessoas

apinhar(-se) (a.pi.nhar(-se)) [ɐpi'ɲar(sə)] *v.* **1** ⟨**+de**⟩ encher(-se) completamente: *Ele apinhou a casa de livros.* **2** ⟨**+em**⟩ amontoar(-se); aglomerar(-se): *Eles apinharam-se para ver o jogo.*

apitadela (a.pi.ta.de.la) [apitɐ'dɛlɐ] *n.f.* ato ou efeito de apitar ligeiramente ◆ **dar uma apitadela** fazer um telefonema rápido; telefonar

apitar (a.pi.tar) [ɐpi'tar] *v.* **1** dar sinal com apito **2** dirigir um jogo de futebol; arbitrar

apito (a.pi.to) [ɐ'pitu] *n.m.* **1** pequeno instrumento que se faz soar por meio de sopro **2** som agudo deste instrumento

aplainar (a.plai.nar) [ɐplaj'nar] *v.* **1** alisar com a plaina **2** tornar plano **SIN.** nivelar

aplanar(-se) (a.pla.nar(-se)) [ɐplɐ'nar(sə)] *v.* tornar(-se) plano **SIN.** nivelar(-se)

aplaudir (a.plau.dir) [ɐplaw'dir] *v.* bater palmas em sinal de aprovação ou entusiasmo

aplauso (a.plau.so) [ɐ'plawzu] *n.m.* **1** ato de bater palmas em sinal de aprovação ou entusiasmo **2** manifestação de apoio (a alguém)

aplicação (a.pli.ca.ção) [ɐplikɐ'sɐ̃w̃] *n.f.* **1** utilização prática **2** cumprimento (de uma lei) **3** concentração (no estudo ou no trabalho)

aplicado (a.pli.ca.do) [ɐpli'kadu] *adj.* **1** posto em prática; utilizado **2** estudioso; atento

aplicar (a.pli.car) [ɐpli'kar] *v.* **1** ⟨**+sobre**⟩ justapor (uma coisa) sobre (outra) **SIN.** sobrepor **2** ⟨**+a**⟩ pôr em prática **SIN.** empregar **3** administrar (medicamento) **SIN.** ministrar **4** impor (castigo, sanções, etc.) **SIN.** infligir **5** ⟨**+em**⟩ investir (dinheiro) ■ **aplicar-se 1** ⟨**+a**⟩ dizer respeito: *Esta regra aplica-se a todos.* **2** ⟨**+a**, **+em**⟩ esforçar-se: *O João aplicou-se nos estudos.*

aplicável (a.pli.cá.vel) [ɐpli'kavɛɫ] *adj.2g.* **1** que pode ser aplicado **2** adaptável

aplique (a.pli.que) [ɐ'plik(ə)] *n.m.* objeto que se aplica (em parede, roupa, etc.) como ornamento

apneia (ap.nei.a) [ɐ'pnɐjɐ] *n.f.* suspensão momentânea da respiração

apocalipse (a.po.ca.lip.se) [ɐpɔka'lip(sə)] *n.m.* **1** cataclismo; desgraça **2** profecia em que as forças do Mal vencem as forças do Bem **3** discurso obscuro ou enigmático ■ **Apocalipse** último livro do Novo Testamento, que contém revelações sobre o fim do mundo

apocalíptico (a.po.ca.líp.ti.co)[AO] [ɐpɔkɐ'liptiku] ou **apocalítico**[AO] *adj.* **1** relativo ao Apocalipse **2** *fig.* que é difícil de compreender; obscuro; misterioso **3** *fig.* que evoca o fim do mundo; medonho; catastrófico

apócope (a.pó.co.pe) [ɐ'pɔkup(ə)] *n.f.* supressão de fonema ou sílaba no final de uma palavra

apoderar-se (a.po.de.rar-.se) [ɐpudə'rars(ə)] *v.* **1** ⟨**+de**⟩ tomar posse de (objeto valioso, terreno, etc.): *Apoderou-se das terras do vizinho.* **2** ⟨**+de**⟩ tomar conta de: *Apoderou-se dela um súbito desejo de vingança.*

apodrecer (a.po.dre.cer) [ɐpudrə'ser] *v.* **1** ficar podre **SIN.** deteriorar(-se) **2** *fig.* ficar perdido ou esquecido

apodrecimento (a.po.dre.ci.men.to) [ɐpudrəsi'mẽtu] *n.m.* **1** estado do que fica podre **SIN.** deterioração; decomposição **2** *fig.* corrupção; perversão

apogeu (a.po.geu) [ɐpɔ'ʒew] *n.m.* **1** posição em que o Sol se encontra mais afastado da Terra **2** *fig.* grau mais elevado; auge

apoiado (a.poi.a.do) [ɐpoj'adu] *adj.* **1** que tem apoio ou proteção **2** que está baseado em ■ *interj.* usa-se para exprimir aprovação ou aplauso

apoiante (a.poi.an.te) [ɐpojɐ̃t(ə)] *n.2g.* pessoa que apoia (uma teoria, um clube, etc.) **SIN.** adepto

apoiar (a.poi.ar) [ɐpo'jar] *v.* **1** dar apoio **2** segurar; sustentar: *apoiar o braço* **3** proteger; favorecer: *apoiar as artes e a cultura* **4** patrocinar; subsidiar: *apoiar um partido político* **5** ⟨+em⟩ basear; fundamentar: *Apoiou a sua análise na bibliografia.* ■ **apoiar-se 1** ⟨+a, +em⟩ encostar-se; segurar-se; amparar-se: *Apoia-te no meu braço.* **2** ⟨+com⟩ tomar como apoio: *Ele apoia-se muito nos amigos.* **3** ⟨+em⟩ basear-se; fundamentar-se: *Apoiou-se na bibliografia para defender o que achava.*

apoio (a.poi.o) [ɐ'poju] *n.m.* **1** tudo o que serve para amparar **2** auxílio que se presta a alguém **3** opinião positiva sobre algo

apólice (a.pó.li.ce) [ɐ'pɔli(sə)] *n.f.* **1** certificado de contrato emitido por uma companhia de seguros ao aceitar o risco proposto pelo segurado **2** certificado de obrigação mercantil

apologia (a.po.lo.gi.a) [ɐpulu'ʒiɐ] *n.f.* **1** defesa; justificação **2** elogio

apologista (a.po.lo.gis.ta) [ɐpulu'ʒiʃtɐ] *adj.,n.2g.* que ou pessoa que é partidária de (alguém ou algo) **SIN.** entusiasta; defensor

apontamento (a.pon.ta.men.to) [ɐpõtɐ'mẽtu] *n.m.* **1** registo escrito breve; nota **2** anotação acerca de uma matéria ou disciplina que os alunos escrevem durante a aula

apontar (a.pon.tar) [ɐpõ'tar] *v.* **1** ⟨+com, +para⟩ indicar com (dedo, ponteiro): *Ele está a apontar para a porta.* **2** ⟨+a⟩ direcionar (arma) no sentido do alvo **3** tomar nota **SIN.** registar **4** marcar com ponto ou sinal **SIN.** assinalar **5** fazer referência a **SIN.** mencionar **6** ⟨+para⟩ indicar: *As sondagens apontam para a vitória.* **7** tornar fino numa extremidade **SIN.** aguçar

apoplexia (a.po.ple.xi.a) [ɐpɔplɛ'ksiɐ] *n.f.* suspensão súbita, completa ou incompleta, do movimento e da sensação, causada por lesão vascular cerebral aguda

apoquentar(-se) (a.po.quen.tar(-se)) [ɐpukẽ'tar(sə)] *v.* ⟨+com⟩ aborrecer(-se); preocupar(-se): *Não se apoquente com isso!*

aportar (a.por.tar) [ɐpur'tar] *v.* ⟨+a⟩ entrar (embarcação) num porto: *O navio aportou a Leixões.* **SIN.** ancorar; fundear

aportuguesar(-se) (a.por.tu.gue.sar(-se)) [ɐpurtugə'zar(sə)] *v.* **1** tornar(-se) português **2** adaptar(-se) ao estilo português

após (a.pós) [ɐ'pɔʃ] *prep.* **1** atrás de; a seguir a (no espaço): *Logo após os carros vinham as motas.* **2** depois de; a seguir a (no tempo): *dia após dia* ■ *adv.* depois; a seguir: *Ele vai à frente e o irmão após.*

aposentação (a.po.sen.ta.ção) [ɐpuzẽtɐ'sɐ̃w̃] *n.f.* **1** reforma de uma pessoa do serviço ativo (por atingir o limite de idade, por invalidez ou por dispensa forçada) **2** remuneração recebida mensalmente pela pessoa aposentada; pensão

aposentado (a.po.sen.ta.do) [ɐpuzẽ'tadu] *adj.,n.m.* reformado; pensionista

aposentar(-se) (a.po.sen.tar(-se)) [ɐpuzẽ'tar(sə)] *v.* conceder ou obter aposentação **SIN.** reformar(-se)

aposento (a.po.sen.to) [ɐpu'zẽtu] *n.m.* divisão de uma casa

> Note-se que a palavra **aposento** escreve-se com s (e não com z).

após-guerra (a.pós-.guer.ra) [ɐpɔʒ'gɛʀɐ] *n.m.* ⟨*pl.* após-guerras⟩ período imediatamente a seguir a uma guerra; pós-guerra

aposta (a.pos.ta) [ɐ'pɔʃtɐ] *n.f.* **1** acordo entre pessoas com opiniões diferentes segundo o qual a que acertar num facto ou numa resposta ganha o que foi combinado **2** quantia que se apostou

apostar (a.pos.tar) [ɐpuʃ'tar] *v.* **1** fazer uma aposta; arriscar: *Apostei cinco libras no cavalo.* **2** ⟨+em, +que⟩ afirmar com certeza; garantir: *Aposto o que quiseres.*

a posteriori [apɔʃtɛ'rjɔri] *loc.* **1** pelas razões que vêm depois **2** posteriormente

aposto (a.pos.to) [ɐ'poʃtu] *n.m.* substantivo ou expressão substantiva que se segue a outro substantivo ou expressão substantiva para o/a caracterizar melhor

apostolado (a.pos.to.la.do) [ɐpuʃtu'ladu] *n.m.* **1** missão de apóstolo **2** conjunto dos apóstolos

apostólico (a.pos.tó.li.co) [ɐpuʃ'tɔliku] *adj.* **1** relativo aos apóstolos **2** relativo ao Papa

apóstolo (a.pós.to.lo) [ɐ'pɔʃtulu] *n.m.* cada um dos 12 discípulos de Jesus Cristo

apóstrofe (a.pós.tro.fe) [ɐ'pɔʃtruf(ə)] *n.f.* invocação de alguém ou de algo através de um vocativo; interpelação

apóstrofo (a.pós.tro.fo) [ɐ'pɔʃtrufu] *n.m.* sinal gráfico ' que indica a eliminação de uma ou mais letras numa palavra: *p'ra; d'água*

apoteose (a.po.te.o.se) [ɐputɛ'ɔz(ə)] *n.f.* **1** momento mais importante de um acontecimento; auge **2** homenagem a uma figura pública

apoteótico (a.po.te:ó.ti.co) [ɐpu'tjɔtiku] *adj.* **1** em que há apoteose **2** que glorifica; em que há elogio

aprazível (a.pra.zí.vel) [ɐprɐ'zivɛɫ] *adj.2g.* **1** agradável **2** conveniente

apre (a.pre) ['apr(ə)] *interj.* exprime irritação ou desprezo

[a] pá [ɐ] cada [ɐ̃] ânsia [b] boi [d] dó [e] dedo [ɛ] pé [ə] dedal [f] foz [g] gás [i] ida [j] pai [ʒ] já [k] cão [l] lua

apreçar **(a.pre.çar)** [ɐprəˈsar] *v.* **1** perguntar o preço de **2** avaliar; estimar

apreciação **(a.pre.ci:a.ção)** [ɐprəsjɐˈsɐ̃w̃] *n.f.* **1** opinião sobre alguma coisa **2** avaliação do valor de algo **3** estima que se tem por alguém ou por algo

apreciador **(a.pre.ci:a.dor)** [ɐprəsjɐˈdor] *n.m.* pessoa que aprecia

apreciar **(a.pre.ci:ar)** [ɐprəˈsjar] *v.* **1** considerar **2** avaliar **3** ter estima por

apreciável **(a.pre.ci:á.vel)** [ɐprəˈsjavɛɫ] *adj.2g.* **1** que se pode apreciar ou avaliar; mensurável **2** de grande dimensão ou importância; considerável

apreço **(a.pre.ço)** [ɐˈpresu] *n.m.* **1** estima que se tem por alguém ou por algo **2** valor; mérito

apreender **(a.pre:en.der)** [ɐprjẽˈder] *v.* **1** retirar (bens, objetos) da posse de alguém **2** compreender (ideias, conhecimentos)

apreensão **(a.pre:en.são)** [ɐprjẽˈsɐ̃w̃] *n.f.* **1** ato de retirar (bens, objetos) a alguém **2** compreensão (de ideias, conhecimentos) **3** preocupação (em relação a alguma coisa)

apreensível **(a.pre:en.sí.vel)** [ɐprjẽˈsivɛɫ] *adj.2g.* **1** que pode ser apreendido **2** compreensível

apreensivo **(a.pre:en.si.vo)** [ɐprjẽˈsivu] *adj.* diz-se da pessoa que está preocupada

apregoar **(a.pre.go:ar)** [ɐprəˈgwar] *v.* **1** anunciar em voz alta **2** divulgar; proclamar

aprender **(a.pren.der)** [ɐprẽˈder] *v.* adquirir conhecimentos sobre alguma coisa; estudar

aprendiz **(a.pren.diz)** [ɐprẽˈdiʃ] *n.m.* pessoa que aprende um trabalho ou uma arte **SIN.** principiante

aprendizado **(a.pren.di.za.do)** [ɐprẽdiˈzadu] *n.m.* **1** [BRAS.] aprendizagem **2** [BRAS.] formação profissional **3** [BRAS.] experiência

aprendizagem **(a.pren.di.za.gem)** [ɐprẽdiˈzaʒɐ̃j̃] *n.f.* aquisição de conhecimentos por meio de experiência ou estudo

apresentação **(a.pre.sen.ta.ção)** [ɐprəzẽtɐˈsɐ̃w̃] *n.f.* **1** ato de dar a conhecer alguém ou alguma coisa **2** forma de apresentar alguma coisa **3** aparência; aspeto

apresentador **(a.pre.sen.ta.dor)** [ɐprəzẽtɐˈdor] *n.m.* pessoa que apresenta um programa ou um espetáculo

apresentar **(a.pre.sen.tar)** [ɐprəzẽˈtar] *v.* **1** dar a conhecer (uma ou mais pessoas) a outra(s): *Posso apresentar-lhe o Carlos?* **2** expor à vista: *Apresentámos provas suficientes.* **SIN.** mostrar **3** revelar; evidenciar: *A vítima não apresentava sinais de agressão.* **4** manifestar; expressar: *Apresentou um pedido de desculpas.* **5** tornar público: *O treinador apresentou a lista de convocados.* **6** expor; explicar (documento, texto): *Apresentou o problema de forma muito clara.* **7** alegar (argumento, justificação) **8** submeter (candidatura, tese) a apreciação ■ **apresentar-se** **1** pôr-se diante ou na presença de **2** ter determinado aspeto ou aparência **3** ⟨+em⟩ comparecer: *Apresentou-se na esquadra da sua residência.*

apresentável **(a.pre.sen.tá.vel)** [ɐprəzẽˈtavɛɫ] *adj.2g.* **1** que se pode apresentar **2** que tem um aspeto cuidado

apressadamente **(a.pres.sa.da.men.te)** [ɐprəsaˈmẽt(ə)] *adv.* **1** com rapidez; depressa **2** com pressa; precipitadamente

apressado **(a.pres.sa.do)** [ɐprəˈsadu] *adj.* **1** que tem pressa **2** impaciente; ansioso

apressar **(a.pres.sar)** [ɐprəˈsar] *v.* **1** tornar (mais) rápido **SIN.** acelerar **2** fazer com que aconteça mais cedo **SIN.** antecipar ■ **apressar-se** ⟨+a⟩ atuar com rapidez **SIN.** despachar-se

aprimorar(-se) **(a.pri.mo.rar(-se))** [ɐprimuˈrar(sə)] *v.* aperfeiçoar(-se); apurar(-se)

a priori [apriˈɔri] *loc.* de acordo com os princípios anteriores à experiência; à primeira vista

aprisionado **(a.pri.si:o.na.do)** [ɐprizjuˈnadu] *adj.* **1** preso; capturado **2** *fig.* submisso

aprisionar **(a.pri.si:o.nar)** [ɐprizjuˈnar] *v.* prender; capturar

aprofundado **(a.pro.fun.da.do)** [ɐprufũˈdadu] *adj.* **1** que penetrou profundamente; entranhado **2** *fig.* (estudo, investigação) detalhado; minucioso

aprofundamento **(a.pro.fun.da.men.to)** [ɐprufũdɐˈmẽtu] *n.m.* **1** ato ou efeito de aprofundar **2** estudo pormenorizado de alguma coisa

aprofundar(-se) **(a.pro.fun.dar(-se))** [ɐprufũˈdar(sə)] *v.* tornar(-se) mais profundo

aprontar(-se) **(a.pron.tar(-se))** [ɐprõˈtar(sə)] *v.* pôr(-se) pronto; preparar(-se); arranjar(-se)

a-propósito **(a-.pro.pó.si.to)** [ɐpruˈpɔzitu] *n.m.* ⟨*pl.* a-propósitos⟩ pertinência; oportunidade

apropriação **(a.pro.pri:a.ção)** [ɐpruprjɐˈsɐ̃w̃] *n.f.* ato de tomar para si alguma coisa que pertence a outra(s) pessoa(s)

apropriado **(a.pro.pri:a.do)** [ɐpruˈprjadu] *adj.* próprio para determinado fim **SIN.** adequado

apropriar **(a.pro.pri:ar)** [ɐpruˈprjar] *v.* ⟨+a⟩ tornar adequado: *apropriar o discurso ao público* **SIN.** adaptar ■ **apropriar-se** **1** ⟨+de⟩ tomar posse de: *Apropriaram-se de terrenos indígenas.* **SIN.** apoderar-se **2** ⟨+a⟩ tornar-se adequado: *A música apropriava-se perfeitamente à ocasião.* **SIN.** adaptar-se

aprovação **(a.pro.va.ção)** [ɐpruvɐˈsɐ̃w̃] *n.f.* **1** autorização; consentimento **2** reconhecimento de esforço, trabalho, etc. **3** resultado positivo nos estudos

aprovado **(a.pro.va.do)** [ɐpru'vadu] *adj.* **1** que foi aceite **2** autorizado **3** que obteve nota positiva

aprovar **(a.pro.var)** [ɐpru'var] *v.* **1** aceitar **ANT.** desaprovar **2** autorizar

aproveitado **(a.pro.vei.ta.do)** [ɐpruvɐj'tadu] *adj.* **1** de que se tira proveito **SIN.** útil **2** *coloq.* poupado

aproveitamento **(a.pro.vei.ta.men.to)** [ɐpruvɐjtɐ'mẽtu] *n.m.* **1** utilização adequada; uso **2** resultados positivos nos estudos

aproveitar **(a.pro.vei.tar)** [ɐpruvɐj'tar] *v.* **1** tirar proveito ou benefício de: *Precisamos de aproveitar os nossos recursos.* **2** fazer uso de: *Como é que vais aproveitar este espaço?* **3** desfrutar: *Aproveita os últimos dias de férias!* ▪ **aproveitar-se** ⟨**+de**⟩ abusar da ingenuidade ou simpatia de (alguém); servir-se de: *Aproveitou-se da inexperiência deles.*

aproveitável **(a.pro.vei.tá.vel)** [ɐpruvɐj'tavɛɫ] *adj.2g.* que se pode aproveitar; utilizável

aprovisionamento **(a.pro.vi.si:o.na.men.to)** [ɐpruvizjunɐ'mẽtu] *n.m.* ato ou efeito de aprovisionar(-se)

aprovisionar(-se) **(a.pro.vi.si:o.nar(-se))** [ɐpruvizju'nar(sə)] *v.* ⟨**+com/de**⟩ munir(-se) de provisões **SIN.** abastecer(-se)

aproximação **(a.pro.xi.ma.ção)** [ɐprɔsimɐ'sɐ̃w̃] *n.f.* **1** redução da distância entre pessoas ou coisas **2** *fig.* comparação entre coisas, factos ou ideias

aproximadamente **(a.pro.xi.ma.da.men.te)** [ɐprɔsimadɐ'mẽt(ə)] *adv.* **1** cerca de **2** sensivelmente

aproximado **(a.pro.xi.ma.do)** [ɐprɔsi'madu] *adj.* **1** que está a pequena distância; próximo **2** diz-se do valor que se calculou por aproximação

aproximar **(a.pro.xi.mar)** [ɐprɔsi'mar] *v.* **1** reduzir a distância entre: *Aproximou o objeto da máquina fotográfica.* **ANT.** afastar **2** tornar mais unido a nível emocional: *O desgosto aproximou-os.* ▪ **aproximar-se** **1** pôr-se perto; chegar-se: *não te aproximes mais!* **2** ⟨**+de**⟩ ter semelhança com: *Esta cor aproxima-se da do teu sofá.*

aprumado **(a.pru.ma.do)** [ɐpru'madu] *adj.* **1** que está na vertical **2** que tem boa aparência (pessoa)

aprumar **(a.pru.mar)** [ɐpru'mar] *v.* colocar na vertical **SIN.** endireitar ▪ **aprumar-se** **1** endireitar-se **2** *fig.* vestir-se bem **3** *fig., pej.* mostrar-se pouco acessível

aprumo **(a.pru.mo)** [ɐ'prumu] *n.m.* **1** posição vertical; verticalidade **2** *fig.* correção; compostura **3** *fig.* elegância; requinte

aptidão **(ap.ti.dão)** [ɐpti'dɐ̃w̃] *n.f.* **1** disposição natural ou adquirida para determinada coisa **2** conjunto de conhecimentos necessários para desempenhar determinada função

apto **(ap.to)** ['aptu] *adj.* **1** capaz **2** adequado

apunhalar **(a.pu.nha.lar)** [ɐpuɲɐ'lar] *v.* **1** agredir com punhal ou instrumento semelhante **2** *fig.* ofender profundamente

apupar **(a.pu.par)** [ɐpu'par] *v.* manifestar desagrado com gritos ou assobios **SIN.** vaiar

apupo **(a.pu.po)** [ɐ'pupu] *n.m.* demonstração de desagrado por meio de gritos ou assobios; vaia

apurado **(a.pu.ra.do)** [ɐpu'radu] *adj.* **1** conhecido após investigação (facto) **2** escolhido (jogador, candidato) **3** muito atento (ouvido)

apuramento **(a.pu.ra.men.to)** [ɐpurɐ'mẽtu] *n.m.* **1** investigação (de factos, notícias, etc.) **2** escolha (de jogadores, candidatos) **3** contagem de votos (numa eleição)

apurar **(a.pu.rar)** [ɐpu'rar] *v.* **1** investigar (factos, notícias) **2** escolher (um jogador, um candidato) **3** contar (votos)

apuro **(a.pu.ro)** [ɐ'puru] *n.m.* situação difícil ◆ **estar em apuros** estar com problemas ou com dificuldades

aquaparque **(a.qua.par.que)** [akwɐ'park(ə)] *n.m.* parque de diversões com piscinas e outras instalações aquáticas

aquaplanagem **(a.qua.pla.na.gem)** [akwɐplɐ'naʒɐ̃j] *n.f.* deslize de um veículo provocado pela falta de aderência dos pneus ao piso molhado

aquariano **(a.qua.ri:a.no)** [ɐkwɐ'rjɐnu] *adj.* relativo ou pertencente ao signo de Aquário ▪ *n.m.* pessoa que nasceu sob o signo de Aquário

aquário **(a.quá.ri:o)** [ɐ'kwarju] *n.m.* reservatório de água, onde vivem peixes e plantas ▪ **Aquário** décimo primeiro signo do Zodíaco (20 de janeiro a 19 de fevereiro)

aquartelamento **(a.quar.te.la.men.to)** [ɐkwɐrtɐlɐ'mẽtu] *n.m.* **1** alojamento de tropas **2** construção para abrigar tropas; quartel

aquartelar **(a.quar.te.lar)** [ɐkwɐrtə'lar] *v.* alojar (tropas) em quartel

aquático **(a.quá.ti.co)** [ɐ'kwatiku] *adj.* **1** relativo à água **2** que vive na água

aquecedor **(a.que.ce.dor)** [ɐkɛsə'dor] *n.m.* aparelho que serve para aquecer um espaço fechado

aquecer **(a.que.cer)** [ɐkɛ'ser] *v.* **1** aumentar a temperatura de **2** ficar quente **3** *fig.* ficar entusiasmado; animar-se ◆ **não aquecer nem arrefecer** não interessar ou afetar; deixar indiferente

aquecimento **(a.que.ci.men.to)** [ɐkɛsi'mẽtu] *n.m.* **1** ato ou efeito de tornar mais quente **2** aparelho que gera calor ◆ **aquecimento global** fenómeno de subida da temperatura da Terra, causada pelo efeito de estufa (retenção do calor solar provocada pela poluição atmosférica)

aqueduto (a.que.du.to) [ɐkə'dutu] *n.m.* construção formada por arcadas e destinada a conduzir água de um lugar para outro

aquele (a.que.le) [ɐ'kel(ə)] *det.,prn.dem.* ⟨*f.* aquela⟩ pessoa ou coisa afastada da pessoa que fala e da que ouve: *Aquele verão foi inesquecível.; Aqueles rapazes são meus amigos.*

àquele (à.que.le) [a'kel(ə)] *contr. de prep.* a + *det.* ou *pron. dem.* aquele

aquém (a.quém) [a'kɐ̃j̃] *adv.* da parte de cá; deste lado ◆ **aquém de** abaixo de

aquém-fronteiras (a.quém-.fron.tei.ras) [akɐ̃j̃ frõ'tɐjrɐʃ] *adv.* para cá das fronteiras

aqui (a.qui) [ɐ'ki] *adv.* **1** neste lugar; cá **ANT.** ali **2** nesta ocasião; agora **3** neste ponto; nisto ◆ **aqui e agora** imediatamente; **até aqui** até este momento/agora; **por aqui** assim

aquiescer (a.qui.es.cer) [ɐkjɛʃ'ser] *v.* ⟨**+a**⟩ anuir; consentir: *Aquiesci ao pedido dele.*

aquietar(-se) (a.qui:e.tar(-se)) [ɐkjɛ'tar(sə)] *v.* acalmar(-se); tranquilizar(-se)

aquilo (a.qui.lo) [ɐ'kilu] *prn.dem.* aquela(s) coisa(s)

àquilo (à.qui.lo) [a'kilu] *contr. de prep.* a + *pron. dem.* aquilo

aquisição (a.qui.si.ção) [ɐkizi'sɐ̃w̃] *n.f.* **1** ato de tomar posse de alguma coisa **2** coisa comprada ou obtida

aquoso (a.quo.so) [ɐ'kwozu] *adj.* **1** que contém água **2** semelhante a água

ar (ar) ['ar] *n.m.* **1** mistura de gases que forma a atmosfera **2** espaço em volta da superfície terrestre **3** aparência de uma pessoa ◆ **ar condicionado** sistema elétrico que permite alterar a temperatura num espaço fechado

A.R. *abreviatura de* aviso de receção

árabe (á.ra.be) ['arɐb(ə)] *adj.2g.* relativo à Arábia ■ *n.2g.* pessoa natural da Arábia, do Norte de África e do Médio e Próximo Oriente ■ *n.m.* língua falada na Arábia e em algumas regiões do Norte de África; arábico

árabe-saudita (á.ra.be-.sau.di.ta) [arɐb(ə)saw'ditɐ] *adj.,n.2g.* ⇒ **saudita**

arabesco (a.ra.bes.co) [ɐrɐ'beʃku] *n.m.* 👁 ornamento de origem árabe, no qual se combinam linhas, flores, frutos, animais, etc.

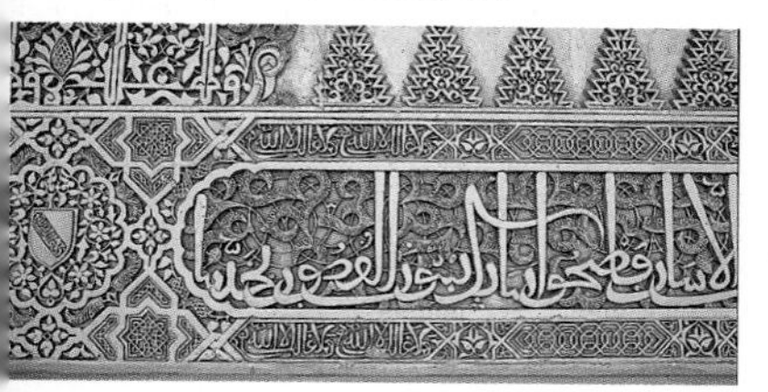

arábico (a.rá.bi.co) [ɐ'rabiku] *adj.,n.m.* ⇒ **árabe**

aracnídeo (a.rac.ní.de:o) [ɐrɐ'knidju] *n.m.* animal invertebrado com o corpo dividido em segmentos e membros articulados em número par (como a aranha e o escorpião)

arado (a.ra.do) [ɐ'radu] *n.m.* instrumento para lavrar a terra

aragem (a.ra.gem) [ɐ'raʒɐ̃j̃] *n.f.* vento fraco; brisa

aramaico (a.ra.mai.co) [ɐrɐ'majku] *adj.* relativo aos Arameus ■ *n.m.* língua semita falada pelo povo que habitava a antiga Síria

arame (a.ra.me) [ɐ'rɐm(ə)] *n.m.* fio metálico ◆ **arame farpado** fio metálico com pontas aguçadas, usado em cercas para impedir a passagem de pessoas e de animais

aranha (a.ra.nha) [ɐ'rɐɲɐ] *n.f.* animal com muitas patas que fabrica uma teia para apanhar insetos ◆ **andar às aranhas** estar confuso ou perdido

arar (a.rar) [ɐ'rar] *v.* lavrar (terra) com arado ou charrua

arara (a.ra.ra) [ɐ'rarɐ] *n.f.* 👁 ave de cores muito vivas e bico curvo e forte que habita na América do Sul

arauto (a.rau.to) [ɐ'rawtu] *n.m.* mensageiro

arável (a.rá.vel) [ɐ'ravɛɫ] *adj.2g.* que se pode cultivar

arbitragem (ar.bi.tra.gem) [ɐrbi'traʒɐ̃j̃] *n.f.* **1** decisão tomada por um árbitro **2** desempenho das funções de árbitro numa competição desportiva

arbitrar (ar.bi.trar) [ɐrbi'trar] *v.* **1** dirigir (competição desportiva) **2** resolver (conflito, questão) decidindo qual a melhor solução **SIN.** mediar

arbitrariamente (ar.bi.tra.ri:a.men.te) [ɐrbitrarjɐ'mẽt(ə)] *adv.* **1** ao acaso **2** de modo abusivo **3** de forma irracional

arbitrariedade (ar.bi.tra.ri:e.da.de) [ɐrbitrɐrjɛ'dad(ə)] *n.f.* **1** qualidade do que é arbitrário **2** abuso de autoridade; violência **3** comportamento arbitrário; capricho

arbitrário (ar.bi.trá.ri:o) [ɐrbi'trarju] *adj.* **1** que não segue regras ou normas **2** que só depende da vontade de quem decide

arbítrio **(ar.bí.tri:o)** [ɐrˈbitrju] *n.m.* **1** decisão que depende apenas da vontade **2** decisão do árbitro

árbitro **(ár.bi.tro)** [ˈarbitru] *n.m.* **1** pessoa que, num jogo, verifica o cumprimento das regras **2** pessoa que procura resolver um conflito entre duas partes

arbóreo **(ar.bó.re:o)** [ɐrˈbɔrju] *adj.* **1** relativo a árvore **2** que tem características de árvore

arborização **(ar.bo.ri.za.ção)** [ɐrburizɐˈsɐ̃w̃] *n.f.* plantação de árvores

arborizado **(ar.bo.ri.za.do)** [ɐrburiˈzadu] *adj.* que tem árvores ou plantas

arborizar **(ar.bo.ri.zar)** [ɐrburiˈzar] *v.* plantar árvores em

arbusto **(ar.bus.to)** [ɐrˈbuʃtu] *n.m.* planta mais pequena que uma árvore, com ramos que crescem desde a base

arca **(ar.ca)** [ˈarkɐ] *n.f.* caixa grande e retangular de madeira com tampa, utilizada para guardar roupas, etc. **SIN.** baú; **arca congeladora/frigorífica** eletrodoméstico destinado a congelar e/ou conservar alimentos ◆ **Arca de Noé** segundo a Bíblia, embarcação em que Noé, com a família e um casal de cada espécie de animais, se salvou do dilúvio

arcaboiço **(ar.ca.boi.ço)** [ɐrkɐˈbojsu] *n.m.* **1** armação dos ossos do corpo humano ou de qualquer animal; esqueleto; ossatura **2** estrutura (de madeira, ferro etc.) para sustentar uma construção; armação **3** *fig.* capacidade para criar, produzir, resistir, etc.; competência; resistência

arcada **(ar.ca.da)** [ɐrˈkadɐ] *n.f.* **1** conjunto de arcos seguidos **2** cobertura em forma de arco

arcaico **(ar.cai.co)** [ɐrˈkajku] *adj.* **1** muito antigo **SIN.** remoto **2** que não é usado há muito tempo **SIN.** obsoleto

arcaísmo **(ar.ca.ís.mo)** [ɐrkɐˈiʒmu] *n.m.* **1** palavra ou construção de uma língua que deixou de ser usada **2** modo de falar ou de escrever usando palavras ou construções antiquadas

arcanjo **(ar.can.jo)** [ɐrˈkɐ̃ʒu] *n.m.* anjo pertencente a uma ordem superior

arcar **(ar.car)** [ɐrˈkar] *v.* ⟨**+com**⟩ aguentar; suportar; enfrentar: *arcar com as consequências*

arcaria **(ar.ca.ri.a)** [ɐrkɐˈriɐ] *n.f.* série de arcos

arcebispado **(ar.ce.bis.pa.do)** [ɐrsəbiʃˈpadu] *n.m.* **1** dignidade ou jurisdição do arcebispo **2** residência do arcebispo

arcebispo **(ar.ce.bis.po)** [ɐrsəˈbiʃpu] *n.m.* membro da Igreja Católica com função superior à do bispo

archote **(ar.cho.te)** [ɐrˈʃɔt(ə)] *n.m.* pau que se acende na ponta para iluminar um lugar ou um caminho

arco **(ar.co)** [ˈarku] *n.m.* **1** num edifício, forma constituída por pilares ou colunas e uma estrutura curva **2** em geometria, segmento de uma curva **3** objeto com que se tocam as cordas de violinos e violoncelos **4** instrumento para atirar setas

arco-da-velha **(ar.co-.da-.ve.lha)** [arkudɐˈvɛʎɐ] *n.m.* ⟨*pl.* arcos-da-velha⟩ *coloq.* arco-íris ◆ **fazer/dizer coisas do arco-da-velha** fazer/dizer coisas incríveis

arco-íris **(ar.co-.í.ris)** [arˈkwiriʃ] *n.m.2n.* 👁 arco com sete cores que aparece, por vezes, no céu quando chove e há sol

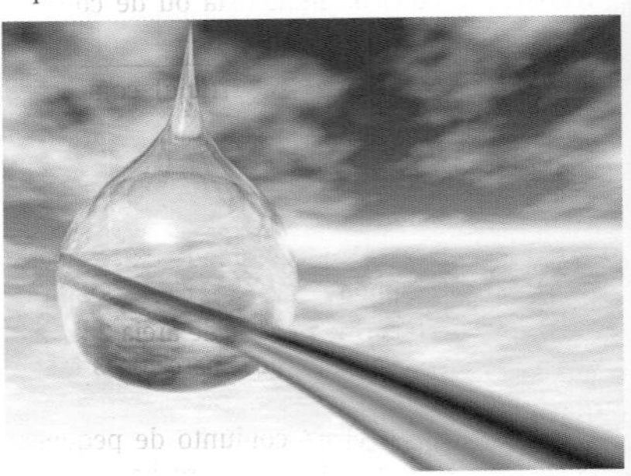

árctico **(árc.ti.co)** [ˈartiku] *a nova grafia é* **ártico**[AO]

ardência **(ar.dên.ci:a)** [ɐrˈdẽsjɐ] *n.f.* **1** sensação de ardor na pele, semelhante a queimadura **2** sensação causada por sabor acre ou picante

ardente **(ar.den.te)** [ɐrˈdẽt(ə)] *adj.2g.* **1** que queima **2** que faz calor **3** *fig.* que é muito forte (desejo, sentimento)

arder **(ar.der)** [ɐrˈder] *v.* **1** estar em chamas: *A casa estava a arder.* **SIN.** incendiar-se; queimar **2** ter sabor amargo ou picante (alimento): *Este molho arde.* **3** *fig.* sentir muito calor: *Ela está a arder em febre.* **4** ⟨**+por**⟩ *fig.* desejar intensamente: *Ela ardia pelo vizinho.* **5** ⟨**+de**⟩ *fig.* sentir intensamente: *arder de raiva* **6** *coloq.* sofrer prejuízos: *O empresário ficou a arder com a falência.*

ardil **(ar.dil)** [ɐrˈdiɫ] *n.m.* aquilo que se faz para enganar alguém **SIN.** artimanha

ardiloso **(ar.di.lo.so)** [ɐrdiˈlozu] *adj.* manhoso

ardina **(ar.di.na)** [ɐrˈdinɐ] *n.m.* vendedor de jornais (na rua)

ardor **(ar.dor)** [ɐrˈdor] *n.m.* **1** sensação de calor intenso **2** sabor picante

ardósia **(ar.dó.si:a)** [ɐrˈdɔzjɐ] *n.f.* **1** rocha de grão fino e cor cinzenta **2** quadro feito dessa pedra, onde se escreve com giz; lousa

árduo **(ár.du:o)** [ˈardwu] *adj.* que é difícil de fazer ou de suportar **SIN.** cansativo

are **(a.re)** ['ar(ə)] *n.m.* unidade de medida para superfícies agrárias correspondente a 100 m^2

área **(á.re:a)** ['arjɐ] *n.f.* **1** superfície que fica dentro de certos limites **2** medida de uma superfície **3** espaço reservado a uma função específica; **área de serviço** instalação situada junto a uma bomba de gasolina, geralmente na margem de uma autoestrada, que dispõe de serviços de restaurante, lavabos e tabacaria **4** zona delimitada num campo de jogo; **grande área** espaço retangular do campo de futebol onde se encontra a baliza, e na qual as faltas graves originam os penáltis **5** *fig.* zona de influência ou de controlo **6** *fig.* campo de estudo

Não confundir **área** (superfície) com **ária** (peça musical).

areado **(a.re:a.do)** [ɐ'rjadu] *adj.* **1** coberto de areia **2** (açúcar) refinado

areal **(a.re:al)** [ɐ'rjaɫ] *n.m.* **1** grande extensão coberta de areia **2** praia

arear **(a.re:ar)** [ɐ'rjar] *v.* **1** cobrir de areia **2** limpar, esfregando com areia ou algo parecido **3** refinar (açúcar)

areia **(a.rei.a)** [ɐ'rɐjɐ] *n.f.* conjunto de pequenos grãos que se desprenderam das rochas e que se encontram nas praias e nos desertos ♦ **areia(s) movediça(s)** **1** extensão de areia saturada de água que cede facilmente ao peso, permitindo, por isso, que qualquer coisa que lhe passe por cima se enterre nela **2** *fig.* situação delicada; **fazer castelos na areia** fazer planos sem um base firme, podendo, por isso, não se concretizar; **ser muita areia para a camioneta de alguém** ser demasiado para a capacidade de alguém

arejado **(a.re.ja.do)** [ɐrə'ʒadu] *adj.* que tem boa circulação de ar; bem ventilado

arejamento **(a.re.ja.men.to)** [ɐrəʒɐ'mẽtu] *n.m.* renovação do ar num lugar fechado

arejar **(a.re.jar)** [ɐrə'ʒar] *v.* **1** fazer circular o ar (em lugar fechado) **SIN.** ventilar **2** apanhar ar **SIN.** espairecer

arejo **(a.re.jo)** [ɐ'rɐ(j)ʒu] *n.m.* renovação do ar num recinto fechado através de portas ou janelas

arena **(a.re.na)** [ɐ'renɐ] *n.f.* **1** parte central dos anfiteatros romanos **2** espaço circular para touradas e outros espetáculos

arenito **(a.re.ni.to)** [ɐrə'nitu] *n.m.* rocha sedimentar formada por areias ligadas por um cimento natural

arenoso **(a.re.no.so)** [ɐrə'nozu] *adj.* **1** que contém areia **2** semelhante a areia

arenque **(a.ren.que)** [ɐ'rẽk(ə)] *n.m.* peixe comestível, de dorso azulado, que se encontra especialmente nos mares do Norte da Europa

aresta **(a.res.ta)** [ɐ'rɛʃtɐ] *n.f.* **1** ângulo saliente formado pelo encontro de duas superfícies planas ou curvas; esquina **2** linha de interseção de dois planos

arfar **(ar.far)** [ɐr'far] *v.* respirar com dificuldade

argamassa **(ar.ga.mas.sa)** [ɐrgɐ'masɐ] *n.f.* pasta formada por cal ou cimento com areia e água, usada na construção civil

argelino **(ar.ge.li.no)** [ɐrʒə'linu] *adj.* relativo à Argélia ■ *n.m.* **1** pessoa natural da Argélia **2** língua árabe falada na Argélia

argentino **(ar.gen.ti.no)** [ɐrʒẽ'tinu] *adj.* relativo à Argentina ■ *n.m.* pessoa natural da Argentina

argila **(ar.gi.la)** [ɐr'ʒilɐ] *n.f.* rocha sedimentar, de grão muito fino, usada em cerâmica; barro

argiloso **(ar.gi.lo.so)** [ɐrʒi'lozu] *adj.* que contém argila

argola **(ar.go.la)** [ɐr'gɔlɐ] *n.f.* **1** anel de metal ou madeira **2** brinco em forma de anel

argolada **(ar.go.la.da)** [ɐrgu'ladɐ] *n.f.* ação ou dito inoportuno; calinada

arguente **(ar.guen.te)** [ɐr'gwẽt(ə)] *n.2g.* pessoa que argumenta ou objeta a quem defende uma tese

arguido **(ar.gui.do)** [ɐr'gwidu] *n.m.* pessoa que é acusada num processo penal

arguir **(ar.guir)** [ɐr'gwir] *v.* **1** argumentar; alegar **2** acusar; incriminar **3** impugnar; refutar

argumentação **(ar.gu.men.ta.ção)** [ɐrgumẽtɐ'sɐ̃w̃] *n.f.* **1** apresentação de argumentos para defender uma opinião **2** conjunto de ideias com que se defende uma opinião

argumentar **(ar.gu.men.tar)** [ɐrgumẽ'tar] *v.* **1** apresentar ou defender com argumentos **2** apresentar como razão **SIN.** alegar **3** ⟨**+com**⟩ discutir **4** ⟨**+contra**⟩ usar argumentos contra

argumentista **(ar.gu.men.tis.ta)** [ɐrgumẽ'tiʃtɐ] *n.2g.* pessoa que que escreve argumentos para cinema, televisão etc.

argumento **(ar.gu.men.to)** [ɐrgu'mẽtu] *n.m.* **1** ideia ou facto que serve para defender uma opinião **2** tema de um filme, de um livro ou de uma peça de teatro

arguto **(ar.gu.to)** [ɐr'gutu] *adj.* que percebe rapidamente as coisas

ária **(á.ri:a)** ['arjɐ] *n.f.* **1** peça musical **2** cantiga; melodia

Não confundir **ária** (peça musical) com **área** (superfície).

arianismo **(a.ri:a.nis.mo)** [ɐrjɐ'niʒmu] *n.m.* teoria defendida pelo nazismo que afirmava a superioridade dos descendentes do antigo povo ariano (supostamente, europeus de raça pura)

ariano **(a.ri:a.no)** [ɐ'rjɐnu] *n.m.* **1** defensor do arianismo **2** membro dos povos indo-europeus **3** indivíduo nascido sob o signo de Carneiro

aridez **(a.ri.dez)** [ɐri'deʃ] *n.f.* falta de água **SIN.** secura

árido **(á.ri.do)** ['aridu] *adj.* **1** seco **2** estéril

Áries **(Á.ri:es)** ['arjəʃ] *n.m.* ⇒ **carneiro**

arisco **(a.ris.co)** [ɐ'riʃku] *adj.* **1** (pessoa) esquivo; desconfiado **2** (animal) bravio; selvagem

aristocracia **(a.ris.to.cra.ci.a)** [ɐriʃtukrɐ'siɐ] *n.f.* grupo social formado por pessoas que têm títulos como duque, marquês, conde, etc. **SIN.** nobreza

aristocrata **(a.ris.to.cra.ta)** [ɐriʃtu'kratɐ] *n.2g.* pessoa que pertence à aristocracia **SIN.** nobre

aristocrático **(a.ris.to.crá.ti.co)** [ɐriʃtu'kratiku] *adj.* relativo a aristocracia **SIN.** nobre

aritmética **(a.rit.mé.ti.ca)** [ɐri'tmɛtikɐ] *n.f.* parte da matemática que estuda as operações numéricas (soma, subtração, multiplicação, divisão)

aritmético **(a.rit.mé.ti.co)** [ɐri'tmɛtiku] *adj.* relativo a aritmética ▪ *n.m.* especialista em aritmética

arlequim **(ar.le.quim)** [ɐrlə'kĩ] *n.m.* palhaço; bobo

arma **(ar.ma)** ['armɐ] *n.f.* **1** qualquer instrumento de defesa ou ataque **2** *fig.* argumento com que se procura vencer alguém numa discussão ♦ **arma biológica** forma de ataque que utiliza seres vivos ou substâncias derivadas de seres vivos para causar a morte de pessoas, plantas e animais; **arma de destruição maciça** arma química, biológica ou nuclear capaz de causar morte e destruição total; **arma de fogo** instrumento que projeta balas; **arma química** substância asfixiante ou incendiária, usada como ataque à vida humana, animal ou vegetal

armação **(ar.ma.ção)** [ɐrmɐ'sɐ̃w̃] *n.f.* **1** estrutura básica de um objeto ou de uma construção **2** conjunto dos aros e das hastes nos óculos **3** equipamento de um navio

armada **(ar.ma.da)** [ɐr'madɐ] *n.f.* conjunto de navios de guerra

armadilha **(ar.ma.di.lha)** [ɐrmɐ'diʎɐ] *n.f.* **1** objeto ou dispositivo para caçar animais **2** *fig.* plano ou manobra para enganar alguém **SIN.** cilada ♦ **cair na armadilha** ser enganado, deixar-se enganar

armado **(ar.ma.do)** [ɐr'madu] *adj.* **1** que tem arma **2** preparado **3** montado (tenda, móvel, etc.)

armador **(ar.ma.dor)** [ɐrmɐ'dor] *n.m.* **1** aquele que, sendo ou não proprietário, assume diretamente a exploração comercial de um navio **2** agente funerário

armadura **(ar.ma.du.ra)** [ɐrmɐ'durɐ] *n.f.* **1** conjunto de peças metálicas (elmo, couraça, malha, etc.) que protegia o corpo dos antigos guerreiros **2** estrutura (de ferro, madeira, etc.) que sustenta uma construção

armamento **(ar.ma.men.to)** [ɐrmɐ'mẽtu] *n.m.* conjunto de armas e apetrechos de guerra

armanço **(ar.man.ço)** [ɐr'mɐ̃su] *n.m. coloq.* atitude de quem se gaba muito **SIN.** gabarolice

armante **(ar.man.te)** [ɐr'mɐ̃t(ə)] *n.2g.* pessoa que se dá ares de importante **SIN.** gabarola

armar **(ar.mar)** [ɐr'mar] *v.* **1** munir de armas: *armar um grupo terrorista* **2** equipar; aparelhar: *Armou os filhos com material de campismo.* **3** fazer a instalação de (loja, montra, etc.) **4** montar: *Já armei a ratoeira/cama. Já armaram a vossa árvore de Natal?* **5** dar forma volumosa a (cabelo, saia, etc.) **6** *fig.* maquinar; tramar: *armar uma cilada a alguém* ▪ **armar-se 1** ⟨**+com**, **+de**⟩ proteger-se com arma defensiva: *Ele armou-se com uma espingarda.* **2** ⟨**+em**⟩ *coloq.* mostrar-se diferente do que se é para causar uma impressão boa: *Estás-te a armar!*

armário **(ar.má.ri:o)** [ɐr'marju] *n.m.* móvel de madeira ou metal com prateleiras e portas

armazém **(ar.ma.zém)** [ɐrmɐ'ʒɐ̃j̃] *n.m.* **1** lugar onde se guardam mercadorias **2** grande estabelecimento comercial onde se vendem produtos diversos

armazenamento **(ar.ma.ze.na.men.to)** [ɐrmɐzənɐ'mẽtu] *n.m.* **1** depósito ou recolha em armazém **2** conservação (de dados ou ficheiros) num dispositivo eletrónico

armazenar **(ar.ma.ze.nar)** [ɐrmɐzə'nar] *v.* **1** recolher em armazém **2** guardar (dados, ficheiros) num dispositivo eletrónico

arménio **(ar.mé.ni:o)** [ɐr'mɛnju] *adj.* relativo à Arménia ▪ *n.m.* **1** pessoa natural da Arménia **2** língua indo-europeia falada na Arménia

armilar **(ar.mi.lar)** [ɐrmi'lar] *adj.2g.* que tem armilas ou círculos ♦ **esfera armilar** dispositivo formado por arcos de metal que representam círculos da esfera celeste

arminho **(ar.mi.nho)** [ɐr'miɲu] *n.m.* **1** animal mamífero carnívoro das regiões polares, de pelo ruivo no verão e branco no inverno **2** pele desse animal

armistício (ar.mis.tí.ci:o) [ɐrmiʃ'tisju] *n.m.* suspensão de hostilidades entre as partes envolvidas num conflito; trégua

aro (a.ro) ['aru] *n.m.* **1** pequeno círculo; arco **2** proteção circular das rodas de carros, bicicletas, etc. **3** parte da armação dos óculos que rodeia a lente

aroma (a.ro.ma) [ɐ'romɐ] *n.m.* cheiro agradável; perfume

aromaterapia (a.ro.ma.te.ra.pi.a) [ɐromɐtərɐ'piɐ] *n.f.* utilização de óleos ou essências aromáticas para fins medicinais

aromático (a.ro.má.ti.co) [ɐru'matiku] *adj.* **1** que tem aroma **2** que cheira bem

aromatizar (a.ro.ma.ti.zar) [ɐrumɐti'zar] *v.* **1** tornar aromático **SIN.** perfumar **2** temperar; condimentar ▪ **aromatizar-se** impregnar-se de aroma

arpão (ar.pão) [ɐr'pɐ̃w̃] *n.m.* instrumento constituído por um ferro em forma de seta ligado a uma haste de madeira ou metal, usado na pesca de grandes peixes

arpejo (ar.pe.jo) [ɐr'pɐ(j)ʒu] *n.m.* acorde em que as notas são tocadas de modo rápido e sucessivo; harpejo

Arq(a). *abreviatura de* arquiteto(a)

arqueado (ar.que:a.do) [ɐr'kjadu] *adj.* dobrado em forma de arco; curvado

arquear(-se) (ar.que:ar(-se)) [ɐr'kjar(sə)] *v.* dar ou tomar forma de arco

arqueologia (ar.que:o.lo.gi.a) [ɐrkjulu'ʒiɐ] *n.f.* ciência que estuda as civilizações antigas através dos objetos e monumentos descobertos em escavações

arqueológico (ar.que:o.ló.gi.co) [ɐrkju'lɔʒiku] *adj.* **1** relativo a arqueologia **2** muito antigo

arqueólogo (ar.que:ó.lo.go) [ɐr'kjɔlugu] *n.m.* pessoa que se dedica à arqueologia

arquétipo (ar.qué.ti.po) [ɐr'kɛtipu] *n.m.* modelo; protótipo

arquibancada (ar.qui.ban.ca.da) [ɐrkibɐ̃'kadɐ] *n.f.* série de assentos dispostos em filas sucessivas, em vários planos, comum em anfiteatros, estádios ou hemiciclos

arquiduque (ar.qui.du.que) [ɐrki'duk(ə)] *n.m.* ⟨*f.* arquiduquesa⟩ **1** título superior ao de duque **2** pessoa que possui esse título

arquipélago (ar.qui.pé.la.go) [ɐrki'pɛlɐgu] *n.m.* conjunto de ilhas próximas umas das outras

arquitectar (ar.qui.tec.tar) [ɐrkitɛ'tar] *a nova grafia é* **arquitetar**[AO]

arquitecto (ar.qui.tec.to) [ɐrki'tɛtu] *a nova grafia é* **arquiteto**[AO]

arquitectónico (ar.qui.tec.tó.ni.co) [ɐrkitɛ'tɔniku] *a nova grafia é* **arquitetónico**[AO]

arquitectura (ar.qui.tec.tu.ra) [ɐrkitɛ'turɐ] *a nova grafia é* **arquitetura**[AO]

arquitetar (ar.qui.te.tar)[AO] [ɐrkitɛ'tar] *v.* **1** conceber a estrutura de (construção) **SIN.** projetar **2** *fig.* planear; engendrar

arquiteto (ar.qui.te.to)[AO] [ɐrki'tɛtu] *n.m.* profissional, licenciado em arquitetura e inscrito na Ordem dos Arquitetos, que projeta e, por vezes, dirige a construção de edifícios; **arquiteto paisagista** profissional que projeta e/ou organiza os espaços verdes de forma a obter a integração destes no meio físico circundante

arquitetónico (ar.qui.te.tó.ni.co)[AO] [ɐrkitɛ'tɔniku] *adj.* relativo a arquitetura

arquitetura (ar.qui.te.tu.ra)[AO] [ɐrkitɛ'turɐ] *n.f.* **1** arte e técnica de projetar e construir edifícios **2** *fig.* plano; projeto

arquivador (ar.qui.va.dor) [ɐrkivɐ'dor] *n.m.* **1** pasta com separadores para guardar documentos, CD, DVD, etc. **2** móvel com compartimentos para guardar documentos

arquivar (ar.qui.var) [ɐrki'var] *v.* **1** guardar (documentos) em arquivo **2** interromper o prosseguimento de (investigação, processo)

arquivista (ar.qui.vis.ta) [ɐrki'viʃtɐ] *n.2g.* pessoa responsável por um arquivo

arquivo (ar.qui.vo) [ɐr'kivu] *n.m.* **1** conjunto organizado de documentos (manuscritos, livros, fotografias, impressões digitais, etc.) guardados num local, pasta, ficheiro, etc.; **arquivo morto** material documental guardado que raramente é consultado **2** lugar ou edifício onde se guardam esses documentos **3** móvel de metal com gavetas, para guardar documentos

arquivolta (ar.qui.vol.ta) [ɐrki'vɔłtɐ] *n.f.* moldura decorativa que acompanha o arco

arrabaldes (ar.ra.bal.des) [ʀɐ'bałd(ə)ʃ] *n.m.2n.* zona limítrofe de uma cidade; subúrbios

arraial (ar.rai.al) [ʀɐ'jał] *n.m.* festa popular ao ar livre ♦ **assentar arraiais** fixar-se; estabelecer-se

arraia-miúda (ar.rai.a-.mi:ú.da) [ʀajɐ'mjudɐ] *n.f.* ⟨*pl.* arraias-miúdas⟩ *pej.* camada mais baixa da sociedade

arraigado (ar.rai.ga.do) [ʀɐj'gadu] *adj.* **1** (planta) enraizado **2** (pessoa) radicado

arraigar (ar.rai.gar) [ʀɐj'gar] *v.* fazer germinar (planta) fixando a raiz **SIN.** enraizar ▪ **arraigar-se** **1** (planta) enraizar-se **2** (pessoa) estabelecer-se; fixar-se

arrancado (ar.ran.ca.do) [ʀɐ̃'kadu] *adj.* **1** tirado à força **2** obtido com esforço

arrancar (ar.ran.car) [ʀɐ̃'kar] *v.* **1** puxar ou tirar com força **2** obter com esforço **3** sair de repente **4** pôr-se em movimento (veículo)

arranha-céus (**ar.ra.nha-.céus**) [ɐʀɐɲɐ'sɛwʃ] *n.m.2n.* edifício muito alto, com muitos andares

arranhadela (**ar.ra.nha.de.la**) [ɐʀɐɲɐ'dɛlɐ] *n.f.* marca na pele feita com as unhas ou com um objeto pontiagudo

arranhão (**ar.ra.nhão**) [ɐʀɐ'ɲɐ̃w̃] *n.m.* ferimento superficial

arranhar (**ar.ra.nhar**) [ɐʀɐ'ɲar] *v.* **1** ferir (a pele) com as unhas ou com objeto pontiagudo **2** fazer risco em **3** *fig.* conhecer mal (idioma, disciplina) **4** *fig.* tocar mal (instrumento musical)

arranjado (**ar.ran.ja.do**) [ɐʀɐ̃'ʒadu] *adj.* **1** que se consertou **SIN.** reparado **2** que está pronto **SIN.** preparado **3** organizado; arrumado **4** combinado; decidido ◆ *irón.* **estar bem arranjado** estar numa situação difícil

arranjar (**ar.ran.jar**) [ɐʀɐ̃'ʒar] *v.* **1** dispor de forma adequada **SIN.** arrumar **2** conseguir; obter: *Estás a tentar arranjar emprego? Conseguiu arranjar um exemplar.* **3** fazer a reparação de **SIN.** consertar **4** cuidar da aparência de **SIN.** aprontar **5** tratar e embelezar (cabelo, unhas, etc.) **6** preparar (refeição) ■ **arranjar-se 1** governar-se: *Eu cá me arranjo!* **2** ⟨**+para**⟩ vestir-se, preparar-se para sair

arranjinho (**ar.ran.ji.nho**) [ɐʀɐ̃'ʒiɲu] *n.m.* **1** *coloq.* combinação **2** *coloq.* namoro

arranjo (**ar.ran.jo**) [ɐ'ʀɐ̃ʒu] *n.m.* **1** arrumação **2** conserto **3** preparação

arranque (**ar.ran.que**) [ɐ'ʀɐ̃k(ə)] *n.m.* **1** impulso (de um motor, de uma máquina) **2** partida súbita e rápida (de um veículo)

arrasado (**ar.ra.sa.do**) [ɐʀɐ'zadu] *adj.* **1** destruído **2** *fig.* muito cansado

arrasar (**ar.ra.sar**) [ɐʀɐ'zar] *v.* **1** destruir **2** *fig.* cansar muito

arrastadeira (**ar.ras.ta.dei.ra**) [ɐʀɐʃtɐ'dɐjrɐ] *n.f.* recipiente achatado que serve para as pessoas acamadas fazerem as suas necessidades

arrastado (**ar.ras.ta.do**) [ɐʀɐʃ'tadu] *adj.* **1** levado ou trazido pelo chão **2** conduzido à força; obrigado **3** *fig.* que demora muito tempo; feito com lentidão

arrastão (**ar.ras.tão**) [ɐʀɐʃ'tɐ̃w̃] *n.m.* **1** puxão violento **2** barco de pesca que utiliza uma rede em forma de saco que é arrastada ao longo do fundo do mar

arrastar (**ar.ras.tar**) [ɐʀɐʃ'tar] *v.* **1** puxar ou mover com dificuldade: *Ele estava a arrastar uma mala pesada.* **2** roçar pelo chão: *Estás a arrastar o casaco no chão.* **3** conduzir à força: *O barco foi arrastado pela corrente.* **4** pronunciar lentamente: *Ele arrasta as palavras.* **5** levar atrás de si: *Onde quer que fosse, arrastava multidões.* ■ **arrastar-se 1** ⟨**+por**⟩ deslizar pelo chão **SIN.** rastejar **2** ⟨**+por**⟩ mover-se com dificuldade **3** ⟨**+por**⟩ decorrer lentamente: *O caso arrastou-se nos tribunais.* **SIN.** prolongar-se

arre (**ar.re**) ['aʀ(ə)] *interj.* exprime impaciência, aborrecimento ou irritação

arrear (**ar.re:ar**) [ɐ'ʀjar] *v.* **1** pôr arreios em (animal) **SIN.** aparelhar **2** *coloq.* enfeitar; adornar

arrebatado (**ar.re.ba.ta.do**) [ɐʀəbɐ'tadu] *adj.* **1** que se deixa levar pelos sentimentos; impulsivo **2** que se precipita; imprudente

arrebatador (**ar.re.ba.ta.dor**) [ɐʀəbɐtɐ'dor] *adj.* **1** violento **2** que entusiasma

arrebatar (**ar.re.ba.tar**) [ɐʀəbɐ'tar] *v.* **1** puxar ou tirar com violência **2** causar entusiasmo a

arrebitado (**ar.re.bi.ta.do**) [ɐʀəbi'tadu] *adj.* **1** que tem a ponta virada para cima **2** *fig.* vivo; esperto

arrebitar (**ar.re.bi.tar**) [ɐʀəbi'tar] *v.* virar para cima ■ **arrebitar-se** tornar-se esperto e ativo

arrecadação (**ar.re.ca.da.ção**) [ɐʀəkɐdɐ'sɐ̃w̃] *n.f.* lugar onde se guarda alguma coisa; arrumos

arrecadar (**ar.re.ca.dar**) [ɐʀəkɐ'dar] *v.* **1** guardar **2** economizar

arrecuas (**ar.re.cu.as**) [ɐʀə'kuɐʃ] *elem. da loc.* **às arrecuas** movendo-se para trás; recuando

arredado (**ar.re.da.do**) [ɐʀə'dadu] *adj.* **1** afastado; desviado **2** distante; remoto

arredar(-se) (**ar.re.dar(-se)**) [ɐʀə'dar(sə)] *v.* **1** ⟨**+de**⟩ afastar(-se); desviar(-se) **2** ⟨**+de**⟩ dissuadir(-se); demover(-se)

arredondado (**ar.re.don.da.do**) [ɐʀədõ'dadu] *adj.* **1** de forma redonda; circular **2** diz-se do número ou valor aproximado de outro

arredondamento (**ar.re.don.da.men.to**) [ɐʀədõdɐ'mẽtu] *n.m.* **1** ato de tornar redondo **2** representação aproximada de um número em que se não se consideram os algarismos posteriores a uma certa ordem decimal

arredondar (**ar.re.don.dar**) [ɐʀədõ'dar] *v.* **1** tornar redondo **2** tornar exato (um valor) acrescentando ou tirando uma pequena parte

arredores (**ar.re.do.res**) [ɐʀə'dɔrəʃ] *n.m.pl.* região em volta de uma cidade, vila, etc.; proximidades

arrefecer (**ar.re.fe.cer**) [ɐʀəfɛ'ser] *v.* **1** tornar frio **2** fazer perder o entusiasmo **3** ficar frio **4** *fig.* perder o entusiasmo

arrefecimento (**ar.re.fe.ci.men.to**) [ɐʀəfesi'mẽtu] *n.m.* **1** perda de calor **2** *fig.* perda do entusiasmo

arregaçar (**ar.re.ga.çar**) [ɐʀəgɐ'sar] *v.* puxar para cima (uma peça de roupa)

arregalar (**ar.re.ga.lar**) [ɐʀəgɐ'lar] *v.* abrir muito (os olhos) com espanto ou admiração

arreganhar (**ar.re.ga.nhar**) [ɐʀəgɐ'ɲar] *v.* mostrar (os dentes)

arreios (ar.rei.os) [ɐ'ʀɐjuʃ] *n.m.pl.* conjunto de peças com que se prepara o cavalo para ser montado

arrelia (ar.re.li.a) [ɐʀə'liɐ] *n.f.* **1** zanga; irritação **2** contrariedade

arreliar(-se) (ar.re.li:ar(-se)) [ɐʀə'ljar(sə)] *v.* ⟨**+com**⟩ aborrecer(-se); irritar(-se)

arrematar (ar.re.ma.tar) [ɐʀəmɐ'tar] *v.* **1** comprar em hasta pública **2** declarar vendido (objeto) em hasta pública

arremessar (ar.re.mes.sar) [ɐʀəmə'sar] *v.* atirar com força para longe; lançar

arremesso (ar.re.mes.so) [ɐʀə'mesu] *n.m.* lançamento (de alguma coisa) com força e para longe

arremeter (ar.re.me.ter) [ɐʀəmə'ter] *v.* **1** lançar-se de modo violento **2** atiçar (animal)

arrendamento (ar.ren.da.men.to) [ɐʀẽdɐ'mẽtu] *n.m.* acordo entre duas partes em que uma cede à outra o uso de uma casa, um quarto, etc. durante um tempo, por um dado preço

arrendar (ar.ren.dar) [ɐʀẽ'dar] *v.* ⟨**+a**, **+de**⟩ [uso generalizado] ceder o uso ou usar (um bem) temporariamente e mediante pagamento: *Ele arrendou uma casa na praia.*

Em geral, o verbo **arrendar** e o verbo **alugar** são usados como sinónimos. Mas, em linguagem jurídica, **arrendar** usa-se com bens imóveis (apartamentos, prédios) enquanto **alugar** diz respeito a bens móveis (carros, filmes, etc.).

---

arrendatário (ar.ren.da.tá.ri:o) [ɐʀẽdɐ'tarju] *n.m.* pessoa que toma de arrendamento; inquilino

arrepender-se (ar.re.pen.der-.se) [ɐʀəpẽ'ders(ə)] *v.* ⟨**+de**⟩ sentir-se triste por ter feito algo de mal

arrependido (ar.re.pen.di.do) [ɐʀəpẽ'didu] *adj.* que se sente triste por ter procedido mal

arrependimento (ar.re.pen.di.men.to) [ɐʀəpẽdi'mẽtu] *n.m.* sentimento de tristeza que uma pessoa sente quando fez algo de mal

arrepiado (ar.re.pi:a.do) [ɐʀə'pjadu] *adj.* **1** diz-se do pelo que está em pé; eriçado **2** que sente frio ou medo; assustado

arrepiante (ar.re.pi:an.te) [ɐʀə'pjɐ̃t(ə)] *adj.2g.* **1** que causa arrepio(s) **2** assustador

arrepiar (ar.re.pi:ar) [ɐʀə'pjar] *v.* **1** fazer eriçar (pelo, cabelo) **2** fazer (alguém) tremer de frio ou de medo ■ **arrepiar-se 1** ⟨**+com**, **+de**⟩ sentir calafrios **2** ⟨**+com**⟩ horrorizar-se

arrepio (ar.re.pi.o) [ɐʀə'piu] *n.m.* tremor causado por medo ou por frio

arriar (ar.ri:ar) [ɐ'ʀjar] *v.* **1** abaixar; descer (vela, bandeira) **2** ceder **3** *coloq.* bater em (alguém)

arribação (ar.ri.ba.ção) [ɐʀibɐ'sɐ̃w̃] *n.f.* deslocamento de animais, sobretudo aves, de uma região para outra em determinadas épocas do ano

arriscado (ar.ris.ca.do) [ɐʀiʃ'kadu] *adj.* perigoso

arriscar(-se) (ar.ris.car(-se)) [ɐʀiʃ'kar(sə)] *v.* **1** pôr em risco ou correr risco(s) **2** ⟨**+a**⟩ aventurar(-se) ◆ **quem não arrisca não petisca** quem não tenta, nunca há de conseguir alcançar o que deseja

arritmia (ar.rit.mi.a) [ɐʀi'tmiɐ] *n.f.* irregularidade do batimento cardíaco

arroba (ar.ro.ba) [ɐ'ʀobɐ] *n.f.* **1** peso de quinze quilos **2** sinal gráfico @ usado para separar o nome do utilizador do endereço no correio eletrónico

arrogância (ar.ro.gân.ci:a) [ɐʀu'gɐ̃sjɐ] *n.f.* sentimento de quem se sente superior em relação às outras pessoas e as despreza SIN. altivez

arrogante (ar.ro.gan.te) [ɐʀu'gɐ̃t(ə)] *adj.2g.* que se acha superior aos outros e os trata com desprezo SIN. altivo

arrojado (ar.ro.ja.do) [ɐʀu'ʒadu] *adj.* que tem ousadia ou coragem; atrevido

arrojo (ar.ro.jo) [ɐ'ʀoʒu] *n.m.* ousadia; atrevimento

arrolhar (ar.ro.lhar) [ɐʀu'ʎar] *v.* meter rolha em

arromba (ar.rom.ba) [ɐ'ʀõbɐ] *elem. da loc.* **de arromba** excelente; sensacional

arrombamento (ar.rom.ba.men.to) [ɐʀõbɐ'mẽtu] *n.m.* abertura forçada (de porta, janela, etc.)

arrombar (ar.rom.bar) [ɐʀõ'bar] *v.* abrir à força

arrotar (ar.ro.tar) [ɐʀu'tar] *v.* **1** ⟨**+a**⟩ emitir (gases do estômago) pela boca: *Arrotou (a alho).* **2** *coloq.* pagar: *Arrotei 20 euros.*

arroto (ar.ro.to) [ɐ'ʀotu] *n.m.* expulsão ruidosa de gases do estômago pela boca

arroz (ar.roz) [ɐ'ʀoʃ] *n.m.* **1** planta cultivada, em geral, nas regiões pantanosas **2** grão dessa planta muito utilizado na alimentação **3** refeição preparada com grãos dessa planta; **arroz malandro** arroz cozinhado com bastante calda

arrozal (ar.ro.zal) [ɐʀu'zał] *n.m.* plantação de arroz

arroz-doce (ar.roz-.do.ce) [ɐʀoʒ'dos(ə)] *n.m.* doce feito com arroz cozido em leite, a que se junta açúcar, gemas de ovos, casca de limão e canela

arruaceiro (ar.ru:a.cei.ro) [ɐʀwɐ'sɐjru] *n.m.* pessoa que promove ou participa em briga(s) de rua

arruamento (ar.ru:a.men.to) [ɐʀwɐ'mẽtu] *n.m.* **1** alinhamento ou disposição das ruas **2** conjunto de ruas

arrufada (ar.ru.fa.da) [ɐʀu'fadɐ] *n.f.* pequeno bolo tradicional da região de Coimbra feito com massa tipo brioche

arruinado **(ar.ru:i.na.do)** [ɐʀwi'nadu] *adj.* **1** que está em ruínas; destruído **2** que perdeu todo os bens ou a fortuna; falido

arruinar **(ar.ru:i.nar)** [ɐʀwi'nar] *v.* **1** causar ruína a **2** levar à miséria

arruivado **(ar.rui.va.do)** [ɐʀuj'vadu] *adj.* ligeiramente ruivo

arrulhar **(ar.ru.lhar)** [ɐʀu'ʎar] *v.* **1** cantar como os pombos ou as rolas **2** *fig.* dizer palavras doces

arrumação **(ar.ru.ma.ção)** [ɐʀumɐ'sɐ̃w̃] *n.f.* **1** ato ou efeito de arrumar **2** boa disposição de objetos num dado espaço; ordem

arrumadela **(ar.ru.ma.de.la)** [ɐʀumɐ'dɛlɐ] *n.f.* arrumação ligeira ou feita à pressa

arrumado **(ar.ru.ma.do)** [ɐʀu'madu] *adj.* **1** bem organizado; posto em ordem **2** vestido e arranjado **3** *coloq.* posto de parte ♦ *coloq.* **estar/ficar arrumado** estar numa situação difícil

arrumador **(ar.ru.ma.dor)** [ɐʀumɐ'dor] *n.m.* **1** homem que indica os lugares disponíveis para estacionamento **2** aquele que indica os lugares aos espectadores nas salas de espetáculo

arrumar **(ar.ru.mar)** [ɐʀu'mar] *v.* **1** pôr em ordem; organizar **2** preparar

arrumo **(ar.ru.mo)** [ɐ'ʀumu] *n.m.* ordem; arrumação ■ **arrumos** *n.m.pl.* quarto de arrumações

arsenal **(ar.se.nal)** [ɐrsə'nał] *n.m.* lugar onde se fabricam e guardam armas e munições de guerra

arsénico **(ar.sé.ni.co)** [ɐr'sɛniku] *n.m.* composto de arsénio, branco e muito tóxico e venenoso

arsénio **(ar.sé.ni:o)** [ɐr'sɛnju] *n.m.* elemento químico com o número atómico 33, e símbolo As, de cor cinzenta e brilho metálico, que entra na composição de ligas metálicas

arte **(ar.te)** ['art(ə)] *n.f.* **1** atividade humana que consiste em interpretar a realidade ou expressar ideias através da pintura, escultura, literatura, música, dança, teatro, etc.; **artes plásticas** todas as artes que privilegiam o impacto visual (desenho, pintura, gravura, escultura, arquitetura, etc.) **2** obras que resultam dessa atividade **3** habilidade para fazer algo SIN. jeito ♦ **por artes mágicas** de forma misteriosa; **sétima arte** cinema

artefacto **(ar.te.fac.to)** [ɐrtə'faktu] *n.m.* objeto produzido por trabalho mecânico ou manual

artéria **(ar.té.ri:a)** [ɐr'tɛrjɐ] *n.f.* **1** vaso que conduz sangue do coração para as diversas partes do corpo **2** *fig.* grande via de comunicação; avenida

arterial **(ar.te.ri:al)** [ɐrtə'rjał] *adj.2g.* relativo a artéria

arteriosclerose **(ar.te.ri:os.cle.ro.se)** [ɐrtɛrjɔʃklə'rɔz(ə)] *n.f.* endurecimento das paredes das artérias

artesanal **(ar.te.sa.nal)** [ɐrtəzɐ'nał] *adj.2g.* **1** fabricado por artesão **2** feito à mão; manual

artesanato **(ar.te.sa.na.to)** [ɐrtəzɐ'natu] *n.m.* **1** fabrico de objetos de forma tradicional, com as mãos, sem usar máquinas **2** 👁 conjunto de objetos assim fabricados

artesão **(ar.te.são)** [ɐrtə'zɐ̃w̃] *n.m.* ⟨*f.* artesã, *pl.* artesãos⟩ pessoa que faz objetos à mão, seguindo métodos tradicionais

ártico **(ár.ti.co)**[AO] ['artiku] *adj.* **1** relativo ao Polo Norte **2** situado no norte; boreal; setentrional ■ **Ártico** *n.m.* oceano situado no Polo Norte

articulação **(ar.ti.cu.la.ção)** [ɐrtikulɐ'sɐ̃w̃] *n.f.* **1** junção natural de dois ou mais ossos **2** emissão dos sons e das palavras

articulado **(ar.ti.cu.la.do)** [ɐrtiku'ladu] *adj.* **1** que tem uma ou mais articulações **2** que está unido; ligado **3** dito com clareza

articular **(ar.ti.cu.lar)** [ɐrtiku'lar] *v.* **1** unir; ligar **2** dizer; pronunciar

artífice **(ar.tí.fi.ce)** [ɐr'tifi(sə)] *n.2g.* ⇒ **artesão**

artificial **(ar.ti.fi.ci:al)** [ɐrtifi'sjał] *adj.2g.* **1** que não é natural; fingido **2** que é produzido pelo homem, e não pela natureza

artificialidade **(ar.ti.fi.ci:a.li.da.de)** [ɐrtifisjɐli'dad(ə)] *n.f.* **1** qualidade daquilo que é artificial **2** (de pessoa) falta de naturalidade; afetação

artifício **(ar.ti.fí.ci:o)** [ɐrti'fisju] *n.m.* **1** procedimento que procura corrigir ou disfarçar o que é natural **2** processo ou recurso engenhoso

artigo **(ar.ti.go)** [ɐr'tigu] *n.m.* **1** texto de jornal ou revista, geralmente maior do que a notícia; **artigo de fundo** artigo, normalmente introduzido na primeira página de um jornal, da autoria do seu diretor **2** cada uma das divisões, numeradas ou não, de um texto, livro, etc. **3** produto posto à venda SIN. mercadoria **4** palavra que varia em género e em número e vem sempre antes do nome; **artigo definido** palavra que refere um ser específico (pessoa, animal ou coisa) entre diversos da mesma espécie; **artigo indefinido** palavra que refere um ser indeterminado (não específico) entre outros da mesma espécie **5** conjunto de informações de uma entrada de um dicionário

artilharia (ar.ti.lha.ri.a) [ɐrtiʎɐ'riɐ] *n.f.* conjunto de máquinas de guerra que servem para disparar a grande distância (canhões, obuses, lança-mísseis, etc.)

artimanha (ar.ti.ma.nha) [ɐrti'mɐɲɐ] *n.f.* aquilo que se faz para enganar alguém **SIN.** ardil

artista (ar.tis.ta) [ɐr'tiʃtɐ] *n.2g.* **1** pessoa que se dedica às artes como profissão **2** pessoa que interpreta papéis em teatro, cinema, televisão ou rádio **3** *fig.* pessoa com muito talento numa dada atividade

artístico (ar.tís.ti.co) [ɐr'tiʃtiku] *adj.* **1** próprio de artista **2** feito com perfeição

artrite (ar.tri.te) [ɐr'trit(ə)] *n.f.* inflamação de uma articulação

artrópode (ar.tró.po.de) [ɐr'trɔpud(ə)] *n.m.* animal invertebrado com o corpo segmentado e membros articulados em número par (como os insetos, por exemplo)

artrose (ar.tro.se) [ɐr'trɔz(ə)] *n.f.* processo degenerativo de uma articulação

arvorar (ar.vo.rar) [ɐrvu'rar] *v.* içar; hastear (bandeira)

árvore (ár.vo.re) ['arvur(ə)] *n.f.* planta grande com tronco grosso, duro e alto, do qual nascem ramos e folhas a certa altura do solo ◆ **árvore de Natal** pinheiro natural ou artificial que se decora com bolas, lâmpadas, fitas e outros enfeites na época do Natal; **árvore genealógica** esquema em forma de árvore que indica a descendência de uma família através de gerações sucessivas, ou o grau de parentesco de diferentes grupos de seres vivos

arvoredo (ar.vo.re.do) [ɐrvu'redu] *n.m.* conjunto de árvores

ás (ás) ['aʃ] *n.m.* **1** carta de jogar, peça do dominó ou face de dado que tem uma pinta **2** pessoa muito competente na sua especialidade

asa (a.sa) ['azɐ] *n.f.* **1** membro do corpo de um animal, que serve para voar **2** parte de alguns utensílios, pela qual se lhes pega **3** plano lateral do avião ◆ **arrastar a asa** cortejar (alguém); **dar asas à imaginação** libertar a criatividade ou a capacidade imaginativa

asa-delta (a.sa-.del.ta) [azɐ'dɛɫtɐ] *n.f.* ⟨*pl.* asas--deltas⟩ **1** estrutura não motorizada para um só praticante, formada por uma armação em forma de triângulo, coberta de tecido fino, que plana no ar **2** desporto que consiste em planar sem motor ou leme com essa estrutura; voo livre

ASAE [a'zaj] *sigla de* Autoridade de Segurança Alimentar e Económica

ascendência (as.cen.dên.ci:a) [ɐʃsẽ'dẽsjɐ] *n.f.* **1** movimento ou direção para cima; subida **2** linha das gerações anteriores de um indivíduo ou de uma família

ascendente (as.cen.den.te) [ɐʃsẽ'dẽt(ə)] *adj.2g.* que sobe ■ *n.2g.* pessoa de quem um indivíduo descende; antepassado

ascender (as.cen.der) [ɐʃsẽ'der] *v.* **1** subir **2** ⟨**+a**⟩ chegar a: *A despesa total ascende a alguns milhões.* **3** ⟨**+a**⟩ ser promovido: *ascender aos mais altos cargos*

ascensão (as.cen.são) [ɐʃsẽ'sɐ̃w̃] *n.f.* **1** subida **2** promoção

ascensor (as.cen.sor) [ɐʃsẽ'sor] *n.m.* aparelho mecânico que transporta pessoas ou cargas para um andar superior ou inferior **SIN.** elevador

asceta (as.ce.ta) [aʃ'sɛtɐ] *n.2g.* **1** pessoa que procura o aperfeiçoamento espiritual através da prática de renúncia **2** pessoa que leva uma vida austera

asco (as.co) ['aʃku] *n.m.* aversão; nojo

aselha (a.se.lha) [ɐ'zɐ(j)ʎɐ] *adj.,n.2g. pej.* que ou pessoa que é desajeitada

asfaltado (as.fal.ta.do) [ɐʃfaɫ'tadu] *adj.* coberto de asfalto

asfaltar (as.fal.tar) [ɐʃfaɫ'tar] *v.* cobrir (estrada, rua) com asfalto

asfalto (as.fal.to) [ɐʃ'faɫtu] *n.m.* **1** substância espessa e viscosa, negra ou muito escura, utilizada para pavimentar ruas **2** superfície revestida por esta substância

asfixia (as.fi.xi.a) [ɐʃfi'ksiɐ] *n.f.* dificuldade ou impossibilidade de respirar **SIN.** sufocação

asfixiado (as.fi.xi:a.do) [ɐʃfi'ksjadu] *adj.* que não consegue respirar **SIN.** sufocado

asfixiante (as.fi.xi:an.te) [ɐʃfi'ksjɐ̃t(ə)] *adj.2g.* que não deixa respirar **SIN.** sufocante

asfixiar (as.fi.xi:ar) [ɐʃfi'ksjar] *v.* **1** impedir a respiração **SIN.** sufocar **2** não conseguir respirar

asiático (a.si:á.ti.co) [ɐ'zjatiku] *adj.* pertencente ou relativo à Ásia ■ *n.m.* natural ou habitante da Ásia

asilar(-se) (a.si.lar(-se)) [ɐzi'lar(sə)] *v.* ⟨**+em**⟩ dar ou obter asilo ou proteção **SIN.** abrigar(-se)

asilo (a.si.lo) [ɐ'zilu] *n.m.* **1** estabelecimento de caridade para acolher pessoas necessitadas **2** lugar de refúgio

asinino (a.si.ni.no) [ɐsi'ninu] *adj.* **1** próprio de burro ou jumento **2** *fig.* estúpido

asma (as.ma) ['aʒmɐ] *n.f.* doença caracterizada por dificuldade de respiração

asmático (as.má.ti.co) [ɐʒ'matiku] *adj.,n.m.* que ou aquele que sofre de asma

asneira (as.nei.ra) [ɐʒ'nɐjrɐ] *n.f.* **1** ato ou dito disparatado; tolice **2** dito obsceno, grosseiro ou ofensivo; palavrão

asno (as.no) ['aʒnu] *n.m.* **1** burro (animal) **2** *fig.* pessoa estúpida ou ignorante

aspas (as.pas) ['aʃpɐʃ] *n.f.pl.* sinal gráfico « » que se utiliza para destacar uma ou mais palavras ou para referir as palavras de alguém **SIN.** comas

aspecto (as.pec.to) [ɐʃ'pɛtu] *a nova grafia é* **aspeto**[AO]

aspereza (as.pe.re.za) [ɐʃpə'rezɐ] *n.f.* **1** qualidade do que é áspero **2** *fig.* rispidez; severidade

áspero (ás.pe.ro) ['aʃpəru] *adj.* **1** que não é liso nem macio **ANT.** macio **2** desagradável ao tato ou ao ouvido **3** *fig.* ríspido; severo

aspérrimo (as.pér.ri.mo) [ɐʃ'pɛʀimu] ⟨*superl. de* áspero⟩ *adj.* muito áspero

aspeto (as.pe.to)[AO] [ɐʃ'pɛtu] *n.m.* **1** forma que uma pessoa ou um objeto apresenta à vista; aparência **2** cada uma das faces através das quais algo pode ser visto; lado **3** ponto de vista

aspiração (as.pi.ra.ção) [ɐʃpirɐ'sɐ̃w̃] *n.f.* **1** absorção de ar com aparelho de sucção (aspirador) **2** *fig.* desejo profundo de atingir alguma coisa; sonho

aspirador (as.pi.ra.dor) [ɐʃpirɐ'dor] *n.m.* aparelho usado para aspirar (pó, líquidos, etc.) por meio de sucção

aspirante (as.pi.ran.te) [ɐʃpi'rɐ̃t(ə)] *n.2g.* **1** candidato (a um título, cargo ou função) **2** militar que ocupa o posto imediatamente superior ao de sargento

aspirar (as.pi.rar) [ɐʃpi'rar] *v.* **1** atrair (pó, líquidos) para dentro de um aparelho de sucção **2** introduzir (ar) nos pulmões **SIN.** inspirar **3** ⟨+a⟩ desejar muito: *Ela aspira a ser bailarina.*

aspirina (as.pi.ri.na) [ɐʃpi'rinɐ] *n.f.* medicamento em forma de comprimido, utilizado para combater as dores e a febre

asqueroso (as.que.ro.so) [ɐʃkə'rozu] *adj.* **1** repugnante **2** imundo

assadeira (as.sa.dei.ra) [ɐsɐ'dɐjrɐ] *n.f.* utensílio de cozinha, feito de louça, vidro ou barro, para assar alimentos

assado (as.sa.do) [ɐ'sadu] *adj.* **1** cozinhado no forno ou diretamente sobre o fogo **2** tostado; queimado **3** *coloq.* de cor avermelhada devido a calor ou fricção ■ *n.m.* refeição de carne ou peixe preparada no forno com pouco ou nenhum molho ♦ **assim e assado** desta maneira e daquela; **meter-se em assados** procurar voluntariamente dificuldades

assador (as.sa.dor) [ɐsɐ'dor] *n.m.* **1** aquele que assa **2** utensílio de metal ou barro que serve para assar alimentos

assalariado (as.sa.la.ri:a.do) [ɐsɐlɐ'rjadu] *n.m.* pessoa que recebe um salário pelo seu trabalho

assalariar (as.sa.la.ri:ar) [ɐsɐlɐ'rjar] *v.* **1** pagar (salário) **2** contratar; empregar

assaltante (as.sal.tan.te) [ɐsał'tɐ̃t(ə)] *n.2g.* pessoa que faz assaltos ou roubos

assaltar (as.sal.tar) [ɐsał'tar] *v.* **1** atacar de repente **2** atacar de surpresa para roubar

assalto (as.sal.to) [ɐ'sałtu] *n.m.* **1** ataque repentino **2** ataque de surpresa com o objetivo de roubar

assanhado (as.sa.nha.do) [ɐsɐ'ɲadu] *adj.* diz-se do animal enfurecido (sobretudo o gato)

assanhar(-se) (as.sa.nhar(-se)) [ɐsɐ'ɲar(sə)] *v.* **1** irritar(-se); enfurecer(-se) **2** estimular(-se); exacerbar(-se)

assante (as.san.te) [ɐ'sɐ̃t(ə)] *interj.* [MOÇ.] exprime alegria e agradecimento

assapar (as.sa.par) [ɐsɐ'par] *v.* fazer baixar

assar (as.sar) [ɐ'sar] *v.* **1** cozinhar (alimento) no calor do fogo ou do forno; tostar **2** causar muito calor; queimar

assarapantado (as.sa.ra.pan.ta.do) [ɐsɐrɐpɐ̃'tadu] *adj.* **1** pasmado; espantado **2** assustado; atrapalhado

assarapantar (as.sa.ra.pan.tar) [ɐsɐrɐpɐ̃'tar] *v. coloq.* causar espanto a (alguém); assustar ■ **assarapantar-se** ficar espantado ou surpreendido

assassinado (as.sas.si.na.do) [ɐsɐsi'nadu] *adj.* morto por assassinato

assassinar (as.sas.si.nar) [ɐsɐsi'nar] *v.* **1** matar (alguém) com intenção **2** *fig.* destruir

assassinato (as.sas.si.na.to) [ɐsɐsi'natu] *n.m.* ato de matar alguém com intenção **SIN.** homicídio

assassínio (as.sas.sí.ni:o) [ɐsɐ'sinju] *n.m.* ⇒ **assassinato**

assassino (as.sas.si.no) [ɐsɐ'sinu] *n.m.* pessoa que mata outra de forma premeditada **SIN.** homicida

asseado (as.se:a.do) [ɐ'sjadu] *adj.* **1** que tem ou revela asseio; limpo **2** que é feito com cuidado e perfeição; esmerado

assear(-se) (as.se:ar(-se)) [ɐ'sjar(sə)] *v.* **1** limpar(-se); lavar(-se) **2** arranjar(-se) com esmero

assediar (as.se.di:ar) [ɐsə'djar] *v.* **1** pôr cerco a **SIN.** cercar **2** *fig.* insistir de forma impertinente

assédio (as.sé.di:o) [ɐ'sɛdju] *n.m.* **1** disposição de sinais ou de forças militares em torno de um local com o objetivo de exercer domínio; cerco; sítio **2** *fig.* sugestão, insistência ou perseguição constantes em relação a alguém ♦ **assédio moral** pressão psicológica exercida sobre alguém com quem se tem uma relação de poder; **assédio sexual** conjunto de atos ou comportamentos de uma pessoa que ameaçam outra a nível sexual

assegurado (as.se.gu.ra.do) [ɐsəgu'radu] *adj.* **1** que se confirmou com certeza; garantido **2** que se convenceu; convencido

assegurar (as.se.gu.rar) [ɐsəgu'rar] *v.* **1** tornar (algo) garantido: *Aquele golo assegurou-lhes a vitória.* **SIN.** garantir **2** afirmar com segurança: *Ele assegurou-me que viria hoje à noite.* **SIN.** asseverar ■ **assegurar-se** ⟨+de⟩ adquirir certeza: *Assegura-te de que todas as portas estão fechadas.* **SIN.** certificar-se

asseio (as.sei.o) [ɐ'sɐju] *n.m.* qualidade do que é limpo **SIN.** limpeza

assembleia (as.sem.blei.a) [ɐsẽ'blɐjɐ] *n.f.* **1** reunião de pessoas com o objetivo de discutir e resolver determinado(s) assunto(s) **2** local onde se reúnem as pessoas para discutir vários problemas ♦ **Assembleia da República** instituição formada por deputados eleitos pelos cidadãos que tem por função elaborar e aprovar as leis que regem o país; parlamento

A saber que a **Assembleia da República**, órgão representativo de todos os cidadãos portugueses, é constituído atualmente por 230 deputados, eleitos por sufrágio universal e direto dos cidadãos eleitores recenseados no território nacional e no estrangeiro.

assemelhar (as.se.me.lhar) [ɐsəmə'ʎar] *v.* **1** tornar semelhante **2** julgar semelhante; comparar ■ **assemelhar-se** ⟨+a⟩ ser semelhante a; parecer-se com: *Ele assemelha-se muito ao pai.*

assentada (as.sen.ta.da) [ɐsẽ'tadɐ] *n.f.* vez; ocasião ♦ **de uma assentada** de uma (só) vez; sem interrupção

assentado (as.sen.ta.do) [ɐsẽ'tadu] *adj.* **1** que está sentado **2** fixado sobre uma base **3** que se decidiu; resolvido **4** pousado sobre uma superfície; depositado

assentar (as.sen.tar) [ɐsẽ'tar] *v.* **1** colocar sobre assento **SIN.** sentar **2** colocar no devido lugar **3** tomar nota **SIN.** registar **4** montar (estrutura, construção) **5** pousar (pó, poeira) sobre o chão ou outra superfície **6** ajustar-se (peça de roupa) ao corpo de (alguém) **SIN.** cair **7** *coloq.* tornar-se sensato

assente (as.sen.te) [ɐ'sẽt(ə)] *adj.2g.* **1** pousado; apoiado **2** decidido; resolvido

assentimento (as.sen.ti.men.to) [ɐsẽti'mẽtu] *n.m.* **1** consentimento **2** acordo **3** adesão

assentir (as.sen.tir) [ɐsẽ'tir] *v.* ⟨+em⟩ concordar: *Ele assentiu em deixá-lo sair.*

assento (as.sen.to) [ɐ'sẽtu] *n.m.* **1** superfície ou objeto sobre o qual alguém se senta **2** parte de cadeira, sofá, poltrona, etc., que fica na horizontal e onde uma pessoa se senta

Não confundir **assento** (lugar para sentar) com **acento** (sinal ortográfico).

assepsia (as.sep.si.a) [ɐsɛ'psiɐ] *n.f.* **1** ausência de infeção ou de agentes infeciosos no organismo **2** limpeza extrema

asséptico (as.sép.ti.co)[AO] [ɐ'sɛptiku] ou **assético**[AO] *adj.* **1** livre de agentes infeciosos **2** extremamente limpo

asserção (as.ser.ção) [ɐsər'sɐ̃w̃] *n.f.* **1** afirmação **2** alegação

assessor (as.ses.sor) [ɐsə'sor] *n.m.* aquele que auxilia alguém no exercício das suas funções; adjunto

assessorar (as.ses.so.rar) [ɐsəsu'rar] *v.* auxiliar; ajudar

assessoria (as.ses.so.ri.a) [ɐsəsu'riɐ] *n.f.* **1** cargo ou função de assessor **2** conjunto de pessoas encarregadas de auxiliar alguém

asseverar (as.se.ve.rar) [ɐsəvə'rar] *v.* afirmar com clareza e convicção **SIN.** assegurar

assexuado (as.se.xu:a.do) [ɐsɛ'kswadu] *adj.* **1** que não tem órgãos sexuais **2** que não tem vida sexual

assiduamente (as.si.du:a.men.te) [ɐsidwɐ'mẽt(ə)] *adv.* sem falta; regularmente

assiduidade (as.si.du:i.da.de) [ɐsidwi'dad(ə)] *n.f.* **1** característica de quem é assíduo **2** qualidade de quem não falta aos seus compromissos ou obrigações

assíduo (as.sí.du:o) [ɐ'sidwu] *adj.* **1** que não falta aos seus compromissos e obrigações **2** que aparece frequentemente num dado lugar

assim (as.sim) [ɐ'sĩ] *adv.* **1** desta ou dessa maneira: *Se fizeres assim é mais fácil.* **2** com características semelhantes: *Nunca vi nada assim!* **SIN.** igual **3** *coloq.* indica grande quantidade: *A sala estava assim de gente.* ■ *adj.inv.* igual; semelhante: *Quem me dera uma casa assim!* ■ *conj.* portanto; por conseguinte; deste modo ♦ **assim como** do mesmo modo que; bem como; **assim e assado** desta e daquela maneira; **assim por diante** etc.; **assim que** logo que; imediatamente a seguir; **assim seja!** que seja desta forma; amém

assim-assim (as.sim-.as.sim) [ɐsĩɐ'sĩ] *adv.* nem muito nem pouco; nem bem nem mal; mais ou menos

assimetria (as.si.me.tri.a) [ɐsimə'triɐ] *n.f.* falta de simetria; diferença grande **SIN.** desigualdade

assimétrico (as.si.mé.tri.co) [ɐsi'mɛtriku] *adj.* que é muito diferente **SIN.** desigual

assimilação (as.si.mi.la.ção) [ɐsimilɐ'sɐ̃w̃] *n.f.* **1** conjunto de fenómenos que permitem aos seres vivos incorporar nas suas células substâncias e alimentos recebidos do exterior **2** processo pelo qual uma pessoa absorve conhecimentos, costumes, etc.

assimilar **(as.si.mi.lar)** [ɐsimi'lar] *v.* **1** converter (alimentos) em substâncias necessárias ao organismo **2** absorver (conhecimentos, costumes, etc.)

assimilável **(as.si.mi.lá.vel)** [ɐsimi'lavɛɫ] *adj.2g.* que se pode assimilar

assinado **(as.si.na.do)** [ɐsi'nadu] *adj.* que tem assinatura

assinalar **(as.si.na.lar)** [ɐsinɐ'lar] *v.* **1** pôr sinal em; marcar **2** indicar; distinguir **3** anunciar com sinal; sinalizar

assinante **(as.si.nan.te)** [ɐsi'nɐ̃t(ə)] *n.2g.* **1** pessoa que assina um papel ou documento **SIN.** subscritor **2** pessoa que faz a assinatura de uma publicação periódica (jornal, revista, etc.) **3** pessoa que tem contrato com uma empresa para receber determinado serviço (telefónico, de internet, etc.)

assinar **(as.si.nar)** [ɐsi'nar] *v.* **1** escrever o próprio nome **2** comprar antecipadamente números de um jornal ou de uma revista

assinatura **(as.si.na.tu.ra)** [ɐsinɐ'turɐ] *n.f.* **1** nome da própria pessoa ou designação comercial registada no final de um documento **2** contrato que permite a uma pessoa receber determinado produto (revista, jornal, etc.) ou usar um serviço (de telefone, internet, etc.) mediante o pagamento de uma dada quantia **SIN.** subscrição

assindético **(as.sin.dé.ti.co)** [ɐsĩ'dɛtiku] *adj.* diz-se da coordenação cujos membros não estão ligados por conjunção ou locução coordenativa

assíndeto **(as.sín.de.to)** [ɐ'sĩdətu] *n.m.* supressão da conjunção coordenativa entre palavras, elementos da oração ou orações de um período: *Ela comeu muitos chocolates, rebuçados.*

assistência **(as.sis.tên.ci:a)** [ɐsiʃ'tẽsjɐ] *n.f.* **1** conjunto de pessoas que assistem a algo (peça de teatro, concerto, conferência, etc.) **SIN.** público **2** auxílio que se presta a alguém **SIN.** ajuda; **assistência técnica** apoio garantido ao cliente (de determinado serviço) por pessoal especializado

assistente **(as.sis.ten.te)** [ɐsiʃ'tẽt(ə)] *n.2g.* **1** pessoa que auxilia outra no exercício das suas funções **SIN.** adjunto; **assistente de bordo** membro da tripulação de um avião encarregado de atender os passageiros; **assistente social** pessoa com formação específica que dá apoio social, moral, médico, etc., a indivíduos com problemas de adaptação **2** pessoa que assiste (a espetáculo, conferência, etc.) **3** no ensino superior, docente auxiliar do professor catedrático

assistido **(as.sis.ti.do)** [ɐsiʃ'tidu] *adj.* **1** que recebeu ajuda **2** que recebeu apoio médico

assistir **(as.sis.tir)** [ɐsiʃ'tir] *v.* **1** ⟨+a⟩ estar presente; ver: *Assistimos a um excelente concerto.* **2** auxiliar; ajudar: *assistir um doente* **3** ⟨+a⟩ pertencer: *Assiste-lhe o direito de...*

assoalhada **(as.so:a.lha.da)** [ɐswɐ'ʎadɐ] *n.f.* compartimento (de uma casa); aposento

assoar(-se) **(as.so:ar(-se))** [ɐ'swar(sə)] *v.* limpar (o nariz) das secreções do nariz

assobiar **(as.so.bi:ar)** [ɐsu'bjar] *v.* **1** produzir assobio(s) **2** reproduzir uma melodia com assobio

assobio **(as.so.bi.o)** [ɐsu'biu] *n.m.* **1** som agudo resultante da passagem do ar pelos lábios quase fechados ou pelo orifício de um instrumento **2** apito

associação **(as.so.ci:a.ção)** [ɐsusjɐ'sɐ̃w̃] *n.f.* **1** agrupamento de pessoas reunidas para determinado fim **2** colaboração; participação

associado **(as.so.ci:a.do)** [ɐsu'sjadu] *n.m.* pessoa que faz parte de uma associação; membro

associar **(as.so.ci:ar)** [asu'sjar] *v.* **1** ⟨+a⟩ ligar; juntar; unir **2** ⟨+a⟩ estabelecer relações **SIN.** relacionar ▪ **associar-se** **1** ⟨+a⟩ juntar-se; reunir-se **2** ⟨+a⟩ formar sociedade com (alguém) **3** ⟨+a⟩ contribuir; cooperar

assolar **(as.so.lar)** [ɐsu'lar] *v.* **1** destruir; devastar; arrasar **2** *fig.* afligir; consternar

assomar **(as.so.mar)** [ɐsu'mar] *v.* **1** surgir num lugar alto **2** ⟨+a⟩ aparecer:

Assomaram todos à janela.

assombração **(as.som.bra.ção)** [ɐsõbrɐ'sɐ̃w̃] *n.f.* fantasma

assombrado **(as.som.bra.do)** [ɐsõ'bradu] *adj.* **1** diz-se de ou lugar onde aparecem fantasmas **2** muito admirado; pasmado

assombrar **(as.som.brar)** [ɐsõ'brar] *v.* **1** causar espanto **SIN.** pasmar **2** fazer sentir pavor **SIN.** aterrar ▪ **assombrar-se** **1** ⟨+com⟩ maravilhar-se; espantar-se **2** ⟨+com⟩ assustar-se

assombro **(as.som.bro)** [ɐ'sõbru] *n.m.* **1** sentimento de espanto e pavor **2** pessoa ou coisa que causa terror **3** pessoa ou coisa que causa admiração

assombroso **(as.som.bro.so)** [ɐsõ'brozu] *adj.* **1** assustador **2** espantoso

assonância **(as.so.nân.ci:a)** [ɐsu'nɐ̃sjɐ] *n.f.* **1** semelhança de sons em palavras próximas **2** repetição intencional de uma vogal para obter um efeito sonoro

assumido **(as.su.mi.do)** [ɐsu'midu] *adj.* **1** que se assumiu **2** (pessoa) que assume com convicção as suas ideias, atitudes, etc.

assumir **(as.su.mir)** [ɐsu'mir] *v.* **1** atribuir a si próprio: *assumir o poder* **2** adquirir: *A guerra assumiu um carácter religioso.* **3** admitir; reconhecer: *Eles assumiram o erro/a relação.* **4** adotar; ostentar (atitude, expressão) **5** revelar; declarar (ideologia, posição, etc.) ▪ **assumir-se** ⟨+como⟩ identificar-se com uma maneira de estar e agir de acordo com ela: *Assumiu-se como homossexual.*

assunto **(as.sun.to)** [ɐ'sũtu] *n.m.* motivo; tema

assustadiço **(as.sus.ta.di.ço)** [ɐsuʃtɐ'disu] *adj.* que se assusta com facilidade

assustado **(as.sus.ta.do)** [ɐsuʃ'tadu] *adj.* que tem medo; amedrontado

assustador **(as.sus.ta.dor)** [ɐsuʃtɐ'dor] *adj.* que assusta; aterrador

assustar(-se) **(as.sus.tar(-se))** [ɐsuʃ'tar(sə)] *v.* ⟨**+com**⟩ causar ou sentir medo ou receio **SIN.** intimidar(-se)

asterisco **(as.te.ris.co)** [ɐʃtə'riʃku] *n.m.* sinal gráfico em forma de estrela *

asteroide **(as.te.roi.de)**[AO] [ɐʃtə'rɔjd(ə)] *n.m.* pequeno corpo celeste que gravita à volta do Sol

asteróide **(as.te.rói.de)** [ɐʃtə'rɔjd(ə)] *a nova grafia é* **asteroide**[AO]

astigmatismo **(as.tig.ma.tis.mo)** [ɐʃtigmɐ'tiʒmu] *n.m.* perturbação da visão que consiste em ver os objetos de forma desfocada, devido a defeitos de curvatura da córnea ou do cristalino

astral **(as.tral)** [ɐʃ'trał] *adj.2g.* relativo a astro

astro **(as.tro)** ['aʃtru] *n.m.* qualquer corpo que existe no espaço (estrela, planeta, cometa ou nebulosa)

astrofísica **(as.tro.fí.si.ca)** [aʃtrɔ'fizikɐ] *n.f.* estudo da natureza física dos corpos celestes

astrolábio **(as.tro.lá.bi:o)** [ɐʃtrɔ'labju] *n.m.* antigo instrumento usado para medir a altura dos astros acima do horizonte

astrologia **(as.tro.lo.gi.a)** [ɐʃtrulu'ʒiɐ] *n.f.* estudo da influência dos astros no destino e no comportamento das pessoas

astrológico **(as.tro.ló.gi.co)** [ɐʃtru'lɔʒiku] *adj.* relativo a astrologia

astrólogo **(as.tró.lo.go)** [ɐʃ'trɔlugu] *n.m.* pessoa que se dedica à astrologia

astronauta **(as.tro.nau.ta)** [ɐʃtrɔ'nawtɐ] *n.2g.* tripulante de um veículo espacial **SIN.** cosmonauta

astronáutica **(as.tro.náu.ti.ca)** [ɐʃtrɔ'nawtikɐ] *n.f.* ciência que se dedica a estudar e preparar viagens fora da atmosfera terrestre

astronomia **(as.tro.no.mi.a)** [ɐʃtrunu'miɐ] *n.f.* ciência que se dedica ao estudo dos astros

astronómico **(as.tro.nó.mi.co)** [ɐʃtru'nɔmiku] *adj.* **1** relativo à astronomia **2** *fig.* muito grande; exagerado

astrónomo **(as.tró.no.mo)** [ɐʃ'trɔnumu] *n.m.* pessoa que se dedica à astronomia

astúcia **(as.tú.ci:a)** [ɐʃ'tusjɐ] *n.f.* habilidade em enganar alguém; manha

astucioso **(as.tu.ci:o.so)** [ɐʃtu'sjozu] *adj.* ⇒ **astuto**

astuto **(as.tu.to)** [ɐʃ'tutu] *adj.* que tem habilidade para enganar; manhoso

ata **(a.ta)**[AO] ['atɐ] *n.f.* texto onde se descreve o que se tratou numa reunião ou assembleia ■ **atas** *n.f.pl.* publicação que reúne os textos das comunicações e conferências proferidas no decorrer de um congresso, simpósio, etc.

atabalhoado **(a.ta.ba.lho:a.do)** [ɐtɐbɐ'ʎwadu] *adj.* **1** que é desorganizado; atrapalhado **2** feito à pressa; confuso

atabalhoar **(a.ta.ba.lho:ar)** [ɐtɐbɐ'ʎwar] *v.* **1** dizer ou fazer de forma desordenada **2** fazer mal e à pressa

atacado **(a.ta.ca.do)** [ɐtɐ'kadu] *adj.* **1** que sofreu ataque **2** agredido; assaltado **3** doente ◆ **por atacado** em grandes quantidades

atacador **(a.ta.ca.dor)** [ɐtɐkɐ'dor] *n.m.* cordão ou fita para apertar uma peça de calçado ou de vestuário

atacante **(a.ta.can.te)** [ɐtɐ'kɐ̃t(ə)] *adj.,n.2g.* que ou pessoa que ataca alguém

atacar **(a.ta.car)** [ɐtɐ'kar] *v.* **1** agredir; assaltar **2** censurar; criticar

atado **(a.ta.do)** [ɐ'tadu] *adj.* **1** ligado; preso **2** *fig.* que é acanhado ou tímido **3** *fig.* que não é desembaraçado

atafulhar **(a.ta.fu.lhar)** [ɐtɐfu'ʎar] *v.* ⟨**+com**, **+de**⟩ encher demasiado **SIN.** abarrotar ■ **atafulhar-se** ⟨**+de**⟩ comer em demasia **SIN.** empanturrar-se

atalhar **(a.ta.lhar)** [ɐtɐ'ʎar] *v.* **1** impedir o desenvolvimento de **2** tornar mais curto **3** interromper (quem fala)

atalho **(a.ta.lho)** [ɐ'taʎu] *n.m.* caminho secundário por onde se chega mais depressa ao lugar de destino

atamancar **(a.ta.man.car)** [ɐtɐmɐ̃'kar] *v.* fazer mal e à pressa **SIN.** atabalhoar

ataque **(a.ta.que)** [ɐ'tak(ə)] *n.m.* **1** ação contra alguém; agressão **2** acusação forte **3** manifestação súbita de uma doença

atar (a.tar) [ɐ'tar] *v.* **1** ⟨**+a**⟩ prender (com fio, corda): *Atei a corda à grade.* **SIN.** amarrar **2** ⟨**+a**⟩ unir; ligar ◆ **não atar nem desatar** prolongar uma situação sem procurar resolvê-la, por hesitação ou comodismo; não dar solução a

atarantado (a.ta.ran.ta.do) [ɐtɐrɐ̃'tadu] *adj.* confuso; atrapalhado

atarantar(-se) (a.ta.ran.tar(-se)) [ɐtɐrɐ̃'tar(sə)] *v.* **1** ⟨**+com**⟩ confundir(-se); desnortear(-se) **2** ⟨**+com**⟩ atrapalhar(-se); embaraçar(-se)

atarefado (a.ta.re.fa.do) [ɐtɐrɛ'fadu] *adj.* que tem muitas tarefas para cumprir; que está muito ocupado (com trabalho)

atarracado (a.tar.ra.ca.do) [ɐtɐʀɐ'kadu] *adj.* diz-se do corpo baixo e gordo

atarraxar (a.tar.ra.xar) [ɐtɐʀɐ'ʃar] *v.* apertar com tarraxa; aparafusar

ataúde (a.ta.ú.de) [ɐtɐ'ud(ə)] *n.m.* caixa longa com tampa onde se coloca um cadáver para ser enterrado; caixão

ataviar (a.ta.vi:ar) [ɐtɐ'vjar] *v.* enfeitar

atavio (a.ta.vi.o) [ɐtɐ'viu] *n.m.* enfeite

atchim (at.chim) [a'tʃĩ] *interj.* imita o ruído produzido por espirro

até (a.té) [ɐ'tɛ] *prep.* indica limite no: a) tempo: *até ao momento*; b) espaço: *até Lisboa*; c) quantidade: *Contar até cem* ■ *adv.* **1** também; inclusive: *Comeram tudo, até as migalhas.* **2** mesmo: *Até ele sabe isso.* **3** ainda: *Até lhe digo mais: não pode ser!* **4** exprime ênfase: *Ele até é simpático.* ◆ **até já!** até daqui a pouco!; até breve!; **até que enfim!** finalmente!

atear (a.te:ar) [ɐ'tjar] *v.* **1** ⟨**+a**⟩ lançar fogo **2** levantar a chama de **3** *fig.* fomentar; excitar: *atear uma guerra; atear a polémica*

ateísmo (a.te.ís.mo) [ɐtɐ'iʒmu] *n.m.* atitude ou doutrina que nega a existência de um Deus ou de uma causa primeira para o Universo

ateísta (a.te.ís.ta) [ɐtɐ'iʃtɐ] *n.2g.* pessoa que não crê na existência de Deus ou de uma causa primordial para o Universo

atelier [ɐtə'lje] *n.m.* ⟨*pl.* ateliers⟩ **1** local onde trabalham pessoas que têm uma atividade manual ou artística **2** estúdio fotográfico

atemorizar(-se) (a.te.mo.ri.zar(-se)) [ɐtəmuri'zar(sə)] *v.* ⟨**+com**⟩ causar ou sentir medo **SIN.** amedrontar(-se)

atempadamente (a.tem.pa.da.men.te) [ɐtẽpadɐ'mẽt(ə)] *adv.* **1** em devido tempo; oportunamente **2** dentro do prazo; a tempo

atenção (a.ten.ção) [ɐtẽ'sɐ̃w̃] *n.f.* **1** concentração num determinado objeto ou assunto **2** manifestação de respeito ou afeto; delicadeza ■ *interj.* usada para avisar alguém

atenciosamente (a.ten.ci:o.sa.men.te) [ɐtẽsjozɐ'mẽt(ə)] *adv.* **1** de forma respeitosa **2** (fórmula em cartas) com consideração; atentamente

atencioso (a.ten.ci:o.so) [ɐtẽ'sjozu] *adj.* **1** que revela cuidado ou delicadeza; delicado **2** que presta atenção; atento

atendedor (a.ten.de.dor) [ɐtẽdə'dor] *adj.,n.m.* que ou aquele que atende; **atendedor de chamadas** aparelho que recebe e grava mensagens telefónicas

atender (a.ten.der) [ɐtẽ'der] *v.* **1** ⟨**+a**⟩ responder (a quem telefona ou bate à porta): *Porque é que não atendes as minhas chamadas?* **2** servir (cliente): *Já está atendido?* **3** examinar (paciente): *O senhor doutor já o atende.* **4** ⟨**+a**⟩ satisfazer o que é pedido ou solicitado: *Atenderam ao meu pedido.* **5** ⟨**+a**⟩ prestar atenção: *Tens de atender ao que diz o professor.* **6** ⟨**+a**⟩ ter em consideração: *Temos de atender às circunstâncias.* ◆ **atendendo a** tendo em conta: *É um pouco baixo, atendendo à idade.*

atendimento (a.ten.di.men.to) [ɐtẽdi'mẽtu] *n.m.* **1** ato ou efeito de atender **2** lugar ou secção de um serviço onde se atende o público

atentado (a.ten.ta.do) [ɐtẽ'tadu] *n.m.* **1** tentativa ou prática de um crime contra alguém **2** violação de uma lei

atentamente (a.ten.ta.men.te) [ɐtẽtɐ'mẽt(ə)] *adv.* **1** de forma atenta; cuidadosamente **2** (fórmula em cartas) com consideração; atenciosamente

atentar (a.ten.tar) [ɐtẽ'tar] *v.* **1** ⟨**+em**⟩ prestar atenção: *Atenta no que te digo.* **2** ⟨**+contra**⟩ cometer um atentado: *atentar contra a vida de alguém* **3** ⟨**+contra**⟩ desrespeitar: *Atentaram contra o seu bom nome.*

atento (a.ten.to) [ɐ'tẽtu] *adj.* que presta atenção **ANT.** desatento

atenuação (a.te.nu:a.ção) [ɐtənwɐ'sɐ̃w̃] *n.f.* **1** diminuição de gravidade ou de intensidade; abrandamento **2** redução; enfraquecimento

atenuante (a.te.nu:an.te) [ɐtə'nwɐ̃t(ə)] *n.f.* circunstância que diminui a gravidade de um delito ■ *adj.2g.* que atenua

atenuar (a.te.nu:ar) [ɐtə'nwar] *v.* **1** diminuir a intensidade de (dor, sentimento) **2** reduzir a gravidade de (uma falta, um crime)

aterrado (a.ter.ra.do) [ɐtə'ʀadu] *adj.* **1** pousado no solo (avião, paraquedas) **2** cheio de medo ou terror (pessoa)

aterrador (a.ter.ra.dor) [ɐtəʀɐ'dor] *adj.* assustador

aterragem (a.ter.ra.gem) [ɐtə'ʀaʒɐ̃j̃] *n.f.* ato ou efeito de pousar (a aeronave) no solo; **aterragem forçada** aterragem motivada por uma situação de emergência

aterrar (a.ter.rar) [ɐtə'ʀar] *v.* **1** ⟨**+em**⟩ pousar (aeronave) no solo: *O avião aterrou em Lisboa*

2 ⟨+em⟩ *coloq.* pousar (aeronave) no solo: *Estava tão cansado que aterrei no sofá.* 3 altear ou cobrir com terra 4 causar muito medo SIN. apavorar

aterrissagem (a.ter.ris.sa.gem) [ɐtəʀi'saʒɐ̃j] *n.f.* [BRAS.] aterragem

aterrissar (a.ter.ris.sar) [ɐtəʀi'sar] *v.* [BRAS.] aterrar

aterro (a.ter.ro) [ɐ'teʀu] *n.m.* porção de terra para cobrir ou nivelar um terreno ♦ **aterro sanitário** terreno onde se depositam resíduos sólidos (lixos) para serem tratados, de forma a reduzir os efeitos negativos sobre o ambiente

aterrorizar(-se) (a.ter.ro.ri.zar(-se)) [ɐtəʀuri'zar(sə)] *v.* ⟨+com⟩ causar ou sentir terror SIN. apavorar(-se)

atestado (a.tes.ta.do) [ɐtəʃ'tadu] *adj.* confirmado; certificado ■ *n.m.* declaração escrita e assinada por pessoa competente que garante a verdade de uma situação (doença, etc.); certidão

atestar (a.tes.tar) [ɐtəʃ'tar] *v.* 1 afirmar 2 declarar por escrito: *Atestou a morte do senhor.* 3 demonstrar: *Atestou a inocência do acusado.* 4 ⟨+com, +de⟩ encher completamente: *Atestou o depósito com gasolina.*

ateu (a.teu) [ɐ'tew] *n.m.* ⟨*f.* ateia⟩ pessoa que nega a existência de qualquer divindade

atiçar (a.ti.çar) [ɐti'sar] *v.* 1 levantar a chama de 2 *fig.* estimular (discussão, relação, sentimento, etc.)

atilho (a.ti.lho) [ɐ'tiʎu] *n.m.* fita para atar; cordão

atinado (a.ti.na.do) [ɐti'nadu] *adj.* 1 que tem tino; ajuizado; ponderado 2 adequado; próprio 3 *coloq.* bem comportado

atinar (a.ti.nar) [ɐti'nar] *v.* 1 *coloq.* passar a agir de forma sensata: *Vê lá se atinas!* ANT. desatinar 2 ⟨+com⟩ simpatizar com: *Ela atinou logo com a Paula.* 3 ⟨+com⟩ encontrar: *Não conseguia atinar com o caminho para o hotel.*

atingir (a.tin.gir) [ɐtĩ'ʒir] *v.* 1 chegar a (um ponto, um lugar) 2 alcançar (um objetivo) 3 *fig.* compreender

atípico (a.tí.pi.co) [ɐ'tipiku] *adj.* que se afasta do normal ou do característico; raro; anómalo

atirar (a.ti.rar) [ɐti'rar] *v.* 1 lançar com força: *Atira-lhe a bola.* 2 disparar (arma de fogo): *Não atires! Um louco atirou sobre a multidão.* ■ **atirar-se** 1 ⟨+a, +sobre, +para⟩ lançar-se; arremessar-se: *Atirou-se para a água.* 2 ⟨+a⟩ *fig.* dedicar-se inteiramente: *Atirou-se ao trabalho.* 3 ⟨+a⟩ *coloq.* tentar conquistar amorosamente

atitude (a.ti.tu.de) [ɐti'tud(ə)] *n.f.* 1 forma de agir; comportamento 2 posição do corpo; postura ♦ **tomar uma atitude** tomar uma decisão enérgica para tentar mudar uma situação

ativação (a.ti.va.ção)[AO] [ativɐ'sɐ̃w̃] *n.f.* 1 ato de colocar em funcionamento 2 ato de tornar mais intenso

ativar (a.ti.var)[AO] [ati'var] *v.* 1 fazer funcionar: *ativar o alarme* 2 tornar mais intenso

atividade (a.ti.vi.da.de)[AO] [ativi'dad(ə)] *n.f.* 1 qualidade do que é ativo 2 faculdade de agir; movimento 3 função de um órgão: *atividade respiratória* 4 processo natural: *atividade de um vulcão* 5 vigor físico ou moral; energia 6 profissão de uma pessoa

ativismo (a.ti.vis.mo)[AO] [ati'viʒmu] *n.m.* doutrina que defende a participação ativa na vida política e social; militância

ativista (a.ti.vis.ta)[AO] [ati'viʃtɐ] *n.2g.* pessoa que atua em defesa de uma causa; militante ■ *adj.2g.* 1 relativo a ativismo 2 que atua em defesa de uma causa; militante

ativo (a.ti.vo)[AO] [a'tivu] *adj.* 1 que se move ou que tem atividade 2 diz-se da pessoa que gosta de agir SIN. dinâmico 3 diz-se do vulcão que está ou pode entrar em erupção 4 diz-se do verbo que pede complemento direto ■ *n.m.* totalidade dos bens de uma empresa ou de uma pessoa ♦ **estar no ativo** que está em exercício de funções

atlântico (a.tlân.ti.co) [ɐtlɐ̃'tiku] *adj.* relativo ao oceano Atlântico ■ **Atlântico** *n.m.* oceano que banha as costas ocidentais da Europa e da África e a costa oriental do continente americano

atlas (a.tlas) ['atlɐʃ] *n.m.2n.* livro com mapas ou cartas geográficas

> Note-se que a palavra **atlas** tem a mesma forma no singular e no plural: *um atlas, dois atlas.*

atleta (a.tle.ta) [ɐ'tlɛtɐ] *n.2g.* 1 pessoa que pratica um desporto, participando em competições 2 pessoa que pratica atletismo

atlético (a.tlé.ti.co) [ɐ'tlɛtiku] *adj.* 1 próprio de atleta 2 *fig.* forte; robusto

atletismo (a.tle.tis.mo) [ɐtlɛ'tiʒmu] *n.m.* modalidade desportiva que inclui corrida, salto, marcha, e diversos tipos de lançamento

atmosfera (at.mos.fe.ra) [ɐtmuʃ'fɛrɐ] *n.f.* 1 camada gasosa que envolve a Terra 2 ambiente social, cultural, etc. em que uma pessoa vive

atmosférico (at.mos.fé.ri.co) [ɐtmuʃ'fɛriku] *adj.* relativo à atmosfera

ato (a.to)[AO] ['atu] *n.m.* 1 aquilo que se faz; ação: *um ato de coragem* 2 exercício de um direito ou de um dever: *ato eleitoral* 3 acontecimento social ou político formal; cerimónia 4 cada uma das partes em que se divide uma peça de teatro ♦

ato contínuo a seguir; imediatamente; **no ato** nesse mesmo momento

atolar(-se) **(a.to.lar(-se))** [ɐtu'lar(sə)] *v.* **1** ⟨**+em**⟩ meter(-se) (em lama, lodo) **2** ⟨**+em**⟩ meter(-se) em dificuldades (dívidas, trabalho)

atoleiro **(a.to.lei.ro)** [ɐtu'lɐjru] *n.m.* lugar com chão mole e pantanoso **SIN.** lamaçal

atómico **(a.tó.mi.co)** [ɐ'tɔmiku] *adj.* **1** relativo a átomo **2** relativo à energia que existe no núcleo dos átomos

átomo **(á.to.mo)** ['atumu] *n.m.* partícula mais pequena de um elemento químico

atónito **(a.tó.ni.to)** [ɐ'tɔnitu] *adj.* muito admirado **SIN.** espantado; estupefacto

átono **(á.to.no)** ['atunu] *adj.* diz-se da palavra ou sílaba que não tem acento tónico

ator **(a.tor)**[AO] [a'tor] *n.m.* ⟨*f.* atriz⟩ **1** pessoa que representa no teatro, cinema, televisão, etc. **SIN.** intérprete **2** pessoa que desempenha um papel importante num acontecimento **SIN.** protagonista

atordoado **(a.tor.do:a.do)** [ɐtur'dwadu] *adj.* **1** tonto (de queda, espanto, pancada, etc.) **2** maravilhado; encantado

atordoar **(a.tor.do:ar)** [ɐtur'dwar] *v.* **1** causar abalo ou choque **2** maravilhar

atormentar(-se) **(a.tor.men.tar(-se))** [ɐturmẽ'tar(sə)] *v.* **1** torturar(-se) **2** ⟨**+com**⟩ angustiar(-se); afligir(-se)

atração **(a.tra.ção)**[AO] [ɐtra'sɐ̃w̃] *n.f.* **1** sentimento de interesse (simpatia, amor, paixão) que se tem por alguém **2** pessoa ou coisa que desperta grande interesse

atracar **(a.tra.car)** [ɐtrɐ'kar] *v.* ⟨**+a**⟩ encostar e prender (embarcação) ao cais ou a outra embarcação ▪ **atracar-se** ⟨**+a**⟩ *cal.* juntar-se a (alguém): *Atracou-se a mim e nunca mais se foi embora!*

atracção **(a.trac.ção)** [ɐtra'sɐ̃w̃] *a nova grafia é* **atração**[AO]

atractivo **(a.trac.ti.vo)** [ɐtra'tivu] *a nova grafia é* **atrativo**[AO]

atraente **(a.tra.en.te)** [ɐtrɐ'ẽt(ə)] *adj.2g.* que atrai a atenção ou o interesse de **SIN.** sedutor

atraiçoar **(a.trai.ço:ar)** [ɐtraj'swar] *v.* **1** trair a confiança de **2** revelar (um segredo) **3** falhar (a memória)

atrair **(a.tra.ir)** [ɐtrɐ'ir] *v.* **1** fazer (um corpo) deslocar (outros) até si, através de força magnética **2** encantar; seduzir: *A ideia não me atraía muito.* **3** ⟨**+para**⟩ fazer aproximar: *Atraiu o menino para o seu colo.*

atrapalhação **(a.tra.pa.lha.ção)** [ɐtrɐpɐʎɐ'sɐ̃w̃] *n.f.* **1** confusão **2** embaraço

atrapalhado **(a.tra.pa.lha.do)** [ɐtrɐpɐ'ʎadu] *adj.* **1** confuso; desordenado **2** que não sabe o que fazer ou dizer; embaraçado

atrapalhar **(a.tra.pa.lhar)** [ɐtrɐpɐ'ʎar] *v.* **1** perturbar: *Estás a atrapalhar a passagem. Não deixes que isso te atrapalhe os estudos.* **2** fazer mal e à pressa: *Atrapalhou o trabalho todo.* ▪ **atrapalhar-se** ficar confuso, nervoso: *O orador atrapalhou-se e parou o discurso.*

atrás **(a.trás)** [ɐ'traʃ] *adv.* **1** na retaguarda; no lado posterior (no espaço) **2** depois de; em seguida (no tempo) ◆ **atrás de** **1** depois de **2** em perseguição de

atrasado **(a.tra.sa.do)** [ɐtrɐ'zadu] *adj.* **1** que chega depois da hora marcada **2** diz-se do relógio que marca um tempo anterior ao tempo exato

atrasar **(a.tra.sar)** [ɐtrɐ'zar] *v.* **1** fazer demorar: *Não me atrases mais! A reunião atrasou.* **2** retardar o andamento de (relógio, trabalho) **3** fazer chegar depois da hora marcada: *O que é que te atrasou?* **4** adiar; protelar: *As chuvas atrasaram a colheita.* ▪ **atrasar-se** **1** chegar depois da hora marcada: *O comboio atrasou-se com o mau tempo.* **2** ⟨**+com**, **+em**⟩ demorar-se a cumprir uma obrigação: *Atrasou-se com o pagamento.* **3** ficar para trás: *O projeto atrasou-se.*

atraso **(a.tra.so)** [ɐ'trazu] *n.m.* **1** falta de pontualidade **2** lentidão no funcionamento (de um relógio) **3** demora (no pagamento) **4** desenvolvimento físico ou intelectual insuficiente relativamente ao que é considerado normal para uma dada idade **5** subdesenvolvimento ◆ *coloq.* **atraso de vida** **1** aquilo que atrapalha ou prejudica **2** local pouco desenvolvido **3** pessoa pouco desembaraçada

atrativo **(a.tra.ti.vo)**[AO] [ɐtra'tivu] *n.m.* aquilo que desperta a atenção ou o interesse ▪ *adj.* que atrai

através de **(a.tra.vés de)** [ɐtrɐ'vɛʃd(ə)] *loc.* **1** por meio de **2** ao longo de **3** por entre

atravessado **(a.tra.ves.sa.do)** [ɐtrɐvə'sadu] *adj.* **1** colocado à largura **2** cruzado

atravessar **(a.tra.ves.sar)** [ɐtrɐvə'sar] *v.* **1** pôr no sentido da largura: *Atravessou a mota na rua.* **2** passar através de: *O João atravessou a rua/a fronteira. O rio atravessa a cidade.* **3** suportar (crise, dificuldade): *Ele está a atravessar um momento crítico.* **4** cruzar; transpor: *No desenho, uma linha atravessa a outra.* ▪ **atravessar-se** **1** ⟨**+em**⟩ posicionar-se à largura de **2** ⟨**+a**⟩ interpor-se

atrelado **(a.tre.la.do)** [ɐtrə'ladu] *adj.* preso (por trela, correia, etc.) ▪ *n.m.* veículo sem motor, que tem de ser rebocado por outro

atrelar **(a.tre.lar)** [ɐtrə'lar] *v.* **1** prender com trela (animal) **2** ⟨**+a**⟩ prender animais de carga a veículo **3** ⟨**+a**⟩ engatar (um veículo a outro)

atrever-se (a.tre.ver-.se) [ɐtrəˈvers(ə)] *v.* ⟨+a⟩ ter a coragem para fazer algo difícil ou arriscado SIN. ousar

atrevido (a.tre.vi.do) [ɐtrəˈvidu] *adj.* 1 ousado 2 insolente

atrevimento (a.tre.vi.men.to) [ɐtrəviˈmẽtu] *adj.* 1 ousadia 2 insolência

atribuição (a.tri.bu:i.ção) [ɐtribwiˈsɐ̃w̃] *n.f.* 1 ato ou efeito de atribuir ou dar algo 2 responsabilidade própria de um cargo ou função; competência

atribuir (a.tri.bu:ir) [ɐtriˈbwir] *v.* 1 ⟨+a⟩ conceder; dar: *Foi atribuído um código a cada participante.* 2 ⟨+a⟩ considerar como causa ou origem: *Atribuiu à sorte a vitória do adversário.* ▪ **atribuir-se** tomar para si próprio SIN. reivindicar

atribulação (a.tri.bu.la.ção) [ɐtribulɐˈsɐ̃w̃] *n.f.* aflição; inquietação

atribulado (a.tri.bu.la.do) [ɐtribuˈladu] *adj.* que sofre atribulações; agitado; preocupado

atribular(-se) (a.tri.bu.lar(-se)) [ɐtribuˈlar(sə)] *v.* afligir(-se); perturbar(-se)

atributo (a.tri.bu.to) [ɐtriˈbutu] *n.m.* 1 aquilo que é próprio de alguém SIN. característica 2 qualidade positiva de uma pessoa SIN. virtude 3 função atribuída a uma palavra ou expressão que exprime uma qualidade do nome que acompanha

átrio (á.tri:o) [ˈatrju] *n.m.* espaço que serve de entrada principal a um edifício

atrito (a.tri.to) [ɐˈtritu] *n.m.* 1 fricção entre dois corpos 2 conflito entre pessoas

atrocidade (a.tro.ci.da.de) [ɐtrusiˈdad(ə)] *n.f.* ato cruel; barbaridade

atrofia (a.tro.fi.a) [ɐtruˈfiɐ] *n.f.* falta de desenvolvimento de um órgão, tecido ou membro

atrofiado (a.tro.fi:a.do) [ɐtruˈfjadu] *adj.* diz-se do órgão ou membro que não se desenvolveu

atrofiar (a.tro.fi:ar) [ɐtruˈfjar] *v.* não deixar desenvolver ▪ **atrofiar-se** não se desenvolver

atropelamento (a.tro.pe.la.men.to) [ɐtrupəlɐˈmẽtu] *n.m.* choque de um veículo com uma pessoa ou um animal, provocando a queda deste

atropelar (a.tro.pe.lar) [ɐtrupəˈlar] *v.* passar por cima de (pessoa ou animal); derrubar ▪ **atropelar-se** juntar-se de forma desordenada e empurrando-se (pessoas)

atropelo (a.tro.pe.lo) [ɐtruˈpelu] *n.m.* 1 (da lei) violação 2 (de palavras) confusão

atroz (a.troz) [ɐˈtrɔʃ] *adj.2g.* 1 muito cruel; desumano 2 que é difícil de controlar ou de suportar; insuportável

atuação (a.tu:a.ção)[AO] [ɐtwɐˈsɐ̃w̃] *n.f.* 1 modo de agir; procedimento 2 representação (no cinema, teatro ou televisão)

atual (a.tu:al)[AO] [ɐˈtwał] *adj.2g.* 1 relativo ao tempo presente SIN. moderno; contemporâneo 2 que existe; real

atualidade (a.tu:a.li.da.de)[AO] [ɐtwɐliˈdad(ə)] *n.f.* tempo presente

atualização (a.tu:a.li.za.ção)[AO] [ɐtwɐlizɐˈsɐ̃w̃] *n.f.* 1 adaptação de alguma coisa ao tempo presente SIN. modernização 2 instalação de uma nova versão de um equipamento ou programa

atualizar (a.tu:a.li.zar)[AO] [ɐtwɐliˈzar] *v.* 1 tornar atual SIN. modernizar 2 substituir total ou parcialmente (programa ou equipamento) através da instalação de uma versão mais recente

atualmente (a.tu:al.men.te)[AO] [ɐtwałˈmẽt(ə)] *adv.* hoje em dia; no presente: *Qual é a profissão dele atualmente?*

atuar (a.tu:ar)[AO] [ɐˈtwar] *v.* 1 fazer alguma coisa: *O criminoso atuou sozinho.* SIN. agir 2 desempenhar um papel num filme, peça de teatro, etc.: *atuar no palco* 3 ⟨+sobre⟩ produzir efeito: *Este remédio atua sobre o sistema imunitário.*

atulhar (a.tu.lhar) [ɐtuˈʎar] *v.* 1 ⟨+com, +de⟩ encher completamente 2 obstruir; estorvar

atum (a.tum) [ɐˈtũ] *n.m.* ⟨*pl.* atuns⟩ 👁 peixe comum nas águas portuguesas, especialmente no Algarve, e muito utilizado na alimentação

aturar (a.tu.rar) [ɐtuˈrar] *v.* suportar; tolerar

aturdido (a.tur.di.do) [ɐturˈdidu] *adj.* 1 atordoado; perturbado 2 espantado

aturdir (a.tur.dir) [ɐturˈdir] *v.* 1 causar perturbação nos sentidos a SIN. atordoar 2 causar espanto a SIN. maravilhar

au-au (au-.au) [awˈaw] *n.m.* 1 *infant.* voz de cachorro ou cão 2 *infant.* cachorro; cão

audácia (au.dá.ci:a) [awˈdasjɐ] *n.f.* qualidade de quem se atreve a fazer coisas difíceis ou perigosas; ousadia

audacioso (au.da.ci:o.so) [awdɐˈsjozu] *adj.* 1 ousado 2 arriscado

audaz (au.daz) [awˈdaʃ] *adj.2g.* ⇒ **audacioso**

audição (au.di.ção) [awdiˈsɐ̃w̃] *n.f.* 1 perceção dos sons pelo ouvido 2 apresentação de peça de música, de teatro ou de dança perante um júri como teste para entrar num espetáculo ou numa companhia

audiência (au.di.ên.ci:a) [aw'djẽsjɐ] *n.f.* **1** conjunto de pessoas que assistem a uma conferência, a um espetáculo ou a um concerto; público **2** sessão de um tribunal

áudio (áu.di:o) ['awdjɔ] *adj.* relativo a som ■ *n.m.* técnica e aparelho de registo, reprodução e transmissão do som

audiolivro (au.di:o.li.vro) [awdjɔ'livru] *n.m.* livro que é lido em voz alta e se destina a ser ouvido, geralmente em CD, cassete ou num suporte digital

audiovisual (au.di:o.vi.su:al) [awdjɔvi'zwał] *n.m.* meio de informação que utiliza ao mesmo tempo o som e a imagem

auditivo (au.di.ti.vo) [awdi'tivu] *adj.* relativo ao ouvido ou à audição

auditor (au.di.tor) [awdi'tor] *n.m.* **1** magistrado encarregado de informar um tribunal ou uma repartição sobre a legalidade dos atos ou sobre a interpretação das leis a aplicar a determinado caso **2** pessoa que analisa as contas e normas de uma empresa ou de um organismo

auditoria (au.di.to.ri.a) [awditu'riɐ] *n.f.* **1** tribunal ou repartição onde se exercem as funções de auditor **2** diagnóstico que visa analisar a gestão e a situação financeira de uma empresa ou organismo

auditório (au.di.tó.ri:o) [awdi'tɔrju] *n.m.* **1** sala própria para a realização de conferências, espetáculos, concertos, etc. **2** conjunto de pessoas que assistem a uma conferência, a um espetáculo ou a um concerto

audível (au.dí.vel) [aw'divɛł] *adj.2g.* que se pode ouvir

AUE [au'ɛ] *sigla de* Ato Único Europeu

auferir (au.fe.rir) [awfə'rir] *v.* **1** ter como resultado SIN. obter; conseguir **2** ⟨**+de**⟩ beneficiar: *auferir de apoios estatais*

auge (au.ge) ['awʒ(ə)] *n.m.* ponto mais elevado

augúrio (au.gú.ri:o) [aw'gurju] *n.m.* prognóstico; presságio

aula (au.la) ['awlɐ] *n.f.* **1** sala onde se dá ou recebe uma lição **2** explicação dada pelo professor aos alunos sobre determinada matéria; lição

aumentar (au.men.tar) [awmẽ'tar] *v.* tornar maior; ampliar ANT. diminuir

aumentativo (au.men.ta.ti.vo) [awmẽtɐ'tivu] *adj.* diz-se do grau dos nomes e adjetivos que exprime a ideia de grandeza ou intensidade: *cadeirão (cadeira grande)* ANT. diminutivo

aumento (au.men.to) [aw'mẽtu] *n.m.* **1** ato ou efeito de aumentar; ampliação **2** crescimento; desenvolvimento

áureo (áu.re:o) ['awrju] *adj.* **1** dourado; brilhante **2** *fig.* magnífico

auréola (au.ré.o.la) [aw'rɛulɐ] *n.f.* círculo ou anel dourado que rodeia a cabeça dos santos

aurícula (au.rí.cu.la) [aw'rikulɐ] *n.f.* **1** cavidade do coração que recebe o sangue trazido pelas veias e o passa ao ventrículo correspondente **2** parte externa da orelha, em forma de concha

auricular (au.ri.cu.lar) [awriku'lar] *n.m.* peça de telemóvel composta por microfone e auscultador usada para comunicar sem que o ouvido esteja em contacto direto com o aparelho ■ *adj.2g.* **1** relativo à orelha ou ao ouvido **2** relativo às aurículas do coração

aurora (au.ro.ra) [aw'rɔrɐ] *n.f.* **1** claridade que precede o nascer do dia **2** *fig.* começo

auscultação (aus.cul.ta.ção) [awʃkułtɐ'sɐ̃w̃] *n.f.* **1** ato de auscultar os ruídos do interior do corpo através do ouvido ou do estetoscópio **2** *fig.* investigação

auscultador (aus.cul.ta.dor) [awʃkułtɐ'dor] *n.m.* **1** instrumento com que se ausculta; estetoscópio **2** peça do telefone pela qual se escuta ■ **auscultadores** *n.m.pl.* aparelho com dois dispositivos de escuta para cada orelha, permitindo a receção sonora apenas pelo seu portador

auscultar (aus.cul.tar) [awʃkuł'tar] *v.* **1** escutar os ruídos do interior do corpo, através do ouvido ou do estetoscópio **2** *fig.* investigar

ausência (au.sên.ci:a) [aw'zẽsjɐ] *n.f.* **1** falta de comparência a um compromisso **2** afastamento do lugar onde normalmente se está

ausentar-se (au.sen.tar-.se) [awzẽ'tars(ə)] *v.* **1** ⟨**+de**⟩ afastar-se de certo lugar: *Ausentou-se do país.* SIN. retirar-se **2** ⟨**+de**⟩ não participar em: *Ausentou-se da vida pública.*

ausente (au.sen.te) [aw'zẽt(ə)] *adj.2g.* **1** que não está presente; que faltou ANT. presente **2** *fig.* que está distraído

auspício (aus.pí.ci:o) [awʃ'pisju] *n.m.* **1** prenúncio; sinal **2** apoio; proteção ◆ **sob os auspícios de** sob a proteção de

auspicioso (aus.pi.ci:o.so) [awʃpi'sjozu] *adj.* prometedor

austeridade (aus.te.ri.da.de) [awʃtəri'dad(ə)] *n.f.* rigidez de princípios ou de opiniões; severidade

austero (aus.te.ro) [awʃ'tɛru] *adj.* **1** severo; rigoroso **2** sem ornamentos; sério

austral (aus.tral) [awʃ'trał] *adj.2g.* **1** relativo ao hemisfério sul **2** localizado no sul

austrália (aus.trá.li:a) [awʃ'traljɐ] *n.f.* árvore originária da Austrália, como flores amarelas

australiano **(aus.tra.li:a.no)** [awʃtrɐ'ljɐnu] *adj.* relativo à Austrália ■ *n.m.* pessoa natural da Austrália

austríaco **(aus.trí.a.co)** [awʃ'triɐku] *adj.* relativo à Áustria ■ *n.m.* pessoa natural da Áustria

autarca **(au.tar.ca)** [aw'tarkɐ] *n.2g.* pessoa que gere uma autarquia

autarquia **(au.tar.qui.a)** [awtɐr'kiɐ] *n.f.* governo de uma província ou região

autárquico **(au.tár.qui.co)** [aw'tarkiku] *adj.* relativo a autarquia

autenticação **(au.ten.ti.ca.ção)** [awtẽtikɐ'sɐ̃w̃] *n.f.* reconhecimento (de ato ou documento) como verdadeiro

autenticado **(au.ten.ti.ca.do)** [awtẽti'kadu] *adj.* (ato, assinatura, documento) que se autenticou; legalmente reconhecido por notário

autenticar **(au.ten.ti.car)** [awtẽti'kar] *v.* **1** tornar autêntico **2** reconhecer (ato, documento) como verdadeiro

autenticidade **(au.ten.ti.ci.da.de)** [awtẽtisi'dad(ə)] *n.f.* qualidade do que é verdadeiro; veracidade

autêntico **(au.tên.ti.co)** [aw'tẽtiku] *adj.* que é real; verdadeiro

autismo **(au.tis.mo)** [aw'tiʒmu] *n.m.* estado mental caracterizado por um alheamento da pessoa em relação ao mundo exterior e uma concentração no mundo das representações e sentimentos pessoais

autista **(au.tis.ta)** [aw'tiʃtɐ] *adj.,n.2g.* que ou pessoa que sofre de autismo

auto **(au.to)** ['awtu] *n.m.* **1** documento oficial em que se narra uma ocorrência ou se regista um ato e que tem fins legais **2** composição teatral de tom religioso, educativo, ou moral ◆ **lavrar/levantar um auto** fazer a narração escrita e circunstanciada de qualquer ato

autoavaliação **(au.to.a.va.li:a.ção)**AO [awtɔɐvɐljɐ'sɐ̃w̃] *n.f.* avaliação feita pelo próprio aluno

auto-avaliação **(au.to-.a.va.li:a.ção)** [awtɔɐvɐljɐ'sɐ̃w̃] *a nova grafia é* **autoavaliação**AO

autobiografia **(au.to.bi:o.gra.fi.a)** [awtɔbjugrɐ'fiɐ] *n.f.* relato da vida de uma pessoa feito por si própria

autobiográfico **(au.to.bi:o.grá.fi.co)** [awtɔbju'grafiku] *adj.* relativo a autobiografia

autobronzeador **(au.to.bron.ze:a.dor)** [awtɔbrõzjɐ'dor] *n.m.* cosmético utilizado para bronzear a pele, sem ação direta dos raios solares

autocaravana **(au.to.ca.ra.va.na)** [awtɔkɐrɐ'vɐnɐ] *n.f.* veículo preparado para servir de habitação

autocarro **(au.to.car.ro)** [awtɔ'kaʀu] *n.m.* veículo grande para transporte de pessoas dentro ou fora da cidade

autoclismo **(au.to.clis.mo)** [awtɔ'kliʒmu] *n.m.* reservatório com um dispositivo para descarregar água na retrete

autocolante **(au.to.co.lan.te)** [awtɔku'lɐ̃t(ə)] *n.m.* papel ou impresso que tem cola num dos lados e que adere a outro papel ou a uma superfície

autoconfiança **(au.to.con.fi:an.ça)** [awtɔkõ'fjɐ̃sɐ] *n.f.* confiança em si próprio; segurança

autocontrolo **(au.to.con.tro.lo)** [awtɔkõ'trolu] *n.m.* **1** capacidade de se controlar a si próprio **2** contenção

autocorreção **(au.to.cor.re.ção)**AO [awtɔkuʀɛ'sɐ̃w̃] *n.f.* correção que alguém faz dos próprios erros

autocorrecção **(au.to.cor.rec.ção)** [awtɔkuʀɛ'sɐ̃w̃] *a nova grafia é* **autocorreção**AO

autocrítico **(au.to.crí.ti.co)** [awtɔ'kritiku] *adj.* que faz autocrítica

autóctone **(au.tóc.to.ne)** [aw'toktun(ə)] *n.2g.* pessoa que nasceu na própria terra em que habita; indígena ■ *adj.2g.* que é natural da própria terra em que habita

auto-de-fé **(au.to-.de-.fé)** [awtudə'fɛ] *a nova grafia é* **auto de fé**AO

auto de fé **(au.to de fé)**AO [awtudə'fɛ] *n.m.* ⟨*pl.* autos de fé⟩ **1** proclamação da sentença pelo tribunal da Inquisição **2** *fig.* destruição pelo fogo de algo inútil ou nocivo

autodefesa **(au.to.de.fe.sa)** [awtɔdə'fezɐ] *n.f.* ato de uma pessoa se defender de qualquer forma de agressão

autodestruir-se **(au.to.des.tru.ir-.se)** [awtɔdəʃtru'irs(ə)] *v.* destruir-se a si próprio

autodeterminação **(au.to.de.ter.mi.na.ção)** [awtɔdətərminɐ'sɐ̃w̃] *n.f.* direito de um povo escolher a sua forma de governo através do voto

autodidacta **(au.to.di.dac.ta)** [awtɔdi'datɐ] *a nova grafia é* **autodidata**AO

autodidata **(au.to.di.da.ta)**AO [awtɔdi'datɐ] *adj.,n.2g.* que ou pessoa que se instrui por esforço próprio, sem mestre

autodiegético **(au.to.di:e.gé.ti.co)** [awtɔdjɛ'ʒɛtiku] *adj.* diz-se do narrador que participa como personagem principal na história que narra

autodisciplina **(au.to.dis.ci.pli.na)** [awtɔdiʃsi'plinɐ] *n.f.* capacidade de impor a si próprio disciplina

autoditado **(au.to.di.ta.do)** [awtɔdi'tadu] *n.m.* jogo educativo em que, a partir de uma figura dada, a criança procura formar a palavra que representa essa figura

autodomínio **(au.to.do.mí.ni:o)** [awtɔdu'minju] *n.m.* capacidade de controlar os próprios sentimentos e comportamentos **SIN.** autocontrolo

autódromo (au.tó.dro.mo) [aw'tɔdrumu] *n.m.* circuito fechado com pista para realização de corridas de automóveis

autoescola (au.to.es.co.la)[AO] [awtɔiʃ'kɔlɐ] *n.f.* [BRAS.] escola de condução

auto-escola (au.to-.es.co.la) [awtɔiʃ'kɔlɐ] *a nova grafia é* **autoescola**[AO]

autoestima (au.to.es.ti.ma)[AO] [awtɔ(i)ʃ'timɐ] *n.f.* sentimento de confiança de uma pessoa em si mesma **SIN.** amor-próprio

auto-estima (au.to-.es.ti.ma) [awtɔ(i)ʃ'timɐ] *a nova grafia é* **autoestima**[AO]

autoestrada (au.to.es.tra.da)[AO] [awtɔiʃ'tradɐ] *n.f.* estrada larga sem cruzamentos, com faixas separadas entre si, onde os veículos podem circular com mais velocidade do que noutras estradas e onde não podem andar bicicletas e tratores ◆ **autoestrada de informação** rede global de comunicação entre computadores, que permite a troca de um vasto número de informações

auto-estrada (au.to-.es.tra.da) [awtɔiʃ'tradɐ] *a nova grafia é* **autoestrada**[AO]

autofinanciar(-se) (au.to.fi.nan.ci:ar(-se)) [awtɔfinɐ̃'sjar(sə)] *v.* financiar (algo) com os próprios recursos financeiros

autoformação (au.to.for.ma.ção) [awtɔfurmɐ'sɐ̃w̃] *n.f.* modalidade de aprendizagem que permite a uma pessoa aprender ao seu próprio ritmo, utilizando recursos específicos para tal

autogolo (au.to.go.lo) [awtɔ'golu] *n.m.* golo marcado por um jogador na baliza da própria equipa

autografar (au.to.gra.far) [awtugrɐ'far] *v.* assinar com a própria mão

autógrafo (au.tó.gra.fo) [aw'tɔgrɐfu] *n.m.* assinatura, geralmente de uma pessoa famosa

automação (au.to.ma.ção) [awtumɐ'sɐ̃w̃] *n.f.* utilização de processos mecânicos para a realização de determinadas atividades (em fábricas, hospitais, etc.)

automaticamente (au.to.ma.ti.ca.men.te) [awtumatikɐ'mẽt(ə)] *adv.* **1** de forma automática ou mecânica **2** *fig.* involuntariamente; sem querer

automático (au.to.má.ti.co) [awtu'matiku] *adj.* **1** que funciona por meios mecânicos **2** *fig.* que não depende da vontade; involuntário

automatismo (au.to.ma.tis.mo) [awtumɐ'tiʒmu] *n.m.* **1** qualidade do que é automático **2** dispositivo que permite tornar algo automático

automatização (au.to.ma.ti.za.ção) [awtumɐtizɐ'sɐ̃w̃] *n.f.* utilização de processos mecânicos ou eletrónicos para a realização de determinadas atividades

automatizar (au.to.ma.ti.zar) [awtumɐti'zar] *v.* tornar automático; mecanizar

autómato (au.tó.ma.to) [aw'tɔmɐtu] *n.m.* máquina ou aparelho que funciona por meios mecânicos

automedicação (au.to.me.di.ca.ção) [awtɔmədikɐ'sɐ̃w̃] *n.f.* consumo de medicamentos sem indicação médica

automedicar-se (au.to.me.di.car-.se) [awtɔmədi'kars(ə)] *v.* consumir medicamento sem indicação médica

automobilismo (au.to.mo.bi.lis.mo) [autumubi'liʒmu] *n.m.* desporto que consiste em corridas de automóveis

automobilista (au.to.mo.bi.lis.ta) [awtumubi'liʃtɐ] *n.2g.* pessoa que conduz um automóvel

automobilístico (au.to.mo.bi.lís.ti.co) [awtumubi'liʃtiku] *adj.* relativo a automobilismo

automóvel (au.to.mó.vel) [awtu'mɔvɛɫ] *n.m.* veículo de quatro rodas com motor próprio **SIN.** carro

autonomia (au.to.no.mi.a) [awtunu'miɐ] *n.f.* **1** direito (de uma pessoa) de tomar decisões livremente **SIN.** independência **2** direito (de um povo ou de um país) de se governar por leis próprias

autonomizar(-se) (au.to.no.mi.zar(-se)) [awtunumi'zar(sə)] *v.* tornar(-se) autónomo ou independente

autónomo (au.tó.no.mo) [aw'tɔnumu] *adj.* **1** que não depende de ninguém **2** que se governa por leis próprias

autópsia (au.tóp.si:a) [aw'tɔpsjɐ] *n.f.* exame de um cadáver, com o fim de determinar as causas da morte

autopsiar (au.top.si:ar) [awtɔ'psjar] *v.* fazer a autópsia de

autor (au.tor) [aw'tor] *n.m.* ⟨*f.* autora⟩ **1** pessoa que faz alguma coisa **2** criador de uma obra literária, científica ou artística

auto-rádio (au.to-.rá.di:o) [awtɔ'ʀadju] *a nova grafia é* **autorrádio**[AO]

auto-retrato (au.to-.re.tra.to) [awtɔʀə'tratu] *a nova grafia é* **autorretrato**[AO]

autoria (au.to.ri.a) [awtu'riɐ] *n.f.* qualidade ou condição de autor; responsabilidade

autoridade (au.to.ri.da.de) [awturi'dad(ə)] *n.f.* **1** direito ou poder de ordenar e de se fazer obedecer **2** membro do governo de um país **3** pessoa muito competente em determinado assunto

autoritário (au.to.ri.tá.ri:o) [awturi'tarju] *adj.* **1** que impõe a sua vontade ou o seu pensamento às outras pessoas **2** diz-se do regime político que tem uma autoridade sem limites sobre a população

autoritarismo **(au.to.ri.ta.ris.mo)** [awturi tɐ'riʒmu] *n.m.* **1** atitude de quem impõe a sua vontade ou o seu pensamento às outras pessoas **2** governo ou regime político que concentra o poder nas mãos de uma autoridade ou de um pequeno grupo; despotismo

autorização **(au.to.ri.za.ção)** [awturizɐ'sɐ̃w̃] *n.f.* licença ou permissão para fazer algo

autorizado **(au.to.ri.za.do)** [awturi'zadu] *adj.* permitido

autorizar **(au.to.ri.zar)** [awturi'zar] *v.* **1** conceder autorização: *O governo autorizou a construção de uma nova ponte.* **SIN.** permitir; consentir **2** tornar legítimo: *Isso não te autoriza a tratar mal as pessoas.* **SIN.** validar

autorrádio **(au.tor.rá.di:o)**[AO] [awtɔ'ʀadju] *n.m.* aparelho de rádio próprio para automóvel

autorretrato **(au.tor.re.tra.to)**[AO] [awtɔʀə'tratu] *n.m.* retrato de uma pessoa feito por ela própria

autossuficiência **(au.tos.su.fi.ci:ên.ci:a)**[AO] [awtɔ sufi'sjẽsjɐ] *n.f.* qualidade de quem se basta a si próprio; independência

autossuficiente **(au.tos.su.fi.ci:en.te)**[AO] [awtɔsu fi'sjẽt(ə)] *adj.,n.2g.* que se basta a si próprio **SIN.** autónomo; independente

auto-suficiência **(au.to-.su.fi.ci:ên.ci:a)** [awtɔsu fi'sjẽsjɐ] *a nova grafia é* **autossuficiência**[AO]

auto-suficiente **(au.to-.su.fi.ci:en.te)** [awtɔsu fi'sjẽt(ə)] *a nova grafia é* **autossuficiente**[AO]

autuar **(au.tu:ar)** [aw'twar] *v.* **1** lavrar auto **2** multar **3** reunir (documentos) em processo; processar

auxiliar **(au.xi.li:ar)** [awsi'ljar] *v.* prestar auxílio a; ajudar ■ *adj.,n.2g.* **1** que ou pessoa que auxilia; ajudante **2** (verbo) que entra na formação da voz passiva e dos tempos de outro verbo

auxílio **(au.xí.li:o)** [aw'silju] *n.m.* ajuda; socorro

Av. *abreviatura de* avenida

aval **(a.val)** [ɐ'vaɫ] *n.m.* **1** garantia pessoal de pagamento dada por um terceiro **2** *fig.* apoio **3** *fig.* aprovação

avalancha **(a.va.lan.cha)** ou **avalanche** **1** grande massa de neve que se desprende do cume ou das encostas das montanhas, arrastando tudo o que encontra **2** *fig.* grande quantidade

avaliação **(a.va.li:a.ção)** [ɐvɐljɐ'sɐ̃w̃] *n.f.* **1** cálculo do valor de um bem ou de um objeto **2** apreciação da competência ou do progresso de um aluno ou de um profissional

avaliar **(a.va.li:ar)** [ɐvɐ'ljar] *v.* **1** ⟨**+em**, **+por**⟩ determinar o valor de (objeto, bem): *Avaliaram o quadro em 700 euros.* **2** apreciar o mérito de (pessoa, trabalho)

avalista **(a.va.lis.ta)** [ɐvɐ'liʃtɐ] *n.2g.* pessoa que garante, por aval, o pagamento de letra de câmbio, livrança ou cheque

avançado **(a.van.ça.do)** [ɐvɐ̃'sadu] *adj.* **1** que vai à frente **2** que está adiantado no tempo ■ *n.m.* jogador que tem a função de atacante

avançado-centro **(a.van.ça.do-.cen.tro)** [ɐvɐ̃sa du'sẽtru] *n.m.* ⟨*pl.* avançados-centro⟩ jogador que atua no centro da linha atacante

avançar **(a.van.çar)** [ɐvɐ̃'sar] *v.* **1** mover(-se) para a frente: *O João avançou até nós.* **ANT.** recuar **2** ⟨**+em**⟩ (fazer) progredir: *Nos últimos anos, a tecnologia avançou de forma significativa.* **3** transmitir (notícia, informação) antes da data prevista ou da sua confirmação: *Estamos em condições de avançar que...* **SIN.** antecipar **4** deslocar (tropas) na direção do inimigo **5** decorrer; passar (tempo): *O dia avançava depressa.* **6** mudar de assunto: *Antes de avançarmos, há mais alguma questão?*

avanço **(a.van.ço)** [ɐ'vɐ̃su] *n.m.* **1** vantagem em relação a alguém ou a algo **2** melhoria; progresso

avantajado **(a.van.ta.ja.do)** [ɐvɐ̃tɐ'ʒadu] *adj.* corpulento; robusto

avantajar **(a.van.ta.jar)** [ɐvɐ̃tɐ'ʒar] *v.* tornar mais vantajoso ■ **avantajar-se** **1** ⟨**+a**⟩ adiantar-se **2** ⟨**+a**⟩ distinguir-se

avante **(a.van.te)** [ɐ'vɐ̃t(ə)] *adv.* para a frente; adiante ■ *interj.* usa-se para estimular alguém a andar para a frente ou a continuar algo ◆ **levar a sua avante** atingir o seu objetivo ou fazer prevalecer a sua vontade; **levar avante** prosseguir até ao fim

avarento **(a.va.ren.to)** [ɐvɐ'rẽtu] *adj.* que só pensa em juntar dinheiro e não gosta de o gastar

avareza **(a.va.re.za)** [ɐvɐ'rezɐ] *n.f.* apego excessivo ao dinheiro

avaria **(a.va.ri.a)** [ɐvɐ'riɐ] *n.f.* qualquer dano que faça com que um aparelho ou um sistema deixe de funcionar

avariado **(a.va.ri:a.do)** [ɐvɐ'rjadu] *adj.* que sofreu avaria **SIN.** estragado

avariar(-se) **(a.va.ri:ar(-se))** [ɐvɐ'rjar(sə)] *v.* **1** causar ou sofrer avaria **SIN.** danificar(-se) **2** *fig.* enlouquecer

avassalar **(a.vas.sa.lar)** [ɐvɐsɐ'lar] *v.* **1** arrasar; destruir **2** submeter; subjugar **3** tornar vassalo

avatar **(a.va.tar)** [ɐvɐ'tar] *n.m.* **1** (hinduísmo) descida de um ser divino à Terra, em forma materializada **2** processo de transformação **SIN.** metamorfose; mutação **3** (internet) representação gráfica de um utilizador numa comunidade virtual; personalidade virtual

AVC [ave'se] *sigla de* acidente vascular cerebral

ave (a.ve) ['av(ə)] *n.f.* animal vertebrado com bico, duas patas, asas e corpo revestidos de penas e que se reproduz em ovos ♦ **ave de arribação/migratória** ave que se desloca de uma região para outra, em bandos, em certas épocas do ano (como o pombo, a rola e a codorniz); **ave de rapina** ave carnívora com bico em forma de gancho e garras fortes (como a águia, o falcão e a coruja)

aveia (a.vei.a) [ɐ'vɐjɐ] *n.f.* planta que produz grãos muito nutritivos, e que é um dos cereais mais cultivados para a alimentação humana e animal

avelã (a.ve.lã) [ɐvə'lɐ̃] *n.f.* fruto seco da avelaneira, de cor castanha e casca dura, cujo interior é comestível

avelaneira (a.ve.la.nei.ra) [ɐvəlɐ'nɐjrɐ] *n.f.* árvore que produz as avelãs

aveludado (a.ve.lu.da.do) [ɐvəlu'dadu] *adj.* muito macio, como veludo

ave-maria (a.ve-.ma.ri.a) [avɛmɐ'riɐ] *n.f.* ⟨*pl.* ave-marias⟩ (Catolicismo) oração dirigida a Nossa Senhora

avença (a.ven.ça) [ɐ'vẽsɐ] *n.f.* **1** quantia paga, com intervalos regulares, por quem recebe um serviço ou fornecimento **2** acordo; ajuste

avenida (a.ve.ni.da) [ɐvə'nidɐ] *n.f.* rua muito larga, geralmente com árvores

avental (a.ven.tal) [ɐvẽ'taɫ] *n.m.* peça de pano ou plástico que se prende à cintura para não sujar a roupa quando se cozinha e em certos tipos de trabalho

aventura (a.ven.tu.ra) [ɐvẽ'turɐ] *n.f.* **1** situação arriscada ou pouco comum **2** acontecimento extraordinário ou imprevisto **3** relação amorosa passageira

aventurar(-se) (a.ven.tu.rar(-se)) [ɐvẽtu'rar(sə)] *v.* ⟨**+a**⟩ expor-se ao desconhecido ou ao perigo **SIN.** arriscar(-se)

aventureiro (a.ven.tu.rei.ro) [ɐvẽtu'rɐjru] *adj.* que gosta de aventuras

averiguação (a.ve.ri.gua.ção) [ɐvərigwɐ'sɐ̃w̃] *n.f.* pesquisa; investigação

averiguado (a.ve.ri.gua.do) [ɐvəri'gwadu] *adj.* **1** investigado **2** verificado

averiguar (a.ve.ri.guar) [ɐvəri'gwar] *v.* procurar informações; investigar

avermelhado (a.ver.me.lha.do) [ɐvərmə'ʎadu] *adj.* que tem cor semelhante ao vermelho

aversão (a.ver.são) [ɐvər'sɐ̃w̃] *n.f.* repugnância; antipatia

avessas (a.ves.sas) [ɐ'vɛsɐʃ] *elem. da loc.* **às avessas** ao contrário; do avesso

avesso (a.ves.so) [ɐ'vesu] *n.m.* lado oposto ao lado principal **SIN.** reverso; parte de trás

avestruz (a.ves.truz) [ɐvəʃ'truʃ] *n.m./f.* 👁 ave alta e robusta, com pernas longas e fortes, que corre mas não voa, e vive sobretudo em África

aviação (a.vi:a.ção) [ɐvjɐ'sɐ̃w̃] *n.f.* **1** deslocação por ar realizada em avião, helicóptero, planador, etc. **2** conjunto de técnicas e atividades relativas ao transporte aéreo **3** conjunto de aeronaves

aviado (a.vi:a.do) [ɐ'vjadu] *adj.* **1** terminado; concluído **2** despachado; desembaraçado ♦ *irón.* **estar bem aviado** estar numa situação difícil

aviador (a.vi:a.dor) [ɐvjɐ'dor] *n.m.* indivíduo que pilota um avião

avião (a.vi:ão) [ɐ'vjɐ̃w̃] *n.m.* ⟨*pl.* aviões⟩ aparelho com asas e motores que se desloca no ar e que é usado para transporte de pessoas e cargas; **avião comercial** avião de uma companhia aérea destinado ao transporte de passageiros ou de mercadorias

aviar (a.vi:ar) [ɐ'vjar] *v.* **1** realizar (um trabalho, uma obra) **2** resolver (um assunto, um problema) **3** apressar (alguém)

aviário (a.vi:á.ri:o) [ɐ'vjarju] *n.m.* lugar onde se reproduzem e conservam aves

avicultura (a.vi.cul.tu.ra) [ɐvikuɫ'turɐ] *n.f.* criação de aves domésticas

avidez (a.vi.dez) [ɐvi'deʃ] *n.f.* desejo veemente e insaciável; sofreguidão

ávido (á.vi.do) ['avidu] *adj.* sôfrego; desejoso

aviltante (a.vil.tan.te) [ɐviɫ'tɐ̃t(ə)] *adj.2g.* que desonra; que humilha

aviltar(-se) (a.vil.tar(-se)) [ɐviɫ'tar(sə)] *v.* **1** tornar(-se) vil ou desprezível **2** humilhar(-se); rebaixar(-se)

avioneta (a.vi:o.ne.ta) [ɐvju'nɛtɐ] *n.f.* avião pequeno e com motor pouco potente

avisado (a.vi.sa.do) [ɐvi'zadu] *adj.* que recebeu aviso

avisar (a.vi.sar) [ɐvi'zar] *v.* **1** informar de algo (para evitar um perigo ou um dano) **2** dar um conselho a alguém sobre alguma coisa

aviso (a.vi.so) [ɐ'vizu] *n.m.* **1** informação que se dá a alguém sobre alguma coisa **2** conselho que se dá a alguém sobre o que deve fazer ♦ **sem aviso** de repente **SIN.** subitamente

avis rara [aviʃ'rarɐ] *n.f.* pessoa ou coisa invulgar

avistar (a.vis.tar) [ɐviʃ'tar] *v.* alcançar com a vista **SIN.** enxergar; ver

avivar(-se) (a.vi.var(-se)) [ɐvi'var(sə)] *v.* **1** tornar(-se) mais ativo **2** tornar(-se) mais realçado **3** animar(-se); estimular(-se)

avo (a.vo) ['avu] *n.m.* fração da unidade quando dividida em mais de dez partes iguais

avó (a.vó) [ɐ'vɔ] *n.f.* mãe do pai ou da mãe ■ **avós** *n.m.pl.* os pais da mãe e/ou os pais do pai

avô (a.vô) [ɐ'vo] *n.m.* pai do pai ou da mãe

avolumar(-se) (a.vo.lu.mar(-se)) [ɐvulu'mar(sə)] *v.* aumentar (volume, tamanho, quantidade, intensidade, etc.)

à-vontade (à-.von.ta.de) [avõ'tad(ə)] *n.m.* ⟨*pl.* à-vontades⟩ naturalidade (de comportamento); descontração

avozinho (a.vo.zi.nho) [avu'ziɲu] ⟨*dim. de* avô⟩ *n.m.* forma carinhosa de chamar o avô

avulso (a.vul.so) [ɐ'vuɫsu] *adj.* **1** solto; desligado **2** arrancado; separado

avultado (a.vul.ta.do) [ɐvuɫ'tadu] *adj.* **1** volumoso **2** valioso

avultar (a.vul.tar) [ɐvuɫ'tar] *v.* ⟨**+a**⟩ atingir determinado valor: *Os custos avultam a dez mil euros.*

axadrezado (a.xa.dre.za.do) [ɐʃɐdrə'zadu] *adj.* (padrão, tecido) que apresenta quadrados, de duas ou mais cores, em forma de xadrez

axial (a.xi:al) [ɐ'ksjaɫ] *adj.2g.* **1** relativo a eixo **2** próprio de eixo

axila (a.xi.la) [ɐ'ksilɐ] *n.f.* cavidade por baixo da articulação do ombro **SIN.** sovaco

axioma (a.xi:o.ma) [ɐ'ksjomɐ] *n.m.* proposição cuja validade é admitida sem demonstração

axiomático (a.xi:o.má.ti.co) [ɐksju'matiku] *adj.* **1** que tem carácter de axioma **2** evidente; incontestável

azáfama (a.zá.fa.ma) [a'zafɐmɐ] *n.f.* **1** grande atividade ou confusão **2** muita pressa na realização de um trabalho

azar (a.zar) [ɐ'zar] *n.m.* má sorte; infelicidade

azarado (a.za.ra.do) [ɐzɐ'radu] *adj.* que tem azar

azarar (a.za.rar) [ɐzɐ'rar] *v.* dar má sorte a

azarento (a.za.ren.to) [ɐzɐ'rẽtu] *adj.* **1** que tem azar **2** que dá azar

azedar (a.ze.dar) [ɐzə'dar] *v.* **1** tornar azedo **2** adquirir sabor azedo, devido à fermentação; estragar-se

azedo (a.ze.do) [ɐ'zedu] *adj.* **1** que tem sabor amargo **2** *fig.* com mau humor; irritado **3** *fig.* ríspido; rude

azeite (a.zei.te) [ɐ'zɐjt(ə)] *n.m.* óleo extraído da azeitona ou de outros frutos ♦ *coloq.* **estar com os azeites** estar de mau humor

azeiteiro (a.zei.tei.ro) [ɐzɐj'tɐjru] *adj. cal.* ordinário; grosseiro ■ *n.m. cal.* gigolô; proxeneta

azeitona (a.zei.to.na) [ɐzɐj'tonɐ] *n.f.* fruto da oliveira, pequeno, oval e com caroço, de cor preta ou verde-acastanhada, do qual se extrai o azeite

azenha (a.ze.nha) [ɐ'zɐ(j)ɲɐ] *n.f.* moinho movido a água por meio de uma roda

azerbaijano (a.zer.bai.ja.no) [ɐzərbɐj'ʒɐnu] *adj.* relativo à República do Azerbaijão (sudeste da Europa) ■ *n.m.* **1** pessoa natural da República do Azerbaijão **2** língua falada na República do Azerbaijão

azevia (a.ze.vi.a) [ɐzə'viɐ] *n.f.* peixe comestível, semelhante ao linguado, de forma achatada e de tom acastanhado

azevinho (a.ze.vi.nho) [ɐzə'viɲu] *n.m.* arbusto ou árvore pequena, com folhas verde-escuras e bagas vermelhas, cujos ramos se usam no Natal para decoração

azia (a.zi.a) [ɐ'ziɐ] *n.f.* sensação de enjoo ou dor no estômago

azimute (a.zi.mu.te) [ɐzi'mut(ə)] *n.m.* amplitude do arco de círculo do horizonte compreendido entre o ponto cardeal sul e a interseção do semicírculo vertical do astro com o plano do horizonte

azinheira (a.zi.nhei.ra) [ɐzi'ɲɐjrɐ] *n.f.* árvore de folhas persistentes e dentadas que servem de alimento ao bicho-da-seda

azo (a.zo) ['azu] *n.m.* ocasião; oportunidade ♦ **dar azo a** fazer com que algo aconteça

azoto (a.zo.to) [ɐ'zotu] *n.m.* ⇒ **nitrogénio**

azucrinar (a.zu.cri.nar) [ɐzukri'nar] *v. coloq.* importunar; maçar; aborrecer

azul (a.zul) [ɐ'zuɫ] *n.m.* cor semelhante à do céu sem nuvens ♦ **ouro sobre azul** excelente; ótimo

azulado (a.zu.la.do) [ɐzu'ladu] *adj.* que tem cor semelhante ao azul

azul-bebé (a.zul-.be.bé) [ɐzuɫbɛ'bɛ] *adj.inv.,n.m.* ⟨*pl.* azuis-bebé⟩ (cor) azul-claro

azul-celeste (a.zul-.ce.les.te) [ɐzuɫsə'lɛʃt(ə)] *n.m.* ⟨*pl.* azuis-celestes⟩ tom claro de azul, como o do céu sem nuvens

azul-claro (a.zul-.cla.ro) [ɐzuɫ'klaru] *n.m.* ⟨*pl.* azuis--claros⟩ tom claro de azul

azulejo (a.zu.le.jo) [ɐzu'lɐ(j)ʒu] *n.m.* 👁 placa de cerâmica com motivos diversos, pintada e vidrada, usada para revestir paredes, etc.

azul-escuro (a.zul-.es.cu.ro) [ɐzuɫ(ə)ʃ'kuru] *n.m.* ⟨*pl.* azuis-escuros⟩ tom escuro de azul

azul-marinho (a.zul-.ma.ri.nho) [azuɫmɐ'riɲu] *n.m.* ⟨*pl.* azuis-marinhos⟩ tom de azul escuro, como o fundo do mar

azul-turquesa (a.zul-.tur.que.sa) [azuɫtur'kezɐ] *adj.inv.,n.m.* (tom) azul esverdeado, semelhante ao da turquesa

B

b ['be] *n.m.* consoante, segunda letra do alfabeto, que está entre as letras *a* e *c*

B2B [bitu'bi] *n. m.* sistema de negócio em que os processos eletrónicos substituem os processos físicos que envolvem as transações comerciais **OBS.** Sigla de *business-to-business*

B2C [bitu'si] *n. m.* sistema de comércio eletrónico efetuado diretamente entre o produtor e o consumidor final **OBS.** Sigla de *business-to-customer*

baba (ba.ba) ['babɐ] *n.f.* **1** saliva que escorre da boca **2** líquido pegajoso da boca de alguns animais ▪ *n.m.* **1** [MOÇ.] pai **2** [MOÇ.] tratamento respeitoso para com homens mais velhos ♦ **chorar baba e ranho** chorar muito

baba-de-camelo (ba.ba-.de-.ca.me.lo) [babɐdə kɐ'melu] *a nova grafia é* **baba de camelo**^AO

baba de camelo (ba.ba de ca.me.lo)^AO [babɐdə kɐ'melu] *n.f.* ⟨*pl.* babas de camelo⟩ doce preparado com leite condensado, gemas e claras batidas em castelo

babado (ba.ba.do) [bɐ'badu] *adj.* **1** molhado de baba **2** *fig.* orgulhoso: *Ele é um pai babado.*

babalaza (ba.ba.la.za) [bɐbɐ'lazɐ] *n.f.* [MOÇ.] cansaço depois de uma bebedeira; ressaca

babar (ba.bar) [bɐ'bar] *v.* **1** molhar com baba: *Ele estava a babar a almofada.* **2** [MOÇ.] bajular ▪ **babar-se 1** deitar baba **2** ⟨**+por**⟩ *coloq.* gostar muito: *Babo-me por comida chinesa.*

babete (ba.be.te) [ba'bɛt(ə)] *n.f.* peça de pano ou plástico que se coloca sobre o peito das crianças para não se sujarem

babuíno (ba.bu:í.no) [bɐ'bwinu] *n.m.* grande macaco africano

babygro [bɐjbi'gro(w)] *n.m.* fato de bebé, constituído por uma peça única, feito de tecido elástico ou de outro material extensível

babysitter [bɐjbi'sitɐr] *n.2g.* ⟨*pl.* babysitters⟩ pessoa que, mediante pagamento, toma conta de crianças na ausência dos pais

babysitting [bɐjbi'sitĩg] *n.m.* atividade que consiste em tomar conta de crianças, por um curto período de tempo, mediante pagamento

bacalhau (ba.ca.lhau) [bɐkɐ'ʎaw] *n.m.* **1** peixe abundante nos mares frios, muito utilizado na alimentação, sobretudo depois de seco e salgado: *Na consoada, comemos sempre bacalhau cozido.* **2** *coloq.* (cumprimento de mão) mão: *Aperta aqui o bacalhau! Dá cá o bacalhau!* ♦ **bolinho de bacalhau** frito, mais ou menos oval, confecionado com batata, bacalhau, salsa, cebola e alho

bacana (ba.ca.na) [bɐ'kɐnɐ] *adj.2g.* **1** [BRAS.] *coloq.* interessante **2** [BRAS.] *coloq.* simpático

bacanal (ba.ca.nal) [bɐkɐ'naɫ] *n.f.* festa em honra de Baco ▪ *n.m.* **1** festa em que se verificam excessos **2** orgia sexual entre várias pessoas

bacela (ba.ce.la) [bɐ'sɛlɐ] *n.m.* [MOÇ.] aquilo que se dá a mais na compra de um produto; brinde

bacharel (ba.cha.rel) [bɐʃɐ'rɛɫ] *n.m.* ⟨*f.* bacharela⟩ pessoa que terminou o primeiro grau de um curso superior: *Ele é bacharel em Ciências.*

bacharelato (ba.cha.re.la.to) [bɐʃɐrə'latu] *n.m.* primeiro grau académico conferido por uma faculdade ou escola de ensino superior

bacia (ba.ci.a) [bɐ'siɐ] *n.f.* **1** recipiente, normalmente redondo e largo, para lavagens **2** parte do esqueleto humano onde acaba a coluna e começam as pernas **SIN.** pélvis **3** vale rodeado de montanhas; **bacia hidrográfica** conjunto de terras cujas águas são drenadas por um rio e seus afluentes

bacilo (ba.ci.lo) [bɐ'silu] *n.m.* bactéria com forma alongada

bacio (ba.ci.o) [bɐ'siu] *n.m.* pote (para urinar ou defecar); penico

background [bɛk'grawnd] *n.m.* **1** som ou conjunto de sons (de vozes, música, etc.) que se ouve em segundo plano em determinado lugar, filme etc., e ao qual se presta pouca atenção; ruído de fundo **2** conjunto de circunstâncias ou antecedentes de uma situação, de um facto ou de um fenómeno; contexto **3** conjunto de elementos (antecedentes familiares, educação, experiência, etc.) que contribuem para a formação de uma pessoa; meio **4** motivo que serve de fundo a desenho, fotografia, quadro, ecrã, etc.; fundo

backup [bɛ'kɐp] *n.m.* ⟨*pl.* backups⟩ **1** sistema de reprodução de dados em cópias de reserva para que a informação não se perca **2** cópia de um ficheiro guardada como reserva para o caso de o ficheiro original se estragar ou perder: *Fiz um backup da pasta do projeto.* **SIN.** cópia de segurança

baço (ba.ço) ['basu] *adj.* sem brilho ▪ *n.m.* órgão situado à esquerda do estômago

bacoco (ba.co.co) [bɐ'koku] *adj.,n.m. coloq.* ingénuo; palerma

bacon ['bɐjkɔn] *n.m.* toucinho fumado

bacorada (ba.co.ra.da) [bɐku'radɐ] *n.f.* **1** dito inconveniente: *Só dizes bacoradas.* **SIN.** asneira **2** conjunto de porcos **SIN.** vara

bactéria (bac.té.ri:a) [bɐ'ktɛrjɐ] *n.f.* organismo microscópico que pode causar doenças

badagaio (ba.da.gai.o) [bɐdɐ'gaju] *n.m.* **1** *coloq.* mal-estar súbito **2** *coloq.* ataque nervoso ♦ *coloq.* **dar o badagaio a 1** desmaiar **2** deixar de funcionar

badalada (ba.da.la.da) [bɐdɐ'ladɐ] *n.f.* pancada do badalo no sino: *Na passagem de ano, come-se uma uva-passa por cada badalada.*

badalado (ba.da.la.do) [bɐdɐ'ladu] *adj. coloq.* diz-se do assunto, problema ou evento muito comentado: *Aquela festa foi a mais badalada do verão.*

badalar (ba.da.lar) [bɐdɐ'lar] *v.* dar badaladas (relógio, sino)

badalhoco (ba.da.lho.co) [bɐdɐ'ʎoku] *adj. pej.* sujo; porco

badalo (ba.da.lo) [bɐ'dalu] *n.m.* peça metálica suspensa por uma argola no interior de sinos, campainhas, etc. ♦ *coloq.* **dar ao badalo 1** falar muito **2** ser indiscreto

badana (ba.da.na) [bɐ'dɐnɐ] *n.f.* parte da capa de um livro que se dobra para dentro

badejo (ba.de.jo) [bɐ'dɐ(j)ʒu] *n.m.* peixe semelhante ao bacalhau, que vive em pequenos cardumes

badminton [ba'dmĩtɔn] *n.m.* jogo semelhante ao ténis que se joga com raquetes e uma bola com penas, que é lançada por cima de uma rede e não deve tocar no chão

bafejado (ba.fe.ja.do) [bɐfə'ʒadu] *adj.* **1** que recebeu bafo ou sopro **2** *fig.* protegido pela sorte: *Aquele rapaz foi bafejado pela sorte.*

bafejar (ba.fe.jar) [bɐfə'ʒar] *v.* **1** soltar bafo **2** soprar sobre **3** *fig.* favorecer; auxiliar **4** *fig.* estimular; incentivar

bafo (ba.fo) ['bafu] *n.m.* **1** ar lançado pela boca **SIN.** sopro **2** cheiro exalado pela boca **SIN.** hálito **3** [ANG.] ralhete **4** [ANG.] som emitido por um aparelho

baforada (ba.fo.ra.da) [bɐfu'radɐ] *n.f.* **1** sopro forte de vento **2** nuvem de fumo

baga (ba.ga) ['bagɐ] *n.f.* fruto carnudo com sementes (como a framboesa e a uva)

bagaço (ba.ga.ço) [bɐ'gasu] *n.m.* **1** resíduo de fruta espremida ou moída **2** aguardente feita de uva

bagageira (ba.ga.gei.ra) [bɐgɐ'ʒɐjrɐ] *n.f.* compartimento de um veículo onde se arruma a bagagem; mala

bagagem (ba.ga.gem) [bɐ'gaʒɐ̃j] *n.f.* **1** conjunt de malas que uma pessoa leva quando viaja: *P gou uma multa por excesso de bagagem.* **2** *fig.* cor junto de conhecimentos sobre determinada áre *O teu tio tem uma bagagem cultural enorme.* **SIN** saber

bagatela (ba.ga.te.la) [bɐgɐ'tɛlɐ] *n.f.* coisa d pouco valor ou sem importância: *Paguei uma b gatela por aquele quadro.* **SIN.** ninharia

bago (ba.go) ['bagu] *n.m.* fruto da videira; uva

baguete (ba.gue.te) [ba'gɛt(ə)] *n.f.* pão comprid e fino

bagunça (ba.gun.ça) [bɐ'gũsɐ] *n.f.* desordem; d sarrumação: *O teu quarto está uma bagunça.*

baía (ba.í.a) [bɐ'iɐ] *n.f.* extensão de mar que ent na costa

bailado (bai.la.do) [baj'ladu] *n.m.* dança artístic **SIN.** ballet

bailar (bai.lar) [baj'lar] *v.* dançar

bailarino (bai.la.ri.no) [bajlɐ'rinu] *n.m.* ⟨*f.* bailarin dançarino profissional

baile (bai.le) ['bajl(ə)] *n.m.* **1** reunião de pesso para dançar: *Ela foi a um baile de máscara* **2** dança ♦ *coloq.* **apanhar/levar um baile** s alvo de troça; **dar baile a** fazer troça de

bainha (ba.i.nha) [bɐ'iɲɐ] *n.f.* dobra cosida na e tremidade de um tecido: *É preciso fazer a bainh da saia.*

A palavra **bainha** escreve-se sem acento agudo no **i**.

baioneta (bai.o.ne.ta) [baju'netɐ] *n.f.* espécie c punhal que se adapta à extremidade do cano c espingarda

bairrismo (bair.ris.mo) [baj'ʀiʒmu] *n.m.* apeg exagerado de uma pessoa à sua região ou ter natal, que a leva a valorizá-las de modo exce sivo em relação a outras

bairrista (bair.ris.ta) [baj'ʀiʃtɐ] *n.2g.* pessoa qu defende de modo exagerado a sua região ou sua terra natal

bairro (bair.ro) ['bajʀu] *n.m.* **1** cada uma das part em que se divide uma cidade ou vila **2** conjun de casas dentro de uma povoação

bairro-de-lata (bair.ro-.de-.la.ta) [bajʀud(ə)'la *a nova grafia é* **bairro de lata**[AO]

bairro de lata (bair.ro de la.ta)[AO] [bajʀud(ə)'la *n.m.* ⟨*pl.* bairros de lata⟩ aglomerado de casas p bres, geralmente habitado por pessoas pobres

baixa (bai.xa) ['bajʃɐ] *n.f.* **1** diminuição de valor c de preço: *Com a crise, houve uma baixa nos preç das casas.* **2** interrupção do trabalho por doenç *Ele está de baixa porque foi operado à pern* **3** parte baixa de uma cidade que é normalmen o seu centro: *Gosto de fazer compras na baixa de Lisboa.* **4** vítima de situação de conflito militar, catástrofe natural ou acidente: *O exército sofreu muitas baixas.*

baixa-mar (bai.xa-.mar) [bajʃɐ'mar] *n.f.* ⟨*pl.* baixa--mares⟩ maré baixa

baixar (bai.xar) [baj'ʃar] *v.* **1** descer ou fazer descer: *Depois de vários dias de calor, a temperatura está a começar a baixar.* **2** diminuir (valor ou intensidade): *Ele baixou o volume do rádio.* **3** [MOÇ.] pôr de lado; recusar ▪ **baixar-se** curvar-se: *Ele baixou-se para apanhar os óculos do chão.*

baixela (bai.xe.la) [baj'ʃɛlɐ] *n.f.* conjunto de utensílios (pratos, copos, talheres, etc.) próprios para o serviço de mesa: *O jantar foi servido em baixela de prata.*

baixinho (bai.xi.nho) [baj'ʃiɲu] *adv.* **1** em voz baixa **2** em segredo ▪ ⟨*dim. de* baixo⟩ *adj.* muito baixo

baixio (bai.xi.o) [baj'ʃiu] *n.m.* acumulação de areia no fundo do rio ou do mar

baixista (bai.xis.ta) [baj'ʃiʃtɐ] *n.2g.* pessoa que toca baixo (instrumento)

baixo (bai.xo) ['bajʃu] *adj.* **1** (lugar) que tem pouca altura **ANT.** alto **2** (pessoa) de pequena estatura **3** (poço, rio) que é pouco fundo **4** (som) que tem pouco volume **5** que custa ou vale pouco **6** *fig.* desprezível; vil: *Foi uma atitude muito baixa.* **ANT.** alto ▪ *n.m.* **1** instrumento musical de cordas que emite sons graves **2** voz masculina mais grave **3** cantor que possui esse tipo de voz ▪ *adv.* **1** em lugar pouco elevado: *Guardei a tua caixa aí em baixo.* **2** com pouco volume: *Fala mais baixo, por favor.* **3** em tom grave ♦ **dar para baixo** dizer mal de; apontar defeitos a; **estar em baixo** estar abatido ou desanimado

baixo-astral (bai.xo-.as.tral) [bajʃwɐʃ'traɫ] *n.m.* [BRAS.] mau humor; depressão ▪ *adj.inv.* [BRAS.] mal--humorado; deprimido; infeliz

baixo-relevo (bai.xo-.re.le.vo) [bajʃuʀə'levu] *n.m.* ⟨*pl.* baixos-relevos⟩ tipo de escultura em que as figuras não estão salientes em relação ao fundo

baixo-ventre (bai.xo-.ven.tre) [bajʃu'vẽtr(ə)] *n.m.* ⟨*pl.* baixos-ventres⟩ parte inferior do abdómen

bajia (ba.ji.a) [ba'ʒiɐ] *n.f.* [MOÇ.] bolo feito de feijão nhemba

bajulação (ba.ju.la.ção) [bɐʒulɐ'sɐ̃w̃] *n.f.* lisonja interesseira; graxa

bajular (ba.ju.lar) [bɐʒu'lar] *v.* lisonjear com fins interesseiros **SIN.** adular

bala (ba.la) ['balɐ] *n.f.* **1** pequena peça metálica disparada por arma de fogo: *O polícia vestiu um colete à prova de bala.* **2** [BRAS.] rebuçado

balada (ba.la.da) [bɐ'ladɐ] *n.f.* **1** canção sentimental, de ritmo lento **2** poema que conta lendas e tradições, podendo ter acompanhamento musical

balado (ba.la.do) [bɐ'ladu] *adj.* [ANG., STP.] que tem muitos bens; endinheirado

balança (ba.lan.ça) [bɐ'lɐ̃sɐ] *n.f.* instrumento que serve para pesar (objetos, pessoas, etc.): *Preciso de comprar uma balança de cozinha.* ▪ **Balança** sétimo signo do zodíaco (23 de setembro a 22 de outubro)

balançar (ba.lan.çar) [bɐlɐ̃'sar] *v.* **1** fazer oscilar **2** hesitar: *Ele balançou entre as duas propostas.* **3** *fig.* abalar: *balançar as crenças de alguém* ▪ **balançar-se** oscilar

balancé (ba.lan.cé) [bɐlɐ̃'sɛ] *n.m.* ⇒ **baloiço**

balanço (ba.lan.ço) [bɐ'lɐ̃su] *n.m.* **1** movimento de um lado para o outro: *Comprei uma cadeira de balanço.* **2** resultado global: *O balanço da feira do livro foi positivo.*

balão (ba.lão) [bɐ'lɐ̃w̃] *n.m.* **1** aparelho cheio de ar quente ou gás, que se eleva na atmosfera, transportando pessoas num cesto suspenso; aeróstato **2** globo de plástico fino, cheio de ar ou gás e suspenso por um fio, que é usado como brinquedo **3** na banda desenhada, caixa oval com os diálogos ou pensamentos

balão-de-ensaio (ba.lão-.de-.en.sai:o) [bɐlɐ̃w̃ dẽ'saju] *a nova grafia é* **balão de ensaio**[AO]

balão de ensaio (ba.lão de en.sai:o)[AO] [bɐlɐ̃w̃ dẽ'saju] *n.m.* ⟨*pl.* balões de ensaio⟩ vaso de vidro em forma de globo, com gargalo estreito, usado em experiências de laboratório

balastro (ba.las.tro) [bɐ'laʃtru] *n.m.* empedrado sobre o qual assentam as travessas que suportam os carris nas vias-férreas

balaustrada (ba.laus.tra.da) [bɐlawʃ'tradɐ] *n.f.* série de colunas pequenas que formam corrimão

balbuciar (bal.bu.ci:ar) [baɫbu'sjar] *v.* dizer com hesitação; gaguejar

balbúrdia (bal.búr.di:a) [baɫ'burdjɐ] *n.f.* grande confusão; desordem

balcânico (bal.câ.ni.co) [baɫ'kɐniku] *adj.* relativo aos Balcãs (península do Sudeste da Europa)

balcão (bal.cão) [baɫ'kɐ̃w̃] *n.m.* **1** móvel comprido de loja, café ou serviço, onde se atendem os clientes: *Para fazer o pré-pagamento, dirija-se àquele balcão.* **2** superfície plana sobre os móveis da cozinha **3** no teatro, plataforma saliente, à frente dos camarotes: *Tenho dois bilhetes no primeiro balcão para o concerto de amanhã.*

balda (bal.da) ['baɫdɐ] *n.f.* *coloq.* fuga ao trabalho ou às responsabilidades ♦ *coloq.* **à balda** sem regras; desordenadamente

baldar-se (bal.dar-.se) [baɫ'dars(ə)] *v.* ⟨**+a**, **+para**⟩ *coloq.* não comparecer a: *O João baldou-se às aulas.*

baldas (bal.das) ['bałdɐʃ] *n.2g.2n. coloq.* pessoa desorganizada e irresponsável

balde (bal.de) ['bałd(ə)] *n.m.* recipiente em forma de cone largo: *balde do lixo* ◆ *coloq.* **balde de água fria** desilusão; desapontamento

baldio (bal.di.o) [bał'diu] *n.m.* terreno inculto

baldroca (bal.dro.ca) [bał'drɔkɐ] *n.f.* fraude; trapaça ◆ **trocas e baldrocas** meios pouco honestos

balé (ba.lé) [ba'lɛ] *n.m.* estilo de dança artística caracterizado por movimentos graciosos, saltos e piruetas, por vezes em bicos de pés

balear (ba.le:ar) [bɐ'ljar] *v.* atingir com bala

baleeiro (ba.le.ei.ro) [bɐ'ljɐjru] *n.m.* barco usado na pesca da baleia

baleia (ba.lei.a) [bɐ'lɐjɐ] *n.f.* grande mamífero marinho que respira através de um buraco situado no cimo da cabeça, tem barbatanas anteriores e uma cauda lisa horizontal

balido (ba.li.do) [bɐ'lidu] *n.m.* som produzido pela ovelha

balir (ba.lir) [bɐ'lir] *v.* soltar balidos (a ovelha)

balística (ba.lís.ti.ca) [bɐ'liʃtikɐ] *n.f.* ciência que estuda o movimento dos projéteis de armas de fogo

balístico (ba.lís.ti.co) [bɐ'liʃtiku] *adj.* **1** relativo a bala **2** (míssil) que segue uma trajetória que não pode ser alterada

baliza (ba.li.za) [bɐ'lizɐ] *n.f.* **1** estaca ou outro objeto que marca um limite **2** no futebol, hóquei e outros desportos, armação retangular, fechada atrás com rede, onde deve entrar a bola: *Aquele jogador fez 5 remates à baliza.*

balizar (ba.li.zar) [bɐli'zar] *v.* marcar; delimitar

ballet [ba'lɛ] *n.m.* **1** dança artística, por vezes em bicos de pés **2** peça musical para bailado

balnear (bal.ne:ar) [bał'njar] *adj.2g.* **1** relativo a banho(s): *A época balnear começa em junho.* **2** próprio para banhos

balneário (bal.ne:á.ri:o) [bał'njarju] *n.m.* local onde os desportistas, nadadores, etc. trocam de roupa

balofo (ba.lo.fo) [bɐ'lofu] *adj.* **1** muito gordo **2** fofo; mole

baloiçar(-se) (ba.loi.çar(-se)) [bɐloj'sar(sə)] ou **balouçar(-se)** *v.* mover(-se) de um lado para o outro **SIN.** balançar(-se)

baloiço (ba.loi.ço) [bɐ'lojsu] *n.m.* **1** brinquedo infantil que consiste num assento suspenso por cordas ou correntes fixas num suporte: *As crianças adoram andar de baloiço.* **2** movimento de oscilação: *Ofereci uma cadeira de baloiço à minha avó.*

balouço (ba.lou.ço) [bɐ'lo(w)su] *n.m.* ⇒ **baloiço**

balsa (bal.sa) ['bałsɐ] *n.f.* **1** árvore produtora de madeira mais leve que a cortiça **2** madeira dessa árvore

balsâmico (bal.sâ.mi.co) [bał'sɐmiku] *adj.* **1** aromático; perfumado: *Este prato leva vinagre balsâmico.* **2** *fig.* reconfortante; animador

bálsamo (bál.sa.mo) ['bałsɐmu] *n.m.* **1** substância resinosa e aromática **2** aroma; perfume **3** *fig.* conforto; alívio: *As palavras dele foram um bálsamo para mim.*

báltico (bál.ti.co) ['bałtiku] *adj.* relativo à região do mar Báltico ■ **Báltico** *n.m.* mar situado no Norte da Europa, que banha os países escandinavos (Noruega, Suécia e Finlândia)

balúrdio (ba.lúr.di:o) [bɐ'lurdju] *n.m. coloq.* grande quantidade de dinheiro: *Essa pulseira custou um balúrdio!*

bâmbi (bâm.bi) ['bɐ̃bi] *n.m.* **1** filhote de corça ou de gazela **2** mamífero com pelagem cinzenta ou amarelada, chifres curtos e aguçados, nos machos, existente nas savanas e áreas montanhosas de África

bambo (bam.bo) ['bɐ̃bu] *adj.* **1** que não está esticado **SIN.** frouxo; largo **2** que não está firme **SIN.** instável **ANT.** estável

bambolear(-se) (bam.bo.le:ar(-se)) [bɐ̃bu'ljar(sə)] *v.* mover(-se) balançando as ancas **SIN.** saracotear(-se)

bambu (bam.bu) [bɐ̃'bu] *n.m.* planta de caule oco e flexível que serve de alimento a alguns animais, como os pandas

banal (ba.nal) [bɐ'nał] *adj.2g.* comum; vulgar; trivial; sem importância: *Para mim, é um acontecimento banal.*

banalidade (ba.na.li.da.de) [bɐnɐli'dad(ə)] *n.f.* coisa comum ou sem importância; insignificância

banalizar(-se) (ba.na.li.zar(-se)) [bɐnɐli'zar(sə)] *v.* tornar(-se) banal **SIN.** vulgarizar(-se)

banana (ba.na.na) [bɐ'nɐnɐ] *n.f.* **1** fruto alongado e curvo com casca amarela, quando maduro: *Cuidado com a casca de banana! Podes escorregar.* **2** penteado em que o cabelo é apanhado, formando um rolo vertical atrás da cabeça ■ *n.2g. coloq., pej.* pessoa que não tem vontade própria, energia ou que revela falta de bom senso: *O tipo é um banana, não sabe aproveitar aquilo que tem.*

bananeira (ba.na.nei.ra) [bɐnɐ'nɐjrɐ] *n.f.* planta que produz bananas

banca (ban.ca) ['bɐ̃kɐ] *n.f.* **1** numa cozinha, balcão de trabalho ou de apoio, com tampo de mármore ou aço inoxidável, normalmente com pia embutida **2** num mercado, local onde os comerciantes expõem os seus produtos para venda **3** mesa com instrumentos próprios para trabalhos de oficina **4** conjunto dos bancos de um país ◆ **estar nas bancas** estar publicado

bancada (ban.ca.da) [bɐ̃'kadɐ] *n.f.* conjunto de bancos dispostos em filas sucessivas num anfiteatro, estádio, etc.

bancário (ban.cá.ri:o) [bɐ̃'karju] *adj.* relativo a banco (instituição): *conta bancária* ■ *n.m.* funcionário de um banco

bancarrota (ban.car.ro.ta) [bɐ̃kɐ'ʀotɐ] *n.f.* falência; ruína: *A empresa dele está na bancarrota.*

banco (ban.co) ['bɐ̃ku] *n.m.* **1** móvel, com ou sem encosto, para sentar: *As crianças devem ir sempre no banco de trás do carro.* **2** estabelecimento onde se deposita, empresta ou troca dinheiro: *Fui ao banco abrir uma conta.* **3** secção de hospital para consultas e tratamentos urgentes **4** elevação do fundo do mar ou de um rio ◆ **banco alimentar** instituição que recolhe produtos alimentares provenientes de donativos e os redistribui por associações de beneficência; **banco de areia** acumulação de seixos e sedimentos de rochas no leito dos rios; **banco dos réus** lugar onde se senta a pessoa que está a ser julgada na sala de um tribunal

banda (ban.da) ['bɐ̃dɐ] *n.f.* **1** grupo de músicos **2** parte lateral; lado **3** risca larga; faixa ■ **bandas** *n.f.pl.* lugar indefinido ◆ **banda desenhada** sequência de imagens com pequenos textos dentro de balões, através da qual se conta uma história; **banda larga** meio de transmissão em que a largura da banda de frequências permite a transferência de grande quantidade de dados a uma velocidade elevada; **banda sonora** gravação musical que acompanha as imagens de um filme

bandalheira (ban.da.lhei.ra) [bɐ̃dɐ'ʎɐjrɐ] *n.f. coloq.* grande confusão e desordem

bandarilha (ban.da.ri.lha) [bɐ̃dɐ'riʎɐ] *n.f.* haste que, numa tourada, se espeta no cachaço do touro

bandeira (ban.dei.ra) [bɐ̃'dɐjrɐ] *n.f.* peça de tecido com cores e desenhos, ligada a uma haste, que representa um país, um grupo, ou uma instituição; **bandeira nacional** bandeira oficial de um país; **bandeira a meia haste** a que está içada a meia altura do mastro, em sinal de luto ◆ **rir a bandeiras despregadas** rir às gargalhadas

> A saber que a **bandeira portuguesa** é, desde 1910, verde e vermelha, com o escudo das quinas sobreposto à esfera armilar.

bandeirada (ban.dei.ra.da) [bɐ̃dɐj'radɐ] *n.f.* num táxi, quantia fixa que o taxímetro marca no início da deslocação e que é incluída no preço final pago pelo passageiro

bandeirola (ban.dei.ro.la) [bɐ̃dɐj'rɔlɐ] *n.f.* bandeira pequena

bandeja (ban.de.ja) [bɐ̃'dɐ(j)ʒɐ] *n.f.* tabuleiro pequeno, retangular ou redondo, para servir alimentos, bebidas, etc. ◆ **dar de bandeja** dar sem esperar nada em troca

bandido (ban.di.do) [bɐ̃'didu] *n.m.* pessoa que pratica atos criminosos

bando (ban.do) ['bɐ̃du] *n.m.* **1** grupo de animais (especialmente aves) **2** grupo de pessoas

bandó (ban.dó) [bɐ̃'dɔ] *n.m.* cada uma das duas partes em que se divide o cabelo quando é repartido ao meio através de uma risca da testa à nuca

bandola (ban.do.la) [bɐ̃'dɔlɐ] *n.f.* [STP.] saco de serapilheira usado na colheita do cacau

bandolete (ban.do.le.te) [bɐ̃du'lɛt(ə)] *n.f.* tira de material flexível em forma de semicírculo que se usa para segurar o cabelo

bandolim (ban.do.lim) [bɐ̃du'lĩ] *n.m.* instrumento de quatro cordas duplas, que se toca com uma palheta ou com a unha

bandulho (ban.du.lho) [bɐ̃'duʎu] *n.m.* **1** primeira e maior das cavidades do estômago dos ruminantes; pança **2** *coloq.* barriga ◆ *coloq.* **encher o bandulho** comer demasiado

banga (ban.ga) ['bɐ̃gɐ] *n.f.* **1** [ANG.] vaidade; presunção **2** [GB.] mulher jovem; rapariga **3** [MOÇ.] taberna; botequim

bangaló (ban.ga.ló) [bɐ̃gɐ'lɔ] *n.m.* casa pequena de um só andar, em geral, de madeira, usada para férias

bangão (ban.gão) [bɐ̃'gɐ̃w̃] *adj.* [ANG.] pessoa vaidosa ou elegante

banha (ba.nha) ['bɐɲɐ] *n.f.* **1** gordura animal **2** *coloq.* zona gorda do corpo humano

banhar (ba.nhar) [bɐ'ɲar] *v.* **1** dar banho **2** molhar **3** correr junto de (rio) ■ **banhar-se** tomar banho

banheira (ba.nhei.ra) [bɐ'ɲɐjrɐ] *n.f.* **1** peça do quarto de banho, grande e geralmente retangular, própria para tomar banho; **banheira de hidromassagem** jacuzzi **2** *coloq.* automóvel grande e normalmente antigo

banheiro (ba.nhei.ro) [bɐ'ɲɐjru] *n.m.* **1** pessoa que faz a vigilância das praias e socorre os banhistas **2** [BRAS.] quarto de banho

banhista (ba.nhis.ta) [bɐ'ɲiʃtɐ] *n.2g.* pessoa que toma banho no mar, no rio ou na piscina

banho (ba.nho) ['bɐɲu] *n.m.* **1** ato de molhar o corpo para se lavar ou refrescar: *tomar banho; dar banho a alguém* **2** ato de entrar e permanecer na água do mar, rio ou lago para nadar ◆ **banho de sol** exposição do corpo a raios solares para ficar bronzeado

banho-maria (ba.nho-.ma.ri.a) [bɐɲumɐ'riɐ] *n.m.* ⟨*pl.* banhos-maria⟩ forma de aquecer alimentos, metendo-os num recipiente que é mergulhado noutro com água a ferver

banir (ba.nir) [bɐ'nir] *v.* **1** ⟨**+de**⟩ expulsar de lugar (especialmente da pátria): *O traidor foi banido do país.* **SIN.** desterrar **2** ⟨**+de**⟩ expulsar (de sociedade, grupo): *Eles baniram-no do grupo.* **3** ⟨**+de**⟩ fazer desaparecer: *Baniu do livro todos os comentários racistas.*

banjo (ban.jo) ['bɐ̃ʒu] *n.m.* instrumento musical de cordas, com um braço longo e o corpo central em forma de tambor

banner ['bɐnɐr] *n.m.* mensagem publicitária colocada num sítio da internet, geralmente com um link ou endereço para outra página

banqueiro (ban.quei.ro) [bɐ̃'kɐjru] *n.m.* dono de um banco

banquete (ban.que.te) [bɐ̃'ket(ə)] *n.m.* refeição grande e festiva: *Foi um verdadeiro banquete.*

banto (ban.to) ['bɐ̃tu] *adj.* (idioma africano) cuja flexão se faz por meio de prefixos

banzar (ban.zar) [bɐ̃'zar] *v. coloq.* espantar; surpreender

baobá (bao.bá) [bɐo'bɐ] *n.m.* árvore africana com tronco muito grosso, madeira branca, mole e porosa, casca medicinal e de que se extrai uma fibra têxtil; embondeiro

baptismal (bap.tis.mal) [batiʒ'maɫ] *a nova grafia é* **batismal**[AO]

baptismo (bap.tis.mo) [ba'tiʒmu] *a nova grafia é* **batismo**[AO]

baptizado (bap.ti.za.do) [bati'zadu] *a nova grafia é* **batizado**[AO]

baptizar (bap.ti.zar) [bati'zar] *a nova grafia é* **batizar**[AO]

baque (ba.que) ['bak(ə)] *n.m.* **1** ruído produzido por um objeto ao cair **2** *fig.* sensação forte de susto; sobressalto: *Teve um baque quando soube da notícia.*

baqueta (ba.que.ta) [bɐ'ketɐ] *n.f.* vara curta de madeira usada para tocar tambor

bar (bar) ['bar] *n.m.* **1** estabelecimento onde se servem bebidas; **bar aberto** serviço de bebidas gratuitas, geralmente num estabelecimento de diversão noturno (bar, discoteca, etc.) **2** móvel onde se guardam bebidas

barafunda (ba.ra.fun.da) [bɐrɐ'fũdɐ] *n.f.* situação de desordem **SIN.** confusão

barafustar (ba.ra.fus.tar) [bɐrɐfuʃ'tar] *v.* **1** ⟨**+com**, **+contra**⟩ *coloq.* protestar; reclamar **2** *coloq.* responder com maus modos

baralhado (ba.ra.lha.do) [bɐrɐ'ʎadu] *adj.* **1** (cartas) misturado **2** desordenado **3** *fig.* confuso

baralhar (ba.ra.lhar) [bɐrɐ'ʎar] *v.* **1** misturar (cartas de jogar): *Agora sou eu a baralhar as cartas.* **2** *fig.* confundir; perturbar: *Eu baralho sempre os nomes dos teus irmãos.*

baralho (ba.ra.lho) [bɐ'raʎu] *n.m.* conjunto de cartas necessárias para um jogo

barão (ba.rão) [bɐ'rɐ̃w̃] *n.m.* ⟨*f.* baronesa⟩ título de nobreza inferior ao de visconde

barata (ba.ra.ta) [bɐ'ratɐ] *n.f.* inseto com corpo oval e chato, com antenas, em geral doméstico e de hábitos noturnos ♦ *coloq.* **barata tonta** pessoa desorientada

baratinado (ba.ra.ti.na.do) [bɐrɐti'nadu] *adj. coloq.* confuso; desorientado

barato (ba.ra.to) [bɐ'ratu] *adj.* que custa pouco dinheiro **ANT.** caro

barba (bar.ba) ['barbɐ] *n.f.* conjunto de pelos que nascem no queixo e nas faces do homem adulto, ou no focinho de alguns animais: *Durante as férias, deixei crescer a barba.* ♦ **já ter barbas** ser muito antigo; **nas barbas de** na presença de; diante de

barbaridade (bar.ba.ri.da.de) [bɐrbɐri'dad(ə)] *adj.* **1** ato cruel; crueldade: *Foi uma barbaridade o que fizeram ao animal.* **2** dito disparatado; disparate: *Ele só diz barbaridades.*

barbárie (bar.bá.ri:e) [bɐr'barji] *n.f.* estado ou condição de bárbaro

bárbaro (bár.ba.ro) ['barbɐru] *adj.* **1** cruel **2** grosseiro

barbatana (bar.ba.ta.na) [bɐrbɐ'tɐnɐ] *n.f.* **1** órgão espalmado, existente nos peixes e nos cetáceos, que serve para eles se deslocarem **2** calçado de borracha, largo e espalmado, usado pelos nadadores para se deslocarem com maior velocidade na água

barbearia (bar.be:a.ri.a) [bɐrbjɐ'riɐ] *n.f.* cabeleireiro de homens

barbear(-se) (bar.be:ar(-se)) [bɐr'bjar(sə)] *v.* ⟨**+a**, **+com**⟩ cortar a barba (a alguém ou a si próprio)

barbecue [barbə'kju] *n.m.* ⟨*pl.* barbecues⟩ refeição de grelhados ao ar livre; churrasco

barbeiro (bar.bei.ro) [bɐr'bɐjru] *n.f.* cabeleireiro de homens

barbela (bar.be.la) [bɐr'bɛlɐ] *n.f.* **1** dobra da pele pendente da parte inferior do pescoço dos bovinos **2** saliência adiposa por baixo do queixo

barbicha (bar.bi.cha) [bɐr'biʃɐ] *n.f.* barba curta e rara

barbo (bar.bo) ['barbu] *n.m.* peixe de água doce, natural da Península Ibérica

barbudo (bar.bu.do) [bɐr'budu] *adj.* que tem a barba muito crescida

barca (bar.ca) ['barkɐ] *n.f.* embarcação larga e pouco funda

barco (bar.co) ['barku] *n.m.* **1** pequena embarcação, com ou sem coberta **2** qualquer embarcação ◆ **abandonar o barco** não querer continuar; desistir; **estar no mesmo barco** estar numa situação igual

baril (ba.ril) [bɐ'riɫ] *adj.2g. coloq.* muito bom; ótimo ■ *adv. coloq.* muito bem; excelente

barítono (ba.rí.to.no) [bɐ'ritunu] *n.m.* **1** voz masculina entre a do baixo e a do tenor **2** cantor que tem essa voz

barman ['barmɐn] *n.m.* pessoa que prepara e serve bebidas num bar; empregado de bar

barómetro (ba.ró.me.tro) [bɐ'rɔmətru] *n.m.* instrumento que mede a pressão atmosférica

barqueiro (bar.quei.ro) [bɐr'kɐjru] *n.m.* pessoa que dirige um barco

barra (bar.ra) ['baʀɐ] *n.f.* **1** peça longa e estreita de madeira, metal, etc. **2** aparelho de ginástica utilizado para exercícios de impulso e balanço **3** entrada de um porto **4** tira de tecido ◆ **levar à barra do tribunal** levar a julgamento; processar; *coloq.* **ser uma barra** ser excelente a nível físico ou intelectual; saber muito sobre determinado assunto

barraca (bar.ra.ca) [bɐ'ʀakɐ] *n.f.* **1** construção de madeira ou lona; tenda **2** casa muito humilde ◆ **armar barraca** provocar escândalo ou confusão

barracão (bar.ra.cão) [bɐʀɐ'kɐ̃w̃] *n.m.* construção para guardar materiais; armazém

barrado (bar.ra.do) [bɐ'ʀadu] *adj.* **1** (pão, tosta) coberto de manteiga, compota, etc.: *A minha mãe preparou-me um pão barrado com manteiga.* **2** (acesso) impedido: *Os caminhos estavam barrados a qualquer veículo.* **3** (cheque) cruzado; traçado

barragem (bar.ra.gem) [bɐ'ʀazɐ̃j] *n.f.* construção destinada a parar ou reduzir um curso de água

barramento (bar.ra.men.to) [bɐʀɐ'mẽtu] *n.m.* conjunto de condutores que interligam diferentes partes do sistema de um computador, permitindo a transferência de dados entre vários dispositivos ◆ **barramento de chamadas** serviço que permite controlar a utilização do telefone por parte do cliente, designadamente a ativação ou a desativação de níveis sujeitos a restrição

barranco (bar.ran.co) [bɐ'ʀɐ̃ku] *n.m.* vale profundo; precipício

barraqueiro (bar.ra.quei.ro) [bɐʀɐ'kɐjru] *adj.,n.m.* **1** *coloq.* que ou aquele que arma confusão **2** *coloq.* que ou aquele que chama muito a atenção por ser espalhafatoso

barrar (bar.rar) [bɐ'ʀar] *v.* **1** ⟨**+com**⟩ cobrir (pão, bolo) com manteiga, compota, etc.: *É preciso barrar a forma com manteiga para o bolo não agarrar.* **2** impedir (acesso, passagem) **3** marcar (cheque) com riscos transversais para impedir que seja levantado **SIN.** traçar; cruzar

barreira (bar.rei.ra) [bɐ'ʀɐjrɐ] *n.f.* aquilo que impede a passagem **SIN.** obstáculo

barrela (bar.re.la) [bɐ'ʀɛlɐ] *n.f.* mistura de água quente com cinzas vegetais, usada para branquear a roupa

barrento (bar.ren.to) [bɐ'ʀẽtu] *adj.* **1** que contém barro **2** lamacento

barrete (bar.re.te) [bɐ'ʀet(ə)] *n.m.* peça de malha para cobrir a cabeça; carapuço ◆ **enfiar o barrete** pensar que uma crítica dirigida a outra pessoa é para nós; **enfiar um barrete** sofrer uma desilusão; ser enganado

barrica (bar.ri.ca) [bɐ'ʀikɐ] *n.f.* pipa pequena

barricada (bar.ri.ca.da) [bɐʀi'kadɐ] *n.f.* barreira feita de paus, troncos, pedras, etc.

barriga (bar.ri.ga) [bɐ'ʀigɐ] *n.f.* parte do tronco humano onde se encontram o estômago e os intestinos **SIN.** ventre; abdómen ◆ **barriga da perna** parte muscular posterior da perna; **estar de barriga** estar grávida; **falar de barriga cheia** queixar-se sem motivo; **ter a barriga a dar horas** estar com fome; **ter mais olhos que barriga** pensar que se vai comer mais do que realmente se consegue comer; **tirar a barriga de misérias** usufruir de algo que antes não se tinha

barrigada (bar.ri.ga.da) [bɐʀi'gadɐ] *n.f.* **1** grande quantidade de alimentos ingeridos **2** grande quantidade ou intensidade (de algo positivo) **3** golpe na barriga

barrigudo (bar.ri.gu.do) [bɐʀi'gudu] *adj.* que tem uma barriga grande

barril (bar.ril) [bɐ'ʀiɫ] *n.m.* ⟨*pl.* barris⟩ recipiente de madeira, feito de tábuas arqueadas, onde se conserva ou transporta vinho ou outros líquidos **SIN.** pipa ◆ **barril de pólvora** situação tensa que pode desencadear um conflito a qualquer momento

barro (bar.ro) ['baʀu] *n.m.* terra própria para fabricar louça

barroco (bar.ro.co) [bɐ'ʀoku] *n.m.* estilo da arquitetura e da literatura que se opôs ao classicismo renascentista entre final do século XVI até meados do século XVIII

barrote (bar.ro.te) [bɐ'ʀɔt(ə)] *n.m.* viga grossa de madeira

barulheira (ba.ru.lhei.ra) [bɐru'ʎɐjrɐ] *n.f.* grande barulho **SIN.** algazarra; gritaria

barulhento (ba.ru.lhen.to) [bɐru'ʎẽtu] *adj.* que faz muito barulho **SIN.** ruidoso

barulho (ba.ru.lho) [bɐ'ruʎu] *n.m.* **1** grande ruído **SIN.** estrondo **ANT.** silêncio **2** grande confusão; desordem ♦ *coloq.* **fazer barulho** protestar; **meter (alguém) ao barulho** meter alguém no meio de uma discussão que não está relacionada com o assunto

basalto (ba.sal.to) [bɐ'zaɫtu] *n.m.* 👁 rocha vulcânica de cor escura

basco (bas.co) ['baʃku] *adj.* relativo ao País Basco (nos Pirenéus Ocidentais) ▪ *n.m.* **1** natural ou habitante do País Basco **2** língua falada no País Basco

basculante (bas.cu.lan.te) [bɐʃku'lẽt(ə)] *adj.2g.* que permite levantar uma extremidade descendo a outra

base (ba.se) ['baz(ə)] *n.f.* **1** objeto que serve de apoio **2** parte essencial de alguma coisa **3** origem; princípio **4** instalação militar ou científica **5** substância que se aplica no rosto para cobrir marcas da pele e para dar coloração ▪ **bases** *n.f.pl.* conhecimentos: *Ele tem boas bases de Matemática.* ♦ **base de dados** conjunto de dados estruturados num determinado modelo que permite a sua utilização por outras aplicações; **à base de** que consiste em; **na base de** tomando como princípio, à custa de

baseado (ba.se:a.do) [bɐ'zjadu] *adj.* **1** apoiado **2** fundamentado

basear (ba.se:ar) [bɐ'zjar] *v.* ser a base de; apoiar: *basear alguma coisa em factos* ▪ **basear-se ⟨+em⟩** ter como base; apoiar-se: *O filme baseia-se na vida de Picasso.*

basebol (ba.se.bol) [bɐjzə'bɔɫ] *n.m.* jogo praticado com um bastão e uma pequena bola de borracha, disputado entre duas equipas de 9 jogadores cada

basebolista (ba.se.bo.lis.ta) [bɐjzə'buliʃtɐ] *n.2g.* pessoa que joga basebol

básico (bá.si.co) ['baziku] *adj.* **1** que serve de base **2** fundamental; essencial **3** *coloq.* pouco inteligente ▪ *n.m.* o que é essencial, fundamental

basílica (ba.sí.li.ca) [bɐ'zilikɐ] *n.f.* igreja muito grande

basmati [baʒ'mati] *n.m.* variedade de arroz branco indiano, de grãos finos e perfumados

basquete (bas.que.te) ['baʃkɛt(ə)] *n.m. coloq.* basquetebol

básquete (bás.que.te) ['baʃkɛt(ə)] *n.m. coloq.* basquetebol

basquetebol (bas.que.te.bol) [baʃkɛt'bɔɫ] *n.m.* jogo entre duas equipas de 5 elementos cada e que consiste em tentar meter a bola num cesto feito de rede e com o fundo aberto

basquetebolista (bas.que.te.bo.lis.ta) [baʃkɛtbu'liʃtɐ] *n.2g.* pessoa que joga basquetebol

basta (bas.ta) ['baʃtɐ] *interj.* usada para pôr fim a alguma coisa

bastante (bas.tan.te) [bɐʃ'tẽt(ə)] *adj.2g.* que basta; que é suficiente: *O arroz não é bastante.* ▪ *adv.* **1** em quantidade suficiente; quanto baste **2** muito: *Corri bastante.*

bastão (bas.tão) [bɐʃ'tɐ̃w̃] *n.m.* ⟨*pl.* bastões⟩ espécie de bengala para apoio ou defesa

bastar (bas.tar) [bɐʃ'tar] *v.* ser suficiente; chegar: *Basta de discussão.; Basta fazeres o que eu digo.*

bastardo (bas.tar.do) [bɐʃ'tardu] *adj.* dizia-se antigamente do filho gerado fora do casamento

bastidores (bas.ti.do.res) [bɐʃti'dorəʃ] *n.m.pl.* **1** parte do teatro situada atrás do palco **2** parte (de uma coisa ou de um assunto) que não é visível ou não é conhecida

bastonário (bas.to.ná.ri:o) [bɐʃtu'narju] *n.m.* título do presidente de várias associações como a Ordem dos Advogados, Ordem dos Engenheiros, etc.

bata (ba.ta) ['batɐ] *n.f.* peça de vestuário que se usa por cima da roupa para a proteger

batalha (ba.ta.lha) [bɐ'taʎɐ] *n.f.* **1** luta com armas entre dois exércitos **2** *fig.* grande esforço **3** *fig.* discussão violenta

batalhão (ba.ta.lhão) [bɐtɐ'ʎɐ̃w̃] *n.m.* **1** conjunto de soldados **2** *fig.* grande número de pessoas: *Estava um batalhão de jornalistas à porta do hotel.*

batalhar (ba.ta.lhar) [bɐtɐ'ʎar] *v.* **1** travar batalha com **SIN.** combater **2** ⟨**+por**⟩ *fig.* esforçar-se: *Ele batalhou sempre por melhores condições de vida.*

batanga (ba.tan.ga) [bɐ'tẽgɐ] *n.f.* [GB.] bolo de farinha de arroz

batata (ba.ta.ta) [bɐ'tatɐ] *n.f.* **1** tubérculo comestível da batateira, oval ou arredondado, com casca fina acastanhada; **batatas a murro** batatas que, depois de assadas com casca, são abertas por meio de uma pancada com a mão fechada, geralmente para as barrar com manteiga **2** *coloq.* nariz grosso e achatado ♦ *coloq.* **passar a batata quente** transferir para outra pessoa um problema ou uma dificuldade; **vai plantar batatas!** deixa-me em paz!

batata-doce (ba.ta.ta-.do.ce) [bɐtatɐ'do(sə)] *n.f.* **1** planta herbácea cujos tubérculos são comestíveis e contêm reservas açucaradas **2** tubérculo comestível dessa planta

batatal (ba.ta.tal) [bɐtɐ'taɫ] *n.m.* plantação de batatas

batateira (ba.ta.tei.ra) [bɐtɐ'tɐjrɐ] *n.f.* planta que produz batatas

bate-chapa (ba.te-.cha.pa) [batə'ʃapɐ] *n.m.* **1** operário ou máquina que endireita, alisa ou molda chapas de ferro **2** atividade que consiste em reparar chapa metálica geralmente de veículos

batedeira (ba.te.dei.ra) [bɐtə'dɐjrɐ] *n.f.* aparelho manual ou elétrico para bater massas, ovos, etc.

batel (ba.tel) [bɐ'tɛɫ] *n.m.* ⟨*pl.* batéis⟩ barco pequeno; bote

batelada (ba.te.la.da) [bɐtə'ladɐ] *n.f. coloq.* grande quantidade

batente (ba.ten.te) [bɐ'tẽt(ə)] *n.m.* peça de ferro que serve para bater à porta

bate-papo (ba.te-.pa.po) [batə'papu] *n.m.* ⟨*pl.* bate-papos⟩ [BRAS.] *coloq.* conversa; diálogo

bater (ba.ter) [bɐ'ter] *v.* **1** ⟨**+em**⟩ agredir; espancar: *O João bateu no primo.* **2** ⟨**+contra**, **+em**⟩ chocar; embater: *Bateu com o carro na árvore.* **3** ⟨**+a**⟩ tocar várias vezes com força (em porta, etc.) ou acionar um mecanismo (campainha, etc.) para chamar a atenção: *bater à porta/janela* **4** ⟨**+com**⟩ dar uma pancada (com parte do corpo): *Bati com o joelho na cama.* **5** ⟨**+com**⟩ fechar com violência (porta, janela) **6** ultrapassar (recorde, resultado) **7** palpitar (coração) **8** ⟨**+em**⟩ incidir (Sol) **9** vencer; derrotar (adversário) **10** agitar ou amassar (ingredientes): *Ela estava a bater os ovos.* **11** soar (horas): *O relógio bateu as seis horas.* **12** abanar com rapidez (asas) **13** dar golpe ou pancada em (metal, superfície, etc.) **14** ⟨**+em**⟩ insistir: *Estás sempre a bater nesse assunto.* **15** *coloq.* fazer sentir o seu efeito (droga, álcool) **16** [MOÇ.] roubar (sobretudo viaturas) **17** [MOÇ.] consumir (sobretudo bebidas) ▪ **bater-se** ⟨**+por**⟩ lutar; esforçar-se: *bater-se pela igualdade de direitos* ♦ *coloq.* **não bater bem** ser doido

bateria (ba.te.ri.a) [bɐtə'riɐ] *n.f.* **1** aparelho que fornece a eletricidade necessária ao funcionamento de um mecanismo ou motor **2** conjunto de instrumentos musicais de percussão (tambores, pratos, etc.) **3** conjunto; série (de exames, testes, etc.) ♦ **carregar as baterias** recuperar o ânimo/as energias

baterista (ba.te.ris.ta) [bɐtə'riʃtɐ] *n.2g.* pessoa que toca bateria

batida (ba.ti.da) [bɐ'tidɐ] *n.f.* **1** ritmo; batimento **2** exploração ou reconhecimento de um terreno **3** embate ligeiro de veículos

batido (ba.ti.do) [bɐ'tidu] *adj.* **1** calcado; pisado **2** vencido; derrotado **3** *coloq.* comum; vulgar ▪ *n.m.* bebida preparada com leite misturado com pedaços de fruta, chocolate, etc.

batimento (ba.ti.men.to) [bɐti'mẽtu] *n.m.* **1** pancada, geralmente repetida, que produz ruído **2** movimento de pulsação do coração: *Os batimentos cardíacos estão normais.*

batina (ba.ti.na) [bɐ'tinɐ] *n.f.* **1** peça de vestuário comprida, geralmente preta, com colarinho sem gola, usada pelos sacerdotes **2** espécie de casaco comprido usado por alguns estudantes

batismal (ba.tis.mal)[AO] [batiʒ'maɫ] *adj.2g.* respeitante a batismo ♦ **pia batismal** vaso de pedra que contém a água para o batismo

batismo (ba.tis.mo)[AO] [ba'tiʒmu] *n.m.* sacramento da religião cristã em que se deita água sobre a cabeça de uma pessoa, simbolizando a purificação de todos os seus pecados

batizado (ba.ti.za.do)[AO] [bati'zadu] *adj.* que recebeu o sacramento do batismo

batizar (ba.ti.zar)[AO] [bati'zar] *v.* **1** dar o sacramento do batismo a **2** dar nome a

batom (ba.tom) [ba'tõ] *n.m.* **1** objeto em forma de pequeno cilindro usado para pintar ou proteger os lábios **2** produto em forma de pequeno tubo cilíndrico **3** haste metálica usada pelo esquiador para impulsionar o andamento ou para se equilibrar

bâton [bɐ'tõ] *n.m.* ⇒ **batom**

batoque (ba.to.que) [bɐ'tɔk(ə)] *n.m.* **1** orifício numa pipa ou num barril **2** rolha que tapa esse orifício **3** *coloq.* pessoa baixa e gorda

batota (ba.to.ta) [bɐ'tɔtɐ] *n.f.* **1** fraude num jogo **2** qualquer ato para enganar alguém

batoteiro (ba.to.tei.ro) [bɐtu'tɐjru] *adj.,n.m.* que ou aquele que faz batota; trapaceiro

batotice (ba.to.ti.ce) [bɐtu'ti(sə)] *n.f.* trapaça; aldrabice

batráquio (ba.trá.qui:o) [bɐ'trakju] *n.m.* animal anfíbio (como o sapo e a rã) com os membros posteriores desenvolvidos para o salto e a natação

batucada (ba.tu.ca.da) [bɐtu'kadɐ] *n.f.* **1** som produzido pelas pancadas repetidas no batuque **2** ritmo do batuque

batuque (ba.tu.que) [bɐ'tuk(ə)] *n.m.* **1** instrumento de percussão africano **2** dança ao ritmo dos tambores

batuta (ba.tu.ta) [bɐ'tutɐ] *n.f.* varinha com que os maestros dirigem as orquestras ou os coros

bau (bau) ['baw] *n.m.* [ANG.] búfalo

baú (ba.ú) [ba'u] *n.m.* caixa retangular de madeira com tampa convexa **SIN.** arca

baunilha (bau.ni.lha) [baw'niʎɐ] *n.f.* **1** planta que produz frutos compridos, dos quais se extrai uma essência aromática **2** substância de sabor agradável que se retira dessa planta e que é usada em culinária

bazar (ba.zar) [bɐ'zar] *n.m.* **1** loja onde se vendem produtos diversos (brinquedos, louças, etc.) **2** nos países orientais, mercado público

bazaruca (ba.za.ru.ca) [bɐzɐ'rukɐ] *adj.2g.* [ANG.] tolo; maluco

bazófia (ba.zó.fi:a) [bɐ'zɔfjɐ] *n.f.* vaidade; gabarolice

BCG [bese'ʒe] *n.f.* vacina contra a tuberculose **OBS.** Sigla de *Bacille Calmette-Guérin*

BD [be'de] *sigla de* banda desenhada

bê-á-bá (bê-.á-.bá) [bea'ba] *n.m.* ⟨*pl.* bê-á-bás⟩ **1** conjunto das letras do alfabeto **SIN.** abecedário **2** exercício de soletração, ou seja, em que se lê uma letra de cada vez **3** *fig.* primeiras noções de uma ciência ou arte

beata (be:a.ta) ['bjatɐ] *n.f. coloq.* ponta de cigarro

beatificação (be:a.ti.fi.ca.ção) [bjɐtifikɐ'sɐ̃w̃] *n.f.* **1** decisão papal que autoriza o culto público a uma pessoa, depois da sua morte, em lugares específicos **2** cerimónia em que se torna pública essa decisão

beatificar (be:a.ti.fi.car) [bjɐtifi'kar] *v.* declarar que uma pessoa já falecida pode receber culto público, devido às suas reconhecidas virtudes

beato (be:a.to) ['bjatu] *adj.,n.m.* **1** que ou aquele que foi beatificado **2** que ou aquele que é muito devoto **3** *pej.* que ou aquele que exagera nas demonstrações exteriores da sua fé

bêbado (bê.ba.do) ['bebɐdu] *adj.,n.m.* ⇒ **bêbedo**

bebé (be.bé) [bɛ'bɛ] *n.2g.* **1** criança recém-nascida ou de pouca idade **2** filhote de um animal; cria

---

A palavra **bebé** só é acentuada na última sílaba.

---

bebedeira (be.be.dei.ra) [bəbə'dɐjrɐ] *n.f.* embriaguez

bêbedo (bê.be.do) ['bebədu] *adj.* que bebeu álcool em excesso **SIN.** embriagado **ANT.** sóbrio ■ *n.m.* pessoa que toma bebidas alcoólicas em excesso por hábito **SIN.** alcoólatra ◆ *coloq.* **bêbedo como um cacho** muito embriagado

bebedouro (be.be.dou.ro) [bəbə'do(w)ru] *n.m.* r cipiente onde os animais bebem água

bebé-proveta (be.bé-.pro.ve.ta) [bɛbɛpru'vetɐ] *n.* ⟨*pl.* bebés-proveta⟩ *coloq.* criança gerada por meio fecundação do óvulo fora do útero da mãe

beber (be.ber) [bə'ber] *v.* **1** ingerir (líquidos) **2** a sorver (líquidos)

bebida (be.bi.da) [bə'bidɐ] *n.f.* **1** líquido que bebe: *Não gosto de bebidas alcoólicas.* **2** hábito beber álcool em excesso: *Ele é muito dado à b bida.*

bebível (be.bí.vel) [bə'bivɛɫ] *adj.,n.2g.* **1** que pode beber **SIN.** potável **2** cujo gosto é suport vel

bebop [bi'bɔp] *n.m.* primeiro estilo de jazz m derno, desenvolvido na década de 1940, c ritmo rápido e com harmonias complexas

beça (be.ça) ['bɛsɐ] *elem. da loc.* [BRAS.] **à beça** e grande quantidade; muito

bechamel (be.cha.mel) [beʃa'mɛɫ] *n.m.* molh branco muito cremoso preparado com leite, fa nha e manteiga derretida e temperado com p menta, sal e noz-moscada

beco (be.co) ['beku] *n.m.* rua estreita e escura **SI** viela ◆ **beco sem saída** situação difícil, apare temente sem solução

bedelho (be.de.lho) [bə'dɐ(j)ʎu] *n.m.* tranca qu se levanta ou baixa para abrir ou fechar a por ◆ *coloq.* **meter o bedelho** intrometer-se num conversa

beduíno (be.du:í.no) [bə'dwĩnu] *n.m.* indivídu nómada que vive no deserto

bege (be.ge) ['bɛʒ(ə)] *n.m.* cor intermédia entre castanho claro e o branco

begónia (be.gó.ni:a) [bə'gɔnjɐ] *n.f.* planta com fl res vistosas de cor branca, rosada ou vermelha

beicinho (bei.ci.nho) [bɐj'siɲu] ⟨*dim. de* beiço⟩ *n.* beiço pequeno ◆ **fazer beicinho** estar prestes chorar **SIN.** amuar

beiço (bei.ço) ['bɐjsu] *n.m. coloq.* lábio ◆ *coloq.* **la ber os beiços** deliciar-se com; saborear

beija-flor (bei.ja-.flor) [bɐjʒɐ'flor] *n.m.* ⟨*pl.* beij -flores⟩ 👁 ave pequena com plumagem colori e bico longo e fino, usado para retirar o néct das flores

beija-mão **(bei.ja-.mão)** [bɐjʒɐ'mɐ̃w̃] *n.m.* ação de beijar ou de dar a beijar as costas da mão

beijar **(bei.jar)** [bɐj'ʒar] *v.* dar beijo(s) a

beijinho **(bei.ji.nho)** [bɐj'ʒiɲu] ⟨*dim. de* beijo⟩ *n.m.* **1** beijo pequeno **2** búzio muito pequeno

beijo **(bei.jo)** ['bɐjʒu] *n.m.* toque com os lábios em sinal de afeto: *A mãe deu um beijo de boa-noite ao filho.*

beijoca **(bei.jo.ca)** [bɐj'ʒɔkɐ] *n.f.* beijo que faz ruído

beijocar **(bei.jo.car)** [bɐjʒu'kar] *v.* beijar muito e com ruído

beijoqueiro **(bei.jo.quei.ro)** [bɐjʒu'kɐjru] *adj.,n.m.* (pessoa) que gosta de beijar ou beijocar

beira **(bei.ra)** ['bɐjrɐ] *n.f.* borda; margem ◆ **à beira de** junto de; muito perto de

beirada **(bei.ra.da)** [bɐj'radɐ] *n.f.* beira; borda

beirado **(bei.ra.do)** [bɐj'radu] *n.m.* ⇒ **beiral**

beiral **(bei.ral)** [bɐj'raɫ] *n.m.* parte do telhado que sobressai da parede

beira-mar **(bei.ra-.mar)** [bɐjrɐ'mar] *n.f.* ⟨*pl.* beira--mares⟩ zona junto ao mar **SIN.** costa; litoral

beirão **(bei.rão)** [bɐj'rɐ̃w̃] *adj.* relativo a uma das Beiras (Alta, Baixa e Litoral), antigas províncias portuguesas ■ *n.m.* ⟨*f.* beiroa, beirã⟩ pessoa natural da Beira Alta, Beira Baixa e Beira Litoral

beira-rio **(bei.ra-.ri.o)** [bɐjrɐ'ʀiu] *n.f.* margem de um rio

belas-artes **(be.las-.ar.tes)** [bɛlɐ'zartəʃ] *n.f.pl.* conjunto formado por pintura, escultura, arquitetura, gravura, música e dança: *Ele estudou na academia de belas-artes.*

beldade **(bel.da.de)** [bɛɫ'dad(ə)] *n.f.* mulher muito bela

beleza **(be.le.za)** [bə'lezɐ] *n.f.* qualidade do que é belo: *Ela participou num concurso de beleza.*

belga **(bel.ga)** ['bɛɫgɐ] *adj.2g.* relativo à Bélgica ■ *n.2g.* pessoa natural da Bélgica

beliche **(be.li.che)** [bə'liʃ(ə)] *n.m.* conjunto de duas ou três camas sobrepostas

bélico **(bé.li.co)** ['bɛliku] *adj.* relativo a guerra

beliscão **(be.lis.cão)** [bəliʃ'kɐ̃w̃] *n.m.* ⟨*pl.* beliscões⟩ apertão da pele feito com as pontas dos dedos

beliscar **(be.lis.car)** [bəliʃ'kar] *v.* **1** apertar a pele com as pontas dos dedos polegar e indicador **2** *fig.* ofender: *Aquelas palavras beliscaram os seus sentimentos.* **3** *fig.* abalar: *Aquelas palavras beliscaram a confiança do tenista.*

belíssimo **(be.lís.si.mo)** [bɛ'lisimu] ⟨*superl. de* belo⟩ *adj.* muito belo **SIN.** lindíssimo

belo **(be.lo)** ['bɛlu] *adj.* **1** que tem beleza: *Que bela paisagem!* **SIN.** lindo **2** excelente: *Que bela ideia!* **3** considerável; avultado: *Recebeu uma bela quantia de dinheiro pelo serviço prestado.* ■ *n.m.* carácter ou natureza do que tem beleza

beltrano **(bel.tra.no)** [bɛɫ'trɐnu] *n.m.* sujeito; indivíduo

bem **(bem)** ['bɐ̃j̃] *adv.* **1** corretamente: *Portem-se bem!* **ANT.** mal **2** de modo agradável: *Cheira bem.* **3** bastante; muito: *Assim está bem melhor.* **4** com saúde: *Não me sinto muito bem.* **5** com mestria: *O trabalho está bem feito.* **6** facilmente: *É um trabalho que se faz bem.* **7** convenientemente: *A janela não fecha bem.* ■ *adj.inv.* que pertence à alta sociedade ■ *interj.* **1** exclamação que exprime surpresa **2** exclamação usada para demonstrar hesitação ■ *n.m.* **1** aquilo que é bom, justo e honesto: *Há que distinguir o bem do mal.* **2** aquilo que causa bem--estar: *Faço isto para teu bem.* ■ **bens** *n.m.pl.* **1** posses; riquezas: *Aquela família tem muitos bens.* **2** produto ou serviço para satisfazer uma necessidade humana; **bens de primeira necessidade** artigos que satisfazem as necessidades básicas (alimentação, vestuário, etc.) ◆ **a bem de** a favor de; **bem como** assim como; da mesma forma que; **bem haja!** exclamação que exprime agradecimento; *irón.* **bem feito!** exprime satisfação por algo de negativo ocorrido a alguém; **por bem** de boa vontade; com boa intenção

bem-comportado **(bem-.com.por.ta.do)** [bɐ̃j̃kõpur'tadu] *adj.* que se porta bem **SIN.** ajuizado

bem-disposto **(bem-.dis.pos.to)** [bɐ̃j̃diʃ'poʃtu] *adj.* **1** (humor) que tem boa disposição: *Estou sempre bem-disposto.* **ANT.** maldisposto **2** (saúde) em boa forma: *Hoje não me sinto bem-disposto.*

bem-educado **(bem-.e.du.ca.do)** [bɐ̃j̃idu'kadu] *adj.* que tem boa educação; que é amável; delicado **ANT.** mal-educado, malcriado

bem-encarado **(bem-.en.ca.ra.do)** [bɐ̃j̃ẽkɐ'radu] *adj.* ⟨*pl.* bem-encarados⟩ agradável; simpático

bem-estar **(bem-.es.tar)** [bɐ̃j̃iʃ'tar] *n.m.* estado de satisfação física e mental; conforto **ANT.** mal--estar

bem-humorado **(bem-.hu.mo.ra.do)** [bɐ̃j̃umu'radu] *adj.* que está de bom humor **ANT.** mal--humorado

bem-intencionado **(bem-.in.ten.ci:o.na.do)** [bɐ̃j̃ĩtẽsju'nadu] *adj.* ⟨*pl.* bem-intencionados⟩ que tem boa intenção; sincero

bem-me-quer **(bem-.me-.quer)** [bɐ̃j̃m'kɛr] *n.m.* ⟨*pl.* bem-me-queres⟩ malmequer; margarida

bemol **(be.mol)** [bə'mɔɫ] *n.m.* sinal musical, em forma de *b*, que indica que a nota seguinte deve baixar meio tom

bem-parecido **(bem-.pa.re.ci.do)** [bɐ̃j̃pɐrə'sidu] *adj.* de aspeto agradável

bem-vindo (bem-.vin.do) [bɐ̃j̃'vĩdu] *adj.* **1** que chega ou chegou bem **2** que foi bem recebido: *Todas as sugestões são bem-vindas.* ■ *interj.* usa-se para saudar ou cumprimentar com alegria quem chega: *Bem-vindo a Portugal!*

bênção (bên.ção) ['bẽsɐ̃w̃] *n.f.* ⟨*pl.* bênçãos⟩ **1** ato de benzer ou abençoar **2** favor que se faz ou se recebe ♦ **dar a bênção a** aprovar; consentir

benchmarking [bẽʃ'markĩg] *n.m.* processo por meio do qual uma empresa reproduz desempenhos bem-sucedidos de outras empresas numa determinada área de atividade

bendito (ben.di.to) [bẽ'ditu] *adj.* **1** abençoado **2** feliz

bendizer (ben.di.zer) [bẽdi'zer] *v.* **1** abençoar **2** ⟨**+a**⟩ louvar

beneficência (be.ne.fi.cên.ci:a) [bənəfi'sẽsjɐ] *n.f.* prática de fazer o bem: *Eles organizaram um espetáculo de beneficência.*

beneficiar (be.ne.fi.ci:ar) [bənəfi'sjar] *v.* **1** favorecer: *Estas medidas vão beneficiar os pobres.* **2** ⟨**+com**, **+de**⟩ tirar proveito: *Os pobres beneficiam com estas medidas.*

beneficiário (be.ne.fi.ci:á.ri:o) [bənəfi'sjarju] *n.m.* **1** pessoa que recebe benefício **2** utente de um serviço

benefício (be.ne.fí.ci:o) [bənə'fisju] *n.m.* **1** proveito; vantagem **2** lucro; ganho ♦ **dar o benefício da dúvida (a alguém)** assumir que uma pessoa está inocente de algo ou está a falar verdade sobre algo, desde que não existam provas de culpa ou de essa pessoa estar a mentir; **em benefício de** para proveito de; em prol de

benéfico (be.né.fi.co) [bə'nɛfiku] *adj.* **1** que faz bem; saudável: *Fazer exercício é benéfico para a saúde.* **2** proveitoso: *É um clima benéfico para a viticultura.*

benemérito (be.ne.mé.ri.to) [bənə'mɛritu] *adj.* **1** (ato) digno de louvor **2** (pessoa) que contribui com dinheiro para uma causa ou instituição

benevolência (be.ne.vo.lên.ci:a) [bənəvu'lẽsjɐ] *n.f.* bondade; tolerância

benevolente (be.ne.vo.len.te) [bənəvu'lẽt(ə)] *adj.2g.* **1** bondoso **2** tolerante: *É preciso ser benevolente em relação ao comportamento das crianças.*

benévolo (be.né.vo.lo) [bə'nɛvulu] *adj.* ⇒ **benevolente**

benfeitor (ben.fei.tor) [bɐ̃j̃fɐj'tor] *adj.,n.m.* que ou pessoa que ajuda algo ou alguém

benfiquista (ben.fi.quis.ta) [bẽfi'kiʃtɐ] *adj.,n 2g.* relativo ao clube desportivo Sport Lisboa e Benfica ■ *n.2g.* adepto ou jogador desse clube

bengala (ben.ga.la) [bẽ'galɐ] *n.f.* bastão que se leva na mão e serve de apoio ao caminhar

bengaleiro (ben.ga.lei.ro) [bẽgɐ'lɐjru] *n.m.* cabide onde se colocam guarda-chuvas, casacos, etc.

benigno (be.nig.no) [bə'nignu] *adj.* que faz bem; benéfico

benjamim (ben.ja.mim) [bẽʒɐ'mĩ] *n.m.* **1** filho mais novo **2** *fig.* filho predileto

benzer (ben.zer) [bẽ'zer] *v.* dar a bênção a: *O Papa benzeu a multidão.* ■ **benzer-se** fazer o sinal da cruz sobre si próprio

benzina (ben.zi.na) [bẽ'zinɐ] *n.f.* líquido resultante da destilação do petróleo

berbequim (ber.be.quim) [bərbə'kĩ] *n.m.* espécie de broca para furar madeira, pedra, etc.

berbicacho (ber.bi.ca.cho) [bərbi'kaʃu] *n.m. coloq.* situação complicada ou difícil de resolver; problema

berbigão (ber.bi.gão) [bərbi'gɐ̃w̃] *n.m.* molusco bivalve comestível, comum no Atlântico e no Mediterrâneo **SIN.** amêijoa

berçário (ber.çá.ri:o) [bər'sarju] *n.m.* **1** secção de uma maternidade onde se encontram os recém-nascidos **2** instituição que cuida de crianças de colo durante o dia; creche

berço (ber.ço) ['bersu] *n.m.* **1** cama de criança com grades ou outro tipo de proteção lateral **2** *fig.* terra natal; origem ♦ **nascer em berço de ouro** nascer rico

beribéri (be.ri.bé.ri) [bɛri'bɛri] *n.m.* doença causada por falta da vitamina B1 peculiar a certas regiões tropicais, que se manifesta por edemas generalizados, emagrecimento, degeneração nervosa e falência cardíaca

beringela (be.rin.ge.la) [bərĩ'ʒɛlɐ] *n.f.* **1** planta produtora de grandes bagas roxas, quase pretas, usadas na alimentação **2** fruto dessa planta

berlinda (ber.lin.da) [bər'lĩdɐ] *n.f.* carruagem antiga de dois lugares ♦ **estar na berlinda** ser alvo da atenção geral; estar na ordem do dia

berlinde (ber.lin.de) [bər'lĩd(ə)] *n.m.* pequena esfera de vidro ou metal usada como brinquedo

berma (ber.ma) ['bɛrmɐ] *n.f.* numa estrada, faixa estreita situada ao lado da via onde circulam os veículos

bermudas (ber.mu.das) [bər'mudɐʃ] *n.f.pl.* calças curtas que vão quase até os joelhos ou os ultrapassam um pouco

berra (ber.ra) ['bɛʀɐ] *n.f.* **1** cio (de veado); brama **2** *fig.* moda; voga ♦ **estar na berra** estar na moda; estar na ordem do dia

berrante (ber.ran.te) [bə'ʀɐ̃t(ə)] *adj.2g.* diz-se da cor que é muito viva ou que atrai a atenção

berrar (ber.rar) [bə'ʀar] *v.* **1** dar berros **2** ⟨**+com**⟩ gritar **3** ⟨**+por**⟩ dizer ou chamar aos gritos

berreiro (ber.rei.ro) [bə'ʀɐjru] *n.m.* berros altos e repetidos **SIN.** gritaria

berro (ber.ro) ['bɛʀu] *n.m.* **1** voz de alguns animais **2** grito de uma pessoa: *Ela deu um berro quando viu o leão.* ♦ *coloq.* **dar o berro** deixar de funcionar; avariar-se

besouro (be.sou.ro) [bə'zo(w)ru] *n.m.* inseto que produz um som agudo quando voa

bessangana (bes.san.ga.na) [bəsɐ̃'gɐnɐ] *n.f.* [ANG.] senhora africana que usa vestuário tradicional

besta (bes.ta) ['beʃtɐ] *n.f.* animal irracional quadrúpede

besteira (bes.tei.ra) [bəʃ'tɐjrɐ] *n.f.* [BRAS.] *coloq.* asneira; tolice

bestial (bes.ti:al) [bəʃ'tjał] *adj.2g. coloq.* ótimo; estupendo: *A tua ideia é bestial!* ■ *interj.* exprime alegria ou entusiasmo

bestseller [bɛʃt'sɛlɐr] *n.m.* **1** livro mais vendido num determinado período; êxito de livraria **2** qualquer produto que vende bem; êxito de vendas

besugo (be.su.go) [bə'zugu] *n.m.* peixe marinho com barbatana no dorso e de cor castanho-avermelhada, frequente em Portugal

besuntar(-se) (be.sun.tar(-se)) [bəzũ'tar(sə)] *v.* **1** ⟨**+com**, **+de**⟩ cobrir(-se) com uma substância gordurosa **2** sujar(-se)

beta (be.ta) ['betɐ] *n.m.* segunda letra do alfabeto grego, correspondente ao *b* ♦ **teste beta** utilização experimental de um programa ou produto na fase final do seu desenvolvimento para deteção de problemas; **versão beta** programa ou produto destinado a testes de verificação, que é distribuído na fase final do seu desenvolvimento a utilizadores selecionados

betão (be.tão) [bə'tɐ̃w̃] *n.m.* mistura de cimento, areia e pedra e água, utilizada em construção civil; **betão armado** betão reforçado com armação metálica para resistir a grandes pressões

beterraba (be.ter.ra.ba) [bətə'ʀabɐ] *n.f.* **1** planta com uma raiz vermelho-escura em forma de nabo que é muito nutritiva **2** raiz dessa planta

beto (be.to) ['bɛtu] *adj.,n.m. coloq.* jovem bem comportado mas presumido

betoneira (be.to.nei.ra) [bətu'nɐjrɐ] *n.f.* aparelho munido de um recipiente rotativo em forma de tambor utilizado para fabricar betão, misturando os seus componentes

bétula (bé.tu.la) ['bɛtulɐ] *n.f.* árvore cultivada e espontânea, especialmente nas regiões situadas a grandes altitudes

betumar (be.tu.mar) [bətu'mar] *v.* **1** cobrir ou ligar com betume **2** vedar o espaço entre o vidro e o caixilho (de porta, janela)

betume (be.tu.me) [bə'tum(ə)] *n.m.* massa usada para tapar pequenos buracos na madeira, fixar vidros nos caixilhos, etc.

bexiga (be.xi.ga) [bə'ʃigɐ] *n.f.* órgão que funciona como reservatório da urina que recebe dos rins ■ **bexigas** *n.f.pl. coloq.* varíola

bezerro (be.zer.ro) [bə'zeʀu] *n.m.* cria de bovino até um ano de idade **SIN.** novilho; vitelo

BI [be'i] *sigla de* Bilhete de Identidade

bianual (bi.a.nu:al) [biɐ'nwał] *adj.2g.* **1** que ocorre duas vezes por ano **2** que dura dois anos

bibe (bi.be) ['bib(ə)] *n.m.* bata, com ou sem mangas, que se veste às crianças para proteger a roupa

bibelô (bi.be.lô) [bibə'lo] *n.m.* qualquer pequeno objeto que se usa sobre uma peça de mobiliário como adorno

biberão (bi.be.rão) [bibə'rɐ̃w̃] *n.m.* ⟨*pl.* biberões⟩ frasco com uma peça de borracha em forma de mamilo para dar leite ou outros líquidos aos bebés: *Ele toma cinco biberões por dia.*

Bíblia (Bí.bli:a) ['bibljɐ] *n.f.* **1** compilação dos livros sagrados do Antigo e do Novo Testamento; Sagrada(s) Escritura(s) **2** volume ou conjunto de volumes contendo essas Escrituras ■ **bíblia** *fig.* livro fundamental ou muito importante

bíblico (bí.bli.co) ['bibliku] *adj.* relativo à Bíblia

bibliografia (bi.bli:o.gra.fi.a) [bibljugrɐ'fiɐ] *n.f.* lista de livros e trabalhos sobre determinado assunto

bibliográfico (bi.bli:o.grá.fi.co) [biblju'grafiku] *adj.* relativo a bibliografia

biblioteca (bi.bli:o.te.ca) [biblju'tɛkɐ] *n.f.* **1** coleção de livros particulares ou destinados à leitura do público: *biblioteca pública* **2** lugar onde existem livros para consulta ou para levar para casa por algum tempo

bibliotecário (bi.bli:o.te.cá.ri:o) [bibljutə'karju] *n.m.* **1** funcionário de uma biblioteca **2** pessoa que cataloga livros

bica (bi.ca) ['bikɐ] *n.f.* **1** cano por onde sai a água **2** [REG.] (sobretudo no centro e sul de Portugal) café expresso ♦ *coloq.* **suar em bica** transpirar muito

bicada (bi.ca.da) [bi'kadɐ] *n.f.* picada com o bico

bicampeão (bi.cam.pe:ão) [bikɐ̃'pjɐ̃w̃] *n.m.* aquele que foi duas vezes campeão

bicanca (bi.can.ca) [bi'kɐ̃kɐ] *n.f. coloq.* nariz grande e pontiagudo

bicar (bi.car) [bi'kar] *v.* picar com o bico

bicarbonato (bi.car.bo.na.to) [bikɐrbu'natu] *n.m.* sal derivado do ácido carbónico, de fórmula $NaHCO_3$

bicéfalo (bi.cé.fa.lo) [bi'sɛfɐlu] *adj.* que tem duas cabeças

bicentenário (bi.cen.te.ná.ri:o) [bisẽtə'narju] *n.m.* comemoração dos 200 anos de um acontecimento

bíceps (bí.ceps) ['bisɛpʃ] *n.m.2n.* músculo longo que termina em dois tendões

bicha (bi.cha) ['biʃɐ] *n.f.* **1** animal de corpo comprido e sem pernas; verme **2** fila de pessoas: *É preciso estar na bicha para entrar no museu.*

bichanar (bi.cha.nar) [biʃɐ'nar] *v.* falar baixinho **SIN.** sussurrar

bichano (bi.cha.no) [bi'ʃɐnu] *n.m. coloq.* gato

bichar (bi.char) [bi'ʃar] *v.* **1** [BRAS.] falar em voz baixa **2** [GB., MOÇ.] formar uma fila

bicharada (bi.cha.ra.da) [biʃɐ'radɐ] *n.f.* conjunto de animais ♦ *irón.* **estar entregue à bicharada** estar numa situação difícil, sem apoio

bicharoco (bi.cha.ro.co) [biʃɐ'roku] *n.m.* bicho grande ou assustador

bicha-solitária (bi.cha-.so.li.tá.ri:a) [biʃɐsuli'tarjɐ] *n.f.* ⟨*pl.* bichas-solitárias⟩ verme parasita do intestino do homem e de muitos animais

bicho (bi.cho) ['biʃu] *n.m.* qualquer animal, especialmente pequeno; verme

bicho-carpinteiro (bi.cho-.car.pin.tei.ro) [biʃukɐrpĩ'tɐjru] *n.m.* ⟨*pl.* bichos-carpinteiros⟩ inseto cuja larva rói a madeira ♦ *coloq.* **ter bichos-carpinteiros** não estar quieto

bicho-da-madeira (bi.cho-.da-.ma.dei.ra) [biʃudɐmɐ'dɐjrɐ] *n.m.* ⟨*pl.* bichos-da-madeira⟩ inseto que rói a madeira; caruncho

bicho-da-seda (bi.cho-.da-.se.da) [biʃudɐ'sedɐ] *n.m.* ⟨*pl.* bichos-da-seda⟩ larva cujos casulos são tecidos com seda

bicho-de-conta (bi.cho-.de-.con.ta) [biʃudə'kõtɐ] *n.m.* ⟨*pl.* bichos-de-conta⟩ pequeno crustáceo que vive nos sítios húmidos e se enrola em conta quando se lhe toca

bicho-de-sete-cabeças (bi.cho-.de-.se.te-.ca.be.ças) [biʃudəsɛtkɐ'besɐʃ] *a nova grafia é* **bicho de sete cabeças**[AO]

bicho de sete cabeças (bi.cho de se.te ca.be.ças)[AO] [biʃudəsɛtkɐ'besɐʃ] *n.m.* ⟨*pl.* bichos de sete cabeças⟩ grande dificuldade: *Isso não é nenhum bicho de sete cabeças!*

bicho-do-mato (bi.cho-.do-.ma.to) [biʃudu'matu] *a nova grafia é* **bicho do mato**[AO]

bicho do mato (bi.cho do ma.to)[AO] [biʃudu'matu] *n.m.* ⟨*pl.* bichos do mato⟩ pessoa que não gosta de conviver com ninguém

bicho-papão (bi.cho-.pa.pão) [biʃupɐ'pɐ̃w̃] *n.m.* ser imaginário com que se assusta as crianças

bicicleta (bi.ci.cle.ta) [bisi'klɛtɐ] *n.f.* veículo sem motor, movido a pedais, constituído por duas rodas ligadas a uma armação metálica, à qual estão presos o selim e o guiador: *Vou de bicicleta para a escola.; Aos sábados, ando de bicicleta no parque da cidade.*

> Note-se que a palavra **bicicleta** termina em **a** (e não em **e**).

bicla (bi.cla) ['biklɐ] *n.f. coloq.* forma reduzida de bicicleta

bico (bi.co) ['biku] *n.m.* **1** extremidade da boca das aves **2** ponta aguçada ♦ *coloq.* **abrir o bico** falar de mais; contar um segredo; *coloq.* **calar o bico** deixar de falar; **molhar o bico** beber; **virar o bico ao prego** mudar de assunto propositadamente

bico-de-obra (bi.co-.de-.o.bra) [biku'dɔbrɐ] *a nova grafia é* **bico de obra**[AO]

bico de obra (bi.co de o.bra)[AO] [biku'dɔbrɐ] *n.m.* ⟨*pl.* bicos de obra⟩ *coloq.* situação complicada; dificuldade

bico-de-papagaio (bi.co-.de-.pa.pa.gai.o) [bikudəpɐpa'gaju] *n.m.* ⟨*pl.* bicos de papagaio⟩ [geralmente plural] *coloq.* produção óssea anormal na coluna vertebral causada por formações recentes do tecido ósseo

bico-de-pato (bi.co-.de-.pa.to) [bikudə'patu] *a nova grafia é* **bico de pato**[AO]

bico de pato (bi.co de pa.to)[AO] [bikudə'patu] *n.m.* ⟨*pl.* bicos de pato⟩ pãozinho de leite usado em sanduíches

bicolor (bi.co.lor) [biku'lor] *adj.2g.* que tem duas cores

bicuatas (bi.cu:a.tas) [bi'kwatɐʃ] *n.f.pl.* **1** [ANG.] móveis **2** [ANG.] objetos domésticos **3** [ANG.] bagagem

bicudo (bi.cu.do) [bi'kudu] *adj.* **1** que tem bico grande **2** muito aguçado **3** *coloq.* difícil de resolver; complicado: *Este problema é um caso bicudo.*

bidão (bi.dão) [bi'dɐ̃w̃] *n.m.* ⟨*pl.* bidões⟩ recipiente cilíndrico grande, usado para conservar ou transportar líquidos

bidé (bi.dé) [bi'dɛ] *n.m.* bacia alongada para lavar as partes inferiores do tronco

bidimensional (bi.di.men.si:o.nal) [bidimẽsju'naɫ] *adj.2g.* que tem duas dimensões

bielorrusso (bi:e.lor.rus.so) [bjɛlɔ'ʀusu] *adj.* relativo à Bielorrússia ▪ *n.m.* **1** pessoa natural da República da Bielorrússia (Europa central) **2** língua eslava falada na Bielorrússia

bienal (bi:e.nal) [bje'naɫ] *n.f.* exposição ou evento que se realiza de dois em dois anos ■ *adj.2g.* ⇒ **bianual**

bifana (bi.fa.na) [bi'fɐnɐ] *n.f.* bife pequeno de carne de porco que se come geralmente em sanduíche

bife (bi.fe) ['bif(ə)] *n.m.* posta de carne grelhada ou frita; **bife a cavalo** bife grelhado servido com um ovo estrelado em cima ◆ *coloq.* **estar feito ao bife** estar numa situação difícil, aparentemente sem solução

bífido (bí.fi.do) ['bifidu] *adj.* separado em duas partes

bifocal (bi.fo.cal) [bifu'kaɫ] *adj.2g.* **1** que tem dois focos **2** (lente de óculos) que tem duas distâncias focais diferentes

biforme (bi.for.me) [bi'fɔrm(ə)] *adj.2g.* **1** que tem duas formas **2** diz-se do adjetivo ou do nome que apresenta uma forma para o feminino e outra para o masculino

bifurcação (bi.fur.ca.ção) [bifurkɐ'sɐ̃w̃] *n.f.* **1** divisão de alguma coisa em dois ramos **2** ponto em que uma coisa se divide em dois

bifurcar(-se) (bi.fur.car(-se)) [bifur'kar(sə)] *v.* dividir(-se) em dois ramos a partir de um ponto

bigamia (bi.ga.mi.a) [bigɐ'miɐ] *n.f.* estado de alguém casado simultaneamente com duas pessoas

bígamo (bí.ga.mo) ['bigɐmu] *n.m.* pessoa que está casada com outras duas simultaneamente

big-bang [big'bɐ̃g] *n.m.* explosão cósmica que terá dado origem ao universo

bigode (bi.go.de) [bi'gɔd(ə)] *n.m.* **1** parte da barba que se deixa crescer por cima do lábio superior: *Vou deixar crescer o bigode.* **2** *coloq.* buço ■ **bigodes** *n.m.pl.* pelos longos e tesos do focinho de certos animais: *Os bigodes do gato fazem-me cócegas.*

bigorna (bi.gor.na) [bi'gɔrnɐ] *n.f.* peça de ferro onde se batem e moldam metais

bi-horário (bi-.ho.rá.ri:o) [bio'rarju] *adj.* diz-se do sistema que está programado com dois horários, em que geralmente o horário noturno e/ou de fim de semana é mais barato

bijutaria (bi.ju.ta.ri.a) [biʒutɐ'riɐ] *n.f.* joia de pouco valor

bilateral (bi.la.te.ral) [bilɐtə'raɫ] *adj.2g.* **1** que tem dois lados **2** relativo a lados opostos

bilha (bi.lha) ['biʎɐ] *n.f.* vaso de barro, bojudo e de gargalo estreito

bilhão (bi.lhão) [bi'ʎɐ̃w̃] *num.card.* **1** [BRAS.] mil milhões; a unidade seguida de nove zeros (10^9) **2** ⇒ **bilião 1**

bilhar (bi.lhar) [bi'ʎar] *n.m.* jogo em que se fazem rolar bolas de diferentes cores com um taco de madeira sobre uma mesa retangular forrada de feltro verde

bilhete (bi.lhe.te) [bə'ʎet(ə)] *n.m.* **1** papel escrito com uma mensagem curta: *Deixou um bilhete no frigorífico.* SIN. recado **2** pequeno cartão que permite assistir a espetáculos: *Deram-me dois bilhetes para o concerto de amanhã.* **3** senha que permite viajar em transportes: *Comprei um bilhete de ida e volta.* ◆ **bilhete de identidade** cartão com uma fotografia, a impressão digital e os dados pessoais de uma pessoa

bilheteira (bi.lhe.tei.ra) [biʎə'tɐjrɐ] *n.f.* lugar onde se vendem bilhetes (para espetáculos, viagens, etc.): *Aquela peça de teatro é um êxito de bilheteira.*

bilhete-postal (bi.lhe.te-.pos.tal) [biʎetəpuʃ'taɫ] *n.m.* ⟨*pl.* bilhetes-postais⟩ cartão com uma ilustração num dos lados e espaço para escrever no outro

bilião (bi.li.ão) [bi'ljɐ̃w̃] *num.card.,n.m.* **1** um milhão de milhões; a unidade seguida de doze zeros (10^{12}) **2** [BRAS.] ⇒ **bilhão 1**

biliar (bi.li:ar) [bi'ljar] *adj.2g.* relativo a bílis

bilingue (bi.lin.gue) [bi'lĩg(ə)] *adj.2g.* **1** diz-se da pessoa que fala duas línguas **2** diz-se do texto ou dicionário escrito em duas línguas

bilinguismo (bi.lin.guis.mo) [bilĩ'gwiʒmu] *n.m.* uso de duas línguas por uma pessoa ou por uma comunidade

bílis (bí.lis) ['biliʃ] *n.f.2n.* substância líquida produzida pelo fígado

bimensal (bi.men.sal) [bimẽ'saɫ] *adj.2g.* que acontece duas vezes por mês

bimestral (bi.mes.tral) [biməʃ'traɫ] *adj.2g.* **1** que dura dois meses **2** que acontece de dois em dois meses

bimotor (bi.mo.tor) [bimu'tor] *adj.* (veículo) que funciona com dois motores ■ *n.m.* aeronave com dois motores

binário (bi.ná.ri:o) [bi'narju] *adj.* **1** que tem dois elementos **2** diz-se do compasso de dois tempos

bingo (bin.go) ['bĩgu] *n.m.* jogo de azar, semelhante ao loto, em que se risca num cartão os números que vão sendo sorteados, ganhando o primeiro jogador que preencher totalmente o cartão; **bingo!** naquele jogo, exclamação usada para indicar que se preencheu uma carreira de cinco números ou que se completou o cartão; expressão usada para indicar que se descobriu ou ganhou algo

binóculo (bi.nó.cu.lo) [bi'nɔkulu] *n.m.* instrumento portátil composto por duas lentes, usado para ver à distância

binómio (bi.nó.mi:o) [bi'nɔmju] *n.m.* expressão matemática composta de dois monómios ligados pelos sinais + ou -

bioactivo (bi.o.ac.ti.vo) [biɔa'tivu] *a nova grafia é* **bioativo**[AO]

bioativo (bi.o.a.ti.vo)[AO] [biɔa'tivu] *adj.* que exerce ação sobre os organismos vivos

biocombustível (bi.o.com.bus.tí.vel) [biɔkõbuʃ'tivɛɫ] *n.m.* combustível renovável, produzido a partir de matéria orgânica vegetal, usado em meios de transporte para reduzir a poluição

biodegradável (bi.o.de.gra.dá.vel) [biɔdəgrɐ'davɛɫ] *adj.2g.* que pode ser decomposto por organismos vivos

biodiesel [biɔ'dizɐɫ] *n.m.* combustível renovável e biodegradável, fabricado a partir do óleo vegetal e/ou de óleos vegetais, usado em veículos com motor diesel

biodiversidade (bi.o.di.ver.si.da.de) [biɔdivərsi'dad(ə)] *n.f.* conjunto de todas as espécies de seres vivos existentes em determinada região ou época

biografia (bi:o.gra.fi.a) [bjugrɐ'fiɐ] *n.f.* descrição da vida de alguém

biográfico (bi:o.grá.fi.co) [bju'grafiku] *adj.* relativo a biografia

biógrafo (bi:ó.gra.fo) ['bjɔgrɐfu] *n.m.* pessoa que escreve biografia

biologia (bi:o.lo.gi.a) [bjulu'ʒiɐ] *n.f.* ciência que estuda os seres vivos, a sua evolução e as leis que os regem

biológico (bi:o.ló.gi.co) [bju'lɔʒiku] *adj.* **1** próprio dos seres vivos **2** que tem ligação genética **3** diz-se do que é produzido sem pesticidas nem produtos artificiais **4** diz-se da arma que usa organismos vivos (bactérias, vírus) para espalhar doenças ou matar

biólogo (bi:ó.lo.go) ['bjɔlugu] *n.m.* especialista em biologia

biomassa (bi.o.mas.sa) [biɔ'masɐ] *n.f.* **1** massa de matéria viva, animal ou vegetal, que vive em equilíbrio numa determinada área da superfície terrestre **2** matéria orgânica vegetal, usada como fonte de energia

biombo (bi:om.bo) ['bjõbu] *n.m.* móvel composto por peças articuladas, usado para dividir ou isolar um espaço

biópsia (bi:óp.si:a) ['bjɔpsjɐ] *n.f.* colheita e exame de tecidos de um ser vivo para diagnóstico médico

bioquímica (bi:o.quí.mi.ca) [bjɔ'kimikɐ] *n.f.* ciência que estuda as reações químicas que podem ocorrer na matéria viva

biosfera (bi:os.fe.ra) [bjɔʃ'fɛrɐ] *n.f.* conjunto de todos os ecossistemas existentes na Terra

biotecnologia (bi.o.tec.no.lo.gi.a) [biɔtɛknulu'ʒiɐ] *n.f.* utilização de processos biológicos para fins produtivos

bioterrorismo (bi.o.ter.ro.ris.mo) [biɔtəʀu'riʒmu] *n.m.* forma de terrorismo em que são utilizadas armas biológicas

bioterrorista (bi.o.ter.ro.ris.ta) [biɔtəʀu'riʃtɐ] *adj.2g.* relativo a bioterrorismo ■ *n.2g.* pessoa adepta do bioterrorismo

biótico (bi:ó.ti.co) ['bjɔtiku] *adj.* relativo à vida ou aos seres vivos

bip ['bip] *n.m.* **1** pequeno aparelho portátil que permite receber mensagens **2** sinal sonoro produzido por esse aparelho

bípede (bí.pe.de) ['bipəd(ə)] *adj.,n.m.* **1** que ou aquele que tem dois pés **2** que ou aquele que se desloca sobre dois pés

bipolar (bi.po.lar) [bipu'lar] *adj.2g.* **1** que tem dois polos **2** (doença) que se caracteriza por períodos alternados de euforia e depressão

biqueira (bi.quei.ra) [bi'kɐjrɐ] *n.f.* **1** ponta em forma de bico **2** reforço que se põe na ponta do calçado

biqueiro (bi.quei.ro) [bi'kɐjru] *n.m. coloq.* pancada com biqueira; pontapé

biquíni (bi.quí.ni) [bi'kini] *n.m.* fato de banho feminino composto de duas peças

birra (bir.ra) ['biʀɐ] *n.f.* teima; capricho: *fazer uma birra*

birrento (bir.ren.to) [bi'ʀẽtu] *adj.* que faz birras **SIN.** teimoso; caprichoso

bis (bis) ['biʃ] *n.m.2n.* repetição: *O público pediu bis.* ■ *adv.* duas vezes ■ *interj.* usada para pedir a repetição de algo

bisavó (bi.sa.vó) [bizɐ'vɔ] *n.f.* mãe do avô ou da avó

bisavô (bi.sa.vô) [bizɐ'vo] *n.m.* pai do avô ou da avó

bisbilhotar (bis.bi.lho.tar) [bəʒbiʎu'tar] *v.* falar da vida de alguém; fazer mexericos **SIN.** mexericar

bisbilhoteiro (bis.bi.lho.tei.ro) [bəʒbiʎu'tɐjru] *adj.,n.m.* que ou aquele que faz mexericos **SIN.** mexeriqueiro

bisbilhotice (bis.bi.lho.ti.ce) [bəʒbiʎu'ti(sə)] *n.f.* comentário sobre a vida de alguém **SIN.** mexerico

bisca (bis.ca) ['biʃkɐ] *n.f.* **1** jogo de cartas **2** carta de jogar com maior número de pintas

biscate (bis.ca.te) [biʃ'kat(ə)] *n.m.* trabalho simples e rápido feito por alguém habilidoso ou por um profissional quando não está de serviço: *Ele faz uns biscates para ganhar mais algum dinheiro.*

biscoito (bis.coi.to) [biʃ'kojtu] *n.m.* pequeno bolo seco, por vezes com frutos secos, chocolate, etc.

bisga (bis.ga) ['biʒgɐ] *n.f. coloq.* escarro

bisnaga (bis.na.ga) [biʒ'nagɐ] *n.f.* **1** tubo de diversas formas que se usa no Carnaval para lançar água **2** tubo metálico ou de plástico que serve de embalagem a pasta dos dentes, cola, cremes, etc.

bisneiro (bis.nei.ro) [biʒ'nɐjru] *adj.* [ANG.] corrupto ▪ *n.m.* [ANG.] intermediário de negócios

bisneta (bis.ne.ta) [biʒ'nɛtɐ] *n.f.* filha do neto ou da neta

bisneto (bis.ne.to) [biʒ'nɛtu] *n.m.* filho do neto ou da neta

bisonte (bi.son.te) [bi'zõt(ə)] *n.m.* 👁 mamífero selvagem ruminante da América do Norte, muito corpulento, de cabeça grande e chifres curtos

bispo (bis.po) ['biʃpu] *n.m.* **1** padre que dirige uma diocese **2** no xadrez, peça que só pode ser movida na diagonal

bissectar (bis.sec.tar)[AO] [bisɛ'ktar] ou **bissetar**[AO] *v.* dividir em duas partes iguais

bissectriz (bis.sec.triz) [bisɛ'triʃ] *a nova grafia é* **bissetriz**[AO]

bissetriz (bis.se.triz)[AO] [bisɛ'triʃ] *n.f.* reta que divide ao meio um ângulo

bissexto (bis.sex.to) [bi'sɐjʃtu] *adj.* diz-se do ano em que o mês de fevereiro tem 29 dias

bissexual (bis.se.xu:al) [bisɛ'kswaɫ] *adj.2g.* **1** relativo aos dois sexos **2** que apresenta características de ambos os sexos; hermafrodita ▪ *n.2g.* **1** ser vivo que apresenta características de ambos os sexos **2** pessoa que se sente atraída por pessoas de ambos os sexos

bissílabo (bis.sí.la.bo) [bi'silɐbu] *n.m.* palavra com duas sílabas

bisturi (bis.tu.ri) [biʃtu'ri] *n.m.* instrumento cortante utilizado em cirurgia

bit [bit] *n.m.* ⟨*pl.* bits⟩ unidade mínima que se pode armazenar na memória do computador

bitmap [bit'map] *n.m.* representação de uma imagem na memória do computador através de um conjunto de bits, em que cada bit corresponde a um píxel; mapa de bits

bitola (bi.to.la) [bi'tɔlɐ] *n.f.* **1** padrão; modelo **2** norma de conduta; regra ♦ **medir pela mesma bitola** aplicar o mesmo princípio a coisas diferentes

bitransitivo (bi.tran.si.ti.vo) [bitrɐ̃zi'tivu] *adj.* (verbo) que tem complemento direto e indireto

bivalente (bi.va.len.te) [bivɐ'lẽt(ə)] *adj.2g.* **1** que tem valência química igual a dois **2** (lógica) que apenas reconhece dois valores: verdadeiro ou falso **3** *fig.* que possui dois usos ou duas funções

bivalve (bi.val.ve) [bi'vaɫv(ə)] *adj.2g.* diz-se do molusco que tem duas conchas

bizarria (bi.zar.ri.a) [bizɐ'ʀiɐ] *n.f.* coisa ou atitude bizarra; esquisitice

bizarro (bi.zar.ro) [bi'zaʀu] *adj.* estranho; esquisito

biznesse (biz.nes.se) [biz'nɛs] *n.m.* [ANG., MOÇ.] negócio

blá-blá-blá (blá-.blá-.blá) [blabla'bla] *n.m.* ⟨*pl.* blá-blá-blás⟩ *coloq.* conversa sem importância

blackout [blɛ'kaut] *n.m.* ⟨*pl.* blackouts⟩ **1** corte de energia **2** *fig.* silêncio; **blackout informativo** recusa de transmissão de informações aos meios de comunicação social por uma determinada entidade; bloqueio informativo

blasfemar (blas.fe.mar) [blɐʃfə'mar] *v.* **1** ⟨**+contra**, **+de**⟩ proferir blasfémias **2** rogar pragas

blasfémia (blas.fé.mi:a) [blɐʃ'fɛmjɐ] *n.f.* palavra ou atitude que insulta a religião ou algo sagrado: *proferir blasfémias*

blazer ['blɐjzɐr] *n.m.* ⟨*pl.* blazers⟩ casaco curto, geralmente de corte clássico, com mangas compridas

b-learning [bi'lɐrnĩg] *n.m.* modalidade de ensino que combina aulas presenciais com e-learning

blindado (blin.da.do) [blĩ'dadu] *adj.* coberto com revestimento de aço ▪ *n.m.* carro de combate com revestimento metálico

blindagem (blin.da.gem) [blĩ'daʒɐ̃j] *n.f.* revestimento metálico, protetor ou isolador

blindar (blin.dar) [blĩ'dar] *v.* revestir de chapa metálica

bloco (blo.co) ['blɔku] *n.m.* **1** massa compacta de uma substância sólida **2** caderno de folhas destacáveis **3** prédio que integra um conjunto, estando ligado a ele arquitetónica e/ou administrativamente **4** em voleibol, ação em que um ou mais jogadores, colocados junto da rede, tentam impedir um ataque adversário, elevando-se acima da altura da rede **5** *fig.* conjunto de coisas semelhantes ♦ **bloco operatório** local, num hospital ou numa clínica, equipado para a realização de intervenções cirúrgicas; **em bloco** em conjunto

blogosfera (blo.gos.fe.ra) [blɔgɔʃ'fɛrɐ] *n.f.* **1** espaço virtual ocupado pelos blogues **2** conjunto de blogues

blogue (blo.gue) ['blɔg(ə)] *n.m.* página da Internet onde uma ou mais pessoas escrevem com regularidade textos sobre um determinado tema

bloguista (blo.guis.ta) [blɔ'giʃtɐ] *n.2g.* pessoa que escreve com regularidade num (ou em mais) blogue(s)

bloqueado (blo.que:a.do) [blu'kjadu] *adj.* **1** em que não é possível passar, entrar ou sair **SIN.** obstruído **2** que não se expressa ou movimenta livremente **SIN.** reprimido

bloquear (blo.que:ar) [blu'kjar] *v.* **1** impedir a passagem **2** impedir a expressão ou o movimento

bloqueio (blo.quei.o) [blu'kɐju] *n.m.* **1** interrupção da passagem de algo ou alguém **2** interrupção do pensamento ou do discurso

blues ['bluz] *n.m.2n.* forma musical norte-americana de tom melancólico e ritmo lento

bluetooth [blu'tud] *n.m.* tecnologia de transmissão de dados sem fios, entre aparelhos eletrónicos (computadores, telemóveis, etc.)

bluff ['blɐf] *n.m.* ⟨*pl.* bluffs⟩ fingimento; simulação

blusa (blu.sa) ['bluzɐ] *n.f.* peça de vestuário feminino, com ou sem botões, que cobre o tronco

blusão (blu.são) [blu'zɐ̃w̃] *n.m.* peça de vestuário que cobre o tronco, com mangas, usada como agasalho

blush ['blɐʃ(ə)] *n.m.* cosmético em pó, que se aplica na face, para acentuar sobretudo as maçãs do rosto

BN [be'ɛn] *sigla de* Biblioteca Nacional

boa (bo.a) ['boɐ] *n.f.* serpente não venenosa, que vive na América do Sul **SIN.** jiboia ◆ *coloq.* **estar numa boa** em situação de satisfação, conforto, despreocupação, etc.

boa-noite (bo.a-.noi.te) [boɐ'nojt(ə)] *n.f.* ⟨*pl.* boas-noites⟩ cumprimento com que se saúda alguém à noite

boa-nova (bo.a-.no.va) [boɐ'nɔvɐ] *n.f.* ⟨*pl.* boas-novas⟩ notícia feliz

boas-entradas (bo.as-.en.tra.das) [boɐzẽ'tradɐʃ] *n.f.pl.* cumprimento que se dirige a alguém no início de um ano ou no final do ano anterior

boas-festas (bo.as-.fes.tas) [boɐʃ'fɛʃtɐʃ] *n.f.pl.* cumprimento que se dirige a alguém no Natal e no Ano Novo

boas-tardes (bo.as-.tar.des) [boɐʃ'tardəʃ] *n.f.pl.* saudação usada durante a tarde: *dar as boas-tardes a alguém*

boas-vindas (bo.as-.vin.das) [boɐʒ'vĩdɐʃ] *n.f.pl.* cumprimento com que se saúda alguém que chega

boa-tarde (bo.a-.tar.de) [boɐ'tard(ə)] *n.f.* ⟨*pl.* boas-tardes⟩ cumprimento com que se saúda alguém à tarde

boato (bo:a.to) ['bwatu] *n.m.* informação não confirmada; rumor

boa-vida (bo.a-.vi.da) ['boɐ'vidɐ] *adj.,n.2g.* **1** *pej.* (pessoa) que pouco trabalha **2** *pej.* (pessoa) que vive sem preocupações

boazona (bo.a.zo.na) [boɐ'zonɐ] *adj. cal.* atraente; provocante

bobagem (bo.ba.gem) [bu'baʒɐ̃j] *n.f.* [BRAS.] tolice; disparate

bobar (bo.bar) ['bobar] *v.* [ANG.] naufragar

bobina (bo.bi.na) [bɔ'binɐ] *n.f.* cilindro onde se enrolam fios ou fitas

bobine (bo.bi.ne) [bɔ'bin(ə)] *n.f.* ⇒ **bobina**

bobo (bo.bo) ['bobu] *n.m.* **1** indivíduo que divertia os príncipes e os nobres com graças e caretas **2** pessoa que diverte os outros com frases e gestos tolos ◆ **ser o bobo da corte** ser alvo de riso ou de troça

boca (bo.ca) ['bokɐ] *n.f.* **1** 👁 cavidade que forma a primeira parte do aparelho digestivo e pela qual se introduzem os alimentos: *Não se deve falar de boca cheia.* **2** dispositivo de fogão de gás onde se produz a chama **3** *fig., coloq.* pessoa para alimentar: *Preciso de trabalho, porque tenho muitas bocas para alimentar.* ◆ **apanhar alguém com a boca na botija** apanhar alguém no momento em que pratica um ato ilícito; apanhar alguém em flagrante; **crescer água na boca a** desejar ardentemente; **de boca** sem prova escrita; oralmente; **dizer da boca para fora** dizer sem sentir ou sem convicção; **ficar/estar de boca aberta** ficar/estar muito admirado; **mandar uma boca** interromper alguém com um comentário provocatório ou irónico para aborrecer ou chamar a atenção; (provérbio) **pela boca morre o peixe** é perigoso falar demasiado; (provérbio) **quem tem boca vai a Roma** quem não sabe, pergunta

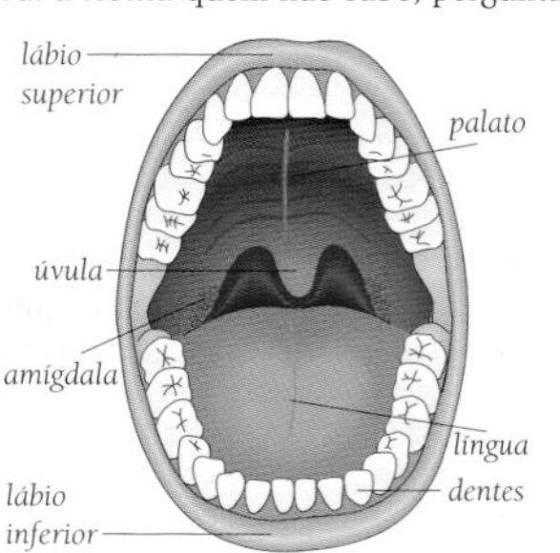

boca-de-incêndio (bo.ca-.de-.in.cên.di:o) [bokɐ dĩ'sẽdju] *a nova grafia é* **boca de incêndio**AO

boca de incêndio (bo.ca de in.cên.di:o)AO [bokɐdĩ'sẽdju] *n.f.* ⟨*pl.* bocas de incêndio⟩ válvula de passagem na canalização de água da via pública, à qual se ligam as mangueiras dos bombeiros em caso de incêndio

boca-de-sino (bo.ca-.de-.si.no) [bokɐdə'sinu] *a nova grafia é* **boca de sino**AO

boca de sino (bo.ca de si.no)AO [bokɐdə'sinu] *adj.inv.* (calças) que são justas na parte de cima e alargam nas extremidades inferiores, lembrando um sino

ocadinho (bo.ca.di.nho) [bukɐ'diɲu] ⟨*dim. de* bocado⟩ *n.m.* **1** pequena quantidade: *Só quero um bocadinho de bolo.* **2** instante; momento: *Espera um bocadinho, estou quase a terminar.*

ocado (bo.ca.do) [bu'kadu] *n.m.* **1** pedaço de alguma coisa: *Cortei o lombo de porco aos bocados.* **SIN.** porção **2** pequeno intervalo de tempo: *Há bocado encontrei a tua irmã no supermercado.* **SIN.** instante ◆ **há bocado** há momentos; **passar um mau bocado** passar dificuldades ou privações; **um bocado** [+ *adj.*] um pouco: *O vestido ficou-lhe um bocado grande.*

ocal (bo.cal) [bu'kaɫ] *n.m.* **1** abertura de vaso, frasco, garrafa, etc. **2** parte do instrumento de sopro que se adapta à boca

ocejar (bo.ce.jar) [busə'ʒar] *v.* abrir a boca com sono ou em sinal de aborrecimento

ocejo (bo.ce.jo) [bu'sɐ(j)ʒu] *n.m.* abertura involuntária da boca quando se está com sono ou aborrecido

ochecha (bo.che.cha) [bu'ʃɐ(j)ʃɐ] *n.f.* parte saliente e carnuda de cada uma das faces

ochechar (bo.che.char) [buʃə'ʃar] *v.* agitar (um líquido) na boca

ócio (bó.ci:o) ['bɔsju] *n.m.* aumento do volume da glândula tiroide

ocó (bo.có) [bɔ'kɔ] *n.m.,adj. coloq., pej.* (o) que é tolo

oda (bo.da) ['bodɐ] *n.f.* **1** festa e/ou banquete com que se celebra um casamento **2** [ANG.] festa ■ **bodas** *n.f.pl.* celebração de casamento; **bodas de diamante** celebração do 75.º aniversário de casamento; **bodas de ouro** celebração do 50.º aniversário de casamento; **bodas de prata** celebração do 25.º aniversário de casamento

ode (bo.de) ['bɔd(ə)] *n.m.* mamífero ruminante com chifres ocos e pelos compridos no queixo (é o macho da cabra) ◆ **bode expiatório** pessoa sobre a qual se fazem recair culpas de outra(s) pessoa(s)

odega (bo.de.ga) [bu'dɛgɐ] *n.f.* **1** taberna **2** porcaria

ody ['bɔdi] *n.m.* ⟨*pl.* bodies⟩ peça de roupa justa feita de tecido elástico, que cobre todo o tronco e se aperta entre as pernas

odyboard [bɔdi'bɔrd] *n.m.* desporto aquático em que o surfista se desloca sobre as ondas deitado numa pequena prancha

oémia (bo:é.mi:a) ['bwɛmjɐ] *n.f.* ociosidade; vadiagem

oémio (bo:é.mi:o) ['bwɛmju] *adj.,n.m.* (pessoa) que vive sem preocupações, levando uma vida sem regras

bofes (bo.fes) ['bɔfəʃ] *n.m.pl. coloq.* pulmões ◆ *coloq.* **deitar os bofes pela boca** estar ofegante ou muito cansado

bofetada (bo.fe.ta.da) [bufə'tadɐ] *n.f.* pancada na cara com a mão aberta

bófia (bó.fi:a) ['bɔfjɐ] *n.f. coloq.* polícia (instituição) ■ *n.2g. coloq.* agente da polícia

boi (boi) ['boj] *n.m.* mamífero ruminante, com chifres, usado em trabalhos agrícolas e na alimentação do homem ◆ **chamar os bois pelos nomes** falar claramente; **olhar como boi para palácio** não perceber nada

boia (boi.a)[AO] ['bɔjɐ] *n.f.* **1** objeto flutuante que serve de sinal às embarcações **2** objeto circular de borracha, usado como apoio na natação

bóia (bói.a) ['bɔjɐ] *a nova grafia é* **boia**[AO]

boiada (boi:a.da) [boj'adɐ] *n.f.* manada de bois

boião (boi.ão) [boj'ɐ̃w̃] *n.m.* vaso bojudo para guardar conservas, pomadas, etc.

boiar (boi.ar) [boj'ar] *v.* manter-se à superfície da água **SIN.** flutuar

boicotar (boi.co.tar) [bojku'tar] *v.* **1** recusar participar num evento em sinal de protesto **2** declarar a proibição ou o fim da colaboração com um indivíduo, um grupo ou um país

boicote (boi.co.te) [boj'kɔt(ə)] *n.m.* situação de isolamento económico ou social imposto a uma pessoa, empresa ou nação como forma de represália ou meio de pressão: *Decidiram fazer boicote aos exames.*

boina (boi.na) ['bojnɐ] *n.f.* espécie de boné, sem pala, redondo e largo

boîte ['bwat] *n.f.* discoteca; clube noturno

bojarda (bo.jar.da) [bu'ʒardɐ] *n.f. coloq.* asneira

bojo (bo.jo) ['boʒu] *n.m.* **1** parte saliente de alguma coisa **2** barriga (de um animal)

bojudo (bo.ju.do) [bu'ʒudu] *adj.* **1** arredondado **2** barrigudo

bola (bo.la)[1] ['bɔlɐ] *n.f.* **1** objeto esférico de borracha, ou de outro material, usado em vários desportos: *A bola saiu pela linha lateral do campo.* **2** qualquer corpo redondo: *No meu gelado, quero duas bolas de chocolate e uma de baunilha.* **3** *coloq.* futebol: *Ele gosta de jogar à bola.* **4** *coloq.* cabeça; **não bater bem da bola** não ter juízo ■ **bolas** *n.f.pl. coloq.* testículos ◆ **bolas!** exclamação que exprime zanga, desaprovação ou enfado; [BRAS.] **não dar bola a 1** não dar confiança a **2** não dar atenção a; *coloq.* **(não) ir à bola com** (não) gostar de

bola (bo.la)[2] ['bolɐ] *n.f.* massa, com forma redonda e cozida no forno, com que se faz a broa de milho ◆ **bola de carne** massa de pão, misturada com carnes variadas e cozida no forno

bolacha (bo.la.cha) [bu'laʃɐ] *n.f.* bolo chato, redondo ou retangular, feito de farinha muito fina, açúcar e outros ingredientes: *À tarde, bebo um chá e como algumas bolachas de água e sal.*

bolachudo (bo.la.chu.do) [bulɐ'ʃudu] *adj.* que tem as faces rechonchudas

bolada (bo.la.da) [bɔ'ladɐ] *n.f.* **1** pancada com a bola **2** *coloq.* grande quantidade de: *Ele recebeu uma bolada de dinheiro por ter pintado a casa do patrão.*

bolbo (bol.bo) ['bołbu] *n.m.* caule subterrâneo de uma planta ♦ **bolbo raquidiano** porção inferior do encéfalo, onde estão situados vários centros reguladores das funções vitais (respiração, deglutição, batimentos cardíacos, etc.)

bolçar (bol.çar) [boł'sar] *v.* lançar pela boca **SIN.** vomitar

bold ['bołd] *n.m.* tipo de impressão de traço mais grosso que o normal; negro; negrito

boleia (bo.lei.a) [bu'lɐjɐ] *n.f.* transporte gratuito num veículo particular: *A minha colega dá-me boleia até casa.*

bolero (bo.le.ro) [bu'lɛru] *n.m.* **1** música popular espanhola, cujo compasso é marcado com castanholas **2** dança que acompanha essa música **3** casaco curto, semelhante a uma jaqueta

boletim (bo.le.tim) [bulə'tĩ] *n.m.* **1** notícia breve **2** impresso; formulário **3** impresso com espaço para se responder (a uma pergunta, a uma votação, etc.) **SIN.** questionário **4** publicação periódica oficial ♦ **boletim de vacinas** caderneta individual onde são registadas as vacinas obrigatórias tomadas por cada pessoa ao longo da sua vida; **boletim meteorológico** informações sobre o tempo (temperatura, vento, etc.) que se espera para determinado local

bolha (bo.lha) ['boʎɐ] *n.f.* **1** pequena bolsa com líquido que se forma na pele devido a queimadura, inflamação, etc.: *Tenho uma bolha no pé.* **2** bolsa formada nos líquidos em ebulição

bolina (bo.li.na) [bu'linɐ] *n.f.* **1** cabo que sustenta a vela, inclinando-a na direção do vento **2** navegação com vento lateral

bolívar (bo.lí.var) [bu'livar] *n.m.* unidade monetária da Venezuela

boliviano (bo.li.vi:a.no) [buli'vjɐnu] *adj.* relativo à Bolívia ■ *n.m.* pessoa natural da Bolívia

bolo (bo.lo) ['bolu] *n.m.* alimento doce preparado com farinha, ovos e outros ingredientes, e cozido no forno: *bolo de aniversário; bolo de noiva* ♦ **bolinho de bacalhau** frito, mais ou menos oval, confecionado com batata, bacalhau, salsa, cebola e alho; **bolo alimentar** massa formada pelos alimentos mastigados, no início do processo digestivo, antes da deglutição

bolor (bo.lor) [bu'lor] *n.m.* substância que se desenvolve nos alimentos quando apodrecem **SIN.** mofo

bolo-rei (bo.lo-.rei) [bolu'ʀɐj] *n.m.* (*pl.* bolos-reis) bolo doce, com frutas secas e cristalizadas, típico do Natal

bolorento (bo.lo.ren.to) [bulu'rẽtu] *adj.* **1** que tem bolor **2** *fig.* que é velho ou desatualizado

bolota (bo.lo.ta) [bu'lotɐ] *n.f.* fruto do carvalho ou da azinheira ♦ **quem quer bolota trepa** quem quer conseguir alguma coisa tem de ir por ela

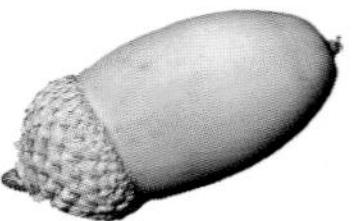

bolsa (bol.sa) ['bołsɐ] *n.f.* **1** mala de mão feita de couro ou de tecido, usada para guardar ou transportar objetos pequenos **2** subsídio concedido a um estudante **3** lugar onde se reúnem pessoas para comprar e vender ações ou outros valores ♦ **bolsa das águas** saco que contém o líquido amniótico e se rompe antes do parto; **bolsa de emprego** ponto de encontro entre ofertas e pedidos de emprego, instituição ou departamento que visa promover o contacto entre candidatos a postos de trabalho e entidades empregadoras

bolseiro (bol.sei.ro) [boł'sɐjru] *n.m.* estudante que recebe uma bolsa de estudo

bolsista (bol.sis.ta) [boł'siʃtɐ] *n.2g.* pessoa que faz investimentos na bolsa ■ *adj.2g.* relativo à bolsa

bolso (bol.so) ['bołsu] *n.m.* pequeno saco de pano cosido dentro ou fora da roupa, para guardar algo: *meter as mãos nos bolsos.*

bom (bom) ['bõ] *adj.* **1** que tem as características e qualidades exigidas, desejadas ou esperadas: *Este remédio é bom para as dores.* **ANT.** mau **2** de boa qualidade: *O bacalhau deve ser acompanhado com um bom vinho.* **3** bondoso: *Ele é uma boa pessoa.* **4** saudável: *Ele vai ficar bom num instante.* **5** agradável ao paladar: *Este bacalhau com natas está muito bom.* **SIN.** saboroso **6** competente; eficiente: *Ele revelou-se um bom aluno a Português.* **7** vantajoso; proveitoso: *É um bom negócio para a empresa.* **8** agradável: *O tempo está bom.* **9** considerável: *Ganhaste uma boa quantia de dinheiro.* **10** *coloq.* atraente fisicamente: *Aquela rapariga é boa como o milho!* ■ *n.m. gír.* classificação escolar entre o suficiente e o muito bom: *Tive bom no teste de Português.* ■ *interj.* exclamação que exprime impaciência, surpresa ou que introduz algo que se vai dizer a seguir ♦ **do bom e do melhor** da mais alta qualidade; *coloq.* **essa é boa** expressão usada ironicamente para exprimir desagrado, indignação, ou surpresa; *coloq.* **numa boa 1** com prazer, com gosto **2** sem problema(s); com facilidade; *coloq.*

ser boa como o milho [apenas para mulheres] ser atraente fisicamente

---

Note-se que o adjetivo **bom** tem o comparativo **melhor** e o superlativo **ótimo**.

---

omba (bom.ba) ['bõbɐ] *n.f.* **1** engenho preparado para produzir uma explosão **2** aparelho usado para encher pneus **3** máquina para aspirar e elevar líquidos **4** *fig.* acontecimento inesperado ♦ **bomba de gasolina** local onde é possível abastecer um veículo de combustível

ombardeado (bom.bar.de:a.do) [bõbɐr'djadu] *adj.* **1** que foi alvo de bombardeamento **2** *fig.* importunado (com críticas, perguntas, etc.)

ombardeamento (bom.bar.de:a.men.to) [bobɐrdjɐ'mẽtu] *n.m.* ataque com bombas

ombardear (bom.bar.de:ar) [bõbɐr'djar] *v.* **1** lançar bombas ou peças de artilharia em: *Bombardearam a cidade durante três dias.* **2** ⟨**+com**⟩ *fig.* atirar qualquer tipo de projéteis a: *Bombardearam-nos com garrafas.* **3** ⟨**+com**⟩ *fig.* importunar (com críticas, perguntas, etc.): *Bombardearam-no com perguntas.*

ombardeiro (bom.bar.dei.ro) [bobɐr'dɐjru] *n.m.* avião próprio para transportar e lançar bombas

omba-relógio (bom.ba-.re.ló.gi:o) [bõbɐʀə'lɔʒju] *n.f.* ⟨*pl.* bombas-relógio⟩ bomba com um dispositivo onde é fixado o momento da explosão

ombástico (bom.bás.ti.co) [bõ'baʃtiku] *adj.* **1** que causa estrondo **2** *fig.* que causa uma forte impressão

ombazina (bom.ba.zi.na) [bõba'zinɐ] *n.f.* tecido canelado de algodão que imita veludo: *Mandei fazer umas calças de bombazina.*

ombear (bom.be:ar) [bõ'bjar] *v.* movimentar (um líquido) por meio de uma bomba

ombeiro (bom.bei.ro) [bõ'bɐjru] *n.m.* pessoa que trabalha na extinção de incêndios e noutras operações de salvamento: *Os bombeiros combatem o incêndio que começou há duas horas.*

ombista (bom.bis.ta) [bõ'biʃtɐ] *adj.2g.* feito com bomba ou explosivo ■ *n.2g.* pessoa que fabrica, coloca ou lança bombas

ombo (bom.bo) ['bõbu] *n.m.* **1** tambor grande que se toca na vertical, pendurado no ombro, com uma baqueta **2** pessoa que toca esse instrumento ♦ **ser o bombo de festa** ser alvo de todas as atenções ou críticas

ombom (bom.bom) [bõ'bõ] *n.m.* ⟨*pl.* bombons⟩ guloseima de chocolate, com ou sem recheio

ombordo (bom.bor.do) [bõ'bordu] *n.m.* lado esquerdo do navio, olhado de trás para a frente

om-dia (bom-.di.a) [bõ'diɐ] *n.m.* ⟨*pl.* bons-dias⟩ cumprimento que se dirige a alguém de manhã

bom-tom (bom-.tom) [bõ'tõ] *n.m.* comportamento considerado correto a nível social ♦ **de bom-tom** de acordo com as regras da boa educação; **ser de bom-tom** de acordo com as regras da boa educação

bonacheirão (bo.na.chei.rão) [bunɐʃɐj'rɐ̃w̃] *adj. coloq.* diz-se da pessoa que é muito bondosa

bonança (bo.nan.ça) [bu'nɐ̃sɐ] *n.f.* **1** tempo calmo **2** calma; tranquilidade

bondade (bon.da.de) [bõ'dad(ə)] *n.f.* **1** disposição natural para fazer o bem **ANT.** maldade **2** qualidade de quem é bom ♦ **tenha a bondade!** (fórmula de cortesia) faça favor!; faz favor!

bonde (bon.de) ['bõd(ə)] *n.m.* [BRAS.] elétrico

bondoso (bon.do.so) [bõ'dozu] *adj.* que tem bondade; benévolo

boné (bo.né) [bɔ'nɛ] *n.m.* chapéu com pala e de copa redonda

boneca (bo.ne.ca) [bu'nɛkɐ] *n.f.* figura com forma feminina, de pano, madeira ou plástico, usada como brinquedo: *Ela adora brincar com bonecas.*

boneco (bo.ne.co) [bu'nɛku] *n.m.* **1** figura com forma masculina, de pano, madeira ou plástico, usada como brinquedo: *boneco de peluche* **2** desenho infantil que representa pessoas ou animais ♦ *coloq.* **falar para o boneco** falar sem que ninguém preste atenção

bonificação (bo.ni.fi.ca.ção) [bunifikɐ'sɐ̃w̃] *n.f.* prémio ou oferta concedido a alguém

bonificar (bo.ni.fi.car) [bunifi'kar] *v.* dar ou conceder uma bonificação

bonifrate (bo.ni.fra.te) [buni'frat(ə)] *n.m.* boneco movido com fios ou arames

bonito (bo.ni.to) [bu'nitu] *adj.* **1** agradável à vista ou ao ouvido: *A tua filha é muito bonita.* **SIN.** lindo; belo **ANT.** feio **2** *irón.* muito mal; feio: *Bonito serviço!*

bonsai (bon.sai) [bõ'saj] *n.m.* **1** 👁 árvore anã do Japão, obtida pelo corte de certos ramos e raízes **2** arte de jardinagem japonesa

bons-dias (bons-.di.as) [bõʒ'diɐʃ] *n.m.pl.* ⇒ **bom-dia**

bónus (bó.nus) ['bɔnuʃ] *n.m.2n.* prémio ou oferta concedido a alguém

bon-vivant [bõvi'vɐ̃] *adj.,n.m.* ⟨*pl.* bon-vivants⟩ que ou aquele que aprecia os prazeres da vida; que ou aquele que gosta de se divertir acima de tudo

boom ['bum] *n.m.* **1** aumento súbito de alguma coisa **2** desenvolvimento acelerado de determinada região **3** subida repentina do nível da atividade económica a que correspondem progressos do investimento, aumento de lucros, diminuição de desemprego, etc. **4** ponto máximo do ciclo económico

boquiaberto (bo.qui:a.ber.to) [bukja'bɛrtu] *adj.* admirado; pasmado: *Fiquei boquiaberto quando me contaram o que aconteceu.*

boquilha (bo.qui.lha) [bu'kiʎɐ] *n.f.* **1** tubo onde se mete o cigarro ou o charuto para fumar **2** embocadura de instrumento de sopro

boquinha (bo.qui.nha) [bu'kiɲa] ⟨*dim. de* boca⟩ *n.f.* **1** boca pequena **2** trejeito com a boca

borboleta (bor.bo.le.ta) [burbu'letɐ] *n.f.* 👁 inseto com quatro asas grandes e coloridas

borbotão (bor.bo.tão) [burbu'tɐ̃w̃] *n.m.* **1** (líquido) jato forte; jorro **2** (fogo, vento) saída violenta; rajada

borbotar (bor.bo.tar) [burbu'tar] *v.* ficar com borboto

borboto (bor.bo.to) [bur'botu] *n.m.* tufo que se forma à superfície dos tecidos de lã: *Esta camisola está cheia de borboto.*

borbulha (bor.bu.lha) [bur'buʎɐ] *n.f.* **1** pequeno inchaço que se forma à superfície da pele: *Tenho uma borbulha na testa.* **SIN.** espinha **2** bolha gasosa que se forma no interior dos líquidos

borbulhar (bor.bu.lhar) [burbu'ʎar] *v.* **1** produzir bolhas ao ferver **2** cobrir-se de borbulhas ou espinhas

borda (bor.da) ['bɔrdɐ] *n.f.* extremidade de uma superfície **SIN.** beira

bordado (bor.da.do) [bur'dadu] *n.m.,adj.* (trabalho) feito com agulha e fios, sobre um tecido ou uma tela: *Ofereceram-me uma toalha bordada à mão.*

bordão (bor.dão) [bur'dɐ̃w̃] *n.m.* pau que serve para apoiar quem caminha **SIN.** bastão; cajado

bordar (bor.dar) [bur'dar] *v.* fazer bordados

bordeaux [bɔr'do] *adj.inv.* da cor do vinho tinto; vermelho escuro ■ *n.m.* cor do vinho tinto; tom vermelho escuro

bordel (bor.del) [bur'dɛɫ] *n.m.* casa de prostituição

bordo (bor.do) ['bɔrdu] *n.m.* lado da embarcação ◆ **a bordo** no interior de um barco ou de um avião

bordoada (bor.do:a.da) [bur'dwadɐ] *n.f.* pancada com bastão

boreal (bo.re:al) [bu'rjaɫ] *adj.2g.* **1** do lado do norte; setentrional **2** relativo ao hemisfério norte; **aurora boreal** aurora de luz difusa, constituída por faixas e arcos coloridos e brilhantes, que se observa no hemisfério norte

borga (bor.ga) ['bɔrgɐ] *n.f.* diversão ou festa muito animada: *Ele anda sempre na borga.* **SIN.** farra; pândega

borguista (bor.guis.ta) [bɔr'giʃtɐ] *n.2g.* pessoa que gosta de borga; pessoa divertida

borla (bor.la) ['bɔrlɐ] *elem. da loc. coloq.* **à/de borla** de graça; sem pagar

borlista (bor.lis.ta) [bɔr'liʃtɐ] *n.2g. coloq.* pessoa que se diverte sem pagar, à custa dos outros; pendura

borra (bor.ra) ['boʀɐ] *n.f.* parte sólida que se deposita no fundo de um recipiente; sedimento

borra-botas (bor.ra-.bo.tas) [boʀɐ'bɔtɐʃ] *n.2g.2n. coloq.* pessoa desprezível

borracha (bor.ra.cha) [bu'ʀaʃɐ] *n.f.* **1** substância elástica obtida da árvore-da-borracha: *A sola das minhas botas é de borracha.* **2** pequeno pedaço desse material, usado para apagar traços de escrita ou de desenho: *Empresta-me uma borracha?* **SIN.** safa ◆ **passar uma borracha sobre** esquecer ou perdoar algo

borrachão (bor.ra.chão) [buʀɐ'ʃɐ̃w̃] *n.m. coloq.* pessoa que bebe muito; bêbedo

borracheira (bor.ra.chei.ra) [buʀɐ'ʃɐjrɐ] *n.f. coloq.* bebedeira

borracho (bor.ra.cho) [bu'ʀaʃu] *adj.,n.m. coloq.* que ou aquele que está embriagado ■ *n.2g. coloq.* pessoa muito bonita

borrada (bor.ra.da) [bu'ʀadɐ] *n.f.* **1** *coloq.* porcaria: *Este trabalho está uma borrada!* **2** *coloq.* coisa mal feita; asneira: *Só fazes borradas!*

borralheira (bor.ra.lhei.ra) [buʀɐ'ʎɐjrɐ] *n.f.* local onde se acumula a borralha ou cinza da lareira

borralheiro (bor.ra.lhei.ro) [buʀɐ'ʎɐjru] *adj.* **1** que gosta de estar à lareira; friorento **2** que gosta de estar em casa; caseiro

borralho (bor.ra.lho) [bu'ʀaʎu] *n.m.* **1** brasas cobertas de cinza **2** lareira

borrão (bor.rão) [bu'ʀɐ̃w̃] *n.m.* mancha de tinta

borrar (bor.rar) [bu'ʀar] *v.* sujar; manchar

borrasca (bor.ras.ca) [bu'ʀaʃkɐ] *n.f.* vento forte e súbito, acompanhado de aguaceiros; tempestade

borrego (bor.re.go) [bu'ʀegu] *n.m.* carneiro até um ano de idade

borrifar(-se) (bor.ri.far(-se)) [buʀi'far(sə)] *v.* **1** molhar(-se) com pequenas gotas de água **SIN.** salpicar(-se) **2** ⟨**+para**⟩ *coloq.* não ligar importância a; não querer saber de

bósnio (bós.ni:o) ['bɔʒnju] *adj.* relativo à Bósnia e Herzegovina (país do sul da Europa) ■ *n.m.* pessoa natural da Bósnia e Herzegovina

bosque (bos.que) ['bɔʃk(ə)] *n.m.* pequena floresta **SIN.** mata

bossa (bos.sa) ['bɔsɐ] *n.f.* **1** parte saliente no dorso do camelo e do dromedário **2** parte saliente nas costas ou no peito de uma pessoa; corcunda

bossa-nova (bos.sa-.no.va) [bɔsɐ'nɔvɐ] *n.f.* movimento e estilo musical brasileiro que consiste numa variante suave e pausada do samba com influência do jazz

bosse (bos.se) ['bɔ(sə)] *n.m.* **1** [MOÇ.] patrão **2** [MOÇ.] marido

bosta (bos.ta) ['bɔʃtɐ] *n.f.* excremento de gado bovino

bota (bo.ta) ['bɔtɐ] *n.f.* calçado que cobre o pé e parte da perna: *botas de cano alto; botas de borracha; botas de montar a cavalo* ◆ *coloq.* **arrumar as botas** deixar de praticar uma atividade; **bater a bota** morrer; **descalçar a bota** livrar-se de uma situação embaraçosa; **lamber as botas de** elogiar ou bajular com fins interesseiros

bota-de-elástico (bo.ta-.de-.e.lás.ti.co) [bɔtɐ di'laʃtiku] *a nova grafia é* **bota de elástico**[AO]

bota de elástico (bo.ta de e.lás.ti.co)[AO] [bɔtɐ di'laʃtiku] *n.2g.* ⟨*pl.* botas de elástico⟩ *pej.* pessoa antiquada ou contrária ao progresso

botânica (bo.tâ.ni.ca) [bu'tɐnikɐ] *n.f.* ciência que estuda as plantas

botânico (bo.tâ.ni.co) [bu'tɐniku] *adj.* relativo a botânica: *jardim botânico* ■ *n.m.* especialista em botânica

botão (bo.tão) [bu'tɐ̃w̃] *n.m.* ⟨*pl.* botões⟩ **1** pequena peça que se usa para apertar a roupa: *Ofereci-lhe uns botões de punho.* **2** comando de um mecanismo ou de um aparelho elétrico: *O botão da campainha não funciona.* **3** flor antes de desabrochar: *As flores ainda estão em botão.* **4** em informática, representação gráfica de uma opção ou de um comando: *Clique no botão para avançar.* ◆ **falar com os seus botões** falar consigo mesmo **SIN.** refletir

botar (bo.tar) [bu'tar] *v.* **1** *coloq.* colocar; pôr: *Já botei a comida aos porcos.* **2** *coloq.* deitar; atirar: *Botei aquela papelada toda fora!*

bote (bo.te) ['bɔt(ə)] *n.m.* pequeno barco a remo ou à vela: *bote salva-vidas*

botequim (bo.te.quim) [butə'kĩ] *n.m.* bar onde se servem refeições ligeiras

botija (bo.ti.ja) [bu'tiʒɐ] *n.f.* **1** recipiente de borracha que se enche de água quente para aquecer alguma parte do corpo **2** recipiente cilíndrico com gargalo estreito para gás doméstico, oxigénio, etc.

botim (bo.tim) [bu'tĩ] *n.m.* bota de cano curto

botox [bɔ'tɔks] *n.m.* produto que produz relaxamento muscular, usado sobretudo para fins terapêuticos e estéticos, principalmente em rugas de expressão, quando injetado sob a pele

botsuano (bot.su:a.no) [bɔ'tswɐnu] *adj.* relativo ao Botsuana ■ *n.m.* natural ou habitante do Botsuana

bouça (bou.ça) ['bo(w)sɐ] *n.f.* terreno que não serve para cultura **SIN.** baldio

bouquet [bu'ke] *n.m.* conjunto de flores dispostas de forma harmoniosa: *Dei-lhe um bouquet de rosas vermelhas.* **SIN.** ramo

bourbon ['bɐrbən] *n.m.* tipo de whisky preparado a partir da destilação de uma mistura de milho, malte e cevada

boutique [bu'tik(ə)] *n.f.* loja de roupa

bovídeo (bo.ví.de:o) [bu'vidju] *n.m.* mamífero ruminante com chifres e cascos (como o boi, a cabra, o búfalo, etc.)

bovino (bo.vi.no) [bu'vinu] *adj.* relativo a boi

bowling ['bolĩg] *n.m.* jogo em que se procura derrubar um conjunto de pinos colocados a certa distância, com uma bola de madeira que é lançada com força ao longo de uma pista estreita

boxe (bo.xe) ['bɔk(sə)] *n.m.* **1** combate em que dois adversários se confrontam com socos, usando luvas apropriadas **2** (cavalariça) compartimento para um cavalo ■ **boxes** *n.m.pl.* (corrida de automóveis) local, junto à pista, onde é prestada assistência aos carros em competição

boxer ['bɔksɐr] *n.m.* cão de tamanho médio, com pelo acastanhado curto, brilhante e macio, focinho escuro e orelhas espetadas ■ **boxers** *n.m.pl.* cuecas masculinas com forma de calções

boxeur [bɔ'ksɐr] *n.m.* ⟨*pl.* boxeurs⟩ praticante de boxe

bps [bepe'ɛs] *sigla de* bits por segundo

braçada (bra.ça.da) [brɐ'sadɐ] *n.f.* **1** na natação, movimento dos braços **2** quantidade de coisas que se abarca com os braços

braçadeira (bra.ça.dei.ra) [brɐsɐ'dɐjrɐ] *n.f.* **1** tira de pano enrolada no braço, usada como distintivo **2** tira de borracha que se enche de ar e se usa nos braços quando se aprende a nadar: *Só vais para a piscina com as braçadeiras.*

braçal (bra.çal) [brɐ'sał] *adj.2g.* **1** relativo a braço(s) **2** diz-se da atividade ou do trabalho manual

bracejar (bra.ce.jar) [brɐsə'ʒar] *v.* agitar os braços; gesticular

bracelete (bra.ce.le.te) [brasə'lɛt(ə)] *n.f.* pulseira

braço (bra.ço) ['brasu] *n.m.* **1** membro superior do corpo humano, situado entre o ombro e a mão **2** objeto cuja forma lembra um braço: *os braços da cadeira* **3** ramo de árvore **4** ramificação de um rio ou de um mar ◆ **braço direito** auxiliar ou colaborador principal: *Ele é o braço direito do chefe.*; **de braços abertos** com boa vontade; com alegria: *Recebeu-nos de braços abertos.*; **de braços cruzados** imóvel; indiferente: *Ele está ali de braços cruzados em vez de vir ajudar.*; **(não) dar o braço a torcer** (não) reconhecer um erro ou uma falha

braço-de-ferro (bra.ço-.de-.fer.ro) [brasudə'fɛʀu] *a nova grafia é* **braço de ferro**[AO]

braço de ferro (bra.ço de fer.ro)[AO] [brasudə'fɛʀu] *n.m.* ⟨*pl.* braços de ferro⟩ **1** medição de forças entre duas pessoas que apoiam um cotovelo sobre uma mesa e, com as mãos enlaçadas, tentam derrubar o braço do adversário **2** *fig.* situação em que alguém tenta dominar outra(s) pessoa(s)

brada (bra.da) ['brɐda] *n.m.* **1** [MOÇ.] irmão **2** [MOÇ.] amigo

bradar (bra.dar) [brɐ'dar] *v.* ⟨**+a**, **+contra**, **+por**⟩ gritar; clamar

brado (bra.do) ['bradu] *n.m.* berro; grito

braguilha (bra.gui.lha) [brɐ'giʎɐ] *n.f.* abertura na parte da frente das calças ou dos calções, que se fecha com botões ou fecho: *Tens a braguilha aberta!*

braille ['brajl(ə)] *n.m.* sistema de escrita com pequenos pontos salientes, usado pelos cegos para ler e escrever

brainstorming [brɐjn'stɔrmĩg] *n.m.* ⟨*pl.* brainstormings⟩ reunião em que os participantes apresentam espontaneamente as suas ideias e propostas

bramido (bra.mi.do) [brɐ'midu] *n.m.* **1** rugido de animal **2** grito de fúria

bramir (bra.mir) [brɐ'mir] *v.* **1** rugir **2** gritar

branca (bran.ca) ['brɐ̃kɐ] *n.f.* **1** cabelo branco: *Ela pinta o cabelo para tapar as brancas.* **2** *coloq.* falha de memória: *Tive uma branca no exame de Geografia.* ◆ **Branca de Neve** personagem de um conhecido conto de fadas

branco (bran.co) ['brɐ̃ku] *adj.* **1** que tem a cor d cal, da neve ou do leite: *Ele já tem cabelos bra cos.* **ANT.** preto **2** muito pálido: *Ele não se está sentir bem e está muito branco.* ■ *n.m.* **1** cor da ca da neve ou do leite **2** pessoa de pele clara ◆ **e tar em branco** desconhecer um assunto, nã entender; **ficar branco como cal** ficar lívido (c medo ou susto)

brancura (bran.cu.ra) [brɐ̃'kurɐ] *n.f.* qualidade d que é branco

brando (bran.do) ['brɐ̃du] *adj.* **1** (pessoa, temper mento) que é dócil ou afável **2** (alimento, materia que é mole ou macio **3** (fogo, chuva) que te pouca intensidade

brandura (bran.du.ra) [brɐ̃'durɐ] *n.f.* **1** suavidac **2** tolerância **3** ternura

brandy ['brɐ̃di] *n.m.* ⟨*pl.* brandies⟩ aguardente

branqueador (bran.que:a.dor) [brɐ̃kjɐ'do *adj.,n.m.* que ou substância que branqueia

branqueamento (bran.que:a.men.to) [brɐ̃ jɐ'mẽtu] *n.m.* **1** ato ou efeito de tornar branco o mais branco: *Ela fez um branqueamento de dente* **2** operação que consiste na transformação c fundos de origem fraudulenta em valores legai *branqueamento de dinheiro*

branquear (bran.que:ar) [brɐ̃'kjar] *v.* **1** torn branco ou mais branco **2** legalizar fundos de o gem fraudulenta ou ilícita

brânquia (brân.qui:a) ['brɐ̃kjɐ] *n.f.* órgão respir tório dos peixes e de outros animais aquátic **SIN.** guelra

branquial (bran.qui:al) [brɐ̃'kjał] *adj.2g.* relativo à brânquias ou guelras

brasa (bra.sa) ['brazɐ] *n.f.* **1** carvão ou lenha inca descente, sem chama **2** calor intenso **3** *coloq.* pe soa bonita e atraente fisicamente: *Ela é uma bras* ◆ **em brasa** incandescente; *coloq.* **passar pela brasas** dormitar; *coloq.* **chegar/puxar a brasa sua sardinha** defender os seus próprios interesse

brasão (bra.são) [brɐ'zɐ̃w̃] *n.m.* 👁 conjunto de f guras que compõem o escudo de uma famíli nobre

Note-se que **brasão** se escreve com **s** (e não com z).

raseira (bra.sei.ra) [brɐ'zɐjrɐ] *n.f.* grande quantidade de brasas

raseiro (bra.sei.ro) [brɐ'zɐjru] *n.m.* recipiente de metal, barro ou louça onde se colocam brasas para aquecer um espaço

rasileirismo (bra.si.lei.ris.mo) [brɐzilɐj'riʒmu] *n.m.* expressão ou palavra brasileira

rasileiro (bra.si.lei.ro) [brɐzi'lɐjru] *adj.* relativo ao Brasil ■ *n.m.* pessoa natural do Brasil

ravar (bra.var) [brɐ'var] *v.* [ANG., MOÇ.] ficar bravo; zangar-se

ravio (bra.vi.o) [brɐ'viu] *adj.* **1** não domesticado; selvagem **2** que não é cultivado; inculto **3** rude; rebelde

ravo (bra.vo) ['bravu] *adj.* **1** (pessoa) valente; corajoso **2** (animal) não domesticado; feroz **3** (mar) agitado ■ *interj.* usada para aplaudir alguém

ravura (bra.vu.ra) [brɐ'vurɐ] *n.f.* valentia; coragem **ANT.** cobardia

reakdance [brɐjk'dɐ̃(sə)] *n.m.* estilo de dança de movimentos bruscos e acrobáticos, ao som de rap

reak point [brɐjk'pɔj̃t] *n.m.* ⟨*pl.* break points⟩ (ténis) ponto que indica uma pausa de serviço

reca (bre.ca) ['brɛkɐ] *n.f.* *coloq.* cãibra ♦ **ser levado da breca** ser muito irrequieto

recha (bre.cha) ['brɛʃɐ] *n.f.* abertura; fenda

rega (bre.ga) ['brɛgɐ] *adj.* [BRAS.] que tem mau gosto **SIN.** piroso

rejeirice (bre.jei.ri.ce) [brɛʒɐj'ri(sə)] *n.f.* **1** palavra ou ação de brejeiro **2** gracejo malicioso

rejeiro (bre.jei.ro) [brɛ'ʒɐjru] *adj.* **1** malicioso; mordaz **2** vulgar; grosseiro

retão (bre.tão) [brə'tɐ̃w̃] *adj.* relativo à Bretanha ■ *n.m.* **1** pessoa natural da província francesa da Bretanha **2** língua céltica falada na baixa Bretanha

reu (breu) ['brew] *n.m.* sólido escuro inflamável obtido da destilação de alcatrão, resina, petróleo, etc. ♦ **escuro como breu** muito escuro

reve (bre.ve) ['brɛv(ə)] *adj.2g.* **1** que dura pouco tempo: *Ele fez um breve discurso e saiu.* **SIN.** curto **2** que é pouco extenso: *Pedi-lhe uma breve descrição das suas funções.* **SIN.** conciso ■ *adv.* dentro de pouco tempo: *Espero uma resposta o mais breve possível.* **SIN.** brevemente ♦ **em breve** dentro de pouco tempo; **ser breve** expressar-se de forma sucinta

revê (bre.vê) [brə've] *n.m.* ⇒ **brevete**

revemente (bre.ve.men.te) [brɛvə'mẽt(ə)] *adv.* **1** dentro de pouco tempo; em breve: *Este filme está brevemente nos cinemas.* **2** de forma resumida; sucintamente: *Ele respondeu brevemente às perguntas dos jornalistas.*

brevete (bre.ve.te) [brə'vet(ə)] *n.m.* diploma de piloto concedido a quem completa um curso de aviação

breviário (bre.vi:á.ri:o) [brə'vjarju] *n.m.* livro das orações e leituras prescritas pela Igreja Católica para serem recitadas diariamente pelos sacerdotes e monges

brevidade (bre.vi.da.de) [brəvi'dad(ə)] *n.f.* **1** qualidade do que é breve; rapidez **2** pequena dimensão; concisão

bricabraque (bri.ca.bra.que) [brika'brak(ə)] *n.m.* loja onde se vendem objetos usados de diversas épocas

bricolage [brikɔ'laʒ(ə)] *n.m.* pequena reparação ou trabalho manual doméstico

bridge ['bridʒ(ə)] *n.m.* jogo de cartas em que quatro jogadores jogam entre si em pares, ficando uma mão do jogo à vista

brie ['brji] *n.m.* queijo de leite de vaca originário da região de Brie (França), com pasta macia, casca esbranquiçada e fabricado com formato de disco grande

briefing ['brifĩg] *n.m.* ⟨*pl.* briefings⟩ comunicação de informações e instruções consideradas indispensáveis à realização de determinada tarefa: *A polícia fez um briefing da situação à imprensa.*

briga (bri.ga) ['brigɐ] *n.f.* **1** confronto físico **SIN.** luta **2** conflito verbal ou de ideias **SIN.** querela; discussão **3** rompimento de relações **SIN.** desentendimento

brigada (bri.ga.da) [bri'gadɐ] *n.f.* **1** força militar ou policial **2** grupo de pessoas que fazem um trabalho em conjunto

brigadeiro (bri.ga.dei.ro) [brigɐ'dɐjru] *n.m.* **1** oficial do exército ou da força aérea, superior ao de coronel e inferior ao de major **2** pequeno bolo arredondado feito de leite condensado e chocolate

brigar (bri.gar) [bri'gar] *v.* ⟨**+com**⟩ cortar relações (com alguém); zangar-se

brilhante (bri.lhan.te) [bri'ʎɐ̃t(ə)] *adj.2g.* **1** que brilha; cintilante: *Esta noite, o céu está brilhante.* **2** *fig.* excelente: *Essa ideia é brilhante!* **3** *fig.* notável; formidável: *Ele teve uma carreira brilhante.*

brilhantina (bri.lhan.ti.na) [briʎɐ̃'tinɐ] *n.f.* cosmético usado antigamente para fixar o cabelo

brilhantismo (bri.lhan.tis.mo) [briʎɐ̃'tiʒmu] *n.m.* **1** qualidade do que é brilhante **2** *fig.* capacidade excecional; excelência

brilhar (bri.lhar) [bri'ʎar] *v.* **1** lançar brilho ou luz: *O Sol brilha.* **2** ⟨**+de**⟩ deixar transparecer: *brilhar de felicidade* **3** ⟨**+em**⟩ *fig.* revelar qualidades excecionais: *brilhar num exame*

brilhar<u>e</u>te (bri.lha.re.te) [briʎɐ'ret(ə)] *n.m.* êxito; sucesso ◆ **fazer um brilharete** causar sensação

br<u>i</u>lho (bri.lho) ['briʎu] *n.m.* **1** luz que um corpo irradia ou reflete **2** *fig.* vivacidade; alegria

brincad<u>ei</u>ra (brin.ca.dei.ra) [brĩkɐ'dɐjrɐ] *n.f.* **1** divertimento de crianças **2** entretenimento **3** ato, dito ou gesto engraçado; **brincadeira de mau gosto** ato ou dito inconveniente **4** *coloq.* coisa fácil de fazer ou de alcançar **5** *coloq.* coisa de pouca importância ◆ **fora de brincadeira(s)** (falando) a sério; **na/por brincadeira** no gozo, por divertimento; **não estar para brincadeira(s)** **1** estar sem disposição para ouvir piadas **2** estar de mau humor

brincal<u>hão</u> (brin.ca.lhão) [brĩkɐ'ʎɐ̃w̃] *adj.,n.m.* que ou aquele gosta muito de brincar: *Ele é muito brincalhão.*

brin<u>car</u> (brin.car) [brĩ'kar] *v.* **1** ⟨**+a**⟩ entreter-se com brincadeiras infantis: *Eles gostam de brincar aos polícias e ladrões.* **2** ⟨**+com**⟩ divertir-se; entreter-se **3** ⟨**+com**⟩ dizer piadas: *Estava só a brincar.* **4** ⟨**+com**⟩ proceder com leviandade: *Andas a brincar!* ◆ **a brincar, a brincar** a pouco e pouco; **nem a brincar** de forma nenhuma; nem pensar

br<u>in</u>co (brin.co) ['brĩku] *n.m.* **1** adorno para as orelhas **2** coisa muito arrumada ou muito bem feita: *A tua casa está um brinco.* **SIN.** primor

brincos-de-prin<u>ce</u>sa (brin.cos-.de-.prin.ce.sa) [brĩkuʒdəprĩ'sezɐ] *n.m.pl.* 👁 planta com flores pendentes avermelhadas ou cor-de-rosa

brin<u>dar</u> (brin.dar) [brĩ'dar] *v.* **1** ⟨**+a**⟩ beber à saúde de alguém, levantando o copo e tocando-o noutros copos: *Brindaram ao nascimento do neto.* **2** ⟨**+com**⟩ oferecer brinde: *Brindaram-no com um livro.* **SIN.** presentear

br<u>in</u>de (brin.de) ['brĩd(ə)] *n.m.* **1** ato de beber à saúde ou êxito de (alguém ou alguma coisa): *Fizeram um brinde à felicidade dos noivos.* **2** presente que se recebe na compra de um produto: *Como brinde, deram-lhe um livro.*

brin<u>que</u>do (brin.que.do) [brĩ'kedu] *n.m.* **1** obje[to] com que as crianças brincam **2** brincadeira; [di]vertimento

br<u>i</u>o (bri.o) ['briu] *n.m.* **1** sentimento da próp[ria] dignidade ou do próprio valor: *Ele não demonst[ra] brio no trabalho.* **2** sentimento de orgulho ou v[ai]dade: *Aquilo feriu-lhe o brio.*

bri<u>o</u>che (bri.o.che) [bri'ɔʃ(ə)] *n.m.* pequeno pã[o] muito leve e fofo, feito com farinha de trig[o], ovos, manteiga, açúcar e sal

bri<u>ol</u> (bri.ol) [bri'ɔɫ] *n.m.* **1** *coloq.* frio intenso: *Q[ue] briol!* **2** *coloq.* vinho; **estar com o briol** estar e[m]briagado

br<u>i</u>sa (bri.sa) ['brizɐ] *n.f.* vento fresco e brand[o]: *Corre uma brisa fresca.* **SIN.** aragem

br<u>i</u>ta (bri.ta) ['britɐ] *n.f.* pedra partida em peq[ue]nos fragmentos, usada para pavimentar estrad[as]

brit<u>â</u>nico (bri.tâ.ni.co) [bri'tɐniku] *adj.* relativo à Gr[ã]-Bretanha ■ *n.m.* pessoa natural da Grã-Bretanha

br<u>o</u>a (bro.a) ['broɐ] *n.f.* pão de milho

br<u>o</u>ca (bro.ca) ['brɔkɐ] *n.f.* instrumento com que abrem furos por meio de movimento rotativo

bro<u>ca</u>do (bro.ca.do) [bru'kadu] *n.m.* tecido [de] seda com relevos bordados a ouro e prata

bro<u>cha</u>do (bro.cha.do) [bru'ʃadu] *adj.* (livro) c[o]sido e com capa de papel ou cartolina

br<u>o</u>che (bro.che) ['brɔʃ(ə)] *n.m.* alfinete de peito

bro<u>chu</u>ra (bro.chu.ra) [bru'ʃurɐ] *n.f.* caderno co[m] poucas folhas; folheto

br<u>ó</u>colos (bró.co.los) ['brɔkuluʃ] *n.m.pl.* plan[ta] com pequenos ramos de flores verdes usados [na] alimentação

> Note-se que a palavra **brócolos** escreve-se com **o** (e não com **u**).

br<u>on</u>ca (bron.ca) ['brõkɐ] *n.f.* **1** *coloq.* situação d[e]sagradável e embaraçosa **SIN.** escândalo **2** *col[oq.]* problema; trapalhada ◆ *coloq.* **dar bronca** **1** pr[o]vocar confusão ou escândalo **2** dar mau res[ul]tado

br<u>on</u>co (bron.co) ['brõku] *adj.* **1** rude **2** grosseiro

broncopneumo<u>ni</u>a (bron.co.pneu.mo.ni.[a]) [brõkɔpnewmu'niɐ] *n.f.* inflamação que atinge [os] brônquios e o tecido pulmonar

br<u>ôn</u>quio (brôn.qui:o) ['brõkju] *n.m.* cada um d[os] canais em que se divide a traqueia e que se [ra]mificam nos pulmões

bron<u>qui</u>te (bron.qui.te) [brõ'kit(ə)] *n.f.* inflam[a]ção dos brônquios

br<u>on</u>ze (bron.ze) ['brõz(ə)] *n.m.* **1** liga de cobre [e] estanho **2** *coloq.* tom da pele queimada pelo s[ol]; bronzeado; **trabalhar para o bronze** expor-[se] ao sol para ficar moreno

bronzeado (bron.ze:a.do) [brõ'zjadu] *n.m.* tom moreno da pele causado por exposição ao sol

bronzeador (bron.ze:a.dor) [brõzjɐ'dor] *n.m.* creme usado para bronzear a pele

bronzear(-se) (bron.ze:ar(-se)) [brõ'zjar(sə)] *v.* escurecer a pele ou ficar com a pele bronzeada por ação dos raios de sol ou de radiação artificial

brotar (bro.tar) [bru'tar] *v.* **1** germinar (planta) **2** ⟨+de⟩ jorrar (líquido) **3** ⟨+de⟩ irromper: *As palavras brotaram da sua boca.* **4** ⟨+em⟩ aparecer: *As ideias brotavam na minha mente.*

browser ['brawzɐr] *n.m.* ⟨*pl.* browsers⟩ programa que permite fazer pesquisas na internet

broxa (bro.xa) ['brɔʃɐ] *n.f.* pincel largo e grosso

brucelose (bru.ce.lo.se) [brusə'lɔz(ə)] *n.f.* doença infeciosa, frequente na área mediterrânica, que afeta bovinos, caprinos e suínos, podendo ser transmitida ao homem pelos laticínios não tratados e por contacto com órgãos de animais infetados; febre de Malta ♦ **buraco do ozono** região da atmosfera onde a camada de ozono se tornou demasiado fina ou desapareceu; **tapar buracos** remediar situações difíceis

bruços (bru.ços) ['brusuʃ] *n.m.pl.* estilo de natação em que o nadador se move com a barriga e a cabeça voltadas para baixo, afastando e juntando os braços em movimentos circulares

bruma (bru.ma) ['brumɐ] *n.f.* nevoeiro denso

brunch ['brɐ̃tʃ] *n.m.* ⟨*pl.* brunches⟩ refeição, geralmente tomada a meio da manhã, que serve ao mesmo tempo de pequeno-almoço e almoço

bruneíno (bru.ne.í.no) [brunɐ'inu] *adj.* relativo ao Brunei ■ *n.m.* natural ou habitante do Brunei

brusco (brus.co) ['bruʃku] *adj.* **1** com modos rudes; indelicado: *Ele foi brusco com o colega.* **2** súbito; inesperado: *Houve uma descida brusca de temperatura.*

brushing ['brɐʃĩg] *n.m.* técnica de pentear o cabelo madeixa a madeixa com escova e secador

brusquidão (brus.qui.dão) [bruʃki'dɐ̃w̃] *n.f.* **1** qualidade de brusco **2** falta de delicadeza

brutal (bru.tal) [bru'taɫ] *adj.2g.* **1** cruel: *Ele foi brutal com o animal.* **2** violento: *O choque dos veículos foi brutal.* **3** *coloq.* enorme: *Ele recebeu uma quantidade brutal de mensagens de parabéns!*

brutalidade (bru.ta.li.da.de) [brutɐli'dad(ə)] *n.f.* **1** crueldade **2** violência

brutamontes (bru.ta.mon.tes) [brutɐ'mõtəʃ] *n.2g.2n.* **1** pessoa corpulenta ou forte **2** pessoa grosseira ou estúpida

bruto (bru.to) ['brutu] *adj.* **1** (pessoa) grosseiro **2** (material) tosco **3** (valor) que não está sujeito a encargos ou reduções **SIN.** ilíquido

bruxa (bru.xa) ['bruʃɐ] *n.f.* mulher com poderes mágicos que faz bruxarias e feitiços: *Ele foi à bruxa para ver se resolvia o seu problema.* **SIN.** feiticeira

bruxaria (bru.xa.ri.a) [bruʃɐ'riɐ] *n.f.* magia feita por bruxos ou bruxas **SIN.** feitiçaria

bruxedo (bru.xe.do) [bru'ʃedu] *n.m.* ⇒ **bruxaria**

bruxo (bru.xo) ['bruʃu] *n.f.* homem com poderes mágicos que faz bruxarias e feitiços: *Não é preciso ser bruxo para saber isso.* **SIN.** feiticeiro

BSE [beɛs'ɛ] encefalopatia espongiforme bovina (doença das vacas loucas) **OBS.** Sigla de *Bovine Spongiform Encephalopathy*

BT [be'te] *sigla de* brigada de trânsito

BTT [bete'te] *sigla de* bicicleta todo o terreno

buala (bu:a.la) ['bwalɐ] *n.f.* **1** [ANG.] povoação **2** [ANG.] bairro; terra

bucal (bu.cal) [bu'kaɫ] *adj.2g.* relativo a boca: *cavidade bucal; higiene bucal*

bucar (bu.car) [bu'kar] *v.* [MOÇ.] estudar com afinco

bucha (bu.cha) ['buʃɐ] *n.f.* **1** chumaço com que se tapam fendas **2** *coloq.* bocado de alimento que se mete à boca: *uma bucha de pão* ■ *n.2g. coloq.* pessoa muito gorda

bucho (bu.cho) ['buʃu] *n.m.* estômago dos animais

buço (bu.ço) ['busu] *n.m.* penugem no lábio superior do homem e de algumas mulheres

bucólico (bu.có.li.co) [bu'kɔliku] *adj.* **1** campestre; pastoril **2** ingénuo; puro

buda (bu.da) ['budɐ] *n.m.* [também com maiúscula] no budismo, nome atribuído aos seres que atingiram a iluminação, especialmente a Siddharta Gautama (fundador do budismo)

budismo (bu.dis.mo) [bu'diʒmu] *n.m.* sistema de origem indiana, que analisa a origem e as causas do sofrimento inerente a toda a existência, e indica o método de libertação desse sofrimento

budista (bu.dis.ta) [bu'diʃtɐ] *n.2g.* pessoa adepta do budismo ■ *adj.2g.* relativo ao budismo

bué (bu.é) [bu'ɛ] *adv. coloq.* muito; bastante; demasiado: *Já não te via há bué de tempo!*

búfalo (bú.fa.lo) ['bufɐlu] *n.m.* animal ruminante parecido com o boi, com chifres arqueados e virados para cima, cauda curta e pelo amarelo escuro ou preto

bufar (bu.far) [bu'far] *v.* **1** expelir o ar pela boca com força **SIN.** soprar **2** *fig.* expelir o ar pela boca, denotando cansaço ou irritação: *Passou o dia todo a bufar.* **3** *coloq.* denunciar: *Ele bufou os companheiros.*

bufete (bu.fe.te) [bu'fet(ə)] *n.m.* sala de uma escola ou de um teatro onde se servem refeições ligeiras; bar

buffet [bu'fe] *n.m.,adj.inv.* (serviço) que fornece iguarias e bebidas à discrição em que as próprias pessoas se servem: *É servido um pequeno-almoço buffet.; Está previsto um buffet para 500 pessoas.*

bufo (bu.fo) ['bufu] *n.m.* **1** sopro **2** ave de rapina noturna **3** *coloq.* denunciante **4** *coloq.* polícia secreto

bug ['bɐg] *n.m.* ⟨*pl.* bugs⟩ erro num programa informático

buganvília (bu.gan.ví.li:a) [bugɐ̃'viljɐ] *n.f.* planta trepadeira, normalmente lenhosa e espinhosa, com inflorescências de cor vermelha ou púrpura

buggy ['bɐgi] *n.m.* automóvel leve, com ou sem tejadilho e/ou portas, capaz de circular em terrenos arenosos

bugiar (bu.gi:ar) [bu'ʒjar] *v.* fazer macaquices ◆ *coloq.* **mandar bugiar** mandar embora de forma indelicada ou agressiva

bugiganga (bu.gi.gan.ga) [buʒi'gɐ̃gɐ] *n.f.* objeto de pouco valor

bula (bu.la) ['bulɐ] *n.f.* carta com selo do papa gravado em chumbo ou cera

bula-bula (bu.la-.bu.la) [bulɐ'bulɐ] *n.f.* [MOÇ.] conversa fiada; mexerico

bulatar (bu.la.tar) [bulɐ'tar] *v.* [ANG.] apertar

buldogue (bul.do.gue) [buɫ'dɔg(ə)] *n.m.* cão de pelo curto, boca larga, lábios pendentes e focinho achatado

bule (bu.le) ['bul(e)] *n.m.* recipiente bojudo para preparar e servir chá

búlgaro (búl.ga.ro) ['buɫgɐru] *adj.* relativo à Bulgária (país no sudeste da Europa) ■ *n.m.* **1** pessoa natural da Bulgária **2** língua falada na Bulgária

bulha (bu.lha) ['buʎɐ] *n.f.* **1** confusão de sons **SIN.** barulho **2** discussão violenta **SIN.** briga ◆ **andar à bulha com** envolver-se em confronto físico com; **meter à bulha** incitar pessoas ao conflito

bulício (bu.lí.ci:o) [bu'lisju] *n.m.* falta de sossego ou de ordem: *Ele gosta do bulício da cidade.* **SIN.** agitação

buliçoso (bu.li.ço.so) [buli'sozu] *adj.* agitado; movimentado

bulimia (bu.li.mi.a) [buli'miɐ] *n.f.* desejo compulsivo de comer

bulímico (bu.lí.mi.co) [bu'limiku] *adj.* **1** relativo a bulimia **2** que sofre de bulimia ■ *n.m.* pessoa que sofre de bulimia

bullying [bu'lĩg] *n.m.* violência física ou psicológica exercida sobre alguém, sobretudo entre alunos

bum (bum) ['bũ] *interj.* imita o som de um tiro, estrondo ou pancada

bumbar (bum.bar) [bũ'bar] *v.* [ANG.] trabalhar muito

bumerangue (bu.me.ran.gue) [bumə'rɐ̃g(ə)] *n.m.* peça de madeira chata em forma de cotovelo, usada como arma pelos indígenas australianos e concebida para voltar para junto de quem a lançou após descrever uma curva

bunda (bun.da) ['bũdɐ] *n.f.* [BRAS.] *coloq.* nádegas; rabo

bunda-mole (bun.da-.mo.le) [bũdɐ'mɔl(ə)] *n.2g.* [BRAS.] *coloq., pej.* medricas

bungalow [bɐ̃gɐ'lo(w)] *n.m.* casa pequena, geralmente de madeira, utilizada para férias

bungee-jumping [bɐ̃ʒi'dʒɐ̃pĩg] *n.m.* modalidade de salto de um lugar alto utilizando uma corda elástica atada aos tornozelos

bunker ['bɐ̃kɐr] *n.m.* abrigo subterrâneo contra bombardeamentos

buquê (bu.quê) [bu'ke] *n.m.* ⇒ **bouquet**

buraco (bu.ra.co) [bu'raku] *n.m.* **1** abertura em qualquer superfície: *Ele fez um buraco na parede.; Não consigo enfiar a linha no buraco desta agulha.* **SIN.** orifício **2** toca **3** *fig.* casa pequena **4** *fig.* falha; lacuna: *Detetou-se um buraco de dois milhões nas contas da empresa.* ◆ **buraco do ozono** região da atmosfera onde a camada de ozono se tornou demasiado fina ou desapareceu; **tapar buracos** remediar situações difíceis

burburinho (bur.bu.ri.nho) [burbu'riɲu] *n.m* **1** ruído de vozes de pessoas que falam ao mesmo tempo **2** desordem; tumulto: *Aquela situação causou um tremendo burburinho.*

burca (bur.ca) ['burkɐ] *n.f.* véu comprido, com abertura para os olhos, usado por mulheres muçulmanas

burgau (bur.gau) [bur'gaw] *n.m.* **1** cascalho de seixos e pedras miúdas **2** molusco comestível de concha univalve, de onde se tira uma matéria calcária utilizada para fabricar brincos e botões

burgo (bur.go) ['burgu] *n.m.* **1** na Idade Média, povoação situada junto a um castelo ou mosteiro **2** pequena povoação

burguês (bur.guês) [bur'geʃ] *n.m.* **1** na Idade Média, habitante de um burgo **2** pessoa da classe média

urguesia (bur.gue.si.a) [burgə'ziɐ] *n.f.* classe média da sociedade

uril (bu.ril) [bu'riɫ] *n.m.* instrumento com ponta de aço para cortar e gravar em metal, lavrar pedra, etc.; cinzel

urla (bur.la) ['burlɐ] *n.f.* ato para enganar ou prejudicar alguém; fraude

urlão (bur.lão) [bur'lɐ̃w̃] *n.m.* vigarista

urlar (bur.lar) [bur'lar] *v.* enganar; vigarizar: *Aquele tipo burlou-me em 60 euros.*

urlesco (bur.les.co) [bur'leʃku] *adj.* que faz rir por ser disforme ou ridículo; grotesco

urocracia (bu.ro.cra.ci.a) [burukrɐ'siɐ] *n.f.* **1** administração dos serviços públicos por meio de um grande número de funcionários sujeitos a uma hierarquia e a um regulamento rígidos **2** *pej.* serviço ineficaz ou lento na resolução dos assuntos devido à complexidade da sua estrutura

urocrata (bu.ro.cra.ta) [buru'kratɐ] *n.2g.* **1** pessoa que é funcionária de um serviço público **2** *pej.* pessoa adepta da obediência cega a rotinas e regras formais

urocrático (bu.ro.crá.ti.co) [buru'kratiku] *adj.* relativo a burocracia

urrice (bur.ri.ce) [bu'ʀi(sə)] *n.f.* **1** estupidez **2** asneira

urrico (bur.ri.co) [bu'ʀiku] ⟨*dim. de* burro⟩ *n.m.* burro pequeno

urrié (bur.ri.é) [buʀi'ɛ] *n.m.* molusco comestível de concha univalve, de onde se tira uma matéria calcária utilizada para fabricar brincos e botões

urro (bur.ro) ['buʀu] *n.m.* mamífero menos corpulento que o cavalo, mas com orelhas mais compridas ■ *adj. pej.* estúpido; imbecil ♦ *coloq.* **burro de carga** pessoa que faz os trabalhos mais difíceis o cansativos

us ['buʃ] *n.m.* **1** veículo de transporte coletivo de passageiros; autocarro **2** faixa rodoviária reservada a veículos de transporte coletivo ou público

usca (bus.ca) ['buʃkɐ] *n.f.* **1** procura (de algo); **em busca de** à procura de **2** investigação **3** procura, por parte de autoridades oficiais, de objetos eventualmente a apreender

busca-polos (bus.ca-.po.los)[AO] [buʃkɐ'pɔluʃ] *n.m.2n.* utensílio que permite determinar a natureza dos polos de uma fonte de corrente elétrica

busca-pólos (bus.ca-.pó.los) [buʃkɐ'pɔluʃ] *a nova grafia é* **busca-polos**[AO]

buscar (bus.car) [buʃ'kar] *v.* **1** receber; trazer: *Ele foi buscar as crianças à escola.* **2** tentar encontrar; procurar: *A polícia continua a buscar a criança desaparecida.* **3** investigar; pesquisar: *Eles buscam apenas a verdade.*

busílis (bu.sí.lis) [buzi'liʃ] *n.m.2n.* ponto principal de uma questão ou de um problema: *Aí é que está o busílis!* **SIN.** dificuldade

bússola (bús.so.la) ['busulɐ] *n.f.* **1** caixa com uma agulha magnética que gira sobre um eixo, indicando a direção norte-sul **2** *fig.* orientação

busto (bus.to) ['buʃtu] *n.m.* **1** parte do corpo humano da cintura para cima **2** imagem, sem braços, do peito e da cabeça de uma pessoa

buzina (bu.zi.na) [bu'zinɐ] *n.f.* instrumento sonoro usado nos veículos

buzinadela (bu.zi.na.de.la) [buzinɐ'dɛlɐ] *n.f.* toque com buzina: *Deu uma buzinadela para saberem que já tinha chegado.*

buzinão (bu.zi.não) [buzi'nɐ̃w̃] *n.m.* forma de protesto com fortes buzinadelas

buzinar (bu.zi.nar) [buzi'nar] *v.* tocar buzina

búzio (bú.zi:o) ['buzju] *n.m.* 👁 molusco marinho de concha em forma de fuso

bypass [baj'pas] *n.m.* ⟨*pl.* bypasses⟩ operação para restabelecer a circulação sanguínea, através do transplante de um vaso sanguíneo ou da introdução de um tubo de plástico

byte ['bajt(ə)] *n.m.* ⟨*pl.* bytes⟩ grupo de bits (geralmente oito)

C

c ['se] *n.m.* consoante, terceira letra do alfabeto, que está entre as letras *b* e *d*

°C *símbolo de* grau Celsius

C ['se] *n.m.* em numeração romana, número 100 ■ *símbolo de* carbono

Ca. *abreviatura de* Companhia

cá (cá) [ka] *adv.* **1** aqui: *Nós estamos cá em baixo.* **ANT.** lá **2** neste lugar **3** para aqui **4** entre nós: *Cá entre nós, aquele homem é um pouco chato.*

cabaça (ca.ba.ça) [kɐ'basɐ] *n.f.* fruto da cabaceira, mais estreito no meio do que nas extremidades e com casca muito dura

cabaceira (ca.ba.cei.ra) [kɐbɐ'sɐjrɐ] *n.f.* planta que produz as cabaças

cabal (ca.bal) [kɐ'baɫ] *adj.2g.* **1** completo; perfeito **2** rigoroso; exato

cabala (ca.ba.la) [kɐ'balɐ] *n.f.* **1** conjunto de crenças místicas **2** *fig.* maquinação; intriga: *armar uma cabala contra alguém*

cabalístico (ca.ba.lís.ti.co) [kɐbɐ'liʃtiku] *adj.* **1** relativo a cabala **2** *fig.* misterioso

cabana (ca.ba.na) [kɐ'bɐnɐ] *n.f.* casa pequena e rústica, de construção simples

cabaré (ca.ba.ré) [kaba'rɛ] *n.m.* estabelecimento onde se servem bebidas e se dança, podendo-se também assistir a espetáculos de variedades

cabaz (ca.baz) [kɐ'baʃ] *n.m.* cesto de verga, geralmente com tampa e asa: *Deram-lhe um grande cabaz de Natal.*

cabeça (ca.be.ça) [kɐ'besɐ] *n.f.* **1** parte superior do corpo humano e anterior dos outros animais: *Dói-me a cabeça.* **2** pessoa ou animal considerado individualmente: *por cabeça* **3** parte superior ou extremidade saliente e arredondada de um objeto: *cabeça de alfinete* **4** *fig.* juízo *n.2g.* dirigente; líder ◆ **à cabeça de** à frente de; **cabeça fria** tranquilidade de espírito; serenidade; (provérbio) **cada cabeça sua sentença** cada qual tem a sua opinião; **deitar as mãos à cabeça** mostrar-s espantado, indignado ou aflito; **dos pés à ca beça** totalmente; *coloq.* **fazer a cabeça de** lev (alguém) a mudar de ideia ou opinião; conve cer; **não sair da cabeça a** ter como ideia fix **não ter pés nem cabeça** ser um disparate; **pe der a cabeça** exaltar-se; perder a calma

cabeçada (ca.be.ça.da) [kɐbə'sadɐ] *n.f.* **1** pancad com a cabeça: *Ele deu uma cabeçada no armári* **2** no futebol, toque na bola com a cabeça

cabeça-de-alho-chocho (ca.be.ça-.de-.a.lho cho.cho) [kɐbesɐdaʎu'ʃoʃu] *a nova grafia é* **cabeç de alho chocho**[AO]

cabeça de alho chocho (ca.be.ça de a.lh cho.cho)[AO] [kɐbesɐdaʎu'ʃoʃu] *n.2g.* ⟨*pl.* cabeças c alho chocho⟩ *coloq.* pessoa muito distraída

cabeça-de-cartaz (ca.be.ça-.de-.car.taz) [kɐl sɐdəkɐr'taʃ] *a nova grafia é* **cabeça de cartaz**[AO]

cabeça de cartaz (ca.be.ça de car.taz)[AO] [kɐbe dəkɐr'taʃ] *n.2g.* ⟨*pl.* cabeças de cartaz⟩ artista princ pal de um espetáculo ou de uma companhi *Esta banda é a cabeça de cartaz do festival de verã*

cabeça-de-lista (ca.be.ça-.de-.lis.ta) [kɐbe də'liʃtɐ] *a nova grafia é* **cabeça de lista**[AO]

cabeça de lista (ca.be.ça de lis.ta)[AO] [kɐbe də'liʃtɐ] *n.2g.* ⟨*pl.* cabeças de lista⟩ primeiro cand dato numa lista de um partido político

cabeça-de-série (ca.be.ça-.de-.sé.ri:e) [kɐbe də'sɛrji] *a nova grafia é* **cabeça de série**[AO]

cabeça de série (ca.be.ça de sé.ri:e)[AO] [kɐbe də'sɛrji] *n.2g.* ⟨*pl.* cabeças de série⟩ candidato qu mais hipóteses tem de ganhar determinado to neio

cabeça-de-vento (ca.be.ça-.de-.ven.to) [kɐbe də'vẽtu] *a nova grafia é* **cabeça de vento**[AO]

cabeça de vento (ca.be.ça de ven.to)[AO] [kɐbe də'vẽtu] *n.2g.* ⟨*pl.* cabeças de vento⟩ **1** pessoa di traída **2** pessoa que atua sem pensar

cabeçalho (ca.be.ça.lho) [kɐbə'saʎu] *n.m.* **1** títu de jornal, capítulo ou artigo **2** parte superior d uma página

cabeça-no-ar (ca.be.ça-.no-.ar) [kɐbesɐnu'ar] *nova grafia é* **cabeça no ar**[AO]

cabeça no ar (ca.be.ça no ar)[AO] [kɐbesɐnu'a *n.2g.* ⟨*pl.* cabeças no ar⟩ pessoa distraída

cabeça-rapada (ca.be.ça-.ra.pa.da) [kɐbe ʀɐ'padɐ] *n.2g.* ⟨*pl.* cabeças-rapadas⟩ jovem com o c belo rapado que normalmente pertence a u grupo que manifesta comportamento violento e defende posições racistas; skinhead

cabeceamento (ca.be.ce:a.men.to) [kɐbəsjɐ'mẽtu] *n.m.* no futebol, toque na bola com a cabeça

:abecear (ca.be.ce:ar) [kɐbə'sjar] *v.* **1** mover a cabeça: *A criança cabeceava com o sono.* **2** dar toques na bola com a cabeça, no futebol

:abeceira (ca.be.cei.ra) [kɐbə'sɐjrɐ] *n.f.* **1** parte da cama onde se deita a cabeça **2** extremidade de uma mesa: *O pai senta-se à cabeceira da mesa.*

:abecilha (ca.be.ci.lha) [kɐbə'siʎɐ] *n.2g.* chefe de um grupo de pessoas **SIN.** líder

:abeçudo (ca.be.çu.do) [kɐbə'sudu] *adj.* **1** que tem cabeça grande **2** *fig.* teimoso

:abedal (ca.be.dal) [kɐbə'dał] *n.m.* pele curtida usada em calçado, vestuário, etc.: *casaco de cabedal*

:abedelo (ca.be.de.lo) [kɐbə'delu] *n.m.* elevação de areia na foz de um rio

:abeleira (ca.be.lei.ra) [kɐbə'lɐjrɐ] *n.f.* **1** conjunto dos cabelos da cabeça **2** cabelo postiço; peruca

abeleireiro (ca.be.lei.rei.ro) [kɐbəlɐj'rɐjru] *n.m.* **1** pessoa cuja profissão é tratar os cabelos de outras pessoas **2** estabelecimento comercial onde se corta e trata o cabelo

abelo (ca.be.lo) [kɐ'belu] *n.m.* **1** conjunto de pelos que cobrem a cabeça das pessoas **2** pelo que cresce em qualquer parte do corpo humano ♦ *coloq.* **estar pelos cabelos** estar farto; estar sem paciência; **pôr os cabelos em pé** assustar; aterrorizar; **por um cabelo** por um triz

abelos-de-anjo (ca.be.los-.de-.an.jo) [kɐbeluʒ'dẽʒu] *a nova grafia é* **cabelos de anjo**[AO]

abelos de anjo (ca.be.los de an.jo)[AO] [kɐbeluʒ'dẽʒu] *n.m.pl.* ⇒ **aletria**

abeludo (ca.be.lu.do) [kɐbə'ludu] *adj.* que tem muito cabelo

aber (ca.ber) [kɐ'ber] *v.* **1** ⟨+em⟩ poder estar contido (num dado espaço): *O telemóvel não cabe no bolso.* **2** ⟨+em⟩ poder entrar ou passar (num dado lugar): *A cama não cabe naquele corredor.* **3** ⟨+a⟩ ser obrigação (de alguém): *Cabe-te a ti resolver o problema.* **4** ⟨+a⟩ ficar a pertencer (a alguém): *Coube-lhe (a ela) o primeiro prémio.* **5** vir a propósito: *Não cabe agora fazer perguntas.*

abetula (ca.be.tu.la) [kɐbə'tulɐ] *n.f.* [ANG.] dança popular

abide (ca.bi.de) [kɐ'bid(ə)] *n.m.* **1** peça usada para pendurar roupas **2** móvel em que se penduram chapéus, fatos, etc.

bidela (ca.bi.de.la) [kɐbi'dɛlɐ] *n.f.* guisado de miúdos de aves preparado com o sangue das mesmas

bila (ca.bi.la) [kɐ'bilɐ] *n.f.* **1** tribo ou grupo de famílias que vivem no mesmo lugar **2** tribo nómada, especialmente árabe do norte de África

cabimento (ca.bi.men.to) [kɐbi'mẽtu] *n.m.* **1** possibilidade de caber **2** *fig.* sentido: *Isso não tem cabimento nenhum!*

cabina (ca.bi.na) [ka'bin(ə)] *n.f.* **1** parte do avião onde estão os instrumentos de comando e navegação **2** pequeno compartimento que serve para vários fins (para telefonar, votar, etc.): *cabina telefónica; cabina de provas*

cabine (ca.bi.ne) [ka'bin(ə)] *n.f.* compartimento pequeno e isolado, para vários fins

cabisbaixo (ca.bis.bai.xo) [kɐbiʒ'bajʃu] *adj.* **1** com a cabeça baixa **2** *fig.* triste; pensativo

cabo (ca.bo) ['kabu] *n.m.* **1** ponta de terra que entra pelo mar **2** parte por onde se pega num utensílio **3** extremidade; ponta **4** condutor elétrico: *cabo de eletricidade* ■ *n.2g.* posto militar superior ao de soldado ♦ **ao cabo de** ao fim de; **ao fim e ao cabo** no final; **dar cabo de** estragar; destruir; **levar a cabo** fazer; executar

cabobo (ca.bo.bo) [kɐ'bobu] *adj.,n.2g.* [ANG.] que ou pessoa que tem falta de dentes; desdentado

cabo-verdiano (ca.bo-.ver.di:a.no) [kabu vər'djɐnu] *adj.* relativo a Cabo-Verde ■ *n.m.* pessoa natural de Cabo-Verde

cabra (ca.bra) ['kabrɐ] *n.f.* mamífero ruminante, de pelo curto e chifres curvados para trás; fêmea do bode

cabra-cega (ca.bra-.ce.ga) [kabrɐ'sɛgɐ] *n.f.* ⟨*pl.* cabras-cegas⟩ jogo de crianças em que uma tem os olhos vendados e procura agarrar outra(s)

cabrão (ca.brão) [kɐ'brɐ̃w̃] *n.m.* **1** bode **2** *cal.* indivíduo atraiçoado pela mulher **3** *cal.* indivíduo mau ou traiçoeiro; sacana

cabrito (ca.bri.to) [kɐ'britu] *n.m.* **1** cria da cabra; bode jovem **2** [ANG., BRAS.] criança mestiça filha de um mulato e de uma branca ou vice-versa

cábula (cá.bu.la) ['kabulɐ] *n.2g.* estudante que não estuda ou que falta às aulas ■ *adj.2g.* preguiçoso ■ *n.f.* apontamento usado de forma fraudulenta num exame; copianço

caca (ca.ca) ['kakɐ] *n.f.* **1** *coloq.* fezes **2** *coloq.* porcaria; sujidade

caça (ca.ça) ['kasɐ] *n.f.* **1** perseguição e captura de animais **2** animais perseguidos e capturados **3** *fig.* busca ■ *n.m.* avião de combate usado para intercetar ou destruir aviões inimigos ♦ **andar à caça de** andar à procura de

caçada (ca.ça.da) [kɐ'sadɐ] *n.f.* perseguição e captura de animais

caçadeira (ca.ça.dei.ra) [kɐsɐ'dɐjrɐ] *n.f.* espingarda de caça

caçadinhas (ca.ça.di.nhas) [kɐsɐ'diɲɐʃ] *n.f.pl.* brincadeira infantil na qual uma criança corre atrás de outra(s) tentando apanhá-la(s)

caçador **(ca.ça.dor)** [kɐsɐ'dor] *n.m.* pessoa que caça animais por desporto ou profissão; **caçador furtivo** pessoa que caça sem possuir uma licença oficial

cação **(ca.ção)** [kɐ'sɐ̃w̃] *n.m.* pequeno tubarão muito utilizado na alimentação

caçapo **(ca.ça.po)** [kɐ'sapu] *n.m.* filhote de coelho

caçar **(ca.çar)** [kɐ'sar] *v.* procurar ou perseguir animais para os apanhar

cacaracá **(ca.ca.ra.cá)** [kakɐra'ka] *n.m.* voz da galinha ◆ **de cacaracá** muito simples

cacarejar **(ca.ca.re.jar)** [kɐkɐʀə'ʒar] *v.* cantar (a galinha)

cacarejo **(ca.ca.re.jo)** [kɐkɐ'rɐ(j)ʒu] *n.m.* canto da galinha

caçarola **(ca.ça.ro.la)** [kɐsɐ'rɔlɐ] *n.f.* recipiente circular de barro vidrado, usado para cozinhar

caça-submarino **(ca.ça-.sub.ma.ri.no)** [kasɐsubmɐ'rinu] *n.m.* ⟨*pl.* caça-submarinos⟩ navio de combate de pequeno porte capaz de manobras rápidas, usado para em missões de patrulha, escolta, defesa, etc.

cacau **(ca.cau)** [kɐ'kaw] *n.m.* **1** 👁 fruto ou semente do cacaueiro **2** substância que se extrai da semente do cacaueiro e se usa para fabricar chocolate **3** bebida preparada com essa substância dissolvida em leite ou água

cacaueiro **(ca.cau.ei.ro)** [kɐkaw'ɐjru] *n.m.* árvore de onde se extrai o cacau

cacetada **(ca.ce.ta.da)** [kɐsə'tadɐ] *n.f.* pancada com cacete ou pau **SIN.** paulada

cacete **(ca.ce.te)** [kɐ'set(ə)] *n.m.* **1** pau grosso e curto **2** pão de trigo comprido e fino

cachaça **(ca.cha.ça)** [kɐ'ʃasɐ] *n.f.* [BRAS.] aguardente extraída das borras do melaço e dos restos da cana-de-açúcar

cachaço **(ca.cha.ço)** [kɐ'ʃasu] *n.m.* parte posterior do pescoço **SIN.** cerviz

cachalote **(ca.cha.lo.te)** [kɐʃɐ'lɔt(ə)] *n.m.* mamífero marinho, corpulento, com dentes numerosos, coloração cinzenta ou preta e cabeça grande, quase quadrangular

cachão **(ca.chão)** [kɐ'ʃɐ̃w̃] *n.m.* **1** agitação de um líquido **2** fervura **3** queda de água

cache ['kaʃ(ə)] *n.f.* secção do computador qu guarda informação durante um espaço de temp limitado, permitindo que o posterior acesso a dados seja mais rápido

cachecol **(ca.che.col)** [kaʃə'kɔɫ] *n.m.* faixa de lã pa agasalhar o pescoço

cachet [ka'ʃɛ] ou **cachê** *n.m.* **1** remuneração que u músico ou outro artista recebe por uma apresent ção ou espetáculo **2** quantia paga a uma pess (conferencista, etc.) que se apresenta em público

cachico **(ca.chi.co)** [kɐ'ʃiku] *n.m.* [ANG.] servido agente

cachimbo **(ca.chim.bo)** [kɐ'ʃĩbu] *n.m.* objeto co posto de um recipiente onde arde o tabaco e um tubo por onde se aspira o fumo

cacho **(ca.cho)** ['kaʃu] *n.m.* **1** conjunto de frut (uvas, cerejas, etc.) ou flores presos ao mesm pé : *Comprei um cacho de bananas.* **2** madeixa cabelo encaracolado ◆ *coloq.* **estar como um c cho** estar muito embriagado

cachoeira **(ca.cho.ei.ra)** [kɐ'ʃwɐjrɐ] *n.f.* queda água

cachola **(ca.cho.la)** [kɐ'ʃɔlɐ] *n.f. coloq.* cabeça ◆ *col* **ficar com uma grande cachola** sofrer uma d ceção

cachopa **(ca.cho.pa)** [kɐ'ʃopɐ] *n.f.* menina; raparig

cachopo **(ca.cho.po)** [kɐ'ʃopu] *n.m.* menino; rapa

cachorra **(ca.chor.ra)** [kɐ'ʃoʀɐ] *n.f.* **1** cadela jove ou pequena **2** *pej.* mulher de mau carácter **3** *col* embriaguez

cachorro **(ca.chor.ro)** [kɐ'ʃoʀu] *n.m.* cão jovem pequeno

cachorro-quente **(ca.chor.ro-.quen.te)** [kɐ ʀu'kẽt(ə)] *n.m.* ⟨*pl.* cachorros-quentes⟩ sanduíche salsicha quente com mostarda

cachupa **(ca.chu.pa)** [kɐ'ʃupɐ] *n.f.* [CV.] refeiç preparada com milho cozido e feijão, toucinh peixe ou carne

cacifo **(ca.ci.fo)** [kɐ'sifu] *n.m.* pequeno armár com fechadura para guardar objetos; cofre

cacimba **(ca.cim.ba)** [kɐ'sĩbɐ] *n.f.* **1** nevoeiro den **2** chuva miudinha

cacique **(ca.ci.que)** [kɐ'sik(ə)] *n.m.* **1** chefe políti que dispõe dos votos dos eleitores de uma loc lidade **2** chefe (entre os indígenas) de várias r giões da América

caco **(ca.co)** ['kaku] *n.m.* **1** pedaço de louça partid *O vaso ficou feito em cacos.* **2** objeto velho e pouco valor

cacoco **(ca.co.co)** [kɐ'koku] *n.m.* **1** [ANG.] moc **2** [ANG.] indivíduo tristonho

cacofonia **(ca.co.fo.ni.a)** [kɐkɔfu'niɐ] *n.f.* som d sagradável resultante do encontro do final uma palavra com o começo da seguinte

cacto **(cac.to)** ['katu] *a nova grafia é* **cato**[AO]

caçula **(ca.çu.la)** [kɐ'sulɐ] *n.2g.* [BRAS.] filho ou irmão mais novo

cacussaria **(ca.cus.sa.ri:a)** [kɐkusɐ'rjɐ] *n.f.* [ANG.] estabelecimento especializado em refeições à base de cacusso

cacusso **(ca.cus.so)** [kɐ'kusu] *n.m.* [ANG.] peixe de água doce ou salgada geralmente consumido grelhado, frito ou assado, muito popular em Luanda

CAD ['kad] desenho assistido por computador **OBS.** Sigla de *computer-aided design*

cada **(ca.da)** ['kɐdɐ] *det.,prn.indef.* **1** qualquer de entre dois ou mais: *Cada bilhete custa cinco euros.* **2** indica repetição ou regularidade, quando seguido de um numeral: *Um em cada três já praticou um desporto.* **3** tem valor enfático: *Tens cada ideia!* ♦ **cada vez que** sempre que

cadafalso **(ca.da.fal.so)** [kɐdɐ'fałsu] *n.m.* estrado alto e público para execução de condenados

cadastrar **(ca.das.trar)** [kɐdɐʃ'trar] *v.* organizar o cadastro de

cadastro **(ca.das.tro)** [kɐ'daʃtru] *n.m.* **1** registo policial de criminosos: *Ele tem cadastro na polícia.* **2** registo público dos prédios rústicos de uma localidade **3** recenseamento da população

cadáver **(ca.dá.ver)** [kɐ'davɛr] *n.m.* corpo morto de uma animal ou de uma pessoa

cadavérico **(ca.da.vé.ri.co)** [kɐdɐ'vɛriku] *adj.* **1** parecido com um cadáver **2** *fig.* que parece morto; muito magro

cadeado **(ca.de:a.do)** [kɐ'djadu] *n.m.* fechadura com um arco em forma de U que tem uma ponta móvel onde encaixam elos, argolas etc.

cadeia **(ca.dei.a)** [kɐ'dɐjɐ] *n.f.* **1** corrente formada de elos ou argolas de metal ligados uns aos outros **2** conjunto de coisas dispostas em série **SIN.** sucessão; **cadeia alimentar** ordenação hierárquica dos organismos de um ecossistema de acordo com as suas fontes de alimento; **cadeia montanhosa** conjunto de montanhas ligadas entre si **3** prisão: *Ele está a cumprir 5 anos de cadeia.* ♦ **em cadeia** em série

cadeira **(ca.dei.ra)** [kɐ'dɐjrɐ] *n.f.* **1** assento ou banco com costas e, por vezes, com braços **2** disciplina de um curso superior

cadeirão **(ca.dei.rão)** [kɐdɐj'rɐ̃w̃] ⟨*aum. de* cadeira⟩ *n.m.* **1** cadeira grande, geralmente estofada **SIN.** poltrona **2** *gír.* disciplina considerada difícil pelos alunos

cadeirinha **(ca.dei.ri.nha)** [kɐdɐj'riɲɐ] *n.f.* **1** espécie de liteira com assento, transportada por dois homens **2** espécie de armação de madeira que se prende à sela para amparar quem monta sentado **3** assento improvisado feito com o cruzamento dos braços de duas pessoas permitindo que uma terceira se sente sobre eles e seja transportada para outro lugar

cadela **(ca.de.la)** [kɐ'dɛlɐ] *n.f.* fêmea do cão

cadência **(ca.dên.ci:a)** [kɐ'dẽsjɐ] *n.f.* sucessão regular de sons ou de movimentos; ritmo

cadenciado **(ca.den.ci:a.do)** [kɐdẽ'sjadu] *adj.* que tem cadência; ritmado

cadenciar **(ca.den.ci:ar)** [kɐdẽ'sjar] *v.* dar cadência ou ritmo a; ritmar

cadente **(ca.den.te)** [kɐ'dẽt(ə)] *adj.2g.* **1** que cai ou está a cair: *estrela cadente* **2** que parece estar a cair **3** que tem ritmo

caderneta **(ca.der.ne.ta)** [kɐdər'netɐ] *n.f.* **1** pequeno livro de apontamentos **2** caderno onde o professor regista a assiduidade e o comportamento dos alunos: *caderneta do aluno* **3** livrete de registo de depósitos e levantamentos de dinheiro **4** caderno pequeno com espaços para preencher com cromos ♦ **caderneta predial** livrete emitido pelas conservatórias de registo predial, no qual se descreve os prédios rústicos, em regime de cadastro, e os prédios urbanos

caderno **(ca.der.no)** [kɐ'dɛrnu] *n.m.* conjunto de folhas de papel unidas e sobrepostas, como num livro; **caderno diário** bloco de folhas onde o aluno, durante a aula, regista notas e resolve exercícios escolares ♦ **caderno eleitoral** relação dos cidadãos recenseados de uma certa zona administrativa; **caderno de encargos** documento que reúne as especificações técnicas, jurídicas e administrativas que devem ser respeitadas na elaboração e execução de uma obra

cadete **(ca.de.te)** [kɐ'det(ə)] *n.2g.* aluno que frequenta uma escola superior militar

caducar **(ca.du.car)** [kɐdu'kar] *v.* **1** perder a validade: *O meu bilhete de identidade caducou.* **2** perder a força

caduco **(ca.du.co)** [kɐ'duku] *adj.* **1** que perdeu o valor ou a validade **2** que perde a força; velho **3** diz-se da folha que cai uma vez por ano ou de vez em quando

café **(ca.fé)** [kɐ'fɛ] *n.m.* **1** semente do cafeeiro **2** bebida preparada com esta semente, depois de torrada e moída: *café com leite; café instantâneo* **3** lugar onde se serve esta e outras bebidas

---

A saber que um **café** (bebida) pode ser denominado, no Norte de Portugal, por *cimbalino* e, no Centro e Sul, por *bica*. Um café mais concentrado designa-se *café curto* e um café menos forte e com mais água é referido como *café cheio* ou *café comprido*.

---

café-concerto **(ca.fé-.con.cer.to)** [kɐfɛkõ'sertu] *n.m.* sala de espetáculos musicais e de variedades com serviço de bar

café-da-manhã (ca.fé-.da-.ma.nhã) [kɐfɛdamɐ'ɲɐ̃] *a nova grafia é* **café da manhã**[AO]

café da manhã (ca.fé da ma.nhã)[AO] [kɐfɛdamɐ'ɲɐ̃] *n.m.* ⟨*pl.* cafés da manhã⟩ [BRAS.] pequeno-almoço

cafeeiro (ca.fe.ei.ro) [kɐfɛ'ɐjru] *n.m.* arbusto cujo fruto dá as sementes do café

cafeína (ca.fe.í.na) [kɐfe'inɐ] *n.f.* substância que existe nos grãos do café

cafetaria (ca.fe.ta.ri.a) [kɐfɐtɐ'riɐ] *n.f.* estabelecimento onde se serve café, refeições ligeiras, bolos e bebidas

cafeteira (ca.fe.tei.ra) [kɐfə'tɐjrɐ] *n.f.* vasilha onde se prepara, aquece ou serve café: *cafeteira elétrica*

cáfila (cá.fi.la) ['kafilɐ] *n.f.* grupo de camelos

cafofo (ca.fo.fo) [kɐ'fofu] *adj.,n.m.* [ANG.] que ou aquele que vê mal; pitosga

cafona (ca.fo.na) [kɐ'fonɐ] *adj.2g.* **1** [BRAS.] *coloq., pej.* que revela mau gosto; piroso **2** [BRAS.] *coloq., pej.* mal-educado; grosseiro

cafriela (ca.fri:e.la) [kɐ'frjɛlɐ] *n.f.* [GB.] refeição preparada com frango, pimentos e limão

cafrique (ca.fri.que) [kɐ'frik(ə)] *n.m.* [ANG.] golpe de luta que provoca sufocação

cafumbar (ca.fum.bar) [kɐfũ'bar] *v.* [ANG.] prejudicar

cafuné (ca.fu.né) [kɐfu'nɛ] *n.m.* [BRAS.] ação de afagar suavemente a cabeça de alguém

cagaço (ca.ga.ço) [kɐ'gasu] *n.m. coloq.* medo; susto

cagada (ca.ga.da) [kɐ'gadɐ] *n.f. cal.* asneira; disparate

cágado (cá.ga.do) ['kagɐdu] *n.m.* 👁 réptil anfíbio de água doce, semelhante à tartaruga, com carapaça chata e pescoço longo

caganeira (ca.ga.nei.ra) [kɐgɐ'nɐjrɐ] *n.f. cal.* diarreia

caganita (ca.ga.ni.ta) [kɐgɐ'nitɐ] *n.f. coloq.* excremento miúdo

cagar (ca.gar) [kɐ'gar] *v.* **1** *coloq.* defecar **2** *fig., cal.* sujar **3** *fig., cal.* não dar importância

cagarola (ca.ga.ro.la) [kɐgɐ'rɔlɐ] *adj.,n.2g. coloq.* que ou pessoa que tem medo; medricas

caguinchas (ca.guin.chas) [kɐ'gĩʃɐʃ] *n.2g.2n. coloq.* medricas

caiaque (cai.a.que) [kaj'ak(ə)] *n.m.* barco desportivo comprido e estreito, de um ou dois lugares, semelhante às canoas dos esquimós

caiar (cai.ar) [kaj'ar] *v.* pintar com cal diluída e[m] água

cãibra (cãi.bra) ['kɐ̃jbrɐ] *n.f.* contração forte e d[o]lorosa de certos músculos; breca: *O jogador te[ve] uma cãibra durante o jogo.*

caicai (cai.cai) [kaj'kaj] *n.m.* peça de roupa feminin[a] justa ao corpo, que se segura sem alças; top

caído (ca.í.do) [kɐ'idu] *adj.* **1** que caiu **2** atirac[do] para baixo **3** que está voltado para baixo **4** *f[ig.]* abatido **5** *fig.* apaixonado: *Ela está caída por u[m] colega de turma.* ◆ **caído do céu** de repent[e] inesperadamente

caimão (cai.mão) [kaj'mɐ̃w̃] *n.m.* réptil muito par[e]cido com o crocodilo, mas mais pequeno

caipira (cai.pi.ra) [kaj'pirɐ] *adj.2g.* [BRAS.] *pej.* que r[e]vela falta de instrução; rude

caipirinha (cai.pi.ri.nha) [kajpi'riɲɐ] *n.f.* [BRAS.] b[e]bida preparada com rodelas ou pedaços de l[i]mão, açúcar, gelo e cachaça ou outra aguarden[te] (como vodka ou rum)

cair (ca.ir) [kɐ'ir] *v.* **1** ir ao chão: *cair de cabeça/ca[ir] pelas escadas* **SIN.** tombar **2** vir abaixo: *A pare[de] caiu.* **SIN.** desabar **3** soltar-se; desprender-se: *[O] cabelo caiu antes do tempo.* **4** descer (de valor, n[í]vel): *As taxas de juro caíram.* **SIN.** baixar; dim[i]nuir **5** ser destituído: *O governo caiu.* **6** ⟨**+em**⟩ deixar-se enganar: *Nessa não caio eu.* **7** interrom[per]-se (chamada telefónica) ◆ **cair bem 1** agr[a]dar (um ato, uma palavra) **2** saber bem (um a[li]mento); **cair em si** reconhecer os seus erro[s] [BRAS.] **cair fora** ir-se embora; afastar-se; **cair m[al]** **1** desagradar (um ato, uma palavra) **2** provoc[ar] má disposição (um alimento)

Note-se que todas as formas do verbo **cair** se escrevem com *i*, exceto a 3.ª pessoa do plural do presente do indicativo: *Eles caem do baloiço.*

---

cais (cais) ['kajʃ] *n.m.2n.* **1** parte da margem de u[m] rio ou de um porto de mar destinada ao emba[r]que e desembarque de mercadorias e passageir[os] **2** nas estações de caminho de ferro ou do metr[o] lugar destinado ao movimento de passageiros

caixa (cai.xa) ['kajʃɐ] *n.f.* **1** recipiente para tran[s]portar ou guardar qualquer coisa **2** peça q[ue] protege outra **3** numa loja, local onde se faze[m] pagamentos ■ *n.2g.* numa loja, pessoa que rece[be] e faz pagamentos ◆ **caixa de correio 1** recet[á]culo, situado normalmente na entrada de u[m] edifício ou de uma casa, onde o carteiro coloca [a] correspondência **2** sistema eletrónico que rece[be] e guarda as mensagens recebidas e enviadas p[or] email; **caixa torácica** conjunto de ossos do t[ó]rax, formado pelas vértebras, pelas costelas [e] pelo esterno; **caixa de velocidades** dispositi[vo] para mudança de velocidade existente nos veículos de tração mecânica e nos guindastes

caixa-de-ar (cai.xa-.de-.ar) [kajʃɐ'dar] *a nova grafia é* **caixa de ar**AO

caixa de ar (cai.xa de ar)AO [kajʃɐ'dar] *n.f.* ⟨*pl.* caixas de ar⟩ espaço entre o solo e o vigamento de um edifício

caixa-de-óculos (cai.xa-.de-.ó.cu.los) [kajʃɐ'dɔkuluʃ] *a nova grafia é* **caixa de óculos**AO

caixa de óculos (cai.xa de ó.cu.los)AO [kajʃɐ'dɔkuluʃ] *n.2g.* ⟨*pl.* caixas de óculos⟩ *coloq.* pessoa que usa óculos

caixa-forte (cai.xa-.for.te) [kajʃɐ'fɔrt(ə)] *n.f.* ⟨*pl.* caixas-fortes⟩ caixa instalada nos bancos, utilizada para guardar documentos, joias e outros valores

caixão (cai.xão) [kaj'ʃɐ̃w̃] *n.m.* caixa retangular comprida de madeira em que se enterram os mortos ◆ *coloq.* **de caixão à cova** muito intenso, muito grande

caixeiro (cai.xei.ro) [kaj'ʃɐjru] *n.m.* pessoa que faz caixas ◆ **caixeiro viajante** vendedor que viaja por várias localidades para vender os produtos da empresa que representa

caixeiro-viajante (cai.xei.ro-.vi:a.jan.te) [kajʃɐjruvjɐ'ʒɐ̃t(ə)] *n.m.* ⟨*pl.* caixeiros-viajantes⟩ vendedor que viaja por várias localidades para vender os produtos da empresa que representa

caixilharia (cai.xi.lha.ri.a) [kajʃiʎɐ'riɐ] *n.f.* conjunto de caixilhos de uma construção

caixilho (cai.xi.lho) [kaj'ʃiʎu] *n.m.* moldura de painéis, retratos, vidros, etc.

caixinha (cai.xi.nha) [kaj'ʃiɲɐ] ⟨*dim. de* caixa⟩ *n.f.* caixa pequena ◆ **fazer caixinha** guardar segredo de algo, para revelar mais tarde

caixote (cai.xo.te) [kaj'ʃɔt(ə)] *n.m.* caixa de tamanho médio para guardar ou transportar coisas; **caixote do lixo** recipiente onde se coloca o lixo

cajado (ca.ja.do) [kɐ'ʒadu] *n.m.* pau com a extremidade superior curvada **SIN.** bordão

caju (ca.ju) [ka'ʒu] *n.m.* fruto comestível do cajueiro

cajueiro (ca.ju:ei.ro) [ka'ʒwɐjru] *n.m.* árvore que produz o caju

cal ['kaɫ] *n.f.* ⟨*pl.* cales, cais⟩ produto branco proveniente do calcário e usado para pintar paredes de branco

calabaceira (ca.la.ba.cei.ra) [kɐlɐbɐ'sɐjrɐ] *n.f.* [GB.] fruto da cabaceira, cuja polpa, folhas e casca são muito usadas em culinária e em usos terapêuticos

calaboiço (ca.la.boi.ço) [kɐlɐ'bojsu] ou **calabouço** *n.m.* **1** prisão subterrânea; cárcere **2** nos castelos ou fortalezas, recinto escuro, subterrâneo, usado como prisão

calada (ca.la.da) [kɐ'ladɐ] *n.f.* silêncio profundo ◆ **pela calada** em silêncio; às escondidas

caladinho (ca.la.di.nho) [kɐlɐ'diɲu] ⟨*dim. de* calado⟩ *adj.* **1** muito silencioso **2** que fala pouco

calado (ca.la.do) [kɐ'ladu] *adj.* **1** silencioso: *ficar calado* **2** que fala pouco

calafetar (ca.la.fe.tar) [kɐlɐfə'tar] *v.* tapar (fendas, aberturas) com substância própria para não entrar frio nem sair calor

calafrio (ca.la.fri.o) [kɐlɐ'friu] *n.m.* sensação de frio; arrepio

calamar (ca.la.mar) [kɐlɐ'mar] *n.m.* molusco comestível (choco, lula)

calamidade (ca.la.mi.da.de) [kɐlɐmi'dad(ə)] *n.f.* grande perda ou desgraça **SIN.** catástrofe

cálamo (cá.la.mo) ['kalɐmu] *n.m.* **1** caule herbáceo cilíndrico **2** instrumento para escrever, feito de cana ou junco **3** base oca das penas das aves, sem barbas

calão (ca.lão) [kɐ'lɐ̃w̃] *n.m.* **1** linguagem usada por certos grupos de pessoas quando falam entre si **2** nível de língua de carácter expressivo, cómico ou ofensivo

calar (ca.lar) [kɐ'lar] *v.* **1** pôr em silêncio **2** impedir alguém de se manifestar ▪ **calar-se** manter-se em silêncio; não falar ◆ **quem cala consente** o silêncio equivale a consentir ou concordar

calça (cal.ça) ['kaɫsɐ] *n.f.* ⇒ **calças**

calçada (cal.ça.da) [kaɫ'sadɐ] *n.f.* rua pavimentada com pedras

calçadeira (cal.ça.dei.ra) [kaɫsɐ'dɐjrɐ] *n.f.* objeto em forma de meia cana usado para ajudar a calçar sapatos

calcadela (cal.ca.de.la) [kaɫkɐ'dɛlɐ] *n.f.* pisadela

calçado (cal.ça.do) [kaɫ'sadu] *n.m.* peça de vestuário, feita de couro ou outro material, para calçar o pé

calcanhar (cal.ca.nhar) [kaɫkɐ'ɲar] *n.m.* saliência posterior do pé ◆ **não chegar aos calcanhares de** ser inferior a; **calcanhar de Aquiles** ponto fraco

calção (cal.ção) [kaɫ'sɐ̃w̃] *n.m.* ⇒ **calções**

calcar (cal.car) [kaɫ'kar] *v.* **1** comprimir com os pés; pisar **2** *fig.* humilhar; desprezar

calçar (cal.çar) [kaɫ'sar] *v.* **1** introduzir os pés em (calçado): *Quanto calças? Eu calço o 37.* **2** introduzir as mãos em (luvas)

calcário (cal.cá.ri:o) [kaɫ'karju] *adj.* relativo a cal ou a cálcio ■ *n.m.* **1** rocha constituída por carbonato de cálcio **2** sedimento esbranquiçado que se acumula nos contentores ou reservatórios de certas máquinas, reduzindo e prejudicando o seu desempenho

calças (cal.ças) ['kaɫsɐʃ] *n.f.pl.* peça de roupa que veste as ancas e, separadamente, cada uma das pernas: *calças de ganga* ◆ *coloq.* **com as calças na mão** numa situação embaraçosa

calcetar (cal.ce.tar) [kaɫsə'tar] *v.* revestir (caminho, passeio) com pedras; empedrar

calceteiro (cal.ce.tei.ro) [kaɫsə'tɐjru] *n.m.* indivíduo que reveste os passeios com pedras

calcificação (cal.ci.fi.ca.ção) [kaɫsifikɐ'sɐ̃w̃] *n.f.* **1** depósito de sais de cálcio durante a formação dos ossos **2** depósito de sais calcários em tecidos e órgãos que, em situação normal, não os contêm

calcificar(-se) (cal.ci.fi.car(-se)) [kaɫsifi'kar(sə)] *v.* **1** dar ou tomar a consistência e a cor da cal **2** produzir ou sofrer calcificação

calcinado (cal.ci.na.do) [kaɫsi'nadu] *adj.* reduzido a cinzas ou a carvão; queimado

calcinar (cal.ci.nar) [kaɫsi'nar] *v.* reduzir a cinzas ou a carvão; queimar

calcinhas (cal.ci.nhas) [kaɫ'siɲɐʃ] *n.f.pl.* peça interior de vestuário feminino que vai da cinta até às coxas

cálcio (cál.ci:o) ['kaɫsju] *n.m.* elemento metálico, mole, leve e muito importante na alimentação humana

calço (cal.ço) ['kaɫsu] *n.m.* pedra ou pedaço de madeira que se coloca debaixo de um objeto para o fixar na posição desejada; cunha

calções (cal.ções) [kaɫ'sõjʃ] *n.m.2n.* calças curtas que descem até à coxa ou até ao joelho: *calções de banho*

calculado (cal.cu.la.do) [kaɫku'ladu] *adj.* **1** determinado através de cálculo matemático **2** admitido por suposição; suposto; imaginado: *Os danos foram calculados em milhões.* **3** realizado com intenção; intencional; deliberado: *Foi um risco calculado.*

calculadora (cal.cu.la.do.ra) [kaɫkulɐ'dorɐ] *n.f.* aparelho eletrónico que faz cálculos matemáticos

calcular (cal.cu.lar) [kaɫku'lar] *v.* **1** determinar (u resultado) por meio de cálculo **2** avaliar; es mar: *Calcula-se que o prejuízo seja de um milh de euros.* **3** supor; imaginar: *Calculo que o João não venha.*

calculável (cal.cu.lá.vel) [kaɫku'lavɛɫ] *adj.2g.* q pode ser calculado

calculista (cal.cu.lis.ta) [kaɫku'liʃtɐ] *adj.,n.2g.* q ou pessoa que cuida apenas dos seus interess interesseiro

cálculo (cál.cu.lo) ['kaɫkulu] *n.m.* **1** operação conjunto de operações matemáticas para dete minar o resultado da combinação de vários n meros: *fazer um cálculo* **2** substância dura que forma em alguns órgãos como os rins ou a b xiga: *cálculo renal*

calda (cal.da) ['kaɫdɐ] *n.f.* **1** mistura de água co açúcar fervida **2** sumo fervido de alguns frut para os guardar de conserva **3** caldo em que coze arroz

caldeira (cal.dei.ra) [kaɫ'dɐjrɐ] *n.f.* recipiente met lico destinado a aquecer água e outros líquid **2** 👁 cratera de vulcão, circular e larga, por v zes transformada em lago

caldeirada (cal.dei.ra.da) [kaɫdɐj'radɐ] *n.f.* ref gado de peixes em camadas alternadas de t mate, cebola e batata

caldeirão (cal.dei.rão) [kaɫdɐj'rɐ̃w̃] *n.m.* panel grande

caldo (cal.do) ['kaɫdu] *n.m.* alimento líquido prep rado com legumes, carne, peixe e por vezes c reais ou massas, cozidos em água ◆ **caldo verd** sopa preparada com folhas de couve-galega o de nabiça cortadas finas, engrossada com batat e temperada com azeite, sal e chouriço

cale (ca.le) ['kal(ə)] *n.f.* **1** calha ou sulco por onde água escorre **2** parte funda e estreita do curso d um rio

caleidoscópico (ca.lei.dos.có.pi.co) [kɐlɐjdɔʃ'k piku] *adj.* **1** relativo a caleidoscópio **2** *fig.* colorid e variado

caleidoscópio (ca.lei.dos.có.pi:o) [kɐlɐjdɔʃ'kɔpju] *n.m.* instrumento cilíndrico, com pequenos fragmentos de vidro colorido no fundo, que quando refletem nos espelhos do interior produzem imagens variadas e simétricas

caleira (ca.lei.ra) [ka'lɐjrɐ] *n.f.* cano para esgotar as águas dos telhados

calejado (ca.le.ja.do) [kɐlə'ʒadu] *adj.* **1** que tem calos **2** *fig.* endurecido **3** *fig.* experimentado

calejar (ca.le.jar) [kɐlə'ʒar] *v.* produzir calo(s) em; endurecer

calendário (ca.len.dá.ri:o) [kɐlẽ'darju] *n.m.* **1** quadro em que se indicam os dias, meses, festas religiosas, etc., de um ano **2** plano das datas de determinadas atividades para um dado período: *calendário de exames; calendário dos jogos*

calha (ca.lha) ['kaʎɐ] *n.f.* **1** cano ou rego para condução de água **2** carril (de metro, elétrico ou comboio)

calhamaço (ca.lha.ma.ço) [kɐʎɐ'masu] *n.m.* livro grande e pesado

calhambeque (ca.lham.be.que) [kɐʎɐ̃'bɛk(ə)] *n.m.* carro muito velho

calhar (ca.lhar) [kɐ'ʎar] *v.* **1** acontecer por acaso: *Calhou eu não poder ir.* **SIN.** ocorrer **2** ⟨+a⟩ ocorrer num determinado momento: *O meu aniversário calha a um sábado.* **3** vir a propósito: *Aquele convite veio a calhar.* **4** ⟨+a⟩ caber em sorte: *O prémio calhou à minha irmã.* **SIN.** tocar ♦ **como calhar** de qualquer maneira; **se calhar** talvez; provavelmente; **vir mesmo a calhar** acontecer na altura devida

calhau (ca.lhau) [kɐ'ʎaw] *n.m.* pedra pequena **SIN.** seixo

calibrar (ca.li.brar) [kɐli'brar] *v.* **1** determinar ou verificar o calibre de **2** separar, por tamanhos, objetos mais ou menos semelhantes

calibre (ca.li.bre) [kɐ'libr(ə)] *n.m.* **1** diâmetro interior de um cilindro ou tubo **2** diâmetro exterior de uma bala **3** *fig.* tamanho; importância

cálice (cá.li.ce) ['kali(sə)] *n.m.* **1** copo pequeno com pé e uma base circular **2** vaso de metal, usado na missa

cálido (cá.li.do) ['kalidu] *adj.* quente

califa (ca.li.fa) [kɐ'lifɐ] *n.m.* líder espiritual de uma comunidade islâmica

californiano (ca.li.for.ni:a.no) [kɐlifur'njɐnu] *n.m.* pessoa natural do estado norte-americano da Califórnia ■ *adj.* relativo à Califórnia

caligrafia (ca.li.gra.fi.a) [kɐligrɐ'fiɐ] *n.f.* **1** arte ou técnica de escrever à mão **2** maneira própria de cada pessoa escrever à mão

caligráfico (ca.li.grá.fi.co) [kɐli'grafiku] *adj.* relativo a caligrafia

calinada (ca.li.na.da) [kɐli'nadɐ] *n.f.* *coloq.* asneira; parvoíce

calista (ca.lis.ta) [kɐ'liʃtɐ] *n.2g.* pessoa que trata ou extrai calos

call center [kɔl'sẽtɐr] *n.m.* serviço de apoio ao cliente por telefone

calma (cal.ma) ['kałmɐ] *n.f.* **1** ausência de movimento ou de perturbação: *manter a calma; perder a calma* **SIN.** sossego; tranquilidade **2** ausência total ou parcial de ventos, especialmente no mar, causando imobilidade ♦ **nas calmas** lentamente, sem pressas

calmamente (cal.ma.men.te) [kałmɐ'mẽt(ə)] *adv.* sem pressa; com calma **SIN.** tranquilamente

calmante (cal.man.te) [kał'mɐ̃t(ə)] *adj.2g.* que acalma ■ *n.m.* medicamento que abranda a excitação nervosa ou as dores

calmaria (cal.ma.ri.a) [kałmɐ'riɐ] *n.f.* ausência de agitação ou de vento **SIN.** calma; tranquilidade

calmo (cal.mo) ['kałmu] *adj.* tranquilo; sossegado

calo (ca.lo) ['kalu] *n.m.* **1** endurecimento da pele **2** *fig.* experiência; **criar calo** ganhar experiência; habituar-se

caloiro (ca.loi.ro) [kɐ'lojru] *n.m.* estudante do primeiro ano de um curso superior

calor (ca.lor) [kɐ'lor] *n.m.* **1** temperatura elevada do ar: *Está muito calor; Estou cheio de calor.* **ANT.** frio **2** estado daquilo que foi aquecido **3** *fig.* entusiasmo

calorento (ca.lo.ren.to) [kɐlu'rẽtu] *adj.* **1** que tem temperatura elevada; quente **2** diz-se da pessoa que é muito sensível ao calor

caloria (ca.lo.ri.a) [kɐlu'riɐ] *n.f.* unidade que mede a energia fornecida pelos alimentos: *É um alimento rico em calorias.*

calórico (ca.ló.ri.co) [kɐ'lɔriku] *adj.* **1** relativo a caloria **2** rico em calorias: *Este bolo é muito calórico.*

calorífero (ca.lo.rí.fe.ro) [kɐlu'rifəru] *adj.* que tem ou produz calor ■ *n.m.* aparelho que aquece o ar

caloroso (ca.lo.ro.so) [kɐlu'rozu] *adj.* **1** afetuoso; cordial: *Quando cheguei, tive uma receção calorosa.* **2** entusiasta; enérgico

calosidade (ca.lo.si.da.de) [kɐluzi'dad(ə)] *n.f.* endurecimento da pele causado por fricção continuada

calote (ca.lo.te) [kɐ'lɔt(ə)] *n.m.* *coloq.* dívida que não foi paga ♦ *coloq.* **pregar/dar um calote** não pagar uma dívida

caloteiro (ca.lo.tei.ro) [kɐlu'tɐjru] *adj.,n.m.* *coloq.* que ou aquele que não paga as suas dívidas

caluda (ca.lu.da) [kɐ'ludɐ] *interj.* usada para impor silêncio

calulu (ca.lu.lu) [kalu'lu] *n.m.* [ANG.] ensopado de peixe

calunga (ca.lun.ga) [kɐ'lũgɐ] *n.f.* **1** [ANG.] eternidade **2** [ANG.] mar ■ *n.m.* [MOÇ.] coelho, símbolo de sagacidade

calúnia (ca.lú.ni:a) [kɐ'lunjɐ] *n.f.* acusação falsa que ofende alguém: *levantar calúnias*

caluniador (ca.lu.ni:a.dor) [kɐlunjɐ'dor] *adj.,n.m.* que(m) diz calúnias

caluniar (ca.lu.ni:ar) [kɐlu'njar] *v.* ofender com calúnias; falar mal de; difamar

calunioso (ca.lu.ni:o.so) [kɐlu'njozu] *adj.* que encerra calúnia

calva (cal.va) ['kaɫvɐ] *n.f.* **1** parte da cabeça que perdeu o cabelo; careca **2** área de terreno sem vegetação; clareira

calvário (cal.vá.ri:o) [kaɫ'varju] *n.m.* **1** representação da crucificação de Jesus **2** *fig.* sofrimento

calvície (cal.ví.ci:e) [kaɫ'visji] *n.f.* ausência total ou parcial de cabelos na cabeça

calvo (cal.vo) ['kaɫvu] *adj.* que não tem cabelo **SIN.** careca

cama (ca.ma) ['kɐmɐ] *n.f.* móvel formado por um estrado com um colchão, coberto com lençol, edredão, etc., onde se dorme: *cama de casal/solteiro; fazer a cama; ir para a cama* ◆ **cair ou ficar de cama** adoecer; **cama de gato** jogo infantil em que se usa uma laçada de fio cruzada entre os dedos para fazer diversos padrões

camabuim (ca.ma.bu:im) [kɐmɐ'bwĩ] *n.m.* [ANG.] indivíduo que não tem dentes; desdentado

camada (ca.ma.da) [kɐ'madɐ] *n.f.* **1** porção de coisas da mesma espécie estendidas sobre uma superfície **2** classe; categoria **3** estrato; sedimento ◆ **camada de ozono** zona da atmosfera onde existe uma elevada concentração de ozono que impede a passagem da radiação ultravioleta

camaleão (ca.ma.le.ão) [kɐmɐ'ljɐ̃w̃] *n.m.* 👁 réptil com uma língua longa e pegajosa que, para se esconder, muda de cor

camanga (ca.man.ga) [kɐ'mɐ̃gɐ] *n.f.* [ANG.] comércio clandestino de diamantes ou de pedras preciosas

camanguista (ca.man.guis.ta) [kɐmɐ̃'giʃtɐ] *n.* [ANG.] traficante de diamantes

câmara (câ.ma.ra) ['kɐmɐrɐ] *n.f.* **1** recinto fecha **2** máquina fotográfica **3** máquina de filmar ◆ **c mara municipal** edifício onde se reúnem membros eleitos para administrar um concel ou município

câmara-ardente (câ.ma.ra-.ar.den.te) [kɐ rar'dẽt(ə)] *n.f.* ⟨*pl.* câmaras-ardentes⟩ sala onde expõe o corpo do morto antes do funeral

camarada (ca.ma.ra.da) [kɐmɐ'radɐ] *n.2g.* **1** cole **2** amigo

camaradagem (ca.ma.ra.da.gem) [kɐmɐrɐ'daʒ *n.f.* convivência agradável entre colegas ou an gos **SIN.** companheirismo

câmara-de-ar (câ.ma.ra-.de-.ar) [kɐmɐrɐ'dar] *nova grafia é* **câmara de ar**[AO]

câmara de ar (câ.ma.ra de ar)[AO] [kɐmɐrɐ'dar] ⟨*pl.* câmaras de ar⟩ tubo circular de borracha che de ar, que se ajusta à volta do aro das rodas d bicicletas, dos automóveis, etc.

camarão (ca.ma.rão) [kɐmɐ'rɐ̃w̃] *n.m.* crustác marinho ou de água doce, muito apreciado alimentação

camarão-tigre (ca.ma.rão-.ti.gre) [kɐr rɐ̃w̃'tigr(ə)] *n.m.* espécie de camarão

camarata (ca.ma.ra.ta) [kɐmɐ'ratɐ] *n.f.* quarto dormir com diversas camas

camarim (ca.ma.rim) [kɐmɐ'rĩ] *n.m.* no teatr compartimento onde os atores se preparam mudam de roupa

camaronês (ca.ma.ro.nês) [kɐmɐru'neʃ] *adj.* rel tivo aos Camarões ■ *n.m.* natural ou habitan dos Camarões

camarote (ca.ma.ro.te) [kɐmɐ'rɔt(ə)] *n.m.* **1** p queno quarto de dormir num navio **2** numa sa de espetáculos, pequeno compartimento f chado, separado da plateia e aberto para o palc

camba (cam.ba) ['kɐ̃bɐ] *n.m.* [ANG.] amigo

cambada (cam.ba.da) [kɐ̃'badɐ] *n.f.* *coloq.* granc quantidade de coisas ou pessoas

cambado (cam.ba.do) [kɐ̃'badu] *adj.* diz-se do ca çado cujo tacão está mais gasto de um lado

cambalear (cam.ba.le:ar) [kɐ̃bɐ'ljar] *v.* **1** cam nhar sem firmeza nas pernas; perder o equil brio: *O homem foi a cambalear pela rua abaix* **2** *fig.* hesitar; vacilar

cambalhota (cam.ba.lho.ta) [kɐ̃bɐ'ʎɔtɐ] *n* **1** exercício que se faz apoiando a cabeça ou mãos no chão e voltando o corpo para a fren ou para trás: *dar uma cambalhota* **2** qualqu salto acrobático

cambar (cam.bar) [kɐ̃'bar] *v.* **1** andar com as pe nas tortas **2** caminhar sem firmeza

mbiar (cam.bi:ar) [kɐ̃'bjar] *v.* trocar moeda de um país pela de outro

mbio (câm.bi:o) ['kɐ̃bju] *n.m.* troca da moeda de uma país pela de outro: *No aeroporto, fiz o câmbio de euros para dólares.*

meleira (ca.me.lei.ra) [kɐmə'lɐjrɐ] *n.f.* árvore que produz camélias

mélia (ca.mé.li:a) [kɐ'mɛljɐ] *n.f.* flor da cameeira, com muitas pétalas e sem perfume

melo (ca.me.lo) [kɐ'melu] *n.m.* **1** mamífero com duas bossas, muito comum nos desertos **2** *coloq.* homem estúpido

meraman ['kɐmərɐmɐn] *n.m.* no cinema e na televisão, operador de câmara de filmar

mião (ca.mi.ão) [ka'mjɐ̃w̃] *n.m.* veiculo destinado ao transporte de mercadorias: *camião do lixo*

mião-cisterna (ca.mi.ão-.cis.ter.na) [kamjɐ̃w̃ siʃ'tɛrnɐ] *n.m.* ⟨*pl.* camiões-cisterna⟩ veículo pesado próprio para transportar substâncias líquidas ou gasosas

minhada (ca.mi.nha.da) [kɐmi'ɲadɐ] *n.f.* passeio a pé

minhar (ca.mi.nhar) [kɐmi'ɲar] *v.* andar a pé

minho (ca.mi.nho) [kɐ'miɲu] *n.m.* **1** faixa de terreno por onde se pode ir de um lugar para outro; **caminho de cabras** caminho tortuoso e acidentado, difícil de percorrer **2** direção; rumo ♦ **abrir caminho a** facilitar acesso a; **a caminho** em andamento; **cortar caminho** seguir por um atalho para alcançar mais rapidamente o destino pretendido; **de caminho** logo; **estar no bom caminho** fazer opções corretas; **ficar pelo caminho** não conseguir atingir um determinado objetivo ou fim; **ser meio caminho andado** estar já parcialmente resolvido

minho-de-ferro (ca.mi.nho-.de-.fer.ro) [kɐmi ɲudə'fɛʀu] *a nova grafia é* **caminho de ferro**[AO]

minho de ferro (ca.mi.nho de fer.ro)[AO] [kɐ miɲudə'fɛʀu] *n.m.* ⟨*pl.* caminhos de ferro⟩ linha formada por dois carris paralelos sobre os quais circulam os comboios

camionagem (ca.mi:o.na.gem) [kamju'naʒɐ̃j] *n.f.* transporte por camião

camioneta (ca.mi:o.ne.ta) [kamju'nɛtɐ] *n.f.* veículo destinado ao transporte de passageiros ou de mercadorias

camionista (ca.mi:o.nis.ta) [kamju'niʃtɐ] *n.2g.* pessoa que conduz um camião

camisa (ca.mi.sa) [kɐ'mizɐ] *n.f.* **1** peça de vestuário de tecido leve para cobrir o tronco e os braços, geralmente com colarinho e botões à frente **2** peça de roupa feminina para dormir

camisa-de-forças (ca.mi.sa-.de-.for.ças) [kɐmi zɐdə'forsɐʃ] *a nova grafia é* **camisa de forças**[AO]

camisa de forças (ca.mi.sa de for.ças)[AO] [kɐmi zɐdə'forsɐʃ] *n.f.* ⟨*pl.* camisas de forças⟩ peça em forma de casaco, que permite manter os braços cruzados e apertados graças às suas grandes mangas que se unem atrás das costas

camisa-de-vénus (ca.mi.sa-.de-.vé.nus) [kɐmizɐ də'vɛnuʃ] *a nova grafia é* **camisa de Vénus**[AO]

camisa de Vénus (ca.mi.sa de Vé.nus)[AO] [kɐmi zɐdə'vɛnuʃ] *n.f.* ⟨*pl.* camisas de Vénus⟩ *coloq.* preservativo

camiseiro (ca.mi.sei.ro) [kɐmi'zɐjru] *n.m.* **1** fabricante ou negociante de camisas **2** móvel de gavetas próprio para guardar camisas

camiseta (ca.mi.se.ta) [kɐmi'zeta] *n.f.* [BRAS.] camisa curta, com mangas curtas ou compridas, feita de tecido de malha

camisinha (ca.mi.si.nha) [kɐmi'ziɲɐ] *n.f.* [BRAS.] *coloq.* preservativo

camisola (ca.mi.so.la) [kɐmi'zɔlɐ] *n.f.* **1** peça de roupa de malha que cobre o tronco e os braços e que é usada como agasalho **2** peça de vestuário interior, de tecido de malha

camisola-amarela (ca.mi.so.la-.a.ma.re.la) [kɐ mizɔlamɐ'rɛlɐ] *n.2g.* (ciclismo) corredor que, por ser o primeiro da classificação geral em etapas, veste uma camisola de cor amarela

camomila (ca.mo.mi.la) [kɐmu'milɐ] *n.f.* planta herbácea com flores miúdas, semelhantes a margaridas brancas com o centro amarelo, muito usada em chás

campa (cam.pa) ['kɐ̃pɐ] *n.f.* **1** pedra ou lousa que cobre a sepultura **2** sepultura; túmulo

campainha (cam.pa.i.nha) [kɐ̃pɐ'iɲɐ] *n.f.* aparelho sonoro, metálico, colocado na porta de entrada, para avisar quem está dentro de casa da chegada de alguém: *tocar à campainha*

A palavra **campainha** escreve-se sem acento agudo no **i**.

campal (cam.pal) [kɐ̃'pał] *adj.2g.* **1** relativo ao campo **2** diz-se da batalha ou da missa que se realiza ao ar livre

campanário (cam.pa.ná.ri:o) [kɐ̃pɐ'narju] *n.m.* parte da torre em que estão suspensos os sinos

campanha (cam.pa.nha) [kɐ̃'pɐɲɐ] *n.f.* **1** conjunto de operações militares realizadas durante uma guerra **2** conjunto de atividades que se realizam durante um certo tempo, para atingir um objetivo: *Ela fez uma boa campanha eleitoral.*

campânula (cam.pâ.nu.la) [kɐ̃'pɐnulɐ] *n.f.* vaso de vidro em forma de sino

campar (cam.par) [kɐ̃'par] *v.* [ANG.] morrer

campeão (cam.pe.ão) [kɐ̃'pjɐ̃w̃] *n.m.* ⟨*f.* campeã⟩ vencedor de uma prova num campeonato

campeonato (cam.pe:o.na.to) [kɐ̃pju'natu] *n.m.* competição em que se disputa o título de campeão

campesino (cam.pe.si.no) [kɐ̃pə'zinu] *adj.* ⇒ **campestre**

campestre (cam.pes.tre) [kɐ̃'pɛʃtr(ə)] *adj.* relativo ao campo

campina (cam.pi.na) [kɐ̃'pinɐ] *n.f.* planície extensa, sem povoações nem árvores

campino (cam.pi.no) [kɐ̃'pinu] *n.m.* **1** camponês **2** guardador de touros no Ribatejo

campismo (cam.pis.mo) [kɐ̃'piʒmu] *n.m.* atividade que consiste em acampar ao ar livre, em recintos próprios (parques de campismo): *fazer campismo*

campista (cam.pis.ta) [kɐ̃'piʃtɐ] *n.2g.* pessoa que faz campismo

campo (cam.po) ['kɐ̃pu] *n.m.* **1** região fora das grandes cidades onde as pessoas se dedicam geralmente à agricultura e à criação de animais **2** terra destinada ao cultivo ou a pastagens **3** espaço destinado a uma atividade desportiva: *campo de golfe, de futebol* **4** espaço limitado que se pode abranger com a vista; **campo visual** extensão total que um olho pode ver sem se mover **5** *fig.* área de atividade ◆ **pôr em campo** fazer agir/intervir

camponês (cam.po.nês) [kɐ̃pu'neʃ] *n.m.* ⟨*f.* camponesa⟩ homem que vive ou trabalha no campo

campónio (cam.pó.ni:o) [kɐ̃'pɔnju] *n.m.* pessoa que vive ou trabalha no campo

campus ['kɐ̃puʃ] *n.m.2n.* área que compreende os terrenos e os principais edifícios de uma universidade

camuflado (ca.mu.fla.do) [kɐmu'fladu] *adj.* **1** que se camuflou **2** que se disfarçou ▪ *n.m.* fato usado para não ser visto ou reconhecido

camuflagem (ca.mu.fla.gem) [kɐmu'flaʒɐ̃j] *n.f.* **1** aquilo que serve para camuflar ou disfarçar; disfarce **2** capacidade de adaptação de um or nismo ao meio onde vive, graças a caracterís cas que o confundem com esse meio

camuflar (ca.mu.flar) [kɐmu'flar] *v.* **1** alterar o peto exterior de acordo com o meio ambie para passar despercebido: *Camuflaram os ta ques.* **2** disfarçar: *Camuflou as suas verdadeiras tenções.* ▪ **camuflar-se** ⟨**+de**⟩ disfarçar-se

camundongo (ca.mun.don.go) [kɐmũ'dõgu] *n* [ANG.] indivíduo natural de Luanda

camurça (ca.mur.ça) [kɐ'mursɐ] *n.f.* **1** mamífe ruminante, de corpo forte e membros robust cuja pele é muito apreciada **2** pele desse anim que, depois de preparada, é utilizada em vári objetos

cana (ca.na) ['kɐnɐ] *n.f.* **1** planta útil pelas aplic ções do seu colmo **2** colmo seco dessa planta **cana de pesca** vara comprida, com uma lin que se enrola num carreto e um anzol na pon usada para pescar

canábis (ca.ná.bis) [ka'nabiʃ] *n.f.2n.* **1** planta h bácea útil especialmente pelo óleo e pelas fibr que fornece, sendo as suas folhas secas usad para obter uma droga que entorpece; cânhar indiano; maconha **2** produto usado como est pefaciente que é preparado a partir das folhas flores secas dessa planta

cana-da-índia (ca.na-.da-.ín.di:a) [kɐnɐdɐ'ĩdjɐ] ⟨*pl.* canas-da-índia⟩ planta ornamental de flor vistosas e cores variadas

cana-de-açúcar (ca.na-.de-.a.çú.car) [kɐnɐdɐ kar] *n.f.* ⟨*pl.* canas-de-açúcar⟩ planta de caule e pesso que contém um suco do qual se extrai açúcar

canadiana (ca.na.di:a.na) [kɐnɐ'djɐnɐ] *n.f.* **1** m leta metálica que se apoia no antebraço **2** ten de campismo de formato triangular

canadiano (ca.na.di:a.no) [kɐnɐ'djɐnu] *adj.* rel tivo ao Canadá ▪ *n.m.* pessoa natural do Canadá

canal (ca.nal) [kɐ'nał] *n.m.* **1** passagem natural artificial de águas **2** comunicação estreita ent dois mares ou entre dois pontos **3** braço de r por onde se desviam águas **4** estação de rád ou de televisão

canalha (ca.na.lha) [kɐ'naʎɐ] *n.2g.* pessoa desprez vel; patife ▪ *n.f.* **1** *coloq.* criançada **2** *pej.* gen desprezível

canalização (ca.na.li.za.ção) [kɐnɐlizɐ'sɐ̃w̃] *n* conjunto de canos ou canais que formam u sistema ou uma rede

canalizador (ca.na.li.za.dor) [kɐnɐlizɐ'dor] *n.m.* i divíduo que trabalha em instalação e reparaç de canalizações

nalizar (ca.na.li.zar) [kɐnɐli'zar] *v.* **1** abrir ou colocar canos em **2** pôr canalização em **3** *fig.* conduzir; dirigir

napé (ca.na.pé) [kɐnɐ'pɛ] *n.m.* **1** tipo de sofá com encosto e braços **2** pequena fatia de pão com molho, presunto, tomate, etc., que é servida como aperitivo

nário (ca.ná.ri:o) [kɐ'narju] *n.m.* pássaro canoro de bico curto, plumagem verde ou amarela e canto melodioso

nastra (ca.nas.tra) [kɐ'naʃtrɐ] *n.f.* cesta quadrangular larga e baixa, usada pelas peixeiras para transportar o peixe

navial (ca.na.vi:al) [kɐnɐ'vjaɫ] *n.m.* aglomerado de canas

ncã (can.cã) [kɐ̃'kɐ̃] *n.m.* dança, originária dos cabarés parisienses, na qual as dançarinas lançam as pernas para o alto, enquanto erguem e sacodem as saias com movimentos muito rápidos das mãos

nção (can.ção) [kɐ̃'sɐ̃w̃] *n.f.* composição musical com letra destinada a ser cantada

ncela (can.ce.la) [kɐ̃'sɛlɐ] *n.f.* **1** porta gradeada e geralmente de madeira **2** armação metálica que se abre e fecha ao trânsito nas passagens de nível

ncelamento (can.ce.la.men.to) [kɐ̃sɐlɐ'mẽtu] *n.m.* **1** anulação (de um evento) **2** interrupção (de um processo)

ncelar (can.ce.lar) [kɐ̃sə'lar] *v.* **1** anular (um evento): *Já não é possível cancelar o voo.* **2** interromper (um processo)

ncer (cân.cer) ['kɐ̃sɛr] *n.m.* [BRAS.] cancro ■ **Câncer** quarto signo do Zodíaco (21 de junho a 22 de julho)

ncerígeno (can.ce.rí.ge.no) [kɐ̃sə'riʒənu] *adj.* que favorece o desenvolvimento do cancro

nceroso (can.ce.ro.so) [kɐ̃sə'rozu] *adj.* relativo ao cancro ■ *n.m.* pessoa que tem cancro

ncioneiro (can.ci:o.nei.ro) [kɐ̃sju'nɐjru] *n.m.* coleção de antigas canções líricas em português, castelhano e galego

ncro (can.cro) ['kɐ̃kru] *n.m.* doença muito grave causada pelo aparecimento de células malignas que se espalham e destroem os tecidos do corpo

ndando (can.dan.do) [kɐ̃'dɐ̃du] *n.m.* [ANG.] abraço, especialmente na passagem de ano

ndeeiro (can.de.ei.ro) [kɐ̃'djɐjru] *n.m.* aparelho que serve para iluminar

ndeia (can.dei.a) [kɐ̃'dɐjɐ] *n.f.* aparelho de iluminação a óleo ♦ **andar de candeias às avessas com alguém** estar zangado com alguém; **candeia que vai à frente alumia duas vezes** quem se adianta melhor se arranja

candelabro (can.de.la.bro) [kɐ̃də'labru] *n.m.* **1** candeeiro grande **2** castiçal para muitas velas

candengue (can.den.gue) [kɐ̃'dẽg(ə)] *n.2g.* [ANG.] criança

candidatar (can.di.da.tar) [kɐ̃didɐ'tar] *v.* apresentar ou propor (alguém) como candidato ■ **candidatar-se 1** ⟨+a⟩ apresentar-se como candidato: *candidatar-se à presidência* **2** ⟨+a⟩ *fig.* arriscar-se: *Se copiares no exame, candidatas-te a ser apanhado!*

candidato (can.di.da.to) [kɐ̃di'datu] *n.m.* pretendente a um emprego ou cargo

candidatura (can.di.da.tu.ra) [kɐ̃didɐ'turɐ] *n.f.* apresentação de uma pessoa como candidata a um emprego ou a um cargo

cândido (cân.di.do) ['kɐ̃didu] *adj.* inocente; puro

candimba (can.dim.ba) [kɐ̃'dĩbɐ] *n.m.* [ANG., BRAS.] variedade de lebre, personagem tradicional de contos populares

candomblé (can.dom.blé) [kɐ̃dõ'blɛ] *n.m.* **1** prática religiosa levada para o Brasil pelos escravos negros, na qual os sacerdotes e seguidores encenam a convivência com forças da natureza e com antepassados **2** ritual celebrado nesse culto

candonga (can.don.ga) [kɐ̃'dõgɐ] *n.f.* *coloq.* mercado negro; contrabando

candongueiro (can.don.guei.ro) [kɐ̃dõ'gɐjru] *n.m.* [ANG.] táxi coletivo urbano

candura (can.du.ra) [kɐ̃'durɐ] *n.f.* **1** brancura **2** inocência; pureza

caneca (ca.ne.ca) [kɐ'nɛkɐ] *n.f.* recipiente cilíndrico, com uma asa lateral, para beber ou servir líquidos

caneco (ca.ne.co) [kɐ'nɛku] *n.m.* vasilha mais alta e mais estreita que a caneca

canela (ca.ne.la) [kɐ'nɛlɐ] *n.f.* **1** casca de uma árvore (caneleira) de aroma e sabor agradáveis, usada em doçaria e como condimento **2** pó obtido pela trituração dessa casca, usado em culinária **3** face anterior da perna ♦ *coloq.* **dar às canelas** fugir

canelada (ca.ne.la.da) [kɐnə'ladɐ] *n.f.* pancada na canela da perna

canelado (ca.ne.la.do) [kɐnə'ladu] *adj.* que tem sulcos; estriado ■ *n.m.* tecido ou malha com aspeto de sulcos

caneleira (ca.ne.lei.ra) [kɐnə'lɐjrɐ] *n.f.* **1** árvore cuja casca fornece a canela **2** proteção acolchoada usada na parte da frente da perna

canelones (ca.ne.lo.nes) [kɐnə'lɔnəʃ] *n.m.pl.* massa italiana de forma cilíndrica que, depois de cozida, se recheia com carne, queijo, etc.

caneta (ca.ne.ta) [kɐ'netɐ] *n.f.* **1** utensílio que contém tinta e serve para escrever ou desenhar

2 dispositivo com a ponta sensível à radiação emitida por um monitor, usado para desenhar ou apontar objetos diretamente num ecrã ■ **canetas** *n.f.pl. coloq.* pernas, sobretudo magras e compridas ◆ *coloq.* **ir-se abaixo das canetas** não aguentar; fraquejar

cânfora (cân.fo.ra) ['kɐ̃furɐ] *n.f.* substância branca, sólida e cristalina, de cheiro forte, usada em produtos farmacêuticos e cosméticos

cangalhas (can.ga.lhas) [kɐ̃'gaʎɐʃ] *n.f.pl.* **1** armação para sustentar a carga dos animais dos dois lados **2** *coloq.* óculos ◆ *coloq.* **de cangalhas** desarrumado; de cabeça para baixo; de pernas para o ar

cangalheiro (can.ga.lhei.ro) [kɐ̃gɐ'ʎɐjru] *n.m.* dono ou empregado de agência funerária

canganhiça (can.ga.nhi.ça) [kɐ̃gɐ'ɲisɐ] *n.f.* [MOÇ.] batota; aldrabice

cangar (can.gar) [kɐ̃'gar] *v.* **1** [ANG.] prender **2** [CV.] apegar-se a alguém

canguru (can.gu.ru) [kɐ̃gu'ru] *n.m.* 👁 mamífero australiano que se desloca aos saltos e tem uma bolsa no ventre, na qual conserva os filhos depois do seu nascimento

cânhamo (câ.nha.mo) ['kɐɲɐmu] *n.m.* planta herbácea de folhas muito recortadas, útil pelo óleo e pelas fibras que fornece

canhão (ca.nhão) [kɐ'ɲɐ̃w̃] *n.m.* **1** peça de artilharia que lança granadas a grande distância **2** peça da fechadura onde entra a chave

canhoto (ca.nho.to) [kɐ'ɲotu] *adj.,n.m.* que ou pessoa que usa preferencialmente a mão ou o pé esquerdos ■ *n.m.* num livro de cheques, recibos, etc., parte que não se destaca e está normalmente à esquerda, permanecendo como comprovativo da operação efetuada ◆ **cruzes, canhoto** exclamação usada como esconjuro

canibal (ca.ni.bal) [kɐni'baɫ] *n.2g.* pessoa que come carne humana **SIN.** antropófago

canibalismo (ca.ni.ba.lis.mo) [kɐnibɐ'liʒmu] *n.m.* **1** hábito de comer carne humana **2** ato de um animal comer outro da mesma espécie

caniçada (ca.ni.ça.da) [kɐni'sadɐ] *n.f.* sebe ou cerca feita de canas

caniço (ca.ni.ço) [kɐ'nisu] *n.m.* cana fina; caninha

canil (ca.nil) [kɐ'niɫ] *n.m.* local construído para al
jamento de cães

canimambo (ca.ni.mam.bo) [kɐni'mɐ̃bu] *adj.* [MO
agradecido; grato ■ *interj.* [MOÇ.] usada para agr
decer; obrigado!

canino (ca.ni.no) [kɐ'ninu] *adj.* relativo a cão ■ *n.*
dente cónico e aguçado que rasga os alimentos

canivete (ca.ni.ve.te) [kɐni'vɛt(ə)] *n.f.* pequena n
valha com lâmina móvel

canja (can.ja) ['kɐ̃ʒɐ] *n.f.* caldo de galinha com
roz ou massa ◆ **ser canja** ser coisa fácil

cano (ca.no) ['kɐnu] *n.m.* **1** tubo para conduzir
quidos ou gases **2** tubo por onde sai a bala n
armas de fogo **3** parte da bota que cobre a pern

canoa (ca.no.a) [kɐ'noɐ] *n.f.* pequena embarcaç
a remos

canoagem (ca.no:a.gem) [kɐ'nwaʒɐ̃j̃] *n.f.* despor
praticado em canoa

cânone (câ.no.ne) ['kɐnun(ə)] *n.m.* **1** regra ger
norma: *cânone de beleza* **2** peça de canto co
em que as diversas partes repetem o tema i
cial, em tempos diferentes

canónico (ca.nó.ni.co) [kɐ'nɔniku] *adj.* conforn
ou relativo aos cânones

canonização (ca.no.ni.za.ção) [kɐnunizɐ'sɐ̃w̃] *r*
ato de declarar alguém santo

canonizar (ca.no.ni.zar) [kɐnuni'zar] *v.* declar
(alguém) oficialmente santo

canoro (ca.no.ro) [kɐ'nɔru] *adj.* que canta ber
melodioso

cansaço (can.sa.ço) [kɐ̃'sasu] *n.m.* **1** falta de forç
causada por esforço físico, mental ou p
doença **SIN.** fadiga **2** aborrecimento; tédio

cansado (can.sa.do) [kɐ̃'sadu] *adj.* **1** que se ca
sou; que tem poucas forças **SIN.** fatigado **2** qu
se aborreceu ou que está farto: *Estou cansada*
ouvir o barulho dos vizinhos.

cansar(-se) (can.sar(-se)) [kɐ̃'sar(sə)] *v.* **1** fatigar(-s
2 aborrecer(-se); enfadar(-se)

cansativo (can.sa.ti.vo) [kɐ̃sɐ'tivu] *adj.* que cans
SIN. fatigante

canseira (can.sei.ra) [kɐ̃'sɐjrɐ] *n.f.* **1** *coloq.* cansa
2 *coloq.* esforço para fazer algo

cantador (can.ta.dor) [kɐ̃tɐ'dor] *n.m.* ⟨*f.* cantadeir
pessoa que canta música popular ■ *adj.* que gos
de cantar

cantão (can.tão) [kɐ̃'tɐ̃w̃] *n.m.* divisão territori
em alguns países

cantar (can.tar) [kɐ̃'tar] *v.* emitir, com a voz, so
musicais ◆ **cantar de galo** falar com arrogânci
cantar vitória gabar-se de ter conseguido
guma coisa

cântaro (cân.ta.ro) ['kɐ̃tɐru] *n.m.* recipiente grande para líquidos ♦ **chover a cântaros** chover muito

cantarolar (can.ta.ro.lar) [kɐ̃tɐru'lar] *v.* cantar a meia voz; trautear

cantata (can.ta.ta) [kɐ̃'tatɐ] *n.f.* peça musical religiosa cantada com acompanhamento instrumental

canteiro (can.tei.ro) [kɐ̃'tɐjru] *n.m.* pequena área de terreno ajardinado

cântico (cân.ti.co) ['kɐ̃tiku] *n.m.* canto religioso; hino: *cântico de Natal*

cantiga (can.ti.ga) [kɐ̃'tigɐ] *n.f.* **1** composição popular para ser cantada **2** *fig.* mentira ♦ **não ir em cantigas** não se deixar enganar

cantil (can.til) [kɐ̃'tiɫ] *n.m.* recipiente de metal para levar água e outros líquidos

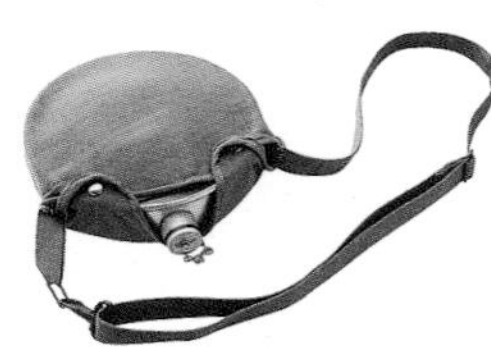

cantilena (can.ti.le.na) [kɐ̃ti'lenɐ] *n.f.* **1** canção breve e simples **2** *fig.* conversa aborrecida e repetida

cantina (can.ti.na) [kɐ̃'tinɐ] *n.f.* local onde se servem refeições em escolas, empresas, quartéis, hospitais, etc.

canto (can.to) ['kɐ̃tu] *n.m.* **1** ato de cantar; cantoria **2** ângulo formado pelo encontro de duas linhas ou dois planos **SIN.** esquina **3** no futebol, reposição da bola no jogo, junto à bandeirola do campo adversário **4** cada uma das partes de um poema longo ♦ **ser posto a um canto** ser desprezado

cantor (can.tor) [kɐ̃'tor] *n.m.* **1** aquele que canta **2** artista que canta por profissão

cantoria (can.to.ri.a) [kɐ̃tu'riɐ] *n.f.* **1** ato de cantar **2** reunião de vozes que cantam

canudo (ca.nu.do) [kɐ'nudu] *n.m.* **1** tubo comprido e estreito **2** *coloq.* diploma de um curso superior ♦ **ver por um canudo** ver de longe sem poder alcançar

cão (cão) ['kɐ̃w̃] *n.m.* mamífero carnívoro, domesticado, que tem quatro patas e o corpo coberto de pelo ♦ **cão que ladra não morde** os que mais falam são os que menos atuam; **ser como cão e gato** estar sempre em conflito com alguém; **ser trinta cães a um osso** haver vários pretendentes a disputar algo

cão-guia (cão-.gui.a) [kɐ̃w̃'giɐ] *n.m.* ⟨*pl.* cães-guias cães-guia⟩ cão treinado para guiar pessoas cegas

cão-polícia (cão-.po.lí.ci:a) [kɐ̃w̃pu'lisjɐ] *n.m.* ⟨*pl.* cães-polícia(s)⟩ cão treinado para auxiliar a polícia

caos (caos) ['kawʃ] *n.m.2n.* grande confusão; desordem

caótico (ca.ó.ti.co) [kɐ'ɔtiku] *adj.* muito desordenado; confuso

cap. *abreviatura de* capítulo

capa (ca.pa) ['kapɐ] *n.f.* **1** peça de vestuário larga que se usa sobre a roupa **2** cobertura de papel ou outro material que envolve um livro

capacete (ca.pa.ce.te) [kɐpɐ'set(ə)] *n.m.* **1** cobertura rígida para proteger a cabeça **2** *coloq.* cabeça ♦ *coloq.* **abanar o capacete** dançar

capacete-azul (ca.pa.ce.te-.a.zul) [kɐpɐsetɐ'zuɫ] *n.2g.* ⟨*pl.* capacetes-azuis⟩ militar ao serviço da Organização das Nações Unidas

capachinho (ca.pa.chi.nho) [kɐpɐ'ʃiɲu] *n.m. coloq.* cabeleira postiça

capacidade (ca.pa.ci.da.de) [kɐpɐsi'dad(ə)] *n.f.* **1** espaço interior de um corpo vazio que pode ser ocupado: *A sala tem capacidade para 300 pessoas.* **2** possibilidade de fazer alguma coisa **3** aptidão física ou mental de uma pessoa **SIN.** talento

capacitar(-se) (ca.pa.ci.tar(-se)) [kɐpɐsi'tar(sə)] *v.* **1** tornar(-se) capaz **2** convencer(-se); persuadir(-se)

capanga (ca.pan.ga) [kɐ'pɐ̃gɐ] *n.m.* [BRAS.] guarda-costas ■ *n.f.* [ANG.] golpe de luta

capar (ca.par) [kɐ'par] *v.* extrair os órgãos reprodutores; castrar

capataz (ca.pa.taz) [kɐpɐ'taʃ] *n.m.* chefe de um grupo de trabalhadores

capaz (ca.paz) [kɐ'paʃ] *adj.2g.* que tem capacidade para; apto; hábil **ANT.** incapaz ♦ **é capaz de** é possível que

capela (ca.pe.la) [kɐ'pɛlɐ] *n.f.* pequena igreja; ermida

capela-mor (ca.pe.la-.mor) [kɐpɛlɐ'mɔr] *n.f.* capela que tem o altar-mor

capelão (ca.pe.lão) [kɐpə'lɐ̃w̃] *n.m.* ⟨*pl.* capelães⟩ sacerdote responsável por uma capela

capicua (ca.pi.cu.a) [kɐpi'kuɐ] *n.f.* sequência de algarismos que é a mesma quando lida da esquerda para a direita e da direita para a esquerda (por exemplo, 23432)

capilar (ca.pi.lar) [kɐpi'lar] *adj.2g.* relativo ao cabelo

capim (ca.pim) [kɐ'pĩ] *n.m.* **1** conjunto de ervas que cobrem superfícies de terreno extensas e são usadas como alimento para os animais **2** *coloq.* dinheiro

capital (ca.pi.tal) [kɐpi'taɫ] *adj.2g.* principal; fundamental ■ *n.f.* principal cidade de um país, onde se encontra a sede de governo: *Lisboa é a capital de Portugal.* ■ n.m. dinheiro ou bens que constituem o fundo ou o património de uma empresa: *É preciso muito capital para investir neste projeto.*

capitalismo (ca.pi.ta.lis.mo) [kɐpitɐ'liʒmu] n.m. sistema económico e social que se baseia na posse privada da riqueza e no livre comércio de produtos e mercadorias

capitalista (ca.pi.ta.lis.ta) [kɐpitɐ'liʃtɐ] n.2g. **1** pessoa que vive do rendimento de um capital **2** fig. pessoa muito rica

capitalizar (ca.pi.ta.li.zar) [kɐpitɐli'zar] v. **1** converter em capital (dinheiro) **2** fig. utilizar em proveito próprio

capitania (ca.pi.ta.ni.a) [kɐpitɐ'niɐ] n.f. **1** posto de capitão **2** sede onde se tratam assuntos relativos à navegação e ao tráfego marítimo

capitão (ca.pi.tão) [kɐpi'tɐ̃w̃] n.m. ⟨pl. capitães⟩ **1** oficial superior do exército ou da força aérea, superior ao de tenente e inferior ao de major **2** comandante de um navio **3** chefe de uma equipa

capitel (ca.pi.tel) [kɐpi'tɛɫ] n.m. ⟨pl. capitéis⟩ parte superior de uma coluna

capitulação (ca.pi.tu.la.ção) [kɐpitulɐ'sɐ̃w̃] n.f. rendição

capitular (ca.pi.tu.lar) [kɐpitu'lar] v. render-se mediante certas condições

capítulo (ca.pí.tu.lo) [kɐ'pitulu] n.m. cada uma das grandes divisões de um livro, tratado, lei, contrato, etc.

capô (ca.pô) [ka'po] n.m. ⇒ **capot**

capoeira (ca.po.ei.ra) [kɐ'pwɐjrɐ] n.f. **1** recinto onde se alojam ou criam galos, galinhas, etc. **2** [BRAS.] jogo acrobático que combina dança e luta

capot [ka'po] n.m. ⟨pl. capots⟩ tampa que, nos automóveis, protege o motor

capota (ca.po.ta) [kɐ'pɔtɐ] n.f. cobertura de lona ou material impermeável de certos veículos

capotar (ca.po.tar) [kɐpu'tar] v. voltar-se (o automóvel) com o lado de baixo para cima

capote (ca.po.te) [kɐ'pɔt(ə)] n.m. capa até aos pés

cappuccino [kapu'ʃinu] n.m. bebida de café e leite que se toma quente, e que se pode servir com chantili

caprichar (ca.pri.char) [kɐpri'ʃar] v. esforçar-se por fazer algo com perfeição; esmerar-se

capricho (ca.pri.cho) [kɐ'priʃu] n.m. **1** vontade repentina de alguma coisa **2** mudança súbita de comportamento

caprichoso (ca.pri.cho.so) [kɐpri'ʃozu] adj. que tem caprichos ou teimas; teimoso

Capricórnio (Ca.pri.cór.ni:o) [kɐpri'kɔrnju] n.m. décimo signo do zodíaco (22 de dezembro a 19 de janeiro)

caprino (ca.pri.no) [kɐ'prinu] adj. relativo a cabra

cápsula (cáp.su.la) ['kapsulɐ] n.f. **1** medicamento revestido por uma película gelatinosa **2** tampa metálica de garrafa **3** parte da nave espacial onde viajam os tripulantes

captar (cap.tar) [kɐ'ptar] v. **1** atrair a si; apanhar **2** compreender; perceber

captura (cap.tu.ra) [ka'pturɐ] n.f. **1** prisão (de alguém) **2** apreensão (de alguma coisa)

capturar (cap.tu.rar) [kaptu'rar] v. **1** prender (alguém) **2** apreender (alguma coisa)

capuchinho (ca.pu.chi.nho) [kɐpu'ʃiɲu] ⟨dim. de capucho⟩ n.m. capuz pequeno

capuchino (ca.pu.chi.no) [kapu'ʃinu] n.m. ⇒ **cappuccino**

capucho (ca.pu.cho) [kɐ'puʃu] n.m. ⇒ **capuz**

capulana (ca.pu.la.na) [kɐpu'lɐnɐ] n.f. [MOÇ.] pano usado pelas mulheres, que envolve o tronco e vai até abaixo dos joelhos

capuz (ca.puz) [kɐ'puʃ] n.m. parte de capa ou de casaco, de forma cónica, que cobre a cabeça

caquéctico (ca.quéc.ti.co) [kɐ'kɛtiku] a nova grafia é **caquético**AO

caquético (ca.qué.ti.co)AO [kɐ'kɛtiku] adj. pej. muito velho; senil

caqui (ca.qui) [ka'ki] adj.inv. da cor do barro; acastanhado

cara (ca.ra) ['karɐ] n.f. **1** parte da frente da cabeça SIN. face; rosto **2** expressão da face **3** aparência exterior de algo; aspeto **4** face de uma moeda ♦ **cara a cara** frente a frente; **ser de caras** ser fácil

carabina (ca.ra.bi.na) [kɐrɐ'binɐ] n.f. arma de fogo parecida com a espingarda, mas menos comprida

caraças (ca.ra.ças) [kɐ'rasɐʃ] interj. cal. exprime ironia, admiração ou impaciência

caracol (ca.ra.col) [kɐrɐ'kɔɫ] n.m. ⟨pl. caracóis⟩ **1** molusco com concha em espiral e dois pares de tentáculos na cabeça, que se move muito devagar **2** madeixa de cabelo enrolado em espiral

caracoleta (ca.ra.co.le.ta) [kɐrɐku'letɐ] n.f. caracol grande

carácter (ca.rác.ter)AO [kɐ'ra(k)tɛr] ou **caráter**AO n.m. ⟨pl. caracteres⟩ **1** forma de ser e de agir própria de uma pessoa **2** letra ou símbolo usado na escrita

característica (ca.rac.te.rís.ti.ca)AO [kɐrɐktə'riʃtikɐ] ou **caraterística**AO n.f. propriedade que distingue uma pessoa, um animal ou uma coisa dos restantes; traço distintivo

característico (ca.rac.te.rís.ti.co)[AO] [kɐrɐktəˈriʃ tiku] ou **caraterístico**[AO] *adj.* que caracteriza ou que distingue SIN. distintivo; próprio

caracterização (ca.rac.te.ri.za.ção)[AO] [kɐrɐktəri zɐˈsɐ̃w̃] ou **caraterização**[AO] *n.f.* 1 descrição dos traços principais (de uma pessoa) 2 utilização de cosméticos e outros acessórios para dar ao ator a aparência da personagem que interpreta

caracterizado (ca.rac.te.ri.za.do)[AO] [kɐrɐktə riˈzadu] ou **caraterizado**[AO] *adj.* 1 descrito com as características próprias 2 preparado para interpretar uma personagem

caracterizar (ca.rac.te.ri.zar)[AO] [kɐrɐktəriˈzar] ou **caraterizar**[AO] *v.* 1 descrever as características de (alguém, algo) 2 fazer a caracterização de (um ator)

carago (ca.ra.go) [kɐˈragu] *interj. cal.* exprime espanto ou impaciência e irritação

caramba (ca.ram.ba) [kɐˈrɐ̃bɐ] *interj.* exprime ironia, admiração ou impaciência

caramelo (ca.ra.me.lo) [kɐrɐˈmɛlu] *n.m.* 1 açúcar em ponto de rebuçado 2 guloseima feita com açúcar em ponto e outros ingredientes

cara-metade (ca.ra-.me.ta.de) [karɐməˈtad(ə)] *n.f.* ⟨*pl.* caras-metades⟩ *coloq.* pessoa com quem se namora ou se é casado

caramujo (ca.ra.mu.jo) [kɐrɐˈmuʒu] *n.m.* pequeno molusco marinho, comestível e com concha

caranguejo (ca.ran.gue.jo) [kɐrɐ̃ˈgɐ(j)ʒu] *n.m.* crustáceo comestível, de corpo coberto por uma carapaça e com quatro pares de patas ■ **Caranguejo** quarto signo do zodíaco (21 de junho a 22 de julho) ◆ **andar como o caranguejo** andar para trás em vez de avançar; retroceder

carantonha (ca.ran.to.nha) [kɐrɐ̃ˈtoɲɐ] *n.f.* cara muito feia; careta

carapaça (ca.ra.pa.ça) [kɐrɐˈpasɐ] *n.f.* revestimento duro de certos animais, como o da tartaruga

carapau (ca.ra.pau) [kɐrɐˈpaw] *n.m.* peixe comestível com corpo comprido e uma serrilha ao longo do dorso; chicharro ◆ *coloq.* **carapau de corrida** pessoa que se gaba muito

carapim (ca.ra.pim) [kɐrɐˈpĩ] *n.m.* pequeno sapato para bebé feito de malha de lã ou croché

carapinha (ca.ra.pi.nha) [kɐrɐˈpiɲɐ] *n.f.* cabelo muito frisado e denso

carapuça (ca.ra.pu.ça) [kɐrɐˈpusɐ] *n.f.* barrete de lã ou de pano ◆ **enfiar a carapuça** sentir-se atingido por uma crítica feita a outra pessoa

carapuço (ca.ra.pu.ço) [kɐrɐˈpusu] *n.m.* barrete de lã ou tecido, de forma cónica

caravana (ca.ra.va.na) [kɐrɐˈvɐnɐ] *n.f.* 1 conjunto de pessoas que viajam juntas 2 veículo sem motor, atrelado a um automóvel, que serve de habitação

caravela (ca.ra.ve.la) [kɐrɐˈvɛlɐ] *n.f.* 👁 embarcação de velas utilizada nos séculos XV e XVI

carboneto (car.bo.ne.to) [kɐrbuˈnetu] *n.m.* composto binário de carbono

carbonizado (car.bo.ni.za.do) [kɐrbuniˈzadu] *adj.* reduzido a carvão; calcinado

carbonizar(-se) (car.bo.ni.zar(-se)) [kɐrbuni ˈzar(sə)] *v.* reduzir(-se) a carvão; queimar(-se)

carbono (car.bo.no) [kɐrˈbonu] *n.m.* elemento sólido, não metálico, que se encontra em muitas substâncias da natureza

carbúnculo (car.bún.cu.lo) [kɐrˈbũkulu] *n.m.* ⇒ **antraz**

carcaça (car.ca.ça) [kɐrˈkasɐ] *n.f.* 1 armação interna que sustenta a parte exterior de algo; esqueleto 2 casco velho de um navio 3 pão de tamanho médio, oval, e com pontas arredondadas

carcela (car.ce.la) [kɐrˈsɛlɐ] *n.f.* abertura na parte da frente de calças, calções, etc., que aperta com fecho ou botões; braguilha

cárcere (cár.ce.re) [ˈkarsər(ə)] *n.m.* prisão; cadeia

carcereiro (car.ce.rei.ro) [kɐrsəˈrɐjru] *n.m.* guarda de prisão

carcinoma (car.ci.no.ma) [kɐrsiˈnomɐ] *n.m.* tumor maligno com tendência para atingir os tecidos próximos

carcoma (car.co.ma) [kɐrˈkomɐ] *n.m.* 1 pequeno inseto que ataca a madeira, roendo-a 2 pó da madeira carcomida

carcomer (car.co.mer) [kɐrkuˈmer] *v.* 1 roer (madeira), reduzindo a pó 2 *fig.* arruinar; destruir

cardar (car.dar) [kɐr'dar] *v.* pentear (lã ou fio)

cardeal (car.de:al) [kɐr'djał] *n.m.* cada um dos bispos que são os principais colaboradores do Papa

cardíaco (car.dí.a.co) [kɐr'diɐku] *adj.* **1** relativo ao coração **2** diz-se da pessoa que sofre do coração

cardinal (car.di.nal) [kɐrdi'nał] *adj.2g.* que indica quantidade absoluta

cardiofitness [kardjɔ'fitnɛs] *n.m.* treino desportivo (em tapetes rolantes, bicicletas, etc.) para melhorar a resistência cardiovascular

cardiograma (car.di:o.gra.ma) [kardju'grɐmɐ] *n.m.* gráfico que regista os movimentos cardíacos

cardiologia (car.di:o.lo.gi.a) [kardjulu'ʒiɐ] *n.f.* ramo da medicina que trata das doenças do coração

cardiologista (car.di:o.lo.gis.ta) [kardjulu'ʒiʃtɐ] *n.2g.* especialista em cardiologia

cardiovascular (car.di:o.vas.cu.lar) [kardjɔvɐʃku'lar] *adj.2g.* relativo ao coração e aos vasos sanguíneos

cardo (car.do) ['kardu] *n.m.* planta com caule espinhoso e flores amarelas

cardume (car.du.me) [kɐr'dum(ə)] *n.m.* conjunto de peixes

careca (ca.re.ca) [kɐ'rɛkɐ] *adj.2g.* **1** sem cabelo **2** (pêssego) sem penugem **3** (pneu) gasto pelo uso ■ *n.f.* parte da cabeça que perdeu o cabelo ■ *n.2g.* pessoa com falta total ou parcial de cabelo na cabeça ◆ **descobrir a careca a** descobrir os defeitos de (alguém); **estar careca de** estar farto de

carecer (ca.re.cer) [kɐrə'ser] *v.* ⟨**+de**⟩ precisar; necessitar: *carecer de bens essenciais; carecer de assistência*

careiro (ca.rei.ro) [kɐ'rɐjru] *adj.* que vende por um preço elevado

carência (ca.rên.ci:a) [kɐ'rẽsjɐ] *n.f.* falta do que é necessário; necessidade

carenciado (ca.ren.ci:a.do) [kɐrẽ'sjadu] *adj.* que tem carências ou necessidades; necessitado

carente (ca.ren.te) [kɐ'rẽt(ə)] *adj.2g.* **1** que tem carências ou necessidades **2** que sente grande necessidade de afeto ou apoio emocional

careta (ca.re.ta) [kɐ'retɐ] *n.f.* **1** expressão facial causada por brincadeira, desagrado ou dor **2** disfarce para o rosto; máscara

carga (car.ga) ['kargɐ] *n.f.* **1** aquilo que pode ser transportado por pessoa, animal ou veículo, ou que pode ser suportado por uma estrutura própria **2** grande quantidade de algo **3** quantidade de explosivo usada numa arma de fogo **4** ataque direto contra um conjunto de pessoas **5** *fig.* fardo; peso ◆ **por que carga d'água?** por que razão?; **voltar à carga** insistir

cargo (car.go) ['kargu] *n.m.* **1** compromisso ou responsabilidade de alguém **SIN.** encargo **2** função que uma pessoa desempenha num serviço **SIN.** emprego ◆ **a cargo de** à responsabilidade de; por conta de

cargueiro (car.guei.ro) [kɐr'gɐjru] *n.m.* navio que apenas transporta mercadorias

cariado (ca.ri:a.do) [kɐ'rjadu] *adj.* que tem cárie(s)

cariar (ca.ri:ar) [kɐ'rjar] *v.* criar cárie (o dente)

carica (ca.ri.ca) [kɐ'rikɐ] *n.f.* tampa metálica de garrafa

caricato (ca.ri.ca.to) [kɐri'katu] *adj.* que faz rir; ridículo

caricatura (ca.ri.ca.tu.ra) [kɐrikɐ'turɐ] *n.f.* retrato de pessoa ou situação que acentua os seus aspetos cómicos ou ridículos

caricaturar (ca.ri.ca.tu.rar) [kɐrikɐtu'rar] *v.* fazer a caricatura de

caricaturista (ca.ri.ca.tu.ris.ta) [kɐrikɐtu'riʃtɐ] *n.2g.* pessoa que faz caricaturas

carícia (ca.rí.ci:a) [kɐ'risjɐ] *n.f.* toque ou gesto afetuoso; afago

caridade (ca.ri.da.de) [kɐri'dad(ə)] *n.f.* disposição para ajudar as pessoas que precisam; compaixão

caridoso (ca.ri.do.so) [kɐri'dozu] *adj.* que revela caridade ou compaixão

cárie (cá.ri:e) ['karji] *n.f.* doença que altera ou destrói compõe os dentes e os ossos

caril (ca.ril) [kɐ'rił] *n.m.* **1** condimento e corante culinário de origem indiana, composto por várias especiarias **2** molho preparado com esse corante

carimbar (ca.rim.bar) [kɐrĩ'bar] *v.* marcar com carimbo

carimbo (ca.rim.bo) [kɐ'rĩbu] *n.m.* **1** peça de metal, madeira ou plástico, que serve para marcar ou autenticar documentos **2** marca que essa peça deixa no papel

carinho (ca.ri.nho) [kɐ'riɲu] *n.m.* **1** sentimento de ternura; afeto **2** manifestação de afeto; carícia

carinhoso (ca.ri.nho.so) [kɐri'ɲozu] *adj.* **1** em que há carinho **2** terno; meigo

carioca (ca.ri:o.ca) [kɐ'rjɔkɐ] *n.2g.* pessoa natural do Rio de Janeiro (Brasil) ■ *n.m.* bebida de café a que se junta água para ficar mais fraco; **carioca de limão** chá de casca de limão servido em chávena de café

carisma (ca.ris.ma) [kɐ'riʒmɐ] *n.m.* conjunto de qualidades de uma pessoa que despertam admiração e simpatia; magnetismo

carismático (ca.ris.má.ti.co) [kɐriʒ'matiku] *adj.* que tem carisma

cariz (ca.riz) [kɐ'riʃ] *n.m.* **1** aparência; aspeto **2** natureza **3** aspeto da atmosfera

carjacking [kar'ʒɛkĩg] *n.m.* roubo de automóvel no qual o assaltante obriga o condutor a sair do veículo ou a conduzi-lo durante atividades criminais

carlinga (car.lin.ga) [kɐr'lĩgɐ] *n.f.* parte do avião destinada ao piloto e ao copiloto **SIN.** cockpit

carma (car.ma) ['karmɐ] *n.m.* **1** (budismo, hinduísmo) princípio de causalidade que afirma que qualquer ação (boa ou má) gera uma reação ou consequência **2** *fig.* destino

carmelita (car.me.li.ta) [kɐrmə'litɐ] *n.2g.* religioso ou religiosa da Ordem do Carmo

carmim (car.mim) [kɐr'mĩ] *n.m.* **1** substância corante de tonalidade vermelha **2** cor vermelha, brilhante

carnal (car.nal) [kɐr'nał] *adj.2g.* **1** relativo a carne **2** sensual **3** que é do mesmo sangue

Carnaval (Car.na.val) [kɐrnɐ'vał] *n.m.* período de festa nos três dias anteriores à Quarta-Feira de Cinzas, em que as pessoas se mascaram e em que há desfiles e diversões **SIN.** Entrudo

A saber que o **Carnaval**, conhecido também por **Entrudo**, ocorre 40 dias antes da Semana Santa (Quaresma) e é, em Portugal, um feriado facultativo. Geralmente, as pessoas fantasiam-se e há desfiles de carros alegóricos. No Brasil, é a festa mais característica desse país, prolongando-se por 4 dias. O desfile das escolas de samba é uma das principais atrações.

carnavalesco (car.na.va.les.co) [kɐrnɐvɐ'leʃku] *adj.* próprio do Carnaval

carne (car.ne) ['karn(ə)] *n.f.* **1** parte mole e fibrosa existente entre a pele e os ossos das pessoas e dos animais **2** parte comestível de alguns frutos ♦ **em carne e osso** em pessoa; **nem carne nem peixe** nem uma coisa nem outra

carneiro (car.nei.ro) [kɐr'nɐjru] *n.m.* mamífero ruminante apreciado pela carne, pelo (lã) e leite que fornece ■ **Carneiro** primeiro signo do Zodíaco (21 de março a 19 de abril)

carniceiro (car.ni.cei.ro) [kɐrni'sɐjru] *n.m.* **1** negociante de carnes **2** *fig.* homem cruel

carnificina (car.ni.fi.ci.na) [kɐrnifi'sinɐ] *n.f.* grande matança; chacina

carnívoro (car.ní.vo.ro) [kɐr'nivuru] *adj.* que come carne

carnudo (car.nu.do) [kɐr'nudu] *adj.* **1** que tem muita carne **2** diz-se do fruto que tem muita polpa

caro (ca.ro) ['karu] *adj.* **1** que tem preço elevado **ANT.** barato **2** *fig.* querido; estimado ♦ **sair caro** **1** ter custos elevados **2** ter consequências graves

carocha (ca.ro.cha) [kɐ'rɔʃɐ] *n.f.* inseto grande, de cor negra ou castanha; barata ■ *n.m. coloq.* automóvel de marca Volkswagen com tejadilho em forma de concha

caroço (ca.ro.ço) [kɐ'rosu] *n.m.* parte interna e dura de alguns frutos que contém a semente

carola (ca.ro.la) [kɐ'rɔlɐ] *n.2g.* **1** pessoa devota **2** pessoa que se dedica totalmente a algo ■ *n.f. coloq.* cabeça

carolice (ca.ro.li.ce) [kɐru'li(sə)] *n.f.* **1** devoção fingida **2** dedicação apaixonada a algo

carona (ca.ro.na) [kɐ'ronɐ] *n.f.* [BRAS.] boleia

carótida (ca.ró.ti.da) [kɐ'rɔtidɐ] *n.f.* cada uma das artérias que, da aorta, levam o sangue à cabeça

carpa (car.pa) ['karpɐ] *n.f.* peixe de água doce, de coloração prateada

carpelo (car.pe.lo) [kɐr'pɛlu] *n.m.* folha floral fértil, produtora de óvulos

carpete (car.pe.te) [kar'pɛt(ə)] *n.f.* tapete grande

carpintaria (car.pin.ta.ri.a) [kɐrpĩtɐ'riɐ] *n.f.* profissão ou local de trabalho do carpinteiro

carpinteiro (car.pin.tei.ro) [kɐrpĩ'tɐjru] *n.m.* pessoa que faz trabalhos em madeira

carpir (car.pir) [kɐr'pir] *v.* exprimir tristeza; lamentar-se; queixar-se

carpo (car.po) ['karpu] *n.m.* **1** região da mão que corresponde ao pulso **2** fruto

carraça (car.ra.ça) [kɐ'ʀasɐ] *n.f.* parasita que suga o sangue de muitos animais

carrada (car.ra.da) [kɐ'ʀadɐ] *n.f. coloq.* grande quantidade de alguma coisa ♦ **às carradas** em grande quantidade; **ter carradas de razão** ter toda a razão

carranca (car.ran.ca) [kɐ'ʀɐ̃kɐ] *n.f.* rosto carregado que revela mau humor, má disposição, raiva, etc.

carrancudo (car.ran.cu.do) [kɐʀɐ̃'kudu] *adj.* que demonstra mau humor

carrapato (car.ra.pa.to) [kɐʀɐ'patu] *n.m.* inseto parasita, transmissor de várias doenças; carraça

carrapito (car.ra.pi.to) [kɐʀɐ'pitu] *n.m.* pequena porção de cabelo atado no alto da cabeça

carrascão (car.ras.cão) [kɐʀɐʃ'kɐ̃w̃] *adj.* (vinho) de má qualidade

carrasco (car.ras.co) [kɐ'ʀaʃku] *n.m.* **1** pessoa que executa a pena de morte **2** *fig.* pessoa cruel

carraspana (car.ras.pa.na) [kɐʀɐʃ'pɐnɐ] *n.f. coloq.* bebedeira

carregado (car.re.ga.do) [kɐʀə'gadu] *adj.* **1** que transporta carga **2** diz-se da arma pronta a disparar **3** que está muito cheio (lugar, recipiente) **4** diz-se do tempo sombrio **5** carrancudo (expressão facial, pessoa) **6** diz-se de cor forte **7** diz-se de situação ou ambiente em que há tensão

carregador **(car.re.ga.dor)** [kɐʀəgɐ'dor] *n.m.* **1** pessoa que transporta ou carrega mercadorias **2** dispositivo que se liga à corrente para carregar baterias ou pilhas usadas em vários aparelhos (por exemplo, telemóveis)

carregamento **(car.re.ga.men.to)** [kɐʀəgɐ'mẽtu] *n.m.* **1** colocação de carga sobre (um meio de transporte ou um animal) **2** quantidade de mercadoria transportada; carga **3** acumulação de eletricidade em (bateria, pilha) **4** abastecimento de munições numa arma

carregar **(car.re.gar)** [kɐʀə'gar] *v.* **1** colocar carga em (veículo, animal): *carregar um camião* **2** transportar de um lugar para outro: *A carrinha carrega sacos de cimento.* **3** ⟨+em⟩ fazer pressão sobre (botão, campainha): *carregar no botão de iniciar* **4** acumular eletricidade em (bateria, pilha): *carregar o telemóvel* **5** abastecer de munições (uma arma) **6** transferir dinheiro para (cartão) **7** transferir informação de um dispositivo de memória ou registo **8** ⟨+em⟩ pôr em quantidade excessiva (tempero, perfume): *Carregaste no sal.*

carreira **(car.rei.ra)** [kɐ'ʀɐjrɐ] *n.f.* **1** percurso profissional; profissão **2** caminho habitual de um serviço de transportes; linha

carreiro **(car.rei.ro)** [kɐ'ʀɐjru] *n.m.* **1** caminho estreito **2** conjunto de formigas em fila

carreto **(car.re.to)** [kɐ'ʀetu] *n.m.* roda dentada que se ajusta a outra ♦ *coloq.* **passar-se dos carretos** **1** exaltar-se **2** perder o juízo

carril **(car.ril)** [kɐ'ʀił] *n.m.* ⟨*pl.* carris⟩ **1** viga de ferro sobre a qual circulam as rodas de certos veículos **2** sulco que fazem no chão as rodas dos veículos

carrilhão **(car.ri.lhão)** [kɐʀi'ʎɐ̃w̃] *n.m.* ⟨*pl.* carrilhões⟩ conjunto de sinos

carrinha **(car.ri.nha)** [kɐ'ʀiɲɐ] *n.f.* veículo de tamanho médio usado para transportar pessoas ou mercadoria

carrinho **(car.ri.nho)** [kɐ'ʀiɲu] ⟨*dim. de* carro⟩ *n.m.* **1** carro pequeno **2** pequeno cilindro de linhas (para coser ou bordar)

carripana **(car.ri.pa.na)** [kɐʀi'pɐnɐ] *n.f.* carro velho ou estragado

carro **(car.ro)** ['kaʀu] *n.m.* veículo com rodas para transporte de pessoas ou coisas; automóvel ♦ **carro alegórico** veículo enfeitado com figuras e motivos simbólicos, usado em desfiles de Carnaval; **carro de combate** viatura de guerra armada e blindada, que se desloca sobre lagartas; **pôr o carro à frente dos bois** agir com demasiada rapidez **SIN.** precipitar-se

carroça **(car.ro.ça)** [kɐ'ʀɔsɐ] *n.f.* veículo puxado por animais, resguardado por grades e usado para transportar cargas ou pessoas

carroçaria **(car.ro.ça.ri.a)** [kɐʀusɐ'riɐ] *n.f.* estrutura metálica do automóvel

carrocel **(car.ro.cel)** [kɐʀɔ'sɛł] *n.m.* ⇒ **carrossel**

carro-patrulha **(car.ro-.pa.tru.lha)** [kaʀupɐ'truʎɐ] *n.m.* ⟨*pl.* carros-patrulha⟩ automóvel utilizado pela polícia para operações de patrulha

carrossel **(car.ros.sel)** [kɐʀɔ'sɛł] *n.m.* ⟨*pl.* carrosséis⟩ divertimento de feira composto por um eixo giratório com carrinhos onde as pessoas se sentam

carruagem **(car.ru:a.gem)** [kɐ'ʀwaʒɐ̃j̃] *n.f.* **1** vagão do comboio para transporte de passageiros **2** antigo meio de transporte puxado por cavalos

carruagem-cama **(car.ru:a.gem-.ca.ma)** [kɐʀwaʒɐ̃j̃'kɐmɐ] *n.f.* carruagem de comboio cujos compartimentos têm camas

carruagem-restaurante **(car.ru:a.gem-.res.tau.ran.te)** [kɐʀwaʒɐ̃j̃ʀəʃtaw'rɐ̃t(ə)] *n.f.* carruagem de comboio onde são servidas refeições

carta **(car.ta)** ['kartɐ] *n.f.* **1** mensagem escrita à mão ou impressa e enviada a alguém pelo correio **2** cada um dos cartões que formam um baralho **3** diploma de um curso ♦ **carta de condução** documento oficial que autoriza uma pessoa a conduzir um ou mais tipos de veículo

carta-branca **(car.ta-.bran.ca)** [kartɐ'brɐ̃kɐ] *n.f.* ⟨*pl.* cartas-brancas⟩ permissão dada a alguém para fazer algo; plenos poderes ♦ **dar carta-branca a alguém** permitir a alguém que proceda como quiser

cartaginense **(car.ta.gi.nen.se)** [kɐrtɐʒi'nẽ(sə)] *adj.,n.2g.* ⇒ **cartaginês**

cartaginês **(car.ta.gi.nês)** [kɐrtɐʒi'neʃ] *adj.* relativo à antiga cidade de Cartago (Tunísia) ■ *n.m.* **1** natural ou habitante de Cartago **2** língua fenícia falada em Cartago

cartão **(car.tão)** [kɐr'tɐ̃w̃] *n.m.* **1** papel muito grosso; papelão **2** pequeno retângulo de cartolina ou plástico com a identificação e, por vezes, a fotografia da pessoa que o possui **3** pequeno retângulo de plástico que permite fazer diversas operações (levantamentos, depósitos, consultas) nas caixas multibanco ♦ **cartão de débito** cartão plástico emitido por uma instituição bancária, que permite ao seu titular realizar diversas operações financeiras (pagamentos, levantamentos, depósitos, consultas, transferências, etc.); **cartão de cidadão** documento eletrónico de identificação dos cidadãos portugueses que substitui o antigo bilhete de identidade e outros cartões (segurança social, contribuinte, eleitor, etc.); **não passar cartão a** não dar importância a; não ligar a

cartão-de-visita **(car.tão-.de-.vi.si.ta)** [kɐrtɐ̃w̃də vi'zitɐ] *a nova grafia é* **cartão de visita**[AO]

cartão de visita (**car.tão de vi.si.ta**)AO [kɐrtɐ̃w̃də vi'zitɐ] *n.m.* ⟨*pl.* cartões de visita⟩ pequeno retângulo de papel com o nome e o endereço de uma pessoa ou de uma empresa, usado em contactos sociais ou profissionais

cartapácio (**car.ta.pá.ci:o**) [kɐrtɐ'pasju] *n.m.* **1** livro grande e antigo **2** *pej.* livro volumoso e sem grande valor

cartaz (**car.taz**) [kɐr'taʃ] *n.m.* papel que se afixa em lugares públicos, com anúncios, programas, etc.

carteira (**car.tei.ra**) [kɐr'tɐjrɐ] *n.f.* **1** estojo com divisões para guardar papéis, dinheiro, cartões, etc. **2** bolsa de mão **3** mesa inclinada para escrever ou estudar **4** conjunto de títulos (letras, extratos de fatura, etc.) pertencentes a um investidor ◆ [BRAS.] **carteira de identidade** bilhete de identidade; **carteira profissional** documento oficial para identificação e prova de habilitação profissional do seu portador

carteirista (**car.tei.ris.ta**) [kɐrtɐj'riʃtɐ] *n.2g.* ladrão de carteiras

carteiro (**car.tei.ro**) [kɐr'tɐjru] *n.m.* funcionário dos correios que distribui a correspondência pelas casas das pessoas

cartel (**car.tel**) [kɐr'tɛɫ] *n.m.* **1** escrito ou mensagem que contém provocação **2** acordo entre várias empresas de um dado setor que tem por fim obter ou defender o monopólio em determinado mercado **3** acordo entre chefes militares em guerra para um fim comum

cartesiano (**car.te.si:a.no**) [kɐrtə'zjɐnu] *adj.* de Descartes ou relativo ao seu sistema filosófico

cartilagem (**car.ti.la.gem**) [kɐrti'laʒɐ̃j̃] *n.f.* tecido elástico e resistente que se encontra nas extremidades dos ossos

cartilha (**car.ti.lha**) [kɐr'tiʎɐ] *n.f.* livro para aprender a ler

cartografia (**car.to.gra.fi.a**) [kɐrtugrɐ'fiɐ] *n.f.* ciência e técnica de desenhar mapas

cartógrafo (**car.tó.gra.fo**) [kɐr'tɔgrɐfu] *n.m.* pessoa que faz mapas

cartola (**car.to.la**) [kɐr'tɔlɐ] *n.f.* chapéu com copa alta e cilíndrica, geralmente de cor preta

cartolina (**car.to.li.na**) [kɐrtu'linɐ] *n.f.* espécie de papelão liso e fino, mais espesso do que o papel

cartomancia (**car.to.man.ci.a**) [kɐrtumɐ̃'siɐ] *n.f.* suposta adivinhação por meio de cartas de jogar

cartomante (**car.to.man.te**) [kɐrtu'mɐ̃t(ə)] *n.2g.* pessoa que pretende adivinhar o futuro por meio das cartas de jogar

cartoon [kar'tũ] *n.m.* ⟨*pl.* cartoons⟩ desenho cómico ou crítico, publicado normalmente em revistas ou jornais

cartoonista (**car.too.nis.ta**) [kɐrtu'niʃtɐ] *n.2g.* autor ou desenhador de cartoons

cartório (**car.tó.ri:o**) [kɐr'tɔrju] *n.m.* **1** arquivo de documentos públicos **2** escritório de notário

cartucho (**car.tu.cho**) [kɐr'tuʃu] *n.m.* **1** dispositivo removível que contém a tinta usada nas impressoras a jato de tinta **SIN.** tinteiro **2** saco de papel para embrulhos **3** carga para armas de fogo ◆ **queimar os últimos cartuchos** utilizar o último recurso para conseguir algo

caruma (**ca.ru.ma**) [kɐ'rumɐ] *n.f.* folha fina e pontiaguda do pinheiro

caruncho (**ca.run.cho**) [kɐ'rũʃu] *n.m.* **1** inseto que rói a madeira, reduzindo-a a pó **2** pó produzido pela ação desse inseto na madeira **3** *fig.* velhice

carvalho (**car.va.lho**) [kɐr'vaʎu] *n.m.* **1** árvore ou arbusto que fornece madeira e cortiça **2** madeira dessa árvore

carvão (**car.vão**) [kɐr'vɐ̃w̃] *n.m.* **1** 👁 substância vegetal ou mineral, sólida e negra, obtida por meio de combustão da matéria orgânica, que é usada como combustível **2** pedaço de madeira mal queimada

casa (**ca.sa**) ['kazɐ] *n.f.* **1** construção destinada à habitação **2** abertura na roupa onde prende o botão **3** lugar ocupado por um algarismo em relação a outros do mesmo número **4** cada uma das divisões da tabuada **5** período de tempo correspondente a 10 anos, sobretudo na vida de alguém: *O avô dela está na casa dos noventa.* **SIN.** década ◆ **andar com a casa às costas** transportar coisas de um lado para o outro, sobretudo em período de mudanças; **casa da moeda** estabelecimento encarregado da cunhagem e emissão do dinheiro; **casa das máquinas** compartimento onde se encontram os motores e aparelhos necessários ao funcionamento de um elevador; **casa de banho** divisão de uma habitação ou de um espaço público destinada aos cuidados de higiene; **casa de pasto** estabelecimento onde se servem refeições geralmente a baixo preço; **casa de saúde** estabelecimento hospitalar, geralmente privado, que recebe doentes mediante pagamento; **casa roubada, trancas à porta** providências tomadas depois de acontecer algo de mal; **montar casa** mobilar a residência com todos os apetrechos necessários à sua habitação; **sentir-se em casa** estar à vontade; proceder sem cerimónias; **ser da casa** ser íntimo ou conhecido de alguém

casaca (ca.sa.ca) [kɐ'zakɐ] *n.f.* peça de vestuário masculino de cerimónia, com abas que descem a partir da cintura ◆ **cortar na casaca de alguém** dizer mal de uma pessoa que está ausente; **virar a casaca** mudar de opinião, de partido político, etc.

casacão (ca.sa.cão) [kɐzɐ'kɐ̃w̃] *n.m.* casaco grande feito de tecido grosso; sobretudo

casaco (ca.sa.co) [kɐ'zaku] *n.m.* peça de vestuário com mangas que se usa como agasalho

casado (ca.sa.do) [kɐ'zadu] *adj.* que está unido a outra pessoa por casamento ◆ **casado(s) de fresco** casado(s) há pouco tempo

casadouro (ca.sa.dou.ro) [kɐzɐ'do(w)ru] *adj.* que está em idade de casar

casa-forte (ca.sa-.for.te) [kazɐ'fɔrt(ə)] *n.f.* ⟨*pl.* casas-fortes⟩ compartimento revestido de paredes espessas e com porta segura para guardar valores (dinheiro, joias, documentos)

casal (ca.sal) [kɐ'zaɫ] *n.m.* **1** conjunto de macho e fêmea **2** marido e mulher **3** par de namorados

casamenteiro (ca.sa.men.tei.ro) [kɐzɐmẽ'tɐjru] *n.m.* pessoa que gosta de arranjar casamentos para os outros

casamento (ca.sa.men.to) [kɐzɐ'mẽtu] *n.m.* **1** união legal entre duas pessoas que pretendem constituir família em conjunto; matrimónio **2** cerimónia em que se celebra essa união; boda

casario (ca.sa.ri.o) [kɐzɐ'riu] *n.m.* aglomerado de casas

casar(-se) (ca.sar(-se)) [kɐ'zar(sə)] *v.* **1** ligar(-se) pelo casamento **2** *fig.* combinar(-se); conciliar(-se)

casca (cas.ca) ['kaʃkɐ] *n.f.* revestimento externo de frutos, sementes, ovos, etc. ◆ **sair da casca 1** mostrar-se atrevido **2** começar a revelar-se; começar a libertar-se de **3** começar a ser independente; tornar-se adulto

casca-grossa (cas.ca-.gros.sa) [kaʃkɐ'grɔsɐ] *n.2g.* ⟨*pl.* cascas-grossas⟩ *coloq.* pessoa de trato rude

cascalho (cas.ca.lho) [kɐʃ'kaʎu] *n.m.* **1** pedra miúda ou partida em lascas **2** *coloq.* moedas de pouco valor

cascar (cas.car) [kɐʃ'kar] *v.* **1** ⟨**+em**⟩ *coloq.* bater: *O João cascou no irmão.* **2** ⟨**+em**⟩ *coloq.* criticar: *O jornalista cascou no filme.*

cascata (cas.ca.ta) [kɐʃ'katɐ] *n.f.* queda de água entre pedras

cascavel (cas.ca.vel) [kɐʃkɐ'vɛɫ] *n.f.* **1** serpente venenosa que se desloca produzindo um ruído semelhante ao de guizos **2** *fig.* pessoa má

casco (cas.co) ['kaʃku] *n.m.* **1** revestimento do pé de animais como o cavalo, a vaca, o veado, etc. **2** esqueleto de uma construção **3** vasilha para vinho ◆ *coloq.* **cascos de rolha** muito distante; muito longe: *Esse lugar fica em cascos de rolha.*

casebre (ca.se.bre) [kɐ'zɛbr(ə)] *n.m.* casa pequena e degradada

caseiro (ca.sei.ro) [kɐ'zɐjru] *adj.* **1** relativo a casa **2** que gosta de estar em casa ■ *n.m.* pessoa que trata de uma casa ou de uma quinta na ausência do dono

caserna (ca.ser.na) [kɐ'zɛrnɐ] *n.f.* casa onde dormem os soldados dentro de um quartel

casinha (ca.si.nha) [kɐ'ziɲɐ] ⟨*dim. de* casa⟩ *n.f.* **1** casa pequena **2** *coloq.* quarto de banho

casino (ca.si.no) [kɐ'zinu] *n.m.* estabelecimento com salas para jogar, dançar, assistir a espetáculos, etc.

casmurrice (cas.mur.ri.ce) [kɐʒmu'ʀi(sə)] *n.f.* qualidade, teima ou dito de casmurro

casmurro (cas.mur.ro) [kɐʒ'muʀu] *adj.* teimoso

caso (ca.so) ['kazu] *n.m.* acontecimento; facto ◆ **cara de caso** aspeto de quem está preocupado; **não fazer caso de** não se interessar por

casório (ca.só.ri:o) [kɐ'zɔrju] *n.m. coloq.* casamento

casota (ca.so.ta) [kɐ'zɔtɐ] ⟨*dim. de* casa⟩ *n.f.* pequena construção para abrigar um cão

caspa (cas.pa) ['kaʃpɐ] *n.f.* escamas finas e brancas que se desprendem do couro cabeludo

caspiano (cas.pi:a.no) [kɐʃ'pjɐnu] *adj.* relativo ao mar Cáspio

Cáspio (Cás.pi:o) ['kaʃpju] *n.m.* mar situado entre a Europa e a Ásia (é o maior lago salgado do mundo)

casquilho (cas.qui.lho) [kɐʃ'kiʎu] *n.m.* parte metálica de uma lâmpada, por onde esta se enrosca no encaixe

cassar (cas.sar) [kɐ'sar] *v.* tornar sem efeito **SIN.** anular

cassete (cas.se.te) [ka'sɛt(ə)] *n.f.* pequena caixa que contém fita magnética em que se registam sons (cassete áudio) ou imagens e sons (videocassete) que se podem reproduzir num aparelho de leitura

cassetete (cas.se.te.te) [kasə'tɛt(ə)] *n.m.* bastão curto com alça numa das extremidades

cassumbular (cas.sum.bu.lar) [kɐsũbu'lar] *v.* [ANG.] apanhar à força; arrancar

casta (cas.ta) ['kaʃtɐ] *n.f.* **1** variedade de uma espécie animal ou vegetal **2** grupo social fechado **3** *fig.* qualidade

castanha (cas.ta.nha) [kɐʃ'tɐɲɐ] *n.f.* semente do fruto do castanheiro (ouriço), rica em amido, que se come geralmente assada ou cozida

castanheiro (cas.ta.nhei.ro) [kɐʃtɐ'ɲɐjru] *n.m.* árvore grande que produz frutos comestíveis (castanhas)

astanho (cas.ta.nho) [kɐʃ'tɐɲu] *n.m.* cor da casca da castanha madura

astanholas (cas.ta.nho.las) [kɐʃtɐ'ɲɔlɐʃ] *n.f.pl.* instrumento musical composto de duas peças de madeira em forma de concha, ligadas por cordel, que se fazem bater uma na outra com os dedos

astelhano (cas.te.lha.no) [kɐʃtə'ʎɐnu] *adj.* relativo a Castela (Espanha) ■ *n.m.* **1** pessoa natural de Castela **2** pessoa natural de Espanha **3** língua falada em Espanha e em alguns países da América Latina

astelo (cas.te.lo) [kɐʃ'tɛlu] *n.m.* **1** construção em lugar elevado, com muralhas e torres **2** *fig.* amontoado de coisas ♦ **castelos no ar** fantasias; ilusões

astiçal (cas.ti.çal) [kɐʃti'saɫ] *n.m.* utensílio para segurar uma ou mais velas

astiço (cas.ti.ço) [kɐʃ'tisu] *adj.* **1** puro; genuíno **2** *coloq.* engraçado

astidade (cas.ti.da.de) [kɐʃti'dad(ə)] *n.f.* **1** abstenção de praticar atos sexuais **2** pureza

astigar (cas.ti.gar) [kɐʃti'gar] *v.* fazer cumprir uma pena ou um castigo por ter feito algo condenável **SIN.** punir

astigo (cas.ti.go) [kɐʃ'tigu] *n.m.* pena ou obrigação que alguém tem de cumprir por ter feito algo condenável **SIN.** punição

asting ['kaʃtĩg] *n.m.* ⟨*pl.* castings⟩ processo de escolha dos atores para filme, peça ou programa

asto (cas.to) ['kaʃtu] *adj.* **1** que se abstém de atos sexuais **2** puro

astor (cas.tor) [kɐʃ'tor] *n.m.* 👁 mamífero roedor, anfíbio, com pelo castanho, macio, e cauda achatada em forma de remo

astração (cas.tra.ção) [kɐʃtrɐ'sɐ̃w̃] *n.f.* **1** extração dos órgãos reprodutores **2** *fig.* repressão

astrar (cas.trar) [kɐʃ'trar] *v.* extrair os órgãos reprodutores; capar

astro (cas.tro) ['kaʃtru] *n.m.* **1** fortificação pré-romana e romana **2** antiga povoação fortificada

asual (ca.su:al) [kɐ'zwaɫ] *adj.2g.* que depende do acaso **SIN.** acidental; eventual

casualidade (ca.su:a.li.da.de) [kɐzwɐli'dad(ə)] *n.f.* qualidade do que é casual **SIN.** acaso; eventualidade

casulo (ca.su.lo) [kɐ'zulu] *n.m.* **1** 👁 cobertura composta de fios muito finos, tecida pela larva do bicho-da-seda e de outros insetos **2** cápsula que envolve as sementes de certos frutos

cataclismo (ca.ta.clis.mo) [kɐtɐ'kliʒmu] *n.m.* **1** transformação de grandes proporções da crosta terrestre **2** grande inundação **3** convulsão social

catacumbas (ca.ta.cum.bas) [kɐtɐ'kũbɐʃ] *n.f.pl.* lugar subterrâneo usado como cemitério ou esconderijo

catadupa (ca.ta.du.pa) [kɐtɐ'dupɐ] *n.f.* grande queda de água corrente; catarata ♦ **em catadupa** em grande quantidade

catalão (ca.ta.lão) [kɐtɐ'lɐ̃w̃] *adj.* da Catalunha (região de Espanha) ■ *n.m.* **1** natural da Catalunha **2** língua românica falada na Catalunha

catalisador (ca.ta.li.sa.dor) [kɐtɐlizɐ'dor] *n.m.* substância que modifica a velocidade das reações químicas

catalogar (ca.ta.lo.gar) [kɐtɐlu'gar] *v.* ordenar ou apresentar em catálogo

catálogo (ca.tá.lo.go) [kɐ'talugu] *n.m.* lista ou publicação que apresenta coisas ou pessoas, geralmente com informações a respeito de cada uma

catamarã (ca.ta.ma.rã) [kɐtɐmɐ'rɐ̃] *n.m.* barco formado por dois cascos unidos entre si por uma plataforma ao nível do convés

catana (ca.ta.na) [kɐ'tɐnɐ] *n.f.* **1** faca comprida e larga; faca de mato **2** sabre de lâmina curta e larga

cataplasma (ca.ta.plas.ma) [kɐtɐ'plaʒmɐ] *n.f.* massa com propriedades medicinais que se aplica sobre a pele

catapultar (ca.ta.pul.tar) [kɐtɐpuɫ'tar] *v.* **1** lançar com catapulta **2** *fig.* promover; estimular

catar (ca.tar) [kɐ'tar] *v.* procurar e matar os parasitas da pele ou do cabelo ♦ *coloq.* **ir-se catar** mandar embora, com enfado ou desprezo

catarata (ca.ta.ra.ta) [kɐtɐ'ratɐ] *n.f.* **1** grande queda de água **2** doença dos olhos que impede de ver com clareza e pode levar à cegueira

catarro (ca.tar.ro) [kɐ'taʀu] *n.m.* **1** muco originado pela inflamação das mucosas **2** constipação, acompanhada de tosse

catarse (ca.tar.se) [kɐ'tarz(ə)] *n.f.* libertação de emoções e tensões que se encontram ao nível do inconsciente

catártico (ca.tár.ti.co) [kɐ'tartiku] *adj.* relativo a catarse

catástrofe (ca.tás.tro.fe) [kɐ'taʃtruf(ə)] *n.f.* grande desgraça, geralmente de origem natural (tempestade, sismo, etc.) **SIN.** calamidade

catastrófico (ca.tas.tró.fi.co) [kɐtɐʃ'trɔfiku] *adj.* relativo a catástrofe **SIN.** desastroso

catatua (ca.ta.tu.a) [kɐtɐ'tuɐ] *n.f.* ◈ ave do grupo dos papagaios, de plumagem geralmente branca e cabeça com uma crista de penas

cata-vento (ca.ta-.ven.to) [katɐ'vẽtu] *n.m.* ⟨*pl.* cata--ventos⟩ **1** lâmina metálica ou bandeirinha enfiada numa haste colocada no cimo de um telhado para indicar a direção do vento **2** *fig.* pessoa que muda frequentemente de opinião

catecismo (ca.te.cis.mo) [kɐtə'siʒmu] *n.m.* livro onde se expõem os princípios básicos da religião cristã

cátedra (cá.te.dra) ['katədrɐ] *n.f.* **1** cargo de professor catedrático de uma cadeira universitária **2** disciplina ou matéria ensinada por esse professor

catedral (ca.te.dral) [kɐtə'draɫ] *n.f.* igreja principal de uma diocese; sé

catedrático (ca.te.drá.ti.co) [kɐtə'dratiku] *adj.* relativo a cátedra ▪ *n.m.* **1** (ensino superior) último grau da carreira docente **2** (ensino superior) professor encarregado da orientação pedagógica e científica de uma disciplina, de um grupo de disciplinas ou de um departamento

categoria (ca.te.go.ri.a) [kɐtəgu'riɐ] *n.f.* **1** conjunto de seres ou coisas que possuem características comuns e podem ser definidas ou designadas por um conceito genérico **SIN.** classe; grupo **2** ordem; hierarquia **3** natureza; carácter ◆ **ter categoria** ter valor

categórico (ca.te.gó.ri.co) [kɐtə'gɔriku] *adj.* **1** decisivo **2** explícito; claro

catembe (ca.tem.be) [kɐ'tẽb(ə)] *n.m.* [MOÇ.] bebida preparada a partir de mistura de vinho com refrigerante

catequese (ca.te.que.se) [kɐtə'kɛz(ə)] *n.f.* ensino da doutrina da religião cristã

catequista (ca.te.quis.ta) [kɐtə'kiʃtɐ] *n.2g.* pessoa que ensina os princípios da religião cristã

catering [kɐjtə'rĩg] *n.m.* serviço de fornecimento de refeições preparadas, por exemplo para banquetes, festas, voos, etc.

cateter (ca.te.ter) [kɐtə'tɛr] *n.m.* tubo fino e flexível que se introduz ao longo de um canal do organismo (artéria, veia, canal lacrimal, uretra, etc.) para introduzir substâncias com propriedades medicinais, realizar drenagens, etc.

cateto (ca.te.to) [kɐ'tɛtu] *n.m.* cada um dos lados do ângulo reto de um triângulo retângulo

catita (ca.ti.ta) [kɐ'titɐ] *adj.2g. coloq.* bem arranjado ou bem vestido **SIN.** elegante

cativante (ca.ti.van.te) [kɐti'vɐ̃t(ə)] *adj.2g.* que cativa ou atrai **SIN.** atraente

cativar (ca.ti.var) [kɐti'var] *v.* ganhar a simpatia de (alguém) **SIN.** atrair

cativeiro (ca.ti.vei.ro) [kɐti'vɐjru] *n.m.* lugar onde se está cativo; prisão

cativo (ca.ti.vo) [kɐ'tivu] *n.m.* preso; encarcerado

cato (ca.to)[AO] ['katu] *n.m.* planta coberta de espinhos que armazena água no caule e existe em zonas muito secas

catolicismo (ca.to.li.cis.mo) [kɐtuli'siʒmu] *n.m.* religião cristã que reconhece o Papa como chefe da igreja católica

católico (ca.tó.li.co) [kɐ'tɔliku] *adj.* **1** relativo à igreja católica **2** diz-se da pessoa que segue o catolicismo ▪ *n.m.* seguidor do catolicismo

catorze (ca.tor.ze) [kɐ'torʒ(ə)] *num.card.* dez mais quatro ▪ *n.m.* o número 14

catota (ca.to.ta) [kɐ'tɔtɐ] *n.f. coloq.* muco nasal ressequido

catraia (ca.trai.a) [kɐ'trajɐ] *n.f. coloq.* rapariga; garota

catraio (ca.trai.o) [kɐ'traju] *n.m. coloq.* rapaz; garoto

catrapus (ca.tra.pus) [kɐtrɐ'puʃ] *interj.* imita o som de uma queda repentina

catumua (ca.tu.mu.a) [kɐtu'muɐ] *n.m.* [ANG.] mensageiro

caturra (ca.tur.ra) [kɐ'tuʀɐ] *adj.,n.2g.* teimoso

caturrice (ca.tur.ri.ce) [kɐtu'ʀi(sə)] *n.f.* teimosia

caução (cau.ção) [kaw'sɐ̃w̃] *n.f.* garantia do pagamento de uma obrigação

caucasiano (**cau.ca.si:a.no**) [kawkɐ'zjɐnu] *n.m.* **1** pessoa oriunda da região do Cáucaso **2** (divisão étnica) pessoa branca

cauda (**cau.da**) ['kawdɐ] *n.f.* **1** extremidade posterior, mais ou menos longa, do corpo de alguns animais **2** parte traseira de um vestido comprido **3** rasto luminoso dos cometas

caudal (**cau.dal**) [kaw'daɫ] *adj.2g.* relativo à cauda ■ *n.m.* corrente de um rio

caule (**cau.le**) ['kawl(ə)] *n.m.* parte do eixo de uma planta que suporta as folhas

causa (**cau.sa**) ['kawzɐ] *n.f.* aquilo que faz com que algo aconteça; razão de ser **SIN.** motivo ◆ **por causa de** devido a; em consequência de: *Não fui à escola por causa das dores de dentes.*

causador (**cau.sa.dor**) [kawzɐ'dor] *adj.* que causa ou provoca ■ *n.m.* pessoa que origina um acontecimento; agente

causal (**cau.sal**) [kaw'zaɫ] *adj.2g.* **1** relativo a causa **2** que exprime causa

causalidade (**cau.sa.li.da.de**) [kawzɐli'dad(ə)] *n.f.* **1** qualidade do que é causal **2** ligação entre causa e efeito

causar (**cau.sar**) [kaw'zar] *v.* ser causa de **SIN.** originar; provocar

cáustico (**cáus.ti.co**) ['kawʃtiku] *n.m.* substância que queima tecidos orgânicos ■ *adj.* **1** (substância) que destrói tecidos orgânicos; corrosivo **2** *fig.* sarcástico; mordaz

cautela (**cau.te.la**) [kaw'tɛlɐ] *n.f.* **1** cuidado para evitar um mal **SIN.** prevenção **2** fração de um bilhete de lotaria **3** senha de penhor ◆ **à cautela** como precaução

cautelosamente (**cau.te.lo.sa.men.te**) [kawtəlozɐ'mẽt(ə)] *adv.* com cautela; com prudência

cauteloso (**cau.te.lo.so**) [kawtə'lozu] *adj.* prudente

cava (**ca.va**) ['kavɐ] *n.f.* abertura no vestuário, onde se pregam as mangas

cavaca (**ca.va.ca**) [kɐ'vakɐ] *n.f.* **1** lasca de lenha **2** biscoito revestido de calda de açúcar

cavaco (**ca.va.co**) [kɐ'vaku] *n.m.* **1** lasca de madeira **2** *coloq.* conversa amigável e despreocupada ◆ *coloq.* **não dar cavaco** **1** não prestar atenção **2** não responder

cavado (**ca.va.do**) [kɐ'vadu] *adj.* **1** que se cavou ou revolveu; escavado **2** que tem profundidade; fundo **3** em que se fez cava (roupa)

cavala (**ca.va.la**) [kɐ'valɐ] *n.f.* peixe comestível, de cor azul esverdeada

cavalar (**ca.va.lar**) [kɐvɐ'lar] *adj.2g.* **1** relativo a cavalo **2** que pertence à raça do cavalo

cavalaria (**ca.va.la.ri.a**) [kɐvɐlɐ'riɐ] *n.f.* **1** grande quantidade de cavalos **2** tropa composta por soldados a cavalo

cavalariça (**ca.va.la.ri.ça**) [kɐvɐlɐ'risɐ] *n.f.* local onde se recolhem cavalos **SIN.** estrebaria

cavaleiro (**ca.va.lei.ro**) [kɐvɐ'lɐjru] *n.m.* indivíduo que anda a cavalo

cavalete (**ca.va.le.te**) [kɐvɐ'let(ə)] *n.m.* suporte de madeira onde se apoia uma tela

cavalgada (**ca.val.ga.da**) [kɐvaɫ'gadɐ] *n.f.* passeio a cavalo

cavalgadura (**ca.val.ga.du.ra**) [kɐvaɫgɐ'durɐ] *n.f.* animal que se monta

cavalgar (**ca.val.gar**) [kɐvaɫ'gar] *v.* montar a cavalo

cavalheiresco (**ca.va.lhei.res.co**) [kɐvɐʎɐj'reʃku] *adj.* próprio de cavalheiro; cortês

cavalheiro (**ca.va.lhei.ro**) [kɐvɐ'ʎɐjru] *adj.* delicado; gentil ■ *n.m.* indivíduo muito educado e gentil

cavalitas (**ca.va.li.tas**) [kɐvɐ'litɐʃ] *elem. da loc.* **às cavalitas** às costas; sobre os ombros

cavalo (**ca.va.lo**) [kɐ'valu] *n.m.* **1** mamífero grande, com crina, veloz, usado para transporte de carga e em desportos como a equitação **2** aparelho constituído por uma parte cilíndrica forrada, assente em quatro pés, utilizado para exercícios de salto **3** no jogo do xadrez, peça que só pode ser movida em L ◆ **a cavalo dado não se olha o dente** a coisa dada não se põe defeito; **passar/ir de cavalo para burro** ficar numa situação pior; piorar; **tirar o cavalo da chuva** desistir da ideia ou pretensão em fazer algo

cavalo-de-batalha (**ca.va.lo-.de-.ba.ta.lha**) [kɐvaludəbɐ'taʎɐ] *a nova grafia é* **cavalo de batalha**[AO]

cavalo de batalha (**ca.va.lo de ba.ta.lha**)[AO] [kɐvaludəbɐ'taʎɐ] *n.m.* ⟨*pl.* cavalos de batalha⟩ argumento a que se dá muita importância ou no qual se insiste

cavalo-marinho (**ca.va.lo-.ma.ri.nho**) [kɐvalumɐ'riɲu] *n.m.* ⟨*pl.* cavalos-marinhos⟩ 👁 pequeno peixe que nada em posição vertical e cujo perfil se assemelha ao do cavalo

cavalo-vapor (ca.va.lo-.va.por) [kɐvaluvɐ'por] *n.m.* ⟨*pl.* cavalos-vapor⟩ unidade de potência equivalente a 736 watts

cavaqueira (ca.va.quei.ra) [kɐvɐ'kɐjrɐ] *n.f.* conversa amena e prolongada

cavaquinho (ca.va.qui.nho) [kɐvɐ'kiɲu] *n.m.* pequeno instrumento musical de quatro cordas

A saber que o **cavaquinho** é um dos instrumentos de corda portugueses mais populares, sendo também utilizado no Brasil e em Cabo Verde. Tem quatro cordas e não mede mais de 50 cm de comprimento. É usado para acompanhar, juntamente com outros instrumentos como a viola, cantares e danças populares.

cavar (ca.var) [kɐ'var] *v.* abrir ou revolver (a terra) com uma enxada

cave (ca.ve) ['kav(ə)] *n.f.* **1** compartimento de uma casa abaixo do nível da rua **2** adega

caveira (ca.vei.ra) [ka'vɐjrɐ] *n.f.* **1** crânio e ossos da face sem carne **2** *fig.* rosto magro e pálido

caverna (ca.ver.na) [kɐ'vɛrnɐ] *n.f.* cavidade subterrânea

caviar (ca.vi:ar) [kɐ'vjar] *n.m.* ova de esturjão, um pouco salgada

cavidade (ca.vi.da.de) [kɐvi'dad(ə)] *n.f.* espaço oco ou vazio num corpo ou numa superfície **SIN.** buraco; cova

cavilha (ca.vi.lha) [kɐ'viʎɐ] *n.f.* **1** prego de madeira ou de metal usado para tapar um orifício ou ainda para juntar ou segurar peças **2** peça, nos instrumentos de corda, onde se enrolam as cordas

cavo (ca.vo) ['kavu] *adj.* **1** côncavo; fundo **2** vazio; oco **3** (som) rouco

caxemira (ca.xe.mi.ra) [kɐʃə'mirɐ] *n.f.* tecido de lã muito fina e macia feita do pelo de um tipo de cabra da região de Caxemira (na Índia)

caxexe (ca.xe.xe) [kɐ'ʃeʃ(ə)] *n.m.* [ANG.] pequeno pássaro de cor azul celeste, de voo furtivo e canto semelhante a um riso ◆ [ANG.] **de caxexe** às escondidas; em segredo; de nível fraco

CD [se'de] *n. m.* disco compacto, com grande capacidade de armazenamento, que se destina à leitura de dados em formato digital **OBS.** Sigla de *compact disc*

CD-R [sede'ɛr] *n. m.* disco compacto que apenas permite gravar dados uma única vez **OBS.** Sigla de *compact disc recordable*

CD-ROM [sede'rõ] *n. m.* disco compacto com grande capacidade de armazenamento de dados **OBS.** Sigla de *compact disc-read only memory*

CD-RW [sedeɛr'dɐblju] *n. m.* disco compacto regravável **OBS.** Sigla de *compact disc rewritable*

CE [se'ɛ] *sigla de* Conselho da Europa ■ *sigla de* Comissão Europeia

cear (ce.ar) [si'ar] *v.* comer à/a ceia

cebola (ce.bo.la) [sə'bolɐ] *n.f.* bolbo carnudo, comestível, de cheiro forte e picante, usado em culinária

cebolada (ce.bo.la.da) [səbu'ladɐ] *n.f.* **1** molho feito de cebolas alouradas em gordura **2** grande quantidade de cebolas

cebolinho (ce.bo.li.nho) [səbu'liɲu] *n.m.* planta de cebola, antes da formação do bolbo

cecal (ce.cal) [sə'kał] *adj.2g.* relativo à parte inicial do intestino grosso

ceco (ce.co) ['sɛku] *n.m.* parte inicial e alargada do intestino grosso

cedência (ce.dên.ci:a) [sə'dẽsjɐ] *n.f.* **1** ato de ceder **2** concessão; transigência

ceder (ce.der) [sə'der] *v.* **1** ⟨+a⟩ pôr (algo) à disposição de alguém: *Cedi a minha cama ao João* **2** ⟨+a⟩ desistir de um direito em favor de outrem: *Cedi o meu lugar a um senhor idoso.* **3** ⟨+a⟩ não resistir: *O João cedeu à pressão.* **SIN.** sucumbir **4** não oferecer resistência: *A prateleira cede com o peso dos livros.* **5** ⟨+a⟩ conceder; transigir: *Cedeu aos caprichos do irmão.* **6** ⟨+a⟩ diminuir; abrandar: *A febre cedeu.*

cedido (ce.di.do) [sə'didu] *adj.* **1** que se transferiu ou doou; doado **2** colocado temporariamente à disposição de; emprestado

cedilha (ce.di.lha) [sə'diʎɐ] *n.f.* sinal que se põe debaixo da letra *c*, antes de *a*, *o* ou *u*, para indicar que se deve pronunciar *ss*: *rebuçado, poço, açúcar*

cedo (ce.do) ['sedu] *adv.* **1** antes da hora combinada ou prevista **ANT.** tarde **2** dentro de pouco tempo; depressa **3** de madrugada ◆ **mais cedo ou mais tarde** inevitavelmente

cedro (ce.dro) ['sɛdru] *n.m.* **1** árvore grande de madeira aromática **2** madeira dessa árvore

cédula (cé.du.la) ['sɛdulɐ] *n.f.* **1** documento escrito para ter efeitos legais **2** documento que contém informações sobre o seu portador

CEE [seɛ'ɛ] *sigla de* Comunidade Económica Europeia

cefaleia (ce.fa.lei.a) [səfɐ'lɐjɐ] *n.f.* dor de cabeça

cefálico (ce.fá.li.co) [sə'faliku] *adj.* relativo ao encéfalo

cegar (ce.gar) [sə'gar] *v.* **1** tornar cego **2** ficar cego

Não confundir **cegar** (perder a visão) com **segar** (cortar cereais).

cego (ce.go) ['sɛgu] *adj.* **1** que não vê **SIN.** invisual **2** *fig.* dominado por um sentimento forte (fúria, paixão, etc.) ■ *n.m.* **1** pessoa privada do sentido da visão **SIN.** invisual **2** parte inicial do intestino grosso ♦ **às cegas** sem saber por onde; *coloq.* **bater no ceguinho** insistir desnecessariamente

cegonha (ce.go.nha) [sə'goɲɐ] *n.f.* ave grande, de asas largas, plumagem branca ou negra, bico vermelho comprido e patas altas

cegueira (ce.guei.ra) [sə'gɐjrɐ] *n.f.* perda do sentido da visão

cegueta (ce.gue.ta) [sɛ'getɐ] *n.2g. coloq.* pessoa que vê muito mal

ceia (cei.a) ['sɐjɐ] *n.f.* refeição tomada à noite ♦ **Última Ceia** refeição de Cristo e dos Apóstolos durante a qual foi instituída a Eucaristia

ceifa (cei.fa) ['sɐjfɐ] *n.f.* **1** colheita dos cereais **2** época do ano em que se faz essa colheita

ceifar (cei.far) [sɐj'far] *v.* **1** cortar (os cereais) com uma foice ou outro instrumento **SIN.** segar **2** *fig.* tirar a vida a

ceifeira (cei.fei.ra) [sɐj'fɐjrɐ] *n.f.* máquina de ceifar

ceifeiro (cei.fei.ro) [sɐj'fɐjru] *n.m.* pessoa que ceifa

cela (ce.la) ['sɛlɐ] *n.f.* **1** quarto na prisão **2** nos conventos, aposento de um religioso

---

Não confundir **cela** (quarto, aposento) com **sela** (aparelho para montar a cavalo).

---

celebração (ce.le.bra.ção) [sələbrɐ'sɐ̃w̃] *n.f.* **1** ato de celebrar (um acontecimento, uma data, etc.) **SIN.** comemoração; festejo **2** realização de uma cerimónia religiosa

celebrado (ce.le.bra.do) [sələ'bradu] *adj.* que se celebrou com festa **SIN.** comemorado; festejado

celebrar (ce.le.brar) [sələ'brar] *v.* **1** marcar (acontecimento, data) com uma festa **SIN.** comemorar **2** concluir (contrato, acordo) **3** dizer; rezar (missa)

célebre (cé.le.bre) ['sɛləbr(ə)] *adj.2g.* que tem grande fama; que é muito conhecido **SIN.** famoso

celebridade (ce.le.bri.da.de) [sələbri'dad(ə)] *n.f.* **1** fama **2** pessoa famosa

celebrizar (ce.le.bri.zar) [sələbri'zar] *v.* **1** tornar célebre, notável **2** comemorar; festejar

celeiro (ce.lei.ro) [sə'lɐjru] *n.m.* lugar onde se guardam cereais

célere (cé.le.re) ['sɛlər(ə)] *adj.2g.* rápido; veloz

celeste (ce.les.te) [sə'lɛʃt(ə)] *adj.2g.* **1** relativo ao céu **2** que está no céu

celestial (ce.les.ti:al) [sələʃ'tjaɫ] *adj.2g.* **1** próprio do céu **2** divino

celeuma (ce.leu.ma) [sə'lewmɐ] *n.f.* **1** barulho das vozes de pessoas que trabalham juntas **2** algazarra **3** debate aceso

celibatário (ce.li.ba.tá.ri:o) [səlibɐ'tarju] *n.m.* pessoa que permanece solteira

celibato (ce.li.ba.to) [səli'batu] *n.m.* estado da pessoa adulta que, por opção, não casou

celofanado (ce.lo.fa.na.do) [səlufɐ'nadu] *adj.* envolvido em celofane

celofane (ce.lo.fa.ne) [səlɔ'fɐn(ə)] *n.m.* película muito fina, impermeável e transparente, usada como embrulho ou proteção

Celsius ['sɛɫsjuʃ] *adj.2g.* diz-se da escala de temperatura em que 0 °C é a temperatura de fusão do gelo, e 100 °C a temperatura de ebulição da água

celta (cel.ta) ['sɛɫtɐ] *adj.2g.* relativo aos povos da época pré-romana que ocuparam a Europa central e ocidental ▪ *n.2g.* pessoa pertencente a um desses povos ▪ *n.m.* ramo de línguas faladas por esses povos

céltico (cél.ti.co) ['sɛɫtiku] *adj.* dos Celtas

célula (cé.lu.la) ['sɛlulɐ] *n.f.* **1** unidade microscópica básica de qualquer ser vivo **2** pequena cela **3** pequena cavidade; cubículo

celular (ce.lu.lar) [səlu'lar] *adj.2g.* **1** relativo a célula **2** formado por células ▪ *n.m.* [BRAS.] telemóvel

celulite (ce.lu.li.te) [səlu'lit(ə)] *n.f.* alteração visível da pele ou do tecido situado sob a pele

celuloide (ce.lu.loi.de)[AO] [səlu'lɔjd(ə)] *n.m.* substância plástica usada em filmes fotográficos, etc.

celulóide (ce.lu.lói.de) [səlu'lɔjd(ə)] *a nova grafia é* **celuloide**[AO]

celulose (ce.lu.lo.se) [səlu'lɔz(ə)] *n.f.* constituinte das membranas das células vegetais, usado em diversas indústrias químicas

cem (cem) ['sɐ̃j̃] *num.card.* noventa mais dez ▪ *n.m.* **1** o número 100 **2** *fig.* muitos ♦ **cem por cento** totalmente; inteiramente

---

Não confundir **cem** (número 100) com **sem** (preposição): *Ele emprestou-lhe* ***cem*** *euros. Ela saiu de casa* ***sem*** *dinheiro.*

---

cemitério (ce.mi.té.ri:o) [səmi'tɛrju] *n.m.* lugar onde se enterram os mortos

cena (ce.na) ['senɐ] *n.f.* **1** parte do teatro onde os atores representam para o público **2** numa peça de teatro, divisão de um ato **3** situação que impressiona **4** *fig.* facto escandaloso ♦ **fazer cenas** provocar um escândalo

cenário (ce.ná.ri:o) [sə'narju] *n.m.* **1** lugar onde se desenrola a ação (ou parte da ação) de uma peça teatral, de um filme, etc. **2** decoração do espaço de representação numa peça de teatro, num filme, etc. **3** ambiente que rodeia um acontecimento; contexto

cénico (cé.ni.co) ['sɛniku] *adj.* relativo à representação teatral

cenoura (ce.nou.ra) [sə'no(w)rɐ] *n.f.* raiz comestível alongada, dura, de cor alaranjada, muito utilizada na alimentação

censo (cen.so) ['sẽsu] *n.m.* contagem (de população); recenseamento

Não confundir **censo** (recenseamento) com **senso** (juízo, compreensão).

censor (cen.sor) [sẽ'sor] *n.m.* pessoa que censura; crítico

Não confundir **censor** (crítico) com **sensor** (dispositivo eletrónico).

censura (cen.su.ra) [sẽ'surɐ] *n.f.* **1** crítica; condenação **2** exame crítico de um texto, filme ou qualquer obra, no sentido de banir ou cortar o que não segue as normas políticas, morais ou religiosas

censurar (cen.su.rar) [sẽsu'rar] *v.* **1** criticar; condenar **2** examinar (texto, filme, etc.) banindo ou cortando o que não segue as normas políticas, morais ou religiosas

censurável (cen.su.rá.vel) [sẽsu'ravɛɫ] *adj.2g.* que merece censura; condenável

cent ['sẽt] *n.m.* ⟨*pl.* cents⟩ cada uma das cem unidades em que se divide o euro

centavo (cen.ta.vo) [sẽ'tavu] *n.m.* centésima parte do escudo, antiga unidade monetária de Portugal (substituída pelo euro em 1999)

centeio (cen.tei.o) [sẽ'tɐju] *n.m.* planta herbácea, cujo grão se reduz a farinha, usada para fazer pão

centelha (cen.te.lha) [sẽ'tɐ(j)ʎɐ] *n.f.* **1** partícula luminosa que se desprende de um material em brasa; faísca **2** *fig.* inspiração

centena (cen.te.na) [sẽ'tenɐ] *n.m.* conjunto de cem unidades; cento

centenário (cen.te.ná.ri:o) [sẽtə'narju] *adj.* que tem cem anos ▪ *n.m.* comemoração dos cem anos de existência

centésimo (cen.té.si.mo) [sẽ'tɛzimu] *adj.* que ocupa o lugar número 100 ▪ *num.frac.* que resulta da divisão de um todo por 100 ▪ *n.m.* cada uma das cem partes em que se dividiu uma unidade; a centésima parte

centígrado (cen.tí.gra.do) [sẽ'tigrɐdu] *adj.* que pertence a uma escala dividida em cem graus

centilitro (cen.ti.li.tro) [sẽti'litru] *n.m.* centésima parte do litro (símbolo: cl)

centímetro (cen.tí.me.tro) [sẽ'timətru] *n.m.* centésima parte do metro (símbolo: cm)

cêntimo (cên.ti.mo) ['sẽtimu] *n.m.* **1** cada uma das cem unidades em que se divide o euro **2** centésima parte da unidade monetária de vários países

cento (cen.to) ['sẽtu] *n.m.* conjunto de cem unidades; centena

centopeia (cen.to.pei.a) [sẽtu'pɐjɐ] *n.f.* animal invertebrado com o corpo dividido em vinte e um segmentos, a cada um dos quais corresponde um par de patas

central (cen.tral) [sẽ'traɫ] *adj.2g.* **1** que fica no centro **2** que diz respeito ao centro

centralização (cen.tra.li.za.ção) [sẽtrɐlizɐ'sɐ̃w̃] *n.f.* ato ou efeito de reunir num centro comum **SIN.** concentração

centralizar (cen.tra.li.zar) [sẽtrɐli'zar] *v.* reunir num único centro; concentrar

centrar (cen.trar) [sẽ'trar] *v.* **1** determinar o centro de **2** colocar no centro **3** concentrar num dado ponto

centrifugação (cen.tri.fu.ga.ção) [sẽtrifugɐ'sɐ̃w̃] *n.f.* processo de separação de partículas sólidas ou líquidas de densidade diferente de um corpo através de um movimento rotativo forte

centrifugadora (cen.tri.fu.ga.do.ra) [sẽtrifugɐ'dorɐ] *n.f.* máquina que permite separar sólidos existentes em suspensão nos líquidos

centrifugar (cen.tri.fu.gar) [sẽtrifu'gar] *v.* separar (os elementos de uma mistura), submetendo-os a um movimento de rotação

centrífugo (cen.trí.fu.go) [sẽ'trifugu] *adj.* que se afasta ou tende a afastar-se do centro

centrismo (cen.tris.mo) [sẽ'triʒmu] *n.m.* tendência ou orientação política intermédia relativamente à direita e à esquerda

centro (cen.tro) ['sẽtru] *n.m.* **1** ponto que fica no meio **2** lugar de convergência; núcleo **3** parte mais ativa de uma cidade, vila, etc. **4** sociedade, clube ◆ **centro comercial** recinto coberto, geralmente de grandes proporções, onde se encontram reunidas diversas lojas e serviços (cinemas, agências bancárias, etc.) e que dispõe normalmente de parque de estacionamento **SIN.** shopping

cepa (ce.pa) ['sepɐ] *n.f.* caule ou tronco da videira ◆ **não passar da cepa torta** não progredir **SIN.** estagnar

cepo (ce.po) ['sepu] *n.m.* **1** pedaço de um tronco de árvore **SIN.** toro **2** *fig., pej.* pessoa estúpida **3** *fig., pej.* pessoa pouco ágil

cepticismo (cep.ti.cis.mo) [sɛti'siʒmu] *a nova grafia é* **ceticismo**[AO]

céptico (cép.ti.co) ['sɛtiku] *a nova grafia é* **cético**[AO]

ceptro (cep.tro) ['sɛtru] *a nova grafia é* **cetro**[AO]

cera (ce.ra) ['serɐ] *n.f.* **1** substância produzida pelas abelhas e com que elas constroem os favos de mel **2** produto usado para dar lustro e conservar madeiras **3** substância amarela, semelhante à cera das abelhas, segregada no ouvido externo dos mamíferos

erâmica (ce.râ.mi.ca) [sə'rɐmikɐ] *n.f.* **1** arte de fabricar louça de barro; olaria **2** conjunto de objetos de barro cozido

erâmico (ce.râ.mi.co) [sə'rɐmiku] *adj.* **1** relativo a cerâmica **2** feito em cerâmica

eramista (ce.ra.mis.ta) [sərɐ'miʃtɐ] *n.2g.* pessoa que trabalha em cerâmica

erca (cer.ca) ['serkɐ] *n.f.* **1** muro ou sebe que rodeia um terreno **2** terreno vedado por muro ou sebe ♦ **cerca de** perto de SIN. aproximadamente

ercado (cer.ca.do) [sər'kadu] *adj.* **1** delimitado com cerca ou sebe; vedado **2** que sofreu cerco; bloqueado

ercadura (cer.ca.du.ra) [sərkɐ'durɐ] *n.f.* **1** aquilo que cerca ou delimita **2** ornamento à volta de um objeto

ercanias (cer.ca.ni.as) [sərkɐ'niɐʃ] *n.f.pl.* arredores; vizinhanças

ercar (cer.car) [sər'kar] *v.* **1** pôr cerca a **2** fazer cerco a **3** estar em volta de; rodear

erco (cer.co) ['serku] *n.m.* **1** ato de cercar alguma coisa **2** bloqueio

erda (cer.da) ['serdɐ] *n.f.* pelo rígido e áspero de certos animais, como o porco e o cavalo

ereal (ce.re:al) [sə'rjaɫ] *n.m.* **1** planta cujo fruto é um grão que pode ser reduzido a farinha, e é utilizado na alimentação **2** fruto dessa planta

erebelo (ce.re.be.lo) [sərə'belu] *n.m.* parte posterior do encéfalo, responsável pela coordenação muscular e pela manutenção do equilíbrio

erebral (ce.re.bral) [sərə'braɫ] *adj.2g.* referente ao cérebro

érebro (cé.re.bro) ['sɛrəbru] *n.m.* **1** órgão situado na parte anterior e superior do encéfalo, responsável pelas funções psíquicas e nervosas e pela atividade intelectual **2** *fig.* pensamento; inteligência

ereja (ce.re.ja) [sə'rɐ(j)ʒɐ] *n.f.* fruto da cerejeira, redondo e liso, em vários tons de vermelho e por vezes amarelo, com caroço

cerejal (ce.re.jal) [sərə'ʒaɫ] *n.m.* terreno plantado de cerejeiras

cerejeira (ce.re.jei.ra) [sərə'ʒɐjrɐ] *n.f.* **1** árvore de flores claras que produz a cereja **2** madeira desta árvore, utilizada para móveis e instrumentos musicais

cerimónia (ce.ri.mó.ni:a) [səri'mɔnjɐ] *n.f.* **1** conjunto de atos formais que têm lugar numa festa, num acontecimento solene, etc. **2** conjunto de formalidades convencionais usadas na vida social **3** timidez ♦ **fazer cerimónia** recusar algo que se deseja, por falta de à-vontade; demonstrar timidez; **sem cerimónia** à vontade; com informalidade

cerimonial (ce.ri.mo.ni:al) [sərimu'njaɫ] *n.m.* conjunto de formalidades e preceitos que se devem observar numa solenidade; protocolo ■ *adj.2g.* relativo a cerimónia

cerimonioso (ce.ri.mo.ni:o.so) [sərimu'njozu] *adj.* formal

cerne (cer.ne) ['sɛrn(ə)] *n.m.* **1** parte central do tronco das árvores SIN. âmago **2** *fig.* parte mais importante de alguma coisa

ceroulas (ce.rou.las) [sə'ro(w)lɐʃ] *n.f.pl.* peça de vestuário interior masculino, usada por baixo das calças

cerrado (cer.ra.do) [sə'ʀadu] *adj.* **1** fechado **2** denso

cerrar (cer.rar) [sə'ʀar] *v.* **1** fechar (porta, janela, etc.) **2** tapar; vedar (um espaço) **3** concluir; terminar (uma atividade, um processo)

certame (cer.ta.me) [sər'tɐm(ə)] *n.m.* concurso

certamente (cer.ta.men.te) [sɛrtɐ'mẽt(ə)] *adv.* com certeza; claro

certeiro (cer.tei.ro) [sər'tɐjru] *adj.* **1** que acerta **2** adequado

certeza (cer.te.za) [sər'tezɐ] *n.f.* **1** qualidade do que é certo **2** coisa certa; evidência **3** opinião firme; convicção ♦ **com certeza** **1** sem dúvida **2** talvez; **de certeza** sem dúvida

certidão (cer.ti.dão) [sərti'dɐ̃w̃] *n.f.* documento legal em que se certifica um facto (nascimento, morte, etc.); atestado

certificação (cer.ti.fi.ca.ção) [sərtifikɐ'sɐ̃w̃] *n.f.* **1** reconhecimento da verdade **2** afirmação da exatidão de algo

certificado (cer.ti.fi.ca.do) [sərtifi'kadu] *adj.* dado como certo; garantido ■ *n.m.* documento que prova um facto ou uma situação

certificar (cer.ti.fi.car) [sərtifi'kar] *v.* **1** dar por certo: *O João certificou a verdade da afirmação.* SIN. atestar **2** passar certidão de: *certificar as contas* ■ **certificar-se** ⟨+de⟩ ter a certeza: *Certifica-te de que as janelas estão fechadas.* SIN. assegurar-se

certinho (cer.ti.nho) [sɛr'tiɲu] *adj.* **1** que não levanta dúvida; garantido **2** exato; correto

certo (cer.to) ['sɛrtu] *adj.* **1** correto: *O exercício está todo certo.* **ANT.** errado **2** exato: *Tem horas certas?* **3** convencido: *Não estejas tão certo disso.* **4** garantido: *Uma coisa é certa, todos recebem um prémio.* ■ *det.,prn.indef.* não determinado; um; algum; qualquer ■ *n.m.* **1** o que não levanta dúvidas **2** o que vai acontecer de certeza ■ *adv.* **1** com certeza **2** corretamente ◆ **ao certo** com exatidão; **bater certo** fazer sentido; **dar certo 1** resultar **2** ter êxito; **de certo** de certa maneira; **por certo** sem dúvida

cerveja (cer.ve.ja) [sər'vɐ(j)ʒɐ] *n.f.* bebida obtida por fermentação da cevada ou outros cereais

cervejaria (cer.ve.ja.ri.a) [sərvəʒɐ'riɐ] *n.f.* **1** fábrica de cerveja **2** estabelecimento onde se serve cerveja

cervical (cer.vi.cal) [sərvi'kał] *adj.2g.* relativo à parte posterior do pescoço

cerviz (cer.viz) [sər'viʃ] *n.f.* região posterior do pescoço **SIN.** cachaço

cervo (cer.vo) ['sɛrvu] *n.m.* mamífero ruminante, de pelo castanho, com chifres quando adulto **SIN.** veado

cerzir (cer.zir) [sər'zir] *v.* coser com pontos muito pequenos de forma a que não se note a costura

césar (cé.sar) ['sɛzɐr] *n.m.* **1** título dos antigos imperadores romanos **2** prémio de cinema atribuído anualmente no festival de Cannes

cesariana (ce.sa.ri:a.na) [səzɐ'rjɐnɐ] *n.f.* operação cirúrgica para retirar um bebé da barriga da mãe quando não se pode realizar um parto normal

CESD ['sɛsd] *sigla de* Cartão Europeu de Seguro de Saúde

cessante (ces.san.te) [sə'sɐ̃t(ə)] *adj.2g.* **1** que termina **2** que deixa de exercer uma função para a qual foi nomeado ou eleito **3** que deixa de estar em vigor

cessar (ces.sar) [sə'sar] *v.* **1** pôr fim a; terminar **2** deixar de existir; parar ◆ **sem cessar** continuamente; sem parar

cessar-fogo (ces.sar-.fo.go) [səsar'fogu] *n.m.2n.* interrupção ou fim das hostilidades entre nações ou partidos em guerra

cesta (ces.ta) ['seʃtɐ] *n.f.* peça de vime, com ou sem asa, para transportar pequenos objetos

cesto (ces.to) ['seʃtu] *n.m.* **1** cesta grande **2** rede de malha sem fundo, presa por um aro a uma estrutura vertical, por onde passa a bola no jogo de basquetebol

cesura (ce.su.ra) [sə'zurɐ] *n.f.* pausa métrica no interior do verso

cetáceo (ce.tá.ce:o) [sə'tasju] *n.m.* animal (grupo de mamíferos adaptados ao meio aqu tico, a que pertencem as baleias e os golfinhos

ceticismo (ce.ti.cis.mo)[AO] [sɛti'siʒmu] *n.m.* tendê cia para duvidar de tudo; descrença

cético (cé.ti.co)[AO] ['sɛtiku] *adj.* **1** que defende ou partidário do ceticismo **2** que não acredita; q duvida; descrente ■ *n.m.* **1** indivíduo partidár do ceticismo **2** pessoa que adota uma atitude i crédula em relação a um domínio do conhe mento ou a um dogma

cetim (ce.tim) [sə'tĩ] *n.m.* tecido de seda ou alg dão, macio e lustroso

cetro (ce.tro)[AO] ['sɛtru] *n.m.* bastão que represen a autoridade real

céu (céu) ['sɛw] *n.m.* **1** espaço infinito onde gira os astros **2** espaço limitado pela linha do ho zonte **3** *fig.* paraíso ◆ **a céu aberto** ao ar livr **cair do céu** aparecer ou ocorrer de forma ine perada; **céus!** exclamação que exprime dor, e panto ou surpresa; **de bradar aos céus** ch cante; escandaloso

céu-da-boca (céu-.da-.bo.ca) [sɛwdɐ'bokɐ] *a nc grafia é* **céu da boca**[AO]

céu da boca (céu da bo.ca)[AO] [sɛwdɐ'bokɐ] *n.* ⟨*pl.* céus da boca⟩ abóbada que separa a cavida bucal da cavidade nasal

cevada (ce.va.da) [sə'vadɐ] *n.f.* **1** planta com flor em forma de espiga que produz um grão nut tivo **2** grão dessa planta **3** bebida preparada co esse grão, depois de torrado e moído

cf. *abreviatura de* confrontar

CFQ [seɛf'ke] *sigla de* Ciências Físico-Químicas

chá (chá) ['ʃa] *n.m.* **1** infusão preparada com folh e flores secas de uma planta em água a ferv **2** bebida preparada com água quente e folhas (flores secas ◆ **ter falta de chá** não ter educaçã

chacal (cha.cal) [ʃɐ'kał] *n.m.* mamífero carnívor voraz, semelhante ao lobo

chachachá (cha.cha.chá) [ʃaʃa'ʃa] *n.m.* dança c bana influenciada pelos ritmos da rumba e mambo

chachada (cha.cha.da) [ʃɐ'ʃadɐ] *n.f.* *coloq.* coi sem importância; treta

chacina (cha.ci.na) [ʃɐ'sinɐ] *n.f.* assassínio de mu tas pessoas; matança

chacinar (cha.ci.nar) [ʃɐsi'nar] *v.* matar com crue dade; assassinar

chacota (cha.co.ta) [ʃɐ'kɔtɐ] *n.f.* brincadeira; troç

chadiano (cha.di:a.no) [ʃa'djɐnu] *adj.* relativo República do Chade ■ *n.m.* natural ou habitan do Chade

chafariz (**cha.fa.riz**) [ʃɐfɐ'riʃ] *n.m.* ⟨*pl.* chafarizes⟩ fontanário público com uma ou mais bicas para abastecimento de água

chafurdar (**cha.fur.dar**) [ʃɐfur'dar] *v.* revolver na lama ou imundície

chaga (**cha.ga**) ['ʃagɐ] *n.f.* **1** ferida aberta **2** *fig.* mágoa; dor

chalaça (**cha.la.ça**) [ʃɐ'lasɐ] *n.f. coloq.* piada; gracejo

chalado (**cha.la.do**) [ʃɐ'ladu] *adj. coloq.* maluco

chalé (**cha.lé**) [ʃa'lɛ] *n.m.* casa de campo

chaleira (**cha.lei.ra**) [ʃa'lɐjrɐ] *n.f.* recipiente em que se ferve água

chalrar (**chal.rar**) [ʃaɫ'ʀar] *v.* falar ao mesmo tempo que outras pessoas

chama (**cha.ma**) ['ʃɐmɐ] *n.f.* **1** labareda **2** *fig.* ânimo; entusiasmo

chamada (**cha.ma.da**) [ʃɐ'madɐ] *n.f.* **1** ato de chamar **2** convocação **3** leitura em voz alta dos nomes dos alunos para verificar se estão presentes na sala de aula **4** telefonema

chamado (**cha.ma.do**) [ʃɐ'madu] *adj.* **1** que recebeu convite ou convocação **2** que recebeu nome ou designação

chamamento (**cha.ma.men.to**) [ʃɐmɐ'mẽtu] *n.m.* **1** ato de chamar **2** convocação **3** *fig.* vocação

chamar (**cha.mar**) [ʃɐ'mar] *v.* **1** dizer em voz alta o nome de alguém: *A Margarida chamou o irmão.* **2** pedir (a alguém) que se aproxime ou que preste atenção: *A Joana chamou o namorado com assobios.* **3** ⟨**+a**⟩ dar nome a: *Chamaram João ao filho.* **4** ⟨**+a**⟩ mandar comparecer: *chamar alguém a depor* **SIN.** convocar **5** fazer vir até si: *chamar o elevador* **6** convocar (para cargo, emprego) **7** dizer o nome, número, etc., de um ou mais alunos para verificar a sua presença: *O professou chamou os alunos.* **8** acordar: *Não se esqueça de me chamar às 7 horas.* ■ **chamar-se** ter por nome: *Como te chamas? Chamo-me Sofia.*

chamariz (**cha.ma.riz**) [ʃɐmɐ'riʃ] *n.m.* aquilo que serve para chamar ou atrair a atenção

chaminé (**cha.mi.né**) [ʃɐmi'nɛ] *n.f.* **1** conduta para dar tiragem ao ar ou fumo **2** fogão de sala; lareira

champanhe (**cham.pa.nhe**) [ʃɐ̃'pɐɲ(ə)] *n.m.* vinho espumante natural

champô (**cham.pô**) [ʃɐ̃'po] *n.m.* líquido ou creme para lavar o cabelo

chamuça (**cha.mu.ça**) [ʃɐ'musɐ] *n.f.* pastel frito de forma triangular, feito com massa tenra e recheado com picado de carne ou legumes

chamuscar (**cha.mus.car**) [ʃɐmuʃ'kar] *v.* queimar ligeiramente

chana (**cha.na**) ['ʃɐnɐ] *n.f.* [ANG.] grande planície sem árvores e alagada na época das chuvas

chanca (**chan.ca**) ['ʃɐ̃kɐ] *n.f.* **1** calçado rústico com base de madeira **2** calçado grosseiro

chance (**chan.ce**) ['ʃɐ̃(sə)] *n.f.* **1** possibilidade de algo acontecer **2** ocasião propícia; oportunidade

chancela (**chan.ce.la**) [ʃɐ̃'sɛlɐ] *n.f.* **1** selo em documentos oficiais **2** sinal ou carimbo que reproduz a assinatura de uma autoridade, entidade, etc. **3** *fig.* aprovação

chanceler (**chan.ce.ler**) [ʃɐ̃sə'lɛr] *n.2g.* chefe do governo em alguns países

chanfana (**chan.fa.na**) [ʃɐ̃'fɐnɐ] *n.f.* estufado de cabrito ou carneiro, com vinho, feito numa caçarola de barro

chantagear (**chan.ta.ge:ar**) [ʃɐ̃tɐ'ʒjar] *v.* fazer chantagem

chantagem (**chan.ta.gem**) [ʃɐ̃'taʒɐ̃j̃] *n.f.* crime que consiste em tentar obter dinheiro por meio da ameaça de revelar factos que comprometem a vítima

chantagista (**chan.ta.gis.ta**) [ʃɐ̃tɐ'ʒiʃtɐ] *n.2g.* pessoa que procura extorquir dinheiro ou vantagens a alguém sob a ameaça de revelar factos comprometedores

chantili (**chan.ti.li**) [ʃɐ̃ti'li] *n.m.* ⇒ **chantilly**

chantilly [ʃɐ̃ti'li] *n.m.* creme de natas batidas com açúcar ou adoçante, usado para cobrir bolos ou para acompanhar frutos

chão (**chão**) ['ʃɐ̃w̃] *n.m.* **1** terreno que pode ser pisado; solo **2** pavimento; piso

chapa (**cha.pa**) ['ʃapɐ] *n.f.* peça plana, pouco espessa, feita de material rígido, usada para revestir ou proteger objetos, estruturas, etc. ■ *n.m.* [MOÇ.] transporte coletivo de passageiros

chapada (**cha.pa.da**) [ʃɐ'padɐ] *n.f. coloq.* bofetada

chapado (**cha.pa.do**) [ʃɐ'padu] *adj.* **1** revestido com chapa **2** *coloq.* que não deixa dúvidas

chapéu (**cha.péu**) [ʃɐ'pɛw] *n.m.* **1** cobertura para a cabeça **2** no futebol, remate por cima do guarda-redes ◆ **de se lhe tirar o chapéu** espetacular

chapéu-de-chuva (**cha.péu-.de-.chu.va**) [ʃɐpɛw də'ʃuvɐ] *a nova grafia é* **chapéu de chuva**[AO]

chapéu de chuva (**cha.péu de chu.va**)[AO] [ʃɐpɛw də'ʃuvɐ] *n.m.* ⟨*pl.* chapéus de chuva⟩ guarda-chuva

chapéu-de-sol (**cha.péu-.de-.sol**) [ʃɐpɛwdə'sɔɫ] *a nova grafia é* **chapéu de sol**[AO]

chapéu de sol (**cha.péu de sol**)[AO] [ʃɐpɛwdə'sɔɫ] *n.m.* ⟨*pl.* chapéus de sol⟩ guarda-sol

chapim (**cha.pim**) [ʃɐ'pĩ] *n.m.* pequeno pássaro de bico curto e cónico e plumagem preta, amarelada no peito

chapinar (**cha.pi.nar**) [ʃɐpi'nar] *v.* ⇒ **chapinhar**

chapinhar (**cha.pi.nhar**) [ʃɐpi'ɲar] *v.* **1** agitar (água ou outro líquido) com as mãos ou os pés **2** borrifar; salpicar

chapo (**cha.po**) ['ʃapu] *n.m. coloq.* bofetada

charada (**cha.ra.da**) [ʃɐ'radɐ] *n.f.* enigma; adivinha

charco (**char.co**) ['ʃarku] *n.m.* poça de água estagnada

charcutaria (**char.cu.ta.ri.a**) [ʃarkutɐ'riɐ] *n.f.* **1** loja onde se vendem alimentos fumados e enchidos (presunto, chouriço, etc.) **2** designação genérica de fumados e enchidos

charlatão (**char.la.tão**) [ʃɐrlɐ'tɐ̃w̃] *n.m.* vigarista; burlão

charme (**char.me**) ['ʃarm(ə)] *n.m.* sedução; encanto

charmoso (**char.mo.so**) [ʃar'mozu] *adj.* sedutor; encantador

charneca (**char.ne.ca**) [ʃɐr'nɛkɐ] *n.f.* terreno inculto e árido

charro (**char.ro**) ['ʃaʀu] *n.m. coloq.* cigarro de erva ou haxixe

charrua (**char.ru.a**) [ʃɐ'ʀuɐ] *n.f.* arado grande

charter ['ʃartɛr] *n.m.* avião fretado em que geralmente se viaja a preços mais baixos

charuto (**cha.ru.to**) [ʃɐ'rutu] *n.m.* rolo de folhas de tabaco para fumar

chassis [ʃa'siʃ] *n.m.2n.* suporte metálico de um veículo

chat ['ʃat] *n.m.* ⟨*pl.* chats⟩ forma de comunicar com alguém em tempo real, por meio de computadores ligados à internet

chateado (**cha.te:a.do**) [ʃɐ'tjadu] *adj. coloq.* aborrecido; zangado

chatear (**cha.te:ar**) [ʃɐ'tjar] *v. coloq.* aborrecer; importunar ■ **chatear-se** ficar aborrecido

chatice (**cha.ti.ce**) [ʃɐ'ti(sə)] *n.f. coloq.* aborrecimento; maçada

chatíni (**cha.tí.ni**) [ʃa'tini] *n.m.* [MOÇ.] molho preparado com cebola, tomate e piripiri

chato (**cha.to**) ['ʃatu] *adj.* **1** liso; plano **2** *coloq.* aborrecido; maçador

chau (**chau**) ['ʃaw] *interj. coloq.* usada como cumprimento de despedida **SIN.** adeus

chauffeur [ʃo'fɐr] *n.2g.* ⟨*pl.* chauffeurs⟩ pessoa que conduz um automóvel; motorista

chauvinista (**chau.vi.nis.ta**) [ʃawvi'niʃtɐ] *adj.,n.2g.* que ou pessoa que manifesta um nacionalismo exagerado

chavala (**cha.va.la**) [ʃɐ'valɐ] *n.f. coloq.* miúda; rapariga

chavalada (**cha.va.la.da**) [ʃɐvɐ'ladɐ] *n.f. coloq.* conjunto de miúdos ou jovens

chavalo (**cha.va.lo**) [ʃɐ'valu] *n.m. coloq.* miúdo; rapaz

chavão (**cha.vão**) [ʃɐ'vɐ̃w̃] *n.m.* **1** verso ou versos que se repetem no fim de cada estância de uma poesia **2** imagem ou ideia muito repetida, estereotipada **SIN.** cliché

chave (**cha.ve**) ['ʃav(ə)] *n.f.* **1** instrumento que serve para abrir ou fechar uma porta **2** instrumento para apertar e desatarraxar **3** *fig.* solução; explicação ◆ **fechar a sete chaves** guardar muito bem

chave-inglesa (**cha.ve-.in.gle.sa**) [ʃavĩ'glezɐ] *n.f.* ⟨*pl.* chaves-inglesas⟩ utensílio que serve para apertar e desapertar porcas de diversos tamanhos

chaveiro (**cha.vei.ro**) [ʃɐ'vɐjru] *n.m.* estojo ou lugar onde se guardam chaves

chave-mestra (**cha.ve-.mes.tra**) [ʃavə'mɛʃtrɐ] *n.f.* ⟨*pl.* chaves-mestras⟩ chave que serve para abrir várias fechaduras

chávena (**chá.ve.na**) ['ʃavənɐ] *n.f.* recipiente com asa que serve para se tomar chá, leite, café, etc.; xícara

chaveta (**cha.ve.ta**) [ʃɐ'vetɐ] *n.f.* sinal gráfico { } que se usa para conter expressões matemáticas ou expressões escritas

chavo (**cha.vo**) ['ʃavu] *n.m. coloq.* moeda de pouco valor ◆ *coloq.* **não ter um chavo** não ter dinheiro nenhum; **não valer um chavo** não prestar

ché (**ché**) ['ʃɛ] *interj.* [STP.] exprime espanto ou desconfiança

check-in [ʃɛ'kin] *n.m.* ⟨*pl.* check-ins⟩ **1** verificação do bilhete e pesagem da bagagem à partida para uma viagem de avião; registo de embarque **2** registo de dados pessoais e outras formalidades à chegada a um hotel; registo de entrada

checkout [ʃɛ'kawt] *n.m.* ⟨*pl.* checkouts⟩ pagamento de despesa e outras formalidades à saída de um hotel; registo de saída

check-up [ʃɛ'kɐp] *n.m.* ⟨*pl.* check-ups⟩ **1** exame clínico geral, para avaliação do estado de saúde de uma pessoa e para rastreio de eventuais doenças ainda não manifestadas; exame geral **2** *fig.* exame minucioso; análise detalhada

checo (**che.co**) ['ʃɛku] *adj.* relativo à República Checa ■ *n.m.* **1** pessoa natural da República Checa **2** língua falada na República Checa

checoslovaco (**che.cos.lo.va.co**) [ʃɛkɔʒlu'vaku] *adj.* relativo à antiga Checoslováquia ■ *n.m.* pessoa natural da antiga Checoslováquia

cheeseburger [ʃiz'bɐrgɐr] *n.m.* hambúrguer com queijo derretido, servido no pão ou no prato

cheesecake [ʃiz'kɐjk] *n.m.* bolo ou tarte de queijo fresco, geralmente coberto(a) com compota

chefe (che.fe) ['ʃɛf(ə)] *n.2g.* **1** pessoa que dirige ou orienta **SIN.** líder **2** pessoa que se destaca pelas qualidades ♦ **chefe de Estado** pessoa que ocupa o cargo mais alto na hierarquia de uma nação

chefia (che.fi.a) [ʃə'fiɐ] *n.f.* **1** ação de dirigir; direção; comando **2** função ou atividade de chefe

chefiar (che.fi:ar) [ʃə'fjar] *v.* dirigir; comandar

chefreza (che.fre.za) [ʃə'frezɐ] *n.f.* [CV.] confiança excessiva; atrevimento

chega (che.ga) ['ʃegɐ] *n.f.* repreensão severa; reprimenda ▪ *interj.* exclamação que exprime ordem para fazer terminar aquilo que provoca irritação **SIN.** basta

chegada (che.ga.da) [ʃə'gadɐ] *n.f.* **1** ato de chegar **SIN.** vinda **ANT.** partida **2** aparecimento

chegado (che.ga.do) [ʃə'gadu] *adj.* **1** que acabou de chegar **2** que se encontra muito perto **3** que tem grau de parentesco próximo

chegar (che.gar) [ʃə'gar] *v.* **1** alcançar um determinado lugar: *Chegou a Paris.* **2** colocar(-se) perto: *Chega a cadeira.* **SIN.** aproximar(-se) **3** ser suficiente: *O dinheiro não chega (para o vestido). Chega de conversa!* **SIN.** bastar **4** passar: *Chegue-me a água, por favor.* **5** ⟨+a⟩ atingir: *Não chego a essa prateleira. O João chegou a chefe.* **6** *coloq.* perceber: *Não chegou lá.* **7** *coloq.* bater; sovar: *Chegaram-lhe bem.* ▪ **chegar-se** ⟨+a⟩ aproximar-se: *Chegou-se a ele.* ♦ **até dizer chega** em demasia; **chega e sobra!** é mais que suficiente

cheia (chei.a) ['ʃɐjɐ] *n.f.* aumento rápido do nível de um curso de água **SIN.** inundação

cheio (chei.o) ['ʃɐju] *adj.* **1** que está completo; repleto **ANT.** vazio **2** aborrecido; farto **3** que não está disponível; ocupado **4** satisfeito, por ter comido o suficiente ♦ **em cheio** plenamente; por completo

cheirar (chei.rar) [ʃɐj'rar] *v.* **1** perceber ou identificar um cheiro **2** aspirar o cheiro de: *cheirar uma flor* **3** ⟨+a⟩ ter cheiro (bom ou mau): *Cheira a perfume.* **4** farejar (os animais): *cheirar uma presa* **5** inalar (substância em pó) **6** *fig.* bisbilhotar: *Que estás para aqui a cheirar?* **7** ⟨+a⟩ *fig., coloq.* parecer: *Cheira-me a mentira.* ♦ **não me cheira 1** não me agrada **2** acho que não; não me parece

cheirinho (chei.ri.nho) [ʃɐj'riɲu] ⟨*dim. de* cheiro⟩ *n.m.* **1** cheiro agradável; perfume **2** pequena quantidade de alguma coisa

cheiro (chei.ro) ['ʃɐjru] *n.m.* **1** impressão produzida nos órgãos olfativos; olfato **2** faro (dos animais) **3** aroma; odor

cheiroso (chei.ro.so) [ʃɐj'rozu] *adj.* que liberta um cheiro agradável; perfumado

cheque (che.que) ['ʃɛk(ə)] *n.m.* documento escrito no qual uma pessoa dá ordem ao banco onde tem conta para esse banco pagar uma certa quantia a outra pessoa; **cheque barrado/cruzado** cheque atravessado por linhas diagonais, que só pode ser cobrado por intermédio de um banco; **cheque sem cobertura** cheque que não pode ser pago pelo banco por não haver dinheiro suficiente na conta do titular

---

Não confundir **cheque** (ordem de pagamento) com **xeque** (chefe árabe).

---

cheque-prenda (che.que-.pren.da) [ʃɛk(ə)'prẽdɐ] *n.m.* espécie de cheque que se compra numa loja como presente para alguém e que, mais tarde, pode ser trocado por algo que essa pessoa queira dentro do montante oferecido

cherne (cher.ne) ['ʃɛrn(ə)] *n.m.* peixe comestível de cor acastanhada e corpo alongado

cheta (che.ta) ['ʃetɐ] *n.f.* **1** *coloq.* moeda de cobre de valor mínimo **2** *coloq.* pouco dinheiro

chiadeira (chi:a.dei.ra) [ʃjɐ'dɐjrɐ] *n.f.* som agudo e desagradável

chiar (chi:ar) ['ʃjar] *v.* **1** emitir chios (sons agudos) **2** emitir canto (algumas aves)

chiba (chi.ba) ['ʃibɐ] *n.f.* cabra nova; cabrita

chibaba (chi.ba.ba) [ʃi'babɐ] *n.f.* [MOÇ.] armadilha de pesca, feita de caniço entrançado

chibo (chi.bo) ['ʃibu] *n.m.* **1** cabrito com menos de um ano **2** *coloq.* delator

chiça (chi.ça) ['ʃisɐ] *interj.* exprime irritação, desprezo, protesto ou surpresa

chicaba (chi.ca.ba) [ʃi'kabɐ] *n.f.* [MOÇ.] pasta de milho e amendoim torrados

chicana (chi.ca.na) [ʃi'kɐnɐ] *n.f.* **1** dificuldade criada com o fim de atrasar ou prejudicar um processo judicial **2** no automobilismo, passagem em ziguezague para obrigar a diminuir a velocidade

chicandjo (chi.cand.jo) [ʃi'kɐ̃dʒu] *n.m.* [MOÇ.] sumo de caju fermentado

chicharro (chi.char.ro) [ʃi'ʃaʀu] *n.m. coloq.* carapau grande

chichi (chi.chi) [ʃi'ʃi] *n.m. coloq.* urina

chichilar (chi.chi.lar) [ʃiʃi'lar] *v.* [ANG.] reter

chiclete (chi.cle.te) [ʃi'klɛt(ə)] *n.f.* pastilha elástica

chicomo (chi.co.mo) [ʃi'komu] *n.m.* [MOÇ.] enxada

chi-coração (chi-.co.ra.ção) [ʃikurɐ'sɐ̃w̃] *n.m.* ⟨*pl.* chi-corações⟩ *infant.* abraço

chicória (chi.có.ri:a) [ʃi'kɔrjɐ] *n.f.* **1** planta herbácea, usada na alimentação e em farmácia **2** pó obtido da raiz torrada desta planta, que se mistura com café ou cevada

chicotada (chi.co.ta.da) [ʃiku'tadɐ] *n.f.* pancada com chicote

chicotar (chi.co.tar) [ʃiku'tar] *v.* ⇒ **chicotear**

chicote (chi.co.te) [ʃi'kɔt(ə)] *n.m.* corda ou tira de couro, geralmente com cabo de madeira

chicotear (chi.co.te:ar) [ʃiku'tjar] *v.* bater com chicote

chifre (chi.fre) ['ʃifr(ə)] *n.m.* ponta em osso existente na cabeça de alguns animais **SIN.** corno

chifufununo (chi.fu.fu.nu.no) [ʃifufu'nunu] *n.m.* [MOÇ.] escaravelho

chigovia (chi.go.vi.a) [ʃigo'viɐ] *n.f.* [MOÇ.] instrumento musical de sopro feito a partir de um fruto seco

chiguinha (chi.gui.nha) [ʃi'giɲɐ] *n.m.* **1** [MOÇ.] prato de massa de farinha de mandioca com amendoim e cacana **2** [MOÇ.] indivíduo de cara feia

chila (chi.la) ['ʃilɐ] *n.f.* abóbora pequena, usada para fazer doces

chile (chi.le) ['ʃil(ə)] *n.m.* pimento de Macau

chileno (chi.le.no) [ʃi'lenu] *adj.* relativo ao Chile ■ *n.m.* pessoa natural do Chile

chilindró (chi.lin.dró) [ʃəlĩ'drɔ] *n.m. coloq.* cadeia; prisão

chilique (chi.li.que) [ʃə'lik(ə)] *n.m.* **1** *coloq.* ataque nervoso **2** *coloq.* desmaio

chilrear (chil.re:ar) [ʃił'ʀjar] *v.* **1** piar (as aves) **2** *fig.* palrar; tagarelar

chilreio (chil.rei.o) [ʃił'ʀɐju] *n.m.* voz de ave em sons agudos e sucessivos

chima (chi.ma) ['ʃimɐ] *n.f.* [MOÇ.] prato à base de massa cozida de farinha de mandioca, milho, mapira ou outros cereais

chimpanzé (chim.pan.zé) [ʃĩpɐ̃'zɛ] *n.m.* grande macaco africano domesticável, com focinho alongado e braços muito compridos

chinela (chi.ne.la) [ʃi'nɛlɐ] *n.f.* **1** peça de calçado feminino, típico de certos trajes regionais, que cobre a parte da frente do pé, deixando o calcanhar descoberto **2** peça de calçado sem salto ou de salto baixo, que apenas cobre a parte anterior do pé e é normalmente usada em casa

chinelo (chi.ne.lo) [ʃi'nɛlu] *n.m.* calçado sem tacão e aberto no calcanhar: *Comprei uns chinelos novos.* ◆ **meter alguém num chinelo** mostrar ser superior a alguém

chinês (chi.nês) [ʃi'neʃ] *adj.* relativo à China: *Nunca comi comida chinesa.* ■ *n.m.* **1** pessoa natural da China **2** conjunto de línguas faladas na China ◆ **isso para mim é chinês** isso para mim é completamente incompreensível

chinfrim (chin.frim) [ʃĩ'frĩ] *n.m. coloq.* barulho de vozes; algazarra

chinfrineira (chin.fri.nei.ra) [ʃĩfri'nɐjrɐ] *n.f.* ⇒ **chinfrim**

chingar (chin.gar) [ʃĩ'gar] *v.* [ANG.] insultar; aborrecer

chino (chi.no) ['ʃinu] *n.m. coloq.* pessoa natural da China

chinó (chi.nó) [ʃi'nɔ] *n.m.* cabeleira postiça

chinoca (chi.no.ca) [ʃi'nɔkɐ] *adj.,n.2g. pej.* chinês

chio (chi.o) ['ʃiu] *n.m.* som prolongado, produzido por vários animais; guincho

chip ['ʃip] *n.m.* ⟨*pl.* chips⟩ pequena lâmina em geral de silício, usada na construção de transístores

chique (chi.que) ['ʃik(ə)] *adj.* elegante; bem vestido

chiqueiro (chi.quei.ro) [ʃi'kɐjru] *n.m.* **1** pocilga **2** *fig.* lugar imundo

chisco (chis.co) ['ʃiʃku] *n.m.* pequeno pedaço de algo; um pouco

chispa (chis.pa) ['ʃiʃpɐ] *n.f.* faísca

chispar (chis.par) [ʃiʃ'par] *v.* **1** soltar chispas ou faíscas: *Chispavam fagulhas da lareira.* **2** ⟨**+de**⟩ *fig.* sentir raiva ou cólera: *Chispava de fúria.* **3** ⟨**+de**⟩ *coloq.* desaparecer; fugir: *Chispa daqui!*

chispe (chis.pe) ['ʃiʃp(ə)] *n.m.* pé de porco

chita (chi.ta) ['ʃitɐ] *n.f.* **1** tecido de algodão estampado **2** 👁 animal felino com pelo amarelo e manchas pretas, semelhante ao leopardo

chiu (chiu) ['ʃju] *interj.* usa-se para mandar calar ou para pedir silêncio

choça (cho.ça) ['ʃɔsɐ] *n.f.* **1** cabana **2** *coloq.* prisão *ir para a choça*

chocadeira (cho.ca.dei.ra) [ʃukɐ'dɐjrɐ] *n.f.* aparelho para chocar **SIN.** incubadora

chocalhar (cho.ca.lhar) [ʃukɐ'ʎar] *v.* **1** fazer soar o chocalho **2** agitar objetos que produzem ruído

chocalho (cho.ca.lho) [ʃu'kaʎu] *n.m.* campainha que se coloca ao pescoço dos animais

chocante (cho.can.te) [ʃu'kɐ̃t(ə)] *adj.2g.* **1** que choca; que escandaliza **2** que perturba; impressionante

chocar (cho.car) [ʃu'kar] *v.* **1** cobrir (o ovo) aquecendo-o com o corpo, para que o embrião se desenvolva e nasça a ave; incubar **2** causar choque (moral ou psicológico); escandalizar: *O crim* *chocou toda a comunidade.* **3** ⟨**+com**, **+contra**⟩ bater contra; embater em: *O carro chocou contra uma árvore.* **4** ser portador de (doença): *O Pedro está a chocar uma gripe.*

hocho (cho.cho) [ˈʃoʃu] *adj.* **1** sem suco; seco (fruto) **2** não fecundado (ovo) **3** sem interesse (assunto, conversa) **4** sem entusiasmo (festa, pessoa)

hoco (cho.co) [ˈʃoku] *adj.* **1** diz-se do ovo fecundado **2** diz-se da ave que está a chocar ovos **3** *fig.* podre; estragado

hocolate (cho.co.la.te) [ʃukuˈlat(ə)] *n.m.* **1** substância alimentar em barra ou em pó, feita de cacau; **chocolate de leite** tipo de chocolate fabricado com pasta de cacau, leite e açúcar; **chocolate preto** tipo de chocolate fabricado com pasta de cacau (responsável pela cor escura) e açúcar **2** bebida preparada com aquela substância ■ *adj.inv.* que apresenta cor castanha **SIN.** castanho

hocolatoterapia (cho.co.la.to.te.ra.pi.a) [ʃu kulatɔtəraˈpiɐ] *n.f.* método que utiliza as propriedades benéficas do cacau com fins estéticos e terapêuticos

hofre (cho.fre) [ˈʃofr(ə)] *n.m.* choque inesperado ◆ **de chofre** inesperadamente; de repente

holdra (chol.dra) [ˈʃɔɫdrɐ] *n.f.* **1** *coloq.* gente de má índole **2** *coloq.* salgalhada; mixórdia

hoque (cho.que) [ˈʃɔk(ə)] *n.m.* **1** encontro violento de dois corpos em movimento: *Houve um choque frontal de dois carros na estrada nacional.* **SIN.** colisão **2** perturbação emocional: *Foi um grande choque para a família a morte do rapaz.* **SIN.** comoção **3** estímulo repentino dos nervos, com contração muscular, provocado por uma descarga elétrica: *Ao ligar a televisão à corrente, apanhei um choque.* **4** conflito; luta

horadeira (cho.ra.dei.ra) [ʃurɐˈdɐjrɐ] *n.f.* **1** choro continuado **2** lamúria; queixume

horamingar (cho.ra.min.gar) [ʃurɐmĩˈgar] *v.* chorar baixinho ou com poucas lágrimas

horamingas (cho.ra.min.gas) [ʃɔrɐˈmĩgɐʃ] *n.2g.2n.* pessoa que chora por tudo e por nada

horão (cho.rão) [ʃuˈrɐ̃w̃] *adj.* diz-se da pessoa que chora muito ■ *n.m.* árvore de ramos pendentes quase até ao chão

horar (cho.rar) [ʃuˈrar] *v.* **1** verter lágrimas (por) **ANT.** rir **2** arrepender-se de

horo (cho.ro) [ˈʃoru] *n.m.* **1** ato de chorar **SIN.** pranto **ANT.** riso **2** lamentação; queixume

horoso (cho.ro.so) [ʃuˈrozu] *adj.* **1** que chora **2** que está triste

horudo (cho.ru.do) [ʃuˈrudu] *adj.* **1** *coloq.* gordo **2** *coloq.* que rende; lucrativo

houpal (chou.pal) [ʃo(w)ˈpaɫ] *n.m.* **1** lugar onde há muitos choupos **2** plantação de choupos

choupana (chou.pa.na) [ʃo(w)ˈpɐnɐ] *n.f.* cabana de aspeto tosco ou pobre; casebre

choupo (chou.po) [ˈʃo(w)pu] *n.m.* árvore grande e de rápido crescimento, que fornece madeira clara e leve e fibras usadas na produção de papel

chouriça (chou.ri.ça) [ʃo(w)ˈrisɐ] *n.f.* ⇒ **chouriço**

chouriço (chou.ri.ço) [ʃo(w)ˈrisu] *n.m.* **1** rolo fino e comprido de carne, preparado com gordura, sangue e temperos **2** saco comprido e cilíndrico, cheio de areia, para tapar as fendas das janelas e impedir a entrada do frio e da humidade

chover (cho.ver) [ʃuˈver] *v.* **1** cair água da atmosfera em pequenas gotas **2** *fig.* chegar em grande quantidade ◆ **chover no molhado** insistir em vão

---

Note-se que o verbo **chover** conjuga-se apenas na terceira pessoa do singular e exprime uma ação que não tem sujeito: *Choveu muito durante a noite.*

---

chucha (chu.cha) [ˈʃuʃɐ] *n.f.* **1** *infant.* chupeta **2** *infant.* mama

chuchar (chu.char) [ʃuˈʃar] *v.* chupar; mamar

chuço (chu.ço) [ˈʃusu] *n.m.* *coloq.* guarda-chuva

chui (chui) [ˈʃwi] *n.m.* *coloq.* agente de polícia

chular (chu.lar) [ʃuˈlar] *v.* **1** *coloq.* viver à custa de (alguém) **2** *coloq.* conseguir (algo) sem pagar **3** *coloq.* vender acima do preço devido

chulé (chu.lé) [ʃuˈlɛ] *n.m.* cheiro característico do suor dos pés

chulear (chu.le:ar) [ʃuˈljar] *v.* coser (tecido) a ponto largo

chulo (chu.lo) [ˈʃulu] *n.m.* *pej.* indivíduo que vive à custa de uma ou várias prostitutas **SIN.** gigolô

chumaço (chu.ma.ço) [ʃuˈmasu] *n.m.* material mole e flexível que se coloca nos ombros, do lado de dentro de uma peça de roupa

chumbar (chum.bar) [ʃũˈbar] *v.* **1** soldar ou tapar com chumbo **2** obturar (um dente) **3** *coloq.* reprovar em exame; não passar de ano

chumbo (chum.bo) [ˈʃũbu] *n.m.* **1** elemento químico com características metálicas **2** grãos desse metal usados nas armas de caça **3** *coloq.* reprovação

chunga (chun.ga) [ˈʃũgɐ] *adj.2g.* **1** *coloq.*, *pej.* de má qualidade; sem valor; reles **2** *coloq.*, *pej.* com mau aspeto

chupa (chu.pa) [ˈʃupɐ] *n.m.* *coloq.* ⇒ **chupa-chupa**

chupa-chupa (chu.pa-.chu.pa) [ʃupɐˈʃupɐ] *n.m.* ⟨*pl.* chupa-chupas⟩ guloseima fixa num palito por onde se pega

chupar (chu.par) [ʃuˈpar] *v.* **1** absorver (um líquido) por meio de sucção feita pelos lábios e pela língua **SIN.** sorver; sugar **2** *fig.* arrancar; extorquir

chupeta (chu.pe.ta) [ʃu'petɐ] *n.f.* pequena tetina que se dá aos bebés para os impedir de chupar o polegar; chucha

chupista (chu.pis.ta) [ʃu'piʃtɐ] *adj.,n.2g. pej.* (pessoa) que vive à custa de outrem

churrascada (chur.ras.ca.da) [ʃuʀɐʃ'kadɐ] *n.f.* ⇒ **churrasco**

churrasco (chur.ras.co) [ʃu'ʀaʃku] *n.m.* **1** carne assada na brasa, num espeto ou numa grelha **2** refeição ao ar livre com alimentos grelhados na brasa

churrasqueira (chur.ras.quei.ra) [ʃurɐʃ'kɐjrɐ] *n.f.* restaurante especializado em grelhados **SIN.** churrascaria

churro (chur.ro) ['ʃuʀu] *n.m.* doce em forma de espiral, feito à base de massa de farinha e água, frito e polvilhado com açúcar e canela

chusma (chus.ma) ['ʃuʒmɐ] *n.f.* grande quantidade de coisas **SIN.** montão

chutar (chu.tar) [ʃu'tar] *v.* dar pontapé na bola

chuteira (chu.tei.ra) [ʃu'tɐjrɐ] *n.f.* calçado próprio para jogar futebol

chuto (chu.to) ['ʃutu] *n.m.* pontapé na bola

chuva (chu.va) ['ʃuvɐ] *n.f.* **1** água que cai da atmosfera **2** *fig.* tudo o que acontece ou chega em grande quantidade

chuvada (chu.va.da) [ʃu'vadɐ] *n.f.* chuva forte, mas passageira **SIN.** aguaceiro

chuveiro (chu.vei.ro) [ʃu'vɐjru] *n.m.* **1** dispositivo por onde cai a água na banheira, usado para tomar duche **2** duche

chuviscar (chu.vis.car) [ʃuviʃ'kar] *v.* chover pouco e com intervalos

chuvisco (chu.vis.co) [ʃu'viʃku] *n.m.* chuva miudinha

chuvoso (chu.vo.so) [ʃu'vozu] *adj.* **1** em que há muita chuva **2** que ameaça chuva

cianeto (ci:a.ne.to) [sjɐ'netu] *n.m.* sal inorgânico altamente venenoso

ciática (ci:á.ti.ca) ['sjatikɐ] *n.f.* dor devida à compressão do nervo ciático

ciático (ci:á.ti.co) ['sjatiku] *adj.* designativo de um grande nervo que sai da bacia e se estende ao longo da face posterior da coxa

ciberbullying [sibɛr'buliĩg] *n.m.* ⇒ **cyberbullying**

cibercafé (ci.ber.ca.fé) [sibɛrkɐ'fɛ] *n.m.* café onde os clientes têm à disposição computadores para aceder à Internet, executar trabalhos, etc..

cibercrime (ci.ber.cri.me) [sibɛr'krim(ə)] *n.m.* crime cometido com o recurso às novas tecnologias de informação e de comunicação

cibercriminalidade (ci.ber.cri.mi.na.li.da.de) [sibɛrkriminɐli'dad(ə)] *n.f.* infração ou conjunto d infrações cometidas com recurso às novas tecno logias de informação e de comunicação

cibercultura (ci.ber.cul.tu.ra) [sibɛrkuɫ'turɐ] *n.* conjunto de culturas ou produtos culturais ve culados pela internet, assim como valores, lin guagem e ícones partilhados pelos utilizadore da rede

ciberespaço (ci.ber.es.pa.ço) [sibɛr(i)ʃ'pasu] *n.m* espaço criado pela comunicação entre redes d computadores

cibernauta (ci.ber.nau.ta) [sibɛr'nawtɐ] *n.2g.* pes soa que utiliza regularmente a internet **SIN.** in ternauta

cibernética (ci.ber.né.ti.ca) [sibər'nɛtikɐ] *n.f.* ciên cia que estuda os mecanismos de comunicação de controlo nas máquinas e nos seres vivos

ciberterrorismo (ci.ber.ter.ro.ris.mo) [sibɛr ʀu'riʒmu] *n.m.* atividade terrorista exercida atravé de computador, com o objetivo de sabotar o controlar sistemas informáticos

cicatriz (ci.ca.triz) [sikɐ'triʃ] *n.f.* **1** marca deixad por uma ferida ou por um golpe **2** *fig.* sentiment doloroso causado por perda, dor ou sofrimento

cicatrização (ci.ca.tri.za.ção) [sikɐtrizɐ'sɐ̃w̃] *n.* processo de recuperação dos tecidos, formand uma cicatriz

cicatrizar (ci.ca.tri.zar) [sikɐtri'zar] *v.* transforma -se (uma ferida) em cicatriz

cicerone (ci.ce.ro.ne) [sisə'rɔn(ə)] *n.2g.* guia qu presta informações durante uma visita, excu são, etc.

cíclame (cí.cla.me) ['siklɐm(ə)] ou **ciclâmen** *n.r* planta herbácea, muito apreciada pelas suas fl res vistosas e de vários tons e cores desde branco ao violeta

cíclico (cí.cli.co) ['sikliku] *adj.* relativo a um ciclo

ciclismo (ci.clis.mo) [si'kliʒmu] *n.m.* prática o exercício de andar de bicicleta

ciclista (ci.clis.ta) [si'kliʃtɐ] *n.2g.* **1** pessoa qu anda de bicicleta **2** praticante de ciclismo

ciclo (ci.clo) ['siklu] *n.m.* **1** série de acontecimento que se repetem segundo uma ordem **2** períod de aprendizagem estipulado para cada nível d ensino do sistema educativo português

A saber que **ciclo** é um termo que designa, no ensino, um período de tempo de aprendizagem. Em Portugal, o ensino básico obrigatório é constituído por três ciclos: o primeiro de quatro anos (6 aos 10), o segundo de dois anos (10 aos 12) e o terceiro de três anos (12 aos 15).

iclomotor (ci.clo.mo.tor) [siklɔmu'tor] *n.m.* veículo de duas ou mais rodas com motor de cilindrada não superior a 50 cm³

iclone (ci.clo.ne) [si'klɔn(ə)] *n.m.* tempestade de ventos muito violentos que giram em turbilhão **SIN.** furacão

iclónico (ci.cló.ni.co) [si'klɔniku] *adj.* relativo a ciclone

icloturismo (ci.clo.tu.ris.mo) [siklɔtu'riʒmu] *n.m.* atividade turística realizada utilizando uma bicicleta como meio de transporte

idadania (ci.da.da.ni.a) [sidɐdɐ'niɐ] *n.f.* **1** qualidade ou estado de cidadão **2** conjunto de direitos e obrigações de um cidadão

idadão (ci.da.dão) [sidɐ'dɐ̃w̃] *n.m.* ⟨*f.* cidadã, *pl.* cidadãos⟩ pessoa que goza de direitos civis e políticos e que está sujeita a certos deveres perante o Estado

idade (ci.da.de) [si'dad(ə)] *n.f.* grande centro urbano caracterizado por um grande número de habitantes e por diversas atividades comerciais, industriais, culturais e financeiras

idade-dormitório (ci.da.de-.dor.mi.tó.ri:o) [sidadədurmi'tɔrju] *n.f.* cidade utilizada essencialmente para habitação e cujos moradores trabalham, na sua maior parte, noutro lugar

dadela (ci.da.de.la) [sidɐ'dɛlɐ] *n.f.* fortaleza que domina uma cidade ou povoação

dade-satélite (ci.da.de-.sa.té.li.te) [sidadəsɐ'tɛlit(ə)] *n.f.* cidade que se situa no subúrbio de uma cidade maior, da qual depende a nível económico

dade-universitária (ci.da.de-.u.ni.ver.si.tá.ri:a) [sidadunivərsi'tarjɐ] *n.f.* aglomerado desenvolvido em redor de uma universidade, com infraestruturas próprias para os membros dessa universidade (bibliotecas, residências, restaurantes, etc.)

dra (ci.dra) ['sidrɐ] *n.f.* fruto da cidreira, verde e maior do que um limão

dreira (ci.drei.ra) [si'drɐjrɐ] *n.f.* **1** árvore cujo fruto é a cidra **2** planta de aroma característico, muito usada para fazer chá

eiro (ci.ei.ro) ['sjɐjru] *n.m.* pequenas fendas na pele, especialmente nos lábios, causadas pelo frio

ência (ci:ên.ci:a) ['sjẽnsjɐ] *n.f.* **1** conjunto dos conhecimentos adquiridos pelo homem acerca do mundo que o rodeia através do estudo, da observação, da investigação e da experimentação **2** ramo do conhecimento relativo a uma área determinada (química, biologia, etc.)

ente (ci:en.te) ['sjẽt(ə)] *adj.2g.* que sabe; que está informado

cientificidade (ci:en.ti.fi.ci.da.de) [sjẽtifisi'dad(ə)] *n.f.* qualidade do que é científico

científico (ci:en.tí.fi.co) [sjẽ'tifiku] *adj.* relativo à ciência

cientista (ci:en.tis.ta) [sjẽ'tiʃtɐ] *n.2g.* especialista numa ciência; investigador

cifra (ci.fra) ['sifrɐ] *n.f.* **1** algarismo; número **2** quantia; montante **3** código

cifrão (ci.frão) [si'frɐ̃w̃] *n.m.* sinal ($) que, no antigo sistema monetário português, se colocava à direita do algarismo que representava os escudos

cigano (ci.ga.no) [si'gɐnu] *adj.* relativo aos ciganos ■ *n.m.* **1** pessoa que pertence aos ciganos, povo nómada originário da Índia, que se espalhou pela Europa **2** *pej.* trapaceiro

cigarra (ci.gar.ra) [si'gaʀɐ] *n.f.* 👁 inseto abundante nas regiões quentes, que produz sons estridentes e prejudica as culturas

cigarreira (ci.gar.rei.ra) [sigɐ'ʀɐjrɐ] *n.f.* caixa ou estojo para guardar cigarros

cigarrilha (ci.gar.ri.lha) [sigɐ'ʀiʎɐ] *n.f.* **1** caixa para guardar cigarros **2** pequeno charuto

cigarro (ci.gar.ro) [si'gaʀu] *n.m.* porção de tabaco enrolado em papel para se fumar

cilada (ci.la.da) [si'ladɐ] *n.f.* emboscada preparada para atacar ou atrair alguém **SIN.** armadilha

cilindrada (ci.lin.dra.da) [səlĩ'dradɐ] *n.f.* capacidade do cilindro de um motor de explosão

cilíndrico (ci.lín.dri.co) [si'lĩdriku] *adj.* que tem forma de cilindro

cilindro (ci.lin.dro) [sə'lĩdru] *n.m.* sólido geométrico de diâmetro regular em todo o seu comprimento

cima (ci.ma) ['simɐ] *n.f.* parte mais alta de alguma coisa; cimo; cume ◆ **ainda por cima** além do mais; **ao de cima** à superfície; à tona; **de cima a baixo** totalmente; completamente; **de cima para baixo** ao contrário

cimeira (ci.mei.ra) [si'mɐjrɐ] *n.f.* **1** ponto mais alto; cimo; cume **2** reunião política, económica, etc., em que participam as autoridades de diversos países

cimeiro (ci.mei.ro) [si'mɐjru] *adj.* **1** que está no cimo **2** *fig.* muito importante

cimentar (ci.men.tar) [simẽ'tar] *v.* **1** unir ou cobrir com cimento **2** *fig.* tornar sólido ou firme; consolidar

cimenteira (ci.men.tei.ra) [simẽ'tɐjrɐ] *n.f.* **1** local onde é produzido cimento **2** local para coincineração de resíduos industriais que se transformam em cimento

cimento (ci.men.to) [si'mẽtu] *n.m.* substância em pó obtida a partir da mistura de calcário e de argila, que se usa na construção para ligar certos materiais

cimo (ci.mo) ['simu] *n.m.* parte mais elevada **SIN.** alto; cume

cinco (cin.co) ['sĩku] *num.card.* quatro mais um ■ *n.m.* o número 5

cineasta (ci.ne:as.ta) [si'njaʃtɐ] *n.2g.* pessoa que se dedica à realização de filmes; realizador

cineclube (ci.ne.clu.be) [sinɛ'klub(ə)] *n.m.* associação de pessoas que apreciam cinema, onde se exibem filmes e se organizam debates

cinéfilo (ci.né.fi.lo) [si'nɛfilu] *n.m.* pessoa que gosta muito de cinema

cinema (ci.ne.ma) [si'nemɐ] *n.m.* **1** arte de fazer filmes **2** espetáculo de projeção de filmes **3** casa ou sala destinada à projeção de filmes **4** indústria que produz os filmes

cinemateca (ci.ne.ma.te.ca) [sinəmɐ'tɛkɐ] *n.f.* lugar onde são conservados e projetados filmes considerados importantes (pelo seu valor artístico, cultural, científico ou documental)

cinematógrafo (ci.ne.ma.tó.gra.fo) [sinəmɐ'tɔgrɐfu] *n.m.* **1** aparelho destinado a projetar numa tela imagens que dão impressão de movimento **2** antiga designação do cinema

cinética (ci.né.ti.ca) [si'nɛtikɐ] *n.f.* ramo da física que estuda a ação das forças nas mudanças de movimento dos corpos

cinético (ci.né.ti.co) [si'nɛtiku] *adj.* relativo a movimento

cingir (cin.gir) [sĩ'ʒir] *v.* **1** estar à volta de; rodear **2** envolver com força; abraçar ■ **cingir-se** ⟨+a⟩ limitar-se a: *cingir-se ao necessário*

cínico (cí.ni.co) ['siniku] *adj.* **1** desavergonhado; descarado **2** sarcástico

cinismo (ci.nis.mo) [si'niʒmu] *n.m.* atitude de quem despreza as convenções sociais **SIN.** descaramento

cinquenta (cin.quen.ta) [sĩ'kwẽtɐ] *num.card.* quarenta mais dez ■ *n.m.* o número 50

cinquentão (cin.quen.tão) [sĩkwẽ'tɐ̃w̃] *n.m.* indivíduo que tem ou aparenta ter cerca de cinquenta anos

cinquentenário (cin.quen.te.ná.ri:o) [sĩkwẽtə'narju] *n.m.* celebração do quinquagésimo aniversário

cinta (cin.ta) ['sĩtɐ] *n.f.* **1** faixa comprida de pan ou couro para apertar **2** cintura **3** tira de pape que envolve livros, jornais e outros impressos

cintar (cin.tar) [sĩ'tar] *v.* **1** pôr cinta em **2** cerca rodear **3** apertar (roupa) para vincar a cintura

cintilação (cin.ti.la.ção) [sĩtilɐ'sɐ̃w̃] *n.f.* **1** ato o efeito de cintilar **2** brilho intenso; clarão

cintilante (cin.ti.lan.te) [sĩti'lɐ̃t(ə)] *adj.2g.* **1** br lhante **2** deslumbrante

cintilar (cin.ti.lar) [sĩti'lar] *v.* **1** brilhar com luz tr mula **SIN.** faiscar **2** resplandecer

cinto (cin.to) ['sĩtu] *n.m.* faixa de couro ou de ou tro material com que se ajusta a roupa à cintu ◆ **cinto de segurança** dispositivo que, nu avião ou num automóvel, prende o passageir ao assento, como medida de segurança

> Não confundir **cinto** (faixa para prender) com **sinto** (forma do verbo *sentir*): *Ele conduz sempre com o* **cinto** *de segurança. Não* **sinto** *frio.*

cintura (cin.tu.ra) [sĩ'turɐ] *n.f.* **1** parte mais estrei do corpo humano, acima das ancas e abaixo d peito **2** parte do vestuário que rodeia essa par do corpo

cinturão (cin.tu.rão) [sĩtu'rɐ̃w̃] *n.m.* **1** cinto larg em que se suspendem armas **2** faixa de tecid usada nas artes marciais para apertar o qu mono, com cores diferentes de acordo com o n vel do praticante

cinza (cin.za) ['sĩzɐ] *n.f.* pó de cor cinzenta que fic depois de se queimar algo completamente ■ **ci zas** *n.f.pl.* restos mortais

cinzeiro (cin.zei.ro) [sĩ'zɐjru] *n.m.* **1** recipiente pr prio para a cinza e as pontas dos cigarr **2** montão de cinza

cinzel (cin.zel) [sĩ'zɛɫ] *n.m.* instrumento cortan numa das extremidades, que serve para grav pedras e metais

cinzento (cin.zen.to) [sĩ'zẽtu] *adj.* da cor da cin ■ *n.m.* cor intermédia entre o branco e o negr cor da cinza

cinzento-claro (cin.zen.to-.cla.ro) [sĩzẽtu'klar *adj.,n.m.* (tom) cinzento que tende para o branc

cinzento-escuro (cin.zen.to-.es.cu.ro) [sĩ tuʃ'kuru] *adj.,n.m.* (tom) cinzento que tende para preto

cio (ci.o) ['siu] *n.m.* **1** estado cíclico das fêmeas muitos mamíferos, caracterizado por uma sér de alterações fisiológicas favoráveis à fecund ção e à gestação **2** manifestação do apetite s xual, nos animais, nas épocas próprias da repr dução

cioso **(ci:o.so)** ['sjozu] *adj.* **1** que tem ciúmes; ciumento **2** que zela cuidadosamente por algo; cuidadoso

cipreste **(ci.pres.te)** [si'prɛʃt(ə)] *n.m.* árvore muito alta, de copa espessa e de cor verde escura, cultivada com fins ornamentais

cipriota **(ci.pri:o.ta)** [si'prjɔtɐ] *adj.2g.* relativo à ilha de Chipre ▪ *n.2g.* pessoa natural da ilha de Chipre (no Mediterrâneo)

circo **(cir.co)** ['sirku] *n.m.* **1** recinto circular para espetáculos e desportos; anfiteatro **2** espetáculo de acrobacias, habilidades executadas por animais domados, números de palhaços, etc., realizado numa pista circular

circuito **(cir.cui.to)** [sir'kujtu] *n.m.* **1** percurso em que no final se volta ao ponto de partida **SIN.** volta **2** linha fechada que limita uma superfície **SIN.** contorno **3** cadeia de condutores percorrida por uma corrente elétrica **4** itinerário de uma corrida com um percurso circular; **circuito de manutenção** percurso criado para praticar exercícios físicos enquanto se corre ou caminha ao ar livre

circulação **(cir.cu.la.ção)** [sirkulɐ'sɐ̃w̃] *n.f.* **1** ato de circular; movimento em círculo **2** movimento de pessoas e veículos; trânsito **3** deslocação de correntes, ar ou ventos

circular **(cir.cu.lar)** [sirku'lar] *v.* **1** andar em círculo; girar **2** rodear; cercar ▪ *adj.2g.* **1** em forma de círculo **2** que volta ao ponto de partida ▪ *n.f.* documento reproduzido em vários exemplares e enviado a diversas pessoas

circularidade **(cir.cu.la.ri.da.de)** [sirkulɐri'dad(ə)] *n.f.* qualidade do que é circular

circulatório **(cir.cu.la.tó.ri:o)** [sirkulɐ'tɔrju] *adj.* relativo a circulação

círculo **(cír.cu.lo)** ['sirkulu] *n.m.* **1** superfície plana limitada por uma circunferência **2** anel; aro **3** grupo de pessoas com os mesmos interesses

circum-navegação **(cir.cum-.na.ve.ga.ção)** [sir kũnɐvəgɐ'sɐ̃w̃] *n.f.* ato de circum-navegar

circum-navegar **(cir.cum-.na.ve.gar)** [sirkũnɐ və'gar] *v.* **1** fazer uma viagem de barco à volta da Terra **2** navegar em volta de

circuncidar **(cir.cun.ci.dar)** [sirkũsi'dar] *v.* praticar a circuncisão em

circuncisão **(cir.cun.ci.são)** [sirkũsi'zɐ̃w̃] *n.f.* **1** corte total ou parcial da membrana do prepúcio, pondo a glande a descoberto **2** entre alguns povos, corte do clítoris e dos lábios da vulva das raparigas **3** *fig.* repressão de alguma coisa

circundante **(cir.cun.dan.te)** [sirkũ'dɐ̃t(ə)] *adj.2g.* que está em volta de algo ou de alguém

circundar **(cir.cun.dar)** [sirkũ'dar] *v.* **1** estar em volta de; rodear **2** mover-se à volta de; circular

circunferência **(cir.cun.fe.rên.ci:a)** [sirkũfə'rẽsjɐ] *n.f.* **1** curva plana fechada cujos pontos estão a distância igual de um mesmo ponto interior (centro) **2** periferia

circunflexo **(cir.cun.fle.xo)** [sirkũ'flɛksu] *adj.* diz-se do acento ^ que indica o som fechado das vogais *a, e, o*: *êxito; cônsul; avô*

circunlóquio **(cir.cun.ló.qui:o)** [sirkũ'lɔkju] *n.m.* ⇒ **perífrase**

circunscrever **(cir.cuns.cre.ver)** [sirkũʃkrə'ver] *v.* **1** traçar em redor de **2** marcar limites a: *Os bombeiros conseguiram circunscrever o incêndio.* **3** restringir: *circunscrever a liberdade de alguém* ▪ **circunscrever-se** ⟨+a⟩ limitar-se: *circunscrever-se a uma função*

circunscrição **(cir.cuns.cri.ção)** [sirkũʃkri'sɐ̃w̃] *n.f.* **1** limite da extensão de um corpo ou de uma superfície **2** linha que limita uma área por todos os lados **3** divisão territorial

circunscrito **(cir.cuns.cri.to)** [sirkũʃ'kritu] *adj.* **1** limitado **2** restrito

circunspecto **(cir.cuns.pec.to)** [sirkũʃ'pɛktu] *adj.* **1** que olha em torno de si **2** ponderado

circunstância **(cir.cuns.tân.ci:a)** [sirkũʃ'tɐ̃sjɐ] *n.f.* **1** particularidade ou pormenor de um facto **2** momento; ocasião

circunstancial **(cir.cuns.tan.ci:al)** [sirkũʃtɐ̃'sjaɫ] *adj.2g.* **1** que depende de uma circunstância **2** diz-se da prova que se baseia em indícios e deduções

circunvalação **(cir.cun.va.la.ção)** [sirkũvɐlɐ'sɐ̃w̃] *n.f.* estrada à volta de uma cidade

círio **(cí.ri:o)** ['sirju] *n.m.* **1** planta semelhante a um cato, com caule grosso e coberta de espinhos **2** vela grande de cera

cirrose **(cir.ro.se)** [si'ʀɔz(ə)] *n.f.* doença crónica do fígado

cirurgia **(ci.rur.gi.a)** [sirur'ʒiɐ] *n.f.* **1** especialidade médica que trata doenças e traumatismos por meio de operações **2** método de tratamento que utiliza esse processo: *cirurgia plástica* **SIN.** operação

cirurgião **(ci.rur.gi.ão)** [sirur'ʒjɐ̃w̃] *n.m.* médico que faz operações

cirúrgico **(ci.rúr.gi.co)** [si'rurʒiku] *adj.* relativo a cirurgia

cisão **(ci.são)** [si'zɐ̃w̃] *n.f.* **1** corte; separação **2** *fig.* divisão dentro de um grupo

cisco **(cis.co)** ['siʃku] *n.m.* **1** pó de carvão **2** partícula de qualquer coisa

cisma **(cis.ma)** ['siʒmɐ] *n.f.* **1** preocupação constante **2** ideia fixa

cismar (cis.mar) [siʒ'mar] *v.* **1** ⟨**+em**⟩ pensar muito em: *Não cismes tanto nesse problema.* **2** teimar: *Cismou que havia de ser escritor.*

cismático (cis.má.ti.co) [siʒ'matiku] *adj.* **1** pensativo **2** preocupado

cisne (cis.ne) ['siʒn(ə)] *n.m.* ◉ ave com pescoço comprido e plumagem branca, que tem os dedos dos pés unidos por uma membrana

cisterna (cis.ter.na) [siʃ'tɛrnɐ] *n.f.* **1** reservatório de água das chuvas **2** depósito de água

citação (ci.ta.ção) [sitɐ'sɐ̃w̃] *n.f.* **1** ato ou efeito de citar **2** texto ou frase que se cita; referência

citadino (ci.ta.di.no) [sitɐ'dinu] *adj.* **1** relativo a cidade **2** que habita na cidade

citânia (ci.tâ.ni:a) [si'tɐnjɐ] *n.f.* ◉ ruínas de antigas povoações romanas da Península Ibérica

citar (ci.tar) [si'tar] *v.* transcrever ou mencionar (um texto, uma frase) para explicar aquilo que se afirma

cítara (cí.ta.ra) ['sitɐrɐ] *n.f.* instrumento de cordas semelhante à lira

citologia (ci.to.lo.gi.a) [situlu'ʒiɐ] *n.f.* parte da biologia que estuda a estrutura, o desenvolvimento e a função das células

citrino (ci.tri.no) [si'trinu] *n.m.* fruto como o limão, a laranja, a tangerina e outros

ciúme (ci:ú.me) ['sjum(ə)] *n.m.* **1** desejo de atenção ou amor exclusivo de alguém **2** inveja

ciumeira (ci:u.mei.ra) [sju'mɐjrɐ] *n.f. coloq.* ciúme

ciumento (ci:u.men.to) [sju'mẽtu] *adj.* que tem ciúme

cível (cí.vel) ['sivɛɫ] *adj.,n 2g.* do direito civil ■ *n.m.* tribunal ou área de jurisdição do tribunal em que se julgam as causas do direito civil

cívico (cí.vi.co) ['siviku] *adj.* **1** relativo aos cidadãos **2** que diz respeito ao bem comum

civil (ci.vil) [si'viɫ] *adj.2g.* **1** relativo aos cidadãos de um país **2** que não é militar nem religioso

civilização (ci.vi.li.za.ção) [səvəlizɐ'sɐ̃w̃] *n.f.* **1** conjunto das instituições, técnicas, costumes, crenças, etc., que caracterizam uma sociedade **2** conjunto dos conhecimentos e realizações das sociedades humanas mais evoluídas, marcadas pelo desenvolvimento intelectual, económico e tecnológico **SIN.** progresso

civilizacional (ci.vi.li.za.ci:o.nal) [sivilizɐsju'naɫ] *adj.2g.* relativo a civilização

civilizado (ci.vi.li.za.do) [səvəli'zadu] *adj.* **1** que se comporta com civismo; bem-educado **2** que revela avanço cultural e social; evoluído

civilizar (ci.vi.li.zar) [sivili'zar] *v.* **1** difundir a civilização em **2** tornar bem-educado ■ **civilizar-se** tornar-se bem-educado

civismo (ci.vis.mo) [si'viʒmu] *n.m.* respeito pelos valores da sociedade e pelas suas instituições

cl *símbolo de* centilitro

clã (clã) ['klɐ̃] *n.m.* **1** grupo de pessoas com antepassados comuns **2** *coloq.* família

clamar (cla.mar) [klɐ'mar] *v.* **1** dizer em voz alta **2** reclamar; exigir **3** implorar

clamor (cla.mor) [klɐ'mor] *n.m.* **1** grito de súplica ou de protesto **2** conjunto de vozes; gritaria

clandestinidade (clan.des.ti.ni.da.de) [klɐ̃dəʃtini'dad(ə)] *n.f.* estado do que é clandestino

clandestino (clan.des.ti.no) [klɐ̃dəʃ'tinu] *adj.* **1** feito às escondidas **2** que está fora da legalidade; ilegal **3** que entra num país de modo ilegal

claque (cla.que) ['klak(ə)] *n.f.* grupo de pessoas que aplaude ou apoia um espetáculo, um partido, uma pessoa, um clube, etc.

clara (cla.ra) ['klarɐ] *n.f.* substância esbranquiçada que envolve a gema do ovo ◆ **claras em castelo** claras que são batidas para ficarem bem firmes

claraboia (cla.ra.boi.a)[AO] [klarɐ'bɔjɐ] *n.f.* abertura envidraçada no telhado de um edifício

clarabóia (cla.ra.bói.a) [klarɐ'bɔjɐ] *a nova grafia é* **claraboia**[AO]

claramente (cla.ra.men.te) [klarɐ'mẽt(ə)] *adv.* **1** de um modo claro **2** de uma forma fácil de perceber

clarão (cla.rão) [klɐ'rɐ̃w̃] *n.m.* **1** luz intensa **2** raio luminoso

clarear (cla.re:ar) [klɐ'rjar] *v.* **1** tornar (mais) claro **2** nascer o dia; amanhecer **3** ficar sem nuvens (o céu)

clareira (**cla.rei.ra**) [klɐ'rɐjrɐ] *n.f.* espaço sem vegetação no meio de um bosque

clareza (**cla.re.za**) [klɐ'rezɐ] *n.f.* **1** qualidade do que é claro e fácil de entender **2** limpidez; transparência

claridade (**cla.ri.da.de**) [klɐri'dad(ə)] *n.f.* **1** qualidade do que é claro **ANT.** escuridão **2** luz intensa; luminosidade

clarificação (**cla.ri.fi.ca.ção**) [klɐrifikɐ'sɐ̃w̃] *n.f.* **1** ato ou efeito e clarificar **2** esclarecimento; explicação

clarificar (**cla.ri.fi.car**) [klɐrifi'kar] *v.* **1** tornar claro **2** esclarecer; explicar

clarim (**cla.rim**) [klɐ'rĩ] *n.m.* instrumento de sopro, semelhante a uma trombeta, que produz um som claro e agudo

clarinete (**cla.ri.ne.te**) [klɐri'net(ə)] *n.m.* instrumento musical de sopro, feito de madeira e com orifícios como os da flauta

clarividente (**cla.ri.vi.den.te**) [klɐrivi'dẽt(ə)] *adj.2g.* **1** que vê com clareza **2** prudente

claro (**cla.ro**) ['klaru] *adj.* **1** de cor pouco carregada **ANT.** escuro **2** em que há luz; iluminado **3** límpido; transparente **4** diz-se do céu sem nuvens ■ *adv.* com clareza; claramente ■ *interj.* usada para afirmar algo ou para exprimir concordância ♦ **às claras** diante de todos; sem rodeios; sem ocultar nada

classe (**clas.se**) ['kla(sə)] *n.f.* **1** grupo de pessoas, animais ou coisas com características semelhantes; ordem **2** grupo de estudantes que seguem o mesmo programa e compõem uma sala de aulas; turma **3** conjunto de pessoas do mesmo nível social e económico **4** elegância de comportamento; requinte

classicismo (**clas.si.cis.mo**) [klɐsi'siʒmu] *n.m.* movimento artístico que se caracteriza pelo equilíbrio e pela harmonia das formas, que reflete a influência das antiguidades grega e latina

clássico (**clás.si.co**) ['klasiku] *adj.* **1** relativo à cultura dos antigos gregos e romanos **2** diz-se da obra que é considerada um modelo **3** que segue os costumes; tradicional **4** que é habitual ■ *n.m.* **1** obra ou autor da Antiguidade grega ou latina **2** autor ou obra cujo valor é reconhecido por todos

classificação (**clas.si.fi.ca.ção**) [klɐsəfikɐ'sɐ̃w̃] *n.f.* **1** colocação de alguma coisa numa dada ordem ou num dado grupo, de acordo com as suas características; ordenação **2** nota de um teste ou de um exame; avaliação **3** posição de um atleta ou de uma equipa numa competição desportiva

classificado (**clas.si.fi.ca.do**) [klɐsəfi'kadu] *adj.* que obteve classificação ou nota positiva em concurso, exame, etc. ■ *n.m.* anúncio geralmente pequeno, apresentado em secções específicas de jornais e revistas

classificar (**clas.si.fi.car**) [klɐsəfi'kar] *v.* **1** distribuir em classes ou grupos com características semelhantes **2** atribuir uma nota; avaliar

claustro (**claus.tro**) ['klawʃtru] *n.m.* pátio interior de um convento

claustrofobia (**claus.tro.fo.bi.a**) [klawʃtrɔfu'biɐ] *n.f.* receio mórbido de permanecer num lugar fechado

cláusula (**cláu.su.la**) ['klawzulɐ] *n.f.* cada um dos artigos de um contrato, tratado, testamento ou outro documento; condição

clausura (**clau.su.ra**) [klaw'zurɐ] *n.f.* **1** espaço fechado **2** isolamento

clave (**cla.ve**) ['klav(ə)] *n.f.* sinal colocado no princípio da pauta musical para indicar a posição das notas e determinar a entoação

clavícula (**cla.ví.cu.la**) [klɐ'vikulɐ] *n.f.* osso que se articula com o esterno e com a omoplata

cláxon (**clá.xon**) ['klaksɔn] *n.m.* ⟨*pl.* cláxones⟩ buzina de automóvel

clemência (**cle.mên.ci:a**) [klə'mẽsjɐ] *n.f.* disposição para perdoar; indulgência

clemente (**cle.men.te**) [klə'mẽt(ə)] *adj.2g.* bondoso; indulgente

clementina (**cle.men.ti.na**) [kləmẽ'tinɐ] *n.f.* fruto semelhante à tangerina, mas de cor mais escura

clepsidra (**clep.si.dra**) [klɛ'psidrɐ] *n.f.* relógio de água usado na Antiguidade, que media o tempo pela quantidade de água que se escoava de um vaso

cleptomania (**clep.to.ma.ni.a**) [klɛptɔmɐ'niɐ] *n.f.* impulso incontrolável para cometer roubos

cleptomaníaco (**clep.to.ma.ní.a.co**) [klɛptɔmɐ'niɐku] *n.m.* pessoa que sofre de cleptomania

clerical (**cle.ri.cal**) [klɛri'kaɫ] *adj.2g.* relativo ao clero

clérigo (**clé.ri.go**) ['klɛrigu] *n.m.* **1** padre **2** indivíduo que faz parte da classe eclesiástica

clero (**cle.ro**) ['klɛru] *n.m.* **1** classe formada pelos padres **2** conjuntos dos sacerdotes de uma igreja

clicar (**cli.car**) [kli'kar] *v.* **1** ⟨**+em**⟩ pressionar o botão do rato do computador: *Clica com o lado direito do rato na imagem.* **2** ⟨**+em**⟩ pressionar uma tecla (de comando, aparelho, etc.)

clicável (**cli.cá.vel**) [kli'kavɛɫ] *adj.2g.* **1** em que se pode clicar **2** diz-se do botão ou elemento que, quando selecionado, executa um comando ou uma operação no computador

cliché (**cli.ché**) [kli'ʃɛ] *n.m. fig.* imagem ou ideia muito repetida **SIN.** chavão

cliente (cli.en.te) [kli'ẽt(ə)] *n.2g.* pessoa que compra algo ou usa um serviço assiduamente **SIN.** consumidor

clientela (cli.en.te.la) [kliẽ'tɛlɐ] *n.f.* conjunto dos clientes ou dos compradores

clima (cli.ma) ['klimɐ] *n.m.* **1** conjunto das condições atmosféricas (temperatura, humidade, vento, etc.) próprias de uma região **2** ambiente

climatérico (cli.ma.té.ri.co) [klimɐ'tɛriku] *adj.* relativo ao clima

climático (cli.má.ti.co) [kli'matiku] *adj.* relativo ao clima

climatização (cli.ma.ti.za.ção) [klimɐtizɐ'sɐ̃w̃] *n.f.* conjunto dos processos utilizados para manter, em determinado local, condições adequadas de temperatura, humidade e pureza do ar

climatizar (cli.ma.ti.zar) [klimɐti'zar] *v.* criar e manter, em determinado local e mediante aparelhagem, condições adequadas de temperatura, humidade e pureza do ar

clímax (clí.max) ['klimaks] *n.m.* ponto culminante

clínica (clí.ni.ca) ['klinikɐ] *n.f.* **1** prática da medicina pela observação direta do paciente; **clínica geral** especialidade médica que se dedica ao tratamento de doenças dos vários aparelhos e sistemas do organismo **2** estabelecimento público ou privado onde os doentes consultam um médico, recebem tratamento ou submetem-se a exames **SIN.** casa de saúde

clínico (clí.ni.co) ['kliniku] *adj.* relativo a clínica ■ *n.m.* médico

clip ['klip] *n.m.* ⟨*pl.* clips⟩ ⇒ **clipe**

clipe (cli.pe) ['klip(ə)] *n.m.* **1** pequena peça de metal ou plástico que serve para prender folhas de papel **2** excerto de um filme ou de uma sequência televisiva, geralmente com fins promocionais

clique (cli.que) ['klik(ə)] *n.m.* **1** ruído curto e seco **2** ativação que se faz de um botão do rato sobre a janela ou comando do computador

clister (clis.ter) [kliʃ'tɛr] *n.m.* lavagem intestinal

clítoris (clí.to.ris) ['klituriʃ] *n.m.2n.* pequeno órgão erétil do aparelho genital feminino, situado na parte superior da vulva

clonagem (clo.na.gem) [klu'naʒɐ̃j̃] *n.f.* produção de células ou indivíduos idênticos a nível genético

clonar (clo.nar) [klu'nar] *v.* reproduzir por clonagem

clone (clo.ne) ['klɔn(ə)] *n.m.* indivíduo idêntico a outro a nível genético, produzido por clonagem

cloro (clo.ro) ['klɔru] *n.m.* gás de cheiro forte, usado para desinfetar a água das piscinas

clorofila (clo.ro.fi.la) [klɔrɔ'filɐ] *n.f.* pigmento que dá a cor verde às plantas

clube (clu.be) ['klub(ə)] *n.m.* **1** grupo de pessoas que se reúnem para partilhar gostos ou interesses **2** local onde essas pessoas se reúnem **3** grupo que pratica uma ou várias modalidades desportivas

cm *símbolo de* centímetro

coabitação (co:a.bi.ta.ção) [kwɐbitɐ'sɐ̃w̃] *n.f.* situação das pessoas que vivem em comum

coabitar (co:a.bi.tar) [kwɐbi'tar] *v.* **1** ⟨**+com**⟩ morar juntamente; viver em comum **2** conviver pacificamente: *Comunistas e democratas coabitam pacificamente.*

coação (co:a.ção)[AO] [kwa'sɐ̃w̃] *n.f.* imposição

coacção (co:ac.ção) [kwa'sɐ̃w̃] *a nova grafia é* **coação**[AO]

coaching ['kowtʃĩg] *n.m.* processo que visa o desenvolvimento de competências profissionais ou pessoais

coadjuvar (co:ad.ju.var) [kwɐdʒu'var] *v.* ajudar; auxiliar

coado (co:a.do) ['kwadu] *adj.* passado por coador **SIN.** filtrado

coador (co:a.dor) [kwɐ'dor] *n.m.* utensílio com pequenos furos para coar líquidos **SIN.** filtro

coagir (co:a.gir) [kwɐ'ʒir] *v.* constranger; obrigar; forçar

coagulação (co:a.gu.la.ção) [kwɐgulɐ'sɐ̃w̃] *n.f.* transformação de uma substância líquida numa massa sólida; solidificação

coagulante (co:a.gu.lan.te) [kwɐgu'lɐ̃t(ə)] *n.m.,adj.2g.* (substância) que coagula

coagular (co:a.gu.lar) [kwɐgu'lar] *v.* transformar uma substância líquida numa massa sólida; solidificar

coágulo (co:á.gu.lo) ['kwagulu] *n.m.* **1** massa sólida que se transformou em líquido **2** massa de sangue ou de linfa

coala (co:a.la) ['kwalɐ] *n.m.* 👁 animal marsupial australiano com pelagem densa e macia, que se alimenta sobretudo de folhas de eucalipto

coalhar **(co:a.lhar)** [kwɐ'ʎar] *v.* transformar-se em sólido; solidificar-se

coar **(co:ar)** ['kwar] *v.* passar por coador, filtro ou peneira **SIN.** filtrar

coautor **(co.au.tor)**AO [koaw'tor] *n.m.* autor de uma obra em conjunto com outro(s)

co-autor **(co-.au.tor)** [koaw'tor] *a nova grafia é* **coautor**AO

coautoria **(co.au.to.ri.a)**AO [koawtu'riɐ] *n.f.* autoria de várias pessoas

co-autoria **(co-.au.to.ri.a)** [koawtu'riɐ] *a nova grafia é* **coautoria**AO

coaxar **(co:a.xar)** [kwɐ'ʃar] *v.* emitir (a rã ou o sapo) os sons característicos da sua espécie

cobaia **(co.bai.a)** [ku'bajɐ] *n.f.* animal ou pessoa usada em experiências científicas

cobarde **(co.bar.de)** [ku'bard(ə)] *adj.,n.2g.* **1** que ou pessoa que não tem coragem **ANT.** corajoso **2** que ou pessoa que age de forma desleal ou traiçoeira

cobardia **(co.bar.di.a)** [kubər'diɐ] *n.f.* **1** falta de coragem **ANT.** coragem **2** deslealdade; traição

coberta **(co.ber.ta)** [ku'bɛrtɐ] *n.f.* **1** colcha da cama; manta **2** pavimento superior do navio

coberto **(co.ber.to)**[1] [ku'bɛrtu] *adj.* **1** que tem cobertura ou tampa; tapado **2** abrigado; resguardado **3** cheio; repleto **4** com muitas nuvens (o céu)

coberto **(co.ber.to)**[2] [ku'bɛrtu] *n.m.* espaço com telhado ou cobertura; alpendre

cobertor **(co.ber.tor)** [kubər'tor] *n.m.* manta de lã ou algodão que se estende na cama, sobre os lençóis

cobertura **(co.ber.tu.ra)** [kubər'turɐ] *n.f.* **1** aquilo que serve para cobrir **2** revestimento de um bolo **3** área máxima atingida por um meio de comunicação ◆ **dar cobertura a** aprovar

cobiça **(co.bi.ça)** [ku'bisɐ] *n.f.* desejo excessivo de bens, riquezas ou privilégios **SIN.** ambição

cobiçar **(co.bi.çar)** [kubi'sar] *v.* desejar muito; ambicionar

cobiçoso **(co.bi.ço.so)** [kubi'sozu] *adj.* ambicioso

cóbiri **(có.bi.ri)** ['kɔbiri] *n.m.pl.* [MOÇ.] dinheiro miúdo

cobói **(co.bói)** [kɔ'bɔj] *n.m.* ⇒ **cowboy**

cobra **(co.bra)** ['kɔbrɐ] *n.f.* **1** réptil de corpo comprido e em forma de cilindro, coberto de escamas e sem membros, que pode ser venenoso; serpente **2** *fig.* pessoa má ◆ **dizer cobras e lagartos de** dizer muito mal de; **ser mau como as cobras** ser muito mau

cobrador **(co.bra.dor)** [kubrɐ'dor] *n.m.* pessoa que cobra ou recebe um pagamento

cobrança **(co.bran.ça)** [ku'brɐ̃sɐ] *n.f.* **1** ato de cobrar um pagamento **2** quantia cobrada

cobrar **(co.brar)** [ku'brar] *v.* **1** pedir ou exigir que seja pago aquilo que é devido **2** receber

cobre **(co.bre)** ['kɔbr(ə)] *n.m.* metal avermelhado, muito maleável, que é um dos melhores condutores do calor e da eletricidade ■ **cobres** *n.m.pl.* *coloq.* dinheiro

cobrir **(co.brir)** [ku'brir] *v.* **1** pôr cobertura em: *Cobri-o com um cobertor.* **SIN.** tapar **2** revestir: *Cobriu o bolo com natas.* **3** encher: *Ela cobriu-o com beijos.* **4** ser suficiente para: *O seguro cobre o prejuízo.* **5** abranger: *Cobrimos cinco quilómetros a pé.* **6** fazer a cobertura (de algo) num meio de comunicação: *Todas as televisões cobriram o acontecimento.* ■ **cobrir-se** **1** proteger-se; resguardar-se **2** ⟨+de⟩ encher-se: *As árvores cobriram-se de flores.*

cobro **(co.bro)** ['kobru] *n.m.* termo; fim ◆ **pôr cobro a** acabar com; pôr fim a

coca **(co.ca)** ['kɔkɐ] *n.f.* **1** planta narcótica de que se extrai a cocaína **2** *coloq.* cocaína ◆ **estar à coca** espreitar

coça **(co.ça)** ['kɔsɐ] *n.f.* tareia; sova

coca-bichinhos **(co.ca-.bi.chi.nhos)** [kɔkɐbi'ʃiɲuʃ] *adj.,n.2g.2n.* (pessoa) que se preocupa com o detalhe ou se interessa por coisas insignificantes

coçado **(co.ça.do)** [ku'sadu] *adj.* diz-se de roupa ou calçado muito gasto

cocaína **(co.ca.í.na)** [kɔkɐ'inɐ] *n.f.* substância que se extrai das folhas da coca, usada em medicina como analgésico e muito consumida como droga, com efeitos prejudiciais ao organismo

cocanha **(co.ca.nha)** [ku'kɐɲɐ] *n.f.* **1** mastro alto e untado de sebo, sobre o qual se colocam prendas que os participantes tentam apanhar; mastro de cocanha **2** árvore nativa de regiões tropicais e meridionais de África, com folhas compostas, pequenas flores verdes e drupas amarelas comestíveis, carnudas e suculentas, usadas na preparação de uma bebida fermentada

cocar **(co.car)** [kɔ'kar] *v.* espreitar; observar sem ser visto

coçar **(co.çar)** [ku'sar] *v.* esfregar com as unhas ou com um objeto áspero

cóccix **(cóc.cix)** ['kɔksiʃ] *n.m.2n.* parte terminal da coluna vertebral

cócegas **(có.ce.gas)** ['kɔsəgɐʃ] *n.f.pl.* contração dos músculos, geralmente acompanhada de riso involuntário, produzida por toques leves e repetidos na pele

coceira **(co.cei.ra)** [ku'sɐjrɐ] *n.f.* [BRAS.] comichão intensa

coche (co.che) ['kɔʃ(ə)] *n.m.* **1** antiga carruagem fechada, puxada por cavalos **2** *coloq.* bocado; pedaço

cocheiro (co.chei.ro) [ku'ʃɐjru] *n.m.* indivíduo que conduz os cavalos que puxam uma carruagem

cóchi (có.chi) ['kɔʃi] *n.m.* [ANG.] pequena quantidade; bocado

cochichar (co.chi.char) [kuʃi'ʃar] *v.* **1** falar em voz baixa **SIN.** sussurrar **2** dizer segredos **SIN.** segredar

cochicho (co.chi.cho) [ku'ʃiʃu] *n.m.* sussurro; murmúrio

cociente (co.ci:en.te) [kɔ'sjẽt(ə)] *n.m.* ⇒ **quociente**

cocker spaniel [kɔkɐr'spɛnjɐl] *n.m.* **1** raça de cães de estatura baixa, orelhas grandes e pendentes, e com pelo ligeiramente ondulado **2** cão dessa raça

cockpit [kɔk'pit] *n.m.* ⟨*pl.* cockpits⟩ compartimento de avião, nave espacial ou automóvel de corrida destinado ao piloto e ao copiloto

cocktail ['koktɐjl] *n.m.* ⟨*pl.* cocktails⟩ **1** mistura de bebidas em proporções variáveis **2** reunião social em que se servem bebidas e aperitivos ♦ **cocktail molotov** garrafa cheia de uma substância inflamável, usada como explosivo em combates de rua

cóclea (có.cle:a) ['kɔkljɐ] *n.f.* parte do ouvido interno representada por um tubo enrolado em espiral

coco (co.co) ['koku] *n.m.* **1** 👁 fruto do coqueiro **2** substância branca da amêndoa desse fruto, utilizada em culinária

cocó (co.có) [kɔ'kɔ] *n.m.* excremento; fezes

cócoras (có.co.ras) ['kɔkurɐʃ] *elem. da loc.* sentado com os joelhos dobrados e com as nádegas sobre os calcanhares; agachado

cocorocó (co.co.ro.có) [kɔkɔrɔ'kɔ] *n.m.* canto do galo ou da galinha

cocuana (co.cu:a.na) [kɔ'kwɐnɐ] *n.2g.* **1** [MOÇ.] avô; avó; tio **2** [MOÇ.] pessoa idosa

cocuruto (co.cu.ru.to) [kuku'rutu] *n.m.* **1** alto da cabeça **2** *fig.* cume; cimo

côdea (cô.de:a) ['kodjɐ] *n.f.* **1** parte externa endurecida do pão, queijo, etc.; crosta **2** casca das árvores, dos frutos, etc.

codificar (co.di.fi.car) [kudifi'kar] *v.* pôr em código **ANT.** descodificar

código (có.di.go) ['kɔdigu] *n.m.* **1** conjunto de regras; regulamento **2** palavra-chave; senha ♦ **código de barras** código constituído por linhas negras, verticais, de várias espessuras, colocado sobre produtos de consumo ou cartões magnéticos para os identificar através de um aparelho eletrónico; **código Morse** sistema de comunicação que utiliza combinações de traços e pontos; **código postal** número acrescentado a um endereço para facilitar a seleção e a distribuição da correspondência

código-fonte (có.di.go-.fon.te) [kɔdigu'fõt(ə)] *n.m.* sistema de símbolos utilizado para codificar um programa de computador

codorniz (co.dor.niz) [kudur'niʃ] *n.f.* pequena ave, de bico e unhas curtos, de cor amarelada no dorso e penas com manchas

coeficiente (co:e.fi.ci:en.te) [kwɛfi'sjẽt(ə)] *n.m.* cada um de dois fatores de um monómio em relação ao outro

coelheira (co:e.lhei.ra) [kwə'ʎɐjrɐ] *n.f.* **1** sítio onde se criam coelhos **2** coleira que se coloca sobre as omoplatas dos cavalos

coelho (co:e.lho) ['kwɐ(j)ʎu] *n.m.* mamífero roedor, de orelhas grandes, cauda pequena e as patas de trás maiores do que as da frente ♦ **matar dois coelhos de uma cajadada** resolver dois assuntos de uma vez

coentro (co:en.tro) ['kwẽtru] *n.m.* planta herbácea utilizada como condimento

coerção (co:er.ção) [kwer'sɐ̃w̃] *n.f.* coação; imposição

coercivo (co:er.ci.vo) [kwer'sivu] *adj.* que obriga; que coage

coerência (co:e.rên.ci:a) [kwe'rẽsjɐ] *n.f.* **1** ligação entre dois factos ou duas ideias **SIN.** conexão; lógica **2** regularidade no modo de agir, de sentir, etc. ♦ **coerência textual** propriedade de um texto que garante a sua unidade global e que depende tanto da intencionalidade do autor/locutor como da capacidade e das estratégias interpretativas do leitor/recetor

coerente (co:e.ren.te) [kwe'rẽt(ə)] *adj.2g.* **1** que tem coerência **SIN.** lógico **2** que age com coerência

coesão (co:e.são) [kwe'zɐ̃w̃] *n.f.* **1** união entre os vários elementos de um grupo **2** *fig.* harmonia

coeso (co:e.so) ['kwezu] *adj.* **1** muito ligado ou unido **2** *fig.* que apresenta harmonia

coexistência **(co.e.xis.tên.ci:a)** [koiziʃ'tẽsjɐ] *n.f.* existência simultânea

coexistir **(co.e.xis.tir)** [koiziʃ'tir] *v.* existir juntamente ou ao mesmo tempo

cofre **(co.fre)** ['kɔfr(ə)] *n.m.* caixa em que se guardam valores (dinheiro, joias, etc.)

cofre-forte **(co.fre-.for.te)** [kɔfrə'fɔrt(ə)] *n.m.* cofre à prova de roubo e fogo

cogerente **(co.ge.ren.te)**AO [koʒə'rẽt(ə)] *n.2g.* pessoa que gere algo juntamente com outrem

co-gerente **(co-.ge.ren.te)** [koʒə'rẽt(ə)] *a nova grafia é* **cogerente**AO

cogitar **(co.gi.tar)** [kuʒi'tar] *v.* refletir; meditar

cognição **(cog.ni.ção)** [kɔgni'sɐ̃w̃] *n.f.* faculdade de conhecer

cognitivo **(cog.ni.ti.vo)** [kɔgni'tivu] *adj.* relativo ao conhecimento

cognome **(cog.no.me)** [kɔg'nom(ə)] *n.m.* nome que se dá a uma pessoa por causa de uma dada característica **SIN.** alcunha

cogumelo **(co.gu.me.lo)** [kugu'mɛlu] *n.m.* vegetal formado por um pé e uma cabeça em forma de chapéu, com espécies comestíveis e venenosas, que cresce em lugares húmidos

coibir **(co.i.bir)** [kui'bir] *v.* reprimir; refrear: *O medo coibiu-o de falar.* ■ **coibir-se** ⟨**+de**⟩ abster-se; privar-se: *Algumas pessoas coíbem-se de falar em público.*

coice **(coi.ce)** ['koj(sə)] *n.m.* pancada de alguns animais com as patas traseiras

coima **(coi.ma)** ['kojmɐ] *n.f.* multa

coincidência **(co:in.ci.dên.ci:a)** [kwĩsi'dẽsjɐ] *n.f.* **1** estado de duas ou mais coisas que se ajustam perfeitamente **2** realização de dois ou mais acontecimentos ao mesmo tempo

coincidente **(co:in.ci.den.te)** [kwĩsi'dẽt(ə)] *adj.2g.* **1** que se ajusta perfeitamente **2** que acontece ao mesmo tempo; simultâneo

coincidir **(co:in.ci.dir)** [kwĩsi'dir] *v.* **1** ⟨**+com**⟩ acontecer ao mesmo tempo: *A chegada dela coincidiu com a nossa partida.* **2** corresponder: *As provas coincidem com o depoimento.*

coincineração **(co.in.ci.ne.ra.ção)**AO [koĩsinəɾɐ'sɐ̃w̃] *n.f.* tratamento de resíduos industriais perigosos em que estes são misturados para serem queimados

co-incineração **(co-.in.ci.ne.ra.ção)** [koĩsinəɾɐ'sɐ̃w̃] *a nova grafia é* **coincineração**AO

coincinerar **(co.in.ci.ne.rar)**AO [koĩsinə'rar] *v.* eliminar (resíduos industriais perigosos) misturando-os para serem queimados

co-incinerar **(co-.in.ci.ne.rar)** [koĩsinə'rar] *a nova grafia é* **coincinerar**AO

coiote **(coi.o.te)** [kɔj'ɔt(ə)] *n.m.* animal mamífero carnívoro da América do Norte, semelhante ao lobo

coisa **(coi.sa)** ['kojzɐ] *n.f.* **1** tudo o que existe ou pode existir **2** qualquer objeto inanimado **3** algo que não se pode ou não se quer nomear **4** acontecimento; facto **5** assunto; tema **6** pensamento; ideia ♦ **coisa nenhuma** nada; **mais coisa menos coisa** aproximadamente

coitadinho **(coi.ta.di.nho)** [kojtɐ'diɲu] *n.m.* pessoa infeliz ou miserável

coitado **(coi.ta.do)** [koj'tadu] *adj.* que é infeliz ou miserável ■ *interj.* exprime dó ou compaixão

coito **(coi.to)** ['kojtu] *n.m.* relação sexual; cópula

cola **(co.la)** ['kɔlɐ] *n.f.* substância espessa que serve para fazer aderir papel, madeira ou outros materiais ■ *n.2g. coloq.* pessoa maçadora ♦ **ir na cola de** seguir o rasto de; perseguir

colaboração **(co.la.bo.ra.ção)** [kulɐburɐ'sɐ̃w̃] *n.f.* ação de colaborar com alguém **SIN.** cooperação

colaborador **(co.la.bo.ra.dor)** [kulɐburɐ'dor] *n.m.* indivíduo que trabalha com uma ou mais pessoas para a realização de uma obra comum

colaborar **(co.la.bo.rar)** [kulɐbu'rar] *v.* ⟨**+com**, **+em**⟩ trabalhar em comum; cooperar: *Colaborei com ele em tudo.*

coladeira **(co.la.dei.ra)** [kulɐ'dɐjrɐ] *n.f.* [CV.] música típica dançada aos pares ao som de instrumento(s) de corda

colado **(co.la.do)** [ku'ladu] *adj.* **1** fixado com cola **2** *fig.* muito ligado; muito encostado

colagem **(co.la.gem)** [ku'laʒɐ̃j̃] *n.f.* **1** ato de fazer aderir com cola **2** em artes plásticas, elementos e texturas heterogéneos colados num suporte **3** produção de um texto com elementos extraídos de outros textos

colapsar **(co.lap.sar)** [kula'psar] *v.* **1** sofrer um colapso **SIN.** desfalecer **2** perder a coesão **SIN.** desmoronar-se

colapso **(co.lap.so)** [ku'lapsu] *n.m.* **1** quebra de energia ou da força vital; choque **2** *fig.* desmoronamento; derrocada

colar **(co.lar)** [kɔ'lar] *v.* **1** fazer aderir com cola **2** aderir com cola ■ *n.m.* **1** objeto de adorno que se usa à volta do pescoço **2** gola; colarinho

colarinho **(co.la.ri.nho)** [kulɐ'riɲu] *n.m.* parte da camisa que rodeia o pescoço **SIN.** gola

colateral **(co.la.te.ral)** [kulɐtə'raɫ] *adj.2g.* que está entre dois pontos cardeais consecutivos

cola-tudo **(co.la-.tu.do)** [kɔlɐ'tudu] *n.m.2n.* substância adesiva que permite colar objetos de materiais diversos

colcha **(col.cha)** ['koɫʃɐ] *n.f.* coberta de cama

colchão (col.chão) [koɫ'ʃɐ̃w̃] *n.m.* grande almofada cheia de uma substância flexível, que se coloca em cima de um estrado e sobre a qual se dorme

colcheia (col.chei.a) [koɫ'ʃɐjɐ] *n.f.* figura musical com o valor de duas semicolcheias

colchete (col.che.te) [koɫ'ʃet(ə)] *n.m.* **1** pequeno gancho metálico usado no vestuário para fechar e abrir a roupa **2** chave ou parêntese formado de linhas retas

coldre (col.dre) ['koɫdr(ə)] *n.m.* bolsa de couro utilizada para transportar uma arma de fogo

coleção (co.le.ção)[AO] [kulɛ'sɐ̃w̃] *n.f.* conjunto ordenado de objetos da mesma natureza (livros, obras de arte, selos, etc.)

colecção (co.lec.ção) [kulɛ'sɐ̃w̃] *a nova grafia é* **coleção**[AO]

coleccionador (co.lec.ci:o.na.dor) [kulɛsjunɐ'dor] *a nova grafia é* **colecionador**[AO]

coleccionar (co.lec.ci:o.nar) [kulɛsju'nar] *a nova grafia é* **colecionar**[AO]

coleccionismo (co.lec.ci:o.nis.mo) [kulɛsju'niʒmu] *a nova grafia é* **colecionismo**[AO]

colecionador (co.le.ci:o.na.dor)[AO] [kulɛsjunɐ'dor] *n.m.* aquele que coleciona

colecionar (co.le.ci:o.nar)[AO] [kulɛsju'nar] *v.* fazer coleção de; reunir

colecionismo (co.le.ci:o.nis.mo)[AO] [kulɛsju'niʒmu] *n.m.* **1** atividade ou hábito de colecionar **2** conjunto dos colecionadores e as suas coleções organizadas

colecta (co.lec.ta) [ku'lɛtɐ] *a nova grafia é* **coleta**[AO]

colectânea (co.lec.tâ.ne:a) [kulɛ'tɐnjɐ] *a nova grafia é* **coletânea**[AO]

colectar (co.lec.tar) [kulɛ'tar] *a nova grafia é* **coletar**[AO]

colectável (co.lec.tá.vel) [kulɛ'tavɛɫ] *a nova grafia é* **coletável**[AO]

colectivamente (co.lec.ti.va.men.te) [kulɛtivɐ'mẽt(ə)] *a nova grafia é* **coletivamente**[AO]

colectividade (co.lec.ti.vi.da.de) [kulɛtivi'dad(ə)] *a nova grafia é* **coletividade**[AO]

colectivo (co.lec.ti.vo) [kulɛ'tivu] *a nova grafia é* **coletivo**[AO]

colector (co.lec.tor) [kulɛ'tor] *a nova grafia é* **coletor**[AO]

colega (co.le.ga) [ku'lɛgɐ] *n.2g.* **1** pessoa que exerce a mesma profissão ou tem as mesmas funções **2** companheiro de escola

colegial (co.le.gi:al) [kulə'ʒjaɫ] *adj.,n 2g.* relativo a colégio ■ *n.2g.* aluno de colégio

colégio (co.lé.gi:o) [ku'lɛʒju] *n.m.* estabelecimento de ensino, geralmente particular

coleira (co.lei.ra) [ku'lɐjrɐ] *n.f.* tira de couro ou de outro material resistente, que se põe ao pescoço de alguns animais

cólera (có.le.ra) ['kɔlərɐ] *n.f.* **1** ataque de fúria, raiva; ira **2** grave doença contagiosa que provoca diarreia, vómitos e cólicas

colérico (co.lé.ri.co) [ku'lɛriku] *adj.* **1** que está muito zangado; enfurecido **2** atacado de cólera (doença)

colesterol (co.les.te.rol) [kɔləʃtə'rɔɫ] *n.m.* substância que existe nas células e é absorvida com os alimentos, que pode provocar alterações no organismo quando ingerida em excesso

coleta (co.le.ta)[AO] [ku'lɛtɐ] *n.f.* **1** quota com que cada pessoa contribui para um fundo comum **2** quantia que se paga de imposto **3** peditório para uma obra de beneficência ou despesa comum

coletânea (co.le.tâ.ne:a)[AO] [kulɛ'tɐnjɐ] *n.f.* coleção de textos de diferentes autores **SIN.** antologia

coletar (co.le.tar)[AO] [kulɛ'tar] *v.* impor contribuição ou quota a ■ **coletar-se** contribuir com sua parte

coletável (co.le.tá.vel)[AO] [kulɛ'tavɛɫ] *adj.2g.* que pode ou deve ser coletado; tributável

colete (co.le.te) [ku'let(ə)] *n.m.* peça de vestuário sem mangas que se veste geralmente por cima da camisa ♦ **colete de salvação** peça que se põe à volta do tronco e se enche de ar, usada no mar como medida de segurança ou em situações de perigo

colete-de-forças (co.le.te-.de-.for.ças) [kulet də'forsɐʃ] *a nova grafia é* **colete de forças**[AO]

colete de forças (co.le.te de for.ças)[AO] [kulet də'forsɐʃ] *n.m.* ⟨*pl.* coletes de forças⟩ veste com mangas muito compridas que ao serem atadas paralisam os movimentos, utilizada para dominar os doentes mentais considerados perigosos

coletivamente (co.le.ti.va.men.te)[AO] [kulɛtivɐ'mẽt(ə)] *adv.* em grupo; juntamente

coletividade (co.le.ti.vi.da.de)[AO] [kulɛtivi'dad(ə)] *n.f.* conjunto de pessoas reunidas para um fim comum **SIN.** associação

coletivo (co.le.ti.vo)[AO] [kulɛ'tivu] *adj.* **1** que abrange ou pertence a muitas pessoas ou coisas **2** diz-se do nome singular que indica um conjunto de seres da mesma espécie

coletor (co.le.tor)[AO] [kulɛ'tor] *n.m.* cobrador

colheita (co.lhei.ta) [ku'ʎɐjtɐ] *n.f.* **1** ato ou efeito de colher (produtos agrícolas) **2** produtos colhidos num dado período

colher (co.lher)[1] [ku'ʎɛr] *n.f.* peça de uso doméstico, constituída por um cabo e uma parte arredondada e côncava, que serve para tirar ou levar à boca alimentos líquidos ou pouco consistentes, ou para os mexer, misturar ou servir

olher (co.lher)[2] [ku'ʎɛr] *v.* **1** tirar da planta (frutos, flores, folhas); apanhar **2** atropelar (uma pessoa, um animal)

Note-se a diferença entre **colher** (é) de pau e **colher** (ê) amoras.

---

olherada (co.lhe.ra.da) [kuʎə'radɐ] *n.f.* porção que cabe numa colher ♦ *coloq.* **meter a sua colherada** intrometer-se em conversa alheia

olibri (co.li.bri) [kɔli'bri] *n.m.* pássaro muito pequeno e de plumagem de cores vivas e brilhantes, frequente na América tropical

ólica (có.li.ca) ['kɔlikɐ] *n.f.* dor violenta em qualquer parte da cavidade abdominal ▪ **cólicas** *n.f.pl. fig.* receio; medo

olidir (co.li.dir) [kuli'dir] *v.* **1** ir uma coisa contra outra: *Os dois aviões colidiram.* **2** ⟨**+com**⟩ chocar com: *Isso colide com a minha maneira de ser.*

oligação (co.li.ga.ção) [kuligɐ'sɐ̃w̃] *n.f.* aliança de várias pessoas para o mesmo fim

oligar(-se) (co.li.gar(-se)) [kuli'gar(sə)] *v.* unir(-se) para um fim comum **SIN.** juntar(-se)

oligir (co.li.gir) [kuli'ʒir] *v.* **1** reunir em coleção **2** juntar; reunir

olina (co.li.na) [ku'linɐ] *n.f.* pequena elevação de terreno **SIN.** outeiro

olírio (co.lí.ri:o) [ku'lirju] *n.m.* medicamento aplicado nas inflamações dos olhos

olisão (co.li.são) [kuli'zɐ̃w̃] *n.f.* **1** embate entre dois corpos; choque **2** luta; combate

oliseu (co.li.seu) [kuli'zew] *n.m.* **1** anfiteatro romano **2** casa de espetáculos

ollants [kɔ'lɐ̃ʃ] *n.m.pl.* peça de vestuário interior de malha, que chega dos pés à cintura **SIN.** meias-calças

olmatar (col.ma.tar) [kołmɐ'tar] *v.* **1** tapar (brechas) **2** suprir (falhas, faltas) **3** conduzir águas ricas em detritos minerais e orgânicos para terrenos baixos para aumentar a sua fertilidade

olmeia (col.mei.a) [koł'mɐjɐ] *n.f.* **1** habitação de abelhas **2** colónia de abelhas **SIN.** enxame

olmo (col.mo) ['kołmu] *n.m.* **1** palha comprida que se extrai de várias plantas gramíneas **2** cobertura feita com essa palha

olo (co.lo) ['kɔlu] *n.m.* **1** parte do corpo humano formada pelo pescoço e pelos ombros; regaço **2** parte mais estreita e apertada de um órgão ♦ **ao colo** nos braços

olocação (co.lo.ca.ção) [kulukɐ'sɐ̃w̃] *n.f.* **1** ação ou efeito de colocar; instalação **2** emprego

colocar (co.lo.car) [kulu'kar] *v.* **1** pôr num lugar **2** instalar **3** dar emprego **4** apresentar (uma questão, um problema)

colombiano (co.lom.bi:a.no) [kulõ'bjɐnu] *adj.* relativo à Colômbia ▪ *n.m.* pessoa natural da Colômbia

colón (co.lón) [kɔ'lɔn] *n.m.* unidade monetária da Costa Rica e de El Salvador

cólon (có.lon) ['kɔlɔn] *n.m.* ⟨*pl.* cólones⟩ parte do intestino grosso entre o ceco e o reto

colónia (co.ló.ni:a) [ku'lɔnjɐ] *n.f.* **1** território ocupado e administrado por um país e situado, geralmente, noutro continente **2** grupo de pessoas naturais de um país que se estabelecem noutro país ♦ **colónia de férias** local, geralmente situado no campo ou à beira-mar, onde um grupo de crianças ou de jovens reside durante um período de férias

colonial (co.lo.ni:al) [kulu'njał] *adj.2g.* relativo a colónia

colonialismo (co.lo.ni:a.lis.mo) [kulunjɐ'liʒmu] *n.m.* **1** processo de expansão e estabelecimento de colónias **2** forma de domínio económico, político e social, exercido por uma nação sobre outra (separadas geograficamente)

colonialista (co.lo.ni:a.lis.ta) [kulunjɐ'liʃtɐ] *adj.2g.* relativo a colonialismo ou a colónia ▪ *n.2g.* pessoa que defende o colonialismo

colonização (co.lo.ni.za.ção) [kulunizɐ'sɐ̃w̃] *n.f.* **1** estabelecimento de colónias **2** povoamento (de territórios) com colonos

colonizador (co.lo.ni.za.dor) [kulunizɐ'dor] *n.m.* aquele que estabelece e explora colónias

colonizar (co.lo.ni.zar) [kuluni'zar] *v.* **1** estabelecer colónias em **2** povoar (território) com colonos

colono (co.lo.no) [ku'lonu] *n.m.* habitante ou membro de uma colónia

colonoscopia (co.lo.nos.co.pi.a) [kulunɔʃku'piɐ] *n.f.* exame do interior do cólon por meio de um aparelho próprio introduzido pelo ânus

coloquial (co.lo.qui:al) [kulu'kjał] *adj.2g.* que é próprio da linguagem oral e espontânea **SIN.** informal

coloquialidade (co.lo.qui:a.li.da.de) [kulukjɐli'dad(ə)] *n.f.* **1** qualidade de coloquial **2** (de linguagem) carácter informal; familiaridade

colóquio (co.ló.qui:o) [ku'lɔkju] *n.m.* **1** conversa entre duas ou mais pessoas **2** reunião de especialistas de uma área do conhecimento (medicina, política, filosofia, etc.) sobre um dado tema; conferência

coloração (co.lo.ra.ção) [kulurɐ'sɐ̃w̃] *n.f.* **1** ato ou efeito de colorir **2** efeito produzido pelas cores

colorau (co.lo.rau) [kulu'raw] *n.m.* condimento em pó, vermelho, preparado com pimentão seco

colorido (co.lo.ri.do) [kulu'ridu] *adj.* **1** que tem muitas cores **2** *fig.* que tem vivacidade

colorir (co.lo.rir) [kulu'rir] *v.* **1** dar cor ou cores a; pintar **2** *fig.* tornar mais intenso ou forte; dar um aspeto agradável

colossal (co.los.sal) [kulu'saɫ] *adj.2g.* **1** enorme; gigantesco **2** espetacular; extraordinário

colosso (co.los.so) [ku'losu] *n.m.* **1** estátua muito grande **2** ser ou coisa de tamanho gigantesco

coluna (co.lu.na) [ku'lunɐ] *n.f.* **1** suporte vertical que serve para sustentar coberturas, abóbadas, etc.; pilar **2** divisão vertical de uma página (de um livro, jornal, etc.) **3** dispositivo em forma de caixa com uma tela na frente que serve para ampliar e reproduzir sons **4** série de objetos colocados numa linha vertical ◆ **coluna vertebral** conjunto de vértebras articuladas, situado na parte posterior do tronco, que sustenta o esqueleto

colunável (co.lu.ná.vel) [kulu'navɛɫ] *adj.,n.2g. coloq.* que ou pessoa que aparece nas colunas sociais de jornais ou revistas

colunista (co.lu.nis.ta) [kulu'niʃtɐ] *n.2g.* jornalista que redige uma coluna de jornal

com (com) [kõ] *prep.* estabelece várias relações, como: a) companhia: *Foi com os amigos à praia.*; b) modo: *Estudava para o exame com vontade.*; c) tempo: *O clima arrefeceu com a noite.*; d) causa: *Suei com o calor.*; e) adição: *Gosto de pão com manteiga.*

coma (co.ma) ['komɐ] *n.m.* **1** estado de inconsciência profunda em que não se regista atividade cerebral, mantendo-se as funções vitais de respiração e circulação **2** *fig.* apatia; insensibilidade ■ **comas** *n.f.pl.* sinal gráfico « » que se utiliza para destacar uma ou mais palavras ou para referir as palavras de alguém **SIN.** aspas

comadre (co.ma.dre) [ku'madr(ə)] *n.f.* ⟨*m.* compadre⟩ madrinha da pessoa batizada em relação aos pais e ao padrinho

comandante (co.man.dan.te) [kumɐ̃'dɐ̃t(ə)] *n.2g.* aquele que comanda um grupo de trabalho ou uma força militar **SIN.** chefe

comandar (co.man.dar) [kumɐ̃'dar] *v.* **1** dirigir (um grupo, uma força militar) como superior; chefiar **2** dirigir (um veículo, uma embarcação); guiar

comando (co.man.do) [ku'mɐ̃du] *n.m.* **1** liderança (de um grupo de trabalho, de uma força militar, etc.); chefia **2** dispositivo que faz funcionar aparelhos (televisão, DVD, etc.) à distância

comarca (co.mar.ca) [ku'markɐ] *n.f.* circunscrição territorial com julgado de primeira instância

comas (co.mas) ['komɐʃ] *n.f.pl.* ⇒ **coma** *n. f. pl.*

combate (com.ba.te) [kõ'bat(ə)] *n.m.* **1** luta entr adversários armados ou entre exércitos **2** con fronto físico entre atletas **3** *fig.* oposição de ideia ou opiniões

combatente (com.ba.ten.te) [kõbɐ'tẽt(ə)] *n.2g* pessoa que combate **SIN.** soldado

combater (com.ba.ter) [kõbɐ'ter] *v.* **1** lutar contr **2** opor-se a

combativo (com.ba.ti.vo) [kõbɐ'tivu] *adj.* **1** fo goso; arrebatado **2** que tem tendência para com bater

combinação (com.bi.na.ção) [kõbinɐ'sɐ̃w̃] *n.* **1** reunião de coisas diferentes ou semelhante **2** plano para a realização de determinado obje tivo **3** peça de roupa interior feminina

combinada (com.bi.na.da) [kõbi'nadɐ] *n.f.* [MOÇ veículo motorizado que combina uma parte par carga e outra para passageiros

combinado (com.bi.na.do) [kõbi'nadu] *adj.* **1** qu foi reunido; agrupado **2** que foi decidido; pla neado ■ *n.m.* **1** aquilo que se combinou **2** refeiçã de hambúrguer, rissóis, salsichas ou outro ali mento semelhante, servido com batatas fritas salada e, por vezes, ovo

combinar (com.bi.nar) [kõbi'nar] *v.* **1** reunir coi sas diferentes ou semelhantes **2** marcar (um atividade, um encontro) **3** fazer condizer (cores formas, objetos)

combinatória (com.bi.na.tó.ri:a) [kõbinɐ'tɔrjɐ] *n.* agrupamento de elementos ◆ **combinatória fix** grupo formado por dois ou mais elementos

combinatório (com.bi.na.tó.ri:o) [kõbinɐ'tɔrju *adj.* em que há combinação

comboio (com.boi.o) [kõ'bɔju] *n.m.* **1** veículo com posto por uma série de carruagens atrelada umas às outras e movidas por uma locomotiva **comboio de alta velocidade** comboio que cir cula a uma velocidade superior aos outros com boios (cerca de 300 km/h), realizando do pont de partida ao ponto de chegada um número re duzido de paragens; **comboio expresso** com boio que, ao longo do seu percurso, não par em todas as estações e apeadeiros **2** conjunto or ganizado de veículos com escolta que transpor tam mercadorias, munições, etc., para u mesmo destino ◆ **ver passar os comboios** fica para trás; perder oportunidades

combustão (com.bus.tão) [kõbuʃ'tɐ̃w̃] *n.f.* **1** at de queimar ou de arder **2** estado de uma subs tância consumida pelo fogo

combustível (com.bus.tí.vel) [kõbuʃ'tivɛɫ] *adj.2g* que arde ■ *n.m.* substância que se utiliza par produzir combustão

começar (co.me.çar) [kumə'sar] *v.* **1** dar início a; iniciar: *começar um projeto* **ANT.** acabar **2** ter início; iniciar: *O filme começou tarde.*

começo (co.me.ço) [ku'mesu] *n.m.* **1** primeiro momento de existência ou de realização de alguma coisa; início **ANT.** fim **2** origem; causa

comédia (co.mé.di:a) [ku'mɛdjɐ] *n.f.* **1** peça teatral ou filme que trata temas divertidos e cujo objetivo é fazer rir **2** situação divertida ou ridícula

comediante (co.me.di:an.te) [kumə'djɐ̃t(ə)] *n.2g.* **1** ator ou atriz de comédias **2** *fig.* pessoa que gosta de fazer rir os outros

comedido (co.me.di.do) [kumə'didu] *adj.* moderado

comedimento (co.me.di.men.to) [kumədi'mẽtu] *n.m.* moderação

comedir(-se) (co.me.dir(-se)) [kumə'dir(sə)] *v.* moderar(-se); conter(-se)

comedouro (co.me.dou.ro) [kumə'do(w)ru] *n.m.* recipiente onde se põe a comida dos animais

comemoração (co.me.mo.ra.ção) [kuməmurɐ'sɐ̃w̃] *n.f.* cerimónia em que se recorda um acontecimento ou uma pessoa **SIN.** celebração

comemorar (co.me.mo.rar) [kuməmu'rar] *v.* festejar (aniversário, acontecimento) **SIN.** celebrar

comemorativo (co.me.mo.ra.ti.vo) [kuməmurɐ'tivu] *adj.* que serve para comemorar

comemorável (co.me.mo.rá.vel) [kuməmu'ravɛɫ] *adj.,n.2g.* digno de comemoração **SIN.** memorável

comenda (co.men.da) [ku'mẽdɐ] *n.f.* distinção honorífica de ordem militar ou civil

comendador (co.men.da.dor) [kumẽdɐ'dor] *n.m.* pessoa que tem uma insígnia ou condecoração

comensurável (co.men.su.rá.vel) [kumẽsu'ravɛɫ] *adj.,n 2g.* que se pode medir em comparação com outro **ANT.** incomensurável

comentador (co.men.ta.dor) [kumẽtɐ'dor] *n.m.* **1** autor de um comentário **2** pessoa que comenta notícias e atualidades, na rádio e na televisão

comentar (co.men.tar) [kumẽ'tar] *v.* **1** conversar sobre; discutir **2** dar uma opinião ou explicação sobre; criticar

comentário (co.men.tá.ri:o) [kumẽ'tarju] *n.m.* **1** opinião escrita ou oral sobre um facto ou tema **2** ponto de vista sobre algo; observação

comer (co.mer) [ku'mer] *v.* **1** ingerir alimento(s); alimentar-se; provar **2** *coloq.* omitir (letras, palavras) ao falar ou ao escrever ◆ **ser de comer e chorar por mais** ser muito bom

comercial (co.mer.ci:al) [kumər'sjaɫ] *adj.2g.* **1** relativo a comércio **2** feito para dar lucro

comercialização (co.mer.ci:a.li.za.ção) [kumərsjɐlizɐ'sɐ̃w̃] *n.f.* ato de pôr à venda

comercializar (co.mer.ci:a.li.zar) [kumərsjɐli'zar] *v.* colocar no mercado; pôr à venda

comerciante (co.mer.ci:an.te) [kumər'sjɐ̃t(ə)] *n.2g.* pessoa que trabalha no comércio; negociante

comerciar (co.mer.ci:ar) [kumər'sjar] *v.* negociar em determinada área do comércio

comércio (co.mér.ci:o) [ku'mɛrsju] *n.m.* **1** troca de produtos por dinheiro **2** conjunto dos estabelecimentos comerciais ◆ **comércio eletrónico** compras e vendas feitas através da internet; **comércio justo** tipo de comércio no qual o produtor recebe por aquilo que produz o valor real do seu trabalho

comes (co.mes) ['kɔməʃ] *n.m.2n.* aquilo que se come; **comes e bebes** comidas e bebidas

comestível (co.mes.tí.vel) [kuməʃ'tivɛɫ] *adj.2g.* que se pode comer ▪ **comestíveis** *n.m.2n.* géneros alimentícios **SIN.** víveres

cometa (co.me.ta) [ku'metɐ] *n.m.* astro formado por um núcleo luminoso e um longo rasto brilhante (cauda), que atravessa o céu rapidamente

cometer (co.me.ter) [kumə'ter] *v.* executar; fazer; praticar: *cometer um crime; cometer uma proeza*

cometida (co.me.ti.da) [kumə'tidɐ] *n.f.* investida; ataque

comezaina (co.me.zai.na) [kumə'zajnɐ] *n.f.* **1** grande quantidade de comida **2** refeição festiva e abundante

comichão (co.mi.chão) [kumi'ʃɐ̃w̃] *n.f.* sensação que dá vontade de coçar a pele **SIN.** prurido

comício (co.mí.ci:o) [ku'misju] *n.m.* reunião de cidadãos para discutir assuntos de interesse geral ou para protestar contra alguma coisa

cómico (có.mi.co) ['kɔmiku] *adj.* que faz rir **SIN.** divertido; engraçado

comida (co.mi.da) [ku'midɐ] *n.f.* **1** alimento **2** refeição

comigo (co.mi.go) [ku'migu] *prn.pess.* **1** com a minha pessoa: *Eles conversaram comigo.* **2** em minha companhia: *Fica comigo!* **3** na minha posse: *O livro está comigo.* **4** à minha responsabilidade: *Ela deixou o filho comigo.* **5** ao mesmo tempo que eu: *Cantem comigo!* **6** de mim para mim: *Eu disse para comigo...* **7** a meu respeito: *Essa piada é comigo?*

comilão (co.mi.lão) [kumi'lɐ̃w̃] *adj.,n.m.* ⟨*f.* comilona⟩ que ou aquele que come muito

cominho (co.mi.nho) [ku'miɲu] *n.m.* planta cujas sementes são usadas como condimento

comissão (co.mis.são) [kumi'sɐ̃w̃] *n.f.* **1** conjunto de pessoas encarregadas de tratar de um assunto **2** percentagem cobrada (por vendedores, etc.) sobre o valor dos negócios realizados **3** cargo temporário, geralmente desempenhado num lugar diferente daquele onde se trabalha

comissariado (co.mis.sa.ri:a.do) [kumisɐ'rjadu] *n.m.* **1** cargo de comissário **2** local onde o comissário exerce as suas funções

comissário (co.mis.sá.ri:o) [kumi'sarju] *n.m.* **1** membro de uma comissão **2** chefe da polícia **3** num avião, funcionário que presta assistência aos passageiros

comissionista (co.mis.si:o.nis.ta) [kumisju'niʃtɐ] *n.2g.* pessoa que recebe comissão (por venda efetuada ou serviço prestado)

comité (co.mi.té) [kɔmi'tɛ] *n.m.* conjunto de pessoas encarregadas de tratar de um assunto

comitiva (co.mi.ti.va) [kumi'tivɐ] *n.f.* grupo de pessoas que acompanha alguém **SIN.** séquito

como (co.mo) ['komu] *conj.* **1** do mesmo modo que: *Ele escreve como fala.* **2** da maneira que: *Vestiu-se como quis.* **3** conforme; segundo: *como se segue* **4** visto que: *Como não respondeste, perguntei a outra pessoa.* **5** na qualidade de: *Trabalha como psicóloga.* **6** exprime comparação: *Ele é tão alto como o pai.* **7** exprime intensidade: *Como cheira bem essa flor!* **8** introduz exemplos: *em algumas cidades como Lisboa* ▪ *adv.* **1** de que maneira: *Como sou feliz!* **2** usado para interrogar: *Como está?; Como te chamas?; Como?*

comoção (co.mo.ção) [kumu'sɐ̃w̃] *n.f.* emoção forte; perturbação

cómoda (có.mo.da) ['kɔmudɐ] *n.f.* móvel com gavetas na parte da frente

comodidade (co.mo.di.da.de) [kumudi'dad(ə)] *n.f.* qualidade do que é cómodo **SIN.** conforto

comodismo (co.mo.dis.mo) [kumu'diʒmu] *n.m.* atitude de quem se preocupa só com o seu bem-estar e os seus interesses

comodista (co.mo.dis.ta) [kumu'diʃtɐ] *adj.,n.2g.* que ou pessoa que se preocupa só com o seu bem-estar e com os seus interesses

cómodo (có.mo.do) ['kɔmudu] *adj.* **1** que é fácil ou agradável de utilizar **2** que é confortável

comovente (co.mo.ven.te) [kumu'vẽt(ə)] *adj.2g.* que comove ou enternece **SIN.** emocionante

comover(-se) (co.mo.ver(-se)) [kumu'ver(sə)] *v.* causar ou sentir comoção **SIN.** emocionar(-se)

comovido (co.mo.vi.do) [kumu'vidu] *adj.* que se comoveu **SIN.** emocionado

compactar (com.pac.tar) [kõpɐ'ktar] *v.* **1** reduzir o volume de **2** armazenar (dados, ficheiros) de forma a ocupar menos espaço na memória do computador **SIN.** comprimir

compacto (com.pac.to) [kõ'paktu] *adj.* **1** cujos elementos estão unidos entre si **2** diz-se do texto ou estilo breve; conciso **3** diz-se do espaço pequeno; reduzido

compactuar (com.pac.tu:ar) [kõpɐ'ktwar] *v.* pactuar juntamente com outrem

compadecer (com.pa.de.cer) [kõpɐdə'ser] *v.* despertar a compaixão de: *O seu pedido compadeceu-o.* ▪ **compadecer-se 1** ⟨**+de**⟩ sentir compaixão por: *A senhora compadeceu-se da criança.* **2** ⟨**+com**⟩ ser compatível: *Este tipo de atitude não se compadece com as regras.*

compadre (com.pa.dre) [kõ'padr(ə)] *n.m.* ⟨*f.* comadre⟩ padrinho da pessoa batizada em relação aos pais e à madrinha

compadrio (com.pa.dri.o) [kõpɐ'driu] *n.m.* **1** parentesco entre compadres **2** *fig.* proteção exagerada; favoritismo

compaixão (com.pai.xão) [kõpaj'ʃɐ̃w̃] *n.f.* sentimento de dor ou de simpatia que nos causa o sofrimento ou a infelicidade de alguém

companheirismo (com.pa.nhei.ris.mo) [kõpɐɲɐj'riʒmu] *n.m.* relação de amizade e lealdade entre companheiros **SIN.** camaradagem

companheiro (com.pa.nhei.ro) [kõpɐ'ɲɐjru] *n.m.* **1** colega; camarada **2** pessoa com quem se vive maritalmente ou em união de facto

companhia (com.pa.nhi.a) [kõpɐ'ɲiɐ] *n.f.* **1** presença de uma pessoa junto de uma outra(s) pessoa(s) **2** pessoa que acompanha outra **3** associação de pessoas para um determinado fim (cultural, artístico, etc.) **4** empresa; firma

comparação (com.pa.ra.ção) [kõpɐrɐ'sɐ̃w̃] *n.f.* ato de examinar duas ou mais coisas para procurar diferenças e semelhanças; confronto ◆ **em comparação com** confrontando com; **sem comparação** muito melhor/superior

comparado (com.pa.ra.do) [kõpɐ'radu] *adj.* que se comparou; confrontado

comparar (com.pa.rar) [kõpɐ'rar] *v.* ⟨**+com**⟩ examinar coisas ou pessoas para determinar as se melhanças ou as diferenças: *Compara o meu livro com o teu.* **SIN.** confrontar

comparativo (com.pa.ra.ti.vo) [kõpɐrɐ'tivu] *adj.* que serve para comparar ▪ *n.m.* grau do adjetivo ou do advérbio usado para estabelecer uma comparação que pode indicar igualdade, superioridade ou inferioridade

comparável (com.pa.rá.vel) [kõpɐ'ravɛɫ] *adj.2g.* **1** que pode ser comparado **2** semelhante

comparecer (com.pa.re.cer) [kõpɐrə'ser] *v.* ⟨**+a**, **+em**⟩ estar presente (em determinado lugar): *comparecer ás aulas; comparecer em tribunal*

comparência (com.pa.rên.ci:a) [kõpɐ'rẽsjɐ] *n.f.* presença de alguém em determinado lugar

comparsa (com.par.sa) [kõ'parsɐ] *n.2g.* companheiro; cúmplice

comparticipação (com.par.ti.ci.pa.ção) [kõpɐrtisipɐ'sɐ̃w̃] *n.f.* **1** participação conjunta (num projeto) **2** participação nos custos de (medicamentos)

comparticipar (com.par.ti.ci.par) [kõpɐrtisi'par] *v.* **1** tomar parte juntamente com outros **2** partilhar os custos ou lucros de

compartilhar (com.par.ti.lhar) [kõpɐrti'ʎar] *v.* partilhar com

compartimento (com.par.ti.men.to) [kõpɐrti'mẽtu] *n.m.* cada uma das divisões de uma casa, de uma caixa ou de uma gaveta, etc.

compassado (com.pas.sa.do) [kõpɐ'sadu] *adj.* **1** que obedece a um ritmo **2** separado por intervalos iguais

compasso (com.pas.so) [kõ'pasu] *n.m.* **1** instrumento composto de duas hastes articuladas que serve para traçar circunferências **2** divisão da pauta musical em duas, três ou quatro partes iguais, chamadas tempo ◆ **compasso de espera** **1** pausa de um instrumento, integrado numa orquestra, até chegar a sua vez de tocar **2** pausa; intervalo

compatibilidade (com.pa.ti.bi.li.da.de) [kõpɐtibili'dad(ə)] *n.f.* qualidade do que é compatível

compatibilizar (com.pa.ti.bi.li.zar) [kõpɐtibili'zar] *v.* ⟨**+com**⟩ tornar compatível: *compatibilizar trabalho com lazer* **SIN.** conciliar

compatível (com.pa.tí.vel) [kõpɐ'tivɛɫ] *adj.2g.* **1** que pode existir ou funcionar juntamente com outra coisa **2** diz-se do cargo que uma pessoa pode desempenhar ao mesmo tempo que outro

compatriota (com.pa.tri:o.ta) [kõpɐ'trjɔtɐ] *n.2g.* pessoa que tem a mesma pátria **SIN.** conterrâneo

compelir (com.pe.lir) [kõpə'lir] *v.* obrigar; forçar

compêndio (com.pên.di:o) [kõ'pẽdju] *n.m.* **1** resumo (de teoria, ciência, arte, etc.); síntese **2** livro que apresenta esse resumo

compenetrado (com.pe.ne.tra.do) [kõpənə'tradu] *adj.* **1** concentrado **2** convencido; certo

compenetrar (com.pe.ne.trar) [kõpənə'trar] *v.* **1** concentrar **2** convencer

compensação (com.pen.sa.ção) [kõpẽsɐ'sɐ̃w̃] *n.f.* **1** equilíbrio entre duas coisas; igualdade **2** aquilo que compensa alguma coisa; vantagem ◆ **em compensação** em contrapartida

compensador (com.pen.sa.dor) [kõpẽsɐ'dor] *adj.* que traz vantagens ou benefícios

compensar (com.pen.sar) [kõpẽ'sar] *v.* **1** equilibrar **2** indemnizar

competência (com.pe.tên.ci:a) [kõpə'tẽsjɐ] *n.f.* **1** capacidade ou aptidão para fazer ou resolver alguma coisa **2** área de atividade **SIN.** alçada

competente (com.pe.ten.te) [kõpə'tẽt(ə)] *adj.2g.* **1** que tem capacidade para realizar ou resolver alguma coisa **SIN.** capaz **2** apto; qualificado

competição (com.pe.ti.ção) [kõpəti'sɐ̃w̃] *n.f.* **1** disputa entre adversários pelo mesmo lugar, prémio ou resultado **2** prova que põe em concorrência duas ou mais pessoas ou equipas

competidor (com.pe.ti.dor) [kõpəti'dor] *n.m.* pessoa que compete; adversário; rival

competir (com.pe.tir) [kõpə'tir] *v.* **1** ⟨**+com**, **+por**⟩ entrar em concorrência com: *Eles competiram em várias provas pelo troféu.* **SIN.** disputar; rivalizar **2** ser das atribuições de; caber a: *Compete-te avisá-los.*

competitividade (com.pe.ti.ti.vi.da.de) [kõpətitivi'dad(ə)] *n.f.* qualidade de competitivo

competitivo (com.pe.ti.ti.vo) [kõpəti'tivu] *adj.* **1** relativo a competição **2** que gosta de competir

compilação (com.pi.la.ção) [kõpilɐ'sɐ̃w̃] *n.f.* reunião de textos ou documentos sobre determinado assunto

compilar (com.pi.lar) [kõpi'lar] *v.* reunir (textos, documentos) numa obra única

compincha (com.pin.cha) [kõ'pĩʃɐ] *n.2g. coloq.* companheiro; amigo

complacente (com.pla.cen.te) [kõplɐ'sẽt(ə)] *adj.2g.* condescendente; tolerante; benevolente

compleição (com.plei.ção) [kõplɐj'sɐ̃w̃] *n.f.* **1** constituição física **2** temperamento

complementar (com.ple.men.tar) [kõplәmẽ'tar] *adj.2g.* **1** que completa **2** que serve de complemento ▪ *v.* completar; concluir

complementaridade (com.ple.men.ta.ri.da.de) [kõpləmẽtɐri'dad(ə)] *n.f.* facto de duas ou mais coisas se complementarem

complemento (com.ple.men.to) [kõplə'mẽtu] *n.m.* **1** aquilo que completa **SIN.** suplemento **2** palavra ou expressão que completa o sentido de outra; **complemento direto** palavra ou expressão que completa o sentido de um verbo transitivo direto sem o auxílio de preposição; **complemento indireto** palavra ou expressão que, antecedida de uma preposição, completa o sentido de um verbo

completamente (com.ple.ta.men.te) [kõplɛtɐ'mẽt(ə)] *adv.* **1** de modo completo **SIN.** totalmente **2** absolutamente

completar (com.ple.tar) [kõplə'tar] *v.* **1** tornar completo **2** concluir; terminar

completivo (com.ple.ti.vo) [kõplɛ'tivu] *adj.* **1** que completa **2** que serve de complemento

completo (com.ple.to) [kõ'plɛtu] *adj.* **1** a que não falta nada; completo **ANT.** incompleto **2** que não tem espaço disponível; cheio **3** que chegou ao fim; concluído ◆ **por completo** inteiramente

complexado (com.ple.xa.do) [kõplɛ'ksadu] *adj.* que tem complexos; inibido

complexidade (com.ple.xi.da.de) [kõplɛksi'dad(ə)] *n.f.* qualidade do que é complexo

complexo (com.ple.xo) [kõ'plɛksu] *adj.* **1** que tem muitos elementos ou partes diferentes **2** que é difícil de resolver ou de entender; complicado **3** (palavra) que é formada pelo constituinte temático, pelo(s) sufixo(s) de flexão e por mais de um constituinte morfológico ■ *n.m.* **1** conjunto de sentimentos, ideias e impulsos, geralmente inconscientes, que fazem parte da personalidade de uma pessoa, determinando o seu comportamento; **complexo de inferioridade** perturbação psicológica resultante do sentimento de inferioridade perante os outros ou em face de uma situação nova **2** conjunto de instalações para um fim específico; **complexo desportivo** conjunto de instalações para a prática de desporto que inclui recintos desportivos, balneários, piscinas, etc.

complicação (com.pli.ca.ção) [kõplikɐ'sɐ̃w̃] *n.f.* **1** estado do que é complicado **2** aquilo que complica; dificuldade **3** coisa confusa ou obscura

complicado (com.pli.ca.do) [kõpli'kadu] *adj.* difícil de resolver ou de entender **SIN.** complexo **ANT.** simples

complicar(-se) (com.pli.car(-se)) [kõpli'kar(sə)] *v.* **1** tornar(-se) complexo **2** tornar(-se) difícil de entender **3** tornar(-se) pior **SIN.** agravar(-se)

complô (com.plô) [kõ'plo] *n.m.* trama; maquinação

componente (com.po.nen.te) [kõpu'nẽt(ə)] *n.2g.* aquilo que entra na composição de algo; constituinte

compor (com.por) [kõ'por] *v.* **1** escrever (música) **2** produzir (obra de arte) **3** consertar (peça, mecanismo) ■ **compor-se 1** ⟨+de⟩ ser formado por: *O filme compõe-se de 50 cenas.* **2** arranjar-se: *Compôs-se antes de sair.* **3** melhorar: *As coisas começavam a compor-se.*

comporta (com.por.ta) [kõ'pɔrtɐ] *n.f.* porta móvel que sustém a água de uma barragem, dique ou canal

comportamento (com.por.ta.men.to) [kõpurtɐ'mẽtu] *n.m.* maneira de se comportar; procedimento

comportar (com.por.tar) [kõpur'tar] *v.* **1** conter em si **2** ser composto de ■ **comportar-se** agir de determinada maneira; proceder

composição (com.po.si.ção) [kõpuzi'sɐ̃w̃] *n.f.* **1** modo como os elementos de um todo se dispõem **SIN.** organização **2** exercício escolar que consiste em escrever um texto sobre um dado tema **SIN.** redação **3** obra literária, artística ou científica **4** processo de formação de palavras em que se juntam duas ou mais formas de base

compositor (com.po.si.tor) [kõpuzi'tor] *n.m.* pessoa que escreve peças musicais

compostagem (com.pos.ta.gem) [kõpuʃ'taʒɐ̃j̃] *n.f.* reciclagem do lixo aproveitando a decomposição dos materiais orgânicos na preparação do húmus

composto (com.pos.to) [kõ'poʃtu] *adj.* **1** formado por dois ou mais elementos **2** que se compôs; arrumado ■ *n.m.* substância química formada por mais de um elemento

compostura (com.pos.tu.ra) [kõpuʃ'turɐ] *n.f.* comportamento que revela sobriedade e moderação

compota (com.po.ta) [kõ'pɔtɐ] *n.f.* doce de frutas em calda de açúcar

compra (com.pra) ['kõprɐ] *n.f.* **1** ato de comprar; aquisição **2** aquilo que se comprou **3** *fig.* suborno

comprador (com.pra.dor) [kõprɐ'dor] *n.m.* pessoa que compra

comprar (com.prar) [kõ'prar] *v.* **1** adquirir mediante pagamento **2** atingir; alcançar **3** *fig.* subornar

compreender (com.pre:en.der) [kõprjẽ'der] *v.* **1** entender **2** incluir

compreendido (com.pre:en.di.do) [kõprjẽ'didu] *adj.* **1** entendido; percebido **2** incluído

compreensão (com.pre:en.são) [kõprjẽ'sɐ̃w̃] *n.f.* **1** capacidade de compreender; entendimento **2** possibilidade de conter em si; inclusão

compreensível (com.pre:en.sí.vel) [kõprjẽ'sivɛł] *adj.2g.* que se pode compreender ou entender

compreensivo (com.pre:en.si.vo) [kõprjẽ'sivu] *adj.* que compreende; tolerante

compressa (com.pres.sa) [kõ'prɛsɐ] *n.f.* tira de pano ou gaze que se aplica sobre uma ferida ou uma parte dorida do corpo

compressão **(com.pres.são)** [kõprə'sɐ̃w̃] *n.f.* redução do volume de um corpo

compressor **(com.pres.sor)** [kõprə'sor] *n.m.* **1** aparelho próprio para exercer compressão **2** rolo pesado usado para compactar e alisar um terreno ou pavimento

comprido **(com.pri.do)** [kõ'pridu] *adj.* **1** extenso ou longo (no espaço ou no tempo) **ANT.** curto **2** crescido ◆ **espalhar-se ao comprido** cair estendido sobre

comprimento **(com.pri.men.to)** [kõpri'mẽtu] *n.m.* **1** extensão de um objeto de uma ponta à outra; tamanho **2** extensão entre dois pontos; distância

> Não confundir **comprimento** (extensão) com **cumprimento** (saudação).

comprimido **(com.pri.mi.do)** [kõpri'midu] *adj.* **1** que se comprimiu **2** reduzido a um tamanho menor; condensado ■ *n.m.* medicamento em forma de pastilha

comprimir **(com.pri.mir)** [kõpri'mir] *v.* **1** fazer compressão sobre **2** reduzir o volume ou o tamanho de

comprometedor **(com.pro.me.te.dor)** [kõprumətə'dor] *adj.* que compromete ou pode comprometer

comprometer **(com.pro.me.ter)** [kõprumə'ter] *v.* colocar (alguém) em situação de risco ou de embaraço: *As fotografias comprometeram a reputação do João.* ■ **comprometer-se** ⟨**+a**⟩ assumir a responsabilidade de: *Ele comprometeu-se a ajudá-la.*

comprometido **(com.pro.me.ti.do)** [kõprumə'tidu] *adj.* **1** obrigado por compromisso **2** envolvido (numa situação) **3** que ficou noivo

compromisso **(com.pro.mis.so)** [kõpru'misu] *n.m.* **1** obrigação assumida por alguém **2** promessa formal; acordo **3** acordo político; pacto

comprovação **(com.pro.va.ção)** [kõpruvɐ'sɐ̃w̃] *n.f.* **1** confirmação **2** prova

comprovar **(com.pro.var)** [kõpru'var] *v.* **1** confirmar **2** provar

comprovativo **(com.pro.va.ti.vo)** [kõpruvɐ'tivu] *adj.* que comprova ■ *n.m.* documento que comprova (um facto, uma afirmação)

compulsivo **(com.pul.si.vo)** [kõpuł'sivu] *adj.* que leva à repetição de um ato, independentemente da vontade do sujeito

computação **(com.pu.ta.ção)** [kõputɐ'sɐ̃w̃] *n.f.* organização de dados de acordo com uma sequência de instruções codificadas num programa; processamento de dados

computacional **(com.pu.ta.ci:o.nal)** [kõputɐsju'nał] *adj.2g.* relativo a computador ou a computação

computador **(com.pu.ta.dor)** [kõputɐ'dor] *n.m.* aparelho eletrónico capaz de receber, armazenar e processar grande quantidade de informação ◆ **computador pessoal** computador destinado a ser usado por um utilizador individual; **computador portátil** computador de volume e peso reduzidos, que pode ser transportado facilmente

comum **(co.mum)** [ku'mũ] *adj.2g.* **1** que se aplica a várias coisas ou pessoas **2** que pertence a muitas pessoas **3** que interessa a muitas pessoas **4** que é frequente ou usual **5** diz-se do nome que se refere a um ser, um objeto, etc., sem o individualizar **ANT.** próprio ■ *n.m.* **1** a maior parte; generalidade **2** aquilo que é frequente ou usual ◆ **de comum acordo** com o consentimento de todos; **em comum** com mais pessoas; conjuntamente

comuna **(co.mu.na)** [ku'munɐ] *n.2g. pej.* pessoa comunista ■ *n.f.* cidade medieval que adquiria uma certa autonomia em relação ao sistema feudal, com direitos reconhecidos por escrito pelo seu suserano

comungar **(co.mun.gar)** [kumũ'gar] *v.* **1** receber o sacramento da Eucaristia (a hóstia sagrada) **2** ⟨**+de**⟩ estar de acordo com; partilhar (ideias, crenças, opiniões): *Eles comungam dos mesmos ideais.*

comunhão **(co.mu.nhão)** [kumu'ɲɐ̃w̃] *n.f.* **1** sacramento da igreja católica que consiste em tomar a hóstia que representa o corpo de Cristo **2** hóstia consagrada **3** *fig.* acordo na maneira de pensar ou de agir; harmonia

comunicação **(co.mu.ni.ca.ção)** [kumunikɐ'sɐ̃w̃] *n.f.* **1** troca de informação entre pessoas através da fala, da escrita, do comportamento, etc. **2** transmissão de uma mensagem **3** informação oral ou escrita; aviso **4** acesso entre dois locais distantes; passagem ◆ **meios de comunicação social** conjunto dos jornais, revistas e dos meios audiovisuais (televisão, rádio) que têm como objetivo dar informações

comunicado **(co.mu.ni.ca.do)** [kumuni'kadu] *n.m.* informação divulgada pela comunicação social ou afixada em lugar público; mensagem oficial

comunicador **(co.mu.ni.ca.dor)** [kumunikɐ'dor] *n.m.* **1** (processo de comunicação) emissor **2** pessoa que tem facilidade em se relacionar com o público

comunicante **(co.mu.ni.can.te)** [kumuni'kɐ̃t(ə)] *adj.2g.* que estabelece comunicação

comunicar **(co.mu.ni.car)** [kumuni'kar] *v.* **1** transmitir (conhecimento, informação, opinião); divulgar **2** ⟨**+com**⟩ estabelecer comunicação com: *Os pais deviam saber comunicar com os filhos.* ■ **comunicar-se** **1** tornar-se conhecido (facto, informação) **2** transmitir-se por contágio (doença)

comunicativo (co.mu.ni.ca.ti.vo) [kumunikɐ'tivu] *adj.* **1** relativo a comunicação **2** que comunica facilmente **SIN.** extrovertido; expansivo

comunicável (co.mu.ni.cá.vel) [kumuni'kavɛɫ] *adj.2g.* **1** que pode ser comunicado **2** extrovertido; sociável **3** que se transmite com facilidade; contagioso

comunidade (co.mu.ni.da.de) [kumuni'dad(ə)] *n.f.* **1** conjunto de pessoas que vivem na mesma área **2** conjunto de pessoas que têm algo em comum (nacionalidade, profissão, religião, etc.) ♦ **comunidade linguística** conjunto de falantes que usam uma mesma língua

comunismo (co.mu.nis.mo) [kumu'niʒmu] *n.m.* regime caracterizado pela comunhão de todos os bens (meios de produção e bens de consumo) e pela ausência da propriedade privada

comunista (co.mu.nis.ta) [kumu'niʃtɐ] *adj.2g.* relativo ao comunismo ■ *n.2g.* pessoa partidária do comunismo

comunitário (co.mu.ni.tá.ri:o) [kumuni'tarju] *adj.* **1** relativo a comunidade **2** relativo à União Europeia

comutação (co.mu.ta.ção) [kumutɐ'sɐ̃w̃] *n.f.* **1** substituição de um elemento por outro **SIN.** troca **2** operação que permite obter corrente elétrica contínua em geradores, a partir de corrente alternada

comutador (co.mu.ta.dor) [kumutɐ'dor] *n.m.* dispositivo que serve para inverter o sentido da corrente num circuito elétrico ou em parte desse circuito

comutar (co.mu.tar) [kumu'tar] *v.* **1** fazer substituição em **SIN.** permutar **2** atenuar uma pena

concavidade (con.ca.vi.da.de) [kõkɐvi'dad(ə)] *n.f.* propriedade do que é côncavo

côncavo (côn.ca.vo) ['kõkɐvu] *adj.* que tem uma parte curva escavada

conceber (con.ce.ber) [kõsə'ber] *v.* **1** gerar (filhos) **2** criar (um plano, uma ideia) **3** entender (um motivo, uma atitude)

conceção (con.ce.ção)[AO] [kõsɛ'sɐ̃w̃] *n.f.* **1** ato de gerar um novo ser **2** criação (de alguma coisa) **3** ponto de vista

concecional (con.ce.ci:o.nal)[AO] [kõsɛsju'naɫ] *adj.2g.* relativo a conceção

conceder (con.ce.der) [kõsə'der] *v.* **1** dar **2** permitir **3** aceitar

concedido (con.ce.di.do) [kõsə'didu] *adj.* **1** dado **2** permitido **3** aceitado

conceito (con.cei.to) [kõ'sɐjtu] *n.m.* **1** compreensão que se tem de alguma coisa; ideia **2** ponto de vista; opinião

conceituado (con.cei.tu:a.do) [kõsɐj'twadu] *adj.* que tem boa reputação **SIN.** célebre

concelhia (con.ce.lhi.a) [kõsə'ʎiɐ] *n.f.* órgão dirigente de um partido político que é responsável ao nível de um concelho

concelhio (con.ce.lhi.o) [kõsə'ʎiu] *adj.* relativo a concelho

concelho (con.ce.lho) [kõ'sɐ(j)ʎu] *n.m.* subdivisão do território sob administração do presidente da câmara e das outras entidades autárquicas

> Não confundir **concelho** (subdivisão administrativa) com **conselho** (recomendação): *Vivo no **concelho** do Porto. A mãe deu-lhe um bom **conselho**.*

concentração (con.cen.tra.ção) [kõsẽtrɐ'sɐ̃w̃] *n.f.* **1** reunião de pessoas ou coisas num ponto **2** ato de fixar a atenção num assunto ou numa ideia

concentrado (con.cen.tra.do) [kõsẽ'tradu] *adj.* **1** reunido num ponto **2** fixado num assunto ou numa ideia

concentrar (con.cen.trar) [kõsẽ'trar] *v.* **1** fazer convergir para um ponto: *concentrar uma força militar* **SIN.** reunir **2** aplicar de forma exclusiva **SIN.** focar ■ **concentrar-se 1** ⟨**+em**⟩ reunir-se; juntar-se: *A multidão concentrou-se em frente da embaixada.* **2** ⟨**+em**⟩ dirigir (a atenção e o pensamento) para (ideia, assunto ou tarefa em particular): *Tenho de me concentrar neste trabalho.*

concêntrico (con.cên.tri.co) [kõ'sẽtriku] *adj.* **1** que tem o mesmo centro **2** que converge para um ponto

concepção (con.cep.ção) [kõsɛ'sɐ̃w̃] *a nova grafia é* **conceção**[AO]

concepcional (con.cep.ci:o.nal) [kõsɛsju'naɫ] *a nova grafia é* **concecional**[AO]

conceptual (con.cep.tu:al)[AO] [kõsɛ'ptwaɫ] ou **concetual**[AO] *adj.2g.* **1** relativo a conceção **2** relativo às noções mentais **SIN.** abstrato

concernir (con.cer.nir) [kõsər'nir] *v.* dizer respeito

concertação (con.cer.ta.ção) [kõsərtɐ'sɐ̃w̃] *n.f.* conciliação; harmonização

concertado (con.cer.ta.do) [kõsər'tadu] *adj.* **1** arranjado; composto **2** calmo; ameno

concertar (con.cer.tar) [kõsər'tar] *v.* **1** arranjar; compor **2** harmonizar; conciliar

concertina (con.cer.ti.na) [kõsər'tinɐ] *n.f.* instrumento de forma hexagonal ou octogonal, com fole e palheta livre

concerto (con.cer.to) [kõ'sertu] *n.m.* **1** espetáculo em que se executam peças musicais **2** harmonia de vozes ou de sons

> Não confundir **concerto** (espetáculo musical) com **conserto** (reparação): *Ontem fui a um **concerto**. O relógio não tem **conserto**.*

concessão (con.ces.são) [kõsə'sɐ̃w̃] *n.f.* **1** ato de conceder; entrega **2** autorização; permissão

concessionar (con.ces.si:o.nar) [kõsəsju'nar] *v.* atribuir (o Estado) uma concessão

concessionário (con.ces.si:o.ná.ri:o) [kõsəsju'narju] *n.m.* **1** aquele que obteve uma concessão **2** representante exclusivo de uma marca numa região

concessivo (con.ces.si.vo) [kõsə'sivu] *adj.* **1** relativo a concessão **2** que exprime oposição ou restrição à ação expressa na frase principal, mas não é suficiente para impedir que ela se realize

concha (con.cha) ['kõʃɐ] *n.f.* **1** formação mais ou menos resistente, geralmente calcária, que reveste o corpo dos moluscos **2** colher grande e funda para servir sopa ♦ **sair da concha** revelar-se

concidadão (con.ci.da.dão) [kõsidɐ'dɐ̃w̃] *n.m.* ⟨*f.* concidadã, *pl.* concidadãos⟩ pessoa que é natural da mesma cidade ou do mesmo país que outra pessoa

conciliação (con.ci.li:a.ção) [kõsiljɐ'sɐ̃w̃] *n.f.* **1** ato de estabelecer a paz entre pessoas que discutiram ou romperam relações **2** ato de combinar ou harmonizar coisas diferentes ou opostas

conciliar(-se) (con.ci.li:ar(-se)) [kõsi'ljar(sə)] *v.* **1** pôr ou ficar em acordo (partes desavindas) SIN. harmonizar(-se) **2** combinar(-se) (entre coisas diferentes ou opostas)

conciliável (con.ci.li:á.vel) [kõsi'ljavɛɫ] *adj.2g.* que se pode conciliar

concílio (con.cí.li:o) [kõ'silju] *n.m.* reunião de representantes da Igreja para decidir questões de doutrina ou de disciplina da Igreja

concisão (con.ci.são) [kõsi'zɐ̃w̃] *n.f.* qualidade do que é conciso ou breve SIN. brevidade

conciso (con.ci.so) [kõ'sizu] *adj.* que se exprime em poucas palavras SIN. breve; sucinto

conclave (con.cla.ve) [kõ'klav(ə)] *n.m.* **1** reunião do colégio dos cardeais, com o fim de procederem à eleição de um novo papa **2** lugar, no Vaticano, onde se realiza essa reunião **3** *fig.* congresso; seminário

concluir (con.clu:ir) [kõ'klwir] *v.* **1** pôr fim a; terminar; acabar **2** tirar uma conclusão; deduzir

conclusão (con.clu.são) [kõklu'zɐ̃w̃] *n.f.* **1** ato de concluir; termo **2** resultado; consequência ♦ **em conclusão** para terminar SIN. finalmente

conclusivo (con.clu.si.vo) [kõklu'zivu] *adj.* **1** que indica ou exprime conclusão **2** que conclui ou termina

concomitante (con.co.mi.tan.te) [kõkumi'tɐ̃t(ə)] *adj.2g.* que se verifica ao mesmo tempo; simultâneo

concordância (con.cor.dân.ci:a) [kõkur'dɐ̃sjɐ] *n.f.* **1** harmonia; acordo **2** identidade de género e número, entre certas palavras, e de número e pessoa, entre outras

concordar (con.cor.dar) [kõkur'dar] *v.* ⟨**+com**⟩ estar de acordo: *Concordo com ele em tudo.* ANT. discordar

concordata (con.cor.da.ta) [kõkur'datɐ] *n.f.* convenção entre um país católico e a Santa Sé sobre as relações entre o Estado e a Igreja

concórdia (con.cór.di:a) [kõ'kɔrdjɐ] *n.f.* entendimento; conciliação

concorrência (con.cor.rên.ci:a) [kõku'ʀẽsjɐ] *n.f.* **1** oposição de interesses entre pessoas que têm um objetivo comum; rivalidade **2** competição entre produtores, comerciantes ou empresas

concorrente (con.cor.ren.te) [kõku'ʀẽt(ə)] *n.2g.* **1** pessoa que pretende obter alguma coisa em disputa com outras **2** pessoa que participa num concurso ou numa competição

concorrer (con.cor.rer) [kõku'ʀer] *v.* **1** pretender a mesma coisa que outra pessoa **2** participar num concurso **3** candidatar-se a (emprego, lugar, função)

concorrido (con.cor.ri.do) [kõku'ʀidu] *adj.* **1** que foi alvo de competição **2** diz-se do lugar em que há muita gente

concretização (con.cre.ti.za.ção) [kõkrətizɐ'sɐ̃w̃] *n.f.* ato de tornar concreto ou real; realização

concretizar (con.cre.ti.zar) [kõkrəti'zar] *v.* tornar concreto ou real ▪ **concretizar-se** realizar

concretizável (con.cre.ti.zá.vel) [kõkrəti'zavɛɫ] *adj.2g.* que pode ser concretizado; realizável

concreto (con.cre.to) [kõ'krɛtu] *adj.* **1** que existe; real **2** determinado; particular

concubina (con.cu.bi.na) [kõku'binɐ] *n.f.* mulher que vive com um homem com o qual não é casada

concurso (con.cur.so) [kõ'kursu] *n.m.* **1** prova ou conjunto de provas em que participam várias pessoas com o objetivo de conseguir um prémio **2** prestação de provas ou apresentação de documentos exigidos para candidatura a um emprego

condado (con.da.do) [kõ'dadu] *n.m.* **1** terra administrada por um conde **2** divisão administrativa em alguns países

condão (con.dão) [kõ'dɐ̃w̃] *n.m.* qualidade especial; dom ♦ **varinha de condão** vara mágica com que as fadas e os mágicos fazem ou desfazem encantos, nas histórias

conde (con.de) ['kõd(ə)] *n.m.* ⟨*f.* condessa⟩ título de nobreza entre visconde e marquês

condecoração (con.de.co.ra.ção) [kõdəkurɐ'sɐ̃w̃] *n.f.* distinção ou medalha que se recebe como recompensa por algum serviço ou ato

condecorado (con.de.co.ra.do) [kõdəku'radu] *adj.* que recebeu condecoração; premiado

condecorar (con.de.co.rar) [kõdəku'rar] *v.* dar condecoração a (alguém); premiar

condenação (con.de.na.ção) [kõdənɐ'sɐ̃w̃] *n.f.* **1** sentença que condena alguém a uma pena **2** pena imposta por essa sentença **3** crítica severa; censura

condenado (con.de.na.do) [kõdə'nadu] *adj.* **1** que foi considerado culpado **2** que é obrigado a fazer algo; forçado

condenar (con.de.nar) [kõdə'nar] *v.* **1** declarar culpado **2** impor uma pena **3** criticar; censurar

condenável (con.de.ná.vel) [kõdə'navɛɫ] *adj.2g.* **1** que merece ser condenado **2** que merece ser censurado ou reprovado **SIN.** censurável; reprovável

condensação (con.den.sa.ção) [kõdẽsɐ'sɐ̃w̃] *n.f.* **1** passagem de um gás ou vapor ao estado líquido **2** redução do volume de alguma coisa

condensado (con.den.sa.do) [kõdẽ'sadu] *adj.* **1** que voltou à forma líquida (gás, vapor) **2** que foi resumido (ideia, texto)

condensador (con.den.sa.dor) [kõdẽsɐ'dor] *n.m.* aparelho que permite acumular vapor, energia elétrica, etc.

condensar (con.den.sar) [kõdẽ'sar] *v.* **1** passar (gás, vapor) ao estado líquido **2** resumir ao essencial (uma ideia, um texto)

condescendência (con.des.cen.dên.ci:a) [kõdəʃsẽ'dẽsjɐ] *n.f.* tolerância

condescendente (con.des.cen.den.te) [kõdəʃsẽ'dẽt(ə)] *adj.2g.* tolerante

condescender (con.des.cen.der) [kõdəʃsẽ'der] *v.* ceder em alguma coisa (por simpatia ou interesse)

condição (con.di.ção) [kõdi'sɐ̃w̃] *n.f.* **1** situação em que se encontra algo ou alguém; circunstância **2** hipótese; possibilidade **3** facto indispensável; exigência ♦ **em condições** em bom estado

condicionado (con.di.ci:o.na.do) [kõdisju'nadu] *adj.* sujeito a condições ou restrições; dependente de

condicionador (con.di.ci:o.na.dor) [kõdisjunɐ'dor] *n.m.* produto cosmético para amaciar ou tratar o cabelo

condicional (con.di.ci:o.nal) [kõdisju'naɫ] *adj.2g.* **1** que depende de uma condição **2** que exprime uma ação dependente de condição **3** que traduz uma ação futura relativa ao passado

condicionalismo (con.di.ci:o.na.lis.mo) [kõdisjunɐ'liʒmu] *n.m.* **1** qualidade do que é condicional **2** dependência de condição ou condições

condicionar (con.di.ci:o.nar) [kõdisju'nar] *v.* **1** ser condição de (alguma coisa) **2** impor condição ou condições

condimentar (con.di.men.tar) [kõdimẽ'tar] *v.* acrescentar condimentos (sal, pimenta, etc.) a um alimento **SIN.** temperar

condimento (con.di.men.to) [kõdi'mẽtu] *n.m.* substância que realça o sabor dos alimentos **SIN.** tempero

condiscípulo (con.dis.cí.pu.lo) [kõdiʃ'sipulu] *n.m.* companheiro

condizer (con.di.zer) [kõdi'zer] *v.* ⟨**+com**⟩ estar em harmonia com: *O vestido não condiz com o chapéu.*

condolência (con.do.lên.ci:a) [kõdu'lẽsjɐ] *n.f.* sentimento de pesar ou compaixão ■ **condolências** *n.f.pl.* manifestação de tristeza pela morte de alguém; pêsames

condomínio (con.do.mí.ni:o) [kõdu'minju] *n.m.* situação em que um prédio pertence a vários proprietários ♦ **condomínio fechado** área residencial de acesso controlado e com jardim, piscina, etc., que podem ser utilizados apenas pelos moradores

condómino (con.dó.mi.no) [kõ'dɔminu] *n.m.* proprietário de um apartamento ou de parte de um prédio

condor (con.dor) [kõ'dor] *n.m.* grande ave de rapina diurna, de plumagem negra, asas com manchas brancas, e sem penas na cabeça e no pescoço

condução (con.du.ção) [kõdu'sɐ̃w̃] *n.f.* **1** ato de conduzir um veículo **2** ato de levar ou trazer alguém ou algo

conduta (con.du.ta) [kõ'dutɐ] *n.f.* **1** forma de agir; comportamento **2** tubo condutor; cano

condutor (con.du.tor) [kõdu'tor] *adj.* que conduz ■ *n.m.* pessoa que conduz um veículo

conduzir (con.du.zir) [kõdu'zir] *v.* **1** guiar (um veículo) **2** levar ou trazer (alguém ou algo)

cone (co.ne) ['kɔn(ə)] *n.m.* **1** sólido geométrico formado por uma base circular numa das extremidades e por um vértice na outra **2** base cónica de sorvete, feita de massa de biscoito

conectivo (co.nec.ti.vo)[AO] [kunɛ'ktivu] ou **conetivo**[AO] *adj.* diz-se do advérbio que tem a função de ligar elementos da frase

nector (co.nec.tor)[AO] [kunɛ'ktor] ou **conetor**[AO] *adj.* que une ou liga ▪ *n.m.* **1** elemento de ligação entre peças e componentes de um mecanismo ou estrutura **2** palavra ou expressão que funciona como elemento de ligação entre orações ou enunciados

nego (có.ne.go) ['kɔnəgu] *n.m.* padre

nexão (co.ne.xão) [kunɛ'ksɐ̃w̃] *n.f.* **1** ligação; união **2** relação lógica; nexo

nfeção (con.fe.ção)[AO] [kõfɛ'sɐ̃w̃] *n.f.* **1** ato de confecionar; preparação **2** fabrico em série de vestuário, que se compra já pronto

nfecção (con.fec.ção) [kõfɛ'sɐ̃w̃] *a nova grafia é* **confeção**[AO]

nfeccionar (con.fec.ci:o.nar) [kõfɛsju'nar] *a nova grafia é* **confecionar**[AO]

nfecionar (con.fe.ci:o.nar)[AO] [kõfɛsju'nar] *v.* **1** preparar; fazer **2** fabricar (vestuário, joias, etc.)

nfederação (con.fe.de.ra.ção) [kõfədərɐ'sɐ̃w̃] *n.f.* associação de países ou estados com interesses comuns

nfeitaria (con.fei.ta.ri.a) [kõfɐjtɐ'riɐ] *n.f.* estabelecimento onde se fabricam ou vendem doces (pastéis, bolos, biscoitos, etc.) **SIN.** pastelaria

nferência (con.fe.rên.ci:a) [kõfə'rẽsjɐ] *n.f.* **1** conversa entre duas ou mais pessoas sobre determinado assunto **2** debate sobre temas literários, artísticos, científicos, políticos ou religiosos

nferenciar (con.fe.ren.ci:ar) [kõfərẽ'sjar] *v.* **1** conversar sobre **2** discutir (um assunto) numa conferência

nferencista (con.fe.ren.cis.ta) [kõfərẽ'siʃtɐ] *n.2g.* pessoa que faz conferências

nferir (con.fe.rir) [kõfə'rir] *v.* **1** verificar se está exato **2** comparar; confrontar

nfessar (con.fes.sar) [kõfə'sar] *v.* **1** admitir como verdadeiro; reconhecer (culpa, sentimento) **2** contar (pecados) em confissão **3** ouvir (alguém) em confissão ▪ **confessar-se** contar os pecados a um padre

nfessionário (con.fes.si:o.ná.ri:o) [kõfəsju'narju] *n.m.* lugar onde o padre ouve as confissões

nfessor (con.fes.sor) [kõfə'sor] *n.m.* padre que ouve a confissão

nfetes (con.fe.tes) [kõ'fɛtəʃ] *n.m.pl.* pequenos pedaços de papel de várias cores e formas que as pessoas atiram no Carnaval

nfiado (con.fi:a.do) [kõ'fjadu] *adj.* **1** que tem confiança; esperançado **2** [MOÇ.] em quem se confia; honesto

nfiança (con.fi:an.ça) [kõ'fjɐ̃sɐ] *n.f.* **1** segurança de quem acredita em alguém ou em alguma coisa **ANT.** desconfiança **2** crença de que algo vai acontecer; convicção **3** força interior ♦ **dar confiança** permitir um tratamento informal ou familiar; **de confiança** que merece ou desperta total confiança

confiante (con.fi:an.te) [kõ'fjɐ̃t(ə)] *adj.2g.* **1** que confia em algo ou em alguém; crédulo **2** que confia em si próprio; seguro

confiar (con.fi:ar) [kõ'fjar] *v.* **1** ⟨+em⟩ ter confiança; acreditar: *Não confio em ti. Confio que as coisas vão melhorar.* **ANT.** desconfiar **2** ⟨+a⟩ contar (um segredo); revelar: *O João confiou segredos a um amigo.* **3** ⟨+a⟩ incumbir; encarregar: *Confiou à tia a educação dos filhos.*

confiável (con.fi.á.vel) [kõ'fjavɛɫ] *adj.2g.* em que se pode acreditar; digno de confiança; leal

confidência (con.fi.dên.ci:a) [kõfi'dẽsjɐ] *n.f.* segredo ou facto íntimo que se conta a alguém ♦ **em confidência** de modo confidencial; em segredo

confidencial (con.fi.den.ci:al) [kõfidẽ'sjaɫ] *adj.2g.* secreto

confidencialidade (con.fi.den.ci:a.li.da.de) [kõfidẽsjɐli'dad(ə)] *n.f.* **1** qualidade do que é confidencial **2** manutenção do carácter secreto de uma informação

confidenciar (con.fi.den.ci:ar) [kõfidẽ'sjar] *v.* **1** dizer em confidência **2** contar em segredo

confidente (con.fi.den.te) [kõfi'dẽt(ə)] *n.2g.* pessoa a quem se fazem confidências

configuração (con.fi.gu.ra.ção) [kõfigurɐ'sɐ̃w̃] *n.f.* **1** forma exterior de um corpo **SIN.** aspeto **2** forma como um sistema é definido ou organizado, atendendo por vezes a necessidades específicas

configurar (con.fi.gu.rar) [kõfigu'rar] *v.* **1** dar forma a; representar **2** definir opções para satisfazer necessidades específicas de um sistema informático ou de um utilizador

confinar (con.fi.nar) [kõfi'nar] *v.* ⟨+com⟩ fazer fronteira: *Portugal confina com a Espanha.* ▪ **confinar-se** ⟨+a⟩ dedicar-se totalmente: *As minhas aspirações confinam-se a viver em paz.*

confins (con.fins) [kõ'fĩʃ] *n.m.pl.* **1** lugares afastados ou distantes **2** fronteiras; limites

confirmação (con.fir.ma.ção) [kõfirmɐ'sɐ̃w̃] *n.f.* **1** demonstração da verdade de um facto ou de uma afirmação **2** ⇒ **crisma**

confirmado (con.fir.ma.do) [kõfir'madu] *adj.* demonstrado como verdadeiro

confirmar (con.fir.mar) [kõfir'mar] *v.* demonstrar a verdade de um facto ou de uma afirmação ▪ **confirmar-se** provar-se verdadeiro

confiscar **(con.fis.car)** [kõfiʃ'kar] *v.* **1** apreender (bens, objetos) por ordem de um juiz **2** retirar (algo a alguém) como forma de castigo ou devido à existência de regras que proíbem o seu uso

confissão **(con.fis.são)** [kõfi'sɐ̃w̃] *n.f.* **1** declaração (de falta, culpa ou sentimento) **2** reconhecimento dos pecados cometidos, na presença de um padre

conflito **(con.fli.to)** [kõ'flitu] *n.m.* **1** falta de entendimento entre duas ou mais pessoas **2** oposição de interesses ou de ideias ◆ **conflito armado** guerra entre países ou grupos rivais em que são usadas armas

conflituoso **(con.fli.tu:o.so)** [kõfli'twozu] *adj.* **1** diz-se da situação em que há conflito **2** diz-se do comportamento propenso a conflito(s)

confluente **(con.flu:en.te)** [kõ'flwẽt(ə)] *adj.2g.* **1** (curso de água) que flui em direção a (outro) **2** (linha, rua) que converge em determinado ponto **3** (interesse, opinião) que se aproxima ■ *n.m.* rio que desagua num afluente

confluir **(con.flu:ir)** [kõ'flwir] *v.* **1** ⟨**+para**⟩ dirigir-se para o mesmo ponto: *Os vários rios confluíam para o mar.* **SIN.** afluir **2** ⟨**+com**⟩ tornar-se semelhante: *Os nossos interesses confluíram com os dele.* **SIN.** convergir

conformado **(con.for.ma.do)** [kõfur'madu] *adj.* que aceita ou suporta algo negativo **SIN.** resignado

conformar **(con.for.mar)** [kõfur'mar] *v.* **1** dar determinada forma a **2** adequar; adaptar ■ **conformar-se** ⟨**+com**⟩ submeter-se a; resignar-se: *Ele não se conforma com aquele resultado.*

conforme **(con.for.me)** [kõ'fɔrm(ə)] *conj.* **1** de acordo com; segundo: *conforme eu te disse* **2** à medida que: *Conforme iam saindo, as pessoas pegavam nos casacos.* ■ *prep.* de acordo com; segundo: *conforme as necessidades* ■ *adj.2g.* **1** idêntico: *conforme ao original* **2** que está de acordo: *um nível de vida conforme com nossos meios* ◆ **estar tudo nos conformes** estar tudo certo; estar tudo bem

conformidade **(con.for.mi.da.de)** [kõfurmi'dad(ə)] *n.f.* **1** semelhança **2** concordância ◆ **em conformidade com** de acordo com; em concordância com

conformismo **(con.for.mis.mo)** [kõfur'miʒmu] *n.m.* **1** apego aos costumes antigos ou às normas e valores impostos pela sociedade; conservadorismo **2** *pej.* tendência para acatar, sem questionar, o modo de agir e de pensar da maioria do grupo em que está integrado

conformista **(con.for.mis.ta)** [kõfur'miʃtɐ] *adj.,n.2g.* **1** que ou pessoa que se conforma **2** que ou pessoa que vive segundo valores e normas tradicionais **3** *pej.* que ou pessoa que acata, sem questionar, as opiniões ou decisões da maioria

confortar **(con.for.tar)** [kõfur'tar] *v.* trazer consolo ou conforto a

confortável **(con.for.tá.vel)** [kõfur'tavɛɫ] *adj.2g.* cómodo; agradável **ANT.** desconfortável

conforto **(con.for.to)** [kõ'fortu] *n.m.* **1** sensação de bem-estar **ANT.** desconforto **2** *fig.* consolo; ânimo

confrade **(con.fra.de)** [kõ'frad(ə)] *n.m.* membro de uma confraria

confraria **(con.fra.ri.a)** [kõfrɐ'riɐ] *n.f.* **1** associação com fins religiosos **SIN.** irmandade **2** associação de pessoas que exercem a mesma profissão ou têm um interesse comum **SIN.** congregação

confraternização **(con.fra.ter.ni.za.ção)** [kõfrɐtərnizɐ'sɐ̃w̃] *n.f.* reunião de pessoas com os mesmos interesses ou ocupações

confraternizar **(con.fra.ter.ni.zar)** [kõfrɐtərni'zar] *v.* **1** reunir-se em convívio **2** partilhar as mesmas crenças e sentimentos que outrem

confrontação **(con.fron.ta.ção)** [kõfrõtɐ'sɐ̃w̃] *n.f.* ⇒ **confronto**

confrontar **(con.fron.tar)** [kõfrõ'tar] *v.* **1** ⟨**+com**⟩ colocar frente a frente: *Confrontámos os suspeitos com as provas.* **2** comparar: *confrontar duas assinaturas* ■ **confrontar-se** ⟨**+com**⟩ ficar frente a frente: *Só agora é que ela vai confrontar-se com as dificuldades.*

confronto **(con.fron.to)** [kõ'frõtu] *n.m.* **1** encontro face a face **2** choque de interesses ou de ideias **3** comparação

confundido **(con.fun.di.do)** [kõfũ'didu] *adj.* **1** desorientado; confuso **2** misturado; baralhado

confundir **(con.fun.dir)** [kõfũ'dir] *v.* **1** tornar confuso; desorientar: *Não me confundas!* **2** misturar coisas diferentes: *Não confundas tudo!* **3** tomar uma coisa por outra: *Confundi o sal com o açúcar.* ■ **confundir-se** **1** ficar confuso: *Confundi-me com tantas perguntas.* **2** misturar-se: *As meias vermelhas confundiram-se com as azuis.* **3** ⟨**+com**⟩ ser muito parecido com: *O João confunde-se perfeitamente com o irmão.*

confusão **(con.fu.são)** [kõfu'zɐ̃w̃] *n.f.* **1** estado do que está confundido ou baralhado **2** falta de ordem ou de clareza; perturbação **3** ato ou efeito de tomar uma coisa por outra; engano ◆ **armar confusão** provocar uma discussão ou uma zanga

confusionar **(con.fu.si:o.nar)** [kõfuzjw'nar] *v.* [ANG., MOÇ.] causar sarilhos ou distúrbios; armar confusão

confuso **(con.fu.so)** [kõ'fuzu] *adj.* **1** que está fora de ordem; desordenado **2** que não é claro; complicado **3** diz-se de quem está desorientado

ongelação (con.ge.la.ção) [kõʒəlɐ'sɐ̃w̃] *n.f.* **1** passagem do estado líquido ao sólido por ação do frio **2** processo de conservação de alimentos a temperaturas inferiores a -18°C durante um longo período

ongelado (con.ge.la.do) [kõʒə'ladu] *adj.* **1** solidificado pela ação do frio **2** que está muito frio

ongelador (con.ge.la.dor) [kõʒəlɐ'dor] *n.m.* compartimento do frigorífico que permite a congelação e conservação dos alimentos

ongelar (con.ge.lar) [kõʒə'lar] *v.* **1** transformar (um líquido) em gelo **2** submeter alimentos a temperaturas muito baixas para os conservar **3** fixar (preços ou salários) **4** sentir muito frio

ongeminar (con.ge.mi.nar) [kõʒəmi'nar] *v.* imaginar; arquitetar

ongénere (con.gé.ne.re) [kõ'ʒɛnər(ə)] *adj.2g.* **1** do mesmo género; da mesma espécie **2** que tem a mesma origem (que outro)

ongénito (con.gé.ni.to) [kõ'ʒɛnitu] *adj.* **1** que existe no indivíduo desde o nascimento ou da gestação; inato **2** que é espontâneo; natural

ongestão (con.ges.tão) [kõʒəʃ'tɐ̃w̃] *n.f.* acumulação anormal de sangue nos vasos de um órgão ou numa zona do corpo

ongestionado (con.ges.ti:o.na.do) [kõʒəʃtju'nadu] *adj.* **1** (órgão, zona) que sofre congestão **2** (trânsito) acumulado **3** (pessoa, rosto) alterado; furioso

ongestionamento (con.ges.ti:o.na.men.to) [kõʒəʃtjunɐ'mẽtu] *n.m.* **1** acumulação de pessoas ou veículos num local, dificultando ou impedindo a circulação SIN. engarrafamento **2** obstrução no acesso a um serviço ou sistema eletrónico

ongestionar (con.ges.ti:o.nar) [kõʒəʃtju'nar] *v.* dificultar ou impedir a circulação ■ **congestionar-se** ficar corado

Note-se que as palavras **congestionamento** e **congestionar** escrevem-se com g (e não com j).

ongolês (con.go.lês) [kõgu'leʃ] *adj.,n.m.* **1** relativo à República Democrática do Congo (antigo Zaire) ou o que é seu natural ou habitante **2** relativo à República do Congo, ou o que é seu natural ou habitante

ongolote (con.go.lo.te) [kõgu'lɔt(ə)] *n.m.* [MOÇ.] bicho de mil patas; maria-café

ongratulação (con.gra.tu.la.ção) [kõgrɐtulɐ'sɐ̃w̃] *n.f.* ato de congratular(-se); felicitação ■ *n.f.pl.* fórmula usada para cumprimentar alguém por alguma coisa; parabéns; felicitações

ongratular (con.gra.tu.lar) [kõgrɐtu'lar] *v.* apresentar congratulações: *Congratulo-te pela tua vitória.* SIN. felicitar ■ **congratular-se** ⟨+com⟩ alegrar-se com a felicidade de outrem: *Congratulou-se com a decisão.*

congregação (con.gre.ga.ção) [kõgrəgɐ'sɐ̃w̃] *n.f.* **1** reunião de pessoas; assembleia **2** instituto ou ordem religiosa

congregar (con.gre.gar) [kõgrə'gar] *v.* reunir; juntar

congressista (con.gres.sis.ta) [kõgrə'siʃtɐ] *n.2g.* membro de um congresso

congresso (con.gres.so) [kõ'grɛsu] *n.m.* **1** reunião de especialistas de determinada área para trocar ideias; colóquio **2** reunião de chefes de Estado ou dos seus representantes para tratar de assuntos de carácter internacional; conferência

congro (con.gro) ['kõgru] *n.m.* peixe marinho, longo e azulado, com pele lisa sem escamas, muito utilizado na alimentação

congruência (con.gru.ên.ci:a) [kõ'grwẽsjɐ] *n.f.* **1** adequação de um objeto ou facto ao fim a que se destina **2** correspondência; coerência **3** acordo; harmonia

congruente (con.gru.en.te) [kõgru'ẽt(ə)] *adj.2g.* **1** adequado; apropriado **2** coincidente; coerente **3** proporcionado; harmonioso

conguês (con.guês) [kõ'geʃ] *adj.* relativo ao Congo ■ *n.m.* **1** natural ou habitante do Congo **2** língua banta falada no Congo

conhaque (co.nha.que) [kɔ'ɲak(ə)] *n.m.* aguardente da região de Conhaque (França)

conhecedor (co.nhe.ce.dor) [kuɲəsə'dor] *adj.* que conhece bem algo; entendido

conhecer (co.nhe.cer) [kuɲə'ser] *v.* **1** ter conhecimento de **2** encontrar alguém pela primeira vez **3** distinguir; reconhecer

conhecido (co.nhe.ci.do) [kuɲə'sidu] *adj.* **1** que se conheceu **2** que muitas pessoas conhecem; familiar **3** que tem grande reputação; célebre

conhecimento (co.nhe.ci.men.to) [kuɲəsi'mẽtu] *n.m.* **1** faculdade de conhecer **2** entendimento **3** domínio de uma arte, técnica ou disciplina ■ **conhecimentos** *n.m.pl.* conjunto de informações adquiridas por meio de estudo sobre uma disciplina, arte ou ciência; saber ◆ **com conhecimento de causa** com domínio de algo; com autoridade, experiência; **dar conhecimento de** comunicar; informar

cónico (có.ni.co) ['kɔniku] *adj.* **1** relativo a cone **2** que tem forma de cone

conivência (co.ni.vên.ci:a) [kuni'vẽsjɐ] *n.f.* acordo tácito; cumplicidade

conivente (co.ni.ven.te) [kuni'vẽt(ə)] *adj.2g.* cúmplice

conjectura (con.jec.tu.ra) [kõʒɛˈturɐ] *a nova grafia é* **conjetura**AO

conjecturar (con.jec.tu.rar) [kõʒetuˈrar] *a nova grafia é* **conjeturar**AO

conjetura (con.je.tu.ra)AO [kõʒɛˈturɐ] *n.f.* **1** hipótese; suposição **2** reunião de circunstâncias favoráveis a determinado acontecimento **SIN.** conjunção

conjeturar (con.je.tu.rar)AO [kõʒɛtuˈrar] *v.* fazer conjeturas; supor

conjugação (con.ju.ga.ção) [kõʒugɐˈsɐ̃w̃] *n.f.* **1** concordância; combinação **2** ligação; junção **3** conjunto de todas as formas flexionadas de um verbo

conjugado (con.ju.ga.do) [kõʒuˈgadu] *adj.* **1** unido; ligado **2** flexionado (verbo)

conjugal (con.ju.gal) [kõʒuˈgaɫ] *adj.2g.* relativo ao casamento; matrimonial

conjugar (con.ju.gar) [kõʒuˈgar] *v.* **1** unir; ligar **2** flexionar (um verbo)

cônjuge (côn.ju.ge) [ˈkõʒuʒ(ə)] *n.m.* pessoa em relação a outra, com quem está casada

> Note-se que **cônjuge** escreve-se primeiro com um **j** e depois com um **g**.

conjunção (con.jun.ção) [kõʒũˈsɐ̃w̃] *n.f.* **1** reunião de circunstâncias favoráveis a determinado acontecimento **SIN.** conjetura **2** palavra invariável que liga frases (orações) ou elementos da mesma frase (oração)

conjuntamente (con.jun.ta.men.te) [kõʒũtɐˈmẽt(ə)] *adv.* em conjunto

conjuntiva (con.jun.ti.va) [kõʒũˈtivɐ] *n.f.* membrana mucosa que reveste a parte anterior do globo ocular e o une às pálpebras

conjuntivite (con.jun.ti.vi.te) [kõʒũtiˈvit(ə)] *n.f.* inflamação da conjuntiva

conjuntivo (con.jun.ti.vo) [kõʒũˈtivu] *adj.,n.m.* que ou modo verbal que exprime a ação como possibilidade, eventualidade, expectativa ou dúvida

conjunto (con.jun.to) [kõˈʒũtu] *n.m.* **1** totalidade de elementos que formam um todo **2** grupo de coisas; coleção **3** grupo de pessoas; equipa **4** grupo musical; banda **5** peças de roupa feitas para serem vestidas juntas; fato

conjuntura (con.jun.tu.ra) [kõʒũˈturɐ] *n.f.* **1** combinação de factos ou circunstâncias num dado momento; situação **2** conjunto de fatores que determinam a situação política, económica e social de um país num dado momento

conluio (con.lui.o) [kõˈluju] *n.m.* combinação entre duas ou mais pessoas para prejudicar alguém; maquinação; trama

connosco (con.nos.co) [kõˈnoʃku] *prn.pess.* **1** co[m] as nossas pessoas: *Eles conversaram connosc[o]* **2** em nossa companhia: *Fica connosco!* **3** [n]a nossa posse: *O livro está connosco.* **4** à nossa re[s]ponsabilidade: *Ela deixou o filho connosco.* **5** [a]o mesmo tempo que nós: *Entraram connosco [no] avião.* **6** a nosso respeito: *Aquela observação e[ra] connosco.*

> Não confundir **connosco** de **com nós**: *Ele saiu connosco. Queres vir com nós os três ao cinema?*

conotação (co.no.ta.ção) [kunutɐˈsɐ̃w̃] *n.f.* signi[fi]cado secundário, com valor subjetivo, atribuí[do] a uma palavra ou expressão **ANT.** denotação

conotar (co.no.tar) [kunuˈtar] *v.* sugerir sentido(subjetivo(s) para além do sentido literal de u[ma] palavra **ANT.** denotar

conotativo (co.no.ta.ti.vo) [kunutɐˈtivu] *adj.* rel[a]tivo a conotação; subjetivo

conquanto (con.quan.to) [kõˈkwɐ̃tu] *conj.* se be[m] que; embora; ainda que: *Não respondeu, co[n]quanto soubesse a resposta.*

conquista (con.quis.ta) [kõˈkiʃtɐ] *n.f.* **1** ato [e] efeito de conquistar **2** aquilo que se conquist[a] (prémio, território, etc.) **3** *fig.* ato de seduzir [al]guém

conquistado (con.quis.ta.do) [kõkiʃˈtadu] *a[dj.]* **1** conseguido pela força das armas **2** alcança[do] com esforço **3** *fig.* seduzido

conquistador (con.quis.ta.dor) [kõkiʃtɐˈdo[r]] *adj.,n.m.* que ou aquele que conquista

conquistar (con.quis.tar) [kõkiʃˈtar] *v.* **1** cons[e]guir pela força das armas **2** alcançar com esfor[ço] **3** *fig.* seduzir

consagração (con.sa.gra.ção) [kõsɐgrɐˈsɐ̃w̃] *n[.f.]* **1** ato de tornar (algo) sagrado **2** homenagem p[ú]blica

consagrado (con.sa.gra.do) [kõsɐˈgradu] *a[dj.]* **1** tornado sagrado **2** dedicado a **3** reconheci[do] pelo seu mérito

consagrar (con.sa.grar) [kõsɐˈgrar] *v.* **1** tornar s[a]grado **2** ⟨+a⟩ dedicar a: *Consagrou todos os esf[or]ços àquele trabalho.* **3** prestar homenagem a **consagrar-se** ⟨+a⟩ dedicar-se totalmente a: *Co[n]sagrou-se à escrita.*

consanguíneo (con.san.guí.ne:o) [kõsɐ̃ˈgwinj[u]] *adj.* que tem o mesmo sangue ou a mesma o[ri]gem

consanguinidade (con.san.gui.ni.da.de) [kõs[ɐ̃g]winiˈdad(ə)] *n.f.* parentesco entre indivíduos q[ue] descendem do mesmo pai; laço de sangue

consciência (cons.ci:ên.ci:a) [kõʃˈsjẽsjɐ] *n.f.* **1** c[o]nhecimento que se tem da própria existênc[ia]

2 capacidade de julgar os próprios atos **3** sentido de responsabilidade ◆ **em consciência** em verdade; honestamente; **ter consciência pesada** ter sentimento de autocensura e de arrependimento por ter agido mal

consciencializar (cons.ci:en.ci:a.li.zar) [kõʃsjẽsjɐ li'zar] *v.* tornar (alguém) consciente de (algo); fazer perceber: *Consciencializou-os do problema.* ■ **consciencializar-se** ⟨**+de**⟩ tomar consciência; perceber

conscencioso (cons.ci:en.ci:o.so) [kõʃsjẽ'sjozu] *adj.* responsável; cuidadoso

consciente (cons.ci:en.te) [kõʃ'sjẽt(ə)] *adj.2g.* **1** que tem conhecimento ou consciência de **2** que tem bom senso; responsável

consecutivo (con.se.cu.ti.vo) [kõsəku'tivu] *adj.* **1** que se segue, um após o outro; sucessivo **2** que expressa a consequência do que é declarado na frase principal

conseguinte (con.se.guin.te) [kõsə'gĩt(ə)] *adj.2g.* consequente; resultante ◆ **por conseguinte** por consequência

conseguir (con.se.guir) [kõsə'gir] *v.* **1** obter (algo que se pretendia) **2** alcançar (um objetivo)

conselheiro (con.se.lhei.ro) [kõsə'ʎɐjru] *n.m.* **1** pessoa que aconselha **2** membro de um conselho

conselho (con.se.lho) [kõ'sɐ(j)ʎu] *n.m.* **1** opinião que se dá sobre o que alguém deve (ou não) fazer **2** conjunto de pessoas que aconselham ou administram ◆ **conselho diretivo** órgão encarregado da gestão de um estabelecimento de ensino

> Não confundir **conselho** (recomendação) com **concelho** (subdivisão administrativa): *A mãe deu-lhe um bom **conselho**. Vivo no **concelho** do Porto.*

consenso (con.sen.so) [kõ'sẽsu] *n.m.* acordo de ideias ou opiniões

consensual (con.sen.su:al) [kõsẽ'swaɫ] *adj.2g.* **1** relativo a consenso **2** que depende de consenso

consentimento (con.sen.ti.men.to) [kõsẽti'mẽtu] *n.m.* **1** autorização **2** acordo

consentir (con.sen.tir) [kõsẽ'tir] *v.* ⟨**+em**⟩ permitir; autorizar: *Consentiu que saíssem.*

consequência (con.se.quên.ci:a) [kõsə'kwẽsjɐ] *n.f.* **1** resultado produzido por uma causa; efeito **2** conclusão lógica; dedução ◆ **em consequência de** em resultado de; **por consequência** por essa razão; por conseguinte

consequente (con.se.quen.te) [kõsə'kwẽt(ə)] *adj.2g.* que é efeito de uma causa **SIN.** resultante

consequentemente (con.se.quen.te.men.te) [kõsəkwẽtə'mẽt(ə)] *adv.* em consequência de; por essa razão

consertar (con.ser.tar) [kõsər'tar] *v.* fazer um conserto em; arranjar; reparar

conserto (con.ser.to) [kõ'sertu] *n.m.* reparação; arranjo

> Não confundir **conserto** (reparação) com **concerto** (espetáculo musical): *O relógio não tem **conserto**. Ontem fui a um **concerto**.*

conserva (con.ser.va) [kõ'sɛrvɐ] *n.f.* substância alimentar conservada numa lata ou num recipiente de vidro

conservação (con.ser.va.ção) [kõsərvɐ'sɐ̃w̃] *n.f.* **1** processo de conservar uma substância, geralmente alimentar **2** defesa do estado ou da qualidade de algo; preservação

conservador (con.ser.va.dor) [kõsərvɐ'dor] *adj.* que se opõe a qualquer alteração do que é tradicional ■ *n.m.* funcionário que guarda os bens ou objetos de um museu ou de uma biblioteca

conservadorismo (con.ser.va.do.ris.mo) [kõsər vɐdu'riʒmu] *n.m.* **1** atitude de defesa ou de apego às tradições **2** sistema político que que se opõe a reformas radicais

conservante (con.ser.van.te) [kõsər'vɐ̃t(ə)] *n.m.* substância que se acrescenta a um alimento para impedir que se estrague

conservar (con.ser.var) [kõsər'var] *v.* **1** manter em bom estado; preservar **2** manter presente; fazer durar **3** não deitar fora; guardar ■ **conservar-se** permanecer; ficar

conservatória (con.ser.va.tó.ri:a) [kõsərvɐ'tɔrjɐ] *n.f.* repartição encarregada do registo predial ou civil

conservatório (con.ser.va.tó.ri:o) [kõsərvɐ'tɔrju] *n.m.* escola onde se ensina música e canto

consideração (con.si.de.ra.ção) [kõsidərɐ'sɐ̃w̃] *n.f.* **1** reflexão **2** respeito

considerado (con.si.de.ra.do) [kõsidə'radu] *adj.* **1** levado em conta **2** respeitado

considerar (con.si.de.rar) [kõsidə'rar] *v.* **1** ter consideração por **2** refletir sobre

considerável (con.si.de.rá.vel) [kõsidə'ravɛɫ] *adj.2g.* **1** digno de registo **2** grande; vasto **3** significativo

consignação (con.sig.na.ção) [kõsignɐ'sɐ̃w̃] *n.f.* entrega de mercadorias para serem negociadas por terceiros

consignatário (con.sig.na.tá.ri:o) [kõsignɐ'tarju] *n.m.* **1** destinatário **2** credor

consigo (con.si.go) [kõ'sigu] *prn.pess.* **1** com ele(s) ou com você: *Eles trouxeram consigo as prendas.*;

Conto consigo para o jantar de amanhã. **2** em companhia dele(s) ou de você: *Levavam o cão consigo.; Vou consigo fumar lá fora.* **3** na posse dele(s) ou de você: *Eles têm o mapa consigo.; O plano do projeto está consigo.* **4** à responsabilidade dele(s) ou de você: *Levavam consigo muito dinheiro.; A criança está consigo?* **5** de si para si: *Pensava consigo que...* **6** a respeito dele(s) ou de você: *Não sabiam que a observação era consigo.; A piada foi consigo?*

consistência (con.sis.tên.ci:a) [kõsiʃ'tẽsjɐ] *n.f.* **1** estado do que é sólido ou consistente **2** *fig.* crédito; credibilidade

consistente (con.sis.ten.te) [kõsiʃ'tẽt(ə)] *adj.2g.* **1** que tem consistência ou solidez **SIN.** firme **2** (líquido) espesso **3** coerente; estável

consistir (con.sis.tir) [kõsiʃ'tir] *v.* **1** ⟨+em⟩ ser formado ou composto de: *O doce consiste em leite e ovos.* **2** ⟨+em⟩ equivaler a: *A minha dúvida consiste nisto.*

consoada (con.so:a.da) [kõ'swadɐ] *n.f.* ceia na noite de Natal

consoante (con.so:an.te) [kõ'swẽt(ə)] *n.f.* cada uma das letras do alfabeto que não é vogal: *b, c, d, f, g, h, j, k, l, m, n, p, q, r, s, t, v, w, x, y, z* ■ *prep.,conj.* de acordo com; segundo; conforme: *consoante o que pretenderem*

consoar (con.so:ar) [kõ'swar] *v.* celebrar a consoada

consola (con.so.la) [kõ'sɔlɐ] *n.f.* pequeno aparelho eletrónico próprio para videojogos

consolação (con.so.la.ção) [kõsulɐ'sɐ̃w̃] *n.f.* conforto; alívio

consolado (con.so.la.do) [kõsu'ladu] *adj.* **1** reconfortado; aliviado **2** *fig.* satisfeito; saciado

consolança (con.so.lan.ça) [kõsu'lɐ̃sɐ] *n.f.* [CV.] consolo; alívio

consolar (con.so.lar) [kõsu'lar] *v.* aliviar a aflição ou a dor (de alguém) **SIN.** reconfortar ■ **consolar-se** ⟨+com⟩ *coloq.* regalar-se; satisfazer-se

consolidação (con.so.li.da.ção) [kõsulidɐ'sɐ̃w̃] *n.f.* ato de tornar mais sólido ou firme **SIN.** fortalecimento

consolidado (con.so.li.da.do) [kõsuli'dadu] *adj.* fortalecido

consolidar(-se) (con.so.li.dar(-se)) [kõsuli'dar(sə)] *v.* **1** tornar(-se) mais sólido ou mais firme **SIN.** fortalecer(-se) **2** causar ou sofrer um processo de união de elementos fraturados ou rasgados

consolo (con.so.lo) [kõ'solu] *n.m.* alívio; conforto

consonância (con.so.nân.ci:a) [kõsu'nɐ̃sjɐ] *n.f.* **1** combinação agradável de sons; harmonia **2** *fig.* concordância; acordo

consonante (con.so.nan.te) [kõsu'nɐ̃t(ə)] *adj.2* **1** harmonioso **2** que está de acordo (com)

consonântico (con.so.nân.ti.co) [kõsu'nɐ̃tiku] *a.* relativo a consoante

consórcio (con.sór.ci:o) [kõ'sɔrsju] *n.m.* **1** ligaçã união **2** associação de várias empresas com op rações comuns

conspiração (cons.pi.ra.ção) [kõʃpirɐ'sɐ̃w̃] *n* plano secreto contra algo ou alguém **SIN.** maqu nação

conspirar (cons.pi.rar) [kõʃpi'rar] *v.* ⟨**+contra**⟩ f zer planos secretos para prejudicar alguém: *con pirar contra o governo* **SIN.** maquinar

conspurcação (cons.pur.ca.ção) [kõʃpurkɐ'sɐ̃ *n.f.* **1** sujidade **2** *fig.* difamação

conspurcar (cons.pur.car) [kõʃpur'kar] *v.* sujar

constância (cons.tân.ci:a) [kõʃ'tɐ̃sjɐ] *n.f.* **1** qua dade do que é constante **2** regularidade **3** persi tência

constante (cons.tan.te) [kõʃ'tɐ̃t(ə)] *adj.2g.* **1** qu não se altera; invariável **2** que persiste; persev rante **3** que consiste em ■ *n.f.* em matemática, l tra ou símbolo que mantém o mesmo valor

constantemente (cons.tan.te.men.te) [kõʃ tɐ̃mẽt(ə)] *adv.* **1** com muita frequência **2** continu mente

constar (cons.tar) [kõʃ'tar] *v.* **1** chegar ao conhec mento de: *Constou-me que...* **2** estar registado c referido em: *conforme consta nos autos* **3** ⟨**+d** consistir em; ser formado por: *A obra constava três partes.*

constatação (cons.ta.ta.ção) [kõʃtɐtɐ'sɐ̃w̃] *n* **1** verificação **2** comprovação

constatar (cons.ta.tar) [kõʃtɐ'tar] *v.* **1** verific **2** comprovar

constelação (cons.te.la.ção) [kõʃtəlɐ'sɐ̃w̃] *n* **1** grupo de estrelas próximas umas das outra que parecem formar figuras **2** *fig.* agrupamen de pessoas célebres

consternação (cons.ter.na.ção) [kõʃtərnɐ'sɐ̃ *n.f.* **1** transtorno; perturbação **2** desânimo; des lação

consternado (cons.ter.na.do) [kõʃtər'nadu] *a* **1** transtornado; perturbado **2** desanimado; des lado

consternar (cons.ter.nar) [kõʃtər'nar] *v.* **1** caus perturbação **SIN.** transtornar **2** causar desânim **SIN.** desalentar

constipação (cons.ti.pa.ção) [kõʃtipɐ'sɐ̃w̃] *n.f.* i flamação do nariz e da garganta causada por v rus, acompanhada de calafrios, cansaço e m -estar geral

constipado (cons.ti.pa.do) [kõʃti'padu] *adj.* q tem constipação

constipar(-se) **(cons.ti.par(-se))** [kõʃti'par(sə)] *v.* causar ou apanhar constipação

constitucional **(cons.ti.tu.ci:o.nal)** [kõʃtitusju'nał] *adj.2g.* relativo à constituição (lei fundamental de um país)

constitucionalidade **(cons.ti.tu.ci:o.na.li.da.de)** [kõʃtitusjunɐli'dad(ə)] *n.f.* qualidade do que obedece aos princípios fixados na constituição; legitimidade

constitucionalista **(cons.ti.tu.ci:o.na.lis.ta)** [kõʃtitusjunɐ'liʃtɐ] *n.2g.* especialista em direito constitucional

constituição **(cons.ti.tu:i.ção)** [kõʃtitwi'sɐ̃w̃] *n.f.* **1** lei fundamental que estabelece os direitos e deveres dos cidadãos e a organização política de um Estado **2** conjunto de elementos que constituem uma coisa; composição **3** conjunto das características físicas de uma pessoa; estrutura

A saber que a **Constituição Portuguesa** que estabeleceu o Estado de direito democrático, foi aprovada em 1976, ficando aí definidas as linhas gerais do atual sistema político português.

constituinte **(cons.ti.tu:in.te)** [kõʃti'twĩt(ə)] *adj.2g.* que faz parte de um todo; integrante ◆ **constituinte temático** sufixo que especifica a classe morfológica a que um determinado radical pertence

constituir **(cons.ti.tu:ir)** [kõʃti'twir] *v.* **1** reunir vários elementos para formar um todo; compor **2** estabelecer; organizar **3** consistir em; ser

constitutivo **(cons.ti.tu.ti.vo)** [kõʃtitu'tivu] *adj.* que constitui; integrante

constrangedor **(cons.tran.ge.dor)** [kõʃtrɐ̃ʒə'dor] *adj.* **1** que deixa pouco à vontade **2** que causa embaraço; embaraçoso

constranger **(cons.tran.ger)** [kõʃtrɐ̃'ʒer] *v.* **1** ⟨+a⟩ forçar; obrigar: *Constrangeu-o a mentir.* **2** deixar pouco à vontade SIN. inibir **3** impedir os movimentos SIN. apertar

constrangido **(cons.tran.gi.do)** [kõʃtrɐ̃'ʒidu] *adj.* **1** apertado **2** forçado a **3** embaraçado

constrangimento **(cons.tran.gi.men.to)** [kõʃtrɐ̃ʒi'mẽtu] *n.m.* **1** pressão exercida sobre alguém; coação **2** estado de quem não se sente à vontade; embaraço

construção **(cons.tru.ção)** [kõʃtru'sɐ̃w̃] *n.f.* **1** ato ou arte de construir (edifícios, pontes, estradas, etc.) **2** obra construída **3** arte de compor ou elaborar algo (uma obra de arte, uma atividade, um plano, etc.)

construir **(cons.tru.ir)** [kõʃtru'ir] *v.* **1** erguer (casas, pontes, estradas) com materiais diversos e de acordo com um projeto; edificar ANT. destruir **2** dispor com método as partes de um todo para criar algo; compor

construtivo **(cons.tru.ti.vo)** [kõʃtru'tivu] *adj.* **1** relativo a construção ANT. destrutivo **2** que permite avançar ou melhorar; positivo

construtor **(cons.tru.tor)** [kõʃtru'tor] *n.m.* pessoa que constrói casas, prédios, pontes, estradas, etc.

construtora **(cons.tru.to.ra)** [kõʃtru'torɐ] *n.f.* empresa que se dedica à construção de casas, pontes ou estradas

cônsul **(côn.sul)** ['kõsuł] *n.m.* ⟨*f.* consulesa⟩ representante diplomático de um país no estrangeiro

consulado **(con.su.la.do)** [kõsu'ladu] *n.m.* **1** cargo ou função do cônsul **2** local onde o cônsul trabalha

consular **(con.su.lar)** [kõsu'lar] *adj.2g.* relativo a cônsul ou a consulado

consulente **(con.su.len.te)** [kõsu'lẽt(ə)] *n.2g.* pessoa que consulta

consulta **(con.sul.ta)** [kõ'sułtɐ] *n.f.* **1** ação de pedir uma opinião ou um conselho a alguém **2** atendimento de um médico a um paciente **3** procura de informações num dicionário, catálogo, página de Internet, etc.

consultadoria **(con.sul.ta.do.ri.a)** [kõsułtɐdu'riɐ] *n.f.* **1** atividade de realização de pesquisas e fornecimento de pareceres em áreas específicas **2** local onde os consultores exercem a sua atividade

consultar **(con.sul.tar)** [kõsuł'tar] *v.* **1** pedir uma opinião ou um conselho (a alguém) **2** procurar informações (num dicionário, catálogo, página de Internet, etc.)

consultor **(con.sul.tor)** [kõsuł'tor] *n.m.* especialista que dá conselhos em determinada área

consultório **(con.sul.tó.ri:o)** [kõsuł'tɔrju] *n.m.* **1** lugar onde se dão consultas **2** secção de um jornal ou revista onde um especialista responde a questões relacionadas com a sua área

consumação **(con.su.ma.ção)** [kõsumɐ'sɐ̃w̃] *n.f.* conclusão; fim

consumado **(con.su.ma.do)** [kõsu'madu] *adj.* **1** realizado; concretizado **2** terminado; acabado

consumar **(con.su.mar)** [kõsu'mar] *v.* **1** concluir; terminar **2** tornar completo ou perfeito

consumição **(con.su.mi.ção)** [kõsumi'sɐ̃w̃] *n.f.* **1** deterioração provocada pelo uso **2** destruição total **3** preocupação

consumido **(con.su.mi.do)** [kõsu'midu] *adj.* **1** destruído pelo fogo **2** que foi comido (alimento) **3** que foi utilizado (produto) **4** que foi gasto (energia, tempo) **5** preocupado (pessoa)

consumidor **(con.su.mi.dor)** [kõsumi'dor] *n.m.* pessoa que compra ou utiliza bens e serviços **SIN.** cliente

consumir **(con.su.mir)** [kõsu'mir] *v.* **1** destruir totalmente **2** comer **3** fazer uso de (bem, serviço) **4** comprar **5** gastar (energia, tempo) **6** preocupar

consumismo **(con.su.mis.mo)** [kõsu'miʒmu] *n.m.* tendência para consumir em excesso (sobretudo produtos ou serviços que não são indispensáveis)

consumista **(con.su.mis.ta)** [kõsu'miʃtɐ] *adj.2g.* relativo ao consumismo ■ *n.2g.* pessoa que consome ou faz compras em excesso

consumo **(con.su.mo)** [kõ'sumu] *n.m.* **1** ato de consumir ou fazer compras **2** utilização de produtos ou serviços **3** quantidade (de algo) que se utiliza **4** ingestão

cont. *abreviatura de* continuação

conta **(con.ta)** ['kõtɐ] *n.f.* **1** operação aritmética para calcular um valor **2** valor que se paga por uma despesa **3** documento que comprova uma despesa **4** (bancária) acordo entre um cliente e uma entidade financeira para depósito e levantamento de dinheiro segundo determinadas condições **5** registo da informação relativa a um utilizador que lhe possibilita o acesso a um serviço ou sistema mediante um método de identificação **6** encargo; responsabilidade ♦ **ajustar contas com** vingar-se de; **com conta, peso e medida** com moderação; **contas à moda do porto** repartição de uma despesa comum pelo que cada um consumiu; **dar conta de** tomar consciência de **SIN.** perceber; **dar conta do recado** desempenhar bem uma tarefa; **fazer de conta** fingir; imaginar; **pedir contas** exigir uma explicação; **tomar conta de** cuidar de; vigiar

contabilidade **(con.ta.bi.li.da.de)** [kõtɐbəli'dad(ə)] *n.f.* **1** cálculo e registo das operações comerciais ou financeiras realizadas por uma pessoa, sociedade ou empresa **2** serviço que se ocupa do registo de todas as transações e operações financeiras

contabilista **(con.ta.bi.lis.ta)** [kõtɐbi'liʃtɐ] *n.2g.* **1** pessoa que trabalha em contabilidade **2** especialista em contabilidade

contabilizar **(con.ta.bi.li.zar)** [kõtɐbili'zar] *v.* **1** registar (operações comerciais ou financeiras) **2** calcular; avaliar

conta-corrente **(con.ta-.cor.ren.te)** [kõtɐku'ʀẽt(ə)] *n.f.* ⟨*pl.* contas-correntes⟩ registo da sequência de operações de crédito e débito

contactar **(con.tac.tar)** [kõtɐ'ktar] *v.* ⟨**+com**⟩ estabelecer contacto ou relação com

contactável **(con.tac.tá.vel)** [kõtɐ'ktavɛɫ] *adj.2g.* que pode ser contactado

contacto **(con.tac.to)** [kõ'taktu] *n.m.* **1** estado d[e] seres ou superfícies que se tocam; toque **2** rel[a]ção de proximidade; ligação **3** convívio; relaci[o]namento **4** número de telefone ou endereço pa[ra] contactar alguém

contado **(con.ta.do)** [kõ'tadu] *adj.* **1** que se cont[ou] ou calculou **2** que se narrou; relatado

contador **(con.ta.dor)** [kõtɐ'dor] *n.m.* **1** aparelh[o] que serve para verificar o consumo de água, g[ás] e eletricidade **2** armário antigo com gavetas ♦ **contador de histórias** pessoa que narra hist[ó]rias, oralmente ou por escrito

conta-fios **(con.ta-.fi.os)** [kõtɐ'fiuʃ] *n.m.2n.* 👁 p[e]quena lupa para verificar detalhes de impressã[o,] cores etc.

contagem **(con.ta.gem)** [kõ'taʒɐ̃j] *n.f.* **1** ato [e] efeito de contar; enumeração **2** valor que se o[b]tém ao contar; resultado

contagiante **(con.ta.gi:an.te)** [kõtɐ'ʒjɐ̃t(ə)] *adj.2[g.]* **1** que contagia **2** que se espalha

contagiar **(con.ta.gi:ar)** [kõtɐ'ʒjar] *v.* **1** transmi[tir] uma doença contagiosa a (alguém) **2** *fig.* esp[a]lhar (alegria, tristeza, etc.)

contágio **(con.tá.gi:o)** [kõ'taʒju] *n.m.* **1** transmi[s]são de uma doença (por contacto direto ou ind[i]reto) **2** transmissão de ideias, hábitos, etc.; pr[o]pagação

contagioso **(con.ta.gi:o.so)** [kõtɐ'ʒjozu] *adj.* q[ue] se transmite por contágio

conta-gotas **(con.ta-.go.tas)** [kõtɐ'gotɐʃ] *n.m.2[n.]* tubo ou frasco com dispositivo para verter um [lí]quido em gotas ♦ **a conta-gotas** em quantid[a]des pequenas; gradualmente

contaminação **(con.ta.mi.na.ção)** [kõtɐminɐ'sɐ̃[w]] *n.f.* **1** transmissão de uma doença infeciosa; co[n]tágio **2** introdução de substâncias poluentes nu[m] dado meio (água, ar, etc.); poluição

contaminado **(con.ta.mi.na.do)** [kõtɐmi'nadu] *a[dj.]* **1** que tem doença infeciosa ou infeção (anim[al,] pessoa) **2** que está poluído (água, ar, etc.)

contaminar(-se) **(con.ta.mi.nar(-se))** [kõ[tɐ]mi'nar(sə)] *v.* **1** ⟨**+com**⟩ transmitir ou adqui[rir] uma doença **SIN.** contagiar **2** ⟨**+com**⟩ poluir(-s[e]) através de elementos radioativos ou outros 3 ⟨+com⟩ *fig.* ter ou sofrer uma má influência

ontanto que (con.tan.to que) [kõ'tẽtu 'k(ə)] *loc.* com a condição de que; desde que; se

onta-quilómetros (con.ta-.qui.ló.me.tros) [kõtɐki'lɔmətruʃ] *n.m.2n.* aparelho que indica o número de quilómetros percorridos por um veículo

ontar (con.tar) [kõ'tar] *v.* **1** determinar a quantidade ou o valor de; calcular: *contar até cem* **2** narrar (facto, história, conversa): *contar uma história* **3** tencionar: *Conto fazer isso este ano.* **4** ⟨+com⟩ ter à disposição: *A biblioteca conta com vários computadores.* **5** valer: *Essa não conta.* **6** ⟨+com⟩ esperar: *Estou a contar convosco para jantar.*

onta-rotações (con.ta-.ro.ta.ções) [kõtɐʀutɐ'sõjʃ] *n.m.2n.* aparelho que determina a velocidade de rotação do motor de um veículo

ontável (con.tá.vel) [kõ'tavɛɫ] *adj.2g.* **1** que pode ser contado **2** diz-se do nome que se refere a algo que se pode enumerar

ontemplação (con.tem.pla.ção) [kõtẽplɐ'sɐ̃w̃] *n.f.* **1** observação atenta **2** meditação; reflexão

ontemplar (con.tem.plar) [kõtẽ'plar] *v.* **1** observar atentamente **2** meditar; refletir

ontemplativo (con.tem.pla.ti.vo) [kõtẽplɐ'tivu] *adj.* **1** relativo a contemplação **2** (atividade, lugar) propenso à contemplação **3** (pessoa) pensativo

ontemporâneo (con.tem.po.râ.ne:o) [kõtẽpu'rɐnju] *adj.* relativo ao tempo presente **SIN.** atual

ontenção (con.ten.ção) [kõtẽ'sɐ̃w̃] *n.f.* **1** ato ou processo de (se) conter **2** controlo (de despesas)

ontencioso (con.ten.ci:o.so) [kõtẽ'sjozu] *n.m.* ação judicial **SIN.** litígio

ontenda (con.ten.da) [kõ'tẽdɐ] *n.f.* **1** luta **2** discussão

ontentamento (con.ten.ta.men.to) [kõtẽtɐ'mẽtu] *n.m.* alegria; satisfação **ANT.** descontentamento

ontentar(-se) (con.ten.tar(-se)) [kõtẽ'tar(sə)] *v.* **1** ⟨+com⟩ satisfazer(-se) **2** ⟨+com⟩ tornar(-se) contente **SIN.** alegrar(-se)

ontente (con.ten.te) [kõ'tẽt(ə)] *adj.2g.* que sente alegria ou satisfação; alegre **ANT.** triste

ontentor (con.ten.tor) [kõtẽ'tor] *n.m.* **1** grande caixa fechada destinada a transportar mercadorias **2** depósito para lixo ou para resíduos sólidos

onter (con.ter) [kõ'ter] *v.* **1** ter dentro de si; incluir **2** controlar; reprimir ▪ **conter-se** controlar-se; reprimir-se

onterrâneo (con.ter.râ.ne:o) [kõtə'ʀɐnju] *adj.* que é natural da mesma terra **SIN.** compatriota

ontestação (con.tes.ta.ção) [kõtəʃtɐ'sɐ̃w̃] *n.f.* **1** oposição **2** discussão

contestar (con.tes.tar) [kõtəʃ'tar] *v.* **1** opor-se a **2** negar

contestatário (con.tes.ta.tá.ri:o) [kõtəʃtɐ'tarju] *adj.,n.m.* **1** que ou pessoa que contesta **2** opositor; adversário

contestável (con.tes.tá.vel) [kõtəʃ'tavɛɫ] *adj.2g.* que se pode contestar

conteúdo (con.te:ú.do) [kõ'tjudu] *n.m.* **1** aquilo que está dentro de alguma coisa **2** aquilo de que algo é formado **3** significado profundo

contexto (con.tex.to) [kõ'tɐjʃtu] *n.m.* conjunto de circunstâncias que rodeiam um acontecimento ♦ **estar fora do contexto** não estar por dentro de uma determinada situação

contextualizar (con.tex.tu:a.li.zar) [kõtɐjʃtwɐli'zar] *v.* **1** inserir num contexto **2** definir as circunstâncias de um facto ou acontecimento

contido (con.ti.do) [kõ'tidu] *adj.* **1** que está no interior de alguma coisa **2** que não se manifesta

contigo (con.ti.go) [kõ'tigu] *prn.pess.* **1** com a tua pessoa: *Eles conversaram contigo?* **2** em tua companhia: *Vou contigo ao cinema.* **3** na tua posse: *O livro está contigo.* **4** à tua responsabilidade: *Deixo o caso contigo.* **5** ao mesmo tempo que tu: *Canto contigo!* **6** de ti para ti: *Pensas lá contigo que...* **7** a teu respeito: *Isso não era contigo.*

contiguidade (con.ti.gui.da.de) [kõtigwi'dad(ə)] *n.f.* **1** proximidade **2** vizinhança

contíguo (con.tí.guo) [kõ'tigwu] *adj.* que está próximo; vizinho

continência (con.ti.nên.ci:a) [kõti'nẽsjɐ] *n.f.* saudação militar que consiste em tocar o boné com a ponta dos dedos da mão direita

continental (con.ti.nen.tal) [kõtinẽ'taɫ] *adj.2g.* relativo a continente

continente (con.ti.nen.te) [kõti'nẽt(ə)] *n.m.* cada uma das maiores extensões de superfície sólida do globo terrestre (Europa, Ásia, África, América, Oceânia, Antártida)

contingência (con.tin.gên.ci:a) [kõtĩ'ʒẽsjɐ] *n.f.* possibilidade de uma coisa acontecer; eventualidade; **plano de contingência** programa definido pelas entidades responsáveis para enfrentar uma situação ocasional grave (uma epidemia, por exemplo) e que inclui um conjunto de meios e medidas excecionais para evitar que a situação alastre

contingente (con.tin.gen.te) [kõtĩ'ʒẽt(ə)] *adj.2g.* **1** duvidoso; incerto **2** eventual; acidental ▪ *n.m.* **1** força militar designada para executar uma tarefa ou missão temporária **2** quota; quinhão

continuação (con.ti.nu:a.ção) [kõtinwɐ'sɐ̃w̃] *n.f.* **1** ato de continuar (algo que foi interrompido) **2** prolongamento no espaço ou no tempo

continuamente (con.ti.nu:a.men.te) [kõtinwɐ'mẽt(ə)] *adv.* sem interrupção; de modo contínuo

continuar (con.ti.nu:ar) [kõti'nwar] *v.* **1** ⟨+a, com⟩ não parar; prosseguir: *Ele continuou o passeio. As negociações continuaram. Continuou a fazer perguntas. Continuamos com as aulas.* **2** manter-se; permanecer: *O João continuou sentado. O trabalho continua por fazer.* **3** prolongar-se: *O atalho continua até à estrada.*

continuidade (con.ti.nu:i.da.de) [kõtinwi'dad(ə)] *n.f.* **1** qualidade de contínuo **2** prolongamento no espaço ou no tempo

contínuo (con.tí.nu:o) [kõ'tinwu] *adj.* **1** não interrompido; sucessivo **ANT.** descontínuo **2** (aspeto verbal) que indica uma ação prolongada **SIN.** durativo ■ *n.m.* empregado auxiliar (de escola ou de estabelecimento público)

contista (con.tis.ta) [kõ'tiʃtɐ] *n.2g.* pessoa que escreve contos

conto (con.to) ['kõtu] *n.m.* história breve, imaginária, com poucas personagens ◆ **conto de fadas** história infantil que narra acontecimentos em que participam fadas e outras figuras imaginárias

conto-da-carochinha (con.to-.da-.ca.ro.chi.nha) [kõtudɐkɐrɔ'ʃiɲɐ] *a nova grafia é* **conto da carochinha**[AO]

conto da carochinha (con.to da ca.ro.chi.nha)[AO] [kõtudɐkɐrɔ'ʃiɲɐ] *n.m.* ⟨*pl.* contos da carochinha⟩ história que se conta para enganar alguém

conto-do-vigário (con.to-.do-.vi.gá.ri:o) [kõtu duvi'garju] *a nova grafia é* **conto do vigário**[AO]

conto do vigário (con.to do vi.gá.ri:o)[AO] [kõtu duvi'garju] *n.m.* ⟨*pl.* contos do vigário⟩ **1** história contada a uma pessoa crédula com a intenção de a enganar **2** qualquer manobra de má-fé para enganar uma pessoa crédula

contorção (con.tor.ção) [kõtur'sɐ̃w̃] *n.f.* **1** movimento acrobático que força e até torce a posição de certas partes do corpo **2** expressão facial exagerada; trejeito

contorcer(-se) (con.tor.cer(-se)) [kõtur'ser(sə)] *v.* **1** torcer(-se) violentamente **2** ter contorções de dor **3** dobrar(-se)

contorcionista (con.tor.ci:o.nis.ta) [kõtursju'niʃtɐ] *n.2g.* **1** acrobata que faz contorções **2** artista de circo que executa movimentos e posições corporais difíceis

contornar (con.tor.nar) [kõtur'nar] *v.* **1** traçar o contorno de **2** andar em volta de

contorno (con.tor.no) [kõ'tornu] *n.m.* **1** linha exterior que rodeia uma figura **2** silhueta (do corpo humano)

contra (con.tra) ['kõtrɐ] *prep.* **1** em oposição *Eles pronunciaram-se contra estas medidas.* **2** e troca de: *contra recibo/reembolso* **3** em direção *Foi contra a parede.* **4** junto de: *contra o pei* **5** em frente de: *um contra o outro* ■ *adv.* de form negativa: *Quantos votaram contra?* ■ *n.m.* inconv niente; desvantagem: *os prós e os contras* ◆ **s do contra** contrariar os outros constantemente

contra-atacar (con.tra-.a.ta.car) [kõtratɐ'kar] atacar em resposta a um ataque anterior

contra-ataque (con.tra-.a.ta.que) [kõtra'tak(*n.m.* ⟨*pl.* contra-ataques⟩ **1** ataque para responder um ataque anterior **2** reação súbita de un equipa que recupera a posse da bola, impedin o adversário de se defender

contrabaixista (con.tra.bai.xis.ta) [kõtrɐbaj'ʃiʃt *n.2g.* pessoa que toca contrabaixo

contrabaixo (con.tra.bai.xo) [kõtrɐ'bajʃu] *n.m.* instrumento de cordas semelhante ao violo celo, mas maior e mais grave, que se toca co um arco

contrabalançar (con.tra.ba.lan.çar) [kõtrɐ lɐ̃'sar] *v.* **1** equilibrar **2** *fig.* compensar

contrabandista (con.tra.ban.dis.ta) [kõt bɐ̃'diʃtɐ] *n.2g.* pessoa que faz contrabando

contrabando (con.tra.ban.do) [kõtrɐ'bɐ̃du] *n.* **1** introdução clandestina de produtos num pa **2** mercadoria clandestina

contração (con.tra.ção)[AO] [kõtra'sɐ̃w̃] *n.f.* **1** dim nuição (de tamanho ou volume) **2** redução duas vogais a uma só vogal aberta ou a um tongo

contracapa (con.tra.ca.pa) [kõtrɐ'kapɐ] *n.f.* fa posterior de livro ou revista

contracção (con.trac.ção) [kõtra'sɐ̃w̃] *a nova gra é* **contração**[AO]

contraceção (con.tra.ce.ção)[AO] [kõtrɐsɛ'sɐ̃w̃] utilização de meios próprios para evitar a fecu dação de um óvulo por um espermatozoide **SIN.** anticonceção

contracenar (con.tra.ce.nar) [kõtrɐsə'nar] *v.* ⟨**+com**⟩ em televisão, cinema ou teatro, atuar (com outros atores)

contracepção (con.tra.cep.ção) [kõtrɐsɛ'sɐ̃w̃] *a nova grafia é* **contraceção**AO

contraceptivo (con.tra.cep.ti.vo) [kõtrɐsɛ'tivu] *a nova grafia é* **contracetivo**AO

:ontracetivo (con.tra.ce.ti.vo)AO [kõtrɐsɛ'tivu] *n.m.* substância ou método usado para evitar a fecundação de um óvulo

:ontradição (con.tra.di.ção) [kõtrɐdi'sɐ̃w̃] *n.f.* **1** afirmação ou atitude contrária ao que se disse ou se fez antes **2** falta de lógica; incoerência **3** objeção; oposição

:ontraditório (con.tra.di.tó.ri:o) [kõtrɐdi'tɔrju] *adj.* que apresenta contradição **SIN.** oposto

ontradizer (con.tra.di.zer) [kõtrɐdi'zer] *v.* dizer o contrário do que alguém afirmou ■ **contradizer-se** dizer o contrário do que se tinha afirmado antes

ontraente (con.tra.en.te) [kõtrɐ'ẽt(ə)] *n.2g.* **1** pessoa que contrai matrimónio **2** pessoa que celebra um contrato

ontrafação (con.tra.fa.ção)AO [kõtrɐfa'sɐ̃w̃] *n.f.* **1** falsificação; adulteração **2** *fig.* disfarce

ontrafacção (con.tra.fac.ção) [kõtrɐfa'sɐ̃w̃] *a nova grafia é* **contrafação**AO

ɔntrafeito (con.tra.fei.to) [kõtrɐ'fɐjtu] *adj.* **1** que não está à vontade **SIN.** inibido **2** feito contra a vontade **SIN.** forçado **3** falsificado

ɔntragosto (con.tra.gos.to) [kõtrɐ'goʃtu] *n.m.* aquilo que contraria o gosto ou a vontade ♦ **a contragosto** contra a própria vontade

ɔntraído (con.tra.í.do) [kõtrɐ'idu] *adj.* **1** que diminuiu de tamanho; encolhido **2** que não se sente à vontade; inibido **3** que se assumiu (compromisso, despesa) **4** que foi celebrado (casamento, negócio)

ntraindicação (con.tra.in.di.ca.ção)AO [kõtrɐĩ likɐ'sɐ̃w̃] *n.f.* circunstância que desaconselha o uso de um dado método de tratamento ou de determinada medicação

ntra-indicação (con.tra-.in.di.ca.ção) [kõtrɐĩ ikɐ'sɐ̃w̃] *a nova grafia é* **contraindicação**AO

ntraindicado (con.tra.in.di.ca.do)AO [kõtrɐĩ i'kadu] *adj.* (medicamento, tratamento) desaconselhado; prejudicial

ntra-indicado (con.tra-.in.di.ca.do) [kõtrɐĩ i'kadu] *a nova grafia é* **contraindicado**AO

ntrair (con.tra.ir) [kõtrɐ'ir] *v.* **1** reduzir o volume de; encolher **2** assumir (compromisso, despesa) **3** apanhar (doença, infeção) **4** adquirir (hábito)

contralto (con.tral.to) [kõ'traɫtu] *n.m.* no canto, registo mais grave da voz feminina

contraluz (con.tra.luz) [kõtrɐ'luʃ] *n.f.* lugar oposto àquele em que incide luz

contramão (con.tra.mão) [kõtrɐ'mɐ̃w̃] *n.f.* sentido contrário àquele em que um veículo deve circular

contranatura (con.tra.na.tu.ra) [kõtrɐnɐ'turɐ] *adv.* contra as leis da natureza ■ *adj.2g.* contrário às leis da natureza

contraofensiva (con.tra.o.fen.si.va)AO [kõtrɐo fẽ'sivɐ] *n.f.* ofensiva em resposta a um ataque inimigo

contra-ofensiva (con.tra-.o.fen.si.va) [kõtrɐo fẽ'sivɐ] *a nova grafia é* **contraofensiva**AO

contraordenação (con.tra.or.de.na.ção)AO [kõ trɐɔrdənɐ'sɐ̃w̃] *n.f.* infração, de gravidade menor que a de um crime, à qual corresponde uma coima na lei portuguesa

contra-ordenação (con.tra-.or.de.na.ção) [kõ trɐɔrdənɐ'sɐ̃w̃] *a nova grafia é* **contraordenação**AO

contrapartida (con.tra.par.ti.da) [kõtrɐpɐr'tidɐ] *n.f.* **1** coisa complementar de outra **2** relação entre dois factos ou duas coisas ♦ **em contrapartida** em compensação; por outro lado

contrapeso (con.tra.pe.so) [kõtrɐ'pezu] *n.m.* **1** peso que serve para compensar um outro peso **2** *fig.* compensação

contraplacado (con.tra.pla.ca.do) [kõtrɐ plɐ'kadu] *n.f.* placa de madeira constituída por várias folhas de madeira de pequena espessura

contraponto (con.tra.pon.to) [kõtrɐ'põtu] *n.m.* combinação de vozes ou de melodias **SIN.** polifonia

contrapor (con.tra.por) [kõtrɐ'por] *v.* **1** opor **2** comparar

contraproducente (con.tra.pro.du.cen.te) [kõ trɐprudu'sẽt(ə)] *adj.2g.* **1** que produz efeito contrário ao esperado **2** cujas vantagens são menores que as desvantagens

contraproposta (con.tra.pro.pos.ta) [kõtrɐ pru'pɔʃtɐ] *n.f.* proposta feita em oposição a uma proposta anterior

contraprova (con.tra.pro.va) [kõtrɐ'prɔvɐ] *n.f.* **1** prova destinada a contrariar uma outra **2** verificação **3** (de um texto) prova feita depois de introduzidas as emendas da prova anterior

Contra-Reforma (Con.tra-.Re.for.ma) [kõtrɐ ʀə'fɔrmɐ] *a nova grafia é* **Contrarreforma**AO

contra-relógio (con.tra-.re.ló.gi:o) [kõtrɐʀə'lɔʒju] *a nova grafia é* **contrarrelógio**AO

contrariado (con.tra.ri:a.do) [kõtrɐ'rjadu] *adj.* **1** que sofreu oposição **2** aborrecido; descontente

contrariar **(con.tra.ri:ar)** [kõtrɐ'rjar] *v.* **1** fazer ou dizer o contrário de; opor-se a **2** aborrecer; incomodar

contrariedade **(con.tra.ri:e.da.de)** [kõtrɐrjɛ'dad(ə)] *n.f.* **1** oposição entre coisas **2** situação desfavorável ou contrária; dificuldade **3** aquilo que aborrece ou contraria; aborrecimento

contrário **(con.trá.ri:o)** [kõ'trarju] *adj.* **1** que se opõe (a algo) **2** que é contrário ou desfavorável **3** que é prejudicial ♦ **ao contrário de** em oposição a; **pelo contrário** exatamente o oposto/inverso

Contrarreforma **(Con.trar.re.for.ma)**[AO] [kõtrɐʀə'fɔrmɐ] *n.f.* movimento de reação à Reforma protestante levado a cabo pela Igreja Católica nos séculos XVI e XVII

contrarrelógio **(con.trar.re.ló.gi:o)**[AO] [kõtrɐʀə'lɔʒju] *n.m.* corrida em que é cronometrado o tempo que cada concorrente leva a percorrer um circuito

contra-senha **(con.tra-.se.nha)** [kõtrɐ'sɐ(j)ɲɐ] *a nova grafia é* **contrassenha**[AO]

contra-senso **(con.tra-.sen.so)** [kõtrɐ'sẽsu] *a nova grafia é* **contrassenso**[AO]

contrassenha **(con.tras.se.nha)**[AO] [kõtrɐ'sɐ(j)ɲɐ] *n.f.* palavra com que um indivíduo encarregado da vigilância responde à senha

contrassenso **(con.tras.sen.so)**[AO] [kõtrɐ'sẽsu] *n.m.* **1** contradição **2** disparate; absurdo

contrastante **(con.tras.tan.te)** [kõtrɐʃ'tɐ̃t(ə)] *adj.2g.* que contrasta; em que há oposição

contrastar **(con.tras.tar)** [kõtrɐʃ'tar] *v.* **1** pôr em contraste ou em oposição; confrontar: *contrastar uma ideia com outra* **2** ⟨**+com**⟩ opor-se a

contraste **(con.tras.te)** [kõ'traʃt(ə)] *n.m.* **1** oposição entre coisas semelhantes **2** sinal que, em metais preciosos e joias, garante o seu valor

contratação **(con.tra.ta.ção)** [kõtrɐtɐ'sɐ̃w̃] *n.f.* ato ou efeito de contratar

contratado **(con.tra.ta.do)** [kõtrɐ'tadu] *adj.* **1** que se contratou **2** decidido; combinado

contratar **(con.tra.tar)** [kõtrɐ'tar] *v.* **1** garantir por meio de contrato **2** admitir num emprego **3** decidir; combinar

contratempo **(con.tra.tem.po)** [kõtrɐ'tẽpu] *n.m.* **1** situação ou facto inesperado, que impede ou contraria algo **2** compasso musical

contratenor **(con.tra.te.nor)** [kõtrɐtə'nor] *n.m.* **1** voz masculina mais alta que a do tenor **2** cantor que tem essa voz

contrato **(con.tra.to)** [kõ'tratu] *n.m.* **1** acordo entre duas ou mais pessoas, que se obrigam a cumprir o que foi combinado sob determinadas condições **SIN.** pacto **2** documento que estab lece um acordo; **contrato a prazo/termo** co trato que está subordinado a um prazo de dur ção específico

contrato-promessa **(con.tra.to-.pro.mes.s** [kõtratupru'mɛsɐ] *n.m.* ⟨*pl.* contratos-promess acordo preliminar em que as partes envolvid se comprometem a celebrar posteriormente u contrato definitivo

contratual **(con.tra.tu:al)** [kõtrɐ'twaɫ] *adj.2g.* **1** r ferente a contrato **2** estipulado em contrato

contravenção **(con.tra.ven.ção)** [kõtrɐvẽ'sɐ̃w̃] *r* transgressão de lei, regulamento ou de cláusu de um contrato; infração

contribuição **(con.tri.bu:i.ção)** [kõtribwi'sɐ̃w̃] *r* **1** participação numa despesa comum; contribu **2** colaboração num projeto ou numa atividad participação

contribuinte **(con.tri.bu:in.te)** [kõtri'bwĩt(ə)] *n.2* pessoa que paga impostos

contribuir **(con.tri.bu:ir)** [kõtri'bwir] *v.* **1** parti par numa despesa comum **2** pagar contribuiç ou imposto **3** colaborar em alguma coisa

contributivo **(con.tri.bu.ti.vo)** [kõtribu'tivu] *a* relativo a contribuição

contributo **(con.tri.bu.to)** [kõtri'butu] *n.* **1** aquilo com que se contribui **2** colaboraçã participação

contrição **(con.tri.ção)** [kõtri'sɐ̃w̃] *n.f.* arrepen mento por pecados cometidos

contristar(-se) **(con.tris.tar(-se))** [kõtriʃ'tar(sə)] **1** entristecer(-se) **2** afligir(-se)

controlado **(con.tro.la.do)** [kõtru'ladu] *adj.* **1** su metido a controlo; fiscalizado **2** sereno; pond rado

controlador **(con.tro.la.dor)** [kõtrulɐ'dor] *adj.* q controla ou domina; **controlador de tráfe aéreo** técnico especializado na orientação e ganização do tráfego de aeronaves numa det minada área

controlar **(con.tro.lar)** [kõtru'lar] *v.* **1** verific **2** fiscalizar **3** dominar ■ **controlar-se** domin -se; conter-se

controlável **(con.tro.lá.vel)** [kõtru'lavɛɫ] *adj.* que se pode controlar ou verificar

controle **(con.tro.le)** [kõ'trɔɫ] *n.m.* ⇒ **controlo**

controlo **(con.tro.lo)** [kõ'trolu] *n.m.* **1** verificaç **2** vigilância **3** domínio

controvérsia **(con.tro.vér.si:a)** [kõtru'vɛrsjɐ] discussão; polémica

controverso **(con.tro.ver.so)** [kõtru'vɛrsu] que gera opiniões diferentes ou discussão; po mico

contudo (**con.tu.do**) [kõ'tudu] *conj.* [exprime contraste] mas; porém; todavia; no entanto: *Eu não estava lá, contudo o meu pai estava.*

Não confundir **contudo** (mas) com **com tudo** (com todas as coisas): *Comprei os livros,* ***contudo*** *não os trouxe. A estadia é* ***com tudo*** *incluído.*

:ontundente (**con.tun.den.te**) [kõtũ'dẽt(ə)] *adj.2g.* **1** capaz de ferir ou de causar impacto **2** (argumento, prova) irrefutável

:ontundir (**con.tun.dir**) [kõtũ'dir] *v.* **1** fazer contusão em (parte do corpo) **2** *fig.* agredir; magoar (com gesto, palavra) ■ **contundir-se** sofrer contusão

onturbado (**con.tur.ba.do**) [kõtur'badu] *adj.* perturbado; agitado

onturbar (**con.tur.bar**) [kõtur'bar] *v.* **1** perturbar; agitar **2** amotinar; sublevar

ontusão (**con.tu.são**) [kõtu'zɐ̃w̃] *n.f.* lesão na pele produzida por embate ou impacto

onvalescença (**con.va.les.cen.ça**) [kõvɐləʃ'sẽsɐ] *n.f.* período de recuperação da saúde, após uma doença ou uma operação

onvalescente (**con.va.les.cen.te**) [kõvɐləʃ'sẽt(ə)] *adj.2g.* que está em convalescença

onvalescer (**con.va.les.cer**) [kõvɐləʃ'ser] *v.* recuperar a saúde após uma doença ou uma operação

onvecção (**con.vec.ção**) [kõvɛ'ksɐ̃w̃] *n.f.* transferência de calor através de um líquido ou de um gás, efetuada à custa do movimento do próprio fluido

nvenção (**con.ven.ção**) [kõvẽ'sɐ̃w̃] *n.f.* **1** acordo sobre alguma coisa **2** norma de procedimento **3** reunião de pessoas para discutir algo

nvencer (**con.ven.cer**) [kõvẽ'ser] *v.* levar (alguém) a aceitar algo ou a acreditar em alguma coisa; persuadir ■ **convencer-se** aceitar a verdade de

nvencido (**con.ven.ci.do**) [kõvẽ'sidu] *adj.* **1** que e convenceu; persuadido **2** vaidoso; arrogante

nvencimento (**con.ven.ci.men.to**) [kõvẽ'mẽtu] *n.m.* **1** ato ou efeito de (se) convencer **2** certeza de alguma coisa **3** vaidade

nvencionado (**con.ven.ci:o.na.do**) [kõvẽs'nadu] *adj.* combinado; ajustado

nvencional (**con.ven.ci:o.nal**) [kõvẽsju'naɫ] *dj.2g.* **1** relativo a convenção **2** que é feito de acordo com as normas sociais

nvencionar (**con.ven.ci:o.nar**) [kõvẽsju'nar] *v.* estabelecer por meio de acordo; combinar

nveniência (**con.ve.ni:ên.ci:a**) [kõvə'njẽsjɐ] *n.f.* utilidade **2** vantagem **3** adequação às normas

conveniente (**con.ve.ni:en.te**) [kõvə'njẽt(ə)] *adj.2g.* **1** útil **2** vantajoso **3** adequado

convénio (**con.vé.ni:o**) [kõ'vɛnju] *n.m.* **1** pacto internacional **2** acordo entre pessoas; convenção

convento (**con.ven.to**) [kõ'vẽtu] *n.m.* local onde vive uma comunidade religiosa **SIN.** mosteiro

conventual (**con.ven.tu:al**) [kõvẽ'twaɫ] *adj.2g.* referente a convento

convergência (**con.ver.gên.ci:a**) [kõvər'ʒẽsjɐ] *n.f.* **1** encontro de vários elementos num ponto **2** tendência para aproximação ou união

convergente (**con.ver.gen.te**) [kõvər'ʒẽt(ə)] *adj.2g.* **1** que se dirige para um ponto comum **2** que se aproxima

convergir (**con.ver.gir**) [kõvər'ʒir] *v.* ⟨**+para**, **+em**⟩ dirigir-se para (um mesmo ponto): *As linhas convergiam no mesmo sítio.*

conversa (**con.ver.sa**) [kõ'vɛrsɐ] *n.f.* **1** troca de palavras entre duas ou mais pessoas; diálogo **2** *coloq.* palavras sem sentido ou sem importância; palavreado ♦ **conversa de chacha** conversa inútil ou sem interesse; **conversa fiada** conversa sem importância; promessa que não se tem intenção de cumprir; **meter conversa com** iniciar um diálogo com

conversação (**con.ver.sa.ção**) [kõvərsɐ'sɐ̃w̃] *n.f.* conversa (sobretudo em língua estrangeira)

conversador (**con.ver.sa.dor**) [kõvərsɐ'dor] *adj.,n.m.* **1** que ou pessoa que gosta de conversar **2** que ou pessoa que conversa muito

conversão (**con.ver.são**) [kõvər'sɐ̃w̃] *n.f.* **1** ato de (se) converter a uma ideia, religião, hábito, etc. **2** transformação de uma coisa em outra

conversar (**con.ver.sar**) [kõvər'sar] *v.* falar com alguém

conversível (**con.ver.sí.vel**) [kõvər'sivɛɫ] *adj.2g.* **1** que se pode converter **2** (moeda) que se pode trocar

conversor (**con.ver.sor**) [kõvər'sor] *n.m.* **1** dispositivo que transforma uma corrente de uma espécie numa corrente de outra espécie **2** dispositivo que transforma a linguagem em que determinada informação está codificada numa outra linguagem

converter (**con.ver.ter**) [kõvər'ter] *v.* **1** ⟨**+em**⟩ transformar uma coisa em outra: *converter em energia* **2** ⟨**+em**⟩ substituir (moeda, medida) por coisa de natureza ou valor equivalente: *converter euros em dólares* **SIN.** trocar **3** ⟨**+a**⟩ fazer mudar de crença, opinião ou hábito: *converter alguém ao cristianismo* ■ **converter-se 1** ⟨**+em**⟩ transformar-se: *As lágrimas converteram-se em gargalhadas.* **2** ⟨**+a**⟩ fazer mudar de crença, opinião ou hábito: *Ele converteu-se ao catolicismo.*

convertido (con.ver.ti.do) [kõvər'tidu] *adj.* **1** que se converteu (a uma religião, opinião, hábito, etc.) **2** que se transformou em outra coisa

convés (con.vés) [kõ'vɛʃ] *n.m.* área da coberta superior do navio

convexo (con.ve.xo) [kõ'vɛksu] *adj.* que tem saliência curva; arredondado

convicção (con.vic.ção) [kõvi'ksɐ̃w̃] *n.f.* opinião firme a respeito de algo; crença

convicto (con.vic.to) [kõ'viktu] *adj.* que tem convicção de algo; convencido

convidado (con.vi.da.do) [kõvi'dadu] *n.m.* pessoa que recebeu convite

convidar (con.vi.dar) [kõvi'dar] *v.* pedir a alguém que participe em (festa, cerimónia, etc.)

convidativo (con.vi.da.ti.vo) [kõvidɐ'tivu] *adj.* que atrai; tentador

convincente (con.vin.cen.te) [kõvĩ'sẽt(ə)] *adj.2g.* que convence; persuasivo

convir (con.vir) [kõ'vir] *v.* **1** ser conveniente ou apropriado **2** concordar com

convite (con.vi.te) [kõ'vit(ə)] *n.m.* **1** ato de pedir a alguém que participe em algo **2** meio usado para convidar alguém (cartão, telefonema, etc.)

conviva (con.vi.va) [kõ'vivɐ] *n.2g.* pessoa que participa numa festa como convidado

convivência (con.vi.vên.ci:a) [kõvi'vẽsjɐ] *n.f.* **1** vida em comum com outra(s) pessoa(s) **2** convívio harmonioso

conviver (con.vi.ver) [kõvi'ver] *v.* **1** viver próximo de: *Ele convive com a pobreza diariamente.* **2** dar-se bem com: *Gosto de conviver (com os amigos).*

convívio (con.ví.vi:o) [kõ'vivju] *n.m.* **1** boa relação com (alguém) **2** reunião de pessoas para conversar, ouvir música, dançar, etc.

convocação (con.vo.ca.ção) [kõvukɐ'sɐ̃w̃] *n.f.* **1** ato de convocar ou chamar alguém **SIN.** chamada **2** papel ou documento em que se convoca

convocar (con.vo.car) [kõvu'kar] *v.* **1** chamar para (reunião, greve, etc.) **2** reunir (pessoas)

convocatória (con.vo.ca.tó.ri:a) [kõvukɐ'tɔrjɐ] *n.f.* ordem para participar em (reunião, greve, etc.)

convosco (con.vos.co) [kõ'voʃku] *prn.pess.* **1** com você(s): *Falaram convosco?* **2** em vossa companhia: *Fico convosco.* **3** na vossa posse: *O livro está convosco?* **4** à vossa responsabilidade: *Deixo o meu canário convosco.* **5** ao mesmo tempo que você(s): *Entramos convosco.* **6** a vosso respeito: *Aquela piada foi convosco?*

convulsão (con.vul.são) [kõvuɫ'sɐ̃w̃] *n.f.* **1** contração violenta, involuntária e repetida dos músculos **2** grande agitação; alvoroço

convulso (con.vul.so) [kõ'vuɫsu] *adj.* **1** que se manifesta por espasmos ou contrações **2** muito agitado

cookie ['kuki] *n.m.* ⟨*pl.* cookies⟩ ficheiro com informação gravado por um servidor de cada vez que é feito um pedido de pesquisa na internet

cooperação (co:o.pe.ra.ção) [kwuperɐ'sɐ̃w̃] *n.f.* **1** colaboração **2** solidariedade

cooperante (co:o.pe.ran.te) [kwupə'rɐ̃t(ə)] *adj.2g.* que coopera ou colabora ■ *n.2g.* pessoa que participa num programa de cooperação internacional

cooperar (co:o.pe.rar) [kwupə'rar] *v.* **1** trabalhar em comum **2** ⟨**+com**, **+para**⟩ colaborar: *cooperar com o governo*

cooperativa (co:o.pe.ra.ti.va) [kwuperɐ'tivɐ] *n.f.* associação que presta serviços aos seus membros e atua em nome deles

cooperativo (co:o.pe.ra.ti.vo) [kwuperɐ'tivu] *adj.* em que há cooperação; que auxilia

coordenação (co:or.de.na.ção) [kwurdənɐ'sɐ̃w̃] *n.f.* **1** organização de um grupo de trabalho, de um projeto, etc. **2** atividade do sistema nervoso central que regula os movimentos musculares

coordenada (co:or.de.na.da) [kwurdə'nadɐ] *n.f.* frase ligada sequencialmente a outra da mesma natureza, com ou sem elemento de ligação entre si ■ **coordenadas** *n.f.pl.* informações sobre a forma de encontrar uma pessoa ou um lugar

coordenado (co:or.de.na.do) [kwurdə'nadu] *adj.* **1** organizado **2** ligado por coordenação

coordenador (co:or.de.na.dor) [kwurdənɐ'dor] *adj.,n.m.* que(m) gere um projeto ou atividade de grupo

coordenar (co:or.de.nar) [kwurdə'nar] *v.* **1** organizar (atividades, pessoas) **2** ligar (duas ou mais coisas)

coordenativo (co:or.de.na.ti.vo) [kwurdənɐ'tivu] *adj.* **1** relativo a coordenação **2** que estabelece coordenação

copa (co.pa) ['kɔpɐ] *n.f.* **1** área próxima da cozinha, que pode ser usada para refeições **2** ramagem superior das árvores ■ **copas** *n.f.pl.* naipe de cartas em que cada ponto é representado por um coração vermelho ◆ **fechar-se em copas** ficar calado ou aborrecido; não falar

coparticipação (co.par.ti.ci.pa.ção)[AO] [kopɐrtisipɐ'sɐ̃w̃] *n.f.* participação conjunta com outras pessoas

co-participação (co-.par.ti.ci.pa.ção) [kopɐrtisipɐ'sɐ̃w̃] *a nova grafia é* **coparticipação**[AO]

cópia (có.pi:a) ['kɔpjɐ] *n.f.* **1** imitação **2** fotocópia **3** reprodução de um texto feita por um aluno

copianço (co.pi:an.ço) [ku'pjɐ̃su] *n.m.* **1** *coloq.* ato de copiar **2** *coloq.* resumo da matéria de uma disciplina feito para ser usado de forma fraudulenta num exame

copiar (co.pi:ar) [ku'pjar] *v.* 1 fazer a cópia de SIN. reproduzir 2 imitar de forma fraudulenta SIN. plagiar 3 servir-se de cábula ou meio fraudulento para responder em exame

copiloto (co.pi.lo.to)AO [kopi'lotu] *n.2g.* 1 piloto auxiliar 2 num rali, pessoa que ajuda o condutor

co-piloto (co-.pi.lo.to) [kopi'lotu] *a nova grafia é* **copiloto**AO

copioso (co.pi:o.so) [ku'pjozu] *adj.* 1 em que há abundância; abundante; farto 2 extenso; longo

copista (co.pis.ta) [ku'piʃtɐ] *n.2g.* pessoa que que transcreve textos à mão, especialmente partituras para os músicos de uma orquestra ■ *n.m.* aquele que tinha por profissão copiar manuscritos (antes da invenção da imprensa); escriba

copo (co.po) ['kɔpu] *n.m.* recipiente de vidro ou plástico, sem asa, pelo qual se bebe ◆ *coloq.* **estar com os copos** estar embriagado/bêbedo; **ser um bom copo** ser muito apreciador de bebidas alcoólicas

copo-d'água (co.po-.d'á.gua) [kɔpu'dagwɐ] *n.m.* ⟨*pl.* copos-d'água⟩ refeição oferecida nos casamentos, batizados e noutras ocasiões festivas

coprodução (co.pro.du.ção)AO [koprudu'sɐ̃w̃] *n.f.* produção de um filme, documentário ou espetáculo por vários produtores, em geral de nacionalidades diferentes

co-produção (co-.pro.du.ção) [koprudu'sɐ̃w̃] *a nova grafia é* **coprodução**AO

coproprietário (co.pro.pri.e.tá.ri:o)AO [koprupr jɛ'tarju] *n.m.* indivíduo que exerce juntamente com outro(s) o direito de propriedade sobre determinado bem

co-proprietário (co-.pro.pri.e.tá.ri:o) [koprupr jɛ'tarju] *a nova grafia é* **coproprietário**AO

cópula (có.pu.la) ['kɔpulɐ] *n.f.* 1 ligação; união 2 relação sexual; coito 3 verbo que liga o (nome) predicativo ao sujeito

copulação (co.pu.la.ção) [kupulɐ'sɐ̃w̃] *n.f.* 1 ligação química para produção de um composto; combinação 2 relação sexual; coito

copular (co.pu.lar) [kupu'lar] *v.* ⟨**+com**⟩ ter relação sexual

copulativo (co.pu.la.ti.vo) [kupulɐ'tivu] *adj.* 1 que une; que liga 2 (verbo) que liga o sujeito a um constituinte com a função sintática de predicativo do sujeito SIN. predicativo

copyright [kɔpi'ʀajt] *n.m.* ⟨*pl.* copyrights⟩ reserva do direito de propriedade sobre uma obra impressa; propriedade literária ou artística; direitos de autor

coqueiro (co.quei.ro) [ko'kɐjru] *n.m.* palmeira que produz o coco

coqueluche (co.que.lu.che) [kɔkə'luʃ(ə)] *n.f.* 1 doença infeciosa e contagiosa, com incidência particular nas crianças, que se manifesta por tosse violenta e asfixiante; tosse convulsa 2 *coloq.* pessoa ou tendência que é alvo de interesse momentâneo

coquete (co.que.te) [kɔ'kɛt(ə)] *adj.,n.2g.* que ou pessoa que tem muitos cuidados com a aparência

cor (cor)[1] ['kɔr] *n.m.* **de cor** de memória; **de cor e salteado** muito bem; com facilidade

---
Note-se a diferença entre saber de cor (ó) e cor (ô) de mel .

---

cor (cor)[2] ['kor] *n.f.* 1 coloração; colorido 2 substância para pintar; tinta

coração (co.ra.ção) [kurɐ'sɐ̃w̃] *n.m.* 1 órgão central da circulação do sangue, localizado entre os pulmões 2 *fig.* centro; núcleo ◆ **não ter coração** ser insensível

corado (co.ra.do) ['kɔ'radu] *adj.* 1 diz-se da pessoa que tem as faces avermelhadas 2 diz-se do alimento tostado por ação do fogo ou do calor

coragem (co.ra.gem) [ku'raʒɐ̃j̃] *n.f.* 1 força perante perigos ou dificuldades; valentia ANT. cobardia 2 determinação; persistência

corajoso (co.ra.jo.so) [kurɐ'ʒozu] *adj.* que não tem medo SIN. valente ANT. cobarde

coral (co.ral) [ku'raɫ] *n.m.* 1 animal invertebrado aquático que vive nos mares quentes e é responsável pela formação de recifes 2 substância calcária que reveste esse animal 3 canto em coro 4 grupo de cantores

coralista (co.ra.lis.ta) [kurɐ'liʃtɐ] *n.2g.* pessoa que integra um coro

corante (co.ran.te) [kɔ'rɐ̃t(ə)] *n.m.* substância que dá cor

Corão (Co.rão) [ku'rɐ̃w̃] *n.m.* ⇒ **Alcorão**

corar (co.rar) [kɔ'rar] *v.* 1 dar cor a; colorir 2 tostar ligeiramente (alimento) 3 ficar corado (por timidez ou embaraço)

corço (cor.ço) ['korsu] *n.m.* mamífero ruminante, com chifres curtos e pontiagudos, e pelagem cinzento-avermelhada

corcunda (cor.cun.da) [kur'kũdɐ] *n.f.* parte saliente nas costas ou no peito de uma pessoa ou de um animal ■ *n.2g.* pessoa que tem essa saliência

corda (cor.da) ['kɔrdɐ] *n.f.* conjunto de fios torcidos; cordão ◆ **cordas vocais** cada uma das duas pregas situadas de ambos os lados da laringe, cujas vibrações produzem a voz; **estar na corda bamba** estar numa situação difícil ou incerta

cordão (cor.dão) [kur'dɐ̃w̃] *n.m.* **1** conjunto de fios torcidos **2** corrente de ouro ou de prata que se usa ao pescoço ◆ **cordão umbilical** cordão que une o feto à placenta; **apertar os cordões à bolsa** reduzir as despesas

cordeiro (cor.dei.ro) [kur'dɐjru] *n.m.* cria da ovelha; anho

cordel (cor.del) [kur'dɛɫ] *n.m.* corda muito fina ◆ **mexer os cordelinhos** mover influências (para conseguir algo)

cor-de-laranja (cor-.de-.la.ran.ja) [kordəlɐ'rɐ̃ʒɐ] *a nova grafia é* **cor de laranja**[AO]

cor de laranja (cor de la.ran.ja)[AO] [kordəlɐ'rɐ̃ʒɐ] *n.m.* ⟨*pl.* cores de laranja⟩ cor resultante da adição de vermelho e amarelo ■ *adj.inv.* que tem essa cor

cor-de-rosa (cor-.de-.ro.sa) [kordə'ʀɔzɐ] *n.m.* ⟨*pl.* cores-de-rosa⟩ tonalidade muito clara de vermelho ■ *adj.inv.* que tem essa cor

cor de vinho (cor de vi.nho) [kordə'viɲu] *adj.inv.,n.m.2n.* (cor) que é púrpura ou vermelho-escura, próxima do roxo, semelhante à do vinho tinto

cordial (cor.di:al) [kur'djaɫ] *adj.2g.* **1** afetuoso **2** sincero

cordialidade (cor.di:a.li.da.de) [kurdjɐli'dad(ə)] *n.f.* **1** simpatia **2** sinceridade

cordialmente (cor.di:al.men.te) [kurdjaɫ'mẽt(ə)] *adv.* **1** de forma afetuosa **2** de modo sincero

cordilheira (cor.di.lhei.ra) [kurdi'ʎɐjrɐ] *n.f.* cadeia de serras ou montanhas

córdoba (cór.do.ba) ['kɔrdubɐ] *n.m.* unidade monetária da Nicarágua

cordon-bleu [kɔrdõ'blɐ] *n.m.2n.* prato composto por um bife de vitela panado recheado com fiambre e queijo

coreano (co.re:a.no) [ku'rjɐnu] *adj.* relativo à Coreia do Norte ou à Coreia do Sul ■ *n.m.* **1** pessoa natural da Coreia do Norte ou da Coreia do Sul **2** língua falada na Coreia do Norte e na Coreia do Sul

coreografia (co.re:o.gra.fi.a) [kurjugrɐ'fiɐ] *n.f.* **1** arte de criar os movimentos e passos de uma dança **2** movimentos e passos criados pelo coreógrafo

coreógrafo (co.re:ó.gra.fo) [ku'rjɔgrɐfu] *n.m.* e[s]pecialista em coreografia

coreto (co.re.to) [ku'retu] *n.m.* pequena constr[u]ção para concertos numa praça ou num jardim

coríntio (co.rín.ti:o) [ku'rĩtju] *n.m.,adj.* (ordem a[r]quitetónica grega) que se caracteriza por um[a] coluna com sulcos assente numa base e um c[a]pitel com folhas recortadas

corista (co.ris.ta) [ku'riʃtɐ] *n.2g.* **1** pessoa que fa[z] parte de um coro **2** *coloq.* pessoa que inventa c[...] mente muito

corja (cor.ja) ['kɔrʒɐ] *n.f. pej.* grupo de pessoas d[e] má reputação; canalha

córnea (cór.ne:a) ['kɔrnjɐ] *n.f.* membrana espess[a] e transparente situada na parte anterior do olh[o] diante da pupila

corneta (cor.ne.ta) [kur'netɐ] *n.f.* instrumento d[e] sopro feito de latão ou bronze, com tubo liso [...] cónico

cornetim (cor.ne.tim) [kurnə'tĩ] *n.m.* corneta pe[...]quena

cornija (cor.ni.ja) [kur'niʒɐ] *n.f.* remate na part[e] superior da parede de um edifício

corno (cor.no) ['kornu] *n.m.* apêndice duro que a[l]guns animais têm na cabeça **SIN.** chifre ◆ *colo[q.]* **meter/pôr os cornos a alguém** ser infiel [a,] trair

coro (co.ro) ['koru] *n.m.* **1** conjunto de pessoas qu[e] cantam juntas **2** composição musical cantada er[m] grupo ◆ **em coro** juntamente com outras pes[...]soas

coroa (co.ro.a) [ku'roɐ] *n.f.* **1** 👁 ornamento circu[...]lar usado na cabeça **2** reverso de uma moed[a] **3** moeda de alguns países, como a Dinamarca, [a] Suécia ou a Noruega **4** dente artificial, de met[al] ou porcelana, diretamente adaptado à raiz po[r] meio de cimento especial

coroação (co.ro:a.ção) [kurwɐ'sɐ̃w̃] *n.f.* **1** cerimó[...]nia em que alguém é coroado **2** *fig.* glorificação

coroado (co.ro:a.do) [ku'rwadu] *adj.* **1** que ter[m] coroa **2** que subiu ao trono (rei, rainha)

coroar (co.ro:ar) [ku'rwar] *v.* reconhecer como re[i] ou rainha

corola (co.ro.la) [ku'rɔlɐ] *n.f.* conjunto das pétalas de uma flor

corolário (co.ro.lá.ri:o) [kuru'larju] *n.m.* **1** em lógica, afirmação deduzida de uma proposição demonstrada **2** consequência; resultado

coronel (co.ro.nel) [kuru'nɛɫ] *n.2g.* militar do exército ou da força aérea, superior ao de tenente e inferior ao de brigadeiro

coronha (co.ro.nha) [ku'roɲɐ] *n.f.* parte de certas armas de fogo portáteis onde encaixa o cano

corpanzil (cor.pan.zil) [kurpɐ̃'ziɫ] *n.m.* **1** *coloq.* corpo grande e forte **2** *coloq.* pessoa corpulenta

corpete (cor.pe.te) [kur'pet(ə)] *n.m.* peça de vestuário feminino que se ajusta ao peito

corpo (cor.po) ['korpu] *n.m.* **1** parte física do homem e dos animais **2** no ser humano, conjunto formado por cabeça, tronco e membros **3** cadáver **4** conjunto de pessoas com profissão ou interesses comuns, que funciona como um todo organizado; **corpo diplomático** conjunto de diplomatas acreditados junto de um governo estrangeiro; **corpo docente** conjunto dos professores de um estabelecimento de ensino ♦ **corpo a corpo** em que há confrontação física direta; **dar o corpo ao manifesto** esforçar-se o mais possível para conseguir algo; **de corpo e alma** inteiramente; com dedicação total; **ganhar/tomar corpo** **1** adquirir consistência **2** desenvolver-se; [BRAS.] **tirar o corpo fora** fugir de consequências ou de responsabilidades

corporação (cor.po.ra.ção) [kurpurɐ'sɐ̃w̃] *n.f.* conjunto de pessoas com profissão ou interesses comuns **SIN.** associação

corporal (cor.po.ral) [kurpu'raɫ] *adj.2g.* **1** relativo ao corpo **2** físico; material

corporativo (cor.po.ra.ti.vo) [kurpurɐ'tivu] *adj.* próprio de corporação

corpóreo (cor.pó.re:o) [kur'pɔrju] *adj.* que tem corpo; material

corpulento (cor.pu.len.to) [kurpu'lẽtu] *adj.* que tem um corpo grande; volumoso

corpus ['kɔrpuʃ] *n.m.* compilação de documentos ou informações sobre um tema, um autor, etc.

corpúsculo (cor.pús.cu.lo) [kur'puʃkulu] *n.m.* corpo muito pequeno

correção (cor.re.ção)[AO] [kurɛ'sɐ̃w̃] *n.f.* **1** ato ou efeito de corrigir; emenda **2** qualidade do que é correto; perfeição **3** castigo que se dá a alguém **4** comportamento honesto

correcção (cor.rec.ção) [kurɛ'sɐ̃w̃] *a nova grafia é* **correção**[AO]

corre-corre (cor.re-.cor.re) [kɔʀə'kɔʀ(ə)] *n.m.* **1** pressa **2** correria

correctamente (cor.rec.ta.men.te) [kuʀɛtɐ'mẽt(ə)] *a nova grafia é* **corretamente**[AO]

correctivo (cor.rec.ti.vo) [kuʀɛ'tivu] *a nova grafia é* **corretivo**[AO]

correcto (cor.rec.to) [ku'ʀɛtu] *a nova grafia é* **correto**[AO]

corrector (cor.rec.tor) [kuʀɛ'tor] *a nova grafia é* **corretor**[AO]

corredor (cor.re.dor) [kuʀə'dor] *n.m.* **1** atleta que participa em corridas **2** passagem estreita no interior de uma casa ou de um edifício **3** numa rua, passagem reservada a certos veículos (por exemplo, autocarros)

correia (cor.rei.a) [ku'ʀɐjɐ] *n.f.* tira de couro estreita para atar

correio (cor.rei.o) [ku'ʀɐju] *n.m.* **1** serviço de transporte e distribuição de correspondência **2** prédio ou local onde funciona esse serviço ♦ **correio eletrónico** sistema de transmissão de mensagens escritas entre computadores

correlação (cor.re.la.ção) [kuʀəlɐ'sɐ̃w̃] *n.f.* relação mútua entre duas pessoas ou coisas

corrente (cor.ren.te) [ku'ʀẽt(ə)] *adj.2g.* **1** que corre **2** vulgar **3** atual ■ *n.f.* **1** curso de água **2** movimento do ar; **corrente de ar** movimento do vento em determinada direção **3** movimento ordenado de cargas elétricas **4** cadeia de argolas metálicas **5** movimento de opiniões ou ideias **SIN.** tendência ♦ **corrente elétrica** fluxo de cargas elétricas num elemento condutor ou semicondutor; **estar ao corrente de** estar informado sobre; **ir/nadar contra a corrente** tomar uma posição ou agir contra a opinião ou tendência da maioria

correr (cor.rer) [ku'ʀer] *v.* **1** deslocar-se rapidamente: *correr para apanhar o comboio* **2** participar numa prova de corrida: *correr a maratona* **3** passar; decorrer (tempo, processo): *Correram dois anos desde o acidente.* **4** estar sujeito a (risco): *correr perigo* **5** sair em forma de corrente: *As lágrimas corriam pela cara.* **6** fechar (cortinas) **7** circular; divulgar-se (boato): *Corre o boato de que...* **8** pôr (programa) a funcionar, num computador **9** percorrer: *Corri as lojas todas.* **10** ⟨**+com**⟩ mandar embora: *Correu com o João.* **SIN.** expulsar

correria (cor.re.ri.a) [kuʀə'riɐ] *n.f.* **1** corrida desordenada **2** grande pressa

correspondência (cor.res.pon.dên.ci:a) [kuʀəʃpõ'dẽsjɐ] *n.f.* **1** semelhança entre pessoas ou coisas **2** relação perfeita **3** troca de cartas, telegramas, postais, etc.

correspondente (cor.res.pon.den.te) [kuʀəʃpõ'dẽt(ə)] *adj.2g.* **1** equivalente **2** conveniente ■ *n.2g.* **1** pessoa que troca correspondência com outra **2** jornalista que faz reportagens numa determinada região

corresponder (cor.res.pon.der) [kuʀəʃpõ'der] *v.* **1** ter correlação ou semelhança com: *Isso corresponde à descrição.* **2** equivaler: *Um euro corresponde a cem cêntimos.* **3** retribuir: *corresponder aos sentimentos de alguém* ■ **corresponder-se** ⟨+com⟩ manter comunicação por escrito com alguém

corretamente (cor.re.ta.men.te)AO [kuʀɛtɐ'mẽt(ə)] *adv.* de forma certa ou apropriada

corretivo (cor.re.ti.vo)AO [kuʀɛ'tivu] *n.m.* aquilo que corrige **SIN.** castigo

correto (cor.re.to)AO [ku'ʀɛtu] *adj.* **1** que não tem falha, erro ou defeito; perfeito **2** diz-se de pessoa honesta; íntegro

corretor (cor.re.tor)[1] AO [kuʀɛ'tor] *n.m.* tinta ou fita branca sobre a qual se fazem emendas num texto escrito

corretor (cor.re.tor)[2] [kuʀə'tor] *n.m.* **1** mediador entre um comprador e um vendedor **2** operador na bolsa de valores

corretora (cor.re.to.ra) [kuʀə'torɐ] *n.f.* agência que efetua transações financeiras na bolsa de valores

corrida (cor.ri.da) [ku'ʀidɐ] *n.f.* **1** ato de correr **2** grande pressa; correria **3** competição em que se percorre com rapidez um determinado trajeto, a pé, a cavalo ou num veículo ◆ **de corrida** rapidamente; à pressa

corridinho (cor.ri.di.nho) [kuʀi'diɲu] *n.m.* dança típica do Algarve, de ritmo muito rápido

corrigir (cor.ri.gir) [kuʀi'ʒir] *v.* **1** emendar **2** melhorar

corrimão (cor.ri.mão) [kuʀi'mɐ̃w̃] *n.m.* apoio existente ao lado de uma escada para auxiliar a subida e/ou descida

corrimento (cor.ri.men.to) [kuʀi'mẽtu] *n.m.* secreção que corre de determinada parte do corpo

corriqueiro (cor.ri.quei.ro) [kuʀi'kɐjru] *adj.* **1** corrente **2** banal

corroboração (cor.ro.bo.ra.ção) [kuʀuburɐ'sɐ̃w̃] *n.f.* confirmação

corroborar (cor.ro.bo.rar) [kuʀubu'rar] *v.* confirmar

corroer(-se) (cor.ro:er(-se)) [ku'ʀwer(sə)] *v.* **1** carcomer(-se); desgastar(-se) **2** destruir(-se)

corroído (cor.ro:í.do) [ku'ʀwidu] *adj.* **1** gasto **2** danificado

corromper(-se) (cor.rom.per(-se)) [kuʀõ'per(sə)] *v.* **1** tornar(-se) podre **2** adulterar(-se) **3** perverter(-se); depravar(-se)

corrosão (cor.ro.são) [kuʀu'zɐ̃w̃] *n.f.* desgaste produzido no relevo terrestre pela ação do ar, do vento, da água e dos seres vivos **SIN.** erosão

corrosivo (cor.ro.si.vo) [kuʀu'zivu] *adj.* que estraga ou destrói

corrupção (cor.rup.ção) [kuʀu'psɐ̃w̃] *n.f.* **1** uso c meios ilegais para obter benefícios (dinheiro, i formações, etc.) **SIN.** suborno **2** decomposiçã putrefação

corrupio (cor.ru.pi.o) [kuʀu'piu] *n.m.* granc pressa ou correria

corruptível (cor.rup.tí.vel) [kuʀu'ptivɛɫ] *adj.2* **1** (alimento) que se pode estragar **2** (pessoa) q pode ser corrompido

corrupto (cor.rup.to) [ku'ʀuptu] *adj.* **1** que sofre alteração; corrompido **2** que atua com desones dade, em benefício próprio

corsário (cor.sá.ri:o) [kur'sarju] *n.m.* navio partic lar autorizado a atacar embarcações de outra n ção quando se está em guerra ■ **corsários** *n.m.* calças que vão até meio da perna

cortadela (cor.ta.de.la) [kurtɐ'dɛlɐ] *n.f.* corte geiro ou superficial

corta-fogo (cor.ta-.fo.go) [kɔrtɐ'fogu] *adj.,n.m.* (que constitui barreira para precaver ou imped a propagação de um incêndio

corta-mato (cor.ta-.ma.to) [kɔrtɐ'matu] *n.m.* ⟨ corta-matos⟩ corrida de atletismo, ciclismo ou e qui que decorre num terreno com obstáculos n turais

cortante (cor.tan.te) [kur'tɐ̃t(ə)] *adj.* **1** que cor **2** *fig.* diz-se do som agudo **3** *fig.* diz-se do come tário agressivo

corta-papéis (cor.ta-.pa.péis) [kɔrtɐpɐ'pɛj *n.m.2n.* espécie de faca para cortar papel dobrad

cortar (cor.tar) [kur'tar] *v.* **1** separar ou dividir pc meio de corte **2** retirar o excesso a (alguma cois **3** eliminar (despesas) **4** interromper (convers comentário) **5** diminuir (caminho, distância)

corta-unhas (cor.ta-.u.nhas) [kɔrtɐ'uɲɐʃ] *n.m.2* pequeno alicate com duas lâminas afiadas e cu vadas para dentro, que serve para cortar unhas

corta-vento (cor.ta-.ven.to) [kɔrtɐ'vẽtu] *n.m.* ⟨ corta-ventos⟩ **1** blusão de tecido resistente chuva e ao vento, usado sobretudo em despo tos de montanha **2** dispositivo colocado à fren dos veículos de grande velocidade, para atenu a pressão do ar

corte (cor.te)[1] ['kɔrt(ə)] *n.m.* **1** ato ou efeito de co tar **2** golpe (na pele) **3** abate (de árvores) **4** redu ção (de despesas) **5** quebra (de relações)

corte (cor.te)[2] ['kort(ə)] *n.f.* **1** residência de um r ou de uma rainha **2** conjunto de pessoas que fr quenta essa residência **3** *fig.* namoro **4** antiga as sembleia dos representantes da nação

cortejar (cor.te.jar) [kurtə'ʒar] *v.* fazer a corte namorar

cortejo (cor.te.jo) [kur'tɐ(j)ʒu] *n.m.* **1** comitiva qu segue uma pessoa ou um grupo de pessoas, fim de lhe(s) prestar homenagem ou exprimir respeito **2** desfile

cortês (cor.tês) [kur'teʃ] *adj.2g.* **1** amável **2** bem-educado

cortesã (cor.te.sã) [kurtə'zɐ̃] *n.f.* ⟨*m.* cortesão⟩ dama da corte

cortesão (cor.te.são) [kurtə'zɐ̃w̃] *n.m.* ⟨*f.* cortesã⟩ homem que vive na corte de um rei ou de uma rainha

cortesia (cor.te.si.a) [kurtə'ziɐ] *n.f.* **1** amabilidade **2** boa educação

córtex (cór.tex) ['kɔrtɛks] *n.m.* ⟨*pl.* córtices⟩ camada periférica ou externa de vários órgãos

cortiça (cor.ti.ça) [kur'tisɐ] *n.f.* casca de sobreiro e de outras árvores, usada para fazer rolhas

cortiço (cor.ti.ço) [kur'tisu] *n.m.* caixa dentro da qual as abelhas fabricam cera e mel

cortina (cor.ti.na) [kur'tinɐ] *n.f.* peça de tecido suspensa num varão para resguardar uma janela

cortinado (cor.ti.na.do) [kurti'nadu] *n.m.* **1** conjunto de cortinas **2** cortina grande

cortisona (cor.ti.so.na) [kurti'zonɐ] *n.f.* hormona utilizada como anti-inflamatório e antialérgico

coruja (co.ru.ja) [ku'ruʒɐ] *n.f.* ave de rapina noturna, com visão e audição muito apuradas

corvina (cor.vi.na) [kur'vinɐ] *n.f.* peixe marinho de grandes dimensões e com escamas grossas

corvo (cor.vo) ['korvu] *n.m.* pássaro com plumagem e bico pretos

coscuvilhar (cos.cu.vi.lhar) [kuʃkuvi'ʎar] *v.* bisbilhotar

coscuvilheiro (cos.cu.vi.lhei.ro) [kuʃkuvi'ʎɐjru] *adj.,n.m.* bisbilhoteiro

coscuvilhice (cos.cu.vi.lhi.ce) [kuʃkuvi'ʎi(sə)] *n.f.* bisbilhotice; mexerico

co-secante (co-.se.can.te) [kosə'kɐ̃t(ə)] *a nova grafia é* **cossecante**[AO]

co-seno (co-.se.no) [ku'senu] *a nova grafia é* **cosseno**[AO]

coser (co.ser) [ku'zer] *v.* unir por meio de pontos, com agulha e linha **SIN.** costurar

> Não confundir **coser** (costurar) com **cozer** (cozinhar).

co-signatário (co-.sig.na.tá.ri:o) [kosignɐ'tarju] *a nova grafia é* **cossignatário**[AO]

cosmética (cos.mé.ti.ca) [kuʒ'mɛtikɐ] *n.f.* **1** área que trata do embelezamento físico de uma pessoa, através do uso de produtos próprios **2** indústria de fabricação e venda desses produtos

cosmético (cos.mé.ti.co) [kuʒ'mɛtiku] *n.m.* produto destinado a melhorar a aparência de uma pessoa

cósmico (cós.mi.co) ['kɔʒmiku] *adj.* relativo ao universo; universal

cosmonauta (cos.mo.nau.ta) [kɔʒmɔ'nawtɐ] *n.2g.* tripulante de uma nave espacial **SIN.** astronauta

cosmopolita (cos.mo.po.li.ta) [kuʒmupu'litɐ] *adj.* **1** (arquitetura, hábito) próprio de grandes centros urbanos **2** (cidade) que revela influências de diversos países **3** (pessoa) que faz muitas viagens

cosmos (cos.mos) ['kɔʒmuʃ] *n.m.2n.* universo

cossecante (cos.se.can.te)[AO] [kosə'kɐ̃t(ə)] *n.f.* secante do complemento de um ângulo (ou arco)

cosseno (cos.se.no)[AO] [ku'senu] *n.m.* seno do ângulo (ou arco) complementar de outro

cossignatário (cos.sig.na.tá.ri:o)[AO] [kosignɐ'tarju] *n.m.* pessoa que assina um documento com outro(s)

costa (cos.ta) ['kɔʃtɐ] *n.f.* região de contacto entre o mar e a terra; litoral ■ **costas** *n.f.pl.* parte posterior do tronco humano ♦ **ter as costas largas** aguentar com as responsabilidades; **ter as costas quentes** estar bem protegido; **virar/voltar as costas a** manifestar desprezo por

costado (cos.ta.do) [kuʃ'tadu] *n.m.* parte lateral; lado

costa-riquenho (cos.ta-.ri.que.nho) [kɔʃtɐʀi'kɐ(j)ɲu] *adj.* relativo à Costa Rica ■ *n.m.* ⟨*pl.* costa-riquenhos⟩ pessoa natural da Costa Rica (América Central)

costa-riquense (cos.ta-.ri.quen.se) [kɔʃtɐʀi'kẽ(sə)] *adj.,n.2g.* ⇒ **costa-riquenho**

costeiro (cos.tei.ro) [kuʃ'tɐjru] *adj.* relativo a costa

costela (cos.te.la) [kuʃ'tɛlɐ] *n.f.* **1** cada uma das peças ósseas do esqueleto do tórax **2** *fig.* origem

costeleta (cos.te.le.ta) [kuʃtə'letɐ] *n.f.* costela de animal cortada com carne e usada na alimentação

costumar (cos.tu.mar) [kuʃtu'mar] *v.* ter por costume ou hábito

costume (cos.tu.me) [kuʃ'tum(ə)] *n.m.* hábito

costura (cos.tu.ra) [kuʃ'turɐ] *n.f.* **1** união de duas peças de pano **2** conjunto de pontos dados num ferimento

costurar (cos.tu.rar) [kuʃtu'rar] *v.* coser

costureira (cos.tu.rei.ra) [kuʃtu'rɐjrɐ] *n.f.* mulher que costura por profissão

costureiro (cos.tu.rei.ro) [kuʃtu'rɐjru] *n.m.* **1** homem que cria peças de vestuário **2** homem que dirige uma casa de alta costura

cota (co.ta) ['kɔtɐ] *n.f.* **1** parte proporcional com que cada pessoa contribui para determinado fim **2** revestimento usado debaixo da armadura de cavaleiro, até à altura dos joelhos **3** *coloq.* pessoa mais velha

cotação (co.ta.ção) [kutɐ'sɐ̃w̃] *n.f.* **1** valor de uma moeda, mercadoria, etc. **2** valor em pontos de cada uma das respostas num exame ou exercício escrito **3** *fig.* consideração; importância

cotangente (co.tan.gen.te)[AO] [kotɐ̃'ʒẽt(ə)] *n.f.* tangente do complemento de um ângulo (ou arco)

co-tangente (co-.tan.gen.te) [kotɐ̃'ʒẽt(ə)] *a nova grafia é* **cotangente**[AO]

cotão (co.tão) [ku'tɐ̃w̃] *n.m.* partículas de pó que se acumulam

cotar (co.tar) [ku'tar] *v.* **1** fixar o valor de **2** qualificar; avaliar

cotejar (co.te.jar) [kutə'ʒar] *v.* comparar; confrontar

cotexto (co.tex.to)[AO] [ko'tɐjʃtu] *n.m.* conjunto de sequências linguísticas que precedem ou que se seguem a uma palavra ou um enunciado na linearidade textual; contexto verbal

co-texto (co-.tex.to) [ko'tɐjʃtu] *a nova grafia é* **cotexto**[AO]

coto (co.to) ['kotu] *n.m.* **1** resto de uma vela de cera **2** parte que resta de um membro que foi parcialmente amputado

cotonete (co.to.ne.te) [kɔtɔ'nɛt(ə)] *n.f.* pequena haste com algodão enrolado nas extremidades, usada para limpar os ouvidos

cotovelada (co.to.ve.la.da) [kutuvə'ladɐ] *n.f.* pancada com o cotovelo

cotoveleira (co.to.ve.lei.ra) [kutuvə'lɐjrɐ] *n.f.* proteção usada no cotovelo

cotovelo (co.to.ve.lo) [kutu'velu] *n.m.* articulação do braço com o antebraço ◆ **falar pelos cotovelos** falar muito

cotovia (co.to.vi.a) [kutu'viɐ] *n.f.* pequeno pássaro de penugem cinzenta ou castanha

country ['kɐ̃tri] *n.m.* estilo de música rural norte-americana

couraça (cou.ra.ça) [ko(w)'rasɐ] *n.f.* **1** armadura para proteger o tronco **2** *fig.* defesa contra qualquer coisa

couro (cou.ro) ['ko(w)ru] *n.m.* **1** pele espessa e dura de alguns animais **2** pele curtida para usos industriais ◆ **couro cabeludo** pele coberta de cabelos que reveste a cabeça humana

coutada (cou.ta.da) [ko(w)'tadɐ] *n.f.* couto

couto (cou.to) ['ko(w)tu] *n.m.* território ou propriedade onde é proibida a entrada de estranhos

couve (cou.ve) ['ko(w)v(ə)] *n.f.* planta com folhas verdes, onduladas, muito utilizada na alimentação

couve-de-bruxelas (cou.ve-.de-.bru.xe.las) [ko(w)vədəbru'ʃɛlɐʃ] *n.f.* ⟨*pl.* couves-de-bruxelas⟩ **1** variedade de couve com o aspeto de pequenos rebentos arredondados **2** pequeno rebento comestível desta couve

couve-flor (cou.ve-.flor) [ko(w)və'flor] *n.f.* ⟨*pl.* couves-flores⟩ couve cujo interior tem a forma de uma flor branca

couve-galega (cou.ve-.ga.le.ga) [ko(w)vəgɐ'legɐ] *n.f.* variedade de couve, de folhas grandes e verde-escuras

couve-lombarda (cou.ve-.lom.bar.da) [ko(w)vəlõ'bardɐ] *n.f.* variedade de couve de folhas frisadas, as exteriores com coloração verde-escura e as interiores com coloração verde-clara

couve-roxa (cou.ve-.ro.xa) [ko(w)və'ʀoʃɐ] *n.f.* couve de tonalidade arroxeada

couvert [ku'vɛrt] *n.m.* conjunto de alimentos servido no início de uma refeição; entrada

cova (co.va) ['kɔvɐ] *n.f.* **1** abertura no solo **2** sepultura

covarde (co.var.de) [ku'vard(ə)] *adj.,n.2g.* ⇒ **cobarde**

covardia (co.var.di.a) [kuvɐr'diɐ] *n.f.* ⇒ **cobardia**

coveiro (co.vei.ro) [kɔ'vɐjru] *n.m.* homem que abre as covas no cemitério

covil (co.vil) [ku'viɫ] *n.m.* toca de animais ferozes

covinha (co.vi.nha) [kɔ'viɲɐ] ⟨*dim. de* cova⟩ *n.f.* pequena cova no queixo ou nas faces

cowboy [kaw'bɔj] *n.m.* ⟨*pl.* cowboys⟩ vaqueiro norte-americano

coxa (co.xa) ['koʃɐ] *n.f.* parte da perna entre o joelho e a anca

coxear (co.xe:ar) [ku'ʃjar] *v.* mancar

coxo (co.xo) ['koʃu] *adj.* que coxeia

cozedura (co.ze.du.ra) [kuzə'durɐ] *n.f.* processo de cozer

cozer (co.zer) [ku'zer] *v.* **1** cozinhar ao fogo ou ao calor **2** submeter (barro, porcelana, etc.) à ação de calor para aumentar a dureza e a consistência

cozido (co.zi.do) [ku'zidu] *adj.* que se cozeu ■ *n.m.* refeição preparada com carne cozida, enchidos, arroz e legumes

cozinha (co.zi.nha) [ku'ziɲɐ] *n.f.* **1** compartimento onde se preparam os alimentos **2** arte de cozinhar

cozinhado (co.zi.nha.do) [kuzi'ɲadu] *adj.* que se cozinhou ▪ *n.m.* alimento preparado ao lume

cozinhar (co.zi.nhar) [kuzi'ɲar] *v.* **1** preparar (os alimentos) ao lume **2** *fig.* tramar

cozinheiro (co.zi.nhei.ro) [kuzi'ɲɐjru] *n.m.* ⟨*f.* cozinheira⟩ indivíduo que cozinha

CPLP [sepeɛɫ'pe] *sigla de* Comunidade de Países de Língua Portuguesa

CPU [sepe'u] *n. m.* unidade central de processamento **OBS.** Sigla de *central processing unit*

crachá (cra.chá) [kra'ʃa] *n.m.* **1** medalha honrosa **2** cartão de identificação que se usa pendurado na lapela ou ao peito

crack ['krak] *n.m.* narcótico produzido a partir da cocaína, bicarbonato de sódio e outras substâncias, apresentado em forma de pedras

cracker ['krakɐr] *n.2g.* pessoa que quebra a segurança de um sistema informático

craniano (cra.ni:a.no) [krɐ'njɐnu] *adj.* relativo ao crânio

crânio (crâ.ni:o) ['krɐnju] *n.m.* **1** parte óssea da cabeça que contém o cérebro **2** *fig.* pessoa muito inteligente

crápula (crá.pu.la) ['krapulɐ] *n.2g.* pessoa desonesta; canalha

craque (cra.que) ['krak(ə)] *n.2g. coloq.* pessoa que se destaca em determinada atividade **SIN.** ás

crase (cra.se) ['kraz(ə)] *n.f.* contração ou fusão de duas vogais numa só: *à (a + a); àquilo (a + aquilo)*

crash ['kraʃ] *n.m.* **1** descida acentuada das cotações na bolsa de valores **2** falha que ocorre quando um computador ou um programa deixa de funcionar inesperadamente

crashar (cra.shar) [krɐ'ʃar] *v.* em informática, deixar (computador, programa) de responder ao utilizador

crasso (cras.so) ['krasu] *adj.* **1** grande **2** grosseiro

cratera (cra.te.ra) [krɐ'tɛrɐ] *n.f.* abertura no cimo de um vulcão por onde sai a lava

crava (cra.va) ['kravɐ] *n.2g. coloq.* pessoa que pede com frequência dinheiro ou favores

cravanço (cra.van.ço) [krɐ'vɐ̃su] *n.m. coloq.* hábito de pedir dinheiro ou favores

cravar (cra.var) [krɐ'var] *v.* **1** prender com pregos, cravos, etc. **2** fixar (o olhar) **3** *coloq.* pedir dinheiro emprestado

craveira (cra.vei.ra) [krɐ'vɐjrɐ] *n.f.* **1** medida para determinar a altura das pessoas **2** *fig.* medida; bitola

cravinho (cra.vi.nho) [krɐ'viɲu] *n.m.* botão do cravo-da-índia, que escurece quando seco e adquire um sabor picante, usado como especiaria

cravista (cra.vis.ta) [krɐ'viʃtɐ] *n.2g.* pessoa que toca cravo

cravo (cra.vo) ['kravu] *n.m.* **1** flor com pétalas recortadas, geralmente de cor vermelha ou branca **2** instrumento musical de cordas e teclado

crawl ['krɔɫ] *n.m.* estilo de natação em que o nadador se move com o peito sobre a água, dando braçadas acima do ombro e para a frente, batendo as pernas

creche (cre.che) ['krɛʃ(ə)] *n.f.* infantário

credencial (cre.den.ci:al) [krədẽ'sjaɫ] *n.f.* **1** documento que dá crédito ou poderes **2** documento pelo qual um Estado confere a um embaixador ou representante num país estrangeiro o direito de representação desse Estado

credibilidade (cre.di.bi.li.da.de) [krədibili'dad(ə)] *n.f.* qualidade do que é credível

creditar (cre.di.tar) [krədi'tar] *v.* lançar (quantia) em conta corrente

crédito (cré.di.to) ['krɛditu] *n.m.* **1** confiança **2** boa reputação

credível (cre.dí.vel) [krə'divɛɫ] *adj.2g.* **1** digno de crédito **2** em que se pode acreditar

credo (cre.do) ['krɛdu] *n.m.* **1** profissão de fé **2** crença política ▪ *interj.* exprime surpresa e, por vezes, aversão

credor (cre.dor) [krɛ'dor] *n.m.* pessoa a quem se deve dinheiro

crédulo (cré.du.lo) ['krɛdulu] *adj.* que crê facilmente; ingénuo

cremação (cre.ma.ção) [krəmɐ'sɐ̃w̃] *n.f.* redução (de um cadáver) a cinzas; incineração

cremar (cre.mar) [krə'mar] *v.* reduzir (cadáver) a cinzas

crematório (cre.ma.tó.ri:o) [krəmɐ'tɔrju] *n.m.* forno onde se faz a cremação

creme (cre.me) ['krɛm(ə)] *n.m.* **1** doce preparado com leite, farinha, ovos e açúcar; leite-creme **2** sopa feita com legumes passados **3** pomada

cremoso (cre.mo.so) [krə'mozu] *adj.* que tem consistência de creme

crença (cren.ça) ['krẽsɐ] *n.f.* **1** confiança em algo ou alguém **2** convicção profunda

crente (cren.te) ['krẽt(ə)] *n.2g.* **1** pessoa que acredita ou que tem fé **2** *coloq.* crédulo; ingénuo

crepe (cre.pe) ['krɛp(ə)] *n.m.* **1** espécie de panqueca muito fina, composta de leite, farinha e ovos **2** tecido rugoso, transparente, de seda ou de lã fina

crepitar (cre.pi.tar) [krəpi'tar] *v.* produzir estalidos por ação do fogo

crepuscular (cre.pus.cu.lar) [krəpuʃku'lar] *adj.2g.* relativo ao crepúsculo

crepúsculo (cre.pús.cu.lo) [krəˈpuʃkulu] *n.m.* **1** claridade antes do nascer do sol e depois do pôr do sol **2** *fig.* declínio; decadência

crer (crer) [ˈkrer] *v.* **1** ⟨**+em**⟩ acreditar em; ter fé em: *crer em Deus; crer na vitória* **2** julgar; supor: *Creio que ele está em casa.* ◆ **ver para crer** expressão que se utiliza para indicar incredulidade ou ceticismo em relação ao algo

Não confundir **crer** (acreditar) com **querer** (desejar).

crescendo (cres.cen.do) [krəʃˈsẽdu] *n.m.* **1** aumento gradual **2** progressão

crescente (cres.cen.te) [krəʃˈsẽt(ə)] *adj.2g.* que está a crescer ▪ *n.m.* forma da Lua vista da Terra, em que menos de metade dela se encontra iluminada

crescer (cres.cer) [krəʃˈser] *v.* **1** desenvolver-se progressivamente desde o nascimento até ao termo do crescimento normal: *O menino cresceu.* **2** aumentar em tamanho, volume ou intensidade: *O feijão cresceu com a água. A população tem crescido muito.* **3** progredir; prosperar: *A empresa cresceu desde o ano passado.*

crescido (cres.ci.do) [krəʃˈsidu] *adj.* **1** que cresceu; desenvolvido **2** aumentado; intensificado ▪ *n.m.* (pessoa) adulto

crescimento (cres.ci.men.to) [krəʃsiˈmẽtu] *n.m.* **1** desenvolvimento progressivo das principais dimensões (de um organismo vivo) **2** aumento em tamanho, volume ou intensidade **3** progressão; prosperidade

crespo (cres.po) [ˈkreʃpu] *adj.* **1** (superfície) áspero **2** (cabelo) eriçado

crestar(-se) (cres.tar(-se)) [krəʃˈtar(sə)] *v.* queimar(-se) superficialmente

cretcheu (cret.cheu) [kreˈtʃew] *n.2g.* [CV.] pessoa muito querida

cretinice (cre.ti.ni.ce) [krətiˈni(sə)] *n.f. pej.* atitude ou dito cretino; parvoíce

cretino (cre.ti.no) [krəˈtinu] *adj.,n.m.* idiota

cria (cri.a) [ˈkriɐ] *n.f.* animal recém-nascido ou que ainda mama **SIN.** filhote

criação (cri.a.ção) [kriɐˈsɐ̃w̃] *n.f.* **1** invenção **2** educação

criado (cri.a.do) [kriˈadu] *adj.* **1** inventado **2** educado ▪ *n.m.* pessoa que faz serviços domésticos, recebendo por eles um salário

criador (cri.a.dor) [kriɐˈdor] *n.m.* pessoa que cria; inventor ▪ **Criador** Deus

criança (cri.an.ça) [kriˈɐ̃sɐ] *n.f.* **1** ser humano de pouca idade; menino ou menina **2** filho; rebento **3** *fig.* pessoa com comportamento infantil

criançada (cri.an.ça.da) [kriɐ̃ˈsadɐ] *n.f.* grupo de crianças

criancice (cri.an.ci.ce) [kriɐ̃ˈsi(sə)] *n.f.* atitude própria de criança

criar (cri.ar) [kriˈar] *v.* **1** dar existência a **2** dar origem a; gerar

criatividade (cri.a.ti.vi.da.de) [kriɐtiviˈdad(ə)] *n.f.* capacidade para criar ou inventar coisas

criativo (cri.a.ti.vo) [kriɐˈtivu] *adj.* que é capaz de criar; inventivo ▪ *n.m.* pessoa que cria novos objetos, roupas, etc.; criador

criatura (cri.a.tu.ra) [kriɐˈturɐ] *n.f.* **1** qualquer ser **2** pessoa

cricket [ˈkrikɛt] *n.m.* ⇒ **críquete**

cricri (cri.cri) [kriˈkri] *n.m.* onomatopeia que imita a voz do grilo

cricrilar (cri.cri.lar) [krikriˈlar] *v.* cantar (o grilo)

crime (cri.me) [ˈkrim(ə)] *n.m.* **1** falta muito grave que é punida por lei **2** ato condenável

criminal (cri.mi.nal) [krimiˈnaɫ] *adj.2g.* relativo a crime

criminalidade (cri.mi.na.li.da.de) [kriminɐliˈdad(ə)] *n.f.* prática de atos criminosos

criminalizar (cri.mi.na.li.zar) [kriminɐliˈzar] *v.* considerar crime (um ato)

criminoso (cri.mi.no.so) [krimiˈnozu] *n.m.* aquele que praticou um crime **SIN.** delinquente

crina (cri.na) [ˈkrinɐ] *n.f.* pelo longo do pescoço e da cauda do cavalo

crioulo (cri.ou.lo) [kriˈo(w)lu] *n.m.* língua que resulta do contacto entre uma língua europeia e uma língua nativa

cripta (crip.ta) [ˈkriptɐ] *n.f.* galeria subterrânea

críptico (críp.ti.co) [ˈkriptiku] *adj.* **1** relativo a cripta **2** (mensagem, texto) codificado **3** *fig.* misterioso

críquete (crí.que.te) [ˈkrikɛt(ə)] *n.m.* jogo inglês praticado com bastão e bola, com equipas de onze jogadores

crisálida (cri.sá.li.da) [kriˈzalidɐ] *n.f.* inseto no estádio intermédio entre a larva e a fase adulta; ninfa

crisântemo (cri.sân.te.mo) [kriˈzɐ̃təmu] *n.m.* planta com flores amarelas, rosadas ou alaranjadas

crise (cri.se) [ˈkriz(ə)] *n.f.* **1** alteração súbita e decisiva no decurso de uma doença **2** agravamento brusco (de uma situação) **3** fase complicada na vida de alguém ou de um grupo

crisma (cris.ma) ['kriʒmɐ] *n.m.* entre os católicos, sacramento em que se confirma a graça do batismo

crismar (cris.mar) [kriʒ'mar] *v.* dar ou receber o crisma

crispar(-se) (cris.par(-se)) [kriʃ'par(sə)] *v.* contrair(-se); encolher(-se)

crista (cris.ta) ['kriʃtɐ] *n.f.* **1** saliência carnuda na cabeça do galo e de outras aves **2** elevação; cimo ♦ *coloq.* **estar na crista da onda** estar em evidência

cristal (cris.tal) [kriʃ'tał] *n.m.* material duro e transparente que se utiliza para fabricar jarras, copos, etc.

cristaleira (cris.ta.lei.ra) [kriʃtɐ'lɐjrɐ] *n.f.* móvel ou prateleira que serve para guardar objetos de vidro e cristal

cristalino (cris.ta.li.no) [kriʃtɐ'linu] *adj.* **1** semelhante a cristal **2** *fig.* claro como cristal; límpido ■ *n.m.* órgão em forma de lente, transparente, situado na parte anterior do globo ocular

cristalizado (cris.ta.li.za.do) [kriʃtɐli'zadu] *adj.* **1** que se transformou em cristal **2** diz-se do fruto revestido de açúcar **3** *fig.* que não evoluiu

cristalizar(-se) (cris.ta.li.zar(-se)) [kriʃtɐli'zar(sə)] *v.* **1** converter(-se) em cristal **2** *fig.* não evoluir

cristandade (cris.tan.da.de) [kriʃtɐ̃'dad(ə)] *n.f.* **1** característica do que é cristão **2** comunidade cristã existente em todo o mundo

cristão (cris.tão) [kriʃ'tɐ̃w̃] *adj.* pertencente ao cristianismo ■ *n.m.* pessoa que segue a religião cristã

cristão-novo (cris.tão-.no.vo) [kriʃtɐ̃w̃'novu] *n.m.* ⟨*pl.* cristãos-novos⟩ judeu convertido ao cristianismo

cristão-velho (cris.tão-.ve.lho) [kriʃtɐ̃w̃'vɛʎu] *n.m.* ⟨*pl.* cristãos-velhos⟩ cristão que não descende de judeus

cristianismo (cris.ti:a.nis.mo) [kriʃtjɐ'niʒmu] *n.m.* religião fundada por Jesus Cristo

cristianização (cris.ti:a.ni.za.ção) [kriʃtjɐnizɐ'sɐ̃w̃] *n.f.* **1** conversão ao cristianismo **2** difusão da fé cristã

cristianizar (cris.ti:a.ni.zar) [kriʃtjɐni'zar] *v.* tornar(-se) cristão

cristo (cris.to) ['kriʃtu] *n.m.* **1** imagem que representa Jesus de Nazaré crucificado **SIN.** crucifixo **2** posição de um ginasta nas argolas, em que este, pendurando-se pelas mãos, fica com os braços abertos na horizontal e à altura do ombros, e o resto do corpo na vertical **3** *fig.* pessoa perseguida ou maltratada ■ **Cristo** nome dado a Jesus de Nazaré

critério (cri.té.ri:o) [kri'tɛrju] *n.m.* **1** sinal que permite distinguir uma coisa de outra(s) **2** princípio que permite distinguir o erro da verdade **3** modo de avaliação

criterioso (cri.te.ri:o.so) [kritə'rjozu] *adj.* **1** ponderado; refletido **2** acertado; sensato

crítica (crí.ti.ca) ['kritikɐ] *n.f.* **1** análise atenta de um trabalho científico, uma peça de teatro, um filme, etc.) **2** opinião desfavorável; censura

criticar (cri.ti.car) [kriti'kar] *v.* **1** analisar uma obra de arte, um trabalho científico, um livro, etc. **2** apontar defeitos em; censurar

criticável (cri.ti.cá.vel) [kriti'kavɛł] *adj.2g.* **1** que pode ser criticado **2** censurável

crítico (crí.ti.co) ['kritiku] *n.m.* autor de críticas ■ *adj.* **1** difícil **2** grave

croata (cro.a.ta) [kru'atɐ] *adj.2g.* relativo à Croácia (no centro-sul da Europa) ■ *n.2g.* pessoa natural da Croácia

crocante (cro.can.te) [krɔ'kɐ̃t(ə)] *adj.2g.* que produz um ruído seco ao ser trincado **SIN.** estaladiço

croché (cro.ché) [krɔ'ʃɛ] *n.m.* renda feita à mão, com uma só agulha

crocitar (cro.ci.tar) [krusi'tar] *v.* soltar a voz (o corvo)

crocodilo (cro.co.di.lo) [kruku'dilu] *n.m.* grande réptil de focinho largo e longo, que habita os rios tropicais

croissant [krwa'sɐ̃] *n.m.* ⟨*pl.* croissants⟩ pãozinho doce, em forma de meia-lua

cromar (cro.mar) [krɔ'mar] *v.* cobrir com uma película metálica

cromático (cro.má.ti.co) [krɔ'matiku] *adj.* relativo a cores

cromo (cro.mo) ['krɔmu] *n.m.* **1** gravura a cores, que se coleciona e se cola numa caderneta **2** *coloq.* pessoa que se comporta de uma forma excêntrica ou pouco comum

cromossoma (cro.mos.so.ma) [krɔmɔ'somɐ] *n.m.* cada um dos corpúsculos, visíveis ao microscópio, portadores da informação genética dos indivíduos

crónica (cró.ni.ca) ['krɔnikɐ] *n.f.* **1** narração de factos históricos **2** artigo de jornal ou revista sobre determinado tema

crónico (cró.ni.co) ['krɔniku] *adj.* **1** que dura há muito tempo **2** (hábito, vício) persistente **3** (doença) de longa duração

cronista (cro.nis.ta) [kru'niʃtɐ] *n.2g.* pessoa que escreve crónicas

cronologia (cro.no.lo.gi.a) [krunulu'ʒiɐ] *n.f.* sucessão de factos no tempo

cronológico (cro.no.ló.gi.co) [krunu'lɔʒiku] *adj.* relativo a cronologia; temporal

cronometrar (cro.no.me.trar) [krunumə'trar] *v.* medir (tempo) com cronómetro

cronómetro (cro.nó.me.tro) [kru'nɔmətru] *n.m.* aparelho que serve para medir o tempo; relógio de precisão

croquete (cro.que.te) [krɔ'kɛt(ə)] *n.m.* picado de carne em forma de pequeno cilindro, envolvido em gema de ovo e pão ralado e frito

croqui (cro.qui) [krɔ'ki] *n.m.* esboço de um desenho, planta ou projeto **SIN.** esquisso

cross ['krɔs] *n.m.* ⟨*pl.* crosses⟩ corrida em terreno irregular; corta-mato

crosta (cros.ta) ['kroʃtɐ] *n.f.* **1** camada externa e consistente (de pão, fruto, etc.) **2** superfície endurecida que se forma sobre uma ferida

cru (cru) ['kru] *adj.* **1** que não foi cozinhado **2** que não está maduro

crucial (cru.ci:al) [kru'sjał] *adj.2g.* **1** em forma de cruz **2** *fig.* que dá a solução; decisivo

crucificação (cru.ci.fi.ca.ção) [krusəfikɐ'sɐ̃w̃] *n.f.* **1** ato ou efeito de crucificar **2** condenação

crucificado (cru.ci.fi.ca.do) [krusifi'kadu] *adj.* **1** preso na cruz **2** condenado

crucificar (cru.ci.fi.car) [krus(i)fi'kar] *v.* **1** pregar na cruz **2** condenar **3** criticar de modo severo

crucifixo (cru.ci.fi.xo) [krusi'fiksu] *n.m.* imagem de Cristo pregado na cruz

crucigrama (cru.ci.gra.ma) [krusi'grɐmɐ] *n.m.* esquema ou tabela de colunas quadriculadas em que é necessário preencher as casas vazias de modo a formar palavras que se cruzam, tanto na vertical como na horizontal, de acordo com as definições ou sinónimos dados pelo autor

crude (cru.de) ['krud(ə)] *n.m.* petróleo não refinado

cruel (cru.el) [kru'ɛł] *adj.2g.* **1** que sente prazer em causar dor ou sofrimento **SIN.** desumano **2** insensível; implacável

crueldade (cru.el.da.de) [kruɛł'dad(ə)] *n.f.* **1** sentimento de prazer em causar dor ou sofrimento a alguém **SIN.** maldade **2** insensibilidade

crusta (crus.ta) ['kruʃtɐ] *n.f.* ⇒ **crosta**

crustáceo (crus.tá.ce:o) [kruʃ'tasju] *n.m.* animal que tem dois pares de antenas e o corpo coberto por uma crusta calcária (como, por exemplo, o caranguejo, o camarão, a lagosta, etc.)

cruz (cruz) ['kruʃ] *n.f.* figura formada por dois traços atravessados um sobre o outro ◆ **Cruz Vermelha** associação humanitária internacional, destinada a socorrer feridos de guerra e vítimas de desastres naturais

cruzada (cru.za.da) [kru'zadɐ] *n.f.* **1** (Idade Média) expedição dos cristãos para libertar os lugares santos do poder islâmico **2** *fig.* tentativa de propagação de uma ideia; campanha

cruzado (cru.za.do) [kru'zadu] *adj.* **1** que tem forma de cruz; traçado **2** que provém de diversos pontos em direção a um só

cruzamento (cru.za.men.to) [kruzɐ'mẽtu] *n.m.* **1** ponto onde se encontram dois ou mais caminhos **2** acasalamento entre animais da mesma espécie mas de raças diferentes

cruzar (cru.zar) [kru'zar] *v.* **1** dispor em forma de cruz: *cruzar os braços* **2** atravessar; intersetar **3** ⟨+com⟩ acasalar (animais) **4** traçar (cheque) ■ **cruzar-se** atravessar-se; intersetar-se: *Cruzamo-nos todos os dias.*

cruzeiro (cru.zei.ro) [kru'zɐjru] *n.m.* **1** cruz grande de pedra **2** viagem num navio ou num iate

cruzeta (cru.ze.ta) [kru'zetɐ] *n.f.* cabide para pendurar roupa

cu (cu) ['ku] *n.m.* **1** *cal.* nádegas; rabo **2** *cal.* ânus

cuanza (cu:an.za) ['kwɐ̃zɐ] *n.m.* unidade monetária de Angola

cuba (cu.ba) ['kubɐ] *n.f.* recipiente grande onde se pisam as uvas ou se deita o vinho

cuba-libre (cu.ba-.li.bre) ['kubɐ'libr(ə)] *n.f.* cocktail à base de rum, refrigerante de cola e sumo de limão, geralmente decorado com uma rodela deste fruto

cubano (cu.ba.no) [ku'bɐnu] *adj.* relativo à República de Cuba ■ *n.m.* pessoa natural da República de Cuba

cubata (cu.ba.ta) [ku'batɐ] *n.f.* casa africana com cobertura em forma de cone feita de capim seco

cúbico (cú.bi.co) ['kubiku] *adj.* **1** relativo a cubo **2** que tem forma de cubo

cubículo (cu.bí.cu.lo) [ku'bikulu] *n.m.* compartimento muito pequeno

cubismo (cu.bis.mo) [ku'biʒmu] *n.m.* (primeiro quartel do século XX) estilo caracterizado pela representação geométrica das formas

cubista (cu.bis.ta) [ku'biʃtɐ] *adj.2g.* relativo ao cubismo ■ *n.2g.* adepto do cubismo

cúbito (cú.bi.to) ['kubitu] *n.m.* osso do antebraço

cubo (cu.bo) ['kubu] *n.m.* sólido limitado por seis faces quadradas e iguais entre si

cucar (cu.car) [ku'kar] *v.* cantar (o cuco)

cuco (cu.co) ['kuku] *n.m.* **1** ave trepadora com plumagem acinzentada **2** pássaro mecânico que, em alguns relógios de parede, imita o canto dessa ave para marcar as horas

cucuricar (cu.cu.ri.car) [kukuri'kar] *v.* soltar a voz (o galo)

cuecas (cu:e.cas) ['kwɛkɐʃ] *n.f.pl.* peça de vestuário interior, semelhante a calções

cuidado (cui.da.do) [kuj'dadu] *n.m.* **1** cautela; atenção **2** preocupação; receio

cuidadosamente (cui.da.do.sa.men.te) [kujdɐdɔzɐ'mẽt(ə)] *adv.* com cuidado; com atenção **SIN.** atentamente

cuidadoso (cui.da.do.so) [kujdɐ'dozu] *adj.* que tem cuidado ou atenção **SIN.** atencioso

cuidar (cui.dar) [kuj'dar] *v.* ⟨**+de**⟩ tomar conta; tratar: *cuidar dos filhos; cuidar do doente* ■ **cuidar-se** ter cuidado consigo mesmo

cujo (cu.jo) ['kuʒu] *prn.rel.* ⟨*f.* cuja⟩ do qual, da qual; dos quais, das quais; de quem; de que: *O João, cuja mala se perdeu, chegou hoje a Lisboa.*

culinária (cu.li.ná.ri:a) [kuli'narjɐ] *n.f.* **1** arte de cozinhar **2** conjunto dos pratos característicos de uma região

culminante (cul.mi.nan.te) [kułmi'nɐ̃t(ə)] *adj.2g.* **1** que é o mais elevado **2** que é o mais intenso

culminar (cul.mi.nar) [kułmi'nar] *v.* atingir o ponto mais alto ou mais intenso

culpa (cul.pa) ['kułpɐ] *n.f.* **1** responsabilidade por um mal causado a alguém **2** falta; crime ◆ **por culpa de** por causa de; devido a; **ter culpas no cartório** estar implicado (num ato condenável)

culpabilizar(-se) (cul.pa.bi.li.zar(-se)) [kułpɐbili'zar(sə)] *v.* atribuir culpa a (alguém ou si mesmo) **SIN.** acusar(-se)

culpado (cul.pa.do) [kuł'padu] *adj.* que é responsável por uma falta ou um crime

culpar(-se) (cul.par(-se)) [kuł'par(sə)] *v.* atribuir a responsabilidade de falta ou delito a (alguém ou si mesmo) **SIN.** incriminar(-se)

culpável (cul.pá.vel) [kuł'pavɛł] *adj.2g.* que merece repreensão; censurável

cultivar (cul.ti.var) [kułti'var] *v.* **1** preparar a terra para que ela produza (cereais, vegetais, etc.); plantar **2** *coloq.* educar

cultivo (cul.ti.vo) [kuł'tivu] *n.m.* ato de cultivar a terra

culto (cul.to) ['kułtu] *adj.* educado ■ *n.m.* conjunto das cerimónias religiosas em que se presta homenagem a um deus

cultura (cul.tu.ra) [kuł'turɐ] *n.f.* **1** ato ou processo de cultivar a terra; lavoura **2** conjunto dos conhecimentos de uma pessoa adquiridos por estudo e reflexão; sabedoria **3** conjunto das manifestações artísticas, conhecimentos, ideias e costumes de uma civilização ou de uma época

cultural (cul.tu.ral) [kułtu'rał] *adj.2g.* relativo a cultura

culturismo (cul.tu.ris.mo) [kułtu'riʒmu] *n.m.* prática de exercícios físicos que tem como objetivo trabalhar certos músculos; musculação

cumbu (cum.bu) [kũ'bu] *n.m.* [ANG.] dinheiro

cume (cu.me) ['kum(ə)] *n.m.* **1** parte mais elevada **SIN.** cimo; topo **2** *fig.* auge; apogeu

cúmplice (cúm.pli.ce) ['kũpli(sə)] *n.2g.* pessoa que colaborou com outra num delito ou num crime

cumplicidade (cum.pli.ci.da.de) [kũplisi'dad(ə)] *n.f.* **1** qualidade de quem é cúmplice **2** compreensão profunda entre duas pessoas

cumpridor (cum.pri.dor) [kũpri'dor] *adj.* que cumpre as suas obrigações

cumprimentar (cum.pri.men.tar) [kũprimẽ'tar] *v.* apresentar cumprimentos (a alguém) **SIN.** saudar

cumprimento (cum.pri.men.to) [kũpri'mẽtu] *n.m.* **1** ato ou efeito de cumprir (uma obrigação) **2** gesto ou palavra de saudação; felicitação

> Não confundir **cumprimento** (saudação) com **comprimento** (extensão).

cumprir (cum.prir) [kũ'prir] *v.* **1** observar; respeitar (lei, ordem) **2** realizar (promessa) **3** acatar (castigo) **4** executar (tarefa) **5** preencher (requisito): *cumprir todas as formalidades legais* **6** ⟨**+a**⟩ ser (algo) da responsabilidade de (alguém): *Cumpre ao João resolver o problema.* **SIN.** caber; tocar ■ **cumprir-se** verificar-se; acontecer; realizar-se: *O desejo dela cumpriu-se.*

cúmulo (cú.mu.lo) ['kumulu] *n.m.* **1** grau ou ponto mais alto; máximo **2** nuvem de base horizontal e contornos arredondados

cungugutar (cun.gu.gu.tar) [kũgugu'tar] *v.* [ANG.] murmurar

cunha (cu.nha) ['kuɲɐ] *n.f.* **1** objeto que se coloca debaixo de outro maior, para o elevar ou imobilizar em determinada posição **2** *fig.* pedido de um favor ou benefício junto de uma pessoa influente ◆ **estar à cunha** estar a abarrotar (de gente); **meter uma cunha** interceder em favor de (alguém)

cunhada (cu.nha.da) [ku'ɲadɐ] *n.f.* **1** irmã do marido ou irmã da esposa **2** esposa do irmão

cunhado (cu.nha.do) [ku'ɲadu] *n.m.* **1** irmão do marido ou irmão da esposa **2** marido da irmã

cunhagem (cu.nha.gem) [ku'ɲaʒɐ̃j̃] *n.f.* fabrico de moedas

cunhar (cu.nhar) [ku'ɲar] *v.* **1** imprimir cunho ou marca em **2** converter (metal) em moeda

cunho (cu.nho) ['kuɲu] *n.m.* marca; carimbo

cupão (cu.pão) [ku'pɐ̃w̃] *n.m.* parte destacável de um anúncio, que dá direito a participar num concurso, receber um prémio, etc.

cúpula (cú.pu.la) ['kupulɐ] *n.f.* parte superior e côncava de certos edifícios

cura (cu.ra) ['kurɐ] *n.f.* recuperação da saúde ■ *n.m.* padre

curado (cu.ra.do) [ku'radu] *adj.* **1** (pessoa) recuperado (de doença) **2** (carne) seco ao sol ou à lareira **3** (queijo) que endureceu a sua consistência e apurou o seu sabor

curandeiro (cu.ran.dei.ro) [kurɐ̃'dɐjru] *n.m.* pessoa que pretende curar doenças por meio de práticas de magia

curar (cu.rar) [ku'rar] *v.* **1** tratar de (ferida, doença) **2** secar ou defumar (alimentos) ao fogo ou ao sol ■ **curar-se** recuperar a saúde; restabelecer-se

curativo (cu.ra.ti.vo) [kurɐ'tivu] *n.m.* aplicação de remédio ou de penso numa ferida

curável (cu.rá.vel) [ku'ravɛɫ] *adj.2g.* que pode ser curado

curdo (cur.do) ['kurdu] *adj.* relativo ao Curdistão ■ *n.m.* **1** pessoa natural do Curdistão (na Ásia) **2** língua falada no Curdistão

curgete (cur.ge.te) [kur'ʒɛt(ə)] *n.f.* pequena abóbora alongada, semelhante a um pepino

cúria (cú.ri:a) ['kurjɐ] *n.f.* **1** tribunal eclesiástico constituído pelo Papa e pelos bispos **2** lugar onde se reunia o senado romano

curibotar (cu.ri.bo.tar) [kuribu'tar] *v.* [ANG.] maldizer

curiosidade (cu.ri:o.si.da.de) [kurjuzi'dad(ə)] *n.f.* **1** vontade de conhecer ou de aprender; interesse **2** facto ou informação surpreendente

curioso (cu.ri:o.so) [ku'rjozu] *adj.* **1** que tem vontade de conhecer ou de aprender **SIN.** interessado **2** desejoso de conseguir informações ou conhecer pormenores sobre a vida alheia **3** que desperta a atenção

curral (cur.ral) [ku'ʀaɫ] *n.m.* recinto onde se recc lhe o gado **SIN.** estábulo

curricular (cur.ri.cu.lar) [kuʀiku'lar] *adj.2g.* **1** rela tivo ao currículo **2** relativo ao programa escolar

currículo (cur.rí.cu.lo) [ku'ʀikulu] *n.m.* **1** conjunto d dados relativos a características pessoais, forma ção escolar e experiência profissional de uma pes soa **2** documento em que se registam esses dados

curriculum vitæ [kuʀikulũ'vitaj] *n.m.* document em que se registam características pessoais, foı mação escolar ou académica e experiência prc fissional de uma pessoa

curso (cur.so) ['kursu] *n.m.* **1** caminho percorrid por um rio, da nascente à foz **2** programas d estudos específicos que permite obter um di ploma ◆ **em curso 1** em andamento **2** (moeda em circulação

cursor (cur.sor) [kur'sor] *n.m.* **1** em informática traço ou barra intermitente, que indica, no ecrã o lugar onde será efetuada uma operação **2** er informática, sinal móvel (seta, pincel, etc.), qu se controla pelo rato ou pelas teclas direcionai do teclado

curta-metragem (cur.ta-.me.tra.gem) [kurt mə'traʒɐ̃j] *n.f.* filme de curta duração

curtido (cur.ti.do) [kur'tidu] *adj. coloq.* divertido

curtir (cur.tir) [kur'tir] *v.* **1** preparar couros ou pe les para os conservar **2** *coloq.* namorar

curto (cur.to) ['kurtu] *adj.* **1** que tem pouco com primento; pequeno **ANT.** comprido **2** de pouc duração; breve

curto-circuito (cur.to-.cir.cui.to) [kurtusir'kujtu *n.m.* contacto acidental de dois condutores de ter sões diferentes, que provoca excesso de corrente

curtume (cur.tu.me) [kur'tum(ə)] *n.m.* tratament de couro e peles

curva (cur.va) ['kurvɐ] *n.f.* **1** linha que não é reta volta **2** aspeto curvo de qualquer coisa ◆ *coloc* **estar aí para as curvas 1** estar em boa condiçã física **2** estar preparado para qualquer coisa

curvado (cur.va.do) [kur'vadu] *adj.* **1** que ter curva; arqueado **2** inclinado para a frente

curvar(-se) (cur.var(-se)) [kur'var(sə)] *v.* **1** tornar(-se curvo **2** inclinar(-se) **3** *fig.* subjugar(-se)

curvatura (cur.va.tu.ra) [kurvɐ'turɐ] *n.f.* **1** aspet curvo de alguma coisa **2** inclinação para frente

curvo (cur.vo) ['kurvu] *adj.* **1** que não é reto **2** qu tem forma arqueada **3** inclinado para a frente

cusca (cus.ca) [kuʃ'kɐ] *n.2g. coloq.* pessoa bisbilho teira

cuscar (cus.car) [kuʃ'kar] *v. coloq.* bisbilhotar

cuscuz (cus.cuz) [kuʃ'kuʃ] *n.m.2n.* prato de origer árabe preparado com sêmola de trigo, carne o peixe e legumes com um molho picante

cuspe (cus.pe) ['kuʃp(ə)] *n.m.* ⇒ **cuspo**

cuspidela (cus.pi.de.la) [kuʃpi'dɛlɐ] *n.f.* ato ou efeito de cuspir

cuspido (cus.pi.do) [kuʃ'pidu] *adj.* lançado para fora **SIN.** expelido

cuspir (cus.pir) [kuʃ'pir] *v.* lançar cuspo para fora da boca

cuspo (cus.po) ['kuʃpu] *n.m.* saliva

cusquice (cus.qui.ce) [kuʃ'ki(sə)] *n.f. coloq.* bisbilhotice

custa (cus.ta) ['kuʃtɐ] *n.f.* gasto com alguma coisa **SIN.** despesa ■ **custas** *n.f.pl.* despesas feitas em processo judicial ◆ **às custas de 1** por conta de **2** com sacrifício de

custar (cus.tar) [kuʃ'tar] *v.* **1** ter determinado valor ou preço **2** ter dificuldade em ◆ **custe o que custar** qualquer que seja o esforço ou sacrifício

custear (cus.te:ar) [kuʃ'tjar] *v.* cobrir os custos (de despesa, gasto)

custo (cus.to) ['kuʃtu] *n.m.* **1** valor; preço **2** *fig.* esforço ◆ **a custo** com esforço, com dificuldade

custódia (cus.tó.di:a) [kuʃ'tɔdjɐ] *n.f.* **1** proteção; guarda **2** prisão; detenção

custoso (cus.to.so) [kuʃ'tozu] *adj.* que custa a fazer ou a suportar **SIN.** difícil; árduo

cutâneo (cu.tâ.ne:o) [ku'tɐnju] *adj.* relativo à pele

cutelo (cu.te.lo) [ku'tɛlu] *n.m.* instrumento cortante, de forma curva

cútis (cú.tis) ['kutiʃ] *n.f.2n.* camada externa da pele humana

cuvete (cu.ve.te) [ku'vɛt(ə)] *n.f.* recipiente que se coloca no congelador para formar cubos de gelo

cv *símbolo de* cavalo-vapor

CV [se've] *sigla de* Curriculum Vitæ

CVP [seve'pe] *sigla de* Cruz Vermelha Portuguesa

cyberbullying [sajbɛr'buliĩg] *n.m.* conjunto de comportamentos agressivos, intencionais e repetidos, adotados por alguém contra uma pessoa sem capacidade para se defender, através do uso das novas tecnologias (e-mail, sites, salas de chat, mensagens instantâneas)

czar ['kzar] *n.m.* ⟨*f.* czarina⟩ soberano da Rússia, no tempo do Império

D

d ['de] *n.m.* consoante, quarta letra do alfabeto, que está entre as letras *c* e *e* ■ **D** em numeração romana, número 500

D. *abreviatura de* Dom, Dona

da ['dɐ] *contr. de prep.* de + *det. art. def.* ou *pron. dem.* a

dactilografar (dac.ti.lo.gra.far)AO [dɐ(k)tilugrɐ'far] *a grafia preferível é* **datilografar**AO

dactilologia (dac.ti.lo.lo.gi.a)AO [dɐ(k)tilulu'ʒiɐ] ou **datilologia**AO *n.f.* comunicação por meio de sinais feitos com os dedos

dadane (da.da.ne) [dɐ'dɐn(ə)] *n.m.* doença do sono, em certas regiões de África

dádiva (dá.di.va) ['dadivɐ] *n.f.* oferta; presente

dado (da.do) ['dadu] *n.m.* **1** pequeno cubo cujas faces estão marcadas com pontos de um a seis, usado em certos jogos **2** cada um dos elementos conhecidos de um problema ■ *adj.* **1** oferecido **2** diz-se da pessoa afável ◆ **dado** [+ *inf. pes.*] por; porque: *Dado ser feriado, as lojas estão fechadas.*; **dado que** [+ *ind.*] visto que; uma vez que: *Dado que já arrumamos tudo, vamos embora.*

dador (da.dor) [dɐ'dor] *n.m.* aquele que dá algo ◆ **dador de sangue** indivíduo que dá sangue para tratamento de doentes e feridos

daí (da.í) [dɐ'i] *contr. de prep.* de + *adv.* aí ◆ **daí** [+ *inf. pess.*] de modo que; por conseguinte: *Gosto de estar informado, daí ler muitos jornais.*; **daí que** [+ *conj.*] de modo que; por conseguinte: *Gosto de estar moreno, daí que vá muitas vezes à praia.*

dalai-lama (da.lai-.la.ma) [dɐlaj'lɐmɐ] *n.m.* ⟨*pl.* dalai-lamas⟩ chefe de Estado e líder espiritual do Tibete

dali (da.li) [dɐ'li] *contr. de prep.* de + *adv.* ali

dália (dá.li:a) ['daljɐ] *n.f.* flor com corola grande e muitas pétalas

dálmata (dál.ma.ta) ['dałmɐtɐ] *n.m.* cão de tamanho médio, pelo curto e rijo, branco e pintalgado de preto ou castanho

daltónico (dal.tó.ni.co) [dał'tɔniku] *adj.* relativo ao daltonismo ■ *adj.,n.m.* que ou pessoa que sofre de daltonismo

daltonismo (dal.to.nis.mo) [dałtu'niʒmu] *n.m.* incapacidade de distinguir certas cores umas das outras, sobretudo o vermelho e o verde

dama (da.ma) ['dɐmɐ] *n.f.* **1** mulher nobre **2** peça dos jogos de xadrez e damas **3** carta do baralho com figura feminina **4** jogo entre duas pessoas que se joga num tabuleiro quadriculado, com doze peças ◆ **dama de companhia** senhora que trabalha como assistente pessoal de uma rainha ou princesa

damasco (da.mas.co) [dɐ'maʃku] *n.m.* fruto comestível, pequeno e amarelo, com polpa doce e casca aveludada

danado (da.na.do) [dɐ'nadu] *adj. coloq.* zangado; furioso ◆ *coloq.* **ser danado para** ter inclinação para; **ser danado por** gostar muito de

dança (dan.ça) ['dɐ̃sɐ] *n.f.* ato de dançar; bailado ◆ **entrar na dança** participar numa determinada ação

dançar (dan.çar) [dɐ̃'sar] *v.* **1** mover o corpo ao ritmo de música **SIN.** bailar **2** oscilar; balançar **3** [BRAS.] sair-se mal

dançarino (dan.ça.ri.no) [dɐ̃sɐ'rinu] *n.m.* bailarino

danificar(-se) (da.ni.fi.car(-se)) [dɐnifi'kar(sə)] *v.* causar ou sofrer dano **SIN.** estragar(-se)

daninho (da.ni.nho) [dɐ'niɲu] *adj.* prejudicial; nocivo

dano (da.no) ['dɐnu] *n.m.* prejuízo; estrago; **danos colaterais** prejuízo involuntário causado a populações civis durante operações militares

danoso (da.no.so) [dɐ'nozu] *adj.* que causa dano; prejudicial

dantes (dan.tes) ['dɐ̃təʃ] *adv.* no passado; antigamente

daquele (da.que.le) [dɐ'kel(ə)] *contr. de prep.* de + *det.* ou *pron. dem.* aquele

daqui (da.qui) [dɐ'ki] *contr. de prep.* de + *adv.* aqui ◆ **daqui a pouco/nada** em breve

daquilo (da.qui.lo) [dɐ'kilu] *contr. de prep.* de + *pron. dem.* aquilo

dar (dar) ['dar] *v.* **1** ⟨**+a**⟩ colocar (algo) na posse de alguém: *Dei um livro ao João.* **SIN.** entregar **2** causar: *O remédio dá-me sono.* **3** apresentar (cumprimentos, parabéns): *dar os pêsames* **4** ensinar; lecionar: *Ele dá aulas de ténis.* **5** ⟨**+com**⟩ encontrar

Não conseguia dar com a saída. **6** ⟨**+para**⟩ estar voltado: *A minha casa dá para o jardim.* **7** ser suficiente: *Para o inverno, este casaco dá.* **8** ser possível: *Tentámos chegar a horas mas não deu.* **9** (na televisão) ser exibido; passar: *Na BBC, deu um documentário sobre focas.* **10** pagar: *Dei 15 euros pelo CD.* **11** organizar: *dar uma festa; dar um concerto* **12** ter como consequência: *Esse delito pode dar cinco anos de prisão.* **13** aprender: *Nós demos o Império Romano em história.* **14** passar: *Dá-me a salada, por favor.* **15** doar: *O João deu roupa para uma instituição de caridade.* **16** funcionar: *A aparelhagem não está a dar.* **17** atingir: *O meu carro dá 200 km/h.* ▪ **dar-se 1** acontecer; verificar-se: *Deu-se um acidente.* **2** ⟨**+com**⟩ entender-se (com alguém): *Ela dá-se com todo o tipo de pessoas.* **3** ⟨**+com**⟩ adaptar-se: *Eu não me dou bem com estes comprimidos.* ◆ **a dar, a dar** bamboleando-se; **dar a (alguém) para fazer (algo) 1** encarregar alguém de fazer alguma coisa: *Deu ao João o trabalho para fazer.* **2** ter um impulso para fazer determinada coisa: *Deu ao João para ir andar à chuva.*; **dar de si** ceder

dardo (dar.do) ['dardu] *n.m.* **1** arma em forma de lança **2** haste de madeira com ponta de ferro, para lançamento em corrida

darwinismo (dar.wi.nis.mo) [darwi'niʒmu] *n.m.* doutrina que procura explicar a evolução das espécies

data (da.ta) ['datɐ] *n.f.* **1** época precisa em que um facto acontece **2** *coloq.* grande quantidade; dose ◆ **de longa data** desde há muito tempo

datação (da.ta.ção) [dɐtɐ'sɐ̃w̃] *n.f.* **1** processo de atribuição de uma data **2** identificação de um objeto, documento ou facto a partir da determinação da data da sua criação ou da sua ocorrência

datado (da.ta.do) [dɐ'tadu] *adj.* **1** que tem uma data precisa **2** característico de determinada época **3** fora de moda; ultrapassado

data-limite (da.ta-.li.mi.te) [datɐli'mit(ə)] *n.f.* ⟨*pl.* datas-limite⟩ momento em que termina um prazo

datar (da.tar) [dɐ'tar] *v.* **1** atribuir uma data a (um facto, um objeto): *datar uma carta* **2** ⟨**+de**⟩ acontecer (numa determinada data): *O castelo data do século XIV.*

datável (da.tá.vel) [dɐ'tavɛɫ] *adj.2g.* que pode ser datado

datilografar[AO] [dɐ(k)tilugrɐ'far] ou **dactilografar**[AO] *v.* escrever à máquina

dativo (da.ti.vo) [dɐ'tivu] *n.m.* caso que, nas línguas declináveis, exprime a função de complemento direto e de certos complementos circunstanciais

dB *símbolo de* decibel

d.C. *abreviatura de* depois de Cristo

de (de) [d(ə)] *prep.* exprime relações de a) origem: *Veio de casa a pé.*; b) causa: *Chorava de tristeza.*; c) posse: *O livro da Ana está como novo.*; d) modo: *Engoliu de uma só vez.*; e) dimensão: *A cidade tem uma torre de 100 m.*; f) material: *Recebeu uma pulseira de ouro.*; g) tempo: *Levantei-me de madrugada.*; h) assunto: *Tenho de ler uma obra de literatura.*

deambulação (de:am.bu.la.ção) [djɐ̃bulɐ'sɐ̃w̃] *n.f.* passeio; digressão

deambular (de:am.bu.lar) [djɐ̃bu'lar] *v.* andar à toa; vaguear

debaixo (de.bai.xo) [də'bajʃu] *adv.* na parte inferior; em situação inferior

debandada (de.ban.da.da) [dəbɐ̃'dadɐ] *n.f.* fuga desordenada; correria

debandar (de.ban.dar) [dəbɐ̃'dar] *v.* **1** pôr(-se) em fuga desordenada **2** sair da ordem

debate (de.ba.te) [də'bat(ə)] *n.m.* troca de opiniões **SIN.** discussão

debater (de.ba.ter) [dəbɐ'ter] *v.* trocar opiniões (sobre determinado assunto): *debater uma questão* **SIN.** discutir ▪ **debater-se 1** agitar-se com violência, procurando libertar-se: *O pássaro debatia-se para se libertar.* **2** ⟨**+com**⟩ confrontar-se; defrontar-se: *A família debatia-se com problemas financeiros.*

debelar (de.be.lar) [dəbə'lar] *v.* **1** vencer; dominar (crise, doença) **2** procurar extinguir (algo prejudicial)

debicar (de.bi.car) [dəbi'kar] *v.* **1** comer pequenas quantidades de **2** picar com o bico

débil (dé.bil) ['dɛbiɫ] *adj.2g.* **1** que não tem força ou saúde; fraco **2** sem ânimo ou entusiasmo **3** que não tem intensidade

debilidade (de.bi.li.da.de) [dəbəli'dad(ə)] *n.f.* **1** falta de força; fraqueza **2** pouca intensidade

debilitar (de.bi.li.tar) [dəbəli'tar] *v.* **1** tirar a força ou a saúde **2** fazer perder o ânimo ou o entusiasmo **3** diminuir a intensidade de

debitar (de.bi.tar) [dəbi'tar] *v.* **1** lançar (quantia) como dívida **2** registar no débito **3** *coloq.* falar por tempo prolongado e de modo automático, causando tédio no ouvinte

débito (dé.bi.to) ['dɛbitu] *n.m.* **1** aquilo que se deve **SIN.** dívida **2** volume de água que corre na unidade de tempo **3** registo do que se fornece ou se paga

debruar (de.bru.ar) [dəbru'ar] *v.* pôr fita na margem de (tecido, peça de roupa)

debruçar(-se) (de.bru.çar(-se)) [dəbru'sar(sə)] *v.* **1** pôr(-se) de bruços **2** inclinar(-se) **3** dobrar(-se) para a frente **SIN.** inclinar(-se)

debrum (de.brum) [də'brũ] *n.m.* **1** fita com que se guarnece a borda de um tecido **2** contorno

debulhadora (de.bu.lha.do.ra) [dəbuʎɐ'dorɐ] *n.f.* máquina para debulhar cereais

debulhar (de.bu.lhar) [dəbu'ʎar] *v.* tirar ou separar os grãos de (cereal, fruto ou legume); descascar

debutante (de.bu.tan.te) [dəbu'tɐ̃t(ə)] *n.2g.* **1** pessoa que se inicia em qualquer atividade **2** pessoa apresentada de modo formal à sociedade em baile ou festa de gala ■ *adj.2g.* **1** que se inicia em alguma atividade **2** que se inicia na vida social

debutar (de.bu.tar) [dəbu'tar] *v.* estrear-se; iniciar-se

década (dé.ca.da) ['dɛkɐdɐ] *n.f.* **1** período de dez anos **SIN.** decénio **2** divisão de um período de tempo de 10 anos na vida de alguém

decadência (de.ca.dên.ci:a) [dəkɐ'dẽsjɐ] *n.f.* **1** enfraquecimento **2** ruína **3** humilhação

decadente (de.ca.den.te) [dəkɐ'dẽt(ə)] *adj.2g.* que está em decadência

decágono (de.cá.go.no) [də'kagunu] *n.m.* polígono de dez ângulos

decair (de.ca.ir) [dəkɐ'ir] *v.* **1** estar em decadência **2** descer; diminuir (de qualidade, nível)

decalcar (de.cal.car) [dəkaɫ'kar] *v.* **1** transferir (imagens) de uma superfície para outra **2** fazer cópia de (algo ou alguém)

decalitro (de.ca.li.tro) [dɛkɐ'litru] *n.m.* medida de dez litros

decalque (de.cal.que) [də'kaɫk(ə)] *n.m.* **1** transferência de imagens de uma superfície para outra **2** imitação; cópia

decantar (de.can.tar) [dəkɐ̃'tar] *v.* **1** separar os sedimentos contidos num líquido (vinho, etc.) **2** exaltar em verso

decapitação (de.ca.pi.ta.ção) [dəkɐpitɐ'sɐ̃w̃] *n.f.* ato ou efeito de cortar a cabeça

decapitar (de.ca.pi.tar) [dəkɐpi'tar] *v.* cortar a cabeça **SIN.** degolar

decassilábico (de.cas.si.lá.bi.co) [dɛkɐsi'labiku] *adj.* que tem dez sílabas

decassílabo (de.cas.sí.la.bo) [dɛkɐ'silɐbu] *n.m.* verso de dez sílabas

decatlo (de.ca.tlo) [də'katlu] *n.m.* prova de atletismo que inclui dez modalidades

deceção (de.ce.ção)[AO] [dəsɛ'sɐ̃w̃] *n.f.* desilusão; desapontamento

dececionado (de.ce.ci:o.na.do)[AO] [dəsɛsju'nadu] *adj.* desiludido; desapontado

dececionante (de.ce.ci:o.nan.te)[AO] [dəsɛsju'nɐ̃t(ə)] *adj.2g.* que causa deceção

dececionar (de.ce.ci:o.nar)[AO] [dəsɛsju'nar] *v.* desiludir

decência (de.cên.ci:a) [də'sẽsjɐ] *n.f.* correção de atitude ou de comportamento

decénio (de.cé.ni:o) [də'sɛnju] *n.m.* período de dez anos **SIN.** década

decente (de.cen.te) [də'sẽt(ə)] *adj.2g.* **1** que é correto ou honesto **ANT.** indecente **2** asseado; limpo

decepar (de.ce.par) [dəsə'par] *v.* **1** cortar, separando do corpo a que pertence **SIN.** amputar; mutilar **2** *fig.* destruir; eliminar

decepção (de.cep.ção) [dəsɛ'sɐ̃w̃] *a nova grafia é* **deceção**[AO]

decepcionado (de.cep.ci:o.na.do) [dəsɛsju'nadu] *a nova grafia é* **dececionado**[AO]

decepcionante (de.cep.ci:o.nan.te) [dəsɛsju'nɐ̃t(ə)] *a nova grafia é* **dececionante**[AO]

decepcionar (de.cep.ci:o.nar) [dəsɛsju'nar] *a nova grafia é* **dececionar**[AO]

decerto (de.cer.to) [də'sɛrtu] *adv.* com certeza; certamente

> Não confundir **decerto** (com certeza) com **de certo** (de verdadeiro): *Decerto comeu algo que lhe fez mal. O que há* **de certo** *sobre o caso?*

decibel (de.ci.bel) [dɛsi'bɛɫ] *n.m.* (acústica) unidade utilizada para comparar ou indicar variações dos níveis de intensidade dos sons

decidido (de.ci.di.do) [dəsi'didu] *adj.* **1** resolvido **2** firme

decidir (de.ci.dir) [dəsə'dir] *v.* **1** tomar uma decisão sobre; resolver: *Já decidiste se queres vir ou não?* **2** determinar: *O golo que decidiu o jogo.* ■ **decidir-se** ⟨+a⟩ optar por; escolher: *Ela decidiu-se a casar. Decidiu-se a perder cinco quilos.*

decifração (de.ci.fra.ção) [dəsifrɐ'sɐ̃w̃] *n.f.* explicação ou compreensão de uma coisa obscura; descodificação

decifrar (de.ci.frar) [dəsi'frar] *v.* **1** ler texto ou palavra escrito em código **2** interpretar (texto ou sentido obscuro)

decifrável (de.ci.frá.vel) [dəsi'fravɛɫ] *adj.2g.* que se pode decifrar

decilitro (de.ci.li.tro) [dəsə'litru] *n.m.* décima parte do litro (símbolo: dl)

décima (dé.ci.ma) ['dɛsimɐ] *n.f.* **1** cada uma das dez partes iguais em que se pode dividir uma coisa **2** imposto equivalente à décima parte de um rendimento

decimal (de.ci.mal) [dɛsi'maɫ] *adj.2g.* **1** relativo a dez ou à décima parte **2** que se conta de dez em dez **3** de um número que não é inteiro, ou d uma fração que tem por denominador o número 10

decímetro (de.cí.me.tro) [də'simətru] *n.m.* décima parte do metro (símbolo: dm)

décimo (dé.ci.mo) ['dɛsimu] *adj.* que ocupa o lugar número 10 ■ *num.frac.* que resulta da divisão de um todo por 10 ■ *n.m.* uma das dez partes em que se dividiu o todo; a décima parte

decisão (de.ci.são) [dəsi'zɐ̃w̃] *n.f.* **1** aquilo que se decidiu **2** capacidade de decidir

decisivo (de.ci.si.vo) [dəsi'zivu] *adj.* **1** que dá a solução **2** que determina um resultado ou uma consequência **SIN.** determinante

declamação (de.cla.ma.ção) [dəklɐmɐ'sɐ̃w̃] *n.f.* **1** ato de declamar **2** texto que se declama

declamar (de.cla.mar) [dəklɐ'mar] *v.* **1** ler (texto poético) em voz alta **SIN.** recitar **2** falar em tom solene

declaração (de.cla.ra.ção) [dəklɐrɐ'sɐ̃w̃] *n.f.* **1** afirmação; frase **2** testemunho; depoimento **3** exposição escrita de algo **4** confissão de sentimentos amorosos

declarado (de.cla.ra.do) [dəklɐ'radu] *adj.* **1** que foi afirmado; manifestado **2** confessado

declarar (de.cla.rar) [dəklɐ'rar] *v.* **1** afirmar (oralmente ou por escrito) **2** aparecer de repente; surgir; manifestar-se ■ **declarar-se** revelar (um sentimento)

declarativo (de.cla.ra.ti.vo) [dəklɐrɐ'tivu] *adj.* em que há declaração; que afirma

declinação (de.cli.na.ção) [dəklinɐ'sɐ̃w̃] *n.f.* **1** diminuição de intensidade; enfraquecimento **2** conjunto das flexões dos nomes e de outras classes de palavras, em algumas línguas, de acordo com a sua função sintática na frase

declinar (de.cli.nar) [dəkli'nar] *v.* **1** decair **2** enfraquecer **3** não aceitar; recusar **4** flexionar (palavra) de acordo com a função sintática que desempenha na frase

declinável (de.cli.ná.vel) [dəkli'navɛɫ] *adj.2g.* **1** que se pode declinar **2** (palavra) que pode sofrer declinação

declínio (de.clí.ni:o) [də'klinju] *n.m.* **1** inclinação para baixo **2** perda de intensidade ou força

declive (de.cli.ve) [də'kliv(ə)] *n.m.* inclinação para baixo

DECO ['dɛku] *sigla de* Associação Portuguesa para a **De**fesa do **Co**nsumidor

decompor (de.com.por) [dəkõ'por] *v.* **1** dividir em partes **2** fazer apodrecer; estragar ■ **decompor-se** apodrecer; estragar-se

decomposição (de.com.po.si.ção) [dəkõpuzi'sɐ̃w̃] *n.f.* **1** divisão de uma coisa nos elementos que a constituem **2** apodrecimento

decoração (de.co.ra.ção) [dəkurɐ'sɐ̃w̃] *n.f.* **1** ato ou efeito de decorar **2** enfeite **3** aquilo que serve para decorar

decorador (de.co.ra.dor) [dəkurɐ'dor] *n.m.* pessoa que trabalha em decoração

decorar (de.co.rar) [dəku'rar] *v.* **1** colocar decorações em; enfeitar **2** aprender de cor; memorizar

decorativo (de.co.ra.ti.vo) [dəkurɐ'tivu] *adj.* que decora ou embeleza

decoro (de.co.ro) [də'koru] *n.m.* **1** compostura; decência **2** vergonha; pudor

decorrente (de.cor.ren.te) [dəku'ʀẽt(ə)] *adj.2g.* consequente

decorrer (de.cor.rer) [dəku'ʀer] *v.* **1** passar (o tempo) **2** dar-se (um acontecimento); suceder

decorrido (de.cor.ri.do) [dəku'ʀidu] *adj.* que decorreu; que passou; passado

decotado (de.co.ta.do) [dəku'tadu] *adj.* que tem decote

decote (de.co.te) [də'kɔt(ə)] *n.m.* corte na roupa abaixo da gola

decrépito (de.cré.pi.to) [də'krɛpitu] *adj.* muito velho; caduco

decrescente (de.cres.cen.te) [dəkrəʃ'sẽt(ə)] *adj.2g.* **1** que diminui **2** que está em declínio

decrescer (de.cres.cer) [dəkrəʃ'ser] *v.* diminuir de tamanho, quantidade ou intensidade

decréscimo (de.crés.ci.mo) [də'krɛʃsimu] *n.m.* diminuição

decretado (de.cre.ta.do) [dəkrə'tadu] *adj.* **1** decidido por meio de decreto ou lei **2** *fig.* determinado

decretar (de.cre.tar) [dəkrə'tar] *v.* **1** ordenar por meio de decreto ou lei **2** *fig.* determinar; ordenar

decreto (de.cre.to) [də'krɛtu] *n.m.* decisão do Governo ou de uma autoridade competente

decreto-lei (de.cre.to-.lei) [dəkrɛtu'lɐj] *n.m.* ⟨*pl.* decretos-leis⟩ decreto com força de lei emanado do poder executivo, quando este acumula as funções do legislativo

décuplo (dé.cu.plo) ['dɛkuplu] *num.mult.* que contém dez vezes a mesma quantidade ■ *n.m.* valor ou quantidade dez vezes maior

decurso (de.cur.so) [də'kursu] *n.m.* **1** desenvolvimento de algo no tempo **2** período de tempo; duração

dedada (de.da.da) [də'dadɐ] *n.f.* mancha ou impressão deixada por um dedo numa superfície

dedal (de.dal) [də'daɫ] *n.m.* objeto que se enfia no dedo médio para empurrar a agulha quando se cose

dedaleira (de.da.lei.ra) [dədɐ'lɐjrɐ] *n.f.* planta venenosa com flores de cor púrpura em forma de dedal

dedicação (de.di.ca.ção) [dədikɐ'sɐ̃w̃] *n.f.* **1** devoção; consagração **2** apreço; estima

dedicado (de.di.ca.do) [dədi'kadu] *adj.* **1** oferecido; destinado (ato, objeto) **2** aplicado; consagrado (pessoa)

dedicar (de.di.car) [dədi'kar] *v.* **1** ⟨+a⟩ devotar: *Dedicou a vida ao trabalho.* **2** oferecer em sinal de dedicação: *Dediquei o livro ao meu pai.* ▪ **dedicar-se** ⟨+a⟩ ocupar-se inteiramente de; entregar-se a: *Decidiu dedicar-se à jardinagem.*

dedicatória (de.di.ca.tó.ri:a) [dədikɐ'tɔrjɐ] *n.f.* texto breve em que se dedica uma obra (livro, pintura, etc.) a alguém

dedilhar (de.di.lhar) [dədi'ʎar] *v.* **1** fazer vibrar as cordas de um instrumento, puxando levemente, uma a uma, com a ponta dos dedos **2** bater com os dedos; tamborilar

dedo (de.do) ['dedu] *n.m.* cada uma das partes articuladas que terminam as mãos e os pés ♦ **apontar o dedo** acusar alguém diretamente; **dar dois dedos de conversa** conversar um pouco; *coloq.* **ficar a chuchar no dedo 1** não obter o que desejava **2** sofrer uma deceção; **escolher a dedo** escolher cuidadosamente; **pôr o dedo na ferida 1** identificar o ponto central de uma questão **2** tocar no ponto fraco; *coloq.* **ter dedo para** ter jeito para

dedução (de.du.ção) [dədu'sɐ̃w̃] *n.f.* **1** conclusão lógica de um raciocínio **2** retirada de uma parte de; subtração

dedutível (de.du.tí.vel) [dədu'tivɛɫ] *adj.2g.* **1** que se pode deduzir **2** (quantia, valor) que pode ser descontado

dedutivo (de.du.ti.vo) [dədu'tivu] *adj.* que parte do geral para o particular, da causa para o efeito

deduzir (de.du.zir) [dədu'zir] *v.* **1** concluir (algo) pelo raciocínio **2** retirar algo de; subtrair

defecar (de.fe.car) [dəfə'kar] *v.* expelir fezes pelo ânus

defectivo (de.fec.ti.vo) [dəfɛ'tivu] *a nova grafia é* **defetivo**[AO]

defeito (de.fei.to) [də'fɐjtu] *n.m.* **1** falta de perfeição num corpo ou num objeto; imperfeição **2** funcionamento irregular de um mecanismo; falha

defeituoso (de.fei.tu:o.so) [dəfɐj'twozu] *adj.* **1** que tem defeito; imperfeito **2** que não funciona bem

defender (de.fen.der) [dəfẽ'der] *v.* **1** agir em defesa de; proteger: *Ela está a defender os seus interesses.* **2** lutar em favor de; apoiar: *O campeão vai defender o título.* **3** afirmar (com argumentos) uma teoria ou uma opinião: *Defendeu que era necessária uma nova lei.* ▪ **defender-se** ⟨+de⟩ proteger-se de: *Defendeu-se das acusações.*

defensiva (de.fen.si.va) [dəfẽ'sivɐ] *n.f.* **1** atitude ou posição de defesa **2** ação militar que visa resistência ou proteção contra qualquer ou todas as formas de ataque inimigo

defensivo (de.fen.si.vo) [dəfẽ'sivu] *adj.* que serve para defesa

defensor (de.fen.sor) [dəfẽ'sor] *n.m.* pessoa que defende (algo ou alguém)

deferência (de.fe.rên.ci:a) [dəfə'rẽsjɐ] *n.f.* respeito; consideração

deferido (de.fe.ri.do) [dəfə'ridu] *adj.* aprovado

> Não confundir **deferido** (aprovado) com **diferido** (adiado): *O processo foi **deferido**. O jogo foi **diferido**.*

deferimento (de.fe.ri.men.to) [dəfəri'mẽtu] *n.m.* aprovação

deferir (de.fe.rir) [dəfə'rir] *v.* aprovar; atender

defesa (de.fe.sa) [də'fezɐ] *n.f.* **1** ato ou efeito de defender **2** capacidade de resistir a ataque(s) **3** estrutura defensiva **4** desculpa ou explicação ♦ *coloq.* **jogar à defesa** proceder com cautela; **legítima defesa** reação violenta justificada pela necessidade de uma pessoa se proteger de uma agressão ou de proteger outrem

defetivo (de.fe.ti.vo)[AO] [dəfɛ'tivu] *adj.* **1** imperfeito; defeituoso **2** (verbo) que não se conjuga em todas as formas

défice (dé.fi.ce) ['dɛfi(sə)] *n.m.* falta; falha

deficiência (de.fi.ci:ên.ci:a) [dəfə'sjẽsjɐ] *n.f.* **1** perda de quantidade ou qualidade; falha **2** mau funcionamento de um órgão ou sistema

deficiente (de.fi.ci:en.te) [dəfə'sjẽt(ə)] *adj.2g.* **1** em que há deficiência **2** que não é suficiente ▪ *n.2g.* pessoa com deficiência

deficit ['dɛfisit] *n.m.* ⟨*pl.* deficits⟩ ⇒ **défice**

deficitário (de.fi.ci.tá.ri:o) [dəfəsi'tarju] *adj.* em que falta alguma coisa

definhado (de.fi.nha.do) [dəfi'ɲadu] *adj.* magro; abatido

definhar (de.fi.nhar) [dəfi'ɲar] *v.* **1** emagrecer **2** enfraquecer; extenuar **3** atrofiar; mirrar

definição (de.fi.ni.ção) [dəfəni'sɐ̃w̃] *n.f.* **1** apresentação das características próprias de (alguém ou algo) **2** frase que explica o significado de (um conceito, uma palavra)

definido (de.fi.ni.do) [dəfə'nidu] *adj.* **1** determinado; fixo **2** exato; preciso **3** que se refere a algo ou alguém específico ou conhecido

definir (de.fi.nir) [dəfə'nir] *v.* **1** indicar as características de (algo ou alguém) **2** explicar o significado de **3** determinar; fixar

definitivamente (de.fi.ni.ti.va.men.te) [dəfənitivɐ'mẽt(ə)] *adv.* **1** para sempre **2** de forma decidida

definitivo (de.fi.ni.ti.vo) [dəfəni'tivu] *adj.* **1** que leva a uma conclusão; decisivo (argumento, decisão) **2** que não vai sofrer alterações; final (texto, prova)

deflação (de.fla.ção) [dəflɐ'sɐ̃w̃] *n.f.* baixa do nível geral dos preços, acompanhada de quebra do ritmo das atividades económicas

deflagração (de.fla.gra.ção) [dəflɐgrɐ'sɐ̃w̃] *n.f.* **1** (incêndio, bomba) combustão violenta, provocada ou espontânea; explosão **2** *fig.* aparecimento súbito

deflagrar (de.fla.grar) [dəflɐ'grar] *v.* **1** explodir; rebentar (bomba, incêndio) **2** *fig.* ter início (conflito, guerra)

deformação (de.for.ma.ção) [dəfurmɐ'sɐ̃w̃] *n.f.* **1** mudança de forma ou de aspeto **2** má interpretação de (ideia, texto, etc.)

deformar (de.for.mar) [dəfur'mar] *v.* **1** mudar a forma ou o aspeto de **2** alterar para pior

defraudação (de.frau.da.ção) [dəfrawdɐ'sɐ̃w̃] *n.f.* **1** ato de defraudar **2** fraude; usurpação

defraudar (de.frau.dar) [dəfraw'dar] *v.* **1** enganar (alguém) **2** despojar (bens)

defrontar (de.fron.tar) [dəfrõ'tar] *v.* **1** colocar diante de **2** enfrentar

defronte (de.fron.te) [də'frõt(ə)] *adv.* **1** em frente **2** diante

defumado (de.fu.ma.do) [dəfu'madu] *adj.* que secou ao fumo

defumar (de.fu.mar) [dəfu'mar] *v.* curar ou secar ao fumo (carne, peixe)

defunto (de.fun.to) [də'fũtu] *n.m.* pessoa que morreu **SIN.** falecido; morto

degelar (de.ge.lar) [dəʒə'lar] *v.* **1** derreter (gelo, neve) **2** *fig.* aquecer

degelo (de.ge.lo) [də'ʒelu] *n.m.* derretimento progressivo do gelo

degeneração (de.ge.ne.ra.ção) [dəʒənərɐ'sɐ̃w̃] *n.f.* perda de qualidades **SIN.** degradação

degenerar (de.ge.ne.rar) [dəʒənə'rar] *v.* perder qualidades **SIN.** degradar-se

degenerativo (de.ge.ne.ra.ti.vo) [dəʒənərɐ'tivu] *adj.* que causa degeneração

deglutição (de.glu.ti.ção) [dəgluti'sɐ̃w̃] *n.f.* ingestão de alimentos

deglutir (de.glu.tir) [dəglu'tir] *v.* ingerir (alimentos)

degolar (de.go.lar) [dəgu'lar] *v.* **1** cortar o pescoço **2** cortar a cabeça a **SIN.** decapitar

degradação (de.gra.da.ção) [dəgrɐdɐ'sɐ̃w̃] *n.f.* **1** perda de qualidades **SIN.** deterioração **2** desgaste da superfície terrestre por ação dos processos erosivos **3** *fig.* corrupção; depravação

degradado (de.gra.da.do) [dəgrɐ'dadu] *adj.* **1** que perdeu qualidades; deteriorado **2** que sofreu estrago(s); danificado

degradante (de.gra.dan.te) [dəgrɐ'dɐ̃t(ə)] *adj.2g.* **1** que causa dano ou estrago **2** que rebaixa; humilhante

degradar (de.gra.dar) [dəgrɐ'dar] *v.* estragar; danificar

degradé (de.gra.dé) [degra'de] *n.m.* **1** enfraquecimento ou alteração gradual de uma cor ou iluminação **2** técnica de corte de cabelo que consiste em reduzir gradualmente a espessura dos cabelos

degrau (de.grau) [də'graw] *n.m.* cada uma das partes de uma escada

degredar (de.gre.dar) [dəgrə'dar] *v.* condenar (alguém) ao exílio **SIN.** expatriar

degredo (de.gre.do) [də'gredu] *n.m.* **1** pena de expulsão da pátria ou terra onde reside por certos crimes cometidos **2** lugar onde se cumpre essa pena **SIN.** exílio

degustação (de.gus.ta.ção) [dəguʃtɐ'sɐ̃w̃] *n.f.* apreciação do sabor; prova

degustar (de.gus.tar) [dəguʃ'tar] *v.* tomar o sabor de **SIN.** provar

deitado (dei.ta.do) [dɐj'tadu] *adj.* **1** que se deitou **2** colocado em posição horizontal

deitar (dei.tar) [dɐj'tar] *v.* **1** estender na horizontal **2** meter na cama **3** fazer cair **4** atirar ▪ **deitar-se** lançar-se a ◆ **deitar água na fervura** tentar acalmar (alguém); **deitar por fora** transbordar

deixa (dei.xa) ['dɐjʃɐ] *n.f.* **1** palavra que indica que um ator acabou de falar e que vai começar outro **2** última palavra ou frase de uma pessoa, num desafio, que serve de ponto de partida para a participação de outra ◆ **aproveitar a deixa** aproveitar a ocasião/oportunidade

deixar (dei.xar) [dɐj'ʃar] *v.* **1** dar permissão para **2** não levar consigo **3** desistir de **4** abandonar **5** adiar para mais tarde **6** transmitir em herança ◆ **deixar a desejar** não corresponder ao que se esperava

déjà-vu [deʒa'vy] *n.m.* sensação de já ter vivido no passado uma situação presente; repetição

dejecto (de.jec.to) [də'ʒetu] *a nova grafia é* **dejeto**[AO]

dejeto (de.je.to)[AO] [də'ʒetu] *n.m.* fezes expelidas pelo organismo **SIN.** excremento

delação (de.la.ção) [dəla'sɐ̃w̃] *n.f.* acusação; denúncia

delatar (de.la.tar) [dəla'tar] *v.* denunciar; acusar

delator (de.la.tor) [dəla'tor] *n.m.* pessoa que acusa ou denuncia; denunciante

dele (de.le) ['del(ə)] *contr. de prep.* de + *pron. pess.* ele

delegação (de.le.ga.ção) [dələgɐ'sɐ̃w̃] *n.f.* 1 transmissão de poder a alguém 2 grupo de pessoas que representam um grupo, um país, etc.

delegacia (de.le.ga.ci.a) [dələgɐ'siɐ] *n.f.* [BRAS.] esquadra

delegado (de.le.ga.do) [dələ'gadu] *n.m.* 1 pessoa que representa um grupo ou um país 2 [BRAS.] comissário (da polícia)

delegar (de.le.gar) [dələ'gar] *v.* 1 transmitir (poder) 2 encarregar; incumbir

deleitar(-se) (de.lei.tar(-se)) [dəlɐj'tar(sə)] *v.* ⟨+com⟩ provocar ou sentir prazer **SIN.** deliciar(-se)

deletar (de.le.tar) [də'letar] *v.* 1 [CV.] tardar 2 [BRAS.] eliminar (informação, ficheiro, etc.), por meio de um comando específico

delgado (del.ga.do) [dɛɫ'gadu] *adj.* 1 pouco espesso **SIN.** fino 2 pouco encorpado **SIN.** magro

deliberação (de.li.be.ra.ção) [dəlibərɐ'sɐ̃w̃] *n.f.* 1 reflexão 2 decisão

deliberadamente (de.li.be.ra.da.men.te) [dəlibəradɐ'mẽt(ə)] *adv.* com intenção; de propósito

deliberado (de.li.be.ra.do) [dəlibə'radu] *adj.* 1 decidido 2 intencional

deliberar(-se) (de.li.be.rar(-se)) [delibə'rar(sə)] *v.* ⟨+a⟩ resolver(-se) após reflexão ou discussão **SIN.** decidir(-se)

delicadamente (de.li.ca.da.men.te) [dəlikɐ'mẽt(ə)] *adv.* 1 com cuidado 2 com bons modos

delicadeza (de.li.ca.de.za) [dəlikɐ'dezɐ] *n.f.* 1 atitude gentil 2 fragilidade

delicado (de.li.ca.do) [dəli'kadu] *adj.* 1 atencioso 2 frágil

delícia (de.lí.ci:a) [də'lisjɐ] *n.f.* 1 sensação agradável 2 coisa muito saborosa

deliciar(-se) (de.li.ci:ar(-se)) [dəli'sjar(sə)] *v.* ⟨+com⟩ dar ou sentir alegria ou prazer **SIN.** regalar(-se)

delicioso (de.li.ci:o.so) [dəli'sjozu] *adj.* 1 agradável 2 saboroso

delimitação (de.li.mi.ta.ção) [dəlimitɐ'sɐ̃w̃] *n.f.* marcação dos limites de

delimitar (de.li.mi.tar) [dəlimi'tar] *v.* marcar os limites de **SIN.** demarcar

delinear (de.li.ne:ar) [dəli'njar] *v.* 1 traçar o plano de **SIN.** esboçar 2 planear; projetar

delinquência (de.lin.quên.ci:a) [dəlĩ'kwẽsjɐ] *n.f.* 1 desobediência a regulamentos, leis ou princípios morais 2 conjunto de infrações ou delitos em relação às normas estabelecidas

delinquente (de.lin.quen.te) [dəlĩ'kwẽt(ə)] *n.2g.* pessoa que desobedece a regulamentos, leis ou princípios morais

delirar (de.li.rar) [dəli'rar] *v.* 1 dizer ou fazer disparates (com febre alta, por exemplo) 2 ⟨+com⟩ *coloq.* gostar muito de: *Ele delirou com o presente.*

delírio (de.lí.ri:o) [də'lirju] *n.m.* 1 perturbação mental que acontece, por exemplo, quando se tem febre muito alta 2 *coloq.* grande entusiasmo

delito (de.li.to) [də'litu] *n.m.* infração à lei; crime ◆ **em flagrante delito** no próprio momento em que a falta ou infração é cometida

delonga (de.lon.ga) [də'lõgɐ] *n.f.* demora

delta (del.ta) ['dɛɫtɐ] *n.m.* terreno na foz ou na margem de um rio, geralmente triangular e formado por depósito de sedimentos arrastados nas correntes

demagogia (de.ma.go.gi.a) [dəmɐgu'ʒiɐ] *n.f.* 1 atuação política que se serve do apoio popular para conquistar o poder 2 discurso feito em nome das massas populares para conquistar o poder

demagógico (de.ma.gó.gi.co) [dəmɐ'gɔʒiku] *adj.* que revela demagogia

demagogo (de.ma.go.go) [dəmɐ'gogu] *n.m.* 1 pessoa cujo discurso procura captar o apoio das massas populares com a finalidade de alcançar o poder 2 pessoa que age de acordo com os interesses populares

demais (de.mais) [də'majʃ] *adv.* 1 além disso 2 em excesso ◆ **por demais** demasiado

demanda (de.man.da) [də'mɐ̃dɐ] *n.f.* 1 pedido; solicitação 2 processo judicial; ação 3 procura (de bens ou produtos) 4 qualquer bem ou serviço procurado no mercado

demão (de.mão) [də'mɐ̃w̃] *n.f.* camada de tinta, cal, etc., que se aplica numa superfície

demarcação (de.mar.ca.ção) [dəmɐrkɐ'sɐ̃w̃] *n.f.* 1 determinação dos limites; delimitação 2 separação; distinção

demarcado (de.mar.ca.do) [dəmɐr'kadu] *adj.* 1 delimitado 2 separado

demarcar (de.mar.car) [dəmɐr'kar] *v.* 1 traçar os limites de **SIN.** delimitar 2 separar; distinguir

demasia (de.ma.si.a) [dəmɐ'ziɐ] *n.f.* aquilo que é demais; excesso ◆ **em demasia** de forma exagerada

demasiado (de.ma.si:a.do) [dəmɐ'zjadu] *adj.* excessivo; exagerado ■ *adv.* muito; de modo excessivo

demência (de.mên.ci:a) [dəˈmẽsjɐ] *n.f.* **1** perda mais ou menos acentuada das faculdades intelectuais por influência de lesões do cérebro **2** loucura

demente (de.men.te) [dəˈmẽt(ə)] *adj.,n.2g.* que ou pessoa que sofre de perturbação mental (temporária ou permanente)

demissão (de.mis.são) [dəmiˈsɐ̃w̃] *n.f.* abandono (voluntário ou forçado) de um cargo ou de uma função SIN. despedimento

demissionário (de.mis.si:o.ná.ri:o) [dəmisjuˈnarju] *adj.* que se demitiu

demitido (de.mi.ti.do) [dəmiˈtidu] *adj.* que foi dispensado do emprego

demitir (de.mi.tir) [dəmiˈtir] *v.* despedir ▪ **demitir-se** abandonar um emprego ou um cargo; despedir-se

democracia (de.mo.cra.ci.a) [dəmukrɐˈsiɐ] *n.f.* **1** sistema político em que os cidadãos elegem livremente os seus governantes **2** país que tem um sistema democrático

democrata (de.mo.cra.ta) [dəmuˈkratɐ] *adj.2g.* relativo a democracia ▪ *n.2g.* pessoa que defende a democracia

democrático (de.mo.crá.ti.co) [dəmuˈkratiku] *adj.* **1** relativo a democracia **2** relativo ao povo; popular

democratização (de.mo.cra.ti.za.ção) [dəmukrɐtizɐˈsɐ̃w̃] *n.f.* **1** ato de tornar democrático **2** processo de tornar algo acessível à maioria da população

democratizar (de.mo.cra.ti.zar) [dəmukrɐtiˈzar] *v.* tornar democrático ▪ **democratizar-se** tornar-se democrático

demografia (de.mo.gra.fi.a) [dəmugrɐˈfiɐ] *n.f.* estudo estatístico das populações humanas

demográfico (de.mo.grá.fi.co) [dəmuˈgrafiku] *adj.* relativo a demografia

demolhar (de.mo.lhar) [dəmuˈʎar] *v.* colocar em água

demolição (de.mo.li.ção) [dəmuliˈsɐ̃w̃] *n.f.* ato de demolir; destruição

demolidor (de.mo.li.dor) [dəmuliˈdor] *adj.* **1** que provoca demolição ou destruição **2** *fig.* (crítica, observação) que aniquila; que arrasa **3** *fig.* (argumento, prova) que não permite oposição ou resistência

demolir (de.mo.lir) [dəmuˈlir] *v.* deitar abaixo; deitar por terra

demoníaco (de.mo.ní.a.co) [dəmuˈniɐku] *adj.* **1** próprio do demónio SIN. diabólico **2** terrível; assustador

demónio (De.mó.ni:o) [dəˈmɔnju] *n.m.* espírito maligno SIN. Diabo

demonstração (de.mons.tra.ção) [dəmõʃtrɐˈsɐ̃w̃] *n.f.* **1** manifestação (de um sentimento) **2** apresentação (de argumentos, provas ou habilidades) **3** explicação do modo de funcionamento (de um aparelho ou mecanismo)

demonstrar (de.mons.trar) [dəmõʃˈtrar] *v.* **1** manifestar (sentimento) **2** apresentar (argumento, prova, habilidade) **3** explicar o funcionamento de (um aparelho ou mecanismo)

demonstrativo (de.mons.tra.ti.vo) [dəmõʃtrɐˈtivu] *adj.* **1** que demonstra **2** que serve para demonstrar

demora (de.mo.ra) [dəˈmɔrɐ] *n.f.* atraso; lentidão ♦ **sem demora** imediatamente

demorado (de.mo.ra.do) [dəmuˈradu] *adj.* **1** atrasado **2** lento

demorar (de.mo.rar) [dəmuˈrar] *v.* **1** durar bastante tempo **2** permanecer por muito tempo ▪ **demorar-se** atrasar-se

demover (de.mo.ver) [dəmuˈver] *v.* **1** convencer (alguém) a mudar de ideias SIN. dissuadir **2** deslocar do seu lugar

denegrir (de.ne.grir) [dənəˈgrir] *v.* **1** escurecer **2** *fig.* difamar

dengue (den.gue) [ˈdẽg(ə)] *n.f.* doença, em geral epidémica, comum nas regiões quentes, causada pelo vírus do dengue e transmitida pela picada de um mosquito

denominação (de.no.mi.na.ção) [dənuminɐˈsɐ̃w̃] *n.f.* designação; nome

denominado (de.no.mi.na.do) [dənumiˈnadu] *adj.* designado; chamado

denominador (de.no.mi.na.dor) [dənuminɐˈdor] *n.m.* número colocado por baixo do traço de uma fração, que indica em quantas partes se dividiu a unidade ♦ **denominador comum 1** múltiplo de todos os números por baixo do traço (denominadores) de um conjunto de frações **2** *fig.* característica comum a duas ou mais pessoas, coisas ou animais

denominar (de.no.mi.nar) [dənumiˈnar] *v.* dar nome a; designar

denotação (de.no.ta.ção) [dənutɐˈsɐ̃w̃] *n.f.* significado objetivo ou literal de uma palavra ou expressão ANT. conotação

denotar (de.no.tar) [dənuˈtar] *v.* **1** indicar por meio de sinal ou símbolo **2** significar por denotação **3** indicar; anunciar

denotativo (de.no.ta.ti.vo) [dənutɐˈtivu] *adj.* relativo a denotação; objetivo; literal

densidade (den.si.da.de) [dẽsiˈdad(ə)] *n.f.* espessura; consistência ♦ **densidade populacional** número médio de habitantes por unidade de superfície de um país

densitometria (den.si.to.me.tri.a) [dẽsitumə'triɐ] *n.f.* medição de densidade

denso (den.so) ['dẽsu] *adj.* **1** espesso; consistente **2** *fig.* profundo

dentada (den.ta.da) [dẽ'tadɐ] *n.f.* mordedura

dentado (den.ta.do) [dẽ'tadu] *adj.* recortado em forma de dente(s)

dentadura (den.ta.du.ra) [dẽtɐ'durɐ] *n.f.* **1** conjunto dos dentes; dentição **2** aparelho com dentes artificiais; placa

dental (den.tal) [dẽ'tał] *adj.2g.* relativo aos dentes

dentar (den.tar) [dẽ'tar] *v.* **1** começar a ter dentes **2** dar dentadas em

dentário (den.tá.ri:o) [dẽ'tarju] *adj.* relativo a dentes

dente (den.te) ['dẽt(ə)] *n.m.* **1** órgão que serve para mastigar **2** defesa do elefante e de outros animais ◆ **com unhas e dentes** com todas as forças; **dente de leite** cada um dos dentes que surgem entre os 6 e os 30 meses de idade, e que são substituídos pelos dentes definitivos por volta dos 6 anos; **dente do siso** cada um dos últimos dentes molares que surgem normalmente por volta dos 20 anos de idade

dente-de-leão (den.te-.de-.le.ão) [dẽtədə'ljɐ̃w̃] *n.m.* ⟨*pl.* dentes-de-leão⟩ planta herbácea com flores amareladas, usada para fins medicinais

dentição (den.ti.ção) [dẽti'sɐ̃w̃] *n.f.* conjunto dos dentes de uma pessoa ou de um animal **SIN.** dentadura

dentífrico (den.tí.fri.co) [dẽ'tifriku] *n.m.* produto para lavar os dentes

dentina (den.ti.na) [dẽ'tinɐ] *n.f.* camada interna dos dentes

dentista (den.tis.ta) [dẽ'tiʃtɐ] *n.2g.* médico que trata dentes

dentre (den.tre) ['dẽtr(ə)] *contr. de prep.* de + *prep.* entre

dentro (den.tro) ['dẽtru] *adv.* na parte interior ◆ **dentro de pouco tempo** brevemente

dentuça (den.tu.ça) [dẽ'tusɐ] *n.f.* conjunto dos dentes da frente grandes e salientes

denúncia (de.nún.ci:a) [də'nũsjɐ] *n.f.* acusação

denunciante (de.nun.ci:an.te) [dənũ'sjɐ̃t(ə)] *n.2g.* pessoa que denuncia

denunciar (de.nun.ci:ar) [dənũ'sjar] *v.* atribuir a responsabilidade de (crime, falta) **SIN.** acusar

dep. *abreviatura de* departamento

deparar (de.pa.rar) [dəpɐ'rar] *v.* **1** ⟨**+com**⟩ encontrar de repente: *Depararam com um jornal antigo.* **2** dar com: *Chegou a casa e deparou-se com o filho a chorar.*

departamento (de.par.ta.men.to) [dəpɐrtɐ'mẽtu] *n.m.* **1** divisão de uma empresa, universidade, r partição, etc. **SIN.** setor **2** divisão administrativ (em alguns países)

depenado (de.pe.na.do) [dəpə'nadu] *adj.* **1** sem penas (ave) **2** *coloq.* sem dinheiro (pessoa)

depenar (de.pe.nar) [dəpə'nar] *v.* **1** tirar as pena a (ave) **2** *coloq.* obter por meios fraudulentos (d nheiro)

dependência (de.pen.dên.ci:a) [dəpẽ'dẽsjɐ] *n* **1** estado do que depende de (algo ou alguém subordinação **2** divisão de uma casa

dependente (de.pen.den.te) [dəpẽ'dẽt(ə)] *adj.2* que depende; subordinado ■ *adj.,n.2g.* que o pessoa que tem necessidade física e/ou psicol gica de determinada substância ou atividade

depender (de.pen.der) [dəpẽ'der] *v.* **1** ⟨**+de**⟩ está sujeito a (algo ou alguém): *O seu sucesso depen de muitos fatores.* **2** ⟨**+de**⟩ precisar de auxílio o proteção (de alguém): *O bebé depende dos pai* **3** ⟨**+de**⟩ ser consequência de; resultar: *O sucess desportivo depende do treino intensivo.*

dependurar (de.pen.du.rar) [dəpẽdu'rar] *v.* **pendurar**

depenicar (de.pe.ni.car) [dəpəni'kar] *v.* **1** arranca as penas com o bico a **2** *fig.* comer pequenos pe daços de

depilação (de.pi.la.ção) [dəpilɐ'sɐ̃w̃] *n.f.* elimina ção dos pelos (de uma parte do corpo)

depilar (de.pi.lar) [dəpi'lar] *v.* tirar os pelos (d uma parte do corpo)

depilatório (de.pi.la.tó.ri:o) [dəpilɐ'tɔrju] *n.r* produto usado para facilitar a remoção dos pelo ■ *adj.* que depila

deplorar(-se) (de.plo.rar(-se)) [dəplu'rar(sə)] *v.* la mentar(-se); lastimar(-se)

deplorável (de.plo.rá.vel) [dəplu'ravɛł] *adj.2* **1** que provoca tristeza; lamentável **2** que caus aversão; detestável

depoimento (de.po:i.men.to) [dəpwi'mẽtu] *n.r* **1** afirmação; argumento **2** declaração de um testemunha

depois (de.pois) [də'pojʃ] *adv.* **1** em seguida **AN** antes **2** posteriormente **3** mais tarde ◆ **depoi de** a seguir a (no tempo ou no espaço); **depoi que** logo que

depor (de.por) [də'por] *v.* **1** demitir **2** testemunha em tribunal

deportação (de.por.ta.ção) [dəpurtɐ'sɐ̃w̃] *n.* saída forçada do próprio país; exílio

deportar (de.por.tar) [dəpur'tar] *v.* expulsar (a guém) do próprio país **SIN.** exilar

deposição (de.po.si.ção) [dəpuzi'sɐ̃w̃] *n.f.* **1** de missão **2** testemunho; depoimento

depositante (de.po.si.tan.te) [dəpuzi'tɐ̃t(ə)] *n.2g.* pessoa que deposita

depositar (de.po.si.tar) [dəpuzi'tar] *v.* **1** pôr (dinheiro, valores) em lugar seguro **2** pousar; colocar ■ **depositar-se** acumular-se no fundo

depositário (de.po.si.tá.ri:o) [dəpuzi'tarju] *n.m.* **1** pessoa ou instituição que recebe em depósito **2** pessoa a quem se conta algo; confidente

depósito (de.pó.si.to) [də'pɔzitu] *n.m.* **1** aquilo que se dá a guardar **2** lugar onde se guarda (alguma coisa) **3** substância acumulada no fundo de um líquido

depravação (de.pra.va.ção) [dəprɐvɐ'sɐ̃w̃] *n.f.* corrupção; perversão

depravado (de.pra.va.do) [dəprɐ'vadu] *adj.* corrupto; perverso

depravar(-se) (de.pra.var(-se)) [dəprɐ'var(sə)] *v.* corromper(-se); perverter(-se)

depreciação (de.pre.ci:a.ção) [dəprəsjɐ'sɐ̃w̃] *n.f.* **1** diminuição de valor; desvalorização **2** *fig.* menosprezo

depreciar (de.pre.ci:ar) [dəprə'sjar] *v.* **1** desvalorizar **2** *fig.* menosprezar; rebaixar

depreciativo (de.pre.ci:a.ti.vo) [dəprəsjɐ'tivu] *adj.* **1** que reduz o valor de **2** (palavra) que exprime um sentido negativo

depreender (de.pre:en.der) [dəprjẽ'der] *v.* deduzir; concluir

depressa (de.pres.sa) [də'prɛsɐ] *adv.* em pouco tempo; com rapidez ANT. devagar

depressão (de.pres.são) [dəprə'sɐ̃w̃] *n.f.* **1** estado em que uma pessoa se sente triste e desanimada **2** zona mais baixa do que os terrenos situados à volta

depressar (de.pres.sar) [dəprɛ'sar] *v.* [ANG., MOÇ.] andar depressa; acelerar

depressivo (de.pres.si.vo) [dəprə'sivu] *adj.* **1** relativo a depressão **2** que deprime; deprimente ■ *n.m.* pessoa que manifesta tendência permanente para a depressão

deprimente (de.pri.men.te) [dəpri'mẽt(ə)] *adj.2g.* que causa depressão ou tristeza

deprimido (de.pri.mi.do) [dəpri'midu] *adj.* que sofre de depressão; desanimado; abatido

deprimir (de.pri.mir) [dəpri'mir] *v.* causar depressão a; desanimar

depurar (de.pu.rar) [dəpu'rar] *v.* remover substâncias indesejáveis SIN. purificar ■ **depurar-se** **1** purificar-se **2** aperfeiçoar-se

deputado (de.pu.ta.do) [dəpu'tadu] *n.m.* **1** pessoa que foi eleita para uma assembleia legislativa **2** pessoa que representa os interesses de um grupo ou de uma instituição

dérbi (dér.bi) ['dɛrbi] *n.m.* competição desportiva; jogo importante

derby ['dɛrbi] *n.m.* ⇒ **dérbi**

deriva (de.ri.va) [də'rivɐ] *n.f.* desvio da rota ◆ **à deriva** sem orientação certa; sem saber para onde ir

derivação (de.ri.va.ção) [dərivɐ'sɐ̃w̃] *n.f.* **1** afastamento do caminho normal; desvio **2** processo de formação de palavras novas, acrescentando ou alterando elementos nas palavras já existentes

derivado (de.ri.va.do) [dəri'vadu] *n.m.* **1** produto ou material produzido a partir de outro **2** palavra formada por derivação

> Não confundir **derivado de** (oriundo; procedente) com **devido a** (por causa de): *O sucesso é derivado do estudo. Ficou ferido devido ao acidente.*

derivar (de.ri.var) [dəri'var] *v.* **1** ⟨+**de**⟩ ter sua origem em; ser proveniente de: *O vinagre deriva do vinho.* **2** formar uma palavra a partir do tema de outra, juntando-lhe um afixo: *Muitas palavras portuguesas derivam do latim.*

dermatite (der.ma.ti.te) [dɛrmɐ'tit(ə)] *n.f.* inflamação da pele

dermatologia (der.ma.to.lo.gi.a) [dɛrmɐtulu'ʒiɐ] *n.f.* estudo e tratamento das doenças de pele

dermatológico (der.ma.to.ló.gi.co) [dɛrmɐtu'lɔʒiku] *adj.* relativo a dermatologia

dermatologista (der.ma.to.lo.gis.ta) [dɛrmɐtulu'ʒiʃtɐ] *n.2g.* médico que trata as doenças de pele

dermatose (der.ma.to.se) [dɛrmɐ'tɔz(ə)] *n.f.* nome genérico das doenças da pele

derme (der.me) ['dɛrm(ə)] *n.f.* pele

derradeiro (der.ra.dei.ro) [dəʀɐ'dɐjru] *adj.* último

derramamento (der.ra.ma.men.to) [dəʀɐmɐ'mẽtu] *n.m.* **1** ato ou efeito de lançar ou espalhar **2** propagação (de um líquido)

derramar (der.ra.mar) [dəʀɐ'mar] *v.* fazer correr; entornar (líquidos)

derrame (der.ra.me) [də'ʀɐm(ə)] *n.m.* **1** ato ou efeito de derramar (um líquido) **2** hemorragia interna, geralmente cerebral

derrapagem (der.ra.pa.gem) [dəʀɐ'paʒɐ̃j̃] *n.f.* deslizamento descontrolado de um veículo

derrapar (der.ra.par) [dəʀɐ'par] *v.* escorregar; deslizar

derreado (der.re:a.do) [də'ʀjadu] *adj.* *coloq.* cansado; exausto

derrear (der.re:ar) [də'ʀjar] *v.* **1** fazer vergar as costas com peso, pancada, etc. **2** deixar exausto ou sem forças

derreter(-se) **(der.re.ter(-se))** [dəʀə'ter(sə)] *v.* **1** tornar(-se) líquido **SIN.** liquefazer(-se) **2** *fig.* comover(-se); enternecer(-se)

derretido **(der.re.ti.do)** [dəʀə'tidu] *adj.* **1** liquefeito **2** *fig.* comovido

derrocada **(der.ro.ca.da)** [dəʀu'kadɐ] *n.f.* **1** queda; desmoronamento **2** *fig.* degradação

derrota **(der.ro.ta)** [də'ʀɔtɐ] *n.f.* mau resultado; insucesso

derrotado **(der.ro.ta.do)** [dəʀu'tadu] *adj.* que perdeu; vencido

derrotar **(der.ro.tar)** [dəʀu'tar] *v.* ganhar; vencer

derrotista **(der.ro.tis.ta)** [dəʀu'tiʃtɐ] *adj.,n.2g.* que ou pessoa que não acredita na vitória **SIN.** pessimista **ANT.** otimista

derrubado **(der.ru.ba.do)** [dəʀu'badu] *adj.* **1** deitado abaixo; caído **2** *fig.* destruído

derrubar **(der.ru.bar)** [dəʀu'bar] *v.* **1** deitar abaixo; fazer cair **2** destituir; depor (um governo ou uma pessoa) **3** *fig.* arruinar; destruir

derrube **(der.ru.be)** [də'ʀub(ə)] *n.m.* **1** queda **2** abate (de árvores)

desabafar **(de.sa.ba.far)** [dəzɐbɐ'far] *v.* dar a conhecer (emoções ou sentimentos) **SIN.** exteriorizar

desabafo **(de.sa.ba.fo)** [dəzɐ'bafu] *n.m.* exteriorização de emoções ou sentimentos **SIN.** confidência

desabamento **(de.sa.ba.men.to)** [dəzɐbɐ'mẽtu] *n.m.* **1** desmoronamento; queda (de terreno ou construção) **2** decadência; ruína (de projeto ou instituição)

desabar **(de.sa.bar)** [dəza'bar] *v.* vir abaixo; cair

desabitado **(de.sa.bi.ta.do)** [dəzɐbi'tadu] *adj.* que não tem habitantes **SIN.** desocupado **ANT.** habitado

desabituado **(de.sa.bi.tu:a.do)** [dəzɐbi'twadu] *adj.* que perdeu o hábito ou o costume

desabituar(-se) **(de.sa.bi.tu:ar(-se))** [dəzɐbi'twar(sə)] *v.* ⟨**+de**⟩ fazer perder ou perder o hábito **SIN.** desacostumar(-se)

desabotoar **(de.sa.bo.to:ar)** [dəzɐbu'twar] *v.* desapertar os botões (de roupa) **ANT.** abotoar

desabrigado **(de.sa.bri.ga.do)** [dəzɐbri'gadu] *adj.* (local) exposto ao mau tempo

desabrochar **(de.sa.bro.char)** [dəzɐbru'ʃar] *v.* **1** abrir as pétalas (flor) **2** manifestar-se (pessoa, sentimento)

desacato **(de.sa.ca.to)** [dəzɐ'katu] *n.m.* desobediência; desrespeito

desaceleração **(de.sa.ce.le.ra.ção)** [dezɐsələrɐ'sɐ̃w̃] *n.f.* redução de velocidade; abrandamento

desacelerar **(de.sa.ce.le.rar)** [dəzɐsələ'rar] *v.* reduzir a velocidade **SIN.** abrandar

desaconselhado **(de.sa.con.se.lha.do)** [dəzɐkõsə'ʎadu] *adj.* não recomendado; contraindicado

desaconselhar **(de.sa.con.se.lhar)** [dəzɐkõsə'ʎar] *v.* dissuadir; contraindicar

desaconselhável **(de.sa.con.se.lhá.vel)** [dəzɐkõsə'ʎavɛɫ] *adj.2g.* que não é recomendável; que é pouco conveniente

desacordo **(de.sa.cor.do)** [dəzɐ'kordu] *n.m.* falta de acordo ou de entendimento **SIN.** divergência

desacostumar(-se) **(de.sa.cos.tu.mar(-se))** [dəzɐkuʃtu'mar(sə)] *v.* ⟨**+de**⟩ (fazer) perder o costume **SIN.** desabituar(-se)

desacreditado **(de.sa.cre.di.ta.do)** [dəzɐkrədi'tadu] *adj.* **1** que perdeu o crédito ou a boa reputação **2** que perdeu a confiança ou a credibilidade

desacreditar **(de.sa.cre.di.tar)** [dəzɐkrədi'tar] *v.* **1** fazer perder o crédito ou a boa reputação **SIN.** difamar **2** depreciar; desvalorizar

desactivado **(de.sac.ti.va.do)** [dəzati'vadu] *a nova grafia é* **desativado**[AO]

desactivar **(de.sac.ti.var)** [dəzati'var] *a nova grafia é* **desativar**[AO]

desactualizado **(de.sac.tu:a.li.za.do)** [dəzɐtwɐli'zadu] *a nova grafia é* **desatualizado**[AO]

desadaptar-se **(de.sa.dap.tar-.se)** [dəzɐdɐ'ptars(ə)] *v.* ⟨**+de**⟩ perder a capacidade de adaptação

desafeiçoar-se **(de.sa.fei.ço:ar-.se)** [dəzɐfɐj'swars(ə)] *v.* **1** perder o afeto a **2** perder o gosto por

desafiar **(de.sa.fi:ar)** [dəzɐ'fjar] *v.* **1** provocar **2** enfrentar

desafinado **(de.sa.fi.na.do)** [dəzɐfi'nadu] *adj.* que não está no tom; dissonante **ANT.** afinado

desafinar **(de.sa.fi.nar)** [dəzɐfi'nar] *v.* produzir sons discordantes ou notas erradas **ANT.** afinar

desafio **(de.sa.fi.o)** [dəzɐ'fiu] *n.m.* **1** tarefa difícil de realizar **2** estímulo para alguém fazer algo **3** competição desportiva; partida ♦ **(cantar) ao desafio** (cantar) à desgarrada

desafogadamente **(de.sa.fo.ga.da.men.te)** [dəzɐfugadɐ'mẽt(ə)] *adv.* **1** sem preocupações financeiras **2** com independência **3** sem constrangimento

desafogado **(de.sa.fo.ga.do)** [dəzɐfu'gadu] *adj.* **1** abastado (de dinheiro) **2** despreocupado

desaforado **(de.sa.fo.ra.do)** [dəzɐfu'radu] *adj.* arrogante; insolente

desaforo **(de.sa.fo.ro)** [dəzɐ'foru] *n.m.* arrogância; insolência

desafortunado (de.sa.for.tu.na.do) [dəzɐfurtu'nadu] *adj.* desfavorecido; infeliz

desagasalhado (de.sa.ga.sa.lha.do) [dəzɐgɐzɐ'ʎadu] *adj.* desabrigado

desagradar (de.sa.gra.dar) [dəzɐgrɐ'dar] *v.* causar desagrado **ANT.** agradar

desagradável (de.sa.gra.dá.vel) [dəzɐgrɐ'davɛɫ] *adj.2g.* **1** que não agrada **ANT.** agradável **2** que sabe mal **3** antipático **4** aborrecido

desagrado (de.sa.gra.do) [dəzɐ'gradu] *n.m.* **1** descontentamento **ANT.** agrado **2** indelicadeza; descortesia

desagravar (de.sa.gra.var) [dəzɐgrɐ'var] *v.* diminuir de valor ou de intensidade **SIN.** atenuar

desagregação (de.sa.gre.ga.ção) [dəzɐgrəgɐ'sɐ̃w̃] *n.f.* **1** separação em partes **SIN.** fragmentação **2** perda de unidade

desagregar(-se) (de.sa.gre.gar(-se)) [dəzɐgrə'gar(sə)] *v.* separar(-se); fragmentar(-se)

desaguar (de.sa.guar) [dəza'gwar] *v.* ⟨**+em**⟩ terminar o seu curso (rio); desembocar: *O rio desagua no mar.*

desaire (de.sai.re) [də'zajr(ə)] *n.m.* fracasso; derrota

desajeitado (de.sa.jei.ta.do) [dəzɐʒɐj'tadu] *adj.* desastrado

desajustado (de.sa.jus.ta.do) [dəzɐʒuʃ'tadu] *adj.* **1** (peça) que não encaixa bem **2** (pessoa) que não se adapta ao meio em que vive

desajustar (de.sa.jus.tar) [dəzɐʒuʃ'tar] *v.* **1** desencaixar **2** romper (acordo, pacto) **3** tornar inapto ao convívio social

desajuste (de.sa.jus.te) [dəzɐ'ʒuʃt(ə)] *n.m.* **1** (relação) rutura **2** (máquina) desencaixe

desalapar (de.sa.la.par) [dəzɐlɐ'par] *v.* **1** tirar ou fazer sair do lugar **2** tirar ou fazer sair da lapa ou da toca ▪ **desalapar-se** sair do lugar onde se está

desalento (de.sa.len.to) [dəzɐ'lẽtu] *n.m.* desânimo; tristeza

desalinhado (de.sa.li.nha.do) [dəzɐli'ɲadu] *adj.* **1** (pessoa) com aparência descuidada **2** (veículo) cujas rodas não estão alinhadas em paralelo

desalinhar (de.sa.li.nhar) [dəzɐli'ɲar] *v.* **1** tirar do alinhamento **2** desarranjar; desarrumar

desalinho (de.sa.li.nho) [dəzɐ'liɲu] *n.m.* **1** desarrumação; desordem **2** desmazelo

desalmado (de.sal.ma.do) [dəzaɫ'madu] *adj.* perverso; desumano

desalojado (de.sa.lo.ja.do) [dəzɐlu'ʒadu] *adj.* que não tem casa

desalojar (de.sa.lo.jar) [dəzɐlu'ʒar] *v.* fazer sair do alojamento **SIN.** despejar

desamarrar (de.sa.mar.rar) [dəzɐmɐ'ʀar] *v.* **1** soltar as amarras de (embarcação) **2** desprender; soltar

desamparado (de.sam.pa.ra.do) [dəzɐ̃pɐ'radu] *adj.* **1** que não tem apoio ou proteção **SIN.** abandonado **ANT.** amparado **2** isolado; ermo

desamparar (de.sam.pa.rar) [dəzɐ̃pɐ'rar] *v.* não apoiar ou socorrer **SIN.** abandonar **ANT.** amparar

desamparo (de.sam.pa.ro) [dəzɐ̃'paru] *n.m.* falta de apoio; abandono **ANT.** amparo

desancar (de.san.car) [dəzɐ̃'kar] *v. coloq.* criticar de modo severo

desancorar (de.san.co.rar) [dəzɐ̃ku'rar] *v.* levantar a âncora

desandar (de.san.dar) [dəzɐ̃'dar] *v.* **1** voltar para trás **2** desatarraxar **3** *coloq.* piorar **4** *coloq.* pôr-se a andar

desanimado (de.sa.ni.ma.do) [dəzɐni'madu] *adj.* sem ânimo; abatido **ANT.** animado

desanimar (de.sa.ni.mar) [dəzɐni'mar] *v.* **1** tirar o ânimo **2** perder o ânimo

desânimo (de.sâ.ni.mo) [də'zɐnimu] *n.m.* falta de ânimo ou de força; abatimento **ANT.** ânimo

desanuviado (de.sa.nu.vi:a.do) [dəzɐnu'vjadu] *adj.* **1** (céu) limpo **2** (pessoa) tranquilo

desanuviar(-se) (de.sa.nu.vi:ar(-se)) [dəzɐnu'vjar(sə)] *v.* **1** limpar(-se) de nuvens **2** *fig.* tranquilizar(-se)

desaparafusar (de.sa.pa.ra.fu.sar) [dəzɐpɐrɐfu'zar] *v.* tirar o(s) parafuso(s) de **SIN.** desatarraxar

desaparecer (de.sa.pa.re.cer) [dəzɐpɐrə'ser] *v.* **1** deixar de estar visível **ANT.** aparecer **2** ficar encoberto; esconder-se **3** ir-se embora; retirar-se

desaparecido (de.sa.pa.re.ci.do) [dəzɐpɐrə'sidu] *adj.* que deixou de estar visível ▪ *n.m.* pessoa que desapareceu

desaparecimento (de.sa.pa.re.ci.men.to) [dəzɐpɐrəsi'mẽtu] *n.m.* **1** ato ou efeito de desaparecer **SIN.** sumiço **2** roubo **3** morte

desaparelhar (de.sa.pa.re.lhar) [dəzɐpɐrə'ʎar] *v.* **1** tirar os arreios a (cavalgadura) **2** desarmar (navio)

desapegar(-se) (de.sa.pe.gar(-se)) [dəzɐpə'gar(sə)] *v.* **1** ⟨**+de**⟩ separar(-se); desprender(-se) **2** ⟨**+de**⟩ *fig.* desprender(-se) a nível emocional

desapertar (de.sa.per.tar) [dəzɐpər'tar] *v.* **1** alargar o que estava apertado **2** desabotoar (roupa)

desapontado (de.sa.pon.ta.do) [dəzɐpõ'tadu] *adj.* desiludido; dececionado

desapontamento (de.sa.pon.ta.men.to) [dəzɐpõtɐ'mẽtu] *n.m.* desilusão; deceção

desapon<u>tar</u> (de.sa.pon.tar) [dəzɐpõ'tar] *v.* desiludir; dececionar

desapropri<u>ar</u> (de.sa.pro.pri:ar) [dəzɐpru'prjar] *v.* privar da posse de (bem, propriedade)

desapro<u>var</u> (de.sa.pro.var) [dəzɐpru'var] *v.* **1** não concordar com **ANT.** aprovar **2** censurar

desaprovei<u>tar</u> (de.sa.pro.vei.tar) [dəzɐpruvɐj'tar] *v.* não aproveitar; desperdiçar

desarbori<u>zar</u> (de.sar.bo.ri.zar) [dəzɐrburi'zar] *v.* cortar as árvores de (terreno)

desar<u>ma</u>do (de.sar.ma.do) [dəzɐr'madu] *adj.* **1** que não tem arma **2** desmontado (móvel, tenda, etc.) **3** *fig.* desprevenido

desarma<u>men</u>to (de.sar.ma.men.to) [dəzɐrmɐ'mẽtu] *n.m.* redução de armas e de tropas

desar<u>mar</u> (de.sar.mar) [dəzɐr'mar] *v.* **1** tirar as armas a **2** reduzir o armamento **3** *fig.* deixar alguém sem saber o que dizer

desarran<u>jar</u> (de.sar.ran.jar) [dəzɐʀɐ̃'ʒar] *v.* **1** pôr em desordem; desarrumar **2** alterar o funcionamento de; perturbar **3** desconsertar; avariar **4** transtornar; atrapalhar **5** causar ou apresentar diarreia

desar<u>ran</u>jo (de.sar.ran.jo) [dəzɐ'ʀɐ̃ʒu] *n.m.* **1** desordem **2** desalinho **3** transtorno

desarro<u>lhar</u> (de.sar.ro.lhar) [dəzɐʀu'ʎar] *v.* tirar a rolha a

desarruma<u>ção</u> (de.sar.ru.ma.ção) [dəzɐʀumɐ'sɐ̃w̃] *n.f.* desordem; confusão

desarru<u>ma</u>do (de.sar.ru.ma.do) [dəzɐʀu'madu] *adj.* desordenado; confuso

desarru<u>mar</u> (de.sar.ru.mar) [dəzɐʀu'mar] *v.* tirar do lugar ou da ordem **SIN.** desorganizar

desarticu<u>lar</u> (de.sar.ti.cu.lar) [dəzɐrtiku'lar] *v.* **1** desconjuntar **2** sair da articulação (osso, membro)

desassosse<u>ga</u>do (de.sas.sos.se.ga.do) [dəzɐsusə'gadu] *adj.* agitado; perturbado

desassosse<u>gar</u>(-se) (de.sas.sos.se.gar(-se)) [dəzɐsusə'gar(sə)] *v.* agitar(-se); perturbar(-se)

desasso<u>sse</u>go (de.sas.sos.se.go) [dəzɐsu'segu] *n.m.* **1** agitação; alvoroço **2** inquietação; ansiedade

desas<u>tra</u>do (de.sas.tra.do) [dəzɐʃ'tradu] *adj.* **1** que tem falta de jeito **SIN.** desajeitado **2** infeliz; catastrófico

de<u>sas</u>tre (de.sas.tre) [də'zaʃtr(ə)] *n.m.* **1** acontecimento que causa sofrimento; catástrofe **2** falhanço total; fracasso

desas<u>tro</u>so (de.sas.tro.so) [dəzɐʃ'trozu] *adj.* que causa desastre; catastrófico

desa<u>ta</u>do (de.sa.ta.do) [dəzɐ'tadu] *adj.* que não está atado ou preso; solto

desa<u>tar</u> (de.sa.tar) [dəzɐ'tar] *v.* **1** desfazer (nó o laço); desprender **2** ⟨**+a**⟩ começar de repente: *E desatou a rir.*

desatarra<u>xar</u> (de.sa.tar.ra.xar) [dəzɐtɐʀɐ'ʃar] desaparafusar; desapertar

desa<u>ten</u>to (de.sa.ten.to) [dəzɐ'tẽtu] *adj.* que nã presta atenção; distraído **ANT.** atento

desati<u>na</u>do (de.sa.ti.na.do) [dəzɐti'nadu] *a* **1** sem tino; louco **2** *coloq.* furioso

desati<u>nar</u> (de.sa.ti.nar) [dəzɐti'nar] *v.* ⟨**+com**⟩ pe der a calma ou a razão: *Ele desatinou com o Joã* **ANT.** atinar

desa<u>ti</u>no (de.sa.ti.no) [dəzɐ'tinu] *n.m.* **1** loucur **2** disparate

desati<u>va</u>do (de.sa.ti.va.do)[AO] [dəzati'vadu] *adj.* **1** (f. brica) que foi impedido de funcionar **2** (bomba) qu não pode ser detonado

desati<u>var</u> (de.sa.ti.var)[AO] [dəzati'var] *v.* **1** imped o funcionamento de **2** desarmar (bomba)

desatre<u>lar</u>(-se) (de.sa.tre.lar(-se)) [dəzɐt 'lar(sə)] *v.* **1** desprender(-se) da trela **2** soltar(-se desprender(-se)

desatuali<u>za</u>do (de.sa.tu:a.li.za.do)[AO] [dəzɐtw li'zadu] *adj.* que está fora de moda; ultrapassado

desautori<u>zar</u> (de.sau.to.ri.zar) [dəzawturi'zar] **1** recusar autorização **2** desacreditar

desa<u>ven</u>ça (de.sa.ven.ça) [dəzɐ'vẽsɐ] *n.f.* discó dia; conflito

desaver<u>gonha</u>do (de.sa.ver.go.nha.do) [də vərgu'ɲadu] *adj.* **1** sem pudor **2** insolente; desc rado

desa<u>vin</u>do (de.sa.vin.do) [dəzɐ'vĩdu] *adj.* que est em conflito com; zangado

desbara<u>tar</u> (des.ba.ra.tar) [dəʒbɐrɐ'tar] *v.* **1** e banjar; dissipar (bens, dinheiro) **2** vender pc preço baixo

desba<u>ra</u>to (des.ba.ra.to) [dəʒbɐ'ratu] *n.m.* despe dício ◆ **ao desbarato** por um preço muito baix

desbas<u>tar</u> (des.bas.tar) [dəʒbɐʃ'tar] *v.* **1** torna menos espesso **2** polir; alisar

des<u>bas</u>te (des.bas.te) [dəʒ'baʃt(ə)] *n.m.* **1** ato o efeito de tornar menos espesso **2** corte

desbloque<u>ar</u> (des.blo.que:ar) [dəʒblu'kjar] **1** desimpedir (acesso, passagem) **2** resolver (dif culdade, problema)

desbo<u>ta</u>do (des.bo.ta.do) [dəʒbu'tadu] *adj.* qu perdeu a cor **SIN.** descorado

desbo<u>tar</u> (des.bo.tar) [dəʒbu'tar] *v.* perder a cc **SIN.** descorar

desbra<u>var</u> (des.bra.var) [dəʒbrɐ'var] *v.* **1** prepara (terreno) para ser cultivado **2** amansar (anima **3** explorar (lugar desconhecido) **4** *fig.* vencer (d safio, obstáculo)

desburocratizar (des.bu.ro.cra.ti.zar) [dəʒbu rukrɐti'zar] *v.* 1 retirar carga burocrática a 2 simplificar

descabelado (des.ca.be.la.do) [dəʃkɐbə'ladu] *adj.* 1 sem cabelo; calvo 2 *fig.* furioso

descabido (des.ca.bi.do) [dəʃkɐ'bidu] *adj.* inconveniente; disparatado

descafeinado (des.ca.fei.na.do) [dəʃkɐfɐi'nadu] *n.m.* bebida de café sem cafeína

descaída (des.ca.í.da) [dəʃkɐ'idɐ] *n.f.* 1 lapso; distração 2 revelação de um segredo

descair (des.ca.ir) [dəʃkɐ'ir] *v.* inclinar-se; curvar-se ▪ **descair-se** revelar um segredo

descalabro (des.ca.la.bro) [dəʃkɐ'labru] *n.m.* 1 ruína 2 prejuízo 3 desordem

descalçar (des.cal.çar) [dəʃkaɫ'sar] *v.* 1 tirar (sapatos) 2 despir (meias)

descalcificação (des.cal.ci.fi.ca.ção) [dəʃkaɫsəfi kɐ'sɐ̃w̃] *n.f.* perda de cálcio (em tecidos, osso)

descalcificar (des.cal.ci.fi.car) [dəʃkaɫsəfi'kar] *v.* diminuir ou eliminar o cálcio de ▪ **descalcificar-se** perder cálcio (tecido, osso)

descalço (des.cal.ço) [dəʃ'kaɫsu] *adj.* que tem os pés nus ou só com meias

descambar (des.cam.bar) [dəʃkɐ̃'bar] *v.* 1 pender ou cair para um lado: *Descambou para trás.* SIN. tombar 2 ⟨+para⟩ ter resultado contrário do que se esperava: *A conversa descambou para um assunto desagradável.* 3 *fig.* fazer ou dizer algo inconveniente ou disparatado: *Isto já está a descambar!*

descampado (des.cam.pa.do) [dəʃkɐ̃'padu] *n.m.* campo extenso e deserto

descansado (des.can.sa.do) [dəʃkɐ̃'sadu] *adj.* sem preocupações; tranquilo

descansar (des.can.sar) [dəʃkɐ̃'sar] *v.* 1 tranquilizar 2 repousar 3 estar sepultado

descanso (des.can.so) [dəʃ'kɐ̃su] *n.m.* 1 repouso 2 tranquilidade 3 pausa (de trabalho) 4 suporte (de ferro de engomar, telefone, etc.) ♦ **eterno descanso** morte; **sem descanso** sem parar

descapotável (des.ca.po.tá.vel) [dəʃkɐpu'tavɛɫ] *adj.,n.2g.* que ou veículo que tem capota móvel, que se pode baixar

descaracterizar (des.ca.rac.te.ri.zar)AO [dəʃkɐ rɐ(k)təri'zar] ou **descaraterizar**AO *v.* 1 fazer perder a característica específica ou a qualidade distintiva 2 retirar a maquilhagem ou adereços após uma representação

descaradamente (des.ca.ra.da.men.te) [dəʃkɐ radɐ'mẽt(ə)] *adv.* 1 de forma insolente 2 de modo explícito

descarado (des.ca.ra.do) [dəʃkɐ'radu] *adj.* atrevido; insolente

descaramento (des.ca.ra.men.to) [dəʃkɐrɐ'mẽtu] *n.m.* atrevimento; insolência

descarga (des.car.ga) [dəʃ'kargɐ] *n.f.* 1 ato de retirar a carga de um veículo 2 passagem de corrente elétrica de um corpo para outro 3 disparo de arma de fogo; tiro

descargo (des.car.go) [dəʃ'kargu] *n.m.* 1 desobrigação de um cargo 2 cumprimento de uma obrigação ♦ **por descargo de consciência** para tranquilidade de espírito

descaroçar (des.ca.ro.çar) [dəʃkɐru'sar] *v.* extrair o caroço ou a semente

descarregar (des.car.re.gar) [dəʃkɐʀə'gar] *v.* 1 retirar a carga de (veículo) 2 disparar (arma de fogo) 3 (informática) copiar (dados, informação) de uma máquina remota ou central para outra local 4 *fig.* tratar (alguém) com rispidez como consequência de mau humor, tensão, frustração, etc.

descarrilamento (des.car.ri.la.men.to) [dəʃkɐʀi lɐ'mẽtu] *n.m.* 1 saída dos carris 2 *fig.* desvio do caminho aceitável a nível social

descarrilar (des.car.ri.lar) [dəʃkɐʀi'lar] *v.* 1 sair do carril 2 *fig.* desviar-se do caminho aceitável a nível social

descartar (des.car.tar) [dəʃkɐr'tar] *v.* 1 obrigar (o parceiro) a jogar certas cartas 2 privar de 3 despojar de 4 *fig.* livrar alguém de coisa ou pessoa importuna ▪ **descartar-se** 1 rejeitar uma ou mais cartas que não convêm 2 *fig.* livrar-se (de pessoa, coisa ou tarefa desagradável)

descartável (des.car.tá.vel) [dəʃkɐr'tavɛɫ] *adj.2g.* que se deita fora depois de usar

descasca (des.cas.ca) [dəʃ'kaʃkɐ] *n.f.* 1 extração da casca 2 *fig.* descompostura

descascador (des.cas.ca.dor) [dəʃkɐʃkɐ'dor] *n.m.* objeto próprio para descascar

descascar (des.cas.car) [dəʃkɐʃ'kar] *v.* 1 tirar a casca a (cereais, frutos) 2 retirar a cortiça de (árvore) 3 perder a camada exterior (pele, tinta)

descendência (des.cen.dên.ci:a) [dəʃsẽ'dẽsjɐ] *n.f.* conjunto de pessoas que descendem de outra(s); filhos

descendente (des.cen.den.te) [dəʃsẽ'dẽt(ə)] *n.2g.* pessoa que descende de outra (filho, neto, etc.) ▪ *adj.2g.* 1 que desce 2 que diminui

descender (des.cen.der) [dəʃsẽ'der] *v.* ⟨+de⟩ ter origem em; provir de

descentralização (des.cen.tra.li.za.ção) [dəʃsẽ trɐlizɐ'sɐ̃w̃] *n.f.* sistema que combate a acumulação dos poderes no governo central, transferindo-os para o poder local

descentralizar (des.cen.tra.li.zar) [dəʃsẽtrɐli'zar] *v.* atribuir mais direitos e poderes às autoridades locais, retirando-os do poder central

descer (des.cer) [dəʃ'ser] *v.* **1** passar de cima para baixo; abaixar **ANT.** subir **2** apear-se (de veículo) **3** desmontar (de cavalo)

descida (des.ci.da) [dəʃ'sidɐ] *n.f.* **1** passagem (de algo) de cima para baixo **2** terreno inclinado **3** diminuição

desclassificação (des.clas.si.fi.ca.ção) [dəʃklɐsə fikɐ'sɐ̃w̃] *n.f.* ato ou efeito de desclassificar

desclassificado (des.clas.si.fi.ca.do) [dəʃklɐsə fi'kadu] *adj.* **1** que não obteve classificação **2** excluído de concurso ou competição **SIN.** desqualificado

desclassificar (des.clas.si.fi.car) [dəʃklɐsəfi'kar] *v.* **1** não atribuir classificação a **2** eliminar (concorrente) de uma prova ou competição **SIN.** desqualificar

descoberta (des.co.ber.ta) [dəʃku'bɛrtɐ] *n.f.* **1** ato ou efeito de descobrir; descobrimento **2** aquilo que se descobriu; invenção; criação ♦ **à descoberta de** à procura de

descoberto (des.co.ber.to) [dəʃku'bɛrtu] *adj.* **1** achado; encontrado **2** destapado; exposto **3** conhecido; divulgado ♦ **a descoberto 1** sem proteção **2** (conta bancária) que tem saldo negativo; que não tem dinheiro

descobridor (des.co.bri.dor) [dəʃkubri'dor] *adj.,n.m.* que ou pessoa que faz uma descoberta

descobrimento (des.co.bri.men.to) [dəʃku bri'mẽtu] *n.m.* ato de descobrir algo desconhecido **SIN.** descoberta ■ **Descobrimentos** *n.m.pl.* viagens marítimas durante as quais os navegadores portugueses encontraram territórios desconhecidos (nos séculos XV e XVI)

A saber que os **Descobrimentos** portugueses começaram em 1415 com a conquista de Ceuta (Marrocos) e prolongaram-se durante mais de um século. Bartolomeu Dias passou o Cabo da Boa Esperança (África do Sul) em 1487, Vasco da Gama descobriu a Índia em 1498, e Pedro Álvares Cabral, o Brasil em 1500.

---

descobrir (des.co.brir) [dəʃku'brir] *v.* **1** encontrar pela primeira vez **2** pôr à vista; destapar **3** compreender; perceber

descodificação (des.co.di.fi.ca.ção) [dəʃkudifi kɐ'sɐ̃w̃] *n.f.* transformação de uma mensagem codificada em linguagem compreensível **ANT.** codificação

descodificador (des.co.di.fi.ca.dor) [dəʃkudifi kɐ'dor] *n.m.* sistema ou aparelho que recebe uma mensagem e a torna compreensível

descodificar (des.co.di.fi.car) [dəʃkudifi'kar] **1** decifrar uma mensagem codificada **ANT.** codificar **2** tornar compreensível (um texto, uma mensagem)

descolagem (des.co.la.gem) [dəʃku'laʒɐ̃j̃] *n.f.* **1** ato de levantar voo (uma aeronave) **2** separação do que estava colado

descolar (des.co.lar) [dəʃku'lar] *v.* separar o que está colado; levantar voo (aeronave)

descolonização (des.co.lo.ni.za.ção) [dəʃkulu nizɐ'sɐ̃w̃] *n.f.* processo de atribuição de independência a uma colónia

descoloração (des.co.lo.ra.ção) [dəʃkulurɐ'sɐ̃w̃] *n.f.* perda da cor

descolorante (des.co.lo.ran.te) [dəʃkulu'rɐ̃t(ə)] *adj.2g.* que faz perder a cor ■ *n.m.* substância utilizada para fazer perder a cor

descolorar (des.co.lo.rar) [dəskulu'rar] *v.* (fazer) perder a cor

descolorir (des.co.lo.rir) [dəʃkulu'rir] *v.* ⇒ **descolorar**

descomedido (des.co.me.di.do) [dəʃkumə'didu] *adj.* **1** demasiado; excessivo **2** disparatado; despropositado

descompactar (des.com.pac.tar) [dəʃkõpɐ'ktar] *v.* expandir um ficheiro compactado, restabelecendo o seu tamanho original

descompor (des.com.por) [dəʃkõ'por] *v.* **1** desarrumar **2** ralhar com

descomposto (des.com.pos.to) [dəʃkõ'poʃtu] *adj.* **1** desarranjado; desordenado **2** insultado

descompostura (des.com.pos.tu.ra) [dəʃkõ puʃ'turɐ] *n.f.* **1** falta de compostura **2** reprimenda; ralhete

descompressão (des.com.pres.são) [dəʃkõ prə'sɐ̃w̃] *n.f.* **1** diminuição de pressão **2** alívio

descomprometer(-se) (des.com.pro.me.ter(-se)) [dəʃkõprumə'ter(sə)] *v.* libertar(-se) de compromisso

descomprometido (des.com.pro.me.ti.do) [dəʃkõprumə'tidu] *adj.* **1** que não tem qualquer ocupação ou obrigação para com alguém ou algo **2** (pessoa) que não tem nenhum compromisso amoroso **SIN.** livre

descomunal (des.co.mu.nal) [dəʃkumu'nał] *adj.2g.* extraordinário; colossal

desconcentração (des.con.cen.tra.ção) [dəʃkõ sẽtrɐ'sɐ̃w̃] *n.f.* falta de atenção **SIN.** distração **ANT.** concentração

desconcentrado (des.con.cen.tra.do) [dəʃkõ sẽ'tradu] *adj.* distraído **ANT.** concentrado

desconcentrar (des.con.cen.trar) [dəʃkõsẽ'trar] *v.* **1** proceder à descentralização de **2** dispersar; espalhar **3** distrair ■ **desconcentrar-se** distrair(-se); desligar

desconcertante (des.con.cer.tan.te) [dəʃkõsər'tẽt(ə)] *adj.2g.* que confunde ou desorienta; perturbador

desconcertar (des.con.cer.tar) [dəʃkõsər'tar] *v.* **1** fazer perder ou perder a harmonia **2** estabelecer discórdia entre **3** desarranjar; descompor **4** estorvar; atrapalhar **5** confundir; perturbar

desconcerto (des.con.cer.to) [dəʃkõ'sertu] *n.m.* **1** transtorno **2** desordem

desconchavar (des.con.cha.var) [dəʃkõʃɐ'var] *v.* **1** desarticular; desligar **2** desmanchar; desmontar **3** dizer disparates; disparatar ▪ **desconchavar-se** desarticular-se; desmanchar-se

desconchavo (des.con.cha.vo) [dəʃkõ'ʃavu] *n.m.* **1** falta de ajuste **2** disparate

desconexão (des.co.ne.xão) [dəʃkunɛ'ksɐ̃w̃] *n.f.* **1** fata de ajuste **2** incoerência

desconfiado (des.con.fi:a.do) [dəʃkõ'fjadu] *adj.* **1** que não confia **2** que tem receio

desconfiança (des.con.fi:an.ça) [dəʃkõ'fjɐ̃sɐ] *n.f.* **1** falta de confiança **2** suspeita

desconfiar (des.con.fi:ar) [dəʃkõ'fjar] *v.* **1** ⟨+de⟩ não confiar em; duvidar de: *O João desconfiava da irmã.* **ANT.** confiar **2** recear; supor: *Desconfio que tens razão. Desconfiavam de uma conspiração.*

desconfortável (des.con.for.tá.vel) [dəʃkõfur'tavɛɫ] *adj.2g.* **1** que causa mal-estar **2** incómodo; desagradável **ANT.** desconfortável

desconforto (des.con.for.to) [dəʃkõ'fortu] *n.m.* falta de conforto; mal-estar **ANT.** conforto

descongelado (des.con.ge.la.do) [dəʃkõʒə'ladu] *adj.* **1** (comida) liquefeito **2** (glaciar) derretido **3** (dinheiro) desbloqueado

descongelar (des.con.ge.lar) [dəʃkõʒə'lar] *v.* **1** derreter(-se); liquefazer(-se) **2** retirar um produto do frio intenso de forma que este passe a estar gradualmente à temperatura ambiente **3** desligar uma máquina de produzir frio para que ela perca o gelo acumulado **4** desbloquear (dinheiro, conta bancária)

descongestionamento (des.con.ges.ti:o.na.men.to) [dəʃkõʒəʃtjunɐ'mẽtu] *n.m.* **1** eliminação de fluido excessivo em (órgão) **2** (trânsito) desobstrução da via; restabelecimento da circulação de veículos

descongestionar (des.con.ges.ti:o.nar) [dəʃkõʒəʃtju'nar] *v.* **1** eliminar fluido em excesso em (órgão) **2** restabelecer o trânsito ou a circulação em

desconhecer (des.co.nhe.cer) [dəʃkuɲə'ser] *v.* não conhecer; não saber; ignorar

desconhecido (des.co.nhe.ci.do) [dəʃkuɲə'sidu] *adj.* **1** que não é conhecido **2** misterioso; secreto ▪ *n.m.* **1** pessoa que nunca se viu antes ou cuja identidade se desconhece **2** aquilo que se desconhece

desconhecimento (des.co.nhe.ci.men.to) [dəʃkuɲəsi'mẽtu] *n.m.* falta de conhecimento; ignorância

desconjuntar(-se) (des.con.jun.tar(-se)) [dəʃkõʒũ'tar(sə)] *v.* **1** deslocar(-se) (articulação, osso) **2** desarticular(-se); desmanchar(-se)

desconseguir (des.con.se.guir) [dəʃkõsə'gir] *v.* [MOÇ.] não conseguir; não fazer

desconsertar (des.con.ser.tar) [dəʃkõsər'tar] *v.* estragar; desarranjar

desconsideração (des.con.si.de.ra.ção) [dəʃkõsidərɐ'sɐ̃w̃] *n.f.* falta de consideração; desrespeito

desconsiderar (des.con.si.de.rar) [dəʃkõsidə'rar] *v.* **1** não considerar; não dar atenção suficiente a **2** tratar sem respeito **SIN.** desprezar

desconsolado (des.con.so.la.do) [dəʃkõsu'ladu] *adj.* **1** triste; desiludido **2** insatisfeito

desconsolar (des.con.so.lar) [dəʃkõsu'lar] *v.* entristecer; desiludir

desconsolo (des.con.so.lo) [dəʃkõ'solu] *n.m.* **1** tristeza; desgosto **2** desilusão

descontaminar (des.con.ta.mi.nar) [dəʃkõtɐmi'nar] *v.* eliminar a contaminação em

descontar (des.con.tar) [dəʃkõ'tar] *v.* **1** retirar uma parte de um total **2** pagar aos poucos (uma dívida) **3** não fazer caso de

descontentamento (des.con.ten.ta.men.to) [dəʃkõtẽtɐ'mẽtu] *n.m.* desagrado

descontente (des.con.ten.te) [dəʃkõ'tẽt(ə)] *adj.* **1** triste **ANT.** contente **2** mal-humorado

descontinuar (des.con.ti.nu:ar) [dəʃkõti'nwar] *v.* interromper; suspender

descontinuidade (des.con.ti.nu:i.da.de) [dəʃkõtinwi'dad(ə)] *n.f.* interrupção; suspensão

descontínuo (des.con.tí.nu:o) [dəʃkõ'tinwu] *adj.* que tem interrupções; interrompido **ANT.** contínuo

desconto (des.con.to) [dəʃ'kõtu] *n.m.* redução no preço de alguma coisa **SIN.** abatimento; num jogo de futebol, tempo concedido pelo árbitro no fim de cada parte para compensar as interrupções (por marcação de faltas, assistência médica aos jogadores, etc.)

descontração (des.con.tra.ção)[AO] [dəʃkõtra'sɐ̃w̃] *n.f.* **1** ausência de contração **SIN.** relaxamento **2** à-vontade; desembaraço

descontracção (des.con.trac.ção) [dəʃkõtra'sɐ̃w̃] *a nova grafia é* **descontração**[AO]

descontraído (des.con.tra.í.do) [dəʃkõtrɐ'idu] *adj.* **1** relaxado **2** desembaraçado **3** informal

descontrair(-se) (des.con.tra.ir(-se)) [dəʃkõtrɐ'ir(sə)] *v.* 1 acalmar(-se); relaxar(-se) 2 pôr(-se) à-vontade

descontrolado (des.con.tro.la.do) [dəʃkõtru'ladu] *adj.* que não se controla; desgovernado ANT. controlado

descontrolar(-se) (des.con.tro.lar(-se)) [dəʃkõtru'lar(sə)] *v.* 1 (fazer) perder o controlo 2 exaltar(-se); enervar(-se)

descontrolo (des.con.tro.lo) [dəʃkõ'trolu] *n.m.* 1 perda de controlo; desgoverno 2 desequilíbrio; desorientação

descoordenação (des.co:or.de.na.ção) [dəʃkwurdənɐ'sɐ̃w̃] *n.f.* falta de coordenação; desorganização

descoordenar (des.co:or.de.nar) [dəʃkwurdə'nar] *v.* desfazer a coordenação de SIN. desorganizar

descorar (des.co.rar) [dəʃkɔ'rar] *v.* 1 (fazer) perder a cor SIN. desbotar 2 empalidecer

descortinar (des.cor.ti.nar) [dəʃkurti'nar] *v.* 1 mostrar; revelar 2 descobrir; perceber

descoser (des.co.ser) [dəʃku'zer] *v.* desfazer a costura de; rasgar; desmanchar ■ **descoser-se** *coloq.* revelar um segredo

descosido (des.co.si.do) [dəʃku'zidu] *adj.* 1 que se descoseu; desmanchado 2 *coloq.* revelado sem autorização ou de forma indiscreta

descrédito (des.cré.di.to) [dəʃ'krɛditu] *n.m.* 1 perda de crédito ou credibilidade 2 má fama; desonra

descrença (des.cren.ça) [dəʃ'krẽsɐ] *n.f.* 1 falta de confiança; ceticismo 2 ausência de fé (religiosa)

descrente (des.cren.te) [dəʃ'krẽt(ə)] *n.2g.* 1 pessoa que não tem confiança 2 pessoa que não tem fé (religiosa) ■ *adj.2g.* que não acredita

descrever (des.cre.ver) [dəʃkrə'ver] *v.* 1 fazer a descrição de 2 contar com todos os pormenores

descrição (des.cri.ção) [dəʃkri'sɐ̃w̃] *n.f.* 1 apresentação de pessoa, facto ou lugar em todos os seus pormenores; retrato 2 narração; relato

Não confundir **descrição** (retrato) com **discrição** (reserva ou modéstia).

descriminalização (des.cri.mi.na.li.za.ção) [dəʃkriminɐlizɐ'sɐ̃w̃] *n.f.* ato de excluir o carácter criminal de um facto (antes considerado crime)

descriminalizar (des.cri.mi.na.li.zar) [dəʃkriminɐli'zar] *v.* retirar o carácter criminal de (um facto antes considerado crime)

descritivo (des.cri.ti.vo) [dəʃkri'tivu] *adj.* 1 relativo a descrição 2 que descreve algo ou alguém

descrito (des.cri.to) [dəʃ'kritu] *adj.* 1 retratado 2 narrado

descuidado (des.cui.da.do) [dəʃkuj'dadu] *a*[...] 1 desatento 2 precipitado

descuidar (des.cui.dar) [dəʃkuj'dar] *v.* não cuid[...] de ■ **descuidar-se** esquecer-se de (tarefas, ob[...]gações)

descuido (des.cui.do) [dəʃ'kujdu] *n.m.* 1 falta [...] cuidado ou de atenção; negligência 2 atitude [...] refletida; precipitação

desculpa (des.cul.pa) [dəʃ'kułpɐ] *n.f.* 1 razão q[...] se apresenta para explicar um erro ou uma falt[...] justificação 2 perdão; absolvição ◆ **pedir de[...]culpa** pedir perdão

desculpar(-se) (des.cul.par(-se)) [dəʃkuł'par(s[...] *v.* 1 perdoar(-se); absolver(-se) 2 justificar(-se[...] explicar(-se)

desculpável (des.cul.pá.vel) [dəʃkuł'pavɛł] *adj.*[...] que pode ser desculpado

descurar (des.cu.rar) [dəʃku'rar] *v.* não cuidar [...] descuidar ■ **descurar-se** tornar-se descuidad[...] desleixar-se

desde (des.de) ['deʒd(ə)] *prep.* a começar de; [...]contar de: *desde ontem/sua casa* ◆ **desde q[...]** 1 depois que: *Que tens feito desde que nos enc[...]trámos pela última vez?* 2 com a condição de qu[...] *Desde que faças o que te pedi.*

desdém (des.dém) [dəʒ'dɐ̃j̃] *n.m.* 1 sentimento [...] desprezo 2 arrogância

desdenhar (des.de.nhar) [dəʒdə'ɲar] *v.* 1 despr[...]zar 2 ignorar

desdentado (des.den.ta.do) [dəʒdẽ'tadu] *adj.* q[...] não tem alguns ou todos os dentes

desdita (des.di.ta) [dəʒ'ditɐ] *n.f.* 1 falta de sor[...] 2 desgraça

desdizer(-se) (des.di.zer(-se)) [dəʒdi'zer(sə)] [...] desmentir(-se); contradizer(-se)

desdobramento (des.do.bra.men.to) [dəʒ[...]brɐ'mẽtu] *n.m.* separação de um todo em duas [...] mais partes

desdobrar (des.do.brar) [dəʒdu'brar] *v.* estend[...] ou abrir (o que estava dobrado)

desdobrável (des.do.brá.vel) [dəʒdu'brav[...] *adj.2g.* que se pode desdobrar ■ *n.m.* impresso [...] folheto que se desdobra para utilizar ou cons[...]tar

desdramatizar (des.dra.ma.ti.zar) [dəʒdrɐm[...]ti'zar] *v.* retirar o carácter dramático a

deseducar (de.se.du.car) [dəzidu'kar] *v.* 1 prej[...]dicar a educação de 2 educar mal

desejado (de.se.ja.do) [dəzə'ʒadu] *adj.* 1 prete[...]dido 2 ansiado

desejar (de.se.jar) [dəzə'ʒar] *v.* 1 ter desejo d[...] querer; ambicionar 2 exprimir (desejo, voto) [...] **deixar a desejar** ser de má qualidade; não s[...] suficiente

esejável (de.se.já.vel) [dəzə'ʒavɛɫ] *adj.2g.* **1** que se pode desejar **2** que é necessário ou importante

esejo (de.se.jo) [də'za(j)ʒu] *n.m.* **1** vontade forte **2** ambição

esejoso (de.se.jo.so) [dəzə'ʒozu] *adj.* que tem muita vontade; ansioso

eselegância (de.se.le.gân.ci:a) [dəzilə'gɐ̃sjɐ] *n.f.* **1** falta de elegância **2** inconveniência

eselegante (de.se.le.gan.te) [dəzilə'gɐ̃t(ə)] *adj.2g.* **1** que não tem elegância ou bom gosto **ANT.** elegante **2** que revela má educação

esemaranhar (de.se.ma.ra.nhar) [dəzimɐrɐ'ɲar] *v.* **1** soltar (o que estava enredado) **2** esclarecer (dúvida, problema)

esembaciador (de.sem.ba.ci:a.dor) [dəzẽbɐsɐ'dor] *n.m.* (de automóvel) sistema elétrico adaptado ao vidro ou aos espelhos para evitar que embaciem

esembaciar (de.sem.ba.ci:ar) [dəzẽbɐ'sjar] *v.* devolver o brilho a (vidro, espelho) **ANT.** embaciar

esembalar (de.sem.ba.lar) [dəzẽbɐ'lar] *v.* tirar da embalagem **SIN.** desencaixotar

esembaraçado (de.sem.ba.ra.ça.do) [dəzẽbɐrɐ'sadu] *adj.* **1** despachado; expedito **2** livre de obstáculos

esembaraçar (de.sem.ba.ra.çar) [dəzẽbɐrɐ'sar] *v.* livrar de obstáculo(s); desimpedir ■ **desembaraçar-se 1** ⟨+de⟩ livrar-se de **2** sair de dificuldades: *Tive de me desembaraçar sozinho.*

esembaraço (de.sem.ba.ra.ço) [dəzẽbɐ'rasu] *n.m.* **1** rapidez de movimentos; agilidade **2** facilidade em resolver problemas; desenvoltura

esembarcar (de.sem.bar.car) [dəzẽbɐr'kar] *v.* **1** tirar de um barco, avião ou comboio **2** sair de um barco, avião ou comboio

esembargador (de.sem.bar.ga.dor) [dəzẽbɐrgɐ'dor] *n.m.* juiz

esembargar (de.sem.bar.gar) [dəzẽbɐr'gar] *v.* **1** levantar um embargo **2** livrar de (obstáculo)

esembarque (de.sem.bar.que) [dəzẽ'bark(ə)] *n.m.* **1** retirada ou saída (de mercadorias ou passageiros) de uma embarcação, aeronave ou comboio **2** colocação de forças militares em terra a partir de navios

esembocar (de.sem.bo.car) [dəzẽbu'kar] *v.* **1** desaguar (rio, canal) **2** ⟨+em⟩ terminar (rua, caminho)

esembolsar (de.sem.bol.sar) [dəzẽboɫ'sar] *v.* gastar; despender

esembolso (de.sem.bol.so) [dəzẽ'boɫsu] *n.m.* **1** quantia que se gastou ou pagou **2** despesa

esembraiar (de.sem.brai.ar) [dəzẽbraj'ar] *v.* (veículo) soltar a embraiagem

desembrulhar (de.sem.bru.lhar) [dəzẽbru'ʎar] *v.* **1** tirar do embrulho; desempacotar **2** desdobrar; estender

desembuchar (de.sem.bu.char) [dəzẽbu'ʃar] *v. coloq.* desabafar

desempacotar (de.sem.pa.co.tar) [dəzẽpɐku'tar] *v.* tirar do pacote; desembrulhar

desempanar (de.sem.pa.nar) [dəzẽpɐ'nar] *v.* reparar uma avaria de

desempatar (de.sem.pa.tar) [dəzẽpɐ'tar] *v.* **1** resolver uma situação de igualdade de pontos (num jogo ou numa votação) **2** tomar uma decisão; resolver

desempate (de.sem.pa.te) [dəzẽ'pat(ə)] *n.m.* **1** fim de uma situação de igualdade de pontos (num jogo ou numa votação) **2** resolução de um problema ou de uma dificuldade

desempenhar (de.sem.pe.nhar) [dəzẽpə'ɲar] *v.* **1** representar (um papel) no teatro, no cinema ou na televisão **2** realizar (tarefas ou obrigações)

desempenho (de.sem.pe.nho) [dəzẽ'pɐ(j)ɲu] *n.m.* **1** representação (de um papel) **2** realização (de uma tarefa ou obrigação)

desemperrar (de.sem.per.rar) [dəzẽpə'ʀar] *v.* soltar (o que estava perro)

desempestar (de.sem.pes.tar) [dezẽpɛʃ'tar] *v.* desinfetar

desempossar (de.sem.pos.sar) [dəzẽpu'sar] *v.* **1** privar da posse de **2** destituir de cargo ou função

desempregado (de.sem.pre.ga.do) [dəzẽprə'gadu] *n.m.* pessoa que não tem emprego, apesar de ter idade para trabalhar

desempregar(-se) (de.sem.pre.gar(-se)) [dəzẽprə'gar(sə)] *v.* fazer perder ou perder o emprego **SIN.** demitir(-se)

desemprego (de.sem.pre.go) [dəzẽ'pregu] *n.m.* **1** situação em que se encontram as pessoas que, tendo idade para trabalhar, não têm emprego **2** falta de emprego

desencadear (de.sen.ca.de:ar) [dəzẽkɐ'djar] *v.* provocar; causar

desencadernar (de.sen.ca.der.nar) [dəzẽkɐdər'nar] *v.* tirar a encadernação a

desencaixar (de.sen.cai.xar) [dəzẽkaj'ʃar] *v.* **1** tirar do encaixe **2** desarticular; desconchavar

desencaixilhar (de.sen.cai.xi.lhar) [dəzẽkajʃi'ʎar] *v.* tirar do caixilho

desencaixotar (de.sen.cai.xo.tar) [dəzẽkajʃu'tar] *v.* tirar do caixote **SIN.** desembalar

desencalhar (de.sen.ca.lhar) [dəzẽkɐ'ʎar] *v.* **1** tornar a pôr a flutuar (embarcação) **2** *coloq.* casar ou arranjar namorado(a)

desencaminhado (**de.sen.ca.mi.nha.do**) [dəzẽkɐmi'ɲadu] *adj.* **1** desviado **2** *fig.* corrompido

desencaminhar (**de.sen.ca.mi.nhar**) [dəzẽkɐmi'ɲar] *v.* **1** desviar do caminho que se deveria seguir **2** *fig.* corromper

desencantado (**de.sen.can.ta.do**) [dəzẽkɐ̃'tadu] *adj.* **1** desiludido; desapontado **2** *coloq.* encontrado

desencantar (**de.sen.can.tar**) [dəzẽkɐ̃'tar] *v.* **1** desiludir; desapontar **2** *coloq.* encontrar

desencanto (**de.sen.can.to**) [dəzẽ'kɐ̃tu] *n.m.* desilusão; desapontamento

desencarcerar (**de.sen.car.ce.rar**) [dəzẽkarsə'rar] *v.* libertar

desencontrado (**de.sen.con.tra.do**) [dəzẽkõ'tradu] *adj.* **1** que vai em direção oposta; contrário **2** que não está em harmonia; discordante

desencontrar (**de.sen.con.trar**) [dəzẽkõ'trar] *v.* fazer com que não se encontrem (pessoas ou coisas) ▪ **desencontrar-se** **1** não se encontrar **2** discordar

desencontro (**de.sen.con.tro**) [dəzẽ'kõtru] *n.m.* **1** situação de pessoas ou coisas que não se encontram **2** diferença de ideias ou de opiniões

desencorajamento (**de.sen.co.ra.ja.men.to**) [dəzẽkurɐʒɐ'mẽtu] *n.m.* falta de coragem ou de entusiasmo; desânimo

desencorajar (**de.sen.co.ra.jar**) [dəzẽkurɐ'ʒar] *v.* fazer perder a coragem; desanimar

desencostar(-se) (**de.sen.cos.tar(-se)**) [dəzẽkuʃ'tar(sə)] *v.* afastar(-se) do encosto

desencravar (**de.sen.cra.var**) [dəzẽkrɐ'var] *v.* **1** arrancar (o que estava encravado) **2** *fig.* desenrascar

desenferrujar (**de.sen.fer.ru.jar**) [dəzẽfəʀu'ʒar] *v.* **1** limpar de ferrugem **2** *fig.* desentorpecer

desenformar (**de.sen.for.mar**) [dəzẽfur'mar] *v.* tirar da forma (bolo, etc.)

desenfreado (**de.sen.fre:a.do**) [dəzẽ'frjadu] *adj.* **1** que não tem freio (cavalo) **2** que corre sem parar **3** *fig.* que não se contém; arrebatado **4** *fig.* que não tem limites; desmedido

desenganar (**de.sen.ga.nar**) [dəzẽgɐ'nar] *v.* **1** tirar do engano; esclarecer **2** desiludir; desencantar

desengano (**de.sen.ga.no**) [dəzẽ'gɐnu] *n.m.* **1** tomada de consciência **2** desilusão **3** franqueza

desengatar (**de.sen.ga.tar**) [dəzẽgɐ'tar] *v.* separar do engate; desprender

desengate (**de.sen.ga.te**) [dəzẽ'gat(ə)] *n.m.* remoção de engate; desencaixe

desengonçado (**de.sen.gon.ça.do**) [dəzẽgõ'sadu] *adj.* **1** (peça, objeto) desarticulado **2** (pessoa) desajeitado

desengonçar (**de.sen.gon.çar**) [dəzẽgõ'sar] *v.* desarticular; desencaixar

desengordurar (**de.sen.gor.du.rar**) [dəzẽgurdu'rar] *v.* **1** tirar a gordura a **2** tirar as nódoas de gordura de

desengravatado (**de.sen.gra.va.ta.do**) [dəzẽgrɐvɐ'tadu] *adj.* **1** (pessoa) que não tem gravata **2** (estilo) informal

desenhador (**de.se.nha.dor**) [dəzəɲɐ'dor] *n.m.* homem que faz desenhos

desenhar (**de.se.nhar**) [dəzə'ɲar] *v.* **1** representar por meio de desenho: *desenhar uma flor* **2** descrever: *A estrada desenha uma curva no quilómetro 5.* **3** projetar: *O arquiteto desenhou a planta do prédio.* ▪ **desenhar-se** **1** destacar-se: *Um vulto desenhava-se na escuridão.* **2** ⟨**+em**⟩ aparecer; manifestar-se: *Um sorriso desenhou-se nos seus lábios*

desenho (**de.se.nho**) [də'zɐ(j)ɲu] *n.m.* **1** representação de coisas e de pessoas por meio de linhas e sombras **2** imagem que acompanha um texto; ilustração ◆ **desenho(s) animado(s)** filme composto por uma sequência de imagens que dá a ilusão de movimento

desenjoar(-se) (**de.sen.jo:ar(-se)**) [dəzẽ'ʒwar(sə)] *v.* **1** livrar(-se) de enjoo **2** distrair(-se)

desenlace (**de.sen.la.ce**) [dəzẽ'la(sə)] *n.m.* **1** ato de desfazer um nó ou uma laçada **2** desfecho; final

desenquadrar (**de.sen.qua.drar**) [dəzẽkwɐ'drar] *v.* **1** tirar do quadro ou do caixilho **2** tirar do contexto próprio

desenraizado (**de.sen.ra.i.za.do**) [dəzẽʀɐi'zadu] *adj.* **1** (planta) que perdeu a raiz **2** (pessoa) afastado das suas origens ou da sua terra natal

desenraizamento (**de.sen.ra.i.za.men.to**) [dəzẽʀɐizɐ'mẽtu] *n.m.* **1** arranque (de árvore ou planta) com a raiz **2** afastamento da terra natal

desenraizar (**de.sen.ra.i.zar**) [dəzẽʀɐi'zar] *v.* **1** arrancar (árvore, planta) com a raiz **2** afastar (alguém) das suas origens ou da terra natal

desenrascado (**de.sen.ras.ca.do**) [dəzẽʀɐʃ'kadu] *adj. coloq.* despachado; desembaraçado

desenrascanço (**de.sen.ras.can.ço**) [dəzẽʀɐʃ'kɐ̃su] *n.m. coloq.* capacidade de resolver problemas rapidamente e com poucos meios

desenrascar (**de.sen.ras.car**) [dəzẽʀɐʃ'kar] *v. coloq.* resolver rapidamente (dificuldade, problema) ▪ **desenrascar-se** *coloq.* livrar-se de apuros

desenrolar (**de.sen.ro.lar**) [dəzẽʀu'lar] *v.* estender (o que estava enrolado) ▪ **desenrolar-se** suceder; decorrer

desenroscar (**de.sen.ros.car**) [dəzẽʀuʃ'kar] *v.* **1** desaparafusar; desatarraxar **2** desenrolar

desenrugar (de.sen.ru.gar) [dəzẽʀu'gar] *v.* tirar as rugas ou pregas de

desentalar (de.sen.ta.lar) [dəzẽtɐ'lar] *v.* **1** desprender (o que está entalado) **2** livrar (alguém) de dificuldades

desentender-se (de.sen.ten.der-.se) [dəzẽtẽ'ders(ə)] *v.* ⟨**+com**⟩ zangar-se

desentendido (de.sen.ten.di.do) [dəzẽtẽ'didu] *adj.* **1** que não entende **2** mal compreendido; incompreendido ♦ **fazer-se de desentendido** fingir que não se percebe (algo)

desentendimento (de.sen.ten.di.men.to) [dəzẽtẽdi'mẽtu] *n.m.* **1** mal-entendido **2** discussão

desenterrado (de.sen.ter.ra.do) [dəzẽtə'ʀadu] *adj.* **1** retirado da terra **2** (cadáver) retirado da sepultura; exumado **3** (pessoa) com aspeto pálido ou doentio **4** *fig.* (assunto, tema) tirado do esquecimento

desenterrar (de.sen.ter.rar) [dəzẽtə'ʀar] *v.* **1** tirar de debaixo da terra **2** retirar da sepultura **SIN.** exumar **3** *fig.* tirar do esquecimento

desentorpecer (de.sen.tor.pe.cer) [dəzẽturpə'ser] *v.* **1** fazer perder o entorpecimento a (parte do corpo) **SIN.** revigorar **2** reanimar; reavivar

desentorpecimento (de.sen.tor.pe.ci.men.to) [dəzẽturpəsi'mẽtu] *n.m.* restabelecimento do movimento ou da sensibilidade (em parte do corpo)

desentortar (de.sen.tor.tar) [dəzẽtur'tar] *v.* endireitar

desentupir (de.sen.tu.pir) [dəzẽtu'pir] *v.* desimpedir o que está entupido

desenvencilhar (de.sen.ven.ci.lhar) [dəzẽvẽsi'ʎar] *v.* desemaranhar; soltar ■ **desenvencilhar-se** ⟨**+de**⟩ desembaraçar-se; livrar-se

desenvoltura (de.sen.vol.tu.ra) [dəzẽvoɫ'turɐ] *n.f.* facilidade em resolver problemas; desembaraço

desenvolver (de.sen.vol.ver) [dəzẽvoɫ'ver] *v.* fazer crescer; aumentar ■ **desenvolver-se** crescer; progredir

desenvolvido (de.sen.vol.vi.do) [dəzẽvoɫ'vidu] *adj.* **1** que se desenvolveu; crescido **2** que se tornou melhor ou maior

desenvolvimento (de.sen.vol.vi.men.to) [dəzẽvoɫvi'mẽtu] *n.m.* **1** crescimento de um ser ou de um organismo **2** evolução; progresso

desenxabido (de.sen.xa.bi.do) [dəzẽʃa'bidu] *adj.* **1** (comida) sem sabor **2** (pessoa) sem graça

desequilibrado (de.se.qui.li.bra.do) [dəzikəli'bradu] *adj.* **1** que perdeu o equilíbrio **ANT.** equilibrado **2** que sofre de perturbação mental

desequilibrar(-se) (de.se.qui.li.brar(-se)) [dəzikəli'brar(sə)] *v.* fazer perder ou perder o equilíbrio

desequilíbrio (de.se.qui.lí.bri:o) [dəzikə'librju] *n.m.* **1** perda do equilíbrio **ANT.** equilíbrio **2** perturbação mental

deserdar (de.ser.dar) [dəzer'dar] *v.* **1** privar de herança **2** *fig.* desfavorecer; desamparar

desertar (de.ser.tar) [dəzər'tar] *v.* **1** ⟨**+de**⟩ abandonar as forças armadas sem autorização **2** abandonar; deixar

desértico (de.sér.ti.co) [də'zɛrtiku] *adj.* **1** relativo a deserto **2** semelhante a deserto **3** despovoado; árido

desertificação (de.ser.ti.fi.ca.ção) [dəzərtifikɐ'sɐ̃w̃] *n.f.* **1** transformação de uma região em deserto **2** perda de habitantes num lugar

deserto (de.ser.to) [də'zɛrtu] *adj.* **1** que não tem habitantes; desabitado **2** que não está ocupado; vazio ■ *n.m.* região muito quente e seca, formada por extensas dunas

desertor (de.ser.tor) [dəzər'tor] *n.m.* **1** pessoa que deserta **2** pessoa que abandona uma ideia ou um compromisso

desesperado (de.ses.pe.ra.do) [dəzəʃpə'radu] *adj.* **1** muito aflito **2** irrefletido

desesperante (de.ses.pe.ran.te) [dəzəʃpə'rɐ̃t(ə)] *adj.2g.* **1** aflitivo; angustiante **2** irritante; enervante

desesperar (de.ses.pe.rar) [dəzəʃpə'rar] *v.* **1** tirar a esperança a **2** perder a esperança

desespero (de.ses.pe.ro) [dəzəʃ'peru] *n.m.* **1** falta de esperança; desânimo **2** grande aflição; angústia

desestabilizar (de.ses.ta.bi.li.zar) [dəzəʃtɐbili'zar] *v.* **1** fazer perder a estabilidade; desequilibrar **2** comprometer o funcionamento de; perturbar

desfalcar (des.fal.car) [dəʃfaɫ'kar] *v.* **1** tirar parte de (porção, quantia) **2** apropriar-se de modo indevido de (quantia ou bens de outros) para uso pessoal **SIN.** defraudar

desfalecer (des.fa.le.cer) [dəʃfɐlə'ser] *v.* desmaiar

desfalecimento **(des.fa.le.ci.men.to)** [dəʃfɐlə si'mẽtu] *n.m.* desmaio

desfalque **(des.fal.que)** [dəʃ'fałk(ə)] *n.m.* desvio de dinheiro; roubo

desfavorável **(des.fa.vo.rá.vel)** [dəʃfɐvu'ravɛł] *adj.2g.* prejudicial; adverso **ANT.** favorável

desfavorecer **(des.fa.vo.re.cer)** [dəʃfɐvurə'ser] *v.* prejudicar **ANT.** favorecer

desfavorecido **(des.fa.vo.re.ci.do)** [dəʃfɐvu rə'sidu] *adj.* **1** prejudicado **ANT.** favorecido **2** pobre

desfazer **(des.fa.zer)** [dəʃfɐ'zer] *v.* **1** acabar com; anular **2** destruir **3** dissolver; diluir **4** desmanchar (nó) **5** pôr fora de ordem **SIN.** desalinhar ■ **desfazer-se** **1** (costura, penteado) desmanchar-se **2** (grupo) desorganizar-se **3** (substância) dissolver-se

desfecho **(des.fe.cho)** [dəʃ'fɐ(j)ʃu] *n.m.* resultado final; conclusão

desfeita **(des.fei.ta)** [dəʃ'fɐjtɐ] *n.f.* ofensa; insulto

desfeito **(des.fei.to)** [dəʃ'fɐjtu] *adj.* **1** desmanchado **2** desunido **3** destruído

desfiar **(des.fi:ar)** [dəʃ'fjar] *v.* **1** desfazer (um tecido) em fios **2** relatar com pormenor (uma história)

desfibrilhador **(des.fi.bri.lha.dor)** [dəʃfibri ʎɐ'dor] *n.m.* aparelho para tratamento problemas do ritmo cardíaco com o qual se aplica uma descarga elétrica através do tórax

desfiguração **(des.fi.gu.ra.ção)** [dəʃfigurɐ'sɐ̃w̃] *n.f.* alteração da figura ou da forma; deformação

desfigurar **(des.fi.gu.rar)** [dəʃfigu'rar] *v.* **1** alterar (figura, forma) **2** deformar **3** *fig.* deturpar; falsear

desfilada **(des.fi.la.da)** [dəʃfi'ladɐ] *n.f.* série de coisas que se sucedem umas atrás das outras ♦ **à desfilada** a grande velocidade

desfiladeiro **(des.fi.la.dei.ro)** [dəʃfilɐ'dɐjru] *n.m.* passagem estreita entre montanhas

desfilar **(des.fi.lar)** [dəʃfi'lar] *v.* **1** marchar em fila **2** participar num desfile de moda

desfile **(des.fi.le)** [dəʃ'fil(ə)] *n.m.* **1** marcha em fila ou em coluna **2** passagem de modelos

desflorar **(des.flo.rar)** [dəʃflu'rar] *v.* **1** tirar as flores a (planta) **2** tirar a virgindade a (mulher)

desflorestar **(des.flo.res.tar)** [dəʃflurəʃ'tar] *v.* cortar árvores de forma intensiva

desfocado **(des.fo.ca.do)** [dəʃfu'kadu] *adj.* que não está focado ou nítido **ANT.** focado

desfocar **(des.fo.car)** [dəʃfu'kar] *v.* retirar a nitidez a **ANT.** focar

desfolhada **(des.fo.lha.da)** [dəʃfu'ʎadɐ] *n.f.* operação que consiste em tirar as folhas que envolvem as espigas de milho

desfolhar(-se) **(des.fo.lhar(-se))** [dəʃfu'ʎar(sə)] *v.* tirar ou perder as folhas ou as pétalas

desforra **(des.for.ra)** [dəʃ'fɔʀɐ] *n.f.* **1** vingança **2** recuperação de algo perdido

desforrar-se **(des.for.rar-.se)** [dəʃfu'ʀars(ə)] *v.* ⟨**+de**⟩ vingar-se

desfraldar **(des.fral.dar)** [dəʃfrał'dar] *v.* soltar ao vento (bandeira, vela)

desfrisar **(des.fri.sar)** [dəʃfri'zar] *v.* alisar (cabelo)

desfrutar **(des.fru.tar)** [dəʃfru'tar] *v.* **1** ⟨**+de**⟩ gozar; usufruir: *Desfrutava de grande prestígio.* **2** *fig.* apreciar: *Do monte, ele desfrutava uma bonita paisagem.*

desfrute **(des.fru.te)** [dəʃ'frut(ə)] *n.m.* **1** gozo; usufruto **2** troça

desgarrada **(des.gar.ra.da)** [dəʒgɐ'ʀadɐ] *n.f.* cantiga popular em que os cantores respondem um ao outro, improvisando ♦ **à desgarrada** ao desafio

desgarrar **(des.gar.rar)** [dəʒgɐ'ʀar] *v.* **1** desviar (um navio) da rota **2** extraviar ■ **desgarrar-se** **1** (navio) desviar-se da rota **2** perder o rumo

desgastado **(des.gas.ta.do)** [dəʒgɐʃ'tadu] *adj.* **1** gasto (por fricção ou atrito); consumido (por tempo ou esforço) **2** cansado

desgastante **(des.gas.tan.te)** [dəʒgɐʃ'tɐ̃t(ə)] *adj.2g.* **1** que desgasta ou consome **2** cansativo

desgastar **(des.gas.tar)** [dəʒgɐʃ'tar] *v.* **1** gastar (por fricção ou atrito); consumir **2** enfraquecer

desgaste **(des.gas.te)** [dəʒ'gaʃt(ə)] *n.m.* **1** alteração da forma por fricção ou atrito; corrosão **2** cansaço; enfraquecimento

desgostar **(des.gos.tar)** [dəʒguʃ'tar] *v.* **1** causar desgosto a: *Desgostou-me com aquela atitude.* **2** ⟨**+de**⟩ gostar um pouco: *Eu não desgosto dele.* ■ **desgostar-se** melindrar-se: *Desgostou-se com a atitude da amiga.*

desgosto **(des.gos.to)** [dəʒ'goʃtu] *n.m.* tristeza; mágoa

desgostoso **(des.gos.to.so)** [dəʒguʃ'tozu] *adj.* triste; infeliz

desgovernado **(des.go.ver.na.do)** [dəʒgu vər'nadu] *adj.* **1** (animal, veículo) que perdeu o controlo; descontrolado **2** (pessoa) gastador; perdulário

desgoverno **(des.go.ver.no)** [dəʒgu'vernu] *n.m.* **1** perda de domínio sobre (animal, veículo) **2** administração fraca ou insuficiente **3** desordem **4** esbanjamento

desgraça **(des.gra.ça)** [dəʒ'grasɐ] *n.f.* situação ou coisa que provoca dor; infelicidade ♦ **cair em desgraça** perder a reputação; **ser uma desgraça** ser péssimo

esgraçado (des.gra.ça.do) [dəʒgrɐ'sadu] *adj.* 1 infeliz 2 miserável

esgraçar (des.gra.çar) [dəʒgrɐ'sar] *v.* 1 tornar infeliz ou miserável 2 prejudicar; arruinar

esgraceira (des.gra.cei.ra) [dəʒgrɐ'sɐjrɐ] *n.f. coloq.* grande desgraça; calamidade

esgravar (des.gra.var) [dəʒgrɐ'var] *v.* apagar a gravação de (disco, cassete, etc.)

esgrenhado (des.gre.nha.do) [dəʒgrə'ɲadu] *adj.* despenteado

esgrudar (des.gru.dar) [dəʒgru'dar] *v.* 1 descolar 2 *coloq.* afastar-se 3 *coloq.* desviar (o olhar)

esidratação (de.si.dra.ta.ção) [dəzidrɐtɐ'sɐ̃w̃] *n.f.* perda excessiva de água do organismo **ANT.** hidratação

esidratado (de.si.dra.ta.do) [dəzidrɐ'tadu] *adj.* 1 que sofreu desidratação 2 que tem falta de água

esidratar(-se) (de.si.dra.tar(-se)) [dəzidrɐ'tar(sə)] *v.* retirar ou perder água de forma excessiva

esign [di'zajn] *n.m.* ⟨*pl.* designs⟩ 1 método que serve de base à criação de objetos e mensagens tendo em conta aspetos técnicos, comerciais e estéticos 2 aspeto exterior de um objeto **SIN.** forma

esignação (de.sig.na.ção) [dəzignɐ'sɐ̃w̃] *n.f.* 1 indicação 2 denominação 3 nomeação

esignadamente (de.sig.na.da.men.te) [dəzignadɐ'mẽt(ə)] *adv.* particularmente; nomeadamente

esignar (de.sig.nar) [dəzi'gnar] *v.* 1 indicar 2 denominar 3 nomear

esignativo (de.sig.na.ti.vo) [dəzignɐ'tivu] *adj.* que designa; indicativo

esigner [di'zajnɐr] *n.2g.* ⟨*pl.* designers⟩ pessoa que desenha objetos, roupas, etc.; desenhador

esígnio (de.síg.ni:o) [də'zignju] *n.m.* intenção; propósito

esigual (de.si.gual) [dəzi'gwaɫ] *adj.2g.* 1 diferente **ANT.** igual 2 irregular

esigualdade (de.si.gual.da.de) [dəzigwaɫ'dad(ə)] *n.f.* falta de igualdade ou de uniformidade **SIN.** diferença **ANT.** igualdade

esiludido (de.si.lu.di.do) [dəzilu'didu] *adj.* dececionado

esiludir(-se) (de.si.lu.dir(-se)) [dəzilu'dir(sə)] *v.* causar ou sofrer desilusão **SIN.** dececionar(-se)

esilusão (de.si.lu.são) [dəzilu'zɐ̃w̃] *n.f.* sentimento de tristeza; deceção

esimpedido (de.sim.pe.di.do) [dəzĩpə'didu] *adj.* 1 sem obstrução ou embaraço; livre 2 livre de obrigações ou de compromissos; descomprometido 3 *coloq.* solteiro

desimpedimento (de.sim.pe.di.men.to) [dəzĩpədi'mẽtu] *n.m.* 1 remoção de impedimento ou de obstáculo; desobstrução 2 *fig.* liberdade

desimpedir (de.sim.pe.dir) [dəzĩpə'dir] *v.* tirar o que impede ou obstrui

desincentivar (de.sin.cen.ti.var) [dəzĩsẽti'var] *v.* desencorajar

desincentivo (de.sin.cen.ti.vo) [dəzĩsẽ'tivu] *n.m.* desencorajamento

desinchar (de.sin.char) [dəzĩ'ʃar] *v.* 1 perder o inchaço 2 *fig.* perder a vaidade

desinência (de.si.nên.ci:a) [dəzi'nẽsjɐ] *n.f.* sufixo de uma palavra que contém as significações determinadas pela sua flexão; terminação

desinfeção (de.sin.fe.ção)[AO] [dəzĩfɛ'sɐ̃w̃] *n.f.* destruição de agentes infeciosos (micróbios, bactérias, etc.)

desinfecção (de.sin.fec.ção) [dəzĩfɛ'sɐ̃w̃] *a nova grafia é* **desinfeção**[AO]

desinfectante (de.sin.fec.tan.te) [dəzĩfɛ'tɐ̃t(ə)] *a nova grafia é* **desinfetante**[AO]

desinfectar (de.sin.fec.tar) [dəzĩfɛ'tar] *a nova grafia é* **desinfetar**[AO]

desinfestar (de.sin.fes.tar) [dəzĩfɛʃ'tar] *v.* livrar daquilo que infesta

desinfetante (de.sin.fe.tan.te)[AO] [dəzĩfɛ'tɐ̃t(ə)] *adj.2g.* que desinfeta ■ *n.m.* produto próprio para desinfetar

desinfetar (de.sin.fe.tar)[AO] [dəzĩfɛ'tar] *v.* limpar com desinfetante

desinformado (de.sin.for.ma.do) [dəzĩfur'madu] *adj.* 1 que recebeu informação errada 2 que não recebeu informação

desinformar (de.sin.for.mar) [dəzĩfur'mar] *v.* informar de modo a esconder ou falsear os factos

desinibido (de.si.ni.bi.do) [dəzini'bidu] *adj.* que não é tímido; extrovertido

desinibir(-se) (de.si.ni.bir(-se)) [dəzini'bir(sə)] *v.* 1 tornar(-se) desinibido 2 animar(-se)

desinquietar (de.sin.qui:e.tar) [dəzĩkjɛ'tar] *v.* 1 perturbar; excitar 2 *fig.* desencaminhar

desinquieto (de.sin.qui:e.to) [dəzĩ'kjɛtu] *adj.* agitado; excitado

desinstalação (de.sins.ta.la.ção) [dəzĩʃtɐlɐ'sɐ̃w̃] *n.f.* remoção da informação de um programa ou de componentes de um computador

desinstalar (de.sins.ta.lar) [dəzĩʃtɐ'lar] *v.* remover toda a informação de um programa ou de componentes de um computador

desintegração (de.sin.te.gra.ção) [dəzĩtəgrɐ'sɐ̃w̃] *n.f.* separação das partes que formam um todo

desintegrar(-se) (de.sin.te.grar(-se)) [dəzĩtə'grar(sə)] *v.* separar(-se) de um todo **SIN.** desagregar(-se)

desinteressado (de.sin.te.res.sa.do) [dəzĩtərə'sadu] *adj.* **1** sem interesse; indiferente **ANT.** interessado **2** imparcial

desinteressante (de.sin.te.res.san.te) [dəzĩtərə'sɐ̃t(ə)] *adj.2g.* que não é interessante; trivial

desinteressar (de.sin.te.res.sar) [dəzĩtərə'sar] *v.* tirar o interesse a: *A proposta desinteressou os investidores.* ■ **desinteressar-se** ⟨**+de**⟩ perder o interesse por: *Ela desinteressou-se dele.*

desinteresse (de.sin.te.res.se) [dəzĩtə're(sə)] *n.m.* **1** indiferença **ANT.** interesse **2** descuido

desintoxicação (de.sin.to.xi.ca.ção) [dəzĩtɔksikɐ'sɐ̃w̃] *n.f.* **1** transformação e eliminação de toxinas ou venenos presentes no organismo **2** processo de tratamento da dependência do álcool ou da droga

desintoxicar (de.sin.to.xi.car) [dəzĩtɔksi'kar] *v.* **1** destruir os efeitos tóxicos de **2** submeter ao tratamento da dependência do álcool ou da droga

desistência (de.sis.tên.ci:a) [dəziʃ'tẽsjɐ] *n.f.* renúncia; abandono

desistir (de.sis.tir) [dəzəʃ'tir] *v.* ⟨**+de**⟩ não continuar (um trabalho, um projeto); renunciar a; abandonar: *Ele desistiu da faculdade.*

desktop [dəʒk'tɔp'] *n.m.* ⟨*pl.* desktops⟩ apresentação, no ecrã do computador, de símbolos que representam programas, documentos, arquivos, pastas, etc.; área de trabalho

deslavado (des.la.va.do) [dəʒlɐ'vadu] *adj.* **1** sem cor; desbotado **2** *fig.* atrevido

desleal (des.le:al) [dəʒ'ljał] *adj.2g.* falso; traidor **ANT.** leal

deslealdade (des.le:al.da.de) [dəʒljał'dad(ə)] *n.f.* falta de lealdade; traição **ANT.** lealdade

desleixado (des.lei.xa.do) [dəʒlɐj'ʃadu] *adj.* que tem falta de cuidado; desmazelado

desleixar(-se) (des.lei.xar(-se)) [dəʒlɐj'ʃar(sə)] *v.* deixar de tratar (de alguém ou de si próprio) **SIN.** negligenciar(-se)

desleixo (des.lei.xo) [dəʒ'lɐjʃu] *n.m.* falta de brio ou de cuidado; desmazelo

desligado (des.li.ga.do) [dəʒli'gadu] *adj.* **1** que não está ligado (aparelho, máquina) **2** desinteressado (pessoa)

desligar (des.li.gar) [dəʒli'gar] *v.* **1** desfazer a ligação de; separar **2** interromper o funcionamento de (aparelho, máquina) **3** apagar (luz)

deslizamento (des.li.za.men.to) [dəʒlizɐ'mẽtu] *n.m.* **1** ato ou efeito de deslizar **2** deslocamento de uma massa de terreno

deslizante (des.li.zan.te) [dəʒli'zɐ̃t(ə)] *adj.2g.* **1** que desliza **2** que faz deslizar; escorregadio

deslizar (des.li.zar) [dəʒli'zar] *v.* deslocar-se com suavidade; escorregar

deslize (des.li.ze) [dəʒ'liz(ə)] *n.m.* **1** ato ou efeito de deslizar; escorregadela **2** *fig.* pequeno erro ou engano; falha

deslocação (des.lo.ca.ção) [dəʒlukɐ'sɐ̃w̃] *n.f.* **1** mudança de lugar **2** saída da extremidade de um osso para fora do lugar onde está articulada

deslocado (des.lo.ca.do) [dəʒlu'kadu] *adj.* **1** colocado fora de seu lugar habitual **2** diz-se do osso desarticulado

deslocamento (des.lo.ca.men.to) [dəʒlukɐ'mẽtu] *n.m.* **1** mudança de lugar **2** transferência de pessoa(s) de um lugar, posto ou função **3** luxação (de osso ou articulação)

deslocar (des.lo.car) [dəʒlu'kar] *v.* **1** mudar (alguém) do lugar habitual **2** tirar (um osso) da articulação

deslumbrado (des.lum.bra.do) [dəʒlũ'bradu] *adj.* maravilhado; fascinado

deslumbramento (des.lum.bra.men.to) [dəʒlũbrɐ'mẽtu] *n.m.* **1** perturbação da visão por excesso de luz ou de brilho **2** maravilha; fascinação

deslumbrante (des.lum.bran.te) [dəʒlũ'brɐ̃t(ə)] *adj.2g.* que deslumbra ou fascina; maravilhoso

deslumbrar (des.lum.brar) [dəʒlũ'brar] *v.* **1** ofuscar por excesso de luz ou brilho **2** fascinar; maravilhar

desmagnetizar(-se) (des.mag.ne.ti.zar(-se)) [dəʒmagnɛti'zar(sə)] *v.* retirar ou perder as propriedades magnéticas

desmaiado (des.mai.a.do) [dəʒmaj'adu] *adj.* **1** (pessoa) que perdeu os sentidos **2** (cor) desbotado **3** (som) impercetível

desmaiar (des.mai.ar) [dəʒmaj'ar] *v.* **1** perder os sentidos **2** perder a nitidez ou o brilho **SIN.** desbotar

desmaio (des.mai.o) [dəʒ'maju] *n.m.* **1** perda dos sentidos **SIN.** desfalecimento **2** perda gradual da cor

desmamar (des.ma.mar) [dəʒmɐ'mar] *v.* **1** suspender a amamentação de **2** *fig.* tornar independente

desmame (des.ma.me) [dəʒ'mɐm(ə)] *n.m.* suspensão da amamentação (de uma criança ou de um animal)

desmancha-prazeres (des.man.cha-.pra.ze.res) [dəʒmɐ̃ʃɐprɐ'zerəʃ] *n.2g.2n.* pessoa que estraga o divertimento dos outros

desmanchar (des.man.char) [dəʒmɐ̃'ʃar] *v.* **1** desfazer **2** romper (ligação, noivado) **3** desarranjar (penteado) **4** desmontar (máquina)

smancho (des.man.cho) [dəʒ'mɐ̃ʃu] *n.m. coloq.* borto

smantelamento (des.man.te.la.men.to) dəʒmɐ̃təlɐ'mẽtu] *n.m.* **1** (de construção) demolição (de aparelho ou sistema) decomposição em partes (de um grupo) separação

smantelar (des.man.te.lar) [dəʒmɐ̃tə'lar] *v.* demolir (construção) **2** decompor (estrutura) m partes **3** eliminar ou destruir (grupo organi-ado) ■ **desmantelar-se 1** (construção) desmo-onar-se **2** (estrutura) decompor-se **3** (grupo organi-ado) desintegrar-se; destruir-se

smarcar (des.mar.car) [dəʒmɐr'kar] *v.* **1** cance-ar; anular (compromisso) **2** deixar de marcar (o dversário) num jogo ■ **desmarcar-se** (jogador) ugir à marcação do adversário

smascarar (des.mas.ca.rar) [dəʒmɐʃkɐ'rar] *v.* tirar a máscara a **2** dar a conhecer; revelar

smazelado (des.ma.ze.la.do) [dəʒmɐzə'ladu] *dj.* desleixado; negligente

smazelar-se (des.ma.ze.lar-.se) [dəʒmɐ ə'lars(ə)] *v.* desleixar-se; descuidar-se

smazelo (des.ma.ze.lo) [dəʒmɐ'zelu] *n.m.* falta e brio ou de cuidado; desleixo

smedido (des.me.di.do) [dəʒmə'didu] *adj.* que xcede as medidas; desmesurado

smembramento (des.mem.bra.men.to) dəʒmẽbrɐ'mẽtu] *n.m.* **1** amputação de membro(s) separação; divisão

smembrar (des.mem.brar) [dəʒmẽ'brar] *v.* amputar (membro) **2** separar; dividir ■ **des-nembrar-se** separar-se; dividir-se

smemoriado (des.me.mo.ri:a.do) [dəʒmə nu'rjadu] *adj.* que perdeu a memória; esquecido

smentido (des.men.ti.do) [dəʒmẽ'tidu] *adj.* ne-ado; contestado ■ *n.m.* declaração com que se lesmente algo

smentir (des.men.tir) [dəʒmẽ'tir] *v.* negar o ue alguém afirmou; contradizer

smesurado (des.me.su.ra.do) [dəʒməzu'radu] *adj.* que excede as medidas; excessivo

sminar (des.mi.nar) [dəʒmi'nar] *v.* retirar minas de

smiolado (des.mi:o.la.do) [dəʒmju'ladu] *adj. coloq.* mprudente; insensato

smistificação (des.mis.ti.fi.ca.ção) [dəʒmiʃti ikɐ'sɐ̃w̃] *n.f.* **1** destruição do carácter místico ou sobrenatural de **2** revelação da verdadeira natu-eza

smistificar (des.mis.ti.fi.car) [dəʒmiʃtifi'kar] *v.* retirar o carácter místico ou sobrenatural **2** desmascarar

smobilização (des.mo.bi.li.za.ção) [dəʒmubə izɐ'sɐ̃w̃] *n.f.* **1** regresso (de tropas mobilizadas) à vida civil **2** impedimento da mobilização de pessoas para participarem em iniciativas de carácter cívico ou político

desmobilizar (des.mo.bi.li.zar) [dəʒmubəli'zar] *v.* fazer regressar (tropas mobilizadas) à vida civil

desmontado (des.mon.ta.do) [dəʒmõ'tadu] *adj.* **1** separado em partes; desfeito **2** que desceu do cavalo

desmontagem (des.mon.ta.gem) [dəʒmõ'taʒɐ̃j̃] *n.f.* (de objeto, de máquina) separação em peças

desmontar (des.mon.tar) [dəʒmõ'tar] *v.* **1** separar as peças de; desfazer **2** descer de (cavalo); apear-se

desmontável (des.mon.tá.vel) [dəʒmõ'tavɛɫ] *adj.2g.* que pode ser desmontado

desmoralização (des.mo.ra.li.za.ção) [dəʒmurɐ lizɐ'sɐ̃w̃] *n.f.* **1** perda de ânimo; abatimento **2** perversão; corrupção

desmoralizar (des.mo.ra.li.zar) [dəʒmurɐli'zar] *v.* desanimar; desencorajar

desmoronamento (des.mo.ro.na.men.to) [deʒ murunɐ'mẽtu] *n.m.* desabamento; queda

desmoronar (des.mo.ro.nar) [dəʒmuru'nar] *v.* demolir ■ **desmoronar-se 1** ruir; desabar **2** destruir-se; desintegrar-se

desmotivante (des.mo.ti.van.te) [dəʒmuti'vɐ̃t(ə)] *adj.2g.* que faz perder o interesse ou a motivação

desmotivar(-se) (des.mo.ti.var(-se)) [dəʒmu ti'var(sə)] *v.* tirar ou perder a motivação **SIN.** desanimar

desnatado (des.na.ta.do) [dəʒnɐ'tadu] *adj.* (leite) cuja nata ou gordura foi retirada

desnatar (des.na.tar) [dəʒnɐ'tar] *v.* tirar a nata ou a gordura a (leite)

desnaturado (des.na.tu.ra.do) [dəʒnɐtu'radu] *adj.* cruel; desumano

desnecessário (des.ne.ces.sá.ri:o) [dəʒnəsə'sarju] *adj.* que não é necessário; inútil **ANT.** necessário

desnível (des.ní.vel) [dəʒ'nivɛɫ] *n.m.* **1** diferença de nível **2** desigualdade de valores

desnivelado (des.ni.ve.la.do) [dəʒnivə'ladu] *adj.* (terreno) que tem desnível; inclinado

desnivelamento (des.ni.ve.la.men.to) [dəʒnivə lɐ'mẽtu] *n.m.* diferença de nível ou de altura entre dois pontos

desnivelar (des.ni.ve.lar) [dəʒnivə'lar] *v.* **1** tirar do mesmo nível **2** distinguir

desnorteado (des.nor.te:a.do) [dəʒnɔr'tjadu] *adj.* sem rumo; perdido

desnudar(-se) (des.nu.dar(-se)) [dəʒnu'dar(sə)] *v.* pôr(-se) nu; despir(-se)

desnutrido (des.nu.tri.do) [dəʒnu'tridu] *adj.* que tem carência alimentar; subalimentado

desobedecer (de.so.be.de.cer) [dəzɔbədə'ser] *v.* ⟨**+a**⟩ não obedecer a; desrespeitar

desobediência (de.so.be.di:ên.ci:a) [dəzɔbə'djẽsjɐ] *n.f.* falta de obediência; rebeldia

desobediente (de.so.be.di:en.te) [dəzɔbə'djẽt(ə)] *adj.2g.* que desobedece **SIN.** rebelde

desobrigação (de.so.bri.ga.ção) [dəzɔbrigɐ'sɐ̃w̃] *n.f.* isenção do cumprimento de um dever

desobrigar(-se) (de.so.bri.gar(-se)) [dəzɔbri'gar(sə)] *v.* ⟨**+de**⟩ livrar(-se) de uma obrigação

desobstrução (de.sobs.tru.ção) [dəzɔbʃtru'sɐ̃w̃] *n.f.* retirada de obstáculo; desimpedimento

desobstruir (de.sobs.tru.ir) [dəzɔbʃtru'ir] *v.* retirar obstáculo de **SIN.** desimpedir

desocupação (de.so.cu.pa.ção) [dəzɔkupɐ'sɐ̃w̃] *n.f.* **1** saída de um lugar ocupado; retirada **2** falta de ocupação; desemprego

desocupado (de.so.cu.pa.do) [dəzɔku'padu] *adj.* **1** que não está ocupado; vago (lugar) **2** que não tem em que se ocupar; ocioso (pessoa)

desocupar (de.so.cu.par) [dəzɔku'par] *v.* **1** sair de (um lugar) **2** esvaziar (um espaço) **3** deixar de usar (telefone, computador, etc.)

desodorizante (de.so.do.ri.zan.te) [dəzɔduri'zɐ̃t(ə)] *n.m.* **1** substância que se aplica na pele para disfarçar ou eliminar odores desagradáveis **2** produto de limpeza utilizado para eliminar cheiros desagradáveis ou para perfumar o ar

desolação (de.so.la.ção) [dəzulɐ'sɐ̃w̃] *n.f.* **1** tristeza **2** devastação

desolado (de.so.la.do) [dəzu'ladu] *adj.* **1** triste (pessoa) **2** despovoado (lugar)

desolar (de.so.lar) [dəzu'lar] *v.* **1** entristecer muito **2** devastar; assolar

desonestidade (de.so.nes.ti.da.de) [dəzunəʃti'dad(ə)] *n.f.* falta de honestidade; má-fé **ANT.** honestidade

desonesto (de.so.nes.to) [dəzu'nɛʃtu] *adj.* falso; fingido **ANT.** honesto

desonra (de.son.ra) [də'zõʀɐ] *n.f.* descrédito; vergonha

desonrar (de.son.rar) [dəzõ'ʀar] *v.* causar desonra a **SIN.** desacreditar

desopilação (de.so.pi.la.ção) [dəzɔpilɐ'sɐ̃w̃] *n.f.* **1** desobstrução **2** alívio

desopilar (de.so.pi.lar) [dəzɔpi'lar] *v.* **1** desobstruir **2** *fig.* desabafar; aliviar **3** *fig.* descontrair; relaxar

desoprimir (de.so.pri.mir) [dəzɔpri'mir] *v.* **1** livrar de opressão **2** aliviar

desoras (de.so.ras) [də'zɔrɐʃ] *elem. da loc.* **a desoras** fora de horas; muito tarde

desordeiro (de.sor.dei.ro) [dəzur'dɐjru] *adj.* q[...] provoca desordem ou confusão; arruaceiro

desordem (de.sor.dem) [də'zɔrdɐ̃j] *n.f.* **1** con[...]são **2** briga

desordenado (de.sor.de.na.do) [dəzɔrdə'na[...] *adj.* **1** que está fora da ordem **SIN.** desarruma[...] **2** confuso; desconexo

desordenar (de.sor.de.nar) [dəzɔrdə'nar] *v.* [...] em desordem; desarrumar

desorganização (de.sor.ga.ni.za.ção) [dəzɔ[...]nizɐ'sɐ̃w̃] *n.f.* falta de organização; desordem

desorganizado (de.sor.ga.ni.za.do) [dəzɔ[...]ni'zadu] *adj.* **1** desarrumado **2** confuso

desorganizar (de.sor.ga.ni.zar) [dəzɔrgɐni'zar] lançar desordem em; desarrumar

desorientação (de.so.ri:en.ta.ção) [dəz[...]tɐ'sɐ̃w̃] *n.f.* **1** falta de orientação ou de ru[...] **2** falta de segurança; atrapalhação

desorientado (de.so.ri:en.ta.do) [dəzɔrjẽ'ta[...] *adj.* **1** que perdeu o rumo; desnorteado **2** que n[...] sabe o que dizer ou fazer; atrapalhado

desorientar(-se) (de.so.ri:en.tar(-se)) [də[...]jẽ'tar(sə)] *v.* **1** (fazer) perder a orientação corr[...] **SIN.** desnortear(-se) **2** desconcertar(-se); pert[...]bar(-se)

desova (de.so.va) [də'zɔvɐ] *n.f.* postura de ov[...] especialmente de peixes

desovar (de.so.var) [dəzɔ'var] *v.* **1** realizar a p[...]tura de ovos (especialmente os peixes) **2** *co[...]* dar à luz

despachado (des.pa.cha.do) [dəʃpɐ'ʃadu] *a[...]* **1** que resolve problemas com rapidez **SIN.** [...]sembaraçado **2** expedido; enviado **3** pronto

despachante (des.pa.chan.te) [dəʃpɐ'ʃɐ̃t(ə)] *n.[...]* pessoa ou entidade que desembaraça as mer[...]dorias nas alfândegas

despachar (des.pa.char) [dəʃpɐ'ʃar] *v.* **1** resolv[...] (um problema, um trabalho, etc.) **2** *coloq.* ma[...]dar embora (alguém) ■ **despachar-se** faz[...] algo com rapidez

despacho (des.pa.cho) [dəʃ'paʃu] *n.m.* **1** (de en[...]menda) envio **2** (de governo) nomeação para ca[...] público

desparasitar (des.pa.ra.si.tar) [dəʃpɐrɐzi'tar] eliminar os parasitas de

despassarado (des.pas.sa.ra.do) [dəʃpɐsɐ'ra[...] *adj. coloq.* distraído; cabeça no ar

despedaçar (des.pe.da.çar) [dəʃpədɐ'sar] *v.* **1** [...]zer em pedaços **SIN.** partir; quebrar **2** *fig.* caus[...] grande mágoa

despedida (des.pe.di.da) [dəʃpə'didɐ] *n.f.* **1** p[...]tida; separação **2** *fig.* fim; conclusão

despedimento (des.pe.di.men.to) [dəʃpədi'mẽtu] *n.m.* dispensa pela entidade patronal dos serviços de uma pessoa **SIN.** demissão

despedir (des.pe.dir) [dəʃpə'dir] *v.* **1** dispensar alguém do seu cargo ou da sua função; demitir **2** mandar sair; despachar ▪ **despedir-se 1** demitir-se **2** saudar alguém no momento da partida ♦ **despedir-se à francesa** retirar-se sem dar satisfações ou sem se despedir

despegar(-se) (des.pe.gar(-se)) [dəʃpə'gar(sə)] *v.* ⟨**+de**⟩ separar(-se) (o que está pegado) **SIN.** descolar(-se)

despeitado (des.pei.ta.do) [dəʃpɐj'tadu] *adj.* ressentido; melindrado

despeitar (des.pei.tar) [dəʃpɐj'tar] *v.* tratar com despeito **SIN.** melindrar

despeito (des.pei.to) [dəʃ'pɐjtu] *n.m.* ressentimento; melindre ♦ **a despeito de** apesar de; não obstante

despejado (des.pe.ja.do) [dəʃpə'ʒadu] *adj.* **1** derramado (líquido) **2** desocupado (lugar)

despejar (des.pe.jar) [dəʃpə'ʒar] *v.* **1** esvaziar o conteúdo de; derramar **2** deixar de ocupar (um lugar); desocupar

despejo (des.pe.jo) [dəʃ'pɐ(j)ʒu] *n.m.* **1** (de líquidos) derramamento **2** (de lugar) evacuação **3** (de inquilinos) desocupação de um imóvel

despenalização (des.pe.na.li.za.ção) [dəʃpənɐlizɐ'sɐ̃w̃] *n.f.* **1** perda ou eliminação do carácter de ilegalidade **2** isenção de pena

despenalizar (des.pe.na.li.zar) [dəʃpənɐli'zar] *v.* abolir sanções previstas pela lei para (ato, comportamento, etc.)

despender (des.pen.der) [dəʃpẽ'der] *v.* **1** gastar (dinheiro) **2** empregar (tempo, energia)

despenhadeiro (des.pe.nha.dei.ro) [dəʃpəɲɐ'dɐjru] *n.m.* lugar alto e escarpado; precipício

despenhar (des.pe.nhar) [dəʃpə'ɲar] *v.* **1** deitar abaixo de grande altura **2** *fig.* arruinar ▪ **despenhar-se** cair de grande altura: *O avião despenhou-se no solo.*

despensa (des.pen.sa) [dəʃ'pẽsɐ] *n.f.* compartimento onde se guardam alimentos

Não confundir **despensa** (compartimento) com **dispensa** (licença).

despenteado (des.pen.te:a.do) [dəʃpẽ'tjadu] *adj.* que não está penteado; desgrenhado

despentear (des.pen.te:ar) [dəʃpẽ'tjar] *v.* desfazer o penteado de

despercebido (des.per.ce.bi.do) [dəʃpərsə'bidu] *adj.* que não foi visto ou notado ♦ **passar despercebido** não ser notado

desperdiçar (des.per.di.çar) [dəʃpərdi'sar] *v.* **1** gastar com exagero (tempo, dinheiro) **SIN.** esbanjar **2** perder (ocasião, oportunidade)

desperdício (des.per.dí.ci:o) [dəʃpər'disju] *n.m.* **1** gasto exagerado; esbanjamento **2** uso sem proveito; perda

despertador (des.per.ta.dor) [dəʃpərtɐ'dor] *n.m.* relógio com dispositivo para tocar a determinada hora para acordar alguém

despertar (des.per.tar) [dəʃpər'tar] *v.* **1** acordar (do sono) **2** *fig.* estimular (sentimentos)

desperto (des.per.to) [dəʃ'pɛrtu] *adj.* acordado

despesa (des.pe.sa) [dəʃ'pezɐ] *n.f.* gasto (de dinheiro) ♦ **arcar com as despesas** assumir encargos/pagamentos; **fazer a despesa da conversa** assumir protagonismo num diálogo ou numa conversa entre várias pessoas; **meter-se em despesas** assumir um encargo económico de valor elevado

despido (des.pi.do) [dəʃ'pidu] *adj.* **1** que não tem roupa; nu **2** sem folhas (árvore) **3** sem ornamentos (estilo)

despique (des.pi.que) [dəʃ'pik(ə)] *n.m.* **1** vingança; desforra **2** desafio; competição

despir (des.pir) [dəʃ'pir] *v.* **1** tirar a roupa a **ANT.** vestir **2** tirar o revestimento a ▪ **despir-se** tirar a própria roupa

despistagem (des.pis.ta.gem) [dəʃpiʃ'tazɐ̃j] *n.f.* realização de testes para detetar sinais de doença que ainda não se tenha manifestado

despistar (des.pis.tar) [dəʃpiʃ'tar] *v.* **1** fazer perder a pista **2** desorientar **3** ludibriar; enganar **4** procurar sinais de (doença) ▪ **despistar-se 1** desorientar-se **2** sair (o veículo) para fora da faixa de rodagem devido à perda de controlo

despiste (des.pis.te) [dəʃ'piʃt(ə)] *n.m.* saída descontrolada do veículo da faixa de rodagem

desplante (des.plan.te) [dəʃ'plɐ̃t(ə)] *n.m.* atrevimento; descaramento

despojamento (des.po.ja.men.to) [dəʃpuʒɐ'mẽtu] *n.m.* **1** privação da posse (de algo) **2** desprendimento; renúncia

despojar (des.po.jar) [dəʃpu'ʒar] *v.* privar (alguém) da posse de **SIN.** espoliar ▪ **despojar-se** renunciar a

despoletar (des.po.le.tar) [dəʃpulə'tar] *v.* **1** tornar impossível o disparo ou a explosão de **2** *fig.* fazer surgir repentinamente **SIN.** desencadear

despoluir (des.po.lu:ir) [dəʃpu'lwir] *v.* eliminar a poluição de

despontar (des.pon.tar) [dəʃpõ'tar] *v.* começar a aparecer; surgir; nascer

desportista (des.por.tis.ta) [dəʃpur'tiʃtɐ] *adj.,n.2g.* **1** que ou pessoa que pratica desporto **2** que ou pessoa que aceita qualquer resultado (de um desafio)

desportivismo (**des.por.ti.vis.mo**) [dəʃpur ti'viʒmu] *n.m.* característica de quem respeita as regras de um desporto, competição ou desafio e sabe ganhar ou perder com boa disposição e respeito pelo(s) adversário(s)

desportivo (**des.por.ti.vo**) [dəʃpur'tivu] *adj.* relativo a desporto

desporto (**des.por.to**) [dəʃ'portu] *n.m.* **1** atividade física praticada individualmente ou em equipa; **desporto radical** prática desportiva que envolve algum risco **2** divertimento; passatempo ◆ **por desporto** sem obrigação; para se distrair

desporto-rei (**des.por.to-.rei**) [dəʃportu'ʀɐj] *n.m. coloq.* futebol

desposar (**des.po.sar**) [dəʃpu'zar] *v.* casar com

déspota (**dés.po.ta**) ['dɛʃputɐ] *n.2g.* pessoa que exerce autoridade absoluta **SIN.** tirano

despótico (**des.pó.ti.co**) [dəʃ'pɔtiku] *adj.* próprio de déspota; tirânico; prepotente

despotismo (**des.po.tis.mo**) [dəʃpu'tiʒmu] *n.m.* **1** poder absoluto de um déspota **SIN.** tirania; absolutismo **2** forma de governo baseada nesse poder

despovoado (**des.po.vo:a.do**) [dəʃpu'vwadu] *adj.* diz-se do lugar que não tem habitantes nem casas

despovoamento (**des.po.vo:a.men.to**) [dəʃpuv wɐ'mẽtu] *n.m.* processo de redução de habitantes

despovoar (**des.po.vo:ar**) [dəʃpu'vwar] *v.* tornar desabitado ▪ **despovoar-se** ficar sem habitantes

desprazer (**des.pra.zer**) [dəʃprɐ'zer] *n.m.* desagrado

despregar (**des.pre.gar**) [dəʃprə'gar] *v.* **1** arrancar os pregos de **2** ⟨**+de**⟩ separar (o que estava pregado) **3** ⟨**+de**⟩ *fig.* desviar (os olhos): *Não despregava os olhos da namorada.*

desprender(-se) (**des.pren.der(-se)**) [dəʃ prẽ'der(sə)] *v.* **1** ⟨**+de**⟩ soltar(-se); libertar(-se) **2** ⟨**+de**⟩ desatar(-se); desligar(-se)

desprendido (**des.pren.di.do**) [dəʃprẽ'didu] *adj.* **1** desatado; solto **2** que atua sem esperar recompensa **3** sem ligações afetivas ou morais

desprendimento (**des.pren.di.men.to**) [dəʃprẽ di'mẽtu] *n.m.* **1** desinteresse em relação a bens ou a recompensas **2** falta de afeição **SIN.** desapego

despreocupação (**des.pre:o.cu.pa.ção**) [dəʃprjɔ kupɐ'sɐ̃w̃] *n.f.* ausência de preocupação **SIN.** tranquilidade

despreocupado (**des.pre:o.cu.pa.do**) [dəʃprjɔ ku'padu] *adj.* que não tem preocupação **SIN.** tranquilo

despretensioso (**des.pre.ten.si:o.so**) [dəʃpr tẽ'sjozu] *adj.* modesto; simples

desprevenido (**des.pre.ve.ni.do**) [dəʃprəvə'nidu *adj.* **1** que não se preveniu **2** que não foi infor mado **3** *coloq.* sem dinheiro

desprezado (**des.pre.za.do**) [dəʃprə'zadu] *a* **1** menosprezado **2** ignorado

desprezar (**des.pre.zar**) [dəʃprə'zar] *v.* **1** menos prezar **2** ignorar

desprezável (**des.pre.zá.vel**) [dəʃprə'zavɛɫ] *adj.2g* **1** que se pode desprezar **2** que não merece se considerado

desprezível (**des.pre.zí.vel**) [dəʃprə'zivɛɫ] *adj.2g* que merece desprezo

desprezo (**des.pre.zo**) [dəʃ'prezu] *n.m.* **1** falta d estima por; desconsideração **2** falta de atençã a; indiferença

despromoção (**des.pro.mo.ção**) [dəʃprumu'sɐ̃w̃ *n.f.* passagem para situação, cargo ou categori inferior; regressão na carreira profissional

despromover (**des.pro.mo.ver**) [dəʃprumu'ver *v.* passar (alguém) para situação, cargo ou cate goria inferior; fazer regredir na carreira profis sional

despromovido (**des.pro.mo.vi.do**) [dəʃpr mu'vidu] *adj.* que passou a situação ou categori inferior

desproporção (**des.pro.por.ção**) [dəʃprupur'sɐ̃w̃ *n.f.* desigualdade de proporção; diferença

desproporcionado (**des.pro.por.ci:o.na.do** [dəʃprupursju'nadu] *adj.* que apresenta despropor ção; desigual

despropositado (**des.pro.po.si.ta.do**) [dəʃpr puzi'tadu] *adj.* que não vem a propósito; dispara tado

despropósito (**des.pro.pó.si.to**) [dəʃpru'pɔzitu *n.m.* disparate; tolice

desprotegido (**des.pro.te.gi.do**) [dəʃprutə'ʒidu *adj.* sem proteção; desamparado

desprovido (**des.pro.vi.do**) [dəʃpru'vidu] *adj* **1** que não tem ou que foi privado de **2** despreve nido

desqualificação (**des.qua.li.fi.ca.ção**) [dəʃkwɐl fikɐ'sɐ̃w̃] *n.f.* exclusão de prova, concurso, etc. desclassificação

desqualificado (**des.qua.li.fi.ca.do**) [dəʃkwɐl fi'kadu] *adj.* excluído ou eliminado de prova, con curso, etc. **SIN.** desclassificado

desqualificar (**des.qua.li.fi.car**) [dəʃkwɐlifi'kar] *v* excluir ou eliminar de prova, concurso, etc. desclassificar

desrespeitar (**des.res.pei.tar**) [dəʒʀəʃpɐj'tar] *v* faltar ao respeito a; desconsiderar **ANT.** respeitar

desrespeito (**des.res.pei.to**) [dəʒRəʃ'pɐjtu] *n.m.* 1 falta de respeito 2 irreverência; desacato

desresponsabilizar(-se) (**des.res.pon.sa.bi.li.zar(-se)**) [dəʒRəʃpõsɐbili'zar(sə)] *v.* livrar(-se) de responsabilidade

dessacralização (**des.sa.cra.li.za.ção**) [dəʃsɐkrɐlizɐ'sɐ̃w̃] *n.f.* perda ou eliminação do carácter sagrado; desmistificação

desse (**des.se**) ['de(sə)] *contr. de prep.* de + *det.* ou *pron. dem.* esse

dessincronização (**des.sin.cro.ni.za.ção**) [dəʃsĩkrunizɐ'sɐ̃w̃] *n.f.* ato ou efeito de (se) dessincronizar; perda de sincronia

dessincronizado (**des.sin.cro.ni.za.do**) [dəʃsĩkruni'zadu] *adj.* que não coincide (no tempo); desajustado

destacado (**des.ta.ca.do**) [dəʃtɐ'kadu] *adj.* 1 que está em evidência **SIN.** saliente 2 (funcionário) colocado provisoriamente em local diferente daquele onde normalmente exerce as suas funções

destacamento (**des.ta.ca.men.to**) [dəʃtɐkɐ'mẽtu] *n.m.* 1 força militar que cumpre uma missão, isolada da unidade a que pertence 2 situação provisória de um profissional que exerce funções em local diferente daquele onde normalmente trabalha

destacar (**des.ta.car**) [dəʃtɐ'kar] *v.* 1 fazer sobressair: *A sua inteligência destacava-a dos colegas.* **SIN.** realçar 2 separar do que está unido: *Destaque o cupão.* **SIN.** arrancar; cortar 3 enviar (forças militares) para missão fora da sua unidade 4 colocar (profissional) em local diferente daquele onde normalmente trabalha ▪ **destacar-se** ⟨+de, +entre⟩ distinguir-se: *Ele destaca-se entre os outros oradores.*

destacável (**des.ta.cá.vel**) [dəʃtɐ'kavɛł] *adj.2g.* que se pode destacar ▪ *n.m.* parte separável de uma publicação (livro, revista, jornal)

destapado (**des.ta.pa.do**) [dəʃtɐ'padu] *adj.* sem tampa ou cobertura; descoberto

destapar (**des.ta.par**) [dəʃtɐ'par] *v.* 1 retirar a tampa ou a cobertura a 2 descobrir (o que estava tapado)

destaque (**des.ta.que**) [dəʃ'tak(ə)] *n.m.* relevo; realce ◆ **pôr em destaque** colocar em evidência; sublinhar

deste (**des.te**) ['deʃt(ə)] *contr. de prep.* de + *det.* ou *pron. dem.* este

destemido (**des.te.mi.do**) [dəʃtə'midu] *adj.* que não tem medo **SIN.** corajoso; valente

desterrar(-se) (**des.ter.rar(-se)**) [dəʃtə'Rar(sə)] *v.* 1 fazer sair ou sair (alguém) da sua terra natal ou do seu país de origem **SIN.** expatriar(-se) 2 *fig.* afastar(-se)

desterro (**des.ter.ro**) [dəʃ'teRu] *n.m.* 1 exílio 2 isolamento

destilação (**des.ti.la.ção**) [dəʃtilɐ'sɐ̃w̃] *n.f.* processo de separação de líquidos por evaporação, com condensação posterior

destilado (**des.ti.la.do**) [dəʃti'ladu] *adj.* 1 que sofreu destilação 2 (água) sem sais minerais

destilar (**des.ti.lar**) [dəʃti'lar] *v.* 1 provocar a separação de um líquido por evaporação e condensação do vapor 2 cair ou escorrer em gotas

destilaria (**des.ti.la.ri.a**) [dəʃtilɐ'riɐ] *n.f.* fábrica onde se faz a destilação

destinar (**des.ti.nar**) [dəʃti'nar] *v.* 1 atribuir; reservar: *Destinou 20 minutos para a primeira pergunta.* 2 resolver; decidir: *Destinou ir de férias em julho.* ▪ **destinar-se** 1 ⟨+a⟩ ter como destino: *Este comboio destina-se ao Porto.* **SIN.** dirigir-se 2 ⟨+a⟩ ter como finalidade: *A reunião destina-se à angariação de fundos.* 3 ⟨+a⟩ ter como público-alvo: *Este livro destina-se a crianças.*

destinatário (**des.ti.na.tá.ri:o**) [dəʃtinɐ'tarju] *n.m.* 1 pessoa a quem se envia algo 2 pessoa a quem se dirige uma mensagem; recetor

destino (**des.ti.no**) [dəʃ'tinu] *n.m.* 1 fim; objetivo 2 futuro; sorte

destituição (**des.ti.tu:i.ção**) [dəʃtitwi'sɐ̃w̃] *n.f.* privação de emprego ou de dignidade; demissão

destituir (**des.ti.tu:ir**) [dəʃti'twir] *v.* privar de emprego ou de dignidade

destoar (**des.to:ar**) [dəʃ'twar] *v.* 1 sair do tom; desafinar 2 não concordar com; discordar

destratar (**des.tra.tar**) [dəʃtrɐ'tar] *v.* tratar mal; insultar

destravar (**des.tra.var**) [dəʃtrɐ'var] *v.* soltar o travão ou freio (de veículo)

destreza (**des.tre.za**) [dəʃ'trezɐ] *n.f.* agilidade; desembaraço

destrinçar (**des.trin.çar**) [dəʃtrĩ'sar] *v.* 1 soltar (o que estava enredado) 2 esclarecer; resolver 3 distinguir; individualizar 4 expor com pormenor

destro (**des.tro**) ['dɛʃtru] *adj.* 1 diz-se da pessoa que usa preferencialmente a mão direita 2 ágil; desembaraçado

destroçar (**des.tro.çar**) [dəʃtru'sar] *v.* causar a destruição de; quebrar

destroços (**des.tro.ços**) [dəʃ'trosuʃ] *n.m.pl.* ruínas; restos

destronado (**des.tro.na.do**) [dəʃtru'nadu] *adj.* 1 (monarca, governante) deposto; destituído 2 (atleta, equipa) que perdeu a liderança

destronar (**des.tro.nar**) [dəʃtru'nar] *v.* 1 tirar do trono 2 fazer perder a liderança

destruição (**des.tru.i.ção**) [dəʃtrui'sɐ̃w̃] *n.f.* 1 eliminação total; exterminação 2 ruína; perda

destruído (des.tru.í.do) [dəʃtru'idu] *adj.* **1** que se destruiu **2** arruinado **3** aniquilado

destruidor (des.trui.dor) [dəʃtrui'dor] *adj.* que destrói ou que serve para destruir **SIN.** destrutivo

destruir (des.tru.ir) [dəʃtru'ir] *v.* **1** desfazer **ANT.** construir **2** demolir **3** arruinar

destrutivo (des.tru.ti.vo) [dəʃtru'tivu] *adj.* que destrói; destruidor **ANT.** construtivo

desumanização (de.su.ma.ni.za.ção) [dəzumɐni zɐ'sɐ̃w̃] *n.f.* perda das características do ser humano

desumanizar(-se) (de.su.ma.ni.zar(-se)) [dəzu mɐni'zar(sə)] *v.* (fazer) perder o carácter humano

desumano (de.su.ma.no) [dəzu'mɐnu] *adj.* cruel

desumidificador (de.su.mi.di.fi.ca.dor) [dəzumi difikɐ'dor] *n.m.* aparelho próprio para eliminar a humidade do ar num espaço fechado

desunião (de.su.ni.ão) [dəzu'njɐ̃w̃] *n.f.* **1** separação **2** discórdia

desunir (de.su.nir) [dəzu'nir] *v.* **1** separar **2** causar discórdia

desuso (de.su.so) [də'zuzu] *n.m.* falta de uso ♦ **cair em desuso** deixar de ser usado

desvairado (des.vai.ra.do) [dəʒvaj'radu] *adj.* **1** que perdeu o juízo; alucinado **2** que perdeu o rumo; desnorteado

desvairar (des.vai.rar) [dəʒvaj'rar] *v.* perder o juízo; alucinar

desvalorização (des.va.lo.ri.za.ção) [dəʒvɐluri zɐ'sɐ̃w̃] *n.f.* **1** diminuição do valor da moeda de um país, em relação ao ouro ou a moedas estrangeiras **2** atribuição de pouco mérito ou valor a (alguém); menosprezo

desvalorizar (des.va.lo.ri.zar) [dəʒvɐluri'zar] *v.* **1** fazer diminuir o valor de (moeda) **2** atribuir pouco mérito ou valor a **SIN.** menosprezar **3** perder valor monetário (carro, propriedade, moeda)

desvanecer(-se) (des.va.ne.cer(-se)) [dəʒvɐnə 'ser(sə)] *v.* fazer desaparecer ou desaparecer **SIN.** dissipar(-se)

desvanecido (des.va.ne.ci.do) [dəʒvɐnə'sidu] *adj.* **1** dissipado; desaparecido **2** vaidoso; orgulhoso

desvantagem (des.van.ta.gem) [dəʒvɐ̃'taʒɐ̃j̃] *n.f.* falta de vantagem; prejuízo **ANT.** vantagem ♦ **estar em desvantagem 1** ser em quantidade ou número inferior **2** ter menos (ou piores) condições

desvario (des.va.ri.o) [dəʒvɐ'riu] *n.m.* delírio; desatino

desvendar (des.ven.dar) [dəʒvẽ'dar] *v.* **1** destapar (os olhos) **2** dar a conhecer

desventura (des.ven.tu.ra) [dəʒvẽ'turɐ] *n.f.* infelicidade; desgraça

desviado (des.vi:a.do) [dəʒ'vjadu] *adj.* **1** que está fora da posição normal; deslocado **2** que foi afastado do lugar próprio; extraviado

desviante (des.vi:an.te) [dəʒ'vjɐ̃t(ə)] *adj.2g.* (comportamento) que se afasta daquilo que é considerado aceitável

desviar (des.vi:ar) [dəʒ'vjar] *v.* **1** deslocar **2** extraviar

desvio (des.vi.o) [dəʒ'viu] *n.m.* **1** mudança de caminho ou de posição **2** estrada secundária **3** extravio (de correspondência, dinheiro, etc.) ♦ **desvio padrão** medida de dispersão de uma distribuição de frequência igual à raiz quadrada da variância; valor assumido pelo afastamento quadrático médio quando a origem é a média aritmética ou a esperança matemática; afastamento quadrático médio da média

desvirtuar (des.vir.tu:ar) [dəʒvir'twar] *v.* **1** julgar de modo desfavorável **2** deturpar

desvitalizar (des.vi.ta.li.zar) [dəʒvitɐli'zar] *v.* **1** tirar a vitalidade a **2** extrair a polpa dentária

detalhado (de.ta.lha.do) [dətɐ'ʎadu] *adj.* **1** com muitos detalhes ou pormenores **SIN.** pormenorizado **2** (fatura) em que se listam todos os produtos ou serviços pagos ou a pagar

detalhar (de.ta.lhar) [dətɐ'ʎar] *v.* **1** expor com pormenor **2** delinear; planear

detalhe (de.ta.lhe) [də'taʎ(ə)] *n.m.* característica particular **SIN.** pormenor

deteção (de.te.ção)[AO] [dətɛ'sɐ̃w̃] *n.f.* ato ou efeito de detetar

detecção (de.tec.ção) [dətɛ'sɐ̃w̃] *a nova grafia é* **deteção**[AO]

detectar (de.tec.tar) [dətɛ'tar] *a nova grafia é* **detetar**[AO]

detective (de.tec.ti.ve) [dətɛ'tiv(ə)] *a nova grafia* **detetive**[AO]

detector (de.tec.tor) [dətɛ'tor] *a nova grafia é* **detetor**[AO]

detenção (de.ten.ção) [dətẽ'sɐ̃w̃] *n.f.* prisão

detentor (de.ten.tor) [dətẽ'tor] *n.m.* possuidor

deter (de.ter) [də'ter] *v.* **1** fazer parar **2** prender **3** conservar em seu poder ▪ **deter-se 1** parar **2** demorar-se

detergente (de.ter.gen.te) [dətər'ʒẽt(ə)] *n.m.* líquido para lavar ou limpar

deterioração (de.te.ri:o.ra.ção) [dətərjurɐ'sɐ̃w̃] *n.f.* **1** alteração para pior **2** perda de qualidade

deteriorado (de.te.ri:o.ra.do) [dətərju'radu] *adj.* **1** (produto) danificado **2** (alimento) estragado **3** (situação, saúde) agravado

deteriorar(-se) (de.te.ri:o.rar(-se)) [dətərju'rar(sə)] *v.* **1** tirar ou perder a qualidade ou as caracterí ticas de (produto, alimento) **2** piorar (situação, saúde)

determinação (de.ter.mi.na.ção) [dətərminɐ'sɐ̃w̃] *n.f.* **1** ordem; decisão **2** força de vontade; coragem

determinado (de.ter.mi.na.do) [dətərmi'nadu] *adj.* **1** (escolha, data) decidido; escolhido: *Já foi determinada a data para o casamento.* **2** (pessoa) firme; resoluto: *Ele é uma pessoa muito determinada.* ■ *prn.indef.* algum; qualquer; certo: *Determinadas pessoas gostam de pintar.*

determinante (de.ter.mi.nan.te) [dətərmi'nẽt(ə)] *adj.2g.* muito importante **SIN.** decisivo ■ *n.m.* palavra que precede o nome, e que concorda com ele em género e em número

determinar (de.ter.mi.nar) [dətərmi'nar] *v.* **1** fixar **2** decidir **3** causar

determinativo (de.ter.mi.na.ti.vo) [dətərminɐ'tivu] *adj.* **1** que determina **2** que está antes de um nome, determinado-o

determinismo (de.ter.mi.nis.mo) [dətərmi'niʒmu] *n.m.* conceção filosófica segundo a qual todos os acontecimentos são determinados por um conjunto de circunstâncias anteriores

determinista (de.ter.mi.nis.ta) [dətərmi'niʃtɐ] *n.2g.* pessoa partidária do determinismo ■ *adj.2g.* relativo ao determinismo

detestar (de.tes.tar) [dətəʃ'tar] *v.* odiar

detestável (de.tes.tá.vel) [dətəʃ'tavɛɫ] *adj.2g.* horrível

detetar (de.te.tar)[AO] [dətɛ'tar] *v.* descobrir (algo escondido ou oculto)

detetive (de.te.ti.ve)[AO] [dətɛ'tiv(ə)] *n.2g.* agente policial ou investigador privado que se dedica à pesquisa de informação e provas sobre possíveis crimes

detetor (de.te.tor)[AO] [dətɛ'tor] *n.m.* dispositivo destinado a revelar a existência de alguma coisa (radiações, gases, explosivos, etc.); **detetor de incêndios** dispositivo que faz soar um alarme sempre que a alteração das condições ambientais (aumento da temperatura, do fumo, etc.) possa ser sinal de incêndio; **detetor de mentiras** aparelho que se destina a determinar se as afirmações de alguém são verdadeiras ou falsas, através do registo de alterações fisiológicas de uma pessoa (batimento cardíaco, etc.); **detetor de metais** aparelho usado para revelar a existência de objetos metálicos (em aeroportos, etc.)

detido (de.ti.do) [də'tidu] *adj.,n.m.* preso

detonação (de.to.na.ção) [dətunɐ'sɐ̃w̃] *n.f.* **1** ato de detonar **2** ruído causado por explosão

detonador (de.to.na.dor) [dətunɐ'dor] *n.m.* dispositivo que provoca a detonação de cargas explosivas

detonar (de.to.nar) [dətu'nar] *v.* **1** fazer explodir **2** explodir

detrás (de.trás) [də'traʃ] *adv.* **1** na parte posterior **2** em seguida; depois

detrimento (de.tri.men.to) [dətri'mẽtu] *n.m.* prejuízo; perda ◆ **em detrimento de** contrariamente ao interesse de; em prejuízo de

detrito (de.tri.to) [də'tritu] *n.m.* resíduo ■ **detritos** *n.m.pl.* lixo

deturpação (de.tur.pa.ção) [dəturpɐ'sɐ̃w̃] *n.f.* **1** alteração da natureza ou da forma **SIN.** deformação, adulteração **2** dano; estrago

deturpar (de.tur.par) [dətur'par] *v.* **1** alterar a forma de; deformar **2** danificar; estragar

deus (deus) ['dewʃ] *n.m.* **1** ser sobrenatural ao qual se presta veneração **2** *fig.* indivíduo com qualidades excecionais ■ **Deus** para os cristãos, ser superior e criador de todas as coisas

deusa (deu.sa) ['dewzɐ] *n.f.* **1** divindade feminina **2** *fig.* mulher bela

deus-dará (deus-.da.rá) [dewʒdɐ'ra] *elem. da loc.* **ao deus-dará** à toa; à sorte

devagar (de.va.gar) [dəvɐ'gar] *adv.* **1** sem pressa; lentamente **ANT.** depressa **2** de forma gradual **SIN.** progressivamente **ANT.** depressa

devagarinho (de.va.ga.ri.nho) [dəvɐgɐ'riɲu] *adv.* muito devagar

devaneio (de.va.nei.o) [dəvɐ'nɐju] *n.m.* **1** fantasia; sonho **2** delírio; desvario

devassar (de.vas.sar) [dəvɐ'sar] *v.* **1** revelar (o que estava oculto) **2** averiguar; investigar **3** desvendar; descobrir

devassidão (de.vas.si.dão) [dəvɐsi'dɐ̃w̃] *n.f.* depravação de costumes; libertinagem

devasso (de.vas.so) [də'vasu] *adj.* depravado; libertino

devastação (de.vas.ta.ção) [dəvɐʃtɐ'sɐ̃w̃] *n.f.* destruição total; ruína

devastado (de.vas.ta.do) [dəvɐʃ'tadu] *adj.* destruído; arruinado

devastar (de.vas.tar) [dəvɐʃ'tar] *v.* destruir completamente; arruinar

devedor (de.ve.dor) [dəvə'dor] *n.m.* pessoa que deve

dever (de.ver) [də'ver] *v.* **1** ⟨+a⟩ ter de pagar (dívida): *Eles devem vinte euros ao João.* **2** ⟨+a⟩ ter obrigação: *Deves obedecer aos teus pais.* **3** ⟨+a⟩ estar reconhecido por (ajuda, favor): *Devo a minha vida ao bombeiro.* **4** ser provável: *Ela deve estar em casa. Já deve passar das nove.* ■ **dever-se** ter como causa; ser resultado de: *O acidente deve-se ao excesso de velocidade.* ■ *n.m.* regra imposta pela lei, pela moral ou pelas regras de convivência **SIN.** obrigação ■ **deveres** *n.m.pl.* trabalho(s) que o professor estabelece para o aluno realizar fora do horário das aulas

deveras (de.ve.ras) [dəˈvɛrɐʃ] *adv.* verdadeiramente; realmente

devidamente (de.vi.da.men.te) [dəvidɐˈmẽt(ə)] *adv.* como deve ser; corretamente

devido (de.vi.do) [dəˈvidu] *adj.* **1** que se deve **2** necessário; obrigatório ♦ **devido a 1** por causa de: *Devido a estar doente, não fui à escola.* **2** graças a: *Acabaste o projecto a tempo devido ao teu empenho e determinação.*

Não confundir **devido a** (por causa de) com **derivado de** (oriundo; procedente): *Ficou ferido devido ao acidente. O sucesso é derivado do estudo.*

---

devoção (de.vo.ção) [dəvuˈsɐ̃w̃] *n.f.* **1** sentimento religioso; fé **2** afeição; dedicação

devolução (de.vo.lu.ção) [dəvuluˈsɐ̃w̃] *n.f.* ato ou efeito de devolver **SIN.** restituição

devolver (de.vol.ver) [dəvoɫˈver] *v.* dar ou entregar de volta **SIN.** restituir

devolvido (de.vol.vi.do) [dəvoɫˈvidu] *adj.* que se devolveu; restituído

devorar (de.vo.rar) [dəvuˈrar] *v.* **1** comer rapidamente e com grande vontade **2** *fig.* destruir rápida e completamente

devotar(-se) (de.vo.tar(-se)) [dəvuˈtar(sə)] *v.* ⟨+a⟩ consagrar(-se); dedicar(-se)

devoto (de.vo.to) [dəˈvɔtu] *adj.* **1** que tem devoção **SIN.** religioso **2** que demonstra uma grande dedicação

dez (dez) [ˈdɛʃ] *num.card.* nove mais um ▪ *n.m.* o número 10

dezanove (de.za.no.ve) [dəzɐˈnɔv(ə)] *num.card.* dez mais nove ▪ *n.m.* o número 19

dezasseis (de.zas.seis) [dəzɐˈsɐjʃ] *num.card.* dez mais seis ▪ *n.m.* o número 16

dezassete (de.zas.se.te) [dəzɐˈsɛt(ə)] *num.card.* dez mais sete ▪ *n.m.* o número 17

dezembro (de.zem.bro)^AO [dəˈzẽbru] *n.m.* décimo segundo e último mês do ano civil

dezena (de.ze.na) [dəˈzenɐ] *n.f.* conjunto de dez unidades

dezenove (de.ze.no.ve) [dəzəˈnɔv(ə)] *num.card.* [BRAS.] ⇒ **dezanove**

dezesseis (de.zes.seis) [dəzəˈsɐjʃ] *num.card.* [BRAS.] ⇒ **dezasseis**

dezessete (de.zes.se.te) [dəzəˈsɛt(ə)] *num.card.* [BRAS.] ⇒ **dezassete**

dezoito (de.zoi.to) [dəˈzojtu] *num.card.* dez mais oito ▪ *n.m.* o número 18

dia (di.a) [ˈdiɐ] *n.m.* **1** tempo entre o nascer e o pôr do sol **ANT.** noite **2** período de 24 horas ♦ **dia de São Nunca (à tarde)** dia que nunca chegará **SIN.** jamais; **dia e noite** constantemente; **dia santo** dia consagrado ao culto e no qual não se trabalha; **dia sim, dia não** em dias alternados; de dois em dois dias; **dia útil** dia destinado a atividades profissionais, que não seja sábado, domingo ou feriado; **ter os dias contados** estar prestes a desaparecer ou morrer

dia-a-dia (di.a-.a-.di.a) [diaˈdiɐ] *a nova grafia é* **dia a dia**^AO

dia a dia (di.a a di.a)^AO [diaˈdiɐ] *n.m.* ⟨*pl.* dia a dias⟩ sucessão de dias; quotidiano

diabetes (di:a.be.tes) [djɐˈbɛtəʃ] *n.f.2n.* doença caracterizada por excesso de açúcar no sangue

diabético (di:a.bé.ti.co) [djɐˈbɛtiku] *adj.* relativo a diabetes ▪ *n.m.* pessoa que sofre de diabetes

Diabo (Di:a.bo) [ˈdjabu] *n.m.* espírito do mal **SIN.** Demónio ▪ **diabo** *fig.* pessoa muito travessa ♦ **enquanto o diabo esfrega um olho** rapidamente; num instante

diabólico (di:a.bó.li.co) [djɐˈbɔliku] *adj.* **1** próprio do diabo **2** infernal; terrível **3** malvado; perverso

diabrete (di:a.bre.te) [djɐˈbret(ə)] *n.m.* criança travessa

diabrura (di:a.bru.ra) [djɐˈbrurɐ] *n.f.* travessura; traquinice

diacho (di:a.cho) [ˈdjaʃu] *n.m. coloq.* diabo

diácono (di:á.co.no) [ˈdjakunu] *n.m.* na Igreja católica, aquele que recebeu a primeira ordem sacra

diacrítico (di:a.crí.ti.co) [djɐˈkritiku] *adj.* diz-se do sinal gráfico que permite distinguir a modulação das vogais e a pronúncia de certas palavras (como é o caso dos acentos gráficos, do til, da cedilha e do trema)

diacronia (di:a.cro.ni.a) [djɐkruˈniɐ] *n.f.* **1** estudo dos fenómenos da evolução linguística ao longo do tempo **2** conjunto de fenómenos culturais, sociais, etc. que ocorrem e se desenvolvem ao longo do tempo

diáfano (di:á.fa.no) [ˈdjafɐnu] *adj.* **1** límpido; transparente **2** delicado; fino

diafragma (di:a.frag.ma) [djɐˈfragmɐ] *n.m.* nos mamíferos, músculo que separa a cavidade torácica da cavidade abdominal, intervindo na função respiratória

diagnosticar (di:ag.nos.ti.car) [djɐgnuʃtiˈkar] *v.* **1** determinar a existência de uma doença pela observação dos sintomas e através da análise de diversos exames **2** determinar a origem de (problema, situação)

diagnóstico (di:ag.nós.ti.co) [djɐˈgnɔʃtiku] *n.m.* **1** determinação e conhecimento de uma doença pela avaliação dos seus sintomas e pela análise dos vários exames efetuados **2** conhecimento de algo através da análise de certos sinais

diagonal (di:a.go.nal) [djɐgu'naɫ] *adj.2g.* inclinado; oblíquo ■ *n.f.* segmento de reta que une dois vértices consecutivos de um polígono ou de um poliedro ♦ **em diagonal** de modo oblíquo; **ler na diagonal** ler rápido e superficialmente

diagrama (di:a.gra.ma) [djɐ'grɐmɐ] *n.m.* representação gráfica de dados, factos, etc.; esquema

dialéctica (di:a.léc.ti.ca) [djɐ'lɛtikɐ] *a nova grafia é* **dialética**[AO]

dialéctico (di:a.léc.ti.co) [djɐ'lɛtiku] *a nova grafia é* **dialético**[AO]

dialecto (di:a.lec.to) [djɐ'lɛtu] *a nova grafia é* **dialeto**[AO]

dialética (di:a.lé.ti.ca)[AO] [djɐ'lɛtikɐ] *n.f.* **1** arte de argumentar ou discutir, através do raciocínio e com o objetivo de demonstrar algo **2** interpretação dos processos como oposição de forças (antítese) que tendem a resolver-se numa solução (síntese)

dialético (di:a.lé.ti.co)[AO] [djɐ'lɛtiku] *adj.* relativo a dialética

dialeto (di:a.le.to)[AO] [djɐ'lɛtu] *n.m.* variante local ou regional de uma língua

diálise (di:á.li.se) ['djaliz(ə)] *n.f.* **1** numa solução química, retenção de substâncias mais pesadas por membranas porosas, enquanto as de menor peso passam livremente **2** técnica para suplementar as falhas da função renal em pessoas cujo organismo não faz a eliminação de produtos tóxicos

dialogado (di:a.lo.ga.do) [djɐlu'gadu] *adj.* expresso em forma de diálogo

dialogal (di:a.lo.gal) [djɐlu'gaɫ] *adj.2g.* **1** relativo a diálogo **2** em forma de diálogo

dialogar (di:a.lo.gar) [djɐlu'gar] *v.* conversar

diálogo (di:á.lo.go) ['djalugu] *n.m.* **1** conversa entre duas ou mais pessoas **2** troca de ideias para se chegar a um entendimento

diamante (di:a.man.te) [djɐ'mɐ̃t(ə)] *n.m.* **1** 👁 pedra preciosa muito dura e brilhante **2** *fig.* coisa preciosa

diâmetro (di:â.me.tro) ['djɐmətru] *n.m.* segmento de reta que passa pelo centro de um círculo, dividindo-o em duas partes iguais

diante (di:an.te) ['djɐ̃t(ə)] *adv.* **1** na frente; perante **2** em primeiro lugar ♦ **diante de 1** na frente de **2** na presença de **3** perante; **em diante** para o futuro; **ir por diante** prosseguir; **para diante** para a frente

dianteira (di:an.tei.ra) [djɐ̃'tɐjrɐ] *n.f.* parte anterior; frente

dianteiro (di:an.tei.ro) [djɐ̃'tɐjru] *adj.* que vai na frente

diapasão (di:a.pa.são) [djɐpɐ'zɐ̃w̃] *n.m.* **1** pequeno instrumento metálico usado para afinar vozes e instrumentos **2** *fig.* medida; padrão

diaporama (di:a.po.ra.ma) [djɐpu'rɐmɐ] *n.m.* projeção de uma sequência de diapositivos com som sincronizado

diapositivo (di:a.po.si.ti.vo) [djɐpuzi'tivu] *n.m.* imagem fotográfica numa película transparente que pode ser observada com um projetor

diária (di:á.ri:a) ['djarjɐ] *n.f.* quantia que se paga por dia por hospedagem ou internamento

diariamente (di:a.ri:a.men.te) [djarjɐ'mẽt(ə)] *adv.* todos os dias

diário (di:á.ri:o) ['djarju] *adj.* que se faz ou que acontece todos os dias; quotidiano ■ *n.m.* **1** registo escrito daquilo que se faz ou que acontece em cada dia **2** jornal que é publicado todos os dias

diarreia (di:ar.rei.a) [djɐ'ʀɐjɐ] *n.f.* perturbação intestinal que provoca evacuação frequente de fezes líquidas

diástole (di:ás.to.le) ['djaʃtul(ə)] *n.f.* descontração das paredes musculares do coração, em que estas se dilatam e se enchem de sangue (opõe-se a sístole)

dica (di.ca) ['dikɐ] *n.f. coloq.* palpite; sugestão

dicção (dic.ção) [di'ksɐ̃w̃] *n.f.* maneira de dizer ou de pronunciar as palavras

dicionário (di.ci:o.ná.ri:o) [disju'narju] *n.m.* livro, organizado geralmente por ordem alfabética, que explica o significado de palavras ou expressões de uma língua, ou a tradução para outra língua, e que apresenta também informações sobre a pronúncia, a categoria gramatical, etc.

dicionarista (di.ci:o.na.ris.ta) [disjunɐ'riʃtɐ] *n.2g.* pessoa que trabalha em dicionários; lexicógrafo

dicionarizado (di.ci:o.na.ri.za.do) [disjunɐri'zadu] *adj.* registado ou incluído em dicionário

dicionarizar (di.ci:o.na.ri.zar) [disjunɐri'zar] *v.* **1** registar em dicionário **2** organizar em forma de dicionário

dicotomia (**di.co.to.mi.a**) [dikutu'miɐ] *n.f.* **1** divisão de uma coisa em duas partes **2** divisão de um conceito em dois, normalmente opostos

dicotómico (**di.co.tó.mi.co**) [diku'tɔmiku] *adj.* **1** relativo a dicotomia **2** dividido em dois

didáctica (**di.dác.ti.ca**) [di'datikɐ] *a nova grafia é* **didática**[AO]

didáctico (**di.dác.ti.co**) [di'datiku] *a nova grafia é* **didático**[AO]

didática (**di.dá.ti.ca**)[AO] [di'datikɐ] *n.f.* ciência que estuda os métodos e as técnicas utilizados no ensino

didático (**di.dá.ti.co**)[AO] [di'datiku] *adj.* **1** relativo ao ensino **2** próprio para ensinar

diegese (**di:e.ge.se**) [djɛ'ʒɛz(ə)] *n.f.* **1** texto narrativo; história narrada **2** universo espácio-temporal em que esta história se desenrola

diesel ['dizɛɫ] *n.m.* **1** motor de combustão interna em que o combustível se inflama a si próprio, sendo injetado no ar comprimido dentro dos cilindros **2** combustível usado nesse motor

dieta (**di:e.ta**) ['djɛtɐ] *n.f.* **1** regime especial de alimentação (por razões de saúde, para perder peso, etc.) **2** prato em que a comida é, em geral, pouco temperada, pobre em gorduras e em calorias e de digestão fácil

dietético (**di:e.té.ti.co**) [djɛ'tɛtiku] *adj.* **1** relativo a dieta **2** próprio para determinado regime alimentar

difamação (**di.fa.ma.ção**) [difɐmɐ'sɐ̃w̃] *n.f.* calúnia

difamar (**di.fa.mar**) [difɐ'mar] *v.* caluniar; desacreditar (publicamente)

difamatório (**di.fa.ma.tó.ri:o**) [difɐmɐ'tɔrju] *adj.* que difama

diferença (**di.fe.ren.ça**) [difə'rẽsɐ] *n.f.* **1** aquilo que distingue uma coisa de outra **2** falta de equilíbrio ou de harmonia **3** resultado da operação de subtração

diferençar (**di.fe.ren.çar**) [difərẽ'sar] *v.* ⇒ **diferenciar**

diferenciação (**di.fe.ren.ci:a.ção**) [difərẽsjɐ'sɐ̃w̃] *n.f.* estabelecimento de diferença(s) entre dois ou mais elementos

diferencial (**di.fe.ren.ci:al**) [difərẽ'sjaɫ] *adj.2g.* relativo a diferença ▪ *n.m.* dispositivo que, num veículo, transmite às rodas o movimento do motor e lhes imprime, nas curvas, velocidade de rotação diferente ▪ *n.f.* em matemática, produto da derivada de uma função pelo acréscimo da variável independente

diferenciar (**di.fe.ren.ci:ar**) [difərẽ'sjar] *v.* **1** estabelecer a diferença entre **2** distinguir; reconhecer ▪ **diferenciar-se** tornar-se diferente

diferendo (**di.fe.ren.do**) [difə'rẽdu] *n.m.* desacordo; desentendimento

diferente (**di.fe.ren.te**) [difə'rẽt(ə)] *adj.2g.* **1** que tem diferença(s) **SIN.** diverso **2** que tem variedade **SIN.** variado **3** pouco frequente **SIN.** raro

diferido (**di.fe.ri.do**) [difə'ridu] *adj.* adiado; retardado ◆ **em diferido** transmitido algum tempo após ter acontecido

Não confundir **diferido** (adiado) com **deferido** (aprovado): *O jogo foi* ***diferido****. O processo foi* ***deferido****.*

diferir (**di.fe.rir**) [difə'rir] *v.* **1** adiar: *diferir o pagamento* **2** ⟨**+de**⟩ ser diferente; distinguir-se: *diferir de caso para caso*

difícil (**di.fí.cil**) [də'fisiɫ] *adj.2g.* **1** que apresenta dificuldade **SIN.** complicado **ANT.** fácil **2** que exige esforço **SIN.** árduo

dificílimo (**di.fi.cí.li.mo**) [difi'silimu] ⟨*superl. de* difícil⟩ *adj.* muito difícil

dificilmente (**di.fi.cil.men.te**) [difisiɫ'mẽt(ə)] *adv.* **1** com dificuldade **2** pouco provável

dificuldade (**di.fi.cul.da.de**) [dəfikuɫ'dad(ə)] *n.f.* **1** qualidade do que é difícil **2** complicação **3** obstáculo

dificultar (**di.fi.cul.tar**) [difikuɫ'tar] *v.* **1** tornar difícil ou trabalhoso **SIN.** complicar **2** pôr dificuldade ou obstáculo a **SIN.** estorvar

difteria (**dif.te.ri.a**) [diftə'riɐ] *n.f.* doença infecto-contagiosa causada por uma bactéria, que afeta a boca, a garganta, o nariz e, por vezes os brônquios

difundido (**di.fun.di.do**) [difũ'didu] *adj.* espalhado; divulgado

difundir(-se) (**di.fun.dir(-se)**) [difũ'dir(sə)] *v.* espalhar(-se); divulgar(-se)

difusão (**di.fu.são**) [difu'zɐ̃w̃] *n.f.* **1** divulgação (de ideias, notícias, informações) **2** transmissão (de programa de rádio, televisão, etc.)

difuso (**di.fu.so**) [di'fuzu] *adj.* **1** difundido; espalhado **2** (luz) que se reflete de modo irregular em diferentes direções

difusor (**di.fu.sor**) [difu'zor] *adj.* de difusão ▪ *n.m.* dispositivo que provoca a difusão (de luz, calor, etc.)

digerido (**di.ge.ri.do**) [diʒə'ridu] *adj.* **1** transformado pela digestão **2** *fig.* compreendido; entendido

digerir (**di.ge.rir**) [diʒə'rir] *v.* **1** fazer a digestão (de alimentos) **2** *fig.* compreender (uma explicação, uma informação)

digestão (**di.ges.tão**) [diʒəʃ'tɐ̃w̃] *n.f.* transformação dos alimentos no aparelho digestivo de modo a poderem ser absorvidos pelo organismo

igestivo (di.ges.ti.vo) [diʒəʃ'tivu] *adj.* **1** relativo a digestão **2** que ajuda a digestão

igitado (di.gi.ta.do) [diʒi'tadu] *adj.* **1** que tem dedos; que se assemelha a dedo(s) **2** introduzido no computador por meio de um teclado

igital (di.gi.tal) [diʒi'taɫ] *adj.2g.* **1** relativo a dedo(s) **2** relativo a dígito (algarismo)

igitalização (di.gi.ta.li.za.ção) [diʒitɐlizɐ'sɐ̃w̃] *n.f.* ato ou processo de digitalizar

igitalizador (di.gi.ta.li.za.dor) [diʒitɐlizɐ'dor] *adj.* que digitaliza ■ *n.m.* aparelho que transforma imagens e textos em dados digitais

igitalizar (di.gi.ta.li.zar) [diʒitɐli'zar] *v.* converter (texto ou imagem) em dados que o computador pode processar **SIN.** scanear

igitar (di.gi.tar) [diʒi'tar] *v.* **1** pressionar (tecla) com os dedos **2** introduzir (informações) por meio de um teclado

ígito (dí.gi.to) ['diʒitu] *n.m.* cada um dos algarismos de um a nove

ignar-se (dig.nar-.se) [di'gnars(ə)] *v.* **1** ter a bondade de **2** fazer o favor de

ignidade (dig.ni.da.de) [digni'dad(ə)] *n.f.* **1** modo de ser ou de atuar que é digno de respeito; distinção **2** pessoa que ocupa um cargo importante; autoridade

ignificante (dig.ni.fi.can.te) [dignifi'kɐ̃t(ə)] *adj.2g.* que dignifica

ignificar(-se) (dig.ni.fi.car(-se)) [dignifi'kar(sə)] *v.* tornar(-se) digno

ignitário (dig.ni.tá.ri:o) [digni'tarju] *n.m.* pessoa que exerce um alto cargo ou que tem um título honorífico

igno (dig.no) ['dignu] *adj.* **1** que merece (respeito, admiração, etc.) **2** que revela dignidade; respeitável **3** que está de acordo com; apropriado

ígrafo (dí.gra.fo) ['digrɐfu] *n.m.* conjunto de duas letras que representam um único som: *ch; nh; lh; nh; ss; rr*

igressão (di.gres.são) [digrə'sɐ̃w̃] *n.f.* **1** viagem com paragens, geralmente para dar espetáculos **SIN.** tournée **2** desvio do assunto principal **SIN.** divagação

ilacerante (di.la.ce.ran.te) [dilɐsə'rɐ̃t(ə)] *adj.2g.* **1** que dilacera **2** *fig.* aflitivo

ilacerar (di.la.ce.rar) [dilɐsə'rar] *v.* **1** rasgar com violência **SIN.** despedaçar **2** *fig.* afligir

ilatação (di.la.ta.ção) [dilɐtɐ'sɐ̃w̃] *n.f.* **1** aumento do tamanho ou do volume; ampliação **2** aumento da extensão; prolongamento

ilatado (di.la.ta.do) [dilɐ'tadu] *adj.* **1** ampliado **2** prolongado

dilatar (di.la.tar) [dilɐ'tar] *v.* **1** aumentar o tamanho ou o volume de; ampliar **2** aumentar a extensão de; prolongar

dilema (di.le.ma) [di'lemɐ] *n.m.* situação em que se é obrigado a escolher entre duas alternativas e não se sabe qual a melhor

diletante (di.le.tan.te) [dilə'tɐ̃t(ə)] *n.2g.* pessoa que se dedica a alguma coisa por prazer e não por obrigação ou profissão ■ *adj.2g.* que se dedica a algo por prazer, e não a nível profissional; amador

diligência (di.li.gên.ci:a) [dəli'ʒẽsjɐ] *n.f.* **1** cuidado e rapidez na execução de uma tarefa; zelo **2** medida necessária para alcançar um dado fim; providência **3** antiga carruagem

diligente (di.li.gen.te) [dəli'ʒẽt(ə)] *adj.2g.* **1** cuidadoso; zeloso **2** rápido; ágil

diluente (di.lu:en.te) [di'lwẽt(ə)] *n.m.* substância que se junta a outra para diminuir a sua concentração

diluição (di.lu:i.ção) [dilwi'sɐ̃w̃] *n.f.* diminuição da concentração de uma substância quando se junta com outra

diluir (di.lu:ir) [di'lwir] *v.* diminuir a intensidade ou a concentração de

dilúvio (di.lú.vi:o) [di'luvju] *n.m.* **1** na Bíblia, inundação universal que submergiu toda a superfície da Terra **2** chuva muito intensa

dimensão (di.men.são) [dimẽ'sɐ̃w̃] *n.f.* **1** tamanho ou extensão de alguma coisa **SIN.** medida **2** *fig.* importância

dimensionar (di.men.si:o.nar) [dimẽsju'nar] *v.* calcular as dimensões de

diminuendo (di.mi.nu.en.do) [diminu'ẽdu] *n.m.* número de que se subtrai outro na operação de subtração

diminuição (di.mi.nu.i.ção) [diminui'sɐ̃w̃] *n.f.* **1** redução em tamanho, grau ou quantidade **2** operação de subtração

diminuidor (di.mi.nu.i.dor) [diminui'dor] *n.m.* número que se subtrai de outro na operação de subtração; subtrativo

diminuir (di.mi.nu:ir) [dəmi'nwir] *v.* **1** tornar menor; reduzir **ANT.** aumentar **2** subtrair (um número de outro)

diminutivo (di.mi.nu.ti.vo) [diminu'tivu] *n.m.* diz-se do grau dos nomes e adjetivos que exprime a ideia de: a) pequenez: *carrinho; casota*; b) diminuição de intensidade: *baixinho; pouquinho*; c) carinho: *mãezinha; festinha*

diminuto (di.mi.nu.to) [dimi'nutu] *adj.* **1** muito pequeno em tamanho ou quantidade **SIN.** reduzido **2** escasso; raro

dinamarquês **(di.na.mar.quês)** [dinɐmɐr'keʃ] *adj.* relativo à Dinamarca (país do norte da Europa) ■ *n.m.* **1** pessoa natural da Dinamarca **2** língua oficial da Dinamarca

dinâmica **(di.nâ.mi.ca)** [di'nɐmikɐ] *n.f.* movimento ou força que produz uma ação

dinâmico **(di.nâ.mi.co)** [di'nɐmiku] *adj.* **1** relativo ao movimento **2** ativo; enérgico

dinamismo **(di.na.mis.mo)** [dinɐ'miʒmu] *n.m.* **1** atividade; energia **2** *fig.* espírito empreendedor

dinamitar **(di.na.mi.tar)** [dinɐmi'tar] *v.* **1** fazer explodir por meio de dinamite **2** *fig.* boicotar (plano, projeto)

dinamite **(di.na.mi.te)** [dinɐ'mit(ə)] *n.f.* explosivo muito potente

dinamizar **(di.na.mi.zar)** [dinɐmi'zar] *v.* tornar dinâmico; aumentar a atividade de; incentivar

dinastia **(di.nas.ti.a)** [dinɐʃ'tiɐ] *n.f.* série de reis ou rainhas da mesma família que se sucedem no trono

dinheirão **(di.nhei.rão)** [diɲɐj'rɐ̃w̃] *n.m. coloq.* grande quantidade de dinheiro

dinheiro **(di.nhei.ro)** [di'ɲɐjru] *n.m.* conjunto de moedas e notas com valor legal e usado como pagamento ◆ **deitar dinheiro pela janela fora** desperdiçar dinheiro

dinossauro **(di.nos.sau.ro)** [dinɔ'sawru] *n.m.* réptil de grandes dimensões, herbívoro ou carnívoro, com cabeça pequena e cauda longa, extinto há milhões de anos

diocese **(di:o.ce.se)** [dju'sɛz(ə)] *n.f.* divisão territorial eclesiástica sujeita à jurisdição de um bispo

dioptria **(di:op.tri.a)** [djɔp'triɐ] *n.f.* **1** (ótica) unidade que exprime a potência (convergência) de uma lente (ou de um espelho curvo), equivalente ao inverso da sua distância focal em metros **2** unidade que exprime o grau de uma lente de correção

diospireiro **(di:os.pi.rei.ro)** [djɔʃpi'rɐjru] *n.m.* árvore que produz os dióspiros

diospiro **(di:os.pi.ro)** [djɔʃ'piru] *n.m.* ⇒ **dióspiro**

dióspiro **(di:ós.pi.ro)** ['djɔʃpiru] *n.m.* fruto com casca avermelhada, polpa gelatinosa e doce

dióxido **(di:ó.xi.do)** ['djɔksidu] *n.m.* óxido com dois átomos de oxigénio e um átomo de outro elemento

diploma **(di.plo.ma)** [di'plomɐ] *n.m.* **1** título ou documento que confirma que alguém fez um curso **2** lei; decreto

diplomacia **(di.plo.ma.ci.a)** [diplumɐ'siɐ] *n.f.* **1** estudo das relações políticas, económicas e culturais entre países **2** delicadeza no tratamento de problemas ou negócios; tato

diplomar **(di.plo.mar)** [diplu'mar] *v.* atribuir u diploma a ■ **diplomar-se** terminar um curso s perior

diplomata **(di.plo.ma.ta)** [diplu'matɐ] *n.2g.* **1** pe soa que representa os interesses de um pa junto de outro país **2** pessoa com jeito para r solver situações complicadas

diplomático **(di.plo.má.ti.co)** [diplu'matiku] *a* **1** relativo a diplomacia **2** hábil a resolver situ ções difíceis **3** discreto; reservado

dique **(di.que)** ['dik(ə)] *n.m.* construção destinad a parar ou desviar águas correntes

diquende **(di.quen.de)** [di'kẽd(ə)] *n.m.* [ANG.] brc de milho salgada ou doce, cozida em folhas d bananeira, de milho ou de palmeira

direção **(di.re.ção)**[AO] [dirɛ'sɐ̃w̃] *n.f.* **1** sentid orientação **2** administração; gerência **3** endereç morada ◆ **em direção a** no sentido de; para

direção-geral **(di.re.ção-.ge.ral)**[AO] [dirɛsɐ̃w̃ʒə'ra *n.f.* ⟨*pl.* direções-gerais⟩ sede a partir da qual sã dirigidos os diversos órgãos de uma mesma áre de administração pública, a nível nacional

direcção **(di.rec.ção)** [dirɛ'sɐ̃w̃] *a nova grafia é* **dire ção**[AO]

direcção-geral **(di.rec.ção-.ge.ral)** [dirɛsɐ̃w̃ʒə'ra *a nova grafia é* **direção-geral**[AO]

direccionado **(di.rec.ci:o.na.do)** [dirɛsju'nadu] *nova grafia é* **direcionado**[AO]

direccional **(di.rec.ci:o.nal)** [dirɛsju'naɫ] *a nova gr fia é* **direcional**[AO]

direccionar **(di.rec.ci:o.nar)** [dirɛsju'nar] *a no grafia é* **direcionar**[AO]

direcionado **(di.re.ci:o.na.do)**[AO] [dirɛsju'nadu] *a* dirigido; orientado

direcional **(di.re.ci:o.nal)**[AO] [dirɛsju'naɫ] *adj.2* **1** relativo a direção **2** orientado em determinad direção

direcionar **(di.re.ci:o.nar)**[AO] [dirɛsju'nar] ⟨**+para**⟩ encaminhar numa direção: *Vamos cont nuar a direcionar a atenção para este assunto.* **SIN** dirigir

directa **(di.rec.ta)** [di'rɛtɐ] *a nova grafia é* **direta**[AO]

directamente **(di.rec.ta.men.te)** [dirɛtɐ'mẽt(ə)] *nova grafia é* **diretamente**[AO]

directiva **(di.rec.ti.va)** [dirɛ'tivɐ] *a nova grafia é* **di retiva**[AO]

directivo **(di.rec.ti.vo)** [dirɛ'tivu] *a nova grafia é* **di retivo**[AO]

directo **(di.rec.to)** [di'rɛtu] *a nova grafia é* **direto**[AO]

director **(di.rec.tor)** [dirɛ'tor] *a nova grafia é* **dire tor**[AO]

director-geral **(di.rec.tor-.ge.ral)** [dirɛtorʒə'raɫ] *nova grafia é* **diretor-geral**[AO]

directoria (di.rec.to.ri.a) [dirɛtu'riɐ] *a nova grafia é* **diretoria**AO

directório (di.rec.tó.ri:o) [dirɛ'tɔrju] *a nova grafia é* **diretório**AO

directriz (di.rec.triz) [dirɛ'triʃ] *a nova grafia é* **diretriz**AO

direita (di.rei.ta) [di'rɐjtɐ] *n.f.* **1** lado direito **ANT.** esquerda **2** mão direita ♦ **às direitas** com justiça

direitinho (di.rei.ti.nho) [dirɐj'tiɲu] *adv. coloq.* sem desvios ou paragens; diretamente ■ *adj. coloq.* que se comporta sempre corretamente, sem falha(s)

direito (di.rei.to) [di'rɐjtu] *adj.* **1** que segue a lei **2** sem erros **3** sincero **4** que está no lado do corpo humano oposto ao do coração ■ *n.m.* **1** possibilidade, definida na lei, que as pessoas têm de fazer ou exigir algo **2** ciência que estuda as leis e a aplicação da justiça ♦ **direitos humanos** direitos considerados próprios de qualquer ser humano, independentemente da sua raça, sexo, idade e religião (direito à liberdade, á justiça, à igualdade, etc.)

direta (di.re.ta)AO [di'rɛtɐ] *n.f. coloq.* noite em que não se dorme e que geralmente se dedica a estudo ou lazer

diretamente (di.re.ta.men.te)AO [dirɛtɐ'mẽt(ə)] *adv.* **1** sem desvios, paragens ou mediações **2** sem intermediários **3** sem rodeios

diretiva (di.re.ti.va)AO [dirɛ'tivɐ] *n.f.* documento que indica objetivos a atingir ou planos a executar

diretivo (di.re.ti.vo)AO [dirɛ'tivu] *adj.* relativo a direção

direto (di.re.to)AO [di'rɛtu] *adj.* **1** em linha reta; direito **ANT.** indireto **2** sem desvios; imediato

diretor (di.re.tor)AO [dirɛ'tor] *n.m.* aquele que dirige; administrador

diretor-geral (di.re.tor-.ge.ral)AO [dirɛtorʒə'raɫ] *n.m.* **1** o que chefia uma direção-geral **2** presidente da direção

diretoria (di.re.to.ri.a)AO [dirɛtu'riɐ] *n.f.* **1** cargo de diretor **2** conjunto de pessoas que gerem uma instituição ou empresa

diretório (di.re.tó.ri:o)AO [dirɛ'tɔrju] *n.m.* área de disco do computador destinada ao armazenamento de ficheiros

diretriz (di.re.triz)AO [dirɛ'triʃ] *n.f.* **1** (geometria) linha em que se apoia a geratriz de uma superfície **2** instrução ou orientação que deve ser seguida para levar a bom termo determinada tarefa; diretiva

dirigente (di.ri.gen.te) [dəri'ʒẽt(ə)] *n.2g.* chefe; líder

dirigir (di.ri.gir) [dəri'ʒir] *v.* **1** chefiar; liderar **2** orientar; guiar **3** [BRAS.] conduzir (um veículo)

dirigível (di.ri.gí.vel) [dəri'ʒivɛɫ] *n.m.* 👁 grande balão comprido, cheio de gás, que se movimenta no ar por meio de hélices e lemes

discar (dis.car) [diʃ'kar] *v.* [BRAS.] marcar (número) no telefone

discente (dis.cen.te) [diʃ'sẽt(ə)] *adj.2g.* relativo a alunos ■ *n.2g.* aluno; estudante

discernimento (dis.cer.ni.men.to) [diʃsərni'mẽtu] *n.m.* **1** capacidade de compreender ou de avaliar **2** conhecimento; entendimento

discernir (dis.cer.nir) [diʃsər'nir] *v.* **1** perceber; distinguir **2** avaliar; julgar

disciplina (dis.ci.pli.na) [diʃsi'plinɐ] *n.f.* **1** conjunto de leis ou normas que regem certas atividades ou instituições **ANT.** indisciplina **2** obediência às regras **3** área de conhecimentos; matéria

disciplinado (dis.ci.pli.na.do) [diʃsipli'nadu] *adj.* **1** obediente **ANT.** indisciplinado **2** metódico

disciplinar (dis.ci.pli.nar) [diʃsipli'nar] *adj.2g.* relativo a disciplina ■ *v.* **1** fazer obedecer a regras **2** impor disciplina ou método

discípulo (dis.cí.pu.lo) [dəʃ'sipulu] *n.m.* **1** aluno; aprendiz **2** no Evangelho, cada um dos doze Apóstolos que receberam e espalharam a doutrina de Jesus Cristo

disc jockey [diʃk'ʒɔkɐj] *n.2g.* pessoa que faz a seleção musical numa discoteca, numa festa ou num bar

disco (dis.co) ['diʃku] *n.m.* **1** objeto chato e circular onde se gravam sons para serem reproduzidos num aparelho próprio **2** peça circular para lançamento, usada em atletismo ♦ **disco compacto** disco de pequenas dimensões, cuja leitura é feita por um sistema ótico; **disco voador** objeto que algumas pessoas afirmam ter visto na atmosfera e cuja origem é desconhecida

discografia (dis.co.gra.fi.a) [diʃkugrɐ'fiɐ] *n.f.* conjunto catalogado de discos de um determinado músico, época ou estilo

disco-jóquei (dis.co-.jó.quei) [diʃku'ʒɔkɐj] *n.2g.* ⟨*pl.* disco-jóqueis⟩ pessoa que faz a seleção musical numa discoteca ou num bar

discordância (dis.cor.dân.ci:a) [diʃkur'dɐ̃sjɐ] *n.f.* diferença de opiniões **SIN.** divergência

discordante (dis.cor.dan.te) [diʃkur'dɐ̃t(ə)] *adj.2g.* que discorda

discordar (dis.cor.dar) [diʃkur'dar] *v.* ⟨**+de**⟩ não concordar com (alguém); ter opinião diferente: *Discordo do teu ponto de vista.* **SIN.** divergir **ANT.** concordar

discórdia (dis.cór.di:a) [diʃ'kɔrdjɐ] *n.f.* falta de acordo entre pessoas; desentendimento; desavença

discorrer (dis.cor.rer) [diʃku'ʀer] *v.* **1** andar sem destino **SIN.** vaguear **2** falar; discursar **3** divagar

discoteca (dis.co.te.ca) [diʃku'tɛkɐ] *n.f.* **1** estabelecimento noturno onde se pode ouvir música, dançar e tomar bebidas **2** loja onde se vendem discos

discrepância (dis.cre.pân.ci:a) [diʃkrə'pɐ̃sjɐ] *n.f.* diferença; divergência

discretamente (dis.cre.ta.men.te) [diʃkrɛtɐ'mẽt(ə)] *adv.* **1** com discrição **2** com prudência

discreto (dis.cre.to) [diʃ'krɛtu] *adj.* **1** reservado; calado **2** que não chama a atenção **3** pouco intenso

discrição (dis.cri.ção) [diʃkri'sɐ̃w̃] *n.f.* reserva; modéstia ♦ **à discrição 1** à vontade **2** sem restrições

> Não confundir **discrição** (reserva, modéstia) com **descrição** (retrato).

discricionário (dis.cri.ci:o.ná.ri:o) [diʃkrisju'narju] *adj.* livre de restrições; ilimitado

discriminação (dis.cri.mi.na.ção) [diʃkriminɐ'sɐ̃w̃] *n.f.* tratamento injusto ou desigual dado a alguém por causa da sua origem, raça, etc. **SIN.** marginalização; segregação

discriminado (dis.cri.mi.na.do) [diʃkrimi'nadu] *adj.* **1** que é objeto de discriminação **SIN.** marginalizado **2** anotado com pormenor **SIN.** detalhado

discriminar (dis.cri.mi.nar) [diʃkrimi'nar] *v.* **1** tratar (alguém) de forma injusta ou desigual por causa da sua origem , raça, etc. **SIN.** marginalizar; segregar **2** perceber as diferenças entre **SIN.** distinguir **3** detalhar ou anotar com pormenor (produtos, faturas)

discriminatório (dis.cri.mi.na.tó.ri:o) [diʃkriminɐ'tɔrju] *adj.* **1** que discrimina ou distingue **2** que trata de forma desigual e/ou injusta uma pessoa ou várias, em comparação com a maneira como as restantes são tratadas

discursar (dis.cur.sar) [diʃkur'sar] *v.* **1** fazer um discurso; falar em público: *Discursou num jantar oferecido pelo presidente.* **2** ⟨**+sobre**⟩ discorrer; divagar: *discursar sobre política*

discurso (dis.cur.so) [diʃ'kursu] *n.m.* mensagem oral, sobre determinado assunto, que uma pessoa apresenta em público ♦ **discurso direto** reprodução (ou citação) na primeira pessoa, do discurso de um locutor, mantendo no discurso reproduzido a forma do discurso original; **discurso indireto** reprodução do discurso de um locutor no discurso do mesmo ou de outro locutor, não se mantendo a forma original no discurso reproduzido; **discurso indireto livre** modalidade de discurso entre o discurso direto e o indireto em que se fundem o relato da enunciação e a enunciação original

discussão (dis.cus.são) [diʃku'sɐ̃w̃] *n.f.* **1** troca de ideias sobre um assunto **2** debate; polémica **3** zanga; briga

discutição (dis.cu.ti.ção) [diʃkuti'sɐ̃w̃] *n.f.* [CV.] discussão

discutido (dis.cu.ti.do) [diʃku'tidu] *adj.* debatido; analisado

discutir (dis.cu.tir) [diʃku'tir] *v.* **1** examinar (um assunto) levantando questões **2** ter uma discussão (com alguém)

discutível (dis.cu.tí.vel) [diʃku'tivɛɫ] *adj.2g.* **1** que se pode discutir **2** duvidoso

disdangudo (dis.dan.gu.do) [diʃdɐ̃'gudu] *adj.* [GB.] desprezado; ignorado

disenteria (di.sen.te.ri.a) [dizẽtə'riɐ] *n.f.* infeção do intestino caracterizada por dores abdominais, eliminação de fezes com presença de sangue, e ulcerações da mucosa

disfarçado (dis.far.ça.do) [diʃfɐr'sadu] *adj.* mascarado; fantasiado

disfarçar (dis.far.çar) [diʃfɐr'sar] *v.* encobrir; tapar; ocultar ■ **disfarçar-se** mascarar-se; fantasiar-se

disfarce (dis.far.ce) [diʃ'far(sə)] *n.m.* **1** máscara; fantasia **2** *fig.* fingimento; dissimulação

disforme (dis.for.me) [diʃ'fɔrm(ə)] *adj.2g.* **1** enorme **2** deformado

disfunção (dis.fun.ção) [diʃfũ'sɐ̃w̃] *n.f.* anomalia no funcionamento de um órgão

disjunção (dis.jun.ção) [diʒũ'sɐ̃w̃] *n.f.* **1** separação; desunião **2** supressão da conjunção copulativa entre duas ou mais frases **3** período constituído por duas orações coordenadas ligadas pela conjunção conjuntiva *ou*

disjuntivo (dis.jun.ti.vo) [diʒũ'tivu] *adj.* **1** que desune ou separa **2** (conjunção, oração) que exprime alternativa **3** (proposição) que exprime alternativa através do conectivo *ou*

disjuntor (dis.jun.tor) [diʒũ'tor] *n.m.* interruptor automático para quando a corrente elétrica ultrapassa determinada intensidade

dislexia (dis.le.xi.a) [diʒlɛ'ksiɐ] *n.f.* perturbação na capacidade de leitura que se manifesta por falta e troca de letras, erros, etc.

disléxico (dis.lé.xi.co) [diʒ'lɛksiku] *adj.* relativo a dislexia ■ *adj.,n.m.* que ou pessoa que sofre de dislexia

díspar (dís.par) ['diʃpar] *adj.2g.* diferente; desigual

disparado (dis.pa.ra.do) [diʃpɐ'radu] *adj.* muito rápido; veloz

disparador (dis.pa.ra.dor) [diʃpɐrɐ'dor] *n.m.* **1** numa arma de fogo, peça que faz disparar o tiro; gatilho **2** numa máquina fotográfica, mecanismo que controla o diafragma

disparar (dis.pa.rar) [diʃpɐ'rar] *v.* **1** dar um ou mais tiros (de arma de fogo) **SIN.** atirar **2** aumentar rapidamente e de forma acentuada (preços, vendas, valores, etc.) **3** sair apressadamente

disparatado (dis.pa.ra.ta.do) [diʃpɐrɐ'tadu] *adj.* sem sentido; despropositado

disparatar (dis.pa.ra.tar) [diʃpɐrɐ'tar] *v.* dizer ou fazer disparates

disparate (dis.pa.ra.te) [diʃpɐ'rat(ə)] *n.m.* coisa que se faz ou se diz sem pensar **SIN.** absurdo; tolice

disparidade (dis.pa.ri.da.de) [diʃpɐri'dad(ə)] *n.f.* **1** desigualdade **2** divergência

disparo (dis.pa.ro) [di'ʃparu] *n.m.* tiro

dispêndio (dis.pên.di:o) [di'ʃpẽdju] *n.m.* **1** despesa **2** gasto excessivo

dispendioso (dis.pen.di:o.so) [diʃpẽ'djozu] *adj.* **1** caro **ANT.** barato **2** que consome muita energia

dispensa (dis.pen.sa) [di'ʃpẽsɐ] *n.f.* licença; permissão

> Não confundir **dispensa** (licença) com **despensa** (compartimento).

dispensado (dis.pen.sa.do) [diʃpẽ'sadu] *adj.* **1** que obteve dispensa ou licença **2** que foi despedido

dispensar (dis.pen.sar) [diʃpẽ'sar] *v.* **1** conceder dispensa a; libertar (de um dever ou de uma obrigação) **2** despedir; demitir

dispensário (dis.pen.sá.ri:o) [diʃpẽ'sarju] *n.m.* estabelecimento para tratamento de doentes com dificuldades económicas, dando-lhes acesso a consultas e medicamentos gratuitos

dispensável (dis.pen.sá.vel) [diʃpẽ'savɛɫ] *adj.2g.* escusado

dispersão (dis.per.são) [diʃpər'sɐ̃w̃] *n.f.* **1** afastamento de pessoas ou coisas em várias direções **2** falta de concentração

dispersar(-se) (dis.per.sar(-se)) [diʃpər'sar(sə)] *v.* **1** fazer ir ou ir para diversos pontos **SIN.** espalhar(-se) **2** pôr(-se) em debandada **3** (fazer) perder a concentração **SIN.** distrair(-se) **4** sumir(-se); dissipar(-se)

disperso (dis.per.so) [di'ʃpɛrsu] *adj.* **1** espalhado **2** que se distrai **SIN.** desatento

displicente (dis.pli.cen.te) [dəʃpli'sẽt(ə)] *adj.2g.* **1** que causa desagrado ou aborrecimento **SIN.** impertinente **2** insolente

disponibilidade (dis.po.ni.bi.li.da.de) [diʃpunibili'dad(ə)] *n.f.* **1** qualidade do que está disponível **2** qualidade de quem está aberto a novas influências, contactos ou ideias **SIN.** recetividade

disponibilizar (dis.po.ni.bi.li.zar) [diʃpunibili'zar] *v.* tornar disponível; pôr à disposição

disponível (dis.po.ní.vel) [diʃpu'nivɛɫ] *adj.2g.* **1** que se pode utilizar; acessível **2** que não está ocupado; livre

dispor (dis.por) [di'ʃpor] *v.* **1** arrumar: *Ele dispôs as cadeiras em círculo.* **2** organizar: *O autor dispôs o livro em capítulos.* **3** ⟨**+de**⟩ utilizar: *Pode dispor de todo o material.* ■ **dispor-se 1** ⟨**+a**⟩ oferecer-se: *Ele dispôs-se a ajudar.* **2** ⟨**+a**⟩ preparar-se: *Dispunha-me a partir.* **3** ⟨**+a**⟩ estar disposto a: *Ele dispôs-se a ouvir-me.* ♦ **ao dispor de** às ordens de

disposição (dis.po.si.ção) [diʃpuzi'sɐ̃w̃] *n.f.* **1** colocação (de objetos) segundo determinada ordem **2** estado de espírito **3** vontade (de fazer algo) ♦ **estar à disposição** estar disponível para ser utilizado/ajudar; **estar na disposição de** ter intenção de (aceitar algo)

dispositivo (dis.po.si.ti.vo) [diʃpuzi'tivu] *n.m.* **1** mecanismo próprio para determinado fim **2** aparelho ou conjunto de componentes que permitem armazenar, transferir ou processar dados ♦ **dispositivo intrauterino** dispositivo metálico ou plástico que é introduzido na cavidade uterina a fim de evitar a conceção, impedindo a implantação do embrião

disposto (dis.pos.to) [di'ʃpoʃtu] *adj.* **1** colocado de certa forma **2** decidido **3** com vontade

disputa (dis.pu.ta) [di'ʃputɐ] *n.f.* **1** discussão **2** competição **3** rivalidade

disputar (dis.pu.tar) [diʃpu'tar] *v.* **1** lutar ou competir por **2** discutir

disquete (dis.que.te) [di'ʃkɛt(ə)] *n.f.* pequeno disco magnético, protegido por uma cobertura plástica, usado para armazenar dados informáticos, e que pode ser removido do computador

dissabor (dis.sa.bor) [disɐ'bor] *n.m.* **1** desgosto **2** contratempo

dissaquela (dis.sa.que.la) [disɐ'kɛlɐ] *n.f.* [ANG.] ritual de evocação dos espíritos

dissecação (dis.se.ca.ção) [disəkɐ'sɐ̃w̃] *n.f.* **1** operação pela qual se separam as partes de um organismo morto para ser estudado **2** *fig.* análise minuciosa

dissecar (dis.se.car) [disə'kar] *v.* **1** cortar ou separar (órgãos ou partes de órgãos) **2** *fig.* analisar de modo minucioso

disseminação (dis.se.mi.na.ção) [disəminɐ'sɐ̃w̃] *n.f.* dispersão

disseminar(-se) (dis.se.mi.nar(-se)) [disəmi'nar(sə)] *v.* **1** espalhar(-se) por muitas partes **2** divulgar(-se); difundir(-se)

dissertação (dis.ser.ta.ção) [disərtɐ'sɐ̃w̃] *n.f.* **1** trabalho escrito, apresentado publicamente a instituição de ensino superior, para obtenção de um grau académico; tese **2** discurso; conferência

dissertar (dis.ser.tar) [disər'tar] *v.* **1** apresentar oralmente ou por escrito um trabalho **2** discursar

dissidência (dis.si.dên.ci:a) [disi'dẽsjɐ] *n.f.* **1** divergência de interesses ou de opiniões **2** separação

dissidente (dis.si.den.te) [disi'dẽt(ə)] *n.2g.* pessoa que se separa de um grupo ou de uma organização por divergência com a maioria

dissilábico (dis.si.lá.bi.co) [disi'labiku] *adj.* diz-se da palavra que tem duas sílabas

dissílabo (dis.sí.la.bo) [di'silɐbu] *n.m.* palavra que tem duas sílabas

dissimilação (dis.si.mi.la.ção) [disimilɐ'sɐ̃w̃] *n.f.* **1** ato pelo qual duas coisas semelhantes se tornam diferentes **SIN.** diferenciação **2** diferenciação de um ou mais traços fonéticos entre segmentos fonéticos próximos

dissimulação (dis.si.mu.la.ção) [disimulɐ'sɐ̃w̃] *n.f.* **1** ocultação (de sentimentos, intenções, etc.); encobrimento **2** fingimento; disfarce

dissimulado (dis.si.mu.la.do) [disimu'ladu] *adj.* **1** disfarçado; fingido **2** falso; hipócrita

dissimular (dis.si.mu.lar) [disimu'lar] *v.* **1** ocultar (sentimentos, intenções, etc.); esconder **2** fingir; disfarçar

dissipação (dis.si.pa.ção) [disipɐ'sɐ̃w̃] *n.f.* ato ou efeito de (se) dissipar; desaparecimento

dissipar (dis.si.par) [disi'par] *v.* fazer desaparecer ▪ **dissipar-se** desaparecer

disso (dis.so) ['disu] *contr. de prep.* de + *pron. dem.* isso

dissociação (dis.so.ci:a.ção) [disusjɐ'sɐ̃w̃] *n.f.* desagregação; separação

dissociar (dis.so.ci:ar) [disu'sjar] *v.* separar ▪ **dissociar-se** separar-se

dissociável (dis.so.ci:á.vel) [disu'sjavɛɫ] *adj.2g.* que se pode dissociar; separável

dissolução (dis.so.lu.ção) [disulu'sɐ̃w̃] *n.f.* **1** ato ou efeito de (se) dissolver **2** rutura (de relação, casamento, contrato, etc.)

dissoluto (dis.so.lu.to) [disu'lutu] *adj.,n.m.* devasso; libertino

dissolúvel (dis.so.lú.vel) [disu'luvɛɫ] *adj.2g.* **1** que se pode dissolver **2** que pode ser dissolvido num líquido; solúvel

dissolvente (dis.sol.ven.te) [disoɫ'vẽt(ə)] *n.* substância líquida que transforma um corpo sólido, líquido ou gasoso numa solução homogénea

dissolver (dis.sol.ver) [disoɫ'ver] *v.* **1** desfazer (uma substância sólida, em pó ou pastosa) num líquido **2** anular (casamento, contrato, etc.)

dissolvido (dis.sol.vi.do) [disoɫ'vidu] *adj.* desfeito

dissonância (dis.so.nân.ci:a) [disu'nɐ̃sjɐ] *n.f.* **1** reunião de sons desagradáveis; desafinação **2** falta de harmonia; discordância

dissonante (dis.so.nan.te) [disu'nɐ̃t(ə)] *adj.2g.* **1** que não soa bem **2** discordante

dissuadir(-se) (dis.su:a.dir(-se)) [diswɐ'dir(sə)] ⟨**+de**⟩ (fazer) mudar de opinião **SIN.** convencer

dissuasão (dis.su:a.são) [diswa'zɐ̃w̃] *n.f.* **1** ato ou efeito de dissuadir **2** capacidade para fazer mudar de opinião

dissuasor (dis.su:a.sor) [diswa'zor] *adj.* que leva a mudar de opinião ou de intenção

distância (dis.tân.ci:a) [diʃ'tɐ̃sjɐ] *n.f.* **1** espaço existente entre dois pontos ou dois lugares **2** lapso de tempo entre dois momentos **3** afastamento; separação ◆ **à/a distância 1** de longe **2** ao longe

distanciamento (dis.tan.ci:a.men.to) [diʃtɐ̃sjɐ'mẽtu] *n.m.* **1** afastamento; separação **2** frieza; reserva

distanciar(-se) (dis.tan.ci:ar(-se)) [diʃtɐ̃'sjar(sə)] **1** pôr(-se) distante; afastar(-se) **2** *fig.* desinteressar(-se)

distante (dis.tan.te) [diʃ'tɐ̃t(ə)] *adj.2g.* **1** afastado (no espaço ou no tempo) **SIN.** longínquo; remoto **2** *fig.* distraído; absorto **3** *fig.* reservado; frio

distender (dis.ten.der) [diʃtẽ'der] *v.* **1** estender(-se) em várias direções **2** esticar(-se); estirar(-se) **3** dilatar

distensão (dis.ten.são) [diʃtẽ'sɐ̃w̃] *n.f.* **1** deslocamento ou torção violenta (de músculo, ligamento, etc.) **2** relaxamento

dístico (dís.ti.co) ['diʃtiku] *n.m.* **1** estrofe composta por dois versos **2** letreiro; rótulo

distinção (dis.tin.ção) [dəʃtĩ'sɐ̃w̃] *n.f.* **1** diferença **2** elegância **3** condecoração

distinguir (dis.tin.guir) [dəʃtĩ'gir] *v.* **1** perceber a diferença entre **2** ver ao longe **3** caracterizar **4** preferir ▪ **distinguir-se** destacar-se

distintivo (dis.tin.ti.vo) [dəʃtĩ'tivu] *n.m.* placa metálica que se utiliza para identificar uma pessoa ou o cargo que ocupa na sua profissão **SIN.** emblema; insígnia

distinto (dis.tin.to) [dəʃ'tĩtu] *adj.* **1** diferente **2** nítido **3** elegante

disto (dis.to) ['diʃtu] *contr. de prep.* de + *pron. dem.* isto

distorção (dis.tor.ção) [diʃtur'sɐ̃w̃] *n.f.* **1** deformação **2** deturpação

distorcer (dis.tor.cer) [diʃtur'ser] *v.* **1** alterar a forma de alguma coisa; deformar **2** alterar o sentido das palavras de alguém; deturpar

distorcido (dis.tor.ci.do) [diʃtur'sidu] *adj.* **1** (imagem, som) deformado **2** (facto, verdade) deturpado

distração (dis.tra.ção)[AO] [diʃtra'sɐ̃w̃] *n.f.* **1** falta de atenção **2** esquecimento **3** divertimento

distracção (dis.trac.ção) [diʃtra'sɐ̃w̃] *a nova grafia é* **distração**[AO]

distraído (dis.tra.í.do) [diʃtrɐ'idu] *adj.* **1** sem atenção; absorto **2** entretido

distrair(-se) (dis.tra.ir(-se)) [diʃtrɐ'ir(sə)] *v.* **1** ⟨+de⟩ (fazer) desviar a atenção de (alguém) **2** ⟨+com, +a⟩ entreter(-se); divertir(-se) **3** descuidar-se

distribuição (dis.tri.bu:i.ção) [dəʃtribwi'sɐ̃w̃] *n.f.* **1** ato ou efeito de distribuir; repartição **2** ato ou efeito de dispor de determinada forma; disposição

distribuidor (dis.tri.bu:i.dor) [dəʃtribwi'dor] *n.m.* **1** pessoa que distribui **2** empresa responsável pela distribuição de determinados produtos no mercado

distribuidora (dis.tri.bu:i.do.ra) [dəʃtribwi'dora] *n.f.* empresa que funciona como intermediário entre a indústria e os locais de venda

distribuir (dis.tri.bu:ir) [dəʃtri'bwir] *v.* **1** dividir algo por várias pessoas **SIN.** repartir **2** dispor; arranjar **3** colocar (produtos) à disposição dos consumidores

distrital (dis.tri.tal) [dəʃtri'tał] *adj.2g.* relativo a distrito

distrito (dis.tri.to) [dəʃ'tritu] *n.m.* parte em que se divide um território para fins administrativos

A saber que **distrito** é uma divisão administrativa portuguesa, existindo 18 distritos em Portugal continental.

distúrbio (dis.túr.bi:o) [diʃ'turbju] *n.m.* perturbação da ordem **SIN.** agitação; confusão

ditado (di.ta.do) [di'tadu] *n.m.* **1** texto que uma pessoa escreve enquanto outra pessoa lê em voz alta **2** dito popular; provérbio

ditador (di.ta.dor) [ditɐ'dor] *n.m.* **1** pessoa que controla todos os poderes do Estado e exerce poder absoluto **2** pessoa autoritária ou prepotente

ditadura (di.ta.du.ra) [ditɐ'durɐ] *n.f.* **1** sistema de governo em que o poder é exercido por uma pessoa, não respeitando os direitos e liberdades dos cidadãos **2** país que tem um sistema ditatorial

ditame (di.ta.me) [di'tɐm(ə)] *n.m.* **1** aquilo que a consciência e a razão ditam **2** ordem; regra

ditar (di.tar) [di'tar] *v.* **1** dizer em voz alta (frase, texto) para que outra pessoa escreva o que está a ser dito **2** impor; determinar

ditatorial (di.ta.to.ri:al) [ditɐtu'rjał] *adj.2g.* **1** próprio de ditadura ou de ditador **2** autoritário; prepotente

ditenda (di.ten.da) [di'tẽdɐ] *n.f.* [ANG.] oficina; fábrica

dito (di.to) ['ditu] *n.m.* **1** aquilo que se diz ou disse; afirmação **2** expressão popular; máxima ◆ **dito e feito** feito logo a seguir; sem interrupção

dito-cujo (di.to-.cu.jo) [ditu'kuʒu] *n.m.* ⟨*pl.* ditos-cujos⟩ *coloq.* pessoa de quem não se quer dizer o nome; sujeito; fulano

ditongo (di.ton.go) [di'tõgu] *n.m.* grupo de dois fonemas (vogal e semivogal) que se pronunciam de uma só vez: ***aula; bem; céu; mãe; não***

ditoso (di.to.so) [di'tozu] *adj.* que tem sorte **SIN.** feliz; afortunado

DIU [dju] *sigla de* dispositivo intrauterino

diurese (di:u.re.se) [dju'rɛz(ə)] *n.f.* eliminação de urina pelo organismo

diurético (di:u.ré.ti.co) [dju'rɛtiku] *n.m.* medicamento que facilita a eliminação de urina

diurno (di:ur.no) ['djurnu] *adj.* que acontece durante o dia

diva (di.va) ['divɐ] *n.f.* **1** deusa **2** *fig.* mulher muito bela

divã (di.vã) [di'vɐ̃] *n.m.* sofá sem costas nem braços

divagação (di.va.ga.ção) [divɐgɐ'sɐ̃w̃] *n.f.* **1** ato de caminhar sem rumo **2** desvio do assunto principal

divagar (di.va.gar) [divɐ'gar] *v.* **1** caminhar sem rumo; vaguear **2** afastar-se do assunto principal **3** sonhar

divergência (di.ver.gên.ci:a) [divər'ʒẽsjɐ] *n.f.* **1** afastamento progressivo **2** diferença de opinião

divergente (di.ver.gen.te) [divər'ʒẽt(ə)] *adj.2g.* **1** que se afasta **2** que tem opinião diferente; oposto

divergir (di.ver.gir) [divər'ʒir] *v.* **1** afastar-se de modo progressivo **2** estar em desacordo; opor-se

diversão (di.ver.são) [divər'sɐ̃w̃] *n.f.* **1** distração; passatempo **2** mudança de rumo; desvio

diversidade (di.ver.si.da.de) [divərsi'dad(ə)] *n.f.* **1** variedade; multiplicidade **2** diferença; dissemelhança

diversificar (di.ver.si.fi.car) [divərsifi'kar] *v.* tornar diferente; variar

diverso (di.ver.so) [di'vɛrsu] *adj.* **1** diferente **2** variado

divertido (di.ver.ti.do) [divər'tidu] *adj.* que diverte ou faz rir; engraçado **ANT.** aborrecido

divertimento (di.ver.ti.men.to) [divərti'mẽtu] *n.m.* distração; passatempo

divertir (di.ver.tir) [divəʀ'tir] *v.* **1** distrair; entreter **2** fazer rir ▪ **divertir-se** distrair-se; entreter-se

dívida (dí.vi.da) ['dividɐ] *n.f.* **1** quantia em dinheiro que se deve (a alguém) **2** obrigação moral em relação a alguém

dividendo (di.vi.den.do) [divi'dẽdu] *n.m.* número que é dividido por outro na operação de divisão ▪ **dividendos** *n.m.pl.* vantagem financeira; lucro

dividido (di.vi.di.do) [divi'didu] *adj.* **1** separado **2** discordante

dividir (di.vi.dir) [dəvi'dir] *v.* **1** repartir; distribuir **2** demarcar; limitar

divinal (di.vi.nal) [divi'naɫ] *adj.2g.* maravilhoso; fantástico

divindade (di.vin.da.de) [divĩ'dad(ə)] *n.f.* **1** ser divino **2** pessoa ou coisa que é objeto de veneração

divino (di.vi.no) [di'vinu] *adj.* **1** relativo a deus **2** *fig.* perfeito

divisa (di.vi.sa) [di'vizɐ] *n.f.* **1** frase simbólica que se toma como norma de conduta; lema **2** sinal indicativo de um posto ou de uma patente; insígnia **3** moeda estrangeira

divisão (di.vi.são) [divi'zɐ̃w̃] *n.f.* **1** ato de dividir uma coisa em partes **2** operação pela qual se determina quantas vezes uma quantidade está contida noutra **3** linha de separação **4** falta de acordo; desavença **5** conjunto de equipas desportivas da mesma categoria

divisar (di.vi.sar) [divi'zar] *v.* **1** ver ao longe; avistar **2** demarcar; delimitar

divisível (di.vi.sí.vel) [divi'zivɛɫ] *adj.2g.* que pode ser dividido

divisor (di.vi.sor) [divi'zor] *n.m.* número pelo qual se divide outro

divisória (di.vi.só.ri:a) [divi'zɔrjɐ] *n.f.* **1** linha de separação **SIN.** divisão **2** parede ou objeto (biombo, cortina, etc.) que divide um compartimento

divorciado (di.vor.ci:a.do) [divur'sjadu] *adj.,n.m.* que ou pessoa que se divorciou

divorciar(-se) (di.vor.ci:ar(-se)) [divur'sjar(sə)] **1** ⟨**+de**⟩ dissolver o casamento de (alguém ou si próprio) **2** ⟨**+de**⟩ desligar(-se); desunir(-se)

divórcio (di.vór.ci:o) [di'vɔrsju] *n.m.* separação [...]gal de duas pessoas casadas

divulgação (di.vul.ga.ção) [divuɫgɐ'sɐ̃w̃] *n.f.* ato [...] divulgar (um facto, uma notícia); difusão

divulgar (di.vul.gar) [divuɫ'gar] *v.* tornar públ[...] (facto, notícia); difundir

dizamba (di.zam.ba) [di'zɐ̃bɐ] *n.f.* [ANG.] chapéu [...] palha de abas largas

dizer (di.zer) [di'zer] *v.* **1** exprimir por palavr[...] afirmar **2** comunicar **3** aconselhar **4** celeb[...] (missa) **5** falar ◆ **dizer adeus** despedir-se de [...]guém; **dizer respeito a** ser relativo a; **por** [...] **sim dizer** mais ou menos; **quer dizer** ou m[...]lhor

dízima (dí.zi.ma) ['dizimɐ] *n.f.* décima parte

dizimação (di.zi.ma.ção) [dizimɐ'sɐ̃w̃] *n.f.* destr[...]ção total; exterminação

dizimar (di.zi.mar) [dizi'mar] *v.* **1** destruir; ex[...]minar **2** desbaratar; esbanjar

diz-que-diz-que (diz-.que-.diz-.que) [di[...] 'diʃk(ə)] *n.m.2n.* boato; falatório

dizuzo (di.zu.zo) [di'zuzu] *adj.* [ANG.] tolo; petular[...]

DJ [di'ʒɐj] *sigla de* disco-jóquei

djico (dji.co) ['dʒiku] *n.m.* [MOÇ.] pequeno passe[...] volta

dl *símbolo de* decilitro

DNA [deɛna] molécula portadora de informaç[...] genética, responsável pela transmissão das [...]racterísticas hereditárias nos seres vivos **OBS.** [...]gla de *deoxyribonucleic acid* (ácido desoxirri[...]nucleico)

do (do) [du] *contr. de prep.* de + *det. art. def.* ou *p[...] dem.* o

dó (dó) ['dɔ] *n.m.* **1** compaixão; pena **2** prime[...] nota da escala musical ◆ **dó de alma** sentime[...] de grande tristeza e pesar; **sem dó nem p[...]dade** de maneira cruel; de forma impiedosa

doação (do.a.ção) [duɐ'sɐ̃w̃] *n.f.* **1** ato de doar [...]guma coisa a alguém **2** transmissão de bens

doador (do.a.dor) [duɐ'dor] *n.m.* **1** pessoa que [...] alguma coisa **2** pessoa que dá o próprio sang[...] ou órgãos para transfusão ou transplante

doar (do.ar) [du'ar] *v.* **1** dar alguma coisa a [...]guém **2** transmitir a posse de bens

dobadoura (do.ba.dou.ra) [dubɐ'do(w)rɐ] *n.f.* **1** a[...]relho giratório para dobar meadas de lã ou [...] **2** *coloq.* pressa; correria

dobar (do.bar) [du'bar] *v.* fazer novelos (de lã [...] fio)

dobermann [dɔbɛr'man] *n.m.* 👁 cão de guarda com focinho alongado, patas esguias e pelo curto e espesso, negro ou castanho com tons de vermelho

dobra (do.bra) ['dɔbrɐ] *n.f.* **1** prega; vinco **2** unidade monetária de São Tomé e Príncipe

dobradiça (do.bra.di.ça) [dubrɐ'disɐ] *n.f.* 👁 peça de metal sobre a qual gira uma porta ou janela

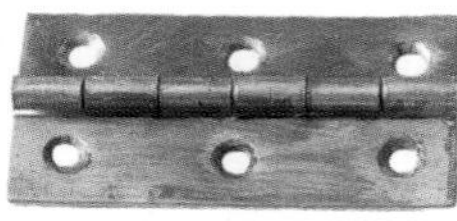

dobrado (do.bra.do) [du'bradu] *adj.* **1** (papel, tecido) que tem dobra **SIN.** vincado **2** virado sobre si mesmo **SIN.** curvado; enrolado **3** (filme) que apresenta a parte sonora numa língua diferente da original

dobragem (do.bra.gem) [du'braʒɐ̃j] *n.f.* substituição das partes faladas ou cantadas de um filme ou programa, por outras, numa língua diferente

dobrar (do.brar) [du'brar] *v.* **1** vincar (papel, tecido) **2** duplicar (número, valor) **3** curvar **4** tocar (os sinos) ■ **dobrar-se** curvar-se; vergar-se

dobrável (do.brá.vel) [du'bravɛɫ] *adj.2g.* que se pode dobrar

dobro (do.bro) ['dobru] *num.mult.* que equivale a duas vezes a mesma quantidade ■ *n.m.* valor ou quantidade duas vezes maior

doc. *abreviatura de* documento

doca (do.ca) ['dɔkɐ] *n.f.* zona de um porto destinada à carga e descarga das embarcações

doçaria (do.ça.ri.a) [dusɐ'riɐ] *n.f.* **1** grande quantidade de doces **2** confeitaria

doce (do.ce) ['do(sə)] *adj.2g.* **1** preparado com açúcar **ANT.** salgado **2** *fig.* meigo ■ *n.m.* alimento feito com açúcar; guloseima

doceira (do.cei.ra) [du'sɐjrɐ] *n.f.* mulher que fabrica ou vende doces

docemente (do.ce.men.te) [dosə'mẽt(ə)] *adv.* com delicadeza; suavemente

docência (do.cên.ci:a) [du'sẽsjɐ] *n.f.* **1** cargo de professor **2** ensino

docente (do.cen.te) [du'sẽt(ə)] *adj.2g.* relativo ao ensino ■ *n.2g.* professor(a) ◆ **corpo docente** conjunto dos professores de uma escola

dócil (dó.cil) ['dɔsiɫ] *adj.2g.* **1** obediente **2** meigo

docodela (do.co.de.la) [doko'dɛlɐ] *n.2g.* [MOÇ.] doutor; médico

documentação (do.cu.men.ta.ção) [dukumẽtɐ'sɐ̃w̃] *n.f.* conjunto de documentos

documentado (do.cu.men.ta.do) [dukumẽ'tadu] *adj.* **1** (facto) provado com documentos **2** (pessoa) informado

documental (do.cu.men.tal) [dukumẽ'taɫ] *adj.2g.* **1** relativo a documento **2** baseado em documento

documentar (do.cu.men.tar) [dukumẽ'tar] *v.* **1** provar (alguma coisa) com documentos **2** registar (algo) em documento(s)

documentário (do.cu.men.tá.ri:o) [dukumẽ'tarju] *n.m.* filme informativo curto que trata de factos históricos ou de assuntos da atualidade

documento (do.cu.men.to) [duku'mẽtu] *n.m.* **1** declaração escrita **2** aquilo que serve de prova; testemunho

doçura (do.çu.ra) [du'surɐ] *n.f.* **1** qualidade do que é doce **2** *fig.* meiguice

dodecassílabo (do.de.cas.sí.la.bo) [dɔdəkɐ'silɐbu] *n.m.* palavra com doze sílabas

doença (do:en.ça) ['dwẽsɐ] *n.f.* **1** alteração do estado normal do organismo; **doença crónica** doença que se prolonga ao longo da vida e que geralmente evolui de forma lenta **2** *fig.* mania

doente (do:en.te) ['dwẽt(ə)] *adj.2g.* **1** que tem alguma doença; enfermo **ANT.** são, saudável **2** *coloq.* que é apaixonado por (uma atividade, um clube, etc.) ■ *n.m.* pessoa que sofre de alguma doença **SIN.** paciente

doentio (do:en.ti.o) [dwẽ'tiu] *adj.* **1** mórbido **2** prejudicial

doer (do:er) ['dwer] *v.* causar dor; magoar

dogma (dog.ma) ['dɔgmɐ] *n.m.* **1** ponto fundamental, considerado incontestável, de uma doutrina **2** qualquer sistema ou doutrina considerado(a) indiscutível **3** princípio estabelecido; preceito; máxima

dogmático (dog.má.ti.co) [dɔ'gmatiku] *adj.* **1** relativo a dogma **2** *fig.* que não admite discussão; perentório; autoritário

doidice (doi.di.ce) [doj'di(sə)] *n.f.* **1** falta de juízo; loucura **2** disparate; tolice

doidivanas (doi.di.va.nas) [dojdi'vɐnɐʃ] *n.2g.2n.* **1** *coloq.* pessoa leviana ou estouvada **2** *coloq.* pessoa gastadora ou perdulária

doido (doi.do) ['dojdu] *adj.* que perdeu o juízo SIN. louco; maluco ◆ **estar doido por** estar ansioso por

dói-dói (dói-.dói) [dɔj'dɔj] *n.m.* ⟨*pl.* dói-dóis⟩ *infant.* ferida; dor

dois (dois) ['dojʃ] *num.card.* um mais um ■ *n.m.* o número 2 ◆ **dois a dois** aos pares

dois-pontos (dois-.pon.tos) [dojʃ'põtuʃ] *n.m.2n.* sinal de pontuação (:) que representa, na escrita, uma pausa breve da linguagem oral

dojo ['doʒu] *n.m.* escola ou sala onde se praticam artes marciais, sobretudo judo e karaté

dólar (dó.lar) ['dɔlar] *n.m.* moeda dos Estados Unidos da América e do Canadá

dólmen (dól.men) ['dɔɫmɛn] *n.m.* ⟨*pl.* dólmenes⟩ construção pré-histórica feita de grandes pedras e semelhante a uma mesa SIN. anta

dolo (do.lo) ['dolu] *n.m.* **1** fraude **2** má-fé

dolorido (do.lo.ri.do) [dulu'ridu] *adj.* **1** magoado **2** triste

doloroso (do.lo.ro.so) [dulu'rozu] *adj.* **1** que provoca dor **2** que causa desgosto

dom (dom) ['dõ] *n.m.* aptidão inata para fazer algo SIN. talento; vocação ■ **Dom** título honorífico masculino que precede o nome próprio

domador (do.ma.dor) [dumɐ'dor] *n.m.* homem que domestica animais

domar (do.mar) [du'mar] *v.* **1** amansar (um animal); domesticar **2** dominar; subjugar

domba (dom.ba) ['dõbɐ] *n.f.* [MOÇ.] casa dos espíritos; templo

doméstica (do.més.ti.ca) [du'mɛʃtikɐ] *n.f.* **1** mulher que se ocupa da gestão e organização da casa; dona de casa **2** mulher que presta serviços associados à manutenção de uma casa

domesticado (do.mes.ti.ca.do) [duməʃti'kadu] *adj.* **1** amansado; domado **2** *fig.* subjugado

domesticar (do.mes.ti.car) [duməʃti'kar] *v.* **1** amansar (um animal); domar **2** dominar; subjugar

domesticável (do.mes.ti.cá.vel) [duməʃti'kavɛɫ] *adj.2g.* que pode ser domesticado

doméstico (do.més.ti.co) [du'mɛʃtiku] *adj.* **1** relativo ao lar ou à família **2** diz-se do animal criado em casa

domiciliário (do.mi.ci.li:á.ri:o) [dumisi'ljarju] *adj.* relativo a casa

domicílio (do.mi.cí.li:o) [dumi'silju] *n.m.* residência; casa ◆ **ao domicílio** que leva ao endereço fornecido pelo cliente ou comprador a sua encomenda ou pedido

dominador (do.mi.na.dor) [duminɐ'dor] *adj.* **1** que domina **2** autoritário

dominante (do.mi.nan.te) [dumi'nɐ̃t(ə)] *adj.2g.* **1** que domina **2** principal

dominar (do.mi.nar) [dumi'nar] *v.* **1** ter autoridade sobre; controlar **2** ter mais importância; prevalecer

domingo (do.min.go) [du'mĩgu] *n.m.* primeiro dia da semana

domingueiro (do.min.guei.ro) [dumĩ'gɐjru] *adj.* **1** próprio de domingo **2** festivo; garrido

dominical (do.mi.ni.cal) [dumini'kaɫ] *adj.2g.* relativo a domingo

domínio (do.mí.ni:o) [du'minju] *n.m.* **1** poder que se tem sobre algo ou alguém SIN. autoridade **2** conhecimento que se tem de uma disciplina ou área **3** direito legal de propriedade

dominó (do.mi.nó) [dɔmi'nɔ] *n.m.* jogo de 28 peças retangulares com pintas escuras marcadas de 1 a 6 ◆ **efeito dominó** sucessão inevitável de factos, geralmente negativos, desencadeados por um facto inicial

domo (do.mo) ['domu] *n.m.* parte superior e exterior da cúpula de um edifício; zimbório

dona (do.na) ['donɐ] *n.f.* **1** proprietária; senhora **2** título honorífico feminino ◆ **dona de casa** doméstica

donativo (do.na.ti.vo) [dunɐ'tivu] *n.m.* **1** oferta; presente **2** contribuição (em dinheiro)

donde (don.de) ['dõd(ə)] *contr. de prep.* de + *adv.* onde

dondoca (don.do.ca) [dõ'dɔkɐ] *n.f.* [BRAS.] *coloq.* mulher fútil, de condição social elevada

doninha (do.ni.nha) [dɔ'niɲɐ] *n.f.* pequeno mamífero carnívoro, de corpo esguio e patas curtas

dono (do.no) ['donu] *n.m.* proprietário ◆ **ser dono do seu nariz** não depender de ninguém; ser independente

donut® ['dɔnut] *n.m.* ⟨*pl.* donuts⟩ bolo em forma de argola, frito e envolvido em açúcar ou recheado de creme, chocolate ou compota

onzela (don.ze.la) [dõ'zɛlɐ] *n.f.* **1** rapariga solteira **2** mulher virgem

opado (do.pa.do) [du'padu] *adj.* (atleta) que está sob o efeito de uma substância estimulante (administrada para aumentar a resistência física)

opagem (do.pa.gem) [du'paʒɐ̃j] *n.f.* administração ou uso de qualquer substância com o objetivo de melhorar, de forma artificial, o desempenho de um atleta

opante (do.pan.te) [du'pɐ̃t(ə)] *adj.2g.,n.m.* que ou substância que provoca alteração artificial de resistência ou rendimento de um atleta

opar(-se) (do.par(-se)) [du'par(sə)] *v.* administrar ou tomar substância que altere o desempenho desportivo de um atleta ou animal de competição

oping ['dɔpĩg] *n.m.* **1** substância química que se dá a uma pessoa ou a um animal para lhe aumentar de modo artificial a resistência e o desempenho **2** administração ou uso deste tipo de substâncias, proibidas em competições desportivas

or (dor) ['dor] *n.f.* **1** sensação dolorosa; sofrimento **2** mágoa; tristeza ♦ **dor de cotovelo** inveja; ciúme

oravante (do.ra.van.te) [dɔra'vɐ̃t(ə)] *adv.* de hoje em diante; no futuro

órico (dó.ri.co) ['dɔriku] *n.m.* estilo característico de uma das três ordens da arquitetura grega, que se caracteriza pela sobriedade das suas linhas (colunas desprovidas de base, capitel sem ornamentos, etc.) ■ *adj.* relativo à mais antiga das três ordens arquitetónicas gregas

orido (do.ri.do) [du'ridu] *adj.* que tem dor **SIN.** magoado

ormência (dor.mên.ci:a) [dur'mẽsjɐ] *n.f.* **1** vontade de dormir; sonolência **2** sensação de formigueiro nas mãos ou nos pés

ormente (dor.men.te) [dur'mẽt(ə)] *adj.2g.* **1** que dorme; adormecido **2** sem sensibilidade; entorpecido

orminhoco (dor.mi.nho.co) [durmi'ɲoku] *adj.* que dorme muito; que gosta muito de dormir

ormir (dor.mir) [dur'mir] *v.* **1** estar adormecido; cair no sono **2** descansar; repousar **3** partilhar o mesmo quarto ou a mesma cama **4** *coloq.* ter relação sexual com

ormitar (dor.mi.tar) [durmi'tar] *v.* dormir com sono leve

ormitório (dor.mi.tó.ri:o) [durmi'tɔrju] *n.m.* quarto onde dormem muitas pessoas

orna (dor.na) ['dɔrnɐ] *n.f.* recipiente onde se pisam as uvas e se conserva o mosto

dorsal (dor.sal) [dɔr'saɫ] *adj.2g.* **1** relativo ao dorso **2** relativo à parte posterior do corpo

dorso (dor.so) ['dorsu] *n.m.* **1** região posterior do tronco humano **SIN.** costas **2** parte superior ou posterior do corpo de muitos animais **SIN.** lombo **3** face superior ou posterior de órgãos (língua, mão, etc.) e de alguns objetos (como faca, livro, etc.)

dosagem (do.sa.gem) [du'zaʒɐ̃j] *n.f.* **1** determinação da quantidade de (medicamento, etc.) **2** quantidade de substâncias que entram na composição de um medicamento

dose (do.se) ['dɔz(ə)] *n.f.* **1** quantidade um medicamento ou de uma substância que se toma de uma vez **2** qualquer quantidade de alguma coisa ♦ **ser dose** ser demasiado; **ser dose de elefante/cavalo** exceder os limites suportáveis

doseador (do.se:a.dor) [duzjɐ'dor] *n.m.* dispositivo que permite regular a quantidade de uma substância

dosear (do.se:ar) [du'zjar] *v.* **1** dividir em doses **2** dar a dose certa

dossiê (dos.si:ê) [dɔ'sje] *n.m.* ⇒ **dossier**

dossier [dɔ'sje] *n.m.* ⟨*pl.* dossiers⟩ **1** conjunto de documentos relativos a determinado assunto, pessoa ou acontecimento **2** caderno, pasta ou arquivo que contém esses documentos

dotado (do.ta.do) [du'tadu] *adj.* **1** talentoso **2** constituído; composto; munido

dotar (do.tar) [du'tar] *v.* ⟨**+de**⟩ fornecer; equipar; apetrechar: *dotar um hospital com a tecnologia mais atualizada*

dote (do.te) ['dɔt(ə)] *n.m.* **1** bens que se dava à noiva ou ao noivo por ocasião do seu casamento **2** *fig.* talento

dourada (dou.ra.da) [do(w)'radɐ] *n.f.* peixe com escamas douradas encontrado no Atlântico e no Mediterrâneo

dourado (dou.ra.do) [do(w)'radu] *adj.* **1** que tem a cor do ouro **2** coberto de ouro

dourar (dou.rar) [do(w)'rar] *v.* **1** cobrir de ouro **2** dar a cor do ouro a **3** deixar assar ou fritar (um alimento) até adquirir tom de cobre

douto (dou.to) ['do(w)tu] *adj.* erudito; sábio

doutor (dou.tor) [do(w)'tor] *n.m.* **1** médico **2** indivíduo que fez o doutoramento ♦ **doutor honoris causa** personalidade a quem, a título honorífico, foi concedido o grau de doutor por uma universidade do próprio país ou de país estrangeiro

doutorado (dou.to.ra.do) [do(w)tu'radu] *adj.,n.m.* que ou aquele que possui o grau académico de doutor ■ *n.m.* [BRAS.] doutoramento

doutoramento (dou.to.ra.men.to) [do(w)turɐ'mẽtu] *n.m.* **1** curso do 3.º ciclo de estudos do ensino superior, que confere o grau académico de doutor **2** prova académica prestada pelo doutorando para lhe ser atribuído o grau de doutor **3** cerimónia onde se concede, a título honorífico, o grau de doutor

doutorando **(dou.to.ran.do)** [do(w)tu'rɐ̃du] *n.m.* aluno de um curso de doutoramento

doutorar **(dou.to.rar)** [do(w)tu'rar] *v.* conferir o grau de doutor ▪ **doutorar-se** ⟨**+em**⟩ receber o grau de doutor: *Ele doutorou-se em biologia.*

doutrina **(dou.tri.na)** [do(w)'trinɐ] *n.f.* conjunto de princípios em que se baseia uma religião, um sistema político, etc.

doutrinário **(dou.tri.ná.ri:o)** [do(w)tri'narju] *adj.* **1** relativo a doutrina **2** que se exprime com afetação

doutro **(dou.tro)** ['do(w)tru] *contr. de prep.* de + *pron. dem.* outro

download [dawn'lowd] *n.m.* ⟨*pl.* downloads⟩ transferência de ficheiros de um dispositivo eletrónico para outro, através de um modem ou rede, utilizando um protocolo de comunicações

doze **(do.ze)** ['doz(ə)] *num.card.* dez mais dois ▪ *n.m.* o número 12

Dr(a). *abreviatura de* Doutor(a)

draconiano **(dra.co.ni:a.no)** [drɐku'njɐnu] *adj.* rigoroso; drástico

drag and drop [drɛgɐ̃d'drɔp] *n.m.* operação que consiste em selecionar um item ou ícone e em arrastá-lo para outro ícone, de forma a transferir ou copiar os ficheiros ou documentos que representa

dragão **(dra.gão)** [drɐ'gɐ̃w̃] *n.m.* animal imaginário com o corpo coberto de escamas, asas, garras, cauda de serpente e língua comprida, que deita fogo pela boca

drageia **(dra.gei.a)** [drɐ'ʒɐjɐ] *n.f.* comprimido

dragoeiro **(dra.go.ei.ro)** [drɐ'gwɐjru] *n.m.* árvore que produz uma resina vermelha usada para fabricar tintas e medicamentos

drag queen ['drɛgkwin] *n.f.* artista do sexo masculino que atua em espetáculos com roupa extravagante de mulher, exagerando nos gestos e na maquilhagem

drama **(dra.ma)** ['drɐmɐ] *n.m.* **1** peça ou composição própria para ser encenada; tragédia **2** *fig.* situação triste

dramático **(dra.má.ti.co)** [drɐ'matiku] *adj.* **1** relativo a drama **2** *fig.* muito triste

dramatismo **(dra.ma.tis.mo)** [drɐmɐ'tiʒmu] *n.m.* **1** qualidade do que é dramático **2** reação excessiva perante determinada situação

dramatização **(dra.ma.ti.za.ção)** [drɐmɐtizɐ'sɐ̃
n.f. **1** transformação de um texto em peça de te
tro **2** importância excessiva dada a uma situaç

dramatizar **(dra.ma.ti.zar)** [drɐmɐti'zar]
1 adaptar (um texto) à forma dramática **2** d
demasiada importância a uma situação

dramaturgia **(dra.ma.tur.gi.a)** [drɐmɐtur'ʒiɐ]
arte de compor peças de teatro

dramaturgo **(dra.ma.tur.go)** [drɐmɐ'turgu] *n*
autor de peças de teatro

drapejar **(dra.pe.jar)** [drɐpə'ʒar] *v.* **1** oscilar
vento; esvoaçar **2** dispor (um tecido) forman
dobras ou ondas

drástico **(drás.ti.co)** ['draʃtiku] *adj.* violento; ra
cal

drenagem **(dre.na.gem)** [drə'naʒɐ̃j̃] *n.f.* **1** esc
mento de águas de terrenos encharcados **2** re
rada, por meio de dreno, de líquidos e gases
tidos no organismo

drenar **(dre.nar)** [drə'nar] *v.* escoar as águas
(um terreno)

dreno **(dre.no)** ['drenu] *n.m.* **1** vala ou tubo pa
drenar **2** tubo especial destinado à drenagem,
organismo

driblar **(dri.blar)** [dri'blar] *v.* **1** enganar o advers
rio com movimentos do corpo, sem largar a bo
SIN. fintar **2** fazer fintas

drible **(dri.ble)** ['dribl(ə)] *n.m.* manobra feita com
bola para evitar que o adversário a apanhe **S**
finta

drinque **(drin.que)** ['drĩk(ə)] *n.m.* [BRAS.] aperiti
(bebida)

drive ['drajv(ə)] *n.f.* ⟨*pl.* drives⟩ unidade de disco
um computador destinada a armazenar dad
que podem ser recuperados; leitor

droga **(dro.ga)** ['drɔgɐ] *n.f.* **1** substância que
toma para alterar o estado de espírito e que, n
malmente causa dependência, além de ter grav
efeitos físicos e mentais; estupefaciente **2** *col*
coisa muito desagradável

drogado **(dro.ga.do)** [dru'gadu] *adj.* que está s
o efeito de drogas ▪ *adj.,n.m.* que ou pessoa q
consome e depende física ou psicologicamen
do consumo de estupefacientes

drogaria **(dro.ga.ri.a)** [drugɐ'riɐ] *n.f.* loja onde
vendem produtos de limpeza, artigos de higien
etc.

drogar(-se) **(dro.gar(-se))** [dru'gars(ə)] *v.* admin
trar ou consumir narcóticos ou estupefacient
SIN. dopar(-se)

droguista **(dro.guis.ta)** [drɔ'giʃtɐ] *n.2g.* dono
funcionário de uma drogaria

dromedário (dro.me.dá.ri:o) [drumə'darju] *n.m.* mamífero que tem uma bossa no dorso e o pescoço mais curto que o do camelo

dropes (dro.pes) ['drɔpəʃ] *n.m.pl.* [BRAS.] rebuçados

druida (drui.da) ['drujdɐ] *n.m.* sacerdote gaulês ou celta que exercia as funções de professor e de juiz

drupa (dru.pa) ['drupɐ] *n.f.* fruto carnudo com semente muito dura

dto. *abreviatura de* direito

DUA ['dua] *sigla de* Documento Único Automóvel

dual (du:al) ['dwaɫ] *adj.2g.* **1** relativo a dois **2** composto de duas partes

dualidade (du:a.li.da.de) [dwɐli'dad(ə)] *n.f.* carácter do que é dual ou duplo

dualismo (du:a.lis.mo) [dwɐ'liʒmu] *n.m.* carácter que comporta duas realidades ou dois elementos independentes

dualista (du:a.lis.ta) [dwɐ'liʃtɐ] *adj.2g.* que contém dois princípios opostos

duas (du.as) ['duɐʃ] *num.card.* ⇒ **dois** ♦ **às duas por três** inesperadamente; de repente; **das duas uma** ou...ou

dúbio (dú.bi:o) ['dubju] *adj.* **1** que pode ter diversas interpretações; ambíguo **2** difícil de definir; vago

dublado (du.bla.do) [du'bladu] *adj.* [BRAS.] (filme, programa, etc.) dobrado

ducado (du.ca.do) [du'kadu] *n.m.* **1** dignidade de duque **2** território sob o domínio de um duque

ducal (du.cal) [du'kaɫ] *adj.2g.* relativo a duque

ducentésimo (du.cen.té.si.mo) [dusẽ'tɛzimu] *num.ord.* que, numa série, ocupa a posição imediatamente a seguir à centésima nonagésima nona ▪ *num.frac.* que resulta da divisão de um todo por duzentos

duche (du.che) ['duʃ(ə)] *n.m.* **1** jato de água que se lança sobre o corpo **2** banho de chuveiro

duelo (du:e.lo) ['dwɛlu] *n.m.* **1** combate entre duas pessoas por motivos de honra **2** situação de conflito ou concorrência entre duas pessoas ou dois grupos

duende (du:en.de) ['dwẽd(ə)] *n.m.* criatura imaginária que, segundo a lenda, aparece de noite, fazendo travessuras

dueto (du:e.to) ['dwetu] *n.m.* **1** composição musical executada por dois instrumentos ou duas vozes **2** conjunto de duas pessoas

dulcíssimo (dul.cís.si.mo) [duɫ'sisimu] ⟨*superl. de* doce⟩ *adj.* extremamente doce

dum (dum) ['dũ] *contr. de prep.* de + *det. art. def.* ou *pron. indef.* um

dumba-nengue (dum.ba-.nen.gue) [dũbɐ'nẽg(ə)] *n.m.* [MOÇ.] mercado ambulante espontâneo

dumbanengueiro (dum.ba.nen.guei.ro) [dũbɐnẽ'gɐjru] *n.m.* [MOÇ.] vendedor de um mercado ambulante

duna (du.na) ['dunɐ] *n.f.* monte de areia

duo (du.o) ['duɔ] *n.m.* conjunto de duas pessoas ou de duas vozes

duodécimo (du.o.dé.ci.mo) [duɔ'dɛsimu] *num.ord.* décimo segundo ▪ *n.m.* fração de um orçamento relativa a um mês

duodeno (du.o.de.no) [duɔ'denu] *n.m.* parte inicial do intestino delgado

dupla (du.pla) ['duplɐ] *n.f.* conjunto de duas pessoas

dúplex (dú.plex) ['duplɛks] *n.m.* apartamento de dois pisos

duplicação (du.pli.ca.ção) [duplikɐ'sɐ̃w̃] *n.f.* **1** repetição **2** dobro

duplicado (du.pli.ca.do) [dupli'kadu] *adj.* repetido ▪ *n.m.* cópia

duplicar (du.pli.car) [dupli'kar] *v.* **1** repetir **2** multiplicar por dois

duplo (du.plo) ['duplu] *num.mult.* que contém duas vezes a mesma quantidade ▪ *n.m.* **1** quantidade duas vezes maior que outra; dobro **2** no cinema, pessoa que substitui o ator ou a atriz nas cenas mais perigosas

duque (du.que) ['duk(ə)] *n.m.* ⟨*f.* duquesa⟩ **1** título nobiliárquico imediatamente superior ao de marquês **2** pessoa que possui esse título

durabilidade (du.ra.bi.li.da.de) [durɐbili'dad(ə)] *n.f.* qualidade do que dura muito tempo; resistência

duração (du.ra.ção) [durɐ'sɐ̃w̃] *n.f.* tempo entre o princípio e o fim de algo

duradouro (du.ra.dou.ro) [durɐ'do(w)ru] *adj.* que dura muito tempo

durante (du.ran.te) [du'rɐ̃t(ə)] *prep.* ao longo de: *durante a noite/visita*

durar (du.rar) [du'rar] *v.* **1** ter a duração de **2** continuar a existir **3** não se gastar

durável (du.rá.vel) [du'ravɛɫ] *adj.2g.* ⇒ **duradouro**

dureza (du.re.za) [du'rezɐ] *n.f.* **1** qualidade do que é duro **2** dificuldade **3** severidade

duro (du.ro) ['duru] *adj.* **1** que é rijo; sólido **ANT.** mole **2** difícil; árduo **3** severo; rigoroso ♦ **duro de roer** difícil de suportar

dúvida (dú.vi.da) ['duvidɐ] *n.f.* **1** incerteza; hesitação **2** desconfiança; suspeita ♦ **por via das dúvidas** à cautela; **sem dúvida** certamente

duvidar (du.vi.dar) [duvi'dar] *v.* **1** não estar convencido de alguma coisa **2** não acreditar no que alguém diz **3** considerar algo impossível

duvidoso (du.vi.do.so) [duvi'dozu] *adj.* **1** que não é certo ou seguro; incerto **2** que não inspira confiança; suspeito

duzentos (du.zen.tos) [du'zẽtuʃ] *num.card.* cem mais cem ■ *n.m.* o número 200

dúzia (dú.zi:a) ['duzjɐ] *n.f.* conjunto de doze unidades ♦ **às dúzias** em grande número; em grande quantidade

DVD [devede] *n.m.* disco ótico com uma grande capacidade de armazenamento de imagens e sons em formato digital

E

e[1] ['ɛ] *n.m.* vogal, quinta letra do alfabeto, que está entre as letras *d* e *f*

e[2] ['i] *conj.* **1** liga duas ou mais palavras ou frases, com a ideia de: a) enumeração: *um lápis e uma caneta*; b) adição: *dois e dois são quatro* **2** usa-se para realçar: *E eu, que faço agora?*

E *símbolo de* este

eau-de-toilette [odətwa'lɛt(ə)] *n.f.* solução preparada com álcool, água e diversas essências aromáticas, de concentração superior à da água-de-colónia e inferior à do perfume

EB [ɛ'be] *sigla de* Ensino Básico

ébano (é.ba.no) ['ɛbɐnu] *n.m.* árvore asiática produtora de madeira rija e muito escura

ébola (é.bo.la) ['ɛbulɐ] *n.m.* **1** doença contagiosa que provoca febre, hemorragias graves e, frequentemente, a morte **2** vírus causador dessa doença

e-book [i'buk] ou **ebook** *n.m.* **1** livro em suporte eletrónico **2** dispositivo eletrónico portátil com ecrã que permite visualizar texto(s) armazenado(s)

ébrio (é.bri:o) ['ɛbrju] *adj.* embriagado; bêbedo

ebulição (e.bu.li.ção) [ibuli'sɐ̃w̃] *n.f.* **1** ato ou efeito de ferver; efervescência **2** *fig.* euforia; excitação

ECG [ɛse'ʒe] *sigla de* eletrocardiograma

écharpe [e'ʃarp(ə)] *n.f.* ⟨*pl.* écharpes⟩ tira de tecido, geralmente comprida e leve, usada sobre os ombros ou ao pescoço

éclair [e'klɛr] *n.m.* ⟨*pl.* éclairs⟩ pequeno bolo alongado, feito de massa de fartos e recheado com creme

écler (e.cler) [e'klɛr] *n.m.* ⇒ **éclair**

eclesiástico (e.cle.si:ás.ti.co) [eklə'zjaʃtiku] *adj.* relativo à Igreja ou ao clero

eclipsar (e.clip.sar) [ekli'psar] *v.* **1** provocar o eclipse de **2** *fig.* ofuscar ▪ **eclipsar-se 1** sofrer eclipse (astro) **2** *fig.* desaparecer

eclipse (e.clip.se) [e'klip(sə)] *n.m.* ocultação total ou parcial de um astro por outro; **eclipse do Sol** ocultação do Sol pela Lua

eclodir (e.clo.dir) [eklu'dir] *v.* **1** aparecer; surgir **2** desabrochar; rebentar

écloga (é.clo.ga) ['ɛklugɐ] *n.f.* composição pastoril em verso e geralmente dialogada

eclosão (e.clo.são) [eklu'zɐ̃w̃] *n.f.* aparecimento

eco (e.co) ['ɛku] *n.m.* repetição de um som; repercussão

ecoar (e.co:ar) [e'kwar] *v.* **1** produzir eco **2** repetir-se

ecocardiograma (e.co.car.di:o.gra.ma) [ɛkɔkardju'grɐmɐ] *n.m.* registo gráfico da estrutura do coração através da ecografia

ecocentro (e.co.cen.tro) [ɛkɔ'sẽtru] *n.m.* local destinado à receção e recolha de materiais de grandes dimensões, como eletrodomésticos ou móveis

ecografia (e.co.gra.fi.a) [ɛkɔgrɐ'fiɐ] *n.f.* **1** técnica que permite a visualização de órgãos internos do corpo através de ultrassons **2** imagem obtida através dessa técnica

ecologia (e.co.lo.gi.a) [ɛkulu'ʒiɐ] *n.f.* ciência que estuda as relações dos seres vivos entre si e com o meio ambiente

ecológico (e.co.ló.gi.co) [ɛku'lɔʒiku] *adj.* relativo a ecologia

ecologista (e.co.lo.gis.ta) [ɛkulu'ʒiʃtɐ] *n.2g.* **1** especialista em ecologia **2** pessoa que luta pela defesa e proteção do ambiente **SIN.** ambientalista

e-commerce [ɛ'kɔmɐr(sə)] *n.m.* comércio eletrónico

economia (e.co.no.mi.a) [ikɔnu'miɐ] *n.f.* ciência que se ocupa da produção e consumo de bens e serviços e da circulação da riqueza ▪ **economias** *n.f.pl.* dinheiro que se poupa; poupanças

económico (e.co.nó.mi.co) [iku'nɔmiku] *adj.* **1** relativo a economia **2** poupado **3** barato

economista (e.co.no.mis.ta) [ikɔnu'miʃtɐ] *n.2g.* especialista em economia

economizar (e.co.no.mi.zar) [ikɔnumi'zar] *v.* **1** poupar (dinheiro) **2** gastar ou utilizar (meios, recursos) com moderação

ecoponto (e.co.pon.to) [ɛkɔ'põtu] *n.m.* conjunto de contentores para recolha seletiva de materiais recicláveis, como vidro, plástico e papel

ecoproduto (e.co.pro.du.to) [ɛkɔpru'dutu] *n.m.* produto que respeita princípios ecológicos, e cujo impacto sobre o ambiente é mínimo

ecosfera (e.cos.fe.ra) [ɛkɔʃ'fɛrɐ] *n.f.* zona da Terra onde se desenvolvem os seres vivos

ecossistema (e.cos.sis.te.ma) [ɛkɔsiʃ'temɐ] *n.m.* conjunto formado por um meio ambiente e pelos seres vivos que o ocupam

ecoturismo (e.co.tu.ris.mo) [ɛkɔtu'riʒmu] *n.m.* turismo que procura proteger os recursos naturais de um local, sem ameaçar a sua conservação; turismo ecológico

ecrã (e.crã) [e'krɐ̃] *n.m.* **1** superfície de vidro onde se veem imagens; monitor **2** superfície branca na qual se projetam imagens; tela

ecstasy ['ɛkstɐzi] *n.m.* droga constituída por uma mistura de estimulantes e alucinogénios que atua no sistema nervoso central, provocando uma sensação de euforia e perda de inibição

ECTS [ɛsete'ɛs] sistema de créditos que garante a equivalência académica dos estudos em espaço europeu **OBS.** Sigla de *European Credit Transfer and Accumulation System*

ecuménico (e.cu.mé.ni.co) [eku'mɛniku] *adj.* **1** relativo a ecumenismo **2** universal

ecumenismo (e.cu.me.nis.mo) [ekumə'niʒmu] *n.m.* movimento que defende a união das igrejas cristãs

eczema (ec.ze.ma) [e'kzemɐ] *n.m.* doença cutânea que se manifesta através de inflamação superficial, formação de escamas e de pequenas bolhas e prurido

ed. *abreviatura de* edição, editora

edema (e.de.ma) [e'demɐ] *n.m.* infiltração de líquido nos tecidos do organismo, que produz inchaço

Éden (É.den) ['ɛdɛn] *n.m.* Paraíso ◆ **éden** lugar muito agradável **SIN.** paraíso

edição (e.di.ção) [idi'sɐ̃w̃] *n.f.* **1** impressão, publicação e difusão comercial de uma obra (livro, disco, etc.) **2** conjunto de todos os exemplares de uma obra, impressos na mesma ocasião **SIN.** tiragem **3** seleção e montagem de materiais gravados e filmados com vista à constituição de um todo coerente

edificação (e.di.fi.ca.ção) [idifikɐ'sɐ̃w̃] *n.f.* **1** construção (de um edifício) **2** *fig.* fundação (de uma teoria, associação, etc.)

edificante (e.di.fi.can.te) [idifi'kɐ̃t(ə)] *adj.2g.* **1** que moraliza **2** esclarecedor

edificar (e.di.fi.car) [idifi'kar] *v.* **1** construir (um edifício) **2** *fig.* fundar (uma teoria, associação, etc.)

edifício (e.di.fí.ci:o) [idi'fisju] *n.m.* construção; prédio ◆ **edifício inteligente** instalações dotadas de sistemas informáticos programados para responderem a estímulos do ambiente e automatizarem a gestão de energia e as formas de vigilância, de segurança e até de comunicação

edil (e.dil) [e'diɫ] *n.2g.* **1** na antiga Roma, magistrado romano encarregado da inspeção e manutenção dos edifícios públicos **2** vereador

edital (e.di.tal) [idi'taɫ] *n.m.* ordem oficial, aviso ou citação que se afixa em lugares públicos ou se publica nos jornais

editar (e.di.tar) [idi'tar] *v.* **1** publicar (uma obra, um livro) **2** selecionar e combinar (materiais gravados e filmados) com vista à obtenção de um produto final **3** escrever ou montar (texto) utilizando um programa de processamento informático

édito (é.di.to) ['ɛditu] *n.m.* ordem judicial divulgada em editais

editor (e.di.tor) [idi'tor] *n.m.* aquele que publica livros e outras obras ◆ **editor literário** pessoa que reúne e coordena os textos de um ou vários autores, preparando-os para publicação; **editor de texto** programa de computador utilizado para redação e edição de textos

editora (e.di.to.ra) [idi'torɐ] *n.f.* empresa que se dedica à edição de livros e de outras obras

editorial (e.di.to.ri:al) [iditu'rjaɫ] *adj.2g.* relativo a editor ou a edição ▪ *n.m.* artigo principal de um jornal ▪ *n.f.* editora

edredão (e.dre.dão) [edrə'dɐ̃w̃] *n.m.* coberta acolchoada para a cama

educação (e.du.ca.ção) [idukɐ'sɐ̃w̃] *n.f.* **1** processo de aquisição de conhecimentos e/ou aptidões; ensino; formação **2** boas maneiras; cortesia ◆ **educação especial** educação dirigida a alunos com necessidades educativas especiais; **educação física** disciplina que tem o objetivo de desenvolver e agilizar o corpo por meio de exercícios próprios

educacional (e.du.ca.ci:o.nal) [idukɐsju'naɫ] *adj.2g.* relativo a educação

educado (e.du.ca.do) [idu'kadu] *adj.* **1** instruído **2** cortês

educador (e.du.ca.dor) [idukɐ'dor] *n.m.* pessoa que educa ◆ **educador(a) de infância** pessoa que se dedica ao ensino pré-escolar

educando (e.du.can.do) [idu'kɐ̃du] *n.m.* **1** aluno **2** menor por quem se é responsável perante uma escola

educar (e.du.car) [idu'kar] *v.* transmitir ensinamentos a; dar educação a; ensinar; instruir

educativo (e.du.ca.ti.vo) [idukɐ'tivu] *adj.* **1** relativo a educação **2** que educa; instrutivo

EEE [ɛɛ'ɛ] *sigla de* Espaço Económico Europeu

efabulação (e.fa.bu.la.ção) [efɐbulɐ'sɐ̃w̃] *n.f.* disposição dos episódios de uma narrativa; fabulação

efectivação (e.fec.ti.va.ção) [ifɛtivɐ'sɐ̃w̃] *a nova grafia é* **efetivação**[AO]

efectivamente (e.fec.ti.va.men.te) [ifɛtivɐ'mẽt(ə)] *a nova grafia é* **efetivamente**[AO]

ctivar (e.fec.ti.var) [ifɛti'var] *a nova grafia é* **efe-**
varAO

ctivo (e.fec.ti.vo) [ifɛ'tivu] *a nova grafia é* **efe-**
voAO

ctuar (e.fec.tu:ar) [ifɛ'twar] *a nova grafia é* **efe-**
arAO

ito (e.fei.to) [i'fɐjtu] *n.m.* **1** consequência; re-
ltado **2** impressão; sensação ◆ **efeito de es-**
fa aquecimento da superfície terrestre causado
la retenção do calor solar provocada pela po-
ição atmosférica; **efeitos especiais** simulação
imagens ou sons através de recursos técnicos
ticos, digitais ou mecânicos)

méride (e.fe.mé.ri.de) [ifə'mɛrid(ə)] *n.f.* **1** resto dos acontecimentos memoráveis que ocor-
ram em determinado dia em diferentes épocas
lugares **2** relação dos factos de cada dia **3** diá-
o ou agenda

mero (e.fé.me.ro) [i'fɛməru] *adj.* que dura
uco tempo SIN. passageiro; temporário

minado (e.fe.mi.na.do) [ifəmi'nadu] *adj. pej.*
omem) que tem comportamento ou aparência
adicionalmente associados ao sexo feminino

rvescência (e.fer.ves.cên.ci:a) [ifərvəʃ'sẽsjɐ]
. **1** fervura; ebulição **2** *fig.* euforia; excitação

rvescente (e.fer.ves.cen.te) [ifərvəʃ'sẽt(ə)]
j.2g. **1** que ferve ou forma bolhas **2** *fig.* eufó-
o; excitado

rvescer (e.fer.ves.cer) [ifərvəʃ'ser] *v.* **1** desen-
lver bolhas de gás **2** *fig.* agitar-se

tivação (e.fe.ti.va.ção)AO [ifɛtivɐ'sɐ̃w̃] *n.f.* con-
etização; realização

tivamente (e.fe.ti.va.men.te)AO [ifɛtivɐ'mẽt(ə)]
v. na realidade; de facto

tivar (e.fe.ti.var)AO [ifɛti'var] *v.* **1** tornar efe-
o; realizar **2** nomear (uma pessoa) para cargo
função permanente

tivo (e.fe.ti.vo)AO [ifɛ'tivu] *adj.* **1** concreto; real
permanente; fixo

tuar (e.fe.tu:ar)AO [ifɛ'twar] *v.* fazer; realizar

ácia (e.fi.cá.ci:a) [ifi'kasjɐ] *n.f.* **1** capacidade de
na causa produzir um resultado **2** capacidade
cumprir os objetivos; eficiência

az (e.fi.caz) [ifi'kaʃ] *adj.2g.* **1** que produz o seu
eito **2** que cumpre os objetivos; eficiente

iência (e.fi.ci:ên.ci:a) [ifi'sjẽsjɐ] *n.f.* **1** capaci-
de para produzir um dado efeito em pouco
mpo ou com poucos custos **2** capacidade pro-
tiva de uma empresa; rendimento

iente (e.fi.ci:en.te) [ifi'sjẽt(ə)] *adj.2g.* **1** que
mpre os objetivos pretendidos SIN. eficaz
que efetua bem e com rapidez as tarefas de
e é encarregado SIN. competente

efígie (e.fí.gi:e) [ɛ'fiʒji] *n.f.* **1** representação ou imagem de alguém **2** figura de pessoa importante representada em moeda ou medalha **3** retrato

efluente (e.flu:en.te) [e'flwẽt(ə)] *n.m.* **1** resíduo líquido doméstico, agrícola ou industrial lançado no rio ou no mar, e que provoca poluição **2** curso de água que deriva de outro de maiores dimensões

> Não confundir **efluente** (curso de água que deriva de outro maior) com **afluente** (rio que desagua noutro).

efusão (e.fu.são) [efu'zɐ̃w̃] *n.f.* **1** saída de um líquido ou gás; escoamento **2** *fig.* expressão calorosa de sentimentos

efusivo (e.fu.si.vo) [efu'zivu] *adj.* expansivo; comunicativo

égide (é.gi.de) ['ɛʒid(ə)] *n.f.* **1** escudo **2** *fig.* proteção

egípcio (e.gíp.ci:o) [i'ʒipsju] *adj.* relativo ao Egito ■ *n.m.* pessoa natural do Egito

ego (e.go) ['ɛgu] *n.m.* **1** ideia que o indivíduo faz de si mesmo **2** personalidade de uma pessoa

egocêntrico (e.go.cên.tri.co) [ˌɛgɔ'sẽtriku] *adj.* que só pensa em si próprio

egocentrismo (e.go.cen.tris.mo) [ɛgɔsẽ'triʒmu] *n.m.* preocupação exclusiva consigo e com os seus próprios interesses

egoísmo (e.go:ís.mo) [i'gwiʒmu] *n.m.* preocupação com os seus próprios interesses, sem pensar nos interesses dos outros

egoísta (e.go:ís.ta) [i'gwiʃtɐ] *adj.2g.* relativo a egoísmo ■ *adj.,n.2g.* que ou pessoa que apenas se preocupa consigo e com os seus interesses

egrégio (e.gré.gi:o) [e'grɛʒju] *adj.* **1** distinto; nobre **2** notável; magnífico

égua (é.gua) ['ɛgwɐ] *n.f.* fêmea do cavalo

eia (ei.a) ['ɐjɐ] *interj.* **1** exprime surpresa **2** usada para animar ou estimular

eira (ei.ra) ['ɐjrɐ] *n.f.* terreno liso, onde se secam e limpam os cereais ◆ **sem eira nem beira** na miséria

eis (eis) ['ɐjʃ] *adv.* aqui está; veja(m) ◆ **eis senão quando** de repente

eito (ei.to) ['ɐjtu] *n.m.* sucessão de coisas ◆ **a eito** sem interrupção; seguido

eixo (ei.xo) ['ɐjʃu] *n.m.* **1** peça cilíndrica em torno da qual certos corpos giram **2** linha imaginária que passa pelo centro da Terra e sobre a qual este planeta roda ◆ **entrar nos eixos** passar a agir de acordo com as regras; **pôr nos eixos** pôr em ordem; **sair dos eixos 1** perder o controlo de si mesmo **2** portar-se mal

ejaculação (e.ja.cu.la.ção) [iʒɐkulɐ'sɐ̃w̃] *n.f.* **1** expulsão de um líquido com força **SIN.** jato **2** saída de esperma pela uretra

ejacular (e.ja.cu.lar) [iʒɐku'lar] *v.* **1** lançar o esperma no momento do orgasmo **2** lançar (líquido) **3** derramar (líquido) em abundância

ejeção (e.je.ção)[AO] [iʒɛ'sɐ̃w̃] *n.f.* **1** evacuação de matérias fecais **2** expulsão do invólucro, numa arma de fogo, depois de disparado o tiro **3** ato de se projetar para fora de um avião em situação de emergência, utilizando um assento próprio

ejecção (e.jec.ção) [iʒɛ'sɐ̃w̃] *a nova grafia é* **ejeção**[AO]

ejectar (e.jec.tar) [iʒɛ'tar] *a nova grafia é* **ejetar**[AO]

ejetar (e.je.tar)[AO] [iʒɛ'tar] *v.* **1** lançar com força; projetar **2** expelir; expulsar ■ **ejetar-se** projetar-se para fora de um avião em situação de emergência, utilizando um assento próprio

ela (e.la) ['ɛlɐ] *prn.pess.* designa a terceira pessoa do singular feminino e indica a pessoa de que se fala ou escreve: *Ela chegou a Lisboa às 15h.; Ontem falei com ela.* ♦ **agora é que são elas!** agora é que vai ser!; **ela por ela** mais ou menos igual

elaboração (e.la.bo.ra.ção) [ilɐburɐ'sɐ̃w̃] *n.f.* **1** preparação cuidada **2** produção; realização

elaborado (e.la.bo.ra.do) [ilɐbu'radu] *adj.* **1** produzido; realizado **2** cheio de detalhes ou ornamentos; rico

elaborar (e.la.bo.rar) [ilɐbu'rar] *v.* **1** preparar **2** produzir

élan [e'lɐ̃] *n.m.* **1** impulso; ímpeto **2** entusiasmo **3** inspiração

elasticidade (e.las.ti.ci.da.de) [ilɐʃtəsi'dad(ə)] *n.f.* **1** propriedade de um corpo retornar a sua forma original depois de sofrer deformação **SIN.** flexibilidade **2** capacidade de se adaptar a novas circunstâncias ou situações

elástico (e.lás.ti.co) [i'laʃtiku] *adj.* extensível **SIN.** flexível ■ *n.m.* cordão, fita ou tecido de material que retoma a sua forma depois de ser esticado

ele (e.le) ['el(ə)] *prn.pess.* designa a terceira pessoa do singular masculino e indica a pessoa ou coisa de quem se fala ou escreve: *Ele entrou na sala.; Comprei isto para ele.*

e-learning [i'lɐrnĩg] *n.m.* aprendizagem interativa e a distância em que o material de estudo está disponível online

electrão (e.lec.trão) [ilɛ'trɐ̃w̃] *a nova grafia é* **eletrão**[AO]

electricidade (e.lec.tri.ci.da.de) [ilɛtrisi'dad(ə)] *a nova grafia é* **eletricidade**[AO]

electricista (e.lec.tri.cis.ta) [ilɛtri'siʃtɐ] *a nova grafia é* **eletricista**[AO]

eléctrico (e.léc.tri.co) [i'lɛtriku] *a nova grafia é* **e**
trico[AO]

electrificar (e.lec.tri.fi.car) [ilɛtrifi'kar] *a nova*
fia é **eletrificar**[AO]

electrizar(-se) (e.lec.tri.zar(-se)) [ilɛtri'zar(s
nova grafia é **eletrizar(-se)**[AO]

electrocardiograma (e.lec.tro.car.di:o.gra.
[ilɛtrɔkardju'grɐmɐ] *a nova grafia é* **eletrocard**
grama[AO]

electrocussão (e.lec.tro.cus.são) [ilɛtrɔku'sɐ̃
nova grafia é **eletrocussão**[AO]

electrocutado (e.lec.tro.cu.ta.do) [ilɛtrɔku't
a nova grafia é **eletrocutado**[AO]

electrocutar (e.lec.tro.cu.tar) [ilɛtrɔku'tar] *a*
grafia é **eletrocutar**[AO]

eléctrodo (e.léc.tro.do) [i'lɛtrudu] *a nova gra*
elétrodo[AO]

electrodoméstico (e.lec.tro.do.més.ti.co)
trɔdu'mɛʃtiku] *a nova grafia é* **eletrodoméstico**

electroencefalograma (e.lec.tro.en.ce.fa
gra.ma) [ilɛtrɔẽsɛfɐlu'grɐmɐ] *a nova grafia é* **e**
troencefalograma[AO]

electromagnético (e.lec.tro.mag.né.ti.co)
trɔma'gnɛtiku] *a nova grafia é* **eletromagnético**

electrónica (e.lec.tró.ni.ca) [ilɛ'trɔnikɐ] *a nova*
fia é **eletrónica**[AO]

electrónico (e.lec.tró.ni.co) [ilɛ'trɔniku] *a nova*
fia é **eletrónico**[AO]

electrotecnia (e.lec.tro.tec.ni.a) [ilɛtrɔtɛ'kn
nova grafia é **eletrotecnia**[AO]

electrotécnico (e.lec.tro.téc.ni.co) [ilɛtr
niku] *a nova grafia é* **eletrotécnico**[AO]

elefante (e.le.fan.te) [ilə'fɐ̃t(ə)] *n.m.* grande
mal mamífero com uma tromba comprida e
vel e dois grandes dentes de marfim, que
em regiões quentes ♦ **elefante marinho** esp
do grupo das focas

elegância (e.le.gân.ci:a) [ilə'gɐ̃sjɐ] *n.f.* **1** harm
de formas e de proporções **2** bom gosto;
quinte **ANT.** deselegância

elegante (e.le.gan.te) [ilə'gɐ̃t(ə)] *adj.* **1** har
nioso; proporcionado **2** que tem bom gosto;
quintado **ANT.** deselegante

eleger (e.le.ger) [ilə'ʒer] *v.* **1** escolher por mei
votação **2** preferir; escolher

elegia (e.le.gi.a) [ilə'ʒiɐ] *n.f.* poema lírico de
triste

elegível (e.le.gí.vel) [ilə'ʒivɛɫ] *adj.,n.2g.* que p
ser eleito

eleição (e.lei.ção) [ilɐj'sɐ̃w̃] *n.f.* escolha por n
de votos; votação ♦ **de eleição** preferido

eleito (e.lei.to) [i'lɐjtu] *adj.* **1** escolhido por n
de votação **2** preferido; escolhido

eleitor (e.lei.tor) [ilɐj'tor] *n.m.* pessoa que vota ou que pode votar

eleitorado (e.lei.to.ra.do) [ilɐjtu'radu] *n.m.* conjunto de pessoas que têm o direito de votar

eleitoral (e.lei.to.ral) [ilɐjtu'raɫ] *adj.2g.* relativo a eleição

elementar (e.le.men.tar) [iləmẽ'tar] *adj.2g.* **1** básico; fundamental **2** fácil; rudimentar

elemento (e.le.men.to) [ilə'mẽtu] *n.m.* **1** aquilo que faz parte de um todo **SIN.** componente **2** informação; dado

elenco (e.len.co) [i'lẽku] *n.m.* conjunto dos artistas que participam numa peça, num filme ou noutro espetáculo

eletrão (e.le.trão)AO [ilɛ'trɐ̃w̃] *n.m.* partícula de eletricidade negativa

eletricidade (e.le.tri.ci.da.de)AO [ilɛtrisi'dad(ə)] *n.f.* forma de energia que pode ser transformada em outras formas, como calor, luz, movimento, etc.

eletricista (e.le.tri.cis.ta)AO [ilɛtri'siʃtɐ] *n.2g.* pessoa que se dedica à montagem e reparação de instalações elétricas

elétrico (e.lé.tri.co)AO [i'lɛtriku] *adj.* **1** relativo a eletricidade **2** *fig.* muito rápido ■ *n.m.* 👁 veículo movido a eletricidade sobre carris de ferro

letrificar (e.le.tri.fi.car)AO [ilɛtrifi'kar] *v.* instalar dispositivo elétrico em

letrizar(-se) (e.le.tri.zar(-se))AO [ilɛtri'zar(sə)] *v.* **1** carregar(-se) de eletricidade **2** *fig.* entusiasmar(-se)

etrocardiograma (e.le.tro.car.di:o.gra.ma)AO [ilɛtrɔkardju'grɐmɐ] *n.m.* representação gráfica do funcionamento do coração

eletrocussão (e.le.tro.cus.são)AO [ilɛtrɔku'sɐ̃w̃] *n.m.* morte por descarga elétrica

eletrocutado (e.le.tro.cu.ta.do)AO [ilɛtrɔku'tadu] *adj.* morto por choque elétrico

eletrocutar (e.le.tro.cu.tar)AO [ilɛtrɔku'tar] *v.* matar por choque elétrico

elétrodo (e.lé.tro.do)AO [i'lɛtrudu] *n.m.* condutor metálico através do qual se fornece ou retira corrente elétrica de um sistema

eletrodoméstico (e.le.tro.do.més.ti.co)AO [ilɛtrɔdu'mɛʃtiku] *n.m.* utensílio elétrico de uso doméstico (como aspirador, fogão, ferro, etc.)

eletroencefalograma (e.le.tro.en.ce.fa.lo.gra.ma)AO [ilɛtrɔẽsɛfɐlu'grɐmɐ] *n.m.* registo gráfico das ondas cerebrais, através de elétrodos aplicados à superfície do crânio

eletromagnético (e.le.tro.mag.né.ti.co)AO [ilɛtrɔma'gnɛtiku] *adj.* que resulta da interação dos campos elétricos e magnéticos

eletrónica (e.le.tró.ni.ca)AO [ilɛ'trɔnikɐ] *n.f.* ciência que estuda o comportamento de circuitos elétricos e as suas aplicações

eletrónico (e.le.tró.ni.co)AO [ilɛ'trɔniku] *adj.* **1** relativo a eletrónica **2** relativo aos eletrões

eletrotecnia (e.le.tro.tec.ni.a)AO [ilɛtrɔtɛ'kniɐ] *n.f.* disciplina que se ocupa das aplicações práticas da eletricidade

eletrotécnico (e.le.tro.téc.ni.co)AO [ilɛtrɔ'tɛkniku] *adj.* relativo a eletrotecnia

elevação (e.le.va.ção) [iləvɐ'sɐ̃w̃] *n.f.* **1** altura **2** subida **3** monte

elevado (e.le.va.do) [ilə'vadu] *adj.* **1** alto **2** superior

elevador (e.le.va.dor) [iləvɐ'dor] *n.m.* aparelho mecânico que transporta pessoas ou carga para um andar superior ou inferior; ascensor

elevar (e.le.var) [ilə'var] *v.* **1** pôr mais alto: *Elevaram os braços.* **SIN.** erguer **2** fazer subir **SIN.** levantar **3** construir, erigir (obra arquitetónica) **4** aumentar; subir (preço, tom de voz) **5** colocar num nível mais alto ou fazer subir de estatuto: *O chefe elevou-o a gerente.* **6** multiplicar um determinado número de vezes uma quantidade por si mesma: *elevar 4 ao quadrado* ■ **elevar-se** **1** pôr-se mais alto **2** ⟨+a⟩ ascender a (determinado valor): *O número eleva-se a mil.*

eliminação (e.li.mi.na.ção) [iliminɐ'sɐ̃w̃] *n.f.* ato de eliminar algo ou alguém **SIN.** exclusão

eliminar (e.li.mi.nar) [ilimi'nar] *v.* **1** retirar; excluir **2** expelir (do organismo) **3** afastar **4** provocar a morte de

eliminatória (e.li.mi.na.tó.ri:a) [iliminɐ'tɔrjɐ] *n.f.* prova que serve para selecionar os concorrentes de um concurso ou de uma competição

eliminatório (e.li.mi.na.tó.ri:o) [ilimineˈtɔrju] *adj.* **1** que elimina ou que serve para eliminar **SIN.** seletivo **2** que seleciona

elipse (e.lip.se) [iˈlip(sə)] *n.f.* omissão de uma ou mais palavras da frase que se subentendem a partir do contexto

elíptico (e.líp.ti.co) [iˈliptiku] *adj.* **1** relativo a elipse **2** em que há elipse **3** em forma de elipse

elite (e.li.te) [eˈlit(ə)] *n.f.* grupo de pessoas que se destaca pelo prestígio ou poder que tem

elitismo (e.li.tis.mo) [eliˈtiʒmu] *n.m.* sistema político ou social que favorece uma minoria privilegiada

elitista (e.li.tis.ta) [eliˈtiʃtɐ] *adj.2g.* **1** relativo a elitismo **2** que favorece o elitismo ■ *n.2g.* pessoa que defende o elitismo

elixir (e.li.xir) [iliˈʃir] *n.m.* **1** preparado farmacêutico composto de várias substâncias dissolvidas em álcool **2** *fig.* remédio infalível

elmo (el.mo) [ˈɛɫmu] *n.m.* capacete com viseira e crista usado até ao século XVI

elo (e.lo) [ˈɛlu] *n.m.* **1** cada um dos anéis de uma cadeia ou corrente **2** *fig.* relação

elocução (e.lo.cu.ção) [elukuˈsɐ̃w̃] *n.f.* forma de exprimir o pensamento através das palavras ou da escrita

elogiar (e.lo.gi:ar) [iluˈʒjar] *v.* fazer elogio(s); enaltecer; louvar

elogio (e.lo.gi.o) [iluˈʒiu] *n.m.* expressão de admiração por alguém **SIN.** louvor

eloquência (e.lo.quên.ci:a) [eluˈkwẽsjɐ] *n.f.* capacidade de falar ou de convencer com facilidade

eloquente (e.lo.quen.te) [eluˈkwẽt(ə)] *adj.2g.* que se fala ou que convence com facilidade

el-rei (el-.rei) [ɛɫˈʀɐj] *n.m.* antiga forma de designar o rei

elucidar (e.lu.ci.dar) [ilusiˈdar] *v.* ⟨**+sobre**⟩ tornar claro: *Elucidaram-no sobre o assunto.* **SIN.** esclarecer; explicar

elucidativo (e.lu.ci.da.ti.vo) [ilusidɐˈtivu] *adj.* que elucida ou torna claro **SIN.** esclarecedor

em (em) [ɐ̃j] *prep.* indicativa de várias relações, como a) lugar: *em casa*; b) tempo: *em segundos*; c) modo ou meio: *em poucas palavras*; d) estado: *em desespero*; e) proporção: *um em cada*; f) matéria: *em ouro*

emagrecer (e.ma.gre.cer) [imɐgrəˈser] *v.* tornar-se magro; perder peso **ANT.** engordar

emagrecimento (e.ma.gre.ci.men.to) [imɐgrəsiˈmẽtu] *n.m.* perda de peso

e-mail [iˈmɐjl] *n.m.* ⟨*pl.* e-mails⟩ **1** correio eletrónico **2** caixa de correio eletrónico **3** mensagem enviada por correio eletrónico

emanar (e.ma.nar) [emɐˈnar] *v.* **1** ⟨**+de**⟩ ter origem em: *A água emana da fonte.* **SIN.** provir **2** ⟨**+de**⟩ soltar-se em partículas: *Um cheiro a perfume emanava do quarto.*

emancipação (e.man.ci.pa.ção) [imẽsipɐˈsɐ̃w̃] *n.f.* independência

emancipado (e.man.ci.pa.do) [imẽsiˈpadu] *adj.* independente

emancipar(-se) (e.man.ci.par(-se)) [imẽsiˈpar(sə)] *v.* **1** ⟨**+de**⟩ libertar(-se) de uma autoridade, de uma sujeição ou de preconceito(s) **2** ⟨**+de**⟩ tornar(-se) independente

emaranhado (e.ma.ra.nha.do) [imɐrɐˈɲadu] *adj.* **1** misturado **2** complicado ■ *n.m.* complicação; confusão

emaranhar(-se) (e.ma.ra.nhar(-se)) [imɐrɐˈɲar(sə)] *v.* **1** prender(-se) de modo desordenado; enredar(-se) **2** complicar(-se)

embaciado (em.ba.ci:a.do) [ẽbɐˈsjadu] *adj.* **1** sem brilho ou transparência **SIN.** baço **2** (superfície) coberto de vapor de água

embaciar (em.ba.ci:ar) [ẽbɐˈsjar] *v.* **1** tornar baço **2** tirar o brilho ou a transparência a **3** cobrir(-se) de vapor de água

embaixada (em.bai.xa.da) [ẽbajˈʃadɐ] *n.f.* **1** missão de representação de um país num país estrangeiro **2** edifício onde trabalha o embaixador

embaixador (em.bai.xa.dor) [ẽbajʃɐˈdor] *n.m.* representante de um país no estrangeiro

embaixadora (em.bai.xa.do.ra) [ẽbajʃɐˈdorɐ] *n.f.* representante de um país no estrangeiro

embaixatriz (em.bai.xa.triz) [ẽbajʃɐˈtriʃ] *n.f.* esposa do embaixador

embalado (em.ba.la.do) [ẽbɐˈladu] *adj.* **1** balançado no colo ou no berço **2** colocado em embrulho; empacotado **3** *coloq.* apressado

embalagem (em.ba.la.gem) [ẽbɐˈlaʒɐ̃j] *n.f.* caixa ou cobertura própria para conter, proteger ou transportar objetos **SIN.** embrulho

embalar (em.ba.lar) [ẽbɐˈlar] *v.* **1** balançar (uma criança) no berço ou no colo para a fazer adormecer **2** colocar (objeto, mercadoria) em pacote; empacotar

embalo (em.ba.lo) [ẽˈbalu] *n.m.* **1** balanço **2** impulso

embalsamado (em.bal.sa.ma.do) [ẽbaɫsɐˈmadu] *adj.* (cadáver) tratado com substâncias de modo a resistir à decomposição

embalsamar (em.bal.sa.mar) [ẽbaɫsɐˈmar] *v.* preparar (um cadáver) para resistir à decomposição

embaraçado (em.ba.ra.ça.do) [ẽbɐrɐˈsadu] *adj.* **1** complicado **2** envergonhado

embaraçar(-se) (em.ba.ra.çar(-se)) [ẽbɐrɐˈsar(sə)] *v.* **1** fazer sentir ou ficar pouco à vontade **2** misturar(-se) desordenadamente **3** complicar(-se)

embaraço (em.ba.ra.ço) [ẽbɐ'rasu] *n.m.* **1** dificuldade **2** vergonha

embaraçoso (em.ba.ra.ço.so) [ẽbɐrɐ'sozu] *adj.* que provoca embaraço; em que há embaraço

embarcação (em.bar.ca.ção) [ẽbɐrkɐ'sɐ̃w̃] *n.f.* navio; barco

embarcado (em.bar.ca.do) [ẽbɐr'kadu] *adj.* que entrou num barco, num comboio ou num avião

embarcar (em.bar.car) [ẽbɐr'kar] *v.* ⟨**+em**⟩ meter ou entrar a bordo de transporte (barco, comboio, avião, etc.), para viajar

embargar (em.bar.gar) [ẽbɐr'gar] *v.* **1** impedir o uso de (algo) por decisão judicial **2** pôr obstáculos a; dificultar

embargo (em.bar.go) [ẽ'bargu] *n.m.* **1** dificuldade; obstáculo **2** proibição de transporte de produtos para um dado país por parte de outro país

embarque (em.bar.que) [ẽ'bark(ə)] *n.m.* **1** entrada de pessoas em barco, comboio, avião, etc. **2** lugar onde se embarca

embarrar (em.bar.rar) [ẽbɐ'ʀar] *v.* bater contra

embasbacado (em.bas.ba.ca.do) [ẽbɐʒbɐ'kadu] *adj.* espantado; admirado; pasmado

embasbacar (em.bas.ba.car) [ẽbɐʒbɐ'kar] *v.* causar ou sentir grande surpresa **SIN.** pasmar

embate (em.ba.te) [ẽ'bat(ə)] *n.m.* **1** choque violento; colisão **2** *fig.* conflito; oposição

embater (em.ba.ter) [ẽbɐ'ter] *v.* ⟨**+em**⟩ produzir embate ou choque; chocar: *O navio embateu nos rochedos.*

embebedar(-se) (em.be.be.dar(-se)) [ẽbəbə'dar(sə)] *v.* ⟨**+com**⟩ tornar ou ficar bêbedo **SIN.** embriagar(-se)

embeber (em.be.ber) [ẽbə'ber] *v.* **1** ⟨**+em**⟩ fazer penetrar por (líquido): *Embebeu o pão no leite.* **2** absorver; sorver: *O tapete embebeu o café.* **3** ⟨**+de**⟩ saturar de um líquido: *embeber um pano* **SIN.** encharcar ▪ **embeber-se 1** ⟨**+em**⟩ encharcar-se; ensopar-se **2** ⟨**+em**⟩ *fig.* dedicar-se totalmente: *embeber-se na leitura*

embebido (em.be.bi.do) [ẽbə'bidu] *adj.* **1** ensopado **2** absorvido

embelezar (em.be.le.zar) [ẽbələ'zar] *v.* tornar (mais) belo; enfeitar

embevecido (em.be.ve.ci.do) [ẽbəvə'sidu] *adj.* encantado; extasiado

embirrar (em.bir.rar) [ẽbi'ʀar] *v.* ⟨**+com**⟩ sentir antipatia por; implicar com: *Sempre embirrei com ele.*

emblema (em.ble.ma) [ẽ'blemɐ] *n.m.* **1** distintivo ou insígnia de associação, partido, etc. **2** figura que representa um conceito ou uma ideia

emblemático (em.ble.má.ti.co) [ẽblə'matiku] *adj.* **1** relativo a emblema **2** representativo; simbólico

embocadura (em.bo.ca.du.ra) [ẽbukɐ'durɐ] *n.f.* **1** nos instrumentos de sopro, extremidade que se adapta à boca; bocal **2** foz de um rio

embolia (em.bo.li.a) [ẽbu'liɐ] *n.f.* perturbação na circulação sanguínea provocada pela presença de um corpo estranho (coágulo, células, etc.) num vaso

êmbolo (êm.bo.lo) ['ẽbulu] *n.m.* **1** cilindro ou disco que se move em vaivém no interior de seringas, bombas etc. **2** corpo estranho (coágulo, células, etc.) que, no interior de um vaso sanguíneo, provoca embolia

embondeiro (em.bon.dei.ro) [ẽbõ'dɐjru] *n.m.* árvore africana com tronco muito grosso, madeira branca, mole e porosa, de que se extrai uma fibra têxtil

embora (em.bo.ra) [ẽ'bɔrɐ] *conj.* ainda que; não obstante; se bem que: *Embora fosse tarde, decidimos partir.* ◆ **ir-se embora** partir; despedir-se; **mandar embora** expulsar; despedir

emboscada (em.bos.ca.da) [ẽbuʃ'kadɐ] *n.f.* cilada; traição

embraiagem (em.brai.a.gem) [ẽbraj'aʒɐ̃j] *n.f.* dispositivo de um veículo que permite ligar ou desligar o motor em relação à caixa das velocidades

embrenhar-se (em.bre.nhar-.se) [ẽbrə'ɲars(ə)] *v.* **1** ⟨**+em**⟩ esconder-se no mato **2** ⟨**+em**⟩ *fig.* concentrar-se: *embrenhar-se na leitura*

embriagado (em.bri:a.ga.do) [ẽbrjɐ'gadu] *adj.* que bebeu álcool em excesso **SIN.** bêbedo

embriagar(-se) (em.bri:a.gar(-se)) [ẽbrjɐ'gar(sə)] *v.* **1** tornar ou ficar bêbedo **SIN.** embebedar(-se) **2** *fig.* extasiar(-se); enlevar(-se)

embriaguez (em.bri:a.guez) [ẽbrjɐ'geʃ] *n.f.* estado de excitação e de descoordenação dos movimentos provocado pelo consumo excessivo de álcool

embrião (em.bri.ão) [ẽbri'ɐ̃w̃] *n.m.* **1** 👁 qualquer ser vivo no estado primitivo de desenvolvimento, até atingir forma definitiva **2** *fig.* princípio

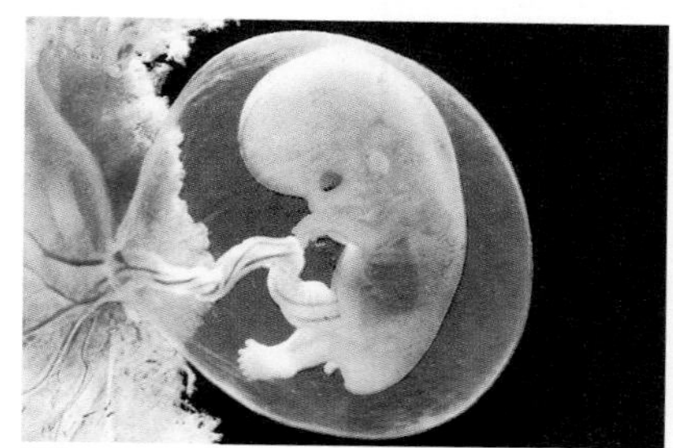

embrionário (em.bri:o.ná.ri:o) [ẽbrju'narju] *adj.* **1** que está em embrião **2** *fig.* que começa a desenvolver-se

embrulhada (em.bru.lha.da) [ẽbru'ʎadɐ] *n.f.* **1** grande confusão **2** aldrabice

embrulhado (em.bru.lha.do) [ẽbru'ʎadu] *adj.* **1** empacotado **2** complicado **3** enjoado

embrulhar (em.bru.lhar) [ẽbru'ʎar] *v.* **1** colocar num embrulho ou pacote; empacotar **2** agasalhar **3** complicar

embrulho (em.bru.lho) [ẽ'bruʎu] *n.m.* **1** objeto envolvido em papel, plástico, tecido, etc. **2** pacote

embrutecer (em.bru.te.cer) [ẽbrutə'ser] *v.* tornar(-se) bruto ou insensível

embuste (em.bus.te) [ẽ'buʃt(ə)] *n.m.* mentira habilidosa; ardil; logro

embusteiro (em.bus.tei.ro) [ẽbuʃ'tɐjru] *n.m.* impostor

embutido (em.bu.ti.do) [ẽbu'tidu] *adj.* encaixado como parte integrante ▪ *n.m.* peça incrustada ou encaixada noutra de natureza diferente

embutir (em.bu.tir) [ẽbu'tir] *v.* inserir ou encaixar (peça) em

emenda (e.men.da) [i'mẽdɐ] *n.f.* correção; retificação ◆ **não ter emenda** não ser capaz de se corrigir; **ser pior a emenda que o soneto** ser a solução pior do que o próprio problema; **servir de emenda** servir como lição

emendar (e.men.dar) [imẽ'dar] *v.* corrigir; retificar

ementa (e.men.ta) [i'mẽtɐ] *n.f.* lista de pratos disponíveis num restaurante **SIN.** lista; menu

emergência (e.mer.gên.ci:a) [imər'ʒẽsjɐ] *n.f.* **1** acontecimento inesperado **2** situação de perigo

emergir (e.mer.gir) [emər'ʒir] *v.* **1** sair de onde estava mergulhado **ANT.** imergir **2** ⟨+de⟩ surgir; aparecer

> Não confundir **emergir** (vir à tona) com **imergir** (mergulhar).

emérito (e.mé.ri.to) [e'mɛritu] *adj.* **1** (professor) aposentado; jubilado **2** distinto

emersão (e.mer.são) [emər'sɐ̃w̃] *n.f.* ato de trazer ou vir à superfície de um líquido

emigração (e.mi.gra.ção) [emigrɐ'sɐ̃w̃] *n.f.* **1** saída do país onde se nasceu para ir viver noutro país **ANT.** imigração **2** saída anual e regular de certas aves de uma região para outra

> Não confundir **emigração** (saída do próprio país) com **imigração** (entrada num país estrangeiro).

emigrado (e.mi.gra.do) [emi'gradu] *adj.,n.m.* que ou pessoa que emigrou

emigrante (e.mi.gran.te) [emi'grɐ̃t(ə)] *n.2g.* pessoa que sai do seu país para ir viver noutro **ANT.** imigrante

emigrar (e.mi.grar) [emi'grar] *v.* **1** sair de um país para ir viver noutro outro **ANT.** imigrar **2** ir periodicamente de uma região para outra

eminência (e.mi.nên.ci:a) [emi'nẽsjɐ] *n.f.* **1** ponto elevado **2** altura **3** *fig.* excelência

eminente (e.mi.nen.te) [emi'nẽt(ə)] *adj.2g.* **1** alto; elevado **2** excelente

> Não confundir **eminente** (excelente) com **iminente** (próximo).

emissão (e.mis.são) [imi'sɐ̃w̃] *n.f.* **1** ato ou efeito de emitir (luz, energia, radiação) **2** ato de pôr (dinheiro) em circulação **3** no esquema de comunicação, produção de um enunciado

emissário (e.mis.sá.ri:o) [imi'sarju] *n.m.* mensageiro

emissor (e.mis.sor) [imi'sor] *adj.* que emite ou envia ▪ *n.m.* na comunicação, agente que produz a mensagem

emissora (e.mis.so.ra) [imi'sorɐ] *n.f.* empresa que produz e transmite programas de rádio e televisão; canal

emitir (e.mi.tir) [imi'tir] *v.* **1** lançar de si (luz, energia, radiação) **2** pôr em circulação (dinheiro) **3** produzir (sons)

emoção (e.mo.ção) [imu'sɐ̃w̃] *n.f.* **1** reação psíquica e física (agradável ou desagradável) face a determinada circunstância ou objeto **2** agitação; alvoroço

emocional (e.mo.ci:o.nal) [imusju'nał] *adj.2g.* **1** relativo a emoção **2** que provoca comoção

emocionante (e.mo.ci:o.nan.te) [imusju'nɐ̃t(ə)] *adj.2g.* que causa emoção **SIN.** comovente

emocionar(-se) (e.mo.ci:o.nar(-se)) [imusju'nar(sə)] *v.* ⟨+com⟩ causar ou sentir emoção **SIN.** comover(-se)

emoldurar (e.mol.du.rar) [imołdu'rar] *v.* colocar em moldura; encaixilhar

emolumento (e.mo.lu.men.to) [imulu'mẽtu] *n.m.* **1** retribuição; gratificação **2** lucro

emotividade (e.mo.ti.vi.da.de) [imutivi'dad(ə)] *n.f.* capacidade ou tendência para manifestar emoções com facilidade

emotivo (e.mo.ti.vo) [imu'tivu] *adj.* **1** que provoca emoção (acontecimento, facto) **2** que manifesta emoção com facilidade (pessoa)

empacotar (em.pa.co.tar) [ẽpɐku'tar] *v.* colocar em pacote; embrulhar

empada **(em.pa.da)** [ẽ'padɐ] *n.f.* pastel de massa com recheio de carne, peixe, marisco, etc.

empadão **(em.pa.dão)** [ẽpɐ'dɐ̃w̃] *n.m.* refeição preparada com puré de batata e com recheio de carne, peixe ou legumes, que se leva ao forno

empalidecer **(em.pa.li.de.cer)** [ẽpɐlidə'ser] *v.* ficar pálido; perder a cor

empanar **(em.pa.nar)** [ẽpɐ'nar] *v.* **1** (veículo automóvel) ter uma avaria **2** (alimento) envolver em ovo batido e farinha, para fritar

empancar **(em.pan.car)** [ẽpɐ̃'kar] *v.* **1** ficar parado **2** suster; vedar

empanturrar(-se) **(em.pan.tur.rar(-se))** [ẽpɐ̃tu'ʀar(sə)] *v.* ⟨**+com, de**⟩ encher(-se) de comida **SIN.** enfartar(-se)

empapar **(em.pa.par)** [ẽpɐ'par] *v.* **1** embeber (algo), tornando-o mole **2** ensopar; encharcar **3** amortecer o choque de (pancada) ▪ **empapar-se** **1** tornar-se mole **2** ensopar-se; encharcar-se

emparelhado **(em.pa.re.lha.do)** [ẽpɐrə'ʎadu] *adj.* **1** ligado; unido **2** diz-se da rima em que os versos rimam aos pares

emparelhar **(em.pa.re.lhar)** [ẽpɐrə'ʎar] *v.* **1** ⟨**+com**⟩ colocar lado a lado: *Emparelhei o meu garfo com o dele.* **2** ⟨**+com**⟩ colocar ao mesmo nível: *O João emparelhou o seu trabalho com o do irmão.*

empastar **(em.pas.tar)** [ẽpɐʃ'tar] *v.* **1** ligar com pasta **2** dar as primeiras tintas a (quadro), para esbater depois **3** tornar (voz, fala) difícil de entender ▪ **empastar-se** **1** formar pasta **2** tornar-se (voz, fala) difícil de entender

empatado **(em.pa.ta.do)** [ẽpɐ'tadu] *adj.* **1** com igual número de pontos ou votos **2** interrompido (um processo); suspenso

empatar **(em.pa.tar)** [ẽpɐ'tar] *v.* **1** igualar em pontos ou votos **2** interromper (um processo); suspender

empate **(em.pa.te)** [ẽ'pat(ə)] *n.m.* **1** igualdade de votos ou de pontos **2** indecisão

empatia **(em.pa.ti.a)** [ẽpɐ'tiɐ] *n.f.* capacidade de se identificar com outra pessoa

empático **(em.pá.ti.co)** [ẽ'patiku] *adj.* **1** relativo a empatia **2** baseado em empatia

empecilho **(em.pe.ci.lho)** [ẽpə'siʎu] *n.m.* obstáculo; impedimento

empedrado **(em.pe.dra.do)** [ẽpə'dradu] *n.m.* revestimento de estradas ou ruas feito com pedras

empedrar **(em.pe.drar)** [ẽpə'drar] *v.* calçar com pedras **SIN.** calcetar

empenar **(em.pe.nar)** [ẽpə'nar] *v.* **1** deformar(-se) (madeira) com o calor ou humidade **2** tornar difícil de mover **SIN.** emperrar

empenhado **(em.pe.nha.do)** [ẽpə'ɲadu] *adj.* **1** dedicado **2** endividado

empenhamento **(em.pe.nha.men.to)** [ẽpəɲɐ'mẽtu] *n.m.* qualidade de quem se dedica muito a algo **SIN.** dedicação

empenhar **(em.pe.nhar)** [ẽpə'ɲar] *v.* dar (algo) como garantia de pagamento; penhorar: *Empenhou as joias.* ▪ **empenhar-se** **1** endividar-se **2** ⟨**+em**⟩ interessar-se por; esforçar-se por: *Empenhou-se nos estudos para fazer o exame.*

empenho **(em.pe.nho)** [ẽ'pɐ(j)ɲu] *n.m.* grande esforço; dedicação

emperrar **(em.per.rar)** [ẽpə'ʀar] *v.* **1** dificultar(-se) o movimento ou a articulação **2** *fig.* não saber o que fazer ou dizer **3** *fig.* teimar

empertigado **(em.per.ti.ga.do)** [ẽpərti'gadu] *adj.* **1** muito direito; teso **2** vaidoso; altivo

empertigar(-se) **(em.per.ti.gar(-se))** [ẽpərti'gar(sə)] *v.* **1** pôr(-se) direito e teso **2** *fig.* envaidecer(-se)

empestar **(em.pes.tar)** [ẽpɛʃ'tar] *v.* **1** contaminar com peste **2** passar mau cheiro a **3** *fig.* corromper

empilhar(-se) **(em.pi.lhar(-se))** [ẽpi'ʎar(sə)] *v.* pôr(-se) em pilha ou monte **SIN.** amontoar(-se)

empinado **(em.pi.na.do)** [ẽpi'nadu] *adj.* levantado; erguido

empinar **(em.pi.nar)** [ẽpi'nar] *v.* **1** endireitar; erguer **2** encher-se de vaidade (pessoa) ▪ **empinar-se** erguer-se sobre as patas traseiras (cavalo)

empírico **(em.pí.ri.co)** [ẽ'piriku] *adj.* **1** relativo ao empirismo **2** baseado na experiência vulgar ou imediata

empirismo **(em.pi.ris.mo)** [ẽpi'riʒmu] *n.m.* **1** conjunto de conhecimentos colhidos através da observação e da prática **2** doutrina segundo a qual todo o conhecimento humano deriva da experiência

emplastro **(em.plas.tro)** [ẽ'plɐʃtru] *n.m.* **1** medicamento sólido que adere à parte externa do corpo, por efeito do calor **2** *fig.* pessoa doentia, importuna ou parasita

empobrecer **(em.po.bre.cer)** [ẽpubrə'ser] *v.* **1** tornar pobre **2** ficar pobre

empobrecimento **(em.po.bre.ci.men.to)** [ẽpubrəsi'mẽtu] *n.m.* perda de recursos, qualidade ou riqueza

empoleirado **(em.po.lei.ra.do)** [ẽpulɐj'radu] *adj.* **1** posto num local elevado **2** em posição de destaque

empoleirar **(em.po.lei.rar)** [ẽpulɐj'rar] *v.* pôr em poleiro; elevar ▪ **empoleirar-se** colocar-se em posição elevada

empolgante **(em.pol.gan.te)** [ẽpoɫ'gɐ̃t(ə)] *adj.2g.* emocionante; excitante

empolgar(-se) **(em.pol.gar(-se))** [ẽpoɫ'gar(sə)] *v.* entusiasmar(-se); arrebatar(-se)

empreendedor (em.pre:en.de.dor) [ẽprjẽdə'dor] *adj.* ativo; dinâmico ■ *adj.,n.m.* que ou pessoa que tem iniciativa e vontade para iniciar projetos novos, mesmo quando são arriscados

empreendedorismo (em.pre:en.de.do.ris.mo) [ẽprjẽdədu'riʒmu] *n.m.* processo dinâmico realizado por quem, por iniciativa própria, identifica, analisa, planeia e implementa produtos ou serviços, considerados como oportunidades de negócio

empreender (em.pre:en.der) [ẽprjẽ'der] *v.* **1** propor-se dar início a (algo trabalhoso e difícil): *empreender uma campanha* **SIN.** tentar **2** levar a cabo: *empreender uma pesquisa* **SIN.** realizar **3** ⟨**+em**⟩ cismar; matutar: *Empreendeu no que ouviu na televisão.*

empreendimento (em.pre:en.di.men.to) [ẽprjẽdi'mẽtu] *n.m.* **1** realização de um projeto **2** empresa; firma

empregado (em.pre.ga.do) [ẽprə'gadu] *adj.* aplicado; utilizado ■ *n.m.* indivíduo que tem um emprego ou que exerce uma função ao serviço de alguém; funcionário

empregador (em.pre.ga.dor) [ẽprəgɐ'dor] *n.m.* indivíduo que emprega ou contrata alguém; patrão

empregar (em.pre.gar) [ẽprə'gar] *v.* **1** fazer uso de; utilizar **2** admitir num emprego; contratar

emprego (em.pre.go) [ẽ'pregu] *n.m.* **1** utilização prática; aplicação **2** atividade profissional que se realiza a troco de um salário

empregue (em.pre.gue) [ẽ'prɛg(ə)] *adj.* aplicado; utilizado

empreitada (em.prei.ta.da) [ẽprɐj'tadɐ] *n.f.* **1** obra realizada por conta de alguém, mediante pagamento ajustado previamente **2** *fig., coloq.* tarefa difícil e demorada

empreiteiro (em.prei.tei.ro) [ẽprɐj'tɐjru] *n.m.* **1** pessoa encarregada da realização de uma obra **2** indivíduo responsável por uma empresa de construções

empresa (em.pre.sa) [ẽ'prezɐ] *n.f.* **1** companhia que explora um ramo de indústria ou de comércio; firma **2** realização; empreendimento

empresariado (em.pre.sa.ri:a.do) [ẽprəzɐ'rjadu] *n.m.* conjunto dos empresários

empresarial (em.pre.sa.ri:al) [ẽprəzɐ'rjaɫ] *adj.2g.* relativo a empresa ou a empresário

empresário (em.pre.sá.ri:o) [ẽprə'zarju] *n.m.* **1** dono ou administrador de uma empresa **2** indivíduo que cuida dos interesses profissionais e financeiros de um artista

emprestar (em.pres.tar) [ẽprəʃ'tar] *v.* ceder durante algum tempo

empréstimo (em.prés.ti.mo) [ẽ'prɛʃtimu] *n.* **1** ato de emprestar **2** aquilo que se empres **3** integração, numa língua, de uma palavra pr veniente de outra língua **4** palavra provenien de uma língua e que é incorporado noutra: *bod board; croissant; hamster*

empunhar (em.pu.nhar) [ẽpu'ɲar] *v.* segurar pe punho ou cabo; pegar

empurrão (em.pur.rão) [ẽpu'ʀɐ̃w̃] *n.m.* **1** ato c efeito de empurrar; encontrão **2** *fig.* incentivo

empurrar (em.pur.rar) [ẽpu'ʀar] *v.* **1** fazer and ou avançar com violência **2** *fig.* incentivar; in pulsionar

emudecer (e.mu.de.cer) [imudə'ser] *v.* **1** fazer c lar **2** calar-se

emulsão (e.mul.são) [emuɫ'sɐ̃w̃] *n.f.* **1** preparad de aspeto leitoso que contém substâncias gord rosas **2** dispersão de um líquido noutro

EN [ɛ'ɛn] *sigla de* Estrada Nacional

ena (e.na) ['ɛnɐ] *interj.* exprime alegria, surpresa c admiração

enaltecer (e.nal.te.cer) [inaɫtə'ser] *v.* exaltar; el giar

enamorado (e.na.mo.ra.do) [inɐmu'radu] *a* **1** apaixonado **2** encantado

enamorar(-se) (e.na.mo.rar(-se)) [inɐmu'rar(sə *v.* **1** ⟨**+de**⟩ apaixonar(-se) **2** ⟨**+de**⟩ encantar(-se)

encabeçar (en.ca.be.çar) [ẽkɐbə'sar] *v.* **1** estar cabeça ou à frente de **2** ser o líder de **SIN.** ch fiar; liderar

encabular(-se) (en.ca.bu.lar(-se)) [ẽkɐbu'lar(sə *v.* acanhar(-se); envergonhar(-se)

encadeado (en.ca.de:a.do) [ẽkɐ'djadu] *adj.* **1** l gado por correntes ou cadeias **SIN.** preso **2** diz-s da rima em que o final de um verso rima co uma palavra que está no meio do verso seguint

encadeamento (en.ca.de:a.men.to) [ẽkɐ jɐ'mẽtu] *n.m.* **1** sequência ordenada de factos o de coisas; sucessão **2** em poesia, processo atr vés do qual se coloca no verso seguinte uma o mais palavras que completam o sentido do vers anterior

encadear (en.ca.de:ar) [ẽkɐ'djar] *v.* **1** prender o ligar com cadeia **2** dispor em sequência **SIN.** o denar

encadernação (en.ca.der.na.ção) [ẽkɐdərnɐ'sɐ̃w̃ *n.f.* **1** operação que consiste em revestir as folha que compõem um livro com uma capa dur **2** capa de um livro

encadernar (en.ca.der.nar) [ẽkɐdər'nar] *v.* reuni em caderno ou livro, cosendo ou colando a um capa, geralmente resistente

ncaixado (en.cai.xa.do) [ẽkaj'ʃadu] *adj.* diz-se de uma coisa que foi colocada no interior de outra **ANT.** desencaixado

ncaixar (en.cai.xar) [ẽkaj'ʃar] *v.* **1** colocar entre coisas ou pessoas **2** *coloq.* meter na cabeça

ncaixe (en.cai.xe) [ẽ'kajʃ(ə)] *n.m.* **1** ato de encaixar **2** ponto de ligação

ncaixilhar (en.cai.xi.lhar) [ẽkajʃi'ʎar] *v.* meter em caixilho **SIN.** emoldurar

ncaixotar (en.cai.xo.tar) [ẽkajʃu'tar] *v.* meter em caixote ou em caixa **SIN.** empacotar

ncalço (en.cal.ço) [ẽ'kałsu] *n.m.* rasto; pista ◆ **ir no encalço de** seguir a pista de

ncalhado (en.ca.lha.do) [ẽkɐ'ʎadu] *adj.* **1** preso no fundo ou num obstáculo (barco) **2** *fig.* interrompido; parado ◆ *coloq.* **estar/ficar encalhado** estar/ficar solteiro; não casar

ncalhar (en.ca.lhar) [ẽkɐ'ʎar] *v.* **1** ficar preso em algum obstáculo (barco) **2** *fig.* não ter seguimento; parar

ncaminhado (en.ca.mi.nha.do) [ẽkɐmi'ɲadu] *adj.* **1** conduzido para algum lugar; levado **ANT.** desencaminhado **2** *fig.* orientado para a melhor maneira de fazer algo

ncaminhar (en.ca.mi.nhar) [ẽkɐmi'ɲar] *v.* **1** mostrar o caminho a seguir: *Encaminharam o João para o teatro.* **2** orientar: *Encaminharam-no para o serviço de cardiologia.* ■ **encaminhar-se** ⟨**+para**⟩ dirigir-se: *Encaminharam-se para casa.*

ncandear(-se) (en.can.de:ar(-se)) [ẽkɐ̃'djar(sə)] *v.* **1** cegar por instantes devido a luz intensa ou excessiva **2** *fig.* deslumbrar(-se)

ncantado (en.can.ta.do) [ẽkɐ̃'tadu] *adj.* **1** deslumbrado; maravilhado **2** que sofreu encantamento ou feitiço; enfeitiçado

ncantador (en.can.ta.dor) [ẽkɐ̃tɐ'dor] *adj.* **1** que encanta ou deslumbra **2** que causa prazer ■ *n.m.* indivíduo capaz de fazer feitiços; feiticeiro

ncantamento (en.can.ta.men.to) [ẽkɐ̃tɐ'mẽtu] *n.m.* **1** sensação de deslumbramento; prazer **2** palavra, frase ou outro meio a que se atribui o poder mágico de enfeitiçar; feitiço

ncantar(-se) (en.can.tar(-se)) [ẽkɐ̃'tar(sə)] *v.* **1** causar ou sentir prazer ou admiração **SIN.** maravilhar(-se) **2** enfeitiçar(-se)

ncanto (en.can.to) [ẽ'kɐ̃tu] *n.m.* **1** pessoa ou coisa agradável **2** atração forte; sedução

ncapar (en.ca.par) [ẽkɐ'par] *v.* cobrir ou envolver com capa protetora (livro, caderno, etc.)

ncapelado (en.ca.pe.la.do) [ẽkɐpə'ladu] *adj.* diz-se do mar com ondas altas e revoltas

ncapotar (en.ca.po.tar) [ẽkɐpu'tar] *v.* **1** cobrir com capa ou capote **2** *fig.* disfarçar

encaracolado (en.ca.ra.co.la.do) [ẽkɐrɐku'ladu] *adj.* **1** semelhante a caracol **2** enrolado em espiral

encaracolar (en.ca.ra.co.lar) [ẽkɐrɐku'lar] *v.* dar forma de caracol; enrolar

encarar (en.ca.rar) [ẽkɐ'rar] *v.* **1** olhar de frente; enfrentar **2** considerar; examinar **3** fazer frente; enfrentar

encarcerar (en.car.ce.rar) [ẽkɐrsə'rar] *v.* meter na cadeia **SIN.** prender

encarecer (en.ca.re.cer) [ẽkɐrə'ser] *v.* aumentar de preço

encargo (en.car.go) [ẽ'kargu] *n.m.* **1** compromisso; dever **2** tarefa difícil; fardo

encarnação (en.car.na.ção) [ẽkɐrnɐ'sɐ̃w̃] *n.f.* **1** na doutrina cristã, mistério pelo qual Deus se fez homem **2** *fig.* manifestação exterior e visível de um espírito; personificação

encarnado (en.car.na.do) [ẽkɐr'nadu] *adj.* **1** que encarnou **2** vermelho ■ *n.m.* cor vermelha

encarnar (en.car.nar) [ẽkɐr'nar] *v.* **1** tomar forma humana **2** entrar (espírito) num corpo **3** materializar; personificar

encarregado (en.car.re.ga.do) [ẽkɐʀə'gadu] *adj.* que tem algo ou alguém a seu cargo ■ *n.m.* aquele que é responsável por alguma coisa ◆ **encarregado de educação** pessoa que é responsável pelo aproveitamento escolar (notas, faltas, etc.) de um aluno

encarregar(-se) (en.car.re.gar(-se)) [ẽkɐʀə'gar(sə)] *v.* ⟨**+de**⟩ atribuir tarefa ou encargo a (alguém ou a si mesmo): *Encarregou o João de fazer o jantar.*

encarregue (en.car.re.gue) [ẽkɐ'ʀɛg(ə)] *adj.2g.* que está incumbido de uma função ou tarefa; encarregado

encastrar (en.cas.trar) [ẽkɐʃ'trar] *v.* fazer encaixar **SIN.** embutir

encavalgamento (en.ca.val.ga.men.to) [ẽkɐvałgɐ'mẽtu] *n.m.* processo poético de divisão do sentido de um verso, completado no verso seguinte

encavalitar(-se) (en.ca.va.li.tar(-se)) [ẽkɐvɐli'tar(sə)] *v.* pôr(-se) sobre os ombros ou às cavalitas

encefálico (en.ce.fá.li.co) [ẽsə'faliku] *adj.* relativo a encéfalo

encéfalo (en.cé.fa.lo) [ẽ'sɛfɐlu] *n.m.* conjunto de todas as partes do sistema nervoso central que estão alojadas no crânio

encefalograma (en.ce.fa.lo.gra.ma) [ẽsɛfɐlu'gramɐ] *n.m.* radiografia do conteúdo do crânio

encenação (en.ce.na.ção) [ẽsənɐ'sɐ̃w̃] *n.f.* **1** interpretação de uma peça de teatro **2** *fig.* fingimento; cena

encenador **(en.ce.na.dor)** [ẽsənɐ'dor] *n.m.* pessoa que faz a montagem de um espetáculo

encenar **(en.ce.nar)** [ẽsə'nar] *v.* pôr em cena um espetáculo, sobretudo teatral

encerado **(en.ce.ra.do)** [ẽsə'radu] *adj.* coberto de ou polido com cera

enceradora **(en.ce.ra.do.ra)** [ẽsərɐ'dorɐ] *n.f.* eletrodoméstico usado para encerar e dar lustro aos soalhos

encerar **(en.ce.rar)** [ẽsə'rar] *v.* cobrir (uma superfície) de cera

encerrado **(en.cer.ra.do)** [ẽsə'ʀadu] *adj.* **1** fechado **2** guardado **3** terminado

encerramento **(en.cer.ra.men.to)** [ẽsəʀɐ'mẽtu] *n.m.* **1** fecho **2** final

encerrar **(en.cer.rar)** [ẽsə'ʀar] *v.* **1** fechar **2** guardar **3** terminar

encestar **(en.ces.tar)** [ẽsəʃ'tar] *v.* no basquetebol, introduzir a bola no cesto, marcando pontos

encetar **(en.ce.tar)** [ẽsə'tar] *v.* **1** tirar o primeiro pedaço de (algo intacto) **2** dar início a; começar

encharcado **(en.char.ca.do)** [ẽʃɐr'kadu] *adj.* **1** que ficou cheio de água **SIN.** alagado **2** completamente molhado **SIN.** ensopado **3** *coloq.* embriagado

encharcar **(en.char.car)** [ẽʃɐr'kar] *v.* **1** transformar em charco **SIN.** inundar **2** molhar completamente **SIN.** ensopar

enchente **(en.chen.te)** [ẽ'ʃẽt(ə)] *n.f.* **1** inundação; cheia **2** *fig.* grande quantidade de pessoas

encher **(en.cher)** [ẽ'ʃer] *v.* **1** ⟨**+de**⟩ ocupar o espaço de; preencher: *encheu o copo de água* **ANT.** esvaziar **2** ⟨**+de**⟩ cobrir de: *Ela enche o filho de presentes.* ■ **encher-se** **1** ficar cheio: *A sala encheu-se rapidamente.* **2** ⟨**+de**⟩ saciar-se; empanturrar-se: *As crianças encheram-se de doces.* **3** ⟨**+de**⟩ *coloq.* perder a paciência; fartar-se; aborrecer-se: *Encheram-se daquela conversa e foram embora.*

enchido **(en.chi.do)** [ẽ'ʃidu] *n.m.* alimento em forma de tubo preparado com carne inserida numa tripa ou noutro invólucro flexível; chouriço

enchimento **(en.chi.men.to)** [ẽʃi'mẽtu] *n.m.* **1** ato ou efeito de encher **2** recheio

enchouriçar(-se) **(en.chou.ri.çar(-se))** [ẽʃo(w)ri'sar(sə)] *v.* **1** dar ou tomar forma de chouriço **2** tornar(-se) espesso ou grosso **3** *fig.* irritar(-se)

enchumaço **(en.chu.ma.ço)** [ẽʃu'masu] *n.m.* matéria têxtil com que se acolchoa os ombros de uma peça de roupa

encíclica **(en.cí.cli.ca)** [ẽ'siklikɐ] *n.f.* carta papal que aborda assuntos relativos à doutrina e Igreja católica

enciclopédia **(en.ci.clo.pé.di:a)** [ẽsiklu'pɛdjɐ] **1** obra em que se tratam todos os ramos do c nhecimento **2** *fig.* pessoa que tem muitos conh cimentos

enciclopédico **(en.ci.clo.pé.di.co)** [ẽsiklu'pɛdik *adj.* relativo a enciclopédia

enclausurar(-se) **(en.clau.su.rar(-se))** [ẽkla zu'rar(sə)] *v.* **1** pôr ou encerrar-se em clausu **2** isolar(-se) do convívio social

enclave **(en.cla.ve)** [ẽ'klav(ə)] *n.m.* **1** território um país encaixado em território de um país tranho **2** pequeno estado autónomo envolvi por outro

encoberto **(en.co.ber.to)** [ẽku'bɛrtu] *adj.* **1** esco dido; oculto **2** enevoado (o céu)

encobrir **(en.co.brir)** [ẽku'brir] *v.* **1** escond ocultar **2** manter em segredo; não revelar **3** e cher-se de nuvens (o céu)

encolher **(en.co.lher)** [ẽku'ʎer] *v.* **1** tornar ma pequeno **ANT.** esticar **2** diminuir de tamanho **encolher-se** mostrar-se tímido ou receoso

encolhido **(en.co.lhi.do)** [ẽku'ʎidu] *adj.* **1** que minuiu de tamanho; contraído **2** *fig.* tímido

encomenda **(en.co.men.da)** [ẽku'mẽdɐ] *n.f.* **1** p dido de mercadoria a um fornecedor ou fab cante **2** objeto encomendado

encomendar **(en.co.men.dar)** [ẽkumẽ'dar] *v.* **1** zer uma encomenda de; pedir **2** mandar fazer

encontrão **(en.con.trão)** [ẽkõ'trɐ̃w̃] *n.m.* choq entre pessoas, coisas ou animais **SIN.** empurrão

encontrar **(en.con.trar)** [ẽkõ'trar] *v.* **1** depar com; achar **2** recuperar (um objeto perdido reaver **3** ir ter com alguém

encontro **(en.con.tro)** [ẽ'kõtru] *n.m.* **1** reunião pessoas ou coisas **2** choque violento **3** compe ção desportiva **4** congresso sobre determina tema ◆ **ao encontro de** **1** em direção a **2** acordo com; atender; **de encontro a** contra

encorajamento **(en.co.ra.ja.men.to)** [ẽku ʒɐ'mẽtu] *n.m.* ânimo; incentivo

encorajar(-se) **(en.co.ra.jar(-se))** [ẽkurɐ'ʒar(sə)] dar ou ganhar coragem e ânimo **SIN.** estimular(-s

encorpado **(en.cor.pa.do)** [ẽkur'padu] *adj.* **1** co pulento; forte **2** que tem muita consistência

encorrilhar **(en.cor.ri.lhar)** [ẽkuʀi'ʎar] *v.* faz pregas ou vincos **SIN.** enrugar

encosta **(en.cos.ta)** [ẽ'kɔʃtɐ] *n.f.* declive de mon ou montanha **SIN.** vertente

encostar **(en.cos.tar)** [ẽkuʃ'tar] *v.* **1** ⟨**+a**⟩ apoia *encostar a cabeça* **2** ⟨**+a**⟩ colocar lado a lado: *e costou a cama à parede* **3** ⟨**+a**⟩ aproximar; chega *Encostou o ouvido à porta.* **4** fechar (porta, janel deixando-a fora do trinco **5** (veículo) parar; est cionar **6** pôr de parte: *Encostou o livro porque* *não queria ler mais.* ▪ **encostar-se** **1** ⟨+a⟩ apoiar--se: *Encosta-te ao meu braço.* **2** deitar-se para repousar: *Encostou-se no sofá.* **3** ⟨+a⟩ *fig.* aproveitar--se do trabalho ou benefício de alguém

encosto (en.cos.to) [ẽ'koʃtu] *n.m.* **1** costas de um assento **2** *fig.* proteção

encovado (en.co.va.do) [ẽku'vadu] *adj.* **1** metido em cova ou buraco; escondido **2** diz-se dos olhos que parecem estar no fundo das órbitas, por cansaço ou magreza

encravado (en.cra.va.do) [ẽkrɐ'vadu] *adj.* **1** pregado com prego ou cravo **2** que não se pode mover; entalado **3** (pelo, unha) que ao crescer penetra na carne **4** *coloq.* (pessoa) que está em dificuldades

encravar (en.cra.var) [ẽkrɐ'var] *v.* **1** fixar com prego(s); pregar **2** *coloq.* colocar (alguém) numa situação difícil; comprometer

encrenca (en.cren.ca) [ẽ'krẽkɐ] *n.f. coloq.* problema; embaraço

encrencado (en.cren.ca.do) [ẽkrẽ'kadu] *adj.* difícil de resolver; complicado

encrespado (en.cres.pa.do) [ẽkrəʃ'padu] *adj.* **1** diz-se do cabelo frisado **2** diz-se da pessoa irritada

encrespar(-se) (en.cres.par(-se)) [ẽkrəʃ'par(sə)] *v.* **1** tornar(-se) crespo **2** agitar(-se); ondular(-se) **3** irritar(-se)

encruzilhada (en.cru.zi.lha.da) [ẽkruzi'ʎadɐ] *n.f.* lugar onde se cruzam estradas ou caminhos ◆ **estar numa encruzilhada** não saber o que fazer

encurralado (en.cur.ra.la.do) [ẽkuʀɐ'ladu] *adj.* **1** metido em curral **2** fechado (em local sem saída ou com a saída trancada); cercado **3** *fig.* sem solução aparente

encurralar (en.cur.ra.lar) [ẽkuʀɐ'lar] *v.* **1** meter em curral **2** colocar em local fechado **3** cercar

encurtar (en.cur.tar) [ẽkur'tar] *v.* **1** diminuir de tamanho; reduzir **2** impor limite(s); limitar

endereçar (en.de.re.çar) [ẽdərə'sar] *v.* **1** pôr endereço em (envelope, postal) **2** ⟨+a⟩ enviar (mensagem, carta, etc.): *Endereçou a carta ao pai.*

endereço (en.de.re.ço) [ẽdə'resu] *n.m.* indicação do nome e da morada (em carta, encomenda, postal, etc.); direção ◆ **endereço eletrónico** expressão que identifica um utilizador numa rede de computadores, permitindo o envio e a receção de mensagens

endeusar (en.deu.sar) [ẽdew'zar] *v.* **1** atribuir qualidades divinas a **2** *fig.* atribuir qualidades excecionais a

endiabrado (en.di:a.bra.do) [ẽdjɐ'bradu] *adj.* **1** que tem o diabo no corpo **2** *fig.* que é muito travesso; traquina **3** *fig.* furioso

endinheirado (en.di.nhei.ra.do) [ẽdiɲɐj'radu] *adj.* que tem muito dinheiro; rico

endireita (en.di.rei.ta) [ẽdi'rɐjtɐ] *n.2g. coloq.* pessoa que trata ossos fraturados ou com luxação

endireitar(-se) (en.di.rei.tar(-se)) [ẽdirɐj'tar(sə)] *v.* **1** pôr(-se) direito **ANT.** entortar(-se) **2** colocar(-se) de forma arranjada ou ordenada **3** *fig.* corrigir(-se)

endívia (en.dí.vi:a) [ẽ'divjɐ] *n.f.* planta com folhas frisadas, que se consome crua ou cozida

endividado (en.di.vi.da.do) [ẽdivi'dadu] *adj.* que deve dinheiro

endividar (en.di.vi.dar) [ẽdivi'dar] *v.* fazer (alguém) contrair dívidas ▪ **endividar-se** contrair dívidas

endocarpo (en.do.car.po) [ẽdɔ'karpu] *n.m.* parte interna do pericarpo dos frutos, que está em contacto com as sementes

endócrino (en.dó.cri.no) [ẽ'dɔkrinu] *adj.* relativo a glândula que lança no sangue os produtos que segrega

endocrinologia (en.do.cri.no.lo.gi.a) [ẽdɔkrinulu'ʒiɐ] *n.f.* especialidade médica que se dedica ao estudo das glândulas de secreção interna (endócrinas) e das hormonas

endocrinologista (en.do.cri.no.lo.gis.ta) [ẽdɔkrinulu'ʒiʃtɐ] *n.2g.* especialista em endocrinologia

endoidecer (en.doi.de.cer) [ẽdojdə'ser] *v.* tornar(-se) doido; enlouquecer

endoscopia (en.dos.co.pi.a) [ẽdɔʃku'piɐ] *n.f.* exame visual das cavidades e órgãos internos do corpo

endossar (en.dos.sar) [ẽdu'sar] *v.* escrever no verso de (cheque, etc.) o nome da pessoa a quem passa a pertencer a quantia ou o direito aí representado

endosso (en.dos.so) [ẽ'dosu] *n.m.* ato de transferir para alguém a propriedade de cheque ou outro título de crédito

endurecer (en.du.re.cer) [ẽdurə'ser] *v.* **1** tornar(-se) duro; enrijecer **2** *fig.* tornar(-se) mais resistente à dor, ao sofrimento, etc.

endurecimento (en.du.re.ci.men.to) [ẽdurəsi'mẽtu] *n.m.* **1** transformação de uma substância num corpo sólido **2** ponto da pele em que esta está mais espessa devido a atrito; calo **3** *fig.* resistência à dor, ao sofrimento, etc.

energético (e.ner.gé.ti.co) [inəʀ'ʒɛtiku] *adj.* relativo a energia

energia (e.ner.gi.a) [inər'ʒiɐ] *n.f.* **1** capacidade de produzir trabalho ou movimento **2** força física; vigor **3** força moral; ânimo

enérgico (e.nér.gi.co) [i'nɛrʒiku] *adj.* **1** ativo; dinâmico **2** severo; ríspido

enervado (e.ner.va.do) [inər'vadu] *adj.* irritado; impaciente

enervante (e.ner.van.te) [inər'vẽt(ə)] *adj.2g.* que enerva; irritante

enervar (e.ner.var) [inər'var] *v.* irritar ▪ **enervar-se** ficar nervoso ou irritado

enevoado (e.ne.vo:a.do) [inə'vwadu] *adj.* **1** (céu) coberto de névoa ou de nuvens **SIN.** enublado **2** não transparente **SIN.** turvo

enevoar (e.ne.vo:ar) [inə'vwar] *v.* **1** cobrir com névoa **2** tornar escuro

enfadar (en.fa.dar) [ẽfɐ'dar] *v.* aborrecer; incomodar ▪ **enfadar-se** aborrecer-se; incomodar-se

enfado (en.fa.do) [ẽ'fadu] *n.m.* aborrecimento; tédio

enfadonho (en.fa.do.nho) [ẽfɐ'doɲu] *adj.* aborrecido; cansativo

enfardar (en.far.dar) [ẽfɐr'dar] *v. coloq.* comer muito

enfarruscar(-se) (en.far.rus.car(-se)) [ẽfɐʀuʃ'kar(sə)] *v.* sujar(-se) com o pó de fuligem ou outro pó negro

enfartado (en.far.ta.do) [ẽfɐr'tadu] *adj.* que comeu demasiado **SIN.** empanturrado

enfartar(-se) (en.far.tar(-se)) [ẽfɐr'tar(sə)] *v.* encher(-se) de comida **SIN.** empanturrar(-se)

enfarte (en.far.te) [ẽ'fart(ə)] *n.m.* lesão dos tecidos de um órgão causada pela obstrução de um vaso sanguíneo

ênfase (ên.fa.se) ['ẽfɐz(ə)] *n.f.* realce; destaque

enfastiado (en.fas.ti:a.do) [ẽfɐʃ'tjadu] *adj.* aborrecido

enfastiar (en.fas.ti:ar) [ẽfɐʃ'tjar] *v.* provocar aborrecimento ou irritação; aborrecer ▪ **enfastiar-se** sentir-se aborrecido ou irritado

enfático (en.fá.ti.co) [ẽ'fatiku] *adj.* em que há ênfase

enfatizar (en.fa.ti.zar) [ẽfɐti'zar] *v.* **1** dar ênfase ou destaque a **SIN.** realçar **2** salientar a importância de

enfeitar (en.fei.tar) [ẽfɐj'tar] *v.* colocar enfeite(s) em **SIN.** adornar

enfeite (en.fei.te) [ẽ'fɐjt(ə)] *n.m.* adorno; ornamento

enfeitiçado (en.fei.ti.ça.do) [ẽfɐjti'sadu] *adj.* **1** que se enfeitiçou **2** *fig.* encantado; seduzido

enfeitiçar (en.fei.ti.çar) [ẽfɐjti'sar] *v.* **1** fazer feitiço(s) a **2** *fig.* encantar; seduzir

enfermagem (en.fer.ma.gem) [ẽfər'maʒẽj] *n.f.* **1** profissão de enfermeiro(a) **2** prestação de cuidados especializados a doentes ou feridos

enfermaria (en.fer.ma.ri.a) [ẽfərmɐ'riɐ] *n.f.* áre de um hospital ou de uma clínica destinada a tratamento de doentes

enfermeiro (en.fer.mei.ro) [ẽfər'mɐjru] *n.m.* pes soa formada em enfermagem

enfermidade (en.fer.mi.da.de) [ẽfərmi'dad(ə)] *n* **1** doença **2** *fig.* mal

enfermo (en.fer.mo) [ẽ'fermu] *adj.,n.m.* doente

enferrujado (en.fer.ru.ja.do) [ẽfəʀu'ʒadu] *ac* **1** coberto de ferrugem **2** *fig.* que se mexe com d ficuldade; entorpecido **3** *fig.* esquecido daqui que aprendeu

enferrujar(-se) (en.fer.ru.jar(-se)) [ẽfəʀu'ʒar(sə *v.* **1** tornar(-se) ferrugento **SIN.** oxidar(-se) **2** *fi* entorpecer

enfiada (en.fi:a.da) [ẽ'fjadɐ] *n.f.* **1** ato de enfia **2** série de objetos em fila **3** sequência de atos o de palavras ◆ **de enfiada** um a seguir ao outro

enfiado (en.fi:a.do) [ẽ'fjadu] *adj.* **1** que se atraves sou com um fio **2** empurrado com força **3** *fig.* as sustado; acanhado

enfiar (en.fi:ar) [ẽ'fjar] *v.* **1** meter: *Ele enfiou a mãos nos bolsos.* **2** fazer passar um fio por: *enfia a linha numa agulha* **3** vestir (roupa); calçar (sa patos) ▪ **enfiar-se** ⟨+em⟩ meter-se em; não sa de: *Enfiou-se no escritório e ainda não saiu.*

enfim (en.fim) [ẽ'fĩ] *adv.* por último; finalmente

> Não confundir **enfim** (finalmente) com **em fim** (no fim): *O João chegou enfim. Aconteceu em fim de junho.*

enfoque (en.fo.que) [ẽ'fɔk(ə)] *n.m.* modo de abo dar um assunto ou uma questão **SIN.** perspetiva

enforcado (en.for.ca.do) [ẽfur'kadu] *adj.* **1** mort por enforcamento **2** *coloq.* que está em má situa ção financeira

enforcamento (en.for.ca.men.to) [ẽfurkɐ'mẽtu *n.m.* morte por asfixia provocada pela suspensã de uma pessoa com uma corda ou faixa à volt do pescoço

enforcar (en.for.car) [ẽfur'kar] *v.* suspender (al guém ou a si mesmo) pelo pescoço, com um corda ou faixa, num local alto, causando mort por asfixia ▪ **enforcar-se** **1** matar-se por enfor camento **2** *pop.* ficar em situação difícil **3** *coloq irón.* casar-se

enformar (en.for.mar) [ẽfur'mar] *v.* **1** dar ou to mar forma ou corpo **2** meter em forma ou molde

enfraquecer (en.fra.que.cer) [ẽfrɐkə'ser] *v.* tor nar ou ficar fraco **SIN.** debilitar(-se)

enfraquecimento (en.fra.que.ci.men.to) [ẽfr kəsi'mẽtu] *n.m.* perda de força ou de intensidade fraqueza

nfrascar (en.fras.car) [ẽfrɐʃ'kar] *v.* **1** meter em frasco: *Enfrascou a compota.* **2** *coloq.* embriagar: *Enfrascou o João com cerveja.* ▪ **enfrascar-se 1** ⟨+em⟩ impregnar-se **2** ⟨+com⟩ *coloq.* embriagar-se

nfrentar (en.fren.tar) [ẽfrẽ'tar] *v.* **1** olhar de frente **SIN.** encarar **2** bater-se contra **SIN.** defrontar; encarar

nfurecer(-se) (en.fu.re.cer(-se)) [ẽfurə'ser(sə)] *v.* tornar ou ficar furioso **SIN.** irar(-se); zangar(-se)

nfurecido (en.fu.re.ci.do) [ẽfurə'sidu] *adj.* furioso; raivoso

ng(a). *abreviatura de* Engenheiro(a)

ngalfinhar (en.gal.fi.nhar) [ẽgałfi'ɲar] *v.* agarrar ▪ **engalfinhar-se 1** agarrar-se ao adversário, lutando corpo a corpo **2** *fig.* envolver-se em discussão acesa

nganado (en.ga.na.do) [ẽgɐ'nadu] *adj.* **1** que se enganou; errado **2** que foi vítima de burla ou engano

nganador (en.ga.na.dor) [ẽgɐnɐ'dor] *adj.* **1** que engana; que induz em erro **2** ilusório

nganar (en.ga.nar) [ẽgɐ'nar] *v.* **1** fazer (alguém) acreditar em algo que não é verdadeiro **2** praticar fraude contra (alguém) ▪ **enganar-se** errar; equivocar-se

ngano (en.ga.no) [ẽ'gɐnu] *n.m.* **1** erro; lapso **2** burla; fraude

nganoso (en.ga.no.so) [ẽgɐ'nozu] *adj.* ⇒ **enganador**

ngarrafado (en.gar.ra.fa.do) [ẽgɐʀɐ'fadu] *adj.* **1** metido em garrafa **2** diz-se do trânsito muito intenso, que não anda **3** [MOÇ.] sem vontade própria; enfeitiçado

ngarrafamento (en.gar.ra.fa.men.to) [ẽgɐʀɐfɐ'mẽtu] *n.m.* **1** ato ou efeito de colocar em garrafa(s) **2** acumulação de pessoas ou veículos, dificultando ou impedindo a circulação

ngarrafar (en.gar.ra.far) [ẽgɐʀɐ'far] *v.* **1** meter em garrafa **2** bloquear (uma estrada, um caminho)

ngasgado (en.gas.ga.do) [ẽgɐʒ'gadu] *adj.* **1** entalado **2** *fig.* atrapalhado

ngasgar(-se) (en.gas.gar(-se)) [ẽgɐʒ'gar(sə)] *v.* **1** provocar ou sofrer obstrução na garganta **SIN.** entalar(-se) **2** *fig.* atrapalhar(-se)

ngatar (en.ga.tar) [ẽgɐ'tar] *v.* **1** ligar por meio de engate (veículos); atrelar **2** *coloq.* seduzir

ngate (en.ga.te) [ẽ'gat(ə)] *n.m.* **1** aparelho com que se atrelam animais a viaturas **2** *coloq.* ato de seduzir alguém ♦ *coloq.* **andar no engate** procurar (mulher ou homem) para encontro ou relação íntima

ngelhar (en.ge.lhar) [ẽʒə'ʎar] *v.* formar pregas ou rugas **SIN.** enrugar

engendrar (en.gen.drar) [ẽʒẽ'drar] *v.* **1** produzir; criar **2** planear

engenharia (en.ge.nha.ri.a) [ẽʒəɲɐ'riɐ] *n.f.* ciência que se dedica à exploração dos recursos naturais, ao projeto e à construção de comodidades e ao fornecimento de utilidades; **engenharia civil** disciplina que se ocupa de construções e obras (estradas, pontes, barragens, etc.)

engenheiro (en.ge.nhei.ro) [ẽʒə'ɲɐjru] *n.m.* pessoa licenciada em engenharia e inscrita na Ordem dos Engenheiros

engenho (en.ge.nho) [ẽ'ʒɐ(j)ɲu] *n.m.* **1** aparelho para tirar água de poços **2** *fig.* talento

engenhoca (en.ge.nho.ca) [ẽʒə'ɲɔkɐ] *n.f.* aparelho ou máquina complicada ou mal feita ▪ **engenhocas** *adj.inv. coloq.* habilidoso; engenhoso

engenhoso (en.ge.nho.so) [ẽʒə'ɲozu] *adj.* **1** habilidoso **2** inventivo

engessar (en.ges.sar) [ẽʒə'sar] *v.* cobrir com gesso

englobar (en.glo.bar) [ẽglu'bar] *v.* incluir; abranger

engodo (en.go.do) [ẽ'godu] *n.m.* **1** isca usada para atrair peixes ou aves **2** *fig.* artifício para atrair ou enganar alguém

engolir (en.go.lir) [ẽgu'lir] *v.* **1** fazer entrar no estômago, partindo da boca e passando através da faringe e do esófago **2** *fig.* suportar (sofrimento, dor, insulto)

engomado (en.go.ma.do) [ẽgu'madu] *adj.* passado a ferro

engomar (en.go.mar) [ẽgu'mar] *v.* **1** passar (roupa) a ferro **2** meter em goma

engonhar (en.go.nhar) [ẽgo'ɲar] *v.* **1** trabalhar devagar **2** perder tempo

engordar (en.gor.dar) [ẽgur'dar] *v.* tornar(-se) gordo; aumentar de peso **ANT.** emagrecer

engordurar (en.gor.du.rar) [ẽgurdu'rar] *v.* untar ou sujar com gordura

engraçado (en.gra.ça.do) [ẽgrɐ'sadu] *adj.* **1** que tem graça: *A tua irmã é muito engraçada.* **SIN.** cómico; divertido **2** bonito; gracioso: *O tipo até é engraçado, só não gosto do cabelo dele.* **3** curioso; interessante: *O que é engraçado é terem pensado que tu eras brasileiro.*

engraçar (en.gra.çar) [ẽgrɐ'sar] *v.* ⟨+com⟩ simpatizar com: *Eles engraçaram logo com a Rita.*

engrandecer (en.gran.de.cer) [ẽgrɐ̃də'ser] *v.* **1** aumentar **2** valorizar

engravatado (en.gra.va.ta.do) [ẽgrɐvɐ'tadu] *adj.* **1** com gravata **2** bem vestido

engravatar(-se) (en.gra.va.tar(-se)) [ẽgrɐvɐ'tar(sə)] *v.* colocar gravata a (alguém ou a si mesmo)

engravidar (en.gra.vi.dar) [ẽgrɐvi'dar] *v.* **1** tornar grávida **2** ficar grávida

engraxadela (en.gra.xa.de.la) [ẽgraʃɐ'dɛlɐ] *n.f.* **1** passagem ligeira de graxa **2** *fig.* bajulação

engraxador (en.gra.xa.dor) [ẽgraʃɐ'dor] *n.m.* **1** aquele que engraxa sapatos **2** *fig.* indivíduo que bajula

engraxar (en.gra.xar) [ẽgra'ʃar] *v.* **1** dar graxa a; polir **2** *fig.* bajular

engrenagem (en.gre.na.gem) [ẽgrə'naʒɐ̃j] *n.f.* **1** dispositivo constituído por um sistema de rodas dentadas para transmissão de movimento **2** organização (de uma empresa, instituição, etc.)

engrenar (en.gre.nar) [ẽgrə'nar] *v.* **1** ajustar os dentes de uma roda dentada com outra peça, fazendo-as girar **2** meter uma mudança (num veículo)

engrossar (en.gros.sar) [ẽgru'sar] *v.* **1** tornar(-se) mais grosso ou mais espesso **2** aumentar o volume ou a quantidade de

enguia (en.gui.a) [ẽ'giɐ] *n.f.* peixe comestível de corpo fino, longo e cilíndrico e pele escorregadia

enguiçar (en.gui.çar) [ẽgi'sar] *v.* deixar de funcionar: *O carro enguiçou.*

enguiço (en.gui.ço) [ẽ'gisu] *n.m.* **1** mau-olhado; feitiço **2** mau pressentimento

enigma (e.nig.ma) [i'nigmɐ] *n.m.* **1** coisa difícil de compreender; mistério **2** pergunta difícil, que contém pistas para a resposta; enigma

enigmático (e.nig.má.ti.co) [ini'gmatiku] *adj.* **1** misterioso **2** *fig.* difícil de entender

enjaular (en.jau.lar) [ẽʒaw'lar] *v.* **1** prender (animal feroz) em jaula **2** colocar (pessoa) na cadeia

enjeitado (en.jei.ta.do) [ẽʒɐj'tadu] *adj.* **1** recusado; rejeitado **2** diz-se da criança abandonado ao nascer ou com pouca idade

enjeitar (en.jei.tar) [ẽʒɐj'tar] *v.* **1** recusar; rejeitar **2** abandonar (filho recém-nascido ou com pouca idade)

enjoado (en.jo:a.do) [ẽ'ʒwadu] *adj.* **1** que está maldisposto **2** *fig.* aborrecido; farto **3** *fig.* que está sempre de mau humor

enjoar (en.jo:ar) [ẽ'ʒwar] *v.* causar enjoo a; sentir enjoo

enjoativo (en.jo:a.ti.vo) [ẽʒwɐ'tivu] *adj.* **1** que causa enjoo **2** aborrecido

enjoo (en.jo.o) [ẽ'ʒou] *n.m.* **1** sensação de má disposição e vontade de vomitar; náusea **2** *fig.* sensação de aborrecimento; tédio

enlaçar(-se) (en.la.çar(-se)) [ẽlɐ'sar(sə)] *v.* **1** unir(-se ou prender(-se) com laços **2** abraçar(-se) **3** l gar(-se)

enlace (en.la.ce) [ẽ'la(sə)] *n.m.* **1** casament **2** abraço

enlameado (en.la.me:a.do) [ẽlɐ'mjadu] *adj.* suj ou coberto de lama

enlamear(-se) (en.la.me:ar(-se)) [ẽlɐ'mjar(sə)] **1** sujar(-se) com lama **2** *fig.* enxovalhar(-se)

enlatado (en.la.ta.do) [ẽlɐ'tadu] *adj.* guardado e lata ■ *n.m.* alimento conservado em lata; co serva

enlatar (en.la.tar) [ẽlɐ'tar] *v.* guardar ou conserva em lata

enlevado (en.le.va.do) [ẽlə'vadu] *adj.* marav lhado

enlevar(-se) (en.le.var(-se)) [ẽlə'var(sə)] *v.* causa ou sentir enlevo **SIN.** encantar(-se)

enlevo (en.le.vo) [ẽ'levu] *n.m.* **1** encantamento; ê tase **2** aquilo que provoca encanto ou satisfação

enlouquecer (en.lou.que.cer) [ẽlo(w)kə'ser] perder o juízo ou a razão **SIN.** endoidecer

enojado (e.no.ja.do) [inu'ʒadu] *adj.* **1** que sen nojo ou repulsa **2** que sente tédio; aborrecido

enojar(-se) (e.no.jar(-se)) [inu'ʒar(sə)] *v.* **1** ⟨+de causar ou sentir nojo ou repugnância **2** *fig.* inc modar(-se)

enologia (e.no.lo.gi.a) [ɛnulu'ʒiɐ] *n.f.* conjunt dos conhecimentos relativos à arte de produzi tratar, degustar e conservar vinhos

enólogo (e.nó.lo.go) [ɛ'nɔlugu] *n.m.* especialist em enologia

enorme (e.nor.me) [i'nɔrm(ə)] *adj.2g.* que é muit grande ou maior que o normal **SIN.** descomuna imenso

enormidade (e.nor.mi.da.de) [inurmi'dad(ə)] *n.* **1** qualidade do que é enorme **2** grande disparate barbaridade

enquadramento (en.qua.dra.men.to) [ẽkw drɐ'mẽtu] *n.m.* **1** conjunto de circunstâncias e que ocorre um facto; contexto **2** colocação d um elemento em relação à imagem do visor d uma máquina de fotografar ou de filmar

enquadrar (en.qua.drar) [ẽkwɐ'drar] *v.* **1** mete (espelho, quadro) em moldura; emoldurar **2** co locar (um facto, uma situação) em determinad contexto

enquanto (en.quan.to) [ẽ'kwɐ̃tu] *conj.* **1** durante tempo em que: *Enquanto esteve no hospital, fui v sitá-la.* **2** [exprime contraste] ao passo que: *Ele bom aluno, enquanto que o irmão não.* ♦ **por e quanto** para já; por ora

enraivecer(-se) (en.rai.ve.cer(-se)) [ẽʀajvə'ser(sə *v.* causar ou sentir raiva **SIN.** irar(-se)

enraizado (en.ra.i.za.do) [ẽʀɐi'zadu] *adj.* **1** que criou raízes (planta) **2** *fig.* que se fixou em algum lugar (pessoa) **3** *fig.* que se tornou comum (hábito, costume)

enraizar (en.ra.i.zar) [ẽʀɐi'zar] *v.* **1** fixar pela raiz **2** criar raiz ou raízes ▪ **enraizar-se 1** ⟨**+em**⟩ criar raiz ou raízes **2** ⟨**+em**⟩ *fig.* estabelecer-se **3** ⟨**+em**⟩ *fig.* prender-se a determinado meio e/ou às pessoas que nele habitam

enrascada (en.ras.ca.da) [ẽʀɐʃ'kadɐ] *n.f. coloq.* situação complicada **SIN.** embrulhada

enrascado (en.ras.ca.do) [ẽʀɐʃ'kadu] *adj.* **1** preso em rede **2** *coloq.* metido numa complicação

enrascar(-se) (en.ras.car(-se)) [ẽ'ʀɐʃkar(sə)] *v. coloq.* meter(-se) em situação complicada

enredado (en.re.da.do) [ẽʀə'dadu] *adj.* emaranhado

enredo (en.re.do) [ẽ'ʀedu] *n.m.* **1** conjunto de acontecimentos que formam a ação de uma narrativa (história, filme, novela, etc.) **SIN.** intriga; trama **2** situação complicada

enregelar(-se) (en.re.ge.lar(-se)) [ẽʀəʒə'lar(sə)] *v.* **1** tornar(-se) muito frio **SIN.** congelar(-se) **2** *fig.* paralisar devido a emoção forte

enriçado (en.ri.ça.do) [ẽʀi'sadu] *adj.* (cabelo) crespo; emaranhado

enriçar (en.ri.çar) [ẽʀi'sar] *v.* tornar (o cabelo) crespo e emaranhado

enrijecer(-se) (en.ri.je.cer(-se)) [ẽʀiʒə'ser(sə)] *v.* tornar(-se) rijo ou forte

enriquecer (en.ri.que.cer) [ẽʀikə'ser] *v.* **1** tornar(-se) rico **2** tornar(-se) melhor; aperfeiçoar(-se)

enriquecimento (en.ri.que.ci.men.to) [ẽʀikəsi'mẽtu] *n.m.* **1** ato ou efeito de (se) tornar rico **2** melhoria de qualidade; aperfeiçoamento

enrodilhar(-se) (en.ro.di.lhar(-se)) [ẽʀudi'ʎar(sə)] *v.* **1** transformar(-se) em rodilha **SIN.** torcer(-se) **2** amarrotar(-se) **3** *fig.* complicar(-se)

enrolamento (en.ro.la.men.to) [ẽʀulɐ'mẽtu] *n.m.* ato ou efeito de (se) enrolar

enrolar(-se) (en.ro.lar(-se)) [ẽʀu'lar(sə)] *v.* **1** dar ou adquirir forma de rolo **2** ⟨**+em**⟩ envolver(-se); embrulhar(-se) **3** *fig.* tornar(-se) complicado **4** *fig.* enganar ou deixar-se enganar

enroscado (en.ros.ca.do) [ẽʀuʃ'kadu] *adj.* enrolado sobre si mesmo; encolhido

enroscar (en.ros.car) [ẽʀuʃ'kar] *v.* **1** torcer em forma de rosca **2** envolver em espiral ▪ **enroscar-se 1** dar voltas sobre si, formando rosca **2** encolher-se

enrouquecer (en.rou.que.cer) [ẽʀo(w)kə'ser] *v.* ficar rouco

enrugado (en.ru.ga.do) [ẽʀu'gadu] *adj.* que tem rugas ou pregas **SIN.** amarrotado

enrugar(-se) (en.ru.gar(-se)) [ẽʀu'gar(sə)] *v.* encher(-se) de rugas ou vincos **SIN.** amarrotar(-se)

ensaboadela (en.sa.bo:a.de.la) [ẽsɐbwɐ'dɛlɐ] *n.f.* **1** lavagem rápida com sabão **2** *coloq.* ralhete; repreensão

ensaboar (en.sa.bo:ar) [ẽsɐ'bwar] *v.* **1** lavar com sabão **2** *coloq.* ralhar a; repreender

ensaiar (en.sai.ar) [ẽsaj'ar] *v.* **1** fazer o ensaio de (espetáculo, peça); preparar **2** fazer o teste de; experimentar

ensaio (en.sai.o) [ẽ'saju] *n.m.* **1** sessão preparatória de algo que se vai apresentar em público **2** teste para avaliação de alguma coisa; experiência ♦ **ensaio geral** último ensaio, com atores, figurinos e cenários definitivos, pouco antes da apresentação de um espetáculo ao público situação ou experiência que se realiza antes de um evento ou cerimónia importante, para garantir que tudo correrá bem

ensaísta (en.sa.ís.ta) [ẽsa'iʃtɐ] *n.2g.* autor de ensaios literários

ensanduichar (en.san.du:i.char) [ẽsɐ̃dwi'ʃar] *v.* **1** fazer sanduíche com **2** *fig.* meter ou entalar (em lugar apertado)

ensanguentado (en.san.guen.ta.do) [ẽsɐ̃gwẽ'tadu] *adj.* coberto de sangue

ensanguentar(-se) (en.san.guen.tar(-se)) [ẽsɐ̃gwẽ'tar(sə)] *v.* cobrir(-se) ou sujar(-se) de sangue

enseada (en.se:a.da) [ẽ'sjadɐ] *n.f.* 👁 baía pequena

ensejo (en.se.jo) [ẽ'sɐ(j)ʒu] *n.m.* ocasião adequada; oportunidade

ensimesmar-se (en.si.mes.mar-.se) [ẽsiməʒ'mars(ə)] *v.* concentrar-se nos próprios pensamentos

ensinamento (en.si.na.men.to) [ẽsinɐ'mẽtu] *n.m.* **1** aquilo que se ensina **2** lição; exemplo

ensinar (en.si.nar) [ẽsi'nar] *v.* **1** transmitir conhecimentos sobre; instruir **2** treinar (um animal)

ensino (en.si.no) [ẽ'sinu] *n.m.* **1** transmissão de conhecimentos **SIN.** instrução **2** atividade exercida por professores ♦ **ensino a distância** sistema de ensino através da internet, correspondência, etc.; **ensino básico** nível de ensino do sistema português, obrigatório e gratuito, constituído por três ciclos, sendo o primeiro de quatro anos (6 aos 10), o segundo de dois anos (10 aos 12) e o terceiro de três anos (12 aos 15).; **ensino secundário** nível de ensino do sistema português, facultativo e composto por um ciclo de três anos de escolaridade; **ensino superior** nível de ensino do sistema português, facultativo, que se divide em três ciclos e que é ministrado por uma instituição universitária ou politécnica

ensolarado (en.so.la.ra.do) [ẽsulɐ'radu] *adj.* iluminado pelo sol; luminoso

ensombrar (en.som.brar) [ẽsõ'brar] *v.* **1** fazer sombra a **2** *fig.* entristecer

ensonado (en.so.na.do) [ẽsu'nadu] *adj.* que tem sono **SIN.** sonolento

ensopado (en.so.pa.do) [ẽsu'padu] *adj.* muito molhado; encharcado ▪ *n.m.* guisado com molho abundante

ensopar (en.so.par) [ẽsu'par] *v.* **1** molhar-se muito; encharcar-se **2** guisar em molho abundante

ensurdecedor (en.sur.de.ce.dor) [ẽsurdəsə'dor] *adj.* muito ruidoso; barulhento

ensurdecer (en.sur.de.cer) [ẽsurdə'ser] *v.* **1** causar a perda do sentido da audição **2** perder o sentido da audição

ensurdecimento (en.sur.de.ci.men.to) [ẽsurdəsi'mẽtu] *n.m.* diminuição ou perda da audição; surdez

entalado (en.ta.la.do) [ẽtɐ'ladu] *adj.* **1** trilhado **2** engasgado **3** *coloq.* em situação difícil

entalar (en.ta.lar) [ẽtɐ'lar] *v.* **1** trilhar **2** *coloq.* colocar numa situação difícil ▪ **entalar-se** engasgar-se

entalhar (en.ta.lhar) [ẽtɐ'ʎar] *v.* **1** fazer obra de talha **2** gravar ou esculpir em madeira **3** fazer cortes ou incisões em

entalhe (en.ta.lhe) [ẽ'taʎ(ə)] *n.m.* corte ou ranhura na madeira

entanto (en.tan.to) [ẽ'tɐ̃tu] *elem. da loc.* **no entanto** porém; apesar disso; contudo

então (en.tão) [ẽ'tɐ̃w̃] *adv.* **1** nesse tempo **2** nesse caso ♦ **desde então** desde esse tempo; desde esse momento

entardecer (en.tar.de.cer) [ẽtɐrdə'ser] *v.* aproximar-se a noite; anoitecer ▪ *n.m.* o fim do dia; o anoitecer

ente (en.te) ['ẽt(ə)] *n.m.* **1** o que existe; ser; coisa **2** ser humano; pessoa

enteado (en.te:a.do) [ẽ'tjadu] *n.m.* pessoa em relação ao seu padrasto ou madrasta

entediar(-se) (en.te.di:ar(-se)) [ẽtə'djar(sə)] *v.* causar ou sentir tédio **SIN.** aborrecer(-se)

entendedor (en.ten.de.dor) [ẽtẽdə'dor] *adj.* que entende; conhecedor

entender (en.ten.der) [ẽtẽ'der] *v.* **1** compreender; perceber: *entender um texto* **2** achar; julgar: *Eu entendo que isso não está bem.* ▪ **entender-se 1** ⟨**+com**⟩ dar-se bem com: *Parece que não nos entendemos.* **2** concordar: *Entenderam-se sobre as condições.* ♦ **dar a entender** insinuar; sugerir; **no meu entender** na minha opinião

entendido (en.ten.di.do) [ẽtẽ'didu] *adj.* **1** compreendido **2** combinado ▪ *n.m.* especialista em determinada área do conhecimento; perito

entendimento (en.ten.di.men.to) [ẽtẽdi'mẽtu] *n.m.* **1** inteligência; razão **2** acordo; combinação

enternecer(-se) (en.ter.ne.cer(-se)) [ẽtərnə'ser(sə)] *v.* **1** tornar(-se) terno **2** comover(-se)

enternecido (en.ter.ne.ci.do) [ẽtərnə'sidu] *adj.* **1** que demonstra ternura **2** comovido

enternecimento (en.ter.ne.ci.men.to) [ẽtərnəsi'mẽtu] *n.m.* **1** ternura **2** compaixão

enterrado (en.ter.ra.do) [ẽtə'ʀadu] *adj.* **1** colocado debaixo da terra; sepultado **2** *fig.* escondido **3** *fig.* esquecido

enterrar (en.ter.rar) [ẽtə'ʀar] *v.* **1** colocar debaixo da terra; soterrar **2** sepultar **3** *fig.* pôr fim: *É hora de enterrar este assunto.* **4** *fig.* esquecer: *Ele quer enterrar o passado e começar de novo.*

enterro (en.ter.ro) [ẽ'teʀu] *n.m.* ato de enterrar (um cadáver) **SIN.** funeral

entidade (en.ti.da.de) [ẽti'dad(ə)] *n.f.* **1** associação de pessoas que desenvolvem uma atividade; instituição **2** ser humano; indivíduo

entoação (en.to:a.ção) [ẽtwɐ'sɐ̃w̃] *n.f.* **1** maneira de emitir um som **2** tom correto ou afinado de um som musical

entoar (en.to:ar) [ẽ'twar] *v.* **1** dizer em voz alta **2** cantar **3** recitar

entornar (en.tor.nar) [ẽtur'nar] *v.* fazer cair, despejando o conteúdo; derramar

entorpecer (en.tor.pe.cer) [ẽturpə'ser] *v.* tirar energia ou o vigor; enfraquecer ▪ **entorpecer-se** perder a energia ou o vigor; enfraquecer-se

entorpecido (en.tor.pe.ci.do) [ẽturpə'sidu] *adj.* **1** adormecido **2** insensível **3** sem energia; enfraquecido

entorpecimento (en.tor.pe.ci.men.to) [ẽturpəsi'mẽtu] *n.m.* **1** perda de sensibilidade **2** fraqueza **3** desânimo

entorse (en.tor.se) [ẽ'tɔr(sə)] *n.f.* distensão violenta dos ligamentos e das partes moles que rodeiam as articulações

entortar(-se) **(en.tor.tar(-se))** [ẽtur'tar(sə)] *v.* **1** tornar(-se) torto, dobrando ou curvando **ANT.** endireitar **2** desviar(-se) da direção devida **3** *fig.* desviar(-se) do bom caminho

entrada **(en.tra.da)** [ẽ'tradɐ] *n.f.* **1** ato ou efeito de entrar; ingresso **2** lugar por onde se entra; acesso **3** bilhete que permite entrar em determinado local **4** palavra ou expressão registada num dicionário ou numa enciclopédia que se define ou traduz

entrançado **(en.tran.ça.do)** [ẽtrɐ̃'sadu] *adj.* em forma de trança(s) **SIN.** entrelaçado

entrançar **(en.tran.çar)** [ẽtrɐ̃'sar] *v.* dispor em forma de trança **SIN.** entrelaçar

entranha **(en.tra.nha)** [ẽ'trɐɲɐ] *n.f.* **1** cada uma das vísceras do abdómen ou do tórax **2** [também no plural] ventre materno; útero ▪ **entranhas** *n.f.pl. fig.* parte mais profunda de algo; íntimo; profundeza

entranhado **(en.tra.nha.do)** [ẽtrɐ'ɲadu] *adj.* **1** introduzido; cravado **2** íntimo; profundo

entranhar **(en.tra.nhar)** [ẽtrɐ'ɲar] *v.* **1** meter nas entranhas, no interior **2** fazer penetrar profundamente **3** enraizar (no espírito, nos hábitos) ▪ **entranhar-se** **1** ⟨**+em**⟩ introduzir-se profundamente **2** ⟨**+em**⟩ enraizar-se (no espírito, nos hábitos) **3** ⟨**+em**⟩ *fig.* concentrar-se

entrar **(en.trar)** [ẽ'trar] *v.* **1** passar de fora para dentro **2** introduzir-se em **3** iniciar-se

entravar **(en.tra.var)** [ẽtrɐ'var] *v.* **1** pôr entrave(s) ou obstáculo(s) a **2** dificultar o desenvolvimento de

entrave **(en.tra.ve)** [ẽ'trav(ə)] *n.m.* obstáculo; impedimento

entre **(en.tre)** ['ẽtr(ə)] *prep.* **1** indica a) situação intermédia: *entre o dia e a noite*; b) espaço intermédio: *entre a porta e a janela*; c) intervalo de tempo bem determinado: *entre a uma hora e as três*; d) quantidade aproximada: *entre seis e sete quilos*; e) reciprocidade: *falaram entre si* **2** no conjunto de: *entre todas, escolheram esta*

entreaberto **(en.tre:a.ber.to)** [ẽtrjɐ'bɛrtu] *adj.* **1** ligeiramente aberto **2** diz-se do céu sem nuvens

entreabrir **(en.tre:a.brir)** [ẽtrjɐ'brir] *v.* abrir um pouco ▪ **entreabrir-se** abrir-se um pouco; tornar-se límpido

entreacto **(en.tre.ac.to)** [ẽtri'atu] *a nova grafia é* **entreato**[AO]

entreajuda **(en.tre:a.ju.da)** [ẽtrjɐ'ʒudɐ] *n.f.* ajuda que duas ou mais pessoas prestam umas às outras

entreajudar-se **(en.tre:a.ju.dar-.se)** [ẽtrjɐʒu'dars(ə)] *v.* ajudarem-se duas ou mais pessoas umas às outras

entreato **(en.tre.a.to)**[AO] [ẽtri'atu] *n.m.* **1** intervalo entre dois atos de uma representação **2** monólogo ou peça curta, recitada nesse intervalo

entrecortar **(en.tre.cor.tar)** [ẽtrəkur'tar] *v.* **1** fazer vários cortes **2** interromper com intervalos ▪ **entrecortar-se** fazer interseções **SIN.** cruzar-se

entrecosto **(en.tre.cos.to)** [ẽtrə'koʃtu] *n.m.* carne da zona entre as costelas dos animais

entrega **(en.tre.ga)** [ẽ'trɛgɐ] *n.f.* **1** ato ou efeito de entregar **2** *fig.* dedicação (a algo ou alguém)

entregar **(en.tre.gar)** [ẽtrə'gar] *v.* **1** passar algo para as mãos ou a posse de alguém; dar: *O carteiro entregou uma carta.* **2** devolver (um objeto): *Entregou o livro ao João.* **3** denunciar (uma pessoa): *Entregou-o à polícia.* ▪ **entregar-se** **1** dar-se por vencido **2** ⟨**+a**⟩ deixar-se dominar por: *entregar-se ao vício* **3** ⟨**+a**⟩ dedicar-se a: *entregar-se a um projeto*

entregue **(en.tre.gue)** [ẽ'trɛg(ə)] *adj.* **1** dado **2** recebido **3** dedicado a

entrelaçado **(en.tre.la.ça.do)** [ẽtrəlɐ'sadu] *adj.* **1** unido **2** misturado

entrelaçar **(en.tre.la.çar)** [ẽtrəlɐ'sar] *v.* **1** ligar (uma coisa a outra) fazendo-a passar ora por baixo ora por cima **2** pôr (dedos, mãos) uns entre os outros

entrelinha **(en.tre.li.nha)** [ẽtrə'liɲɐ] *n.f.* **1** espaço entre duas linhas **2** o que se escreve nesse espaço ◆ **ler nas entrelinhas** compreender o sentido implícito

entremeado **(en.tre.me:a.do)** [ẽtrə'mjadu] *adj.* **1** colocado no meio **2** disposto em camadas; alternado

entremear **(en.tre.me:ar)** [ẽtrə'mjar] *v.* pôr no meio **SIN.** intercalar; alternar

entrepor **(en.tre.por)** [ẽtrə'por] *v.* colocar (algo ou alguém) entre duas coisas

entreposto **(en.tre.pos.to)** [ẽtrə'poʃtu] *adj.* colocado no meio ▪ *n.m.* **1** grande depósito de mercadorias **2** centro de comércio internacional

entretanto **(en.tre.tan.to)** [ẽtrə'tɐ̃tu] *adv.* neste ou naquele intervalo

entretenimento **(en.tre.te.ni.men.to)** [ẽtrətəni'mẽtu] *n.m.* **1** distração; divertimento **2** conjunto de atividades e espetáculos culturais

entreter **(en.tre.ter)** [ẽtrə'ter] *v.* desviar a atenção de; distrair ▪ **entreter-se** ⟨**+com**⟩ ocupar-se com passatempo; distrair-se

entretido **(en.tre.ti.do)** [ẽtrə'tidu] *adj.* **1** distraído **2** divertido

entrevado **(en.tre.va.do)** [ẽtrɐ'vadu] *adj.,n.m.* que ou aquele que não se pode mover; paralítico

entrever (en.tre.ver) [ẽtrə'ver] *v.* **1** ver com dificuldade ou rapidamente **SIN.** vislumbrar **2** pressentir; prever

entrevista (en.tre.vis.ta) [ẽtrə'viʃtɐ] *n.f.* série de perguntas que um jornalista faz a uma pessoa para conhecer a sua opinião sobre determinado assunto ◆ [BRAS.] **entrevista coletiva** conferência de imprensa

entrevistado (en.tre.vis.ta.do) [ẽtrəviʃ'tadu] *n.m.* pessoa que responde às perguntas numa entrevista

entrevistador (en.tre.vis.ta.dor) [ẽtrəviʃtɐ'dor] *n.m.* pessoa que faz as perguntas numa entrevista

entrevistar (en.tre.vis.tar) [ẽtrəviʃ'tar] *v.* fazer perguntas a alguém sobre determinado assunto

entristecer (en.tris.te.cer) [ẽtriʃtə'ser] *v.* **1** tornar triste **2** ficar triste

entroncado (en.tron.ca.do) [ẽtrõ'kɐdu] *adj. fig.* corpulento; robusto: *O teu irmão é um rapaz entroncado!*

entroncamento (en.tron.ca.men.to) [ẽtrõkɐ'mẽtu] *n.m.* **1** ponto onde se encontram duas ou mais coisas **2** junção de duas vias, especialmente férreas

Entrudo (En.tru.do) [ẽ'trudu] *n.m.* período de três dias que precedem o início da Quaresma; dias de festejo anteriores à Quarta-Feira de Cinzas **SIN.** Carnaval

entulho (en.tu.lho) [ẽ'tuʎu] *n.m.* **1** conjunto de fragmentos resultantes de uma construção, demolição ou desmoronamento **2** lixo **3** *fig.* conjunto de coisas sem importância

entupir(-se) (en.tu.pir(-se)) [ẽtu'pir(sə)] *v.* **1** obstruir(-se), impedindo a passagem ou circulação **2** encher(-se) completamente **3** *fig.* deixar ou ficar sem palavras

entusiasmado (en.tu.si:as.ma.do) [ẽtuzjɐʒ'madu] *adj.* cheio de entusiasmo; animado

entusiasmar(-se) (en.tu.si:as.mar(-se)) [ẽtuzjɐʒ'mar(sə)] *v.* encher(-se) de entusiasmo **SIN.** animar(-se)

entusiasmo (en.tu.si:as.mo) [ẽtu'zjaʒmu] *n.m.* **1** manifestação de alegria ou de excitação **2** espírito de iniciativa

entusiasta (en.tu.si:as.ta) [ẽtu'zjaʃtɐ] *adj.2g.* que demonstra grande entusiasmo ou apreço por alguém ou alguma coisa

entusiástico (en.tu.si:ás.ti.co) [ẽtu'zjaʃtiku] *adj.* em que há entusiasmo

enublado (e.nu.bla.do) [inu'bladu] *adj.* (céu) coberto de nuvens **SIN.** enevoado

enumeração (e.nu.me.ra.ção) [inumərɐ'sɐ̃w̃] *n.f.* **1** apresentação sucessiva de várias coisas; lista **2** contagem numérica; conta

enumerar (e.nu.me.rar) [inumə'rar] *v.* **1** contar um a um **2** indicar por meio de números

enunciação (e.nun.ci:a.ção) [inũsjɐ'sɐ̃w̃] *n.f.* exposição oral ou escrita

enunciado (e.nun.ci:a.do) [inũ'sjadu] *adj.* afirmado; declarado ■ *n.m.* **1** afirmação; declaração **2** conjunto de perguntas de um teste ou de uma prova escrita

enunciar (e.nun.ci:ar) [inũ'sjar] *v.* expor oralmente ou por escrito

envaidecer(-se) (en.vai.de.cer(-se)) [ẽvajdə'ser(sə)] *v.* encher(-se) de vaidade ou orgulho

envasilhar (en.va.si.lhar) [ẽvɐzi'ʎar] *v.* deitar num recipiente para líquidos

envelhecer (en.ve.lhe.cer) [ẽvəʎə'ser] *v.* **1** tornar-se velho **2** amadurecer

envelhecido (en.ve.lhe.ci.do) [ẽvəʎə'sidu] *adj.* **1** que se tornou velho **2** que tem aspeto de antigo **3** *fig.* que perdeu o brilho ou a cor

envelhecimento (en.ve.lhe.ci.men.to) [ẽvəʎəsi'mẽtu] *n.m.* **1** ato ou efeito de envelhecer **2** processo de fermentação do vinho em tonel ou pipa

envelope (en.ve.lo.pe) [ẽvə'lɔp(ə)] *n.m.* invólucro de papel, dobrado em forma de bolsa, utilizado para enviar cartas e cartões

envenenado (en.ve.ne.na.do) [ẽvənə'nadu] *adj.* **1** que tomou veneno **2** que contém substância tóxica **3** *fig.* cheio de má intenção

envenenamento (en.ve.ne.na.men.to) [ẽvənənɐ'mẽtu] *n.m.* **1** ato de dar ou tomar veneno **2** contaminação com substâncias tóxicas **3** *fig.* corrupção

envenenar (en.ve.ne.nar) [ẽvənə'nar] *v.* **1** dar veneno a; intoxicar **2** contaminar com substâncias tóxicas

enveredar (en.ve.re.dar) [ẽvərə'dar] *v.* **1** ⟨+por⟩ seguir em determinada direção: *Para fugir ao trânsito, ele enveredou por um atalho que conhecia.* **2** ⟨+por⟩ escolher; optar: *Quando teve de escolher o curso, enveredou pelas matemáticas.*

envergadura (en.ver.ga.du.ra) [ẽvərgɐ'durɐ] *n.f.* **1** importância **2** competência

envergonhado (en.ver.go.nha.do) [ẽvərgu'ɲadu] *adj.* **1** com vergonha **2** tímido **3** humilhado

envergonhar(-se) (en.ver.go.nhar(-se)) [ẽvərgu'ɲar(sə)] *v.* **1** ⟨+de⟩ causar vergonha a (alguém ou a si mesmo) **SIN.** embaraçar(-se) **2** manchar (honra, reputação, memória) **SIN.** humilhar(-se); vexar(-se)

envernizar (en.ver.ni.zar) [ẽvərni'zar] *v.* **1** aplicar verniz em **2** dar brilho a; polir

enviado (en.vi:a.do) [ẽ'vjadu] *adj.* **1** que se enviou; mandado **2** encaminhado; conduzido ■ *n.m.* pessoa que é encarregada de uma missão ◆ **enviado especial** jornalista que faz a cobertura noticiosa dos acontecimentos em determinada região **SIN.** correspondente

enviar (en.vi:ar) [ẽ'vjar] *v.* **1** mandar **2** atirar

envidraçado (en.vi.dra.ça.do) [ẽvidrɐ'sadu] *adj.* que tem vidraças ou vidros

envidraçar (en.vi.dra.çar) [ẽvidrɐ'sar] *v.* colocar vidraças ou vidros em

enviesado (en.vi:e.sa.do) [ẽvjɛ'zadu] *adj.* **1** oblíquo **2** torto

enviesar (en.vi:e.sar) [ẽvjɛ'zar] *v.* **1** fazer, cortar ou pôr de viés **2** entortar **3** *fig.* enveredar por mau caminho

envio (en.vi.o) [ẽ'viu] *n.m.* ato de enviar; remessa

enviuvar (en.vi:u.var) [ẽvju'var] *v.* perder o marido ou a mulher (por morte); ficar viúvo ou viúva

envolto (en.vol.to) [ẽ'vołtu] *adj.* **1** rodeado **2** coberto

envolvente (en.vol.ven.te) [ẽvoł'vẽt(ə)] *adj.2g.* **1** que rodeia ou cerca **2** que inclui **3** que seduz

envolver (en.vol.ver) [ẽvoł'ver] *v.* **1** cobrir: *Envolveu a criança num cobertor.* **2** rodear: *As nuvens envolveram a casa.* **3** abranger: *A discussão envolveu vários assuntos.* **4** implicar: *envolver alguém num crime* **5** seduzir: *A simpatia deles envolve-nos.* ■ **envolver-se 1** ⟨+em⟩ cobrir-se: *Envolveu-se no cobertor.* **2** ⟨+em⟩ estar implicado: *envolver-se num crime* **3** ⟨+com⟩ ter relação (afetiva ou sexual) com alguém

envolvimento (en.vol.vi.men.to) [ẽvołvi'mẽtu] *n.m.* **1** participação de alguém em algo **2** relação afetiva ou amorosa

enxada (en.xa.da) [ẽ'ʃadɐ] *n.f.* utensílio de ferro para cavar e revolver a terra

enxaguar (en.xa.guar) [ẽʃɐ'gwar] *v.* passar por água para retirar o sabão

enxame (en.xa.me) [ẽ'ʃɐm(ə)] *n.m.* **1** conjunto de abelhas **2** *fig.* multidão

enxaqueca (en.xa.que.ca) [ẽʃɐ'kɛkɐ] *n.f.* mal-estar causado por dores de cabeça, acompanhado de enjoo e vómitos

enxergar (en.xer.gar) [ẽʃər'gar] *v.* **1** ver a custo **2** ver ao longe; avistar **3** *fig.* perceber **4** [BRAS.] ver

enxertar (en.xer.tar) [ẽʃər'tar] *v.* **1** inserir ramo de uma planta sobre outra planta, para que se desenvolva **2** transplantar uma parte do organismo animal para outra região do mesmo ou de outro indivíduo

enxerto (en.xer.to) [ẽ'ʃertu] *n.m.* **1** planta mista proveniente de enxerto **2** ramo de uma planta que se aplica sobre outra planta, para que se desenvolva **3** transplantação de uma parte do organismo animal (especialmente um tecido) para outra região do mesmo ou de outro indivíduo

enxofre (en.xo.fre) [ẽ'ʃofr(ə)] *n.m.* elemento químico sólido e combustível, de cor amarelada

enxotar (en.xo.tar) [ẽʃu'tar] *v.* afugentar; expulsar: *Passou o almoço a enxotar as moscas à volta da comida.*

enxoval (en.xo.val) [ẽʃu'vał] *n.m.* conjunto de peças de roupa e objetos necessários para um bebé ou uma pessoa que está a montar casa

enxovalhado (en.xo.va.lha.do) [ẽʃuvɐ'ʎadu] *adj.* **1** amarrotado **2** *fig.* humilhado

enxovalhar (en.xo.va.lhar) [ẽʃuvɐ'ʎar] *v.* **1** amarrotar **2** *fig.* humilhar

enxugar (en.xu.gar) [ẽʃu'gar] *v.* fazer perder ou perder a humidade: *Enxugou-se o corpo numa toalha.* **SIN.** secar

enxurrada (en.xur.ra.da) [ẽʃu'ʀadɐ] *n.f.* **1** grande quantidade de água que corre com força, resultante de chuvas abundantes **2** *fig.* grande quantidade: *Tenho uma enxurrada de livros para ler antes do exame.*

enxuto (en.xu.to) [ẽ'ʃutu] *adj.* seco

enzima (en.zi.ma) [ẽ'zimɐ] *n.f.* 👁 substância orgânica, produzida por células vivas, que atua como catalisador em certas transformações químicas

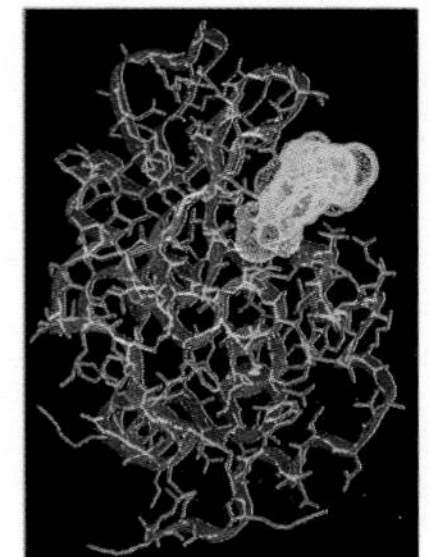

eólico (e.ó.li.co) [ɛ'ɔliku] *adj.* **1** relativo a vento **2** produzido pela ação do vento

epicentro (e.pi.cen.tro) [epi'sẽtru] *n.m.* ponto da superfície terrestre onde chega primeiro uma onda sísmica

épico (é.pi.co) ['ɛpiku] *adj.* **1** relativo a epopeia **2** *coloq.* heroico; extraordinário

epidemia (e.pi.de.mi.a) [epidə'miɐ] *n.f.* doença infeciosa que ataca simultaneamente muitas pessoas na mesma região

epidémico (e.pi.dé.mi.co) [epi'dɛmiku] *adj.* **1** relativo a epidemia **2** contagioso

epiderme (e.pi.der.me) [epi'dɛrm(ə)] *n.f.* parte externa da pele

epidural (e.pi.du.ral) [epidu'raɫ] *n.f.* anestesia aplicada na região da medula espinal e que elimina a sensibilidade da parte inferior do corpo

Epifania (E.pi.fa.ni.a) [epifɐ'niɐ] *n.f.* dia festivo da Igreja Católica, consagrado à comemoração da adoração dos Reis Magos a Jesus

epiglote (e.pi.glo.te) [epi'glɔt(ə)] *n.f.* válvula que impede a entrada dos alimentos na laringe

epígrafe (e.pí.gra.fe) [e'pigrɐf(ə)] *n.f.* **1** inscrição em local destacado de edifício, monumento, etc. **2** citação ou fragmento de um texto no início de um livro ou capítulo; mote

epilação (e.pi.la.ção) [epilɐ'sɐ̃w̃] *n.f.* ⇒ **depilação**

epilepsia (e.pi.lep.si.a) [epilɛ'psiɐ] *n.f.* doença cerebral que se manifesta por convulsões e perda dos sentidos

epiléptico (e.pi.lép.ti.co) [epi'lɛtiku] *a nova grafia é* **epilético**[AO]

epilético (e.pi.lé.ti.co)[AO] [epi'lɛtiku] *adj.* **1** relativo a epilepsia **2** que sofre de epilepsia

epílogo (e.pí.lo.go) [e'pilugu] *n.m.* **1** conclusão de um livro ou de um discurso que recapitula o que se tratou **2** conclusão; desfecho

episcopado (e.pis.co.pa.do) [epiʃku'padu] *n.m.* **1** dignidade, funções e jurisdição de bispo **2** tempo durante o qual um bispo desempenha as suas funções **3** território sujeito à administração de um bispo **4** conjunto dos bispos

episcopal (e.pis.co.pal) [epiʃku'paɫ] *adj.2g.* referente a bispo

episódio (e.pi.só.di:o) [epi'zɔdju] *n.m.* **1** ação secundária ligada à ação principal numa obra literária **2** cada uma das partes em que se divide uma série de televisão

epistemologia (e.pis.te.mo.lo.gi.a) [epiʃtəmulu'ʒiɐ] *n.f.* **1** teoria do conhecimento **2** estudo crítico dos princípios, hipóteses e resultados das diversas ciências, com o fim de lhes determinar a origem lógica, o valor e o objetivo

epístola (e.pís.to.la) [e'piʃtulɐ] *n.f.* **1** texto em prosa escrito em forma de carta **2** carta escrita por um dos apóstolos e incluída na Bíblia **3** parte da missa em que se faz a leitura de um trecho das epístolas dos apóstolos

epistolar (e.pis.to.lar) [epiʃtu'lar] *adj.2g.* **1** relativo a epístola **2** que tem forma de carta

epitáfio (e.pi.tá.fi:o) [epi'tafju] *n.m.* texto ou inscrição dedicados a um defunto

epíteto (e.pí.te.to) [e'pitətu] *n.m.* qualificação lisonjeira ou negativa dada a alguém **SIN.** alcunha

época (é.po.ca) ['ɛpukɐ] *n.f.* **1** período de tempo marcado por algum facto importante: *Foi uma época de grande agitação política.* **2** qualquer p ríodo de tempo: *Naquela época, não havia telem veis.* **SIN.** ocasião; altura **3** período do ano co características específicas **SIN.** estação; temp rada; **época alta** altura do ano em que a mai ria das pessoas faz férias e em que os destin turísticos têm mais afluência; **época balnear** p ríodo de tempo, durante o verão, ao longo c qual vigora a obrigatoriedade da assistência a banhistas nas praias **4** período durante o qual realiza um campeonato: *O jogador assinou u contrato por três épocas.* **SIN.** temporada

epopeia (e.po.pei.a) [epu'pɐjɐ] *n.f.* **1** poema e que se celebra uma ação grandiosa e heroi **2** *fig.* acontecimento emocionante; aventura

equação (e.qua.ção) [ekwɐ'sɐ̃w̃] *n.f.* enunciac matemático de igualdade entre duas expressõe geralmente separadas pelo sinal =

equacionar (e.qua.ci:o.nar) [ekwɐsju'nar] *v.* **1** p em equação **2** reduzir um problema a alterna vas claras, de modo a decidir solução **3** avaliar

equador (e.qua.dor) [ekwɐ'dor] *n.m.* círculo m ximo da esfera terrestre, perpendicular ao ei da Terra

equatorial (e.qua.to.ri:al) [ekwɐtu'rjaɫ] *adj.2* **1** relativo ao equador **2** situado no equador

equestre (e.ques.tre) [e'kwɛʃtr(ə)] *adj.2g.* **1** rel tivo a cavalo, cavalaria ou cavaleiro **2** relativo equitação

equidade (e.qui.da.de) [ekwi'dad(ə)] *n.f.* **1** justi e imparcialidade nos julgamentos **2** retidão

equídeo (e.quí.de:o) [e'kwidju] *adj.* relativo a c valo ■ *n.m.* cavalo

equidistante (e.qui.dis.tan.te) [ekwidiʃ'tɐ̃t(ə *adj.2g.* diz-se do ponto ou do objeto que está mesma distância (em relação a outros)

equilátero (e.qui.lá.te.ro) [ek(wi)'latəru] *adj.* di -se do triângulo que tem os três ângulos iguais

equilibrado (e.qui.li.bra.do) [ekili'bradu] *a* **1** que está em posição estável **2** que revela bo senso e estabilidade emocional

equilibrar (e.qui.li.brar) [ekili'brar] *v.* **1** coloc em equilíbrio **2** tornar harmonioso

equilíbrio (e.qui.lí.bri:o) [eki'librju] *n.m.* **1** posiç estável **ANT.** desequilíbrio **2** *fig.* harmonia

equilibrista (e.qui.li.bris.ta) [ekili'briʃtɐ] *n.2* pessoa que faz exercícios de equilíbrio no circo

equimose (e.qui.mo.se) [eki'mɔz(ə)] *n.f.* manch de coloração variável, que aparece na pele ou n interior de alguns órgãos, causada por pancad ou embate

equinácea (e.qui.ná.ce:a) [ɛki'nasjɐ] *n.f.* **1** plan originária da América do Norte, cultivada com planta medicinal no Centro da Europa **2** prep rado medicinal à base de folhas e caule daquela planta, que se julga reforçar o sistema imunitário

quinócio (e.qui.nó.ci:o) [eki'nɔsju] *n.m.* momento em que o Sol, no seu movimento aparente, corta o equador celeste, fazendo com que o dia e a noite tenham duração igual

quipa (e.qui.pa) [e'kipɐ] *n.f.* **1** conjunto de pessoas que participam em conjunto numa competição desportiva **2** grupo de pessoas que trabalham juntas

quipado (e.qui.pa.do) [eki'padu] *adj.* que tem tudo o que é necessário (para determinada atividade ou função)

quipamento (e.qui.pa.men.to) [ekipɐ'mẽtu] *n.m.* conjunto de instrumentos, vestuário ou acessórios necessários para uma atividade ou profissão

quiparação (e.qui.pa.ra.ção) [ekipɐrɐ'sɐ̃w̃] *n.f.* ato ou efeito de equiparar ou pôr em paralelo

quiparar (e.qui.pa.rar) [ekipɐ'rar] *v.* **1** ⟨+a⟩ pôr em paralelo **2** ⟨+a⟩ igualar ▪ **equiparar-se** ⟨+a⟩ igualar-se

quiparável (e.qui.pa.rá.vel) [ekipɐ'ravɛɫ] *adj.2g.* que se pode equiparar; comparável

quipar(-se) (e.qui.par(-se)) [eki'par(sə), iki'par(sə)] *v.* fornecer ou preparar-se com o conjunto de meios necessários a determinada atividade

quitação (e.qui.ta.ção) [ekitɐ'sɐ̃w̃] *n.f.* arte ou técnica de andar a cavalo

quitativo (e.qui.ta.ti.vo) [ekwitɐ'tivu] *adj.* justo; imparcial

quivalência (e.qui.va.lên.ci:a) [ekivɐ'lẽsjɐ] *n.f.* igualdade de valor, de natureza ou de função

quivalente (e.qui.va.len.te) [ekivɐ'lẽt(ə)] *adj.2g.* **1** que tem igual valor ou peso **2** que tem o mesmo significado ▪ *n.m.* **1** aquilo que equivale **2** palavra ou expressão com o mesmo significado que outra

quivaler (e.qui.va.ler) [ekivɐ'ler] *v.* **1** ⟨+a⟩ ser igual em valor, natureza ou função: *Isso equivale a cinco euros.* **2** ter o mesmo significado: *Isso equivale a dizer que...*

quivocar(-se) (e.qui.vo.car(-se)) [ekivu'kar(sə), ikivu'kar(sə)] *v.* induzir ou cair em erro **SIN.** enganar(-se)

quívoco (e.quí.vo.co) [e'kivuku] *n.m.* **1** engano; erro **2** mal-entendido

ra (e.ra) ['ɛrɐ] *n.f.* período de tempo marcado por um facto importante **SIN.** época

reção (e.re.ção)[AO] [erɛ'sɐ̃w̃] *n.f.* **1** ato de erguer ou construir **2** endurecimento e rigidez temporária de um órgão ou de um tecido por afluxo e retenção de sangue

erecção (e.rec.ção) [erɛ'sɐ̃w̃] *a nova grafia é* **ereção**[AO]

erecto (e.rec.to) [e'rɛtu] *a nova grafia é* **ereto**[AO]

eremita (e.re.mi.ta) [erə'mitɐ] *n.2g.* pessoa que vive sozinha num lugar isolado ou deserto

ereto (e.re.to)[AO] [e'rɛtu] *adj.* levantado; erguido

ergonomia (er.go.no.mi.a) [ɛrgunu'miɐ] *n.f.* disciplina que procura adequar um objeto ou um espaço à função e às pessoas a que se destina

ergonómico (er.go.nó.mi.co) [ɛrgu'nɔmiku] *adj.* adaptado às características e necessidades do utilizador

erguer (er.guer) [er'ger] *v.* colocar em lugar (mais) alto; levantar ▪ **erguer-se** pôr-se em pé; levantar-se

erguido (er.gui.do) [ir'gidu] *adj.* **1** levantado **2** em posição vertical

eriçado (e.ri.ça.do) [eri'sadu] *adj.* **1** levantado **2** arrepiado **3** zangado

eriçar(-se) (e.ri.çar(-se)) [eri'sar(sə), iri'sar(sə)] *v.* **1** tornar(-se) crespo e espetado **2** arrepiar(-se)

erigir (e.ri.gir) [eri'ʒir] *v.* **1** levantar **2** construir

ermida (er.mi.da) [er'midɐ] *n.f.* templo ou capela num lugar desabitado

ermitão (er.mi.tão) [ermi'tɐ̃w̃] *n.m.* ⟨*pl.* ermitãos, ermitães⟩ **1** encarregado de uma ermida **2** ⇒ **eremita**

ermo (er.mo) ['ermu] *adj.* desabitado; deserto

erógeno (e.ró.ge.no) [ɛ'rɔʒənu] *adj.* que provoca excitação sexual

erosão (e.ro.são) [eru'zɐ̃w̃] *n.f.* desgaste produzido no relevo terrestre pela ação do ar, do vento, da água e dos seres vivos **SIN.** corrosão

erosivo (e.ro.si.vo) [eru'zivu] *adj.* que causa erosão

erótico (e.ró.ti.co) [e'rɔtiku] *adj.* **1** relativo a erotismo **2** que desperta desejo sexual

erotismo (e.ro.tis.mo) [eru'tiʒmu] *n.m.* **1** qualidade do que desperta o desejo sexual **2** sensualidade **3** presença ou manifestação da sexualidade de forma explícita (em filme, livro, etc.)

erradicar (er.ra.di.car) [eʀɐdi'kar] *v.* **1** arrancar pela raiz **2** destruir totalmente; eliminar

errado (er.ra.do) [e'ʀadu] *adj.* **1** que contém erro(s) **ANT.** certo **2** enganado **3** incorreto

errante (er.ran.te) [e'ʀɐ̃t(ə)] *adj.2g.* **1** que caminha sem destino **2** que não tem residência fixa

errar (er.rar) [e'ʀar] *v.* **1** enganar-se em; falhar **ANT.** acertar **2** cometer erro **3** andar sem rumo; vaguear

errata (er.ra.ta) [e'ʀatɐ] *n.f.* lista de erros que aparece normalmente no início ou no final de um livro, com a indicação das respetivas correções

(esta lista é acrescentada já depois da publicação do livro)

erro (er.ro) ['eʀu] *n.m.* **1** decisão, ato ou resposta incorreta **2** juízo falso; engano **3** falta; culpa ◆ **erro de palmatória** erro imperdoável

erróneo (er.ró.ne:o) [e'ʀɔnju] *adj.* **1** que contém erro **2** falso

erudição (e.ru.di.ção) [erudi'sɐ̃w̃] *n.f.* conhecimento vasto adquirido pelo estudo **SIN.** sabedoria

erudito (e.ru.di.to) [eru'ditu] *adj.,n.m.* que ou pessoa que tem muitos conhecimentos **SIN.** sábio

erupção (e.rup.ção) [eru'psɐ̃w̃] *n.f.* **1** 👁 emissão violenta de lava e cinzas de um vulcão **2** aparecimento de pequenas lesões na pele

eruptivo (e.rup.ti.vo) [eru'ptivu] *adj.* **1** relativo a erupção **2** que causa erupção

erva (er.va) ['ɛrvɐ] *n.f.* planta rasteira de caule tenro; relva ◆ **erva aromática** erva que é usada como tempero em culinária; **erva daninha** erva que prejudica o crescimento de outras plantas

erva-cidreira (er.va-.ci.drei.ra) [ɛrvɐsi'drɐjrɐ] *n.f.* ⟨*pl.* ervas-cidreiras⟩ planta de aroma característico, muito usada para fazer chá

erva-doce (er.va-.do.ce) [ɛrvɐ'do(sə)] *n.f.* ⟨*pl.* ervas-doces⟩ ⇒ **anis**

ervanária (er.va.ná.ri:a) [ɛrvɐ'narjɐ] *n.f.* loja onde se vendem plantas medicinais e produtos naturais

ervanário (er.va.ná.ri:o) [ɛrvɐ'narju] *n.m.* pessoa que recolhe ou vende plantas medicinais

ervilha (er.vi.lha) [er'viʎɐ] *n.f.* semente comestível, de cor verde e em forma de grão

ervilheira (er.vi.lhei.ra) [ervi'ʎɐjrɐ] *n.f.* planta trepadeira, com frutos em forma de vagens que contêm sementes verdes e redondas, usadas na alimentação

ES [ɛ'ɛs] *sigla de* Ensino Secundário

esbaforido (es.ba.fo.ri.do) [(i)ʒbɐfu'ridu] *adj.* **1** sem fôlego; ofegante **2** cheio de pressa

esbanjamento (es.ban.ja.men.to) [(i)ʒbɐ̃ʒɐ'mẽtu] *n.m.* gasto excessivo

esbanjar (es.ban.jar) [(i)ʒbɐ̃'ʒar] *v.* gastar em excesso; dissipar

esbarrar (es.bar.rar) [(i)ʒbɐ'ʀar] *v.* **1** ⟨**+com**⟩ chocar com (algo ou alguém); embater em **2** ⟨**+com**⟩ encontrar de repente

esbater (es.ba.ter) [(i)ʒbɐ'ter] *v.* atenuar as cores ou sombras de (desenho, quadro); suavizar ■ **esbater-se** tornar-se menos nítido

esbatido (es.ba.ti.do) [(i)ʒbɐ'tidu] *adj.* que se esbateu

esbelto (es.bel.to) [(i)ʒ'bɛɫtu] *adj.* elegante; gracioso

esboçar (es.bo.çar) [(i)ʒbu'sar] *v.* **1** fazer o esboço de; delinear **2** descrever em traços gerais

esboço (es.bo.ço) [(i)ʒ'bosu] *n.m.* **1** plano inicial (de pintura, desenho, escultura, etc.) **2** noção geral de alguma coisa

esbofetear (es.bo.fe.te:ar) [(i)ʒbufə'tjar] *v.* dar bofetada(s) a

esborrachar(-se) (es.bor.ra.char(-se)) [(i)ʒbuʀɐ'ʃar(sə)] *v.* deformar(-se) por compressão forte ou choque violento

esbranquiçado (es.bran.qui.ça.do) [(i)ʒbrɐ̃ki'sadu] *adj.* **1** quase branco **2** pálido

esbugalhado (es.bu.ga.lha.do) [(i)ʒbugɐ'ʎadu] *adj.* diz-se do olho muito aberto ou muito saliente

esbugalhar (es.bu.ga.lhar) [(i)ʒbugɐ'ʎar] *v.* arregalar (os olhos)

esburacado (es.bu.ra.ca.do) [(i)ʒburɐ'kadu] *adj.* que está cheio de buracos

esburacar (es.bu.ra.car) [(i)ʒburɐ'kar] *v.* abrir buracos em

escabeche (es.ca.be.che) [(i)ʃkɐ'bɛʃ(ə)] *n.m.* **1** molho de azeite, vinagre, louro, alho e cebola usado para temperar ou conservar peixe ou carne **2** *coloq.* barulheira; confusão

escacar (es.ca.car) [(i)ʃkɐ'kar] *v.* reduzir a cacos; quebrar ■ **escacar-se** ficar reduzido a cacos; quebrar-se

escachar (es.ca.char) [(i)ʃkɐ'ʃar] *v.* **1** abrir pelo meio **2** abrir muito

escada (es.ca.da) [(i)ʃ'kadɐ] *n.f.* série de degraus dispostos em plano inclinado, para subir ou descer ◆ **escada rolante** série de degraus metálicos acionados de forma mecânica

escadaria (es.ca.da.ri.a) [(i)ʃkɐdɐ'riɐ] *n.f.* série de escadas separadas por patamares

escadote (es.ca.do.te) [(i)ʃkɐ'dɔt(ə)] *n.m.* escada portátil formada por duas peças que se abrem em ângulo

scafandro (es.ca.fan.dro) [(i)ʃkɐ'fɐ̃dru] *n.m.* fato impermeável completamente fechado, usado por mergulhadores quando querem permanecer muito tempo debaixo de água

scala (es.ca.la) [(i)ʃ'kalɐ] *n.f.* **1** sequência de valores que serve de padrão **2** graduação de instrumentos de medida **3** sucessão de notas musicais **4** paragem de avião ou navio para receber carga ou passageiros ou para reabastecimento de combustível **5** proporção entre um desenho ou mapa e a medida real do objeto ou lugar representado ♦ **em grande/larga escala** em grande quantidade; de forma abundante

scalada (es.ca.la.da) [(i)ʃkɐ'ladɐ] *n.f.* **1** aumento progressivo; subida **2** atividade desportiva cujo objetivo é superar um obstáculo vertical (montanha, parede, etc.)

scalão (es.ca.lão) [(i)ʃkɐ'lɐ̃w̃] *n.m.* cada um dos pontos ou graus de uma escala **SIN.** nível

scalar (es.ca.lar) [(i)ʃkɐ'lar] *v.* **1** subir; trepar **2** colocar numa escala; graduar **3** cortar em escala (o cabelo)

scaldado (es.cal.da.do) [(i)ʃkaɫ'dadu] *adj.* **1** queimado com líquido a ferver **2** *fig.* que aprendeu com a experiência

scaldante (es.cal.dan.te) [(i)ʃkaɫ'dɐ̃t(ə)] *adj.2g.* **1** que escalda ou queima **2** *fig.* que gera polémica ou discussão (assunto, tema)

scaldão (es.cal.dão) [(i)ʃkaɫ'dɐ̃w̃] *n.m.* queimadura provocada por sol intenso ou por contacto com substâncias muito quentes

scalda-pés (es.cal.da-.pés) [(i)ʃkaɫdɐ'pɛʃ] *n.m.2n.* banho que se dá aos pés, com água muito quente

scaldar (es.cal.dar) [(i)ʃkaɫ'dar] *v.* **1** queimar com líquido ou vapor quente **2** meter em água muito quente **3** estar muito quente ■ **escaldar-se** **1** queimar-se com líquido ou vapor quente **2** *fig.* ficar advertido ou preparado para um mal ou perigo

scaleno (es.ca.le.no) [(i)ʃkɐ'lenu] *adj.* diz-se do triângulo que tem os lados todos diferentes

scalfado (es.cal.fa.do) [(i)ʃkaɫ'fadu] *adj.* (ovo) passado por água muito quente

scalfar (es.cal.far) [(i)ʃkaɫ'far] *v.* aquecer em líquido muito quente sem deixar cozer (ovos, etc.)

scalonamento (es.ca.lo.na.men.to) [(i)ʃkɐlunɐ'mẽtu] *n.m.* **1** disposição em degraus **2** distribuição por níveis; graduação **3** organização segundo um dado critério; agrupamento

scalonar (es.ca.lo.nar) [(i)ʃkɐlu'nar] *v.* **1** dispor em degraus **2** distribuir por grupos, escalões ou categorias **3** organizar segundo um dado critério

escalope (es.ca.lo.pe) [(i)ʃkɐ'lɔp(ə)] *n.m.* fatia fina de carne, panada e frita

escama (es.ca.ma) [(i)ʃ'kɐmɐ] *n.f.* pequena placa semelhante a uma lâmina que cobre a pele dos peixes e dos répteis

escamado (es.ca.ma.do) [(i)ʃkɐ'madu] *adj.* **1** que ficou sem escamas **2** *fig.* zangado; furioso

escamar (es.ca.mar) [(i)ʃkɐ'mar] *v.* retirar as escamas a ■ **escamar-se** **1** perder as escamas **2** *fig.* ficar zangado

escamotear (es.ca.mo.te:ar) [(i)ʃkɐmu'tjar] *v.* **1** fazer desaparecer sem se notar **2** encobrir com ardil

escanção (es.can.ção) [(i)ʃkɐ̃'sɐ̃w̃] *n.m.* profissional encarregado da degustação e avaliação de vinhos e licores

escancarado (es.can.ca.ra.do) [(i)ʃkɐ̃kɐ'radu] *adj.* **1** totalmente aberto **2** claro; evidente

escancarar (es.can.ca.rar) [(i)ʃkɐ̃kɐ'rar] *v.* abrir totalmente ■ **escancarar-se** abrir-se totalmente

escandalizado (es.can.da.li.za.do) [(i)ʃkɐ̃dɐli'zadu] *adj.* chocado; indignado

escandalizar (es.can.da.li.zar) [(i)ʃkɐ̃dɐli'zar] *v.* **1** causar escândalo ou indignação **2** ofender ■ **escandalizar-se** **1** ⟨**+com**⟩ chocar-se **2** ofender-se

escândalo (es.cân.da.lo) [(i)ʃ'kɐ̃dɐlu] *n.m.* **1** situação ou facto que ofende sentimentos, crenças ou convenções e que provoca indignação ou censura **2** desordem; tumulto

escandaloso (es.can.da.lo.so) [(i)ʃkɐ̃dɐ'lozu] *adj.* **1** que causa escândalo **2** que ofende; vergonhoso

escandinavo (es.can.di.na.vo) [(i)ʃkɐ̃di'navu] *adj.* relativo à Escandinávia ■ *n.m.* pessoa natural da Escandinávia

escangalhar(-se) (es.can.ga.lhar(-se)) [(i)ʃkɐ̃gɐ'ʎar(sə)] *v.* **1** desmanchar(-se) **2** estragar(-se) ♦ **escangalhar-se a rir** desatar às gargalhadas

escanzelado (es.can.ze.la.do) [(i)ʃkɐ̃zə'ladu] *adj.* *coloq.* muito magro

escapadela (es.ca.pa.de.la) [(i)ʃkɐpɐ'dɛlɐ] *n.f.* **1** saída precipitada ou repentina **2** fuga a um dever ou a uma obrigação que não se quer cumprir

escapar (es.ca.par) [(i)ʃkɐ'par] *v.* **1** ⟨**+de**⟩ livrar-se de (situação desagradável ou perigosa); fugir; evitar: *escapar da polícia* **2** passar despercebido: *Este detalhe escapou à investigação.* **3** *fig.* revelar por descuido ou distração: *Deixou escapar um segredo muito importante.*

escaparate (es.ca.pa.ra.te) [(i)ʃkɐpɐ'rat(ə)] *n.m.* armário envidraçado onde se expõem objetos **SIN.** montra; vitrina

escapatória (es.ca.pa.tó.ri:a) [(i)ʃkɐpɐ'tɔrjɐ] *n.f.* meio hábil de evitar uma dificuldade **SIN.** subterfúgio

escape (es.ca.pe) [(i)ʃ'kap(ə)] *n.m.* **1** fuga; escapadela **2** expulsão dos gases de um motor

escapulário (es.ca.pu.lá.ri:o) [(i)ʃkɐpu'larju] *n.m.* **1** parte do vestuário de frades e freiras que cai sobre o peito **2** objeto de devoção constituído por um fio que une dois quadrados pequenos benzidos, que se coloca ao pescoço

escapulir(-se) (es.ca.pu.lir(-se)) [(i)ʃkɐpu'lir(sə)] *v.* ⟨**+de**⟩ *coloq.* escapar(-se); fugir

escarafunchar (es.ca.ra.fun.char) [(i)ʃkɐrɐfũ'ʃar] *v.* remexer; esgaravatar

escaramuça (es.ca.ra.mu.ça) [(i)ʃkɐrɐ'musɐ] *n.f.* briga de pouca importância

escaravelho (es.ca.ra.ve.lho) [(i)ʃkɐrɐ'vɐ(j)ʎu] *n.m.* inseto geralmente de cor escura, nocivo à agricultura

escarcéu (es.car.céu) [(i)ʃkɐr'sɛw] *n.m.* confusão; alvoroço

escarlate (es.car.la.te) [(i)ʃkɐr'lat(ə)] *adj.,n.m.* vermelho

escarlatina (es.car.la.ti.na) [(i)ʃkɐrlɐ'tinɐ] *n.f.* doença infeciosa e muito contagiosa que provoca febre alta e o aparecimento de manchas vermelhas na pele e nas mucosas

escarnecer (es.car.ne.cer) [(i)ʃkɐrnə'ser] *v.* ⟨**+de**⟩ troçar de; zombar; gozar

escárnio (es.cár.ni:o) [(i)ʃ'karnju] *n.m.* **1** troça; gozo **2** desprezo; desconsideração

escarpa (es.car.pa) [(i)ʃ'karpɐ] *n.f.* encosta muito íngreme; declive

escarpado (es.car.pa.do) [(i)ʃkɐr'padu] *adj.* que tem um grande declive; íngreme

escarrapachado (es.car.ra.pa.cha.do) [(i)ʃkɐʀɐpɐ'ʃadu] *adj.* **1** sentado com as pernas abertas **2** estendido no chão; estatelado **3** *coloq.* bem visível

escarrapachar (es.car.ra.pa.char) [(i)ʃkɐʀɐpɐ'ʃar] *v.* **1** sentar abrindo muito as pernas **2** estender no chão **SIN.** estatelar **3** *coloq.* pôr em lugar visível

escarrar (es.car.rar) [(i)ʃkɐ'ʀar] *v.* deitar (escarro, sangue, etc.) pela boca **SIN.** expelir

escarro (es.car.ro) [(i)ʃ'kaʀu] *n.m.* **1** matéria viscosa segregada pelas vias respiratórias e lançada pela boca **2** *fig.* coisa mal feita

escassear (es.cas.se:ar) [(i)ʃkɐ'sjar] *v.* **1** existir em pouca quantidade **2** faltar

escassez (es.cas.sez) [(i)ʃkɐ'seʃ] *n.f.* insuficiência; falta **ANT.** abundância

escasso (es.cas.so) [(i)ʃ'kasu] *adj.* que existe em pequena quantidade; raro **ANT.** abundante

escavação (es.ca.va.ção) [(i)ʃkɐvɐ'sɐ̃w̃] *n.f.* **1** trabalho realizado para nivelar ou abrir corte num terreno **2** conjunto de trabalhos efetuados para recolha de vestígios arqueológicos

escavacar (es.ca.va.car) [(i)ʃkɐvɐ'kar] *v.* quebrar; partir

escavadora (es.ca.va.do.ra) [(i)ʃkɐvɐ'dorɐ] *n*... máquina própria para escavar terrenos

escavar (es.ca.var) [(i)ʃkɐ'var] *v.* formar cova ou cavidade em **SIN.** cavar

esclarecedor (es.cla.re.ce.dor) [(i)ʃklɐrəsə'do... *adj.* **1** que esclarece **2** compreensível

esclarecer (es.cla.re.cer) [(i)ʃklɐrə'ser] *v.* **1** tornar claro ou compreensível **SIN.** elucidar **2** explicar; informar **3** desvendar; solucionar

esclarecido (es.cla.re.ci.do) [(i)ʃklɐrə'sidu] *ad*... que foi explicado; elucidado

esclarecimento (es.cla.re.ci.men.to) [(i)ʃklɐ...si'mẽtu] *n.m.* explicação do sentido de (palavras, texto, informação, etc.)

esclerose (es.cle.ro.se) [(i)ʃklə'rɔz(ə)] *n.f.* endurecimento do tecido conjuntivo de um órgão

escoadouro (es.co:a.dou.ro) [(i)ʃkwɐ'do(w)ru] *n.m.* cano, conduta ou vala por onde se escoam líquidos

escoamento (es.co:a.men.to) [(i)ʃkwɐ'mẽtu] *n.m.* **1** plano inclinado, por onde se escoam as águas **2** circulação de pessoas e veículos

escoar (es.co:ar) [(i)ʃ'kwar] *v.* **1** fazer escorrer (um líquido) **2** fazer passar através de filtro ou coador **SIN.** coar **3** distribuir e/ou vender (bens, produtos) **4** permitir a circulação de (veículos, pessoas)

escocês (es.co.cês) [(i)ʃku'seʃ] *adj.* relativo à Escócia ■ *n.m.* pessoa natural da Escócia

escol (es.col) [(i)ʃ'kɔɫ] *n.m.* aquilo que é considerado melhor num grupo ou numa sociedade; elite

escola (es.co.la) [(i)ʃ'kɔlɐ] *n.f.* **1** estabelecimento público ou privado onde se ensina e aprende **2** edifício onde se ensina e aprende **3** teoria artística ou de pensamento; doutrina ◆ **escola de verão** curso de curta duração, dedicado a um determinado tema, que se realiza no verão e é geralmente organizado em atividades ou módu...

los; **fazer escola** criar adeptos; **ter escola** ser manhoso

scolar (es.co.lar) [(i)ʃku'lar] *adj.2g.* **1** relativo a escola **2** próprio para ser utilizado na escola

scolaridade (es.co.la.ri.da.de) [(i)ʃkulɐri'dad(ə)] *n.f.* **1** frequência ou permanência na escola **2** conhecimentos adquiridos na escola ♦ **escolaridade obrigatória** período durante o qual os jovens são obrigados a frequentar a escola

scolástica (es.co.lás.ti.ca) [(i)ʃku'laʃtikɐ] *n.f.* ensino teológico e filosófico na Idade Média

scolha (es.co.lha) [(i)ʃ'koʎɐ] *n.f.* opção; preferência ♦ **escolha múltipla** método de avaliação de conhecimentos em que uma pessoa tem de escolher uma de várias respostas apresentadas para cada pergunta

scolher (es.co.lher) [(i)ʃku'ʎer] *v.* **1** optar por; selecionar **2** preferir **3** eleger

scolhido (es.co.lhi.do) [(i)ʃku'ʎidu] *adj.* preferido; selecionado

scolta (es.col.ta) [(i)ʃ'kɔɫtɐ] *n.f.* grupo de pessoas ou de forças policiais destacadas para acompanhar e proteger alguém ou algo

scoltar (es.col.tar) [(i)ʃkoɫ'tar] *v.* acompanhar (alguém ou algo) para dar proteção

scombros (es.com.bros) [(i)ʃ'kõbruʃ] *n.m.pl.* destroços; ruínas

sconde-esconde (es.con.de-.es.con.de) [(i)ʃkõdəʃ'kõd(ə)] *n.m.* jogo infantil em que uma criança tenta descobrir as outras, que se esconderam

sconder (es.con.der) [(i)ʃkõ'der] *v.* **1** pôr num lugar onde não se possa descobrir; ocultar **2** não dizer ou não contar algo; omitir

sconderijo (es.con.de.ri.jo) [(i)ʃkõdə'riʒu] *n.m.* lugar onde se esconde algo ou alguém

scondidas (es.con.di.das) [(i)ʃkõ'didɐʃ] *n.f.pl.* jogo infantil em que uma criança tenta descobrir as outras, que se esconderam ♦ **às escondidas** sem ninguém ver, ocultamente

scondido (es.con.di.do) [(i)ʃkõ'didu] *adj.* que se escondeu; encoberto; oculto

sconjurar (es.con.ju.rar) [(i)ʃkõʒu'rar] *v.* **1** afastar ou afugentar (algo considerado maligno) por meio de ritual apropriado **SIN.** exorcizar **2** amaldiçoar; praguejar

sconjuro (es.con.ju.ro) [(i)ʃkõ'ʒuru] *n.m.* **1** ritual usado para afugentar algo que se considera maligno; exorcismo **2** maldição

scorbuto (es.cor.bu.to) [(i)ʃkur'butu] *n.m.* doença crónica provocada por falta de vitamina C e caracterizada por hemorragias

escória (es.có.ri:a) [(i)ʃ'kɔrjɐ] *n.f.* **1** resíduos sólidos provenientes da fusão de metais **2** *fig., pej.* gente considerada desprezível

escoriação (es.co.ri:a.ção) [(i)ʃkurjɐ'sɐ̃w̃] *n.f.* ferimento na pele, geralmente superficial; esfoladela

escorpião (es.cor.pi.ão) [(i)ʃkur'pjɐ̃w̃] *n.m.* 👁 pequeno animal com carapaça, patas em forma de pinças e cauda terminada numa ponta venenosa ▪ **Escorpião** oitavo signo do Zodíaco (23 de outubro a 21 de novembro)

escorraçado (es.cor.ra.ça.do) [(i)ʃkuʀɐ'sadu] *adj.* mandado embora com desprezo; enxotado

escorraçar (es.cor.ra.çar) [(i)ʃkuʀɐ'sar] *v.* mandar embora com desprezo **SIN.** enxotar

escorrega (es.cor.re.ga) [(i)ʃku'ʀɛgɐ] *n.m.* ⇒ **escorregão**

escorregadela (es.cor.re.ga.de.la) [(i)ʃkuʀəgɐ'dɛlɐ] *n.f.* **1** queda causada por piso molhado, desequilíbrio, etc. **2** *fig.* engano; lapso

escorregadio (es.cor.re.ga.di.o) [(i)ʃkuʀəgɐ'diu] *adj.* **1** que faz escorregar **2** *fig.* que implica riscos

escorregão (es.cor.re.gão) [(i)ʃkuʀə'gɐ̃w̃] *n.m.* brinquedo composto por uma tábua inclinada, sobre a qual as crianças deslizam **SIN.** escorrega

escorregar (es.cor.re.gar) [(i)ʃkuʀə'gar] *v.* **1** cair; deslizar **2** *fig.* cometer uma falha ou inconfidência

escorrer (es.cor.rer) [(i)ʃku'ʀer] *v.* **1** fazer correr (um líquido) **2** correr em fio (lágrimas, sangue, suor) **3** tombar; descair

escotilha (es.co.ti.lha) [(i)ʃku'tiʎɐ] *n.f.* abertura retangular ou quadrada no convés, no porão ou nas cobertas do navio

escova (es.co.va) [(i)ʃ'kovɐ] *n.f.* utensílio com pelos flexíveis, usado para limpar, alisar ou dar brilho; **escova de dentes** objeto guarnecido de filamentos e composto por um cabo, usado na higiene bucal

escovadela (es.co.va.de.la) [(i)ʃkuvɐ'dɛlɐ] *n.f.* limpeza rápida com escova

escovar (es.co.var) [(i)ʃku'var] *v.* limpar com escova

escravatura (es.cra.va.tu.ra) [(i)ʃkrɐvɐ'turɐ] *n.f.* **1** sistema que admite a existência de escravos como parte da sua organização económica **2** condição de escravo; escravidão **3** tráfico de pessoas

escravidão (es.cra.vi.dão) [(i)ʃkrɐvi'dɐ̃w̃] *n.f.* **1** estado ou condição de escravo **SIN.** escravatura **2** *fig.* condição de quem está dependente de algo

escravizar (es.cra.vi.zar) [(i)ʃkrɐvi'zar] *v.* **1** reduzir à condição de escravo **2** oprimir; subjugar

escravo (es.cra.vo) [(i)ʃ'kravu] *n.m.* **1** pessoa privada de liberdade e submetida a um poder absoluto **2** pessoa que vive em total dependência de algo ou alguém

escreto (es.cre.to) [(i)ʃ'krɛtu] *adj.* [CV.] atrevido; esperto

escrever (es.cre.ver) [(i)ʃkrə'ver] *v.* **1** representar por meio de caracteres gráficos; redigir **2** compor (obra literária, música, tese)

escrevinhar (es.cre.vi.nhar) [(i)ʃkrəvi'ɲar] *v.* **1** escrever coisas sem importância **2** fazer anotações nas margens de um texto **3** escrever à pressa e de modo confuso **SIN.** rabiscar

escriba (es.cri.ba) [(i)ʃ'kribɐ] *n.m.* indivíduo que copiava manuscritos, antes da invenção da imprensa **SIN.** copista

escrita (es.cri.ta) [(i)ʃ'kritɐ] *n.f.* **1** representação do pensamento e da palavra por meio de signos gráficos **2** conjunto de signos num sistema de representação gráfica **3** maneira de escrever; caligrafia ♦ **pôr a escrita em dia 1** tratar da correspondência em atraso **2** contar as últimas novidades

escrito (es.cri.to) [(i)ʃ'kritu] *adj.* representado por letras

escritor (es.cri.tor) [(i)ʃkri'tor] *n.m.* autor de obras literárias ou científicas

escritório (es.cri.tó.ri:o) [(i)ʃkri'tɔrju] *n.m.* **1** sala ou conjunto de salas onde se exerce uma atividade administrativa, financeira, etc. **2** gabinete de trabalho

escritura (es.cri.tu.ra) [(i)ʃkri'turɐ] *n.f.* documento legal, reconhecido pelo notário, que torna válido um contrato ou um negócio ■ **Escrituras** *n.f.pl.* conjunto dos livros que compõem a Bíblia (Antigo e Novo Testamento): *Sagradas Escrituras*

escrituração (es.cri.tu.ra.ção) [(i)ʃkriturɐ'sɐ̃w̃] *n.f.* registo, em livro próprio, de operações comerciais

escriturário (es.cri.tu.rá.ri:o) [(i)ʃkritu'rarju] *n.m.* encarregado do registo de despesas e tarefas semelhantes, num escritório

escrivaninha (es.cri.va.ni.nha) [(i)ʃkrivɐ'niɲɐ] *n.f.* mesa de trabalho; secretária

escrivão (es.cri.vão) [(i)ʃkri'vɐ̃w̃] *n.m.* funcionári[o] que escreve documentos legais

escroto (es.cro.to) [(i)ʃ'krotu] *n.m.* saco cutâne[o] que contém os testículos

escrúpulo (es.crú.pu.lo) [(i)ʃ'krupulu] *n.m.* **1** re[-]morso **2** forte sentido moral

escrupuloso (es.cru.pu.lo.so) [(i)ʃkrupu'lozu] *a[dj.]* exigente; rigoroso

escrutínio (es.cru.tí.ni:o) [(i)ʃkru'tinju] *n.m.* **1** vo[-]tação por meio de boletins lançados numa urn[a] **2** apuramento dos votos **3** exame minucioso

escudar(-se) (es.cu.dar(-se)) [(i)ʃku'dar(sə)] **1** defender(-se) com escudo **2** proteger(-se); am[-]parar(-se)

escudo (es.cu.do) [(i)ʃ'kudu] *n.m.* **1** unidade mo[-]netária de Cabo Verde **2** antiga arma de defes[a] composta por uma peça circular de metal, pres[a] à mão ou ao braço do guerreiro **3** antiga unidad[e] monetária de Portugal

esculpir (es.cul.pir) [(i)ʃkuɫ'pir] *v.* **1** fazer uma es[-]cultura **2** gravar (figuras, desenhos) em matéri[a] dura, como madeira, pedra ou metal

escultor (es.cul.tor) [(i)ʃkuɫ'tor] *n.m.* aquele qu[e] faz esculturas

escultura (es.cul.tu.ra) [(i)ʃkuɫ'turɐ] *n.f.* **1** arte d[e] representar objetos ou pessoas em relevo, mo[-]dando pedra, madeira ou outro material du[ro] **2** obra de arte que resulta desse processo

escultural (es.cul.tu.ral) [(i)ʃkuɫtu'raɫ] *adj.2g.* **1** re[-]lativo a escultura **2** com formas perfeitas

escumadeira (es.cu.ma.dei.ra) [(i)ʃkumɐ'dɐjr[ɐ]] *n.f.* colher com orifícios, para escumar líquidos

escumalha (es.cu.ma.lha) [(i)ʃku'maʎɐ] *n.f.* **1** res[í]duos provenientes do metal em fusão **2** *fig.*, *pe[j.]* grupo mais desfavorecido da sociedade

escumar (es.cu.mar) [(i)ʃku'mar] *v.* **1** formar es[-]puma **2** retirar a espuma de

escuras (es.cu.ras) [(i)ʃ'kurɐʃ] *elem. da loc.* **às es[-]curas** com falta de luz; sem entender nada

escurecer (es.cu.re.cer) [(i)ʃkurə'ser] *v.* **1** come[-]çar a anoitecer **2** tornar-se escuro

escuridão (es.cu.ri.dão) [(i)ʃkuri'dɐ̃w̃] *n.f.* **1** au[-]sência de luz; obscuridade **ANT.** claridade **2** *f[ig.]* privação total do sentido da visão **SIN.** cegueira

escuro (es.cu.ro) [(i)ʃ'kuru] *adj.* **1** que tem pou[ca] ou nenhuma luz **ANT.** claro **2** que tem cor neg[ra] **3** *fig.* sombrio; triste ♦ **às escuras 1** com falta [de] luz **2** sem entender nada; **escuro como br[eu]** muito escuro

escusado (es.cu.sa.do) [(i)ʃku'zadu] *adj.* desnece[s]sário; dispensável

escuta (es.cu.ta) [(i)ʃ'kutɐ] *n.f.* ato de escutar; v[i]gia ■ *n.2g. coloq.* ⇒ **escuteiro**

escutar **(es.cu.tar)** [(i)ʃku'tar] *v.* **1** ouvir com atenção **2** dar ouvidos a; seguir o conselho de
escuteiro **(es.cu.tei.ro)** [(i)ʃku'tɐjru] *n.m.* membro de um grupo de escutismo
escutismo **(es.cu.tis.mo)** [(i)ʃku'tiʒmu] *n.m.* movimento que procura o aperfeiçoamento moral, intelectual e físico das crianças e dos jovens, por meio do desenvolvimento do seu espírito cívico
esdrúxula **(es.drú.xu.la)** [(i)ʒ'druʃulɐ] *n.f.* palavra que tem o acento tónico na antepenúltima sílaba **SIN.** proparoxítona

Note-se que a palavra **esdrúxula** escreve-se com s (e não com **x**) na primeira sílaba.

esdrúxulo **(es.drú.xu.lo)** [(i)ʒ'druʃulu] *adj.* diz-se da palavra que tem acento tónico na antepenúltima sílaba: *câmara; fantástico; mágico*
esfalfar(-se) **(es.fal.far(-se))** [(i)ʃfaɫ'far(sə)] *v. coloq.* estafar(-se); extenuar(-se)
esfaquear **(es.fa.que:ar)** [(i)ʃfɐ'kjar] *v.* dar facada(s) em
esfarelar(-se) **(es.fa.re.lar(-se))** [(i)ʃfɐrə'lar(sə)] *v.* reduzir(-se) a migalhas **SIN.** esmigalhar(-se)
esfarrapado **(es.far.ra.pa.do)** [(i)ʃfɐʀɐ'padu] *adj.* **1** feito em farrapos; roto **2** *fig.* diz-se da desculpa que não tem fundamento
esfarrapar **(es.far.ra.par)** [(i)ʃfɐʀɐ'par] *v.* reduzir a farrapos; rasgar
esfera **(es.fe.ra)** [(i)ʃ'fɛrɐ] *n.f.* **1** sólido cuja superfície tem todos os pontos equidistantes do centro **2** globo; bola **3** *fig.* área em que se desenvolve determinada atividade; **esfera de ação** meio ou área do saber em que uma pessoa exerce a sua influência ou atividade ♦ **esfera armilar** dispositivo formado por anéis fixos que representam círculos da esfera celeste; **esfera celeste** esfera imaginária, na qual se situam os corpos celestes; **esfera terrestre** planeta Terra
esférico **(es.fé.ri.co)** [(i)ʃ'fɛriku] *adj.* em forma de esfera ■ *n.m. coloq.* bola de futebol
esferográfica **(es.fe.ro.grá.fi.ca)** [(i)ʃfɛrɔ'grafikɐ] *n.f.* caneta com uma pequena esfera móvel na extremidade por onde é distribuída a tinta
esferovite **(es.fe.ro.vi.te)** [(i)ʃfɛrɔ'vit(ə)] *n.f.* material plástico muito leve, usado em embalagens
esfiapar(-se) **(es.fi:a.par(-se))** [(i)ʃfjɐ'par(sə)] *v.* fazer(-se) em fios muitos finos **SIN.** desfiar(-se)
esfíncter **(es.fínc.ter)** [(i)ʃ'fiktɛr] *n.m.* músculo anular que circunda uma abertura, fechando-a ou abrindo-a, como no ânus, na boca, etc.
esfinge **(es.fin.ge)** [(i)ʃ'fĩʒ(ə)] *n.f.* **1** estátua com cabeça humana e corpo de leão **2** *fig.* enigma; mistério
esfoladela **(es.fo.la.de.la)** [(i)ʃfulɐ'dɛlɐ] *n.f.* arranhão superficial
esfolar **(es.fo.lar)** [(i)ʃfu'lar] *v.* **1** tirar a pele a **2** perder a pele
esfoliação **(es.fo.li:a.ção)** [(i)ʃfuljɐ'sɐ̃w̃] *n.f.* **1** queda ou separação, em lâminas, da camada exterior de uma superfície **2** eliminação das células mortas acumuladas nas camadas superficiais da pele
esfoliante **(es.fo.li:an.te)** [(i)ʃfu'ljɐ̃t(ə)] *adj.2g.* que causa esfoliação ■ *n.m.* produto que permite eliminar as células mortas acumuladas nas camadas superficiais da pele
esfomeado **(es.fo.me:a.do)** [(i)ʃfɔ'mjadu] *adj.* que tem muita fome; faminto
esforçado **(es.for.ça.do)** [(i)ʃfur'sadu] *adj.* que se esforça; diligente; trabalhador
esforçar **(es.for.çar)** [(i)ʃfur'sar] *v.* usar para além dos limites: *esforçar um motor; esforçar a voz* ■ **esforçar-se** ⟨**+por**⟩ dar o máximo de si para conseguir (algo): *Esforçou-se por conseguir o prémio.*
esforço **(es.for.ço)** [(i)ʃ'forsu] *n.m.* **1** aplicação de força física ou mental para conseguir algo **2** aquilo que exige muito trabalho para ser realizado
esfregadela **(es.fre.ga.de.la)** [(i)ʃfrəgɐ'dɛlɐ] *n.f.* ato de esfregar de modo vigoroso ou leve **SIN.** fricção
esfregão **(es.fre.gão)** [(i)ʃfrə'gɐ̃w̃] *n.m.* pedaço de material próprio para esfregar
esfregar **(es.fre.gar)** [(i)ʃfrə'gar] *v.* **1** lavar com escova ou esfregão **2** passar repetidas vezes a mão ou um objeto sobre a superfície de **SIN.** friccionar
esfregona **(es.fre.go.na)** [(i)ʃfrə'gonɐ] *n.f.* utensílio para limpeza do chão formado por um cabo com tiras de pano absorvente na ponta
esfriar(-se) **(es.fri:ar(-se))** [(i)ʃ'frjar(sə)] *v.* **1** tornar(-se) frio **2** *fig.* desanimar; esmorecer
esgadanhar **(es.ga.da.nhar)** [(i)ʒgɐdɐ'ɲar] *v.* arranhar com as unhas
esganado **(es.ga.na.do)** [(i)ʒgɐ'nadu] *adj.* **1** sufocado **2** *coloq.* sôfrego
esganar **(es.ga.nar)** [(i)ʒgɐ'nar] *v.* matar por estrangulamento; asfixiar; sufocar
esganiçado **(es.ga.ni.ça.do)** [(i)ʒgɐni'sadu] *adj.* **1** diz-se da voz muito aguda **SIN.** estridente **2** alto e magro **SIN.** esguio
esganiçar **(es.ga.ni.çar)** [(i)ʒgɐni'sar] *v.* tornar (som) agudo ■ **esganiçar-se** **1** soltar gritos agudos e desagradáveis **2** falar ou cantar com som estridente
esgar **(es.gar)** [(i)ʒ'gar] *n.m.* expressão do rosto **SIN.** trejeito
esgaravatar **(es.ga.ra.va.tar)** [(i)ʒgɐrɐvɐ'tar] *v.* remexer com os dedos ou com as unhas

esgaze<u>a</u>do (es.ga.ze:a.do) [(i)ʒɐ'zjadu] *adj.* diz-se do olhar inquieto ou agitado

esgo<u>ta</u>do (es.go.ta.do) [(i)ʒgu'tadu] *adj.* **1** que foi gasto até ao fim **2** muito cansado

esgota<u>men</u>to (es.go.ta.men.to) [(i)ʒgutɐ'mẽtu] *n.m.* **1** ato de gastar até ao fim **2** grande cansaço; exaustão

esgo<u>tan</u>te (es.go.tan.te) [(i)ʒgu'tɐ̃t(ə)] *adj.2g.* muito cansativo; extenuante

esgo<u>tar</u> (es.go.tar) [(i)ʒgu'tar] *v.* **1** tirar até à última gota **2** gastar até ao fim **3** deixar de estar disponível para venda ■ **esgotar-se** cansar-se muito

es<u>go</u>to (es.go.to) [(i)ʒ'gotu] *n.m.* **1** cano ou conduta por onde escorrem líquidos e lixos **2** sistema de canalização destinado a conduzir as águas e os detritos

esgrava<u>tar</u> (es.gra.va.tar) [(i)ʒgrɐvɐ'tar] *v.* ⇒ **esgaravatar**

es<u>gri</u>ma (es.gri.ma) [(i)ʒ'grimɐ] *n.f.* desporto praticado com uma espada

esgri<u>mir</u> (es.gri.mir) [(i)ʒgri'mir] *v.* **1** praticar esgrima **2** discutir **3** lutar

esgri<u>mis</u>ta (es.gri.mis.ta) [(i)ʒgri'miʃtɐ] *n.2g.* pessoa que pratica esgrima

esgrouvi<u>a</u>do (es.grou.vi:a.do) [(i)ʒgro(w)'vjadu] *adj.* **1** magro e alto **2** desalinhado

esguedel<u>har</u>(-se) (es.gue.de.lhar(-se)) [(i)ʒgədə'ʎar(sə)] *v.* despentear(-se)

esguei<u>rar</u>-se (es.guei.rar-.se) [(i)ʒgɐj'rars(ə)] *v.* ⟨**+por**⟩ afastar-se ou fugir sorrateiramente: *Logo que pode, esgueirou-se (pela porta).*

es<u>gue</u>lha (es.gue.lha) [(i)'geʎɐ] *n.f.* soslaio ◆ **de esguelha** de lado

esguicha<u>de</u>la (es.gui.cha.de.la) [(i)ʒgiʃɐ'dɛlɐ] *n.f.* **1** ato ou efeito de esguichar **2** jato; repuxo; esguicho

esgui<u>char</u> (es.gui.char) [(i)ʒgi'ʃar] *v.* sair com força (um líquido); jorrar

es<u>gui</u>cho (es.gui.cho) [(i)ʒ'giʃu] *n.m.* jato (de um líquido) **SIN.** repuxo

es<u>gui</u>o (es.gui.o) [(i)ʒ'giu] *adj.* **1** comprido e estreito **2** magro e alto

es<u>la</u>vo (es.la.vo) [(i)ʒ'lavu] *n.m.* **1** indivíduo pertencente a um dos diversos povos da Europa central e oriental **2** conjunto de línguas indo-europeias faladas na Europa central e oriental ■ *adj.* relativo aos povos da Europa central e oriental

eslo<u>va</u>co (es.lo.va.co) [(i)ʒlu'vaku] *adj.* relativo à Eslováquia ■ *n.m.* **1** pessoa natural da Eslováquia (Europa central) **2** língua eslava falada na Eslováquia

eslo<u>ve</u>no (es.lo.ve.no) [(i)ʒlu'venu] *adj.* relativo [à] Eslovénia (Europa central) ■ *n.m.* **1** pessoa natura[l] da Eslovénia **2** língua eslava falada na Eslovénia

esma<u>ga</u>do (es.ma.ga.do) [(i)ʒmɐ'gadu] *adj.* acha[tado]; comprimido

esmaga<u>dor</u> (es.ma.ga.dor) [(i)ʒmɐgɐ'dor] *a[dj.]* **1** que esmaga **2** que não admite discussão; indiscutível

esma<u>gar</u> (es.ma.gar) [(i)ʒmɐ'gar] *v.* **1** deforma[r] por compressão ou choque; achatar **2** *fig.* destruir completamente; aniquilar

esmal<u>tar</u> (es.mal.tar) [(i)ʒmaɫ'tar] *v.* cobrir de es[malte] malte

es<u>mal</u>te (es.mal.te) [(i)ʒ'maɫt(ə)] *n.m.* **1** substânci[a] transparente e pastosa que se aplica em objeto[s] de metal, porcelana, etc., e que depois de sec[o] tem um aspeto brilhante **2** substância branca e resistente, que reveste e protege a coroa dos dentes

esme<u>ra</u>do (es.me.ra.do) [(i)ʒmə'radu] *adj.* feit[o] com esmero ou cuidado **SIN.** refinado

esme<u>ral</u>da (es.me.ral.da) [(i)ʒmə'raɫdɐ] *n.f.* **1** pedra preciosa geralmente de cor verde **2** co[r] verde dessa pedra

esme<u>rar</u>(-se) (es.me.rar(-se)) [(i)ʒmə'rar(sə)] *v.* **1** ⟨**+em**⟩ fazer com esmero **SIN.** caprichar **2** aperfeiçoar(-se); apurar(-se)

es<u>me</u>ro (es.me.ro) [(i)ʒ'meru] *n.m.* **1** cuidado extremo; perfeição **2** requinte; elegância

esmiga<u>lhar</u>(-se) (es.mi.ga.lhar(-se)) [(i)ʒmigɐ'ʎar(sə)] *v.* **1** desfazer(-se) em migalhas **2** fragmentar(-se); despedaçar(-se)

esmiu<u>çar</u> (es.mi:u.çar) [(i)ʒmju'sar] *v.* **1** dividir em partes muito pequenas **2** reduzir a pó **SIN.** esfarelar **3** *fig.* analisar de modo minucioso

es<u>mo</u>la (es.mo.la) [(i)ʒ'mɔlɐ] *n.f.* dinheiro, roupa ou qualquer outra forma de ajuda que se dá à[s] pessoas pobres

esmo<u>lar</u> (es.mo.lar) [(i)ʒmu'lar] *v.* pedir esmola; mendigar

esmore<u>cer</u> (es.mo.re.cer) [(i)ʒmurə'ser] *v.* **1** perder o ânimo; desalentar **2** enfraquecer; afrouxar

esmurra<u>çar</u> (es.mur.ra.çar) [(i)ʒmuʀɐ'sar] *v.* agredir com murros **SIN.** socar

esmur<u>rar</u> (es.mur.rar) [(i)ʒmu'ʀar] *v.* **1** dar murro[s] a; socar **2** estragar; danificar (um automóvel, por exemplo)

sófago (e.só.fa.go) [i'zɔfɐgu] *n.m.* órgão do aparelho digestivo que estabelece a comunicação da faringe com o estômago

sotérico (e.so.té.ri.co) [izɔ'tɛriku] *adj.* **1** apenas destinado aos iniciados (de uma doutrina, escola, seita, etc.) **2** apenas compreensível por algumas pessoas; enigmático

soterismo (e.so.te.ris.mo) [izɔtə'riʒmu] *n.m.* doutrina secreta cujos ensinamentos são comunicados apenas aos iniciados

spaçado (es.pa.ça.do) [(i)ʃpɐ'sadu] *adj.* **1** em que há intervalos regulares **2** vagaroso; lento

spaçar (es.pa.çar) [(i)ʃpɐ'sar] *v.* **1** criar espaços ou intervalos entre **2** prolongar

spacial (es.pa.ci:al) [(i)ʃpɐ'sjaɫ] *adj.2g.* relativo ao espaço

spaço (es.pa.ço) [(i)ʃ'pasu] *n.m.* **1** medida que separa duas linhas ou dois pontos **2** duração; intervalo **3** lugar; área **4** capacidade de um lugar **SIN.** lotação ◆ **dar espaço** dar tempo ou oportunidade; **de espaço a espaço** com intervalos; **espaço aéreo** espaço sobreposto ao território de um Estado, que possui sobre ele direitos de soberania; **espaço verde** superfície ajardinada integrada num espaço urbano, geralmente em zona residencial; **ter espaço de manobra** ter condições para agir

spaçoso (es.pa.ço.so) [(i)ʃpɐ'sozu] *adj.* que tem muito espaço **SIN.** amplo; extenso

spada (es.pa.da) [(i)ʃ'padɐ] *n.f.* arma branca de lâmina comprida ■ **espadas** *n.f.pl.* naipe de cartas em que cada ponto é representado por uma ponta de lança ◆ **estar entre a espada e a parede** estar numa situação difícil de resolver; estar num dilema

spadachim (es.pa.da.chim) [(i)ʃpɐdɐ'ʃĩ] *n.m.* aquele que luta com espada

spadarte (es.pa.dar.te) [(i)ʃpɐ'dart(ə)] *n.m.* peixe cinzento-prateado de grande porte, com o maxilar superior alongado em forma de espada

spádua (es.pá.du:a) [(i)ʃ'padwɐ] *n.f.* região que corresponde à omoplata

spairecer (es.pai.re.cer) [(i)ʃpajrə'ser] *v.* distrair(-se); entreter(-se)

spaldar (es.pal.dar) [(i)ʃpaɫ'dar] *n.m.* aparelho de ginástica preso à parede, constituído por traves horizontais, geralmente de madeira

spalhafato (es.pa.lha.fa.to) [(i)ʃpɐʎɐ'fatu] *n.m.* **1** confusão; barulheira **2** ostentação; vaidade

spalhafatoso (es.pa.lha.fa.to.so) [(i)ʃpɐʎɐfɐ'tozu] *adj.* **1** barulhento; ruidoso **2** que gosta de chamar a atenção; vaidoso

spalhanço (es.pa.lhan.ço) [(i)ʃpɐ'ʎɐ̃su] *n.m.* **1** *coloq.* fracasso **2** *gír.* mau resultado num exame

espalhar (es.pa.lhar) [(i)ʃpɐ'ʎar] *v.* **1** tornar público; divulgar **2** lançar em muitas direções; disseminar ■ **espalhar-se** difundir-se; estender-se

espalmado (es.pal.ma.do) [(i)ʃpaɫ'madu] *adj.* **1** aberto como a palma da mão **2** alisado

espalmar (es.pal.mar) [(i)ʃpaɫ'mar] *v.* tornar plano e aberto; alisar

espampanante (es.pam.pa.nan.te) [(i)ʃpɐ̃pɐ'nɐ̃t(ə)] *adj.2g.* que dá nas vistas pela sua excentricidade **SIN.** espalhafatoso

espanador (es.pa.na.dor) [(i)ʃpɐnɐ'dor] *n.m.* espécie de vassoura pequena com que se limpa o pó

espancar (es.pan.car) [(i)ʃpɐ̃'kar] *v.* agredir violentamente com socos, pontapés, etc.

espanhol (es.pa.nhol) [(i)ʃpɐ'ɲɔɫ] *adj.* relativo a Espanha ■ *n.m.* **1** pessoa natural de Espanha **2** língua falada em Espanha

espantado (es.pan.ta.do) [(i)ʃpɐ̃'tadu] *adj.* admirado; surpreendido

espantalho (es.pan.ta.lho) [(i)ʃpɐ̃'taʎu] *n.m.* figura de pano que se coloca nos campos para afugentar os pássaros

espanta-pardais (es.pan.ta-.par.dais) [(i)ʃpɐ̃tɐpɐr'dajʃ] *n.m.2n.* figura ou qualquer objeto usado para afugentar os pássaros

espantar (es.pan.tar) [(i)ʃpɐ̃'tar] *v.* **1** causar espanto a; surpreender **2** mandar embora; enxotar

espanto (es.pan.to) [(i)ʃ'pɐ̃tu] *n.m.* surpresa; assombro

espantoso (es.pan.to.so) [(i)ʃpɐ̃'tozu] *adj.* **1** que provoca espanto **2** extraordinário; incrível

espargata (es.par.ga.ta) [(i)ʃpɐr'gatɐ] *n.f.* posição de ginástica em que as pernas, totalmente esticadas, se afastam completamente para os lados, ficando coladas ao chão

espargir (es.par.gir) [(i)ʃpɐr'ʒir] *v.* espalhar (líquido) em pequenas gotas; borrifar

espargo (es.par.go) [(i)ʃ'pargu] *n.m.* planta com rebentos longos e estreitos que são usados em culinária

esparguete (es.par.gue.te) [(i)ʃpar'gɛt(ə)] *n.m.* massa em forma de cilindros compridos e finos

esparregado (es.par.re.ga.do) [(i)ʃpɐʀə'gadu] *n.m.* puré de legumes verdes (espinafres, grelos) servido como acompanhamento

esparrela (es.par.re.la) [(i)ʃpɐ'ʀɛlɐ] *n.f.* *coloq.* armadilha ◆ **cair na esparrela** ser enganado

espartilho (es.par.ti.lho) [(i)ʃpɐr'tiʎu] *n.m.* espécie de cinta, que vai das ancas até abaixo dos seios, com que se cinge a cintura

espasmo (es.pas.mo) [(i)ʃ'paʒmu] *n.m.* contração involuntária dos músculos

espatifar (es.pa.ti.far) [(i)ʃpɐti'far] *v.* **1** desfazer em pedaços **2** dar cabo de **SIN.** estragar

espátula (es.pá.tu.la) [(i)ʃ'patulɐ] *n.f.* espécie de faca sem gume, de madeira, plástico ou metal

especado (es.pe.ca.do) [(i)ʃpɛ'kadu] *adj.* que está de pé e imóvel; parado

especial (es.pe.ci:al) [(i)ʃpə'sjał] *adj.2g.* **1** que é próprio de uma coisa ou de uma pessoa; característico; particular **2** destinado a determinado fim; específico **3** fora do comum; excelente

especialidade (es.pe.ci:a.li.da.de) [(i)ʃpəsjɐli'dad(ə)] *n.f.* **1** profissão ou área do conhecimento que uma pessoa domina **2** prato característico de um restaurante ou de uma região

especialista (es.pe.ci:a.lis.ta) [(i)ʃpəsjɐ'liʃtɐ] *n.2g.* pessoa que se dedica a determinada área de conhecimento ou profissão **SIN.** perito

especialização (es.pe.ci:a.li.za.ção) [(i)ʃpəsjɐlizɐ'sɐ̃w̃] *n.f.* **1** ato de especializar(-se) **2** estudo aprofundado de um ramo específico da ciência ou da técnica

especializado (es.pe.ci:a.li.za.do) [(i)ʃpəsjɐli'zadu] *adj.* **1** relativo a uma área específica **2** próprio para; específico **3** que se especializou em determinada área

especializar (es.pe.ci:a.li.zar) [(i)ʃpəsjɐli'zar] *v.* **1** particularizar **2** distinguir ▪ **especializar-se** ⟨**+em**⟩ tornar-se especialista: *Esta empresa especializou-se na área da alimentação.*

especialmente (es.pe.ci:al.men.te) [(i)ʃpəsjał'mẽt(ə)] *adv.* **1** de propósito **2** particularmente

especiaria (es.pe.ci:a.ri.a) [(i)ʃpəsjɐ'riɐ] *n.f.* erva aromática usada para temperar alimentos **SIN.** condimento; tempero

espécie (es.pé.ci:e) [(i)ʃ'pɛsji] *n.f.* **1** conjunto de pessoas ou animais que têm características comuns **2** género; tipo ♦ **uma espécie de** um tipo de; semelhante a

especificação (es.pe.ci.fi.ca.ção) [(i)ʃpəsifikɐ'sɐ̃w̃] *n.f.* descrição pormenorizada das características de

especificar (es.pe.ci.fi.car) [(i)ʃpəsifi'kar] *v.* **1** determinar a espécie de; classificar **2** descrever com pormenor; detalhar

especificidade (es.pe.ci.fi.ci.da.de) [(i)ʃpəsifisi'dad(ə)] *n.f.* característica particular **SIN.** particularidade

específico (es.pe.cí.fi.co) [(i)ʃpə'sifiku] *adj.* próprio de uma espécie **SIN.** característico; peculiar

espécime (es.pé.ci.me) [(i)ʃ'pɛsim(ə)] *n.m.* **1** exemplo; amostra **2** indivíduo de uma espécie

espectacular (es.pec.ta.cu.lar) [(i)ʃpɛtɐku'lar] *a nova grafia é* **espetacular**[AO]

espectáculo (es.pec.tá.cu.lo) [(i)ʃpɛ'takulu] *a n[ova] grafia é* **espetáculo**[AO]

espectador (es.pec.ta.dor)[AO] [(i)ʃpɛtɐ'dor] [ou] **espetador**[AO] *adj.,n.m.* **1** que ou pessoa que [as]siste a um espetáculo **2** que ou pessoa que [ob]serva (algo) **SIN.** observador

espectro (es.pec.tro)[AO] [(i)ʃ'pɛtru] *a grafia prefer[ível] é* **espetro**[AO]

especulação (es.pe.cu.la.ção) [(i)ʃpɛkulɐ'sɐ̃w̃] [*n.f.*] **1** investigação teórica; análise **2** hipótese; con[je]tura **3** operação comercial com lucros exage[ra]dos e pouco legítimos

especulador (es.pe.cu.la.dor) [(i)ʃpɛkulɐ'd[or]] *adj.,n.m.* que ou aquele que especula

especular (es.pe.cu.lar) [(i)ʃpɛku'lar] *v.* **1** faz[er] conjeturas **2** estudar com atenção **SIN.** investig[ar] **3** negociar com lucro excessivo

especulativo (es.pe.cu.la.ti.vo) [(i)ʃpɛkulɐ'ti[vu]] *adj.* **1** que tem o carácter de especulação **2** te[ó]rico **3** interesseiro **4** (filosofia) relativo a objet[os] inacessíveis à experiência

espelhar (es.pe.lhar) [(i)ʃpə'ʎar] *v.* **1** refletir **2** b[ri]lhar

espelho (es.pe.lho) [(i)ʃ'pɐ(j)ʎu] *n.m.* **1** superfí[cie] polida que reflete a imagem dos objetos **2** [...] imagem; representação

espelunca (es.pe.lun.ca) [(i)ʃpə'lũkɐ] *n.f.* lug[ar] miserável; antro

espera (es.pe.ra) [(i)ʃ'pɛrɐ] *n.f.* **1** ato de esper[ar] **2** demora **3** emboscada

esperado (es.pe.ra.do) [(i)ʃpə'radu] *adj.* **1** agua[r]dado **2** previsto

esperança (es.pe.ran.ça) [(i)ʃpə'rɐ̃sɐ] *n.f.* sen[ti]mento de quem acredita na realização ou obte[n]ção do que se deseja **SIN.** confiança ♦ **andar [de] esperanças** estar grávida; **esperança de vi[da]** número médio de anos que é esperado viver a partir do momento do nascimento, numa da[da] geração

esperançado (es.pe.ran.ça.do) [(i)ʃpərɐ̃'sadu] *a[dj.]* ⇒ **esperançoso**

esperançoso (es.pe.ran.ço.so) [(i)ʃpərɐ̃'sozu] *a[dj.]* **1** que tem esperança **SIN.** confiante **2** que dá e[s]perança **SIN.** prometedor

esperanto (es.pe.ran.to) [(i)ʃpə'rɐ̃tu] *n.m.* idio[ma] artificial inventado para facilitar a comunicaç[ão] entre pessoas de línguas maternas diferentes ([...] nal do século XIX)

esperar (es.pe.rar) [(i)ʃpə'rar] *v.* **1** ⟨**+por**⟩ estar [à] espera de (alguém, algo): *Espera por mim! Espe[ra] aí!* **SIN.** aguardar **2** ter esperança: *Espero que n[ão] te importes.* **SIN.** confiar **3** achar (algo) como pr[o]vável: *Já esperava que dissesses isso.* **SIN.** imag[i]nar; supor **4** desejar; ambicionar: *Esperamos* [...]

dos um milagre. **5** estar reservado: *Esperam-nos tempos difíceis.*

esperma (es.per.ma) [(i)ʃ'pɛrmɐ] *n.m.* líquido segregado pelos órgãos genitais masculinos, que contém os espermatozoides **SIN.** sémen

espermatozoide (es.per.ma.to.zoi.de)AO [(i)ʃpərmɐtu'zɔjd(ə)] *n.m.* célula reprodutora masculina, de pequenas dimensões, que se liga ao óvulo para formar um novo ser

espermatozóide (es.per.ma.to.zói.de) [(i)ʃpərmɐtu'zɔjd(ə)] *a nova grafia é* **espermatozoide**AO

espernear (es.per.ne:ar) [(i)ʃpər'njar] *v.* **1** agitar violentamente as pernas **2** *fig.* protestar contra

espertalhão (es.per.ta.lhão) [(i)ʃpərtɐ'ʎɐ̃w̃] *n.m.* indivíduo astuto que procura enganar alguém **SIN.** finório

esperteza (es.per.te.za) [(i)ʃpər'tezɐ] *n.f.* **1** qualidade de quem é esperto; perspicácia **2** ato desonesto para enganar alguém; astúcia

esperto (es.per.to) [(i)ʃ'pɛrtu] *adj.* **1** acordado; atento **2** inteligente; perspicaz

espesso (es.pes.so) [(i)ʃ'pesu] *adj.* **1** grosso **2** volumoso

espessura (es.pes.su.ra) [(i)ʃpə'surɐ] *n.f.* **1** grossura **2** volume

espetacular (es.pe.ta.cu.lar)AO [(i)ʃpɛtɐku'lar] *adj.2g.* **1** grandioso **2** excelente

espetáculo (es.pe.tá.cu.lo)AO [(i)ʃpɛ'takulu] *n.m.* **1** apresentação pública de uma peça teatral, um concerto, um filme, etc. **2** pessoa ou coisa excecional ◆ **dar espetáculo** provocar um escândalo

espetada (es.pe.ta.da) [(i)ʃpə'tadɐ] *n.f.* pedaços de carne, de peixe e/ou de legumes que se enfiam e assam num pequeno espeto

espetado (es.pe.ta.do) [(i)ʃpə'tadu] *adj.* **1** enfiado em espeto **2** atravessado por objeto pontiagudo **3** diz-se do cabelo virado para cima

espetanço (es.pe.tan.ço) [(i)ʃpə'tɐ̃su] *n.m.* **1** *coloq.* prejuízo ou mau êxito num negócio; fracasso **2** *coloq.* má figura

espetar (es.pe.tar) [(i)ʃpə'tar] *v.* **1** enfiar a ponta aguçada de um objeto em **2** enfiar num espeto

espeto (es.pe.to) [(i)ʃ'petu] *n.m.* **1** haste de ferro ou de madeira aguçada numa das pontas, na qual se enfiam alimentos para assar **2** *fig.* pessoa alta e muito magra

espetro (es.pe.tro)AO [(i)ʃ'pɛtru] ou **espectro**AO *n.m.* fantasma ◆ **espetro solar** série de faixas coloridas que corresponde à decomposição da luz branca através de um prisma

espevitado (es.pe.vi.ta.do) [(i)ʃpəvi'tadu] *adj.* **1** estimulado **2** atrevido

espevitar (es.pe.vi.tar) [(i)ʃpəvi'tar] *v.* **1** atiçar (chama) **2** estimular (pessoas, sentimentos, etc.) ■ **espevitar-se** ser atrevido

espezinhar (es.pe.zi.nhar) [(i)ʃpəzi'ɲar] *v.* **1** calcar violentamente com os pés **2** *fig.* oprimir **3** *fig.* humilhar; vexar

espia (es.pi.a) [(i)ʃ'piɐ] *n.f.* **1** mulher que vigia alguém ou algo em segredo para obter informações **2** cabo grosso para amarrar uma embarcação ao cais, a uma boia, etc.

espiadela (es.pi:a.de.la) [(i)ʃpjɐ'dɛlɐ] *n.f.* ato de observar algo rapidamente e às escondidas

espião (es.pi.ão) [(i)ʃ'pjɐ̃w̃] *n.m.* indivíduo contratado por alguém para vigiar uma pessoa ou algo em segredo e obter informações confidenciais

espiar (es.pi:ar) [(i)ʃ'pjar] *v.* **1** observar em segredo, geralmente para obter informações; espionar **2** observar às escondidas

espicaçado (es.pi.ca.ça.do) [(i)ʃpikɐ'sadu] *adj.* **1** furado **2** *fig.* estimulado

espicaçar (es.pi.ca.çar) [(i)ʃpikɐ'sar] *v.* **1** furar com o bico **2** *fig.* estimular

espiga (es.pi.ga) [(i)ʃ'pigɐ] *n.f.* haste de certos cereais (trigo, milho, etc.) que contém os grãos

espigado (es.pi.ga.do) [(i)ʃpi'gadu] *adj.* **1** que formou espiga (cereal) **2** diz-se do cabelo com ponta dividida em dois

espigadote (es.pi.ga.do.te) [(i)ʃpigɐ'dɔt(ə)] *adj.* *coloq.* crescido

espigão (es.pi.gão) [(i)ʃpi'gɐ̃w̃] *n.m.* **1** espiga grande **2** porção de pele que surge anormalmente junto das unhas

espigar (es.pi.gar) [(i)ʃpi'gar] *v.* **1** germinar **2** crescer

espigueiro (es.pi.guei.ro) [(i)ʃpi'gɐjru] *n.m.* lugar onde se guardam as espigas

espinafre (es.pi.na.fre) [(i)ʃpi'nafr(ə)] *n.m.* planta herbácea, com folhas grossas verde escuras, muito usada em sopas e saladas

espinal (es.pi.nal) [(i)ʃpi'naɫ] *adj.2g.* relativo à espinha dorsal

espingarda (es.pin.gar.da) [(i)ʃpĩ'gardɐ] *n.f.* arma de fogo de cano comprido

espinha (es.pi.nha) [(i)ʃ'piɲɐ] *n.f.* **1** conjunto das vértebras que se sobrepõem umas às outras na parte dorsal do tronco, formando uma coluna que vai do crânio ao cóccix; coluna vertebral **2** osso alongado, fino e pontiagudo do esqueleto dos peixes **3** pequeno inchaço que aparece à superfície da pele: *Tenho uma espinha na testa.* **SIN.** borbulha

espinho (es.pi.nho) [(i)ʃ'piɲu] *n.m.* **1** prolongamento agudo e rígido de algumas plantas **SIN.** pico **2** pelo rígido de alguns animais **3** *fig.* dificuldade

espinhoso (es.pi.nho.so) [(i)ʃpi'ɲozu] *adj.* **1** que tem muitos espinhos **2** *fig.* difícil; delicado

espionagem (es.pi:o.na.gem) [(i)ʃpju'naʒɐ̃j] *n.f.* **1** atividade de quem é contratado para observar secretamente algo ou alguém **2** serviço organizado de um país ou de uma entidade para obter informações confidenciais sobre algo ou alguém

espionar (es.pi:o.nar) [(i)ʃpju'nar] *v.* **1** investigar em segredo como espião **SIN.** espiar **2** espreitar

espiral (es.pi.ral) [(i)ʃpi'raɫ] *n.f.* linha curva em forma de caracol, que se desenrola a partir de um ponto, afastando-se gradualmente dele

espírita (es.pí.ri.ta) [(i)ʃ'piritɐ] *adj.2g.* relativo ao espiritismo ■ *n.2g.* pessoa que cultiva o espiritismo

espiritismo (es.pi.ri.tis.mo) [(i)ʃpiri'tiʒmu] *n.m.* **1** doutrina baseada na crença na possibilidade de as almas dos mortos comunicarem com os vivos por intermédio dos médiuns **2** conjunto de práticas e fenómenos que se associam a essa doutrina

espírito (es.pí.ri.to) [(i)ʃ'piritu] *n.m.* **1** coisa não material; alma **2** ideia central; significado (de uma obra, de um texto, etc.) ◆ **em espírito** em pensamento; mentalmente; **Espírito Santo** no Cristianismo, terceira pessoa da Santíssima Trindade

espiritual (es.pi.ri.tu:al) [(i)ʃpiri'twaɫ] *adj.2g.* **1** não material **2** religioso ■ *n.m.* cântico religioso de origem africana

espiritualidade (es.pi.ri.tu:a.li.da.de) [(i)ʃpiritwɐli'dad(ə)] *n.f.* **1** qualidade do que é espiritual **2** religiosidade

espirituoso (es.pi.ri.tu:o.so) [(i)piri'twozu] *adj.* **1** (pessoa) que revela graça **2** (bebida) que contém álcool

espirrar (es.pir.rar) [(i)ʃpi'ʀar] *v.* dar espirros

espirro (es.pir.ro) [(i)ʃ'piʀu] *n.m.* expulsão ruidosa e súbita do ar pelo nariz

esplanada (es.pla.na.da) [(i)ʃplɐ'nadɐ] *n.f.* espaço privativo de um restaurante ou café, ao ar livre, com mesas e cadeiras

esplêndido (es.plên.di.do) [(i)ʃ'plẽdidu] *adj.* magnífico; maravilhoso

esplendor (es.plen.dor) [(i)ʃplẽ'dor] *n.m.* **1** brilho intenso **2** *fig.* luxo

esplendoroso (es.plen.do.ro.so) [(i)ʃplẽdu'rozu] *adj.* **1** cheio de esplendor ou de brilho **2** magnífico

espoliação (es.po.li:a.ção) [(i)ʃpuljɐ'sɐ̃w̃] *n.f.* ato de privar alguém da posse de algo por meio de fraude ou de violência

espoliar (es.po.li:ar) [(i)ʃpu'ljar] *v.* tirar a alguém, por violência ou fraude, a propriedade de algo

espólio (es.pó.li:o) [(i)ʃ'pɔlju] *n.m.* **1** coisas tomadas ao inimigo numa guerra **2** produto de uma espoliação ou de um roubo **3** bens que ficara por morte de alguém

esponja (es.pon.ja) [(i)ʃ'põʒɐ] *n.f.* **1** animal ma nho de forma irregular, cujo esqueleto fornece matéria chamada esponja **2** substância leve porosa que absorve líquidos ◆ *coloq.* **passar um esponja sobre/por** esquecer; desculpar

esponjoso (es.pon.jo.so) [(i)ʃpõ'ʒozu] *adj.* **1** m cio **2** absorvente

espontaneamente (es.pon.ta.ne:a.men.t [(i)ʃpõtɐnjɐ'mẽt(ə)] *adv.* **1** de modo natural **2** sul tamente

espontaneidade (es.pon.ta.nei.da.de) [(i)ʃpõ nɐj'dad(ə)] *n.f.* qualidade do que é espontâneo **SI** naturalidade

espontâneo (es.pon.tâ.ne:o) [(i)ʃpõ'tɐnju] *a* **1** natural **2** instintivo

espora (es.po.ra) [(i)ʃ'pɔrɐ] *n.f.* utensílio de me que se adapta ao calçado do cavaleiro e que, cando o animal, faz com que ele ande ou acele o movimento

esporádico (es.po.rá.di.co) [(i)ʃpu'radiku] *a* que acontece poucas vezes **SIN.** raro

esporão (es.po.rão) [(i)ʃpu'rɐ̃w̃] *n.m.* saliênc córnea no tarso de alguns machos galináceos

esporo (es.po.ro) [(i)ʃ'pɔru] *n.m.* célula assexua capaz de se reproduzir, dando origem a u novo organismo

esposa (es.po.sa) [iʃ'pozɐ] *n.f.* mulher casada (e relação ao seu marido)

esposar (es.po.sar) [(i)ʃpu'zar] *v.* casar(-se)

esposo (es.po.so) [(i)ʃ'pozu] *n.m.* homem casa (em relação à sua mulher)

espreguiçadeira (es.pre.gui.ça.dei.ra) [(i)ʃp gisɐ'dɐjrɐ] *n.f.* cadeira articulada e comprida, p pria para uma pessoa se estender ou para sent um bebé que ainda não anda

espreguiçadela (es.pre.gui.ça.de.la) [(i)ʃpr sɐ'dɛlɐ] *n.f.* ato de se espreguiçar

espreguiçar-se (es.pre.gui.çar-.se) [(i)ʃp gi'sars(ə)] *v.* esticar os braços e as pernas, c preguiça

espreita (es.prei.ta) [(i)ʃ'prɐjtɐ] *n.f.* ato de espr tar ou de espiar ◆ **à espreita** à procura de; vigia

espreitadela (es.prei.ta.de.la) [(i)ʃprɐjtɐ'dɛlɐ] ato de espreitar de modo rápido e subtil

espreitar (es.prei.tar) [(i)ʃprɐj'tar] *v.* **1** observ em segredo; espiar **2** estar à espera de (oportu dade)

espremedor (es.pre.me.dor) [(i)ʃprəmə'dor] *n.* aparelho manual ou elétrico utilizado para premer frutos

spremer (es.pre.mer) [(i)ʃprə'mer] *v.* **1** comprimir; apertar **2** *fig.* forçar a confessar, exercendo coação

spuma (es.pu.ma) [(i)ʃ'pumɐ] *n.f.* **1** substância esbranquiçada que se forma à superfície dos líquidos agitados ou em fermentação **2** produto de consistência igual à da espuma

spumadeira (es.pu.ma.dei.ra) [(i)ʃpumɐ'dɐjrɐ] *n.f.* utensílio culinário para tirar a espuma; escumadeira

spumante (es.pu.man.te) [(i)ʃpu'mɐ̃t(ə)] *n.m.* vinho gasoso; champanhe

spumar (es.pu.mar) [(i)ʃpu'mar] *v.* **1** formar espuma **2** *fig.* enfurecer-se

spumoso (es.pu.mo.so) [(i)ʃpu'mozu] *adj.* **1** que tem espuma **2** gasoso (vinho)

sq. *abreviatura de* esquerdo

squadra (es.qua.dra) [(i)ʃ'kwadrɐ] *n.f.* **1** posto policial **2** conjunto de navios de guerra

squadrão (es.qua.drão) [(i)ʃkwɐ'drɐ̃w̃] *n.m.* **1** grupo de navios de guerra menor que a esquadra **2** secção de um regimento de cavalaria

squadria (es.qua.dri.a) [(i)ʃkwɐ'driɐ] *n.f.* **1** corte em ângulo reto **2** *fig.* simetria

squadrilha (es.qua.dri.lha) [(i)ʃkwɐ'driʎɐ] *n.f.* conjunto de aviões

squadro (es.qua.dro) [(i)ʃ'kwadru] *n.m.* instrumento em forma de triângulo retângulo com que se traçam ângulos retos e se tiram perpendiculares

squálido (es.quá.li.do) [(i)ʃ'kwalidu] *adj.* muito pálido

squartejar (es.quar.te.jar) [(i)ʃkwɐrtə'ʒɐr] *v.* partir em quartos ou bocados **SIN.** retalhar

squecer (es.que.cer) [(i)ʃkɛ'ser] *v.* **1** não se lembrar de: *O João esqueceu o que aconteceu ontem.* **ANT.** lembrar, recordar **2** não pensar em: *Ele bebe para esquecer a ex-namorada.* **3** não fazer caso de: *Esquece a dieta!* **4** deixar: *Esqueci a carteira em casa.* ▪ **esquecer-se 1** ⟨**+de**⟩ não se lembrar: *Esqueci-me dos anos dela.* **2** ⟨**+de**⟩ deixar: *Esqueci-me da carteira em casa.*

squecido (es.que.ci.do) [(i)ʃkɛ'sidu] *adj.* **1** que se esqueceu **2** diz-se da pessoa que tem má memória

squecimento (es.que.ci.men.to) [(i)ʃkɛsi'mẽtu] *n.m.* **1** falha de memória **2** abandono ♦ **cair no esquecimento** ser esquecido

squelético (es.que.lé.ti.co) [(i)ʃkə'lɛtiku] *adj.* **1** relativo ao esqueleto **2** *fig.* muito magro

squeleto (es.que.le.to) [(i)ʃkə'letu] *n.m.* **1** estrutura formada por ossos, cartilagens e ligamentos que protege os órgãos internos dos seres humanos e dos animais vertebrados; ossatura **2** estrutura; armação **3** *fig.* plano (de um projeto ou trabalho); esboço

esquema (es.que.ma) [(i)ʃ'kemɐ] *n.m.* **1** desenho em que se representa de forma simples uma coisa ou uma ideia **SIN.** esboço **2** *fig.* artimanha; estratagema

esquemático (es.que.má.ti.co) [(i)ʃkə'matiku] *adj.* **1** em forma de esquema **2** resumido

esquematismo (es.que.ma.tis.mo) [(i)ʃkəmɐ'tiʒmu] *n.m.* **1** carácter do que é esquemático **2** *pej.* simplificação da realidade

esquematizar (es.que.ma.ti.zar) [(i)ʃkəmɐti'zar] *v.* **1** representar em forma de esquema **2** fazer um esboço de

esquentador (es.quen.ta.dor) [(i)ʃkẽtɐ'dor] *n.m.* aquecedor

esquentar(-se) (es.quen.tar(-se)) [(i)ʃkẽ'tar(sə)] *v.* **1** tornar ou ficar quente **SIN.** aquecer **2** *fig.* irritar(-se)

esquerda (es.quer.da) [(i)ʃ'kerdɐ] *n.f.* **1** lado esquerdo **ANT.** direita **2** mão esquerda

esquerdino (es.quer.di.no) [(i)ʃkər'dinu] *adj.* que habitualmente usa a mão esquerda **SIN.** canhoto

esquerdista (es.quer.dis.ta) [(i)ʃkər'diʃtɐ] *adj.2g.* **1** relativo à esquerda **2** que faz parte de um grupo político de esquerda ▪ *n.2g.* membro ou simpatizante de um grupo político de esquerda

esquerdo (es.quer.do) [(i)ʃ'kerdu] *adj.* **1** situado no lado do coração **2** que usa preferencialmente a mão esquerda; canhoto

esqui (es.qui) [(i)ʃ'ki] *n.m.* **1** prancha com a borda da frente revirada, usada para deslizar sobre a neve ou sobre a água **2** desporto praticado na neve com essas pranchas ♦ **esqui aquático** desporto em que a pessoa é puxada por um barco e desliza na água sobre um ou dois esquis

esquiador (es.qui:a.dor) [(i)ʃkjɐ'dor] *n.m.* pessoa que faz esqui

esquiar (es.qui:ar) [(i)ʃ'kjar] *v.* deslizar com esquis sobre a neve ou sobre a água

esquilo (es.qui.lo) [(i)ʃ'kilu] *n.m.* 👁 pequeno mamífero roedor com uma cauda muito comprida, que vive nas árvores e se alimenta de frutos secos e sementes

esquimó (es.qui.mó) [(i)ʃki'mɔ] *n.2g.* pessoa que nasceu ou habita na Gronelândia, Norte do Canadá ou Alasca

esquina (es.qui.na) [(i)ʃ'kinɐ] *n.f.* **1** ângulo formado pelo encontro de duas ruas **2** canto exterior formado por dois planos que se cortam ◆ **ao virar da esquina** em local muito próximo

esquisitice (es.qui.si.ti.ce) [(i)ʃkəzi'ti(sə)] *n.f.* atitude ou comportamento estranho ou invulgar

esquisito (es.qui.si.to) [(i)ʃkə'zitu] *adj.* **1** estranho; invulgar **2** inexplicável

esquisso (es.quis.so) [(i)ʃ'kisu] *n.m.* esboço de um desenho **SIN.** croqui

esquivar-se (es.qui.var-.se) [(i)ʃki'vars(ə)] *v.* **1** fugir de algo desagradável; evitar **2** ⟨**+a**, **+de**⟩ livrar-se de; safar-se

esquivo (es.qui.vo) [(i)ʃ'kivu] *adj.* que evita o contacto e a convivência com pessoas; arisco

esquizofrenia (es.qui.zo.fre.ni.a) [(i)ʃkizɔfrə'niɐ] *n.f.* doença mental caracterizada pela dissociação entre o pensamento do doente e a realidade física do seu corpo ou do ambiente em que ele se encontra

esquizofrénico (es.qui.zo.fré.ni.co) [(i)ʃkizɔ'frɛniku] *adj.* relativo a esquizofrenia ■ *adj.,n.m.* que ou pessoa que sofre de esquizofrenia

esse (es.se) ['ɛ(sə)] *det.,prn.dem.* designa pessoa ou coisa que está próxima da pessoa com quem se fala: *Esse rapaz anda na minha escola.; Esses livros são meus.*

essência (es.sên.ci:a) [i'sẽsjɐ] *n.f.* **1** conjunto das qualidades que definem um ser ou uma coisa **2** princípio fundamental; ideia mais importante

essencial (es.sen.ci:al) [isẽ'sjał] *adj.2g.* **1** que constitui a essência; fundamental **2** indispensável; necessário

esta (es.ta) ['ɛʃtɐ] *det.,prn.dem.* designação de pessoa ou coisa próxima da pessoa que fala: *Esta semana vou ao cinema.; Estas raparigas são muito simpáticas.*

estabelecer (es.ta.be.le.cer) [(i)ʃtɐbələ'ser] *v.* **1** determinar; ordenar: *o limite estabelecido por lei* **2** fundar; instituir: *estabelecer um negócio/um prémio* **3** apurar: *estabelecer a origem de uma doença* ■ **estabelecer-se 1** montar um estabelecimento comercial: *estabelecer-se por conta própria* **2** ⟨**+em**⟩ fixar residência: *Estabeleceu-se no centro da cidade.*

estabelecimento (es.ta.be.le.ci.men.to) [(i)ʃtɐbələsi'mẽtu] *n.m.* **1** criação; fundação **2** loja

estabilidade (es.ta.bi.li.da.de) [(i)ʃtɐbili'dad(ə)] *n.f.* **1** qualidade de estável; firmeza **2** segurança

estabilizar(-se) (es.ta.bi.li.zar(-se)) [(i)ʃtɐbili'zar(sə)] *v.* dar ou obter estabilidade

estábulo (es.tá.bu.lo) [(i)ʃ'tabulu] *n.m.* **1** lug onde se abriga o gado **SIN.** curral **2** instalaçã para recolha e tratamento de cavalos

estaca (es.ta.ca) [(i)ʃ'takɐ] *n.f.* pau aguçado que crava na terra para segurar ou prender a si a guma coisa ◆ **voltar à estaca zero** regressar ponto de partida; recomeçar de novo

estacado (es.ta.ca.do) [(i)ʃtɐ'kadu] *adj.* **1** prot gido com estacas **2** imóvel; parado

estação (es.ta.ção) [(i)ʃtɐ'sɐ̃w̃] *n.f.* **1** local de par gem de veículos para entrada e saída de pass geiros **2** repartição de serviços públicos (co reios, etc.) **3** cada uma das quatro divisões ano ◆ **estação de serviço** área situada junto estrada com bomba de abastecimento de cor bustível, lavabos e loja, cafetaria ou restaurant **estação espacial** satélite utilizado para pesqu sas e experiências científicas no espaço

estacar (es.ta.car) [(i)ʃtɐ'kar] *v.* **1** segurar com e tacas **2** parar de repente

estacionamento (es.ta.ci:o.na.men.to) [(i)ʃ junɐ'mẽtu] *n.m.* **1** ato de estacionar **2** parque pa veículos

estacionar (es.ta.ci:o.nar) [(i)ʃtɐsju'nar] *v.* **1** e costar (um veículo) **2** parar; deter-se **3** não pr gredir; estagnar

estacionário (es.ta.ci:o.ná.ri:o) [(i)ʃtɐsju'nar *adj.* **1** imóvel; parado **2** que não evolui; esta nado

estadia (es.ta.di.a) [(i)ʃtɐ'diɐ] *n.f.* permanência e algum lugar; estada

estádio (es.tá.di:o) [(i)ʃ'tadju] *n.m.* **1** campo pa competições desportivas, com bancadas em an teatro para o público **2** fase de um processo; p ríodo

estadista (es.ta.dis.ta) [(i)ʃtɐ'diʃtɐ] *n.2g.* pess versada em negócios políticos de um Estado

estado (es.ta.do) [(i)ʃ'tadu] *n.m.* situação; cond ção ■ **Estado 1** nação organizada politicamen **2** conjunto das organizações que administra um país ◆ **estado civil** situação de uma pess em relação à família ou à sociedade (solteira, c sada, divorciada, etc.); **estado de choqu** perda de controlo emocional causada por un situação violenta ou inesperada (um acident por exemplo)

estado-maior (es.ta.do-.mai.or) [(i)ʃtadumɐj *n.m.* ⟨*pl.* estados-maiores⟩ corpo de oficiais auxili res diretos do comandante nos estudos da situ ção, planeamentos e tomadas de decisão

estado-membro (es.ta.do-.mem.bro) [(i)ʃ du'mẽbru] *n.m.* ⟨*pl.* estados-membros⟩ país que pe tence a uma comunidade internacional de país

estafa (es.ta.fa) [(i)ʃ'tafɐ] *n.f.* **1** *coloq.* cansaço e tremo **2** *coloq.* trabalho difícil

estafado (es.ta.fa.do) [(i)ʃtɐˈfadu] *adj.* muito cansado **SIN.** exausto; fatigado

estafar (es.ta.far) [(i)ʃtɐˈfar] *v.* cansar; fatigar ■ **estafar-se** cansar-se; fatigar-se

estafermo (es.ta.fer.mo) [(i)ʃtɐˈfermu] *n.m.* **1** *pej.* pessoa inútil **2** *pej.* empecilho; estorvo

estafeta (es.ta.fe.ta) [(i)ʃtɐˈfetɐ] *n.f.* prova de corrida dividida em etapas, em que os elementos da mesma equipa se vão substituindo durante o percurso ■ *n.2g.* mensageiro

estagiar (es.ta.gi:ar) [(i)ʃtɐˈʒjar] *v.* fazer um estágio

estagiário (es.ta.gi:á.ri:o) [(i)ʃtɐˈʒjarju] *adj.* relativo a estágio ■ *n.m.* pessoa que faz um estágio

estágio (es.tá.gi:o) [(i)ʃˈtaʒju] *n.m.* **1** período de trabalho por tempo determinado para formação e aprendizagem de uma prática profissional **2** momento específico de um processo contínuo **SIN.** fase

estagnação (es.tag.na.ção) [(i)ʃtɐgnɐˈsɐ̃w̃] *n.f.* **1** estado do líquido que se encontra parado **2** falta de progresso ou de movimento

estagnado (es.tag.na.do) [(i)ʃtɐˈgnadu] *adj.* diz-se do líquido que não corre **SIN.** parado

estagnar (es.tag.nar) [(i)ʃtɐˈgnar] *v.* **1** impedir que corra; estancar **2** parar o progresso de; paralisar **3** não evoluir

estalactite (es.ta.lac.ti.te) [(i)ʃtɐlɐˈktit(ə)] *n.f.* formação sedimentar, de forma alongada, pendente da abóbada das grutas calcárias

estalada (es.ta.la.da) [(i)ʃtɐˈladɐ] *n.f.* bofetada

estaladiço (es.ta.la.di.ço) [(i)ʃtɐlɐˈdisu] *adj.* que produz um ruído seco ao ser trincado **SIN.** crocante

estalagem (es.ta.la.gem) [(i)ʃtɐˈlaʒɐ̃j̃] *n.f.* casa que recebe hóspedes **SIN.** pousada

estalagmite (es.ta.lag.mi.te) [(i)ʃtɐlɐˈgmit(ə)] *n.f.* formação sedimentar que cresce no chão nas grutas calcárias

estalar (es.ta.lar) [(i)ʃtɐˈlar] *v.* **1** produzir som breve e seco **2** partir; rachar **3** *fig.* surgir de repente

estaleiro (es.ta.lei.ro) [(i)ʃtɐˈlɐjru] *n.m.* lugar onde se constroem e reparam navios

estalido (es.ta.li.do) [(i)ʃtɐˈlidu] *n.m.* ruído breve e seco

estalinhos (es.ta.li.nhos) [(i)ʃtɐˈliɲuʃ] *n.m.pl.* pequenos rolos de papel que explodem quando atirados ao chão, usados no Carnaval

estalo (es.ta.lo) [(i)ʃˈtalu] *n.m.* **1** ruído seco do que se racha ou parte **2** bofetada

estame (es.ta.me) [(i)ʃˈtɐm(ə)] *n.m.* órgão masculino das flores

estampa (es.tam.pa) [(i)ʃˈtɐ̃pɐ] *n.f.* **1** imagem impressa por meio de chapa gravada **2** *fig.* pessoa muito bonita

estampado (es.tam.pa.do) [(i)ʃtɐ̃ˈpadu] *adj.* **1** impresso **2** que é evidente; visível **3** diz-se do tecido com motivos ou padrões

estampagem (es.tam.pa.gem) [(i)ʃtɐ̃ˈpaʒɐ̃j̃] *n.f.* processo de reprodução de letras, imagens ou padrões em tecido, papel ou outros materiais, por meio de chapas ou rolos gravados

estampar (es.tam.par) [(i)ʃtɐ̃ˈpar] *v.* imprimir; gravar ■ **estampar-se 1** *coloq.* chocar com **2** *coloq.* cair

estancar (es.tan.car) [(i)ʃtɐ̃ˈkar] *v.* **1** impedir que um líquido corra **2** deter-se; parar

estância (es.tân.ci:a) [(i)ʃˈtɐ̃sjɐ] *n.f.* **1** lugar onde se fica durante algum tempo em férias, tratamento, etc.: *Passei umas boas férias numa estância balnear.* **2** grupo de versos; estrofe

estandardização (es.tan.dar.di.za.ção) [(i)ʃtɐ̃dɐrdizɐˈsɐ̃w̃] *n.f.* redução de elementos do mesmo género a um só tipo, segundo um modelo ou padrão; uniformização

estandardizar (es.tan.dar.di.zar) [(i)ʃtɐ̃dɐrdiˈzar] *v.* fazer segundo um modelo ou padrão **SIN.** uniformizar

estandarte (es.tan.dar.te) [(i)ʃtɐ̃ˈdart(ə)] *n.m.* distintivo de uma corporação religiosa, militar ou civil; bandeira

estanho (es.ta.nho) [(i)ʃˈtɐɲu] *n.m.* elemento químico metálico, usado para soldar

estanque (es.tan.que) [(i)ʃˈtɐ̃k(ə)] *adj.2g.* **1** que não deixa passar água; vedado **2** estagnado; parado

estante (es.tan.te) [(i)ʃˈtɐ̃t(ə)] *n.f.* móvel com prateleiras para livros, papéis, etc.

estapafúrdio (es.ta.pa.fúr.di:o) [(i)ʃtɐpɐˈfurdju] *adj.* **1** *coloq.* excêntrico **2** *coloq.* disparatado

estar (es.tar) [(i)ʃˈtar] *v.* **1** encontrar-se num dado local ou numa determinada situação: *O João está em casa. A Maria está feliz. Estávamos com sono.* **2** ⟨**+a**⟩ custar: *Os livros estão a dez euros.* **3** ficar; assentar: *As calças estão bem ao João.* **4** ⟨**+com**⟩ ter: *Estou com fome. Ela está com dores de cabeça.* **5** ⟨**+com**⟩ encontrar-se na posse de: *O dicionário está com a Maria.* **6** ⟨**+com**⟩ usar: *O João está com uma camisa e uns sapatos azuis.* **7** ⟨**+em**⟩ encontrar-se; residir: *A diferença está na qualidade.* **8** ⟨**+para**⟩ [geralmente usa-se na negativa] ter vontade ou disposição: *Não estou para esperar.* **9** ⟨**+para**⟩ ter intenção: *Estava para te dizer isto há muito tempo.* **10** indica o estado do tempo: *Está frio/calor.* **11** ⟨**+a** [+ nome ou inf.]⟩ indica que uma ação se prolonga no tempo: *Ele está à procura de casa. Ela está a estudar para os exames.* ◆

coloq. **está? está lá? estou?** diz-se quando se atende o telefone; **está bem** usa-se para manifestar concordância **SIN.** OK; **estar mortinho/morto por** estar ansioso por; **estar nas suas sete quintas** estar bem ou satisfeito; **estar-se nas tintas para** não querer saber de

O verbo **estar** usa-se para expressar uma característica transitória de algo: *eu estou contente* («estar contente» é uma propriedade que pode mudar na pessoa que fala). O verbo **ser** usa-se para exprimir uma característica permanente de algo: *eu sou português.* («ser português» é uma propriedade que não muda na pessoa que fala).

estardalhaço (es.tar.da.lha.ço) [(i)ʃtɐrdɐ'ʎasu] *n.m.* **1** *coloq.* grande barulho **2** *coloq.* alvoroço

estarrecer (es.tar.re.cer) [(i)ʃtɐʀə'ser] *v.* causar ou sentir pavor **SIN.** aterrorizar(-se)

estatal (es.ta.tal) [(i)ʃtɐ'tał] *adj.2g.* pertencente ou relativo ao Estado

estatelar (es.ta.te.lar) [(i)ʃtɐtə'lar] *v.* deitar ao chão ■ **estatelar-se** ficar estendido no chão

estático (es.tá.ti.co) [(i)ʃ'tatiku] *adj.* imóvel; parado

estatismo (es.ta.tis.mo) [(i)ʃtɐ'tiʒmu] *n.m.* qualidade ou estado do que é estático; imobilidade; inércia

estatística (es.ta.tís.ti.ca) [(i)ʃtɐ'tiʃtikɐ] *n.f.* ciência que se ocupa de obter, organizar, analisar e interpretar dados numéricos

estatístico (es.ta.tís.ti.co) [(i)ʃtɐ'tiʃtiku] *adj.* relativo a estatística

estátua (es.tá.tu:a) [(i)ʃ'tatwɐ] *n.f.* **1** obra de escultura que representa uma pessoa, um animal ou uma figura alegórica **2** *fig.* pessoa imóvel

estatueta (es.ta.tu:e.ta) [(i)ʃtɐ'twetɐ] *n.f.* estátua pequena

estatura (es.ta.tu.ra) [(i)ʃtɐ'turɐ] *n.f.* altura de uma pessoa

estatuto (es.ta.tu.to) [(i)ʃtɐ'tutu] *n.m.* regulamento

estável (es.tá.vel) [(i)ʃ'tavɛł] *adj.2g.* firme; sólido

este (es.te)[1] ['ɛʃt(ə)] *n.m.* ponto cardeal e direção onde nasce o Sol (símbolo: E) **SIN.** nascente; leste

este (es.te)[2] ['eʃt(ə)] *det.,prn.dem.* designa a pessoa ou coisa que está próxima da pessoa que fala: *Este aluno é muito estudioso.; Estes problemas são difíceis de resolver.*

esteira (es.tei.ra) [(i)ʃ'tɐjrɐ] *n.f.* tecido utilizado como um tapete, feito de junco ou de palha

estendal (es.ten.dal) [(i)ʃtẽ'dał] *n.m.* **1** lugar onde se estende a roupa lavada para secar **2** grande quantidade de objetos espalhados

estender (es.ten.der) [iʃtẽ'der] *v.* **1** desdobrar **2** espalhar **3** prolongar ■ **estender-se 1** deitar-se **2** cair

estendido (es.ten.di.do) [iʃtẽ'didu] *adj.* **1** desdobrado **2** estendido **3** prolongado **4** deitado

esterco (es.ter.co) [(i)ʃ'terku] *n.m.* **1** excremento de animal **2** adubo **3** sujeira

estéreo (es.té.re:o) [(i)ʃ'tɛrju] *adj. coloq.* ⇒ **estereofónico**

estereofonia (es.te.re:o.fo.ni.a) [(i)ʃtɛrjɔfu'niɐ] *n.f.* técnica de gravação, transmissão e reprodução de sons por meio de dois canais diferentes, que torna possível a reconstituição do relevo sonoro

estereofónico (es.te.re:o.fó.ni.co) [(i)ʃtɛrjɔ'fɔniku] *adj.* **1** relativo a estereofonia **2** (sistema) que funciona pelo princípio de estereofonia

estereótipo (es.te.re:ó.ti.po) [(i)ʃtɛ'rjɔtipu] *n.m.* **1** padrão de julgamento baseado em ideias preconcebidas **SIN.** preconceito **2** aquilo que se adapta a um padrão **3** aquilo que não tem originalidade **SIN.** lugar-comum

estéril (es.té.ril) [(i)ʃ'tɛrił] *adj.2g.* **1** que não produz; improdutivo **2** que não pode ter filhos; infértil **3** *fig.* inútil

esterilidade (es.te.ri.li.da.de) [(i)ʃtərili'dad(ə)] *n.f.* **1** condição de estéril **2** *fig.* falta de criatividade

esterilização (es.te.ri.li.za.ção) [(i)ʃtərilizɐ'sɐ̃w̃] *n.f.* operação que torna uma pessoa ou animal incapaz de ter filhos

esterilizado (es.te.ri.li.za.do) [(i)ʃtərili'zadu] *adj.* que se tornou infértil

esterilizar (es.te.ri.li.zar) [(i)ʃtərili'zar] *v.* **1** tornar estéril ou improdutivo **2** destruir os germes de

esterno (es.ter.no) [(i)ʃ'tɛrnu] *n.m.* osso da parte da frente do tórax, ao qual se ligam as costelas

Não confundir **esterno** (osso do tórax) com **externo** (exterior).

estética (es.té.ti.ca) [(i)ʃ'tɛtikɐ] *n.f.* harmonia de formas e de cores; beleza

esteticista (es.te.ti.cis.ta) [(i)ʃtɛti'siʃtɐ] *n.2g.* pessoa que faz tratamentos de beleza

estético (es.té.ti.co) [(i)ʃ'tɛtiku] *adj.* **1** relativo a estética **2** belo

estetoscópio (es.te.tos.có.pi:o) [(i)ʃtɛtɔʃ'kɔpju] *n.m.* instrumento próprio para ouvir sons do coração, dos pulmões, etc.

estibordo (es.ti.bor.do) [(i)ʃti'bɔrdu] *n.m.* lado direito do navio para quem olha da parte de trás (popa) para a parte da frente (proa)

esticão (es.ti.cão) [(i)ʃti'kɐ̃w̃] *n.m.* puxão forte

esticar (es.ti.car) [(i)ʃti'kar] *v.* **1** puxar com força para estender **ANT.** encolher **2** prolongar (um assunto, uma conversa)

estigma (es.tig.ma) [(i)ʃ'tigmɐ] *n.m.* **1** marca deixada por ferida; cicatriz **2** sinal natural no corpo **3** *fig.* coisa considerada indigna; desonra

estigmatismo (es.tig.ma.tis.mo) [(i)ʃtigmɐ'tiʒmu] *n.m.* propriedade de certos sistemas óticos de fazer convergir os raios luminosos com origem num mesmo ponto, para um único ponto focal

estigmatizar (es.tig.ma.ti.zar) [(i)ʃtigmɐti'zar] *v.* fazer cair em descrédito

estilete (es.ti.le.te) [(i)ʃti'let(ə)] *n.m.* **1** instrumento com lâmina fina e pontiaguda **2** instrumento cirúrgico para sondar feridas

estilhaçar(-se) (es.ti.lha.çar(-se)) [(i)ʃtiʎɐ'sar(sə)] *v.* partir(-se) em pedaços **SIN.** fragmentar(-se)

estilhaço (es.ti.lha.ço) [(i)ʃti'ʎasu] *n.m.* pedaço ou lasca (de vidro, madeira, etc.); fragmento

estilingue (es.ti.lin.gue) [eʃti'lĩg(ə)] *n.m.* [ANG., BRAS.] fisga para matar pássaros

estilismo (es.ti.lis.mo) [(i)ʃti'liʒmu] *n.m.* desenho e confeção de vestuário de moda

estilista (es.ti.lis.ta) [(i)ʃti'liʃtɐ] *n.2g.* pessoa que desenha peças de vestuário; criador(a) de moda

estilística (es.ti.lís.ti.ca) [(i)ʃti'liʃtikɐ] *n.f.* disciplina que estuda a função expressiva da língua nos seus processos e efeitos de estilo

estilístico (es.ti.lís.ti.co) [(i)ʃti'liʃtiku] *adj.* relativo a estilo

estilizar (es.ti.li.zar) [(i)ʃtili'zar] *v.* **1** alterar o estilo ou a forma estética de **2** aperfeiçoar

estilo (es.ti.lo) [(i)ʃ'tilu] *n.m.* **1** maneira de dizer, escrever, compor, pintar, etc. **2** conjunto de aspetos que caracterizam determinada época: *estilo neoclássico; estilo moderno* **3** tipo; género ♦ **em grande estilo** com pompa/aparato

estiloso (es.ti.lo.so) [(i)ʃti'lozo] *adj.* presunçoso; afetado

estima (es.ti.ma) [(i)ʃ'timɐ] *n.f.* **1** afeto; consideração **2** avaliação; cálculo

estimação (es.ti.ma.ção) [(i)ʃtimɐ'sɐ̃w̃] *n.f.* **1** ato de avaliar uma coisa; cálculo; avaliação **2** sentimento de afeto por alguém ou por algo; estima ♦ **animal de estimação** animal de companhia que vive habitualmente com o dono

estimado (es.ti.ma.do) [(i)ʃti'madu] *adj.* **1** calculado **2** querido

estimar (es.ti.mar) [(i)ʃti'mar] *v.* **1** avaliar; calcular **2** gostar de; apreciar

estimativa (es.ti.ma.ti.va) [(i)ʃtimɐ'tivɐ] *n.f.* avaliação ou cálculo aproximado

estimulação (es.ti.mu.la.ção) [(i)ʃtimulɐ'sɐ̃w̃] *n.f.* ato ou efeito de estimular; incentivo

estimulante (es.ti.mu.lan.te) [(i)ʃtimu'lɐ̃t(ə)] *adj.2g.* que estimula ▪ *n.m.* medicamento que aumenta as capacidades físicas e psíquicas

estimular (es.ti.mu.lar) [(i)ʃtimu'lar] *v.* **1** provocar um reflexo natural: *A ginástica estimula o apetite.* **2** encorajar; incentivar: *O professor estimulava os alunos.* **3** promover; impulsionar: *estimular o crescimento económico*

estímulo (es.tí.mu.lo) [(i)ʃ'timulu] *n.m.* incentivo

estio (es.ti.o)[AO] [(i)ʃ'tiu] *n.m.* verão

estipulação (es.ti.pu.la.ção) [(i)ʃtipulɐ'sɐ̃w̃] *n.f.* **1** estabelecimento de regras a seguir **2** ajuste; contrato **3** cláusulas de um contrato

estipulado (es.ti.pu.la.do) [(i)ʃtipu'ladu] *adj.* decidido; estabelecido

estipular (es.ti.pu.lar) [(i)ʃtipu'lar] *v.* decidir por meio de contrato ou acordo; estabelecer

estirador (es.ti.ra.dor) [(i)ʃtirɐ'dor] *n.m.* mesa em que se assenta e estica o papel para desenhar

estirão (es.ti.rão) [(i)ʃti'rɐ̃w̃] *n.m.* caminhada longa

estirar (es.ti.rar) [(i)ʃti'rar] *v.* **1** alongar; esticar **2** deitar ao comprido

estirpe (es.tir.pe) [(i)ʃ'tirp(ə)] *n.f.* **1** raiz **2** *fig.* ascendência; linhagem

estival (es.ti.val) [(i)ʃti'vaɫ] *adj.2g.* relativo ao verão

estofador (es.to.fa.dor) [(i)ʃtufɐ'dor] *n.m.* **1** aquele que tem como profissão estofar móveis **2** fabricante ou vendedor de móveis estofados

estofar (es.to.far) [(i)ʃtu'far] *v.* cobrir com estofo

Não confundir **estofar** (cobrir com estofo) com **estufar** (guisar).

---

estofo (es.to.fo) [(i)ʃ'tofu] *n.m.* tecido utilizado para forrar sofás, cadeiras, etc.

estoicismo (es.toi.cis.mo) [(i)ʃtoj'siʒmu] *n.m.* doutrina que se caracteriza pela indiferença em relação à dor e pela firmeza de ânimo na procura da serenidade

estoico (es.toi.co)[AO] [(i)ʃ'tɔjku] *adj.* relativo ao estoicismo ▪ *n.m.* adepto do estoicismo

estóico (es.tói.co) [(i)ʃ'tɔjku] *a nova grafia é* **estoico**[AO]

estoirar (es.toi.rar) [(i)ʃtoj'rar] *v.* ⇒ **estourar**

estoiro (es.toi.ro) [(i)ʃ'tojru] *n.m.* ⇒ **estouro**

estojo (es.to.jo) [(i)ʃ'toʒu] *n.m.* caixa com divisões para guardar certos objetos (lápis, canetas, joias, óculos, etc.)

estola (es.to.la) [(i)ʃ'tɔlɐ] *n.f.* **1** tira larga de seda que o sacerdote usa em volta do pescoço **2** acessório feminino, de tecido fino ou de pele animal, usado sobre os ombros

estomacal (es.to.ma.cal) [(i)ʃtumɐ'kaɫ] *adj.2g.* relativo ao estômago

estômago (es.tô.ma.go) [(i)ʃ'tomɐgu] *n.m.* **1** órgão do tubo digestivo que desempenha um papel importante na digestão **2** *fig.* coragem; sangue-frio ♦ **dar a volta ao estômago** incomodar

estomatologia (es.to.ma.to.lo.gi.a) [(i)ʃtumɐtulu'ʒiɐ] *n.f.* especialidade médica que trata das doenças da boca

estomatologista (es.to.ma.to.lo.gis.ta) [(i)ʃtumɐtulu'ʒiʃtɐ] *n.2g.* especialista em estomatologia

estónio (es.tó.ni:o) [(i)ʃ'tɔnju] *adj.* relativo à Estónia (país do nordeste da Europa) ■ *n.m.* pessoa natural da Estónia

estonteante (es.ton.te:an.te) [(i)ʃtõ'tjɐ̃t(ə)] *adj.2g.* que provoca encanto ou deslumbramento **SIN.** deslumbrante

estontear (es.ton.te:ar) [(i)ʃtõ'tjar] *v.* **1** perturbar; atordoar **2** *fig.* deslumbrar

estopa (es.to.pa) [(i)ʃ'topɐ] *n.f.* parte mais grosseira do linho

estopada (es.to.pa.da) [(i)ʃtu'padɐ] *n.f. coloq.* maçada

estore (es.to.re) [(i)ʃ'tɔr(ə)] *n.m.* cortina que se enrola e desenrola por meio de um mecanismo próprio

estória (es.tó.ri:a) [(i)ʃ'tɔrjɐ] *n.f.* narrativa de carácter ficcional ou popular; conto

estorninho (es.tor.ni.nho) [(i)ʃtur'niɲu] *n.m.* 👁 pássaro de plumagem negra e lustrosa com reflexos esverdeados

estorno (es.tor.no) [(i)ʃ'tornu] *n.m.* **1** reembolso; devolução **2** em contabilidade, correção de um lançamento errado

estorricar (es.tor.ri.car) [(i)ʃtuʀi'kar] *v.* secar demasiado; queimar-se

estorvar (es.tor.var) [(i)ʃtur'var] *v.* causar estorvo a; incomodar; atrapalhar

estorvo (es.tor.vo) [(i)ʃ'torvu] *n.m.* aquilo que impede ou dificulta alguma coisa **SIN.** embaraço; empecilho

estourar (es.tou.rar) [(i)ʃto(w)'rar] *v.* **1** fazer rebentar com estrondo **2** rebentar

estouro (es.tou.ro) [(i)ʃ'to(w)ru] *n.m.* ruído provocado por detonação **SIN.** estrondo

estouvado (es.tou.va.do) [(i)ʃto(w)'vadu] *adj.* que faz coisas sem cuidado ou sem pensar **SIN.** imprudente; travesso

estrábico (es.trá.bi.co) [(i)ʃ'trabiku] *adj.* que sofre de estrabismo; vesgo

estrabismo (es.tra.bis.mo) [(i)ʃtrɐ'biʒmu] *n.m.* desvio de um dos olhos

estrada (es.tra.da) [(i)ʃ'tradɐ] *n.f.* caminho largo e geralmente coberto de asfalto, por onde circulam veículos automóveis ♦ [BRAS.] **estrada de ferro** caminho de ferro

estrado (es.tra.do) [(i)ʃ'tradu] *n.m.* **1** estrutura de madeira elevada **2** parte da cama onde assenta o colchão

estragado (es.tra.ga.do) [(i)ʃtrɐ'gadu] *adj.* **1** que está em mau estado; danificado **2** podre; deteriorado

estragar (es.tra.gar) [(i)ʃtrɐ'gar] *v.* causar estrago em; danificar ■ **estragar-se** perder qualidades; deteriorar-se; apodrecer

estrago (es.tra.go) [(i)ʃ'tragu] *n.m.* **1** dano **2** apodrecimento

estrambólico (es.tram.bó.li.co) [(i)ʃtrɐ̃'bɔliku] *adj. coloq.* extravagante; esquisito

estrangeirismo (es.tran.gei.ris.mo) [(i)ʃtrɐ̃ʒɐj'riʒmu] *n.m.* palavra ou locução de origem estrangeira

estrangeiro (es.tran.gei.ro) [(i)ʃtrɐ̃'ʒɐjru] *adj.* que é natural de outro país ■ *n.m.* pessoa natural de um país diferente daquele em que está

estrangulação (es.tran.gu.la.ção) [(i)ʃtrɐ̃gulɐ'sɐ̃w̃] *n.f.* **1** ato ou efeito de estrangular **SIN.** estrangulamento **2** morte por asfixia **3** estreitamento de qualquer coisa **SIN.** aperto

estrangulamento (es.tran.gu.la.men.to) [(i)ʃtrɐ̃gulɐ'mẽtu] *n.m.* **1** morte por asfixia; sufocação **2** estreitamento de uma via (estrada, rio, etc.)

estrangular (es.tran.gu.lar) [(i)ʃtrɐ̃gu'lar] *v.* **1** esganar **2** estreitar

estranhamento (es.tra.nha.men.to) [(i)ʃtrɐɲɐ'mẽtu] *n.m.* **1** admiração; espanto **2** estranheza

estranhar (es.tra.nhar) [(i)ʃtrɐ'ɲar] *v.* **1** achar estranho **2** não se adaptar a

estranheza (es.tra.nhe.za) [(i)ʃtrɐ'ɲezɐ] *n.f.* **1** surpresa **2** desconfiança

estranho (es.tra.nho) [(i)ʃ'trɐɲu] *adj.* **1** desconhecido **2** invulgar **3** misterioso ■ *n.m.* **1** pessoa desconhecida **2** pessoa natural de outro país

estratagema (es.tra.ta.ge.ma) [(i)ʃtrɐtɐ'ʒemɐ] *n.m.* meio de que alguém se serve para enganar outra pessoa **SIN.** artimanha

estratégia (es.tra.té.gi:a) [(i)ʃtrɐ'tɛʒjɐ] *n.f.* **1** arte de coordenar forças militares, políticas e económicas envolvidas num conflito ou na defesa de um país **2** conjunto dos meios e planos para atingir um fim

estratégico (es.tra.té.gi.co) [(i)ʃtrɐ'tɛʒiku] *adj.* **1** relativo a estratégia **2** astucioso

estratego (es.tra.te.go) [(i)ʃtrɐ'tegu] *n.m.* especialista em estratégia

estratificação (es.tra.ti.fi.ca.ção) [(i)ʃtrɐtifikɐ'sɐ̃w̃] *n.f.* **1** disposição das rochas sedimentares em estratos ou camadas **2** qualquer disposição em camadas sobrepostas **3** distribuição (de dados, informações) em segmentos; hierarquização

estrato (es.tra.to) [(i)ʃ'tratu] *n.m.* camada; faixa

Não confundir **estrato** (camada) com **extrato** (excerto).

estratosfera (es.tra.tos.fe.ra) [(i)ʃtratɔʃ'fɛrɐ] *n.f.* região da atmosfera que começa a cerca de 13 quilómetros acima da superfície da Terra

estrear (es.tre:ar) [(i)ʃ'trjar] *v.* **1** usar pela primeira vez; inaugurar **2** dar início a; começar

estrebaria (es.tre.ba.ria) [(i)ʃtrəbɐ'riɐ] *n.f.* lugar onde se recolhem os animais de carga e os arreios **SIN.** cavalariça

estrebuchar (es.tre.bu.char) [(i)ʃtrəbu'ʃar] *v.* estremecer; sacudir-se

estreia (es.trei.a) [(i)ʃ'trɐjɐ] *n.f.* **1** primeiro uso que se faz de algo **2** primeira representação de uma peça ou de um filme

estreitamento (es.trei.ta.men.to) [(i)ʃtrɐjtɐ'mẽtu] *n.m.* ato ou efeito de estreitar(-se); aperto

estreitar(-se) (es.trei.tar(-se)) [(i)ʃtrɐj'tar(sə)] *v.* **1** tornar(-se) mais estreito **SIN.** apertar(-se) **2** tornar ou ficar mais rigoroso **3** tornar(-se) mais próximo, íntimo

estreiteza (es.trei.te.za) [(i)trɐj'tezɐ] *n.f.* **1** qualidade de estreito **2** falta de espaço; aperto **3** *fig.* falta de abertura ou de recetividade a novas ideias

estreito (es.trei.to) [(i)ʃ'trɐjtu] *adj.* que tem pouco espaço; apertado **ANT.** largo ■ *n.m.* canal natural que liga dois mares

estrela (es.tre.la) [(i)ʃ'trelɐ] *n.f.* **1** astro que tem luz própria **2** *fig.* pessoa famosa (do cinema, teatro, música, etc.) ♦ **Estrela Polar** estrela mais brilhante da constelação Ursa Menor, que está mais próxima do Polo Norte; **ver estrelas** sentir uma dor aguda e forte

estrela-cadente (es.tre.la-.ca.den.te) [(i)ʃtrelɐ kɐ'dẽt(ə)] *n.f.* ⟨*pl.* estrelas-cadentes⟩ meteoro que deixa um rasto luminoso quando entra em contacto com os gases da atmosfera terrestre

estrelado (es.tre.la.do) [(i)ʃtrə'ladu] *adj.* **1** diz-se do céu coberto de estrelas **2** diz-se do ovo frito sem ser batido

estrela-do-mar (es.tre.la-.do-.mar) [(i)ʃtrelɐ du'mar] *n.f.* ⟨*pl.* estrelas-do-mar⟩ animal marinho com o corpo em forma de estrela e com cinco ou mais braços

estrelar (es.tre.lar) [(i)ʃtrə'lar] *v.* **1** fritar (ovo) sem misturar a clara e a gema **2** encher de estrelas

estrelato (es.tre.la.to) [(i)ʃtrə'latu] *n.m.* celebridade; fama

estrelícia (es.tre.lí.ci:a) [(i)ʃtrə'lisjɐ] *n.m.* planta originária da África do Sul com caule dividido em dois e flor em forma de espada, de cor alaranjada

estrelinha (es.tre.li.nha) [(i)ʃtrə'liɲɐ] ⟨*dim. de* estrela⟩ *n.f.* **1** estrela pequena **2** tipo de massa miúda em forma de estrela

estremadura (es.tre.ma.du.ra) [(i)ʃtrəmɐ'durɐ] *n.f.* região localizada na extremidade de um país

estremecer (es.tre.me.cer) [(i)ʃtrəmə'ser] *v.* **1** fazer tremer; abanar **2** sobressaltar-se; assustar-se

estremecimento (es.tre.me.ci.men.to) [(i)ʃtrəməsi'mẽtu] *n.m.* **1** tremor **2** susto

estria (es.tri.a) [(i)ʃ'triɐ] *n.f.* linha fina que forma um sulco (na pele ou numa superfície)

estriado (es.tri:a.do) [(i)ʃ'trjadu] *adj.* com estrias ou sulcos

estribeira (es.tri.bei.ra) [(i)ʃtri'bɐjrɐ] *n.f.* estribo curto ♦ *coloq.* **perder as estribeiras** descontrolar-se

estribo (es.tri.bo) [(i)ʃ'tribu] *n.m.* **1** peça em que o cavaleiro apoia o pé quando cavalga **2** degrau para apoio à entrada e saída de carruagens

estricnina (es.tric.ni.na) [(i)ʃtri'kninɐ] *n.f.* substância venenosa, que se extrai de alguns vegetais e que, em doses controladas, é usada em certas terapias

estridente (es.tri.den.te) [(i)ʃtri'dẽt(ə)] *adj.2g.* que tem um som agudo e penetrante

estrilheiro (es.tri.lhei.ro) [(i)ʃtri'ʎɐjru] *n.m.* [ANG., MOÇ.] o que tende a envolver-se em brigas; desordeiro

estrilho (es.tri.lho) [(i)ʃ'triʎu] *n.m.* **1** *coloq.* barafunda; confusão **2** [ANG., MOÇ.] zanga indignada; protesto

estritamente (es.tri.ta.men.te) [(i)ʃtritɐ'mẽt(ə)] *adv.* com precisão

estrito (es.tri.to) [(i)ʃ'tritu] *adj.* **1** restrito **2** rigoroso

estrofe (es.tro.fe) [(i)ʃ'trɔf(ə)] *n.f.* grupo de versos **SIN.** estância

estrogénio (es.tro.gé.ni:o) [(i)ʃtrɔ'ʒɛnju] *n.m.* hormona sexual feminina que estimula o crescimento dos órgãos genitais femininos e das glândulas mamárias, e é responsável pelas alterações ocorridas durante a ovulação

estroina (es.troi.na) [(i)ʃ'trojnɐ] *n.2g. coloq.* pessoa leviana ou irresponsável; doidivanas

estrondo (es.tron.do) [(i)ʃ'trõdu] *n.m.* **1** ruído forte **2** agitação

estrondoso (es.tron.do.so) [(i)ʃtrõ'dozu] *adj.* **1** ruidoso **2** espetacular

estropiar (es.tro.pi:ar) [(i)ʃtru'pjar] *v.* **1** cortar um membro a **SIN.** mutilar **2** *fig.* pronunciar mal **3** *fig.* adulterar o sentido de

estropício (es.tro.pí.ci:o) [(i)ʃtru'pisju] *n.m.* prejuízo; estrago

estrugido (es.tru.gi.do) [(i)ʃtru'ʒidu] *n.m.* preparado de cebola e azeite com diversos temperos **SIN.** refogado

estrumar (es.tru.mar) [(i)ʃtru'mar] *v.* adubar (a terra) com estrume

estrume (es.tru.me) [(i)ʃ'trum(ə)] *n.m.* mistura composta do dejeto de animais e de palha; adubo

estrutura (es.tru.tu.ra) [(i)ʃtru'turɐ] *n.f.* **1** organização das diferentes partes de um edifício, de um sistema, ou de uma obra; esqueleto **2** objeto construído; construção **3** aquilo que sustenta alguma coisa; armação

estrutural (es.tru.tu.ral) [(i)ʃtrutu'raɫ] *adj.2g.* **1** relativo a estrutura **2** fundamental; essencial

estruturar (es.tru.tu.rar) [(i)ʃtrutu'rar] *v.* organizar

estuário (es.tu:á.ri:o) [(i)ʃ'twarju] *n.m.* alargamento de um rio junto à foz

estucador (es.tu.ca.dor) [(i)ʃtukɐ'dor] *n.m.* operário que trabalha com estuque

estudado (es.tu.da.do) [(i)ʃtu'dadu] *adj.* **1** adquirido por meio de estudo; aprendido **2** cuidadosamente examinado; ponderado

estudante (es.tu.dan.te) [(i)ʃtu'dɐ̃t(ə)] *n.2g.* pessoa que estuda **SIN.** aluno

estudantil (es.tu.dan.til) [(i)ʃtudɐ̃'tiɫ] *adj.2g.* relativo a estudante

estudar (es.tu.dar) [(i)ʃtu'dar] *v.* **1** frequentar aulas ou curso de **2** aprender (arte, ciência ou técnica)

estúdio (es.tú.di:o) [(i)ʃ'tudju] *n.m.* **1** compartimento onde se fazem gravações sonoras **2** local onde se gravam cenas de um filme **3** oficina de pintor, fotógrafo ou escultor **4** apartamento com uma única divisão

estudioso (es.tu.di:o.so) [(i)ʃtu'djozu] *adj.* que estuda muito

estudo (es.tu.do) [(i)ʃ'tudu] *n.m.* **1** esforço ou exercício que se faz para compreender um assunto ou uma matéria **2** conhecimento adquirido pela aplicação das capacidades intelectuais **3** exame cuidadoso; análise

estufa (es.tu.fa) [(i)ʃ'tufɐ] *n.f.* galeria envidraçada para cultivo de plantas de regiões quentes ◆ **efeito de estufa** aquecimento da superfície da Terra provocado pela concentração de poluição na atmosfera

estufado (es.tu.fa.do) [(i)ʃtu'fadu] *n.m.* prato preparado em lume brando, num recipiente fechado, com gordura e os sucos próprios do alimento; guisado

estufar (es.tu.far) [(i)ʃtu'far] *v.* guisar

> Não confundir **estufar** (guisar) com **estofar** (cobrir com estofo).

estupefação (es.tu.pe.fa.ção)^AO [(i)ʃtupəfa'sɐ̃w̃] *n.f.* **1** adormecimento de uma parte do corpo **2** espanto; surpresa

estupefacção (es.tu.pe.fac.ção) [(i)ʃtupəfa'sɐ̃w̃] *nova grafia é* **estupefação^AO**

estupefaciente (es.tu.pe.fa.ci:en.te) [(i)ʃtupəfa'sjẽt(ə)] *n.m.* substância tóxica que provoca alterações do sistema nervoso e pode causar habituação; narcótico

estupefacto (es.tu.pe.fac.to) [(i)ʃtupə'faktu] *adj.* admirado; pasmado; perplexo

estupendo (es.tu.pen.do) [(i)ʃtu'pẽdu] *adj.* excelente; fantástico

estupidez (es.tu.pi.dez) [(i)ʃtupi'deʃ] *n.f.* falta de inteligência e de delicadeza

estúpido (es.tú.pi.do) [(i)ʃ'tupidu] *adj.* **1** que não é inteligente; burro **2** que é grosseiro ou indelicado

estupor (es.tu.por) [(i)ʃtu'por] *n.m.* **1** estado de suspensão da atividade física e psicológica em que o doente, embora consciente, não responde a estímulos externos **2** *coloq.* pessoa com mau carácter

estuporar (es.tu.po.rar) [(i)ʃtupu'rar] *v. coloq.* destruir; arruinar

estuque (es.tu.que) [(i)ʃ'tuk(ə)] *n.m.* argamassa feita com cal, areia e gesso, utilizada em acabamentos

esturjão (es.tur.jão) [(i)ʃtur'ʒɐ̃w̃] *n.m.* peixe de grande porte, cuja ova é usada para fazer caviar

esturricar (es.tur.ri.car) [(i)ʃtuʀi'kar] *v.* torrar muito; queimar

esturro (es.tur.ro) [(i)ʃ'tuʀu] *n.m.* estado do que está queimado ◆ **cheirar a esturro** haver sinal de algum problema; haver razão para desconfiar

esvaziar (es.va.zi:ar) [(i)ʒvɐ'zjar] *v.* tornar vazio; desocupar **ANT.** encher ■ **esvaziar-se** ficar vazio

esverdeado (es.ver.de:a.do) [(i)ʒvər'djadu] *adj.* semelhante a verde

esvoaçar (es.vo:a.çar) [(i)ʒvwɐ'sar] *v.* mover as asas para voar

ET [ɛ'te] *sigla de* extraterrestre

ETA ['ɛtɐ] *n. f.* grupo independentista basco **OBS.** Sigla de *Euskadi Ta Askatasuna*

etapa (e.ta.pa) [e'tapɐ] *n.f.* cada um dos estados de um processo **SIN.** fase

ETAR [ɛ'tar(ə)] *sigla de* estação de tratamento de águas residuais

etário (e.tá.ri:o) [ɛ'tarju] *adj.* relativo a idade

etarra (e.tar.ra) [e'taʀɐ] *n.2g.* membro da ETA (grupo independentista basco)

etc. *abreviatura de* et cetera

et cetera [ɛt'sɛtra] *loc.* e outras coisas mais; e assim por diante (abreviatura: etc.)

éter (é.ter) ['ɛtɛr] *n.m.* **1** líquido volátil e inflamável **2** região superior da atmosfera; ar

etéreo (e.té.re:o) [i'tɛrju] *adj.* **1** relativo ao éter **2** *fig.* elevado; sublime **3** *fig.* puro; celestial

eternamente (e.ter.na.men.te) [itɛrnɐ'mẽt(ə)] *adv.* por toda a eternidade; para sempre

eternidade (e.ter.ni.da.de) [itərni'dad(ə)] *n.f.* **1** característica do que não tem início ou fim **2** tempo depois da morte **3** *fig.* grande demora

eternizar(-se) (e.ter.ni.zar(-se)) [itərni'zar(sə)] *v.* **1** tornar(-se) eterno **2** prolongar(-se)

eterno (e.ter.no) [i'tɛrnu] *adj.* **1** que não tem fim; perpétuo **2** que não muda; inalterável

ética (é.ti.ca) ['ɛtikɐ] *n.f.* conjunto de normas e princípios morais que regem a conduta de uma pessoa, de um grupo ou de uma sociedade

ético (é.ti.co) ['ɛtiku] *adj.* relativo à ética

etílico (e.tí.li.co) [e'tiliku] *adj.* (álcool) obtido da fermentação de substâncias açucaradas

étimo (é.ti.mo) ['ɛtimu] *n.m.* palavra que dá origem a outra palavra

etimologia (e.ti.mo.lo.gi.a) [ɛtimulu'ʒiɐ] *n.f.* estudo da origem e da evolução das palavras

etimológico (e.ti.mo.ló.gi.co) [ɛtimu'lɔʒiku] *adj.* relativo a etimologia

etiologia (e.ti:o.lo.gi.a) [ɛtjulu'ʒiɐ] *n.f.* estudo das causas das doenças

etíope (e.tí.o.pe) [i'tiup(ə)] *adj.* relativo à Etiópia ■ *n.2g.* pessoa natural da Etiópia

etiqueta (e.ti.que.ta) [eti'ketɐ] *n.f.* **1** rótulo ou marca que identifica um produto (com origem, data de validade, composição, tamanho, etc.); letreiro **2** conjunto de normas a que obedece um ato público; cerimónia

etiquetar (e.ti.que.tar) [etikə'tar] *v.* pôr etiqueta em; rotular

etnia (et.ni.a) [ɛ'tniɐ] *n.f.* conjunto de pessoas com uma civilização e uma língua comuns

étnico (ét.ni.co) ['ɛtniku] *adj.* **1** relativo a etnia **2** próprio de um povo

etnografia (et.no.gra.fi.a) [ɛtnugrɐ'fiɐ] *n.f.* estudo dos povos

etnográfico (et.no.grá.fi.co) [ɛtnu'grafiku] *adj.* relativo a etnografia

etnologia (et.no.lo.gi.a) [ɛtnulu'ʒiɐ] *n.f.* estudo dos povos integrados no contexto dos seus agrupamentos constituídos de modo natural: a linguística, a antropologia, o folclore, etc.; antropologia cultural

etnólogo (et.nó.lo.go) [ɛ'tnɔlugu] *n.m.* especialista em etnologia

eu (eu) ['ew] *prn.pess.* designa a primeira pessoa do singular e indica a pessoa que fala ou escreve: *Eu saí da escola eram 16h.; Foram todos ao teatro exceto eu.* ■ *n.m.* a minha pessoa: *O meu verdadeiro eu ainda não se revelou.*

eucalipto (eu.ca.lip.to) [ewkɐ'liptu] *n.m.* **1** árvore alta, com folhas estreitas e compridas que têm um aroma forte **2** madeira dessa árvore

eucaristia (eu.ca.ris.ti.a) [ewkɐriʃ'tiɐ] *n.f.* **1** [também com maiúscula] sacramento católico segundo o qual o pão e o vinho se convertem, respetivamente, no corpo e sangue de Cristo **2** [também com maiúscula] o pão e o vinho consagrados e transubstanciados em Cristo **3** [também com maiúscula] hóstia consagrada

eucarístico (eu.ca.rís.ti.co) [ewkɐ'riʃtiku] *adj.* relativo à eucaristia

eufemismo (eu.fe.mis.mo) [ewfə'miʒmu] *n.m.* figura de estilo que consiste em suavizar uma ideia (desagradável ou chocante) por meio de uma expressão mais agradável

eufonia (eu.fo.ni.a) [ewfu'niɐ] *n.f.* combinação de sons agradáveis ao ouvido

eufónico (eu.fó.ni.co) [ew'fɔniku] *adj.* **1** relativo a eufonia **2** harmonioso

euforia (eu.fo.ri.a) [ewfu'riɐ] *n.f.* alegria intensa e repentina; entusiasmo

eufórico (eu.fó.ri.co) [ew'fɔriku] *adj.* muito entusiasmado

eunuco (eu.nu.co) [ew'nuku] *n.m.* **1** homem castrado que guardava as mulheres do harém **2** homem fraco ou impotente

eureca (eu.re.ca) [ew'rɛkɐ] *interj.* exprime alegria ou entusiasmo por se ter encontrado inesperadamente a solução de um problema

euribor (eu.ri.bor) [ewri'bɔr] *n.f.* taxa de juro aplicada a empréstimos entre bancos da zona euro **OBS.** Sigla de *Euro Interbank Offered Rate*

euro (eu.ro) ['ewru] *n.m.* unidade monetária adotada pela maioria dos estados-membros da União Europeia

eurocéptico (eu.ro.cép.ti.co) [ewrɔ'sɛtiku] *a nova grafia é* **eurocético**[AO]

eurocético (eu.ro.cé.ti.co)[AO] [ewrɔ'sɛtiku] *adj.,n.m.* que ou o que se opõe à integração de um país na União Europeia

eurodeputado (eu.ro.de.pu.ta.do) [ewrɔdəpu'tadu] *n.m.* deputado eleito para o Parlamento Europeu

europeísta (eu.ro.pe.ís.ta) [ewrupɐ'iʃtɐ] *adj.,n.2g.* que ou pessoa que defende a União Europeia

europeu (eu.ro.peu) [ewru'pew] *adj.* relativo à Europa ■ *n.m.* ⟨*f.* europeia⟩ habitante da Europa

eutanásia (eu.ta.ná.si:a) [ewtɐ'nazjɐ] *n.f.* defesa da antecipação da morte a doentes incuráveis, para lhes poupar o sofrimento da agonia

evacuação (e.va.cu:a.ção) [ivɐkwɐ'sɐ̃w̃] *n.f.* **1** saída (de algum lugar) **2** expulsão de fezes

evacuar (e.va.cu:ar) [ivɐ'kwar] *v.* **1** sair de um lugar **2** expelir as fezes pelo ânus

evadir-se (e.va.dir-.se) [iva'dirs(ə)] *v.* ⟨**+a**⟩ escapar às escondidas **SIN.** esquivar-se

evangelho (e.van.ge.lho) [ivɐ̃'ʒɛʎu] *n.m.* doutrina cristã ■ **Evangelho** cada um dos quatro primeiros livros do Novo Testamento

evangélico (e.van.gé.li.co) [ivɐ̃'ʒɛliku] *adj.* **1** relativo ao Evangelho **2** que está de acordo com o Evangelho **3** relativo a Igrejas e comunidades religiosas com origem na Reforma protestante (século XVI)

evangelista (e.van.ge.lis.ta) [ivɐ̃ʒə'liʃtɐ] *n.m.* autor de um dos quatro livros do Evangelho ■ *n.2g.* pessoa que preconiza uma nova doutrina

evangelização (e.van.ge.li.za.ção) [ivɐ̃ʒəlizɐ'sɐ̃w̃] *n.f.* **1** propagação dos ensinamentos do Evangelho **2** difusão de uma ideia ou doutrina

evangelizar (e.van.ge.li.zar) [ivɐ̃ʒəli'zar] *v.* **1** difundir os ensinamentos do Evangelho **2** divulgar (ideia, doutrina)

evaporação (e.va.po.ra.ção) [ivɐpurɐ'sɐ̃w̃] *n.f.* transformação de um líquido em vapor; vaporização

evaporar(-se) (e.va.po.rar(-se)) [ivɐpu'rar(sə)] *v.* **1** transformar(-se) um líquido em vapor **2** *fig.* dissipar(-se); desvanecer(-se)

evasão (e.va.são) [iva'zɐ̃w̃] *n.f.* fuga; **evasão fiscal** não pagamento de impostos

evasiva (e.va.si.va) [iva'zivɐ] *n.f.* frase com que se procura fugir de uma dificuldade; subterfúgio

evasivo (e.va.si.vo) [iva'zivu] *adj.* que se usa para fugir a uma dificuldade

evento (e.ven.to) [i'vẽtu] *n.m.* acontecimento; facto

eventual (e.ven.tu:al) [ivẽ'twaɫ] *adj.2g.* que depende do acaso **SIN.** acidental; casual

eventualidade (e.ven.tu:a.li.da.de) [ivẽtwɐli'dad(ə)] *n.f.* acontecimento inesperado ou incerto **SIN.** acaso

eventualmente (e.ven.tu:al.men.te) [ivẽtwaɫ'mẽt(ə)] *adv.* possivelmente; talvez

evidência (e.vi.dên.ci:a) [ivi'dẽsjɐ] *n.f.* **1** qualidade do que é evidente **2** indício; sinal ♦ **pôr em evidência** pôr em destaque

evidenciar (e.vi.den.ci:ar) [ividẽ'sjar] *v.* tornar claro ou evidente ■ **evidenciar-se** ⟨**+em**⟩ destacar-se; sobressair

evidente (e.vi.den.te) [ivi'dẽt(ə)] *adj.2g.* **1** claro **2** indiscutível

evidentemente (e.vi.den.te.men.te) [ividẽtə'mẽt(ə)] *adv.* sem dúvida; claro; sim

evitar (e.vi.tar) [ivi'tar] *v.* **1** escapar a **2** impedir

evitável (e.vi.tá.vel) [ivi'tavɛɫ] *adj.2g.* que pode ou deve ser evitado

evocação (e.vo.ca.ção) [ivukɐ'sɐ̃w̃] *n.f.* lembrança; recordação

evocar (e.vo.car) [ivu'kar] *v.* **1** chamar alguém (sobretudo um ser sobrenatural) **2** lembrar; recordar

evolução (e.vo.lu.ção) [ivulu'sɐ̃w̃] *n.f.* processo gradual de transformação **SIN.** progresso

evoluído (e.vo.lu:í.do) [ivu'lwidu] *adj.* **1** desenvolvido **2** moderno

evoluir (e.vo.lu:ir) [ivu'lwir] *v.* passar por uma transformação gradual **SIN.** progredir

evolutivo (e.vo.lu.ti.vo) [ivulu'tivu] *adj.* relativo a evolução

EVT [ɛve'te] *sigla de* Educação Visual e Tecnológica

ex (ex) ['ɛks] *n.2g.* pessoa que deixou de ser cônjuge ou companheiro(a) sentimental de outra

ex. *abreviatura de* exemplo

exacerbar (e.xa.cer.bar) [izɐsər'bar] *v.* **1** agravar(-se) **2** exaltar(-se); irritar(-se)

exactamente (e.xac.ta.men.te) [izatɐ'mẽt(ə)] *a nova grafia é* **exatamente**[AO]

exactidão (e.xac.ti.dão) [izɐti'dɐ̃w̃] *a nova grafia é* **exatidão**[AO]

exacto (e.xac.to) [i'zatu] *a nova grafia é* **exato**[AO]

exagerado (e.xa.ge.ra.do) [izɐʒə'radu] *adj.* excessivo

exagerar (e.xa.ge.rar) [izɐʒə'rar] *v.* fazer ou dizer (algo) em excesso; exceder-se

exagero (e.xa.ge.ro) [izɐ'ʒeru] *n.m.* **1** qualidade do que é excessivo **2** aquilo que excede o normal em tamanho ou quantidade

exalação (e.xa.la.ção) [izɐlɐ'sɐ̃w̃] *n.f.* **1** ato ou efeito de exalar **2** vapor; cheiro

exalar (e.xa.lar) [izɐ'lar] *v.* lançar (vapor, cheiro)

exaltação (e.xal.ta.ção) [izaɫtɐ'sɐ̃w̃] *n.f.* **1** grande excitação ou entusiasmo **2** estado de irritação

exaltado (e.xal.ta.do) [izaɫ'tadu] *adj.* **1** elogiado **2** irritado

exaltar (e.xal.tar) [izaɫ'tar] *v.* elogiar ■ **exaltar-se** irritar-se

exame (e.xa.me) [i'zɐm(ə)] *n.m.* **1** ato de examinar; inspeção **2** prova (oral ou escrita); teste

examinador (e.xa.mi.na.dor) [izɐminɐ'dor] *n.m.* aquele que examina

examinando (e.xa.mi.nan.do) [izɐmi'nɐ̃du] *n.m.* aquele que é examinado

examinar (e.xa.mi.nar) [izɐmi'nar] *v.* **1** fazer o exame de; inspecionar **2** observar com atenção; estudar

exasperar(-se) (e.xas.pe.rar(-se)) [izɐʃpə'rar(sə)] *v.* causar ou sentir irritação **SIN.** irritar(-se)

exatamente (e.xa.ta.men.te)[AO] [izatɐ'mẽt(ə)] *adv.* com exatidão; com rigor; precisamente

exatidão (e.xa.ti.dão)[AO] [izɐti'dɐ̃w̃] *n.f.* **1** qualidade do que é exato **SIN.** precisão **2** rigor absoluto ou total

exato (e.xa.to)[AO] [i'zatu] *adj.* **1** certo **2** rigoroso

exaustão (e.xaus.tão) [izawʃ'tɐ̃w̃] *n.f.* cansaço extremo; esgotamento

exaustivo (e.xaus.ti.vo) [izawʃ'tivu] *adj.* que abrange todos os pormenores **SIN.** cuidadoso; detalhado

exausto (e.xaus.to) [i'zawʃtu] *adj.* muito cansado; esgotado

exaustor (e.xaus.tor) [izawʃ'tor] *n.m.* aparelho que aspira fumos e cheiros de cozinhas e recintos fechados

exceção (ex.ce.ção)[AO] [(i)ʃsɛ'sɐ̃w̃] *n.f.* **1** desvio da regra geral; restrição **2** situação privilegiada; privilégio ♦ **com exceção de** exceto; menos; **sem exceção** sem falha

excecional (ex.ce.ci:o.nal)[AO] [(i)ʃsɛsju'naɫ] *adj.2g.* fora do comum **SIN.** extraordinário

excedentário (ex.ce.den.tá.ri:o) [(i)ʃsədẽ'tarju] *adj.,n.m.* que ou o que excede o número fixado para um dado setor ou serviço

excedente (ex.ce.den.te) [(i)ʃsə'dẽt(ə)] *n.m.* aquilo que sobra **SIN.** excesso

exceder (ex.ce.der) [(i)ʃsə'der] *v.* ir além de; ultrapassar

excelência (ex.ce.lên.ci:a) [(i)ʃsə'lẽsjɐ] *n.f.* qualidade do que é excelente **SIN.** superioridade ♦ **por excelência** acima de qualquer coisa

excelente (ex.ce.len.te) [(i)ʃsə'lẽt(ə)] *adj.2g.* muito bom **SIN.** magnífico

excelentíssimo (ex.ce.len.tís.si.mo) [ɐjʃsəlẽ'tisimu] (*superl. de* excelente) *adj.* que é muito excelente

excelso (ex.cel.so) [(i)ʃ'sɛɫsu] *adj.* sublime; excelente

excentricidade (ex.cen.tri.ci.da.de) [(i)ʃsẽtrisi'dad(ə)] *n.f.* **1** qualidade de excêntrico **2** maneira de pensar ou agir que se afasta dos padrões convencionais **SIN.** extravagância

excêntrico (ex.cên.tri.co) [(i)ʃ'sẽtriku] *adj.* **1** situado fora do centro; que se afasta do centro **2** fora do comum; original

excepção (ex.cep.ção) [(i)ʃsɛ'sɐ̃w̃] *a nova grafia é* **exceção**[AO]

excepcional (ex.cep.ci:o.nal) [(i)ʃsɛsju'naɫ] *a nova grafia é* **excecional**[AO]

excepto (ex.cep.to) [(i)ʃ'sɛtu] *a nova grafia é* **exceto**[AO]

exceptuar (ex.cep.tu:ar) [(i)ʃsɛ'twar] *a nova grafia é* **excetuar**[AO]

excerto (ex.cer.to) [(i)ʃ'sertu] *n.m.* passagem (de um texto, de uma música) **SIN.** trecho

excessivo (ex.ces.si.vo) [(i)ʃsə'sivu] *adj.* exagerado; demasiado

excesso (ex.ces.so) [(i)ʃ'sɛsu] *n.m.* **1** sobra; resto **2** falta de moderação; abuso

exceto (ex.ce.to)[AO] [(i)ʃ'sɛtu] *prep.* excluindo; salvo: *Aberto todos os dias, exceto à segunda-feira.*

excetuar (ex.ce.tu:ar)[AO] [(i)ʃsɛ'twar] *v.* deixar de fora; não incluir; excluir

excisão (ex.ci.são) [(i)ʃsi'zɐ̃w̃] *n.f.* operação por meio da qual são extraídas as partes de um órgão

excitação (ex.ci.ta.ção) [(i)ʃsitɐ'sɐ̃w̃] *n.f.* **1** entusiasmo; animação **2** irritação; exaltação

excitado (ex.ci.ta.do) [(i)ʃsi'tadu] *adj.* **1** que sofreu estímulo; animado **2** que se exaltou; irritado

excitante (ex.ci.tan.te) [(i)ʃsi'tɐ̃t(ə)] *adj.2g.* que excita ou estimula **SIN.** estimulante

excitar (ex.ci.tar) [(i)ʃsi'tar] *v.* **1** estimular **2** irritar **3** irritar-se ▪ **excitar-se** estimular-se

exclamação (ex.cla.ma.ção) [(i)ʃklɐmɐ'sɐ̃w̃] *n.f.* grito de admiração, prazer, espanto, etc.; interjeição ♦ **ponto de exclamação** sinal gráfico ! indicativo de admiração

exclamar (ex.cla.mar) [(i)ʃklɐ'mar] *v.* **1** soltar um grito de admiração **2** dizer em voz alta

exclamativo (ex.cla.ma.ti.vo) [(i)ʃklɐmɐ'tivu] *adj.* que exprime exclamação

excluído (ex.clu:í.do) [(i)ʃ'klwidu] *adj.* **1** que não foi incluído; rejeitado **2** que foi mandado embora; expulso

excluir (ex.clu:ir) [(i)ʃ'klwir] *v.* **1** não incluir; rejeitar **2** mandar embora; expulsar **3** não referir; omitir

exclusão (ex.clu.são) [(i)ʃklu'zɐ̃w̃] *n.f.* ato ou efeito de excluir ou de ser excluído ♦ **por exclusão de partes** por eliminação de hipóteses

exclusivamente (ex.clu.si.va.men.te) [(i)ʃkluzivɐ'mẽt(ə)] *adv.* só; unicamente

exclusive (ex.clu.si.ve) [(i)ʃkluzi'vɛ] *adv.* **1** exclusivamente **2** de fora

exclusividade (ex.clu.si.vi.da.de) [(i)ʃkluzivi'dad(ə)] *n.f.* **1** qualidade do que é único **2** direito exclusivo de venda de um produto; monopólio

exclusivo (ex.clu.si.vo) [(i)ʃklu'zivu] *adj.* **1** que exclui ou elimina **2** que pertence ou se destina a uma só pessoa; pessoal

excomungar (ex.co.mun.gar) [(i)ʃkumũ'gar] *v.* **1** expulsar (membro) da Igreja Católica **2** amaldiçoar; esconjurar

excomunhão (ex.co.mu.nhão) [(i)ʃkumu'ɲɐ̃w̃] *n.f.* expulsão de uma pessoa da comunidade religiosa a que pertencia

excreção (ex.cre.ção) [(i)ʃkrə'sɐ̃w̃] *n.f.* **1** função pela qual os produtos não assimilados por um organismo são expelidos **2** produto eliminado ou expelido pelo organismo

excremento (ex.cre.men.to) [(i)ʃkrə'mẽtu] *n.m.* fezes

excursão (ex.cur.são) [(i)ʃkur'sɐ̃w̃] *n.f.* viagem de recreio ou de estudo

excursionista (ex.cur.si:o.nis.ta) [(i)ʃkursju'niʃtɐ] *n.2g.* pessoa que faz uma excursão

execrável (e.xe.crá.vel) [izə'kravɛɫ] *adj.2g.* odioso; abominável

execução (e.xe.cu.ção) [izəku'sɐ̃w̃] *n.f.* **1** ato ou modo de fazer algo; realização **2** cumprimento de uma pena de morte

executado (e.xe.cu.ta.do) [izəku'tadu] *adj.* **1** feito; realizado **2** que sofreu a pena de morte; morto

executar (e.xe.cu.tar) [izəku'tar] *v.* realizar (um trabalho, um projeto, uma obra); fazer

> Note-se que **executar** escreve-se com x (e não com z).

executável (e.xe.cu.tá.vel) [izəku'tavɛɫ] *adj.2g.* que se pode executar **SIN.** realizável

executivo (e.xe.cu.ti.vo) [izəku'tivu] *adj.* **1** que executa ou realiza **2** que tem a seu cargo executar ou fazer cumprir as leis ▪ *n.m.* **1** funcionário superior de uma empresa **2** governo de um país

exemplar (e.xem.plar) [izẽ'plar] *adj.2g.* que serve de exemplo ▪ *n.m.* **1** modelo que deve ser imitado por suas qualidades **2** cada um dos livros que se imprimem de uma vez **3** cada indivíduo da mesma espécie animal, vegetal ou mineral

exemplificação (e.xem.pli.fi.ca.ção) [izẽplifikɐ'sɐ̃w̃] *n.f.* explicação por meio de exemplos; demonstração

exemplificar (e.xem.pli.fi.car) [izẽplifi'kar] *v.* explicar com exemplos; demonstrar

exemplo (e.xem.plo) [i'zẽplu] *n.m.* **1** aquilo que serve para esclarecer uma regra ou uma afirmação **2** aquilo que pode ser imitado; modelo ♦ **a exemplo de** tomando como modelo; **dar o exemplo** agir de forma a incitar alguém a fazer o mesmo; **por exemplo** nomeadamente; **sem exemplo** sem precedente; excecional; único

exéquias (e.xé.qui:as) [i'zɛkjɐʃ] *n.f.pl.* cerimónias fúnebres

exequível (e.xe.quí.vel) [izə'kwivɛɫ] *adj.2g.* que se pode cumprir ou realizar; realizável

exercer (e.xer.cer) [izər'ser] *v.* **1** cumprir os deveres de (um cargo) **2** praticar (uma profissão ou atividade)

exercício (e.xer.cí.ci:o) [izər'sisju] *n.m.* **1** desempenho de uma função ou profissão; prática **2** atividade física que se pratica regularmente; ginástica ♦ **estar em exercício** estar no ativo

exercitar (e.xer.ci.tar) [izərsi'tar] *v.* exercer (uma prática) com regularidade; praticar

exército (e.xér.ci.to) [i'zɛrsitu] *n.m.* conjunto de forças militares terrestres de um país

exibição (e.xi.bi.ção) [izəbi'sɐ̃w̃] *n.f.* **1** apresentação (de filme, peça, etc.) **2** ostentação; vaidade

exibicionismo (e.xi.bi.ci:o.nis.mo) [izibisju'niʒmu] *n.m.* **1** mania da ostentação **2** tendência patológica para mostrar os órgãos genitais

exibicionista (e.xi.bi.ci:o.nis.ta) [izibisju'niʃtɐ] *adj.* relativo a exibicionismo ■ *n.2g.* pessoa que pratica exibicionismo

exibir (e.xi.bir) [izi'bir] *v.* pôr à vista; mostrar; apresentar

exigência (e.xi.gên.ci:a) [izi'ʒẽsjɐ] *n.f.* **1** aquilo que se pede com insistência **2** aquilo que é necessário para um dado fim

exigente (e.xi.gen.te) [izi'ʒẽt(ə)] *adj.2g.* **1** que pede com insistência **2** que quer sempre o melhor

exigir (e.xi.gir) [izi'ʒir] *v.* **1** pedir com insistência; reclamar **2** ter necessidade de; precisar

exíguo (e.xí.guo) [i'zigwu] *adj.* **1** de pequenas dimensões; acanhado **2** escasso; insuficiente

exilado (e.xi.la.do) [izi'ladu] *n.m.* indivíduo que deixou o seu país por vontade própria ou por ter sido obrigado **SIN.** expatriado

exilar(-se) (e.xi.lar(-se)) [izi'lar(sə)] *v.* expulsar ou sair da pátria **SIN.** expatriar(-se)

exílio (e.xí.li:o) [i'zilju] *n.m.* **1** saída (forçada ou voluntária) da pátria **2** lugar onde vive uma pessoa que deixou a sua pátria

exímio (e.xí.mi:o) [i'zimju] *adj.* excelente; superior

existência (e.xis.tên.ci:a) [iziʃ'tẽsjɐ] *n.f.* **1** facto de existir **SIN.** vida **2** aquilo que existe; ser

existencial (e.xis.ten.ci:al) [iziʃtẽ'sjaɫ] *adj.2g.* relativo à existência

existente (e.xis.ten.te) [iziʃ'tẽt(ə)] *adj.2g.* que existe; que está vivo

existir (e.xis.tir) [iziʃ'tir] *v.* ter existência; viver; ser

êxito (ê.xi.to) ['ɐjzitu] *n.m.* resultado positivo ou satisfatório **SIN.** sucesso ◆ **sem êxito** inutilmente; em vão

ex-líbris [ɛks'libriʃ] *n.m.2n.* **1** marca desenhada ou gravada num livro para indicar o proprietário ou a livraria **2** símbolo

êxodo (ê.xo.do) ['ɐjzudu] *n.m.* emigração ou saída em massa de um povo, ou de grande quantidade de pessoas

exoneração (e.xo.ne.ra.ção) [izunərɐ'sɐ̃w̃] *n.f.* demissão; destituição

exonerar (e.xo.ne.rar) [izunə'rar] *v.* **1** demitir; destituir **2** livrar de uma obrigação; libertar

exorbitância (e.xor.bi.tân.ci:a) [izurbi'tɐ̃sjɐ] *n.f.* **1** preço muito alto **2** exagero

exorbitante (e.xor.bi.tan.te) [izurbi'tɐ̃t(ə)] *adj.2g.* excessivo; exagerado

exorcismo (e.xor.cis.mo) [izur'siʒmu] *n.m.* ritual para afastar o Demónio ou os espíritos malignos

exorcista (e.xor.cis.ta) [izur'siʃtɐ] *n.2g.* pessoa que expulsa demónios ou espíritos malignos

exorcizar (e.xor.ci.zar) [izursi'zar] *v.* expulsar espíritos malignos por meio de exorcismos **SIN.** esconjurar

exórdio (e.xór.di:o) [i'zɔrdju] *n.m.* parte inicial de um discurso onde se resume o assunto que se vai tratar

exortação (e.xor.ta.ção) [izurtɐ'sɐ̃w̃] *n.f.* **1** encorajamento; estímulo **2** advertência; conselho

exortar (e.xor.tar) [izur'tar] *v.* **1** encorajar; estimular **2** advertir; aconselhar

exótico (e.xó.ti.co) [e'zɔtiku] *adj.* que não é vulgar; estranho; esquisito

expandir (ex.pan.dir) [(i)ʃpɐ̃'dir] *v.* **1** tornar amplo; alargar **2** tornar conhecido; espalhar ■ **expandir-se** **1** alargar-se **2** espalhar-se

expansão (ex.pan.são) [(i)ʃpɐ̃'sɐ̃w̃] *n.f.* **1** alargamento (de tamanho ou volume) **2** difusão (de ideias, notícias, etc.) **3** manifestação (de sentimentos)

expansionismo (ex.pan.si:o.nis.mo) [(i)ʃpɐ̃sju'niʒmu] *n.m.* política de alargamento do território de um país para além das suas fronteiras

expansivo (ex.pan.si.vo) [(i)ʃpɐ̃'sivu] *adj.* que exprime facilmente os seus sentimentos **SIN.** comunicativo

expatriado (ex.pa.tri:a.do) [(i)ʃpɐ'trjadu] *n.m.* ⇒ **exilado**

expatriar(-se) (ex.pa.tri:ar(-se)) [(i)ʃpɐ'trjar(sə)] *v.* ⇒ **exilar(-se)**

expectante (ex.pec.tan.te)[AO] [(i)ʃpɛ'(k)tɐ̃t(ə)] ou **expetante**[AO] *adj.2g.* que está na expectativa

expectativa (ex.pec.ta.ti.va)[AO] [(i)ʃpɛ(k)tɐ'tivɐ] ou **expetativa**[AO] *n.f.* esperança

expectoração (ex.pec.to.ra.ção) [(i)ʃpɛturɐ'sɐ̃w̃] *a nova grafia é* **expetoração**[AO]

expectorante (ex.pec.to.ran.te) [(i)ʃpɛtu'rɐ̃t(ə)] *a nova grafia é* **expetorante**[AO]

expedição (ex.pe.di.ção) [(i)ʃpədi'sɐ̃w̃] *n.f.* **1** viagem de exploração **2** envio (de encomendas, cartas, etc.)

expediente (ex.pe.di:en.te) [(i)ʃpə'djẽt(ə)] *n.m.* **1** execução de tarefas num escritório ou serviço **2** horário de funcionamento de uma repartição pública **3** meio para resolver um problema ou encontrar uma solução **4** desembaraço; desenvoltura

expedir **(ex.pe.dir)** [(i)ʃpəˈdir] *v.* enviar

expedito **(ex.pe.di.to)** [(i)ʃpəˈditu] *adj.* desembaraçado; despachado

expelir **(ex.pe.lir)** [(i)ʃpəˈlir] *v.* lançar fora; eliminar

experiência **(ex.pe.ri:ên.ci:a)** [(i)ʃpəˈrjẽsjɐ] *n.f.* **1** teste para verificação de uma teoria ou hipótese; ensaio **2** conhecimentos que se adquirem ao longo da vida; prática

experiente **(ex.pe.ri:en.te)** [(i)ʃpəˈrjẽt(ə)] *adj.2g.* que tem experiência ou prática

experimentado **(ex.pe.ri.men.ta.do)** [(i)ʃpərimẽˈtadu] *adj.* **1** que foi tentado ou testado **2** que tem experiência de alguma coisa

experimental **(ex.pe.ri.men.tal)** [(i)ʃpərimẽˈtaɫ] *adj.2g.* **1** relativo a experiência **2** baseado na experiência; empírico

experimentalmente **(ex.pe.ri.men.tal.men.te)** [(i)ʃpərimẽtaɫˈmẽt(ə)] *adv.* de modo experimental

experimentar **(ex.pe.ri.men.tar)** [(i)ʃpərimẽˈtar] *v.* **1** verificar por meio de experiência; testar; ensaiar **2** provar (alimentos, roupa) **3** sentir

expetoração **(ex.pe.to.ra.ção)**[AO] [(i)ʃpɛturɐˈsɐ̃w̃] *n.f.* expulsão, por meio da tosse, de secreções das vias respiratórias

expetorante **(ex.pe.to.ran.te)**[AO] [(i)ʃpɛtuˈrɐ̃t(ə)] *n.m.* medicamento que provoca ou facilita a expetoração

expiação **(ex.pi:a.ção)** [(i)ʃpjɐˈsɐ̃w̃] *n.f.* cumprimento de pena ou castigo; penitência

expiar **(ex.pi:ar)** [(i)ʃˈpjar] *v.* **1** reparar (falta, culpa) por meio de penitência **2** sofrer as consequências de

expiatório **(ex.pi:a.tó.ri:o)** [(i)ʃpjɐˈtɔrju] *adj.* relativo a expiação

expiração **(ex.pi.ra.ção)** [(i)ʃpirɐˈsɐ̃w̃] *n.f.* **1** saída de ar dos pulmões através das vias respiratórias **2** fim de um prazo

expirar **(ex.pi.rar)** [(i)ʃpiˈrar] *v.* **1** expelir ar dos pulmões pelas vias respiratórias **2** dar o último suspiro; morrer **3** chegar ao fim; terminar (prazo)

explanação **(ex.pla.na.ção)** [(i)ʃplɐnɐˈsɐ̃w̃] *n.f.* **1** explicação **2** exposição

explanar **(ex.pla.nar)** [(i)ʃplɐˈnar] *v.* esclarecer; explicar

explicação **(ex.pli.ca.ção)** [(i)ʃplikɐˈsɐ̃w̃] *n.f.* **1** esclarecimento **2** aula particular de uma disciplina **3** justificação

explicador **(ex.pli.ca.dor)** [(i)ʃplikɐˈdor] *n.m.* pessoa que dá lições particulares de uma disciplina

explicar **(ex.pli.car)** [(i)ʃpliˈkar] *v.* **1** tornar claro ou compreensível **2** apresentar a origem ou o motivo de **3** interpretar o sentido de

explicativo **(ex.pli.ca.ti.vo)** [(i)ʃplikɐˈtivu] *adj.* que serve para explicar; elucidativo

explicável **(ex.pli.cá.vel)** [(i)ʃpliˈkavɛɫ] *adj.2g.* que se pode explicar

explicitar **(ex.pli.ci.tar)** [(i)ʃplisiˈtar] *v.* tornar claro; clarificar

explícito **(ex.plí.ci.to)** [(i)ʃˈplisitu] *adj.* **1** claro **2** visível

explodir **(ex.plo.dir)** [(i)ʃpluˈdir] *v.* **1** causar uma explosão; estourar **2** *fig.* manifestar-se de forma intensa e súbita

exploração **(ex.plo.ra.ção)** [(i)ʃplurɐˈsɐ̃w̃] *n.f.* **1** investigação; pesquisa **2** abuso da boa-fé ou da ingenuidade de alguém

explorador **(ex.plo.ra.dor)** [(i)ʃplurɐˈdor] *n.m.* aquele que explora; aventureiro

explorar **(ex.plo.rar)** [(i)ʃpluˈrar] *v.* **1** investigar; pesquisar **2** abusar da boa-fé de alguém

explosão **(ex.plo.são)** [(i)ʃpluˈzɐ̃w̃] *n.f.* **1** 👁 rebentamento acompanhado de estrondo; detonação **2** *fig.* manifestação súbita de emoções ou sentimentos ♦ **explosão demográfica** crescimento rápido e excessivo da população em determinado local

explosivo **(ex.plo.si.vo)** [(i)ʃpluˈzivu] *n.m.* substância inflamável, capaz de produzir explosão

expoente **(ex.po:en.te)** [(i)ʃˈpwẽt(ə)] *n.m.* número que indica o grau da potência a que uma quantidade é elevada

expor **(ex.por)** [(i)ʃˈpor] *v.* **1** colocar em exibição: *Eles vão expor as suas obras no Porto.* **SIN.** exibir **2** explicar: *Ele expôs os seus motivos.* **3** ⟨+a⟩ sujeitar a (danos, desgostos, etc.): *Não expor o CD à humidade.* ■ **expor-se** ⟨+a⟩ sujeitar-se a (danos, desgostos, etc.): *expor-se às críticas*

exportação (ex.por.ta.ção) [(i)ʃpurtɐ'sɐ̃w̃] *n.f.* venda de produtos de um país para outro **ANT.** importação

exportador (ex.por.ta.dor) [(i)ʃpurtɐ'dor] *n.m.* pessoa ou empresa que vende produtos de um país para outro **ANT.** importador

exportar (ex.por.tar) [(i)ʃpur'tar] *v.* vender para outro país (produtos nacionais) **ANT.** importar

exposição (ex.po.si.ção) [(i)ʃpuzi'sɐ̃w̃] *n.f.* **1** exibição pública de obras de arte, produtos, etc. **2** lugar onde se expõe produtos **3** narração de factos

expositor (ex.po.si.tor) [(i)ʃpuzi'tor] *n.m.* **1** móvel em que se expõe alguma coisa; mostruário **2** pessoa ou entidade que apresenta trabalhos ou produtos numa exposição

exposto (ex.pos.to) [(i)ʃ'poʃtu] *adj.* que está à vista do público

expressamente (ex.pres.sa.men.te) [(i)ʃprɛsɐ'mẽt(ə)] *adv.* **1** com o objetivo de: *Vim expressamente para te visitar.* **2** especificamente: *Estão expressamente indicadas as condições do negócio.*

expressão (ex.pres.são) [(i)ʃprə'sɐ̃w̃] *n.f.* **1** manifestação de pensamentos **2** frase com que se exprime uma ideia **3** aparência do rosto; semblante ♦ **expressão idiomática** frase com sentido próprio que normalmente não pode ser entendida de forma literal; frase feita

expressar(-se) (ex.pres.sar(-se)) [ɐjʃprə'sar(sə)] *v.* ⇒ **exprimir(-se)**

expressionismo (ex.pres.si:o.nis.mo) [(i)ʃprəsju'niʒmu] *n.m.* movimento que procura retratar as emoções e reações subjetivas que os factos e objetos provocam no artista, e não a realidade objetiva

expressionista (ex.pres.si:o.nis.ta) [(i)ʃprəsju'niʃtɐ] *adj.2g.* relativo ao expressionismo ■ *n.2g.* pessoa adepta ou praticante do expressionismo

expressividade (ex.pres.si.vi.da.de) [(i)ʃprəsivi'dad(ə)] *n.f.* qualidade do que é expressivo

expressivo (ex.pres.si.vo) [(i)ʃprə'sivu] *adj.* **1** que se exprime com clareza **2** que tem vivacidade

expresso (ex.pres.so) [(i)ʃ'prɛsu] *adj.* claro; explícito ■ *n.m.* **1** comboio ou camioneta que vai até ao seu destino sem fazer paragens **2** café tirado em máquina de pressão, que fica com uma camada de espuma no topo

exprimir(-se) (ex.pri.mir(-se)) [ɐjʃpri'mir(sə)] *v.* manifestar(-se) por palavras ou gestos **SIN.** revelar(-se)

expropriação (ex.pro.pri:a.ção) [(i)ʃpruprjɐ'sɐ̃w̃] *n.f.* ato de privar alguém de um bem que lhe pertence, a troco de indemnização

expropriar (ex.pro.pri:ar) [(i)ʃpru'prjar] *v.* privar (alguém) da posse de uma propriedade, legalmente e a troco de indemnização

expulsão (ex.pul.são) [(i)ʃpuɫ'sɐ̃w̃] *n.f.* **1** retirada violenta de alguém de um dado lugar **2** ato de expulsar alguém de um grupo ou de uma organização

expulsar (ex.pul.sar) [(i)ʃpuɫ'sar] *v.* **1** mandar embora ou retirar (alguém) com violência **2** ⟨+de⟩ excluir (alguém de algum lugar): *Ele foi expulso da escola.* **3** evacuar; expelir

expulso (ex.pul.so) [(i)ʃ'puɫsu] *adj.* **1** afastado de algum lugar **2** excluído de um grupo ou de uma organização

expurgação (ex.pur.ga.ção) [(i)ʃpurgɐ'sɐ̃w̃] *n.f.* purificação

expurgar (ex.pur.gar) [(i)ʃpur'gar] *v.* **1** limpar, eliminando as impurezas **SIN.** purificar **2** desinfetar uma ferida

êxtase (êx.ta.se) ['ɐjʃtɐz(ə)] *n.m.* sentimento muito intenso de alegria, prazer ou admiração **SIN.** arrebatamento

extasiado (ex.ta.si:a.do) [(i)ʃtɐ'zjadu] *adj.* encantado; arrebatado

extensão (ex.ten.são) [(i)ʃtẽ'sɐ̃w̃] *n.f.* **1** dimensão **2** duração **3** importância

extensível (ex.ten.sí.vel) [(i)ʃtẽ'sivɛɫ] *adj.2g.* **1** que se pode estender ou esticar **2** que se pode aplicar a mais de um caso

extensivo (ex.ten.si.vo) [(i)ʃtẽ'sivu] *adj.* que se aplica a um grande número de pessoas ou casos **SIN.** abrangente

extenso (ex.ten.so) [(i)ʃ'tẽsu] *adj.* **1** vasto **2** demorado ♦ **por extenso** de forma não abreviada

extenuado (ex.te.nu:a.do) [(i)ʃtə'nwadu] *adj.* muito cansado; estafado

extenuante (ex.te.nu:an.te) [(i)ʃtə'nwɐ̃t(ə)] *adj.2g.* cansativo

extenuar(-se) (ex.te.nu:ar(-se)) [ɐjʃtə'nwar(sə)] *v.* cansar(-se); estafar(-se)

exterior (ex.te.ri:or) [(i)ʃtə'rjor] *adj.2g.* **1** situado do lado de fora; externo **ANT.** interior **2** relativo a países estrangeiros ■ *n.m.* **1** lado de fora **2** aspeto físico; aparência

exteriorização (ex.te.ri:o.ri.za.ção) [(i)ʃtərjurizɐ'sɐ̃w̃] *n.f.* manifestação de ideias ou sentimentos

exteriorizar (ex.te.ri:o.ri.zar) [(i)ʃtərjuri'zar] *v.* **1** tornar exterior **2** dar a conhecer **SIN.** manifestar

exterminação (ex.ter.mi.na.ção) [(i)ʃtərminɐ'sɐ̃w̃] *n.f.* ⇒ **extermínio**

exterminar (ex.ter.mi.nar) [(i)ʃtərmi'nar] *v.* destruir completamente; eliminar (por morte)

extermínio (ex.ter.mí.ni:o) [(i)ʃtər'minju] *n.m.* destruição total

externato (ex.ter.na.to) [(i)ʃtər'natu] *n.m.* estabelecimento de ensino onde estudam alunos externos

Não confundir **externo** (exterior) com **esterno** (osso do tórax).

externo (ex.ter.no) [(i)ʃ'tɛrnu] *adj.* **1** que está ou vem do lado de fora; exterior **ANT.** interno **2** diz-se do aluno que não dorme na escola onde tem aulas

Não confundir **externo** (exterior) com **esterno** (osso do tórax).

extinção (ex.tin.ção) [(i)ʃtĩ'sɐ̃w̃] *n.f.* **1** ato de extinguir (um fogo) **2** desaparecimento definitivo de uma espécie de ser vivo ♦ (ser vivo, espécie) **em vias de extinção** prestes a desaparecer definitivamente

extinguir (ex.tin.guir) [(i)ʃtĩ'gir] *v.* tornar extinto; apagar (fogo)

extinto (ex.tin.to) [(i)ʃ'tĩtu] *adj.* **1** apagado (fogo) **2** desaparecido (espécie ou ser vivo) **3** morto (pessoa)

extintor (ex.tin.tor) [(i)ʃtĩ'tor] *n.m.* aparelho cilíndrico portátil usado para apagar incêndios

extorquir (ex.tor.quir) [(i)ʃtur'kir] *v.* obter algo por meio de violência ou ameaça

extorsão (ex.tor.são) [(i)ʃtur'sɐ̃w̃] *n.f.* ato de tentar obter algo (de alguém) por meio de violência ou ameaça

extra (ex.tra) ['ɐjʃtrɐ] *adj.inv.* **1** de qualidade superior **2** que ultrapassa o normal; extraordinário **3** que se faz a mais; suplementar

extração (ex.tra.ção)[AO] [(i)ʃtra'sɐ̃w̃] *n.f.* **1** ato de retirar algo de algum lugar **2** sorteio dos números da lotaria ou de outro jogo

extracção (ex.trac.ção) [(i)ʃtra'sɐ̃w̃] *a nova grafia é* **extração**[AO]

extraconjugal (ex.tra.con.ju.gal) [ɐjʃtrɐkõʒu'gaɫ] *adj.2g.* fora do casamento

extracto (ex.trac.to) [(i)ʃ'tratu] *a nova grafia é* **extrato**[AO]

extracurricular (ex.tra.cur.ri.cu.lar) [ɐjʃtrɐkuʀikuˈlar] *adj.2g.* que não faz parte do currículo escolar e é feito fora do âmbito do trabalho escolar

extradição (ex.tra.di.ção) [(i)ʃtrɐdi'sɐ̃w̃] *n.f.* entrega de uma pessoa acusada de um crime no seu país e refugiada num país estrangeiro, ao governo do país de origem, para ser julgada

extradiegético (ex.tra.di:e.gé.ti.co) [ɐjʃtrɐdjɛ'ʒɛtiku] *n.m.* narrador que não participa na história que narra

extraditar (ex.tra.di.tar) [(i)ʃtrɐdi'tar] *v.* entregar (pessoa acusada) ao governo do país que reclama essa entrega para realizar o julgamento

extraescolar (ex.tra.es.co.lar)[AO] [ɐjʃtrɐ(i)ʃku'lar] *adj.2g.* que não pertence à escola ou ao programa escolar

extra-escolar (ex.tra-.es.co.lar) [ɐjʃtrɐ(i)ʃku'lar] *a nova grafia é* **extraescolar**[AO]

extrair (ex.tra.ir) [(i)ʃtrɐ'ir] *v.* **1** retirar; arrancar **2** em matemática, determinar a raiz de um número

extranet [ɐjʃtrɐ'nɛt] *n.f.* sistema de internet empresarial em que se concede acesso, mais ou menos limitado, a clientes, fornecedores ou outras instituições

extraordinário (ex.tra.or.di.ná.ri:o) [ɐjʃtrɐɔrdi'narju] *adj.* **1** fora do comum **SIN.** excecional **2** digno de admiração

extraterrestre (ex.tra.ter.res.tre) [ɐjʃtrɐtə'ʀɛʃtr(ə)] *n.2g.* ser ou habitante de um planeta diferente da Terra

extrato (ex.tra.to)[AO] [(i)ʃ'tratu] *n.m.* **1** fragmento (de um objeto) **2** excerto (de um texto)

Não confundir **extrato** (excerto) com **estrato** (camada).

extravagância (ex.tra.va.gân.ci:a) [(i)ʃtrɐvɐ'gɐ̃sjɐ] *n.f.* **1** originalidade **2** capricho

extravagante (ex.tra.va.gan.te) [(i)ʃtrɐvɐ'gɐ̃t(ə)] *adj.2g.* **1** original **2** caprichoso

extraviar(-se) (ex.tra.vi:ar(-se)) [ɐjʃtrɐ'vjar(sə)] *v.* **1** (fazer) desaparecer de maneira fraudulenta **2** (fazer) sair do bom caminho **SIN.** desencaminhar(-se)

extravio (ex.tra.vi.o) [(i)ʃtrɐ'viu] *n.m.* **1** perda (de mala, correspondência, etc.) **2** roubo (de bens ou dinheiro)

extravirgem (ex.tra.vir.gem) [ɐjʃtrɐ'virʒɐ̃j] *adj.* (azeite) que apresenta grau de acidez inferior a 1%

extremamente (ex.tre.ma.men.te) [(i)ʃtremɐ'mẽt(ə)] *adv.* muito

extremar(-se) (ex.tre.mar(-se)) [ɐjʃtrə'mar(sə)] *v.* tornar(-se) extremo ou radical **SIN.** radicalizar(-se)

extrema-unção (ex.tre.ma-.un.ção) [ɐjʃtremɐu'sɐ̃w̃] *n.f.* ⟨*pl.* extremas-unções⟩ sacramento católico que consiste na unção dos fiéis que estão a morrer com os santos óleos

extremidade (ex.tre.mi.da.de) [(i)ʃtrəmi'dad(ə)] *n.f.* ponta; limite

extremismo (ex.tre.mis.mo) [(i)ʃtrə'miʒmu] *n.m.* defesa de soluções extremas ou radicais para os problemas

extremista (ex.tre.mis.ta) [(i)ʃtrə'miʃtɐ] *n.2g.* pessoa que defende soluções extremas; radical ■ *adj.2g.* relativo a extremismo; radical

extremo **(ex.tre.mo)** [(i)ʃ'tremu] *adj.* **1** situado na extremidade; final **2** que atingiu o ponto máximo **3** que é muito grave ■ *n.m.* ponto mais distante; extremidade

extremoso **(ex.tre.mo.so)** [(i)ʃtrə'mozu] *adj.* carinhoso; afetuoso

extrínseco **(ex.trín.se.co)** [(i)ʃ'trĩsəku] *adj.* que não faz parte da essência; exterior

extrovertido **(ex.tro.ver.ti.do)** [(i)ʃtrɔvər'tidu] *adj.* que comunica com facilidade; expansivo **ANT.** introvertido

exuberância **(e.xu.be.rân.ci:a)** [izubə'rɐ̃sjɐ] *n.f.* **1** abundância **2** vivacidade

exuberante **(e.xu.be.ran.te)** [izubə'rɐ̃t(ə)] *adj.2g.* **1** abundante **2** animado

exultação **(e.xul.ta.ção)** [izuɫtɐ'sɐ̃w̃] *n.f.* alegria; júbilo

exultar **(e.xul.tar)** [izuɫ'tar] *v.* sentir grande alegria **SIN.** regozijar-se

exumação **(e.xu.ma.ção)** [ezumɐ'sɐ̃w̃] *n.f.* ato de retirar cadáver da sepultura

exumar **(e.xu.mar)** [ezu'mar] *v.* tirar (cadáver) da sepultura **SIN.** desenterrar

eyeliner [aj'lajnɐr] *n.m.* ⟨*pl.* eyeliners⟩ cosmético líquido com o qual se faz um risco na pálpebra, junto das pestanas

F

f ['ɛf(ə)] *n.m.* consoante, sexta letra do alfabeto, que está entre as letras *e* e *g* ♦ **com todos os ff e rr** com a máxima exatidão

°F *símbolo de* grau Fahrenheit

FA ['fa] *sigla de* Forças Armadas

fá (fá) ['fa] *n.m.* quarta nota da escala musical

fã (fã) ['fɐ̃] *n.2g.* pessoa que tem grande admiração por alguém ou por alguma coisa **SIN.** admirador; adepto

fábrica (fá.bri.ca) ['fabrikɐ] *n.f.* instalação onde se faz a transformação de matérias-primas em produtos para serem comercializados

fabricação (fa.bri.ca.ção) [fɐbrikɐ'sɐ̃w̃] *n.f.* **1** produção (de algo) numa fábrica **2** criação (de alguma coisa)

fabricante (fa.bri.can.te) [fɐbri'kɐ̃t(ə)] *n.2g.* empresa ou pessoa que fabrica produtos

fabricar (fa.bri.car) [fɐbri'kar] *v.* **1** produzir (algo) a partir de matéria-prima **2** criar; inventar

fabrico (fa.bri.co) [fɐ'briku] *n.m.* **1** produção (de algo) **2** produto fabricado

fabril (fa.bril) [fɐ'briɫ] *adj.2g.* relativo a fábrica

fábula (fá.bu.la) ['fabulɐ] *n.f.* narrativa breve em que as personagens são animais que agem como seres humanos e que ilustram uma lição moral através do seu comportamento

fabulação (fa.bu.la.ção) [fɐbulɐ'sɐ̃w̃] *n.f.* **1** disposição dos episódios de uma narrativa **2** facto inventado; mentira

fabulista (fa.bu.lis.ta) [fɐbu'liʃtɐ] *n.2g.* **1** autor de fábulas **2** *fig.* mentiroso

fabuloso (fa.bu.lo.so) [fɐbu'lozu] *adj.* **1** imaginário **2** extraordinário

faca (fa.ca) ['fakɐ] *n.f.* instrumento cortante composto de lâmina e cabo ♦ **ter a faca e o queijo na mão** ter o poder de fazer ou de decidir alguma coisa

facada (fa.ca.da) [fɐ'kadɐ] *n.f.* **1** golpe com faca **2** *fig.* traição

facalhão (fa.ca.lhão) [fɐkɐ'ʎɐ̃w̃] ⟨*aum. de* faca⟩ *n.m.* faca grande

façanha (fa.ça.nha) [fɐ'sɐɲɐ] *n.f.* feito heroico **SIN.** proeza

fação (fa.ção)[AO] [fa'sɐ̃w̃] *n.f.* **1** partido político **2** parte divergente de um grupo

facção (fac.ção) [fa'sɐ̃w̃] *a nova grafia é* **fação**[AO]

faccioso (fac.ci:o.so) [fa'ksjozu] *adj.* que não julga com isenção; parcial

face (fa.ce) ['fa(sə)] *n.f.* **1** rosto; cara **2** lado da frente; superfície ♦ **face a face** diante de alguém frente a frente; **em face de** perante; diante de; **fazer face a** enfrentar (sobretudo dificuldades)

faceta (fa.ce.ta) [fɐ'setɐ] *n.f.* característica especial de uma pessoa ou de uma coisa; traço

fachada (fa.cha.da) [fɐ'ʃadɐ] *n.f.* face exterior de um edifício **SIN.** frontaria

facho (fa.cho) ['faʃu] *n.m.* archote

facial (fa.ci:al) [fɐ'sjaɫ] *adj.2g.* relativo a face

fácil (fá.cil) ['fasiɫ] *adj.2g.* **1** que se faz sem dificuldade; simples **ANT.** difícil **2** que se compreende sem esforço; claro

facilidade (fa.ci.li.da.de) [fɐsəli'dad(ə)] *n.f.* qualidade do que é fácil; simplicidade

facílimo (fa.cí.li.mo) [fɐ'silimu] ⟨*superl. de* fácil⟩ *adj.* muito fácil

facilitador (fa.ci.li.ta.dor) [fɐsəlitɐ'dor] *adj.* que facilita

facilitar (fa.ci.li.tar) [fɐsəli'tar] *v.* **1** tornar fácil; simplificar **2** pôr à disposição; proporcionar

facilmente (fa.cil.men.te) [fasiɫ'mẽt(ə)] *adv.* com facilidade; sem esforço

fac-símile [fak'similɛ] *n.m.* ⟨*pl.* fac-símiles⟩ reprodução exata de assinatura, escrito ou estampa; cópia

facto (fac.to) ['faktu] *n.m.* acontecimento; caso ♦ **de facto** na realidade; com efeito

factor (fac.tor) [fa'tor] *a nova grafia é* **fator**[AO]

factorial (fac.to.ri:al) [fatu'rjaɫ] *a nova grafia é* **fatorial**[AO]

factual (fac.tu:al) [fɐ'ktwaɫ] *adj.2g.* relativo a facto

factura (fac.tu.ra) [fa'turɐ] *a nova grafia é* **fatura**[AO]

facturação (fac.tu.ra.ção) [faturɐ'sɐ̃w̃] *a nova grafia é* **faturação**[AO]

facturar (fac.tu.rar) [fatu'rar] *a nova grafia é* **faturar**[AO]

faculdade (fa.cul.da.de) [fɐkuɫ'dad(ə)] *n.f.* **1** capacidade de fazer algo **SIN.** aptidão **2** escola de ensino superior que concede graus académicos (licenciatura, mestrado, doutoramento)

facultar (fa.cul.tar) [fɐkuɫ'tar] *v.* **1** permitir **2** possibilitar

facultativo (fa.cul.ta.ti.vo) [fɐkuɫtɐ'tivu] *adj.* que não é obrigatório **SIN.** opcional

fada (fa.da) ['fadɐ] *n.f.* **1** figura feminina imaginária a que se atribuem poderes mágicos **2** *fig.* mulher muito bela

fadado (fa.da.do) [fɐ'dadu] *adj. coloq.* predestinado

fadiga (fa.di.ga) [fɐ'digɐ] *n.f.* cansaço

fadista (fa.dis.ta) [fɐ'diʃtɐ] *n.2g.* pessoa que canta fado

fado (fa.do) ['fadu] *n.m.* **1** canção típica de Lisboa e Coimbra **2** destino; sorte

A saber que o **fado** é um estilo musical tipicamente português, normalmente cantado por um só pessoa, acompanhada por guitarra clássica e guitarra portuguesa. O chamado **fado de Lisboa** é geralmente uma canção lenta e triste, embora também possa ser mais rápida e contar uma história engraçada. O **fado de Coimbra** está muito ligado às tradições da Universidade desta cidade, sendo os temas mais comuns os amores estudantis, o amor pela cidade e a nostalgia sentida pela vida estudantil que se acaba com o fim do curso.

fagote (fa.go.te) [fɐ'gɔt(ə)] *n.m.* instrumento musical de sopro, de madeira, com palheta dupla

fagulha (fa.gu.lha) [fɐ'guʎɐ] *n.f.* faísca; faúlha

Fahrenheit [farə'najt] *adj.inv.* **1** diz-se da escala de temperatura, geralmente usada na Grã-Bretanha e nos Estados Unidos da América, em que 32 graus correspondem a 0 °C e 212 graus correspondem a 100 °C **2** diz-se do grau desta escala, de símbolo F

faia (fai.a) ['fajɐ] *n.f.* **1** árvore de grande porte, cuja madeira é muito apreciada **2** madeira dessa árvore

faial (fai.al) [faj'aɫ] *n.m.* mata de faias

faiança (fai.an.ça) [faj'ɐ̃sɐ] *n.f.* louça fina de barro

faina (fai.na) ['fajnɐ] *n.f.* trabalho; azáfama

fair play [fɛr'plɐj] *n.m.* **1** honestidade no modo de agir; jogo limpo **2** aceitação de um resultado ou de uma situação adversa **3** tratamento imparcial; imparcialidade

faisão (fai.são) [faj'zɐ̃w̃] *n.m.* ave pouco maior do que a galinha, com plumagem colorida e cauda longa

faísca (fa.ís.ca) [fɐ'iʃkɐ] *n.f.* partícula lançada por um material em brasa; faúlha ◆ *coloq.* **fazer faísca 1** entrar em conflito **2** sentir uma atração mútua

faiscante (fa.is.can.te) [fɐiʃ'kɐ̃t(ə)] *adj.2g.* **1** que lança faíscas **2** brilhante; cintilante

faiscar (fa.is.car) [fɐiʃ'kar] *v.* **1** lançar faíscas **2** brilhar; cintilar

faixa (fai.xa) ['fajʃɐ] *n.f.* **1** tira de pano para usar à cintura **2** tira de gaze para fazer curativos; ligadura **3** zona de gravação de um disco ou de um CD ◆ **faixa de rodagem** parte central da estrada, destinada ao trânsito de veículos

fala (fa.la) ['falɐ] *n.f.* ato ou faculdade de falar ◆ **perder a/ficar sem fala** não saber o que dizer; ficar calado

fala-barato (fa.la-.ba.ra.to) [falɐbɐ'ratu] *n.m.pl. coloq.* pessoa que fala muito e a despropósito

falácia (fa.lá.ci:a) [fɐ'lasjɐ] *n.f.* engano

falacioso (fa.la.ci:o.so) [fɐlɐ'sjozu] *adj.* enganador

falador (fa.la.dor) [fɐlɐ'dor] *adj.* que fala muito SIN. tagarela

falange (fa.lan.ge) [fɐ'lɐ̃ʒ(ə)] *n.f.* cada um dos ossos que formam o esqueleto dos dedos

falangeta (fa.lan.ge.ta) [fɐlɐ̃'ʒetɐ] *n.f.* terceira falange dos dedos

falante (fa.lan.te) [fɐ'lɐ̃t(ə)] *n.2g.* **1** pessoa que fala **2** sujeito considerado enquanto utilizador de uma língua; locutor

falar (fa.lar) [fɐ'lar] *v.* exprimir-se por meio de palavras; dizer ■ *n.m.* **1** ato de exprimir por palavras **2** maneira de exprimir um pensamento ou uma ideia ◆ **falar pelos cotovelos** falar muito; **falar por falar** dizer (algo) sem objetivo

falatório (fa.la.tó.ri:o) [fɐlɐ'tɔrju] *n.m.* conversa sem interesse ou sem fundamento; mexerico

falcão (fal.cão) [faɫ'kɐ̃w̃] *n.m.* ave de rapina diurna com bico curvo e garras afiadas

falcatrua (fal.ca.tru.a) [faɫkɐ'truɐ] *n.f.* fraude

falecer (fa.le.cer) [fɐlə'ser] *v.* morrer

falecido (fa.le.ci.do) [fɐlə'sidu] *adj.,n.m.* que ou pessoa que morreu; morto

falecimento (fa.le.ci.men.to) [fɐləsi'mẽtu] *n.m.* morte

falência (fa.lên.ci:a) [fɐ'lẽsjɐ] *n.f.* estado da entidade ou do empresário que não tem meios para cumprir as suas obrigações (pagamento a credores, de salários, etc.); bancarrota ♦ **abrir falência** declarar publicamente que não se tem meios para pagar o que se deve; **falência fraudulenta** situação de rutura financeira causada por procedimentos fraudulentos da parte da entidade ou pessoa falida

falésia (fa.lé.si:a) [fɐ'lɛzjɐ] *n.f.* costa em que as rochas descem a pique até ao mar; escarpa

falha (fa.lha) ['faʎɐ] *n.f.* **1** falta; defeito **2** fenda; racha

falhado (fa.lha.do) [fɐ'ʎadu] *adj.* que não teve sucesso; que não resultou

falhanço (fa.lhan.ço) [fɐ'ʎɐ̃su] *n.m.* fracasso; derrota

falhar (fa.lhar) [fɐ'ʎar] *v.* **1** errar o alvo **2** não se realizar

fálico (fá.li.co) ['faliku] *adj.* relativo ao falo (pénis)

falido (fa.li.do) [fɐ'lidu] *adj.* **1** que faliu **2** que falhou

falinhas-mansas (fa.li.nhas-.man.sas) [fɐliɲɐʃ 'mɐ̃sɐʃ] *n.2g.2n.* pessoa que fala de forma manhosa, com o objetivo de conseguir alguma coisa

falir (fa.lir) [fɐ'lir] *v.* não ter sucesso; fracassar

falível (fa.lí.vel) [fɐ'livɛɫ] *adj.2g.* **1** que pode falhar ou enganar-se **2** em que pode haver erro

falo (fa.lo) ['falu] *n.m.* pénis

falsear (fal.se:ar) [faɫ'sjar] *v.* **1** tornar falso **2** enganar **3** deturpar

falsete (fal.se.te) [faɫ'set(ə)] *n.m.* técnica que permite cantar em tons mais agudos

falsidade (fal.si.da.de) [faɫsi'dad(ə)] *n.f.* **1** qualidade do que é falso **2** mentira **3** fingimento

falsificação (fal.si.fi.ca.ção) [faɫsəfikɐ'sɐ̃w̃] *n.f.* **1** ato ou efeito de falsificar **2** objeto falsificado

falsificador (fal.si.fi.ca.dor) [faɫsəfikɐ'dor] *n.m.* aquele que falsifica

falsificar (fal.si.fi.car) [faɫsəfi'kar] *v.* **1** fazer passar por verdadeiro (algo que é falso) **2** copiar de forma fraudulenta

falso (fal.so) ['faɫsu] *adj.* **1** que não é verdadeiro; mentiroso **ANT.** verdadeiro **2** simulado; fingido **3** desleal; traidor ♦ **em falso 1** em vão **2** sem firmeza

falta (fal.ta) ['faɫtɐ] *n.f.* **1** ausência **2** carência **3** erro **4** transgressão ♦ **sem falta** impreterivelmente

faltar (fal.tar) [faɫ'tar] *v.* **1** não existir: *Falta-lhe dinheiro.* **2** não estar presente: *faltar às aulas* **3** ⟨+a⟩ não cumprir: *faltar a uma promessa* **4** usa-se para indicar períodos de tempo até ao momento atual: *Faltam dois dias para o Natal. Faltam cinco minutos para as nove.*

fama (fa.ma) ['fɐmɐ] *n.f.* **1** boa reputação **2** glória

famigerado (fa.mi.ge.ra.do) [fɐmiʒə'radu] *adj.* **1** célebre **2** *pej.* que tem má fama

família (fa.mí.li:a) [fɐ'miljɐ] *n.f.* **1** grupo de pessoas unidas por laços de parentesco **2** grupo de seres com características semelhantes ♦ **família de palavras** conjunto de palavras formadas a partir de uma mesma palavra simples

familiar (fa.mi.li:ar) [fɐmi'ljar] *adj.2g.* **1** que é da mesma família **2** habitual **3** íntimo ■ *n.m.* pessoa que pertence à mesma família **SIN.** parente

familiaridade (fa.mi.li:a.ri.da.de) [fɐmiljɐri'dad(ə)] *n.f.* **1** intimidade **2** confiança

familiarizado (fa.mi.li:a.ri.za.do) [fɐmiljɐri'zadu] *adj.* **1** habituado **2** íntimo

familiarizar (fa.mi.li:a.ri.zar) [fɐmiljɐri'zar] *v.* **1** ⟨+com⟩ tornar familiar **2** ⟨+com⟩ *fig.* habituar; acostumar ■ **familiarizar-se 1** ⟨+com⟩ relacionar-se **2** ⟨+com⟩ *fig.* habituar-se; acostumar-se: *familiarizar-se com uma língua estrangeira*

faminto (fa.min.to) [fɐ'mĩtu] *adj.* que tem muita fome **SIN.** esfomeado

famoso (fa.mo.so) [fɐ'mozu] *adj.* que tem fama **SIN.** célebre

fanar (fa.nar) [fɐ'nar] *v. coloq.* roubar

fanático (fa.ná.ti.co) [fɐ'natiku] *adj.* **1** entusiasta **2** intolerante

fanatismo (fa.na.tis.mo) [fɐnɐ'tiʒmu] *n.m.* **1** dedicação excessiva a algo ou a alguém; paixão **2** adesão cega a uma doutrina; intolerância

fandango (fan.dan.go) [fɐ̃'dɐ̃gu] *n.m.* dança popular de origem espanhola, sapateada e acompanhada de guitarra e castanholas

faneca (fa.ne.ca) [fɐ'nɛkɐ] *n.f.* peixe marinho de cor castanha dourada no dorso e esbranquiçada no ventre, com boca e olhos grandes, muito vulgar na costa portuguesa

fanfarra (fan.far.ra) [fɐ̃'faʀɐ] *n.f.* **1** conjunto de instrumentos de metal **2** banda de música composta por instrumentos de metal e de percussão que atua em ocasiões festivas

fanfarrão (fan.far.rão) [fɐ̃fɐ'ʀɐ̃w̃] *adj.* que se gaba muito; gabarola

fanhoso (fa.nho.so) [fɐ'ɲozu] *adj.* que parece falar pelo nariz

fanico (fa.ni.co) [fɐ'niku] *n.m. coloq.* desmaio

fantasia (fan.ta.si.a) [fɐ̃tɐ'ziɐ] *n.f.* **1** capacidade de criar coisas na imaginação **2** coisa criada pela imaginação **3** traje utilizado no Carnaval; disfarce

fantasiar (fan.ta.si:ar) [fɐ̃tɐ'zjar] *v.* **1** criar na imaginação **SIN.** imaginar **2** ⟨+de⟩ mascarar ■ **fantasiar-se** ⟨+de⟩ mascarar-se; disfarçar-se

fantasioso (fan.ta.si:o.so) [fɐ̃tɐ'zjozu] *adj.* imaginativo

fantasista (fan.ta.sis.ta) [fɐ̃tɐ'ziʃtɐ] *adj.2g.* **1** que tem uma imaginação fértil **2** afastado da realidade

fantasma (fan.tas.ma) [fɐ̃'taʒmɐ] *n.m.* espírito de uma pessoa morta que supostamente aparece a alguém

fantasmagórico (fan.tas.ma.gó.ri.co) [fɐ̃tɐʒmɐ'gɔriku] *adj.* **1** próprio de fantasma **2** irreal; ilusório

fantástico (fan.tás.ti.co) [fɐ̃'taʃtiku] *adj.* **1** imaginário **2** extraordinário **3** inacreditável

fantochada (fan.to.cha.da) [fɐ̃tu'ʃadɐ] *n.f.* **1** espetáculo com fantoches **2** *fig.* cena ridícula; palhaçada

fantoche (fan.to.che) [fɐ̃'tɔʃ(ə)] *n.m.* **1** boneco de pano em forma de luva, na qual se introduz a mão para o mover; marioneta **2** *fig.* pessoa sem vontade própria ou que se deixa influenciar

FAP ['fap] *sigla de* Força Aérea Portuguesa

FAQ ['fak] questões mais frequentes colocadas pelos utilizadores de um determinado sítio ou fórum na internet **OBS.** Sigla de *frequently asked questions*

faqueiro (fa.quei.ro) [fɐ'kɐjru] *n.m.* **1** estojo onde se guardam talheres **2** conjunto completo de talheres

faraó (fa.ra.ó) [fɐrɐ'ɔ] *n.m.* antigo soberano do Egito

faraónico (fa.ra.ó.ni.co) [fɐrɐ'ɔniku] *adj.* **1** próprio dos faraós **2** *fig.* grandioso; sumptuoso

farda (far.da) ['fardɐ] *n.f.* roupa de trabalho **SIN.** uniforme

fardado (far.da.do) [fɐr'dadu] *adj.* que tem farda vestida

fardar(-se) (far.dar(-se)) [fɐr'dar(sə)] *v.* vestir(-se) com farda

fardo (far.do) ['fardu] *n.m.* **1** embrulho; pacote **2** *fig.* coisa difícil de suportar

farejar (fa.re.jar) [fɐrə'ʒar] *v.* **1** cheirar **2** *fig.* adivinhar

farelo (fa.re.lo) [fɐ'rɛlu] *n.m.* conjunto dos resíduos mais grossos dos cereais moídos

farfalhudo (far.fa.lhu.do) [fɐrfɐ'ʎudu] *adj.* **1** vistoso **2** volumoso

farináceo (fa.ri.ná.ce:o) [fɐri'nasju] *adj.* **1** relativo a farinha **2** que contém ou produz farinha

faringe (fa.rin.ge) [fɐ'rĩʒ(ə)] *n.f.* órgão de forma oval que se estende da base do crânio ao início do esófago

faringite (fa.rin.gi.te) [fɐrĩ'ʒit(ə)] *n.f.* inflamação da faringe

farinha (fa.ri.nha) [fɐ'riɲɐ] *n.f.* pó resultante da moagem de cereais ♦ *coloq.* **não fazer farinha com (alguém)** **1** não se entender com (alguém) **2** não levar a melhor sobre (alguém); **ser farinha do mesmo saco** ser da mesma natureza ou ter características idênticas

farinha-de-pau (fa.ri.nha-.de-.pau) [fɐriɲɐ də'paw] *a nova grafia é* **farinha de pau**[AO]

farinha de pau (fa.ri.nha de pau)[AO] [fɐriɲɐ də'paw] *n.f.* ⟨*pl.* farinhas de pau⟩ farinha de mandioca muito fina, usada em culinária

farinheira (fa.ri.nhei.ra) [fɐri'ɲɐjrɐ] *n.f.* enchido feito de gordura de porco, farinha ou miolo de pão e temperos

farinhento (fa.ri.nhen.to) [fɐri'ɲẽtu] *adj.* **1** que contém farinha **2** semelhante a farinha

fariseu (fa.ri.seu) [fɐri'zew] *n.m.* **1** (século II a. C.) membro de uma seita judaica caracterizada pela observância exageradamente rigorosa das escrituras **2** *pej.* hipócrita

farmacêutico (far.ma.cê.u.ti.co) [fɐrmɐ'sewtiku] *adj.* relativo a farmácia ▪ *n.m.* funcionário ou diretor de uma farmácia

farmácia (far.má.ci:a) [fɐr'masjɐ] *n.f.* estabelecimento onde se preparam e vendem medicamentos

fármaco (fár.ma.co) ['farmɐku] *n.m.* medicamento

farnel (far.nel) [fɐr'nɛɫ] *n.m.* pequena refeição que se leva para uma viagem, para o trabalho ou para a escola **SIN.** merenda

faro (fa.ro) ['faru] *n.m.* **1** olfato dos animais **2** *fig.* perspicácia

faroeste (fa.ro:es.te) [fa'rwɛʃt(ə)] *n.m.* **1** região do extremo Oeste dos Estados Unidos da América **2** *fig.* região com elevado índice de criminalidade

farofa (fa.ro.fa) [fɐ'rɔfɐ] *n.m.* farinha de mandioca frita em manteiga ou outra gordura

farófias (fa.ró.fi:as) [fɐ'rɔfjɐʃ] *n.f.pl.* doce feito com claras de ovos batidas em castelo, regadas com um creme e polvilhadas com canela

farol (fa.rol) [fɐ'rɔɫ] *n.m.* **1** torre com um foco luminoso no topo, construída junto ao mar para servir de guia à navegação **2** pequena lanterna de veículos

faroleiro (fa.ro.lei.ro) [fɐru'lɐjru] *n.m.* encarregado de um farol

farolim (fa.ro.lim) [fɐru'lĩ] *n.m.* **1** farol pequeno **2** cada um dos quatro pequenos faróis de um veículo

farpa (far.pa) ['farpɐ] *n.f.* **1** ponta de metal em forma de ângulo agudo **2** lasca de madeira

farpado (far.pa.do) [fɐr'padu] *adj.* recortado em forma de farpa

farpela (far.pe.la) [fɐr'pɛlɐ] *n.f.* roupa; vestuário

farra **(far.ra)** ['faʀɐ] *n.f.* diversão ou festa muito animada **SIN.** borga; pândega

farrapeiro **(far.ra.pei.ro)** [fɐʀɐ'pɐjru] *n.m.* indivíduo que compra e vende objetos usados

farrapo **(far.ra.po)** [fɐ'ʀapu] *n.m.* pedaço de pano velho ou gasto **SIN.** trapo

farrapo-velho **(far.ra.po-.ve.lho)** [fɐʀapu'vɛʎu] *n.m.* ⟨*pl.* farrapos-velhos⟩ ⇒ **roupa-velha**

farripa **(far.ri.pa)** [fɐ'ʀipɐ] *n.f.* tira fina de cabelo

farrusco **(far.rus.co)** [fɐ'ʀuʃku] *adj.* **1** sujo de carvão ou fuligem **2** escuro; negro

farsa **(far.sa)** ['farsɐ] *n.f.* **1** peça de teatro de carácter burlesco **2** *fig.* impostura; mentira

farta **(far.ta)** ['fartɐ] *elem. da loc.* **à farta** em abundância; com fartura

fartar **(far.tar)** [fɐr'tar] *v.* **1** saciar (a fome ou a sede) **2** aborrecer; cansar: *O discurso fartou a Margarida.* ▪ **fartar-se** **1** ⟨+de⟩ aborrecer-se; cansar-se: *Fartou-se de ver televisão.* **2** fazer algo repetidamente: *Fartou-se de chorar! Fartei-me de te avisar.*

farto **(far.to)** ['fartu] *adj.* **1** cheio; abundante **2** *fig.* aborrecido; cansado ◆ **à farta** em abundância; com fartura

fartura **(far.tu.ra)** [fɐr'turɐ] *n.f.* **1** grande quantidade; abundância **2** doce feito com farinha e água, frito e polvilhado com açúcar e canela ◆ **com fartura** em abundância

fascículo **(fas.cí.cu.lo)** [fɐʃ'sikulu] *n.m.* caderno ou folheto publicado a intervalos iguais e que constituem parte de uma obra

fascinação **(fas.ci.na.ção)** [fɐʃsinɐ'sɐ̃w̃] *n.f.* atração muito forte por algo ou alguém **SIN.** deslumbramento; encantamento

fascinante **(fas.ci.nan.te)** [fɐʃsi'nɐ̃t(ə)] *adj.2g.* que fascina **SIN.** deslumbrante; encantador

fascinar **(fas.ci.nar)** [fɐʃsi'nar] *v.* causar deslumbramento ou fascínio **SIN.** deslumbrar; encantar

fascínio **(fas.cí.ni:o)** [fɐʃ'sinju] *n.m.* qualidade daquilo que atrai muito, pela sua beleza ou força **SIN.** deslumbramento; encanto

fascismo **(fas.cis.mo)** [faʃ'siʒmu] *n.m.* ideologia ou movimento que defende um sistema político ditatorial e a repressão de qualquer forma de oposição

fascista **(fas.cis.ta)** [faʃ'siʃtɐ] *adj.2g.* relativo ao fascismo ▪ *n.2g.* pessoa que defende o fascismo

fase **(fa.se)** ['faz(ə)] *n.f.* **1** cada um dos estados de um processo; etapa **2** cada uma das aparências da lua

faseado **(fa.se:a.do)** [fɐ'zjadu] *adj.* **1** dividido em fases **2** (pagamento) dividido em frações

fasquia **(fas.qui.a)** [fɐʃ'kiɐ] *n.f.* tira de madeira o de outro material que os atletas têm de transpo no salto à vara e no salto em altura

fastidioso **(fas.ti.di:o.so)** [fɐʃti'djozu] *adj.* que cansa ou aborrece; aborrecido

fastio **(fas.ti.o)** [fɐʃ'tiu] *n.m.* **1** falta de apetit **2** aborrecimento; tédio

fatal **(fa.tal)** [fɐ'tał] *adj.2g.* **1** que causa a mort mortal **2** que tem consequências negativas; d sastroso

fatalidade **(fa.ta.li.da.de)** [fɐtɐli'dad(ə)] *n.f.* **1** fact ou destino que não se pode evitar; fado **2** acon tecimento infeliz; desgraça

fatalismo **(fa.ta.lis.mo)** [fɐtɐ'liʒmu] *n.m.* **1** tendên cia para acreditar que tudo está determinado nada pode contrariar o destino **2** tendência par esperar sempre o pior; pessimismo

fatalista **(fa.ta.lis.ta)** [fɐtɐ'liʃtɐ] *adj.2g.* **1** que acre dita no destino **2** pessimista

fatalmente **(fa.tal.men.te)** [fɐtał'mẽt(ə)] *adv.* **1** d modo inevitável **2** com consequências negativas

fatela **(fa.te.la)** [fɐ'tɛlɐ] *adj.2g.* **1** *pej.* que é conside rado de má qualidade **2** *pej.* que revela ma gosto

fatia **(fa.ti.a)** [fɐ'tiɐ] *n.f.* pedaço mais ou meno fino de um alimento

fatiar **(fa.ti:ar)** [fɐ'tjar] *v.* cortar às fatias

fático **(fá.ti.co)** ['fatiku] *adj.* diz-se da função d linguagem em que o ato comunicativo tem com objetivo assegurar ou manter o contacto entre locutor e o interlocutor

fatídico **(fa.tí.di.co)** [fɐ'tidiku] *adj.* fatal; trágico

fatigado **(fa.ti.ga.do)** [fɐti'gadu] *adj.* cansado

fatigante **(fa.ti.gan.te)** [fɐti'gɐ̃t(ə)] *adj.2g.* cansa tivo

fatigar **(fa.ti.gar)** [fɐti'gar] *v.* cansar ▪ **fatigar-s** cansar-se

fatiota **(fa.ti:o.ta)** [fɐ'tjɔtɐ] *n.f.* *coloq.* roupa

fato **(fa.to)** ['fatu] *n.m.* **1** vestuário masculino com posto de calça e casaco **2** conjunto de peças d roupa

fato-de-banho **(fa.to-.de-.ba.nho)** [fatudə'bɐɲu] *nova grafia é* **fato de banho**[AO]

fato de banho **(fa.to. de ba.nho)**[AO] [fatudə'bɐɲ *n.m.* ⟨*pl.* fatos de banho⟩ **1** traje de banho feminin com apenas uma peça, que cobre o tronc **2** peça de vestuário masculina ou feminin usada na praia ou na piscina

fato-de-treino **(fa.to-.de-.trei.no)** [fatudə'trɐjnu *a nova grafia é* **fato de treino**[AO]

fato de treino **(fa.to de trei.no)**[AO] [fatudə'trɐjnu *n.m.* ⟨*pl.* fatos de treino⟩ vestuário desportivo cons tituído por calças e camisola ou blusão

ato-macaco (fa.to-.ma.ca.co) [fatumɐ'kaku] *n.m.* ⟨*pl.* fatos-macaco⟩ fato de trabalho de uma só peça, geralmente de ganga, que cobre o tronco e os membros

ator (fa.tor)[AO] [fa'tor] *n.m.* **1** numa operação de multiplicação, cada um dos números que se multiplicam **2** causa; condição

atorial (fa.to.ri:al)[AO] [fatu'rjaɫ] *adj.2g.* relativo a fator

atura (fa.tu.ra)[AO] [fa'turɐ] *n.f.* registo de produtos vendidos, com a indicação de quantidades, preços, etc. **SIN.** recibo ♦ *coloq.* **pagar a fatura** sofrer as consequências de um ato

aturação (fa.tu.ra.ção)[AO] [faturɐ'sɐ̃w̃] *n.f.* **1** ato de fazer faturas de produtos vendidos **2** valor total das vendas de uma empresa, num dado período

aturar (fa.tu.rar)[AO] [fatu'rar] *v.* **1** fazer fatura de **2** incluir (um produto) numa fatura

aúlha (fa.ú.lha) [fɐ'uʎɐ] *n.f.* faísca; centelha

auna (fau.na) ['fawnɐ] *n.f.* conjunto de espécies animais de uma região ou de um época

auno (fau.no) ['fawnu] *n.m.* divindade campestre com pés e chifres de cabra, que vivia nos bosques

austo (faus.to) ['fawʃtu] *n.m.* luxo

ava (fa.va) ['favɐ] *n.f.* **1** planta leguminosa muito cultivada pelo valor nutritivo das suas sementes **2** 👁 semente dessa planta ♦ *coloq.* **mandar à fava** mandar embora com desprezo; **pagar as favas** sofrer as consequências; suportar a responsabilidade

avela (fa.ve.la) [fɐ'vɛlɐ] *n.f.* [BRAS.] conjunto de casas muito pobres construídas em determinadas zonas das grandes cidades

avo (fa.vo) ['favu] *n.m.* alvéolo onde as abelhas depositam o mel

avor (fa.vor) [fɐ'vor] *n.m.* **1** serviço que se faz por amizade ou simpatia **2** benefício; vantagem ♦ **a/em favor de** em benefício de

avorável (fa.vo.rá.vel) [fɐvu'ravɛɫ] *adj.2g.* **1** que favorece ou auxilia **ANT.** desfavorável **2** que é a favor de

avorecer (fa.vo.re.cer) [fɐvurə'ser] *v.* **1** dar ajuda a **ANT.** desfavorecer, prejudicar **2** ser a favor de

avorecido (fa.vo.re.ci.do) [fɐvurə'sidu] *adj.* ajudado; protegido **ANT.** desfavorecido

avorecimento (fa.vo.re.ci.men.to) [fɐvurəsi'mẽtu] *n.m.* **1** proteção parcial **2** concessão de um privilégio

favoritismo (fa.vo.ri.tis.mo) [fɐvuri'tiʒmu] *n.m.* **1** preferência dada por favor e não por mérito **2** proteção com parcialidade

favorito (fa.vo.ri.to) [fɐvu'ritu] *n.m.,adj.* preferido; predileto

fax ['faks] *n.m.* ⟨*pl.* faxes⟩ **1** aparelho que permite copiar à distância através da linha telefónica **2** documento transmitido através da rede telefónica

faxina (fa.xi.na) [fɐ'ʃinɐ] *n.f.* **1** serviço de limpeza de um quartel **2** limpeza geral

faz-de-conta (faz-.de-.con.ta) [faʒdə'kõtɐ] *a nova grafia é* **faz de conta**[AO]

faz de conta (faz de con.ta)[AO] [faʒdə'kõtɐ] *n.m.2n.* mundo do imaginário **SIN.** fantasia; imaginação

fazenda (fa.zen.da) [fɐ'zẽdɐ] *n.f.* **1** propriedade rural **2** tecido de lã

fazendeiro (fa.zen.dei.ro) [fɐzẽ'dɐjru] *n.m.* dono de uma fazenda

fazer (fa.zer) [fɐ'zer] *v.* **1** produzir; realizar **2** montar; fabricar ♦ **fazer pouco de** troçar de; **não fazer mal** não ter importância; **tanto faz** não importa; é indiferente

faz-tudo (faz-.tu.do) [faʃ'tudu] *n.2g.2n.* **1** pessoa que tem várias profissões **2** pessoa que conserta todo o tipo de objetos **3** palhaço

fé (fé) ['fɛ] *n.f.* **1** crença religiosa **2** confiança que se tem em alguém ou em alguma coisa ♦ *coloq.* **dar fé de** aperceber-se de; notar

febra (fe.bra) ['febrɐ] *n.f.* fatia de carne sem osso nem gordura; fêvera

febre (fe.bre) ['fɛbr(ə)] *n.f.* **1** subida da temperatura do corpo acima do normal (37° C) **2** *fig.* desejo intenso; exaltação ♦ **febre amarela** doença infeciosa, epidémica, grave, que é causada por um arbovírus e transmitida por um mosquito; **febre tifoide** doença contagiosa, causada por uma salmonela, cuja infeção afeta o tubo digestivo, e se caracteriza por febre alta, prostração e diarreia

febril (fe.bril) [fə'briɫ] *adj.2g.* **1** que tem febre **2** *fig.* exaltado

fecal (fe.cal) [fə'kaɫ] *adj.2g.* relativo a fezes

fechado (fe.cha.do) [fə'ʃadu] *adj.* **1** que não está aberto; encerrado **ANT.** aberto **2** diz-se do negócio ou contrato concluído **3** *fig.* reservado; tímido

fechadura (fe.cha.du.ra) [fəʃɐ'durɐ] *n.f.* peça metálica para fechar portas, gavetas, etc.

fechar (fe.char) [fə'ʃar] *v.* **1** tapar a abertura de **ANT.** abrir **2** impedir a passagem **3** pôr fim a

fecho (fe.cho) ['fɐ(j)ʃu] *n.m.* **1** peça metálica em que pousa a aldraba ou o ferrolho **2** qualquer peça que serve para fechar **3** *fig.* fim

fecho-éclair (fe.cho-.é.clair) [fɐʃwe'klɛr] *n.m.* ⟨*pl.* fechos-éclair⟩ peça com duas bandas de dentes de metal ou de plástico que, ao unirem-se ou separarem-se, fecham ou abrem peças de roupa, malas, etc.

fecho-ecler (fe.cho-.e.cler) [fɐʃwe'klɛr] *n.m.* ⇒ **fecho-éclair**

fécula (fé.cu.la) ['fɛkulɐ] *n.f.* amido existente na batata

fecundação (fe.cun.da.ção) [fəkũdɐ'sɐ̃w̃] *n.f.* união de uma célula sexual masculina com uma célula sexual feminina para dar origem a um novo ser vivo

fecundar (fe.cun.dar) [fəkũ'dar] *v.* dar origem a (um novo ser vivo); gerar

fecundidade (fe.cun.di.da.de) [fəkũdi'dad(ə)] *n.f.* **1** qualidade de fecundo; fertilidade **2** abundância

fecundo (fe.cun.do) [fə'kũdu] *adj.* **1** fértil **2** rico

FED ['fɛd] *sigla de* Fundo Europeu de Desenvolvimento

fedelho (fe.de.lho) [fə'dɐ(j)ʎu] *n.m. coloq.* miúdo

feder (fe.der) [fə'der] *v.* cheirar mal

FEDER [fɛ'dɛr] *sigla de* Fundo Europeu de Desenvolvimento Regional

federação (fe.de.ra.ção) [fədərɐ'sɐ̃w̃] *n.f.* união; associação

federado (fe.de.ra.do) [fədə'radu] *adj.* **1** que pertence a federação **2** aliado; unido

federal (fe.de.ral) [fədə'rał] *adj.2g.* relativo a federação

fedor (fe.dor) [fə'dor] *n.m. coloq.* mau cheiro

fedorento (fe.do.ren.to) [fədu'rẽtu] *adj. coloq.* que cheira mal

feedback [fid'bɛk] *n.m.* **1** reenvio de uma mensagem para o recetor **2** reação; resposta

feição (fei.ção) [fɐj'sɐ̃w̃] *n.f.* **1** aparência exterior; forma **2** maneira de agir ■ **feições** *n.f.pl.* traços do rosto; fisionomia ♦ **estar de feição** ser favorável

feijão (fei.jão) [fɐj'ʒɐ̃w̃] *n.m.* **1** planta trepadeira com vagem e semente comestíveis **2** semente comestível dessa planta

feijão-frade (fei.jão-.fra.de) [fɐjʒɐ̃w̃'frad(ə)] *n.m.* ⟨*pl.* feijões-frades⟩ semente de cor clara, com uma pequena mancha preta no centro

feijão-fradinho (fei.jão-.fra.di.nho) [fɐjʒɐ̃w̃ frɐ'diɲu] *n.m.* ⟨*pl.* feijões-fradinho(s)⟩ ⇒ **feijão-frade**

feijão-preto (fei.jão-.pre.to) [fɐjʒɐ̃w̃'pretu] *n.m.* ⟨*pl.* feijões-pretos⟩ **1** variedade de feijoeiro com sementes pretas, muito usadas em culinária no Brasil **2** semente dessa variedade

feijão-verde (fei.jão-.ver.de) [fɐjʒɐ̃w̃'verd(ə)] *n.m.* ⟨*pl.* feijões-verdes⟩ vagem comestível do feijoeiro

feijoada (fei.jo:a.da) [fɐj'ʒwadɐ] *n.f.* refeição pr parada com feijão e carne

> A **feijoada** é um prato típico de Portugal, preparado com feijão vermelho, carne de porco, enchidos e couve. É também típica do Brasil, onde é confecionada com feijão preto e carne de porco e boi, sendo acompanhada por farofa, arroz, couve refogada e laranja fatiada.

feijoal (fei.jo:al) [fɐj'ʒwał] *n.m.* plantação de feijão

feijoca (fei.jo.ca) [fɐj'ʒɔkɐ] *n.f.* planta trepadeir com vagens grossas e sementes alimentícias

feijoeiro (fei.jo.ei.ro) [fɐj'ʒwɐjru] *n.m.* planta tr padeira que produz feijões

feio (fei.o) ['fɐju] *adj.* **1** desagradável à vista ou a ouvido **ANT.** bonito **2** que ofende; vergonhoso

feira (fei.ra) ['fɐjrɐ] *n.f.* **1** reunião de negociante num lugar público para vender produtos dive sos **2** exposição destinada a exibir novos prod tos ao público

feirante (fei.ran.te) [fɐj'rɐ̃t(ə)] *n.2g.* pessoa qu vende em feira(s)

feita (fei.ta) ['fɐjtɐ] *n.f.* ocasião; vez ♦ **dessa/dest feita** nessa/nesta ocasião

feitiçaria (fei.ti.ça.ri.a) [fɐjtisɐ'riɐ] *n.f.* magia fei por bruxos ou bruxas **SIN.** bruxaria

feiticeira (fei.ti.cei.ra) [fɐjti'sɐjrɐ] *n.f.* mulher co poderes mágicos que faz bruxarias e feitiços **SIN** bruxa

feiticeiro (fei.ti.cei.ro) [fɐjti'sɐjru] *n.m.* homem com poderes mágicos que faz bruxarias e feit ços **SIN.** bruxo

feitiço (fei.ti.ço) [fɐj'tisu] *n.m.* **1** magia feita pc feiticeiro ou feiticeira **2** *fig.* atração forte ♦ **vira -se o feitiço contra o feiticeiro** alguém sofrer mal que preparou para outra pessoa

feitio (fei.ti.o) [fɐj'tiu] *n.m.* **1** aparência de um se ou de uma coisa; forma **2** temperamento de um pessoa; carácter

feito (fei.to) ['fɐjtu] *adj.* **1** realizado **2** terminado *n.m.* **1** aquilo que se fez; obra **2** ato heroico; faça nha ♦ **bem feito!** exclamação que significa qu foi merecido

feitoria (fei.to.ri.a) [fɐjtu'riɐ] *n.f.* casa de comérci pertencente à Coroa e situada nos portos das an tigas colónias

feixe (fei.xe) ['fɐjʃ(ə)] *n.m.* conjunto de coisas un das **SIN.** molho

fel (fel) ['fɛł] *n.m.* **1** líquido amargo e viscoso segre gado pelo fígado **2** sabor amargo

felicidade (fe.li.ci.da.de) [fələsi'dad(ə)] *n.f.* **1** quali dade ou estado de feliz **ANT.** infelicidade **2** bo fortuna; sorte

felicíssimo (fe.li.cís.si.mo) [fəli'sisimu] (*superl. de* feliz) *adj.* muito feliz

felicitação (fe.li.ci.ta.ção) [fəlisitɐ'sɐ̃w̃] *n.f.* ato de felicitar alguém ▪ **felicitações** *n.f.pl.* parabéns; congratulações

felicitar (fe.li.ci.tar) [fələsi'tar] *v.* dar parabéns a; cumprimentar

felino (fe.li.no) [fə'linu] *adj.* relativo ao gato ou aos animais da mesma família (tigre, leão, etc.) ▪ *n.m.* animal carnívoro de cabeça arredondada e focinho curto

feliz (fe.liz) [fə'liʃ] *adj.2g.* **1** que tem muita sorte; afortunado ANT. infeliz **2** contente; satisfeito

felizardo (fe.li.zar.do) [fəli'zardu] *n.m. coloq.* pessoa que tem muita sorte SIN. sortudo

felizmente (fe.liz.men.te) [fəliʒ'mẽt(ə)] *adv.* **1** com êxito ANT. infelizmente **2** por sorte

felpo (fel.po) ['feɫpu] *n.m.* pelo levantado e macio em tecido ou estofo

felpudo (fel.pu.do) [feɫ'pudu] *adj.* coberto de pequenos pelos; macio

feltro (fel.tro) ['feɫtru] *n.m.* tecido usado no fabrico de chapéus e outros objetos ◆ **caneta de feltro** caneta com ponta porosa, usada para escrever e colorir

fembar (fem.bar) [fẽ'bar] *v.* [MOÇ.] exorcizar (espíritos ou forças do mal)

fêmea (fê.me:a) ['femjɐ] *n.f.* **1** animal do sexo feminino **2** ser humano do sexo feminino; mulher

feminilidade (fe.mi.ni.li.da.de) [fəmənili'dad(ə)] *n.f.* qualidade ou característica de mulher

feminino (fe.mi.ni.no) [fəmə'ninu] *adj.* **1** próprio de fêmea **2** relativo a mulher(es) ▪ *n.m.* género gramatical oposto ao género masculino

feminismo (fe.mi.nis.mo) [fəmə'niʒmu] *n.m.* defesa da igualdade de direitos entre a mulher e o homem

feminista (fe.mi.nis.ta) [fəmə'niʃtɐ] *adj.,n.2g.* que ou pessoa que é partidária do feminismo

fémur (fé.mur) ['fɛmur] *n.m.* osso da coxa

fenda (fen.da) ['fẽdɐ] *n.f.* abertura estreita SIN. fresta; frincha

fender (fen.der) [fẽ'der] *v.* abrir(-se); rachar(-se)

fendido (fen.di.do) [fẽ'didu] *adj.* aberto no sentido do comprimento; rachado

feng shui [fẽ'gʃuj] *n.m.* arte chinesa que procura organizar os espaços de modo a atrair as influências positivas da natureza, beneficiando assim as pessoas que os ocupam

fenício (fe.ní.ci:o) [fə'nisju] *adj.* relativo à antiga Fenícia (na costa do Mediterrâneo) ▪ *n.m.* **1** membro de um povo que desenvolveu grande atividade comercial na região mediterrânica **2** antiga língua falada pelos Fenícios

fénix (fé.nix) ['fɛniks] *n.f.* **1** ave fabulosa que, segundo a crença, vivia muitos séculos e que depois de queimada renascia das próprias cinzas **2** *fig.* pessoa ou coisa muito rara

feno (fe.no) ['fenu] *n.m.* erva seca que se utiliza para alimentar o gado

fenomenal (fe.no.me.nal) [fənumə'naɫ] *adj.2g.* excecional

fenómeno (fe.nó.me.no) [fə'nɔmənu] *n.m.* **1** facto que se pode observar **2** acontecimento raro ou surpreendente

fera (fe.ra) ['fɛrɐ] *n.f.* **1** qualquer animal feroz, carnívoro **2** *fig.* pessoa cruel

feriado (fe.ri:a.do) [fə'rjadu] *n.m.* dia em que não se trabalha para se celebrar uma festa civil ou religiosa

férias (fé.ri:as) ['fɛrjɐʃ] *n.f.pl.* período destinado ao descanso de trabalhadores ou estudantes

ferida (fe.ri.da) [fə'ridɐ] *n.f.* lesão produzida por pancada ou golpe; ferimento ◆ **mexer/tocar na ferida** acertar no ponto fraco

ferido (fe.ri.do) [fə'ridu] *adj.* **1** que sofreu ferimento SIN. magoado **2** *fig.* ofendido ▪ *n.m.* pessoa que se feriu ou que sofreu lesão

ferimento (fe.ri.men.to) [fəri'mẽtu] *n.m.* ⇒ **ferida**

ferir(-se) (fe.rir(-se)) [fə'rir(sə)] *v.* **1** causar ou sofrer ferimento SIN. magoar(-se) **2** *fig.* ofender(-se); melindrar(-se)

fermentação (fer.men.ta.ção) [fərmẽtɐ'sɐ̃w̃] *n.f.* transformação química da matéria orgânica por ação de fermentos

fermentar (fer.men.tar) [fərmẽ'tar] *v.* decompor(-se) por fermentação; levedar

fermento (fer.men.to) [fər'mẽtu] *n.m.* **1** substância orgânica que provoca a fermentação **2** massa de farinha que fermentou e que se utiliza para levedar o pão

ferocidade (fe.ro.ci.da.de) [fərusi'dad(ə)] *n.f.* crueldade

feroz (fe.roz) [fə'rɔʃ] *adj.2g.* **1** cruel **2** muito violento

ferradela (fer.ra.de.la) [fəʀɐ'dɛlɐ] *n.f.* **1** mordedura; dentada **2** picada (de inseto)

ferrado (fer.ra.do) [fə'ʀadu] *adj.* **1** obstinado; teimoso **2** diz-se da pessoa que está concentrada (numa atividade, no sono, etc.); mergulhado

ferradura (fer.ra.du.ra) [fəʀɐ'durɐ] *n.f.* chapa de ferro em forma de semicírculo que se prega no casco dos cavalos

ferramenta (fer.ra.men.ta) [fəʀɐ'mẽtɐ] *n.f.* **1** qualquer instrumento usado numa arte ou profissão **2** *fig.* meio para alcançar um fim

ferrão (fer.rão) [fəˈʀɐ̃w̃] *n.m.* órgão em forma de agulha, existente na extremidade do corpo de alguns insetos (por exemplo, da abelha)

ferrar (fer.rar) [fəˈʀar] *v.* **1** pregar ferro em **2** cravar **3** morder **4** prender (o peixe) ao anzol **5** marcar (o gado) com ferro em brasa ♦ **estar com ela ferrada para** estar com intenção de; **ferrar o galho** dormir

ferreiro (fer.rei.ro) [fəˈʀɐjru] *n.m.* homem que trabalha o ferro

ferrenho (fer.re.nho) [fəˈʀɐ(j)ɲu] *adj.* **1** *coloq.* severo **2** *coloq.* obstinado

férreo (fér.re:o) [ˈfɛʀju] *adj.* **1** feito de ferro **2** *fig.* que não cede; inflexível

ferrinhos (fer.ri.nhos) [fɛˈʀiɲuʃ] *n.m.pl.* instrumento musical formado por um triângulo de ferro ou aço que se percute com outro ferro

ferro (fer.ro) [ˈfɛʀu] *n.m.* metal maleável, duro, abundante na natureza e usado para diversos fins ♦ **ferro de engomar** instrumento de base triangular usado para alisar a roupa por meio de calor; **a ferro e fogo** de forma violenta

ferroada (fer.ro:a.da) [fəˈʀwadɐ] *n.f.* picada com ferrão

ferrolho (fer.ro.lho) [fəˈʀoʎu] *n.m.* peça de ferro com que se fecham portas ou janelas

ferro-velho (fer.ro-.ve.lho) [fɛʀuˈvɛʎu] *n.m.* ⟨*pl.* ferros-velhos⟩ local onde se compram e vendem objetos velhos ou usados

ferroviário (fer.ro.vi.á.ri:o) [fɛʀɔˈvjarju] *adj.* relativo a comboio(s)

ferrugem (fer.ru.gem) [fəˈʀuʒɐ̃j] *n.f.* **1** óxido de ferro hidratado que se forma na superfície do ferro exposto à humidade **2** *coloq.* velhice

> Note-se que a palavra **ferrugem** escreve-se com g (e não com j).

ferrugento (fer.ru.gen.to) [fəʀuˈʒẽtu] *adj.* **1** que tem ferrugem **2** *coloq.* velho

ferry [ˈfɛʀi] *n.m. coloq.* ⇒ **ferryboat**

ferryboat [fɛʀiˈbowt] *n.m.* ⟨*pl.* ferryboats⟩ barco que faz travessias curtas em rios, para transporte de pessoas, veículos ou mercadorias

fértil (fér.til) [ˈfɛrtiɫ] *adj.2g.* **1** produtivo; fecundo **2** abundante; rico **ANT.** escasso; pobre

fertilidade (fer.ti.li.da.de) [fərtəliˈdad(ə)] *n.f.* qualidade do que é fértil **SIN.** fecundidade

fertilização (fer.ti.li.za.ção) [fərtəlizɐˈsɐ̃w̃] *n.f.* **1** ato ou efeito de fertilizar **2** fecundação

fertilizante (fer.ti.li.zan.te) [fərtəliˈzɐ̃t(ə)] *n.m.* produto que se deita na terra para aumentar a produção agrícola; adubo

fertilizar (fer.ti.li.zar) [fərtəliˈzar] *v.* tornar fér[til] ou produtivo

fervedor (fer.ve.dor) [fərvəˈdor] *n.m.* recipien[te] próprio para ferver leite e outros líquidos

fervente (fer.ven.te) [fərˈvẽt(ə)] *adj.2g.* **1** q[ue] ferve **2** que vibra

ferver (fer.ver) [fərˈver] *v.* entrar ou estar em eb[u]lição; borbulhar ♦ **ferver em pouca água** za[n]gar-se ou exaltar-se com facilidade

fervilhar (fer.vi.lhar) [fərviˈʎar] *v.* ferver pou[co] mas continuamente

fervor (fer.vor) [fərˈvor] *n.m.* **1** calor intenso; a[r]dência **2** *fig.* intensidade; paixão

fervoroso (fer.vo.ro.so) [fərvuˈrozu] *adj.* **1** ded[i]cado **2** apaixonado

fervura (fer.vu.ra) [fərˈvurɐ] *n.f.* estado do líqui[do] que ferve ♦ **deitar água na fervura** acalm[ar] uma discussão

festa (fes.ta) [ˈfɛʃtɐ] *n.f.* **1** reunião de pessoas pa[ra] comemorar alguma coisa; comemoração **2** *f[ig.]* alegria **3** carícia; afago ♦ **fazer a festa e deit[ar] os foguetes** rir-se das suas próprias piadas

> As festas de Santo António e do São João são das mais típicas **festas populares** portuguesas: as ruas enchem-se de gente, come-se sardinhas assadas e há bailaricos nos bairros mais típicos e antigos das cidades.

festança (fes.tan.ça) [fəʃˈtɐ̃sɐ] *n.f.* festa grande [e] muito animada

festar (fes.tar) [fəʃˈtar] *v.* [ANG., BRAS.] festejar

festejar (fes.te.jar) [fəʃtəˈʒar] *v.* comemor[ar] (algo) com uma festa; celebrar

festejo (fes.te.jo) [fəʃˈtɐ(j)ʒu] *n.m.* **1** ato ou efei[to] de festejar **2** festa; comemoração

festim (fes.tim) [fəʃˈtĩ] *n.m.* refeição abundante [e] demorada em que participam muitas pessoa[s] geralmente para comemorar alguma coisa

festinha (fes.ti.nha) [fɛʃˈtiɲɐ] ⟨*dim. de* festa⟩ *n[.f.]* **1** festa para poucos convidados **2** carícia fei[ta] com a mão

festival (fes.ti.val) [fəʃtiˈvaɫ] *n.m.* espetáculo artí[s]tico ou desportivo, geralmente competitivo, q[ue] se realiza durante um breve período de tempo

festividade (fes.ti.vi.da.de) [fəʃtiviˈdad(ə)] *n[.f.]* festa civil ou religiosa

festivo (fes.ti.vo) [fəʃˈtivu] *adj.* **1** relativo a fes[ta] **2** alegre; divertido

fetal (fe.tal) [fəˈtaɫ] *adj.2g.* relativo ao feto (s[er] vivo)

fetiche (fe.ti.che) [fɛˈtiʃ(ə)] *n.m.* pessoa ou obje[to] que é alvo de um interesse obsessivo ou irraci[o]nal

to (fe.to) [ˈfɛtu] *n.m.* **1** ser na fase inicial do seu desenvolvimento; embrião **2** ◈ planta com folhas compostas recortadas

udal (feu.dal) [fewˈdał] *adj.2g.* relativo a feudalismo

udalismo (feu.da.lis.mo) [fewdɐˈliʒmu] *n.m.* sistema existente na Europa durante a Idade Média caracterizado por uma relação de dependência entre os trabalhadores das terras e os donos dessas terras

udo (feu.do) [ˈfewdu] *n.m.* (Idade Média) terra ou propriedade concedida pelo senhor a um vassalo, com a obrigação de prestação de certos serviços e pagamento de foro ou tributo

vera (fê.ve.ra) [ˈfevərɐ] *n.f.* fatia de carne sem osso nem gordura **SIN.** febra

vereiro (fe.ve.rei.ro)[AO] [fəvəˈrɐjru] *n.f.* segundo mês do ano civil

zes (fe.zes) [ˈfɛzəʃ] *n.f.pl.* resíduos resultantes da digestão que são expelidos pelo ânus **SIN.** excrementos

abilidade (fi:a.bi.li.da.de) [fjɐbiliˈdad(ə)] *n.f.* **1** qualidade do que é fiável **2** confiança; credibilidade

ado (fi:a.do) [ˈfjadu] *adj.* **1** comprado ou vendido a crédito **2** diz-se da pessoa que confiou; crédulo

ador (fi:a.dor) [fjɐˈdor] *n.m.* pessoa que se obriga a realizar o pagamento de outra pessoa, caso esta não cumpra as suas obrigações no prazo e nas condições definidas anteriormente

ambre (fi:am.bre) [ˈfjɐ̃br(ə)] *n.m.* carne de porco, geralmente cortada em fatias finas

ança (fi:an.ça) [ˈfjɐ̃sɐ] *n.f.* valor depositado como garantia de pagamento; caução

ar (fi:ar) [ˈfjar] *v.* **1** vender a crédito **2** reduzir a fio: *fiar lã* ▪ **fiar-se ⟨+em⟩** confiar; acreditar: *Não se fie nisso!*

asco (fi:as.co) [ˈfjaʃku] *n.m.* resultado desfavorável; fracasso

ável (fi:á.vel) [ˈfjavɛł] *adj.2g.* em que se pode confiar

bra (fi.bra) [ˈfibrɐ] *n.f.* **1** elemento fino e comprido encontrado nos tecidos animais e vegetais e em certas substâncias minerais **2** *fig.* coragem ♦ **ter fibra 1** ter coragem; ter força de vontade **2** ser competente; ter talento

fibroma (fi.bro.ma) [fiˈbromɐ] *n.m.* tumor benigno

fibroso (fi.bro.so) [fiˈbrozu] *adj.* semelhante a fibra

ficar (fi.car) [fiˈkar] *v.* **1** permanecer num dado lugar ou numa determinada situação: *O João ficou contente. Eles ficaram bem. A Maria ficará na cidade.* **2** alojar-se num local: *Fiquei num hotel.* **3** estar situado: *O copo fica na prateleira de baixo. A casa fica junto ao mar.* **4** restar; sobrar: *Ficou imensa comida.* **5** ajustar-se; assentar: *O vestido fica-te bem.* **6** perdurar: *A paixão passa, a amizade fica.* **7 ⟨+com⟩** passar a ter: *Ficou com medo.* **8 ⟨+com⟩** não devolver: *Fique com o troco.* **9 ⟨+de⟩** comprometer-se: *Ele ficou de me telefonar.* **10 ⟨+de⟩** combinar: *Ficámos de nos encontrar amanhã.* **11 ⟨+por⟩** custar: *O livro ficou por dez euros.* ▪ **ficar-se 1** não continuar: *Fico-me por aqui.* **2** não reagir: *Quando a provocam, nunca se fica.* ♦ **ficar de fora** ser excluído; não fazer parte de; **deixar ficar mal 1** envergonhar **2** desiludir

ficção (fic.ção) [fiˈksɐ̃w̃] *n.f.* **1** construção de coisas imaginárias; fantasia **2** história criada pela imaginação ♦ **ficção científica** género de livros e filmes que tem como tema central o conhecimento científico e tecnológico na sociedade do futuro

ficcional (fic.ci:o.nal) [fiksjuˈnał] *adj.2g.* **1** relativo a ficção **2** inventado; imaginado

ficcionista (fic.ci:o.nis.ta) [fiksjuˈniʃtɐ] *n.2g.* pessoa que escreve obras de ficção

ficha (fi.cha) [ˈfiʃɐ] *n.f.* **1** peça com um ou mais pinos que encaixam na tomada, para estabelecer a ligação elétrica **2** pequena peça usada em determinados jogos **3** conjunto dos dados pessoais importantes para registos médicos, policiais, etc. ♦ **ficha técnica** lista dos nomes dos profissionais e entidades envolvidos direta ou indiretamente num trabalho (filme, documentário, etc.)

ficheiro (fi.chei.ro) [fiˈʃɐjru] *n.m.* **1** lugar onde se guardam fichas **2** conjunto de fichas **3** conjunto de informações que é conservado na memória de um dispositivo eletrónico

fictício (fic.tí.ci:o) [fiˈktisju] *adj.* que não é verdadeiro ou real; criado pela imaginação **SIN.** imaginário

fidalgo (fi.dal.go) [fiˈdałgu] *adj.,n.m.* nobre

fidalguia (fi.dal.gui.a) [fidałˈgiɐ] *n.f.* nobreza

fidedigno (fi.de.dig.no) [fidəˈdignu] *adj.* em que se pode confiar; credível

fidelidade (fi.de.li.da.de) [fidəliˈdad(ə)] *n.f.* lealdade

fidelização (fi.de.li.za.ção) [fidəlizɐˈsɐ̃w̃] *n.f.* (marketing) estratégia cujo objetivo é tornar os consumidores clientes habituais de determinada marca, produto ou serviço

fidelizar (fi.de.li.zar) [fidəli'zar] *v.* em marketing, tornar (cliente) consumidor habitual

fiel (fi.el) ['fjɛɫ] *adj.2g.* **1** que demonstra lealdade; fiel **2** que revela rigor; exato

fielmente (fi:el.men.te) [fjɛɫ'mẽt(ə)] *adv.* com rigor; exatamente

FIFA ['fifa] Federação Internacional de Futebol **OBS.** Sigla de *Fédération Internationale de Football Association*

fig. *abreviatura de* figura

figa (fi.ga) ['figɐ] *n.f.* gesto com a mão fechada e o dedo polegar metido entre o indicador e o médio, para dar sorte; *coloq.* **fazer figas** desejar o melhor (a alguém); torcer por (alguém)

fígado (fí.ga.do) ['figɐdu] *n.m.* órgão situado perto do tubo digestivo e que é responsável pela secreção biliar ◆ **ter maus fígados 1** ter mau feitio **2** ter mau carácter; ser vingativo

figo (fi.go) ['figu] *n.m.* fruto da figueira, geralmente verde ou roxo, com polpa avermelhada ◆ **chamar-lhe um figo 1** comer sofregamente uma coisa que se considera deliciosa **2** apoderar-se de algo

figueira (fi.guei.ra) [fi'gɐjrɐ] *n.f.* árvore produtora de figos

figura (fi.gu.ra) [fi'gurɐ] *n.f.* **1** forma exterior de um corpo; aspeto **2** desenho que ilustra um texto; ilustração ◆ **fazer boa/má figura** sair-se bem/mal; **figura de estilo** utilização das palavras com sentido diferente do sentido literal, de forma a criar um efeito expressivo; **figura de urso** atitude ridícula ou dececionante; **mudar de figura** tornar-se diferente, adquirindo novos aspetos ou circunstâncias

figurado (fi.gu.ra.do) [figu'radu] *adj.* diz-se do sentido de uma palavra que não é exatamente o sentido principal dessa palavra: *ter fibra = ter coragem* **SIN.** metafórico

figurante (fi.gu.ran.te) [figu'rɐ̃t(ə)] *n.2g.* pessoa que representa um papel secundário numa peça ou num filme

figurão (fi.gu.rão) [figu'rɐ̃w̃] ⟨*aum. de* figura⟩ *n.m.* **1** *coloq.* pessoa importante **2** *coloq.* boa figura ◆ **fazer um figurão 1** sair-se muito bem **2** *irón.* comportar-se de uma forma inapropriada

figurar (fi.gu.rar) [figu'rar] *v.* ⟨**+em**⟩ fazer parte de; participar em: *figurar numa lista*

figurativo (fi.gu.ra.ti.vo) [figurɐ'tivu] *adj.* que representa (algo) através de um símbolo; simbólico

figurino (fi.gu.ri.no) [figu'rinu] *n.m.* desenho ou modelo de roupa feito por profissionais da alta costura

fila (fi.la) ['filɐ] *n.f.* série de pessoas ou coisas colocadas umas atrás das outras **SIN.** fileira

filamento (fi.la.men.to) [filɐ'mẽtu] *n.m.* **1** fio bastante fino **2** fio no interior de uma lâmpada elétrica

filantropia (fi.lan.tro.pi.a) [filɐ̃tru'piɐ] *n.f.* **1** interesse pela felicidade e pelo bem-estar dos outros **SIN.** altruísmo **2** generosidade

filantropo (fi.lan.tro.po) [filɐ̃'tropu] *adj.,n.m.* que ou aquele que procura melhorar a situação dos outros sem esperar nada em troca **SIN.** altruísta

filão (fi.lão) [fi'lɐ̃w̃] *n.m.* **1** introdução de rochas eruptivas em fendas **2** *fig.* fonte de vantagens e benefícios ◆ **explorar o filão** aproveitar uma oportunidade para conseguir vantagens

filarmónica (fi.lar.mó.ni.ca) [filɐr'mɔnikɐ] *n.* banda de música

filarmónico (fi.lar.mó.ni.co) [filɐr'mɔniku] *adj.* relativo a grupos ou sociedades musicais

filatelia (fi.la.te.li.a) [filɐtə'liɐ] *n.f.* estudo e coleção dos selos de correio

filatelista (fi.la.te.lis.ta) [filɐtə'liʃtɐ] *n.2g.* pessoa que estuda e/ou coleciona selos do correio

fileira (fi.lei.ra) [fi'lɐjrɐ] *n.f.* ⇒ **fila**

filete (fi.le.te) [fi'let(ə)] *n.m.* posta fina de peixe ou de carne, geralmente frita

filha (fi.lha) ['fiʎɐ] *n.f.* pessoa do sexo feminino em relação aos seus pais

filharada (fi.lha.ra.da) [fiʎɐ'radɐ] *n.f. coloq.* grande número de filhos

filho (fi.lho) ['fiʎu] *n.m.* pessoa do sexo masculino em relação aos seus pais ◆ *coloq.* **filho da mãe 1** indivíduo considerado traiçoeiro e sem carácter **2** *pej.* insulto que manifesta revolta e desprezo em relação a determinada atitude ou comportamento

filhó (fi.lhó) [fi'ʎɔ] *n.f.* ⟨*pl.* filhós⟩ doce de farinha e ovos, frito e polvilhado com açúcar e canela

filho-da-terra (fi.lho-.da-.ter.ra) [fiʎudɐ'tɛʀɐ] *nova grafia é* **filho da terra**[AO]

filho da terra (fi.lho da ter.ra)[AO] [fiʎudɐ'tɛʀɐ] *n.* ⟨*pl.* filhos da terra⟩ [ANG., GB., MOÇ.] pessoa que é natural do país; autóctone

filhós (fi.lhós) [fi'ʎɔʃ] *n.f.* ⟨*pl.* filhoses⟩ ⇒ **filhó**

filhote (fi.lho.te) [fi'ʎɔt(ə)] *n.m.* **1** cria de animal **2** filho pequeno ou muito novo

filiação (fi.li:a.ção) [filjɐ'sɐ̃w̃] *n.f.* relação de parentesco entre pais e filhos

filiado (fi.li:a.do) [fi'ljadu] *n.m.* membro de uma associação; associado

filial (fi.li:al) [fi'ljaɫ] *adj.2g.* relativo a filho ▪ *n.f.* estabelecimento comercial que depende de outro; sucursal

filiar (fi.li:ar) [fi'ljar] *v.* adotar como filho: *filiar uma criança* ▪ **filiar-se** ⟨**+em**⟩ tornar-se sócio ◆

membro (de clube, partido, etc.): *Filiou-se no partido da terra.*

igrana (fi.li.gra.na) [fili'grenɐ] *n.f.* **1** peça de ourivesaria feita de fios de ouro ou prata delicadamente entrelaçados **2** marca de água (em notas de papel, ações, etc.)

ipar (fi.li.par) [f(i)li'par] *v.* **1** [ANG.] sacudir **2** [ANG.] abater

ipino (fi.li.pi.no) [fili'pinu] *adj.* **1** relativo às Filipinas (no oceano Pacífico) **2** relativo à dinastia dos Filipes, reis de Espanha e Portugal ■ *n.m.* pessoa natural das Filipinas

magem (fil.ma.gem) [fiɫ'maʒɐ̃j] *n.f.* ato de filmar; gravação

mar (fil.mar) [fiɫ'mar] *v.* fazer um filme de

me (fil.me) ['fiɫm(ə)] *n.m.* sequência de imagens registadas em película através de uma câmara e projetadas num ecrã

osofar (fi.lo.so.far) [filuzu'far] *v.* refletir sobre problemas da realidade ou da vida

osofia (fi.lo.so.fi.a) [filuzu'fiɐ] *n.f.* estudo dos princípios e das causas da realidade; sabedoria

osófico (fi.lo.só.fi.co) [filu'zɔfiku] *adj.* relativo a filosofia

ósofo (fi.ló.so.fo) [fi'lɔsufu] *n.m.* **1** especialista em filosofia **2** pessoa que reflete sobre a realidade e sobre a vida

tração (fil.tra.ção) [fiɫtrɐ'sɐ̃w̃] *n.f.* ato de filtrar

trado (fil.tra.do) [fiɫ'tradu] *adj.* que foi passado por filtro

tragem (fil.tra.gem) [fiɫ'traʒɐ̃j] *n.f.* **1** separação de sólidos existentes em suspensão num fluido, líquido ou gás, por ação gravitacional, de pressão ou por centrifugação **2** *fig.* separação; seleção

trar (fil.trar) [fiɫ'trar] *v.* passar por filtro; coar

tro (fil.tro) ['fiɫtru] *n.m.* utensílio feito de material poroso para coar líquidos

n (fim) ['fĩ] *n.m.* **1** momento ou ponto em que algo termina; termo **ANT.** início, princípio **2** objetivo; intenção ♦ **a fim de** com o objetivo de; **ao fim e ao cabo** afinal; em conclusão; **por fim** finalmente; por último; **sem fim** eternamente; contínuo

fim-de-semana (fim-.de-.se.ma.na) [fĩdəsə'mɐnɐ] *a nova grafia é* **fim de semana**[AO]

fim de semana (fim de se.ma.na)[AO] [fĩdəsə'mɐnɐ] *n.m.* ⟨*pl.* fins de semana⟩ período em que geralmente não se trabalha, e que vai da sexta-feira à noite até domingo à noite

finado (fi.na.do) [fi'nadu] *n.m.* pessoa que morreu; falecido ■ *adj.* morto

final (fi.nal) [fi'naɫ] *adj.2g.* relativo ao fim **SIN.** derradeiro; último

finalidade (fi.na.li.da.de) [finɐli'dad(ə)] *n.f.* propósito; fim

finalista (fi.na.lis.ta) [finɐ'liʃtɐ] *n.2g.* **1** estudante que frequenta o último ano de um curso **2** pessoa ou equipa que participa na última prova de uma competição

finalização (fi.na.li.za.ção) [finɐlizɐ'sɐ̃w̃] *n.f.* **1** acabamento; conclusão **2** (futebol) lance para golo

finalizar (fi.na.li.zar) [finɐli'zar] *v.* terminar; concluir

finalmente (fi.nal.men.te) [finaɫ'mẽt(ə)] *adv.* **1** por fim **2** enfim

finanças (fi.nan.ças) [fi'nɐ̃sɐʃ] *n.f.pl.* dinheiro e bens de um país, de uma empresa ou de uma pessoa

financeiro (fi.nan.cei.ro) [finɐ̃'sɐjru] *adj.* relativo a finanças

financiamento (fi.nan.ci:a.men.to) [finɐ̃sjɐ'mẽtu] *n.m.* **1** ato ou efeito de financiar **2** importância concedida para financiar

financiar (fi.nan.ci:ar) [finɐ̃'sjar] *v.* pagar os custos de

finca-pé (fin.ca-.pé) [fĩkɐ'pɛ] *n.m.* ⟨*pl.* finca-pés⟩ teimosia ♦ **fazer finca-pé** insistir em; teimar

findar (fin.dar) [fĩ'dar] *v.* pôr fim a; terminar

findável (fin.dá.vel) [fĩ'davɛɫ] *adj.2g.* que tem fim; finito

findo (fin.do) ['fĩdu] *adj.* que chegou ao fim **SIN.** terminado

fineza (fi.ne.za) [fi'nezɐ] *n.f.* delicadeza; amabilidade

fingido (fin.gi.do) [fĩ'ʒidu] *adj.* **1** falso **2** simulado

fingidor (fin.gi.dor) [fĩʒi'dor] *n.m.* aquele que finge

fingimento (fin.gi.men.to) [fĩʒi'mẽtu] *n.m.* **1** falta de sinceridade **2** dissimulação de sentimento

fingir (fin.gir) [fĩ'ʒir] *v.* **1** fazer de conta **2** simular

finisterra (fi.nis.ter.ra) [finiʃ'tɛʀɐ] *n.f.* ponta ou cabo que termina uma região ou país

finito (fi.ni.to) [fi'nitu] *adj.* que tem fim; limitado

finlandês (fin.lan.dês) [fĩlɐ̃'deʃ] *adj.* relativo à Finlândia ■ *n.m.* **1** pessoa natural da Finlândia **2** língua oficial da Finlândia

fino (fi.no) ['finu] *adj.* **1** que tem diâmetro reduzido **ANT.** grosso **2** que é pouco espesso; delgado **3** aguçado; afiado ◆ **fazer-se fino** usar de astúcia

No norte de Portugal, um **fino** designa um copo de 33 cl, alto e mais estreito em baixo do que em cima, com cerveja tirada à pressão. No sul, diz-se normalmente **imperial** e, no Brasil, chama-se **chope** à cerveja servida à pressão.

finório (fi.nó.ri:o) [fi'nɔrju] *n.m.* indivíduo astuto que procura enganar alguém **SIN.** espertalhão

finta (fin.ta) ['fĩtɐ] *n.f.* tentativa de enganar o adversário com movimentos do corpo, evitando que apanhe a bola

fintar (fin.tar) [fĩ'tar] *v.* evitar que o adversário apanhe a bola, controlando-a com movimentos do corpo

fio (fi.o) ['fiu] *n.m.* fibra ou filamento de um tecido ◆ **a fio** sem interrupção **SIN.** continuamente; **de fio a pavio** do princípio ao fim totalmente; **fio condutor** filamento metálico condutor de eletricidade; numa conversa, assunto sobre o qual se fala; **fio dental** fio usado para remover pedaços de comida de entre os dentes

fio-de-prumo (fi:o-.de-.pru.mo) [fiudə'prumu] *a nova grafia é* **fio de prumo**[AO]

fio de prumo (fi:o de pru.mo)[AO] [fiudə'prumu] *n.m.* ⟨*pl.* fios de prumo⟩ esfera metálica suspensa por um fio que se usa para verificar se um objeto está vertical

fiorde (fi:or.de) ['fjɔrd(ə)] *n.m.* 👁 golfo estreito e profundo, entre montanhas

fios-de-ovos (fi.os-.de-.o.vos) [fiuʃ'dɔvuʃ] *a nova grafia é* **fios de ovos**[AO]

fios de ovos (fi.os de o.vos)[AO] [fiuʃ'dɔvuʃ] *n.m.pl.* doce em forma de fios, feitos com gemas de ovos e cozidos em calda de açúcar

firewall [fajɐr'wɔɫ] *n.f.* dispositivo de seguran que permite regular o fluxo de informação ent redes de computadores, impedindo a transmi são de dados nocivos ou não autorizados

firma (fir.ma) ['firmɐ] *n.f.* empresa

firmamento (fir.ma.men.to) [firmɐ'mẽtu] *n.f.* cé

firmar (fir.mar) [fir'mar] *v.* **1** tornar firme **SIN.** xar **2** estabelecer; combinar **3** consolidar (re ção, amizade)

firme (fir.me) ['firm(ə)] *adj.2g.* estável; seguro

firmeza (fir.me.za) [fir'mezɐ] *n.f.* estabilidade; s gurança

fiscal (fis.cal) [fiʃ'kaɫ] *n.2g.* pessoa encarregada verificar o cumprimento de leis ou normas ◆ **fi cal de linha** no futebol, auxiliar do árbitro, q assinala quando a bola sai das linhas laterais de fundo ou quando há fora de jogo

fiscal-de-linha (fis.cal-.de.-.li.nha) [fiʃkaɫdə'liɲ *a nova grafia é* **fiscal de linha**[AO]

fiscal de linha (fis.cal de li.nha)[AO] [fiʃkaɫdə'liɲ *n.2g.* ⟨*pl.* fiscais de linha⟩ no futebol, auxiliar árbitro, cuja função é acenar com uma peque bandeira sempre que a bola transpõe as linh laterais ou de fundo ou sempre que algum jog dor se encontra em fora de jogo

fiscalidade (fis.ca.li.da.de) [fiʃkɐli'dad(ə)] *r* **1** sistema de cobrança de impostos **2** conjun de impostos em vigor

fiscalização (fis.ca.li.za.ção) [fiʃkɐlizɐ'sɐ̃w̃] *n.f.* v rificação do cumprimento de leis ou normas

fiscalizar (fis.ca.li.zar) [fiʃkɐli'zar] *v.* verificar cumprimento de leis ou normas; vigiar

fisco (fis.co) ['fiʃku] *n.m.* parte da administraç pública encarregada de cobrar impostos

fisga (fis.ga) ['fiʃgɐ] *n.f.* pequena vara a que prende um elástico, usada para atirar pedras

fisgada (fis.ga.da) [fiʒ'gadɐ] *n.f.* dor súbita; pc tada

fisgado (fis.ga.do) [fiʒ'gadu] *adj.* **1** apanhado **2** *col* preparado com antecedência

fisgar (fis.gar) [fiʒ'gar] *v.* **1** capturar com fis **2** apanhar **3** *coloq.* perceber rapidamente

física (fí.si.ca) ['fizikɐ] *n.f.* ciência que estuda os nómenos que não alteram a estrutura inter dos corpos

físico (fí.si.co) ['fiziku] *adj.* **1** relativo à física **2** lativo ao corpo ■ *n.m.* **1** especialista em físi **2** aspeto exterior de uma pessoa; corpo

físico-química (fí.si.co-.quí.mi.ca) [fizikɔ'kimik *n.f.* ⟨*pl.* físico-químicas⟩ disciplina que estuda p blemas comuns à física e à química

físico-químico (fí.si.co-.quí.mi.co) [fizikɔ'kimik *adj.* relativo à física e à química simultaneamen

iologia (fi.si:o.lo.gi.a) [fizjulu'ʒiɐ] *n.f.* disciplina que estuda os fenómenos e as funções dos diferentes órgãos dos seres vivos

iológico (fi.si:o.ló.gi.co) [fizju'lɔʒiku] *adj.* relativo a fisiologia

ionomia (fi.si:o.no.mi.a) [fizjunu'miɐ] *n.f.* conjunto de traços do rosto **SIN.** feições; semblante

ionómico (fi.si:o.nó.mi.co) [fizju'nɔmiku] *adj.* relativo ao rosto

ioterapeuta (fi.si:o.te.ra.peu.ta) [fizjɔtəɾɐ'pewtɐ] *n.2g.* especialista em fisioterapia

ioterapia (fi.si:o.te.ra.pi.a) [fizjɔtəɾɐ'piɐ] *n.f.* tratamento de lesões ou doenças através de exercícios, massagens e agentes físicos (como a água, a luz ou o calor)

sura (fis.su.ra) [fi'suɾɐ] *n.f.* fenda; greta

tula (fís.tu.la) ['fiʃtulɐ] *n.f.* orifício ou canal anormal, congénito ou acidental, que liga dois órgãos entre si ou um órgão ao exterior

a (fi.ta) ['fitɐ] *n.f.* faixa de tecido ou de papel ◆ **azer fitas** causar escândalo **SIN.** fingir; **fita métrica** tira dividida em centímetros e metros, usada para fazer medições

a-cola (fi.ta-.co.la) [fitɐ'kɔlɐ] *n.f.* ⟨*pl.* fitas-cola⟩ fita plástica com uma superfície adesiva, utilizada para fechar embalagens ou fixar vários tipos de objetos

ar (fi.tar) [fi'tar] *v.* ⟨**+em**⟩ fixar (a vista)

o (fi.to) ['fitu] *n.m.* objetivo; propósito

ela (fi.ve.la) [fi'vɛlɐ] *n.f.* peça a que se prende uma correia, uma fita, etc.

ação (fi.xa.ção) [fiksɐ'sɐ̃w̃] *n.f.* **1** colagem **2** ideia fixa

ador (fi.xa.dor) [fiksɐ'doɾ] *n.m.* produto que serve para fixar

amente (fi.xa.men.te) [fiksɐ'mẽt(ə)] *adv.* de modo fixo; atentamente

ar (fi.xar) [fi'ksaɾ] *v.* **1** ⟨**+em**⟩ prender; pregar: *Fixou cartazes na parede.* **2** tornar firme: *Fixaram os pilares da ponte.* **3** determinar; estabelecer: *fixar a data de uma reunião* **4** memorizar; reter: *Fixaste o meu número de telefone?* **5** ⟨**+em**⟩ deter a vista: *Fixou os olhos nela.* ■ **fixar-se** ⟨**+em**⟩ estabelecer-se; instalar-se: *Fixaram-se em Lisboa.*

e (fi.xe) ['fiʃ(ə)] *adj.2g.* **1** *coloq.* simpático **2** *coloq.* ótimo ■ *interj. coloq.* exprime prazer, entusiasmo ou alegria

o (fi.xo) ['fiksu] *adj.* **1** preso **2** imóvel **3** firme

abreviatura de folha

cidez (fla.ci.dez) [flɐsi'deʃ] *n.f.* falta de firmeza

cido (flá.ci.do) ['flasidu] *adj.* que não tem firmeza; mole

flagelação (fla.ge.la.ção) [flɐʒəlɐ'sɐ̃w̃] *n.f.* **1** tortura **2** aflição

flagelar (fla.ge.lar) [flɐʒə'laɾ] *v.* **1** castigar; chicotear **2** atormentar; afligir

flagelo (fla.ge.lo) [flɐ'ʒɛlu] *n.m.* **1** castigo **2** desgraça

flagrante (fla.gran.te) [flɐ'gɾɐ̃t(ə)] *adj.2g.* visto no próprio momento em que aconteceu

flamenco [flɐ'mẽku] *n.m.* música e dança populares da Andaluzia (região do Sul da Espanha), de origem cigana

flamengo (fla.men.go) [flɐ'mẽgu] *adj.* relativo à Flandres (região situada parte na França, nos Países Baixos e na Bélgica) ■ *n.m.* **1** pessoa natural da Flandres **2** dialeto falado na Bélgica

flamingo (fla.min.go) [flɐ'mĩgu] *n.m.* 👁 ave pernalta de grande porte, com pescoço longo e plumagem rosada

flan ['flɐ̃] *n.m.* pudim feito de ovos, leite, açúcar e farinha, geralmente coberto com açúcar caramelizado

flanco (flan.co) ['flɐ̃ku] *n.m.* **1** região lateral do corpo, entre a anca e as costelas **2** parte lateral; lado

flanela (fla.ne.la) [flɐ'nɛlɐ] *n.f.* tecido de lã ou algodão cardado

flash ['flaʃ] *n.m.* clarão forte e rápido que se acende na máquina fotográfica quando há pouca luz

flashback [flaʃ'bɛk] *n.m.* **1** narração de um acontecimento anterior ao tempo em que decorre a ação **2** parte de um filme que mostra uma cena anterior à ação

flat ['flat] *adj.inv.* diz-se do mar calmo, sem ondas; liso ■ *n.m.* [BRAS., MOÇ.] apartamento

flatulência (fla.tu.lên.ci:a) [flɐtu'lẽsjɐ] *n.f.* **1** acumulação de gases no estômago e nos intestinos **2** expulsão desses gases pelo ânus

flauta (flau.ta) ['flawtɐ] *n.f.* instrumento de sopro, em forma de tubo, com diversos buracos por onde sai o ar

flautim (flau.tim) [flaw'tĩ] *n.m.* instrumento de sopro menor e mais fino que a flauta

flautista (flau.tis.ta) [flaw'tiʃtɐ] *n.2g.* pessoa que toca flauta

flecha (fle.cha) ['flɛʃɐ] *n.f.* arma com a forma de uma haste pontiaguda SIN. seta ♦ **como uma flecha** a grande velocidade; **subir em flecha** subir muito e rapidamente

flectido (flec.ti.do) [flɛ'tidu] *a nova grafia é* **fletido**[AO]

flectir (flec.tir) [flɛ'tir] *a nova grafia é* **fletir**[AO]

fletido (fle.ti.do)[AO] [flɛ'tidu] *adj.* que se fletiu, dobrou ou curvou

fletir (fle.tir)[AO] [flɛ'tir] *v.* dobrar; flexionar

fleumático (fleu.má.ti.co) [flew'matiku] *adj.* **1** imperturbável **2** indiferente

flexão (fle.xão) [flɛ'ksɐ̃w̃] *n.f.* **1** movimento que consiste em dobrar o corpo ou uma parte do corpo **2** conjunto das formas que tomam as palavras variáveis

flexibilidade (fle.xi.bi.li.da.de) [flɛksibili'dad(ə)] *n.f.* **1** qualidade do que é flexível; elasticidade **2** capacidade de adaptação a diferentes situações

flexibilizar (fle.xi.bi.li.zar) [flɛksibili'zar] *v.* tornar flexível

flexionar (fle.xi:o.nar) [flɛksju'nar] *v.* **1** dobrar; fletir **2** fazer a flexão de (uma palavra)

flexissegurança (fle.xis.se.gu.ran.ça) [flɛksisəgu'rɐ̃sɐ] *n.f.* modelo laboral que procura aumentar a mobilidade no mercado laboral não deixando de proteger os trabalhadores

flexível (fle.xí.vel) [flɛ'ksivɛɫ] *adj.2g.* **1** diz-se do material que se dobra com facilidade; elástico **2** diz-se de pessoa que se adapta facilmente a novas situações

flipar (fli.par) [fli'par] *v. coloq.* descontrolar-se; passar-se

flipper ['flipɛr] *n.m.* ⟨*pl.* flippers⟩ jogo eletrónico em que uma ou mais pequenas bolas são impelidas ao longo de uma superfície inclinada, através de vários obstáculos

flirt ['flɐrt] *n.m.* relação amorosa passageira; caso

floco (flo.co) ['flɔku] *n.m.* **1** pequena massa de neve **2** tufo de pelo ■ **flocos** *n.m.pl.* produto alimentar feito à base de partículas de cereais

flor (flor) ['flor] *n.f.* órgão vegetal das plantas, composto por cálice, pétalas coloridas e sementes ♦ **à flor de** à superfície; **não ser flor que se cheire** não inspirar confiança; **flor de estufa** pessoa muito frágil e delicada

flora (flo.ra) ['flɔrɐ] *n.f.* vegetação característica de uma região

floral (flo.ral) [flu'raɫ] *adj.2g.* relativo a flor

flor-de-lis (flor-.de-.lis) [flordə'liʃ] *n.f.* ⟨*pl.* flores-lis⟩ **1** planta com folhas estreitas e comprida flores vermelhas e grandes **2** adorno em for da flor do lírio estilizada, que constitui um sı bolo da antiga realeza francesa

floreado (flo.re:a.do) [flu'rjadu] *adj.* **1** enfeitː **2** vistoso

floreira (flo.rei.ra) [flu'rɐjrɐ] *n.f.* vaso para flore

florescente (flo.res.cen.te) [flurəʃ'sẽt(ə)] *adj* **1** que floresce **2** *fig.* próspero

florescer (flo.res.cer) [flurəʃ'ser] *v.* **1** dar flor; sabrochar **2** *fig.* prosperar

florescimento (flo.res.ci.men.to) [flurəʃsi'mı *n.f.* **1** aparecimento de flores numa planta **2** p gresso

floresta (flo.res.ta) [flu'rɛʃtɐ] *n.f.* conjunto de de árvores que cobrem uma vasta extensão terreno SIN. mata

florestação (flo.res.ta.ção) [flurəʃtɐ'sɐ̃w̃] plantação de árvores em floresta

florestal (flo.res.tal) [flurəʃ'taɫ] *adj.2g.* relativ floresta

floricultor (flo.ri.cul.tor) [flurikuɫ'tor] *n.m.* pes que cultiva flores

floricultura (flo.ri.cul.tu.ra) [flurikuɫ'turɐ] *n.f.* c tura de flores

florido (flo.ri.do) [flu'ridu] *adj.* **1** que tem flor(**2** diz-se do tecido com flores; estampado

florífero (flo.rí.fe.ro) [flu'rifəru] *adj.* que proc flores

florir (flo.rir) [flu'rir] *v.* cobrir-se de flores; de brochar

florista (flo.ris.ta) [flu'riʃtɐ] *n.2g.* **1** pessoa c vende flores **2** loja onde se vendem flores

fluência (flu:ên.ci:a) ['flwẽsjɐ] *n.f.* facilidade de lar (sobretudo uma língua estrangeira)

fluente (flu:en.te) ['flwẽt(ə)] *adj.2g.* **1** que flui; quido; fluido **2** que é fácil ou natural; espor neo

fluidez (flu.i.dez) [flui'deʃ] *n.f.* qualidade do c corre ou desliza facilmente

fluido (flu:i.do) ['flujdu] *n.m.* qualquer substân capaz de fluir como os líquidos

fluir (flu:ir) ['flwir] *v.* **1** ⟨**+de**⟩ correr; desliː **2** ⟨**+de**⟩ provir; proceder **3** surgir naturalment

fluminense (flu.mi.nen.se) [flumi'nẽ(sə)] *adj* **1** relativo a rio SIN. fluvial **2** relativo ao Rio Janeiro (no Brasil) ■ *n.2g.* pessoa natural do de Janeiro

flúor (flú.or) ['fluɔr] *n.m.* elemento gasoso, ve noso e com cheiro intenso, usado em doses quenas na composição da pasta de dentes

fluorescência (flu:o.res.cên.ci:a) [flwurəʃ'sẽsjɐ] *n.f.* emissão de luz por parte de um corpo, provocada por qualquer processo exceto aquecimento

fluorescente (flu:o.res.cen.te) [flwurəʃ'sẽt(ə)] *adj.2g.* que emite luz na escuridão

flutuação (flu.tu:a.ção) [flutwɐ'sɐ̃w̃] *n.f.* **1** oscilação **2** variação

flutuante (flu.tu:an.te) [flu'twɐ̃t(ə)] *adj.2g.* **1** que flutua; oscilante **2** variável; inconstante

flutuar (flu.tu:ar) [flu'twar] *v.* **1** ficar à tona de um líquido; boiar **2** agitar-se ao vento; ondular **3** *fig.* hesitar

fluvial (flu.vi:al) [flu'vjał] *adj.2g.* relativo a rio; próprio de rio

fluxo (flu.xo) ['fluksu] *n.m.* **1** movimento constante de algo; corrente **2** *fig.* grande quantidade (de pessoas ou veículos) **3** *fig.* sucessão (de acontecimentos)

FMI [ɛfɛm'i] *sigla de* Fundo Monetário Internacional

fobia (fo.bi.a) [fu'biɐ] *n.f.* medo muito intenso de alguma coisa

foca (fo.ca) ['fɔkɐ] *n.f.* mamífero anfíbio, de pelo raso e membros curtos, espalmados em barbatanas, que se alimenta de peixe e vive nas regiões frias

focado (fo.ca.do) [fu'kadu] *adj.* **1** que está nítido **ANT.** desfocado **2** *fig.* concentrado

focagem (fo.ca.gem) [fu'kaʒɐ̃j̃] *n.f.* ato de regular um sistema ótico para obter uma imagem nítida

focalização (fo.ca.li.za.ção) [fukɐlizɐ'sɐ̃w̃] *n.f.* **1** ato de pôr em destaque ou em evidência **2** posicionamento do narrador em face da ação e das personagens **3** (fotografia) ⇒ **focagem**

focalizar (fo.ca.li.zar) [fukɐli'zar] *v.* **1** regular (sistema ótico) para obter uma imagem nítida **2** pôr em evidência **SIN.** salientar

focar (fo.car) [fu'kar] *v.* regular um sistema ótico para obter uma imagem nítida **ANT.** desfocar ■ **focar-se** *fig.* concentrar-se em

focinho (fo.ci.nho) [fu'siɲu] *n.m.* parte anterior da cabeça de vários animais ◆ *coloq.* **dar no/ir ao focinho de** bater em alguém; **levar no focinho** ser agredido; **meter o focinho em** meter-se onde não se é chamado

foco (fo.co) ['fɔku] *n.m.* ponto para onde convergem os raios luminosos ◆ **em foco** em destaque

fofinho (fo.fi.nho) [fu'fiɲu] ⟨*dim. de* fofo⟩ *adj.* **1** muito fofo **2** amoroso

fofo (fo.fo) ['fofu] *adj.* **1** mole; macio **2** amoroso; querido

fofoca (fo.fo.ca) [fɔ'fɔkɐ] *n.f.* [BRAS.] *coloq.* mexerico; bisbilhotice

fofocar (fo.fo.car) [fɔfɔ'kar] *v.* [BRAS.] *coloq.* mexericar; bisbilhotar

fofoqueiro (fo.fo.quei.ro) [fɔfɔ'kɐjru] *n.m.* [BRAS.] *coloq.* bisbilhoteiro; coscuvilheiro

fogaça (fo.ga.ça) [fu'gasɐ] *n.f.* pão grande e doce

fogão (fo.gão) [fu'gɐ̃w̃] *n.m.* aparelho doméstico alimentado a eletricidade, gás ou lenha, utilizado para cozinhar ◆ **fogão de sala** vão aberto na parede de um compartimento onde se queima lenha para aquecer o ambiente

fogareiro (fo.ga.rei.ro) [fugɐ'rɐjru] *n.m.* utensílio portátil de ferro, latão ou barro, que funciona a carvão, gás ou petróleo, e é usado para cozinhar

fogo (fo.go) ['fogu] *n.m.* **1** produção de calor, luz, fumo e gases resultantes da combustão de uma substância inflamável **SIN.** lume **2** incêndio ◆ **brincar com o fogo** não encarar coisas importantes de modo sério; arriscar demais; **fogo cruzado** disparos cujas trajetórias se cruzam; **fogo posto** fogo provocado por alguém de modo intencional; **pegar fogo** incendiar(-se); **pôr as mãos no fogo por** confiar totalmente em

fogo-de-artifício (fo.go-.de-.ar.ti.fí.ci:o) [fogu dɐrti'fisju] *a nova grafia é* **fogo de artifício**[AO]

fogo de artifício (fo.go de ar.ti.fí.ci:o)[AO] [fogu dɐrti'fisju] *n.m.* ⟨*pl.* fogos de artifício⟩ foguetes lançados no céu em ocasiões de festa que produzem efeitos de luz e um ruído forte

fogo-de-santelmo (fo.go-.de-.san.tel.mo) [fogudəsɐ̃'tɛłmu] *a nova grafia é* **fogo de Santelmo**[AO]

fogo de Santelmo (fo.go de San.tel.mo)[AO] [fogudəsɐ̃'tɛłmu] *n.m.* ⟨*pl.* fogos de Santelmo⟩ penacho luminoso que se observa por vezes no topo dos mastros e vergas dos navios devido à eletricidade atmosférica

fogo-de-vista (fo.go-.de-.vis.ta) [fogudə'viʃtɐ] *a nova grafia é* **fogo de vista**[AO]

fogo de vista (fo.go de vis.ta)[AO] [fogudə'viʃtɐ] *n.m.* ⟨*pl.* fogos de vista⟩ aquilo que impressiona pela aparência, mas que não tem conteúdo ou não é real

fogo-preso (fo.go-.pre.so) [fogu'prezu] *n.m.* ⟨*pl.* fogos-presos⟩ grupo de peças de pirotecnia que são queimadas em armações fixas

fogoso (fo.go.so) [fu'gozu] *adj.* **1** que tem fogo; ardente **2** *fig.* apaixonado; arrebatado

foguear (fo.gue:ar) [fu'gjar] *v.* incendiar

fogueira (fo.guei.ra) [fu'gɐjrɐ] *n.f.* monte de lenha ou de matérias de combustão fácil a que se pega fogo

foguetão (fo.gue.tão) [fugə'tɐ̃w̃] *n.m.* veículo para transporte de satélites artificiais para o espaço

foguete (fo.gue.te) [fu'get(ə)] *n.m.* peça de pirotecnia carregada de pólvora, à qual se pega fogo e que forma jogos de luzes ao rebentar ♦ **deitar foguetes antes da festa** festejar uma coisa antes de a conseguir

foice (foi.ce) ['foj(sə)] *n.f.* utensílio agrícola constituído por um cabo curto ao qual se fixa uma lâmina curva e estreita, utilizado para ceifar ou segar ♦ **meter a foice em seara alheia** meter-se num assunto que não lhe diz respeito

foie gras [fwa'gra] *n.m.* preparado de consistência pastosa e sabor forte, feito com fígado de ganso ou pato

folar (fo.lar) [fu'lar] *n.m.* bolo que os padrinhos dão aos afilhados, na Páscoa

folclore (fol.clo.re) [fɔɫ'klɔr(ə)] *n.m.* **1** conjunto das tradições populares (música, dança, provérbios, lendas) de um país ou de uma região **2** estudo dessas tradições

folclórico (fol.cló.ri.co) [fɔɫ'klɔriku] *adj.* **1** relativo a folclore **2** *coloq.* muito colorido; berrante

fole (fo.le) ['fɔl(ə)] *n.m.* instrumento usado para atear o lume

fôlego (fô.le.go) ['foləgu] *n.m.* **1** respiração **2** *fig.* ânimo

foleirada (fo.lei.ra.da) [fulɐj'radɐ] *n.f. coloq.* aquilo que é de mau gosto ou de má qualidade

foleiro (fo.lei.ro) [fu'lɐjru] *adj. coloq.* que revela mau gosto ou má qualidade

folga (fol.ga) ['fɔɫgɐ] *n.f.* período de descanso; pausa

folgado (fol.ga.do) [foɫ'gadu] *adj.* **1** largo (roupa) **2** descansado (pessoa, vida) **3** fácil (trabalho, vida)

folgar (fol.gar) [foɫ'gar] *v.* **1** alargar **2** divertir-se

folha (fo.lha) ['foʎɐ] *n.f.* **1** órgão vegetal, geralmente verde e em forma de lâmina, que se insere no caule **2** pedaço retangular de papel ♦ **folha de presença** folha onde assinam as pessoas que assistem a uma aula, conferência, etc.; **novo/novinho em folha** que ainda não foi utilizado

folhado (fo.lha.do) [fu'ʎadu] *n.m.* pastel de massa trabalhada em camadas finas, recheado de carne, peixe ou legumes

folhagem (fo.lha.gem) [fu'ʎaʒɐ̃j] *n.f.* conjunto das folhas de uma planta ou árvore

folheado (fo.lhe:a.do) [fu'ʎjadu] *n.m.* folha d[...]gada de madeira ou outro material que reve[...] uma peça pelo lado de fora

folhear (fo.lhe:ar) [fu'ʎjar] *v.* **1** dividir em fol[...] **2** percorrer as folhas de (livro, jornal, etc.)

folhetim (fo.lhe.tim) [fuʎə'tĩ] *n.m.* fragmento [...] romance publicado num jornal ou emitido na [...]dio

folheto (fo.lhe.to) [fu'ʎetu] *n.m.* impresso c[...] uma ou mais folhas

folho (fo.lho) ['foʎu] *n.m.* tira de tecido franzida com pregas que se aplica em peças de rou[...] cortinas, toalhas, etc.

folia (fo.li.a) [fu'liɐ] *n.f.* festa; borga

folião (fo.li.ão) [fu'ljɐ̃w̃] *adj.* que gosta de se div[...]tir; brincalhão

foliar (fo.li:ar) [fu'ljar] *v.* participar em folia [...] festa

fome (fo.me) ['fɔm(ə)] *n.f.* **1** grande vontade de [...]mer **2** falta de alimentos; miséria **3** *fig.* desejo [...]dente ♦ **enganar a fome** comer algo leve p[...] atenuar a sensação de fome; **matar a fome** [...]ciar a necessidade de comer

fomentar (fo.men.tar) [fumẽ'tar] *v.* apoiar o [...]senvolvimento ou progresso de; estimular

fomento (fo.men.to) [fu'mẽtu] *n.m.* apoio; e[...]mulo

fonador (fo.na.dor) [funɐ'dor] *adj.* produtor [...] som ou voz ♦ **aparelho fonador** conjunto de [...]gãos que intervêm na produção dos sons da l[...]gua

fondue [fõ'dy] *n.m.* **1** prato que consiste num r[...]lho à base de queijo, óleo ou azeite, chocol[...] etc., que se mantém quente e onde se mer[...]lham os mais variados alimentos (pão, car[...] marisco, vegetais, fruta, etc.) **2** recipiente o[...] se prepara este prato

fone (fo.ne) ['fɔn(ə)] *n.m.* realização concreta [...] um fonema

fonema (fo.ne.ma) [fu'nemɐ] *n.m.* cada um [...] sons com que se formam palavras

fonética (fo.né.ti.ca) [fu'nɛtikɐ] *n.f.* disciplina [...] estuda e descreve os sons das línguas

fonético (fo.né.ti.co) [fu'nɛtiku] *adj.* relativo a [...]nética

fónico (fó.ni.co) ['fɔniku] *adj.* relativo à voz ou [...] sons da linguagem

fonógrafo (fo.nó.gra.fo) [fu'nɔgrɐfu] *n.m.* ins[...]mento antigo que reproduz os sons gravados [...] discos

fonologia (fo.no.lo.gi.a) [funulu'ʒiɐ] *n.f.* discipl[...] que estuda e descreve os sons como unida[...] distintas (fonemas) e a sua função no siste[...] linguístico

fontainha **(fon.ta.i.nha)** [fõtɐ'iɲɐ] *n.f.* fonte pequena

A palavra **fontainha** escreve-se sem acento agudo no **i**.

fontanário **(fon.ta.ná.ri:o)** [fõtɐ'narju] *n.m.* fonte artificial; chafariz

fonte **(fon.te)** ['fõt(ə)] *n.f.* **1** nascente de água **2** chafariz **3** região lateral do crânio **4** *fig.* origem ♦ **fonte de alimentação** dispositivo que fornece corrente elétrica a um circuito; **fonte de rendimento** atividade ou local de onde provêm os recursos financeiros de uma pessoa ou de uma empresa

footing ['futĩg] *n.m.* passeio ou caminhada a pé, como exercício físico ou para espairecer

fora **(fo.ra)** ['fɔrɐ] *adv.* **1** no exterior: *Lá fora está calor. Foi dormir fora.* **2** no estrangeiro: *Passou três anos fora.* ■ *prep.* exceto; além de: *Fora a família, ninguém mais foi.* ■ *interj.* exclamação utilizada para expulsar alguém ♦ *coloq.* **dar o fora** sair; fugir; **de fora** **1** à mostra: *Ele estava com as pernas de fora.* **2** sem participar: *Ela ficou fora da confusão.*; **fora de** afastado de: *A estrada passa fora da cidade. Ele está fora da realidade.*; **por fora** **1** na parte exterior: *A parede foi pintada por fora.* **2** de modo fraudulento: *O inspector recebeu dinheiro por fora.*

fora-da-lei **(fo.ra-.da-.lei)** [fɔrɐdɐ'lɐj] *a nova grafia é* **fora da lei**[AO]

fora da lei **(fo.ra da lei)**[AO] [fɔrɐdɐ'lɐj] *adj.,n.2g.2n.* que ou pessoa que não vive segundo as regras ou leis da sociedade

fora-de-jogo **(fo.ra-.de-.jo.go)** [fɔrɐdə'ʒogu] *a nova grafia é* **fora de jogo**[AO]

fora de jogo **(fo.ra de jo.go)**[AO] [fɔrɐdə'ʒogu] *n.m.2n.* no futebol, infração cometida pelo jogador que, ao receber a bola, tem apenas um ou nenhum adversário entre ele e a baliza

foragido **(fo.ra.gi.do)** [furɐ'ʒidu] *adj.,n.m.* fugitivo

foral **(fo.ral)** [fu'raɫ] *n.m.* carta real que regulava a administração de uma localidade ou concedia privilégios

forasteiro **(fo.ras.tei.ro)** [furɐʃ'tɐjru] *adj.,n.m.* **1** estranho **2** estrangeiro

forca **(for.ca)** ['forkɐ] *n.m.* instrumento de execução formado por uma corda presa a uma trave de madeira, com um nó e uma laçada que se colocava ao redor do pescoço do condenado, estrangulando-o

força **(for.ça)** ['forsɐ] *n.f.* **1** agente físico capaz de alterar o estado de repouso ou de movimento de um corpo **2** robustez física **3** energia; coragem ♦ **à força** com violência; **à (viva) força** custe o que custar; **força aérea** conjunto das forças militares aéreas de um país; **forças armadas** conjunto das forças de combate e de defesa de um país

forcado **(for.ca.do)** [fur'kadu] *n.m.* indivíduo que, nas touradas, pega o touro

forçado **(for.ça.do)** [fur'sadu] *adj.* **1** obrigado; pressionado **2** não natural; artificial

forçar **(for.çar)** [fur'sar] *v.* **1** aplicar força a (porta, janela, etc.): *forçar uma fechadura* **2** obter pela força: *forçar um sorriso* **3** ⟨+a⟩ obrigar pela força: *Forçou-o a ficar em casa a estudar.*

forçoso **(for.ço.so)** [fur'sozu] *adj.* absolutamente necessário; indispensável

forense **(fo.ren.se)** [fu'rẽ(sə)] *adj.2g.* relativo aos tribunais e à justiça; judicial

forja **(for.ja)** ['fɔrʒɐ] *n.f.* oficina onde se fundem metais ♦ **estar na forja** estar em preparação

forjado **(for.ja.do)** [fur'ʒadu] *adj.* **1** trabalhado na forja **2** *fig.* criado; inventado

forjar **(for.jar)** [fur'ʒar] *v.* **1** preparar (metal) na forja **2** *fig.* criar; inventar

forma **(for.ma)**[1] ['fɔrmɐ] *n.f.* **1** formato de alguma coisa **2** aparência física de alguém **3** estado físico de uma substância ♦ **de forma alguma/nenhuma** de modo nenhum; **desta/dessa forma** deste/desse modo; *coloq.* **estar em baixo de forma** estar cansado ou deprimido; **estar em forma** estar em boas condições físicas

forma **(for.ma)**[2 AO] ['formɐ] ou **fôrma** [AO] *n.f.* **1** recipiente onde se levam a cozer no forno massa de bolos e outros preparados culinários **2** molde (para sapatos)

formação **(for.ma.ção)** [furmɐ'sɐ̃w̃] *n.f.* **1** criação de alguma coisa **2** disposição de objetos ou pessoas **3** modo como uma pessoa é educada

formado **(for.ma.do)** [fur'madu] *adj.* **1** constituído **2** licenciado

formador **(for.ma.dor)** [furmɐ'dor] *n.m.* pessoa que dá formação; professor

formal **(for.mal)** [fur'maɫ] *adj.2g.* **1** relativo a forma ou estrutura **2** que está de acordo com as normas; solene

formalidade **(for.ma.li.da.de)** [furmɐli'dad(ə)] *n.f.* **1** norma de procedimento **2** protocolo; etiqueta

formalização **(for.ma.li.za.ção)** [furmɐlizɐ'sɐ̃w̃] *n.f.* realização efetiva; concretização

formalizar **(for.ma.li.zar)** [furmɐli'zar] *v.* executar de acordo com as regras

formando **(for.man.do)** [fur'mɐ̃du] *n.m.* pessoa que está prestes a terminar um curso superior

formar **(for.mar)** [fur'mar] *v.* **1** dar forma: *formar uma roda* SIN. estruturar **2** compor; constituir: *formar um todo* **3** educar; instruir: *formar os alunos* **4** criar; elaborar: *formar uma empresa* ■ **for-**

mar-se 1 criar-se; produzir-se **2** desenvolver-se; produzir-se **3** ⟨**+em**⟩ tirar um curso superior: *Formou-se em Engenharia.*

formatação (for.ma.ta.ção) [furmɐtɐ'sɐ̃w̃] *n.f.* preparação de um suporte de dados ou de um meio magnético para receber e armazenar informação

formatar (for.ma.tar) [furmɐ'tar] *v.* preparar (suporte de dados ou meio magnético) para receber informação

formativo (for.ma.ti.vo) [furmɐ'tivu] *adj.* que ensina; educativo

formato (for.ma.to) [fur'matu] *n.m.* **1** forma exterior de uma pessoa ou de uma coisa; configuração **2** dimensões de um impresso (livro, revista, etc.); tamanho (altura e largura)

formatura (for.ma.tu.ra) [furmɐ'turɐ] *n.f.* **1** disposição ordenada de tropas **2** final de um curso superior

fórmica (fór.mi.ca) ['fɔrmikɐ] *n.f.* placa laminada de plástico usada para revestir móveis, etc.

formidável (for.mi.dá.vel) [furmi'davɛɫ] *adj.2g.* que é muito bom ou que é melhor do que se esperava **SIN.** excelente; espantoso

formiga (for.mi.ga) [fur'migɐ] *n.f.* **1** pequeno inseto que vive em colónias **2** *fig.* pessoa poupada e trabalhadora

formigueiro (for.mi.guei.ro) [furmi'gɐjru] *n.m.* **1** construção feita debaixo da terra pelas formigas **2** *coloq.* comichão **3** *fig.* impaciência

formoso (for.mo.so) [fur'mozu] *adj.* belo

formosura (for.mo.su.ra) [furmu'zurɐ] *n.f.* beleza

fórmula (fór.mu.la) ['fɔrmulɐ] *n.f.* **1** receita **2** regra

formular (for.mu.lar) [furmu'lar] *v.* **1** redigir como fórmula **2** dizer de forma rigorosa

formulário (for.mu.lá.ri:o) [furmu'larju] *n.m.* impresso com questões e espaços em branco para serem preenchidos

fornada (for.na.da) [fur'nadɐ] *n.f.* **1** quantidade de alimentos que se cozem de uma só vez **2** *fig., coloq.* conjunto de coisas que se fazem de uma vez

fornalha (for.na.lha) [fur'naʎɐ] *n.f.* **1** parte do fogão própria para assar alimentos **2** *fig.* lugar muito quente

fornecedor (for.ne.ce.dor) [furnəsə'dor] *n.m.* pessoa ou empresa que fornece **SIN.** abastecedor

fornecer (for.ne.cer) [furnə'ser] *v.* **1** ⟨**+a**, **+de**⟩ abastecer; prover: *O sargento forneceu o exército de mantimentos.* **2** ser fonte de: *O leite fornece proteínas.*

fornecimento (for.ne.ci.men.to) [furnəsi'mẽtu] *n.m.* abastecimento

forno (for.no) ['fornu] *n.m.* **1** compartimento de um fogão onde se assam ou aquecem alimentos **2** construção em forma de abóbada onde se coze barro, porcelana, etc.

foro (fo.ro) ['fɔru] *n.m.* competência; alçada ◆ **foro íntimo** consciência

forrado (for.ra.do) [fu'ʀadu] *adj.* **1** diz-se da roupa ou do calçado que tem forro **2** diz-se da superfície revestida de papel, madeira ou outro material

forragem (for.ra.gem) [fu'ʀaʒɐ̃j̃] *n.f.* erva, palha ou grão para alimentar o gado

forrar (for.rar) [fu'ʀar] *v.* **1** cobrir com forro **2** revestir com papel ou outro material

forreta (for.re.ta) [fu'ʀetɐ] *n.2g. coloq.* pessoa que só pensa em juntar dinheiro; sovina

forro (for.ro) ['foʀu] *n.m.* **1** qualquer material que enche ou reveste a parte interna de peça de roupa, almofada, calçado, etc. **2** pessoa natural de São Tomé e Príncipe

fortalecer(-se) (for.ta.le.cer(-se)) [furtɐlə'ser(sə)] *v.* **1** tornar(-se) forte **SIN.** revigorar(-se) **2** guarnecer(-se) com fortificações e mecanismos de defesa

fortalecimento (for.ta.le.ci.men.to) [furtɐlsi'mẽtu] *n.m.* ato ou efeito de tornar mais forte

fortaleza (for.ta.le.za) [furtɐ'lezɐ] *n.f.* construção destinada a proteger um lugar de um ataque inimigo **SIN.** forte; fortificação

forte (for.te) ['fɔrt(ə)] *adj.* **1** que tem força; robusto **ANT.** fraco **2** que tem coragem; valente ■ *n.m.* **1** ⇒ **fortaleza 2** aptidão natural; talento ◆ **forte e feio** com intensidade ou dureza **SIN.** muito

fortificação (for.ti.fi.ca.ção) [furtifikɐ'sɐ̃w̃] *n.f.* = **fortaleza**

fortificante (for.ti.fi.can.te) [furtifi'kɐ̃t(ə)] *adj.2g.* que dá força ou vigor ■ *n.m.* medicamento ou substância que ajuda a fazer recuperar as forças

fortificar (for.ti.fi.car) [furtifi'kar] *v.* **1** tornar forte; fortalecer **2** munir com meios de defesa ■ **fortificar-se 1** tornar-se forte; fortalecer-se **2** defender-se

fortuito (for.tui.to) [fur'tujtu] *adj.* casual; acidental

fortuna (for.tu.na) [fur'tunɐ] *n.f.* **1** conjunto de bens que pertencem a uma pessoa; riqueza **2** boa ou má sorte na vida; destino ♦ **fazer fortuna** ficar rico **SIN.** enriquecer

fórum (fó.rum) ['fɔrũ] *n.m.* ⟨*pl.* fóruns⟩ **1** local onde se fazem debates **2** centro de atividades culturais **3** ferramenta de comunicação, disponível online, onde podem ser discutidos vários temas

fosco (fos.co) ['foʃku] *adj.* que perdeu o brilho; baço

fosfato (fos.fa.to) [fuʃ'fatu] *n.m.* qualquer sal do ácido fosfórico

fosforescência (fos.fo.res.cên.ci:a) [fuʃfurəʃ'sẽsjɐ] *n.f.* propriedade de certos corpos de brilhar no escuro

fósforo (fós.fo.ro) ['fɔʃfuru] *n.m.* **1** elemento não metálico, inflamável e luminoso **2** palito com uma substância inflamável numa das extremidades

fossa (fos.sa) ['fɔsɐ] *n.f.* **1** cavidade natural ou artificial, mais ou menos profunda, no solo; cova; buraco **2** [BRAS.] *coloq.* depressão; angústia ♦ **fossas nasais** cavidades alongadas do nariz que comunicam com o exterior pelas narinas

fóssil (fós.sil) ['fɔsiɫ] *n.m.* **1** 👁 resto ou vestígio de animal ou vegetal de uma época passada **2** *fig.* coisa antiga ou que já não se usa

fossilizar(-se) (fos.si.li.zar(-se)) [fusili'zar(sə)] *v.* **1** tornar(-se) fóssil **2** *pej.* ficar agarrado a ideias antiquadas

fosso (fos.so) ['fosu] *n.m.* **1** cova; buraco **2** escavação em torno de uma fortaleza ou de um castelo para impedir ataques inimigos

foto (fo.to) ['fɔtɔ] *n.f. coloq.* fotografia

fotocópia (fo.to.có.pi:a) [fɔtɔ'kɔpjɐ] *n.f.* **1** reprodução de documentos por meio de um processo fotográfico **2** cópia obtida através desse processo

fotocopiadora (fo.to.co.pi:a.do.ra) [fɔtɔkupjɐ'dorɐ] *n.f.* máquina que produz cópias instantâneas de um texto ou de uma imagem

fotocopiar (fo.to.co.pi:ar) [fɔtɔku'pjar] *v.* fazer fotocópia de; reproduzir

fotoepilação (fo.to.e.pi.la.ção) [fɔtɔepilɐ'sɐ̃w̃] *n.f.* método de depilação baseado na luz, usado para eliminar o pelo junto com a raiz

fotofobia (fo.to.fo.bi.a) [fɔtɔfu'biɐ] *n.f.* intolerância à luz, que provoca uma sensação dolorosa

fotogénico (fo.to.gé.ni.co) [fɔtɔ'ʒɛniku] *adj.* que fica bem representado em fotografia

fotografar (fo.to.gra.far) [futugrɐ'far] *v.* tirar fotografia(s) a; retratar

fotografia (fo.to.gra.fi.a) [futugrɐ'fiɐ] *n.f.* retrato feito com máquina fotográfica ♦ **fotografia tipo passe** fotografia pequena que é utilizada em documentos de identificação

fotográfico (fo.to.grá.fi.co) [futu'grafiku] *adj.* **1** relativo a fotografia **2** *fig.* exato; rigoroso

fotógrafo (fo.tó.gra.fo) [fu'tɔgrɐfu] *n.m.* pessoa que se dedica à fotografia, como profissional ou como amador

fotojornalismo (fo.to.jor.na.lis.mo) [fɔtɔjurnɐ'liʒmu] *n.m.* tipo de jornalismo em que as fotografias constituem o principal material informativo

fotojornalista (fo.to.jor.na.lis.ta) [fɔtɔʒurnɐ'liʃtɐ] *n.2g.* pessoa que se dedica ao fotojornalismo

fotomontagem (fo.to.mon.ta.gem) [fɔtɔmõ'taʒɐ̃j] *n.f.* **1** técnica de combinação de imagens para criar uma nova composição **2** fotografia resultante dessa técnica

fotorreportagem (fo.tor.re.por.ta.gem) [fɔtɔʀəpur'taʒɐ̃j] *n.f.* reportagem essencialmente baseada em fotografias, acompanhadas de pequenas legendas

fotossensível (fo.tos.sen.sí.vel) [fɔtɔsẽ'sivɛɫ] *adj.2g.* sensível às radiações luminosas

fotossíntese (fo.tos.sín.te.se) [fɔtɔ'sĩtəz(ə)] *n.f.* função pela qual as plantas verdes fixam o carbono do dióxido de carbono do exterior e libertam oxigénio quando estão em presença de luz

fox terrier [fɔkstɛ'ʀje] *n.m.* **1** raça de cães, de porte pequeno, com pelo liso ou áspero, originalmente usado para a caça à raposa **2** cão dessa raça

foxtrot [fɔks'trɔt] *n.m.* dança de salão de origem americana

foz (foz) ['fɔʃ] *n.f.* lugar onde desagua um rio

fração (fra.ção)[AO] [fra'sɐ̃w̃] *n.f.* **1** parte de um todo; parcela **2** em matemática, expressão que designa uma ou mais partes iguais em que se dividiu uma unidade

fracassar (fra.cas.sar) [frɐkɐ'sar] *v.* não ter êxito **SIN.** falhar

fracasso (fra.cas.so) [frɐ'kasu] *n.m.* mau resultado; insucesso

fracção (frac.ção) [fra'sɐ̃w̃] *a nova grafia é* **fração**[AO]

fraccionário (frac.ci:o.ná.ri:o) [frasju'narju] *a nova grafia é* **fracionário**[AO]

fraccionar(-se) (frac.ci:o.nar(-se)) [frasju'nar(sə)] *a nova grafia é* **fracionar(-se)**[AO]

fracionário (fra.ci:o.ná.ri:o)[AO] [frasju'narju] *adj.* que indica uma ou mais partes em que foi dividida a unidade

fracionar(-se) (fra.ci:o.nar(-se))[AO] [frasju'nar(sə)] *v.* partir(-se) ou dividir(-se) em partes ou fragmentos **SIN.** segmentar(-se)

fraco (fra.co) ['fraku] *adj.* **1** que não tem força; débil **ANT.** forte **2** de má qualidade **3** pouco intenso ▪ *n.m.* simpatia; gosto ♦ **dar parte de fraco** mostrar medo ou dúvida; **ter um fraco por** gostar muito de

fracote (fra.co.te) [frɐ'kɔt(ə)] *adj.* **1** *coloq.* que tem pouca força; fraco **2** *coloq.* que tem pouca qualidade; medíocre

fractura (frac.tu.ra) [fra'turɐ] *a nova grafia é* **fratura**[AO]

fracturar (frac.tu.rar) [fratu'rar] *a nova grafia é* **fraturar**[AO]

frade (fra.de) ['frad(ə)] *n.m.* membro de uma ordem religiosa **SIN.** monge

fragata (fra.ga.ta) [frɐ'gatɐ] *n.f.* navio de guerra

frágil (frá.gil) ['fraʒił] *adj.2g.* **1** que é pouco resistente; que parte com facilidade **2** que tem pouca força física; débil

fragilidade (fra.gi.li.da.de) [frɐʒəli'dad(ə)] *n.f.* **1** qualidade de frágil **2** falta de força física; debilidade

fragilizar (fra.gi.li.zar) [frɐʒəli'zar] *v.* enfraquecer; debilitar

fragmentação (frag.men.ta.ção) [fragmẽtɐ'sɐ̃w̃] *n.f.* ato ou efeito de (se) fragmentar

fragmentário (frag.men.tá.ri:o) [fragmẽ'tarju] *adj.* **1** dividido em fragmentos **2** incompleto

fragmentar(-se) (frag.men.tar(-se)) [fragmẽ'tar(sə)] *v.* reduzir(-se) a fragmentos **SIN.** quebrar(-se)

fragmento (frag.men.to) [fra'gmẽtu] *n.m.* **1** pedaço de uma coisa que se partiu ou rasgou **2** parte de um todo; fração

fragrância (fra.grân.ci:a) [frɐ'grɐ̃sjɐ] *n.f.* cheiro agradável; aroma

fralda (fral.da) ['frałdɐ] *n.f.* peça de material macio e absorvente que se coloca entre as pernas e a envolver as nádegas dos bebés

fraldário (fral.dá.ri:o) [frał'darju] *n.m.* instalação pública (em centro comercial, aeroporto, etc.) para troca de fraldas a bebés

framboesa (fram.bo:e.sa) [frɐ̃'bwezɐ] *n.f.* fruto pequeno, vermelho quando maduro, com aroma muito intenso e sabor doce

francês (fran.cês) [frɐ̃'seʃ] *adj.* relativo a França ▪ *n.m.* **1** pessoa natural de França **2** língua oficial de França, Bélgica, Luxemburgo, Suíça, Canadá, etc. ♦ **à grande e à francesa** com pompa; **despedir-se à francesa** partir sem se despedir

francesinha (fran.ce.si.nha) [frɐ̃sə'ziɲɐ] *n.f.* pra[to] composto por duas fatias de pão de forma, bif[e], fiambre, linguiça e mortadela ou salsicha, c[o]berta por queijo e molho picante

> A **francesinha** é um prato típico da cidade do Porto, com origem numa tosta francesa, que terá sido recriada por um cozinheiro emigrante regressado de França.

franchising [frɐ̃'ʃajzĩg] *n.m.* acordo no qual um[a] empresa cede a outra o direito de uso da su[a] marca ou patente

franciscano (fran.cis.ca.no) [frɐ̃siʃ'kɐnu] *adj.* **1** r[e]lativo à ordem religiosa de S. Francisco de Ass[is] **2** diz-se da pobreza extrema

franco (fran.co) ['frɐ̃ku] *adj.* **1** que revela fran[]queza; sincero **2** livre de obstáculos; desimp[e]dido ▪ *n.m.* unidade monetária da Guiné-Bissau

franco-atirador (fran.co-.a.ti.ra.dor) [frɐ̃kɔt[i]rɐ'dor] *n.m.* ⟨*pl.* franco-atiradores⟩ indivíduo qu[e] combate por iniciativa própria, sem estar int[e]grado num exército

francófono (fran.có.fo.no) [frɐ̃'kɔfunu] *adj.* **1** (pe[s]soa) que fala francês **2** (país) cuja língua oficial [é] o francês

franga (fran.ga) ['frɐ̃gɐ] *n.f.* galinha nova qu[e] ainda não põe ovos

franganito (fran.ga.ni.to) [frɐ̃gɐ'nitu] *n.m.* **1** frang[o] pequeno **2** *coloq.* rapaz; adolescente

frangipani (fran.gi.pa.ni) [frɐ̃ʒi'pɐni] *n.m.* [MOÇ.] a[r]busto com flores muito perfumadas e que perd[e] toda a folhagem na época em que elas desabr[o]cham

frango (fran.go) ['frɐ̃gu] *n.m.* **1** galo jovem **2** n[o] futebol, situação em que o guarda-redes falh[a] uma defesa fácil e permite o golo

franja (fran.ja) ['frɐ̃ʒɐ] *n.f.* **1** remate de tecido e[m] forma de fios soltos **2** repa de cabelo

franquear (fran.que:ar) [frɐ̃'kjar] *v.* permitir

> Não confundir **franquear** (permitir) com **franquiar** (selar).

franqueza (fran.que.za) [frɐ̃'kezɐ] *n.f.* sincer[i]dade; honestidade ♦ **com franqueza** sincera[]mente

franquia (fran.qui.a) [frɐ̃'kiɐ] *n.f.* **1** isenção de en[]cargo ou dever; regalia **2** autorização para envi[o] gratuito de correspondência ou encomendas

franquiar (fran.qui:ar) [frɐ̃'kjar] *v.* selar

franzido (fran.zi.do) [frɐ̃'zidu] *adj.* **1** enrugad[o] **2** vincado

franzino (fran.zi.no) [frɐ̃'zinu] *adj.* magro; delgad[o]

franzir (fran.zir) [frɐ̃'zir] *v.* **1** enrugar **2** vincar

aque (fra.que) ['frak(ə)] *n.m.* casaco do traje masculino de cerimónia, com abas que descem até à dobra do joelho, e arredondado pela frente acima da cintura

aquejar (fra.que.jar) [frɐkə'ʒar] *v.* **1** enfraquecer **2** perder a coragem ou o ânimo; desanimar

aqueza (fra.que.za) [frɐ'kezɐ] *n.f.* falta de força física ou de coragem; debilidade

aquinho (fra.qui.nho) [frɐ'kiɲu] ⟨*dim. de* fraco⟩ *n.m.* preferência; predileção

asco (fras.co) ['fraʃku] *n.m.* recipiente de vidro ou louça, com tampa ou rolha, para líquidos e substâncias sólidas

ase (fra.se) ['fraz(ə)] *n.f.* conjunto de palavras ordenadas que formam um sentido completo e que respeitam as regras gramaticais; oração ♦ **frase feita** conjunto de palavras que funcionam como uma unidade, com um sentido específico

aseologia (fra.se:o.lo.gi.a) [frɐzjulu'ʒiɐ] *n.f.* **1** parte da linguística que se dedica ao estudo da frase **2** expressão fixada pelo uso e que tem um sentido específico, geralmente não literal; frase feita

ásico (frá.si.co) ['fraziku] *adj.* relativo a frase

aternal (fra.ter.nal) [frɐtər'nał] *adj.2g.* **1** relativo a irmãos **2** *fig.* afetuoso

aternidade (fra.ter.ni.da.de) [frɐtərni'dad(ə)] *n.f.* **1** laço de parentesco entre irmãos **2** sentimento de afeto em relação às outras pessoas; amor ao próximo

aterno (fra.ter.no) [frɐ'tɛrnu] *adj.* **1** próprio de irmãos **2** afetuoso; carinhoso

atricídio (fra.tri.cí.di:o) [frɐtri'sidju] *n.m.* **1** assassínio de irmão ou irmã **2** *fig.* guerra civil

atura (fra.tu.ra)[AO] [fra'turɐ] *n.f.* rutura parcial ou total de um osso ou de uma cartilagem

aturar (fra.tu.rar)[AO] [fratu'rar] *v.* partir (osso, cartilagem)

audar (frau.dar) [fraw'dar] *v.* cometer fraude contra **SIN.** burlar

aude (frau.de) ['frawd(ə)] *n.f.* ato praticado com o objetivo de enganar ou prejudicar alguém; burla

audulento (frau.du.len.to) [frawdu'lẽtu] *adj.* em que há fraude; enganador

eático (fre.á.ti.co) [fri'atiku] *adj.* relativo ao lençol de água subterrâneo existente próximo da superfície e que pode ser aproveitado por meio de poços

eelancer [fri'lẽsɐr] *n.2g.* ⟨*pl.* freelancers⟩ pessoa que trabalha por conta própria, prestando serviços temporários ou ocasionais; trabalhador independente

eguês (fre.guês) [frɛ'geʃ] *n.m.* ⟨*f.* freguesa⟩ comprador; cliente

freguesia (fre.gue.si.a) [frɛgə'ziɐ] *n.f.* **1** subdivisão de um concelho **2** conjunto de fregueses; clientela

---

Portugal continental divide-se em cerca de 4600 **freguesias**, que são as divisões administrativas menores.

---

frei (frei) ['frɐj] *n.m.* membro de uma ordem religiosa **SIN.** monge

freio (frei.o) ['frɐju] *n.m.* peça metálica presa às rédeas das cavalgaduras e que lhes atravessa a boca, servindo para as conduzir ♦ **não ter freio na língua** ser incapaz de se conter no falar

freira (frei.ra) ['frɐjrɐ] *n.f.* mulher que é membro de uma ordem religiosa

frenesi (fre.ne.si) [frənə'zi] *n.m.* ⇒ **frenesi**

frenesim (fre.ne.sim) [frənə'zĩ] *n.m.* **1** excitação **2** impaciência

frenético (fre.né.ti.co) [frə'nɛtiku] *adj.* impaciente; inquieto

frente (fren.te) ['frẽt(ə)] *n.f.* **1** parte anterior de alguma coisa **ANT.** retaguarda; traseira **2** fachada de um edifício **3** linha avançada de um exército ♦ **fazer frente a** resistir a; **frente a frente** conversa em direto entre duas pessoas

frente-a-frente (fren.te-.a-.fren.te) [frẽtɐ'frẽt(ə)] *a nova grafia é* **frente a frente**[AO]

frente a frente (fren.te a fren.te)[AO] [frẽtɐ'frẽt(ə)] *n.m.2n.* conversa em direto entre duas pessoas

frequência (fre.quên.ci:a) [frə'kwẽsjɐ] *n.f.* **1** ato ou efeito de ir com regularidade a certo lugar **2** repetição de um facto ou acontecimento **3** número de vezes em que acontece algo num dado espaço de tempo ♦ **com frequência** com regularidade; habitualmente

frequentador (fre.quen.ta.dor) [frəkwẽtɐ'dor] *n.m.* pessoa que vai com frequência a determinado lugar

frequentar (fre.quen.tar) [frəkwẽ'tar] *v.* **1** ir muitas vezes a (algum lugar) **2** assistir a (aulas, curso)

frequente (fre.quen.te) [frə'kwẽt(ə)] *adj.2g.* que acontece muitas vezes; continuado **ANT.** raro

fresca (fres.ca) ['freʃkɐ] *n.f.* ar fresco e ameno; aragem ♦ **à fresca** com pouca roupa ou com vestuário leve; **pela fresca** na hora em que há menos calor

fresco (fres.co) ['freʃku] *adj.* **1** que não é frio nem quente **2** ameno **3** recente **4** leve ■ *n.m.* **1** pintura feita sobre uma parede rebocada **2** quadro pintado por esse processo ♦ *coloq.* **pôr-se ao fresco** ir-se embora; fugir

frescura (fres.cu.ra) [frəʃ'kurɐ] *n.f.* **1** estado de fresco **2** vivacidade

fresta **(fres.ta)** ['frɛʃtɐ] *n.f.* abertura estreita **SIN.** fenda; frincha

fretar **(fre.tar)** [frə'tar] *v.* dar ou alugar (meio de transporte) durante um período de tempo, mediante pagamento

frete **(fre.te)** ['frɛt(ə)] *n.m.* **1** valor que se paga por um transporte **2** *coloq.* coisa incómoda; tarefa desagradável ◆ **fazer um frete** fazer ou suportar algo com esforço

fricassé **(fri.cas.sé)** [frika'sɛ] *n.m.* guisado de carne ou peixe partido aos bocados, com molho preparado com gema de ovo e salsa picada

fricativa **(fri.ca.ti.va)** [frikɐ'tivɐ] *n.f.* consoante em cuja produção intervém uma fricção originada pelo estreitamento de órgãos do aparelho fonador

fricativo **(fri.ca.ti.vo)** [frikɐ'tivu] *adj.* **1** relativo a fricção **2** em que existe fricção **3** (som consonântico) que apresenta um ruído característico da fricção

fricção **(fric.ção)** [fri'ksɐ̃w̃] *n.f.* **1** ato de friccionar ou esfregar **2** *fig.* diferença de opinião; discordância

friccionar **(fric.ci:o.nar)** [friksju'nar] *v.* esfregar

frieira **(fri.ei.ra)** [fri'ɐjrɐ] *n.f.* inflamação da pele produzida pelo frio

frieza **(fri.e.za)** [fri'ezɐ] *n.f.* **1** falta de calor; temperatura baixa **2** *fig.* comportamento de quem não exprime os seus sentimentos; indiferença

frigideira **(fri.gi.dei.ra)** [friʒi'dɐjrɐ] *n.f.* utensílio redondo, pouco fundo e com um cabo comprido, utilizado para fritar alimentos

frígido **(frí.gi.do)** ['friʒidu] *adj.* **1** muito frio **2** *fig.* insensível

frigorífico **(fri.go.rí.fi.co)** [frigu'rifiku] *n.m.* aparelho para manter alimentos frescos ou para os congelar

frincha **(frin.cha)** ['frĩʃɐ] *n.f.* abertura estreita **SIN.** fenda; fresta

frio **(fri.o)** ['friu] *adj.* **1** que tem temperatura baixa; que não está quente **ANT.** quente **2** que arrefeceu **3** *fig.* que conserva a calma e não se descontrola **4** *fig.* que não manifesta os seus sentimentos ■ *n.m.* sensação produzida pela falta de calor ◆ **estar um frio de rachar** estar um frio muito intenso

friorento **(fri.o.ren.to)** [friu'rẽtu] *adj.* que sente muito frio

frisa **(fri.sa)** ['frizɐ] *n.f.* camarote ao nível da plateia

frisado **(fri.sa.do)** [fri'zadu] *adj.* **1** enrugado (tecido, alface) **2** encaracolado (cabelo) **3** sublinhado (assunto, tema)

frisar **(fri.sar)** [fri'zar] *v.* **1** encaracolar (o cabelo) **2** sublinhar (assunto, tema)

friso **(fri.so)** ['frizu] *n.m.* barra ou faixa pintada ou esculpida numa parede

fritadeira **(fri.ta.dei.ra)** [fritɐ'dɐjrɐ] *n.f.* ⇒ **frigideira**

fritar **(fri.tar)** [fri'tar] *v.* cozinhar (alimento) e gordura vegetal ou animal a alta temperatura

frito **(fri.to)** ['fritu] *adj.* **1** diz-se do alimento co nhado em gordura a alta temperatura **2** *fig., colc* diz-se da pessoa que está numa situação difíc em apuros

fritura **(fri.tu.ra)** [fri'turɐ] *n.f.* qualquer alimen frito

frivolidade **(fri.vo.li.da.de)** [frivuli'dad(ə)] *n* **1** qualidade do que é superficial; futilidade **2** coi sem importância; ninharia

frívolo **(frí.vo.lo)** ['frivulu] *adj.* que tem pouca in portância; superficial

frondoso **(fron.do.so)** [frõ'dozu] *adj.* coberto c folhas ou de ramos; denso

fronha **(fro.nha)** ['froɲɐ] *n.f.* cobertura de trave seiro ou de almofada

frontal **(fron.tal)** [frõ'tal] *adj.2g.* **1** referente fronte ou à testa **2** *fig.* que é dito ou feito abert mente; sincero; franco

frontalidade **(fron.ta.li.da.de)** [frõtɐli'dad(ə)] *n* franqueza; sinceridade

frontalmente **(fron.tal.men.te)** [frõtał'mẽt(ə *adv.* **1** de frente **2** abertamente

frontaria **(fron.ta.ri.a)** [frõtɐ'riɐ] *n.f.* frente princ pal de um edifício **SIN.** fachada

fronte **(fron.te)** ['frõt(ə)] *n.f.* **1** parte da face ant rior do crânio situada entre as sobrancelhas e couro cabeludo; testa **2** rosto de uma pesso face

fronteira **(fron.tei.ra)** [frõ'tɐjrɐ] *n.f.* linha que s para duas regiões ou dois países **SIN.** limite; rai

fronteiriço **(fron.tei.ri.ço)** [frõtɐj'risu] *adj.* situac perto da fronteira

frontispício **(fron.tis.pí.ci:o)** [frõtəʃ'pisju] *n.r* **1** página inicial de um livro, que contém o t tulo, o nome do autor, a editora, etc. **2** fachad principal de um edifício

frota **(fro.ta)** ['frɔtɐ] *n.f.* **1** conjunto de barcc **2** conjunto de veículos pertencentes a uma s pessoa ou empresa

frouxidão **(frou.xi.dão)** [fro(w)ʃi'dɐ̃w̃] *n.f.* falta d energia; moleza

frouxo **(frou.xo)** ['fro(w)ʃu] *adj.* **1** que não está e ticado ou apertado **SIN.** solto **2** que não te energia ou força **SIN.** fraco

frugal **(fru.gal)** [fru'gał] *adj.2g.* **1** moderado (sobr tudo na alimentação); sóbrio **2** diz-se da refeiçã ligeira ou de digestão fácil

fruição **(frui.ção)** [frui'sɐ̃w̃] *n.f.* aproveitamento o utilização de algo

frustração (frus.tra.ção) [fruʃtrɐ'sɐ̃w̃] *n.f.* **1** desapontamento; deceção **2** fracasso; falhanço

frustrado (frus.tra.do) [fruʃ'tradu] *adj.* **1** desapontado; dececionado **2** que não teve êxito; fracassado

frustrante (frus.tran.te) [fruʃ'trɐ̃t(ə)] *adj.2g.* que não tem o resultado esperado; que causa frustração **SIN.** dececionante

frustrar (frus.trar) [fruʃ'trar] *v.* **1** causar deceção; desiludir **2** fazer falhar; inutilizar ▪ **frustrar-se** não dar resultado; fracassar

fruta (fru.ta) ['frutɐ] *n.f.* frutos comestíveis ♦ **fruta cristalizada** frutos conservados em calda de açúcar; **fruta da época** frutos que são próprios de uma determinada época do ano

frutaria (fru.ta.ri.a) [frutɐ'riɐ] *n.f.* loja onde se vende fruta

fruteira (fru.tei.ra) [fru'tɐjrɐ] *n.f.* recipiente onde se guarda ou serve fruta

fruticultura (fru.ti.cul.tu.ra) [frutikuɫ'turɐ] *n.f.* cultura de árvores de fruto

frutífero (fru.tí.fe.ro) [fru'tifəru] *adj.* **1** que produz frutos **2** *fig.* produtivo; proveitoso

fruto (fru.to) ['frutu] *n.m.* **1** órgão vegetal que contém a(s) semente(s) **2** produto de árvores ou da terra **3** resultado; proveito **4** filho; descendente ♦ **dar frutos** ter resultado(s) positivo(s)

frutose (fru.to.se) [fru'tɔz(ə)] *n.f.* açúcar existente nos frutos e no mel

frutuoso (fru.tu:o.so) [fru'twozu] *adj.* **1** que produz muitos frutos **2** *fig.* que tem bons resultados; proveitoso

FTP [fete'pe] protocolo de transferência de ficheiros usado na internet **OBS.** Sigla de *file-transfer protocol*

fuba (fu.ba) ['fubɐ] *n.f.* **1** bebida fermentada, feita a partir de seivas vegetais, comum em certas regiões africanas **2** farinha de milho ou de arroz com que se faz angu; fubá

fubá (fu.bá) [fu'ba] *n.m.* [BRAS.] farinha de milho ou de arroz com que se faz angu

fubeiro (fu.bei.ro) [fu'bɐjru] *n.m.* **1** [ANG.] vendedor de fuba **2** [ANG.] comerciante reles **3** [ANG.] dono de taberna

fuça (fu.ça) ['fusɐ] *n.f.* **1** focinho dos animais **2** *pej.* cara; rosto ♦ *coloq.* **ir às fuças de** bater; agredir; **não ir com as fuças de** não simpatizar com

fufa (fu.fa) ['fufɐ] *adj.,n.f. cal., pej.* lésbica

fuga (fu.ga) ['fugɐ] *n.f.* **1** ato ou efeito de fugir; evasão **2** saída de gás ou de líquido ♦ **fuga ao fisco** falta deliberada e fraudulenta de pagamento de imposto obrigatório por parte do contribuinte

fugacidade (fu.ga.ci.da.de) [fugɐsi'dad(ə)] *n.f.* qualidade do que passa rapidamente

fugaz (fu.gaz) [fu'gaʃ] *adj.2g.* **1** rápido; veloz **2** que dura pouco tempo; efémero

fugida (fu.gi.da) [fu'ʒidɐ] *n.f.* **1** retirada rápida; fuga **2** ida e volta rápida a um lugar; escapadela ♦ **de fugida** depressa; com rapidez

fugidio (fu.gi.di.o) [fuʒi'diu] *adj.* que passa muito depressa; fugaz

fugido (fu.gi.do) [fu'ʒidu] *adj.* **1** que fugiu (sobretudo da prisão) **2** que desapareceu; sumido

fugir (fu.gir) [fu'ʒir] *v.* **1** afastar-se para evitar um perigo, um incómodo, etc. **2** sair do local onde se estava preso; evadir-se **3** desaparecer; sumir

fugitivo (fu.gi.ti.vo) [fuʒi'tivu] *n.m.* pessoa que fugiu

Note-se que **fugir** e **fugitivo** escrevem-se com g (e não com j).

---

fuinha (fu:i.nha) ['fwiɲɐ] *n.f.* 👁 pequeno mamífero carnívoro, de corpo flexível e esguio, focinho pontiagudo e patas curtas

fulano (fu.la.no) [fu'lɐnu] *n.m.* indivíduo; sujeito

fulcral (ful.cral) [fuɫ'kraɫ] *adj.2g.* que é muito importante **SIN.** fundamental

fulcro (ful.cro) ['fuɫkru] *n.m.* **1** ponto central **2** ponto de apoio

fulgor (ful.gor) [fuɫ'gor] *n.m.* luminosidade intensa; clarão

fulgurante (ful.gu.ran.te) [fuɫgu'rɐ̃t(ə)] *adj.2g.* **1** que brilha **2** *fig.* notável

fuligem (fu.li.gem) [fu'liʒɐ̃j̃] *n.f.* substância preta, gordurosa, composta por partículas muito pequenas, que se forma na queima de um combustível e se deposita nas chaminés

fulminante (ful.mi.nan.te) [fuɫmi'nɐ̃t(ə)] *adj.2g.* **1** que lança raios **2** que mata rapidamente **3** que brilha como um raio

fulminar (ful.mi.nar) [fuɫmi'nar] *v.* **1** lançar raios **2** matar rapidamente; destruir **3** *fig.* censurar com violência

fulo (fu.lo) ['fulu] *adj. coloq.* muito zangado **SIN.** furioso

fumaça (fu.ma.ça) [fu'masɐ] *n.f.* fumo espesso

fumado (fu.ma.do) [fu'madu] *adj.* **1** que se fumou **2** que tem cor de fumo; escurecido

fumador (fu.ma.dor) [fumɐ'dor] *n.m.* pessoa que fuma ♦ **fumador passivo** pessoa que, apesar de não fumar, está perto de quem fuma e inala fumo de tabaco

fumar **(fu.mar)** [fu'mar] *v.* aspirar e expirar o fumo do tabaco

fumarada **(fu.ma.ra.da)** [fumɐ'radɐ] *n.f.* grande quantidade de fumo

fumegante **(fu.me.gan.te)** [fumə'gɐ̃t(ə)] *adj.* que solta fumo; que está muito quente

fumegar **(fu.me.gar)** [fumə'gar] *v.* deitar fumo; queimar

fumeiro **(fu.mei.ro)** [fu'mɐjru] *n.m.* espaço entre o fogão e o telhado onde se penduram chouriços e carnes para defumar

fumo **(fu.mo)** ['fumu] *n.m.* **1** mistura de gases ou vapores que se desprende dos corpos em combustão **2** *fig.* hábito de fumar **3** [ANG.] conselheiro do soba **4** [MOÇ.] chefe de um grupo de povoações

funboard [fɐn'bɔrd] *n.m.* desporto náutico praticado sobre uma prancha munida de mastro e vela

função **(fun.ção)** [fũ'sɐ̃w̃] *n.f.* **1** desempenho de uma atividade ou de um cargo **2** profissão; trabalho **3** aquilo a que uma coisa se destina; utilidade; uso ♦ **em função de** tendo em conta; dependendo de; **função da linguagem** conjunto de características de um enunciado determinadas pelo objetivo da comunicação

funcho **(fun.cho)** ['fũʃu] *n.m.* planta herbácea muito aromática, com flores amareladas, utilizada em culinária, perfumaria e com fins terapêuticos

funcional **(fun.ci:o.nal)** [fũsju'nał] *adj.2g.* **1** relativo às funções de um órgão ou de um aparelho **2** que é fácil de utilizar; prático

funcionalidade **(fun.ci:o.na.li.da.de)** [fũsjunɐli'dad(ə)] *n.f.* **1** carácter do que é funcional ou prático **2** capacidade de executar determinada tarefa

funcionamento **(fun.ci:o.na.men.to)** [fũsjunɐ'mẽtu] *n.m.* **1** ato ou efeito de funcionar; ação; atividade **2** modo como alguma coisa funciona

funcionar **(fun.ci:o.nar)** [fũsju'nar] *v.* exercer a sua função; trabalhar

funcionário **(fun.ci:o.ná.ri:o)** [fũsju'narju] *n.m.* pessoa que exerce uma função **SIN.** empregado

funda **(fun.da)** ['fũdɐ] *n.f.* **1** tira de couro ou corda, para arremessar pedras **2** aparelho cirúrgico para deter a evolução de hérnias

fundação **(fun.da.ção)** [fũdɐ'sɐ̃w̃] *n.f.* **1** base sobre a qual se constrói um edifício; alicerce **2** criação de uma organização, empresa, etc.; instituição

fundado **(fun.da.do)** [fũ'dadu] *adj.* **1** apoiado em base sólida; alicerçado **2** criado; instituído

fundador **(fun.da.dor)** [fũdɐ'dor] *n.m.* pessoa que funda alguma coisa **SIN.** criador

fundamental **(fun.da.men.tal)** [fũdɐmẽ'tał] *adj.2g.* que serve de base ou fundamento **SIN.** essencial

fundamentalismo **(fun.da.men.ta.lis.mo)** [fũdɐmẽtɐ'liʒmu] *n.m.* qualquer corrente, movimento ou atitude conservadora e intransigente que defende a obediência rigorosa e literal a um conjunto de princípios básicos

fundamentalista **(fun.da.men.ta.lis.ta)** [fũdɐmẽtɐ'liʃtɐ] *adj.,n.2g.* que ou pessoa que defende o fundamentalismo

fundamentar **(fun.da.men.tar)** [fũdɐmẽ'tar] *v.* documentar; provar: *Fundamentou as conclusões em dados estatísticos.* ▪ **fundamentar-se** ⟨+em⟩ apoiar-se: *Em que é que se fundamenta a sua teoria?*

fundamento **(fun.da.men.to)** [fũdɐ'mẽtu] *n.m.* **1** base de uma estrutura ou construção; alicerce **2** razão para que algo aconteça; motivo ♦ **sem fundamento** sem razão ou justificação

fundão **(fun.dão)** [fũ'dɐ̃w̃] *n.m.* parte mais profunda no leito de um rio

fundar **(fun.dar)** [fũ'dar] *v.* instituir; criar: *fundar uma empresa* ▪ **fundar-se** ⟨+em⟩ basear-se: *Fundou-se na opinião do amigo.*

fundear **(fun.de:ar)** [fũ'djar] *v.* lançar (ferro ou âncora); ancorar

fundição **(fun.di.ção)** [fũdi'sɐ̃w̃] *n.f.* fábrica ou oficina onde se fundem e trabalham metais

fundido **(fun.di.do)** [fũ'didu] *adj.* derretido (metal)

fundir **(fun.dir)** [fũ'dir] *v.* tornar líquido (um metal); derreter ▪ **fundir-se** derreter-se

fundo **(fun.do)** ['fũdu] *adj.* que está abaixo da superfície; que tem profundidade; profundo ▪ *n.m* **1** parte mais baixa de um local onde corre água **2** parte mais distante de um ponto **3** parte mais interior; âmago ♦ **a fundo** em cheio; **a fundo perdido** recursos financeiros que são usados sem se esperar reembolso ou compensação; **no fundo** na realidade

fúnebre **(fú.ne.bre)** ['funəbr(ə)] *adj.2g.* relativo à morte ou a funeral

funeral **(fu.ne.ral)** [funə'rał] *n.m.* cerimónia em que se enterra um cadáver **SIN.** enterro

funerária **(fu.ne.rá.ri:a)** [funə'rarjɐ] *n.f.* empresa que realiza funerais; agência funerária

funerário **(fu.ne.rá.ri:o)** [funə'rarju] *adj.* relativo à morte ou a funeral

funesto **(fu.nes.to)** [fu'nɛʃtu] *adj.* **1** mortal **2** nocivo; prejudicial **3** que ou evoca a morte ou desgraça

fungar **(fun.gar)** [fũ'gar] *v.* **1** produzir som, absorvendo ou expelindo ar pelo nariz **2** *fig.* choramingar

fungo **(fun.go)** ['fũgu] *n.m.* **1** organismo sem clorofila, que se reproduz por esporos e absorve nutrientes de matéria orgânica, e que se encontr em lugares húmidos e pouco iluminados **2** cogumelo

funil (fu.nil) [fu'niɫ] *n.m.* ⟨*pl.* funis⟩ utensílio de forma cónica que serve para passar líquidos para dentro de recipientes com gargalo estreito

funje (fun.je) ['fũʒ(ə)] *n.m.* [ANG.] massa cozida, geralmente de farinha de milho, mandioca ou batata-doce

furacão (fu.ra.cão) [furɐ'kɐ̃w̃] *n.m.* tempestade com ventos muito fortes **SIN.** ciclone

furador (fu.ra.dor) [furɐ'dor] *n.m.* instrumento usado para furar papel ou outro material

fura-greves (fu.ra-.gre.ves) [furɐ'grɛvəʃ] *n.2g.2n.* pessoa que não participa numa greve para a qual foi convocada

furão (fu.rão) [fu'rɐ̃w̃] *n.m.* pequeno mamífero carnívoro, de corpo flexível, patas curtas e pelagem acinzentada

furar (fu.rar) [fu'rar] *v.* **1** fazer furos em; cravar **2** passar através de; penetrar

furgão (fur.gão) [fur'gɐ̃w̃] *n.m.* carrinha para transporte de mercadorias

furgoneta (fur.go.ne.ta) [furgu'nɛtɐ] *n.f.* veículo fechado para transporte de mercadorias pouco pesadas

fúria (fú.ri:a) ['furjɐ] *n.f.* raiva; ira

furioso (fu.ri:o.so) [fu'rjozu] *adj.* muito zangado; colérico

furna (fur.na) ['furnɐ] *n.f.* cavidade profunda de uma rocha **SIN.** caverna; gruta

furo (fu.ro) ['furu] *n.m.* **1** buraco; orifício **2** *fig.* oportunidade; ocasião

furor (fu.ror) [fu'ror] *n.m.* **1** fúria extrema **2** estado de grande excitação ♦ **fazer furor** fazer muito sucesso; causar sensação

furriel (fur.ri:el) [fu'ʀjɛɫ] *n.2g.* militar que ocupa posição de sargento, superior à categoria de praças

furtado (fur.ta.do) [fur'tadu] *adj.* roubado

furtar (fur.tar) [fur'tar] *v.* **1** roubar; subtrair **2** desviar ▪ **furtar-se** ⟨+a⟩ esquivar-se: *furtar-se ao pagamento*

furtivo (fur.ti.vo) [fur'tivu] *adj.* que procura passar despercebido; que se faz às escondidas; secreto

furto (fur.to) ['furtu] *n.m.* roubo

furúnculo (fu.rún.cu.lo) [fu'rũkulu] *n.m.* pequeno nódulo doloroso que se forma em torno da raiz de um pelo ou de uma glândula sudorípara, devido a inflamação do tecido celular

fusa (fu.sa) ['fuzɐ] *n.f.* figura musical que vale duas semifusas ou metade de uma semicolcheia

fusão (fu.são) [fu'zɐ̃w̃] *n.f.* **1** ato ou efeito de fundir ou derreter **2** união; aliança (de empresas, etc.)

fusco (fus.co) ['fuʃku] *adj.* **1** que tem pouco brilho **2** escuro; sombrio

fuselagem (fu.se.la.gem) [fuzə'laʒɐ̃j̃] *n.f.* parte principal e mais resistente do avião, constituída pelo espaço onde se instalam os tripulantes, os passageiros e a carga, e onde se fixam as asas do aparelho

fusível (fu.sí.vel) [fu'zivɛɫ] *n.m.* fio metálico que se usa num circuito para interromper a corrente quando a intensidade ultrapassa um dado limite

fuso (fu.so) ['fuzu] *n.m.* utensílio que recebe o fio (na roca) ♦ **fuso horário** cada uma das 24 partes em que a superfície terrestre se divide e nas quais a hora é a mesma

fuste (fus.te) ['fuʃt(ə)] *n.m.* **1** pau de madeira fino e comprido **2** na arquitetura clássica, tronco da coluna, entre a base e o capitel

fustigar (fus.ti.gar) [fuʃti'gar] *v.* **1** bater; açoitar **2** *fig.* agredir com violência **3** *fig.* criticar violentamente **4** *fig.* espicaçar; estimular

futebol (fu.te.bol) [futə'bɔɫ] *n.m.* jogo entre duas equipas de 11 jogadores cada, num campo retangular, em que cada grupo procura meter uma bola na baliza do adversário, sem lhe tocar com os membros superiores ♦ **futebol de praia** futebol adaptado para ser jogado à beira-mar; **futebol de salão** modalidade de futebol que se pratica num recinto fechado **SIN.** futsal

futebolista (fu.te.bo.lis.ta) [futəbu'liʃtɐ] *n.2g.* pessoa que joga futebol

futebolístico (fu.te.bo.lís.ti.co) [futəbu'liʃtiku] *adj.* relativo a futebol

fútil (fú.til) ['futiɫ] *adj.2g.* que não tem importância; superficial

futilidade (fu.ti.li.da.de) [futili'dad(ə)] *n.f.* qualidade do que tem pouco ou nenhum valor

futsal (fut.sal) [fut'saɫ] *n.m.* futebol de salão

futurismo (fu.tu.ris.mo) [futu'riʒmu] *n.m.* movimento artístico do início do século XX baseado numa noção dinâmica e enérgica da vida, exaltando a força, a velocidade e a tecnologia

futurista (fu.tu.ris.ta) [futu'riʃtɐ] *adj.2g.* próprio do futurismo ▪ *n.2g.* pessoa adepta do futurismo

futuro (fu.tu.ro) [fu'turu] *n.m.* **1** tempo que se segue ao presente **2** aquilo que ainda não aconteceu; destino ♦ **de futuro** de hoje em diante

fuzilamento (fu.zi.la.men.to) [fuzilɐ'mẽtu] *n.m.* morte por disparo com arma de fogo

fuzilar (fu.zi.lar) [fuzi'lar] *v.* matar com arma de fogo

fuzileiro (fu.zi.lei.ro) [fuzi'lɐjru] *n.m.* **1** soldado que fuzila **2** membro da marinha de guerra

G

g ['ge] *n.m.* consoante, sétima letra do alfabeto, que está entre as letras *f* e *h* ▪ *símbolo de* grama

Note-se que a letra g pronuncia-se como g antes de a, o ou u (gato, gota, guloso) e como j antes de e ou i (gel, girassol).

gabar (ga.bar) [gɐ'bar] *v.* fazer o elogio de; louvar: *Gabaram-lhe a honestidade.* ▪ **gabar-se** ⟨+de⟩ mostrar-se muito vaidoso; armar-se: *Está sempre a gabar-se das suas conquistas.*

gabardina (ga.bar.di.na) [gɐbar'dinɐ] *n.f.* capa impermeável para proteger da chuva

Note-se que a palavra **gabardina** termina em a (e não em e).

gabardine (ga.bar.di.ne) [gɐbar'din(ə)] *n.f.* peça de vestuário para proteger da chuva; impermeável

gabarito (ga.ba.ri.to) [gɐbɐ'ritu] *n.m.* **1** modelo em tamanho natural para traçar ou controlar elementos de construção **2** *fig.* categoria; nível **3** [BRAS.] tabela que contém as respostas corretas às questões de um teste, sobretudo as do tipo de escolha múltipla

gabarola (ga.ba.ro.la) [gɐbɐ'rɔlɐ] *adj.,n.2g. coloq.* que ou pessoa que se gaba muito; armante

gabarolice (ga.ba.ro.li.ce) [gɐbɐru'li(sə)] *n.f.* qualidade de quem se gaba muito; armanço

gabinete (ga.bi.ne.te) [gɐbi'net(ə)] *n.m.* **1** sala de trabalho; escritório **2** compartimento reservado (para consultas médicas, leitura, experiências científicas, etc.)

gabiru (ga.bi.ru) [gabi'ru] *n.m.* **1** *coloq.* patife; malandro **2** miúdo alegre ou travesso

gado (ga.do) ['gadu] *n.m.* conjunto dos animais criados para trabalhos agrícolas e consumo doméstico

gafanhoto (ga.fa.nho.to) [gɐfɐ'ɲotu] *n.m.* 👁 inseto de corpo alongado com dois pares de asas e patas posteriores fortes, que se desloca por saltos **SIN.** saltão

gafe (ga.fe) ['gaf(ə)] *n.f.* ação ou dito impensado que provoca embaraço; lapso

gagá (ga.gá) [ga'ga] *adj.2g. coloq.* que perdeu as suas faculdades intelectuais; senil

gago (ga.go) ['gagu] *adj.* que gagueja

gaguejar (ga.gue.jar) [gɐgə'ʒar] *v.* pronunciar as palavras com interrupções; hesitar

gaguez (ga.guez) [gɐ'geʃ] *n.f.* dificuldade de pronúncia que leva a repetir ou a prolongar certas sílabas

gaiato (gai.a.to) [gaj'atu] *n.m.* rapaz travesso; jovem brincalhão

gaiola (gai.o.la) [gaj'ɔlɐ] *n.f.* caixa com grades para prisão de animais, particularmente de aves **SIN.** jaula

gaita (gai.ta) ['gajtɐ] *n.f.* instrumento musical de palheta; pífaro

gaita-de-beiços (gai.ta-.de-.bei.ços) [gajtɐdə'beisuʃ] *a nova grafia é* **gaita de beiços**[AO]

gaita de beiços (gai.ta de bei.ços)[AO] [gajtɐdə'beisuʃ] *n.f.* ⟨*pl.* gaitas de beiços⟩ instrumento de sopro composto por palhetas metálicas que vibram, fixas a uma prancheta de madeira com orifícios destinados à entrada do ar soprado com a boca, tudo dentro de uma caixa metálica apropriada

gaita-de-foles (gai.ta-.de-.fo.les) [gajtɐdə'fɔləʃ] *nova grafia é* **gaita de foles**[AO]

gaita de foles (gai.ta de fo.les)[AO] [gajtɐdə'fɔləʃ] *n.f.* ⟨*pl.* gaitas de foles⟩ instrumento composto por diversos tubos ligados a um saco feito de couro que se enche de ar através de um tubo superior

gaivota (gai.vo.ta) [gaj'vɔtɐ] *n.f.* ave aquática de cor branca ou acinzentada, comum em Portugal

gajo (ga.jo) ['gaʒu] *n.m. coloq.* pessoa de quem não se quer dizer o nome; tipo

gala (ga.la) ['galɐ] *n.f.* festa solene; cerimónia ◆ **fazer gala de** vangloriar-se de

galã (ga.lã) [gɐ'lɐ̃] *n.m.* **1** num filme ou numa peça, ator que faz o papel de herói ou sedutor **2** homem muito bonito ou namoradeiro

galáctico (ga.lác.ti.co) [gɐ'laktiku] *adj.* relativo à galáxia

galactose (ga.lac.to.se) [gɐlɐ'ktɔz(ə)] *n.f.* **1** produção de leite pela glândula mamária **2** açúcar em que se decompõe o leite

galaico (ga.lai.co) [gɐ'lajku] *adj.* relativo à Galiza (Espanha); galego

galaico-português **(ga.lai.co-.por.tu.guês)** [gɐlaj kɔpurtu'geʃ] *adj.* da Galiza e de Portugal em simultâneo ■ *n.m.* língua românica falada no Noroeste da Península Ibérica até meados do século XIV

galante **(ga.lan.te)** [gɐ'lẽt(ə)] *adj.2g.* **1** elegante; distinto **2** gentil; delicado

galantear **(ga.lan.te:ar)** [gɐlẽ'tjar] *v.* dirigir galanteios a **SIN.** cortejar

galanteio **(ga.lan.tei.o)** [gɐlẽ'tɐju] *n.m.* dito lisonjeiro; piropo

galão **(ga.lão)** [gɐ'lɐ̃w̃] *n.m.* **1** distintivo militar **2** copo alto de café com leite

---

Em certas zonas de Portugal, um **galão** designa a mistura de leite com café expresso servida num copo alto de vidro. Se esta mistura é servida numa chávena grande, então chama-se **meia-de-leite**. No Brasil, chama-se **média**.

---

galardão **(ga.lar.dão)** [gɐlɐr'dɐ̃w̃] *n.m.* **1** distinção; prémio **2** honra; glória

galardoar **(ga.lar.do:ar)** [gɐlɐr'dwar] *v.* dar um prémio ou galardão a; premiar

Galáxia **(Ga.lá.xi:a)** [gɐ'laksjɐ] *n.f.* sistema astral, a que pertence o sistema solar, composto por um elevado número de estrelas e outros astros, poeira cósmica e gás **SIN.** Via Láctea

galdério **(gal.dé.ri:o)** [gaɫ'dɛrju] *adj.* **1** que anda sempre em festas e que não trabalha **2** vadio; ocioso ■ *n.m. pej.* pessoa que tem um comportamento leviano

galé **(ga.lé)** [gɐ'lɛ] *n.f.* antiga embarcação de vela movida a remos

galego **(ga.le.go)** [gɐ'legu] *adj.* relativo à Galiza (Espanha) ■ *n.m.* **1** pessoa natural da Galiza **2** língua românica falada na Galiza

galera **(ga.le.ra)** [gɐ'lɛrɐ] *n.f.* **1** antigo navio de vela, com dois ou três mastros e movido a remos **2** [BRAS.] *coloq.* grupo de amigos; malta

galeria **(ga.le.ri.a)** [gɐlə'riɐ] *n.f.* **1** varanda envidraçada **2** corredor subterrâneo **3** espaço destinado a guardar e expor objetos de arte **4** numa sala de espetáculo, tribuna comprida destinada ao público

galerista **(ga.le.ris.ta)** [gɐlə'riʃtɐ] *n.2g.* dono de uma galeria de arte

galês **(ga.lês)** [gɐ'leʃ] *adj.* relativo ao País de Gales (no Reino Unido) ■ *n.m.* **1** pessoa natural do País de Gales **2** língua de origem céltica falada no País de Gales

galgar **(gal.gar)** [gaɫ'gar] *v.* **1** saltar por cima de; transpor **2** subir; trepar

galgo **(gal.go)** ['gaɫgu] *n.m.* cão ágil e rápido com corpo esguio, focinho comprido e pernas longas

galhardete **(ga.lhar.de.te)** [gɐʎɐr'det(ə)] *n.m.* **1** pequena bandeira, normalmente triangular, que identifica um grupo militar, um clube desportivo, etc. **2** bandeira estreita e comprida para decoração de ruas ou edifícios

galheta **(ga.lhe.ta)** [gɐ'ʎetɐ] *n.f.* **1** pequeno recipiente de vidro, com gargalo, usado para servir à mesa azeite ou vinagre **2** cada um dos dois vasos que contêm o vinho e a água na missa **3** *coloq.* bofetada

galheteiro **(ga.lhe.tei.ro)** [gɐʎə'tɐjru] *n.m.* utensílio de mesa onde se colocam o azeite, o vinagre, o saleiro e o pimenteiro

galho **(ga.lho)** ['gaʎu] *n.m.* **1** ramo (de árvore) **2** chifre (de animal) ♦ *coloq.* **ferrar o galho** dormir; [BRAS.] **quebrar o galho** resolver uma dificuldade

galhofa **(ga.lho.fa)** [gɐ'ʎɔfɐ] *n.f.* **1** brincadeira; risota **2** gozo; troça

galhofeiro **(ga.lho.fei.ro)** [gɐʎu'fɐjru] *adj.,n.m.* alegre; brincalhão

galicismo **(ga.li.cis.mo)** [gɐli'siʒmu] *n.m.* palavra ou frase de origem francesa, integrada noutra língua

galináceo **(ga.li.ná.ce:o)** [gɐli'nasju] *adj.* relativo às aves terrestres, como as galinhas, os perus e os faisões

galinha **(ga.li.nha)** [gɐ'liɲɐ] *n.f.* ave doméstica, fêmea do galo, com uma crista carnuda, asas curtas e bico forte ♦ **deitar-se com as galinhas** deitar-se (para dormir) muito cedo; **pele de galinha** pele arrepiada; **quando as galinhas tiverem dentes** nunca; jamais

galinheiro **(ga.li.nhei.ro)** [gɐli'ɲɐjru] *n.m.* lugar onde se guardam as galinhas; capoeira

galo **(ga.lo)** ['galu] *n.m.* **1** ave doméstica, macho adulto da galinha, com crista carnuda, asas curtas e largas, penas longas e coloridas **2** *coloq.* inchaço na cabeça, causado por pancada ou queda ♦ **cantar de galo** falar com arrogância

galocha **(ga.lo.cha)** [gɐ'lɔʃɐ] *n.f.* bota alta de borracha

galopante **(ga.lo.pan.te)** [gɐlu'pɐ̃t(ə)] *adj.2g.* **1** que galopa **2** que apresenta evolução rápida (doença, fenómeno)

galopar **(ga.lo.par)** [gɐlu'par] *v.* **1** andar a galope **2** desenvolver-se rapidamente

galope **(ga.lo.pe)** [gɐ'lɔp(ə)] *n.m.* passo mais rápido do cavalo

galvanómetro **(gal.va.nó.me.tro)** [gaɫvɐ'nɔmətru] *n.m.* instrumento para detetar ou medir corrente elétrica de baixa intensidade

gama **(ga.ma)** ['gɐmɐ] *n.f.* **1** série (de produtos, ideias, etc.) **2** escala (de cores)

gamação **(ga.ma.ção)** [gɐmɐ'sɐ̃w̃] *n.f.* [BRAS.] paixão intensa

gamado **(ga.ma.do)** [gɐ'madu] *adj.* **1** *coloq.* roubado **2** [BRAS.] apaixonado

gamanço **(ga.man.ço)** [gɐ'mẽsu] *n.m. coloq.* roubo

gamão **(ga.mão)** [gɐ'mɐ̃w̃] *n.m.* jogo de dados entre duas pessoas no qual o objetivo é fazer avançar as peças sobre um tabuleiro de dois compartimentos

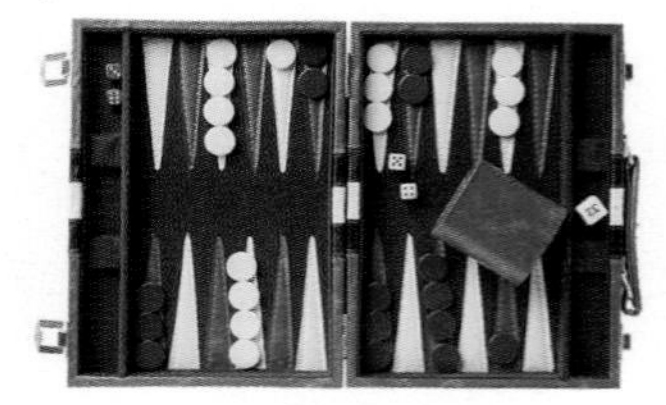

gamar **(ga.mar)** [gɐ'mar] *v. coloq.* roubar

gamba **(gam.ba)** ['gẽbɐ] *n.f.* **1** crustáceo parecido com o camarão **2** espécie de viola

gambiarra **(gam.bi:ar.ra)** [gẽ'bjaʀɐ] *n.f.* **1** extensão elétrica, de fio comprido, com uma lâmpada na extremidade, que permite levar a luz a sítios afastados **2** fileira de luzes na parte superior do palco

gamela **(ga.me.la)** [gɐ'mɛlɐ] *n.f.* recipiente de madeira, em forma de tigela ou retangular, em que se dá de comer aos porcos e a outros animais

gâmeta **(gâ.me.ta)** ['gɐmətɐ] *n.m.* cada uma das células sexuais (femininas ou masculinas) que, ao unir-se a outra do género oposto, forma o ovo

gana **(ga.na)** ['gɐnɐ] *n.f.* desejo intenso; ânsia ◆ **ter ganas de** ter muita vontade de

ganância **(ga.nân.ci:a)** [gɐ'nẽsjɐ] *n.f.* desejo ávido de riqueza; ambição

ganancioso **(ga.nan.ci:o.so)** [gɐnẽ'sjozu] *adj.* que só pensa em acumular riquezas; ambicioso

gancho **(gan.cho)** ['gẽʃu] *n.m.* **1** peça curva de metal, para para agarrar ou suspender algo **2** arame curvo usado para prender o cabelo; travessão ◆ **ser de gancho** ser intratável ou teimoso

gandaia **(gan.dai.a)** [gẽ'dajɐ] *n.f. coloq.* ociosidade; vadiagem

gando **(gan.do)** ['gẽdu] *n.m.* grande crocodilo africano; jacaré

ganês **(ga.nês)** [gɐ'neʃ] *adj.* relativo ao Gana ■ *n.m.* pessoa natural do Gana (África ocidental)

gang ['gẽg] *n.m.* bando de malfeitores; quadrilha

ganga **(gan.ga)** ['gẽgɐ] *n.f.* tecido de algodão resistente, usado sobretudo em calças e blusões

gânglio **(gân.gli:o)** ['gẽglju] *n.m.* **1** cada uma das dilatações situadas ao longo dos vasos linfáticos ou dos nervos que contêm fibras e células nervosas **2** nódulo causado pela inflamação de uma dessas dilatações

gangrena **(gan.gre.na)** [gẽ'grenɐ] *n.f.* morte e decomposição dos tecidos em determinada parte do corpo

gângster **(gângs.ter)** ['gẽgstɛr] *n.2g.* membro de um bando de malfeitores; bandido

ganha-pão **(ga.nha-.pão)** [gɐɲɐ'pɐ̃w̃] *n.m.* ⟨*pl.* ganha-pães⟩ **1** profissão ou atividade necessária à subsistência **2** pessoa que vive do seu trabalho

ganhar **(ga.nhar)** [ga'ɲar] *v.* **1** obter por meio de esforço ou trabalho; conquistar **2** ficar à frente numa competição; vencer

ganho **(ga.nho)** ['gaɲu] *n.m.* lucro; proveito

ganido **(ga.ni.do)** [gɐ'nidu] *n.m.* grito emitido pelos cães

ganir **(ga.nir)** [gɐ'nir] *v.* soltar ganidos (o cão)

ganso **(gan.so)** ['gẽsu] *n.m.* ave corpulenta, com plumagem branca e pescoço comprido

ganso-patola **(gan.so-.pa.to.la)** [gẽsupɐ'tɔlɐ] *n.m.* ⟨*pl.* gansos-patolas⟩ ave marinha de grandes dimensões, com plumagem branca e pontas negras nas asas

ganza **(gan.za)** ['gẽzɐ] *n.f. gír.* erva; haxixe

ganzado **(gan.za.do)** [gẽ'zadu] *adj. gír.* drogado; pedrado

garagem **(ga.ra.gem)** [gɐ'raʒẽj] *n.f.* local onde se guardam automóveis

garagista **(ga.ra.gis.ta)** [gɐrɐ'ʒiʃtɐ] *n.2g.* **1** proprietário ou gerente de uma garagem (oficina) **2** funcionário de uma garagem

garanhão **(ga.ra.nhão)** [gɐrɐ'ɲɐ̃w̃] *n.m.* cavalo destinado a reprodução

garante **(ga.ran.te)** [gɐ'rẽt(ə)] *n.m.* ⇒ **garantia**

garantia **(ga.ran.ti.a)** [gɐrẽ'tiɐ] *n.f.* **1** palavra ou ato com que se garante que se vai cumprir aquilo que se deve; penhor; caução **2** segurança; certeza **3** documento que garante a qualidade de um produto, responsabilizando o fabricante pelo seu funcionamento, durante um dado período

garantido **(ga.ran.ti.do)** [gɐrẽ'tidu] *adj.* **1** seguro **2** certo

garantir **(ga.ran.tir)** [gɐrẽ'tir] *v.* **1** dar a certeza de; assegurar **2** responsabilizar-se por

garça **(gar.ça)** ['garsɐ] *n.f.* ave pernalta, com um penacho na cabeça, pescoço e bico compridos, que vive em bandos junto de rios e lagoas

garça-real **(gar.ça-.re:al)** [garsɐ'ʀjał] *n.f.* ⟨*pl.* garças-reais⟩ garça com bico amarelo, pescoço e cabeça brancos, pelagem cinzenta e patas pardas e compridas

garçom [gar'sõ] *n.m.* [BRAS.] empregado de restaurante, bar ou café

garçonete **(gar.ço.ne.te)** [garsɔ'nɛt(ə)] *n.f.* [BRAS.] empregada de restaurante, bar ou café

gare **(ga.re)** ['gar(ə)] *n.f.* parte coberta das estações de caminho de ferro onde embarcam e desembarcam passageiros

garfada (gar.fa.da) [gɐr'fadɐ] *n.f.* quantidade de alimentos que o garfo leva de uma vez

garfo (gar.fo) ['garfu] *n.m.* instrumento com dentes usado para segurar alimentos ◆ **ser um bom garfo** comer muito

gargalhada (gar.ga.lha.da) [gɐrgɐ'ʎadɐ] *n.f.* risada ruidosa e prolongada

gargalo (gar.ga.lo) [gɐr'galu] *n.m.* parte superior e estreita de garrafa ou garrafão

garganta (gar.gan.ta) [gɐr'gɐ̃tɐ] *n.f.* **1** parte anterior do pescoço, por onde os alimentos passam da boca para o estômago **2** passagem estreita entre montanhas; desfiladeiro ◆ **ter muita garganta** armar-se; vangloriar-se

gargantilha (gar.gan.ti.lha) [gɐrgɐ̃'tiʎɐ] *n.f.* colar curto, com uma ou mais voltas, que se usa rente ao pescoço

gargarejar (gar.ga.re.jar) [gɐrgɐrə'ʒar] *v.* agitar um líquido na garganta

gargarejo (gar.ga.re.jo) [gɐrgɐ'rɐ(j)ʒu] *n.m.* **1** ato de gargarejar **2** líquido usado para gargarejar

gárgula (gár.gu.la) ['gargulɐ] *n.f.* **1** figura esculpida em pedra, para escoamento das águas da chuva, que ornamenta os monumentos ogivais **2** goteira por onde escorre a água de uma fonte

garina (ga.ri.na) [gɐ'rinɐ] *n.f.* **1** *coloq.* rapariga **2** *coloq.* namorada

garino (ga.ri.no) [gɐ'rinu] *n.f.* **1** *coloq.* rapaz **2** *coloq.* namorado

garnisé (gar.ni.sé) [gɐrni'zɛ] *n.2g.* galinha pequena, criada em capoeira

garota (ga.ro.ta) [gɐ'rotɐ] *n.f.* rapariga jovem

garotada (ga.ro.ta.da) [gɐru'tadɐ] *n.f.* **1** conjunto de garotos **2** brincadeira; criancice

garotice (ga.ro.ti.ce) [gɐru'ti(sə)] *n.f.* ato próprio de garoto **SIN.** brincadeira; criancice

garoto (ga.ro.to) [gɐ'rotu] *n.m.* **1** rapaz jovem **2** café com leite em chávena de café

garra (gar.ra) ['gaʀɐ] *n.f.* **1** unha forte, curva e pontiaguda de alguns animais **2** *fig.* força de vontade ◆ **ter garra** ter força de vontade

garrafa (gar.ra.fa) [gɐ'ʀafɐ] *n.f.* vasilha, geralmente de vidro, com gargalo estreito e comprido ◆ **garrafa térmica** recipiente composto de uma garrafa de vidro de parede dupla, revestida de material metálico ou plástico, para manter a temperatura dos líquidos colocados no seu interior

garrafal (gar.ra.fal) [gɐʀɐ'faɫ] *adj.2g.* **1** com forma de garrafa **2** diz-se da letra muito grande e legível

garrafão (gar.ra.fão) [gɐʀɐ'fɐ̃w̃] *n.m.* garrafa grande, geralmente de plástico

garrafa-termo (gar.ra.fa-.ter.mo) [gɐʀafɐ'tɛrmu] *n.f.* ⟨*pl.* garrafas-termos⟩ garrafa de vidro de parede dupla, revestida de material metálico ou plástico, para conservar a temperatura dos líquidos colocados no interior

garrafa-termos (gar.ra.fa-.ter.mos) [gɐʀafɐ'tɛrmuʃ] *n.f.2n.* ⇒ **garrafa-termo**

garrafeira (gar.ra.fei.ra) [gɐʀɐ'fɐjrɐ] *n.f.* lugar onde se guardam as garrafas

garraio (gar.rai.o) [gɐ'ʀaju] *n.m.* touro novo que ainda não foi corrido

garrido (gar.ri.do) [gɐ'ʀidu] *adj.* que tem cores fortes; vistoso

garrote (gar.ro.te) [gɐ'ʀɔt(ə)] *n.m.* tira de borracha, com que se interrompe a circulação nos braços ou nas pernas para evitar perda de sangue

garupa (ga.ru.pa) [gɐ'rupɐ] *n.f.* parte posterior do cavalo, entre o lombo e a cauda

gás (gás) ['gaʃ] *n.m.* **1** substância que existe no estado gasoso **2** *fig.* estado de grande alegria ou entusiasmo; animação ◆ **a todo o gás** muito depressa

gaseificação (ga.sei.fi.ca.ção) [gɐzɐjfikɐ'sɐ̃w̃] *n.f.* ato ou efeito de gaseificar(-se)

gaseificado (ga.sei.fi.ca.do) [gɐzɐjfi'kadu] *adj.* diz-se da bebida que contém gás

gaseificar (ga.sei.fi.car) [gɐzɐjfi'kar] *v.* **1** reduzir ao estado gasoso **2** dissolver gás carbónico em (bebida)

gasganete (gas.ga.ne.te) [gɐʒgɐ'net(ə)] *n.m. coloq.* garganta; pescoço

gasoduto (ga.so.du.to) [gazɔ'dutu] *n.m.* canalização que transporta produtos gasosos a grandes distâncias

gasóleo (ga.só.le:o) [ga'zɔlju] *n.m.* produto proveniente da destilação do petróleo, usado como combustível

gasolina (ga.so.li.na) [gɐzu'linɐ] *n.f.* substância obtida da destilação do petróleo e usada nos motores de automóveis

gasolineira (ga.so.li.nei.ra) [gɐzuli'nɐjrɐ] *n.f.* bomba de gasolina

gasolineiro (ga.so.li.nei.ro) [gɐzuli'nɐjru] *n.m.* pessoa que trabalha numa bomba de gasolina

gasosa (ga.so.sa) [gɐ'zɔzɐ] *n.f.* bebida refrigerante com gás

gasoso (ga.so.so) [gɐ'zozu] *adj.* **1** que apresenta propriedades semelhantes às do ar **2** diz-se da bebida com gás

gaspacho (gas.pa.cho) [gɐʃ'paʃu] *n.m.* sopa fria preparada com pão, tomate, pimento, cebola e alho, e temperada com azeite, sal e vinagre

gastador (gas.ta.dor) [gɐʃtɐ'dor] *adj.* que gasta muito (sobretudo dinheiro) **SIN.** perdulário

gastar (gas.tar) [gɐʃ'tar] *v.* **1** utilizar dinheiro para fazer compras **2** esbanjar (fortuna) **3** consumir (energia) **4** usar (roupa, calçado)

gasto (gas.to) ['gaʃtu] *adj.* consumido; usado ■ *n.m.* despesa; consumo

gastrenterite (gas.tren.te.ri.te) [gaʃtrẽtə'rit(ə)] *n.f.* inflamação das mucosas do estômago e dos intestinos

gástrico (gás.tri.co) ['gaʃtriku] *adj.* relativo ao estômago

gastrintestinal (gas.trin.tes.ti.nal) [gaʃtrĩtəʃti'nał] *adj.2g.* relativo ao estômago e ao intestino

gastrite (gas.tri.te) [gɐʃ'trit(ə)] *n.f.* inflamação das paredes internas do estômago

gastronomia (gas.tro.no.mi.a) [gɐʃtrunu'miɐ] *n.f.* arte de cozinhar; culinária

gastronómico (gas.tro.nó.mi.co) [gɐʃtru'nɔmiku] *adj.* relativo a gastronomia

gastrónomo (gas.tró.no.mo) [gɐʃ'trɔnumu] *n.m.* pessoa que aprecia comida e culinária

gata (ga.ta) ['gatɐ] *n.f.* fêmea do gato ◆ **andar de gatas** andar apoiando as mãos e os joelhos no chão; **Gata Borralheira** personagem de um conto de fadas, também designada Cinderela

gatafunhar (ga.ta.fu.nhar) [gɐtɐfu'ɲar] *v.* fazer gatafunhos **SIN.** rabiscar

gatafunho (ga.ta.fu.nho) [gɐtɐ'fuɲu] *n.m.* desenho ou letra mal feitos **SIN.** rabisco

gatilho (ga.ti.lho) [gɐ'tiʎu] *n.m.* dispositivo das armas de fogo que serve para disparar

gatinhar (ga.ti.nhar) [gɐti'ɲar] *v.* andar de gatas

gato (ga.to) ['gatu] *n.m.* mamífero felino doméstico, de cabeça redonda, garras que se retraem, com uma boa visão noturna ◆ **dar-se como o cão e o gato** dar-se muito mal; **Gato das Botas** personagem de um conto de fadas do escritor francês Charles Perrault

gato-pingado (ga.to-.pin.ga.do) [gatupĩ'gadu] *n.m. coloq.* pessoa insignificante; zé-ninguém

gato-sapato (ga.to-.sa.pa.to) [gatusɐ'patu] *n.m. coloq.* coisa desprezível ◆ **fazer gato-sapato de alguém** tratar mal alguém

gatunagem (ga.tu.na.gem) [gɐtu'naʒɐ̃j] *n.f.* bando de gatunos

gatuno (ga.tu.no) [gɐ'tunu] *n.m.* ladrão; larápio

gaúcho (ga.ú.cho) [gɐ'uʃu] *n.m.* [BRAS.] camponês que se dedica à criação de gado

gaulês (gau.lês) [gaw'leʃ] *adj.* relativo à antiga Gália (atual França) ■ *n.m.* **1** pessoa natural da Gália **2** língua céltica falada na Gália

GAV ['gave] *sigla de* Gabinete de Apoio à Vítima

gaveta (ga.ve.ta) [gɐ'vetɐ] *n.f.* compartimento de um móvel que se abre e fecha ◆ **ficar na gaveta** ser esquecido ou omitido

gavetão (ga.ve.tão) [gɐvə'tɐ̃w̃] (*aum. de* gaveta) *n.m.* gaveta grande

gaveteiro (ga.ve.tei.ro) [gɐvə'tɐjru] *n.m.* móvel alto e estreito com muitas gavetas

gaveto (ga.ve.to) [gɐ'vetu] *n.m.* **1** peça côncava ou convexa, usada em carpintaria **2** esquina de um edifício

gavião (ga.vi.ão) [gɐ'vjɐ̃w̃] *n.m.* ave de rapina diurna, plumagem azulada e patas com unhas pontiagudas, que se alimenta de outras aves e de roedores

gavinha (ga.vi.nha) [gɐ'viɲɐ] *n.f.* órgão vegetal, em forma de fio, para fixar plantas

gay ['gɐj] *adj.,n.2g.* que ou pessoa que se relaciona sexualmente com pessoas do mesmo sexo **SIN.** homossexual

gaze (ga.ze) ['gaz(ə)] *n.f.* tecido leve, que se usa para fazer curativos

gazela (ga.ze.la) [gɐ'zɛlɐ] *n.f.* 👁 mamífero ruminante de pernas longas, muito veloz, e chifres em espiral

gazeta (ga.ze.ta) [gɐ'zetɐ] *n.f.* **1** publicação periódica; jornal **2** falta a um compromisso, sobretudo por preguiça ◆ **fazer gazeta** faltar às aulas ou ao trabalho

gazeteiro (ga.ze.tei.ro) [gɐzə'tɐjru] *n.m.* pessoa que falta muito (a aulas, ao trabalho)

geada (ge:a.da) ['ʒjadɐ] *n.f.* camada fina de gelo, em forma de pequenos cristais, que cobre as superfícies expostas quando a temperatura desce muito

gear (ge.ar) [ʒi'ar] *v.* formar-se geada; cair geada

gebo (ge.bo) ['ʒebu] *adj.* **1** corcunda **2** maltrapilho

gêiser (gêi.ser) ['ʒɐjzɛr] *n.m.* fonte de água quente, de origem vulcânica, que lança no ar jatos de água e vapor

gel (gel) ['ʒɛł] *n.m.* substância de aspeto gelatinoso

geladeira (ge.la.dei.ra) [ʒəlɐ'dɐjrɐ] *n.f.* [BRAS.] frigorífico

gelado (ge.la.do) [ʒəˈladu] *adj.* **1** coberto de gelo **2** muito frio ▪ *n.m.* sorvete

gelar (ge.lar) [ʒəˈlar] *v.* transformar em gelo; congelar

gelataria (ge.la.ta.ri.a) [ʒəlɐtɐˈriɐ] *n.f.* loja onde se servem gelados

gelatina (ge.la.ti.na) [ʒəlɐˈtinɐ] *n.f.* proteína extraída de ossos, cartilagens e tendões dos animais, que, quando é dissolvida em água, fica com consistência de geleia

gelatinoso (ge.la.ti.no.so) [ʒəlɐtiˈnozu] *adj.* que tem a consistência e o aspeto da gelatina; pegajoso

geleia (ge.lei.a) [ʒəˈlɐjɐ] *n.f.* compota

geleira (ge.lei.ra) [ʒəˈlɐjrɐ] *n.f.* grande massa de gelo acumulada nas regiões polares ou montanhosas

gélido (gé.li.do) [ˈʒɛlidu] *adj.* **1** muito frio **2** *fig.* insensível; indiferente

gelo (ge.lo) [ˈʒelu] *n.m.* **1** água no estado sólido **2** frio muito intenso

gema (ge.ma) [ˈʒemɐ] *n.f.* parte amarela do ovo

gemada (ge.ma.da) [ʒəˈmadɐ] *n.f.* alimento preparado com gema de ovo crua, batida com açúcar

gémeo (gé.me:o) [ˈʒɛmju] *n.m.* cada um dos filhos que nasceu do mesmo parto ▪ **Gémeos** *n.m.pl.* terceiro signo do Zodíaco (21 de maio a 20 de junho)

gemer (ge.mer) [ʒəˈmer] *v.* dar gemidos; queixar-se

gemido (ge.mi.do) [ʒəˈmidu] *n.m.* expressão de dor; queixa

geminado (ge.mi.na.do) [ʒəmiˈnadu] *adj.* **1** agrupado aos pares; duplicado **2** diz-se de cada uma de duas casas, encostadas uma na outra e com uma parede comum

geminar (ge.mi.nar) [ʒəmiˈnar] *v.* agrupar aos pares; duplicar

gene (ge.ne) [ˈʒɛn(ə)] *n.m.* partícula do cromossoma que faz com que certas características passem de pais para filhos

genealogia (ge.ne:a.lo.gi.a) [ʒənjɐluˈʒiɐ] *n.f.* **1** apresentação em forma de diagrama da origem e dos membros de uma família **2** conjunto de antepassados de uma pessoa

genealógico (ge.ne:a.ló.gi.co) [ʒənjɐˈlɔʒiku] *adj.* relativo a genealogia

general (ge.ne.ral) [ʒənəˈraɫ] *n.2g.* posto mais alto da categoria de oficiais do exército e da força aérea

generalidade (ge.ne.ra.li.da.de) [ʒənərɐliˈdad(ə)] *n.f.* **1** qualidade do que é geral, do que abrange a totalidade de coisas **2** maioria ♦ **na generalidade** na maior parte dos casos; em geral

generalização (ge.ne.ra.li.za.ção) [ʒənərɐlizɐˈsɐ̃w̃] *n.f.* difusão (de um hábito, de uma ideia, de um método, etc.)

generalizado (ge.ne.ra.li.za.do) [ʒənərɐliˈzadu] *adj.* que se tornou comum **SIN.** vulgarizado

generalizar (ge.ne.ra.li.zar) [ʒənərɐliˈzar] *v.* tornar conhecido de muitas pessoas **SIN.** vulgarizar

generativo (ge.ne.ra.ti.vo) [ʒənərɐˈtivu] *adj.* **1** que tem a propriedade de gerar **2** relativo a geração

genericamente (ge.ne.ri.ca.men.te) [ʒənɛrikɐˈmẽt(ə)] *adv.* em geral

genérico (ge.né.ri.co) [ʒəˈnɛriku] *adj.* **1** geral; abrangente **2** vago; superficial ▪ *n.m.* **1** lista com o nome dos participantes na realização de um filme ou de um programa **2** medicamento vendido a preço baixo

género (gé.ne.ro) [ˈʒɛnəru] *n.m.* **1** conjunto de seres com características comuns; espécie **2** estilo; tipo **3** categoria gramatical baseada na distinção dos sexos (masculino ou feminino) ♦ **não fazer o género de (alguém)** não agradar; não ser do gosto ou interesse de

generosidade (ge.ne.ro.si.da.de) [ʒənəruziˈdad(ə)] *n.f.* qualidade de quem é generoso **SIN.** bondade

generoso (ge.ne.ro.so) [ʒənəˈrozu] *adj.* que gosta de dar ou de ajudar **SIN.** bom

género-tipo (gé.ne.ro-.ti.po) [ʒɛnəruˈtipu] *n.m.* ⟨*pl.* géneros-tipo⟩ género cujas características são determinadas como padrão para uma família

génese (gé.ne.se) [ˈʒɛnəz(ə)] *n.f.* **1** origem e desenvolvimento dos seres; geração **2** início de alguma coisa; princípio

Génesis (Gé.ne.sis) [ˈʒɛnəziʃ] *n.f.* primeiro livro da Bíblia, onde é descrita a criação do mundo

genética (ge.né.ti.ca) [ʒəˈnɛtikɐ] *n.f.* ciência que estuda a transmissão de características hereditárias entre os seres vivos

genético (ge.né.ti.co) [ʒəˈnɛtiku] *adj.* relativo a genética ou a gene

gengibre (gen.gi.bre) [ʒẽˈʒibr(ə)] *n.m.* **1** planta das regiões tropicais, com flores em espiga, caule com aroma forte e sabor picante, utilizada em farmácia e culinária **2** 👁 caule comestível dessa planta, usado como condimento e como medicamento

gengiva (gen.gi.va) [ʒẽˈʒivɐ] *n.f.* mucosa que cobre os espaços entre os dentes

gengivite (gen.gi.vi.te) [ʒẽʒi'vit(ə)] *n.f.* inflamação das gengivas

genial (ge.ni:al) [ʒə'njał] *adj.2g.* excelente; fantástico

genica (ge.ni.ca) [ʒə'nikɐ] *n.f. coloq.* ânimo; vigor

génio (gé.ni:o) ['ʒɛnju] *n.m.* **1** temperamento de uma pessoa; maneira de ser **2** capacidade para criar coisas novas; talento **3** nos contos e nas lendas, ser sobrenatural com poderes mágicos para fazer o bem ou o mal

genital (ge.ni.tal) [ʒəni'tał] *adj.2g.* que se destina à procriação **SIN.** reprodutor ■ **genitais** *n.m.pl.* órgãos sexuais ou reprodutores

genitivo (ge.ni.ti.vo) [ʒəni'tivu] *n.m.* (declinação) caso que exprime a função de complemento limitativo, possessivo ou determinativo

genocídio (ge.no.cí.di:o) [ʒənu'sidju] *n.m.* **1** destruição sistemática e metódica de um grupo étnico ou de uma raça pelo extermínio dos seus indivíduos **2** crime que consiste na eliminação de todas as formas de expressão da identidade coletiva de um povo

genoma (ge.no.ma) [ʒə'nomɐ] *n.m.* conjunto de genes distribuídos por vinte e três pares de cromossomas que constitui a informação genética de cada ser

genro (gen.ro) ['ʒẽʀu] *n.m.* marido da filha

gentalha (gen.ta.lha) [ʒẽ'taʎɐ] *n.f. pej.* gente reles; ralé

gente (gen.te) ['ʒẽt(ə)] *n.f.* **1** número indeterminado de pessoas **2** multidão de pessoas ◆ **gente de palmo e meio** crianças

Note-se que a palavra **gente** usa-se com um verbo na 3.ª pessoa do singular, enquanto a palavra **nós** utiliza-se com um verbo na 1.ª pessoa do singular: *A **gente** vai sair. **Nós** vamos sair.*

gentil (gen.til) [ʒẽ'tił] *adj.2g.* amável; delicado

gentileza (gen.ti.le.za) [ʒẽti'lezɐ] *n.f.* amabilidade; delicadeza

gentinha (gen.ti.nha) [ʒẽ'tiɲɐ] *n.f. pej.* pessoas bisbilhoteiras

gentleman ['ʒẽtləman] *n.m.* ⟨*pl.* gentlemen⟩ homem distinto e cortês; cavalheiro

genuflexão (ge.nu.fle.xão) [ʒənuflɛ'ksɐ̃w̃] *n.f.* ato de dobrar a perna à altura do joelho

genuflexório (ge.nu.fle.xó.ri:o) [ʒənuflɛ'ksɔrju] *n.m.* móvel em forma de cadeira, com estrado baixo para alguém se ajoelhar

genuíno (ge.nu:í.no) [ʒə'nwinu] *adj.* **1** puro; verdadeiro **2** sincero; franco

geocêntrico (ge.o.cên.tri.co) [ʒɛɔ'sẽtriku] *adj.* **1** relativo ao centro da Terra **2** diz-se do sistema que toma a Terra como centro

geodesia (ge.o.de.si.a) [ʒɛɔdə'ziɐ] *n.f.* ciência que estuda a forma e as dimensões da Terra

geofísica (ge.o.fí.si.ca) [ʒɛɔ'fizikɐ] *n.f.* estudo dos fenómenos físicos que alteram a estrutura da Terra (gravidade, magnetismo, meteorologia, etc.)

geografia (ge:o.gra.fi.a) [ʒjugrɐ'fiɐ] *n.f.* ciência que estuda a Terra e, em particular, os seus fenómenos físicos e humanos (rios, mares, montanhas, clima e povos)

geográfico (ge:o.grá.fi.co) [ʒju'grafiku] *adj.* relativo a geografia

geógrafo (ge:ó.gra.fo) ['ʒjɔgrɐfu] *n.m.* especialista em geografia

geologia (ge:o.lo.gi.a) [ʒjulu'ʒiɐ] *n.f.* ciência que estuda a estrutura da Terra, a sua natureza, forma e origem (estuda os terrenos, rochas e minerais, por exemplo)

geológico (ge:o.ló.gi.co) [ʒju'lɔʒiku] *adj.* relativo a geologia

geólogo (ge:ó.lo.go) ['ʒjɔlugu] *n.m.* especialista em geologia

geometria (ge:o.me.tri.a) [ʒjumə'triɐ] *n.f.* ciência que estuda as propriedades e as dimensões das linhas, das superfícies e dos volumes

geométrico (ge:o.mé.tri.co) [ʒju'mɛtriku] *adj.* **1** relativo a geometria **2** (desenho) com linhas retas ou curvas, círculos, quadrados, etc. **3** rigoroso; exato

geosfera (ge.os.fe.ra) [ʒɛɔʃ'fɛrɐ] *n.f.* parte sólida da Terra

geração (ge.ra.ção) [ʒərɐ'sɐ̃w̃] *n.f.* **1** função pela qual um ser produz outro ser da mesma espécie; procriação **2** conjunto de pessoas que têm a mesma idade ou idades próximas **3** criação de alguma coisa; produção ◆ **de última geração** que utiliza as mais recentes tecnologias

geracional (ge.ra.ci:o.nal) [ʒərɐsju'nał] *adj.2g.* próprio de uma geração

gerador (ge.ra.dor) [ʒərɐ'dor] *adj.* que gera; produtor ■ *n.m.* máquina que converte qualquer forma de energia em energia elétrica

geral (ge.ral) [ʒə'rał] *adj.2g.* **1** que se aplica a muitos casos ou a muitas pessoas; genérico; universal **2** que não é específico; vago; indeterminado ◆ **em geral** habitualmente; normalmente

geralmente (ge.ral.men.te) [ʒərał'mẽt(ə)] *adv.* normalmente; na maior parte das vezes

gerar (ge.rar) [ʒə'rar] *v.* **1** dar existência a; criar **2** provocar; causar ■ **gerar-se** ter origem

geratriz (ge.ra.triz) [ʒərɐ'triʃ] *n.f.* (geometria) linha que, ao mover-se, gera uma superfície

gerência (ge.rên.ci:a) [ʒə'rẽsjɐ] *n.f.* **1** ato de gerir uma empresa ou uma organização; administração **2** conjunto de pessoas que gerem uma empresa ou uma organização

erente (ge.ren.te) [ʒəˈrẽt(ə)] *adj.2g.* que gere; que dirige ■ *n.2g.* pessoa responsável pela gestão de uma empresa ou de uma organização; administrador

eriatria (ge.ri:a.tri.a) [ʒərjɐˈtriɐ] *n.f.* especialidade médica que trata das doenças da velhice

eringonça (ge.rin.gon.ça) [ʒərĩˈgõsɐ] *n.f.* objeto mal feito e que se desmancha com facilidade; engenhoca

erir (ge.rir) [ʒəˈrir] *v.* **1** administrar (um negócio, uma empresa) **2** resolver (um conflito, um problema)

ermânico (ger.mâ.ni.co) [ʒərˈmɐniku] *adj.* **1** relativo à Alemanha **2** relativo às regiões onde se fala alemão

erme (ger.me) [ˈʒɛrm(ə)] *n.m.* ⟨*pl.* germes⟩ **1** ser vivo microscópico que pode transmitir doenças; micróbio **2** fase inicial do desenvolvimento de um ser; embrião **3** *fig.* origem; início

érmen (gér.men) [ˈʒɛrmɛn] *n.m.* ⟨*pl.* gérmenes⟩ ⇒ **germe**

ermicida (ger.mi.ci.da) [ʒərmiˈsidɐ] *n.m.* substância que destrói os germes ou micróbios

erminação (ger.mi.na.ção) [ʒərminɐˈsɐ̃w̃] *n.f.* **1** desenvolvimento, a partir de um embrião, que dá origem a um novo ser **2** processo de desenvolvimento de uma semente

erminar (ger.mi.nar) [ʒərmiˈnar] *v.* **1** começar a desenvolver-se; brotar **2** ter origem em; principiar

erúndio (ge.rún.di:o) [ʒəˈrũdju] *n.m.* forma nominal do verbo terminada em *-ndo*: *falando; correndo; indo*

erundivo (ge.run.di.vo) [ʒərũˈdivu] *n.m.* forma nominal e variável do verbo latino terminada em *-ndus, -nda, -ndum*, que exprime a ação do verbo como devendo ser realizada

esso (ges.so) [ˈʒesu] *n.m.* mineral usado em moldes e para imobilizar membros fraturados

estação (ges.ta.ção) [ʒəʃtɐˈsɐ̃w̃] *n.f.* **1** tempo entre a conceção e o parto; gravidez **2** tempo que uma coisa leva a formar-se; desenvolvimento

estão (ges.tão) [ʒəʃˈtɐ̃w̃] *n.f.* **1** ato de gerir **2** administração; gerência

esticulação (ges.ti.cu.la.ção) [ʒəʃtikulɐˈsɐ̃w̃] *n.f.* ato ou efeito de fazer gestos; expressão gestual

esticular (ges.ti.cu.lar) [ʒəʃtikuˈlar] *v.* fazer gestos; acenar

esto (ges.to) [ˈʒɛʃtu] *n.m.* **1** movimento do corpo, sobretudo das mãos, dos braços e da cabeça **2** forma de se manifestar; atitude

estor (ges.tor) [ʒəʃˈtor] *n.m.* pessoa que gere

gestual (ges.tu:al) [ʒɛʃˈtwaɫ] *adj.2g.* **1** relativo a gesto(s) **2** que se exprime por meio de gestos

giesta (gi:es.ta) [ˈʒjɛʃtɐ] *n.f.* arbusto com flores amarelas ou brancas perfumadas

GIF [ˈgife] formato para armazenar ficheiros de imagem **OBS.** Sigla de *graphic interchange format*

gigabyte [ʒigɐˈbajt(ə)] *n.m.* ⟨*pl.* gigabytes⟩ em informática, unidade de medida de informação digital, equivalente a 1024 megabytes (símbolo: GB)

gigante (gi.gan.te) [ʒiˈgɐ̃t(ə)] *adj.2g.* que é muito grande; enorme ■ *n.m.* ⟨*f.* giganta⟩ **1** criatura imaginária de tamanho extraordinário e com poderes sobrenaturais **2** pessoa muito alta

gigantesco (gi.gan.tes.co) [ʒigɐ̃ˈteʃku] *adj.* que é muito alto ou muito grande **SIN.** enorme

gigolô (gi.go.lô) [ʒigoˈlo] *n.m.* indivíduo que vive à custa de uma prostituta ou que é sustentado por uma amante

gilete (gi.le.te) [ʒiˈlɛt(ə)] *n.f.* lâmina de barbear descartável

gimnodesportivo (gim.no.des.por.ti.vo) [ʒimnɔdəʃpurˈtivu] *adj.* diz-se do local reservado para a prática de desporto

gin [ˈʒĩ] *n.m.* bebida alcoólica, semelhante a aguardente, preparada com cereais (cevada, trigo, aveia) e zimbro

ginásio (gi.ná.si:o) [ʒiˈnazju] *n.m.* recinto onde se pratica ginástica

ginasta (gi.nas.ta) [ʒiˈnaʃtɐ] *n.2g.* pessoa que pratica ginástica

ginástica (gi.nás.ti.ca) [ʒiˈnaʃtikɐ] *n.f.* prática de exercícios físicos para fortalecer e dar mais flexibilidade ao corpo

ginástico (gi.nás.ti.co) [ʒiˈnaʃtiku] *adj.* relativo a ginástica

gincana (gin.ca.na) [ʒĩˈkɐnɐ] *n.f.* competição que inclui várias atividades e provas com obstáculos que é necessário vencer com rapidez

gineceu (gi.ne.ceu) [ʒinəˈsew] *n.m.* parte feminina reprodutiva de uma flor

ginecologia (gi.ne.co.lo.gi.a) [ʒinɛkuluˈʒiɐ] *n.f.* especialidade médica que trata da fisiologia e doenças dos órgãos sexuais femininos

ginecológico (gi.ne.co.ló.gi.co) [ʒinɛkuˈlɔʒiku] *adj.* relativo a ginecologia

ginecologista (gi.ne.co.lo.gis.ta) [ʒinɛkuluˈʒiʃtɐ] *n.2g.* especialista em ginecologia

ginga (gin.ga) [ˈʒĩgɐ] *n.f.* [MOÇ.] bicicleta; ndjinga

gingão (gin.gão) [ʒĩˈgɐ̃w̃] *adj.* [ANG., MOÇ.] *coloq.* arrogante; vaidoso

gingar (gin.gar) [ʒĩˈgar] *v.* mover o corpo de um lado para o outro; bambolear-se

ginja (gin.ja) ['ʒĩʒɐ] *n.f.* fruto da ginjeira, semelhante à cereja, de cor vermelha escura e sabor amargo

Note-se que **ginja** escreve-se primeiro com um g e depois com um j.

ginjeira (gin.jei.ra) [ʒĩ'ʒɐjrɐ] *n.f.* árvore cujo fruto é a ginja ◆ *coloq.* **conhecer de ginjeira** conhecer bem e há muito tempo

ginjinha (gin.ji.nha) [ʒĩ'ʒiɲɐ] *n.f.* bebida feita com aguardente, ginjas e açúcar

ginseng [ʒĩ'zẽg] *n.m.* planta herbácea cuja raiz aromática tem propriedades medicinais

gira-discos (gi.ra-.dis.cos) [ʒirɐ'diʃkuʃ] *n.m.2n.* aparelho elétrico constituído por um prato giratório onde se coloca um disco de vinil, cujo som é reproduzido por um amplificador e transmitido por colunas

girafa (gi.ra.fa) [ʒi'rafɐ] *n.f.* animal com pernas e pescoço muito longos e pelo amarelo-claro com manchas acastanhadas, que habita as planícies africanas

girar (gi.rar) [ʒi'rar] *v.* andar à roda; rodar

girassol (gi.ras.sol) [ʒirɐ'sɔɫ] *n.m.* ⟨*pl.* girassóis⟩ flor grande e amarela, que se volta para o sol

giratório (gi.ra.tó.ri:o) [ʒirɐ'tɔrju] *adj.* **1** que gira em torno de um eixo **2** diz-se do movimento circular

gíria (gí.ri:a) ['ʒirjɐ] *n.f.* linguagem que é utilizada por pessoas de um dado grupo profissional ou social

girino (gi.ri.no) [ʒi'rinu] *n.m.* larva dos anfíbios, com cauda e guelras externas, que se desenvolve dentro de água

giríssimo (gi.rís.si.mo) [ʒi'risimu] ⟨*superl. de* giro⟩ *adj.* muito giro

giro (gi.ro) ['ʒiru] *n.m.* **1** rotação; volta **2** passeio **3** serviço feito por turnos ou escalas ■ *adj.* **1** *coloq.* bonito **2** *coloq.* engraçado **3** *coloq.* interessante

giz (giz) ['ʒiʃ] *n.m.* pau branco ou de cor com que se escreve no quadro preto

glacé (gla.cé) [gla'se] *n.m.* cobertura de bolos feita com açúcar e claras de ovos

glacial (gla.ci:al) [glɐ'sjaɫ] *adj.2g.* frio como gelo SIN. gelado; gélido

glaciar (gla.ci:ar) [glɐ'sjar] *n.m.* grande massa de gelo que se forma pela acumulação de neve e que desliza devagar

gladiador (gla.di:a.dor) [glɐdjɐ'dor] *n.m.* na Roma antiga, lutador que enfrentava outros lutadores ou feras numa arena

gladíolo (gla.dí.o.lo) [glɐ'diulu] *n.m.* planta com flores coloridas em espiga, e cujo fruto é constituído por uma cápsula, onde se encontram as sementes

glamoroso (gla.mo.ro.so) [glɐmu'rozu] *adj.* que exerce fascínio; charmoso; atraente

glamour [gla'mur] *n.m.* fascínio exercido por uma pessoa; charme; encanto

glande (glan.de) ['glɐ̃d(ə)] *n.f.* **1** extremidade do pénis **2** fruto protegido por uma cobertura esférica, como nas bolotas

glândula (glân.du.la) ['glɐ̃dulɐ] *n.f.* órgão cuja função é produzir uma secreção

glandular (glan.du.lar) [glɐ̃du'lar] *adj.2g.* relativo a glândula

glaucoma (glau.co.ma) [glaw'komɐ] *n.m.* doença caracterizada por aumento da pressão no interior do olho que provoca uma diminuição do poder visual

glicemia (gli.ce.mi.a) [glisə'miɐ] *n.f.* taxa de açúcar ou glicose no sangue

glicémico (gli.cé.mi.co) [gli'sɛmiku] *adj.* relativo a glicemia

glicerina (gli.ce.ri.na) [glisə'rinɐ] *n.f.* líquido que se extrai das gorduras obtidas no fabrico de sabão

glícidos (glí.ci.dos) ['glisiduʃ] *n.m.2n.* grupo de substâncias químicas que inclui os açúcares

glicínia (gli.cí.ni:a) [gli'sinjɐ] *n.f.* planta com flores de cor lilás muito perfumadas

glicose (gli.co.se) [gli'kɔz(ə)] *n.f.* açúcar que se encontra nas plantas e especialmente nos frutos, e que é a principal fonte de energia para os organismos vivos

glide ['glid(ə)] *n.f.* ⇒ **semivogal**

global (glo.bal) [glu'baɫ] *adj.2g.* **1** que se considera em conjunto, sem ter em conta as partes; total **2** relativo a todo o mundo; mundial

globalidade (glo.ba.li.da.de) [glubɐli'dad(ə)] *n.* totalidade; generalidade

globalização (glo.ba.li.za.ção) [glubɐlizɐ'sɐ̃w̃] *n.* fenómeno de dependência mútua de mercados e produtores ao nível mundial

globalizar (glo.ba.li.zar) [glubɐli'zar] *v.* **1** considerar em conjunto **2** tornar comum **SIN.** universalizar **3** integrar no mercado mundial, resultante da união dos mercados de diferentes países

globalmente (glo.bal.men.te) [glubał'mẽt(ə)] *adv.* no conjunto; na totalidade

globo (glo.bo) ['globu] *n.m.* **1** objeto redondo **2** esfera que representa a Terra

globular (glo.bu.lar) [glubu'lar] *adj.2g.* **1** relativo a glóbulo **2** em forma de glóbulo

glóbulo (gló.bu.lo) ['glɔbulu] *n.m.* corpo pequeno e esférico que se encontra no sangue

glória (gló.ri:a) ['glɔrjɐ] *n.f.* celebridade; fama

glorificar (glo.ri.fi.car) [glurifi'kar] *v.* prestar homenagem a; louvar

glorioso (glo.ri:o.so) [glu'rjozu] *adj.* **1** célebre **2** notável

glosa (glo.sa) ['glɔzɐ] *n.f.* composição poética em que cada estrofe acaba com um dos versos do mote

glosar (glo.sar) [glu'zar] *v.* **1** desenvolver cada um dos versos do mote numa ou mais estrofes **2** explicar; interpretar **3** censurar; criticar

gloss ['glɔs] *n.m.* cosmético que se aplica sobre os lábios para lhes dar brilho

glossário (glos.sá.ri:o) [glu'sarju] *n.m.* lista de palavras ordenadas alfabeticamente que é apresentada no final de uma obra

glote (glo.te) ['glɔt(ə)] *n.f.* abertura na parte superior da laringe

glucose (glu.co.se) [glu'kɔz(ə)] *n.f.* ⇒ **glicose**

gluglu (glu.glu) [glu'glu] *n.m.* **1** som característico de um líquido que sai de um vaso por gargalo estreito **2** onomatopeia que imita a voz do peru

glutão (glu.tão) [glu'tɐ̃w̃] *adj.* que come muito e com avidez; comilão ■ *n.m.* animal mamífero carnívoro com corpo maciço, membros fortes, cabeça grande e cauda curta

glúten (glú.ten) ['glutɛn] *n.m.* mistura de proteínas existente nas sementes dos cereais, especialmente no trigo

glúteo (glú.te:o) ['glutju] *adj.* **1** semelhante a glúten **2** relativo às nádegas ■ *n.m.* cada um dos três músculos que constituem a nádega

GMT [geɐm'te] Tempo Médio de Greenwich **OBS.** Sigla de *Greenwich Mean Time*

gnomo (gno.mo) ['gnomu] *n.m.* figura imaginária de um anão que vive na floresta e tem poderes mágicos

gnosticismo (gnos.ti.cis.mo) [gnɔʃti'siʒmu] *n.m.* conhecimento místico das verdades divinas e transcendentes

gnóstico (gnós.ti.co) ['gnɔʃtiku] *adj.* relativo a gnose ou a gnosticismo ■ *n.m.* pessoa que segue o gnosticismo

GNR [ʒeɛn'ɛʀ(ə)] *sigla de* Guarda Nacional Republicana

gnu (gnu) ['gnu] *n.m.* antílope africano com pelagem cinzenta e com a face e cauda negras

godé (go.dé) [gɔ'dɛ] *n.m.* **1** tigelinha onde se diluem as tintas **2** num tecido, corte em viés para dar um efeito ondulado

goela (go:e.la) ['gwɛlɐ] *n.f. coloq.* garganta

gofre (go.fre) ['gɔfr(ə)] *n.m.* doce geralmente comido quente, preparado com massa de farinha, açúcar, manteiga, ovos e leite, cozido num molde que lhe dá a forma de uma pequena grelha, podendo ser coberto de chocolate, chantilly, gelado, geleia, canela, etc.

goiaba (goi.a.ba) [goj'abɐ] *n.f.* fruto da goiabeira, arredondado, de cor verde amarelada na casca e laranja na polpa

goiabada (goi.a.ba.da) [gojɐ'badɐ] *n.f.* doce de goiaba

goiabeira (goi.a.bei.ra) [gojɐ'bɐjrɐ] *n.f.* árvore do Brasil com flores pequenas e brancas, cujo fruto é a goiaba

gola (go.la) ['gɔlɐ] *n.f.* parte da roupa que fica em volta do pescoço; colarinho

golada (go.la.da) [gɔ'ladɐ] *n.f.* porção de líquido que se engole de uma vez **SIN.** gole; trago

gole (go.le) ['gɔl(ə)] *n.m.* quantidade de um líquido que se engole de uma vez **SIN.** golada; trago

goleada (go.le:a.da) [gu'ljadɐ] *n.f.* **1** grande número de golos **2** vitória obtida com muitos golos

goleador (go.le:a.dor) [guljɐ'dor] *n.m.* jogador que marca golos

golear (go.le:ar) [gu'ljar] *v.* vencer (um jogo de futebol) por uma grande diferença de golos

goleiro (go.lei.ro) [gu'lɐjru] *n.m.* [BRAS.] guarda-redes

golfada (gol.fa.da) [goł'fadɐ] *n.f.* sopro de vento

golfe (gol.fe) ['gɔɫf(ə)] *n.m.* jogo em que se procura inserir uma pequena bola em buracos distribuídos ao longo de um percurso, com a ajuda de um taco

golfinho (gol.fi.nho) [goɫ'fiɲu] *n.m.* mamífero aquático de tom cinzento, com focinho alongado, olhos pequenos, que vive nos mares temperados e quentes

golfista (gol.fis.ta) [gɔɫ'fiʃtɐ] *n.2g.* pessoa que joga golfe

golfo (gol.fo) ['goɫfu] *n.m.* porção de mar que entra pela terra

golo (go.lo) ['golu] *n.m.* entrada da bola na baliza, em vários desportos

golpe (gol.pe) ['gɔɫp(ə)] *n.m.* **1** choque entre dois corpos; pancada **2** ferimento feito com instrumento cortante; corte **3** acontecimento súbito que causa dor; choque ♦ **dar o golpe do baú** casar por interesse económico

golpear (gol.pe:ar) [goɫ'pjar] *v.* ferir com objeto cortante; cortar

goma (go.ma) ['gomɐ] *n.f.* **1** substância de aspeto viscoso e transparente das plantas **2** pequena guloseima de diversas formas, com sabor a frutas, feita à base de gelatina e açúcar

gomo (go.mo) ['gomu] *n.m.* cada uma das partes em que se dividem certos frutos

gonar (go.nar) [go'nar] *v.* [MOÇ.] dormir

gôndola (gôn.do.la) ['gõdulɐ] *n.f.* embarcação comprida e chata, com as extremidades elevadas, movida a remos (é muito usada nos canais de Veneza, em Itália)

gondoleiro (gon.do.lei.ro) [gõdu'lɐjru] *n.m.* indivíduo que conduz gôndolas

gongo (gon.go) ['gõgu] *n.m.* instrumento musical de percussão composto por um disco metálico que se faz vibrar com uma baqueta

gongoenha (gon.go:e.nha) [gõ'gweɲɐ] *n.f.* [ANG.] caldo frio, feito de farinha de mandioca e mel ou açúcar

gonorreia (go.nor.rei.a) [gunu'ʀɐjɐ] *n.f.* doença sexualmente transmissível, caracterizada por inflamações na uretra, colo do útero e canal anal

gorar (go.rar) [gu'rar] *v.* fracassar

goraz (go.raz) [gu'raʃ] *n.m.* peixe de corpo alongado e comprido, olhos muito dilatados e cabeça grande

gordo (gor.do) ['gordu] *adj.* **1** que tem gordura **ANT.** magro **2** corpulento; volumoso

gorducho (gor.du.cho) [gur'duʃu] *adj. coloq.* que é um pouco gordo

gordura (gor.du.ra) [gur'durɐ] *n.f.* **1** substância adiposa; banha **2** qualquer substância gorda usada na alimentação (manteiga, óleo, etc. **3** excesso de peso; obesidade

gordurento (gor.du.ren.to) [gurdu'rẽtu] *adj.* = **gorduroso**

gorduroso (gor.du.ro.so) [gurdu'rozu] *adj.* **1** qu tem excesso de gordura **2** que está sujo de gor dura

gorila (go.ri.la) [gu'rilɐ] *n.m.* grande macaco d África equatorial, muito forte, com braços com pridos e focinho curto

gorja (gor.ja) ['gɔrʒɐ] *n.f.* **1** garganta; goela **2** pes coço; cachaço

gorjear (gor.je:ar) [gur'ʒjar] *v.* cantar (uma ave)

gorjeio (gor.jei.o) [gur'ʒɐju] *n.m.* canto das aves

gorjeta (gor.je.ta) [gur'ʒetɐ] *n.f.* pequena gratifica ção em dinheiro que se dá a quem prestou u serviço

> A palavra **gorjeta** escreve-se com j (e não com g).

gorro (gor.ro) ['goʀu] *n.m.* barrete de lã

gosma (gos.ma) ['gɔʒmɐ] *n.f.* **1** qualquer substân cia viscosa **2** *coloq.* escarro ■ *n.2g. pej.* indivídu que procura viver à custa de outrem

gospel ['gɔʃpɛɫ] *n.m.* canto típico dos cultos evan gélicos da comunidade negra norte-american que influenciou o soul

gostar (gos.tar) [guʃ'tar] *v.* **1** ⟨**+de**⟩ achar bom o agradável; apreciar: *Eu gosto de dançar. Gostast da viagem?* **2** ⟨**+de**⟩ sentir simpatia por: *Gostar muito ou do outro.*

gosto (gos.to) ['goʃtu] *n.m.* **1** paladar; sabor **2** sa tisfação; prazer ♦ **com gosto** com prazer; **faze gosto** ter prazer em; **tomar gosto por 1** come çar a gostar de **2** adquirir um hábito ou vício

gostoso (gos.to.so) [guʃ'tozu] *adj.* que tem sabo agradável **SIN.** saboroso

gota (go.ta) ['gotɐ] *n.f.* pequena porção de um lí quido ao cair; pingo ♦ **gota a gota** em peque nas quantidades; às pingas

goteira (go.tei.ra) [gu'tɐjrɐ] *n.f.* cano que condu a água da chuva dos telhados

gotejar (go.te.jar) [gutə'ʒar] *v.* cair em gotas; pin gar

gótico (gó.ti.co) ['gɔtiku] *n.m.* estilo de arquitetur da Europa ocidental dos séculos XII a XV, carac terizado pela forma ogival das abóbadas e do arcos

gotícula (go.tí.cu.la) [gu'tikulɐ] ⟨*dim. de* gota⟩ *n.* gota muito pequena

gourmet [gur'me] *n.m.* indivíduo apreciador d boa comida e de bons vinhos **SIN.** gastrónomo *adj.inv.* diz-se do produto que se caracteriza pel qualidade dos seus ingredientes, combinados de forma a realçar o seu sabor

governabilidade (go.ver.na.bi.li.da.de) [guvərnɐbili'dad(ə)] *n.f.* qualidade do que é governável

governação (go.ver.na.ção) [guvərnɐ'sɐ̃w̃] *n.f.* ato de governar

governado (go.ver.na.do) [guvər'nadu] *adj.* **1** dirigido; administrado **2** (pessoa) poupado; económico

governador (go.ver.na.dor) [guvərnɐ'dor] *n.m.* homem que governa

governador-geral (go.ver.na.dor-.ge.ral) [guvərnɐdorʒə'raɫ] *n.m.* ⟨*pl.* governadores-gerais⟩ governador que tem outros governadores sob a sua alçada, ou que administra uma vasta região de um país

governamental (go.ver.na.men.tal) [guvərnɐmẽ'taɫ] *adj.2g.* relativo a governo

governanta (go.ver.nan.ta) [guvər'nɐ̃tɐ] *n.f.* mulher contratada para governar uma casa

governante (go.ver.nan.te) [guvər'nɐ̃t(ə)] *n.2g.* pessoa que governa

governar (go.ver.nar) [guvər'nar] *v.* **1** exercer autoridade como chefe de governo **2** ter a direção: *governar uma empresa* **SIN.** administrar; gerir **3** conduzir; dirigir (embarcação, veículo, máquina) **4** exercer influência sobre **SIN.** reger ■ **governar-se 1** orientar a própria situação económica e financeira **2** resolver problemas financeiros ou outros **3** cuidar dos próprios interesses **4** ⟨**+por**⟩ orientar-se; regular-se

governo (go.ver.no) [gu'vernu] *n.m.* **1** administração de um Estado **2** poder executivo **3** controlo; domínio

---

O **Governo** é um dos quatro órgãos de soberania da República Portuguesa, com funções políticas, legislativas e administrativas. Compete-lhe, entre outras coisas, propor leis à Assembleia, negociar com outros Estados ou tomar decisões sobre onde gastar o dinheiro público.

---

gozado (go.za.do) [gu'zadu] *adj.* **1** que foi usado; usufruído **2** que é alvo de troça; ridicularizado **3** [BRAS.] *coloq.* engraçado; divertido

gozar (go.zar) [gu'zar] *v.* **1** ter ou sentir prazer **2** ⟨**+com**⟩ troçar de (alguém ou algo) **3** ⟨**+de**⟩ desfrutar; usufruir: *gozar cinco dias de férias*

gozo (go.zo) ['gozu] *n.m.* **1** satisfação **2** troça

GPL [ʒepe'ɛɫ] *sigla de* Gás de Petróleo Liquefeito

GPS [ʒepe'ɛs] sistema de navegação por satélite **OBS.** Sigla de *Global Positioning System*

graal (gra.al) [grɐ'aɫ] *n.m.* (tradição medieval) vaso sagrado que teria sido utilizado por Jesus, na última ceia com os apóstolos

graça (gra.ça) ['grasɐ] *n.f.* **1** dito engraçado; piada **2** bênção concedida por Deus ◆ **de graça** sem pagar **SIN.** gratuitamente

gracejar (gra.ce.jar) [grɐsə'ʒar] *v.* dizer coisas engraçadas; dizer piadas

gracejo (gra.ce.jo) [grɐ'sɐ(j)ʒu] *n.m.* dito engraçado **SIN.** piada

gracinha (gra.ci.nha) [grɐ'siɲɐ] *n.f.* **1** dito ou gesto engraçado; piada **2** pessoa ou coisa encantadora; encanto

graciosidade (gra.ci:o.si.da.de) [grɐsjuzi'dad(ə)] *n.f.* elegância; beleza

gracioso (gra.ci:o.so) [grɐ'sjozu] *adj.* elegante; belo

graçola (gra.ço.la) [grɐ'sɔlɐ] *n.f.* piada de mau gosto ou inconveniente

gradação (gra.da.ção) [grɐdɐ'sɐ̃w̃] *n.f.* aumento ou diminuição gradual (de cor, luz, etc.)

grade (gra.de) ['grad(ə)] *n.f.* série de barras paralelas verticais de madeira ou metal ◆ *coloq.* **atrás das grades** cadeia; prisão

gradeado (gra.de:a.do) [grɐ'djadu] *n.m.* ⇒ **gradeamento**

gradeamento (gra.de:a.men.to) [grɐdjɐ'mẽtu] *n.m.* conjunto de grades para vedar janelas, jardins, parques, etc.

grado (gra.do) ['gradu] *n.m.* vontade; gosto ◆ **de bom grado** de boa vontade; **de mau grado** de má vontade

graduação (gra.du:a.ção) [grɐdwɐ'sɐ̃w̃] *n.f.* **1** divisão em graus **2** *fig.* categoria; classe

graduado (gra.du:a.do) [grɐ'dwadu] *adj.* dividido em graus

gradual (gra.du:al) [grɐ'dwaɫ] *adj.2g.* que se faz passo a passo **SIN.** progressivo

gradualmente (gra.du:al.men.te) [grɐdwaɫ'mẽt(ə)] *adv.* de modo progressivo

graduar (gra.du:ar) [grɐ'dwar] *v.* **1** dividir em graus **2** ordenar por categorias ■ **graduar-se** ⟨**+em**⟩ tirar um curso superior; formar-se

grafar (gra.far) [grɐ'far] *v.* escrever uma palavra

grafema (gra.fe.ma) [grɐ'femɐ] *n.m.* cada uma das letras que, na escrita, representam os sons

graffiti [gra'fiti] *n.m.* palavra, frase ou desenho em muro ou parede de local público

grafia (gra.fi.a) [grɐ'fiɐ] *n.f.* **1** representação escrita de uma palavra **2** maneira de escrever

gráfica (grá.fi.ca) ['grafikɐ] *n.f.* oficina de artes gráficas

gráfico (grá.fi.co) ['grafiku] *adj.* relativo à escrita ■ *n.m.* representação de dados por meio de um esquema

grafismo (gra.fis.mo) [grɐ'fiʒmu] *n.m.* **1** forma de representar as palavras de uma língua **SIN.** grafia **2** representação visual de uma ideia ou de uma mensagem **SIN.** design

grafite (gra.fi.te) [grɐ'fit(ə)] *n.f.* mineral de cor preta, utilizado no fabrico de lápis

grafiti (gra.fi.ti) [grafi'ti] *n.m.* palavra, frase ou desenho pintado num muro ou numa parede

grafito (gra.fi.to) [grɐ'fitu] *n.m.* inscrição ou desenho em paredes e monumentos antigos

grafonola (gra.fo.no.la) [grɐfu'nɔlɐ] *n.f.* antigo instrumento de gravação e reprodução de sons com o altifalante encerrado numa caixa portátil

grageia (gra.gei.a) [grɐ'ʒɐjɐ] *n.f.* medicamento, geralmente oval ou arredondado, duro, para chupar ou engolir **SIN.** pastilha

grainha (gra.i.nha) [grɐ'iɲɐ] *n.f.* pequena semente de uva, tomate, etc.

> A palavra **grainha** escreve-se sem acento agudo no **i**.

gralha (gra.lha) ['graʎɐ] *n.f.* **1** ave semelhante ao corvo **2** erro ao escrever uma palavra **3** *fig.* pessoa muito faladora

grama (gra.ma) ['grɐmɐ] *n.m.* milésima parte do quilograma (símbolo: g) ■ *n.f.* erva rasteira prejudicial às culturas

> Note-se que **grama**, no sentido de unidade de medida, é do género masculino: *O saco pesa quinhentos gramas*.

gramagem (gra.ma.gem) [grɐ'maʒɐ̃j] *n.f.* peso do papel expresso em gramas

gramar (gra.mar) [grɐ'mar] *v.* **1** *coloq.* aguentar uma situação incómoda; suportar **2** *coloq.* gostar de; apreciar

gramática (gra.má.ti.ca) [grɐ'matikɐ] *n.f.* conjunto das regras da linguagem escrita e falada

gramatical (gra.ma.ti.cal) [grɐmɐti'kał] *adj.2g.* **1** relativo a gramática **2** que está de acordo com a gramática

gramaticalmente (gra.ma.ti.cal.men.te) [grɐmɐtikał'mẽt(ə)] *adv.* conforme as regras da gramática

gramático (gra.má.ti.co) [grɐ'matiku] *n.m.* pessoa que estuda a gramática

gramínea (gra.mí.ne:a) [grɐ'minjɐ] *n.f.* planta de caule cilíndrico, geralmente oco, com flores em forma de espiga e fruto em grão, como por exemplo o trigo, o arroz e o milho

grampo (gram.po) ['grɐ̃pu] *n.m.* gancho

granada (gra.na.da) [grɐ'nadɐ] *n.f.* projétil explosivo que se lança com a mão ou com arma de fogo

granadino (gra.na.di.no) [grɐnɐ'dinu] *adj.* relativo a Granada ■ *n.m.* pessoa natural de Granada (cidade espanhola ou ilha do mar das Caraíbas)

grandalhão (gran.da.lhão) [grɐ̃dɐ'ʎɐ̃w̃] ⟨*aum.* de grande⟩ *adj.* que é muito grande ■ *n.m.* ⟨*f.* grandalhona⟩ homem alto e corpulento

grand danois [grɐ̃da'nwa] *n.m.2n.* **1** raça de cães de grande porte, constituição forte e musculosa, pelo curto geralmente de tom dourado **2** cão dessa raça

grande (gran.de) ['grɐ̃d(ə)] *adj.2g.* **1** de tamanho maior que o normal **ANT.** pequeno **2** crescido **3** longo **4** poderoso ◆ **à grande** com luxo; em excesso

> Note-se que o adjetivo **grande** tem o comparativo **maior** e o superlativo **máximo**.

grande-angular (gran.de-.an.gu.lar) [grɐ̃di[...]gu'lar] *n.f.* (fotografia) objetiva de pequena distância focal, que cobre um grande campo visual

grandeza (gran.de.za) [grɐ̃'dezɐ] *n.f.* **1** qualidade do que é grande **SIN.** tamanho **2** nobreza de sentimentos **SIN.** coragem

grandiloquência (gran.di.lo.quên.ci:a) [grɐ̃d[...]lu'kwẽsjɐ] *n.f.* estilo elevado ou eloquente

grandiosidade (gran.di:o.si.da.de) [grɐ̃dj[...]zi'dad(ə)] *n.f.* qualidade do que é muito grande luxuoso

grandioso (gran.di:o.so) [grɐ̃'djozu] *adj.* muit[o] grande; gigantesco

granel (gra.nel) [grɐ'nɛł] *n.m.* **1** celeiro **2** prova t[i]pográfica antes de ser paginada ◆ **a granel** e[m] grandes quantidades

granítico (gra.ní.ti.co) [grɐ'nitiku] *adj.* **1** relativo granito **2** formado de granito

granito (gra.ni.to) [grɐ'nitu] *n.m.* rocha muito u[ti]lizada em construções e pavimentos

granívoro (gra.ní.vo.ro) [grɐ'nivuru] *adj.* que [se] alimenta de grãos ou sementes

granizar (gra.ni.zar) [grɐni'zar] *v.* cair granizo **SI[N.]** saraivar

granizo (gra.ni.zo) [grɐ'nizu] *n.m.* água congela[da] em forma de pequenas bolas brancas e dur[as] que caem das nuvens **SIN.** saraiva

granja (gran.ja) ['grɐ̃ʒɐ] *n.f.* pequena proprieda[de] agrícola

granulado (gra.nu.la.do) [grɐnu'ladu] *adj.* red[u]zido a grãos; com aspeto de grãos ■ *n.m.* substâ[n]cia que se apresenta sob a forma de grânulos

rânulo (grâ.nu.lo) [ˈgrɐnulu] ⟨*dim. de* grão⟩ *n.m.* pequeno grão

rão (grão) [ˈgrɐ̃w̃] *n.m.* **1** fruto dos cereais, pequeno e arredondado **2** semente de certos legumes

rão-de-bico (grão-.de-.bi.co) [grɐ̃w̃dəˈbiku] *n.m.* ⟨*pl.* grãos-de-bico⟩ planta herbácea muito cultivada pelo valor alimentício das suas sementes

rasnar (gras.nar) [grɐʒˈnar] *v.* soltar a voz (o corvo, o pato)

rasnido (gras.ni.do) [grɐʒˈnidu] *n.m.* voz (de corvo ou pato)

ratidão (gra.ti.dão) [grɐtiˈdɐ̃w̃] *n.f.* reconhecimento; agradecimento **ANT.** ingratidão

ratificação (gra.ti.fi.ca.ção) [grɐtifikɐˈsɐ̃w̃] *n.f.* pagamento adicional que se dá a alguém como prémio pelo seu trabalho

ratificante (gra.ti.fi.can.te) [grɐtifiˈkɐ̃t(ə)] *adj.2g.* que dá satisfação interior

ratificar (gra.ti.fi.car) [grɐtifiˈkar] *v.* **1** dar uma gratificação **SIN.** recompensar **2** dar prazer; compensar

ratinado (gra.ti.na.do) [grɐtiˈnadu] *n.m.* refeição que se leva ao forno para tostar

ratinar (gra.ti.nar) [grɐtiˈnar] *v.* tostar (alimentos)

rátis (grá.tis) [ˈgratiʃ] *adj.inv.* de graça; gratuito ■ *adv.* de graça; gratuitamente

rato (gra.to) [ˈgratu] *adj.* **1** agradecido **2** agradável

ratuitamente (gra.tui.ta.men.te) [grɐtujtɐˈmẽt(ə)] *adv.* sem pagar

ratuito (gra.tui.to) [grɐˈtujtu] *adj.* **1** que não se paga; grátis **2** sem motivo; injustificado

rau (grau) [ˈgraw] *n.m.* **1** cada uma das partes em que se divide uma escala **2** categoria; classe **3** título universitário ♦ **em alto grau** muito; extraordinariamente

raúdo (gra.ú.do) [grɐˈudu] *adj.* grande; crescido

ravação (gra.va.ção) [grɐvɐˈsɐ̃w̃] *n.f.* registo de sons ou imagens em disco, fita, filme, etc.

ravado (gra.va.do) [grɐˈvadu] *adj.* **1** registado em disco, fita ou filme **2** guardado na memória; memorizado

ravador (gra.va.dor) [grɐvɐˈdor] *n.m.* aparelho que grava sons ou imagens em cassete vídeo, fita magnética, etc.

ravar (gra.var) [grɐˈvar] *v.* **1** fixar (sons ou imagens) em disco ou em fita magnética **2** esculpir com buril ou cinzel (em pedra, madeira ou outro material) **3** guardar na memória; memorizar

gravata (gra.va.ta) [grɐˈvatɐ] *n.f.* tira de tecido, estreita e comprida, que se usa com um nó à volta do pescoço

grave (gra.ve) [ˈgrav(ə)] *adj.2g.* **1** que tem gravidade **SIN.** sério **2** que pode acarretar consequências trágicas **3** diz-se da palavra com acento tónico na penúltima sílaba: ***lápis; maravilha; segredo*** **4** (acento gráfico) que assinala a contração da preposição *a* com a forma feminina do artigo definido *a* e com os pronomes e/ou determinantes demonstrativos *a(s), aquele(s), aquela(s)* e *aquilo*: *à (a + a); àquilo (a + aquilo)*

graveto (gra.ve.to) [grɐˈvetu] *n.m.* **1** pedaço de lenha; cavaco **2** ancinho para apanhar sargaço

grávida (grá.vi.da) [ˈgravidɐ] *n.f.* mulher que vai ter um bebé ♦ [MOÇ.] **apanhar grávida** engravidar

gravidade (gra.vi.da.de) [grɐviˈdad(ə)] *n.f.* **1** característica do que é grave; seriedade **2** força atrativa que a Terra exerce sobre os corpos

gravidez (gra.vi.dez) [grɐviˈdeʃ] *n.f.* estado da mulher ou da fêmea durante o tempo em que se desenvolve o feto (período de 9 meses na mulher); gestação

gravilha (gra.vi.lha) [grɐˈviʎɐ] *n.f.* agregado granulado

gravitação (gra.vi.ta.ção) [grɐvitɐˈsɐ̃w̃] *n.f.* em física, atração que os corpos exercem uns sobre os outros

gravitacional (gra.vi.ta.ci:o.nal) [grɐvitɐsjuˈnaɫ] *adj.2g.* relativo a gravitação

gravitar (gra.vi.tar) [grɐviˈtar] *v.* **1** andar à volta de, por efeito da gravitação **2** *fig.* viver ou agir em função de outra pessoa

gravura (gra.vu.ra) [grɐˈvurɐ] *n.f.* **1** arte de fixar e reproduzir imagens, símbolos, etc. em diversos materiais **2** imagem; estampa

graxa (gra.xa) [ˈgraʃɐ] *n.f.* mistura de pó de fuligem ou de outras substâncias com gordura, para dar brilho a couro (de calçado, arreios, etc.) ♦ **dar graxa a** bajular; adular

graxista (gra.xis.ta) [grɐˈʃiʃtɐ] *n.2g. coloq.* pessoa que bajula para obter alguma coisa

greco-latino (gre.co-.la.ti.no) [grɛkɔlɐˈtinu] *adj.* relativo ao grego e ao latim, ou a gregos e romanos simultaneamente

greco-romano (gre.co-.ro.ma.no) [grɛkɔʀuˈmɐnu] *adj.* **1** relativo aos gregos e aos romanos **2** relativo à modalidade desportiva de luta

grego (gre.go) [ˈgregu] *adj.* relativo à Grécia ■ *n.m.* **1** pessoa natural da Grécia **2** língua oficial da Grécia **3** [ANG.] trapaceiro; bandido ♦ **agradar a gregos e troianos** agradar a dois lados, grupos, etc. com posições opostas; **ver-se grego** ter grande dificuldade

gregoriano (gre.go.ri:a.no) [grəgu'rjɐnu] *adj.* **1** relativo ao papa Gregório XIII e à reforma do calendário por ele realizada **2** relativo ao cantochão (atribuído ao papa Gregório I)

grelado (gre.la.do) [grə'ladu] *adj.* que tem grelo(s)

grelar (gre.lar) [grə'lar] *v.* formar grelo(s); germinar

grelha (gre.lha) ['grɐ(j)ʎɐ] *n.f.* grade de ferro para assar alimentos sobre brasas ◆ **grelha de partida** numa competição automóvel, marca do posicionamento dos diversos participantes no início de uma corrida

grelhado (gre.lha.do) [grə'ʎadu] *adj.* assado na grelha ou no grelhador

grelhador (gre.lha.dor) [grəʎɐ'dor] *n.m.* utensílio de cozinha para grelhar alimentos

grelhar (gre.lhar) [grə'ʎar] *v.* assar ou torrar sobre a grelha

grelo (gre.lo) ['grelu] *n.m.* rebento de algumas plantas

grémio (gré.mi:o) ['grɛmju] *n.m.* corporação; associação

grés (grés) ['grɛʃ] *n.m.* rocha sedimentar constituída por areias ligadas por um cimento; arenito

greta (gre.ta) ['gretɐ] *n.f.* **1** corte (na pele) **2** fenda (no solo)

gretado (gre.ta.do) [grə'tadu] *adj.* que tem gretas; fendido

gretar (gre.tar) [grə'tar] *v.* ficar com greta ou fenda **SIN.** fender; rachar

greve (gre.ve) ['grɛv(ə)] *n.f.* interrupção voluntária e coletiva do trabalho feita por funcionários, geralmente para tentar obter melhores condições de trabalho ◆ **greve de fome** recusa de comer, em sinal de protesto contra alguma coisa

grevista (gre.vis.ta) [grɛ'viʃtɐ] *n.2g.* pessoa que participa numa greve

griffe ['grif(ə)] ou **grife** *n.f.* **1** empresa produtora e/ou distribuidora de artigos de vestuário e acessórios de luxo **2** assinatura, marca ou rótulo que identifica um criador de moda ou um estilista **3** artigo de luxo que apresenta essa assinatura ou marca

grifo (gri.fo) ['grifu] *n.m.* **1** abutre sedentário **2** (mitologia) animal fabuloso, com cabeça, bico e asas de águia e corpo de leão **3** assunto obscuro; enigma **4** tipo de letra inclinada para a direita; itálico

grilado (gri.la.do) [gri'ladu] *adj.* [BRAS.] *coloq.* preocupado; pensativo

grilhão (gri.lhão) [gri'ʎɐ̃w̃] *n.m.* **1** cadeia grossa de ferro ou outro metal **2** corrente de ouro ou outro metal fino

grilo (gri.lo) ['grilu] *n.m.* 👁 inseto de cor escura com antenas mais longas que o corpo e patas posteriores desenvolvidas para o salto, cujo macho produz um som estridente com as asas

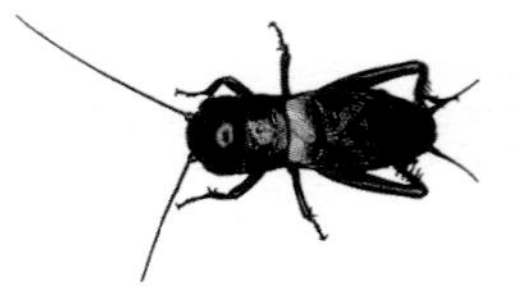

grinalda (gri.nal.da) [gri'nałdɐ] *n.f.* coroa de flores

gringo (grin.go) ['grĩgu] *n.m.* [BRAS.] *pej.* pessoa estrangeira (especialmente loura ou ruiva)

gripado (gri.pa.do) [gri'padu] *adj.* **1** (pessoa) que contraiu gripe **2** (motor) que deixou de funcionar por falta de lubrificação

gripal (gri.pal) [gri'pał] *adj.2g.* relativo a gripe

gripar (gri.par) [gri'par] *v.* **1** contrair gripe **2** (motor) ficar com peças coladas, por falta de lubrificação, deixando de funcionar

gripe (gri.pe) ['grip(ə)] *n.f.* doença muito contagiosa, que geralmente provoca febre, dores de cabeça e de garganta e, por vezes, dificuldades respiratórias

grisalho (gri.sa.lho) [gri'zaʎu] *adj.* **1** diz-se do cabelo que tem brancas **2** que tem cor acinzentada

gritar (gri.tar) [gri'tar] *v.* **1** soltar gritos **SIN.** berrar **2** dizer em voz alta **3** ⟨+com⟩ ralhar **4** ⟨+por⟩ chamar em voz alta

gritaria (gri.ta.ri.a) [gritɐ'riɐ] *n.f.* **1** ato ou efeito de gritar **2** ruído confuso de muitas vozes; berreiro

grito (gri.to) ['gritu] *n.m.* som agudo emitido pela voz humana; berro ◆ *coloq.* **último grito** última novidade consagrada pela moda

grogue (gro.gue) ['grɔg(ə)] *n.m.* bebida alcoólica com aguardente, água quente, açúcar e casca de limão, ou com uma mistura semelhante ■ *adj.2g.* *coloq.* bêbedo

grosa (gro.sa) ['grɔzɐ] *n.f.* conjunto de 12 dúzias

groselha (gro.se.lha) [grɔ'zɐ(j)ʎɐ] *n.f.* **1** 👁 fruto pequeno, de cor branca, vermelha ou preta e sabor ácido, utilizado para fazer geleia ou xarope **2** xarope desse fruto que se bebe misturado com água

roselheira (gro.se.lhei.ra) [grɔzəˈʎɐjrɐ] *n.f.* arbusto espinhoso com flores de cor amareladas, cujo fruto é a groselha

rosseirão (gros.sei.rão) [grusɐjˈrɐ̃w̃] *adj.* que é muito grosseiro **SIN.** mal-educado

rosseiro (gros.sei.ro) [gruˈsɐjru] *adj.* **1** feito sem cuidado; tosco **2** que é rude ou indelicado; mal-educado

rosseria (gros.se.ri.a) [grusəˈriɐ] *n.f.* indelicadeza; má-criação

rossista (gros.sis.ta) [gruˈsiʃtɐ] *n.2g.* comerciante que vende por grosso

rosso (gros.so) [ˈgrosu] *adj.* **1** largo; espesso **ANT.** fino **2** volumoso; corpulento ◆ **por grosso** em grandes quantidades; por atacado

rosso modo [grosɔˈmɔdɔ] *loc.* de um modo geral

rossura (gros.su.ra) [gruˈsurɐ] *n.f.* espessura; largura

rotesco (gro.tes.co) [gruˈteʃku] *adj.* que choca ou faz rir por ser disforme ou muito estranho; ridículo; caricato

rua (gru.a) [ˈgruɐ] *n.f.* aparelho próprio para levantar e deslocar cargas pesadas **SIN.** guindaste

rudar (gru.dar) [gruˈdar] *v.* **1** ⟨**+a**, **+em**⟩ colar(-se) (uma coisa a outra) **2** ⟨**+a**, **+em**⟩ ficar atento

rude (gru.de) [ˈgrud(ə)] *n.m.* cola dissolvida em água, usada para unir peças de madeira

rumo (gru.mo) [ˈgrumu] *n.m.* **1** aglomeração de partículas; grânulo **2** pequeno coágulo

runhido (gru.nhi.do) [gruˈɲidu] *n.m.* voz do porco

runhir (gru.nhir) [gruˈɲir] *v.* soltar grunhidos (o porco)

runho (gru.nho) [ˈgruɲu] *n.m.* **1** porco **2** *pej.* indivíduo grosseiro

rupo (gru.po) [ˈgrupu] *n.m.* **1** conjunto de pessoas ou coisas reunidas **2** conjunto de coisas que formam um todo **3** sequência de palavras organizada em torno de um núcleo (nome, adjetivo, verbo, advérbio ou preposição); sintagma ◆ **grupo sanguíneo** cada um dos tipos de sangue humano

ruta (gru.ta) [ˈgrutɐ] *n.f.* cavidade natural ou artificial numa rocha; caverna

guache (gua.che) [ˈgwaʃ(ə)] *n.m.* **1** substância corante que se dissolve em água e se utiliza para pintar **2** pintura feita com essa substância

guarda (guar.da) [ˈgwardɐ] *n.f.* vigilância; proteção ■ *n.2g.* pessoa encarregada de guardar ou vigiar; vigilante

guarda-chuva (guar.da-.chu.va) [gwardɐˈʃuvɐ] *n.m.* ⟨*pl.* guarda-chuvas⟩ objeto portátil que se usa para abrigar da chuva

guarda-costas (guar.da-.cos.tas) [gwardɐˈkɔʃtɐʃ] *n.2g.2n.* pessoa que acompanha outra para a proteger

guardador (guar.da.dor) [gwɐrdɐˈdor] *n.m.* homem que guarda (alguma coisa)

guarda-fatos (guar.da-.fa.tos) [gwardɐˈfatuʃ] *n.m.2n.* armário próprio para guardar roupa

guarda-fiscal (guar.da-.fis.cal) [gwardɐfiʃˈkaɫ] *n.m.* soldado que pertencia à Guarda Fiscal (força militar que controlava as fronteiras)

guarda-florestal (guar.da-.flo.res.tal) [gwardɐ fluɾəʃˈtaɫ] *n.2g.* ⟨*pl.* guardas-florestais⟩ pessoa que vigia as florestas e matas nacionais

guarda-joias (guar.da-.joi.as)^AO [gwardɐˈʒɔjɐʃ] *n.m.2n.* pequeno cofre onde se guardam joias e outros objetos de valor

guarda-jóias (guar.da-.jói.as) [gwardɐˈʒɔjɐʃ] *a nova grafia é* **guarda-joias**^AO

guarda-lamas (guar.da-.la.mas) [gwardɐˈlɐmɐʃ] *n.m.2n.* peça colocada por cima ou diante das rodas de um veículo para resguardar dos salpicos de lama

guarda-louça (guar.da-.lou.ça) [gwardɐˈlo(w)sɐ] *n.m.* armário para guardar louça

guardanapo (guar.da.na.po) [gwɐrdɐˈnapu] *n.m.* pano ou papel com que se limpa a boca e as mãos

guarda-nocturno (guar.da-.noc.tur.no) [gwardɐ nɔˈturnu] *a nova grafia é* **guarda-noturno**^AO

guarda-noturno (guar.da-.no.tur.no)^AO [gwardɐ nɔˈturnu] *n.m.* ⟨*pl.* guardas-noturnos⟩ indivíduo que faz a vigilância de uma loja, banco, casa, etc. durante a noite

guardar (guar.dar) [gwɐrˈdar] *v.* **1** estar de guarda a; vigiar **2** colocar no local devido; arrumar

guarda-redes (guar.da-.re.des) [gwardɐˈredəʃ] *n.2g.2n.* jogador que guarda a baliza da sua equipa para impedir a entrada da bola pelo adversário

guarda-roupa (guar.da-.rou.pa) [gwardɐˈʀo(w)pɐ] *n.m.* ⟨*pl.* guarda-roupas⟩ **1** móvel ou compartimento onde se guarda roupa **2** conjunto das peças de roupa de uma pessoa

guarda-sol (guar.da-.sol) [gwardɐˈsɔɫ] *n.m.* ⟨*pl.* guarda-sóis⟩ objeto portátil para abrigar do sol

guarda-vestidos (guar.da-.ves.ti.dos) [gwardɐ vəʃˈtiduʃ] *n.m.2n.* ⇒ **guarda-fatos**

guardião (**guar.di.ão**) [gwɐrˈdjɐ̃w̃] *n.m.* ⇒ **guarda--costas**

guarida (**gua.ri.da**) [gwɐˈridɐ] *n.f.* abrigo; proteção

guarnecer (**guar.ne.cer**) [gwɐrnəˈser] *v.* abastecer

guarnecido (**guar.ne.ci.do**) [gwɐrnəˈsidu] *adj.* **1** que foi provido de guarnição **2** protegido por fortificação ou forças militares **3** enfeitado; decorado

guarnição (**guar.ni.ção**) [gwɐrniˈsɐ̃w̃] *n.f.* **1** enfeite; adorno **2** acompanhamento de um prato principal **3** força que defende um quartel ou uma fortificação

guedelhudo (**gue.de.lhu.do**) [gədəˈʎudu] *adj.* cabeludo; despenteado

gueixa (**guei.xa**) [ˈgɐjʃɐ] *n.f.* jovem dançarina japonesa

guelra (**guel.ra**) [ˈgɛɫʀɐ] *n.f.* órgão respiratório dos peixes e de outros animais aquáticos **SIN.** brânquia

guerra (**guer.ra**) [ˈgɛʀɐ] *n.f.* **1** luta armada entre grupos ou países; conflito **2** concorrência; competição

guerrear (**guer.re:ar**) [gəˈʀjar] *v.* fazer guerra a; combater

guerreiro (**guer.rei.ro**) [gəˈʀɐjru] *n.m.* homem que participa na guerra

guerrilha (**guer.ri.lha**) [gəˈʀiʎɐ] *n.f.* força militar não disciplinada ou bando armado

guerrilheiro (**guer.ri.lhei.ro**) [gəʀiˈʎɐjru] *n.m.* membro de uma guerrilha

gueto (**gue.to**) [ˈgetu] ou **ghetto** *n.m.* **1** bairro onde viviam os Judeus **2** local onde habita um determinada comunidade, geralmente separada da restante população por questões raciais, económica, etc. **3** situação de marginalização ou de isolamento forçado

guia (**gui.a**) [ˈgiɐ] *n.2g.* pessoa que guia ou conduz alguém; condutor ■ *n.m.* **1** roteiro turístico **2** publicação com instruções de alguma coisa

guiador (**gui:a.dor**) [gjɐˈdor] *n.m.* peça que dirige os movimentos de um veículo **SIN.** volante

guia-intérprete (**gui.a-.in.tér.pre.te**) [giɐĩˈtɛr prət(ə)] *n.2g.* profissional que fala duas ou mais línguas e que acompanha turistas, prestando-lhes assistência e fornecendo informações turísticas

guião (**gui.ão**) [ˈgjɐ̃w̃] *n.m.* texto escrito que contém a ação e os diálogos de um filme

guiar (**gui:ar**) [ˈgjar] *v.* **1** encaminhar; orientar **2** conduzir; levar

guiché (**gui.ché**) [giˈʃɛ] *n.m.* abertura no vidro de um balcão por onde se fala para quem está do outro lado

guilhotina (**gui.lho.ti.na**) [giʎuˈtinɐ] *n.f.* **1** instrumento de decapitação, constituído por uma lâmina cortante que se desloca de cima para baixo **2** máquina de cortar metais, madeira, papel, etc.

guinada (**gui.na.da**) [giˈnadɐ] *n.f.* **1** dor forte e s[úbita]; pontada **2** desvio repentino de um veícu[lo] **3** salto do cavalo para fugir do castigo **4** desv[io] que uma embarcação faz do seu rumo

guinar (**gui.nar**) [giˈnar] *v.* desviar-se de repente

guinchar (**guin.char**) [gĩˈʃar] *v.* soltar guinchos

guincho (**guin.cho**) [ˈgĩʃu] *n.m.* som muito agudo

guindaste (**guin.das.te**) [gĩˈdaʃt(ə)] *n.m.* aparel[ho] próprio para levantar e deslocar cargas pesad[as] **SIN.** grua

guineano (**gui.ne:a.no**) [giˈnjɐnu] *adj.* relativo [à] Guiné (África ocidental) ■ *n.m.* natural da Guiné

guineense (**gui.ne:en.se**) [giˈnjẽ(sə)] *adj.2g.* rel[a]tivo à Guiné-Bissau ■ *n.2g.* pessoa natural d[a] Guiné-Bissau

guionista (**gui:o.nis.ta**) [gjuˈniʃtɐ] *n.2g.* pesso[a] que escreve e prepara textos com diálogos e in[s]truções para a realização de filmes

guisado (**gui.sa.do**) [giˈzadu] *n.m.* refeição prep[a]rada com alimentos refogados

guisar (**gui.sar**) [giˈzar] *v.* cozinhar com refogad[o]; refogar

guita (**gui.ta**) [ˈgitɐ] *n.f.* **1** cordel **2** *coloq.* dinheiro

guitarra (**gui.tar.ra**) [giˈtaʀɐ] *n.f.* instrumento m[u]sical com seis pares de cordas, braço comprido [e] caixa de madeira ♦ **guitarra elétrica** instr[u]mento semelhante à guitarra, cuja caixa está [li]gada a um amplificador elétrico

---

A **guitarra portuguesa** tem a forma de uma pera, com seis pares de cordas metálicas, e é utilizada para acompanhar o fado (de Lisboa e de Coimbra).

---

guitarrista (**gui.tar.ris.ta**) [gitɐˈʀiʃtɐ] *n.2g.* pesso[a] que toca guitarra

guizo (**gui.zo**) [ˈgizu] *n.m.* brinquedo esférico qu[e] produz um som agudo

gula (**gu.la**) [ˈgulɐ] *n.f.* sofreguidão

gulodice (**gu.lo.di.ce**) [guluˈdi(sə)] *n.f.* **1** gosto ex[a]gerado por doces **2** alimento doce

guloseima (**gu.lo.sei.ma**) [guluˈzɐjmɐ] *n.f.* qua[l]quer alimento doce

guloso (**gu.lo.so**) [guˈlozu] *adj.* **1** que gosta de g[u]lodices; lambareiro **2** que gosta muito de come[r]; comilão

gume (**gu.me**) [ˈgum(ə)] *n.m.* lado mais afiado d[e] uma lâmina

guru (**gu.ru**) [guˈru] *n.2g.* guia ou mentor espiritua[l]

gustação (**gus.ta.ção**) [guʃtɐˈsɐ̃w̃] *n.f.* ato de sab[o]rear alimentos; prova

gustativo (**gus.ta.ti.vo**) [guʃtɐˈtivu] *adj.* relativ[o] ao gosto ou ao paladar

gutural (**gu.tu.ral**) [gutuˈraɫ] *adj.2g.* diz-se do so[m] rouco que sai da garganta

H

[ɐ'ga] *n.m.* oitava letra do alfabeto, que está entre as letras *g* e *i*

> Note-se que a letra **h** no início e fim de palavra não se pronuncia.

1N1 [ɐgaũɛnũ] *n.m.* vírus responsável pela gripe A (uma variante da gripe suína)

a *símbolo de* hectare

abeas corpus [abɛas'kɔrpus] *n.m.* garantia jurídica que consagra o direito de alguém ser imediatamente presente a um juiz ou tribunal em caso de suspeita sobre a ilegalidade da privação da sua liberdade, seja ela por detenção ou por prisão

ábil (há.bil) ['abił] *adj.2g.* que tem habilidade ou aptidão; que é capaz **ANT.** inábil

abilidade (ha.bi.li.da.de) [ɐbəli'dad(ə)] *n.f.* capacidade; aptidão

abilidosamente (ha.bi.li.do.sa.men.te) [ɐbili dɔzɐ'mẽt(ə)] *adv.* **1** com habilidade **2** com inteligência

abilidoso (ha.bi.li.do.so) [ɐbəli'dozu] *adj.* que tem habilidade; que é capaz

abilitação (ha.bi.li.ta.ção) [ɐbəlitɐ'sɐ̃w̃] *n.f.* **1** disposição natural ou adquirida; aptidão; capacidade **2** título ou documento que habilita ■ **habilitações** *n.f.pl.* **1** conjunto de qualificações académicas **2** conjunto de requisitos necessários para o desempenho de um cargo

abilitado (ha.bi.li.ta.do) [ɐbəli'tadu] *adj.* que possui habilitações; apto; capaz

abilitar(-se) (ha.bi.li.tar(-se)) [ɐbili'tar(sə)] *v.* **1** ⟨**+a**⟩ participar em concurso ou jogo **2** ⟨**+para**⟩ tornar(-se) apto **3** ⟨**+para**⟩ preparar(-se)

abilmente (ha.bil.men.te) [abił'mẽt(ə)] *adv.* com habilidade; com jeito

abitabilidade (ha.bi.ta.bi.li.da.de) [ɐbitɐbə li'dad(ə)] *n.f.* qualidade do que é próprio para habitação ou está em condições de ser habitado

abitação (ha.bi.ta.ção) [ɐbitɐ'sɐ̃w̃] *n.f.* lugar ou casa onde se vive **SIN.** domicílio; residência

abitacional (ha.bi.ta.ci:o.nal) [ɐbitɐsju'nał] *adj.2g.* relativo a habitação

abitante (ha.bi.tan.te) [ɐbi'tɐ̃t(ə)] *n.2g.* pessoa que habita ou vive em determinado lugar **SIN.** residente

abitar (ha.bi.tar) [ɐbi'tar] *v.* **1** ⟨**+com**, **+em**⟩ morar; residir **2** ⟨**+em**⟩ viver (em determinado lugar) **3** ocupar; povoar **4** ⟨**+em**⟩ *fig.* permanecer

habitat [abi'tat] *n.m.* ⟨*pl.* habitats⟩ ambiente próprio de um ser vivo ou de uma espécie; meio natural

habitável (ha.bi.tá.vel) [ɐbi'tavɛł] *adj.2g.* **1** que se pode habitar **2** próprio para se habitar

hábito (há.bi.to) ['abitu] *n.m.* **1** uso regular; costume **2** roupa usada por padres e freiras ◆ **o hábito não faz o monge** não se deve julgar as pessoas apenas pela aparência

habituação (ha.bi.tu:a.ção) [ɐbitwɐ'sɐ̃w̃] *n.f.* ato de habituar ou habituar-se a alguma coisa

habituado (ha.bi.tu:a.do) [ɐbi'twadu] *adj.* que tem um hábito; acostumado

habitual (ha.bi.tu:al) [ɐbi'twał] *adj.2g.* que se faz ou acontece por hábito **SIN.** frequente; usual

habitualmente (ha.bi.tu:al.men.te) [ɐbit wał'mẽt(ə)] *adv.* geralmente; normalmente

habituar(-se) (ha.bi.tu:ar(-se)) [ɐbi'twar(sə)] *v.* ⟨**+a**⟩ (fazer) adquirir um hábito **SIN.** acostumar(-se)

habitus ['abituʃ] *n.m.* modo de ser de um indivíduo, resultante das sua aprendizagem social, que condiciona em certa medida as suas atitudes, escolhas, comportamentos e gostos

hacker ['ɛkɐr] *n.2g.* pessoa que viola a segurança de sistemas informáticos; pirata informático

haitiano (hai.ti:a.no) [aj'tjɐnu] *adj.* relativo ao Haiti ■ *n.m.* pessoa natural do Haiti (Antilhas)

hálito (há.li.to) ['alitu] *n.m.* ar que sai pela boca na expiração; bafo

hall ['ɔł] *n.m.* ⟨*pl.* halls⟩ compartimento de entrada de uma casa ou edifício; átrio

halo (ha.lo) ['alu] *n.m.* círculo brilhante luminoso **SIN.** auréola

halogéneo (ha.lo.gé.ne:o) [ɐlɔ'ʒɛnju] *n.m.* qualquer elemento da família do cloro (flúor, cloro, bromo, iodo e ástato)

haltere (hal.te.re) [ał'tɛr(ə)] *n.m.* instrumento de ginástica para ser elevado com os braços, que é constituído por duas esferas de ferro ligadas por uma haste

halterofilia (hal.te.ro.fi.li.a) [ałtɛrɔfi'liɐ] *n.f.* atividade que consiste em exercitar os músculos por meio de halteres

halterofilismo (hal.te.ro.fi.lis.mo) [ałtɛrɔfi'liʒmu] *n.m.* desporto em que se levantam dois pesos ligados por uma barra (halteres)

halterofilista (hal.te.ro.fi.lis.ta) [ałtɛrɔfi'liʃtɐ] *n.2g.* pessoa que pratica halterofilismo

hambúrguer (ham.búr.guer) [ɐ̃'burgɐr] *n.m.* bife de carne picada, geralmente redondo

hámster (háms.ter) ['amʃtɐr] *n.m.* mamífero roedor semelhante a um rato pequeno, com cauda curta e peluda e bochechas com papos onde transporta os alimentos

handicap [ɐ̃di'kap] *n.m.* ⟨*pl.* handicaps⟩ **1** vantagem que um concorrente concede a outro para igualar as possibilidades de vitória **2** qualquer desvantagem; obstáculo

hangar (han.gar) [ɐ̃'gar] *n.m.* abrigo para mercadorias, aviões, etc.

happy hour [ɛ'pjawɐr] *n.f.* período do dia, geralmente ao fim da tarde ou no princípio da noite, em que os bares servem bebidas a preços reduzidos

hard-core [ard'kɔr] *adj.inv.* pornográfico

hardware [ar'dwɛr] *n.m.* conjunto dos elementos físicos de um computador (como teclado, monitor e impressora)

harém (ha.rém) [a'rɐ̃j̃] *n.m.* **1** parte do palácio destinada às mulheres de um príncipe muçulmano **2** conjunto das mulheres de um sultão

harmonia (har.mo.ni.a) [ɐrmu'niɐ] *n.f.* **1** combinação agradável de sons **2** disposição bem ordenada das partes de um todo; proporção **3** entendimento entre pessoas; acordo

harmónica (har.mó.ni.ca) [ɐr'mɔnikɐ] *n.f.* gaita de beiços

harmónico (har.mó.ni.co) [ɐr'mɔniku] *adj.* ⇒ **harmonioso**

harmónio (har.mó.ni:o) [ɐr'mɔnju] *n.m.* pequeno instrumento musical portátil, semelhante a um órgão

harmonioso (har.mo.ni:o.so) [ɐrmu'njozu] *adj.* que tem harmonia; melodioso; proporcionado

harmonização (har.mo.ni.za.ção) [ɐrmunizɐ'sɐ̃w̃] *n.f.* ato ou efeito de tornar (mais) harmonioso; conciliação

harmonizar(-se) (har.mo.ni.zar(-se)) [ɐrmuni'zar(sə)] *v.* ⟨**+com**⟩ pôr(-se) em harmonia

harpa (har.pa) ['arpɐ] *n.f.* 👁 instrumento musical triangular de cordas que se dedilham com as duas mãos

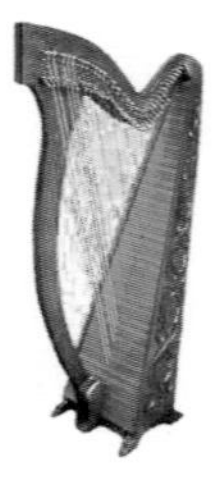

harpejo (har.pe.jo) [ɐr'pɐ(j)ʒu] *n.m.* execução de sons de notas musicais de um acorde, uma ap[ós] outra

harpista (har.pis.ta) [ɐr'piʃtɐ] *n.2g.* pessoa q[ue] toca harpa

hasta (has.ta) ['aʃtɐ] *n.f.* **1** arma ofensiva que co[n]siste num longo cabo terminado numa ponta [de] metal; lança **2** venda pública a quem oferecer lance mais alto; leilão

haste (has.te) ['aʃt(ə)] *n.f.* **1** pau fino **2** mastro [de] bandeira **3** caule de flor ou fruto **4** chifre de a[ni]mal

hastear (has.te:ar) [ɐʃ'tjar] *v.* fazer subir nu[m] mastro (vela, bandeira) **SIN.** içar

havaiano (ha.vai.a.no) [ɐvaj'ɐnu] *adj.* relativo [às] ilhas Havai (Oceano Pacífico) ■ *n.m.* pessoa [de] nacionalidade havaiana

havano (ha.va.no) [ɐvɐ'nu] *adj.* relativo a Hava[na] ■ *n.m.* **1** pessoa natural de Havana (capital [de] Cuba) **2** charuto fabricado em Havana

haver (ha.ver) [ɐ'ver] *v.* **1** [uso impessoal] exist[ir]: *Na loja, há coisas bonitas.* **2** [uso impessoal] aco[n]tecer; suceder: *Ontem, houve um acidente.* **3** [u[so] impessoal] ter passado ou decorrido: *Já não o ve[jo] há muito tempo. Namoramos há dois ano[s].* **4** como verbo auxiliar para formar tempos co[m]postos, é equivalente a "ter" mas tem um u[so] mais formal: *Ela havia saído.* **5** ⟨**+de** [+ *inf.*]⟩ e[x]prime obrigatoriedade, necessidade ou probab[i]lidade: *hás de arrepender-te! Eu hei de convenc[ê]-la!* ■ **haver-se 1** ⟨**+com**⟩ lidar; proceder: *E[le] houve-se bem com o sarilho.* **2** ⟨**+com**⟩ prest[ar] contas a; entender-se: *Se correr mal, vais haver[-te] com ele!* ■ *n.m.* aquilo que se tem a receber **SI[N.]** crédito ■ **haveres** *n.m.pl.* bens; riquezas ♦ **be[m] haja!** exclamação usada para agradecer; **(el[e]) há cada uma!** exclamação que exprime admir[a]ção e espanto; **haja o que houver** aconteça [o] que acontecer; **não haver como** não exist[ir] forma de

> Note-se que o verbo **haver**, quando significa «existir», usa-se apenas na terceira pessoa do singular.

haxixe (ha.xi.xe) [a'ʃiʃ(ə)] *n.m.* **1** variedade de c[â]nhamo de que se fumam ou mascam as folha[s] secas **2** narcótico feito da resina deste vegetal

HD [aga'de] disco duro ■ alta definição **OBS.** Sig[la] de *hard disk*; Sigla de *high definition*

HDMI [agadem'i] conexão para transmitir sina[is] áudio e vídeo com alta definição **OBS.** Sigla d[e] *hight definition multimedia interface*

headphones [ɛd'fownəʃ] *n.m.pl.* ⇒ **auscult[a]dor** *n. m. pl.*

eavy metal [ɛvi'mɛtaɫ] *n.m.* estilo popular nas décadas de 1970-80, caracterizado por batidas rápidas e fortes, e sons distorcidos produzidos por guitarras elétricas

ebraico (he.brai.co) [i'brajku] *n.m.* **1** pessoa pertencente aos Hebreus (antigo povo da Judeia) **2** língua dos Hebreus, na qual foi escrito quase todo o Antigo Testamento ▪ *adj.* relativo ao antigo povo da Judeia

ebreu (he.breu) [i'brew] *adj.,n.m.* ⇒ **hebraico**

ecatombe (he.ca.tom.be) [ɛkɐ'tõb(ə)] *n.f.* **1** calamidade; desgraça **2** *fig.* sacrifício de muitas vítimas; mortandade

ectare (hec.ta.re) [ɛ'ktar(ə)] *n.m.* unidade de medida agrária equivalente a cem ares (símbolo: ha)

ediondo (he.di:on.do) [e'djõdu] *adj.* **1** repugnante; nojento **2** asqueroso; horrendo

edonismo (he.do.nis.mo) [edu'niʒmu] *n.m.* **1** doutrina filosófica que atribui maior importância ao prazer **2** sistema moral que considera o prazer como o supremo bem que a vontade deve atingir **3** tendência para agir de maneira a evitar o que é desagradável e a atingir o que é agradável

egemonia (he.ge.mo.ni.a) [eʒəmu'niɐ] *n.f.* **1** supremacia de uma cidade, povo ou nação sobre outras cidades, povos ou nações **2** *fig.* superioridade; preponderância

elénico (he.lé.ni.co) [e'lɛniku] *adj.* relativo à Hélade (antiga Grécia)

elenista (he.le.nis.ta) [elə'niʃtɐ] *n.2g.* pessoa versada na língua ou na civilização da Grécia antiga

eleno (he.le.no) [e'lenu] *adj.,n.m.* grego

élice (hé.li.ce) ['ɛli(sə)] *n.f.* aparelho giratório que serve para fazer avançar helicópteros e navios

elicóptero (he.li.cóp.te.ro) [eli'kɔptəru] *n.m.* aeronave que se eleva por meio de hélices horizontais

élio (hé.li:o) ['ɛlju] *n.m.* elemento gasoso, incolor e inodoro

heliocêntrico (he.li:o.cên.tri.co) [ɛljɔ'sẽtriku] *adj.* **1** relativo ao centro do Sol **2** (sistema) que toma o Sol como ponto de referência

heliocentrismo (he.li:o.cen.tris.mo) [ɛljɔsẽ'triʒmu] *n.m.* teoria que considerava o Sol como centro do universo

heliporto (he.li.por.to) [ɛli'portu] *n.m.* lugar destinado à descolagem e aterragem de helicópteros

helvético (hel.vé.ti.co) [ɛɫ'vɛtiku] *adj.* relativo à Suíça ▪ *n.m.* pessoa natural da Suíça

hem (hem) [ẽj] *interj.* **1** exprime dúvida **2** exprime espanto ou indignação

hematoma (he.ma.to.ma) [emɐ'tomɐ] *n.m.* acumulação de sangue resultante de hemorragia

hematose (he.ma.to.se) [emɐ'tɔz(ə)] *n.f.* fenómeno respiratório de transformação do sangue venoso em sangue arterial

hemiciclo (he.mi.ci.clo) [ɛmi'siklu] *n.m.* espaço semicircular, geralmente com bancadas para espectadores

hemisfério (he.mis.fé.ri:o) [ɛmiʃ'fɛrju] *n.m.* cada uma das metades do globo terrestre

hemodiálise (he.mo.di:á.li.se) [ɛmɔ'djaliz(ə)] *n.f.* processo de purificação do sangue, que consiste na extração dos resíduos tóxicos nele contidos por meio de filtração

hemofilia (he.mo.fi.li.a) [ɛmɔfi'liɐ] *n.f.* doença hereditária caracterizada por problemas de coagulação do sangue e tendência para hemorragias graves

hemofílico (he.mo.fí.li.co) [ɛmɔ'filiku] *n.m.* pessoa que sofre de hemofilia ▪ *adj.* relativo a hemofilia

hemoglobina (he.mo.glo.bi.na) [ɛmɔglu'binɐ] *n.f.* proteína existente nos glóbulos vermelhos, responsável pela cor vermelha do sangue e pela transmissão de oxigénio às células

hemorragia (he.mor.ra.gi.a) [ɛmuʀɐ'ʒiɐ] *n.f.* derramamento de sangue para fora dos vasos sanguíneos

hemorroida (he.mor.roi.da)[AO] [imu'ʀɔjdɐ] *n.f.* dilatação de veia na mucosa do ânus ou do reto

hemorróida (he.mor.rói.da) [imu'ʀɔjdɐ] *a nova grafia é* **hemorroida**[AO]

hemorroide (he.mor.roi.de)[AO] [imu'ʀɔjd(ə)] *n.f.* ⇒ **hemorroida**

hemorróide (he.mor.rói.de) [imu'ʀɔjd(ə)] *a nova grafia é* **hemorroide**[AO]

hepático (he.pá.ti.co) [e'patiku] *adj.* relativo ao fígado

hepatite (he.pa.ti.te) [epɐ'tit(ə)] *n.f.* inflamação do fígado

heptágono (hep.tá.go.no) [ɛ'ptagunu] *n.m.* polígono de sete ângulos e sete lados

heptassílabo (hep.tas.sí.la.bo) [ɛptɐ'silɐbu] *n.m.* palavra com sete sílabas

hera (he.ra) ['ɛrɐ] *n.f.* planta trepadeira

Não confundir **hera** (planta trepadeira) com **era** (época histórica e forma do imperfeito do verbo *ser*).

heráldica (he.rál.di.ca) [e'rałdikɐ] *n.f.* **1** ciência que estuda os brasões **2** conjunto dos emblemas ou símbolos convencionais usados nos brasões

herança (he.ran.ça) [e'rɐ̃sɐ] *n.f.* **1** conjunto de bens que se recebem por morte de alguém **2** conjunto de qualidades ou valores transmitidos pelos pais, pelas gerações anteriores, pela tradição, etc.

herbáceo (her.bá.ce:o) [ɛr'basju] *adj.* relativo a erva

herbário (her.bá.ri:o) [ɛr'barju] *n.m.* coleção de plantas secas, organizadas e classificadas

herbicida (her.bi.ci.da) [ɛrbi'sidɐ] *n.m.* substância que destrói ervas daninhas

herbívoro (her.bí.vo.ro) [ɛr'bivuru] *adj.* diz-se do animal que se alimenta de vegetais

herdade (her.da.de) [er'dad(ə)] *n.f.* propriedade rústica

herdar (her.dar) [er'dar] *v.* **1** ⟨**+de**⟩ receber, após a morte de uma pessoa, bens que lhe pertenciam: *herdar uma fortuna* **2** ⟨**+de**⟩ adquirir por parentesco ou por hereditariedade: *Herdou a teimosia do pai.*

herdeiro (her.dei.ro) [er'dɐjru] *n.m.* pessoa que herda (bens, qualidades, etc.) **SIN.** descendente; sucessor

hereditariedade (he.re.di.ta.ri:e.da.de) [erədi tɐrjɐ'dad(ə)] *n.f.* processo de transmissão de traços físicos e psicológicos de pais para filhos

hereditário (he.re.di.tá.ri:o) [erədi'tarju] *adj.* transmitido de pais para filhos

herege (he.re.ge) [e'rɛʒ(ə)] *adj.,n.2g.* **1** que ou pessoa que nega ou põe em dúvida verdades da fé **2** *pej.* ateu

heresia (he.re.si.a) [erə'ziɐ] *n.f.* **1** doutrina ou interpretação contrária ao que a Igreja define como dogma ou verdade de fé **2** *coloq.* ato ou palavra ofensiva da religião **3** *fig.* disparate; absurdo

herético (he.ré.ti.co) [e'rɛtiku] *adj.* relativo a heresia ▪ *n.m.* pessoa que nega ou põe em dúvida verdades da fé; herege

hermafrodita (her.ma.fro.di.ta) [ɛrmɐfrɔ'ditɐ] *adj.2g.* diz-se do ser vivo que apresenta características de ambos os sexos

hermenêutica (her.me.nêu.ti.ca) [ɛrmə'newtikɐ] *n.f.* **1** atividade de interpretação de textos **2** interpretação dos textos da Bíblia

hermético (her.mé.ti.co) [er'mɛtiku] *adj.* **1** fechado de forma a não deixar entrar o ar **2** difícil de compreender; obscuro

hérnia (hér.ni:a) ['ɛrnjɐ] *n.f.* tumor mole, que se forma com a saída total ou parcial de uma víscera para fora da membrana que a reveste

herói (he.rói) [e'rɔj] *n.m.* ⟨*f.* heroína⟩ **1** homem admirado por um ato de coragem, força ou outra qualidade **2** personagem principal de um filme, de uma peça ou de um romance

heroico (he.roi.co)[AO] [e'rɔjku] *adj.* próprio de herói; corajoso

heróico (he.rói.co) [e'rɔjku] *a nova grafia é* **heroico**[AO]

herói-cómico (he.rói-.có.mi.co) [irɔj'kɔmiku] *a*[...] (género literário) que é ao mesmo tempo heroico e cómico

heroína (he.ro:í.na) [e'rwinɐ] *n.f.* **1** ⇒ **herói** **2** droga estupefaciente derivada da morfina

heroísmo (he.ro:ís.mo) [e'rwiʒmu] *n.m.* coragem; bravura

herpes (her.pes) ['ɛrpəʃ] *n.m.2n.* doença de pele que provoca bolhas dolorosas

hertz ['ɛrtz] *n.m.2n.* unidade de frequência, igual a um ciclo por segundo

hertziano (hert.zi:a.no) [ɛr'tzjɐnu] *adj.* relativo a ondas eletromagnéticas

hesitação (he.si.ta.ção) [ezitɐ'sɐ̃w̃] *n.f.* indecisão; dúvida

hesitante (he.si.tan.te) [ezi'tɐ̃t(ə)] *adj.2g.* indeciso; duvidoso

hesitar (he.si.tar) [ezi'tar] *v.* **1** ⟨**+em**⟩ ficar indeciso **2** ⟨**+em**⟩ exprimir-se com dificuldade

heteroavaliação (he.te.ro.a.va.li:a.ção) [ɛtər[...] vɐljɐ'sɐ̃w̃] *n.f.* avaliação de uma pessoa feita por outrem

heterodiegético (he.te.ro.di:e.gé.ti.co) [ɛtər[...] jɐ'ʒɛtiku] *n.m.* narrador que não participa na história que narra

heterodoxo (he.te.ro.do.xo) [ɛtərɔ'dɔksu] *adj.,n.*[...] **1** que ou aquele que se opõe a uma doutrina considerada verdadeira **2** que ou aquele que contraria padrões ou normas estabelecidos

heterogeneidade (he.te.ro.ge.nei.da.de) [ɛ[...] rɔʒənɐj'dad(ə)] *n.f.* qualidade do que é formado por partes de natureza diferente

heterogéneo (he.te.ro.gé.ne:o) [ɛtərɔ'ʒɛnju] *a*[...] que é formado por partes de natureza diferente

heteronímia (he.te.ro.ní.mi:a) [ɛtərɔ'nimjɐ] *n*[...] **1** adoção, por um autor, de um ou mais nomes ou personalidades **2** conjunto dos diferentes heterónimos de um autor

heterónimo (he.te.ró.ni.mo) [ɛtə'rɔnimu] *n.*[...] personalidade criada por um escritor

heterossexual (he.te.ros.se.xu:al) [etərɔsɛ'kswał] *adj.,n.2g.* que ou pessoa que tem atração sexual por pessoas de sexo diferente

heterossexualidade (he.te.ros.se.xu:a.li.da.de) [etərɔsɛkswɐli'dad(ə)] *n.f.* atração sexual entre pessoas de sexos diferentes

heureca (heu.re.ca) [ew'rɛkɐ] *interj.* ⇒ **eureca**

heurística (heu.rís.ti.ca) [ew'riʃtikɐ] *n.f.* **1** conjunto de métodos e regras que conduzem à descoberta e à resolução de problemas **2** método de ensino que procura que o aluno atinja os conhecimentos ou as soluções através do seu próprio esforço

heurístico (heu.rís.ti.co) [ew'riʃtiku] *adj.* **1** relativo a descoberta **2** que conduz à descoberta

ıexagonal (he.xa.go.nal) [ɛgzɐgu'nał] *adj.2g.* diz-se da figura geométrica que tem seis ângulos e seis lados

ıexágono (he.xá.go.no) [ɛ'gzagunu] *n.m.* polígono com seis lados e seis ângulos

ıexassílabo (he.xas.sí.la.bo) [ɛgzɐ'silɐbu] *n.m.* palavra com seis sílabas

iato (hi:a.to) ['jatu] *n.m.* **1** sequência de duas vogais que não formam ditongo **2** *fig.* intervalo; interrupção **3** *fig.* falha; lacuna

ibernação (hi.ber.na.ção) [ibərnɐ'sɐ̃w̃] *n.f.* período durante o qual certos animais se refugiam durante o inverno

ibernar (hi.ber.nar) [ibər'nar] *v.* passar o inverno em hibernação

íbrido (hí.bri.do) ['ibridu] *adj.* **1** diz-se do ser vivo que resulta do cruzamento de espécies **2** diz-se do automóvel que combina um motor de combustão interna e um motor elétrico

idrângea (hi.drân.ge:a) [i'drɐ̃ʒjɐ] *n.f.* planta com pequenas flores brancas, azuis ou rosadas **SIN.** hortênsia

dratação (hi.dra.ta.ção) [idrɐtɐ'sɐ̃w̃] *n.f.* ato de manter a humidade natural de um corpo **ANT.** desidratação

dratante (hi.dra.tan.te) [idrɐ'tɐ̃t(ə)] *adj.2g.* que hidrata ▪ *n.m.* produto (creme, loção) usado para hidratar a pele

dratar (hi.dra.tar) [idrɐ'tar] *v.* tratar (a pele, o cabelo) com água para evitar que seque **ANT.** desidratar

drato (hi.dra.to) [i'dratu] *n.m.* composto que resulta da combinação de moléculas de água com moléculas de outra substância ◆ **hidrato de carbono** composto orgânico constituído por carbono, hidrogénio e oxigénio

hidráulica (hi.dráu.li.ca) [i'drawlikɐ] *n.f.* estudo do equilíbrio e movimento da água e outros fluidos e a sua aplicação à engenharia

hidráulico (hi.dráu.li.co) [i'drawliku] *adj.* que funciona ou se movimenta por meio de água ou outro líquido

hídrico (hí.dri.co) ['idriku] *adj.* relativo a água

hidroavião (hi.dro.a.vi.ão) [idrɔɐ'vjɐ̃w̃] *n.m.* avião com flutuadores no trem de aterragem para pousar na água

hidrocarboneto (hi.dro.car.bo.ne.to) [idrɔkɐrbu'netu] *n.m.* composto binário de carbono e hidrogénio; carboneto de hidrogénio

hidroeléctrico (hi.dro.e.léc.tri.co) [idrɔi'lɛtriku] *a nova grafia é* **hidroelétrico**[AO]

hidroelétrico (hi.dro.e.lé.tri.co)[AO] [idrɔi'lɛtriku] *adj.* que gera eletricidade pela utilização de força hidráulica

hidrófilo (hi.dró.fi.lo) [i'drɔfilu] *adj.* absorvente

hidrogénio (hi.dro.gé.ni:o) [idrɔ'ʒɛnju] *n.m.* gás simples que se combina com o oxigénio para formar a água

hidroginástica (hi.dro.gi.nás.ti.ca) [idrɔʒi'naʃtikɐ] *n.f.* ginástica que se pratica dentro de água

hidrografia (hi.dro.gra.fi.a) [idrugrɐ'fiɐ] *n.f.* disciplina que estuda a parte líquida da Terra

hidrográfico (hi.dro.grá.fi.co) [idru'grafiku] *adj.* relativo a hidrografia

hidromassagem (hi.dro.mas.sa.gem) [idrɔmɐ'saʒɐ̃j̃] *n.f.* massagem realizada por meio de jatos de água com intensidade variável

hidromotor (hi.dro.mo.tor) [idrɔmu'tor] *n.m.* motor acionado por pressão da água

hidroplano (hi.dro.pla.no) [idrɔ'plɐnu] *n.m.* ⇒ **hidroavião**

hidrosfera (hi.dros.fe.ra) [idrɔʃ'fɛrɐ] *n.f.* conjunto das partes líquidas da superfície da Terra

hidrospeed [idrɔ'spid] *n.m.* atividade em que o praticante desce um rio de águas agitadas sobre uma prancha, desviando-se dos obstáculos naturais

hidroterapia (hi.dro.te.ra.pi.a) [idrɔtərɐ'piɐ] *n.f.* qualquer terapia com aplicação de água

hidróxido (hi.dró.xi.do) [i'drɔksidu] *n.m.* **1** anião exclusivamente formado por oxigénio e hidrogénio **2** composto que contém esse anião e um catião metálico

hiena (hi:e.na) ['jenɐ] *n.f.* mamífero carnívoro feroz, que devora carne apodrecida e que vive na África e na Ásia

hierarquia (hi:e.rar.qui.a) [jɛrɐr'kiɐ] *n.f.* **1** forma de organização em que os elementos obedecem a uma relação de subordinação **2** classificação segundo uma escala de valor ou de importância

hierárquico (hi:e.rár.qui.co) [jɛ'rarkiku] *adj.* relativo a hierarquia

hierarquização (hi:e.rar.qui.za.ção) [jɛrɐrkizɐ'sɐ̃w̃] *n.f.* **1** organização que obedece a uma ordem hierárquica **2** distribuição (de dados, informações) segundo uma escala de valor ou de importância

hierarquizar (hi:e.rar.qui.zar) [jɛrɐrki'zar] *v.* **1** organizar segundo uma ordem hierárquica **2** ordenar segundo uma escala de valor ou de importância

hieróglifo (hi:e.ró.gli.fo) [jɛ'rɔglifu] *n.m.* 👁 símbolo usado no sistema de escrita dos antigos Egípcios

hífen (hí.fen) ['ifɛn] *n.m.* ⟨*pl.* hífenes⟩ sinal gráfico - usado para separar elementos de palavras compostas, para unir pronomes pessoais átonos a verbos e para fazer a translineação de uma palavra

hifenização (hi.fe.ni.za.ção) [ifənizɐ'sɐ̃w̃] *n.f.* utilização ou colocação de hífen (numa palavra)

hifenizar (hi.fe.ni.zar) [ifəni'zar] *v.* escrever (palavra) com hífen

hi-fi [aj'faj] *n.f.* **1** técnica de gravação e reprodução áudio que permite processar um impulso sonoro com um mínimo de distorção **2** aparelhagem eletrónica produzida segundo esta técnica ■ *adj.* diz-se do sistema eletrónico que reproduz e amplifica a informação áudio original com baixos níveis de ruído e distorção

high-tech [aj'tɛk] *adj.inv.* **1** de tecnologia avançada; de ponta **2** diz-se de um estilo ou objeto com características industriais

higiene (hi.gi:e.ne) [i'ʒjɛn(ə)] *n.f.* limpeza; asseio

higiénico (hi.gi:é.ni.co) [i'ʒjɛniku] *adj.* relativo a higiene; limpo

hilariante (hi.la.ri:an.te) [ilɐ'rjɐ̃t(ə)] *adj.2g.* que faz rir **SIN.** alegre; divertido

hímen (hí.men) ['imɛn] *n.m.* membrana que tapa parcialmente a vagina, na mulher virgem

hindu (hin.du) [ĩ'du] *adj.2g.* **1** relativo aos naturais da Índia **2** relativo ao hinduísmo ■ *n.2g.* **1** pessoa natural da Índia **2** pessoa que pratica ou estuda o hinduísmo

hinduísmo (hin.du:ís.mo) [ĩ'dwiʒmu] *n.m.* conjunto dos sistemas religiosos atuais da Índia, caracterizado pela pluralidade de cultos e de deuses

hinduísta (hin.du:ís.ta) [ĩ'dwiʃtɐ] *adj.2g.* **1** relativo a hinduísmo **2** que professa o hinduísmo e/ou se dedica ao seu estudo; hindu ■ *n.2g.* pessoa que pratica ou estuda o hinduísmo; hindu

hino (hi.no) ['inu] *n.m.* canto de celebração ou de louvor ♦ **hino nacional** canção oficial de um país, que é cantada em ocasiões solenes

hipálage (hi.pá.la.ge) [i'palɐʒ(ə)] *n.f.* figura de estilo que consiste em associar a uma palavra uma particularidade que pertence a outra palavra da mesma frase

híper (hí.per) ['ipɛr] *n.m.* *coloq.* hipermercado

hiperactividade (hi.pe.rac.ti.vi.da.de) [ipɛrativi'dad(ə)] *a nova grafia é* **hiperatividade**[AO]

hiperactivo (hi.pe.rac.ti.vo) [ipɛra'tivu] *a nova grafia é* **hiperativo**[AO]

hiperatividade (hi.pe.ra.ti.vi.da.de)[AO] [ipɛrativi'dad(ə)] *n.f.* **1** atividade excessiva **2** atividade superior à que é normal

hiperativo (hi.pe.ra.ti.vo)[AO] [ipɛra'tivu] *adj.* **1** que é ativo de mais **2** que tem uma atividade superior à normal

hipérbato (hi.pér.ba.to) [i'pɛrbɐtu] *n.m.* figura de estilo que consiste na inversão da ordem habitual das palavras ou das frases

hipérbole (hi.pér.bo.le) [i'pɛrbul(ə)] *n.f.* figura de estilo que consiste no emprego de termos exagerados, ampliando a verdadeira dimensão das coisas

hiperbólico (hi.per.bó.li.co) [ipɛr'bɔliku] *adj.* **1** relativo a hipérbole **2** exagerado

hipercorreção (hi.per.cor.re.ção)[AO] [ipɛrʀɛ'sɐ̃w̃] *n.f.* fenómeno que consiste na correção uma forma correta da língua, substituindo-a por uma incorreta, que o falante considera culta

hipercorrecção (hi.per.cor.rec.ção) [ipɛrkuʀɛ'sɐ̃w̃] *a nova grafia é* **hipercorreção**[AO]

hiperglicemia (hi.per.gli.ce.mi.a) [ipɛrglisə'miɐ] *n.f.* excesso de glicose no sangue

hiperligação (hi.per.li.ga.ção) [ipɛrligɐ'sɐ̃w̃] *n.f.* apontador que permite a ligação entre documentos na internet; link

hipermédia (hi.per.mé.di:a) [ipɛr'mɛdjɐ] *n.m.* em informática, associação de texto, som e imagem, de forma que o utilizador passe de um para outro independentemente da sua sequência linear

hipermercado (hi.per.mer.ca.do) [ipɛrmər'kadu] *n.m.* grande estabelecimento comercial

hiperónimo (hi.pe.ró.ni.mo) [ipɛ'rɔnimu] *n.m.* termo cuja significação inclui o(s) sentido(s) de um ou de diversos termos (hipónimos)

hiperprodução (hi.per.pro.du.ção) [ipɛrprudu'sɐ̃w̃] *n.f.* produção em grande quantidade **SIN.** superprodução

hipersensibilidade (hi.per.sen.si.bi.li.da.de) [ipɛrsẽsibili'dad(ə)] *n.f.* sensibilidade excessiva

hipersensível (hi.per.sen.sí.vel) [ipɛrsẽ'sivɛɫ] *adj.2g.* extremamente sensível

hipertensão (hi.per.ten.são) [ipɛrtẽ'sɐ̃w̃] *n.f.* tensão arterial alta

hipertenso (hi.per.ten.so) [ipɛr'tẽsu] *adj.,n.m.* que ou pessoa que sofre de hipertensão

hipertexto (hi.per.tex.to) [ipɛr'tɐjʃtu] *n.m.* em informática, disposição dos segmentos de um texto de modo que permite o respetivo acesso independentemente da sua sequência linear

hipertrofia (hi.per.tro.fi.a) [ipɛrtru'fiɐ] *n.f.* aumento de volume excessivo de um órgão

hiperventilar (hi.per.ven.ti.lar) [ipɛrvẽti'lar] *v.* **1** fornecer (a um paciente) ar ou oxigénio **2** fazer circular grandes quantidades de ar em

hip-hop [i'pɔp] *n.m.* forma de cultura popular nas áreas da música, dança e arte, surgida nas grandes cidades norte-americanas por volta de 1980, que inclui música rap, breakdance e graffiti

hípico (hí.pi.co) ['ipiku] *adj.* relativo a cavalo

hipismo (hi.pis.mo) [i'piʒmu] *n.m.* conjunto de atividades desportivas praticadas a cavalo **SIN.** equitação

hipnose (hip.no.se) [i'pnɔz(ə)] *n.f.* estado semelhante ao sono, provocado por sugestão

hipnótico (hip.nó.ti.co) [i'pnɔtiku] *adj.* relativo a hipnose ■ *n.m.* medicamento que provoca sono

hipnotismo (hip.no.tis.mo) [ipnɔ'tiʒmu] *n.m.* conjunto de técnicas que permitem provocar o sono artificial ou um estado de rigidez muscular por meio de mecanismos de sugestão

hipnotizador (hip.no.ti.za.dor) [ipnɔtizɐ'dor] *n.m.* pessoa que hipnotiza

hipnotizante (hip.no.ti.zan.te) [ipnɔti'zɐ̃t(ə)] *adj.2g.* que hipnotiza

hipnotizar (hip.no.ti.zar) [ipnɔti'zar] *v.* **1** provocar hipnose em (alguém) **2** *fig.* encantar; enfeitiçar

hipocalórico (hi.po.ca.ló.ri.co) [ipɔkɐ'lɔriku] *adj.* (alimento) que tem poucas calorias

hipocentro (hi.po.cen.tro) [ipɔ'sẽtru] *n.m.* ponto do interior da Terra onde se origina um sismo; foco sísmico

hipocondria (hi.po.con.dri.a) [ipɔkõ'driɐ] *n.f.* estado de preocupação constante e exagerada em relação à própria saúde, associado à ideia de doenças imaginárias

hipocondríaco (hi.po.con.drí.a.co) [ipɔkõ'driɐku] *adj.,n.m.* que ou pessoa que sofre de hipocondria

hipocrisia (hi.po.cri.si.a) [ipɔkri'ziɐ] *n.f.* falsidade; fingimento

hipócrita (hi.pó.cri.ta) [i'pɔkritɐ] *adj.2g.* falso; fingido

hipódromo (hi.pó.dro.mo) [i'pɔdrumu] *n.m.* recinto onde se realizam corridas de cavalos

hipoglicemia (hi.po.gli.ce.mi.a) [ipɔglisə'miɐ] *n.f.* diminuição de glicose no sangue

hipónimo (hi.pó.ni.mo) [i'pɔnimu] *n.m.* termo cujo sentido está incluído na significação de um termo mais abrangente (hiperónimo)

hipopótamo (hi.po.pó.ta.mo) [ipɔ'pɔtɐmu] *n.m.* 👁 mamífero robusto, de pele espessa e focinho longo, que vive junto dos lagos e rios em África

hipoteca (hi.po.te.ca) [ipu'tɛkɐ] *n.f.* sujeição de bens imóveis para garantir o pagamento de uma dívida, sem transferir ao credor a posse desses mesmos bens

hipotecar (hi.po.te.car) [iputə'kar] *v.* **1** dar ou sujeitar por hipoteca **2** *fig.* comprometer

hipotensão (hi.po.ten.são) [ipɔtẽ'sɐ̃w̃] *n.f.* tensão sanguínea arterial abaixo do normal

hipotenso (hi.po.ten.so) [ipɔ'tẽsu] *adj.,n.m.* que ou pessoa que sofre de hipotensão

hipotenusa (hi.po.te.nu.sa) [ipɔtə'nuzɐ] *n.f.* lado oposto ao ângulo reto, no triângulo retângulo

hipotermia (hi.po.ter.mi.a) [ipɔtər'miɐ] *n.f.* descida anormal da temperatura do corpo, geralmente provocada por uma exposição prolongada ao frio

hipótese (hi.pó.te.se) [i'pɔtəz(ə)] *n.f.* **1** ideia de que não se tem a certeza absoluta; suposição **2** acontecimento possível, mas incerto ♦ **por hipótese** por suposição

hipoteticamente (hi.po.te.ti.ca.men.te) [iputɛti kɐ'mẽt(ə)] *adv.* por hipótese; supostamente

hipotético (hi.po.té.ti.co) [ipu'tɛtiku] *adj.* relativo a hipótese

hippie ['ipi] *n.2g.* ⟨*pl.* hippies⟩ adepto de um movimento de juventude das décadas de 1960 e 1970 caracterizado pela recusa dos valores e moral tradicionais, e pela defesa da paz e amor universais

hirto (hir.to) ['irtu] *adj.* **1** teso; rígido **2** quieto; imóvel

hispânico (his.pâ.ni.co) [iʃ'pɐniku] *adj.* relativo a Espanha; espanhol; castelhano ■ *n.m.* indivíduo natural de um país da América latina e residente nos Estados Unidos da América

hispano-americano (his.pa.no-.a.me.ri.ca.no) [iʃpɐnɔɐməri'kɐnu] *adj.* **1** de Espanha e da América **2** dos países americanos de língua espanhola ■ *n.m.* **1** natural de um país americano de língua espanhola **2** indivíduo de origem espanhola e americana

histamina (his.ta.mi.na) [iʃtɐ'minɐ] *n.f.* substância existente no corpo humano e nos tecidos animais, responsável por algumas manifestações alérgicas

histamínico (his.ta.mí.ni.co) [iʃtɐ'miniku] *adj.* relativo a histamina

histerectomia (his.te.rec.to.mi.a) [iʃtɛrɛktu'miɐ] *n.f.* remoção do útero ou de parte dele

histeria (his.te.ri.a) [iʃtə'riɐ] *n.f.* **1** doença nervosa caracterizada pela exteriorização exagerada de perturbações de natureza emocional ou afetiva **2** excitação descontrolada

histérico (his.té.ri.co) [iʃ'tɛriku] *adj.* relativo a histeria ■ *n.m.* **1** pessoa que sofre de histeria **2** pessoa que manifesta grande excitação ou nervosismo

história (his.tó.ri:a) [iʃ'tɔrjɐ] *n.f.* **1** conjunto de conhecimentos sobre a evolução da humanidade **2** disciplina que estuda factos políticos, económicos, culturais, etc. de um povo ou de um dado período: *A minha disciplina preferida é história.* **3** narração de eventos fictícios SIN. narrativa; **história aos quadradinhos** banda desenhada ♦ **ficar para a história** ser memorável; **história da carochinha** mentira;; **história do arco-da-velha** história complicada e inverosímil **passar à história** ser esquecido ou ignorado

historiador (his.to.ri:a.dor) [iʃturjɐ'dor] *n.m.* aquele que escreve sobre história

historial (his.to.ri:al) [iʃtu'rjaɫ] *n.m.* conjunto dos factos passados relativos a uma coisa

historicamente (his.to.ri.ca.men.te) [iʃtɔri kɐ'mẽt(ə)] *adv.* **1** em relação à história **2** de acordo com a história

histórico (his.tó.ri.co) [iʃ'tɔriku] *adj.* relativo à história; verdadeiro

historieta (his.to.ri:e.ta) [iʃtu'rjetɐ] *n.f.* **1** anedota **2** conto

HIV [ɐgai've] *sigla de* Vírus da Imunodeficiência Humana

hobby ['ɔbi] *n.m.* ⟨*pl.* hobbies⟩ passatempo

hoio-hoio (hoi.o-.hoi.o) [oju'oju] *interj.* [MOÇ.] usada como saudação

hoje (ho.je) ['oʒ(ə)] *adv.* **1** no dia em que se está **2** no tempo presente ♦ **de hoje em diante** a partir de agora; daqui para o futuro; **hoje em dia** na época presente SIN. atualmente

holandês (ho.lan.dês) [ɔlɐ̃'deʃ] *adj.* relativo à Holanda (região dos Países Baixos) ■ *n.m.* **1** pessoa natural da Holanda **2** língua falada na Holanda

holding ['oɫdĩg] *n.f.* ⟨*pl.* holdings⟩ empresa proprietária de ações de outras empresas cuja atividade se resume à administração desses valores

holiganismo (ho.li.ga.nis.mo) [uligɐ'niʒmu] *n.m.* comportamento caracterizado por violência e destruição de bens ou equipamentos públicos, especialmente durante ou após jogos de futebol; vandalismo

hollywoodesco (holly.woo.des.co) [ɔlju'deʃku] *adj.* **1** relativo a Hollywood (nos Estados Unidos da América) **2** próprio da indústria do cinema; glamoroso

holocausto (ho.lo.caus.to) [ɔlɔ'kawʃtu] *n.m.* **1** entre os antigos Hebreus, sacrifício em que a vítima era totalmente consumida pelo fogo **2** massacre; destruição **3** [geralmente com maiúscula] massacre, sobretudo de judeus, levado a cabo nos campos de concentração nazis durante a Segunda Guerra Mundial (1939-1945)

holofote (ho.lo.fo.te) [ɔlɔ'fɔt(ə)] *n.m.* lanterna que lança uma luz forte, usada para iluminar objetos à distância

holograma (ho.lo.gra.ma) [ɔlɔ'grɐmɐ] *n.m.* fotografia que produz uma imagem tridimensional quando iluminada por um feixe de raios laser

homebanking [owm(ə)'bɐ̃kĩg] *n.m.* serviço disponibilizado pelos bancos que permite aos clientes registados aceder a um serviço bancário e efetuar vários tipos de transações

homejacking [owm(ə)'ʒɛkĩg] *n.m.* assalto praticado a uma residência enquanto os proprietários se encontram no seu interior

homem (ho.mem) ['ɔmɐ̃j] *n.m.* **1** pessoa adulta do sexo masculino **2** ser humano **3** *coloq.* marido ■ **Homem** humanidade ◆ **de homem para homem** com frontalidade e franqueza; sem subterfúgios

homem-bomba (ho.mem-.bom.ba) [ɔmɐ̃j'bõbɐ] *n.m.* homem que transporta junto do corpo substâncias explosivas que ele próprio faz detonar em determinado lugar, morrendo geralmente na explosão; bombista suicida

homenageado (ho.me.na.ge:a.do) [ɔmənɐ'ʒjadu] *adj.,n.m.* que ou pessoa que recebeu homenagem

homenagear (ho.me.na.ge:ar) [ɔmənɐ'ʒjar] *v.* prestar homenagem a

homenagem (ho.me.na.gem) [ɔmə'naʒɐ̃j] *n.f.* expressão pública de respeito ou de admiração por alguém

homenzinho (ho.men.zi.nho) [ɔmɐ̃j'ziɲu] ⟨*dim. de* homem⟩ *n.m.* **1** homem magro ou baixo **2** rapaz adolescente

homeopata (ho.me:o.pa.ta) [ɔmjɔ'patɐ] *n.2g.* pessoa que trata por meio de homeopatia

homeopatia (ho.me.o.pa.ti.a) [ɔmɛɔpɐ'tiɐ] *n.f.* método terapêutico que utiliza substâncias em doses diluídas para produzir efeitos semelhantes aos que as pessoas apresentam, levando o organismo a reagir com os seus próprios mecanismos de defesa

homeopático (ho.me.o.pá.ti.co) [ɔmɛɔ'patiku] *adj.* relativo a homeopatia

homepage [owm'pɐjʒ] *n.f.* **1** página de entrada de um sítio na internet **2** página pessoal na internet, que geralmente contém informações pessoais, contacto, interesses, imagens ou fotografias

homessa (ho.mes.sa) [ɔ'mɛsɐ] *interj. coloq.* exprime admiração ou indignação

homicida (ho.mi.ci.da) [ɔmi'sidɐ] *n.2g.* pessoa que mata alguém; assassino

homicídio (ho.mi.cí.di:o) [ɔmi'sidju] *n.m.* ato de matar alguém; assassínio

homilia (ho.mi.li.a) [ɔmi'liɐ] *n.f.* comentário do Evangelho feito pelo sacerdote na missa

homodiegético (ho.mo.di:e.gé.ti.co) [ɔmɔdjɛ'ʒɛtiku] *n.m.* narrador que participa como personagem secundária na história que narra

homófono (ho.mó.fo.no) [ɔ'mɔfunu] *adj.* diz-se da palavra que tem pronúncia igual à de outra, mas significado e grafia diferentes: *concelho/conselho; censo/senso*

homogeneidade (ho.mo.ge.nei.da.de) [ɔmɔʒənɐj'dad(ə)] *n.f.* qualidade do que é composto por elementos da mesma natureza; uniformidade

homogeneização (ho.mo.ge.nei.za.ção) [ɔmɔʒənɐjzɐ'sɐ̃w̃] *n.f.* ato ou efeito de tornar homogéneo; uniformização

homogeneizar (ho.mo.ge.nei.zar) [ɔmɔʒənɐj'zar] *v.* tornar homogéneo **SIN.** uniformizar

homogéneo (ho.mo.gé.ne:o) [ɔmɔ'ʒɛnju] *adj.* que apresenta unidade; uniforme

homógrafo (ho.mó.gra.fo) [ɔ'mɔgrɐfu] *adj.* diz-se da palavra que tem grafia igual à de outra, pronúncia igual ou diferente, e significado diferente: *sede (secura) é diferente de sede (local de governo, administração, etc.)*

homologação (ho.mo.lo.ga.ção) [ɔmulugɐ'sɐ̃w̃] *n.f.* aprovação; confirmação

homologar (ho.mo.lo.gar) [ɔmulu'gar] *v.* **1** confirmar por sentença ou por autoridade judicial **2** ratificar por despacho ministerial

homólogo (ho.mó.lo.go) [ɔ'mɔlugu] *adj.* **1** equivalente; correspondente **2** (cromossoma) que é portador de genes correspondentes a caracteres da mesma ordem **3** (geometria) diz-se dos lados que se correspondem e são opostos a ângulos iguais, em figuras semelhantes

homónimo (ho.mó.ni.mo) [ɔ'mɔnimu] *adj.* **1** que tem o mesmo nome **2** diz-se da palavra que tem grafia e pronúncia igual a outra mas significado diferente: *manga (roupa) e manga (fruto)*

homossexual (ho.mos.se.xu:al) [ɔmɔsɛ'kswaɫ] *adj.,n.2g.* que ou pessoa que se sente atraída sexualmente por pessoa(s) do mesmo sexo

homossexualidade (ho.mos.se.xu:a.li.da.de) [ɔmɔsɛkswali'dad(ə)] *n.f.* atração sexual e/ou ou relação amorosa entre indivíduos do mesmo sexo

hondurenho (hon.du.re.nho) [õdu'rɐ(j)ɲu] *n.m.* pessoa natural das Honduras (América Central) ■ *adj.* relativo às Honduras

honestidade (ho.nes.ti.da.de) [unəʃti'dad(ə)] *n.f.* **1** seriedade **ANT.** desonestidade **2** lealdade

honesto (ho.nes.to) [u'nɛʃtu] *adj.* **1** sério **ANT.** desonesto **2** leal

honorário (ho.no.rá.ri:o) [onu'rarju] *adj.* (estatuto, membro) que confere a honra de um cargo sem os respetivos proveitos ou encargos materiais ■ **honorários** *n.m.pl.* pagamento por serviços prestados por profissionais liberais

honorável (ho.no.rá.vel) [ono'ravɛɫ] *adj.2g.* digno de veneração ou respeito

honorificar (ho.no.ri.fi.car) [onurifi'kar] *v.* conceder honras a **SIN.** honrar

honorífico (ho.no.rí.fi.co) [onu'rifiku] *adj.* **1** que distingue **2** honorário

honoris causa [ɔnɔriʃ'kawsa] *loc.* concedido como forma de homenagem ou por motivo honroso; a título de honra

honra (hon.ra) ['õʀɐ] *n.f.* **1** sentimento de dignidade de uma pessoa **2** consideração que alguém merece pelo seu trabalho ou pelos seus atos ♦ **com muita honra** com muito prazer; **em honra de** em homenagem a; **fazer as honras da casa** receber pessoas em casa, com a preocupação de que elas se sintam bem no ambiente em que são recebidas; **ter a honra de** sentir prazer ou gosto em

honrado (hon.ra.do) [õ'ʀadu] *adj.* **1** honesto **2** respeitado

honrar (hon.rar) [õ'ʀar] *v.* **1** glorificar; enaltecer: *Muito nos honra a sua presença.* **2** acatar; respeitar: *honrar um compromisso* ■ **honrar-se** ⟨+**de**⟩ orgulhar-se

honroso (hon.ro.so) [õ'ʀozu] *adj.* em que há respeito; digno

hooligan ['uligɐn] *n.2g.* ⟨*pl.* hooligans⟩ pessoa, geralmente jovem, com comportamento agressivo e desordeiro, especialmente em jogos de futebol; vândalo

hóquei (hó.quei) ['ɔkɐj] *n.m.* jogo entre duas equipas, cujo objetivo é introduzir uma pequena bola ou disco na baliza contrária, usando um taco curvado na ponta ♦ **hóquei em patins** hóquei praticado sobre patins de rodas por duas equipas de cinco jogadores

hoquista (ho.quis.ta) [ɔ'kiʃtɐ] *n.2g.* praticante de hóquei

hora (ho.ra) ['ɔrɐ] *n.f.* **1** intervalo de tempo correspondente a 60 minutos (símbolo: h) **2** *fig.* ocasião; momento ♦ **a horas** a tempo; com pontualidade; **a toda a hora** constantemente; sempre; **fazer horas** fazer alguma coisa enquanto se espera por alguém

horário (ho.rá.ri:o) [o'rarju] *n.m.* tabela que indica as horas a que se realizam determinadas atividades (aulas, espetáculos, partida ou chegada de transportes, etc.) ♦ **horário nobre** hora do dia em que se verifica maior audiência televisiva

horizontal (ho.ri.zon.tal) [ɔrizõ'taɫ] *adj.2g.* **1** relativo ao horizonte **2** deitado

horizonte (ho.ri.zon.te) [ɔri'zõt(ə)] *n.m.* **1** linha em que a terra e o mar parecem unir-se ao céu **2** espaço da superfície terrestre que se alcança com a vista ♦ **ter horizontes largos/curtos** ter/não ter ambições

hormona (hor.mo.na) [ɔr'monɐ] *n.f.* molécula produzida por glândulas ou células

hormonal (hor.mo.nal) [ɔrmu'naɫ] *adj.2g.* relativo a hormona

horóscopo (ho.rós.co.po) [ɔ'rɔʃkupu] *n.m.* estud dos astros no momento do nascimento de um pessoa, com o objetivo de prever os acontec mentos da sua vida

horrendo (hor.ren.do) [ɔ'ʀẽdu] *adj.* **1** que assust horripilante **2** que é muito feio; horrível

horripilante (hor.ri.pi.lan.te) [ɔʀipi'lɐ̃t(ə)] *adj.2g* **1** horrível **2** assustador

horrível (hor.rí.vel) [ɔ'ʀivɛɫ] *adj.2g.* muito mau péssimo

horror (hor.ror) [ɔ'ʀor] *n.m.* **1** sentimento de med ou receio **2** sentimento de nojo ou de aversão

horrorizado (hor.ro.ri.za.do) [uʀuri'zadu] *ac* muito assustado; apavorado

horrorizar (hor.ro.ri.zar) [ɔʀuri'zar] *v.* causar hor ror a **SIN.** apavorar ■ **horrorizar-se** ⟨+**com**⟩ er cher-se de horror **SIN.** apavorar-se

horroroso (hor.ro.ro.so) [ɔʀu'rozu] *adj.* **1** qu causa horror; medonho **2** que é muito mau; pés simo

horta (hor.ta) ['ɔrtɐ] *n.f.* terreno plantado de hortaliças e legumes

hortaliça (hor.ta.li.ça) [ɔrtɐ'lisɐ] *n.f.* designaçã dos legumes usados na alimentação humana

hortelã (hor.te.lã) [ɔrtə'lɐ̃] *n.f.* planta herbáce aromática, usada em farmácia e culinária; ment

hortelão (hor.te.lão) [ɔrtə'lɐ̃w̃] *n.m.* ⟨*f.* horteloa, *p* hortelãos hortelões⟩ indivíduo que trata de um horta

hortelã-pimenta (hor.te.lã-.pi.men.ta) [ɔrtə pi'mẽtɐ] *n.f.* ⟨*pl.* hortelãs-pimentas⟩ planta herbáce aromática, com aplicações culinárias, medicinai e industriais

hortense (hor.ten.se) [ɔr'tẽ(sə)] *adj.2g.* **1** relativo horta **2** produzido numa horta

hortênsia (hor.tên.si:a) [ɔr'tẽsjɐ] *n.f.* 👁 plant com pequenas flores brancas, azuis ou rosada **SIN.** hidrângea

hortícola (hor.tí.co.la) [ɔr'tikulɐ] *adj.2g.* produzid numa horta **SIN.** hortense

horto (hor.to) ['ortu] *n.m.* **1** horta pequena **2** local onde se vendem plantas

hosana (ho.sa.na) [ɔ'zɐnɐ] *n.m.* hino que se canta no Domingo de Ramos ▪ *interj.* exprime alegria e louvor

hospedagem (hos.pe.da.gem) [ɔʃpə'daʒɐ̃j̃] *n.f.* **1** ato de hospedar; acolhimento **2** estabelecimento que recebe hóspedes; hospedaria

hospedar (hos.pe.dar) [ɔʃpə'dar] *v.* receber como hóspede SIN. alojar ▪ **hospedar-se** ⟨+em⟩ ficar como hóspede: *Hospedou-se num hotel na Baixa.* SIN. alojar-se

hospedaria (hos.pe.da.ri.a) [ɔʃpədɐ'riɐ] *n.f.* casa que serve de abrigo a hóspedes; pensão

hóspede (hós.pe.de) ['ɔʃpəd(ə)] *n.2g.* pessoa que fica durante algum tempo numa pensão ou num hotel

hospedeira (hos.pe.dei.ra) [ɔʃpə'dɐjrɐ] *n.f.* senhora que atende os passageiros num avião

hospedeiro (hos.pe.dei.ro) [ɔʃpə'dɐjru] *n.m.* **1** dono de uma hospedaria **2** animal ou planta onde se instala um organismo parasita

hospício (hos.pí.ci:o) [ɔʃ'pisju] *n.m.* hospital para pessoas com doenças mentais

hospital (hos.pi.tal) [ɔʃpi'taɫ] *n.m.* estabelecimento onde se tratam pessoas doentes

hospitalar (hos.pi.ta.lar) [ɔʃpitɐ'lar] *adj.2g.* relativo a hospital

hospitaleiro (hos.pi.ta.lei.ro) [ɔʃpitɐ'lɐjru] *adj.* que dá boa hospitalidade; acolhedor

hospitalidade (hos.pi.ta.li.da.de) [ɔʃpitɐli'dad(ə)] *n.f.* bom acolhimento

hospitalizar (hos.pi.ta.li.zar) [ɔʃpitɐli'zar] *v.* internar em hospital

hóssi (hós.si) ['ɔsi] *n.m.* **1** [MOÇ.] deus **2** [MOÇ.] rei

hóstia (hós.ti:a) ['ɔʃtjɐ] *n.f.* partícula de massa de trigo sem fermento que é consagrada na missa

hostil (hos.til) [ɔʃ'tiɫ] *adj.2g.* **1** inimigo **2** agressivo

hostilidade (hos.ti.li.da.de) [ɔʃtili'dad(ə)] *n.f.* **1** oposição **2** agressividade

hostilizar (hos.ti.li.zar) [ɔʃtili'zar] *v.* **1** tratar com agressividade **2** fazer guerra a; combater

hotel (ho.tel) [ɔ'tɛɫ] *n.m.* estabelecimento onde se alugam quartos

hotelaria (ho.te.la.ri.a) [ɔtəlɐ'riɐ] *n.f.* atividade de administração de hotéis

hoteleiro (ho.te.lei.ro) [ɔtə'lɐjru] *adj.* relativo a hotel ou a hotelaria ▪ *n.m.* dono ou gerente de hotel

hovercraft [ɔvɛr'kraft] *n.m.* ⟨*pl.* hovercrafts⟩ veículo para transporte de passageiros e carga no mar que se desloca sobre uma almofada de ar produzida por ventoinhas ou jatos colocados na parte de baixo

HTML [agateɛm'ɛl] linguagem utilizada na construção de páginas na internet OBS. Sigla de *hypertext markup language*

HTTP [agatete'pe] protocolo da internet utilizado para a transferência de ficheiros entre computadores OBS. Sigla de *hypertext transfer protocol*

hulha (hu.lha) ['uʎɐ] *n.f.* carvão fóssil, negro e compacto, com grande percentagem de carbono

hum (hum) ['ũ] *interj.* exprime dúvida, hesitação ou impaciência

humanamente (hu.ma.na.men.te) [umɐnɐ'mẽt(ə)] *adv.* de maneira humana; com bondade

humanidade (hu.ma.ni.da.de) [umɐni'dad(ə)] *n.f.* **1** conjunto de todos os seres humanos **2** *fig.* benevolência; bondade

humanismo (hu.ma.nis.mo) [umɐ'niʒmu] *n.m.* **1** movimento intelectual do Renascimento caracterizado pelo regresso às letras, às artes e ao pensamento da Antiguidade greco-romana **2** conceção filosófica segundo a qual o homem é o valor supremo

humanista (hu.ma.nis.ta) [umɐ'niʃtɐ] *adj.2g.* relativo ao humanismo ▪ *n.2g.* **1** pessoa adepta do humanismo **2** estudioso das obras da Antiguidade clássica

humanitário (hu.ma.ni.tá.ri:o) [umɐni'tarju] *adj.* que procura o bem-estar da humanidade

humanizar(-se) (hu.ma.ni.zar(-se)) [umɐni'zar(sə)] *v.* **1** tornar(-se) humano **2** tornar(-se) compreensivo ou sociável

humano (hu.ma.no) [u'mɐnu] *adj.* **1** relativo ao homem **2** composto por homens e mulheres **3** bondoso; compreensivo

humedecer(-se) (hu.me.de.cer(-se)) [umədə'ser(sə)] *v.* ⟨+com⟩ tornar(-se) húmido; molhar(-se) um pouco

humidade (hu.mi.da.de) [umi'dad(ə)] *n.f.* estado do que está ligeiramente molhado

humidificador (hu.mi.di.fi.ca.dor) [umidifikɐ'dor] *n.m.* dispositivo para manter a humidade desejada no interior de um edifício

humidificar (hu.mi.di.fi.car) [umidifi'kar] *v.* **1** tornar húmido **2** aumentar o teor de vapor de água em

húmido (hú.mi.do) ['umidu] *adj.* que tem humidade; que está ligeiramente molhado

humildade (hu.mil.da.de) [umiɫ'dad(ə)] *n.f.* qualidade de quem reconhece os próprios erros ou defeitos; simplicidade; modéstia

humilde (hu.mil.de) [u'miɫd(ə)] *adj.2g.* **1** simples; modesto **2** pobre

humilhação (hu.mi.lha.ção) [umiʎɐ'sɐ̃w̃] *n.f.* ato de tratar alguém com desprezo SIN. afronta

humilhante (hu.mi.lhan.te) [umi'ʎɐ̃t(ə)] *adj.2g.* que trata com desprezo; que ofende

humilhar(-se) **(hu.mi.lhar(-se))** [umi'ʎar(sə)] *v.* **1** tornar(-se) humilde **2** rebaixar(-se)

humor **(hu.mor)** [u'mor] *n.m.* capacidade para apreciar o que é cómico ◆ **estar com os humores** estar maldisposto

humorista **(hu.mo.ris.ta)** [umu'riʃtɐ] *n.2g.* pessoa que escreve piadas

humorístico **(hu.mo.rís.ti.co)** [umu'riʃtiku] *adj.* cómico

húmus **(hú.mus)** ['umuʃ] *n.m.2n.* matéria orgânica, misturada com partículas minerais do solo, proveniente de restos animais e vegetais decompostos ou em decomposição

húngaro **(hún.ga.ro)** ['ũgɐru] *adj.* relativo à Hungria ■ *n.m.* **1** pessoa natural da Hungria **2** língua falada na Hungria

hurra **(hur.ra)** ['uʀɐ] *interj.* designativa de alegria ou de aprovação

husky ['ɐski] *n.m.* **1** raça de cães de porte médio, constituição robusta, orelhas espetadas, olhos azuis, pelo denso e macio, preto ou bege e branco **2** 👁 cão dessa raça

I

i ['i] *n.m.* vogal, nona letra do alfabeto, que está entre as letras *h* e *j*

ião (i.ão) ['jɐ̃w̃] *n.m.* átomo ou grupo de átomos com carga elétrica

iate (i:a.te) ['jat(ə)] *n.m.* barco de recreio

ibérico (i.bé.ri.co) [i'bɛriku] *adj.* relativo à Península Ibérica ■ *n.m.* pessoa natural da Península Ibérica

ibero (i.be.ro) [i'bɛru] *adj.* relativo aos iberos, um dos primeiros povos que habitou a Península Ibérica ■ *n.m.* indivíduo pertencente aos iberos

ibero-americano (i.be.ro-.a.me.ri.ca.no) [ibɛrɔɐməri'kɐnu] *adj.* dos países da Península Ibérica e da América Latina

ibidem [ibi'dɛm] *adv.* indica que o que se cita é do mesmo livro ou do mesmo autor citados anteriormente

içar (i.çar) [i'sar] *v.* fazer subir **SIN.** erguer; levantar

icebergue (i.ce.ber.gue) [ajsə'bɛrg(ə)] *n.m.* grande bloco de gelo flutuante

ícone (í.co.ne) ['ikun(ə)] *n.m.* símbolo que pode ser selecionado no ecrã pelo utilizador

iconografia (i.co.no.gra.fi.a) [ikunugrɐ'fiɐ] *n.f.* estudo e descrição das imagens e símbolos representados em quadros, retratos, pinturas, estátuas, etc.

icterícia (ic.te.rí.ci:a)AO [i(k)tə'risjɐ] ou **iterícia**AO *n.f.* doença que se manifesta numa coloração amarela dos tecidos, mucosas e alguns órgãos

ictiologia (ic.ti:o.lo.gi.a) [iktjulu'ʒiɐ] *n.f.* ramo da zoologia que estuda os peixes

ida (i.da) ['idɐ] *n.f.* **1** ato de ir a algum lugar; partida **2** viagem

idade (i.da.de) [i'dad(ə)] *n.f.* **1** cada um dos períodos em que se divide a vida **2** número de anos de alguém ou de alguma coisa **3** época histórica; tempo

ideal (i.de:al) [i'djał] *adj.2g.* **1** que só existe no pensamento; mental **2** que é perfeito; exemplar ■ *n.m.* **1** princípio ou valor que se defende e em que se acredita **2** modelo de perfeição

idealismo (i.de:a.lis.mo) [idjɐ'liʒmu] *n.m.* **1** doutrina filosófica segundo a qual o mundo exterior, material, só é compreendido através da sua existência espiritual ou mental **2** tendência para valorizar o ideal em detrimento do real

idealista (i.de:a.lis.ta) [idjɐ'liʃtɐ] *n.2g.* **1** partidário do idealismo **2** *pej.* pessoa pouco prática ■ *adj.2g.* **1** relativo ao idealismo **2** seguidor do idealismo **3** *pej.* pouco prático

idealizar (i.de:a.li.zar) [idjɐli'zar] *v.* **1** dar carácter de ideal a **2** fantasiar; imaginar **3** planear; projetar

ideia (i.dei.a) [i'dɐjɐ] *n.f.* **1** representação mental de uma coisa; noção **2** informação; conhecimento **3** lembrança; recordação ◆ **ideia feita** opinião ou sentimento, positivo ou negativo, que não tem razão de ser; **ideia fixa** pensamento que surge muitas vezes na cabeça de alguém

idem ['idɛm] *prn.dem.* o mesmo; a mesma coisa

idêntico (i.dên.ti.co) [i'dẽtiku] *adj.* que não apresenta nenhuma diferença em relação a outra coisa **SIN.** parecido; semelhante

identidade (i.den.ti.da.de) [idẽti'dad(ə)] *n.f.* **1** característica do que é igual ou parecido; semelhança **2** conjunto dos elementos (nome, sexo, impressões digitais, etc.) que permitem identificar uma pessoa

identificação (i.den.ti.fi.ca.ção) [idẽtifikɐ'sɐ̃w̃] *n.f.* **1** ato ou efeito de identificar **2** documento que comprova a identidade de alguém

identificar (i.den.ti.fi.car) [idẽtifi'kar] *v.* **1** distinguir; reconhecer: *Identificou a mãe pela voz.* **2** descobrir: *Os médicos identificaram a causa da doença.* **3** provar a identidade de: *A vítima identificou o suspeito.* **4** tornar idêntico ou igual ■ **identificar-se 1** apresentar documentos que provam a identidade de uma pessoa **2** ⟨**+com**⟩ partilhar aquilo que alguém sente ou pensa

ideograma (i.de:o.gra.ma) [idjɔ'grɐmɐ] *n.m.* símbolo gráfico que não exprime nem letra nem som, mas apenas uma ideia

ideologia (i.de:o.lo.gi.a) [idjulu'ʒiɐ] *n.f.* sistema de ideias, valores e princípios que definem uma determinada visão do mundo, orientando a forma de agir de uma pessoa ou de um grupo

ideológico (i.de:o.ló.gi.co) [idju'lɔʒiku] *adj.* relativo a ideologia

idílico (i.dí.li.co) [i'diliku] *adj.* **1** bucólico **2** sonhador

idioma (i.di:o.ma) [i'djomɐ] *n.m.* língua própria de um povo ou de uma região

idiomático (i.di:o.má.ti.co) [idju'matiku] *adj.* relativo a idioma

idiomatismo (i.di:o.ma.tis.mo) [idjuma'tiʒmu] *n.m.* expressão idiomática; frase feita

idiossincrasia (i.di:os.sin.cra.si.a) [idjɔsĩkrɐ'ziɐ] *n.f.* modo próprio de agir ou reagir de uma pessoa ou de um grupo

idiota (i.di:o.ta) [i'djɔtɐ] *adj.,n.2g.* **1** que ou pessoa que é pouco inteligente **SIN.** estúpido; imbecil **2** que ou pessoa que não tem bom senso

idiotice (i.di:o.ti.ce) [idju'ti(sə)] *n.f.* ação ou comentário idiota **SIN.** parvoíce

idólatra (i.dó.la.tra) [i'dɔlɐtrɐ] *adj.,n 2g.* que(m) adora ídolos

idolatrar (i.do.la.trar) [idulɐ'trar] *v.* **1** adorar ídolos **2** *fig.* gostar muito

ídolo (í.do.lo) ['idulu] *n.m.* **1** imagem ou figura que se adora como se fosse um deus **2** pessoa por quem se sente grande admiração

idoneidade (i.do.nei.da.de) [idɔnɐj'dad(ə)] *n.f.* qualidade do que é adequado ou capaz para determinado objetivo

idóneo (i.dó.ne:o) [i'dɔnju] *adj.* **1** próprio; adequado **2** capaz; competente **3** honesto

idoso (i.do.so) [i'dozu] *adj.* que tem muita idade **SIN.** velho

i.e. *abreviatura de* isto é

iene (i:e.ne) ['jɛn(ə)] *n.m.* unidade monetária do Japão; yen

iglu (i.glu) [i'glu] *n.m.* casa em forma de cúpula, que os esquimós constroem com blocos de neve dura ou gelo

ignição (ig.ni.ção) [igni'sɐ̃w̃] *n.f.* **1** combustão sem chama de um material no estado sólido **2** mecanismo através do qual se põe em funcionamento um motor de combustão interna

ignóbil (ig.nó.bil) [i'gnɔbił] *adj.2g.* desprezível; vil

ignorado (ig.no.ra.do) [ignu'radu] *adj.* **1** desconhecido **2** desprezado

ignorância (ig.no.rân.ci:a) [ignu'rɐ̃sjɐ] *n.f.* **1** falta de informação sobre alguma coisa; desconhecimento **2** falta de conhecimentos ou de prática sobre uma atividade ou disciplina

ignorante (ig.no.ran.te) [ignu'rɐ̃t(ə)] *adj.2g.* **1** que desconhece alguma coisa, por falta de informação **2** que não tem conhecimento ou prática de algo, por falta de estudo

ignorar (ig.no.rar) [ignu'rar] *v.* **1** não saber ou não conhecer **2** não dar atenção a **3** não obedecer a

igreja (i.gre.ja) [i'grɐ(j)ʒɐ] *n.f.* edifício destinado ao culto de uma religião; templo ♦ **igreja matriz** igreja principal de uma localidade

igual (i.gual) [i'gwał] *adj.2g.* **1** que não apresenta diferenças; idêntico **ANT.** desigual, diferente **2** que tem o mesmo tamanho, valor ou as mesmas características ♦ **sem igual** único

igualar (i.gua.lar) [igwɐ'lar] *v.* **1** tornar igual **2** obter o mesmo resultado que

igualdade (i.gual.da.de) [igwał'dad(ə)] *n.f.* **1** semelhança de tamanho, valor ou de características **ANT.** desigualdade **2** correspondência perfeita entre as partes de um todo

igualmente (i.gual.men.te) [igwał'mẽt(ə)] *adv.* de modo igual; também

iguana (i.gua.na) [i'gwɐnɐ] *n.f.* réptil de grande porte que possui uma crista da cabeça até à cauda

iguaria (i.gua.ri.a) [igwɐ'riɐ] *n.f.* **1** alimento muito saboroso **2** qualquer comida

ilação (i.la.ção) [ila'sɐ̃w̃] *n.f.* ato ou efeito de inferir; conclusão

ilegal (i.le.gal) [ilə'gał] *adj.2g.* que não é legal; proibido por lei **SIN.** ilícito **ANT.** legal

ilegalidade (i.le.ga.li.da.de) [iləgɐli'dad(ə)] *n.f.* qualidade do que é ilegal ou que não está de acordo com a lei **ANT.** legalidade

ilegítimo (i.le.gí.ti.mo) [ilə'ʒitimu] *adj.* **1** que é contrário à lei **2** que não tem justificação

ilegível (i.le.gí.vel) [ilə'ʒivɛł] *adj.2g.* que não se pode ou não se consegue ler **ANT.** legível

> Não confundir **ilegível** (que não se pode ler) com **elegível** (que pode ser eleito).

íleo (í.le:o) ['ilju] *n.m.* parte terminal do intestino delgado

ileso (i.le.so) [i'lezu] *adj.* sem lesão ou ferimento; incólume

iletrado (i.le.tra.do) [ilə'tradu] *adj.,n.m.* **1** que ou o que tem pouca instrução **2** analfabeto

ilha (i.lha) ['iʎɐ] *n.f.* porção de terra menor que um continente, cercada de água por todos os lados

ilharga (i.lhar.ga) [i'ʎargɐ] *n.f.* **1** região lateral do corpo humano, por cima da anca **2** região abdominal lateral de muitos animais **3** parte lateral de um navio

ilhéu (i.lhéu) [iˈʎɛw] *n.m.* 1 pessoa natural de uma ilha 2 ilha pequena; ilhota 3 rochedo no meio do mar

ilhota (i.lho.ta) [iˈʎɔtɐ] *n.f.* pequena ilha; ilhéu

ilíaco (i.lí.a.co) [iˈliɐku] *n.m.* osso da cintura pélvica e da bacia

ilibar (i.li.bar) [iliˈbar] *v.* 1 tornar puro 2 livrar de acusação ou de condenação

ilícito (i.lí.ci.to) [iˈlisitu] *adj.* 1 que é proibido por lei SIN. ilegal ANT. legal 2 que é contrário às normas sociais

ilimitado (i.li.mi.ta.do) [ilimiˈtadu] *adj.* que não tem limites; infinito ANT. limitado

ilíquido (i.lí.qui.do) [iˈlikidu] *adj.* (valor, rendimento) que não sofreu deduções SIN. bruto

iliteracia (i.li.te.ra.ci.a) [ilitərɐˈsiɐ] *n.f.* 1 dificuldade em ler, escrever e interpretar 2 falta de conhecimentos considerados básicos

ilógico (i.ló.gi.co) [iˈlɔʒiku] *adj.* 1 sem lógica 2 contrário à lógica; absurdo

iludir (i.lu.dir) [iluˈdir] *v.* fazer acreditar naquilo que não é verdadeiro; enganar ■ **iludir-se** enganar-se

iluminação (i.lu.mi.na.ção) [iluminɐˈsɐ̃w̃] *n.f.* 1 ato ou efeito de iluminar 2 estado do que está iluminado

iluminado (i.lu.mi.na.do) [ilumiˈnadu] *adj.* 1 que recebe luz 2 em que há claridade 3 *fig.* inspirado

iluminar (i.lu.mi.nar) [ilumiˈnar] *v.* 1 colocar luz sobre 2 enfeitar com luz(es) 3 *fig.* inspirar

Iluminismo (I.lu.mi.nis.mo) [ilumiˈniʒmu] *n.m.* movimento cultural e intelectual na Europa do século XVIII, caracterizado pela confiança na razão e na ciência e pela defesa da liberdade de pensamento

iluminista (i.lu.mi.nis.ta) [ilumiˈniʃtɐ] *adj.2g.* relativo ao Iluminismo ■ *n.2g.* pessoa partidária do Iluminismo

iluminura (i.lu.mi.nu.ra) [ilumiˈnurɐ] *n.f.* miniatura pintada a cores com que se ilustravam pergaminhos e manuscritos

ilusão (i.lu.são) [iluˈzɐ̃w̃] *n.f.* 1 imagem ou interpretação falsa, produzida pela imaginação ou pelos sentidos; fantasia 2 crença ou ideia falsa; erro

ilusionismo (i.lu.si:o.nis.mo) [iluzjuˈniʒmu] *n.m.* arte de produzir ilusões através de truques feitos sobretudo com as mãos SIN. magia

ilusionista (i.lu.si:o.nis.ta) [iluzjuˈniʃtɐ] *n.2g.* pessoa que se dedica ao ilusionismo SIN. mágico

ilusório (i.lu.só.ri:o) [iluˈzɔrju] *adj.* 1 enganador 2 falso

ilustração (i.lus.tra.ção) [iluʃtrɐˈsɐ̃w̃] *n.f.* 1 imagem que ajuda a compreender um texto ou que o decora 2 explicação; esclarecimento

ilustrado (i.lus.tra.do) [iluʃˈtradu] *adj.* 1 que tem ilustrações (livro, dicionário) 2 que tem muitos conhecimentos (pessoa)

ilustrador (i.lus.tra.dor) [iluʃtrɐˈdor] *n.m.* artista que faz ilustrações SIN. desenhador

ilustrar (i.lus.trar) [iluʃˈtrar] *v.* 1 decorar com ilustrações ou imagens 2 exemplificar; esclarecer

ilustrativo (i.lus.tra.ti.vo) [iluʃtrɐˈtivu] *adj.* que ilustra ou exemplifica através da imagem; que esclarece

ilustre (i.lus.tre) [iˈluʃtr(ə)] *adj.2g.* notável; famoso; célebre

imaculado (i.ma.cu.la.do) [imɐkuˈladu] *adj.* 1 sem mancha ou nódoa; limpo 2 *fig.* puro; perfeito

imagem (i.ma.gem) [iˈmaʒɐ̃j̃] *n.f.* 1 representação de uma pessoa ou de um objeto 2 cópia; reprodução

imaginação (i.ma.gi.na.ção) [imɐʒinɐˈsɐ̃w̃] *n.f.* faculdade de criar ou inventar SIN. criatividade; fantasia

imaginar (i.ma.gi.nar) [imɐʒiˈnar] *v.* 1 criar na imaginação; fantasiar; sonhar 2 pensar (algo) como verdadeiro; julgar; supor

imaginário (i.ma.gi.ná.ri:o) [imɐʒiˈnarju] *adj.* que só existe na imaginação; fictício ■ *n.m.* aquilo que é criado pela imaginação

imaginativo (i.ma.gi.na.ti.vo) [imɐʒinɐˈtivu] *adj.* que tem muita imaginação; criativo

íman (í.man) [ˈimɐn] *n.m.* ⟨*pl.* ímanes⟩ substância que atrai o ferro e outros metais; magnete

imanente (i.ma.nen.te) [imɐˈnẽt(ə)] *adj.2g.* que está contido ou implicado na natureza de um ser, de uma experiência ou de um objeto; inerente

imaturidade (i.ma.tu.ri.da.de) [imɐturiˈdad(ə)] *n.f.* estado do que não atingiu o seu desenvolvimento completo

imaturo (i.ma.tu.ro) [imɐˈturu] *adj.* que não atingiu o desenvolvimento completo

imbatível (im.ba.tí.vel) [ĩbɐˈtivɛɫ] *adj.2g.* que não se pode bater ou derrotar; invencível

imbecil (im.be.cil) [ĩbəˈsiɫ] *adj.,n.2g.* 1 que ou pessoa que é pouco inteligente SIN. estúpido; idiota 2 que ou pessoa que não tem bom senso

imberbe (im.ber.be) [ĩˈbɛrb(ə)] *adj.,n.2g.* 1 que ou o que ainda não tem barba 2 que ou pessoa que é nova

imbróglio (im.bró.gli:o) [ĩˈbrɔglju] *n.m.* situação confusa

imbumbável (im.bum.bá.vel) [ĩbũˈbavɛɫ] *adj.2g.* [ANG.] que detesta o trabalho

imediação (i.me.di:a.ção) [imədjɐˈsɐ̃w̃] *n.f.* facto de estar próximo; proximidade; vizinhança ■ *n.f.pl.* região localizada junto de um centro urbano ou de um núcleo populacional; redondezas; arredores

imediatamente (i.me.di:a.ta.men.te) [imədjaˌtɐ'mẽt(ə)] *adv.* sem demora; logo

imediatismo (i.me.di:a.tis.mo) [imədjɐ'tiʒmu] *n.m.* **1** forma de agir sem rodeios **2** atitude do que procura apenas lucros rápidos

imediato (i.me.di:a.to) [imə'djatu] *adj.* **1** rápido **2** próximo

imensamente (i.men.sa.men.te) [imẽsɐ'mẽt(ə)] *adv.* em grande quantidade ou com força; muitíssimo

imensidade (i.men.si.da.de) [imẽsi'dad(ə)] *n.f.* ⇒ **imensidão**

imensidão (i.men.si.dão) [imẽsi'dɐ̃w̃] *n.f.* **1** extensão ilimitada; vastidão **2** grande quantidade

imenso (i.men.so) [i'mẽsu] *adj.* **1** que não se pode medir ou contar; infinito; ilimitado **2** que é muito grande; enorme

imensurável (i.men.su.rá.vel) [imẽsu'ravɛɫ] *adj.2g.* que não se pode medir

imergir (i.mer.gir) [imər'ʒir] *v.* **1** meter em água; mergulhar **2** ir ao fundo; afundar-se

> Não confundir **imergir** (mergulhar) com **emergir** (vir à tona).

imersão (i.mer.são) [imər'sɐ̃w̃] *n.f.* ato de mergulhar algo em água ou de ir ao fundo

imerso (i.mer.so) [i'mɛrsu] *adj.* mergulhado; afundado

IMI [i'mi] *sigla de* Imposto Municipal sobre Imóveis

imigração (i.mi.gra.ção) [imigrɐ'sɐ̃w̃] *n.f.* entrada num país estrangeiro para aí viver e trabalhar **ANT.** emigração

> Não confundir **imigração** (entrada num país estrangeiro) com **emigração** (saída do próprio país).

imigrante (i.mi.gran.te) [imi'grɐ̃t(ə)] *n.2g.* pessoa que vai para um país estrangeiro para aí viver e trabalhar **ANT.** emigrante

imigrar (i.mi.grar) [imi'grar] *v.* entrar num país estrangeiro para aí viver e trabalhar **ANT.** emigrar

iminência (i.mi.nên.ci:a) [imi'nẽsjɐ] *n.f.* qualidade de iminente, do que está prestes a acontecer

iminente (i.mi.nen.te) [imi'nẽt(ə)] *adj.2g.* que está quase a acontecer; próximo

> Não confundir **iminente** (próximo) com **eminente** (excelente).

imiscuir-se (i.mis.cu:ir-.se) [imiʃ'kwirs(ə)] *v.* ⟨**+em**⟩ intrometer-se: *imiscuir-se na vida alheia*

imitação (i.mi.ta.ção) [imitɐ'sɐ̃w̃] *n.f.* **1** ato o[u] efeito de imitar **2** reprodução exata de algum[a] coisa; cópia

imitador (i.mi.ta.dor) [imitɐ'dor] *n.m.* artista qu[e] faz imitações

imitar (i.mi.tar) [imi'tar] *v.* ter como exemplo; re[-]produzir; copiar

imitável (i.mi.tá.vel) [imi'tavɛɫ] *adj.2g.* que se pod[e] ou deve imitar

imobiliária (i.mo.bi.li:á.ri:a) [imubi'ljarjɐ] *n.f.* em[-]presa que se dedica à comercialização de ben[s] imóveis (terrenos, edifícios, etc.)

imobiliário (i.mo.bi.li:á.ri:o) [imubi'ljarju] *adj.* re[-]lativo a imóvel

imobilidade (i.mo.bi.li.da.de) [imubəli'dad(ə)] *n*[.f.] ausência de movimento

imobilizar (i.mo.bi.li.zar) [imubəli'zar] *v.* imped[ir] (algo ou alguém) de se mover; fixar ■ **imobil[i]zar-se** ficar imóvel; parar

imodéstia (i.mo.dés.ti:a) [imudɛʃ'tjɐ] *n.f.* falta d[e] modéstia; vaidade

imodesto (i.mo.des.to) [imu'dɛʃtu] *adj.* que não [é] modesto; vaidoso; presumido

imoral (i.mo.ral) [imu'raɫ] *adj.2g.* contrário à mo[-]ral; desonesto **ANT.** moral

imoralidade (i.mo.ra.li.da.de) [imurɐli'dad(ə)] *n*[.f.] ato contrário às regras de conduta ou ao princ[í-]pio de honestidade

imortal (i.mor.tal) [imur'taɫ] *adj.2g.* que não morr[e] ou não tem fim; eterno **ANT.** mortal

imortalidade (i.mor.ta.li.da.de) [imurtɐli'dad(ə)] *n.f.* condição de imortal; eternidade **ANT.** mortal[i-]dade

imortalizar(-se) (i.mor.ta.li.zar(-se)) [imurt[ɐ-]li'zar(sə)] *v.* **1** tornar(-se) imortal **2** perpetuar(-se)

imóvel (i.mó.vel) [i'mɔvɛɫ] *adj.2g.* que não s[e] move; parado ■ *n.m.* bem que não se pode trans[-]portar, como um terreno, uma casa ou um pré[-]dio

impaciência (im.pa.ci:ên.ci:a) [ĩpɐ'sjẽsjɐ] *n.*[f.] **1** falta de paciência **2** pressa

impacientar (im.pa.ci:en.tar) [ĩpɐsjẽ'tar] *v.* faze[r] perder a paciência a ■ **impacientar-se** perder [a] paciência; enervar-se

impaciente (im.pa.ci:en.te) [ĩpɐ'sjẽt(ə)] *adj.2g.* **1** que não tem paciência **2** que tem pressa

impacto (im.pac.to) [ĩ'paktu] *n.m.* **1** choque d[e] dois ou mais corpos; embate **2** impressão fort[e] causada por um acontecimento

impagável (im.pa.gá.vel) [ĩpɐ'gavɛɫ] *adj.2g.* **1** qu[e] não tem preço; precioso **2** muito cómico; diver[-]tido

impala (im.pa.la) [ĩ'palɐ] *n.2g.* antílope africano de pelagem castanha ou avermelhada, com chifres em forma de lira

ímpar (ím.par) ['ĩpar] *adj.2g.* **1** diz-se do número que não é divisível por dois **2** único; extraordinário

imparável (im.pa.rá.vel) [ĩpɐ'ravɛł] *adj.2g.* **1** que não para **2** *fig.* incansável

imparcial (im.par.ci:al) [ĩpɐr'sjał] *adj.2g.* que é justo nas suas decisões ou opiniões; isento

imparcialidade (im.par.ci:a.li.da.de) [ĩpɐrsjɐli'dad(ə)] *n.f.* qualidade de quem avalia ou decide de forma objetiva e justa; isenção

impasse (im.pas.se) [ĩ'pa(sə)] *n.m.* situação de resolução difícil; dilema

impassível (im.pas.sí.vel) [ĩpɐ'sivɛł] *adj.2g.* que não demonstra nenhuma emoção; imperturbável

impávido (im.pá.vi.do) [ĩ'pavidu] *adj.* que não tem medo; corajoso

impecável (im.pe.cá.vel) [ĩpə'kavɛł] *adj.2g.* que não tem falha ou defeito; perfeito

impedido (im.pe.di.do) [ĩpə'didu] *adj.* **1** que não permite a passagem; fechado **2** diz-se do telefone que está ocupado

impedimento (im.pe.di.men.to) [ĩpədi'mẽtu] *n.m.* aquilo que impede alguma coisa; obstáculo

impedir (im.pe.dir) [ĩpə'dir] *v.* **1** servir de obstáculo a; obstruir **2** não permitir; opor-se a

impeditivo (im.pe.di.ti.vo) [ĩpədi'tivu] *adj.* que impede

impelir (im.pe.lir) [ĩpə'lir] *v.* **1** dar impulso a; empurrar **2** *fig.* estimular; incitar

impenetrável (im.pe.ne.trá.vel) [ĩpənə'travɛł] *adj.2g.* **1** que não permite acesso ou passagem **2** *fig.* que não se pode compreender; misterioso

impensado (im.pen.sa.do) [ĩpẽ'sadu] *adj.* dito ou feito sem pensar **SIN.** irrefletido

impensável (im.pen.sá.vel) [ĩpẽ'savɛł] *adj.2g.* que não se pode imaginar

imperador (im.pe.ra.dor) [ĩpərɐ'dor] *n.m.* ⟨*f.* imperatriz⟩ soberano de um império

imperar (im.pe.rar) [ĩpə'rar] *v.* **1** governar com autoridade suprema **2** exercer grande influência **3** sobressair

imperativo (im.pe.ra.ti.vo) [ĩpərɐ'tivu] *adj.* **1** que ordena **2** autoritário ▪ *n.m.* **1** dever; ordem **2** modo verbal que exprime uma ordem, um pedido, um conselho ou um convite

imperatriz (im.pe.ra.triz) [ĩpərɐ'triʃ] *n.f.* **1** soberana de um império **2** mulher do imperador

imperceptível (im.per.cep.tí.vel) [ĩpərsɛ'tivɛł] *a nova grafia é* **impercetível**[AO]

impercetível (im.per.ce.tí.vel)[AO] [ĩpərsɛ'tivɛł] *adj.2g.* que é muito pequeno ou pouco importante

imperdoável (im.per.do:á.vel) [ĩpər'dwavɛł] *adj.2g.* que não se pode perdoar

imperfeição (im.per.fei.ção) [ĩpərfɐj'sɐ̃w̃] *n.f.* **1** estado do que não é perfeito **2** pequeno defeito; falha

imperfeito (im.per.fei.to) [ĩpər'fɐjtu] *adj.* **1** que não é perfeito **2** que tem falha ou defeito; defeituoso ▪ *n.m.* tempo verbal que exprime uma ação não acabada

imperial (im.pe.ri:al) [ĩpə'rjał] *adj.2g.* **1** relativo a império ou imperador **2** luxuoso; pomposo ▪ *n.f.* copo grande de cerveja

> No centro e sul de Portugal, uma **imperial** designa um copo de 33 cl, alto e mais estreito em baixo do que em cima, com cerveja tirada à pressão. No norte, diz-se normalmente **fino** e no Brasil, chama-se **chope** à cerveja servida à pressão.

imperialismo (im.pe.ri:a.lis.mo) [ĩpərjɐ'liʒmu] *n.m.* **1** governo ou autoridade imperial **2** forma de política exercida por um Estado com o objetivo de se expandir, através de aquisição territorial ou do domínio económico, político e social sobre outros Estados

imperialista (im.pe.ri:a.lis.ta) [ĩpərjɐ'liʃtɐ] *adj.2g.* **1** relativo a imperialismo **2** partidário do imperialismo ▪ *n.2g.* pessoa partidária do imperialismo

império (im.pé.ri:o) [ĩ'pɛrju] *n.m.* **1** forma de governo em que um país é governado por um imperador ou uma imperatriz **2** conjunto de países ou territórios que são governados por um imperador ou uma imperatriz

imperioso (im.pe.ri:o.so) [ĩpə'rjozu] *adj.* **1** imprescindível **2** autoritário

impermeabilidade (im.per.me:a.bi.li.da.de) [ĩpərmjɐbili'dad(ə)] *n.f.* qualidade do que não deixa entrar água

impermeabilização (im.per.me:a.bi.li.za.ção) [ĩpərmjɐbilizɐ'sɐ̃w̃] *n.f.* operação pela qual se torna impermeável um tecido, um papel, ou outro revestimento

impermeável (im.per.me:á.vel) [ĩpər'mjavɛɫ] *adj.2g.* que não se deixa atravessar por líquidos ■ *n.m.* casaco de material resistente, usado para proteger da chuva

impertinência (im.per.ti.nên.ci:a) [ĩpərti'nẽsjɐ] *n.f.* **1** atrevimento **2** mau humor

impertinente (im.per.ti.nen.te) [ĩpərti'nẽt(ə)] *adj.2g.* **1** atrevido; insolente **2** que tem mau humor; rabugento

imperturbável (im.per.tur.bá.vel) [ĩpərtur'bavɛɫ] *adj.2g.* que não se perturba; inalterável

impessoal (im.pes.so:al) [ĩpə'swaɫ] *adj.2g.* que não se refere a uma pessoa em particular

ímpeto (ím.pe.to) ['ĩpətu] *n.m.* movimento repentino; impulso

impetuoso (im.pe.tu:o.so) [ĩpə'twozu] *adj.* **1** que se move com rapidez e força; violento **2** que age sem pensar; impulsivo

impiedoso (im.pi:e.do.so) [ĩpjɛ'dozu] *adj.* que não tem piedade; cruel

impingir (im.pin.gir) [ĩpĩ'ʒir] *v.* forçar alguém a aceitar algo

ímpio (ím.pi:o) ['ĩpju] *adj.,n.m.* que(m) não tem fé ■ *adj.* sem piedade

implacável (im.pla.cá.vel) [ĩplɐ'kavɛɫ] *adj.2g.* que não perdoa; inflexível

implantação (im.plan.ta.ção) [ĩplẽtɐ'sɐ̃w̃] *n.f.* introdução de um sistema, governo, etc.: *A implantação da República Portuguesa foi em 1910.*

implantar(-se) (im.plan.tar(-se)) [ĩplẽ'tar(sə)] *v.* **1** ⟨+em⟩ estabelecer(-se) com carácter definitivo **SIN.** fixar(-se) **2** inserir(-se) **3** fazer (implantação cirúrgica)

implante (im.plan.te) [ĩ'plẽt(ə)] *n.m.* qualquer material natural (como um tecido ou um órgão) ou artificial (como um tubo ou uma válvula) introduzido no organismo

implementar (im.ple.men.tar) [ĩplәmẽ'tar] *v.* pôr em prática; executar; realizar

implicação (im.pli.ca.ção) [ĩplikɐ'sɐ̃w̃] *n.f.* **1** estado de quem está implicado ou envolvido **2** aquilo que não é dito claramente mas que é sugerido **3** sentimento de antipatia

implicância (im.pli.cân.ci:a) [ĩpli'kɐ̃sjɐ] *n.f.* sentimento de aversão ou antipatia; má vontade

implicar (im.pli.car) [ĩpli'kar] *v.* **1** ter como resultado; originar: *Isso implica grandes despesas.* **2** dar a entender; pressupor: *O que eu disse não implica que não goste dele.* **3** envolver: *Implicaram-no no assassinato.* **4** ⟨+com⟩ demonstrar antipatia em relação a alguém: *Ele está sempre a implicar comigo.*

implícito (im.plí.ci.to) [ĩ'plisitu] *adj.* que não é dito claramente **SIN.** subentendido

implodir (im.plo.dir) [ĩplu'dir] *v.* causar ou sofrer efeito de implosão

implorar (im.plo.rar) [ĩplu'rar] *v.* pedir muito; suplicar

implosão (im.plo.são) [ĩplu'zɐ̃w̃] *n.f.* detonação de explosivos orientada de modo a concentrar os detritos numa área limitada (por exemplo em demolições)

imponência (im.po.nên.ci:a) [ĩpu'nẽsjɐ] *n.f.* qualidade do que é grande ou luxuoso; majestade

imponente (im.po.nen.te) [ĩpu'nẽt(ə)] *adj.2g.* grandioso; majestoso

impopular (im.po.pu.lar) [ĩpupu'lar] *adj.2g.* que não agrada à maioria das pessoas **ANT.** popular

impor (im.por) [ĩ'por] *v.* **1** tornar obrigatório ou necessário **2** pôr em vigor; criar **3** pôr em cima; sobrepor

importação (im.por.ta.ção) [ĩpurtɐ'sɐ̃w̃] *n.f.* compra de produtos originários de um país estrangeiro **ANT.** exportação

importador (im.por.ta.dor) [ĩpurtɐ'dor] *n.m.* pessoa ou empresa que compra produtos de um país para outro

importância (im.por.tân.ci:a) [ĩpur'tɐ̃sjɐ] *n.f.* **1** qualidade do que é importante, do que tem valor ou interesse **2** atitude de respeito e consideração por uma pessoa

importante (im.por.tan.te) [ĩpur'tɐ̃t(ə)] *adj.2g.* **1** que tem valor ou interesse **2** que merece respeito e consideração **3** que é básico; essencial

importar (im.por.tar) [ĩpur'tar] *v.* **1** trazer (produtos) de um país para outro **2** ter importância; interessar

importunar (im.por.tu.nar) [ĩpurtu'nar] *v.* aborrecer; incomodar

importuno (im.por.tu.no) [ĩpur'tunu] *adj.* que incomoda; maçador

imposição (im.po.si.ção) [ĩpuzi'sɐ̃w̃] *n.f.* **1** colocação de uma coisa por cima de outra **2** ato de obrigar alguém a aceitar algo **3** ordem a que tem de se obedecer

impossibilidade (im.pos.si.bi.li.da.de) [ĩpusibili'dad(ə)] *n.f.* **1** qualidade do que é impossível **ANT.** possibilidade **2** coisa que não pode existir ou ser realizada

impossibilitar (im.pos.si.bi.li.tar) [ĩpusibili'tar] *v.* tornar impossível

impossível (im.pos.sí.vel) [ĩpu'sivɛɫ] *adj.2g.* **1** que não pode existir ou ser feito **ANT.** possível **2** que é muito difícil

mposto (im.pos.to) [ĩ'poʃtu] *n.m.* contribuição em dinheiro que as pessoas pagam ao Estado; taxa

mpostor (im.pos.tor) [ĩpuʃ'tor] *adj.,n.m.* mentiroso; hipócrita

mpostura (im.pos.tu.ra) [ĩpuʃ'turɐ] *n.f.* **1** mentira; fraude **2** falsidade; hipocrisia

mpotência (im.po.tên.ci:a) [ĩpu'tẽsjɐ] *n.f.* **1** impossibilidade de ação por falta de forças ou meios **2** incapacidade para realizar o ato sexual

mpotente (im.po.ten.te) [ĩpu'tẽt(ə)] *adj.2g.* **1** que não tem poder ou força **2** fraco; débil

mpraticável (im.pra.ti.cá.vel) [ĩprɐti'kavɛɫ] *adj.2g.* **1** que não se pode pôr em prática **2** intransitável

mprecisão (im.pre.ci.são) [ĩprəsi'zɐ̃w̃] *n.f.* falta de precisão ou de rigor **ANT.** precisão

mpreciso (im.pre.ci.so) [ĩprə'sizu] *adj.* que não é claro ou rigoroso; vago **ANT.** preciso

mpregnar(-se) (im.preg.nar(-se)) [ĩprə'gnar(sə)] *v.* ⟨**+de**⟩ embeber(-se); encharcar(-se): *Impregnei o lenço de álcool.*

mprensa (im.pren.sa) [ĩ'prẽsɐ] *n.f.* **1** máquina que serve para imprimir; prensa **2** conjunto dos jornais, das revistas e publicações impressas **3** conjunto dos jornalistas e repórteres

mprescindível (im.pres.cin.dí.vel) [ĩprəʃsĩ'divɛɫ] *adj.2g.* que é absolutamente necessário

mpressão (im.pres.são) [ĩprə'sɐ̃w̃] *n.f.* **1** ato ou efeito de imprimir **2** aquilo que se imprimiu **3** influência sobre os órgãos dos sentidos ♦ **impressão digital** marca deixada pela pressão do dedo sobre uma superfície, usada como elemento de identificação

mpressionante (im.pres.si:o.nan.te) [ĩprəsju'nɐ̃t(ə)] *adj.2g.* que impressiona; admirável; comovente

mpressionar (im.pres.si:o.nar) [ĩprəsju'nar] *v.* **1** causar impressão em: *Só disse isso para te impressionar.* **2** comover; emocionar: *O filme impressionou-me muito.* ▪ **impressionar-se** ⟨**+com**⟩ comover-se; perturbar-se

mpressionável (im.pres.si:o.ná.vel) [ĩprəsju'navɛɫ] *adj.2g.* que se impressiona facilmente; suscetível

mpressionismo (im.pres.si:o.nis.mo) [ĩprəsju'niʒmu] *n.m.* movimento artístico do fim do século XIX que se preocupou sobretudo com a cor e com a luz na pintura

mpressionista (im.pres.si:o.nis.ta) [ĩprəsju'niʃtɐ] *adj.2g.* relativo ao impressionismo; próprio do impressionismo

impresso (im.pres.so) [ĩ'prɛsu] *n.m.* papel com espaços em branco para as pessoas preencherem com indicações pessoais; formulário

impressora (im.pres.so.ra) [ĩprə'sorɐ] *n.f.* dispositivo que imprime texto ou elementos gráficos em papel

impreterível (im.pre.te.rí.vel) [ĩprətə'rivɛɫ] *adj.2g.* que não se pode adiar

imprevidente (im.pre.vi.den.te) [ĩprəvi'dẽt(ə)] *adj.2g.* descuidado; imprudente

imprevisível (im.pre.vi.sí.vel) [ĩprəvi'zivɛɫ] *adj.2g.* que não se pode prever; que acontece por acaso **SIN.** casual; eventual

imprevisto (im.pre.vis.to) [ĩprə'viʃtu] *adj.* que não foi previsto; inesperado ▪ *n.m.* acontecimento inesperado

imprimir (im.pri.mir) [ĩpri'mir] *v.* **1** reproduzir em papel um texto ou uma imagem através de equipamento próprio **2** tornar público; publicar

imprimível (im.pri.mí.vel) [ĩpri'mivɛɫ] *adj.2g.* **1** que se pode imprimir **2** próprio para ser impresso ou publicado

improbabilidade (im.pro.ba.bi.li.da.de) [ĩprubɐbili'dad(ə)] *n.f.* falta de probabilidade; incerteza

improdutivo (im.pro.du.ti.vo) [ĩprudu'tivu] *n.m.* que não produz; estéril **ANT.** produtivo

impropério (im.pro.pé.ri:o) [ĩpru'pɛrju] *n.m.* ofensa; injúria

impróprio (im.pró.pri:o) [ĩ'prɔprju] *adj.* **1** que não é próprio; inadequado **2** que fica mal; inconveniente

improvável (im.pro.vá.vel) [ĩpru'vavɛɫ] *adj.2g.* **1** que tem poucas hipóteses de acontecer **2** que não se pode provar

improvisação (im.pro.vi.sa.ção) [ĩpruvizɐ'sɐ̃w̃] *n.f.* ato ou efeito de improvisar

improvisar (im.pro.vi.sar) [ĩpruvi'zar] *v.* **1** fazer de repente, sem preparação **2** arranjar à pressa

improviso (im.pro.vi.so) [ĩpru'vizu] *n.m.* coisa feita sem preparação ou sem ensaio ♦ **de improviso** à pressa; sem preparação

imprudência (im.pru.dên.ci:a) [ĩpru'dẽsjɐ] *n.f.* **1** falta de prudência **2** atitude ou comentário que revela falta de reflexão ou de cuidado

imprudente (im.pru.den.te) [ĩpru'dẽt(ə)] *adj.2g.* que revela falta de prudência **SIN.** descuidado

impugnação (im.pug.na.ção) [ĩpugnɐ'sɐ̃w̃] *n.f.* **1** ato de fazer oposição a **2** contestação

impugnar (im.pug.nar) [ĩpu'gnar] *v.* **1** fazer oposição a **2** contestar

impulsionador (im.pul.si:o.na.dor) [ĩpuɫsjunɐ'dor] *n.m.* que ou aquele que impulsiona

impulsionar (im.pul.si:o.nar) [ĩpułsju'nar] *v.* **1** dar impulso ou movimento a; empurrar **2** dar força ou energia a; incentivar

impulsivo (im.pul.si.vo) [ĩpuł'sivu] *adj.* que atua sem pensar **SIN.** arrebatado

impulso (im.pul.so) [ĩ'pułsu] *n.m.* **1** movimento produzido quando se empurra algo com força **2** movimento que não depende da vontade; ímpeto **3** *fig.* estímulo

impune (im.pu.ne) [ĩ'pun(ə)] *adj.2g.* que não recebeu castigo

impureza (im.pu.re.za) [ĩpu'rezɐ] *n.f.* substância que polui ou contamina

impuro (im.pu.ro) [ĩ'puru] *adj.* que está poluído; contaminado

imputar (im.pu.tar) [ĩpu'tar] *v.* atribuir (a alguém) a responsabilidade de um ato

imundície (i.mun.dí.ci:e) [imũ'disji] *n.f.* **1** falta de limpeza; porcaria **2** monte de lixo; sujeira

imundo (i.mun.do) [i'mũdu] *adj.* muito sujo **SIN.** porco

imune (i.mu.ne) [i'mun(ə)] *adj.2g.* **1** que está livre de (uma obrigação, um dever) **2** que não é afetado por (uma doença, uma coisa negativa)

imunidade (i.mu.ni.da.de) [imuni'dad(ə)] *n.f.* **1** direito que permite a uma pessoa ficar livre de uma obrigação, um dever, etc. **2** conjunto dos mecanismos que o corpo tem para combater certas doenças

imunitário (i.mu.ni.tá.ri:o) [imuni'tarju] *adj.* relativo à capacidade de combater certas doenças

imunodeficiência (i.mu.no.de.fi.ci:ên.ci:a) [imunɔdəfi'sjẽsjɐ] *n.f.* incapacidade de resistir a infeções por deficiência do sistema imunitário

imutável (i.mu.tá.vel) [imu'tavɛł] *adj.2g.* que não muda **SIN.** inalterável

in ['in] *adv. coloq.* na moda; **estar in** estar na moda

inabalável (i.na.ba.lá.vel) [inɐbɐ'lavɛł] *adj.2g.* **1** que não se pode abalar; firme **2** inflexível

inabitado (i.na.bi.ta.do) [inɐbi'tadu] *adj.* sem habitantes **SIN.** desabitado; despovoado

inabitável (i.na.bi.tá.vel) [inɐbi'tavɛł] *adj.2g.* sem condições para ser habitado

inacabado (i.na.ca.ba.do) [inɐkɐ'badu] *adj.* não acabado **SIN.** incompleto

inaceitável (i.na.cei.tá.vel) [inɐsɐj'tavɛł] *adj.2g.* que não se pode aceitar ou admitir **SIN.** inadmissível

inacessível (i.na.ces.sí.vel) [inɐsə'sivɛł] *adj.2g.* **1** onde é impossível andar ou entrar **2** que não se consegue compreender; incompreensível **3** que não se deixa influenciar; insensível

inacreditável (i.na.cre.di.tá.vel) [inɐkrədi'tavɛł] *adj.2g.* em que é difícil acreditar **SIN.** incrível

inactividade (i.nac.ti.vi.da.de) [inativi'dad(ə)] *a nova grafia é* **inatividade**[AO]

inactivo (i.nac.ti.vo) [ina'tivu] *a nova grafia é* **inativo**[AO]

inadequado (i.na.de.qua.do) [inɐdə'kwadu] *adj.* que não é próprio ou adequado **SIN.** impróprio; inconveniente

inadiável (i.na.di:á.vel) [inɐ'djavɛł] *adj.2g.* que não se pode adiar

inadmissível (i.nad.mis.sí.vel) [inɐdmi'sivɛł] *adj.2g.* que se não pode admitir ou aceitar **SIN.** inaceitável

inadvertência (i.nad.ver.tên.ci:a) [inɐdvər'tẽsjɐ] *n.f.* falta de atenção ou de cuidado **SIN.** descuido; distração

inadvertido (i.nad.ver.ti.do) [inɐdvər'tidu] *adj.* **1** que não foi avisado **2** feito sem reflexão; descuidado

inalação (i.na.la.ção) [inɐlɐ'sɐ̃w̃] *n.f.* ato de absorver (gás, perfume, pó) por inalação

inalador (i.na.la.dor) [inɐlɐ'dor] *n.m.* instrumento próprio para administrar medicamentos através das vias respiratórias por pulverização

inalar (i.na.lar) [inɐ'lar] *v.* absorver (gás, perfume, pó) pelas vias respiratórias; inspirar

inalcançável (i.nal.can.çá.vel) [inałkɐ̃'savɛł] *adj.2g.* que não se consegue alcançar

inalienável (i.na.li:e.ná.vel) [inɐljɛ'navɛł] *adj.2g.* que não pode ser transmitido ou vendido

inalterado (i.nal.te.ra.do) [inałtə'radu] *adj.* que não se alterou

inalterável (i.nal.te.rá.vel) [inałtə'ravɛł] *adj.2g.* que não se altera; imutável

inanimado (i.na.ni.ma.do) [inɐni'madu] *adj.* **1** que não tem vida; morto **2** que não tem forças; desmaiado

inaptidão (i.nap.ti.dão) [inɐpti'dɐ̃w̃] *n.f.* falta de aptidão **SIN.** incapacidade

inapto (i.nap.to) [i'naptu] *adj.* que não é apto **SIN.** incapaz

inatividade (i.na.ti.vi.da.de)[AO] [inativi'dad(ə)] *n.f.* falta de atividade **SIN.** inércia

inativo (i.na.ti.vo)[AO] [ina'tivu] *adj.* que não tem atividade; parado

inato (i.na.to) [i'natu] *adj.* que existe na pessoa desde o nascimento **SIN.** congénito

inaudito (i.nau.di.to) [inaw'ditu] *adj.* **1** que nunca se ouviu dizer **2** extraordinário

inaudível (i.nau.dí.vel) [inaw'divɛł] *adj.2g.* que não se consegue ouvir

inauguração (i.nau.gu.ra.ção) [inawgurɐ'sɐ̃w̃] *n.f.* **1** cerimónia com que se celebra a abertura de uma loja, a estreia de uma peça de teatro, etc. **2** início de uma atividade ou de um processo; começo

inaugural (i.nau.gu.ral) [inawgu'raɫ] *adj.2g.* **1** relativo a inauguração **2** que marca o início de alguma coisa; inicial

inaugurar (i.nau.gu.rar) [inawgu'rar] *v.* ato de abrir (uma loja, um museu) ou de apresentar pela primeira vez ao público (um filme, uma peça)

incalculável (in.cal.cu.lá.vel) [ĩkaɫku'lavɛɫ] *adj.2g.* **1** que não se pode calcular ou imaginar **2** que é muito numeroso

incandescência (in.can.des.cên.ci:a) [ĩkɐ̃dəʃ'sẽsjɐ] *n.f.* estado de um corpo que se tornou luminoso por estar sujeito a uma temperatura elevada

incandescente (in.can.des.cen.te) [ĩkɐ̃dəʃ'sẽt(ə)] *adj.2g.* que está em brasa

incansável (in.can.sá.vel) [ĩkɐ̃'savɛɫ] *adj.2g.* **1** que não se cansa **2** que não descansa ou que não para; enérgico

incapacidade (in.ca.pa.ci.da.de) [ĩkɐpɐsi'dad(ə)] *n.f.* falta de capacidade ou de aptidão (física ou intelectual)

incapacitar(-se) (in.ca.pa.ci.tar(-se)) [ĩkɐpɐsi'tar(sə)] *v.* tornar(-se) incapaz

incapaz (in.ca.paz) [ĩkɐ'paʃ] *adj.2g.* que não é capaz; inapto **ANT.** capaz

incauto (in.cau.to) [ĩ'kawtu] *adj.* que não tem cautela; imprudente

incendiar (in.cen.di:ar) [ĩsẽ'djar] *v.* fazer arder ▪ **incendiar-se** pegar fogo; arder

incendiário (in.cen.di:á.ri:o) [ĩsẽ'djarju] *adj.* próprio para atear fogo ▪ *n.m.* pessoa que provoca um incêndio de propósito

incêndio (in.cên.di:o) [ĩ'sẽdju] *n.m.* grande fogo que alastra rapidamente e causa muitos danos

incenso (in.cen.so) [ĩ'sẽsu] *n.m.* substância que produz um cheiro aromático quando é queimada

> Note-se que **incenso** escreve-se primeiro com um **c** e depois com um **s**.

ncentivar (in.cen.ti.var) [ĩsẽti'var] *v.* dar força ou ânimo a **SIN.** estimular

ncentivo (in.cen.ti.vo) [ĩsẽ'tivu] *n.m.* aquilo que se faz ou se diz para dar força ou ânimo a alguém **SIN.** estímulo

ncerteza (in.cer.te.za) [ĩsər'tezɐ] *n.f.* falta de certeza **SIN.** dúvida

incerto (in.cer.to) [ĩ'sɛrtu] *adj.* **1** que não é certo ou seguro; duvidoso **2** que tem dúvidas; hesitante **3** que não se sabe com certeza; vago

incessante (in.ces.san.te) [ĩsə'sɐ̃t(ə)] *adj.2g.* que não tem interrupção **SIN.** contínuo

incesto (in.ces.to) [ĩ'seʃtu] *n.m.* união sexual ilícita entre parentes consanguíneos ou afins

inchaço (in.cha.ço) [ĩ'ʃasu] *n.m.* aumento de volume em alguma parte do corpo

inchado (in.cha.do) [ĩ'ʃadu] *adj.* que aumentou de volume **SIN.** dilatado

inchar(-se) (in.char(-se)) [ĩ'ʃar(sə)] *v.* **1** (fazer) aumentar de volume **2** *fig.* envaidecer(-se)

incidência (in.ci.dên.ci:a) [ĩsi'dẽsjɐ] *n.f.* **1** ato de incidir ou recair sobre **2** acontecimento; ocorrência **3** frequência com que algo ocorre

incidente (in.ci.den.te) [ĩsi'dẽt(ə)] *n.m.* acontecimento imprevisto

incidir (in.ci.dir) [ĩsi'dir] *v.* **1** cair (sobre); atingir **2** acontecer; ocorrer

incineração (in.ci.ne.ra.ção) [ĩsinərɐ'sɐ̃w̃] *n.f.* ato ou efeito de queimar **SIN.** queima

incineradora (in.ci.ne.ra.do.ra) [ĩsinərɐ'dorɐ] *n.f.* aparelho próprio para queimar lixos, resíduos industriais, etc.

incinerar (in.ci.ne.rar) [ĩsinə'rar] *v.* reduzir a cinzas **SIN.** queimar

incipiente (in.ci.pi:en.te) [ĩsi'pjẽt(ə)] *adj.2g.* **1** que está no início; principiante **2** pouco desenvolvido

incisão (in.ci.são) [ĩsi'zɐ̃w̃] *n.f.* corte

incisivo (in.ci.si.vo) [ĩsi'zivu] *adj.* **1** que corta **2** *fig.* que causa uma sensação forte ▪ *n.m.* dente próprio para cortar, que ocupa a parte da frente dos maxilares

incitamento (in.ci.ta.men.to) [ĩsitɐ'mẽtu] *n.m.* estímulo; incentivo

incitar (in.ci.tar) [ĩsi'tar] *v.* ⟨+a⟩ estimular; incentivar: *Incitei-o a tomar medidas.*

inclinação (in.cli.na.ção) [ĩklinɐ'sɐ̃w̃] *n.f.* **1** desvio de um objeto ou de um corpo para um dos lados **2** *fig.* interesse que uma pessoa tem por alguma coisa; tendência; vocação

inclinado (in.cli.na.do) [ĩkli'nadu] *adj.* **1** que está desviado para um dos lados **2** *fig.* que tem gosto ou interesse por

inclinar (in.cli.nar) [ĩkli'nar] *v.* desviar para um dos lados ▪ **inclinar-se 1** ficar desviado para um dos lados **2** dobrar o corpo; curvar-se

incluído (in.clu:í.do) [ĩ'klwidu] *adj.* **1** que faz parte de **2** que foi acrescentado a

incluir (in.clu:ir) [ĩ'klwir] *v.* **1** pôr dentro de; acrescentar **2** conter dentro de si; abranger

inclusão **(in.clu.são)** [ĩklu'zɐ̃w̃] *n.f.* ato ou efeito de incluir **SIN.** acrescento

inclusivamente **(in.clu.si.va.men.te)** [ĩkluzivɐ'mẽt(ə)] *adv.* até mesmo; até

inclusive **(in.clu.si.ve)** [ĩklu'zivɛ] *adv.* **1** sem retirar nada; incluindo tudo **2** até mesmo; até

A palavra **inclusive** escreve-se sem acento agudo no **e**.

inclusivo **(in.clu.si.vo)** [ĩklu'zivu] *adj.* que inclui ou abrange; abrangente **ANT.** exclusivo

incluso **(in.clu.so)** [ĩ'kluzu] *adj.* ⇒ **incluído**

incoerência **(in.co:e.rên.ci:a)** [ĩkwɛ'rẽsjɐ] *n.f.* **1** falta de ligação entre as diversas partes de um todo **2** ato ou comentário sem lógica

incoerente **(in.co:e.ren.te)** [ĩkwɛ'rẽt(ə)] *adj.2g.* **1** que não está bem ligado ou bem organizado **2** que não é lógico; absurdo

incógnita **(in.cóg.ni.ta)** [ĩ'kɔgnitɐ] *n.f.* **1** em matemática, valor desconhecido que é preciso determinar na resolução de um problema (normalmente é indicada pela letra *x*) **2** *fig.* aquilo que não se sabe **SIN.** mistério

incógnito **(in.cóg.ni.to)** [ĩ'kɔgnitu] *adj.* **1** que não se conhece; desconhecido **2** que esconde a sua verdadeira identidade ■ *adv.* em segredo; às escondidas

incolor **(in.co.lor)** [ĩku'lor] *adj.2g.* que não tem cor

incólume **(in.có.lu.me)** [ĩ'kɔlum(ə)] *adj.2g.* livre de dano ou de perigo; são e salvo

incomensurável **(in.co.men.su.rá.vel)** [ĩkumẽsu'ravɛɫ] *adj.2g.* que não se pode medir **SIN.** imenso; infinito

incomodado **(in.co.mo.da.do)** [ĩkumu'dadu] *adj.* **1** que está de mau humor; aborrecido **2** que se sente mal; enjoado

incomodar **(in.co.mo.dar)** [ĩkumu'dar] *v.* aborrecer; perturbar ■ **incomodar-se** ficar aborrecido ou perturbado

incomodativo **(in.co.mo.da.ti.vo)** [ĩkumudɐ'tivu] *adj.* que incomoda

incómodo **(in.có.mo.do)** [ĩ'kɔmudu] *adj.* que incomoda; desagradável; desconfortável ■ *n.m.* **1** aquilo que incomoda; aborrecimento **2** esforço que se faz para conseguir algo; trabalho

incomparável **(in.com.pa.rá.vel)** [ĩkõpɐ'ravɛɫ] *adj.2g.* que não tem comparação **SIN.** único

incompatibilidade **(in.com.pa.ti.bi.li.da.de)** [ĩkõpɐtibili'dad(ə)] *n.f.* qualidade de incompatível; falta de compatibilidade

incompatibilizar(-se) **(in.com.pa.ti.bi.li.zar(-se))** [ĩkõpɐtibili'zar(sə)] *v.* tornar(-se) incompatível

incompatível **(in.com.pa.tí.vel)** [ĩkõpɐ'tivɛɫ] *adj.2g.* que não pode existir juntamente com (outra coisa ou outra pessoa)

incompetência **(in.com.pe.tên.ci:a)** [ĩkõpə'tẽsjɐ] *n.f.* falta de conhecimentos ou de capacidade; incapacidade

incompetente **(in.com.pe.ten.te)** [ĩkõpə'tẽt(ə)] *adj.2g.* que não tem capacidade para **SIN.** incapaz

incompleto **(in.com.ple.to)** [ĩkõ'plɛtu] *adj.* que não está completo ou acabado; inacabado **ANT.** completo

incomportável **(in.com.por.tá.vel)** [ĩkõpur'tavɛɫ] *adj.2g.* que não se pode admitir ou tolerar

incompreendido **(in.com.pre:en.di.do)** [ĩkõprjẽ'didu] *adj.* **1** que não é compreendido **2** que não é aceite ou reconhecido

incompreensão **(in.com.pre:en.são)** [ĩkõprjẽ'sɐ̃w̃] *n.f.* falta de compreensão

incompreensível **(in.com.pre:en.sí.vel)** [ĩkõprjẽ'sivɛɫ] *adj.2g.* **1** que não se percebe **2** que não se pode compreender

incomunicável **(in.co.mu.ni.cá.vel)** [ĩkumuni'kavɛɫ] *adj.2g.* **1** que não se pode comunicar ou transmitir **2** de difícil acesso

inconcebível **(in.con.ce.bí.vel)** [ĩkõsə'bivɛɫ] *adj.2g.* **1** que não se pode imaginar ou perceber **2** que causa espanto ou admiração

incondicional **(in.con.di.ci:o.nal)** [ĩkõdisju'naɫ] *adj.2g.* que não depende de nada **SIN.** total

inconfidência **(in.con.fi.dên.ci:a)** [ĩkõfi'dẽsjɐ] *n.f.* **1** falta de lealdade **2** revelação de um segredo

inconformado **(in.con.for.ma.do)** [ĩkõfur'madu] *adj.* que não aceita ou que resiste a (alguma coisa)

inconfundível **(in.con.fun.dí.vel)** [ĩkõfũ'divɛɫ] *adj.2g.* que não se confunde com outra coisa ou com outra pessoa

incongruência **(in.con.gru:ên.ci:a)** [ĩkõ'grwẽsjɐ] *n.f.* falta de coerência; contradição

inconsciência **(in.cons.ci:ên.ci:a)** [ĩkõʃ'sjẽsjɐ] *n.f.* **1** estado de quem perdeu a consciência; desmaio **2** falta de responsabilidade; irresponsabilidade

inconsciente **(in.cons.ci:en.te)** [ĩkõʃ'sjẽt(ə)] *adj.2g.* **1** que perdeu a consciência; desmaiado **2** dito ou feito de maneira irresponsável ◆ **inconsciente coletivo** conjunto de imagens, ideias ou tendências ancestrais que constituem arquétipos

inconsistência **(in.con.sis.tên.ci:a)** [ĩkõsiʃ'tẽsjɐ] *n.f.* **1** falta de consistência **2** falta de firmeza nas ideias, nas opiniões

inconsistente **(in.con.sis.ten.te)** [ĩkõsiʃ'tẽt(ə)] *adj.2g.* **1** que não tem consistência **2** que revela falta de lógica **3** inconstante

inconsolável (in.con.so.lá.vel) [ĩkõsu'lavɛɫ] *adj.2g.* que está muito triste

inconstância (in.cons.tân.ci:a) [ĩkõʃ'tẽsjɐ] *n.f.* **1** falta de constância **2** qualidade do que está sujeito a mudança **3** tendência para mudar de ideias ou de opinião; instabilidade

inconstante (in.cons.tan.te) [ĩkõʃ'tẽt(ə)] *adj.2g.* que muda frequentemente SIN. variável

inconstar (in.cons.tar) [ĩkõʃ'tar] *v.* [MOÇ.] não constar

inconstitucional (in.cons.ti.tu.ci:o.nal) [ĩkõʃtitusju'naɫ] *adj.2g.* que não respeita a constituição

inconstitucionalidade (in.cons.ti.tu.ci:o.na.li.da.de) [ĩkõʃtitusjunɐli'dad(ə)] *n.f.* **1** qualidade do que é inconstitucional **2** violação ou desrespeito dos princípios ou regras fixados na constituição

incontestável (in.con.tes.tá.vel) [ĩkõtəʃ'tavɛɫ] *adj.2g.* que não pode ser contestado; indiscutível

incontinência (in.con.ti.nên.ci:a) [ĩkõti'nẽsjɐ] *n.f.* **1** falta de moderação **2** incapacidade de controlar a emissão de certas excreções como a urina e as fezes

incontinente (in.con.ti.nen.te) [ĩkõti'nẽt(ə)] *adj.,n.2g.* **1** que ou o que não tem moderação **2** que ou o que sofre de incontinência

incontrolado (in.con.tro.la.do) [ĩkõtru'ladu] *adj.* que não está controlado; descontrolado ANT. controlado

inconveniência (in.con.ve.ni:ên.ci:a) [ĩkõvə'njẽsjɐ] *n.f.* **1** falta de conveniência **2** qualidade do que é impróprio ou inoportuno **3** indelicadeza; indiscrição

inconveniente (in.con.ve.ni:en.te) [ĩkõvə'njẽt(ə)] *adj.2g.* que não é adequado; inadequado ■ *n.m.* resultado desagradável de alguma coisa; desvantagem

incorporado (in.cor.po.ra.do) [ĩkurpu'radu] *adj.* que se juntou (a outra coisa); incluído

incorporar (in.cor.po.rar) [ĩkurpu'rar] *v.* **1** juntar (uma coisa a um conjunto): *Incorporou um parágrafo ao texto.* SIN. incluir **2** dar forma material a: *incorporar um espírito* **3** admitir em grupo ou corporação: *A multinacional incorporou mais duas livrarias.* ■ **incorporar-se** **1** adquirir forma material **2** ⟨+em⟩ passar a fazer parte de

incorpóreo (in.cor.pó.re:o) [ĩkur'pɔrju] *adj.* que não é corpóreo; não material

incorreção (in.cor.re.ção)^AO [ĩkuʀɛ'sɐ̃w̃] *n.f.* **1** falta de correção; erro **2** falta de delicadeza; indelicadeza

incorrecção (in.cor.rec.ção) [ĩkuʀɛ'sɐ̃w̃] *a nova grafia é* **incorreção**^AO

incorrecto (in.cor.rec.to) [ĩku'ʀɛtu] *a nova grafia é* **incorreto**^AO

incorrer (in.cor.rer) [ĩku'ʀer] *v.* **1** ficar comprometido ou envolvido em **2** ficar sujeito (a)

incorreto (in.cor.re.to)^AO [ĩku'ʀɛtu] *adj.* **1** errado **2** indelicado

incorrigível (in.cor.ri.gí.vel) [ĩkuʀi'ʒivɛɫ] *adj.2g.* **1** que não se pode corrigir ou consertar **2** que insiste num erro ou num defeito

incrédulo (in.cré.du.lo) [ĩ'krɛdulu] *adj.* que não acredita em alguma coisa

incrementar (in.cre.men.tar) [ĩkrəmẽ'tar] *v.* tornar maior; aumentar

incremento (in.cre.men.to) [ĩkrə'mẽtu] *n.m.* aumento

incriminar (in.cri.mi.nar) [ĩkrimi'nar] *v.* atribuir responsabilidade de falta ou crime a SIN. acusar ■ **incriminar-se** deixar transparecer uma culpa

incrível (in.crí.vel) [ĩ'krivɛɫ] *adj.2g.* em que é difícil acreditar SIN. inacreditável

incrustar (in.crus.tar) [ĩkruʃ'tar] *v.* **1** introduzir numa peça (pedaços de outra) como ornamento **2** inserir; embutir

incubação (in.cu.ba.ção) [ĩkubɐ'sɐ̃w̃] *n.f.* **1** processo de chocar ovos de modo natural ou artificial **2** período de tempo desde que se apanha uma doença até ao aparecimento dos primeiros sintomas

incubadora (in.cu.ba.do.ra) [ĩkubɐ'dorɐ] *n.f.* pequena câmara para abrigar recém-nascidos (sobretudo prematuros, que exigem cuidados especiais)

incubar (in.cu.bar) [ĩku'bar] *v.* **1** chocar ovos **2** ser portador de uma doença

inculcar (in.cul.car) [ĩkuɫ'kar] *v.* **1** gravar no espírito de; incutir **2** fazer penetrar; introduzir

inculto (in.cul.to) [ĩ'kuɫtu] *adj.* **1** não cultivado; baldio **2** *fig.* que não tem conhecimentos adquiridos por meio de estudo; ignorante

incumbência (in.cum.bên.ci:a) [ĩkũ'bẽsjɐ] *n.f.* dever ou tarefa a cumprir SIN. encargo; missão

incumbir (in.cum.bir) [ĩkũ'bir] *v.* ⟨+de⟩ atribuir um dever ou uma tarefa a alguém; encarregar alguém de fazer algo: *Incumbiu a secretária de organizar a festa.* ■ **incumbir-se** ⟨+de⟩ ficar encarregado de (fazer alguma coisa)

incurável (in.cu.rá.vel) [ĩku'ravɛɫ] *adj.2g.* **1** que não tem cura; crónico **2** *fig.* que não tem correção; incorrigível

incúria (in.cú.ri:a) [ĩ'kurjɐ] *n.f.* falta de cuidado ou de atenção SIN. negligência

incursão (in.cur.são) [ĩkur'sɐ̃w̃] *n.f.* **1** entrada de forças militares em território inimigo; invasão **2** passeio; viagem

incutir (**in.cu.tir**) [ĩku'tir] *v.* fazer penetrar (na mente ou no espírito); introduzir

indagar (**in.da.gar**) [ĩdɐ'gar] *v.* tentar descobrir; investigar

indecência (**in.de.cên.ci:a**) [ĩdə'sẽsjɐ] *n.f.* falta de correção, de compostura

indecente (**in.de.cen.te**) [ĩdə'sẽt(ə)] *adj.2g.* que não é próprio ou adequado **ANT.** decente

indecifrável (**in.de.ci.frá.vel**) [ĩdəsi'fravɛɫ] *adj.2g.* **1** que não se pode decifrar **2** incompreensível

indecisão (**in.de.ci.são**) [ĩdəsi'zɐ̃w̃] *n.f.* hesitação; dúvida

indeciso (**in.de.ci.so**) [ĩdə'sizu] *adj.* **1** que não toma uma decisão **SIN.** hesitante; vacilante **2** que não tem a certeza (de algo)

indecoroso (**in.de.co.ro.so**) [ĩdəku'rozu] *adj.* contrário à compostura ou à decência

indeferido (**in.de.fe.ri.do**) [ĩdəfə'ridu] *adj.* não concedido; recusado

indeferimento (**in.de.fe.ri.men.to**) [ĩdəfəri'mẽtu] *n.m.* ato de indeferir ou recusar (pedido, requerimento, etc.)

indeferir (**in.de.fe.rir**) [ĩdəfə'rir] *v.* não atender ou recusar (pedido, requerimento, etc.)

indefeso (**in.de.fe.so**) [ĩdə'fezu] *adj.* que não tem defesa ou proteção **SIN.** desprotegido

indefinido (**in.de.fi.ni.do**) [ĩdəfə'nidu] *adj.* **1** que não tem um fim marcado; indeterminado **2** que não se consegue explicar bem; vago **3** diz-se do artigo, determinante ou pronome que se refere a uma pessoa ou coisa indeterminada

indelével (**in.de.lé.vel**) [ĩdə'lɛvɛɫ] *adj.2g.* **1** que não se pode apagar **2** que não se pode destruir

indelicadeza (**in.de.li.ca.de.za**) [ĩdəlikɐ'dezɐ] *n.f.* falta de delicadeza

indelicado (**in.de.li.ca.do**) [ĩdəli'kadu] *adj.* que não é delicado ou atencioso; grosseiro

indemnização (**in.dem.ni.za.ção**) [ĩdəmnizɐ'sɐ̃w̃] *n.f.* compensação em dinheiro por um prejuízo ou uma perda

indemnizar (**in.dem.ni.zar**) [ĩdəmni'zar] *v.* dar dinheiro a alguém para compensar um prejuízo ou uma perda

independência (**in.de.pen.dên.ci:a**) [ĩdəpẽ'dẽsjɐ] *n.f.* **1** qualidade de quem é livre ou não depende de mais ninguém **SIN.** autonomia; liberdade **2** estado do país que tem um governo próprio ou que não depende de outro país

independente (**in.de.pen.den.te**) [ĩdəpẽ'dẽt(ə)] *adj.2g.* que não depende de nada nem de ninguém **SIN.** autónomo; livre

independentemente (**in.de.pen.den.te.men.te**) [ĩdəpẽdẽtə'mẽt(ə)] *adv.* de modo independente; livremente ♦ **independentemente de** sem ter em conta; apesar de

indescritível (**in.des.cri.tí.vel**) [ĩdəʃkri'tivɛɫ] *adj.2g.* **1** que não se pode descrever **2** *fig.* extraordinário

indesculpável (**in.des.cul.pá.vel**) [ĩdəʃkuɫ'pavɛɫ] *adj.2g.* que não se pode desculpar

indesejável (**in.de.se.já.vel**) [ĩdəzə'ʒavɛɫ] *adj.2g.* que não é desejado **SIN.** inconveniente

indestrutível (**in.des.tru.tí.vel**) [ĩdəʃtru'tivɛɫ] *adj.2g.* **1** que não se pode destruir; firme **2** que não muda; inabalável

indeterminado (**in.de.ter.mi.na.do**) [ĩdətərmi'nadu] *adj.* que não é exato **SIN.** indefinido; vago

indevido (**in.de.vi.do**) [ĩdə'vidu] *adj.* **1** impróprio **2** errado **3** ilícito

índex (**ín.dex**) ['ĩdɛks] *n.m.* ⟨*pl.* índices⟩ **1** lista de assuntos ou termos contidos num livro **2** dedo indicador

indexar (**in.de.xar**) [ĩdɛ'ksar] *v.* colocar num índice ou lista ordenada

indiano (**in.di:a.no**) [ĩ'djɐnu] *adj.* relativo à Índia (país da Ásia) ■ *n.m.* pessoa natural da Índia

indicação (**in.di.ca.ção**) [ĩdikɐ'sɐ̃w̃] *n.f.* **1** palavra ou gesto com que se indica alguma coisa; sinal **2** conselho; sugestão

indicado (**in.di.ca.do**) [ĩdi'kadu] *adj.* **1** apropriado **2** assinalado **3** recomendado

indicador (**in.di.ca.dor**) [ĩdikɐ'dor] *adj.* que indica algo; indicativo ■ *n.m.* dedo da mão, entre o dedo polegar e o dedo médio

indicar (**in.di.car**) [ĩdi'kar] *v.* mostrar por meio de gestos ou sinais; apontar

indicativo (**in.di.ca.ti.vo**) [ĩdikɐ'tivu] *adj.* que indica algo; indicador ■ *n.m.* **1** modo verbal que exprime a ação como uma realidade ou uma certeza **2** conjunto de algarismos que se marcam antes do número de telefone quando se liga para uma região diferente

índice (**ín.di.ce**) ['ĩdi(sə)] *n.m.* lista ordenada dos temas ou das partes de um livro ♦ **índice temático** sufixo flexional de adjetivos e nomes (os índices temáticos são *-a, -o, -e*)

indício (**in.dí.ci:o**) [ĩ'disju] *n.m.* sinal; vestígio

índico (**ín.di.co**) ['ĩdiku] *adj.* relativo ao oceano Índico ■ **Índico** *n.m.* oceano que banha o sul da Índia, a África e a Austrália

indiferença (**in.di.fe.ren.ça**) [ĩdifə'rẽsɐ] *n.f.* falta de entusiasmo ou de curiosidade **SIN.** desinteresse

indiferente (**in.di.fe.ren.te**) [ĩdifə'rẽt(ə)] *adj.2g.* que não tem interesse por algo ou por alguém **SIN.** desinteressado

indígena (**in.dí.ge.na**) [ĩ'diʒənɐ] *n.2g.* pessoa que é natural do lugar onde vive **SIN.** nativo

digestão (in.di.ges.tão) [ĩdiʒəʃ'tɐ̃w̃] *n.f.* paragem ou perturbação da digestão, que geralmente causa enjoo e vómitos

digesto (in.di.ges.to) [ĩdi'ʒɛʃtu] *adj.* que é difícil de digerir; que causa enjoo

digitar (in.di.gi.tar) [ĩdiʒi'tar] *v.* **1** indicar com o dedo **2** propor; recomendar

dignação (in.dig.na.ção) [ĩdignɐ'sɐ̃w̃] *n.f.* sentimento de revolta perante uma injustiça; fúria

dignado (in.dig.na.do) [ĩdi'gnadu] *adj.* revoltado; furioso

dignar (in.dig.nar) [ĩdi'gnar] *v.* causar indignação; revoltar ▪ **indignar-se** ficar indignado; revoltar-se

digno (in.dig.no) [ĩ'dignu] *adj.* **1** que não merece (confiança, respeito, etc.) **2** que não é adequado ou conveniente; impróprio

digo (ín.di.go) ['ĩdigu] *n.m.* substância azulada, usada como corante, que se obtém de algumas plantas **SIN.** anil

dio (ín.di:o) ['ĩdju] *adj.* relativo aos nativos do continente americano ▪ *n.m.* pessoa natural do continente americano

directa (in.di.rec.ta) [ĩdi'rɛtɐ] *a nova grafia é* **indireta**[AO]

directo (in.di.rec.to) [ĩdi'rɛtu] *a nova grafia é* **indireto**[AO]

direta (in.di.re.ta)[AO] [ĩdi'rɛtɐ] *n.f.* observação irónica e pouco clara, dita para atingir alguém

direto (in.di.re.to)[AO] [ĩdi'rɛtu] *adj.* que não é direto; que tem desvios **ANT.** direto

disciplina (in.dis.ci.pli.na) [ĩdəʃsi'plinɐ] *n.f.* falta de disciplina; desobediência **ANT.** disciplina

disciplinado (in.dis.ci.pli.na.do) [ĩdəʃsipli'nadu] *adj.* que não respeita a disciplina; desobediente **ANT.** disciplinado

discreto (in.dis.cre.to) [ĩdiʃ'krɛtu] *adj.* diz-se da pessoa que não sabe guardar segredo ou que fala demais; intrometido; bisbilhoteiro

discrição (in.dis.cri.ção) [ĩdəʃkri'sɐ̃w̃] *n.f.* **1** característica de quem conta segredos ou fala demais **2** atitude ou comentário próprio de quem conta segredos ou fala demais

discriminado (in.dis.cri.mi.na.do) [ĩdiʃkrimi'nadu] *adj.* sem discriminação; indistinto

discutível (in.dis.cu.tí.vel) [ĩdiʃku'tivɛɫ] *adj.2g.* que é muito claro **SIN.** evidente

dispensável (in.dis.pen.sá.vel) [ĩdiʃpẽ'savɛɫ] *adj.2g.* que não se pode dispensar; que é obrigatório **SIN.** imprescindível

disponível (in.dis.po.ní.vel) [ĩdiʃpu'nivɛɫ] *adj.2g.* **1** de que não se pode dispor **2** que está ocupado, impedido

indispor (in.dis.por) [ĩdiʃ'por] *v.* **1** alterar a boa disposição de **2** *fig.* aborrecer; incomodar ▪ **indispor-se** zangar-se

indisposição (in.dis.po.si.ção) [ĩdiʃpuzi'sɐ̃w̃] *n.f.* mal-estar; enjoo

indisposto (in.dis.pos.to) [ĩdiʃ'poʃtu] *adj.* maldisposto; enjoado

indissociável (in.dis.so.ci:á.vel) [ĩdisu'sjavɛɫ] *adj.2g.* que não se pode dissociar; inseparável

indissolúvel (in.dis.so.lú.vel) [ĩdisu'luvɛɫ] *adj.2g.* que não se pode dissolver

indistinto (in.dis.tin.to) [ĩdəʃ'tĩtu] *adj.* pouco claro; vago; confuso

individual (in.di.vi.du:al) [ĩdivi'dwaɫ] *adj.2g.* **1** relativo a indivíduo **2** próprio para uma pessoa

individualidade (in.di.vi.du:a.li.da.de) [ĩdividwɐli'dad(ə)] *n.f.* **1** conjunto de características próprias de uma pessoa **SIN.** personalidade **2** pessoa importante

individualismo (in.di.vi.du:a.lis.mo) [ĩdividwɐ'liʒmu] *n.m.* tendência para pensar só em si, sem se preocupar com as outras pessoas **SIN.** egoísmo

individualista (in.di.vi.du:a.lis.ta) [ĩdividwɐ'liʃtɐ] *adj.2g.* que só pensa em si mesmo **SIN.** egoísta

individualizar (in.di.vi.du:a.li.zar) [ĩdividwɐli'zar] *v.* distinguir (uma coisa de outra); particularizar ▪ **individualizar-se** distinguir-se; destacar-se

individualmente (in.di.vi.du:al.men.te) [ĩdividwaɫ'mẽt(ə)] *adv.* de modo individual; separadamente

indivíduo (in.di.ví.du:o) [ĩdi'vidwu] *n.m.* **1** ser humano; pessoa **2** ser pertencente a uma espécie animal; exemplar **3** homem de quem não se sabe o nome; sujeito

indivisível (in.di.vi.sí.vel) [ĩdivi'zivɛɫ] *adj.2g.* **1** que não se pode dividir ou separar **2** que apresenta grande unidade

indo-europeu (in.do-.eu.ro.peu) [ĩdɔewru'pew] *adj.* relativo aos Indo-Europeus (povos de origem asiática que, a partir do segundo milénio a. C., se estenderam desde a Pérsia e península da Índia até à Europa) ▪ *adj.,n.m.* (língua) que supostamente está na origem da maior parte das línguas faladas na Europa e outras de outros continentes

índole (ín.do.le) ['ĩdul(ə)] *n.f.* conjunto de características próprias de uma pessoa **SIN.** temperamento

indolência (in.do.lên.ci:a) [ĩdu'lẽsjɐ] *n.f.* preguiça

indolente (in.do.len.te) [ĩdu'lẽt(ə)] *adj.2g.* preguiçoso

indolor (in.do.lor) [ĩdu'lor] *adj.2g.* que não causa dor

indomável (in.do.má.vel) [ĩdu'mavɛɫ] *adj.2g.* **1** que não se pode domar **2** inflexível

indonésio (in.do.né.si:o) [ĩdɔ'nɛzju] *adj.* relativo à Indonésia ■ *n.m.* pessoa natural da Indonésia

indubitável (in.du.bi.tá.vel) [ĩdubi'tavɛɫ] *adj.2g.* que não admite dúvida; incontestável

indução (in.du.ção) [ĩdu'sɐ̃w̃] *n.f.* **1** forma de raciocínio que parte de aspetos particulares para chegar a uma conclusão geral **2** sugestão

indulgência (in.dul.gên.ci:a) [ĩduɫ'ʒẽsjɐ] *n.f.* **1** disposição para perdoar; benevolência **2** perdão concedido a alguém

indulgente (in.dul.gen.te) [ĩduɫ'ʒẽt(ə)] *adj.2g.* **1** que tende a perdoar **2** tolerante

indumentária (in.du.men.tá.ri:a) [ĩdumẽ'tarjɐ] *n.f.* vestuário; traje

indústria (in.dús.tri:a) [ĩ'duʃtrjɐ] *n.f.* **1** atividade de transformação de matérias-primas em produtos de consumo **2** conjunto das empresas que se dedicam a essa atividade

industrial (in.dus.tri:al) [ĩduʃ'trjaɫ] *adj.2g.* **1** relativo a indústria **2** produzido pela indústria

industrialização (in.dus.tri:a.li.za.ção) [ĩduʃtrjɐlizɐ'sɐ̃w̃] *n.f.* **1** aplicação das técnicas industriais **2** desenvolvimento da indústria

industrializar (in.dus.tri:a.li.zar) [ĩduʃtrjɐli'zar] *v.* **1** criar indústrias ou fábricas em determinada zona **2** fabricar segundo processos industriais

indutivo (in.du.ti.vo) [ĩdu'tivu] *adj.* relativo a indução

induzir (in.du.zir) [ĩdu'zir] *v.* **1** causar; provocar **2** aconselhar alguém a fazer algo

INE [i'nɛ] *sigla de* Instituto Nacional de Estatística

inebriar (i.ne.bri.ar) [inəbri'ar] *v.* **1** embriagar **2** *fig.* extasiar

inédito (i.né.di.to) [i'nɛditu] *adj.* **1** diz-se da obra que não foi publicada **SIN.** original **2** diz-se daquilo que nunca foi visto

inefável (i.ne.fá.vel) [inə'favɛɫ] *adj.2g.* **1** que não se pode descrever; indescritível **2** *fig.* encantador

ineficácia (i.ne.fi.cá.ci:a) [inəfi'kasjɐ] *n.f.* **1** falta de eficácia **2** inutilidade

ineficaz (i.ne.fi.caz) [inəfi'kaʃ] *adj.2g.* **1** que não produz efeito **2** inútil

inegável (i.ne.gá.vel) [inə'gavɛɫ] *adj.2g.* que não se pode negar; incontestável

inequívoco (i.ne.quí.vo.co) [inə'kivuku] *adj.* que não é equívoco ou ambíguo

inércia (i.nér.ci:a) [i'nɛrsjɐ] *n.f.* ⇒ **inatividade**

inerente (i.ne.ren.te) [inə'rẽt(ə)] *adj.2g.* que constitui uma característica essencial de algo ou alguém

inerte (i.ner.te) [i'nɛrt(ə)] *adj.2g.* sem atividade ou movimento **SIN.** imóvel

inesgotável (i.nes.go.tá.vel) [inəʒgu'tavɛɫ] *adj.2*
que não termina; ilimitado

inesperado (i.nes.pe.ra.do) [inəʃpə'radu] *adj.* qu
causa surpresa **SIN.** imprevisto; repentino

inesquecível (i.nes.que.cí.vel) [inəʃkɛ'sive
adj.2g. que não se esquece **SIN.** memorável

inestimável (i.nes.ti.má.vel) [inəʃti'mavɛɫ] *adj.2*
1 incalculável **2** de enorme valor

inevitável (i.ne.vi.tá.vel) [inəvi'tavɛɫ] *adj.2g.* qu
não se pode evitar; fatal

inexequível (i.ne.xe.quí.vel) [inizə'kwivɛɫ] *adj.2*
impossível de executar

inexistência (i.ne.xis.tên.ci:a) [iniziʃ'tẽsjɐ] *n.f.* a
sência; falta

inexistente (i.ne.xis.ten.te) [iniziʃ'tẽt(ə)] *adj.2*
1 que não existe **ANT.** existente **2** que falta

inexorável (i.ne.xo.rá.vel) [inəzu'ravɛɫ] *adj.2*
1 inflexível; implacável **2** muito rigoroso

inexperiência (i.nex.pe.ri:ên.ci:a) [inɐjʃpə'rjẽsj
n.f. falta de experiência ou prática

inexperiente (i.nex.pe.ri:en.te) [inɐjʃpə'rjẽt(ə
adj.2g. que não tem experiência ou prática

inexplicável (i.nex.pli.cá.vel) [inɐjʃpli'kavɛɫ] *adj.2*
que não se pode explicar; que não se compreend

inexplorado (i.nex.plo.ra.do) [inɐjʃplu'radu] *a*
que não foi explorado; desconhecido

infalível (in.fa.lí.vel) [ĩfɐ'livɛɫ] *adj.2g.* que não f
lha; que nunca se engana

infame (in.fa.me) [ĩ'fɐm(ə)] *adj.2g.* desprezível

infâmia (in.fâ.mi:a) [ĩ'fɐmjɐ] *n.f.* atitude verg
nhosa ou desprezível

infância (in.fân.ci:a) [ĩ'fɐ̃sjɐ] *n.f.* primeiro perío
da vida humana, que vai do nascimento até
adolescência **SIN.** meninice

infantaria (in.fan.ta.ri.a) [ĩfɐ̃tɐ'riɐ] *n.f.* conjunt
de tropas que combatem a pé

infantário (in.fan.tá.ri:o) [ĩfɐ̃'tarju] *n.m.* estabele
cimento onde ficam crianças pequenas duran
o dia **SIN.** creche

infante (in.fan.te) [ĩ'fɐ̃t(ə)] *n.m.* ⟨*f.* infanta⟩ **1** filh
de um rei **2** criança

infanticídio (in.fan.ti.cí.di:o) [ĩfɐ̃ti'sidju] *n.m.* as
sassínio de uma criança, especialmente de u
recém-nascido

infantil (in.fan.til) [ĩfɐ̃'tiɫ] *adj.2g.* **1** próprio d
criança **2** diz-se do adulto que se comporta com
uma criança

infantilidade (in.fan.ti.li.da.de) [ĩfɐ̃təli'dad(ə)] *n*
1 qualidade de infantil **2** comportamento própri
de criança; criancice

infantojuvenil (in.fan.to.ju.ve.nil)[AO] [ĩfɐ̃tɔʒuv
'niɫ] *adj.2g.* **1** relativo à infância e à juventud
2 destinado a crianças e jovens

infanto-juvenil **(in.fan.to-.ju.ve.nil)** [ĩfɐ̃tɔʒuvə'niɫ] *a nova grafia é* **infantojuvenil**[AO]

infeção **(in.fe.ção)**[AO] [ĩfɛ'sɐ̃w̃] *n.f.* ação originada por micróbios introduzidos num organismo; contaminação

infecção **(in.fec.ção)** [ĩfɛ'sɐ̃w̃] *a nova grafia é* **infeção**[AO]

infeccionar **(in.fec.ci:o.nar)**[AO] [ĩfɛ(k)sju'nar] *a grafia preferível é* **infecionar**[AO]

infeccioso **(in.fec.ci:o.so)**[AO] [ĩfɛ(k)'sjozu] *a grafia preferível é* **infecioso**[AO]

infecionar **(in.fe.ci:o.nar)**[AO] [ĩfɛsju'nar] ou **infeccionar**[AO] *v.* **1** originar uma infeção em; contaminar; contagiar **2** ganhar infeção; ficar infecionado

infecioso **(in.fe.ci:o.so)**[AO] [ĩfɛ'sjozu] ou **infeccioso**[AO] *adj.* **1** que resulta de infeção **2** que produz infeção

infectado **(in.fec.ta.do)** [ĩfɛ'tadu] *a nova grafia é* **infetado**[AO]

infectar **(in.fec.tar)** [ĩfɛ'tar] *a nova grafia é* **infetar**[AO]

infectocontagioso **(in.fec.to.con.ta.gi:o.so)**[AO] [ĩfɛtɔ(k)õtɐ'ʒjozu] ou **infetocontagioso**[AO] *adj.* que causa infeção e se transmite por contágio

infecto-contagioso **(in.fec.to-.con.ta.gi:o.so)** [ĩfɛtɔ(k)õtɐ'ʒjozu] *a nova grafia é* **infectocontagioso**[AO]

nfelicidade **(in.fe.li.ci.da.de)** [ĩfəlisi'dad(ə)] *n.f.* **1** estado de quem está infeliz **ANT.** felicidade **2** desgraça **3** [MOÇ.] morte

nfeliz **(in.fe.liz)** [ĩfə'liʃ] *adj.2g.* **1** que sente muita tristeza **ANT.** feliz **2** que não tem sorte; desgraçado **3** não apropriado; inconveniente

nfelizmente **(in.fe.liz.men.te)** [ĩfəliʒ'mẽt(ə)] *adv.* por azar

nferior **(in.fe.ri:or)** [ĩfə'rjor] *adj.2g.* **1** situado abaixo de **ANT.** superior **2** que vale menos **3** que é mais fraco ou menor

nferioridade **(in.fe.ri:o.ri.da.de)** [ĩfərjuri'dad(ə)] *n.f.* qualidade do que é inferior

nferiorizar **(in.fe.ri:o.ri.zar)** [ĩfərjuri'zar] *v.* tornar (algo, alguém) inferior, diminuindo-lhe a importância, o valor, etc. ■ **inferiorizar-se** rebaixar--se

nferir **(in.fe.rir)** [ĩfə'rir] *v.* chegar a uma conclusão; concluir

nfernal **(in.fer.nal)** [ĩfər'naɫ] *adj.2g.* **1** relativo ao inferno **2** que é muito mau; diabólico; terrível

nfernizar **(in.fer.ni.zar)** [ĩfərni'zar] *v.* **1** atormentar **2** tornar insuportável

nferno **(in.fer.no)** [ĩ'fɛrnu] *n.m.* situação que causa muito sofrimento **SIN.** tortura ■ **Inferno** para os cristãos, lugar para onde vão as almas dos pecadores quando morrem

infértil **(in.fér.til)** [ĩfɛr'tiɫ] *adj.2g.* que não dá frutos; estéril

infertilidade **(in.fer.ti.li.da.de)** [ĩfərtili'dad(ə)] *n.f.* qualidade de infértil

infestar **(in.fes.tar)** [ĩfəʃ'tar] *v.* **1** invadir, causando danos **2** contaminar (organismo), causando doenças

infetado **(in.fe.ta.do)**[AO] [ĩfɛ'tadu] *adj.* que sofreu infeção

infetar **(in.fe.tar)**[AO] [ĩfɛ'tar] *v.* provocar infeção em; contaminar; contagiar ■ **infetar-se** contaminar-se com uma doença

infidelidade **(in.fi.de.li.da.de)** [ĩfidəli'dad(ə)] *n.f.* **1** qualidade de infiel **2** violação da confiança ou dos compromissos assumidos com alguém; deslealdade

infiel **(in.fi:el)** [ĩ'fjɛɫ] *adj.2g.* que engana ou atraiçoa **SIN.** desleal; traidor

infiltração **(in.fil.tra.ção)** [ĩfiɫtrɐ'sɐ̃w̃] *n.f.* penetração de um líquido através das fendas de uma estrutura sólida (parede, teto, etc.)

infiltrar-se **(in.fil.trar-.se)** [ĩfiɫ'trars(ə)] *v.* **1** penetrar (um líquido) através das fendas de um corpo sólido **2** introduzir-se discretamente (uma pessoa) num grupo ou num lugar

ínfimo **(ín.fi.mo)** ['ĩfimu] *adj.* que é muito pequeno; que tem pouca importância ou pouco valor **SIN.** mínimo

infindável **(in.fin.dá.vel)** [ĩfĩ'davɛɫ] *adj.2g.* que não tem fim **SIN.** interminável

infinitivo **(in.fi.ni.ti.vo)** [ĩfini'tivu] *n.m.* modo verbal que exprime uma ação de maneira indeterminada e que representa o verbo: *comer; falar; rir*

infinito **(in.fi.ni.to)** [ĩfi'nitu] *adj.* **1** que não tem limite nem fim; ilimitado **2** que tem um tamanho ou um valor imenso; incalculável

infixo **(in.fi.xo)** [ĩ'fiksu] *n.m.* **1** elemento que se intercala entre a palavra primitiva e o sufixo numa palavra derivada **2** (TLEBS) afixo que se localiza no interior de uma forma de base e que não existe em português

inflação **(in.fla.ção)** [ĩfla'sɐ̃w̃] *n.f.* subida geral dos preços dos bens de consumo (comida, água, luz, transportes, etc.)

inflacionar **(in.fla.ci:o.nar)** [ĩflasju'nar] *v.* **1** causar desvalorização de moeda por meio de emissão excessiva **2** colocar no mercado mais do que ele pode absorver

inflamação **(in.fla.ma.ção)** [ĩflɐmɐ'sɐ̃w̃] *n.f.* inchaço, calor e vermelhidão numa parte do corpo

inflamado **(in.fla.ma.do)** [ĩflɐ'madu] *adj.* que tem inflamação

inflamar(-se) (in.fla.mar(-se)) [ĩflɐ'mar(sə)] *v.* **1** converter(-se) em chamas **2** provocar ou sofrer inflamação **3** *fig.* exaltar(-se)

inflamatório (in.fla.ma.tó.ri:o) [ĩflɐmɐ'tɔrju] *adj.* relativo a inflamação

inflamável (in.fla.má.vel) [ĩflɐ'mavɛɫ] *adj.2g.* que arde facilmente

inflexibilidade (in.fle.xi.bi.li.da.de) [ĩflɛksibi li'dad(ə)] *n.f.* qualidade de inflexível; rigidez **SIN.** rigor; severidade

inflexível (in.fle.xí.vel) [ĩflɛ'ksivɛɫ] *adj.2g.* **1** que não se pode dobrar; rígido **2** diz-se da pessoa muito severa; rigoroso

infligir (in.fli.gir) [ĩfli'ʒir] *v.* aplicar (castigo, pena, etc.)

inflorescência (in.flo.res.cên.ci:a) [ĩflurəʃ'sẽsjɐ] *n.f.* conjunto de flores de uma planta

influência (in.flu:ên.ci:a) [ĩ'flwẽsjɐ] *n.f.* **1** efeito que uma pessoa ou uma coisa tem sobre algo ou sobre alguém **2** poder ou autoridade que uma pessoa tem

influenciar (in.flu:en.ci:ar) [ĩflwẽ'sjar] *v.* ter efeito sobre; alterar

influenciável (in.flu:en.ci:á.vel) [ĩflwẽ'sjavɛɫ] *adj.2g.* suscetível de sofrer influência

influente (in.flu:en.te) [ĩ'flwẽt(ə)] *adj.2g.* importante

influenza [ĩflu'ẽzɐ] *n.f.* ⇒ **gripe**

influir (in.flu:ir) [ĩ'flwir] *v.* **1** exercer influência **2** ter importância

infoexcluído (in.fo.ex.clu:í.do)[AO] [ĩfɔɐjʃ'klwidu] *adj.,n.m.* que ou pessoa que desconhece e/ou não tem acesso às tecnologias da informação

info-excluído (in.fo-.ex.clu:í.do) [ĩfɔɐjʃ'klwidu] *a nova grafia é* **infoexcluído**[AO]

informação (in.for.ma.ção) [ĩfurmɐ'sɐ̃w̃] *n.f.* **1** comunicação ou receção de notícias **2** conjunto de conhecimentos sobre determinado assunto

informador (in.for.ma.dor) [ĩfurmɐ'dor] *adj.,n.m.* que ou o que informa

informal (in.for.mal) [ĩfur'maɫ] *adj.2g.* **1** que não tem cerimónia; descontraído **2** diz-se da linguagem espontânea e descontraída usada entre colegas e amigos; coloquial **3** diz-se da roupa que uma pessoa usa quando está à vontade, sem formalidade

informar (in.for.mar) [ĩfur'mar] *v.* **1** dar informações a **2** instruir; ensinar ▪ **informar-se** procurar ou recolher informações; investigar

informática (in.for.má.ti.ca) [ĩfur'matikɐ] *n.f.* ciência que estuda os computadores e o tratamento da informação através da utilização de computadores

informático (in.for.má.ti.co) [ĩfur'matiku] *adj.* relativo a informática ou a computadores ▪ *n.m.* especialista em computadores

informativo (in.for.ma.ti.vo) [ĩfurmɐ'tivu] *adj.* que serve para informar

informatizado (in.for.ma.ti.za.do) [ĩfurmɐti 'zadu] *adj.* que utiliza computadores ou sistemas informáticos

informatizar (in.for.ma.ti.zar) [ĩfurmɐti'zar] *v.* utilizar os sistemas e recursos informáticos para estruturar a informação

informe (in.for.me) [ĩ'fɔrm(ə)] *adj.2g.* que não tem forma bem definida; vago; incerto

infortúnio (in.for.tú.ni:o) [ĩfur'tunju] *n.m.* infelicidade; desgraça

infração (in.fra.ção)[AO] [ĩfra'sɐ̃w̃] *n.f.* ato de não respeitar uma lei ou uma regra; desobediência

infracção (in.frac.ção) [ĩfra'sɐ̃w̃] *a nova grafia é* **infração**[AO]

infractor (in.frac.tor) [ĩfra'tor] *a nova grafia é* **infrator**[AO]

infraestrutura (in.fra.es.tru.tu.ra)[AO] [ĩfrɐ(i)ʃtru 'turɐ] *n.f.* **1** suporte de uma construção; alicerce **2** conjunto de instalações ou de meios necessários ao funcionamento de uma atividade ou conjunto de atividades

infra-estrutura (in.fra-.es.tru.tu.ra) [ĩfrɐ(i)ʃtru 'turɐ] *a nova grafia é* **infraestrutura**[AO]

infrator (in.fra.tor)[AO] [ĩfra'tor] *n.m.* pessoa que não respeita uma lei ou uma regra

infravermelho (in.fra.ver.me.lho) [ĩfrɐvər 'mɐ(j)ʎu] *adj.* relativo às radiações eletromagnéticas de frequência inferior à da radiação visível

infringir (in.frin.gir) [ĩfrĩ'ʒir] *v.* não respeitar (uma lei, uma regra)

infrutescência (in.fru.tes.cên.ci:a) [ĩfrutəʃ'sẽsjɐ] *n.f.* grupo de frutos de um conjunto de flores agrupadas

infrutífero (in.fru.tí.fe.ro) [ĩfru'tifəru] *adj.* **1** que não produz fruto; estéril **2** *fig.* inútil

infundado (in.fun.da.do) [ĩfũ'dadu] *adj.* que não tem razão de ser **SIN.** injustificado

infundir (in.fun.dir) [ĩfũ'dir] *v.* introduzir; penetrar ▪ **infundir-se** introduzir-se; penetrar

infusão (in.fu.são) [ĩfu'zɐ̃w̃] *n.f.* bebida quente que se prepara mergulhando ervas em água a ferver

ingenuidade (in.ge.nu:i.da.de) [ĩʒənwi'dad(ə)] *n.* característica da pessoa simples e sincera, que não tem má intenção; inocência

ingénuo (in.gé.nu:o) [ĩ'ʒɛnwu] *adj.* simples; sincero; inocente

ingerir (in.ge.rir) [ĩʒə'rir] *v.* engolir (alimentos, bebidas)

ingestão (in.ges.tão) [ĩʒəʃ'tɐ̃w̃] *n.f.* ato de introduzir alimentos no organismo pela boca; deglutição

inglês (in.glês) [ĩ'gleʃ] *adj.* relativo a Inglaterra ■ *n.m.* 1 pessoa natural de Inglaterra 2 língua oficial do Reino Unido, dos Estados Unidos, da Austrália, da Nova Zelândia, etc. ◆ **para inglês ver** para dar nas vistas

inglório (in.gló.ri:o) [ĩ'glɔrju] *adj.* sem glória

ingratidão (in.gra.ti.dão) [ĩgrɐti'dɐ̃w̃] *n.f.* falta de gratidão por um favor ou uma ajuda que se recebeu ANT. gratidão

ingrato (in.gra.to) [ĩ'gratu] *adj.* diz-se da pessoa que não mostra gratidão por um favor ou uma ajuda que recebeu

ingrediente (in.gre.di:en.te) [ĩgrə'djẽt(ə)] *n.m.* substância usada para preparar um bolo, um alimento ou uma refeição

íngreme (ín.gre.me) ['ĩgrəm(ə)] *adj.2g.* que é muito inclinado; que é difícil de subir ou descer SIN. escarpado

ingressar (in.gres.sar) [ĩgrə'sar] *v.* ⟨+em⟩ passar a fazer parte de: *Ingressou na faculdade.*

ingresso (in.gres.so) [ĩ'grɛsu] *n.m.* 1 entrada 2 admissão (em grupo, organização, etc.)

inhaca (i.nha.ca) [i'ɲakɐ] *n.m.* [ANG., MOÇ.] chefe supremo; rei

inibição (i.ni.bi.ção) [inibi'sɐ̃w̃] *n.f.* timidez; embaraço

inibido (i.ni.bi.do) [ini'bidu] *adj.* que não se sente à vontade; tímido

inibir (i.ni.bir) [ini'bir] *v.* intimidar; embaraçar

iniciação (i.ni.ci:a.ção) [inisjɐ'sɐ̃w̃] *n.f.* 1 ato de iniciar alguma coisa; início 2 aprendizagem das primeiras noções de uma ciência, arte, etc.

iniciado (i.ni.ci:a.do) [ini'sjadu] *adj.* que já começou; principiado ■ *n.m.* pessoa que está a começar a aprender alguma coisa; principiante

inicial (i.ni.ci:al) [ini'sjaɫ] *adj.2g.* que está no princípio ■ *n.f.* primeira letra de uma palavra

inicializar (i.ni.ci:a.li.zar) [inisjɐli'zar] *v.* preparar um dispositivo (hardware, software) para ser utilizado, repondo os valores tidos como iniciais

inicialmente (i.ni.ci:al.men.te) [inisjaɫ'mẽt(ə)] *adv.* no princípio

iniciando (i.ni.ci:an.do) [ini'sjɐ̃du] *n.m.* pessoa que está a iniciar alguma coisa (uma atividade, uma aprendizagem, etc.)

iniciar (i.ni.ci:ar) [ini'sjar] *v.* 1 dar início a; começar 2 num dispositivo eletrónico, executar o procedimento de arranque

iniciativa (i.ni.ci:a.ti.va) [inisjɐ'tivɐ] *n.f.* 1 ideia ou ato que dá origem a uma atividade ou a um projeto 2 capacidade de imaginar ou de fazer coisas novas

início (i.ní.ci:o) [i'nisju] *n.m.* primeiro momento de alguma coisa; começo; princípio ANT. fim ◆ **de início** inicialmente

inigualável (i.ni.gua.lá.vel) [inigwɐ'lavɛɫ] *adj.2g.* que não tem igual SIN. único

inimaginável (i.ni.ma.gi.ná.vel) [inimɐʒi'navɛɫ] *adj.2g.* que não se pode imaginar; inconcebível; impensável

inimigo (i.ni.mi.go) [ini'migu] *adj.* 1 que não é amigo; hostil 2 que está em oposição; contrário ■ *n.m.* 1 indivíduo que sente ódio por uma pessoa e que procura prejudicá-la ANT. amigo 2 adversário; rival

inimizade (i.ni.mi.za.de) [inimi'zad(ə)] *n.f.* sentimento de aversão ou ódio por alguém

ininterrupto (i.nin.ter.rup.to) [inĩtə'ʀuptu] *adj.* não interrompido; contínuo

injala (in.ja.la) [ĩ'ʒalɐ] *n.f.* [MOÇ.] fome

injeção (in.je.ção)[AO] [ĩʒɛ'sɐ̃w̃] *n.f.* 1 introdução de um líquido num órgão ou na pele com uma seringa 2 líquido que se injeta

injecção (in.jec.ção) [ĩʒɛ'sɐ̃w̃] *a nova grafia é* **injeção**[AO]

injectado (in.jec.ta.do) [ĩʒɛ'tadu] *a nova grafia é* **injetado**[AO]

injectar (in.jec.tar) [ĩʒɛ'tar] *a nova grafia é* **injetar**[AO]

injectável (in.jec.tá.vel) [ĩʒɛ'tavɛɫ] *a nova grafia é* **injetável**[AO]

injetado (in.je.ta.do)[AO] [ĩʒɛ'tadu] *adj.* introduzido por meio de injeção (líquido, medicamento)

injetar (in.je.tar)[AO] [ĩʒɛ'tar] *v.* introduzir (líquido) nos músculos ou nas veias por meio de seringa

injetável (in.je.tá.vel)[AO] [ĩʒɛ'tavɛɫ] *adj.,n.2g.* (medicamento, preparado) que pode ou deve ser administrado por meio de injeção

injúria (in.jú.ri:a) [ĩ'ʒurjɐ] *n.f.* ofensa; insulto

injuriar (in.ju.ri:ar) [ĩʒu'rjar] *v.* ofender; insultar

injurioso (in.ju.ri:o.so) [ĩʒu'rjozu] *adj.* ofensivo; insultuoso

injustamente (in.jus.ta.men.te) [ĩʒuʃtɐ'mẽt(ə)] *adv.* 1 de modo injusto 2 sem razão

injustiça (in.jus.ti.ça) [ĩʒuʃ'tisɐ] *n.f.* 1 atitude contrária à justiça ANT. justiça 2 falta de respeito pelos direitos de alguém

injustificado (in.jus.ti.fi.ca.do) [ĩʒuʃtifi'kadu] *adj.* que não tem ou não teve justificação

injustificável (in.jus.ti.fi.cá.vel) [ĩʒuʃtifi'kavɛɫ] *adj.2g.* que não se pode justificar

injusto (in.jus.to) [ĩ'ʒuʃtu] *adj.* 1 que vai contra a justiça ANT. justo 2 que não respeita os direitos de alguém **3** que não tem razão de ser; injustificado

in loco [in'lɔkɔ] *loc.* no próprio local

inocência (i.no.cên.ci:a) [inu'sẽsjɐ] *n.f.* **1** qualidade de quem não faz mal a ninguém nem tem má intenção **2** característica de quem acredita em tudo o que lhe dizem

inocentar (i.no.cen.tar) [inusẽ'tar] *v.* declarar inocente

inocente (i.no.cen.te) [inu'sẽt(ə)] *adj.2g.* **1** que não é culpado **2** que não tem malícia

inócuo (i.nó.cu:o) [i'nɔkwu] *adj.* inofensivo

inodoro (i.no.do.ro) [inu'dɔru] *adj.* que não tem cheiro

inofensivo (i.no.fen.si.vo) [inufẽ'sivu] *adj.* que não faz mal; que não prejudica

inoportuno (i.no.por.tu.no) [inɔpur'tunu] *adj.* que acontece num mau momento; despropositado

inorgânico (i.nor.gâ.ni.co) [inɔr'gɐniku] *adj.* que não é animal ou vegetal; mineral

inóspito (i.nós.pi.to) [i'nɔʃpitu] *adj.* **1** não hospitaleiro **2** com más condições para viver

inovação (i.no.va.ção) [inuvɐ'sɐ̃w̃] *n.f.* **1** ato de fazer algo de uma forma diferente **2** coisa nova; novidade

inovador (i.no.va.dor) [inuvɐ'dor] *adj.* **1** que faz coisas novas ou diferentes **2** que tem ideias originais

inovar (i.no.var) [inu'var] *v.* fazer algo de maneira diferente

inox (i.nox) [i'nɔks] *n.m.* aço que não enferruja

inoxidável (i.no.xi.dá.vel) [inɔksi'davɛɫ] *adj.2g.* que não ganha ferrugem

input [ĩ'put] *n.m.* **1** em economia, bem ou serviço utilizado no processo de produção **2** em informática, introdução de dados para processamento no computador ou num periférico, a partir do teclado, do gravador de fita ou do leitor de discos **3** conjunto dos dados introduzidos **4** canal, processo ou dispositivo utilizado para uma transferência de dados

inqualificável (in.qua.li.fi.cá.vel) [ĩkwɐlifi'kavɛɫ] *adj.2g.* que não se pode qualificar

inquebrável (in.que.brá.vel) [ĩkə'bravɛɫ] *adj.2g.* que não se parte

inquérito (in.qué.ri.to) [ĩ'kɛritu] *n.m.* investigação com o objetivo de descobrir alguma coisa

inquestionável (in.ques.ti:o.ná.vel) [ĩkəʃtju'navɛɫ] *adj.2g.* não questionável; indiscutível

inquietação (in.qui:e.ta.ção) [ĩkjɛtɐ'sɐ̃w̃] *n.f.* preocupação

inquietante (in.qui:e.tan.te) [ĩkjɛ'tɐ̃t(ə)] *adj.2g.* preocupante

inquietar (in.qui:e.tar) [ĩkjɛ'tar] *v.* preocupar ▪ **inquietar-se** ficar preocupado

inquieto (in.qui:e.to) [ĩ'kjɛtu] *adj.* preocupado

inquilino (in.qui.li.no) [ĩk(i)'linu] *n.m.* pessoa que mora numa casa alugada

inquirir (in.qui.rir) [ĩkə'rir] *v.* fazer perguntas; interrogar

inquisição (in.qui.si.ção) [ĩkəzi'sɐ̃w̃] *n.f.* ato de inquirir ▪ **Inquisição** antigo tribunal da Igreja católica que julgava alegados hereges e feiticeiros **SIN.** Santo Ofício

inquisidor (in.qui.si.dor) [ĩkəzi'dor] *n.m.* juiz do tribunal da Inquisição

insaciável (in.sa.ci:á.vel) [ĩsɐ'sjavɛɫ] *adj.2g.* que não se farta; que não se satisfaz

insalubre (in.sa.lu.bre) [ĩsɐ'lubr(ə)] *adj.2g.* **1** que não é bom para a saúde **2** que causa doença(s)

insanidade (in.sa.ni.da.de) [ĩsɐni'dad(ə)] *n.f.* loucura; demência

insano (in.sa.no) [ĩ'sɐnu] *adj.* louco; demente

insatisfação (in.sa.tis.fa.ção) [ĩsɐtiʃfɐ'sɐ̃w̃] *n.f.* desagrado; aborrecimento

insatisfatório (in.sa.tis.fa.tó.ri:o) [ĩsɐtiʃfɐ'tɔrju] *adj.* **1** que não satisfaz **2** insuficiente

insatisfeito (in.sa.tis.fei.to) [ĩsɐtiʃ'fɐjtu] *adj.* descontente; aborrecido

inscrever (ins.cre.ver) [ĩʃkrə'ver] *v.* **1** escrever numa lista ou registo: *Inscreveu o filho no infantário.* **SIN.** matricular **2** gravar em pedra, metal ou outro material ▪ **inscrever-se** ⟨+em⟩ fazer inscrição ou matrícula: *Inscreveu-se num curso de línguas.*

inscrição (ins.cri.ção) [ĩʃkri'sɐ̃w̃] *n.f.* **1** gravação em pedra, metal ou noutro material **2** frase escrita na fachada ou na parede de um monumento **3** matrícula (em escola, curso, etc.) **4** ato de escrever o próprio nome ou o de outrem numa lista ou num serviço

inscrito (ins.cri.to) [ĩʃ'kritu] *adj.* **1** gravado **2** matriculado

insecticida (in.sec.ti.ci.da)[AO] [ĩsɛti'sidɐ] *a grafia preferível é* **inseticida**[AO]

insectívoro (in.sec.tí.vo.ro)[AO] [ĩsɛ'(k)tivuru] *a grafia preferível é* **insetívoro**[AO]

insecto (in.sec.to) [ĩ'sɛtu] *a nova grafia é* **inseto**[AO]

insegurança (in.se.gu.ran.ça) [ĩsəgu'rɐ̃sɐ] *n.f.* **1** falta de segurança; instabilidade **2** falta de confiança de uma pessoa nas suas próprias capacidades

inseguro (in.se.gu.ro) [ĩsə'guru] *adj.* **1** que não é seguro; instável **2** diz-se da pessoa que sente falta de confiança em si própria

seminação (in.se.mi.na.ção) [ĩsəminɐ'sɐ̃w̃] *n.f.* :onjunto de fenómenos que levam o espermato-zoide ao contacto com o óvulo para o fecundar

seminar (in.se.mi.nar) [ĩsəmi'nar] *v.* introduzir o ;émen no útero para permitir a fecundação

sensatez (in.sen.sa.tez) [ĩsẽsɐ'teʃ] *n.f.* **1** falta de ;ensatez **2** qualidade de insensato

sensato (in.sen.sa.to) [ĩsẽ'satu] *adj.* que não re-/ela bom senso; imprudente

sensibilidade (in.sen.si.bi.li.da.de) [ĩsẽsibi i'dad(ə)] *n.f.* falta de sensibilidade; desinteresse; ndiferença

sensível (in.sen.sí.vel) [ĩsẽ'sivɛɫ] *adj.2g.* que não nostra interesse por alguma coisa; indiferente

separável (in.se.pa.rá.vel) [ĩsəpɐ'ravɛɫ] *adj.2g.* **1** que não se pode separar; indivisível **2** diz-se la pessoa que está quase sempre junto de outra

serção (in.ser.ção) [ĩsər'sɐ̃w̃] *n.f.* introdução de ıma coisa noutra

serir (in.se.rir) [ĩsə'rir] *v.* **1** colocar; introduzir: *nserir uma moeda* **2** incluir: *inserir uma alínea no exto* ▪ **inserir-se** ⟨+em⟩ introduzir-se; fixar-se: *Aquele costume inseriu-se nos hábitos de todos.*

seticida (in.se.ti.ci.da)AO [ĩseti'sidɐ] ou **insecti-cida**AO *n.m.* produto que serve para matar insetos

setívoroAO [ĩsɛ'(k)tivuru] ou **insectívoro**AO *adj.* liz-se do animal ou da planta que se alimenta le insetos

seto (in.se.to)AO [ĩ'sɛtu] *n.m.* animal com o corpo lividido em cabeça, tórax e abdómen, com dois pares de asas e três pares de patas

sígnia (in.síg.ni:a) [ĩ'signjɐ] *n.f.* pequena placa de netal que se usa para identificar uma pessoa ou o cargo que ocupa **SIN.** distintivo; emblema

significância (in.sig.ni.fi.cân.ci:a) [ĩsignifi'kɐ̃sjɐ] *n.f.* coisa com pouca importância ou pouco valor **SIN.** bugiganga; ninharia

significante (in.sig.ni.fi.can.te) [ĩsignifi'kɐ̃t(ə)] *adj.2g.* **1** que tem pouca importância ou pouco valor **2** que é muito pequeno; minúsculo

sinuação (in.si.nu:a.ção) [ĩsinwɐ'sɐ̃w̃] *n.f.* ato de lar a entender alguma coisa sem a dizer clara-nente

sinuante (in.si.nu:an.te) [ĩsi'nwɐ̃t(ə)] *adj.2g.* que sabe como agradar; que atrai

sinuar (in.si.nu:ar) [ĩsi'nwar] *v.* dar a entender algo de modo subtil: *Que estás a insinuar?* **SIN.** sugerir ▪ **insinuar-se 1** ⟨+em⟩ fazer-se aceitar por uma pessoa ou um grupo de pessoas **2** con-quistar a simpatia de alguém

sípido (in.sí.pi.do) [ĩ'sipidu] *adj.* que não tem sa-bor

sistência (in.sis.tên.ci:a) [ĩsiʃ'tẽsjɐ] *n.f.* teimosia

insistente (in.sis.ten.te) [ĩsiʃ'tẽt(ə)] *adj.2g.* tei-moso

insistir (in.sis.tir) [ĩsiʃ'tir] *v.* **1** ⟨+em⟩ manter uma atitude ou um comportamento; teimar: *Insistiu em pagar tudo.* **2** ⟨+com⟩ pressionar: *Insisti com ele para irmos à praia.*

insociável (in.so.ci:á.vel) [ĩsu'sjavɛɫ] *adj.2g.* diz-se da pessoa que não gosta de conviver com outras pessoas

insolação (in.so.la.ção) [ĩsulɐ'sɐ̃w̃] *n.f.* doença pro-vocada pela exposição prolongada aos raios so-lares

insolência (in.so.lên.ci:a) [ĩsu'lẽsjɐ] *n.f.* **1** falta de respeito; atrevimento **2** falta de educação; gros-seria

insolente (in.so.len.te) [ĩsu'lẽt(ə)] *adj.2g.* **1** atre-vido **2** grosseiro

insólito (in.só.li.to) [ĩ'sɔlitu] *adj.* que não é habi-tual; surpreendente

insolúvel (in.so.lú.vel) [ĩsu'luvɛɫ] *adj.2g.* **1** que não se dissolve **2** *fig.* diz-se do problema que não tem solução

insolvência (in.sol.vên.ci:a) [ĩsoɫ'vẽsjɐ] *n.f.* quali-dade ou estado do que está impossibilitado de pagar as suas dívidas

insónia (in.só.ni:a) [ĩ'sɔnjɐ] *n.f.* dificuldade em adormecer

insosso (in.sos.so) [ĩ'sosu] *adj.* **1** que não tem sal; que tem pouco sal **2** *fig.* que não tem graça; aborrecido

inspeção (ins.pe.ção)AO [ĩʃpɛ'sɐ̃w̃] *n.f.* observação cuidada; vigilância

inspecção (ins.pec.ção) [ĩʃpɛ'sɐ̃w̃] *a nova grafia é* **inspeção**AO

inspeccionar (ins.pec.ci:o.nar) [ĩʃpɛsju'nar] *a nova grafia é* **inspecionar**AO

inspecionar (ins.pe.ci:o.nar)AO [ĩʃpɛsju'nar] *v.* ob-servar cuidadosamente; vigiar

inspector (ins.pec.tor) [ĩʃpɛ'tor] *a nova grafia é* **ins-petor**AO

inspetor (ins.pe.tor)AO [ĩʃpɛ'tor] *n.m.* pessoa que inspeciona; fiscal

inspiração (ins.pi.ra.ção) [ĩʃpirɐ'sɐ̃w̃] *n.f.* **1** en-trada de ar nos pulmões **2** ideia súbita, geral-mente brilhante **3** pessoa que estimula a criativi-dade (de um poeta, artista, etc.); musa

inspirar (ins.pi.rar) [ĩʃpi'rar] *v.* **1** introduzir ar nos pulmões **2** estimular a capacidade criativa de al-guém, dando ânimo e vontade de trabalhar; mo-tivar

instabilidade (ins.ta.bi.li.da.de) [ĩʃtɐbili'dad(ə)] *n.f.* **1** falta de estabilidade ou de firmeza **2** falta de segurança; insegurança; incerteza

instalação **(ins.ta.la.ção)** [ĩʃtɐlɐ'sɐ̃w̃] *n.f.* **1** montagem (de loja, máquina, móvel, etc.) **2** conjunto de aparelhos instalados para determinado fim

instalar **(ins.ta.lar)** [ĩʃtɐ'lar] *v.* **1** montar (loja, máquina, móvel, etc.) **2** dar alojamento a ▪ **instalar-se** ficar alojado; hospedar-se

instância **(ins.tân.ci:a)** [ĩʃ'tɐ̃sjɐ] *n.f.* **1** pedido insistente **2** ato de um processo judicial **3** grau de jurisdição dos tribunais **4** organismo com poder de decisão ♦ **a instâncias de** a pedido de; **em última instância** em último recurso

instantaneamente **(ins.tan.ta.ne:a.men.te)** [ĩʃtɐ̃tɐnjɐ'mẽt(ə)] *adv.* num instante; imediatamente

instantâneo **(ins.tan.tâ.ne:o)** [ĩʃtɐ̃'tɐnju] *adj.* **1** que dura muito pouco tempo; súbito **2** que se prepara rapidamente (café, bolo, etc.)

instante **(ins.tan.te)** [ĩʃ'tɐ̃t(ə)] *n.m.* espaço de tempo muito curto; momento ♦ **num instante** muito depressa **SIN.** rapidamente

instar **(ins.tar)** [ĩʃ'tar] *v.* **1** solicitar **2** insistir **3** questionar

instauração **(ins.tau.ra.ção)** [ĩʃtawrɐ'sɐ̃w̃] *n.f.* ato de colocar em funcionamento (um sistema, um regime político, etc.) **SIN.** estabelecimento; fundação

instaurar **(ins.tau.rar)** [ĩʃtaw'rar] *v.* colocar em funcionamento (um sistema, um regime político, etc.) **SIN.** estabelecer; fundar

instável **(ins.tá.vel)** [ĩʃ'tavɛɫ] *adj.2g.* **1** que não tem equilíbrio, que pode cair **2** diz-se daquilo que muda; variável; mutável

instigar **(ins.ti.gar)** [ĩʃti'gar] *v.* ⟨**+a**⟩ incitar; estimular

instintivo **(ins.tin.ti.vo)** [ĩʃtĩ'tivu] *adj.* **1** relativo a instinto **2** dito ou feito por instinto, sem reflexão; involuntário

instinto **(ins.tin.to)** [ĩʃ'tĩtu] *n.m.* impulso natural que leva os animais e as pessoas a atuar de determinada forma ♦ **por instinto** espontaneamente; sem pensar

institucional **(ins.ti.tu.ci:o.nal)** [ĩʃtitusju'naɫ] *adj.2g.* relativo a instituição

institucionalização **(ins.ti.tu.ci:o.na.li.za.ção)** [ĩʃtitusjunɐlizɐ'sɐ̃w̃] *n.f.* ato de dar forma de instituição a

institucionalizar(-se) **(ins.ti.tu.ci:o.na.li.zar(-se))** [ĩʃtitusjunɐli'zar(sə)] *v.* tornar(-se) institucional **SIN.** oficializar(-se)

instituição **(ins.ti.tu:i.ção)** [ĩʃtitwi'sɐ̃w̃] *n.f.* **1** ato de instituir ou criar; criação **2** organização que realiza atividades de interesse público: *instituição de caridade; instituição de solidariedade social*

instituir **(ins.ti.tu:ir)** [ĩʃti'twir] *v.* criar; fundar

instituto **(ins.ti.tu.to)** [ĩʃti'tutu] *n.m.* **1** organização pública ou privada **2** centro de estudos e de investigação **3** estabelecimento de ensino superior

instrução **(ins.tru.ção)** [ĩʃtru'sɐ̃w̃] *n.f.* **1** ensino; formação **2** conhecimentos adquiridos por meio de estudo; saber ▪ **instruções** *n.m.pl.* explicações sobre o modo como funciona um aparelho ou como se utiliza um produto; manual

instruído **(ins.tru:í.do)** [ĩʃ'trwidu] *adj.* que recebeu instrução; educado; culto

instruir **(ins.tru.ir)** [ĩʃtru'ir] *v.* ensinar; educar

instrumental **(ins.tru.men.tal)** [ĩʃtrumẽ'taɫ] *adj.2g.* **1** relativo a instrumento **2** diz-se da música interpretada apenas instrumentos **ANT.** vocal

instrumentista **(ins.tru.men.tis.ta)** [ĩʃtrumẽ'tiʃtɐ] *n.2g.* pessoa que toca um instrumento musical

instrumento **(ins.tru.men.to)** [ĩʃtru'mẽtu] *n.m.* **1** objeto que produz sons musicais **2** ferramenta usada para fazer um trabalho (mecânico, artístico, etc.); utensílio **3** *fig.* meio que se utiliza para conseguir um resultado; recurso

instrutivo **(ins.tru.ti.vo)** [ĩʃtru'tivu] *adj.* que serve para educar **SIN.** educativo

instrutor **(ins.tru.tor)** [ĩʃtru'tor] *n.m.* professor; monitor

insubordinação **(in.su.bor.di.na.ção)** [ĩsuburdinɐ'sɐ̃w̃] *n.f.* recusa em obedecer **SIN.** desobediência; indisciplina

insubordinado **(in.su.bor.di.na.do)** [ĩsuburdi'nadu] *adj.* desobediente; indisciplinado

insubstituível **(in.subs.ti.tu:í.vel)** [ĩsubʃti'twivɛɫ] *adj.2g.* que não pode ser substituído **SIN.** único

insucesso **(in.su.ces.so)** [ĩsu'sɛsu] *n.m.* falta de êxito; mau resultado **SIN.** fracasso

insuficiência **(in.su.fi.ci:ên.ci:a)** [ĩsufə'sjẽsjɐ] *n.f.* falta; carência

insuficiente **(in.su.fi.ci:en.te)** [ĩsufə'sjẽt(ə)] *adj.2g.* que não é suficiente; escasso; pouco

insuflar **(in.su.flar)** [ĩsu'flar] *v.* introduzir ar em; encher de ar

insuflável **(in.su.flá.vel)** [ĩsu'flavɛɫ] *adj.2g.* que se pode encher de ar

insular **(in.su.lar)** [ĩsu'lar] *adj.2g.* relativo a ilha; próprio de ilha

insulina **(in.su.li.na)** [ĩsu'linɐ] *n.f.* hormona segregada pelo pâncreas, que tem uma função importante na regulação dos níveis de açúcar no sangue

insultar **(in.sul.tar)** [ĩsuɫ'tar] *v.* dirigir insultos a **SIN.** injuriar; ofender

insulto **(in.sul.to)** [ĩ'suɫtu] *n.m.* ofensa; injúria

suportável (in.su.por.tá.vel) [ĩsupur'tavɛɫ] *adj.2g.* 1 que é muito difícil suportar 2 que é muito desa-gradável

surgir(-se) (in.sur.gir(-se)) [ĩsur'ʒir(sə)] *v.* revol-ar(-se)

surrecto (in.sur.rec.to) [ĩsu'ʀɛtu] *a nova grafia é* **nsurreto**[AO]

surreição (in.sur.rei.ção) [ĩsuʀɐj'sɐ̃w̃] *n.f.* 1 re-volta contra a ordem estabelecida 2 oposição orte; rebeldia

surreto (in.sur.re.to)[AO] [ĩsu'ʀɛtu] *adj.,n.m.* re-elde

suspeito (in.sus.pei.to) [ĩsuʃ'pɐjtu] *adj.* 1 não suspeito 2 digno de confiança; imparcial

sustentável (in.sus.ten.tá.vel) [ĩsuʃtẽ'tavɛɫ] *adj.2g.* 1 que não se pode suportar; insuportável 2 que não tem razão de ser; injustificado

tacto (in.tac.to) [ĩ'taktu] *adj.* 1 que não foi to-cado ou alterado 2 que não sofreu danos; ileso

tegra (ín.te.gra) ['ĩtəgrɐ] *n.f.* totalidade; todo ◆ **na íntegra** na totalidade; por inteiro

tegração (in.te.gra.ção) [ĩtəgrɐ'sɐ̃w̃] *n.f.* 1 ato ou efeito de incluir um elemento num conjunto 2 processo de adaptação de uma pessoa a um grupo ou a uma sociedade

tegrado (in.te.gra.do) [ĩtə'gradu] *adj.* 1 incluído 2 adaptado

tegral (in.te.gral) [ĩtə'graɫ] *adj.2g.* 1 inteiro; completo; total 2 diz-se do alimento que man-tém todas as suas propriedades originais

tegrante (in.te.gran.te) [ĩtə'grɐ̃t(ə)] *adj.2g.* que faz parte de (alguma coisa)

tegrar (in.te.grar) [ĩtə'grar] *v.* 1 ⟨+em⟩ incluir num todo: *Integrou mais um elemento no conjunto de funcionários.* SIN. incorporar 2 ⟨+em⟩ adaptar: *Tentou integrar os meninos novos na turma.* 3 ⟨+a⟩ pertencer: *integrar uma equipa* ■ **integrar-se** 1 ⟨+em⟩ tornar-se parte integrante de (grupo, or-ganismo, etc.) 2 ⟨+em⟩ adaptar-se: *Integraram-se rapidamente na nova escola.*

tegridade (in.te.gri.da.de) [ĩtəgri'dad(ə)] *n.f.* 1 qualidade do que está inteiro 2 honestidade; retidão

tegro (ín.te.gro) ['ĩtəgru] *adj.* 1 inteiro; com-pleto 2 justo; reto

teiramente (in.tei.ra.men.te) [ĩtɐjrɐ'mẽt(ə)] *adv.* 1 totalmente 2 perfeitamente

teirar (in.tei.rar) [ĩtɐj'rar] *v.* informar: *Inteirou-os dos seus planos.* ■ **inteirar-se** ⟨+de⟩ informar-se: *inteirar-se de um assunto*

teiriço (in.tei.ri.ço) [ĩtɐj'risu] *adj.* 1 feito de uma só peça 2 hirto

inteiro (in.tei.ro) [ĩ'tɐjru] *adj.* 1 completo; total 2 diz-se do número formado só de unidades; que não tem frações

intelecto (in.te.lec.to) [ĩtə'lɛktu] *n.m.* inteligência; entendimento

intelectual (in.te.lec.tu:al) [ĩtəlɛ'ktwaɫ] *adj.2g.* re-lativo a intelecto; mental ■ *n.2g.* pessoa que se interessa por atividades que exigem inteligência e raciocínio

inteligência (in.te.li.gên.ci:a) [ĩtəli'ʒẽsjɐ] *n.f.* capaci-dade para conhecer, compreender e julgar factos e coisas, aplicando corretamente os conhecimentos SIN. entendimento; raciocínio ◆ **inteligência artifi-cial** área de estudos cujo objetivo é a aplicação do conhecimento dos processos cognitivos humanos aos sistemas informáticos, que reproduzem aque-les processos

inteligente (in.te.li.gen.te) [ĩtəli'ʒẽt(ə)] *adj.2g.* 1 que é capaz de pensar, de compreender 2 que compreende com facilidade

inteligível (in.te.li.gí.vel) [ĩtəli'ʒivɛɫ] *adj.2g.* que se entende bem SIN. compreensível

intempérie (in.tem.pé.ri:e) [ĩtẽ'pɛrji] *n.f.* mau tempo; tempestade

intempestivo (in.tem.pes.ti.vo) [ĩtẽpəʃ'tivu] *adj.* 1 que acontece fora do tempo próprio 2 súbito; repentino

intemporal (in.tem.po.ral) [ĩtẽpu'raɫ] *adj.2g.* não afetado pela passagem do tempo

intenção (in.ten.ção) [ĩtẽ'sɐ̃w̃] *n.f.* objetivo que se pretende alcançar; propósito ◆ **sem intenção** sem querer; de modo involuntário

intencionado (in.ten.ci:o.na.do) [ĩtẽsju'nadu] *adj.* feito com intenção; propositado

intencional (in.ten.ci:o.nal) [ĩtẽsju'naɫ] *adj.2g.* que é feito de propósito; por querer SIN. deliberado

intencionalidade (in.ten.ci:o.na.li.da.de) [ĩtẽsju nɐli'dad(ə)] *n.f.* característica do que é intencional; intenção

intensidade (in.ten.si.da.de) [ĩtẽsi'dad(ə)] *n.f.* grau elevado (de som, sentimento, sensação, etc.); força

intensificar(-se) (in.ten.si.fi.car(-se)) [ĩtẽsəfi 'kar(sə)] *v.* tornar(-se) mais intenso ou mais forte SIN. acentuar(-se)

intensivo (in.ten.si.vo) [ĩtẽ'sivu] *adj.* que se faz de forma intensa e em pouco tempo: *Fiz um curso intensivo de português.*

intenso (in.ten.so) [ĩ'tẽsu] *adj.* forte

intento (in.ten.to) [ĩ'tẽtu] *n.m.* intenção; propósito

interação (in.te.ra.ção)[AO] [ĩtɛra'sɐ̃w̃] *n.f.* 1 ação ou intervenção realizada entre duas pessoas ou en-tre dois corpos 2 troca de informação entre o uti-lizador e um sistema informático

interacção **(in.te.rac.ção)** [ĩtɛraˈsɐ̃w̃] *a nova grafia é* **interação**[AO]

interactividade **(in.te.rac.ti.vi.da.de)** [ĩtɛrati viˈdad(ə)] *a nova grafia é* **interatividade**[AO]

interactivo **(in.te.rac.ti.vo)** [ĩtɛraˈtivu] *a nova grafia é* **interativo**[AO]

interagir **(in.te.ra.gir)** [ĩtɛrɐˈʒir] *v.* ⟨**+com**⟩ ter comunicação ou diálogo; relacionar-se

interajuda **(in.te.ra.ju.da)** [ĩtɛrɐˈʒudɐ] *n.f.* ⇒ **entreajuda**

interatividade **(in.te.ra.ti.vi.da.de)**[AO] [ĩtɛrati viˈdad(ə)] *n.f.* possibilidade de troca de informações entre uma pessoa e um sistema de comunicação (computador, televisão, etc.)

interativo **(in.te.ra.ti.vo)**[AO] [ĩtɛraˈtivu] *adj.* que permite a troca de informações e de dados

intercalar **(in.ter.ca.lar)** [ĩtərkɐˈlar] *adj.2g.* que se realiza no meio de alguma coisa ■ *v.* colocar entre duas coisas

intercâmbio **(in.ter.câm.bi:o)** [ĩtɛrˈkɐ̃bju] *n.m.* troca recíproca; permuta

interceder **(in.ter.ce.der)** [ĩtərsəˈder] *v.* ⟨**+por**⟩ falar ou agir a favor de alguém: *Intercedeu pelo amigo junto do presidente.*

interceptar **(in.ter.cep.tar)** [ĩtərsɛˈtar] *a nova grafia é* **intercetar**[AO]

intercessão **(in.ter.ces.são)** [ĩtərsɛˈsɐ̃w̃] *n.f.* ato de interceder; intervenção

intercetar **(in.ter.ce.tar)**[AO] [ĩtərsɛˈtar] *v.* **1** interromper o curso de (automóvel, míssil, etc.); parar **2** ficar com informação ou objeto dirigido a outra pessoa sem que ela note

intercomunicador **(in.ter.co.mu.ni.ca.dor)** [ĩtɛr kumunikɐˈdor] *n.m.* aparelho que serve de emissor e recetor (telefónico ou radiofónico) para comunicação local

intercontinental **(in.ter.con.ti.nen.tal)** [ĩtɛrkõti nẽˈtał] *adj.2g.* **1** situado entre continentes **2** que liga dois continentes

intercostal **(in.ter.cos.tal)** [ĩtɛrkuʃˈtał] *adj.2g.* localizado entre as costelas

intercultural **(in.ter.cul.tu.ral)** [ĩtɛrkułtuˈrał] *adj.2g.* relativo a duas ou mais culturas

interdependente **(in.ter.de.pen.den.te)** [ĩtɛrdə pẽˈdẽt(ə)] *adj.2g.* diz-se das pessoas ou das coisas que dependem umas das outras

interdição **(in.ter.di.ção)** [ĩtərdiˈsɐ̃w̃] *n.f.* proibição; impedimento

interdisciplinar **(in.ter.dis.ci.pli.nar)** [ĩtɛrdiʃsi pliˈnar] *adj.2g.* que é comum a duas ou mais disciplinas

interdisciplinaridade **(in.ter.dis.ci.pli.na.ri.da.de)** [ĩtɛrdiʃsiplinɐriˈdad(ə)] *n.f.* relação entre duas ou mais disciplinas

interditar **(in.ter.di.tar)** [ĩtərdiˈtar] *v.* proibir

interdito **(in.ter.di.to)** [ĩtərˈditu] *adj.* proibido

interdizer **(in.ter.di.zer)** [ĩtərdiˈzer] *v.* proibir; impedir

interessado **(in.te.res.sa.do)** [ĩtərəˈsadu] *adj.* que tem interesse ou curiosidade por; cuja atenção está voltada para **ANT.** desinteressado

interessante **(in.te.res.san.te)** [ĩtərəˈsɐ̃t(ə)] *adj.2g.* que desperta interesse; que prende a atenção **SIN.** cativante

interessar **(in.te.res.sar)** [ĩtərəˈsar] *v.* **1** dizer respeito a; tocar: *Este assunto interessa a todos* **2** provocar o interesse de; cativar: *O cinema já não me interessa.* **3** ter interesse ou importância; importar: *interessa reservar quanto antes* ■ **interessar-se** ⟨**+por**⟩ sentir interesse por: *interessar-se pela política*

interesse **(in.te.res.se)** [ĩtəˈre(sə)] *n.m.* **1** importância que uma coisa tem para alguém **2** vontade de conhecer algo; curiosidade **3** vantagem; proveito

interesseiro **(in.te.res.sei.ro)** [ĩtərəˈsɐjru] *adj.,n.m.* que ou pessoa que só pensa nos seus próprios interesses, procurando obter vantagens e benefícios

interface [ĩtərˈfa(sə)] *n.f.* dispositivo que liga duas unidades de um sistema informático

interferência **(in.ter.fe.rên.ci:a)** [ĩtərfəˈrẽsjɐ] *n.f.* **1** ato de interferir em alguma coisa **2** alteração na receção de sons ou imagens

interferir **(in.ter.fe.rir)** [ĩtərfəˈrir] *v.* ⟨**+em**⟩ tomar parte em (conversa, discussão); participar

interfixo **(in.ter.fi.xo)** [ĩtɛrˈfiksu] *n.m.* afixo que se situa entre duas formas de base: *chaleira; espontaneidade*

intergovernamental **(in.ter.go.ver.na.men.tal)** [ĩtɛrguvərnɐmẽˈtał] *adj.2g.* que se realiza entre dois ou mais governos

interino **(in.te.ri.no)** [ĩtəˈrinu] *adj.* provisório; temporário

interior **(in.te.ri:or)** [ĩtəˈrjor] *adj.* situado do lado de dentro; interno **ANT.** exterior ■ *n.m.* **1** lado de dentro **2** parte de um país que está longe do mar

interiorização **(in.te.ri:o.ri.za.ção)** [ĩtərjurizɐˈsɐ̃w̃] *n.f.* assimilação de ideias, comportamentos, etc.

interiorizar **(in.te.ri:o.ri.zar)** [ĩtərjuriˈzar] *v.* adotar ideias, comportamentos, etc. de outras pessoas; assimilar

interjeição **(in.ter.jei.ção)** [ĩtərʒɐjˈsɐ̃w̃] *n.f.* palavra usada para exprimir um sentimento, dar uma ordem, chamar a atenção ou imitar um som: *chiu; zás* **SIN.** exclamação

terligação (**in.ter.li.ga.ção**) [ĩtɛrligɐ'sɐ̃w̃] *n.f.* li-
;ação de duas ou mais coisas entre si

terligar (**in.ter.li.gar**) [ĩtɛrli'gar] *v.* ligar (duas
ɔu mais coisas) entre si

terlocutor (**in.ter.lo.cu.tor**) [ĩtərluku'tor] *n.m.*
ɔessoa com quem se fala

termediário (**in.ter.me.di:á.ri:o**) [ĩtərmə'djarju]
ı.m. **1** pessoa que procura resolver problemas
ɛntre pessoas ou grupos **2** pessoa que leva os
ɔrodutos do produtor para o consumidor

termédio (**in.ter.mé.di:o**) [ĩtər'mɛdju] *adj.* que
ɛstá entre duas coisas ♦ **por intermédio de** com
ɔ auxílio de; por meio de

terminável (**in.ter.mi.ná.vel**) [ĩtərmi'navɛɫ]
ıdj.2g. que não tem fim **SIN.** infindável

termitente (**in.ter.mi.ten.te**) [ĩtərmi'tẽt(ə)]
ıdj.2g. que tem intervalos ou interrupções **SIN.**
lescontínuo

termodal (**in.ter.mo.dal**) [ĩtɛrmu'daɫ] *adj.2g.* (sis-
ɛma de transporte) que permite o acesso a diver-
os meios ou rotas

ternacional (**in.ter.na.ci:o.nal**) [ĩtərnɐsju'naɫ]
ıdj.2g. **1** relativo a duas ou mais nações **2** reali-
;ado entre duas ou mais nações ■ *n.2g.* atleta
que representa o seu país em competições onde
stão representados diversos países

ternacionalização (**in.ter.na.ci:o.na.li.za.ção**)
ĩtərnɐsjunɐlizɐ'sɐ̃w̃] *n.f.* ato ou efeito de tornar in-
ɛrnacional

ternacionalizar (**in.ter.na.ci:o.na.li.zar**) [ĩtər
ɐsjunɐli'zar] *v.* **1** tornar internacional **2** espalhar
ɔor várias nações

ternado (**in.ter.na.do**) [ĩtər'nadu] *adj.* que está
olocado numa instituição (hospital, colégio in-
ɛrno, etc.)

ternamento (**in.ter.na.men.to**) [ĩtərnɐ'mẽtu]
.m. ato de levar uma pessoa para uma institui-
ão (colégio interno, hospital, etc.)

ternar (**in.ter.nar**) [ĩtər'nar] *v.* levar uma pessoa
ɔara uma instituição (colégio, hospital, etc.)

ternato (**in.ter.na.to**) [ĩtər'natu] *n.m.* estabeleci-
nento de ensino em que os alunos moram na
ɔrópria escola; colégio interno

ternauta (**in.ter.nau.ta**) [ĩtɛr'nawtɐ] *n.2g.* ⇒ **cibernauta**

ternet [ĩtɛr'nɛt] *n.f.* [também com maiúscula] rede
nundial de comunicação por computadores, que
ɔermite a troca de mensagens e o acesso a uma
;rande quantidade de informação ♦ **internet
nóvel** tecnologia wireless que possibilita o
cesso à internet em qualquer lugar a partir de
lispositivos móveis, como telemóveis, portáteis
ɔu tablets

interno (**in.ter.no**) [ĩ'tɛrnu] *adj.* **1** que está ou vem
do lado de dentro; interior **ANT.** externo **2** diz-se
do aluno que dorme na escola onde tem aulas

interpelação (**in.ter.pe.la.ção**) [ĩtərpəlɐ'sɐ̃w̃] *n.f.*
ato de interpelar

interpelar (**in.ter.pe.lar**) [ĩtərpə'lar] *v.* **1** dirigir a
palavra a (alguém) em pergunta ou pedido de
explicação **2** pedir explicações a um ministro ou
ao governo, no Parlamento **3** fazer uma interpelação (intimação)

interpor (**in.ter.por**) [ĩtər'por] *v.* pôr no meio

interposição (**in.ter.po.si.ção**) [ĩtərpuzi'sɐ̃w̃] *n.f.*
ato de colocar algo ou alguém entre duas coisas
ou entre duas pessoas

interpretação (**in.ter.pre.ta.ção**) [ĩtərprətɐ'sɐ̃w̃]
n.f. **1** explicação do significado de uma palavra,
de um texto ou de uma obra **2** atuação de um
músico, de um cantor ou de um ator

interpretar (**in.ter.pre.tar**) [ĩtərprə'tar] *v.* **1** explicar o significado de **2** atribuir um significado a
3 desempenhar um papel (no cinema, no teatro)
4 interpretar uma peça musical (cantando ou tocando)

intérprete (**in.tér.pre.te**) [ĩ'tɛrprət(ə)] *n.2g.* **1** pessoa que faz tradução simultânea **SIN.** tradutor
2 pessoa que representa um papel em filmes, peças teatrais, novelas **SIN.** ator **3** pessoa que toca
ou canta uma peça musical

inter-rail [ĩtɛr'ʀajl] *n.m.* modalidade de viagem ou
bilhete de comboio para jovens até aos 26 anos
que permite circular em segunda classe e em tarifa económica, durante 10, 22 ou 30 dias, sem
percursos pré-definidos, por toda a Europa ou só
em determinadas zonas

interregno (**in.ter.reg.no**) [ĩtə'ʀɛgnu] *n.m.* **1** período de tempo em que não existe rei **2** *fig.* interrupção; intervalo

interrogação (**in.ter.ro.ga.ção**) [ĩtəʀugɐ'sɐ̃w̃] *n.f.*
dúvida; pergunta

interrogar (**in.ter.ro.gar**) [ĩtəʀu'gar] *v.* fazer perguntas; perguntar

interrogativa (**in.ter.ro.ga.ti.va**) [ĩtəʀugɐ'tivɐ] *n.f.*
frase em forma de pergunta

interrogativo (**in.ter.ro.ga.ti.vo**) [ĩtəʀugɐ'tivu]
adj. **1** que indica interrogação **2** diz-se da palavra
que serve para fazer uma pergunta

interrogatório (**in.ter.ro.ga.tó.ri:o**) [ĩtəʀugɐ
'tɔrju] *n.m.* conjunto de perguntas feitas a alguém
com o objetivo de esclarecer um facto ou um
crime

interromper (**in.ter.rom.per**) [ĩtəʀõ'per] *v.* impedir a continuação de; parar

interrupção (**in.ter.rup.ção**) [ĩtəʀu'psɐ̃w̃] *n.f.* ato ou efeito de interromper; paragem; suspensão

interruptor (**in.ter.rup.tor**)AO [ĩtəʀu'ptor] ou **interrutor**AO *n.m.* dispositivo que serve para abrir ou fechar um circuito elétrico

interseção (**in.ter.se.ção**)AO [ĩtərsɛ'ksɐ̃w̃] ou **intersecção**AO *n.f.* **1** corte **2** cruzamento

intersetar (**in.ter.se.tar**)AO [ĩtərsɛ'ktar] ou **intersectar**AO *v.* **1** cortar **2** atravessar

interurbano (**in.ter.ur.ba.no**) [ĩtɛrur'bɐnu] *adj.* **1** (serviço, transporte) que une duas ou mais cidades **2** (chamada telefónica) feito entre duas cidades

intervalo (**in.ter.va.lo**) [ĩtər'valu] *n.m.* **1** espaço entre duas coisas **2** período que separa duas épocas ou dois acontecimentos **3** espaço de tempo entre duas aulas ou entre duas partes de um espetáculo ou de uma competição desportiva; pausa **4** diferença entre as alturas de duas notas musicais

intervenção (**in.ter.ven.ção**) [ĩtərvẽ'sɐ̃w̃] *n.f.* interferência; participação

interveniente (**in.ter.ve.ni:en.te**) [ĩtərvə'njẽt(ə)] *adj.,n.2g.* participante; mediador

intervir (**in.ter.vir**) [ĩtər'vir] *v.* tomar parte em; participar

intestinal (**in.tes.ti.nal**) [ĩtəʃti'nał] *adj.2g.* relativo a intestino

intestino (**in.tes.ti.no**) [ĩtəʃ'tinu] *n.m.* parte do tubo digestivo que une o estômago ao ânus e se divide em delgado e grosso

intifada (**in.ti.fa.da**) [ĩti'fadɐ] *n.f.* revolta popular palestiniana contra a ocupação israelita dos territórios da Margem Ocidental e da Faixa de Gaza

intimação (**in.ti.ma.ção**) [ĩtimɐ'sɐ̃w̃] *n.f.* **1** ato ou efeito de intimar **2** notificação judicial

intimamente (**in.ti.ma.men.te**) [ĩtimɐ'mẽt(ə)] *adv.* de modo íntimo; profundamente

intimar (**in.ti.mar**) [ĩti'mar] *v.* **1** ⟨**+a**⟩ notificar oficialmente: *Foi intimado a comparecer no tribunal.* **2** ⟨**+a**⟩ ordenar de forma clara: *Intimei-o a sair da sala.*

intimidade (**in.ti.mi.da.de**) [ĩtimi'dad(ə)] *n.f.* **1** qualidade do que é íntimo **2** vida íntima; privacidade **3** relação muito próxima; familiaridade

intimidar(-se) (**in.ti.mi.dar(-se)**) [ĩtimi'dar(sə)] *v.* **1** inspirar ou sentir medo SIN. assustar(-se) **2** inibir(-se)

íntimo (**ín.ti.mo**) ['ĩtimu] *adj.* **1** que está na parte mais interior ou mais profunda **2** diz-se da pessoa amiga com quem se tem uma relação muito forte **3** diz-se daquilo que se faz apenas com amigos e familiares: *jantar íntimo; cerimónia íntima*

intitular (**in.ti.tu.lar**) [ĩtitu'lar] *v.* dar título ou nome a; chamar

intocável (**in.to.cá.vel**) [ĩtu'kavɛł] *adj.2g.* **1** em que não se pode tocar **2** indestrutível

intolerância (**in.to.le.rân.ci:a**) [ĩtulə'rɐ̃sjɐ] *n.f.* falta de tolerância

intolerante (**in.to.le.ran.te**) [ĩtulə'rɐ̃t(ə)] *adj.* que não aceita ou compreende diferenças de opinião ou de comportamento ANT. tolerante

intolerável (**in.to.le.rá.vel**) [ĩtulə'ravɛł] *adj.2g.* que não se pode tolerar ou admitir SIN. inaceitável; inadmissível

intoxicação (**in.to.xi.ca.ção**) [ĩtɔksikɐ'sɐ̃w̃] *n.f.* dano causado no organismo por uma substância tóxica que se ingere ou se inala; envenenamento ♦ **intoxicação alimentar** mal-estar acompanhado de vómitos, febre e diarreia, provocado por alimentos estragados ou com bactérias, toxinas, etc.

intoxicar (**in.to.xi.car**) [ĩtɔksi'kar] *v.* provocar intoxicação; envenenar

intragável (**in.tra.gá.vel**) [ĩtrɐ'gavɛł] *adj.2g.* **1** que não se pode tragar **2** *fig., pej.* insuportável

intranet [ĩtrɐ'nɛt] *n.f.* rede interna de computadores de uma organização que pode utilizar os protocolos da internet

intransigência (**in.tran.si.gên.ci:a**) [ĩtrɐ̃zi'ʒẽsjɐ] *n.f.* **1** intolerância **2** severidade

intransigente (**in.tran.si.gen.te**) [ĩtrɐ̃zi'ʒẽt(ə)] *adj.2g.* **1** intolerante **2** severo

intransitável (**in.tran.si.tá.vel**) [ĩtrɐ̃zi'tavɛł] *adj.2g.* por onde não se consegue passar; inacessível

intransitivo (**in.tran.si.ti.vo**) [ĩtrɐ̃zi'tivu] *adj.* diz-se do verbo que não necessita de complemento

intransmissível (**in.trans.mis.sí.vel**) [ĩtrɐ̃ʒmi'vɛł] *adj.2g.* que não é transmissível

intransponível (**in.trans.po.ní.vel**) [ĩtrɐ̃ʃpu'nivɛ *adj.2g.* que não se pode transpor

intravenoso (**in.tra.ve.no.so**) [ĩtrɐvə'nozu] *a* que está ou se aplica no interior das veias

intriga (**in.tri.ga**) [ĩ'trigɐ] *n.f.* **1** boato; mexeric **2** conspiração para prejudicar alguém **3** enred (de livro, filme ou peça)

intrigado (**in.tri.ga.do**) [ĩtri'gadu] *adj.* **1** admirac **2** desconfiado

intrigante (**in.tri.gan.te**) [ĩtri'gɐ̃t(ə)] *adj.2g.* estr nho; misterioso

intrigar (**in.tri.gar**) [ĩtri'gar] *v.* provocar curios dade ou admiração

intriguista (**in.tri.guis.ta**) [ĩtri'giʃtɐ] *adj.,n.2g.* q ou pessoa que faz intrigas; mexeriqueiro

intrínseco (**in.trín.se.co**) [ĩ'trĩsəku] *adj.* que f parte de alguma coisa; inerente

introdução (in.tro.du.ção) [ĩtrudu'sɐ̃w̃] *n.f.* **1** ato de pôr uma coisa dentro de outra **2** texto que aparece no início de um livro e que apresenta o tema da obra

ntrodutório (in.tro.du.tó.ri:o) [ĩtrudu'tɔrju] *adj.* que serve de introdução; inicial

ntroduzir (in.tro.du.zir) [ĩtrudu'zir] *v.* **1** pôr (coisa) dentro de (outra): *Introduza uma moeda, por favor.* **SIN.** inserir **2** ⟨+em⟩ fazer entrar (para lugar ou espaço): *Introduziu o vizinho na sala.* **3** ⟨+em⟩ acrescentar; incluir; inserir: *Introduziu o seu nome na lista.* **4** lançar (moda, produto): *introduzir um artigo num mercado* **5** fazer adotar: *introduzir novas regras* ▪ **introduzir-se 1** ⟨+em⟩ penetrar: *introduzir-se furtivamente* **2** ⟨+em⟩ integrar-se

ntrometer-se (in.tro.me.ter-.se) [ĩtrumə'ters(ə)] *v.* dar uma opinião sobre algo que não lhe diz respeito

ntrometido (in.tro.me.ti.do) [ĩtrumə'tidu] *adj.* que se intromete no que não lhe diz respeito

tromissão (in.tro.mis.são) [ĩtrumi'sɐ̃w̃] *n.f.* ato ou efeito de se intrometer

trospeção (in.tros.pe.ção)[AO] [ĩtrɔʃpɛ'sɐ̃w̃] *n.f.* exame ou análise interior (de pensamentos, sentimentos, etc.)

trospecção (in.tros.pec.ção) [ĩtrɔʃpɛ'sɐ̃w̃] *a nova grafia é* **introspeção**[AO]

trospectivo (in.tros.pec.ti.vo) [ĩtrɔʃpɛ'tivu] *a nova grafia é* **introspetivo**[AO]

trospetivo (in.tros.pe.ti.vo)[AO] [ĩtrɔʃpɛ'tivu] *adj.* que examina o interior

trovertido (in.tro.ver.ti.do) [ĩtrɔvər'tidu] *adj.* pouco comunicativo; reservado **ANT.** extrovertido

trujão (in.tru.jão) [ĩtru'ʒɐ̃w̃] *n.m.* aldrabão; vigarista

trujar (in.tru.jar) [ĩtru'ʒar] *v.* enganar; aldrabar

trujice (in.tru.ji.ce) [ĩtru'ʒi(sə)] *n.f.* aldrabice; vigarice

truso (in.tru.so) [ĩ'truzu] *adj.* diz-se de quem entra num lugar sem ser convidado ou que toma posse de algo a que não tem direito

tuição (in.tu:i.ção) [ĩtwi'sɐ̃w̃] *n.f.* **1** capacidade para perceber coisas imediatamente, sem pensar muito **2** suspeita de que algo vai acontecer; pressentimento

uitivo (in.tu:i.ti.vo) [ĩtwi'tivu] *adj.* relativo a intuição

uito (in.tui.to) [ĩ'tujtu] *n.m.* objetivo; fim

merável (i.nu.me.rá.vel) [inumə'ravɛɫ] *adj.2g.* ▸ **inúmero**

mero (i.nú.me.ro) [i'numəru] *adj.* que existe em grande quantidade; que é muito numeroso

inundação (i.nun.da.ção) [inũdɐ'sɐ̃w̃] *n.f.* situação em que um lugar se enche de água (devido a chuvas intensas, subida das águas de rios e lagos ou por se deixar uma torneira aberta, por exemplo) **ANT.** cheia

inundar (i.nun.dar) [inũ'dar] *v.* cobrir com água; alagar

inusitado (i.nu.si.ta.do) [inuzi'tadu] *adj.* **1** raro; não usado **2** estranho

inútil (i.nú.til) [i'nutiɫ] *adj.2g.* **1** que não tem utilidade; desnecessário; dispensável **ANT.** útil **2** que não vale a pena

inutilidade (i.nu.ti.li.da.de) [inutəli'dad(ə)] *n.f.* **1** falta de utilidade **2** o que é inútil, não serve para nada

inutilizar (i.nu.ti.li.zar) [inutəli'zar] *v.* tornar inútil ou incapaz; danificar

invadir (in.va.dir) [ĩva'dir] *v.* **1** ocupar (um lugar) usando força ou violência **2** entrar de repente em **3** *fig.* espalhar-se por

invalidar (in.va.li.dar) [ĩvɐli'dar] *v.* **1** tornar inválido; anular **2** inutilizar

invalidez (in.va.li.dez) [ĩvɐli'deʃ] *n.f.* estado da pessoa que não pode trabalhar por razões de saúde

inválido (in.vá.li.do) [ĩ'validu] *adj.* **1** que não tem saúde ou capacidade física para trabalhar **2** que não é válido; nulo

invariável (in.va.ri:á.vel) [ĩvɐ'rjavɛɫ] *adj.2g.* **1** que não varia **SIN.** imutável; inalterável **2** diz-se da palavra que tem sempre a mesma forma

invariavelmente (in.va.ri:a.vel.men.te) [ĩvɐrjavɛɫ'mẽt(ə)] *adv.* sem exceção; sempre

invasão (in.va.são) [ĩva'zɐ̃w̃] *n.f.* **1** ocupação (de um lugar) usando força ou violência **2** *fig.* difusão

invasor (in.va.sor) [ĩva'zor] *adj.* que invade ou ocupa pela força

inveja (in.ve.ja) [ĩ'vɐ(j)ʒɐ] *n.f.* desejo de possuir algo que outra pessoa tem **SIN.** cobiça

invejar (in.ve.jar) [ĩvə'ʒar] *v.* desejar ter algo que outra pessoa tem **SIN.** cobiçar

invejável (in.ve.já.vel) [ĩvə'ʒavɛɫ] *adj.2g.* **1** que causa inveja **2** de grande valor; considerável

invejoso (in.ve.jo.so) [ĩvə'ʒozu] *adj.* que sente inveja

invenção (in.ven.ção) [ĩvẽ'sɐ̃w̃] *n.f.* **1** ato de inventar algo; criação **2** coisa inventada; descoberta **3** coisa imaginada; fantasia

invencível (in.ven.cí.vel) [ĩvẽ'sivɛɫ] *adj.2g.* **1** que não pode ser vencido **2** que não se pode atingir ou alcançar

inventado (in.ven.ta.do) [ĩvẽ'tadu] *adj.* **1** criado **2** descoberto **3** imaginado

inventar (in.ven.tar) [ĩvẽ'tar] *v.* **1** criar (algo novo) **2** descobrir (algo desconhecido) **3** imaginar (algo que não existe)

inventariação (in.ven.ta.ri:a.ção) [ĩvẽtɐrjɐ'sɐ̃w̃] *n.f.* ato de inventariar

inventariar (in.ven.ta.ri:ar) [ĩvẽtɐ'rjar] *v.* **1** fazer o inventário de (bens) **2** listar; relacionar

inventário (in.ven.tá.ri:o) [ĩvẽ'tarju] *n.m.* lista de bens de uma pessoa ou de uma empresa

inventivo (in.ven.ti.vo) [ĩvẽ'tivu] *adj.* que inventa ou imagina coisas novas **SIN.** criativo

invento (in.ven.to) [ĩvẽ'tu] *n.m.* coisa inventada; invenção

inventor (in.ven.tor) [ĩvẽ'tor] *n.m.* pessoa que inventa algo novo **SIN.** autor; criador

inverno (in.ver.no)[AO] [ĩ'vɛrnu] *n.f.* estação do ano depois do outono e antes da primavera

inverosímil (in.ve.ro.sí.mil) [ĩvəru'zimiɫ] *adj.2g.* que não é ou não parece ser verdadeiro

inverosimilhança (in.ve.ro.si.mi.lhan.ça) [ĩvəru zimi'ʎɐ̃sɐ] *n.f.* **1** falta de verosimilhança **2** característica do que não parece verdadeiro

inversão (in.ver.são) [ĩvər'sɐ̃w̃] *n.f.* **1** colocação de duas ou mais coisas em sentido oposto **2** alteração da posição ou da direção de coisas ou objetos

inverso (in.ver.so) [ĩ'vɛrsu] *adj.* voltado para o lado oposto; contrário

invertebrado (in.ver.te.bra.do) [ĩvərtə'bradu] *adj.* diz-se do animal que não tem esqueleto interno

inverter (in.ver.ter) [ĩvər'ter] *v.* **1** virar para o sentido oposto **2** trocar a posição ou a direção de

invertido (in.ver.ti.do) [ĩvər'tidu] *adj.* **1** virado para o lado contrário **2** que sofreu alteração; deslocado

invés (in.vés) [ĩ'vɛʃ] *n.m.* lado oposto; avesso ♦ **ao invés** ao contrário; às avessas; **ao invés de** ao contrário de; em oposição a

investida (in.ves.ti.da) [ĩvəʃ'tidɐ] *n.f.* **1** ataque; assalto **2** *fig.* tentativa

investidor (in.ves.ti.dor) [ĩvəʃti'dor] *n.m.* aquele que investe

investigação (in.ves.ti.ga.ção) [ĩvəʃtigɐ'sɐ̃w̃] *n.f.* pesquisa; busca

investigador (in.ves.ti.ga.dor) [ĩvəʃtigɐ'dor] *n.m.* pessoa que investiga alguma coisa

investigar (in.ves.ti.gar) [ĩvəʃti'gar] *v.* procurar conhecer melhor algo, estudando e examinando; pesquisar

investimento (in.ves.ti.men.to) [ĩvəʃti'mẽtu] *n.m.* **1** utilização de dinheiro com o objetivo de ter lucro **2** aplicação de tempo, esforço, etc. a fim de obter algo

investir (in.ves.tir) [ĩvəʃ'tir] *v.* **1** ⟨**+em**⟩ apli (esforço, tempo, capitais, etc.) para obter luc ou bons resultados: *investir na Bolsa; investir carreira* **2** ⟨**+contra**⟩ atacar: *A polícia investiu tra a multidão.* **3** eleger; nomear: *investir algu no cargo de presidente*

inviável (in.vi:á.vel) [ĩ'vjavɛɫ] *adj.2g.* que não pode realizar

invicto (in.vic.to) [ĩ'viktu] *adj.* que não se p vencer; invencível

inviolável (in.vi:o.lá.vel) [ĩvju'lavɛɫ] *adj.2g.* não se deve ou não se pode violar

invisível (in.vi.sí.vel) [ĩvi'zivɛɫ] *adj.2g.* que não vê; oculto

invisual (in.vi.su:al) [ĩvi'zwaɫ] *adj.2g.* que não **SIN.** cego ■ *n.2g.* pessoa que não tem o sent da visão **SIN.** cego

in vitro [in'vitrɔ] *loc.* designa qualquer fenóm fisiológico que se opera fora do organismo (exemplo, num tubo de ensaio ou numa prove

invocação (in.vo.ca.ção) [ĩvukɐ'sɐ̃w̃] *n.f.* **1** ato efeito de invocar **2** chamamento **3** pedido de corro ou proteção **4** parte de um poema em o poeta pede proteção ou inspiração a algu ou às divindades **5** em direito, alegação

invocar (in.vo.car) [ĩvu'kar] *v.* pedir auxílio proteção a; chamar

invólucro (in.vó.lu.cro) [ĩ'vɔlukru] *n.m.* aquilo serve para cobrir ou envolver; cobertura; rev timento

involuntariamente (in.vo.lun.ta.ri:a.men.te) [lũtarjɐ'mẽt(ə)] *adv.* sem querer; contra a vontade

involuntário (in.vo.lun.tá.ri:o) [ĩvulũ'tarju] que se faz sem querer; inconsciente; instintiv

invulgar (in.vul.gar) [ĩvuɫ'gar] *adj.2g.* que é po comum **SIN.** raro

invulnerável (in.vul.ne.rá.vel) [ĩvuɫnə'rav *adj.2g.* que não pode ser atingido ou atacado

iodo (i:o.do) ['jodu] *n.m.* **1** substância de cor v leta que se encontra no mar e nas algas **2** 👁 mento químico não metálico, de cor cinzent **tintura de iodo** solução alcoólica usada co desinfetante

ioga (i:o.ga) ['jɔgɐ] *n.m.* disciplina baseada em posições corporais e no controlo da respiração, que procura estabelecer o equilíbrio entre o corpo e a mente

iogurte (i:o.gur.te) [jɔ'gurt(ə)] *n.m.* alimento preparado com leite coalhado, por vezes aromatizado ou com pedaços de frutas, que geralmente se come frio

ioió (io.ió) [jɔ'jɔ] *n.m.* brinquedo formado por dois discos unidos no centro por um pequeno cilindro em volta do qual se prende um cordão que faz subir e descer o brinquedo

IP ['i'pe] *sigla de* Itinerário Principal ■ protocolo de comunicação usado entre duas máquinas em rede para transmissão de informação **OBS.** Sigla de *Internet Protocol*

iPod [aj'pɔd] *n.m.* série de aparelhos de áudio digital portátil, que permite armazenar e reproduzir música ou outro tipo de arquivos digitais

ir (ir) ['ir] *v.* **1** deslocar-se de um lugar para outro; dirigir-se para **2** estar presente em determinado lugar; comparecer ■ **ir-se 1** sair de um lugar; partir **2** gastar-se; desaparecer **3** morrer ◆ **ir ter a** ir dar a; dirigir-se a

ira (i.ra) ['irɐ] *n.f.* fúria; cólera

irado (i.ra.do) [i'radu] *adj.* muito zangado; furioso

iraniano (i.ra.ni:a.no) [irɐ'njɐnu] *adj.* relativo ao Irão ■ *n.m.* pessoa natural do Irão

iraquiano (i.ra.qui:a.no) [irɐ'kjɐnu] *adj.* relativo ao Iraque ■ *n.m.* pessoa natural do Iraque

irar(-se) (i.rar(-se)) [i'rar(sə)] *v.* causar ira a; enfurecer(-se)

irascível (i.ras.cí.vel) [irɐʃ'sivɛɫ] *adj.2g.* que se irrita facilmente

IRC [iɛʀ'se] *sigla de* Imposto sobre o Rendimento das Pessoas Coletivas ■ serviço fornecido na internet que permite conversar em tempo real, através de mensagens escritas **OBS.** Sigla de *Internet Relay Chat*

íris (í.ris) ['iriʃ] *n.f.2n.* membrana do globo ocular onde se encontra a pupila

irlandês (ir.lan.dês) [irlɐ̃'deʃ] *adj.* relativo à República da Irlanda (país a oeste do Reino Unido) ■ *n.m.* pessoa natural da Irlanda

irmã (ir.mã) [ir'mɐ̃] *n.f.* **1** pessoa do sexo feminino que tem os mesmos pais **2** mulher que faz parte de uma ordem religiosa; freira

irmão (ir.mão) [ir'mɐ̃w̃] *n.m.* **1** pessoa do sexo masculino que tem os mesmos pais **2** membro de uma ordem religiosa; frade

ironia (i.ro.ni.a) [iru'niɐ] *n.f.* forma de humor que consiste em dizer o contrário daquilo que se pensa ou sente

irónico (i.ró.ni.co) [i'rɔniku] *adj.* **1** em que há ironia **2** que dá a entender o contrário do que se diz

ironizar (i.ro.ni.zar) [iruni'zar] *v.* **1** fazer ironia **2** exprimir com ironia **3** tratar com ironia

irra (ir.ra) ['iʀɐ] *interj.* indica desaprovação, descontentamento ou aversão

irracional (ir.ra.ci:o.nal) [iʀɐsju'naɫ] *adj.2g.* **1** que é contrário à razão; ilógico **2** diz-se do animal que não possui razão ou capacidade para pensar

irradiação (ir.ra.di:a.ção) [iʀɐdjɐ'sɐ̃w̃] *n.f.* **1** propagação por meio de raios **2** *fig.* difusão

irradiar (ir.ra.di:ar) [iʀɐ'djar] *v.* lançar (luz, calor)

irreal (ir.re:al) [i'ʀjaɫ] *adj.2g.* **1** que não é real ou verdadeiro **ANT.** real **2** que é fruto da imaginação; imaginário

irrealista (ir.re:a.lis.ta) [iʀjɐ'liʃtɐ] *adj.2g.* **1** não realista **2** que não se adequa à realidade; irreal ■ *n.2g.* pessoa a quem falta o sentido da realidade

irreconhecível (ir.re.co.nhe.cí.vel) [iʀəkuɲə'sivɛɫ] *adj.2g.* que não se pode reconhecer; muito modificado

irrecuperável (ir.re.cu.pe.rá.vel) [iʀəkupə'ravɛɫ] *adj.2g.* que não pode ser recuperado; perdido

irrecusável (ir.re.cu.sá.vel) [iʀəku'zavɛɫ] *adj.2g.* que não se pode recusar

irredutível (ir.re.du.tí.vel) [iʀədu'tivɛɫ] *adj.2g.* **1** que não se pode reduzir ou decompor **2** diz-se da pessoa que não se deixa convencer; inflexível

irreflectido (ir.re.flec.ti.do) [iʀəflɛ'tidu] *a nova grafia é* **irrefletido**[AO]

irrefletido (ir.re.fle.ti.do)[AO] [iʀəflɛ'tidu] *adj.* dito ou feito sem pensar **SIN.** impensado

irreflexão (ir.re.fle.xão) [iʀəflɛ'sɐ̃w̃] *n.f.* **1** falta de reflexão; precipitação **2** ato ou comentário que não foi pensado; imprudência

irrefutável (ir.re.fu.tá.vel) [iʀəfu'tavɛɫ] *adj.2g.* que não se pode refutar; incontestável

irregular (ir.re.gu.lar) [iʀəgu'lar] *adj.* **1** que tem quebras ou falhas; desigual **ANT.** regular **2** que não está de acordo com as regras **3** diz-se do verbo que sofre alteração do radical e cuja flexão se afasta da flexão do paradigma a que pertence

irregularidade (ir.re.gu.la.ri.da.de) [iʀəgulɐri'dad(ə)] *n.f.* existência de quebras ou falhas; desigualdade **ANT.** regularidade

irrelevante (ir.re.le.van.te) [iʀələ'vɐ̃t(ə)] *adj.2g.* que não tem relevo ou importância

irremediável (ir.re.me.di:á.vel) [iʀəmə'djavɛɫ] *adj.2g.* **1** que não tem remédio ou solução **2** que não se pode evitar

irreparável (ir.re.pa.rá.vel) [iʀəpɐ'ravɛɫ] *adj.2g.* que não pode ser remediado ou recuperado

irrepreensível (ir.re.pre:en.sí.vel) [iʀəprjẽ'sivɛɫ] *adj.2g.* **1** em que não há nada a repreender **2** perfeito

irrequieto (ir.re.qui:e.to) [iʀə'kjɛtu] *adj.* que não fica quieto e sossegado **SIN.** agitado

irresistível (ir.re.sis.tí.vel) [iʀəziʃ'tivɛɫ] *adj.2g.* **1** a que não se consegue resistir **2** que não se pode dominar (choro, riso, etc.)

irrespirável (ir.res.pi.rá.vel) [iʀəʃpi'ravɛɫ] *adj.2g.* **1** que não se pode respirar **2** *fig.* insuportável

irresponsabilidade (ir.res.pon.sa.bi.li.da.de) [iʀəʃpõsɐbili'dad(ə)] *n.f.* falta de responsabilidade; atitude de quem age sem pensar nas consequências dos seus atos **ANT.** responsabilidade

irresponsável (ir.res.pon.sá.vel) [iʀəʃpõ'savɛɫ] *adj.2g.* **1** diz-se da pessoa que age sem pensar nas consequências dos seus atos **ANT.** responsável **2** diz-se do comportamento ou do comentário irrefletido

irreverência (ir.re.ve.rên.ci:a) [iʀəvə'rẽsjɐ] *n.f.* falta de respeito

irreverente (ir.re.ve.ren.te) [iʀəvə'rẽt(ə)] *adj.2g.* que mostra falta de respeito

irreversível (ir.re.ver.sí.vel) [iʀəvər'sivɛɫ] *adj.2g.* que não pode mudar de sentido ou direção; que não pode voltar atrás

irrigação (ir.ri.ga.ção) [iʀigɐ'sɐ̃w̃] *n.f.* **1** circulação de líquidos (sangue, linfa, etc.) no organismo **2** rega artificial de terrenos

irrigar (ir.ri.gar) [iʀi'gar] *v.* **1** conduzir (líquidos) **2** molhar com água; regar

irrisório (ir.ri.só.ri:o) [iʀi'zɔrju] *adj.* **1** ridículo **2** insignificante

irritabilidade (ir.ri.ta.bi.li.da.de) [iʀitɐbili'dad(ə)] *n.f.* estado de quem se irrita com facilidade

irritação (ir.ri.ta.ção) [iʀitɐ'sɐ̃w̃] *n.f.* **1** estado de nervosismo ou de fúria **2** ligeira inflamação na pele

irritadiço (ir.ri.ta.di.ço) [iʀitɐ'disu] *adj.* que se irrita com facilidade

irritado (ir.ri.ta.do) [iʀi'tadu] *adj.* enervado; furioso

irritante (ir.ri.tan.te) [iʀi'tɐ̃t(ə)] *adj.2g.* que causa irritação **SIN.** enervante

irritar (ir.ri.tar) [iʀi'tar] *v.* **1** pôr (alguém) nervoso; enervar **2** fazer zangar (alguém); enfurecer **3** causar inflamação (na pele) ■ **irritar-se 1** ficar nervoso; enervar-se **2** ficar zangado; enfurecer-se

irritável (ir.ri.tá.vel) [iʀi'tavɛɫ] *adj.2g.* que se irrita com facilidade

irromper (ir.rom.per) [iʀõ'per] *v.* entrar ou aparecer de repente; surgir

IRS [iɛʀɛs] *sigla de* Imposto sobre o Rendimento das Pessoas Singulares

isca (is.ca) ['iʃkɐ] *n.f.* ⇒ **isco**

isco (is.co) ['iʃku] *n.m.* **1** aquilo que se põe no anzol para atrair os peixes; engodo **2** *fig.* aquilo que atrai ou que chama a atenção de uma pessoa; atrativo ◆ **morder o isco** cair numa armadilha preparada por alguém; deixar-se enganar

isenção (i.sen.ção) [izẽ'sɐ̃w̃] *n.f.* **1** qualidade de isento ou imparcial; justiça **2** dispensa concedida por lei do cumprimento de uma obrigação; **isenção fiscal** dispensa do pagamento de imposto(s)

isentar(-se) (i.sen.tar(-se)) [izẽ'tar(sə)] *v.* tornar(-se) isento; desobrigar(-se)

isento (i.sen.to) [i'zẽtu] *adj.* **1** que está livre de uma obrigação; dispensado **2** que é justo nas suas decisões ou opiniões; imparcial

islâmico (is.lâ.mi.co) [iʒ'lɐmiku] *adj.* relativo ao islamismo

islamismo (is.la.mis.mo) [iʒlɐ'miʒmu] *n.m.* religião fundada pelo profeta árabe Maomé

islamita (is.la.mi.ta) [iʒlɐ'mitɐ] *adj.,n.2g.* que ou pessoa que segue o islamismo

islandês (is.lan.dês) [iʒlɐ̃'deʃ] *adj.* relativo à Islândia (país que é uma ilha no norte do oceano Atlântico) ■ *n.m.* **1** pessoa natural da Islândia **2** língua falada na Islândia

islão (is.lão) [iʒ'lɐ̃w̃] *n.m.* ⇒ **islamismo**

isolado (i.so.la.do) [izu'ladu] *adj.* **1** que está afastado das outras pessoas; solitário **2** diz-se do lugar distante e desabitado

isolador (i.so.la.dor) [izulɐ'dor] *adj.* que serve para isolar

isolamento (i.so.la.men.to) [izulɐ'mẽtu] *n.m.* **1** separação de uma coisa em relação a outras **2** estado da pessoa que vive afastada das outras pessoas

isolante (i.so.lan.te) [izu'lɐ̃t(ə)] *adj.2g.* **1** diz-se do material que não conduz a corrente elétrica **2** diz-se do material que não deixa passar o calor ou o som

isolar (i.so.lar) [izu'lar] *v.* **1** separar (uma coisa ou uma pessoa) de outras **2** cobrir (algo) com material isolante ■ **isolar-se** ir para um lugar afastado e distante

isqueiro (is.quei.ro) [iʃ'kɐjru] *n.m.* pequeno utensílio de metal ou plástico, usado para fazer lume

israelita (is.ra.e.li.ta) [iʒʀɐɛ'litɐ] *n.2g.* pessoa pertencente ao povo de Israel ■ *adj.2g.* relativo a Israel ou ao seu povo

isso (is.so) ['isu] *prn.dem.* essa ou essas coisas ◆ **nem por isso** não tanto como se diz; não muito; **por isso** por essa razão; por esse motivo

istmo (ist.mo) ['iʃtmu] *n.m.* **1** faixa estreita de terra que liga uma península ao continente **2** parte es treita que une duas partes maiores de alguma coisa

isto **(is.to)** ['iʃtu] *prn.dem.* esta ou estas coisas ◆ **isto é** ou seja; quer dizer

italiano **(i.ta.li:a.no)** [itɐ'ljɐnu] *adj.* relativo a Itália ■ *n.m.* **1** pessoa natural de Itália **2** língua falada em Itália

itálico **(i.tá.li.co)** [i'taliku] *n.m.* tipo de letra inclinada para a direita; grifo

item ['itɛm] *n.m.* ⟨*pl.* itens⟩ cada uma das partes de um texto escrito, de um contrato, de um regulamento, etc.

iterativo **(i.te.ra.ti.vo)** [itərɐ'tivu] *adj.* **1** feito ou ocorrido diversas vezes; repetitivo **2** (aspeto verbal) que exprime uma ação que se repete regularmente durante um determinado período

itinerante **(i.ti.ne.ran.te)** [itinə'rɐ̃t(ə)] *adj.2g.* que se desloca de um lugar para outro; que muda de lugar **SIN.** ambulante

itinerário **(i.ti.ne.rá.ri:o)** [itinə'rarju] *n.m.* caminho a seguir numa viagem; roteiro

IVA ['ivɐ] *sigla de* Imposto sobre o Valor Acrescentado

J

j ['ʒe] *n.m.* consoante, décima letra do alfabeto, que está entre as letras *i* e *k*

já (já) ['ʒa] *adv.* **1** neste instante; agora mesmo; imediatamente: *Vai já para casa.* **2** nesse tempo; no passado: *Já era gordo em criança.* **3** logo; num instante: *Voltamos já!* **4** antes; anteriormente: *Já vi esse filme* ◆ **desde já** a partir deste momento; de agora em diante; **já agora** afinal; a propósito; **já que** visto que; uma vez que; **para já** neste momento; por enquanto

jacarandá (ja.ca.ran.dá) [ʒɐkɐrɐ̃'da] *n.m.* árvore da América do Sul com flores de cor violeta, que fornece madeira escura e muito resistente

jacaré (ja.ca.ré) [ʒɐkɐ'rɛ] *n.m.* réptil grande, com o focinho largo e curto e com pele muito grossa, que vive nos rios e pântanos da América do Sul

jacente (ja.cen.te) [ʒɐ'sẽt(ə)] *adj.2g.* **1** situado em determinado lugar; localizado **2** deitado; estendido

jacinto (ja.cin.to) [ʒɐ'sĩtu] *n.m.* planta com flores coloridas em forma de espigas, perfumadas e dispostas em cachos

jackpot [ʒɛk'pɔt] *n.m.* ⟨*pl.* jackpots⟩ prémio mais alto de um jogo, resultante da acumulação do valor do prémio durante várias semanas

jacto (jac.to) ['ʒatu] *a nova grafia é* **jato**AO

jacuzzi [ʒa'kuzi] ou **jacúzi** *n.m.* banheira equipada com um dispositivo que provoca ondulações na água, massajando o corpo

jade (ja.de) ['ʒad(ə)] *n.m.* pedra semipreciosa esverdeada e muito dura, utilizada em joias e objetos de decoração

jaguar (ja.guar) [ʒɐ'gwar] *n.m.* 👁 mamífero carnívoro de cor amarelada, com manchas pretas e irregulares em todo o corpo, parecido com o tigre

jamaicano (ja.mai.ca.no) [ʒɐmaj'kɐnu] *adj.* relativ à Jamaica ■ *n.m.* pessoa natural da Jamaic (América Central)

jamais (ja.mais) [ʒa'majʃ] *adv.* **1** nunca **2** de mod algum

janeiras (ja.nei.ras) [ʒɐ'nɐjrɐʃ] *n.f.pl.* cantigas pc pulares de boas-festas que são cantadas por oc sião do Ano Novo

janeiro (ja.nei.ro)AO [ʒɐ'nɐjru] *n.m.* primeiro mês d ano

janela (ja.ne.la) [ʒɐ'nɛlɐ] *n.f.* **1** abertura na pared de um edifício **2** parte da superfície do ecrã c certos dispositivos eletrónicos, de forma retar gular, que mostra um ficheiro ou um programa

jangada (jan.ga.da) [ʒɐ̃'gadɐ] *n.f.* armação flutuan feita com tábuas, troncos ou outros objetos leves

janota (ja.no.ta) [ʒɐ'nɔtɐ] *adj.2g.* elegante

janta (jan.ta) ['ʒɐ̃tɐ] *n.f. coloq.* jantar

jantar (jan.tar) [ʒɐ̃'tar] *n.m.* refeição que se tom ao fim da tarde ou no início da noite ■ *v.* come a refeição da noite

jantarada (jan.ta.ra.da) [ʒɐ̃tɐ'radɐ] *n.f.* janta abundante

jante (jan.te) ['ʒɐ̃t(ə)] *n.f.* aro da roda de automc vel, bicicleta, etc. em que encaixa o pneu

japoneira (ja.po.nei.ra) [ʒɐpu'nɐjrɐ] *n.f.* ⇒ **came leira**

japonês (ja.po.nês) [ʒɐpu'neʃ] *adj.* relativo ao J pão (na Ásia) ■ *n.m.* **1** pessoa natural do Japã **2** língua falada no Japão

jaqueta (ja.que.ta) [ʒɐ'ketɐ] *n.f.* casaco curto

jarda (jar.da) ['ʒardɐ] *n.f.* medida de compriment inglesa, equivalente a 0,914 metros

jardim (jar.dim) [ʒɐr'dĩ] *n.m.* espaço público o privado onde se cultivam flores e árvores ◆ **ja dim botânico** parque onde se cultivam diversa plantas para estudo e que pode ser visitado; **ja dim zoológico** local onde vivem e estão expos tos ao público animais de várias espécies

jardim-de-infância (jar.dim-.de-.in.fân.ci:a [ʒardĩdĩ'fɐ̃sjɐ] *a nova grafia é* **jardim de infância**AO

jardim de infância (jar.dim de in.fân.ci:a) [ʒardĩdĩ'fɐ̃sjɐ] *n.m.* ⟨*pl.* jardins de infância⟩ estabele cimento de ensino onde ficam crianças peque nas durante o dia **SIN.** jardim-escola; jardim -infantil

jardim-escola (jar.dim-.es.co.la) [ʒɐrdĩ'ʃkɔlɐ] *n.r* ⟨*pl.* jardins-escola⟩ ⇒ **jardim de infância**

jardim-infantil **(jar.dim-.in.fan.til)** [ʒɐrdĩĩfɐ̃'tił] *n.m.* ⟨*pl.* jardins-infantis⟩ ⇒ **jardim de infância**

jardinagem **(jar.di.na.gem)** [ʒɐrdi'naʒɐ̃j̃] *n.f.* arte de cultivar e tratar de jardins

jardinar **(jar.di.nar)** [ʒɐrdi'nar] *v.* cultivar e tratar de um jardim

jardineira **(jar.di.nei.ra)** [ʒɐrdi'nɐjrɐ] *n.f.* guisado de carne, geralmente vitela, preparado com vários legumes frescos

jardineiro **(jar.di.nei.ro)** [ʒɐrdi'nɐjru] *n.m.* pessoa que trata de jardins

jargão **(jar.gão)** [ʒɐr'gɐ̃w̃] *n.m.* **1** linguagem corrompida ou incompreensível **2** linguagem específica utilizada por determinados setores profissionais ou sociais; gíria **3** linguagem codificada de certos grupos, utilizada com o objetivo de evitar a sua compreensão por parte de elementos exteriores a esses grupos; gíria

jarra **(jar.ra)** ['ʒaʀɐ] *n.f.* vaso de vidro ou de louça para flores

jarrão **(jar.rão)** [ʒɐ'ʀɐ̃w̃] *n.m.* jarra grande

jarro **(jar.ro)** ['ʒaʀu] *n.m.* **1** vaso alto, bojudo, com asa e bico, próprio para conter líquidos **2** 👁 planta que dá flores brancas em forma de cone, com uma haste amarela no meio

jasmim **(jas.mim)** [ʒɐʒ'mĩ] *n.m.* planta trepadeira, de pequenas flores aromáticas brancas, amarelas ou rosadas

jaspe **(jas.pe)** ['ʒaʃp(ə)] *n.m.* variedade de quartzo, opaca e de cores diversas, usada em joias e peças decorativas

jato **(ja.to)**[AO] ['ʒatu] *n.m.* **1** porção de um líquido que sai com força de uma vez; jorro **2** aeronave cuja propulsão é feita por meio da saída de um fluido ♦ **de um jato** de uma só vez

jaula **(jau.la)** ['ʒawlɐ] *n.f.* caixa de grades utilizada para aprisionar animais selvagens

javali **(ja.va.li)** [ʒɐvɐ'li] *n.m.* animal mamífero corpulento, de pelo espesso e cinzento; porco selvagem

javardice **(ja.var.di.ce)** [ʒɐvɐr'di(sə)] *n.f.* **1** *pej., coloq.* porcaria; grosseria **2** *pej., coloq.* grande confusão

javardo **(ja.var.do)** [ʒɐ'vardu] *adj. pej., coloq.* porco; nojento ▪ *n.m. pej., coloq.* homem grosseiro e porco

jazer **(ja.zer)** [ʒɐ'zer] *v.* **1** ⟨**+em**⟩ estar deitado ou estendido **2** ⟨**+em**⟩ estar sepultado

jazigo **(ja.zi.go)** [ʒɐ'zigu] *n.m.* pequeno monumento que serve de sepultura a um ou mais mortos, geralmente da mesma família **SIN.** túmulo

jazz ['ʒaz] *n.m.* género musical de origem norte-americana que dá muita importância à improvisação

jeans ['ʒinəʃ] *n.m.pl.* calças de ganga

jeira **(jei.ra)** ['ʒɐjrɐ] *n.f.* terreno que uma junta de bois pode lavrar num dia **SIN.** leira

jeitinho **(jei.ti.nho)** [ʒɐj'tiɲu] ⟨*dim. de* jeito⟩ *n.m.* maneira de agir ou de fazer algo **SIN.** habilidade

jeito **(jei.to)** ['ʒɐjtu] *n.m.* **1** maneira de ser ou de agir **2** aptidão natural; vocação ♦ **a jeito** em boa posição; em momento oportuno; a propósito; **com jeito** com cuidado; com delicadeza; **dar jeito** ser útil; ser oportuno; **fazer jeito** vir a propósito; ser conveniente

jeitoso **(jei.to.so)** [ʒɐj'tozu] *adj.* **1** que tem jeito; habilidoso **2** com boa aparência; atraente

jejuar **(je.ju:ar)** [ʒə'ʒwar] *v.* não comer porque não se quer (por motivos religiosos ou como protesto) ou porque se é obrigado (por razões de saúde, por exemplo)

jejum **(je.jum)** [ʒə'ʒũ] *n.m.* estado da pessoa que não come durante algum tempo por motivos religiosos ou outros (de saúde, etc.) ♦ **em jejum** sem ingerir nada desde o dia anterior; **quebrar o jejum 1** fazer a primeira refeição depois de ter estado em jejum ou de manhã, ao acordar **2** ingerir algum alimento antes do fim do jejum

Jeová **(Je.o.vá)** [ʒɛɔ'va] *n.m.* no Antigo Testamento, Deus

jerico **(je.ri.co)** [ʒə'riku] *n.m.* jumento; burro

jeropiga **(je.ro.pi.ga)** [ʒəru'pigɐ] *n.f.* bebida muito alcoólica feita de mosto, aguardente e açúcar

jesuíta **(je.su:í.ta)** [ʒə'zwitɐ] *adj.2g.* relativo à Companhia de Jesus (ordem religiosa fundada em 1540) ▪ *n.m.* **1** membro da Companhia de Jesus **2** pastel de massa folhada coberta por uma camada de claras batidas com açúcar

jesus **(je.sus)** [ʒə'zuʃ] *interj.* exprime admiração, surpresa ou susto

jet lag [ʤɛt'lɛg] *n.m.* perturbação do ritmo biológico causada por viagens de avião muito longas através de zonas com diferentes fusos horários, o que provoca cansaço, alteração do ciclo do sono, etc.

jet set [ʒɛt'sɛt] *n.m.* grupo de pessoas, geralmente ricas, que têm uma vida social intensa

jet ski [jɛt'ski] *n.m.* **1** veículo aquático, semelhante a uma motocicleta, que se desloca sobre esquis **2** desporto praticado com esse veículo

jiboia (ji.boi.a)AO [ʒi'bɔjɐ] *n.f.* grande serpente não venenosa, de cor acinzentada, que se alimenta de roedores e de aves e vive na América do Sul

jibóia (ji.bói.a) [ʒi'bɔjɐ] *a nova grafia é* **jiboia**AO

jindungo (jin.dun.go) [ʒĩ'dũgu] *n.m.* [ANG.] malagueta

jinga (jin.ga) ['ʒĩgɐ] *n.f.* [MOÇ.] bicicleta

jinguba (jin.gu.ba) [ʒĩ'gubɐ] *n.f.* [ANG., STP.] amendoim

jipe (ji.pe) ['ʒip(ə)] *n.m.* veículo próprio para circular em terrenos difíceis

joalharia (jo:a.lha.ri.a) [ʒwɐʎɐ'riɐ] *n.f.* **1** arte de fabricar joias **2** loja onde se vendem joias

joalheiro (jo:a.lhei.ro) [ʒwɐ'ʎɐjru] *n.m.* fabricante ou vendedor de joias

joanete (jo:a.ne.te) [ʒwɐ'net(ə)] *n.m.* saliência na base do dedo grande do pé

joaninha (jo:a.ni.nha) [ʒwɐ'niɲɐ] *n.f.* pequeno inseto de cabeça pequena, com patas muito curtas e asas vermelhas com pintas pretas

joão-pestana (jo.ão-.pes.ta.na) [ʒwɐ̃w̃pəʃ'tɐnɐ] *n.m. coloq.* sono

jobar (jo.bar) [ʒɔ'bar] *v.* [MOÇ.] trabalhar

jocoso (jo.co.so) [ʒu'kozu] *adj.* que faz rir **SIN.** cómico; engraçado

joelhada (jo:e.lha.da) [ʒwə'ʎadɐ] *n.f.* pancada dada com o joelho

joelheira (jo:e.lhei.ra) [ʒwə'ʎɐjrɐ] *n.f.* qualquer proteção para os joelhos

joelho (jo:e.lho) ['ʒwɐ(j)ʎu] *n.m.* parte anterior e saliente correspondente à articulação que permite dobrar as pernas ◆ **fazer em cima do joelho** improvisar; **pedir de joelhos** implorar

jogada (jo.ga.da) [ʒu'gadɐ] *n.f.* aquilo que um jogador faz quando chega a sua vez; lance

jogador (jo.ga.dor) [ʒugɐ'dor] *n.m.* pessoa que participa num jogo

jogar (jo.gar) [ʒu'gar] *v.* **1** participar num jogo **2** praticar uma modalidade desportiva

jogging ['ʒɔgĩg] *n.m.* atividade que consiste em correr a pé, em andamento moderado

jogo (jo.go) ['ʒogu] *n.m.* **1** atividade física ou intelectual que uma pessoa realiza para se distrair; passatempo; distração **2** atividade realizada segundo regras que estabelecem quem vence e quem perde; competição ◆ **jogos olímpicos** competição desportiva internacional, que se realiza de quatro em quatro anos **SIN.** olimpíadas

jogral (jo.gral) [ʒu'graɫ] *n.m.* artista medieval que tocava, cantava e recitava poesia

joguete (jo.gue.te) [ʒu'get(ə)] *n.m.* **1** *fig.* o que é alvo de troça **2** *fig.* pessoa manipulada por outrem

joia (joi.a)AO ['ʒɔjɐ] *n.f.* **1** objeto de material valioso e por vezes com pedras preciosas, que se usa como adorno **2** quantia que se paga pela entrada numa associação ou num clube

jóia (jói.a) ['ʒɔjɐ] *a nova grafia é* **joia**AO

joio (joi.o) ['ʒoju] *n.m.* planta herbácea espontânea, frequente nas searas, que prejudica as culturas através do seus frutos, portadores de uma substância tóxica ◆ **separar o trigo do joio** separar o que é bom do que é mau; fazer a distinção entre coisas diferentes

joker ['ʒɔkɛr] *n.m.* **1** carta extra de um baralho, geralmente com a figura de um bobo **2** sorteio de um número de série registado num boletim

jónico (jó.ni.co) ['ʒɔniku] *n.m.,adj.* (ordem arquitetónica grega) que se caracteriza por uma coluna com sulcos, assente numa base, e um capitel ornamentado

jóquei (jó.quei) ['ʒɔkɐj] *n.m.* corredor profissional nas corridas de cavalos

jóquer (jó.quer) ['ʒɔkɛr] *n.m.* **1** carta extra de um baralho, geralmente com a figura de um bobo **2** sorteio de um número de série registado num boletim

jordano (jor.da.no) [ʒur'dɐnu] *adj.* relativo à Jordânia ■ *n.m.* pessoa natural da Jordânia

jornada (jor.na.da) [ʒur'nadɐ] *n.f.* viagem; caminhada

jornal (jor.nal) [ʒur'naɫ] *n.m.* publicação periódica com notícias, reportagens, entrevistas, anúncios e outro tipo de informação (empregos, filmes em exibição, previsão do tempo, etc.)

jornalismo (jor.na.lis.mo) [ʒurnɐ'liʒmu] *n.m.* **1** atividade de quem trabalha em jornais, na televisão ou na rádio (a escrever artigos, fazer entrevistas, apresentar noticiários, etc.) **2** meios de comunicação social (rádio, televisão, jornais)

jornalista (jor.na.lis.ta) [ʒurnɐ'liʃtɐ] *n.2g.* profissional que trabalha em comunicação social (jornais, rádio, televisão)

jornalístico (jor.na.lís.ti.co) [ʒurnɐ'liʃtiku] *adj.* relativo a jornal ou a jornalista

jorrar (jor.rar) [ʒu'ʀar] *v.* ⟨+de⟩ sair ou fazer sair com força e abundância **SIN.** brotar; irromper

jorro (jor.ro) ['ʒoʀu] *n.m.* saída impetuosa e abundante de um líquido ◆ **a jorros** com força e em grande quantidade

jovem (jo.vem) ['ʒɔvɐ̃j] *adj.2g.* que tem pouca idade; novo ■ *n.2g.* pessoa com pouca idade; adolescente

jovial **(jo.vi:al)** [ʒu'vjał] *adj.2g.* **1** que é alegre e divertido; bem-disposto **2** que tem graça; engraçado

joystick [ʒɔjs'tik] *n.m.* dispositivo manual formado por uma alavanca com botões que se move sobre uma base e que se liga ao computador para controlar o movimento em jogos, simuladores de voo, etc.

JPEG [ʒɔtɐ'pɛgɐ] formato de armazenamento de imagens **OBS.** Sigla de *Joint Photographic Experts Group*

juba **(ju.ba)** ['ʒubɐ] *n.f.* pelo longo que cresce ao longo do pescoço e na cabeça do leão

jubilação **(ju.bi.la.ção)** [ʒubilɐ'sɐ̃w̃] *n.f.* **1** grande alegria **2** no ensino superior, aposentação honrosa, por limite de idade

jubilado **(ju.bi.la.do)** [ʒubi'ladu] *adj.* **1** aposentado por limite de idade **2** muito experiente e com prestígio **SIN.** emérito ■ *n.m.* (ensino superior) professor aposentado por limite de idade

jubilar-se **(ju.bi.lar-.se)** [ʒubi'lars(ə)] *v.* aposentar-se do serviço ou ensino **SIN.** reformar-se

jubileu **(ju.bi.leu)** [ʒubi'lew] *n.m.* **1** indulgência plenária concedida pelo Papa cada 25 anos **2** ano santo durante o qual a Igreja concede graças espirituais especiais **3** quinquagésimo aniversário de função, atividade, instituição, etc. **4** festa comemorativa de aposentação por limite de idade; jubilação

júbilo **(jú.bi.lo)** ['ʒubilu] *n.m.* grande alegria ou contentamento

judaico **(ju.dai.co)** [ʒu'dajku] *adj.* relativo aos Judeus ou ao judaísmo

judaísmo **(ju.da.ís.mo)** [ʒudɐ'iʒmu] *n.m.* **1** doutrina monoteísta assente no Antigo Testamento; religião judaica **2** cultura e civilização judaicas

judas **(ju.das)** ['ʒudɐʃ] *n.m.2n.* *fig.* traidor ◆ **onde Judas perdeu as botas** num lugar muito distante

judeu **(ju.deu)** [ʒu'dew] *adj.* **1** relativo ao judaísmo **2** relativo à Judeia, antiga região da Palestina ■ *n.m.* **1** pessoa que segue a religião judaica **2** pessoa natural da Judeia

judicial **(ju.di.ci:al)** [ʒudi'sjał] *adj.2g.* relativo a justiça ou a tribunal

judiciário **(ju.di.ci:á.ri:o)** [ʒudi'sjarju] *adj.* relativo a justiça ou a juiz

judo **(ju.do)** ['ʒudu] *n.m.* luta defensiva sem armas, de origem japonesa, que se baseia na agilidade dos praticantes

judoca **(ju.do.ca)** [ʒu'dɔkɐ] *n.2g.* pessoa que pratica judo

jugo **(ju.go)** ['ʒugu] *n.m.* **1** peça de madeira adaptada ao cachaço dos bois **2** *fig.* opressão; domínio

jugoslavo **(ju.gos.la.vo)** [ʒuguʒ'lavu] *adj.* relativo à antiga Jugoslávia ■ *n.m.* pessoa natural da antiga Jugoslávia

juiz **(ju:iz)** ['ʒwiʃ] *n.m.* funcionário público que tem poder para julgar

> Note-se que a palavra **juiz** escreve-se sem acento agudo no **i** no singular, mas no plural leva acento: *os juízes do tribunal.*

juiz de linha **(ju:iz de li.nha)** [ʒwiʒdə'liɲɐ] *n.2g.* no futebol, pessoa que assinala com uma pequena bandeira a saída da bola pela linha lateral ou pela linha de fundo; árbitro auxiliar

juízo **(ju:í.zo)** ['ʒwizu] *n.m.* **1** capacidade de avaliar pessoas e coisas; entendimento; razão **2** opinião sobre algo ou alguém; avaliação ◆ **não ter juízo** portar-se mal; **ter juízo** portar-se bem

> A palavra **juízo** escreve-se com um acento agudo no **i**.

jukebox [ʒukə'bɔks] *n.f.* aparelho que toca músicas escolhidas mediante a introdução de moedas ou fichas

julgamento **(jul.ga.men.to)** [ʒułgɐ'mẽtu] *n.m.* **1** ato de julgar alguém num tribunal **2** opinião positiva ou negativa sobre algo ou alguém

julgar **(jul.gar)** [ʒuł'gar] *v.* **1** decidir como juiz **2** avaliar **3** supor ◆ **a julgar por** tendo em conta

julho **(ju.lho)**[AO] ['ʒuʎu] *n.m.* sétimo mês do ano

juliana **(ju.li:a.na)** [ʒu'ljɐnɐ] *n.f.* **1** mistura de legumes picados para sopa **2** sopa feita com legumes picados

jumento **(ju.men.to)** [ʒu'mẽtu] *n.m.* burro; asno

junção **(jun.ção)** [ʒũ'sɐ̃w̃] *n.f.* união

junco **(jun.co)** ['ʒũku] *n.m.* **1** planta herbácea, alongada e flexível **2** embarcação chinesa a remo ou a vela

junho **(ju.nho)**[AO] ['ʒuɲu] *n.m.* sexto mês do ano

júnior **(jú.ni:or)** ['ʒunjɔr] *adj.2g.* que é mais jovem ■ *n.m.* ⟨*pl.* juniores⟩ praticante de uma modalidade desportiva com idade entre os 16 e os 19 anos

junquilho **(jun.qui.lho)** [ʒũ'kiʎu] *n.m.* flor amarela muito aromática, de uma planta com o mesmo nome

junta **(jun.ta)** ['ʒũtɐ] *n.f.* **1** parelha de bois ou vacas **2** grupo de trabalho

juntamente **(jun.ta.men.te)** [ʒũtɐ'mẽt(ə)] *adv.* **1** ao mesmo tempo que (outra coisa) **2** na companhia de (alguém)

juntar (jun.tar) [ʒũ'tar] *v.* **1** reunir; agrupar **2** acrescentar; somar

juntinho (jun.ti.nho) [ʒũ'tiɲu] *adj.* muito próximo

junto (jun.to) ['ʒũtu] *adj.* **1** unido **2** próximo

Júpiter (Jú.pi.ter) ['ʒupitɛr] *n.m.* o maior dos planetas do sistema solar, situado entre Marte e Saturno

jura (ju.ra) ['ʒurɐ] *n.f.* promessa solene **SIN.** juramento

jurado (ju.ra.do) [ʒu'radu] *adj.* declarado de modo solene ▪ *n.m.* membro de um júri num tribunal

juramento (ju.ra.men.to) [ʒurɐ'mẽtu] *n.m.* afirmação ou promessa solene ◆ **juramento de bandeira** compromisso solene assumido pelos militares de defender o seu país

jurar (ju.rar) [ʒu'rar] *v.* **1** afirmar que se está a dizer a verdade **2** prometer que se fará determinada coisa

júri (jú.ri) ['ʒuri] *n.m.* conjunto de pessoas que avaliam o resultado de um concurso, de uma prova desportiva, etc.

A palavra **júri** escreve-se com acento agudo no **u**.

---

jurídico (ju.rí.di.co) [ʒu'ridiku] *adj.* relativo às leis ou à justiça

jurisdição (ju.ris.di.ção) [ʒuriʃdi'sɐ̃w̃] *n.f.* **1** poder legal para aplicar as leis ou administrar a justiça **2** território no qual uma autoridade exerce esse poder **3** alçada; competência

jurisprudência (ju.ris.pru.dên.ci:a) [ʒuriʃpru'dẽsjɐ] *n.f.* **1** ciência do direito **2** interpretação e aplicação das leis pelos tribunais

jurista (ju.ris.ta) [ʒu'riʃtɐ] *n.2g.* pessoa que estudou e aplica as leis

juro (ju.ro) ['ʒuru] *n.m.* valor percentual que se recebe por dinheiro emprestado, investido ou depositado durante um determinado período

jus (jus) ['ʒuʃ] *n.m.* direito ◆ **fazer jus a** fazer por merecer

jusante (ju.san.te) [ʒu'zɐ̃t(ə)] *n.f.* sentido para onde correm as águas de uma corrente ◆ **a jusante** para o lado da foz

justamente (jus.ta.men.te) [ʒuʃtɐ'mẽt(ə)] *adv.* **1** de modo justo; com justiça **2** precisamente; exatamente

justapor(-se) (jus.ta.por(-se)) [ʒuʃtɐ'por(sə)] *v.* ⟨**+a**⟩ pôr(-se) junto

justaposição (jus.ta.po.si.ção) [ʒuʃtɐpuzi'sɐ̃w̃] *n.f.* **1** situação de contiguidade entre duas coisas sem nada a separá-las **2** processo de formação de palavras, em que cada elemento conserva a sua forma gráfica e a sua pronúncia

justiça (jus.ti.ça) [ʒuʃ'tisɐ] *n.f.* **1** forma de atuar que respeita as leis e os direitos das pessoas **ANT.** injustiça **2** poder de aplicar as leis ◆ **dizer de sua justiça 1** dizer o que se pensa **2** alegar em favor de si próprio; **fazer justiça com as suas próprias mãos** castigar sem recorrer aos poderes competentes

justiceiro (jus.ti.cei.ro) [ʒuʃti'sɐjru] *adj.* **1** que é rigoroso na aplicação da justiça **2** que defende a aplicação da justiça fora dos tribunais e com violência

justificação (jus.ti.fi.ca.ção) [ʒuʃtifikɐ'sɐ̃w̃] *n.f.* explicação apresentada por alguém para justificar algo (uma falta, um atraso, etc.) **SIN.** desculpa

justificar (jus.ti.fi.car) [ʒuʃtifi'kar] *v.* **1** explicar o motivo de um comportamento **2** provar que algo é justo ou necessário ▪ **justificar-se 1** explicar o seu próprio comportamento **2** provar que se é inocente

justificativa (jus.ti.fi.ca.ti.va) [ʒuʃtifikɐ'tivɐ] *n.f.* prova ou documento que demonstra a veracidade de um facto

justificativo (jus.ti.fi.ca.ti.vo) [ʒuʃtifikɐ'tivu] *adj.* que serve para justificar

justificável (jus.ti.fi.cá.vel) [ʒuʃtifi'kavɛɫ] *adj.2g.* que pode ser justificado

justo (jus.to) ['ʒuʃtu] *adj.* **1** que atua de forma correta e com justiça; reto **ANT.** injusto **2** adequado; apropriado **3** diz-se da roupa apertada ◆ **à justa** nem mais nem menos; na medida certa; **pagar o justo pelo pecador 1** ser castigado o que não tem culpa, ficando o culpado sem punição **2** sofrerem todos o mesmo castigo, por não ser possível identificar os que têm a culpa

juvenil (ju.ve.nil) [ʒuvə'niɫ] *adj.2g.* relativo a juventude; próprio da juventude ▪ *n.2g.* praticante de uma modalidade desportiva com idade entre os 14 e os 16 anos

juventude (ju.ven.tu.de) [ʒuvẽ'tud(ə)] *n.f.* período da vida humana entre a infância e a idade adulta **SIN.** adolescência

K

['kapɐ] *n.m.* consoante, décima primeira letra do alfabeto, que está entre as letras *j* e *l*

amikaze [kami'kaz(ə)] *n.m.* ⟨*pl.* kamikazes⟩ **1** aviador treinado para se lançar em ataque suicida **2** *fig.* indivíduo imprudente, que arrisca a própria vida ■ *adj.2g.* **1** relativo a piloto ou ataque suicida **2** *fig.* imprudente; arriscado

animambo (ka.ni.mam.bo) [kani'mɐ̃bu] *adj.* [MOÇ.] agradecido; grato ■ *interj.* [MOÇ.] usada para agradecer; obrigado!

araoke [kara'ɔk(ə)] *n.m.* tipo de espetáculo em que uma pessoa canta ao som de música gravada, enquanto a letra passa num ecrã

araté (ka.ra.té) [kara'tɛ] *n.m.* método de combate e defesa pessoal em que não se usa arma e que consiste em dar golpes rápidos e fortes, com as mãos e os pés, em determinadas partes do corpo do adversário

arateca (ka.ra.te.ca) [kɐrɐ'tɛkɐ] *n.2g.* pessoa que pratica karaté

arma ['karmɐ] *n.m.* ⇒ **carma**

art ['kart] *n.m.* pequeno automóvel de competição, com um único lugar, sem carroçaria nem caixa de mudanças

arting ['kartĩg] *n.m.* desporto automóvel praticado com karts; corrida de karts

artista (kar.tis.ta) [kar'tiʃtɐ] *n.2g.* pessoa que pratica karting

artódromo (kar.tó.dro.mo) [kɐr'tɔdrumu] *n.m.* pista própria para a realização de corridas de karts

ayak [kaj'ak] *n.m.* ⇒ **caiaque**

B *símbolo de* kilobyte

cal *símbolo de* quilocaloria

ketchup [kɛ'tʃɐp] *n.m.* molho cremoso feito de tomate e outros condimentos (como cebola, sal e açúcar)

kg *símbolo de* quilograma

kHz *símbolo de* quilohertz

kickboxing [kikbɔ'ksĩg] *n.m.* desporto de combate de origem tailandesa, em que são utilizadas combinações de karaté e boxe

kilobit [kilɔ'bit] *n.m.* mil bits

kilobyte [kilɔ'bajt(ə)] *n.m.* unidade de medida de informação equivalente a 1024 bytes

kilowatt [kilɔ'vat] *n.m.* unidade de medida de potência equivalente a 1000 watts

kilt ['kilt] *n.m.* saia de pregas em tecido de lã com desenhos de xadrez que faz parte do traje nacional da Escócia

kimono [ki'monu] *n.m.* ⇒ **quimono**

king ['kĩg] *n.m.* jogo de cartas disputado por quatro adversários individuais ou por duas equipas

kispo ['kiʃpu] *n.m.* blusão feito de material impermeável, geralmente curto

kit ['kit] *n.m.* **1** estojo com diversos artigos para um fim específico: *kit de primeiros socorros; kit de ferramentas* **2** conjunto de peças que se vendem soltas para serem utilizadas numa montagem

kitchenette [kitʃ'nɛt(ə)] *n.f.* pequena cozinha geralmente integrada em sala de apartamento pequeno

kitsch ['kitʃ] *adj.inv.* que é considerado de mau gosto ou de má qualidade; melodramático; sensacionalista ■ *n.m.* tendência, manifestação ou objeto que explora estereótipos sentimentalistas, melodramáticos ou sensacionalistas

kiwi [ki'vi] *n.m.* **1** fruto de casca castanha e polpa esverdeada e doce, com pequenas sementes pretas, que é rico em vitamina C **2** ave da Nova Zelândia com plumagem castanha, bico longo e asas muito curtas, que a impedem de voar

kizomba (ki.zom.ba) [ki'zõbɐ] *n.f.* **1** ritmo africano, de origem angolana, de compasso binário **2** dança executada com esse ritmo

kl *símbolo de* quilolitro

km *símbolo de* quilómetro

km/h *símbolo de* quilómetros por hora

knockout [nɔ'kawt] *n.m.* (pugilismo) golpe que põe o adversário fora de combate

know-how [now'aw] *n.m.* **1** capacidade para executar tarefas práticas **SIN.** habilidade **2** série de conhecimentos e técnicas adquiridos por alguém **SIN.** experiência

K.O. [ke'ɔ] fora de combate **OBS.** Abreviatura de *knock-out*

koala ['kwalɐ] *n.m.* animal marsupial australiano com pelagem densa e macia, orelhas grandes e nariz redondo, que se alimenta sobretudo de folhas de eucalipto

kosovar **(ko.so.var)** [kɔzo'var] *n.2g.* pessoa natural do Kosovo (nos Balcãs) ■ *adj.2g.* relativo ao Kosovo

kung-fu [kũg'fu] *n.m.* arte marcial chinesa que se baseia em exercícios de concentração e técnicas de defesa pessoal

kwanza **(kwan.za)** ['kwɐ̃zɐ] *n.m.* unidade monetária de Angola

kwashiorkor [kwa'ʃjɔrkɔr] *n.m.* doença provocada por carências alimentares de proteínas e calorias, frequente em crianças do continente africano quando o aleitamento materno é substituído por uma alimentação à base de amido

L

l [ɛɫ] *n.m.* consoante, décima segunda letra do alfabeto, que está entre as letras *k* e *m*

L *n.m.* em numeração romana, número 50

la (la) [lɐ] *prn.,det.pess.* variante do pronome *a*, sempre que antecedido por formas verbais terminadas em *-r*, *-s* ou *-z*, depois dos pronomes átonos *nos* e *vos* e do advérbio *eis*, que perdem a consoante final*vê-la; ei-la; trá-la*

lá (lá) ['la] *adv.* **1** naquele lugar; ali **2** sexta nota da escala musical

lã (lã) ['lɐ̃] *n.f.* **1** pelo ondulado e macio que cobre o corpo de alguns animais (carneiro, ovelha, etc.) **2** tecido feito desse pelo ◆ **lã de vidro** material composto por de fibras de vidro, utilizado como isolante, em embalagens e em filtros de ar

labareda (la.ba.re.da) [lɐbɐ'redɐ] *n.f.* chama grande e alta

lábia (lá.bi:a) ['labjɐ] *n.f. coloq.* conversa para enganar alguém; manha

labial (la.bi:al) [lɐ'bjaɫ] *adj.2g.* **1** relativo a lábio **2** diz-se da consoante que se articula com os lábios

lábio (lá.bi:o) ['labju] *n.m.* parte exterior do contorno da boca; beiço

labirinto (la.bi.rin.to) [lɐbi'rĩtu] *n.m.* **1** estrutura formada por caminhos cruzados de tal maneira que é muito difícil encontrar a saída **2** *fig.* coisa complicada; confusão

labor (la.bor) [lɐ'bor] *n.m.* trabalho difícil e demorado

laboral (la.bo.ral) [lɐbu'raɫ] *adj.2g.* relativo a trabalho

laborar (la.bo.rar) [lɐbu'rar] *v.* **1** estar em funcionamento **2** trabalhar

laboratório (la.bo.ra.tó.ri:o) [lɐburɐ'tɔrju] *n.m.* lugar onde se fazem experiências científicas

labuta (la.bu.ta) [lɐ'butɐ] *n.f.* **1** trabalho difícil e cansativo **2** qualquer trabalho

laca (la.ca) ['lakɐ] *n.f.* substância que se vaporiza sobre o cabelo para fixar o penteado

laçada (la.ça.da) [lɐ'sadɐ] *n.f.* nó que se desata facilmente

lacaio (la.cai.o) [lɐ'kaju] *n.m.* criado

laçar (la.çar) [lɐ'sar] *v.* **1** fazer laço em; atar **2** prender (um animal em movimento) por meio de laço

laço (la.ço) ['lasu] *n.m.* **1** nó; laçada **2** aliança; ligação

lacónico (la.có.ni.co) [lɐ'kɔniku] *adj.* breve; conciso

lacrar (la.crar) [lɐ'krar] *v.* fechar com lacre

lacrau (la.crau) [lɐ'kraw] *n.m.* ⇒ **escorpião**

lacre (la.cre) ['lakr(ə)] *n.m.* substância resinosa misturada com corante, usada para fechar cartas, garrafas, etc.

lacrimal (la.cri.mal) [lɐkri'maɫ] *adj.2g.* relativo a lágrimas

lacrimejar (la.cri.me.jar) [lɐkrimə'ʒar] *v.* ter os olhos cheios de lágrimas

lacrimogéneo (la.cri.mo.gé.ne:o) [lɐkrimɔ'ʒɛnju] *adj.* que provoca lágrimas

lácteo (lác.te:o) ['laktju] *adj.* **1** relativo a leite **2** que contém leite

lacticínio (lac.ti.cí.ni:o)[AO] [lɐti'sinju] *a grafia preferível é* **laticínio**[AO]

lactose (lac.to.se) [lɐ'ktɔz(ə)] *n.f.* açúcar existente no leite dos mamíferos

lacuna (la.cu.na) [lɐ'kunɐ] *n.f.* falta; falha

ladainha (la.da.i.nha) [lɐdɐ'iɲɐ] *n.f.* narrativa longa e aborrecida **SIN.** lengalenga

> A palavra **ladainha** escreve-se sem acento agudo no i.

ladear (la.de:ar) [lɐ'djar] *v.* **1** estar perto de **2** fazer o contorno de

ladeira (la.dei.ra) [lɐ'dɐjrɐ] *n.f.* inclinação de terreno **SIN.** encosta

ladeiro (la.dei.ro) [lɐ'dɐjru] *adj.* diz-se de um prato pouco fundo

ladino (la.di.no) [lɐ'dinu] *adj.* **1** traquina **2** espertalhão

lado (la.do) ['ladu] *n.m.* **1** parte que fica à direita ou à esquerda de alguma coisa **2** cada uma das faces de um sólido geométrico **3** sítio; lugar ◆ **ao lado de** junto de; perto de; **estar do lado de** ser a favor de **SIN.** apoiar; **lado a lado** um ao lado do outro **SIN.** juntos; **pôr de lado** deixar de reserva (para mais tarde) **SIN.** abandonar

ladrão (la.drão) [lɐ'drɐ̃w̃] *n.m.* ⟨*f.* ladra⟩ pessoa que rouba

ladrar (la.drar) [lɐ'drar] *v.* dar latidos (o cão)

ladrilho (la.dri.lho) [lɐ'driʎu] *n.m.* pequena placa de cerâmica, geralmente quadrada ou retangular; mosaico

lagar (la.gar) [lɐ'gar] *n.m.* tanque onde se pisam frutos, como uvas e azeitonas

lagarta (la.gar.ta) [lɐ'gartɐ] *n.f.* larva de insetos, com o corpo alongado e mole

lagartixa (la.gar.ti.xa) [lɐgɐr'tiʃɐ] *n.f.* pequeno lagarto insetívoro e trepador, frequente em muros e pedras **SIN.** sardanisca

lagarto (la.gar.to) [lɐ'gartu] *n.m.* réptil maior que a lagartixa, com corpo longo, patas curtas e cauda comprida

lago (la.go) ['lagu] *n.m.* porção de água cercada de terra

lagoa (la.go.a) [lɐ'goɐ] *n.f.* pequena extensão de água cercada de terra

lagosta (la.gos.ta) [lɐ'goʃtɐ] *n.f.* crustáceo com o corpo revestido de uma carapaça, com espinhos e antenas longas

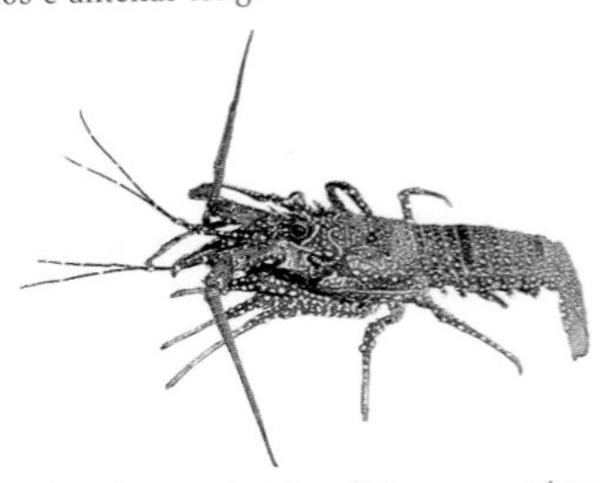

lagostim (la.gos.tim) [lɐguʃ'tĩ] *n.m.* crustáceo com dez patas, semelhante à lagosta mas sem antenas

lágrima (lá.gri.ma) ['lagrimɐ] *n.f.* gota de líquido incolor e salgado que sai dos olhos quando se chora ◆ **lágrimas de crocodilo** choro fingido, apenas para chamar a atenção

laguna (la.gu.na) [lɐ'gunɐ] *n.f.* **1** braço de mar pouco profundo entre bancos de areia ou ilhas, na foz de certos rios **2** lagoa de água salgada cercada por um recife de coral

laia (lai.a) ['lajɐ] *n.f.* qualidade; feitio ◆ **à laia de** à maneira de

laico (lai.co) ['lajku] *adj.* que não pertence a uma ordem religiosa **SIN.** leigo

laje (la.je) ['laʒ(ə)] *n.f.* placa de pedra ou de cerâmica usada para cobrir pavimentos

Note-se que **laje** escreve-se com j (e não com g).

lama (la.ma) ['lɐmɐ] *n.f.* terra molhada e pastosa; lodo ■ *n.m.* **1** mamífero ruminante da América do Sul **2** monge budista ◆ **arrastar pela lama** difamar

lamaçal (la.ma.çal) [lɐmɐ'saɫ] *n.m.* lugar coberto de lama **SIN.** atoleiro

lamacento (la.ma.cen.to) [lɐmɐ'sẽtu] *adj.* cheio de lama

lambada (lam.ba.da) [lɐ̃'badɐ] *n.f.* **1** *coloq.* bofetada **2** dança popular cantada, cuja coreografia é próxima do samba

lambão (lam.bão) [lɐ̃'bɐ̃w̃] *adj.* ⇒ **lambareiro**

lambareiro (lam.ba.rei.ro) [lɐ̃bɐ'rɐjru] *adj.* que gosta muito de comer coisas doces **SIN.** guloso

lambarice (lam.ba.ri.ce) [lɐ̃bɐ'ri(sə)] *n.f.* alimento doce ou muito saboroso **SIN.** gulodice; guloseima

lambe-botas (lam.be-.bo.tas) [lɐ̃bə'bɔtɐʃ] *n.2g.2n.* pessoa que bajula **SIN.** graxista

lamber (lam.ber) [lɐ̃'ber] *v.* **1** passar a língua por **2** comer com sofreguidão

lambidela (lam.bi.de.la) [lɐ̃bi'dɛlɐ] *n.f.* ato ou efeito de lamber

lambido (lam.bi.do) [lɐ̃'bidu] *adj.* **1** *coloq.* bem vestido **2** com o cabelo muito molhado

lambreta (lam.bre.ta) [lɐ̃'bretɐ] *n.f.* veículo motorizado semelhante à motocicleta, mas com rodas mais pequenas e com assento em vez de selim

lambuzar (lam.bu.zar) [lɐ̃bu'zar] *v.* sujar de comida ou de gordura ■ **lambuzar-se** ficar sujo de comida ou de gordura

lamecha (la.me.cha) [lɐ'mɛʃɐ] *adj.2g.* diz-se da pessoa que é muito sensível ou muito mimada **SIN.** piegas

lamela (la.me.la) [lɐ'mɛlɐ] *n.f.* lâmina de vidro, muito fina, para observações ao microscópio

lamentação (la.men.ta.ção) [lɐmẽtɐ'sɐ̃w̃] *n.f.* queixume; lamento

lamentar (la.men.tar) [lɐmẽ'tar] *v.* **1** exprimir tristeza, dor ou descontentamento em relação a: *Lamentamos informar que...* **2** manifestar pena ou compaixão por: *lamentar a morte de alguém* **SIN.** lastimar ■ **lamentar-se** ⟨**+de**⟩ queixar-se; lastimar-se

lamentável (la.men.tá.vel) [lɐmẽ'tavɛɫ] *adj.2g.* que causa tristeza ou pena

lamento (la.men.to) [lɐ'mẽtu] *n.m.* **1** gesto ou palavra que exprime dor ou tristeza; queixa; gemido **2** choro; pranto

lâmina (lâ.mi.na) ['lɐminɐ] *n.f.* **1** placa de metal chata e muito fina **2** pequena placa de vidro para observações ao microscópio **3** gume de uma faca

laminado (la.mi.na.do) [lɐmi'nadu] *adj.* **1** composto de lâminas **2** cortado em fatias finas

laminar (la.mi.nar) [lɐmi'nar] *v.* cortar em forma de lâmina(s)

lâmpada (lâm.pa.da) ['lɐ̃pɐdɐ] *n.f.* objeto de vidro com formas diversas, que serve para iluminar

lamparina (lam.pa.ri.na) [lɐ̃pɐˈrinɐ] *n.f.* ◉ recipiente com substância combustível e um pavio no centro, que dá luz fraca

lampeiro (lam.pei.ro) [lɐ̃ˈpɐjru] *adj.* diz-se da pessoa apressada ou atrevida

lampejo (lam.pe.jo) [lɐ̃ˈpɐ(j)ʒu] *n.m.* **1** clarão ou brilho repentino **2** *fig.* ideia súbita; inspiração

lampião (lam.pi.ão) [lɐ̃ˈpjɐ̃w̃] *n.m.* poste de iluminação de rua

lampreia (lam.prei.a) [lɐ̃ˈprɐjɐ] *n.f.* animal aquático parecido com a enguia e muito apreciado como alimento

lamúria (la.mú.ri:a) [lɐˈmurjɐ] *n.f.* lamento ou choro continuado **SIN.** queixume

lamuriar-se (la.mu.ri:ar-.se) [lɐmuˈrjars(ə)] *v.* queixar-se; lamentar-se

lança (lan.ça) [ˈlɐ̃sɐ] *n.f.* haste comprida terminada numa lâmina pontiaguda

lançamento (lan.ça.men.to) [lɐ̃sɐˈmẽtu] *n.m.* **1** ato de lançar; arremesso **2** ato de enviar uma nave, um satélite, etc. para o espaço **3** colocação de um novo produto no mercado

lançar (lan.çar) [lɐ̃ˈsar] *v.* **1** arremessar; atirar: *lançar uma bola* **2** projetar (foguetão, satélite) no espaço **3** fazer nascer ou germinar **4** colocar (novo produto) no mercado **5** exibir pela primeira vez (livro, peça) ▪ **lançar-se 1** ⟨**+a**, **+sobre**⟩ atirar-se **2** ⟨**+a**⟩ dedicar-se: *Lançou-se ao trabalho.*

lance (lan.ce) [ˈlɐ̃(sə)] *n.m.* jogada

lanceta (lan.ce.ta) [lɐ̃ˈsetɐ] *n.f.* instrumento cortante com que se realizam pequenas cirurgias

lancetar (lan.ce.tar) [lɐ̃səˈtar] *v.* cortar com lanceta

lancha (lan.cha) [ˈlɐ̃ʃɐ] *n.f.* barco pequeno com motor

lanchar (lan.char) [lɐ̃ˈʃar] *v.* comer o lanche

lanche (lan.che) [ˈlɐ̃ʃ(ə)] *n.m.* refeição ligeira que se faz entre o almoço e o jantar; merenda

lancheira (lan.chei.ra) [lɐ̃ˈʃɐjrɐ] *n.f.* pequena mala de mão onde se leva o lanche

lancinante (lan.ci.nan.te) [lɐ̃siˈnɐ̃t(ə)] *adj.2g.* **1** que se sente por pontadas ou picadas **2** muito doloroso

lanço (lan.ço) [ˈlɐ̃su] *n.m.* conjunto dos degraus de uma escada entre dois patamares

lânguido (lân.gui.do) [ˈlɐ̃gidu] *adj.* **1** sem forças; debilitado **2** sensual

lanho (la.nho) [ˈlɐɲu] *n.m.* golpe com instrumento cortante

lanifício (la.ni.fí.ci:o) [lɐniˈfisju] *n.m.* **1** fábrica onde são produzidos tecidos de lã **2** tecido de lã

lantejoula (lan.te.jou.la) [lɐ̃təˈʒo(w)lɐ] *n.f.* pequeno enfeite brilhante, circular e com um furo no meio, que se cose num tecido

lanterna (lan.ter.na) [lɐ̃ˈtɛrnɐ] *n.f.* aparelho portátil que serve para iluminar e que funciona com pilhas

lapa (la.pa) [ˈlapɐ] *n.f.* **1** molusco de concha univalve, muito frequente nos rochedos do litoral **2** *fig.* pessoa importuna ou insistente

lapela (la.pe.la) [lɐˈpɛlɐ] *n.f.* parte anterior e superior do casaco, voltada para fora

lapidar (la.pi.dar) [lɐpiˈdar] *v.* **1** talhar e polir pedras preciosas, vidros, etc. **2** *fig.* aperfeiçoar ▪ *adj.2g.* **1** relativo a lápide **2** *fig.* perfeito; fundamental

lápide (lá.pi.de) [ˈlapid(e)] *n.f.* **1** pedra gravada com uma inscrição que lembra um acontecimento notável ou a memória de alguém **2** laje que cobre um túmulo

lápis (lá.pis) [ˈlapiʃ] *n.m.2n.* utensílio cilíndrico de madeira usado para escrever

lapiseira (la.pi.sei.ra) [lɐpiˈzɐjrɐ] *n.f.* instrumento cilíndrico em que se introduz grafite, utilizado para escrever ou desenhar

lápis-lazúli (lá.pis-.la.zú.li) [lapiʒlaˈzuli] *n.m.* ⟨*pl.* lápis-lazúlis⟩ ◉ mineral de cor azul utilizado em objetos ornamentais

lapso (lap.so) [ˈlapsu] *n.m.* **1** espaço de tempo; intervalo **2** erro; engano

laptop [lapˈtɔp] *n.m.* computador portátil de dimensões reduzidas

laqueação (la.que:a.ção) [lɐkjɐ'sɐ̃w̃] *n.f.* ato de laquear

laquear (la.que:ar) [lɐ'kjar] *v.* ligar ou fechar (vaso sanguíneo, etc.) de modo definitivo ou temporário

lar (lar) ['lar] *n.m.* lugar onde se vive; casa; habitação

laracha (la.ra.cha) [lɐ'raʃɐ] *n.f. coloq.* dito engraçado; piada **SIN.** chalaça

laranja (la.ran.ja) [lɐ'rɐ̃ʒɐ] *n.f.* fruto da laranjeira, arredondado e com gomos sumarentos, coberto por uma casca cor de laranja

laranjada (la.ran.ja.da) [lɐrɐ̃'ʒadɐ] *n.f.* bebida feita com sumo da laranja

laranjal (la.ran.jal) [lɐrɐ̃'ʒaɫ] *n.m.* pomar de laranjeiras

laranjeira (la.ran.jei.ra) [lɐrɐ̃'ʒɐjrɐ] *n.f.* árvore com flores brancas e folhas perfumadas que produz laranjas

larápio (la.rá.pi:o) [lɐ'rapju] *n.m.* ladrão; gatuno

lareira (la.rei.ra) [lɐ'rɐjrɐ] *n.f.* vão aberto na parede de um compartimento ou na base de uma chaminé, no qual se acende fogo para aquecer o ambiente; fogão de sala

larga (lar.ga) ['largɐ] *n.f.* liberdade ◆ **à larga** com abundância; livremente; **dar largas a** dar liberdade a; deixar correr

largada (lar.ga.da) [lɐr'gadɐ] *n.f.* partida de um lugar; saída

largar (lar.gar) [lɐr'gar] *v.* **1** soltar (corda, rédea) **2** deixar cair (objeto) **3** deixar sair (calor, fumo) **4** ir embora; partir (de lugar) **5** ⟨**+em**⟩ deixar (num dado lugar)

largo (lar.go) ['largu] *adj.* **1** que tem bastante espaço; amplo **ANT.** estreito **2** que é importante ou numeroso; considerável ◆ **ao largo 1** longe **2** em alto-mar; **ao largo de** longe de; **fazer-se ao largo** navegar para longe da costa; **passar ao largo de 1** passar longe da costa **2** não abordar ou não tratar a fundo (assunto, questão)

largura (lar.gu.ra) [lɐr'gurɐ] *n.f.* **1** extensão que vai do lado esquerdo ao lado direito de um objeto **2** qualidade do que é largo

laringe (la.rin.ge) [lɐ'rĩʒ(ə)] *n.f.* cavidade situada entre a faringe e a traqueia e onde se encontram as cordas vocais

laringite (la.rin.gi.te) [lɐrĩ'ʒit(ə)] *n.f.* inflamação da laringe

larva (lar.va) ['larvɐ] *n.f.* primeiro estado de desenvolvimento dos insetos

lasanha (la.sa.nha) [lɐ'zɐɲɐ] *n.f.* refeição preparada com tiras largas de massa, recheadas com carne picada ou legumes e cobertas com molho branco, que se leva ao forno para gratinar

lasca (las.ca) ['laʃkɐ] *n.f.* fragmento de madeira, pedra ou metal; tira

lascado (las.ca.do) [lɐʃ'kadu] *adj.* rachado; fendido

lascar(-se) (las.car(-se)) [lɐʃ'kar(sə)] *v.* partir(-se) em lascas **SIN.** fender(-se)

lascívia (las.cí.vi:a) [lɐʃ'sivjɐ] *n.f.* **1** qualidade de lascivo **2** sensualidade exagerada

lascivo (las.ci.vo) [lɐʃ'sivu] *adj.* que tem inclinação para a sensualidade

laser ['lɐjzɐr] *n.m.* aparelho que emite radiação eletromagnética com intensidade muito elevada

lasso (las.so) ['lasu] *adj.* solto; largo; frouxo

lástima (lás.ti.ma) ['laʃtimɐ] *n.f.* **1** sentimento de pena; compaixão **2** desgraça; infelicidade

lastimar (las.ti.mar) [lɐʃti'mar] *v.* ter pena de; lamentar ■ **lastimar-se** queixar-se

lastimável (las.ti.má.vel) [lɐʃti'mavɛɫ] *adj.2g.* digno de lástima; lamentável

lastimoso (las.ti.mo.so) [lɐʃti'mozu] *adj.* ⇒ **lastimável**

lastro (las.tro) ['laʃtru] *n.m.* peso colocado no porão de uma embarcação para lhe dar equilíbrio

lata (la.ta) ['latɐ] *n.f.* **1** folha de ferro fina e coberta de estanho **2** recipiente feito com esse material **3** *coloq.* atrevimento; descaramento

latada (la.ta.da) [lɐ'tadɐ] *n.f.* **1** grade disposta ao longo de uma parede para suportar plantas trepadeiras **2** *coloq.* bofetada

latão (la.tão) [lɐ'tɐ̃w̃] *n.m.* liga de cobre e zinco, que pode também conter outros metais

latejar (la.te.jar) [lɐtə'ʒar] *v.* palpitar; pulsar

latente (la.ten.te) [lɐ'tẽt(ə)] *adj.2g.* **1** que não se manifesta; oculto; encoberto **2** que existe como possibilidade, embora ainda não seja real; potencial

lateral (la.te.ral) [lɐtə'raɫ] *adj.2g.* **1** relativo a lado **2** que está ao lado

látex (lá.tex) ['latɛks] *n.m.2n.* substância leitosa segregada por alguns vegetais

laticínio (la.ti.cí.ni:o)[AO] [lɐti'sinju] ou **lacticínio**[AO] *n.m.* alimento derivado do leite ou preparado com leite (como queijo, manteiga e iogurte)

latido (la.ti.do) [lɐ'tidu] *n.m.* voz do cão

latifundiário (la.ti.fun.di:á.ri:o) [lɐtifũ'djarju] *adj.* relativo a latifúndio ■ *n.m.* proprietário de latifúndio; grande proprietário rural

latifúndio (la.ti.fún.di:o) [lɐti'fũdju] *n.m.* propriedade rural de grande extensão

latim (la.tim) [lɐ'tĩ] *n.m.* língua falada pelos antigos Romanos ◆ **perder o seu latim** perder o tempo e o esforço

atinismo (la.ti.nis.mo) [lɐti'niʒmu] *n.m.* construção, palavra ou locução própria da língua latina

atino (la.ti.no) [lɐ'tinu] *adj.* **1** relativo ao latim **2** relativo aos povos do Sul da Europa e da América do Sul ■ *n.m.* pessoa natural de países cujas línguas derivam do latim

atino-americano (la.ti.no-.a.me.ri.ca.no) [lɐti nɔɐməri'kɐnu] *adj.* relativo à América latina ■ *n.m.* ⟨*pl.* latino-americanos⟩ pessoa natural de um país da América latina

atir (la.tir) [lɐ'tir] *v.* soltar latidos (o cão)

atitude (la.ti.tu.de) [lɐti'tud(ə)] *n.f.* distância, em graus, de um lugar ao equador

ato (la.to) ['latu] *adj.* largo; extenso

atrina (la.tri.na) [lɐ'trinɐ] *n.f.* retrete

audatório (lau.da.tó.ri:o) [lawdɐ'tɔrju] *adj.* relativo a louvor

aureado (lau.re:a.do) [law'rjadu] *adj.* **1** premiado **2** louvado; elogiado ■ *n.m.* aquele que obteve prémio em concurso ou exame

aurear (lau.re:ar) [law'rjar] *v.* **1** premiar; galardoar **2** festejar; aplaudir

ava (la.va) ['lavɐ] *n.f.* matérias em fusão lançadas pelos vulcões

avabo (la.va.bo) [lɐ'vabu] *n.m.* quarto de banho

avagante (la.va.gan.te) [lɐvɐ'gɐ̃t(ə)] *n.m.* crustáceo maior do que o lagostim e menor do que a lagosta, frequente na costa portuguesa

avagem (la.va.gem) [lɐ'vaʒɐ̃j] *n.f.* ato ou efeito de lavar ◆ **lavagem de dinheiro** legalização de fundos de origem fraudulenta

ava-loiça (la.va-.loi.ça) [lavɐ'lojsɐ] *n.m.* ⟨*pl.* lava-loiças⟩ ⇒ **lava-louça**

ava-louça (la.va-.lou.ça) [lavɐ'lo(w)sɐ] *n.m.* ⟨*pl.* lava-louças⟩ lavatório existente na cozinha para lavar a loiça; banca

avanda (la.van.da) [lɐ'vɐ̃dɐ] *n.f.* 👁 planta aromática, com flores azuladas ou violetas, de onde se extrai um óleo que é usado em perfumaria; alfazema

avandaria (la.van.da.ri.a) [lɐvɐ̃dɐ'riɐ] *n.f.* loja onde se leva roupa para lavar e, normalmente, para passar a ferro

lavar (la.var) [lɐ'var] *v.* limpar com água e sabão ou detergente

lavatório (la.va.tó.ri:o) [lɐvɐ'tɔrju] *n.m.* móvel com bacia, para lavar o rosto e as mãos

lavável (la.vá.vel) [lɐ'vavɛɫ] *adj.2g.* que se pode lavar

lavoura (la.vou.ra) [lɐ'vo(w)rɐ] *n.f.* agricultura

lavra (la.vra) ['lavrɐ] *n.f.* ⇒ **lavoura**

lavrado (la.vra.do) [lɐ'vradu] *adj.* cultivado

lavrador (la.vra.dor) [lɐvrɐ'dor] *n.m.* agricultor

lavrar (la.vrar) [lɐ'vrar] *v.* preparar a terra para semear com instrumento agrícola; cultivar

laxante (la.xan.te) [lɐ'ʃɐ̃t(ə)] *n.m.* purgante ligeiro que se utiliza para facilitar a evacuação das fezes ■ *adj.2g.* purgante

layout [lɐj'awt] *n.m.* ⟨*pl.* layouts⟩ disposição da informação num documento, incluindo o formato, o tamanho, a distribuição ou a organização gráfica

lazer (la.zer) [lɐ'zer] *n.m.* tempo livre depois do trabalho ou da escola; descanso; repouso

LCD [ɛlse'de] *n. m.* monitor plano com dois painéis de cristal líquido **OBS.** Sigla de *liquid cristal display*

Lda. *abreviatura de* Limitada

leal (le:al) ['ljaɫ] *adj.2g.* fiel; sincero

lealdade (le:al.da.de) [ljaɫ'dad(ə)] *n.f.* fidelidade; sinceridade

leão (le.ão) ['ljɐ̃w̃] *n.m.* animal mamífero carnívoro, com pelo castanho-amarelado e juba em volta da cabeça, considerado o rei dos animais ■ **Leão** quinto signo do Zodíaco (23 de julho a 22 de agosto)

leão-marinho (le.ão-.ma.ri.nho) [ljɐ̃w̃mɐ'riɲu] *n.m.* ⟨*pl.* leões-marinhos⟩ mamífero aquático, carnívoro, de cor negra e pequenas orelhas, maior do que a foca

leasing ['liziŋ] *n.m.* ⟨*pl.* leasings⟩ modalidade de contrato que combina aluguer e venda à prestação

lebre (le.bre) ['lɛbr(ə)] *n.f.* 👁 mamífero roedor, de orelhas compridas e muito veloz, maior do que o coelho ◆ **levantar a lebre** chamar a atenção para um problema desconhecido ou súbito

leccionar (lec.ci:o.nar) [lɛsju'nar] *a nova grafia é* **lecionar**[AO]

lecionar (le.ci:o.nar)[AO] [lɛsju'nar] *v.* dar aulas ou explicações a; ensinar

lectivo (lec.ti.vo) [lɛ'tivu] *a nova grafia é* **letivo**[AO]

legado (le.ga.do) [lə'gadu] *n.m.* conjunto de bens que uma pessoa deixa a alguém quando morre **SIN.** herança

legal (le.gal) [lə'gał] *adj.2g.* **1** que é permitido por lei **ANT.** ilegal; ilícito **2** [BRAS.] certo **3** [BRAS.] ótimo

legalidade (le.ga.li.da.de) [ləgɐli'dad(ə)] *n.f.* qualidade do que é legal ou que está de acordo com a lei **ANT.** ilegalidade

legalização (le.ga.li.za.ção) [ləgɐlizɐ'sɐ̃w̃] *n.f.* ato de tornar legal

legalizar (le.ga.li.zar) [ləgɐli'zar] *v.* tornar legal

legalmente (le.gal.men.te) [lə'gał'mẽt(ə)] *adv.* de acordo com a lei; segundo a lei

legar (le.gar) [lə'gar] *v.* ⟨+a⟩ deixar como herança

legenda (le.gen.da) [lə'ʒẽdɐ] *n.f.* texto que aparece na parte de baixo do ecrã (na televisão ou no cinema) com a tradução do texto original de um filme ou de um programa falado numa língua estrangeira

legendado (le.gen.da.do) [ləʒẽ'dadu] *adj.* que tem legendas

legendagem (le.gen.da.gem) [ləʒẽ'daʒɐ̃j̃] *n.f.* conjunto das legendas de um filme ou de um programa

legendar (le.gen.dar) [ləʒẽ'dar] *v.* pôr legendas em (filme, programa)

legião (le.gi.ão) [lə'ʒjɐ̃w̃] *n.f.* grande unidade do exército romano

legibilidade (le.gi.bi.li.da.de) [ləʒibili'dad(ə)] *n.f.* estado do que se pode ler; clareza

legionário (le.gi:o.ná.ri:o) [ləʒju'narju] *n.m.* militar que faz parte de uma legião

legislação (le.gis.la.ção) [ləʒiʒlɐ'sɐ̃w̃] *n.f.* conjunto de leis

legislador (le.gis.la.dor) [ləʒiʒlɐ'dor] *adj.,n.m.* que ou aquele que é autor de leis

legislar (le.gis.lar) [ləʒiʒ'lar] *v.* **1** fazer leis **2** impor uma lei

legislativo (le.gis.la.ti.vo) [ləʒiʒlɐ'tivu] *adj.* **1** relativo a leis **2** diz-se de um dos três poderes do Estado, ao qual compete fazer as leis

legislatura (le.gis.la.tu.ra) [ləʒiʒlɐ'turɐ] *n.f.* período durante o qual os membros de uma assembleia legislativa exercem o seu mandato

legitimar (le.gi.ti.mar) [ləʒiti'mar] *v.* ⇒ **legalizar**

legitimidade (le.gi.ti.mi.da.de) [ləʒitimi'dad(ə)] *n.f.* **1** qualidade do que é legítimo; legalidade **2** qualidade do que é autêntico; autenticidade

legítimo (le.gí.ti.mo) [lə'ʒitimu] *adj.* **1** conforme a lei; legal **2** autêntico; genuíno

legível (le.gí.vel) [lə'ʒivɛł] *adj.2g.* que se pode ler **ANT.** ilegível

légua (lé.gua) ['lɛgwɐ] *n.f.* **1** medida de distância equivalente a cinco quilómetros **2** *fig.* grande distância ♦ **à légua** a grande distância

legume (le.gu.me) [lə'gum(ə)] *n.m.* nome genérico de plantas herbáceas e leguminosas usadas na alimentação humana **SIN.** hortaliça; verdura

leguminosa (le.gu.mi.no.sa) [ləgumi'nɔzɐ] *n.f.* planta (árvore, arbusto, erva ou trepadeira) cujos frutos são vagens ▪ **leguminosas** *n.f.pl.* família de plantas com fruto em forma de vagem (como a ervilha, o grão-de-bico e a lentilha)

leguminoso (le.gu.mi.no.so) [ləgumi'nozu] *adj.* (planta) cujos frutos são vagens ou legumes

lei (lei) ['lɐj] *n.f.* **1** conjunto de regras que indicam o que é proibido e o que é permitido **2** regra que explica fenómenos naturais: *A lei da gravidade foi descoberta por Newton.* ♦ **lei de Murphy** aforismo que indica que há sempre razões para as coisas que correm mal virem a correr ainda pior; **lei do menor esforço** falta de ânimo ou de vontade para fazer um esforço, desempenhar uma função ou terminar uma tarefa

leigo (lei.go) ['lɐjgu] *adj.* **1** que não faz parte de uma ordem religiosa; laico **2** diz-se da pessoa que não tem experiência em determinado assunto

leilão (lei.lão) [lɐj'lɐ̃w̃] *n.m.* venda pública de objetos a quem oferecer o maior preço

leiloar (lei.lo:ar) [lɐj'lwar] *v.* vender em leilão

leiloeiro (lei.lo.ei.ro) [lɐj'lwɐjru] *n.m.* **1** pessoa que apregoa em leilões **2** organizador de leilões

leira (lei.ra) ['lɐjrɐ] *n.f.* faixa de terreno para cultivo

leitão (lei.tão) [lɐj'tɐ̃w̃] *n.m.* porco muito jovem

leitaria (lei.ta.ri.a) [lɐjtɐ'riɐ] *n.f.* **1** loja onde se vende leite **2** fábrica onde se trata o leite e se fabricam os seus derivados

leite (lei.te) ['lɐjt(ə)] *n.m.* líquido branco segregado pelas glândulas mamárias das fêmeas dos mamíferos ♦ **leite condensado** leite enlatado muito açucarado, usado para fazer doces

leite-creme (lei.te-.cre.me) [lɐjtə'krɛm(ə)] *n.m.* ⟨*pl.* leites-creme⟩ doce feito com leite, farinha, ovos e açúcar

leiteira (lei.tei.ra) [lɐj'tɐjrɐ] *n.f.* **1** vendedora de leite **2** vasilha em que se serve o leite

leiteiro (lei.tei.ro) [lɐj'tɐjru] *adj.* **1** que produz leite **2** relativo à produção de leite ▪ *n.m.* vendedor de leite

leitmotiv [lajtmo'tif] *n.m.* tema base recorrente, em obra literária ou musical

leito (lei.to) ['lɐjtu] *n.m.* **1** terreno sobre o qual corre um rio **2** cama

leitoa (lei.to.a) [lɐj'toɐ] *n.f.* fêmea do leitão

leitor (lei.tor) [lɐj'tor] *n.m.* **1** pessoa que lê **2** aparelho que faz a leitura de códigos, sinais, dados, etc. ◆ **leitor de CD** dispositivo que permite reproduzir o que está gravado num disco magnético

leitoso (lei.to.so) [lɐj'tozu] *adj.* que tem cor ou aparência de leite

leitura (lei.tu.ra) [lɐj'turɐ] *n.f.* **1** ato ou efeito de ler **2** maneira de entender um texto ou uma mensagem; interpretação

leiva (lei.va) ['lɐjvɐ] *n.f.* **1** porção de terra levantada pelo arado **2** sulco de arado

lema (le.ma) ['lemɐ] *n.m.* frase curta que exprime um objetivo ou um ideal **SIN.** divisa

lembrança (lem.bran.ça) [lẽ'brɐ̃sɐ] *n.f.* **1** memória; recordação **2** ideia; sugestão

lembrar (lem.brar) [lẽ'brar] *v.* trazer à memória; recordar: *Esta música lembra-me as férias.* **ANT.** esquecer ■ **lembrar-se** ⟨**+de**⟩ guardar na memória; recordar-se: *Não me lembro do número. Lembro-me disso como se fosse ontem.*

lembrete (lem.bre.te) [lẽ'bret(ə)] *n.m.* nota para lembrar algo

leme (le.me) ['lɛm(ə)] *n.m.* **1** aparelho com que se dirigem os barcos e os aviões **2** *fig.* direção; governo

lenço (len.ço) ['lẽsu] *n.m.* **1** pedaço de pano ou de papel próprio para assoar o nariz **2** pedaço de tecido quadrangular usado para adornar ou proteger o pescoço e a cabeça

lençol (len.çol) [lẽ'sɔɫ] *n.m.* pano fino que se coloca na cama, sobre o colchão ◆ **estar em maus lençóis** estar numa situação difícil ou embaraçosa

lençol-capa (len.çol-.ca.pa) [lẽsɔɫ'kapɐ] *n.m.* lençol com elástico a toda a volta ou apenas nos cantos, permitindo que fique ajustado ao colchão

lenda (len.da) ['lẽdɐ] *n.f.* narração de acontecimentos fantásticos que se vai transmitindo ao longo do tempo, de forma escrita ou oral

endário (len.dá.ri:o) [lẽ'darju] *adj.* **1** relativo a lenda **2** muito conhecido; célebre

êndea (lên.de:a) ['lẽdjɐ] *n.f.* ovo depositado pelos piolhos nos cabelos

engalenga (len.ga.len.ga) [lẽgɐ'lẽgɐ] *n.f.* narrativa longa e aborrecida **SIN.** ladainha

enha (le.nha) ['lɐ(j)ɲɐ] *n.f.* madeira para queimar

enhador (le.nha.dor) [ləɲɐ'dor] *n.m.* homem que corta ou racha lenha

lenho (le.nho) ['lɐ(j)ɲu] *n.m.* **1** tronco grosso de madeira **2** corte; ferida

lenhoso (le.nho.so) [lə'ɲozu] *adj.* que tem aspeto ou consistência de madeira

lenitivo (le.ni.ti.vo) [ləni'tivu] *adj.* que suaviza as dores ■ *n.m.* **1** medicamento que suaviza as dores **2** *fig.* alívio

lentamente (len.ta.men.te) [lẽtɐ'mẽt(ə)] *adv.* devagar; vagarosamente

lente (len.te) ['lẽt(ə)] *n.f.* pequeno disco de vidro, com um dos lados curvo, usado para ver melhor alguma coisa ◆ **lente de contacto** lente que se adapta à córnea por simples aderência e que normalmente é usada para corrigir um problema de visão

lentidão (len.ti.dão) [lẽti'dɐ̃w̃] *n.f.* demora; vagar

lentilha (len.ti.lha) [lẽ'tiʎɐ] *n.f.* semente de uma planta com o mesmo nome, em forma de pequenos discos, usada na alimentação humana

lento (len.to) ['lẽtu] *adj.* vagaroso; demorado **ANT.** rápido

leoa (le:o.a) ['ljoɐ] *n.f.* 👁 fêmea do leão

leonino (le:o.ni.no) [lju'ninu] *adj.* **1** relativo ou semelhante ao leão **2** próprio de leão

leopardo (le:o.par.do) [lju'pardu] *n.m.* animal mamífero carnívoro, muito ágil, com pelo amarelado e manchas escuras

lepra (le.pra) ['lɛprɐ] *n.f.* doença infeciosa, caracterizada por manchas e feridas na pele

leproso (le.pro.so) [lə'prozu] *n.m.* pessoa que sofre de lepra

leque (le.que) ['lɛk(ə)] *n.m.* pequeno abano de abrir e fechar, que se agita para refrescar do calor

ler (ler) ['ler] *v.* **1** conhecer as letras do alfabeto, juntando-as em palavras **2** dizer em voz alta (uma palavra ou um texto escrito)

lerdo (ler.do) ['lerdu] *adj.* **1** lento; vagaroso **2** estúpido; pateta **3** bruto; rude

léria (lé.ri:a) ['lɛrjɐ] *n.f.* palavreado para enganar; lábia

lés (lés) ['lɛʃ] *n.m.* ponta; extremidade ◆ **de lés a lés** de uma ponta à outra

lesão (le.são) [lə'zɐ̃w̃] *n.f.* **1** ferimento **2** dano

lesar (le.sar) [lə'zar] *v.* **1** magoar **2** prejudicar

lésbica (lés.bi.ca) ['lɛʒbikɐ] *n.f.* mulher homossexual

lésbico (lés.bi.co) ['lɛʒbiku] *adj.* **1** (mulher) que sente atração sexual por mulheres **2** relativo à relação íntima entre mulheres

lesionar(-se) (le.si:o.nar(-se)) [ləzju'nar(sə)] *v.* causar ou sofrer lesão **SIN.** ferir(-se); magoar(-se)

lesma (les.ma) ['leʒmɐ] *n.f.* **1** animal de corpo mole, que se desloca devagar e prejudica as culturas **2** *fig.* pessoa lenta ou preguiçosa

leste (les.te) ['lɛʃt(ə)] *n.m.* ponto cardeal e direção onde nasce o sol (símbolo: E); este; nascente ◆ **estar a leste** não perceber nada de (um assunto)

letal (le.tal) [lə'tał] *adj.2g.* **1** relativo a morte **2** que provoca a morte; mortal

letargia (le.tar.gi.a) [lətɐr'ʒiɐ] *n.f.* **1** sono artificial provocado por hipnose ou por um medicamento **2** apatia

letivo (le.ti.vo)[AO] [lɛ'tivu] *adj.* relativo a aula ou a ensino

letónio (le.tó.ni:o) [lə'tɔnju] *adj.* da Letónia ▪ *n.m.* pessoa de nacionalidade letónia

letra (le.tra) ['letrɐ] *n.f.* cada um dos sinais gráficos do alfabeto, que representam os sons da língua ◆ *coloq.* **letra de médico** caligrafia muito difícil de ler; **letra grande/maiúscula** uma das duas formas de representar as letras, que corresponde ao tamanho maior; **letra pequena/minúscula** uma das duas formas de representar as letras, que corresponde ao tamanho menor; **letra de câmbio** título de crédito pelo qual um credor ordena ao seu devedor que pague, a si ou a um terceiro, uma dada importância numa certa data

letrado (le.tra.do) [lə'tradu] *adj.,n.m.* **1** que ou aquele que é instruído; culto **2** que ou aquele que tem conhecimento de leis; jurista

letreiro (le.trei.ro) [lə'trɐjru] *n.m.* tabuleta com informação útil

letria (le.tri.a) [lə'triɐ] *n.f.* ⇒ **aletria**

léu (léu) ['lɛw] *elem. da loc.* (parte do corpo) **ao léu** a descoberto; nu; à mostra

leucemia (leu.ce.mi.a) [lewsə'miɐ] *n.f.* doença grave caracterizada por um aumento de glóbulos brancos (leucócitos) no sangue

leucócito (leu.có.ci.to) [lew'kɔsitu] *n.m.* glóbulo branco do sangue

leucoma (leu.co.ma) [lew'komɐ] *n.m.* mancha que se forma na córnea e que pode perturbar a visão

levado (le.va.do) [lə'vadu] *adj.* transportado; conduzido ◆ *coloq.* **ser levado da breca** ser muito travesso; ser traquina

levantamento (le.van.ta.men.to) [ləvɐ̃tɐ'mẽtu] *n.m.* **1** ato de levantar **2** revolta **3** pesquisa

levantar (le.van.tar) [ləvɐ̃'tar] *v.* **1** pôr em pé ou na vertical: *Ele levantou os pesos.* **SIN.** erguer **2** acordar; despertar: *Levantei-o às 7 horas.* **3** hastear; içar (bandeira, mastro) **4** fazer sair do chão para o ar (poeira) **5** erigir (construção) **6** suscitar (problema, dúvida) **7** proceder ao levantamento de (carta, planta) **8** tirar (dinheiro) de onde está depositado ▪ **levantar-se 1** pôr-se de pé **SIN.** erguer-se **2** sair da cama: *levantar-se cedo* **3** aparecer; despontar (astro): *O Sol já se levantou.* **4** *fig.* desencadear-se (tempestade) **5** ⟨**+contra**⟩ *fig.* revoltar-se

levante (le.van.te) [lə'vɐ̃t(ə)] *n.m.* este

levar (le.var) [lə'var] *v.* **1** transportar consigo: *Quem leva o saco?* **2** ⟨**+a**⟩ conduzir a (algum lugar): *levar as crianças à escola* **3** trazer vestido ou como acessório: *Levava um vestido preto.* **4** ter capacidade para: *O estádio leva 50 000 pessoas* **SIN.** conter **5** ser feito de: *O que é que leva este molho?* **6** cobrar: *Quanto leva pelo livro?* **7** ⟨**+a**⟩ induzir: *levar a crer* **8** *coloq.* apanhar pancada: *Porta-te bem, senão levas.* ◆ **deixar-se levar 1** deixar-se influenciar ou enganar por **2** ser derrotado por

leve (le.ve) ['lɛv(ə)] *adj.2g.* **1** que tem pouco peso **ANT.** pesado **2** que se desloca com facilidade; ágil **3** sem exageros; simples ◆ **ao de leve 1** quase sem tocar **2** de modo superficial

levedar (le.ve.dar) [ləvə'dar] *v.* fermentar

levedura (le.ve.du.ra) [ləvə'durɐ] *n.f.* fermento

leveza (le.ve.za) [lə'vezɐ] *n.f.* **1** qualidade do que é leve **2** delicadeza **3** simplicidade

leviandade (le.vi:an.da.de) [ləvjɐ̃'dad(ə)] *n.f.* falta de seriedade ou de reflexão **SIN.** imprudência

leviano (le.vi:a.no) [lə'vjɐnu] *adj.* que atua ou fala sem pensar **SIN.** imprudente

levitação (le.vi.ta.ção) [ləvitɐ'sɐ̃w̃] *n.f.* ato de erguer algo no ar, mantendo-o suspenso sem meios visíveis

lexical (le.xi.cal) [lɛksi'kał] *adj.2g.* **1** relativo a léxico **2** relativo a palavra

léxico (lé.xi.co) ['lɛksiku] *n.m.* conjunto das palavras de uma língua **SIN.** vocabulário

lexicografia (le.xi.co.gra.fi.a) [lɛksikugrɐ'fiɐ] *n.f.* ramo que se ocupa do estudo do vocabulário de uma língua, especialmente da forma e significação das palavras

lexicógrafo (le.xi.có.gra.fo) [lɛksi'kɔgrɐfu] *n.m.* **1** pessoa que se dedica à lexicografia **2** autor de um léxico; dicionarista

lexicólogo **(le.xi.có.lo.go)** [lɛksi'kɔlugu] *n.m.* pessoa que se dedica à lexicologia

lezíria **(le.zí.ri:a)** [lə'zirjɐ] *n.f.* terreno baixo, nas margens de um rio, que fica alagado pelas enchentes

lhe **(lhe)** [ʎ(ə)] *prn.pess.* designa a terceira pessoa do singular e indica: a) a pessoa ou coisa de que se fala ou escreve: *Contei-lhe tudo.*; b) a pessoa a quem se fala ou escreve: *Já lhe disse que sim.*

libanês **(li.ba.nês)** [libɐ'neʃ] *adj.* relativo ao Líbano ■ *n.m.* pessoa natural do Líbano

libélula **(li.bé.lu.la)** [li'bɛlulɐ] *n.f.* inseto carnívoro de corpo estreito, olhos grandes e dois pares de asas transparentes

liberado **(li.be.ra.do)** [libə'radu] *adj.* livre de obrigação ou compromisso

liberal **(li.be.ral)** [libə'raɫ] *adj.2g.* **1** generoso **2** tolerante

liberalismo **(li.be.ra.lis.mo)** [libərɐ'liʒmu] *n.m.* **1** sistema político e económico que defende a liberdade individual **2** tolerância

liberalização **(li.be.ra.li.za.ção)** [libərɐlizɐ'sɐ̃w̃] *n.f.* ato de liberalizar

liberalizar **(li.be.ra.li.zar)** [libərɐli'zar] *v.* **1** dar em grande quantidade **2** tornar liberal **3** conceder livre acesso, circulação ou aceitação a

liberar **(li.be.rar)** [libə'rar] *v.* **1** tornar livre **2** libertar de dívida ou obrigação

liberdade **(li.ber.da.de)** [libər'dad(ə)] *n.f.* **1** capacidade que as pessoas têm para decidir o que fazer e o que pensar **2** estado de quem é livre **3** confiança que uma pessoa tem em relação a outra; à-vontade

libertação **(li.ber.ta.ção)** [libərtɐ'sɐ̃w̃] *n.f.* **1** ato de libertar **2** independência

libertar(-se) **(li.ber.tar(-se))** [libər'tar(sə)] *v.* **1** ⟨+de⟩ tornar(-se) livre **2** ⟨+de⟩ tornar(-se) independente ou autónomo

libertinagem **(li.ber.ti.na.gem)** [libərti'naʒɐ̃j̃] *n.f.* **1** carácter de libertino **2** devassidão

libertino **(li.ber.ti.no)** [libər'tinu] *adj.* que ou aquele que leva uma vida devassa

liberto **(li.ber.to)** [li'bɛrtu] *adj.* livre; solto

libidinoso **(li.bi.di.no.so)** [libidi'nozu] *adj.* **1** relativo ao prazer sexual, ou que o sugere **2** devasso; depravado

libido **(li.bi.do)** [li'bidu] *n.f.* desejo sexual

líbio **(lí.bi:o)** ['libju] *adj.* relativo à Líbia ■ *n.m.* natural ou habitante da Líbia

libra **(li.bra)** ['librɐ] *n.f.* **1** unidade monetária do Reino Unido **2** antiga unidade monetária da Irlanda ■ **Libra** sétimo signo do Zodíaco (23 de setembro a 22 de outubro)

libreto **(li.bre.to)** [li'bretu] *n.m.* texto (prosa ou verso) de uma ópera

lição **(li.ção)** [li'sɐ̃w̃] *n.f.* **1** aula **2** *fig.* castigo **3** *fig.* exemplo

liceal **(li.ce:al)** [li'sjaɫ] *adj.2g.* relativo a liceu

licença **(li.cen.ça)** [li'sẽsɐ] *n.f.* autorização; permissão

licenciado **(li.cen.ci:a.do)** [lisẽ'sjadu] *n.m.* pessoa que tem licenciatura

licenciar **(li.cen.ci:ar)** [lisẽ'sjar] *v.* dar licença ou permissão ■ **licenciar-se** ⟨**+em**⟩ tirar um curso superior; formar-se: *Licenciou-se em Psicologia.*

licenciatura **(li.cen.ci:a.tu.ra)** [lisẽsjɐ'turɐ] *n.f.* grau que se obtém quando se termina o 1.º ciclo de estudos do ensino superior

liceu **(li.ceu)** [li'sew] *n.m.* antiga designação de escola secundária

licitação **(li.ci.ta.ção)** [lisitɐ'sɐ̃w̃] *n.f.* ato de oferecer uma quantia para obter um bem vendido em leilão;

licitar **(li.ci.tar)** [lisi'tar] *v.* **1** pôr em leilão **2** oferecer um lanço ou quantia para obter o que se vende em leilão

lícito **(lí.ci.to)** ['lisitu] *adj.* **1** que está de acordo com a lei; legal **2** que é permitido; autorizado

licor **(li.cor)** [li'kor] *n.m.* bebida alcoólica doce e aromática

licorne **(li.cor.ne)** [li'kɔrn(ə)] *n.m.* animal fabuloso, com corpo de cavalo e um chifre no meio da testa SIN. unicórnio

licra **(li.cra)** ['likrɐ] *n.f.* tecido sintético elástico com que se fazem peças de vestuário

lida **(li.da)** ['lidɐ] *n.f.* trabalho; faina

lidar **(li.dar)** [li'dar] *v.* ⟨**+com**⟩ ocupar-se de; enfrentar: *Como vamos lidar com este problema?*

líder **(lí.der)** ['lidɛr] *n.2g.* chefe

liderança **(li.de.ran.ça)** [lidə'rɐ̃sɐ] *n.f.* função de líder; chefia

liderar **(li.de.rar)** [lidə'rar] *v.* chefiar; orientar

lifting ['liftĩg] *n.m.* ⟨*pl.* liftings⟩ operação de cirurgia estética que consiste em esticar a pele da face para atenuar os sinais de envelhecimento

liga (li.ga) ['ligɐ] *n.f.* **1** associação; sociedade **2** mistura; combinação

ligação (li.ga.ção) [ligɐ'sɐ̃w̃] *n.f.* união; junção

ligadura (li.ga.du.ra) [ligɐ'durɐ] *n.f.* faixa de tecido para proteger ferimentos

ligamento (li.ga.men.to) [ligɐ'mẽtu] *n.m.* tecido fibroso que liga os ossos entre si

ligar (li.gar) [li'gar] *v.* **1** ⟨+a⟩ juntar; unir **2** atar com ligadura **3** ⟨+a⟩ estabelecer comunicação entre **4** ⟨+a⟩ telefonar a alguém: *Ligo ao João amanhã.* **5** ⟨+a⟩ relacionar **6** pôr em funcionamento **7** misturar dois ou mais metais para obter uma liga **8** ⟨+a⟩ *coloq.* dar atenção ou importância: *Não ligues ao que ele diz.* ▪ **ligar-se 1** ⟨+a⟩ formar aliança **SIN.** associar-se **2** ⟨+a⟩ unir-se

ligeiramente (li.gei.ra.men.te) [liʒɐjrɐ'mẽt(ə)] *adv.* **1** levemente **2** de modo ágil **3** superficialmente

ligeireza (li.gei.re.za) [liʒɐj'rezɐ] *n.f.* **1** qualidade do que se move com facilidade; agilidade **2** *fig.* falta de seriedade ou de reflexão

ligeiro (li.gei.ro) [li'ʒɐjru] *adj.* **1** leve **2** rápido **3** superficial

light ['lajt] *adj.inv.* **1** de valor calórico baixo **2** de teor alcoólico baixo

lilás (li.lás) [li'laʃ] *n.m.* **1** arbusto que produz flores de cor arroxeada, azulada ou branca **2** cor arroxeada ▪ *adj.2g.* que tem a cor daquelas flores

liliputiano (li.li.pu.ti:a.no) [lilipu'tjɐnu] *adj.* muito pequeno

lima (li.ma) ['limɐ] *n.f.* **1** instrumento com estrias, usado para para polir ou desbastar metais, unhas, etc. **2** 👁 fruto da limeira, com casca amarelo-esverdeada e sabor amargo

limalha (li.ma.lha) [li'maʎɐ] *n.f.* pedaço de um material (madeira, papel, etc.) que se solta ou raspa; apara

limão (li.mão) [li'mɐ̃w̃] *n.m.* ⟨*pl.* limões⟩ fruto do limoeiro, oval, com casca amarela e sabor ácido

limar (li.mar) [li'mar] *v.* **1** desbastar ou polir com lima **2** *fig.* aperfeiçoar

limbo (lim.bo) ['lĩbu] *n.m.* parte mais larga de uma folha

limiar (li.mi:ar) [li'mjar] *n.m.* **1** entrada; patamar **2** *fig.* começo; princípio

limitação (li.mi.ta.ção) [limitɐ'sɐ̃w̃] *n.f.* **1** marcação dos limites de algo; delimitação **2** ato de impor um limite; restrição

limitado (li.mi.ta.do) [limi'tadu] *adj.* **1** pouco extenso **ANT.** ilimitado **2** restrito

limitar (li.mi.tar) [limi'tar] *v.* **1** marcar os limites de; delimitar **2** pôr limites a; restringir ▪ **limitar-se** ⟨+a⟩ não ir além de: *Limitei-me a dizer que não.*

limitativo (li.mi.ta.ti.vo) [limitɐ'tivu] *adj.* que limita; restritivo

limite (li.mi.te) [li'mit(ə)] *n.m.* **1** linha que separa duas coisas **2** ponto extremo; fim

limítrofe (li.mí.tro.fe) [li'mitruf(ə)] *adj.2g.* contíguo a; vizinho

limo (li.mo) ['limu] *n.m.* vegetação verde que cobre o chão e as pedras em zonas muito húmidas ou em fundos aquáticos

limoeiro (li.mo.ei.ro) [li'mwɐjru] *n.m.* árvore que produz limões

limonada (li.mo.na.da) [limu'nadɐ] *n.f.* refresco de limão

limpa-chaminés (lim.pa-.cha.mi.nés) [lĩpɐʃɐmi'nɛʃ] *n.m.2n.* homem que retira lixo e fuligem do interior das chaminés

limpadela (lim.pa.de.la) [lĩpɐ'dɛlɐ] *n.f.* limpeza rápida e superficial

limpa-neves (lim.pa-.ne.ves) [lĩpɐ'nɛvəʃ] *n.m.2n.* veículo equipado com dispositivos apropriados para remover a neve das estradas

limpa-para-brisas (lim.pa-.pa.ra-.bri.sas)[AO] [lĩpɐparɐ'brizɐʃ] *n.m.2n.* dispositivo com varetas de borracha que deslizam sobre a superfície exterior do vidro do automóvel

limpa-pára-brisas (lim.pa-.pá.ra-.bri.sas) [lĩpɐparɐ'brizɐʃ] *a nova grafia é* **limpa-para-brisas**[AO]

limpar (lim.par) [lĩ'par] *v.* **1** tirar a sujidade ou as manchas de **ANT.** sujar **2** desinfetar (uma ferida) **3** *coloq.* fazer desaparecer **4** ficar sem nuvens (o céu)

limpa-vidros (lim.pa-.vi.dros) [lĩpɐ'vidruʃ] *n.m.2n.* detergente próprio para lavar vidros

limpeza (lim.pe.za) [lĩ'pezɐ] *n.f.* **1** ato ou processo de limpar **ANT.** sujidade **2** estado do que está limpo; asseio

limpidez (lim.pi.dez) [lĩpi'deʃ] *n.f.* clareza; transparência

límpido (lím.pi.do) ['lĩpidu] *adj.* claro; transparente

limpo (lim.po) ['lĩpu] *adj.* **1** que não tem sujidade ou manchas **ANT.** sujo **2** diz-se do céu sem nuvens **3** *coloq.* diz-se da pessoa que está sem dinheiro ◆ **tirar a limpo** averiguar; esclarecer

limusina (li.mu.si.na) [limu'zinɐ] *n.f.* automóvel longo e luxuoso, em que o espaço destinado aos passageiros está separado do motorista por vidro ou janela e isolado do exterior por vidros escuros

lince (lin.ce) ['lĩ(sə)] *n.m.* mamífero carnívoro semelhante ao lobo, com orelhas espetadas e visão muito boa (em Portugal, é uma espécie em vias de extinção) ♦ **ter olhos de lince** ver muito bem

lindamente (lin.da.men.te) [lĩdɐ'mẽt(ə)] *adv.* muito bem; perfeitamente

lindíssimo (lin.dís.si.mo) [lĩ'disimu] ⟨*superl. de* lindo⟩ *adj.* muito lindo

lindo (lin.do) ['lĩdu] *adj.* belo; bonito ♦ **lindo de morrer** muito belo

linear (li.ne:ar) [li'njar] *adj.2g.* **1** que se representa por meio de uma linha **2** *fig.* claro; simples

linearidade (li.ne:a.ri.da.de) [linjɐri'dad(ə)] *n.f.* qualidade do que é linear

linfa (lin.fa) ['lĩfɐ] *n.f.* **1** líquido esbranquiçado que circula nos vasos linfáticos, constituído essencialmente por plasma e glóbulos brancos **2** líquido nutritivo que circula nas plantas **SIN.** seiva

linfático (lin.fá.ti.co) [lĩ'fatiku] *adj.* **1** relativo a linfa **2** que contém linfa

linfócito (lin.fó.ci.to) [lĩ'fɔsitu] *n.m.* leucócito que está no sangue, na medula óssea, etc.

lingerie [lẽʒə'ri] *n.f.* roupa interior feminina

lingote (lin.go.te) [lĩ'gɔt(ə)] *n.m.* barra de ouro ou outro metal fundido

lingrinhas (lin.gri.nhas) [lĩ'griɲɐʃ] *adj.inv.,n.2g.2n.* **1** *coloq.* (pessoa) que apresenta aspeto franzino **2** *coloq.* (pessoa) que é considerada medricas, cobarde ou fraca

língua (lín.gua) ['lĩgwɐ] *n.f.* **1** órgão móvel situado dentro da boca, responsável pelo paladar e que auxilia na produção de sons **2** conjunto de sinais que as pessoas utilizam para comunicar; idioma ♦ *coloq.* **dar com a língua nos dentes** revelar um segredo; **língua gestual** língua com regras gramaticais e vocabulário próprios, que se exprime por gestos, utilizada sobretudo por pessoas com dificuldades auditivas; **língua materna** língua que uma pessoa aprende na infância; **saber (alguma coisa) na ponta da língua** saber (alguma coisa) muito bem ou de cor

língua-de-gato (lín.gua-.de-.ga.to) [lĩgwɐdə'gatu] *a nova grafia é* **língua de gato**[AO]

língua de gato (lín.gua de ga.to)[AO] [lĩgwɐdə 'gatu] *n.f.* ⟨*pl.* línguas de gato⟩ variedade de biscoito com forma semelhante à da língua do gato

língua-de-sogra (lín.gua-.de-.so.gra) [lĩgwɐdə'sɔgrɐ] *a nova grafia é* **língua de sogra**[AO]

língua de sogra (lín.gua de so.gra)[AO] [lĩgwɐdə'sɔgrɐ] *n.f.* ⟨*pl.* línguas de sogra⟩ bolacha em forma de cone, vendida nas praias, ruas, etc.

linguado (lin.gua.do) [lĩ'gwadu] *n.m.* peixe com o corpo achatado, muito apreciado na alimentação

linguagem (lin.gua.gem) [lĩ'gwaʒɐ̃j] *n.f.* **1** capacidade para exprimir o pensamento por meio de palavras **2** conjunto de sinais que servem para comunicar **3** maneira de falar própria de uma pessoa ou de um grupo

linguajar (lin.gua.jar) [lĩgwɐ'ʒar] *v.* falar muito; tagarelar ▪ *n.m.* modo de falar com características próprias de uma região, classe, grupo, etc.

língua-mãe (lín.gua-.mãe) [lĩgwɐ'mɐ̃j] *n.f.* ⟨*pl.* línguas-mães línguas-mãe⟩ língua que deu origem a outras línguas

linguareiro (lin.gua.rei.ro) [lĩgwɐ'rɐjru] *adj.* que fala demais; indiscreto

linguarudo (lin.gua.ru.do) [lĩgwɐ'rudu] *n.m.* pessoa que fala demais, especialmente sobre os outros

lingueta (lin.gue.ta) [lĩ'gwetɐ] *n.f.* **1** haste de balança **2** parte móvel da fechadura

linguiça (lin.gui.ça) [lĩ'gwisɐ] *n.f.* chouriço fino preparado com carne de porco

linguista (lin.guis.ta) [lĩ'gwiʃtɐ] *n.2g.* pessoa que se dedica ao estudo das línguas

linguística (lin.guís.ti.ca) [lĩ'gwiʃtikɐ] *n.f.* ciência que estuda a linguagem humana

linguístico (lin.guís.ti.co) [lĩ'gwiʃtiku] *adj.* relativo à linguística ou à língua

linha (li.nha) ['liɲɐ] *n.f.* **1** fio usado para coser ou bordar **2** fio de pesca **3** traço mais ou menos espesso ♦ **andar na linha** comportar-se devidamente; **cada um sabe as linhas com que se cose** cada um sabe da sua vida; **dizer trinta por uma linha** dizer mal; criticar; **em linha** em fila; uns atrás dos outros; **fazer trinta por uma linha** fazer disparates; causar confusão; **por linhas travessas** indiretamente

linhaça (li.nha.ça) [li'ɲasɐ] *n.f.* semente do linho

linhagem (li.nha.gem) [li'ɲaʒɐ̃j] *n.f.* conjunto de antepassados e descendentes de uma pessoa; genealogia

linho (li.nho) ['liɲu] *n.m.* **1** planta herbácea que fornece fibras têxteis **2** tecido feito com essas fibras

link ['lĩk] *n.m.* ⟨*pl.* links⟩ ⇒ **hiperligação**

linkar (lin.kar) [lĩ'kar] *v.* criar um link ou hiperligação para (parte de documento, ficheiro ou página de internet) **SIN.** hiperligar

lípido (lí.pi.do) ['lipidu] *n.m.* nome de substâncias orgânicas, insolúveis em água, cuja função é armazenar energia **SIN.** gordura

lipoaspiração **(li.po.as.pi.ra.ção)** [lipɔɐʃpirɐ'sɐ̃w̃] *n.f.* aspiração de gorduras excessivas situadas sob a pele

lipoma **(li.po.ma)** [li'pomɐ] *n.m.* tumor benigno proveniente de um aumento do tecido adiposo

liquefação **(li.que.fa.ção)**AO [likəfa'sɐ̃w̃] *n.f.* passagem de uma substância do estado sólido ou do estado gasoso ao estado líquido

liquefacção **(li.que.fac.ção)** [likəfa'sɐ̃w̃] *a nova grafia é* **liquefação**AO

liquefazer(-se) **(li.que.fa.zer(-se))** [likəfɐ'zer(sə)] *v.* tornar(-se) líquido **SIN.** liquidificar(-se)

liquefeito **(li.que.fei.to)** [likə'fɐjtu] *adj.* tornado líquido

líquen **(lí.quen)** ['likɛn] *n.m.* ⟨*pl.* líquenes⟩ organismo formado a partir da associação de fungos e algas, que aparece geralmente em rochas, árvores e arbustos de zonas húmidas

liquidação **(li.qui.da.ção)** [likidɐ'sɐ̃w̃] *n.f.* **1** pagamento de uma conta ou dívida **2** venda de bens a preços reduzidos; saldo

liquidar **(li.qui.dar)** [liki'dar] *v.* **1** pagar (conta, dívida) **2** vender a preço reduzido **3** *fig.* acabar com **4** *fig.* matar

liquidez **(li.qui.dez)** [liki'deʃ] *n.f.* **1** qualidade ou estado de líquido **2** possibilidade de converter bens ou títulos em dinheiro

liquidificador **(li.qui.di.fi.ca.dor)** [likidifikɐ'dor] *n.m.* pequeno eletrodoméstico utilizado para triturar e misturar determinados elementos, em especial bebidas e frutas

liquidificar(-se) **(li.qui.di.fi.car(-se))** [likidifi'kar(sə)] *v.* tornar(-se) líquido **SIN.** liquefazer(-se)

líquido **(lí.qui.do)** ['likidu] *n.m.* **1** um dos três estados da matéria, em que ela se apresenta com volume mas sem forma própria (como a água, por exemplo) **2** qualquer bebida

lira **(li.ra)** ['lirɐ] *n.f.* instrumento em forma de U com uma barra horizontal no topo, onde se fixam as cordas

lírica **(lí.ri.ca)** ['lirikɐ] *n.f.* género em geral manifestado em textos de poesia, em que o autor exprime a sua subjetividade

lírico **(lí.ri.co)** ['liriku] *adj.* **1** diz-se da obra em verso feita para ser cantada **2** diz-se do género poético ou musical em que o autor exprime os seus sentimentos; sentimental

lírio **(lí.ri:o)** ['lirju] *n.m.* **1** planta com folhas alongadas que dá flores roxas, brancas ou amarelas **2** flor dessa planta

lirismo **(li.ris.mo)** [li'riʒmu] *n.m.* expressão dos sentimentos do autor na literatura

lis **(lis)** ['liʃ] *n.2g.* flor perfumada do lírio

lisboeta **(lis.bo:e.ta)** [liʒ'bwetɐ] *adj.2g.* relativo a Lisboa ▪ *n.2g.* pessoa natural de Lisboa

liso **(li.so)** ['lizu] *adj.* **1** que não tem altos e baixos; plano **2** que não tem pregas nem rugas; macio **3** *coloq.* que está sem dinheiro

lisonja **(li.son.ja)** [li'zõʒɐ] *n.f.* elogio exagerado

lisonjear **(li.son.je:ar)** [lizõ'ʒjar] *v.* adular; bajular ▪ **lisonjear-se** orgulhar-se

lisonjeiro **(li.son.jei.ro)** [lizõ'ʒɐjru] *adj.* **1** que elogia; que provoca orgulho **2** que dá prazer; agradável

lista **(lis.ta)** ['liʃtɐ] *n.f.* **1** tira comprida e estreita **2** série de nomes ou elementos ordenados, geralmente em colunas: ***lista de candidatos; lista de compras*** **3** num restaurante, indicação dos pratos e bebidas disponíveis, com os respetivos preços **SIN.** ementa; menu

listagem **(lis.ta.gem)** [liʃ'taʒɐ̃j] *n.f.* lista

listar **(lis.tar)** [liʃ'tar] *v.* colocar em forma de lista

listra **(lis.tra)** ['liʃtrɐ] *n.f.* tira comprida e estreita; risca

listrado **(lis.tra.do)** [liʃ'tradu] *adj.* coberto de riscas

liteira **(li.tei.ra)** [li'tɐjrɐ] *n.f.* 👁 cadeira portátil, coberta e fechada, sustentada por duas varas compridas levadas por dois homens ou dois animais, que antigamente era usada como meio de transporte

literacia **(li.te.ra.ci.a)** [litərɐ'siɐ] *n.f.* capacidade de ler e de escrever; alfabetismo

literal **(li.te.ral)** [litə'raɫ] *adj.2g.* que significa exatamente aquilo que está escrito; não figurado

literário **(li.te.rá.ri:o)** [litə'rarju] *adj.* relativo a letras ou a literatura

literato **(li.te.ra.to)** [litə'ratu] *adj.,n.m.* **1** que ou que produz obras literárias; escritor **2** que ou indivíduo que possui vastos conhecimentos de literatura

teratura (li.te.ra.tu.ra) [litərɐ'turɐ] *n.f.* **1** arte de escrever em verso ou em prosa **2** conjunto das obras literárias de um país ou de uma época

tigar (li.ti.gar) [liti'gar] *v.* **1** dar início a litígio ou ação judicial sobre **2** ter litígio **3** entrar em disputa sobre

tígio (li.tí.gi:o) [li'tiʒju] *n.m.* **1** ação ou questão judicial **2** conflito

tigioso (li.ti.gi:o.so) [liti'ʒjozu] *adj.* **1** relativo a litígio **2** que envolve litígio **3** conflituoso

toral (li.to.ral) [litu'rał] *adj.2g.* **1** relativo à beira-mar **2** situado à beira-mar ■ *n.m.* região situada na costa; beira-mar

tosfera (li.tos.fe.ra) [litɔʃ'fɛrɐ] *n.f.* parte externa e rígida da Terra, que inclui a crusta terrestre

tro (li.tro) ['litru] *n.m.* unidade de medida de capacidade (símbolo: l)

tuano (li.tu:a.no) [li'twɐnu] *adj.* relativo à Lituânia ■ *n.m.* **1** pessoa natural da Lituânia **2** língua báltica falada na Lituânia

turgia (li.tur.gi.a) [litur'ʒiɐ] *n.f.* conjunto de orações e práticas do culto religioso estabelecidos por uma igreja

túrgico (li.túr.gi.co) [li'turʒiku] *adj.* relativo a liturgia

videz (li.vi.dez) [livi'deʃ] *n.f.* estado de lívido; palidez

vido (lí.vi.do) ['lividu] *adj.* muito pálido

vrança (li.vran.ça) [li'vrɐ̃sɐ] *n.f.* título de crédito pelo qual um devedor se compromete perante um credor a pagar-lhe determinada quantia em certa data

vrão (li.vrão) [li'vrɐ̃w̃] *n.m.* depósito público para recolha de livros usados

vraria (li.vra.ri.a) [livrɐ'riɐ] *n.f.* loja onde se vendem livros

vrar(-se) (li.vrar(-se)) [li'vrar(sə)] *v.* **1** ⟨**+de**⟩ tornar(-se) livre **SIN.** libertar(-se) **2** ⟨**+de**⟩ desembaraçar(-se) de dificuldade ou perigo **SIN.** salvar(-se)

vre (li.vre) ['livr(ə)] *adj.2g.* **1** que tem liberdade **2** que está disponível **3** que não tem obstáculos

vre-arbítrio (li.vre-.ar.bí.tri:o) [livrɐr'bitrju] *n.m.* ⟨*pl.* livres-arbítrios⟩ possibilidade de escolher ou decidir de acordo com a própria vontade

vre-câmbio (li.vre-.câm.bi:o) [livrə'kɐ̃bju] *n.m.* ⟨*pl.* livres-câmbios⟩ permuta de mercadorias entre países, sem direitos alfandegários

vreiro (li.vrei.ro) [li'vrɐjru] *adj.* relativo à produção de livros ■ *n.m.* pessoa que vende livros

vremente (li.vre.men.te) [livrə'mẽt(ə)] *adv.* com liberdade; sem obstáculos nem restrições

livrete (li.vre.te) [li'vret(ə)] *n.m.* documento em que estão registadas as características de um veículo

livre-trânsito (li.vre-.trân.si.to) [livrə'trɐ̃zitu] *n.m.* ⟨*pl.* livres-trânsito⟩ cartão que permite a entrada em certos lugares, transportes públicos ou espetáculos

livro (li.vro) ['livru] *n.m.* conjunto de folhas impressas reunidas em volume e protegidas por uma capa ◆ **livro de ponto** livro usado nas escolas pelos professores para fazer o registo diário das atividades de uma turma

lixa (li.xa) ['liʃɐ] *n.f.* papel com uma camada áspera utilizado para desgastar ou para polir

lixadela (li.xa.de.la) [liʃɐ'dɛlɐ] *n.f.* **1** ato de lixar (madeira, metal, etc.) superficialmente; desbaste **2** *coloq.* ato de prejudicar alguém

lixar (li.xar) [li'ʃar] *v.* **1** desbastar com lixa; polir **2** *coloq.* prejudicar; tramar ◆ **que se lixe!** exclamação que indica impaciência e desinteresse

lixeira (li.xei.ra) [li'ʃɐjrɐ] *n.f.* lugar onde existe muito lixo

lixeiro (li.xei.ro) [li'ʃɐjru] *n.m.* funcionário que recolhe o lixo das ruas

lixívia (li.xí.vi:a) [li'ʃivjɐ] *n.f.* solução concentrada, usada para branquear a roupa

lixo (li.xo) ['liʃu] *n.m.* sobras ou matérias inúteis produzidas por atividades domésticas ou industriais **SIN.** detrito; resíduo ◆ **lixo eletrónico** correio eletrónico, não pedido nem desejado pela maioria dos utilizadores

lo (lo) [lu] *prn.,det.pess.* variante do pronome *o*, sempre que antecedido por formas verbais terminadas em *-r*, *-s* ou *-z*, depois dos pronomes átonos *nos* e *vos* e do advérbio *eis*, que perdem a consoante final *vê-lo; ei-lo; di-lo*

loba (lo.ba) ['lɔbɐ] *n.f.* fêmea do lobo

lobby ['lɔbi] *n.m.* ⟨*pl.* lobbies⟩ grupo organizado de pessoas que procuram influenciar os deputados no sentido de votarem a favor de determinados interesses

lobisomem (lo.bi.so.mem) [lubi'zɔmɐ̃j] *n.m.* segundo a crença popular, homem que se transforma em lobo

lobo (lo.bo)[1] ['lɔbu] *n.m.* parte arredondada de um órgão do corpo

lobo (lo.bo)[2] ['lobu] *n.m.* animal carnívoro, feroz, semelhante a um cão grande

lobo-do-mar (lo.bo-.do-.mar) [lobudu'mar] *n.m.* ⟨*pl.* lobos-do-mar⟩ peixe com cerca de 2,50 m de comprimento, poucas escamas e mandíbula com dentes cónicos muito fortes

lobolar (lo.bo.lar) [lobo'lar] *v.* [MOÇ.] casar-se segundo a tradição, oferecendo lobolo (dote) à família da noiva

lobolo (lo.bo.lo) [lo'bolu] *n.m.* [MOÇ.] dote

lobo-marinho (lo.bo-.ma.ri.nho) [lobumɐ'riɲu] *n.m.* ⟨*pl.* lobos-marinhos⟩ ⇒ **leão-marinho**

lóbulo (ló.bu.lo) ['lɔbulu] *n.m.* **1** parte pequena e arredondada de um órgão **2** recorte pouco profundo no bordo das folhas vegetais ou em qualquer órgão

locação (lo.ca.ção) [lukɐ'sɐ̃w̃] *n.f.* contrato pelo qual uma das partes se obriga a ceder à outra a utilização de um bem (móvel ou imóvel), ou a prestar-lhe determinado serviço, mediante retribuição

local (lo.cal) [lu'kał] *n.m.* sítio; lugar ■ *adj.2g.* **1** relativo a determinado lugar **2** limitado a uma parte do corpo

localidade (lo.ca.li.da.de) [lukɐli'dad(ə)] *n.f.* **1** região **2** povoação

localização (lo.ca.li.za.ção) [lukɐlizɐ'sɐ̃w̃] *n.f.* lugar em que uma coisa ou pessoa está

localizado (lo.ca.li.za.do) [lukɐli'zadu] *adj.* **1** situado em determinado lugar **2** limitado a uma dada área

localizar (lo.ca.li.zar) [lukɐli'zar] *v.* determinar o lugar em que se encontra (algo, alguém): *Não conseguiram localizar o navio.* ■ **localizar-se** ⟨**+em**⟩ estar situado: *A sede localiza-se em Lisboa.*

loção (lo.ção) [lu'sɐ̃w̃] *n.f.* líquido ou creme para hidratar a pele

locatário (lo.ca.tá.ri:o) [lukɐ'tarju] *n.m.* pessoa que paga renda

locomoção (lo.co.mo.ção) [lukumu'sɐ̃w̃] *n.f.* deslocação de um lugar para outro

locomotiva (lo.co.mo.ti.va) [lukumu'tivɐ] *n.f.* máquina que reboca um comboio

locução (lo.cu.ção) [luku'sɐ̃w̃] *n.f.* **1** maneira de dizer ou de pronunciar; dicção **2** expressão formada por um conjunto de palavras que tem um sentido próprio: *às cavalitas; de cócoras; à farta*

locutor (lo.cu.tor) [luku'tor] *n.m.* **1** indivíduo que apresenta o noticiário na televisão e na rádio **2** na comunicação oral, pessoa que emite a mensagem

lodo (lo.do) ['lɔdu] *n.m.* lama

logarítmico (lo.ga.rít.mi.co) [lugɐ'ritmiku] *adj.* relativo a logaritmo

logaritmo (lo.ga.rit.mo) [lugɐ'ritmu] *n.m.* expoente ao qual se deve elevar o número escolhido para base para se obter o número dado

lógica (ló.gi.ca) ['lɔʒikɐ] *n.f.* **1** ciência que estuda as leis do raciocínio **2** ligação entre dois factos ou duas ideias; coerência

logicamente (lo.gi.ca.men.te) [lɔʒikɐ'mẽt(ə)] *adv.* de acordo com a lógica; de forma coerente

lógico (ló.gi.co) ['lɔʒiku] *adj.* **1** diz-se daquilo que é consequência natural de uma outra coisa SIN coerente **2** que faz sentido

logística (lo.gís.ti.ca) [lu'ʒiʃtikɐ] *n.f.* **1** organização e planeamento do transporte, equipamento e abastecimento de tropas **2** gestão e organização dos pormenores de qualquer operação

logístico (lo.gís.ti.co) [lu'ʒiʃtiku] *adj.* relativo a logística

logo (lo.go) ['lɔgu] *adv.* em seguida; sem demora ◆ **até logo** saudação de despedida que indica intenção de reencontro; **desde logo** a partir desse momento; **logo que** no momento em que; mal

logótipo (lo.gó.ti.po) [lɔ'gɔtipu] *n.m.* símbolo que representa uma marca ou uma empresa

logradouro (lo.gra.dou.ro) [lugrɐ'do(w)ru] *n.m.* **1** terreno contíguo a uma habitação **2** espaço ao ar livre para uso público

lograr (lo.grar) [lu'grar] *v.* **1** alcançar; obter **2** enganar **3** ter bom resultado

logro (lo.gro) ['logru] *n.m.* estratagema para enganar; fraude

loiça (loi.ça) ['lojsɐ] *n.f.* ⇒ **louça**

loiro (loi.ro) ['lojru] *adj.* ⇒ **louro**

loja (lo.ja) ['lɔʒɐ] *n.f.* estabelecimento comercial onde se compram e vendem produtos

lojista (lo.jis.ta) [lɔ'ʒiʃtɐ] *n.2g.* pessoa que é dona de uma loja

LOL ['lɔł] palavra usada em chats e emails para indicar que a pessoa está a rir ou a dar gargalhadas OBS. Sigla de *laughing out loud*

lomba (lom.ba) ['lõbɐ] *n.f.* parte elevada de uma superfície; saliência

lombada (lom.ba.da) [lõ'badɐ] *n.f.* parte de um livro onde são colados ou cosidos os cadernos e que contém o título da obra, o nome do autor e a editora

lombar (lom.bar) [lõ'bar] *adj.2g.* relativo a lombo

lombo (lom.bo) ['lõbu] *n.m.* **1** parte carnuda de cada um dos lados da coluna dos animais; costas **2** região junto à parte inferior da espinha dorsal; costas

lombriga (lom.bri.ga) [lõ'brigɐ] *n.f.* verme parasita dos intestinos

lona (lo.na) ['lonɐ] *n.f.* tecido grosso e forte, usado para fazer velas de navios, tendas e toldos ◆ *coloq.* **estar nas lonas** estar sem dinheiro

longamente (lon.ga.men.te) [lõgɐ'mẽt(ə)] *adv.* **1** num espaço amplo **2** por muito tempo

longa-metragem (lon.ga-.me.tra.gem) [lõgɐmə'traʒɐ̃j̃] *n.f.* filme de longa duração

longe (lon.ge) ['lõʒ(ə)] *adj.2g.* afastado; distante **ANT.** perto ▪ *adv.* a uma grande distância (no espaço ou no tempo) ♦ **de longe a longe** de vez em quando; com grandes intervalos de tempo; **ir longe** desenvolver-se de forma positiva **SIN.** progredir

longevidade (lon.ge.vi.da.de) [lõʒəvi'dad(ə)] *n.f.* vida longa

longínquo (lon.gín.quo) [lõ'ʒĩkwu] *adj.* que se encontra muito longe **SIN.** afastado; remoto

longitude (lon.gi.tu.de) [lõʒi'tud(ə)] *n.f.* distância entre dois pontos afastados da superfície terrestre

longitudinal (lon.gi.tu.di.nal) [lõʒitudi'naɫ] *adj.2g.* **1** relativo a longitude **2** no sentido do comprimento

longo (lon.go) ['lõgu] *adj.* **1** que é comprido; extenso **2** que dura muito tempo; demorado ♦ **ao longo de** paralelamente a **SIN.** durante

lontra (lon.tra) ['lõtrɐ] *n.f.* mamífero carnívoro com cerca de 1 m de comprimento, pelagem densa e cauda achatada, que se alimenta de peixes e é bom nadador

looping ['lupĩg] *n.m.* ⟨*pl.* loopings⟩ acrobacia aérea que descreve um círculo completo em sentido vertical

lorde (lor.de) ['lɔrd(ə)] *n.m.* **1** título de nobreza atribuído em Inglaterra aos aristocratas e a alguns homens que se destacam nas suas profissões **2** membro da câmara alta do parlamento inglês: ***Câmara dos Lordes*** **3** *coloq.* indivíduo que vive com luxo ou ostentação

lorpa (lor.pa) ['lorpɐ] *adj.2g.* parvo; imbecil

losango (lo.san.go) [lu'zɐ̃gu] *n.m.* paralelogramo de lados iguais e ângulos opostos iguais

lota (lo.ta) ['lɔtɐ] *n.f.* local onde se vende o peixe, à chegada dos barcos de pesca

lotação (lo.ta.ção) [lutɐ'sɐ̃w̃] *n.f.* número máximo de pessoas que cabem numa viatura ou num recinto (uma sala, um estádio, etc.)

lotaria (lo.ta.ri.a) [lutɐ'riɐ] *n.f.* jogo de azar em que uma pessoa compra um bilhete numerado e ganha um prémio em dinheiro se o número do bilhete que comprou for igual ao número sorteado

lote (lo.te) ['lɔt(ə)] *n.m.* **1** parte de um todo que se divide; porção **2** parcela de um terreno

loteamento (lo.te:a.men.to) [lutjɐ'mẽtu] *n.m.* **1** divisão de um terreno em lotes destinados à urbanização **2** terreno dividido em lotes

loto (lo.to) ['lɔtu] *n.m.* jogo cujo objetivo é completar os números que aparecem nos cartões, à medida que se retiram de um saco peças numeradas

lótus (ló.tus) ['lɔtuʃ] *n.m.2n.* flor branca, rosada ou violeta que nasce de uma planta com o mesmo nome, cultivada para ornamentar lagos

louça (lou.ça) ['lo(w)sɐ] *n.f.* conjunto de recipientes de porcelana ou outro material, usados para servir comida, chá, café, etc.

louceiro (lou.cei.ro) [lo(w)'sɐjru] *n.m.* armário onde se guarda louça; guarda-louça

louco (lou.co) ['lo(w)ku] *adj.* **1** doido **2** imprudente

loucura (lou.cu.ra) [lo(w)'kurɐ] *n.f.* **1** perturbação mental; demência **2** imprudência **3** extravagância

loura (lou.ra) ['lo(w)rɐ] *n.f.* **1** mulher que tem cabelo louro **2** *coloq.* cerveja de cor clara

loureiro (lou.rei.ro) [lo(w)'rɐjru] *n.m.* arbusto com folhas aromáticas, que são usadas para temperar alimentos

louro (lou.ro) ['lo(w)ru] *adj.* que tem o cabelo da cor do ouro ▪ *n.m.* ⇒ **loureiro** ▪ **louros** *n.m.pl.* triunfo; glória

lousa (lou.sa) ['lo(w)zɐ] *n.f.* rocha compacta de cor cinzento-escura

---

Note-se que **lousa** escreve-se com **s** (e não com z).

---

louva-a-deus (lou.va-.a-.deus) [lo(w)va'dewʃ] *n.m.2n.* 👁 inseto carnívoro, com corpo estreito e alongado e patas da frente compridas

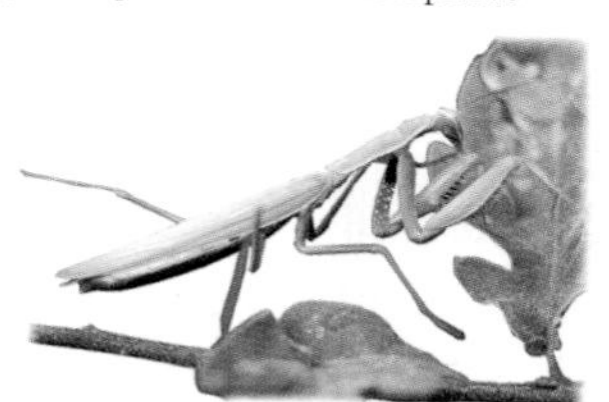

louvar (lou.var) [lo(w)'var] *v.* **1** abençoar **2** elogiar

louvável (lou.vá.vel) [lo(w)'vavɛɫ] *adj.2g.* digno de louvor

louvor (lou.vor) [lo(w)'vor] *n.m.* **1** bênção **2** elogio

LP [ɛɫ'pe] *n.m.* disco de música com registo de longa duração **OBS.** Sigla de *Long Play*

LSD [ɛɫse'de] *n.m.* droga com propriedades alucinogénias **OBS.** Sigla de *Lysergsäurediäthylamid*

lua (lu.a) ['luɐ] *n.f.* **1** aspeto da Lua visto da Terra **2** espaço de um mês ▪ **Lua** planeta satélite da Terra, que não tem luz própria e apenas reflete a luz do sol; **Lua cheia** fase da lua em que se vê a sua face totalmente iluminada pelo Sol; **Lua nova** fase da lua em que se vê a sua face obscura voltada para a Terra ♦ **andar/estar na lua** andar / estar distraído; **pedir a lua** pedir uma coisa impossível de alcançar; **ser de luas** ter mudanças de humor súbitas; ser imprevisível

lua-de-mel (lu.a-.de-.mel) [luɐdəˈmɛɫ] *a nova grafia é* **lua de mel**[AO]

lua de mel (lu.a de mel)[AO] [luɐdəˈmɛɫ] *n.f.* ⟨*pl.* luas de mel⟩ **1** período a seguir ao casamento **2** viagem que se faz a seguir ao casamento

luandense (lu:an.den.se) [lwɐ̃ˈdẽ(sə)] *adj.2g.* relativo a Luanda, capital de Angola ■ *n.2g.* natural ou habitante de Luanda

luar (lu:ar) [ˈlwar] *n.m.* claridade refletida pela lua

lubrificação (lu.bri.fi.ca.ção) [lubrifikɐˈsɐ̃w̃] *n.f.* ato ou efeito de lubrificar

lubrificante (lu.bri.fi.can.te) [lubrifiˈkɐ̃t(ə)] *n.m.* substância usada para facilitar o funcionamento de uma máquina ou de um motor

lubrificar (lu.bri.fi.car) [lubrifiˈkar] *v.* aplicar óleo (numa máquina, num motor) para facilitar o funcionamento; olear

lucidez (lu.ci.dez) [lusiˈdeʃ] *n.f.* clareza de raciocínio; razão

lúcido (lú.ci.do) [ˈlusidu] *adj.* que compreende com facilidade e rapidez; racional

lucrar (lu.crar) [luˈkrar] *v.* ⟨**+em**, **+com**⟩ ter lucro ou proveito; ganhar

lucrativo (lu.cra.ti.vo) [lukrɐˈtivu] *adj.* que dá lucro **SIN.** proveitoso; vantajoso

lucro (lu.cro) [ˈlukru] *n.m.* ganho; proveito; vantagem

ludibriar (lu.di.bri:ar) [ludiˈbrjar] *v.* enganar; iludir

lúdico (lú.di.co) [ˈludiku] *adj.* **1** relativo a jogo ou a brinquedo **2** que se faz por prazer; que diverte

lufada (lu.fa.da) [luˈfadɐ] *n.f.* rajada de vento; aragem

lugar (lu.gar) [luˈgar] *n.m.* **1** espaço ocupado por um corpo **2** sítio **3** localidade **4** ocasião **5** emprego ◆ **em lugar de** em vez de; **ter lugar** acontecer; realizar-se; **tomar o lugar de** substituir; **um lugar ao sol** situação favorável ou vantajosa

lugar-comum (lu.gar-.co.mum) [lugarkuˈmũ] *n.m.* ⟨*pl.* lugares-comuns⟩ dito sem originalidade; banalidade

lúgubre (lú.gu.bre) [ˈlugubr(ə)] *adj.2g.* **1** relativo a morte ou a funeral **2** triste; soturno **3** sinistro

lula (lu.la) [ˈlulɐ] *n.f.* molusco marinho muito apreciado na alimentação

lume (lu.me) [ˈlum(ə)] *n.m.* **1** luz e calor libertados por um corpo em combustão; fogo **2** luz; claridade ◆ **vir a lume** ser conhecido ou divulgado

luminescência (lu.mi.nes.cên.ci:a) [luminəʃˈsẽsjɐ] *n.f.* emissão de luz por parte de um corpo

luminosidade (lu.mi.no.si.da.de) [luminuziˈdad(ə)] *n.f.* propriedade de lançar ou de refletir luz

luminoso (lu.mi.no.so) [lumiˈnozu] *adj.* que tem luz própria **SIN.** brilhante

lunar (lu.nar) [luˈnar] *adj.2g.* relativo à Lua

lunático (lu.ná.ti.co) [luˈnatiku] *adj.* diz-se da pessoa muito sonhadora ou distraída

luneta (lu.ne.ta) [luˈnetɐ] *n.f.* dispositivo para proteger ou corrigir a visão, formado por duas lentes encaixadas numa armação que se fixa sobre o nariz, diante dos olhos

lupa (lu.pa) [ˈlupɐ] *n.f.* lente que permite ver objetos aumentados

lúpulo (lú.pu.lo) [ˈlupulu] *n.m.* planta herbácea trepadora e aromática, usada para fazer cerveja

lúpus (lú.pus) [ˈlupuʃ] *n.m.2n.* doença crónica da pele, caracterizada por manchas

lusco-fusco (lus.co-.fus.co) [luʃkuˈfuʃku] *n.m.* ⟨*pl.* lusco-fuscos⟩ momento em que termina o dia e começa a noite **SIN.** anoitecer; crepúsculo

lusíada (lu.sí.a.da) [luˈziɐdɐ] *n.2g.* português

lusitano (lu.si.ta.no) [luziˈtɐnu] *adj.,n.m.* português

luso (lu.so) [ˈluzu] *adj.,n.m.* ⇒ **lusitano**

luso-brasileiro (lu.so-.bra.si.lei.ro) [luzɔbraziˈlɐjru] *adj.* de Portugal e do Brasil ■ *n.m.* brasileiro de ascendência portuguesa

lusodescendente (lu.so.des.cen.den.te)[AO] [luzɔdəʃsẽˈdẽt(ə)] *n.2g.* pessoa que descende de portugueses

luso-descendente (lu.so-.des.cen.den.te) [luzɔdəʃsẽˈdẽt(ə)] *a nova grafia é* **lusodescendente**[AO]

lusofalante (lu.so.fa.lan.te) [luzɔfɐˈlɐ̃t(ə)] *n.2g.* pessoa que fala português

lusofonia (lu.so.fo.ni.a) [luzɔfuˈniɐ] *n.f.* conjunto dos países em que o português é a língua oficial ou dominante

lusófono (lu.só.fo.no) [luˈzɔfunu] *adj.* que tem português como língua oficial ou dominante

lustre (lus.tre) [ˈluʃtr(ə)] *n.m.* **1** brilho **2** candeeiro de teto

lustro (lus.tro) [ˈluʃtru] *n.m.* brilho

lustroso (lus.tro.so) [luʃˈtrozu] *adj.* brilhante

luta (lu.ta) [ˈlutɐ] *n.f.* **1** combate **2** esforço ◆ **dar luta 1** exigir esforço **2** resistir

lutador (lu.ta.dor) [lutɐˈdor] *n.m.* pessoa que luta

lutar (lu.tar) [luˈtar] *v.* **1** ⟨**+com**, **+contra**⟩ travar luta: *lutar contra as forças do mal* **SIN.** combater **2** ⟨**+por**⟩ fazer esforço para alcançar um dado objetivo: *lutar pela liberdade*

luteranismo (lu.te.ra.nis.mo) [lutərɐˈniʒmu] *n.m.* doutrina fundada por Martinho Lutero (1483-1546), que defende a livre interpretação da Bíblia

luterano (lu.te.ra.no) [lutəˈrɐnu] *n.m.* seguidor do luteranismo ■ *adj.* relativo a luteranismo

uto (lu.to) ['lutu] *n.m.* **1** tristeza profunda pela morte de alguém **2** roupa, geralmente preta, que exprime a dor pela morte de alguém

uva (lu.va) ['luvɐ] *n.f.* peça de proteção para as mãos ♦ **assentar como uma luva** ficar bem; **de luva branca** delicadamente; com elegância

uxação (lu.xa.ção) [luʃɐ'sɐ̃w̃] *n.f.* lesão provocada pelo deslocamento de dois ou mais ossos

uxar (lu.xar) [lu'ʃar] *v.* deslocar (osso)

uxemburguês (lu.xem.bur.guês) [luʃẽbur'gəʃ] *adj.* relativo ao Luxemburgo (no centro da Europa) ■ *n.m.* pessoa natural do Luxemburgo

uxo (lu.xo) ['luʃu] *n.m.* **1** ostentação de riqueza **2** conjunto de bens, geralmente de preço alto, que dão prazer mas não são necessários ♦ **de luxo** de qualidade excelente; **dar-se ao luxo de** permitir-se a extravagância de

luxuoso (lu.xu:o.so) [lu'ʃwozu] *adj.* que revela riqueza; caro

luxúria (lu.xú.ri:a) [lu'ʃurjɐ] *n.f.* **1** exuberância da vegetação **2** sensualidade exagerada; lascívia

luz (luz) ['luʃ] *n.f.* **1** claridade produzida por uma fonte luminosa **2** candeeiro; lâmpada ♦ **à luz de** segundo o ponto de vista; **dar à luz** parir; **dar/ter luz verde** dar/ter permissão; **fazer-se luz sobre** tornar-se claro, compreensível

luzeiro (lu.zei.ro) [lu'zɐjru] *n.m.* **1** aquilo que dá luz **2** foco luminoso para sinalização; farol

luzente (lu.zen.te) [lu'zẽt(ə)] *adj.2g.* que brilha ou dá luz; luminoso

luzidio (lu.zi.di.o) [luzi'diu] *adj.* brilhante

luzir (lu.zir) [lu'zir] *v.* **1** emitir luz **SIN.** brilhar **2** refletir luz

lycra ['likrɐ] *n.f.* ⇒ **licra**

M

m ['ɛm] *n.m.* consoante, décima terceira letra do alfabeto, que está entre as letras *l* e *n*

M [ɛm] *n.m.* em numeração romana, número 1000

mabanga (ma.ban.ga) [mɐ'bɐ̃gɐ] *n.f.* [ANG.] marisco assado na própria concha ou cozinhado com quiabo, abóbora, azeite de dendê e temperos, e servido com funje de milho

maca (ma.ca) ['makɐ] *n.f.* **1** cama articulada para transportar doentes ou feridos **2** [ANG., MOÇ.] discussão; briga

maçã (ma.çã) [mɐ'sɐ̃] *n.f.* fruto da macieira, de forma arredondada, casca amarela, verde ou vermelha e polpa clara ◆ **maçãs do rosto** saliências das faces, formadas pelos ossos malares

macabro (ma.ca.bro) [mɐ'kabru] *adj.* **1** relativo a morte; fúnebre **2** que desperta terror; sinistro

macaca (ma.ca.ca) [mɐ'kakɐ] *n.f.* **1** fêmea do macaco **2** jogo infantil em que se salta sobre uma figura desenhada no chão

macacada (ma.ca.ca.da) [mɐkɐ'kadɐ] *n.f.* **1** bando de macacos **2** gesto ou expressão própria de macaco; macaquice

macacão (ma.ca.cão) [mɐkɐ'kɐ̃w̃] *n.m.* peça de vestuário inteiriça que cobre o tronco e os membros; fato-macaco

macaco (ma.ca.co) [mɐ'kaku] *n.m.* **1** mamífero com corpo peludo, cérebro desenvolvido e membros superiores mais compridos que os inferiores **2** aparelho que serve para levantar grandes pesos ◆ **cada macaco no seu galho** cada pessoa no seu devido lugar, sem se intrometer naquilo que não é da sua competência; **macaco de imitação** pessoa que imita frequentemente os outros nos seus comportamentos ou ditos; *coloq.* **mandar pentear macacos** mandar embora (com agressividade ou desprezo); [BRAS.] **ser macaco velho** ser muito experiente em determinado assunto; **ter macaquinhos no sótão 1** ter pouco juízo **2** ter manias

maçada (ma.ça.da) [mɐ'sadɐ] *n.f.* aborrecimento

maçã-de-adão (ma.çã-.de-.a.dão) [mɐsɐ̃dɐ'dɐ̃w̃] *a nova grafia é* **maçã de Adão**[AO]

maçã de Adão (ma.çã de A.dão)[AO] [mɐsɐ̃dɐ'dɐ̃w̃] *n.f.* ⟨*pl.* maçãs de Adão⟩ *coloq.* parte superior da tiroide, que nos homens é saliente

maçador (ma.ça.dor) [mɐsɐ'dor] *adj.* aborrecido

macaense (ma.ca.en.se) [mɐkɐ'ẽ(sə)] *adj.2g.* relativo a Macau ■ *n.2g.* pessoa natural de Macau

macambuz (ma.cam.buz) [mɐkɐ̃'buʃ] *n.m.* [MOÇ.] pastor

macambuzi (ma.cam.bu.zi) [mɐkɐ̃'buzi] *n.m.* [MOÇ.] pastor

macambúzio (ma.cam.bú.zi:o) [mɐkɐ̃'buzju] *a*[dj.] **1** que revela tristeza ou aborrecimento **SIN.** tac[iturno] **2** que está mal-humorado **SIN.** carrancud[o]

maçaneta (ma.ça.ne.ta) [mɐsɐ'netɐ] *n.f.* puxad[or] de porta ou de janela

maçapão (ma.ça.pão) [mɐsɐ'pɐ̃w̃] *n.m.* massa pr[e]parada com amêndoa, clara de ovo e açúca[r] usada para decorar bolos ou para rechear bom[]bons

> Note-se que a palavra **maçapão** escreve-se com ç (e não com dois s).

macaquice (ma.ca.qui.ce) [mɐkɐ'ki(sə)] *n.f.* gest[o] ou expressão própria de macaco; macacada

macaquinho (ma.ca.qui.nho) [mɐkɐ'kiɲu] ⟨*dim.* d[e] macaco⟩ *n.m.* macaco pequeno ◆ **ter macaqu[i]nhos no sótão** ter pouco juízo; ter manias

maçarico (ma.ça.ri.co) [mɐsɐ'riku] *n.m.* **1** aparelh[o] que serve para soldar ou fundir metais **2** *colo[q.]* pessoa sem experiência

maçaroca (ma.ça.ro.ca) [mɐsɐ'rɔkɐ] *n.f.* **1** espig[a] de milho **2** *coloq.* dinheiro

macarrão (ma.car.rão) [mɐkɐ'ʀɐ̃w̃] *n.m.* massa d[e] farinha, em forma de tubos mais ou menos fino[s]

maçar(-se) (ma.çar(-se)) [mɐ'sar(sə)] *v.* ⟨**+com**, **+de**⟩ aborrecer(-se); enfadar(-se)

macedónia (ma.ce.dó.ni:a) [mɐsə'dɔnjɐ] *n.f.* mis[]tura de legumes cortados em pedaços pequenos

macedónio (ma.ce.dó.ni:o) [mɐsə'dɔnju] *adj.* rela[]tivo à Macedónia ■ *n.m.* **1** pessoa natural da Ma[]cedónia **2** língua eslava falada na Macedónia [e] em parte da Grécia

macerar (ma.ce.rar) [mɐsə'rar] *v.* **1** amolece[r] (substância sólida) num líquido **2** amassa[r] (substância) para lhe extrair o suco

machadada (ma.cha.da.da) [mɐʃɐ'dadɐ] *n.f.* pa[n]cada com machado

machado (ma.cha.do) [mɐ'ʃadu] *n.m.* instrument[o] de corte para rachar lenha

machamba (ma.cham.ba) [mɐ'ʃɐ̃bɐ] *n.f.* [MOÇ.] quinta

[a] pá [ɐ] cada [ɐ̃] ânsia [b] boi [d] dó [e] dedo [ɛ] pé [ə] dedal [f] foz [g] gás [i] ida [j] pai [ʒ] já [k] cão [l] lu[a]

machambeiro (ma.cham.bei.ro) [mɐʃɐ̃'bɐjru] *n.m.* [MOÇ.] dono ou trabalhador de uma machamba; fazendeiro

machão (ma.chão) [mɐ'ʃɐ̃w̃] *n.m.* **1** *coloq.* indivíduo que se gaba da sua masculinidade e gosta de exibir características masculinas **2** *coloq.* homem alto e robusto

machete (ma.che.te) [mɐ'ʃet(ə)] *n.m.* faca de mato para abrir passagem nas florestas

machimbombo (ma.chim.bom.bo) [mɐʃĩ'bõbu] *n.m.* [ANG., MOÇ.] autocarro; camioneta

machismo (ma.chis.mo) [mɐ'ʃiʒmu] *n.m.* opinião ou atitude discriminatórias que tendem a negar às mulheres os mesmos direitos dos homens

machista (ma.chis.ta) [mɐ'ʃiʃtɐ] *adj.,n.2g.* que ou pessoa que é defensora do machismo

macho (ma.cho) ['maʃu] *adj.* relativo ao sexo masculino ■ *n.m.* **1** animal do sexo masculino **2** ser humano do sexo masculino; homem

machucar (ma.chu.car) [mɐʃu'kar] *v.* **1** esmagar; comprimir **2** pisar; trilhar **3** amarrotar; amarfanhar **4** *fig.* magoar; ofender

maciço (ma.ci.ço) [mɐ'sisu] *adj.* compacto; denso ■ *n.m.* conjunto de montanhas

macieira (ma.ci.ei.ra) [mɐ'sjɐjrɐ] *n.f.* árvore que produz maçãs

macilento (ma.ci.len.to) [mɐsi'lẽtu] *adj.* **1** magro; abatido **2** descorado; pálido

macio (ma.ci.o) [mɐ'siu] *adj.* **1** suave ao tato **ANT.** áspero **2** brando; delicado

maço (ma.ço) ['masu] *n.m.* **1** martelo de madeira **2** conjunto de coisas reunidas num volume

maçonaria (ma.ço.na.ri.a) [mɐsunɐ'riɐ] *n.f.* sociedade secreta que defende a fraternidade e a filantropia

maconha (ma.co.nha) [mɐ'koɲɐ] *n.f.* **1** variedade de cânhamo, cujas folhas e flores, são usadas como narcótico **2** droga que entorpece, preparada com as folhas e flores do cânhamo; marijuana

má-criação (má-.cri:a.ção) [makrjɐ'sɐ̃w̃] *n.f.* ⟨*pl.* más-criações⟩ falta de educação; grosseria

macro (ma.cro) ['makrɔ] *n.f.* em aplicações informáticas, sequência de comandos ou instruções que se gravam no disco ou na memória e que, quando selecionada, executa essas mesmas instruções

macrobiótica (ma.cro.bi:ó.ti.ca) [makrɔ'bjɔtikɐ] *n.f.* **1** estudo da saúde humana que procura prolongar a vida por meio de regras de higiene e de um regime alimentar **2** regime alimentar à base de cereais integrais, peixe, legumes e frutos frescos

macrobiótico (ma.cro.bi:ó.ti.co) [makrɔ'bjɔtiku] *adj.* relativo a macrobiótica

macroeconomia (ma.cro.e.co.no.mi.a) [makrɔikɔnu'miɐ] *n.f.* ciência que estuda os aspetos económicos globais de um país ou de uma região

maçudo (ma.çu.do) [mɐ'sudu] *adj.* aborrecido; maçador

mácula (má.cu.la) ['makulɐ] *n.f.* **1** mancha de sujidade; nódoa **2** *fig.* desonra

macumba (ma.cum.ba) [mɐ'kũbɐ] *n.f.* **1** designação genérica dos cultos afro-brasileiros que associam elementos de crenças ameríndias, do catolicismo, do espiritismo, do ocultismo e de outras práticas **2** ritual celebrado nesses cultos **3** (em sentido corrente) magia negra; feitiçaria; feitiço

macunde (ma.cun.de) [mɐ'kũd(ə)] *n.m.* [ANG.] variedade de feijão miúdo

macuto (ma.cu.to) [mɐ'kutu] *n.m.* [ANG.] mentira

madala (ma.da.la) [mɐ'dalɐ] *n.2g.* [MOÇ.] pessoa idosa e experiente

madeira (ma.dei.ra) [mɐ'dɐjrɐ] *n.f.* **1** parte lenhosa e dura das árvores **2** conjunto de tábuas e barrotes usados em carpintaria, construção, etc. ◆ **bater/tocar na madeira** gesto executado para afastar um mau agouro

madeirense (ma.dei.ren.se) [mɐdɐj'rẽ(sə)] *adj.2g.* relativo à ilha da Madeira ■ *n.2g.* pessoa natural da ilha da Madeira

madeixa (ma.dei.xa) [mɐ'dɐjʃɐ] *n.f.* pedaço de cabelo **SIN.** mecha

madrassa (ma.dras.sa) [mɐ'drasɐ] *n.f.* escola onde se estuda a religião islâmica, especialmente o Alcorão; escola islâmica

madrasta (ma.dras.ta) [mɐ'draʃtɐ] *n.f.* mulher em relação aos filhos do marido

madre (ma.dre) ['madr(ə)] *n.f.* freira superiora de um convento

madrepérola (ma.dre.pé.ro.la) [madrə'pɛrulɐ] *n.f.* 👁 camada brilhante da concha de certos moluscos, usada em joias, botões, etc.

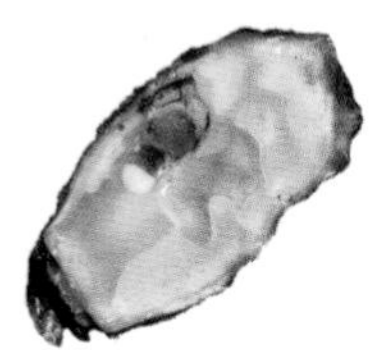

madrépora (ma.dré.po.ra) [mɐ'drɛpurɐ] *n.f.* animal marinho cujo esqueleto forma os recifes de coral nos mares tropicais

madressilva (ma.dres.sil.va) [madrə'siłvɐ] *n.f.* planta trepadeira com flores aromáticas amareladas e bagas vermelhas

madrinha (ma.dri.nha) [mɐ'driɲɐ] *n.f.* **1** testemunha em casamento ou batizado **2** *fig.* protetora

madrugada (ma.dru.ga.da) [mɐdru'gadɐ] *n.f.* primeira claridade do dia, antes de nascer o Sol **SIN.** alvorada

madrugador (ma.dru.ga.dor) [mɐdrugɐ'dor] *n.m.* que se levanta muito cedo

madrugar (ma.dru.gar) [mɐdru'gar] *v.* levantar-se muito cedo

madurar (ma.du.rar) [mɐdu'rar] *v.* ficar maduro; amadurecer

maduro (ma.du.ro) [mɐ'duru] *adj.* **1** diz-se do fruto que está totalmente desenvolvido **2** *fig.* completamente formado; adulto

mãe (mãe) ['mɐ̃j̃] *n.f.* **1** mulher que tem filho(s) **2** animal do sexo feminino que teve crias **3** *fig.* origem; fonte

mãe-coruja (mãe-.co.ru.ja) [mɐ̃j̃ku'ruʒɐ] *n.f.* mãe que protege demasiado os filhos

mãe de aluguer (mãe de a.lu.guer) [mɐ̃j̃dɐ lu'gɛr] *n.f.* mulher que cede o seu útero para gerar um bebé concebido com o seu próprio óvulo ou de outra mulher, e que após o parto o entrega a outras pessoas

mãe-de-santo (mãe-.de-.san.to) [mɐ̃j̃də'sɐ̃tu] *a nova grafia é* **mãe de santo**[AO]

mãe de santo (mãe de san.to)[AO] [mɐ̃j̃də'sɐ̃tu] *n.f.* ⟨*pl.* mães de santo⟩ [BRAS.] sacerdotisa de candomblé, macumba e de outras práticas de origem popular

mãe-galinha (mãe-.ga.li.nha) [mɐ̃j̃gɐ'liɲɐ] *n.f.* mãe que protege demasiado os seus filhos

maestria (ma.es.tri.a) [mɐɛʃ'triɐ] *n.f.* perícia; perfeição

maestrina (ma.es.tri.na) [mɐɛʃ'trinɐ] *n.f.* **1** regente de orquestra, coro ou banda **2** compositora de música ligeira

maestro (ma.es.tro) [mɐ'ɛʃtru] *n.m.* diretor de uma orquestra

mãezinha (mãe.zi.nha) [mɐ̃j̃'ziɲu] ⟨*dim. de* mãe⟩ *n.f.* mãe; mamã

mafarrico (ma.far.ri.co) [mɐfɐ'ʀiku] *n.m.* **1** *coloq.* diabo; demónio **2** *coloq.* criança travessa

má-fé (má-.fé) [ma'fɛ] *n.f.* intenção de prejudicar alguém

máfia (má.fi:a) ['mafjɐ] *n.f.* seita criminosa bem organizada

mafioso (ma.fi:o.so) [mɐ'fjozu] *adj.,n.m.* [ANG., MOÇ.] espertalhão; sabichão

magazine (ma.ga.zi.ne) [maga'zin(ə)] *n.m.* revista

magenta (ma.gen.ta) [mɐ'ʒẽtɐ] *n.m.* vermelh muito vivo

magia (ma.gi.a) [mɐ'ʒiɐ] *n.f.* **1** arte de fazer apar cer e desaparecer coisas e pessoas por meio truques; ilusionismo **2** *fig.* encanto; fascínio **por magia** misteriosamente

magicar (ma.gi.car) [mɐʒi'kar] *v.* ⟨**+em**⟩ pens muito (em) **SIN.** cismar; matutar

mágico (má.gi.co) ['maʒiku] *adj.* **1** relativo a m gia **2** *fig.* encantador; fascinante ■ *n.m.* indivíd que faz aparecer ou desaparecer objetos ou pe soas por meio de truques; ilusionista

magistério (ma.gis.té.ri:o) [mɐʒiʃ'tɛrju] *n.m.* **1** d cência **2** classe dos professores

magistrado (ma.gis.tra.do) [mɐʒiʃ'tradu] *n.* juiz

magistral (ma.gis.tral) [mɐʒiʃ'trał] *adj.2g.* perfeit

magistratura (ma.gis.tra.tu.ra) [mɐʒiʃtrɐ'tu *n.f.* **1** exercício das funções de magistrado **2** dur ção dessas funções

magma (mag.ma) ['magmɐ] *n.m.* massa de min rais em fusão existente no interior da Terra

magnânimo (mag.nâ.ni.mo) [ma'gnɐnimu] *a* **1** bondoso; generoso **2** que perdoa com faci dade; tolerante

magnata (mag.na.ta) [mɐ'gnatɐ] *n.2g.* **1** pess que tem muito dinheiro; capitalista **2** pessoa ir portante na área dos negócios

magnésio (mag.né.si:o) [ma'gnɛzju] *n.m.* elemen metálico, esbranquiçado e leve, usado em ca ros, aviões, naves, etc.

magnete (mag.ne.te) [ma'gnɛt(ə)] *n.m.* substânc que atrai o ferro e outros metais **SIN.** íman

magnético (mag.né.ti.co) [ma'gnɛtiku] *adj.* **1** c paz de atrair ferro e outros metais **2** *fig.* encant dor; fascinante

magnetismo (mag.ne.tis.mo) [magnə'tiʒmu] *n.* **1** propriedade de certos metais para atrair outr **2** *fig.* encanto; fascínio

magnificamente (mag.ni.fi.ca.men.te) [magn kɐ'mẽt(ə)] *adv.* **1** de modo magnífico **2** com e plendor

magnificência (mag.ni.fi.cên.ci:a) [magnifi'sẽs *n.f.* **1** imponência **2** ostentação **3** generosidade

magnífico (mag.ní.fi.co) [ma'gnifiku] *adj.* mui bom; muito belo **SIN.** excelente; formidável

magnitude (mag.ni.tu.de) [magni'tud(ə)] *n* **1** medida da intensidade de um sismo **2** gra deza; importância

magno (mag.no) ['magnu] *adj.* muito importante

magnólia (mag.nó.li:a) [ma'gnɔljɐ] *n.f.* 👁 fl branca ou cor-de-rosa que nasce de uma plan com o mesmo nome

agnório (mag.nó.ri:o) [ma'gnɔrju] n.m. [REG.] ⇒ nêspera

ago (ma.go) ['magu] n.m. mágico; feiticeiro

ágoa (má.go:a) ['magwɐ] n.f. desgosto; tristeza

agoado (ma.go:a.do) [mɐ'gwadu] adj. 1 que se magoou; ferido 2 que sente mágoa; triste

agoar(-se) (ma.go:ar(-se)) [mɐ'gwar(sə)] v. 1 ferir(-se): *magoar o pé; magoei-me a jogar futebol* 2 ⟨+com⟩ ofender(-se); melindrar(-se): *magoar os sentimentos de alguém*

agote (ma.go.te) [mɐ'gɔt(ə)] n.m. grande número de coisas ou de pessoas; montão ♦ **aos magotes** em grande quantidade

agreza (ma.gre.za) [mɐ'grezɐ] n.f. qualidade ou estado de magro

agricela (ma.gri.ce.la) [mɐgri'sɛlɐ] n.2g. pessoa muito magra

agricelas (ma.gri.ce.las) [mɐgri'sɛlɐʃ] n.2g.2n. ⇒ magricela

agro (ma.gro) ['magru] adj. 1 que tem pouca carne ou pouca gordura; franzino ANT. gordo 2 diz-se do alimento com poucas gorduras

agumba (ma.gum.ba) [mɐ'gũbɐ] n.f. [MOÇ.] peixe semelhante à sardinha

agusto (ma.gus.to) [mɐ'guʃtu] n.m. festa, geralmente ao ar livre, em que se assam castanhas

aia (mai.a) ['majɐ] n.f. planta com flores amarelas que florescem no início do mês de maio

ainato (mai.na.to) [maj'natu] n.m. [MOÇ.] empregado doméstico

aio (mai.o)[AO] ['maju] n.m. quinto mês do ano civil

aionese (mai.o.ne.se) [majɔ'nɛz(ə)] n.f. molho frio feito de gemas de ovos, a que se junta vinagre, sal e especiarias

aior (mai.or) [mɐj'ɔr] adj. que excede outro em tamanho, espaço ou número; superior ANT. menor ♦ coloq. **ser o maior** ser o melhor de todos

aioria (mai.o.ri.a) [maju'riɐ] n.f. a maior parte; o maior número ♦ **por maioria de razão** com mais razão

aioridade (mai.o.ri.da.de) [majuri'dad(ə)] n.f. idade em que, segundo a lei, uma pessoa passa a ter os direitos e os deveres de um adulto (segundo a lei portuguesa, atinge-se a maioridade aos 18 anos)

maioritário (mai.o.ri.tá.ri:o) [majuri'tarju] adj. 1 relativo à maioria 2 que tem o maior número de votos

mais (mais) ['majʃ] adv. 1 em maior quantidade: *Precisamos de mais comida.* 2 de preferência; antes: *Gostava mais de ficar em casa.* 3 acima de: *Os alunos eram mais de cem.* 4 ⟨+do que⟩ introduz o grau comparativo: *Ela é mais rica do que eu.* 5 ⟨+de⟩ introduz o grau superlativo: *o edifício mais antigo (da cidade)* 6 indica limite em frase negativas: *Não posso mais! Não sei mais nada.* ■ det.,prn.indef. em maior quantidade; em maior número: *Gostava de ler mais livros sobre este assunto.* ANT. menos ■ prep. coloq. com: *Foi às compras mais a mãe* ■ conj. e: *Dois mais dois são quatro.* ■ n.m. sinal de adição + ♦ **de mais** 1 em excesso; além do devido 2 muito; **de mais a mais** ainda por cima; **mais ou menos** cerca de; **mais tarde ou mais cedo** quando menos se espera(r); **sem mais nem menos** sem razão aparente; **sem mais nem para quê** sem motivo aparente; sem razão conhecida

maisena (mai.se.na) [maj'zenɐ] n.f. substância farinácea constituída por amido de milho

mais-que-perfeito (mais-.que-.per.fei.to) [majʃkəpər'fɐjtu] n.m. ⟨pl. mais-que-perfeitos⟩ tempo verbal que exprime uma ação já passada em relação a uma época ou circunstância também já passada

mais-que-tudo (mais-.que-.tu.do) [majʃkə'tudu] n.2g.2n. 1 pessoa a quem se dedica o maior afeto 2 o mais querido SIN. predileto

mais-valia (mais-.va.li.a) [majʒvɐ'liɐ] n.f. ⟨pl. mais-valias⟩ aumento de valor adquirido por uma mercadoria ou por um bem

maiúscula (mai.ús.cu.la) [maj'uʃkulɐ] n.f. letra grande, usada em nomes próprios, no início de textos ou de períodos, ou quando se quer destacar certas palavras

maiúsculo (mai.ús.cu.lo) [maj'uʃkulu] adj. diz-se da letra de tamanho maior; grande

majestade (ma.jes.ta.de) [mɐʒəʃ'tad(ə)] n.f. 1 qualidade daquilo que impõe respeito; imponência 2 título dado a reis e rainhas

majestático (ma.jes.tá.ti.co) [mɐʒəʃ'tatiku] adj. 1 relativo a majestade; soberano 2 grandioso; imponente

majestoso (ma.jes.to.so) [mɐʒəʃ'tozu] adj. imponente; solene

major (ma.jor) [mɐ'ʒɔr] n.2g. posto militar imediatamente superior a capitão

maka (ma.ka) ['makɐ] *n.f.* [ANG., MOÇ.] discussão; briga

mal (mal) ['maɫ] *adv.* **1** de modo errado: *portar-se mal* **ANT.** bem **2** de forma desfavorável: *falar mal de* **3** de modo incompleto ou deficiente: *Ele respondeu mal às perguntas.* **4** com dificuldade; a custo: *O João mal sabe ler.* **5** com problemas de saúde: *Ela está mal.* **6** de modo rude: *Ele tratou mal o cão.* **7** pouco: *carne mal passada* ■ *n.m.* **1** tudo aquilo que prejudica, fere ou incomoda: *o bem e o mal* **SIN.** prejuízo **2** desgraça; infelicidade: *O mal desta cidade é a poluição.* **3** doença: *sofrer de um mal* ■ *conj.* assim que; logo que: *Mal nos sentámos, ela começou a falar.* ◆ **de mal a pior** cada vez pior; **fazer mal a (alguém)** prejudicar (alguém); **levar a mal** ficar ofendido

mala (ma.la) ['malɐ] *n.f.* **1** objeto quadrangular de couro ou de outro tecido resistente onde se transportam roupas e objetos **2** saco de pano ou couro para levar na mão ou no ombro; carteira ◆ **de malas aviadas** pronto para partir

malabarismo (ma.la.ba.ris.mo) [mɐlɐbɐ'riʒmu] *n.m.* técnica de atirar ao ar e equilibrar objetos, normalmente apresentada no circo

malabarista (ma.la.ba.ris.ta) [mɐlɐbɐ'riʃtɐ] *n.2g.* equilibrista

mal-agradecido (mal-.a.gra.de.ci.do) [malɐgrɐdə'sidu] *adj.* ingrato

malagueta (ma.la.gue.ta) [mɐlɐ'getɐ] *n.f.* fruto pequeno, vermelho, alongado e picante, muito usado como condimento

malandrice (ma.lan.dri.ce) [mɐlɐ̃'dri(sə)] *n.f.* **1** qualidade ou ato de malandro; traquinice **2** falta de ocupação; ociosidade

malandro (ma.lan.dro) [mɐ'lɐ̃dru] *n.m.* **1** espertalhão **2** preguiçoso **3** ladrão

malária (ma.lá.ri:a) [mɐ'larjɐ] *n.f.* doença crónica que causa febre e calafrios e que é transmitida pela picada de um mosquito; paludismo

malcheiroso (mal.chei.ro.so) [maɫʃɐj'rozu] *adj.* que cheira mal

malcoado (mal.co:a.do) [maɫ'kwadu] *n.m.* [MOÇ.] bebida tradicional feita a partir da fermentação do farelo

malcriado (mal.cri.a.do) [maɫkri'adu] *adj.* que tem má educação **SIN.** mal-educado

maldade (mal.da.de) [maɫ'dad(ə)] *n.f.* **1** tendência para fazer o mal; crueldade **ANT.** bondade **2** travessura; traquinice

maldição (mal.di.ção) [maɫdi'sɐ̃w̃] *n.f.* desejo de que algo de mau aconteça a alguém; praga ■ *interj.* exprime raiva ou aborrecimento

maldisposto (mal.dis.pos.to) [maɫdiʃ'poʃtu] *adj.* **1** que se sente mal; enjoado **2** que está de mau humor; aborrecido

maldito (mal.di.to) [maɫ'ditu] *adj.* **1** amaldiçoa[do] **2** horrível **3** malvado

maldizente (mal.di.zen.te) [maɫdi'zẽt(ə)] *adj.*[...] diz-se da pessoa que diz mal dos outros **SIN.** m[...]-língua

maldizer (mal.di.zer) [maɫdi'zer] *v.* **1** ⟨+de⟩ diz[er] mal de **2** ⟨+de⟩ queixar-se de

maldoso (mal.do.so) [maɫ'dozu] *adj.* cruel; mau

male (ma.le) ['mal(ə)] *n.m.* [MOÇ.] dinheiro; riquez[a]

maleabilidade (ma.le:a.bi.li.da.de) [mɐljɐ[...]li'dad(ə)] *n.f.* qualidade do que é maleável; flexi[bi]lidade

maleável (ma.le.á.vel) [mɐ'ljavɛɫ] *adj.2g.* **1** que dobra com facilidade; flexível **2** *fig.* que adapta facilmente às circunstâncias; dócil

mal-educado (mal-.e.du.ca.do) [malidu'kadu] *a[dj.]* que tem má educação; malcriado **ANT.** be[m]-educado

malefício (ma.le.fí.ci:o) [mɐlə'fisju] *n.m.* dano; p[re]juízo

maléfico (ma.lé.fi.co) [mɐ'lɛfiku] *adj.* que provo[ca] dano ou prejuízo **SIN.** nocivo; prejudicial

malembe (ma.lem.be) [mɐ'lẽb(ə)] *adv.* [ANG.] dev[a]gar ■ *n.m.* [MOÇ.] aniversário

mal-encarado (mal-.en.ca.ra.do) [malẽkɐ'ra[du]] *adj.* carrancudo

mal-entendido (mal-.en.ten.di.do) [malẽtẽ'di[du]] *n.m.* ⟨*pl.* mal-entendidos⟩ engano; erro

mal-estar (mal-.es.tar) [mal(i)ʃ'tar] *n.m.* ⟨*pl.* m[al]-estares⟩ **1** indisposição; enjoo **2** ansiedade; i[n]quietação

maleta (ma.le.ta) [mɐ'letɐ] *n.f.* mala pequena

malévolo (ma.lé.vo.lo) [mɐ'lɛvulu] *adj.* **1** que qu[er] mal a alguém **2** que tem mau carácter

malfadado (mal.fa.da.do) [maɫfɐ'dadu] *adj.* de[s]graçado

malfeito (mal.fei.to) [maɫ'fɐjtu] *adj.* **1** imperfe[ito] **2** injusto

malfeitor (mal.fei.tor) [maɫfɐj'tor] *n.m.* **1** pess[oa] que faz maldades **2** pessoa que pratica crimes

malformação (mal.for.ma.ção) [maɫfurmɐ'sɐ̃[w̃]] *n.f.* defeito na forma ou no desenvolvimento [de] (uma parte do corpo); deformação

malga (mal.ga) ['maɫgɐ] *n.f.* tigela de louça pa[ra] sopa

malha (ma.lha) ['maʎɐ] *n.f.* cada um dos nós [de] um fio entrançado ou tecido

malhado (ma.lha.do) [mɐ'ʎadu] *adj.* **1** diz-se [do] animal que tem manchas **2** diz-se do cereal b[a]tido com o malho

malhar (ma.lhar) [mɐ'ʎar] *v.* **1** bater com o mal[ho] em **2** debulhar (cereais) **3** *coloq.* cair

malho (ma.lho) ['maʎu] *n.m.* grande martelo, de cabeça pesada, sem unhas nem orelhas, que se pega com ambas as mãos e é usado para bater o ferro

mal-humorado (mal-.hu.mo.ra.do) [malu mu'radu] *adj.* que está de mau humor; irritado

malícia (ma.lí.ci:a) [mɐ'lisjɐ] *n.f.* **1** habilidade para enganar; astúcia **2** tom provocador ou brincalhão

maliciosamente (ma.li.ci:o.sa.men.te) [mɐlisjɔ zɐ'mẽt(ə)] *adv.* **1** com astúcia ou manha **2** em tom provocador

malicioso (ma.li.ci:o.so) [mɐli'sjozu] *adj.* **1** astucioso **2** provocador

maligno (ma.lig.no) [mɐ'lignu] *adj.* que faz mal; prejudicial

má-língua (má-.lín.gua) [ma'lĩgwɐ] *n.f.* ⟨*pl.* más-línguas⟩ hábito de dizer mal de tudo ■ *n.2g.* pessoa que diz mal de tudo e de todos

mal-intencionado (mal-.in.ten.ci:o.na.do) [malĩ tẽsju'nadu] *adj.* que tem más intenções ou mau carácter

malmequer (mal.me.quer) [małmə'kɛr] *n.m.* flor de pétalas brancas ou amarelas, com centro amarelo escuro; bem-me-quer

malograr(-se) (ma.lo.grar(-se)) [mɐlu'grar(sə)] *v.* **1** frustrar(-se); fracassar **2** anular(-se); inutilizar(-se)

malogro (ma.lo.gro) [mɐ'logru] *n.m.* fracasso

malparado (mal.pa.ra.do) [małpɐ'radu] *adj.* **1** que corre perigo de perder-se **2** que não está bem seguro

malpassado (mal.pas.sa.do) [małpɐ'sadu] *adj.* (alimento) não muito cozido ou frito

malquerer (mal.que.rer) [małkə'rer] *v.* desejar mal a

malta (mal.ta) ['małtɐ] *n.f.* conjunto de pessoas da mesma idade e com interesses comuns; grupo; bando

malte (mal.te) ['małt(ə)] *n.m.* cevada germinada e seca, usada no fabrico de cerveja

maltês (mal.tês) [mał'teʃ] *adj.* **1** relativo a Malta (no mar Mediterrâneo) **2** diz-se de um gato doméstico de pelo cinzento-azulado

maltose (mal.to.se) [mał'tɔz(ə)] *n.f.* açúcar existente no malte que se obtém por hidrólise do amido sob a ação de ácidos diluídos ou de fermentos

maltrapilho (mal.tra.pi.lho) [małtrɐ'piʎu] *adj.* que se veste com roupas velhas e rasgadas; esfarrapado

maltratar (mal.tra.tar) [małtrɐ'tar] *v.* **1** fazer sofrer; magoar **2** danificar; estragar

maluco (ma.lu.co) [mɐ'luku] *adj.,n.m.* doido; louco ◆ **dar em maluco** enlouquecer; **ser maluco por** gostar muito de

malume (ma.lu.me) [mɐ'lum(ə)] *n.m.* [MOÇ.] forma de tratamento usada com pessoas mais velhas; tio materno

maluqueira (ma.lu.quei.ra) [mɐlu'kɐjrɐ] *n.f.* **1** doença, estado ou ato de maluco **2** mania **3** extravagância

maluquice (ma.lu.qui.ce) [mɐlu'ki(sə)] *n.f.* tolice; disparate

malva (mal.va) ['małvɐ] *n.f.* planta herbácea com flores cor-de-rosa, violeta ou púrpura

malvadez (mal.va.dez) [małvɐ'deʃ] *n.f.* maldade; crueldade

malvado (mal.va.do) [mał'vadu] *adj.* mau; cruel

malvisto (mal.vis.to) [mał'viʃtu] *adj.* **1** que tem má fama **2** que não é querido

mama (ma.ma) ['mɐmɐ] *n.f.* órgão das fêmeas por onde sai o leite; seio

mamã (ma.mã) [mɐ'mɐ̃] *n.f. infant.* mãe

mamada (ma.ma.da) [mɐ'madɐ] *n.f.* **1** ato de mamar **2** quantidade de leite que se mama de uma vez **3** tempo de cada amamentação

mamãe (ma.mãe) [mɐ'mɐ̃j] *n.f.* [BRAS.] *coloq.* mãe

mamana (ma.ma.na) [mɐ'mɐnɐ] *n.f.* [MOÇ.] mulher casada; senhora; dona

mamanô (ma.ma.nô) [mɐmɐ'no] *interj.* [MOÇ.] exprime dor ou irritação

mamão (ma.mão) [mɐ'mɐ̃w̃] *adj.* que mama muito e com frequência

mamar (ma.mar) [mɐ'mar] *v.* sugar o leite da mãe

mamário (ma.má.ri:o) [mɐ'marju] *adj.* relativo a mama

mamarracho (ma.mar.ra.cho) [mɐmɐ'ʀaʃu] *n.m.* **1** qualquer obra imperfeita ou sem valor **2** edifício demasiado grande ou de proporções exageradas

mamba (mam.ba) ['mɐ̃bɐ] *n.f.* serpente africana venenosa ■ **mambas** *n.m.pl.* epíteto carinhoso da seleção nacional de futebol de Moçambique

mambo (mam.bo) ['mɐ̃bu] *n.m.* **1** [MOÇ.] chefe de um povo indígena **2** [MOÇ.] adivinho; curandeiro

mamífero (ma.mí.fe.ro) [mɐ'mifəru] *n.m.* animal vertebrado com mamas, sistema nervoso desenvolvido, respiração pulmonar, e que se alimenta de leite quando nasce

mamilo (ma.mi.lo) [mɐ'milu] *n.m.* bico da mama

mamografia (ma.mo.gra.fi.a) [mɐmɔgrɐ'fiɐ] *n.f.* radiografia da glândula mamária

mamute (ma.mu.te) [mɐ'mut(ə)] *n.m.* elefante fóssil com dentes longos curvados para cima e com o corpo coberto de pelos

mana (ma.na) ['mɐnɐ] *n.f. coloq.* irmã

manada (ma.na.da) [mɐ'nadɐ] *n.f.* conjunto de animais (sobretudo bois); rebanho

manancial (ma.nan.ci:al) [mɐnɐ̃'sjaɫ] *n.m.* nascente; fonte

manar (ma.nar) [mɐ'nar] *v.* ⟨**+de**⟩ derivar de; provir de: *A sua riqueza mana do trabalho.*

mancar (man.car) [mɐ̃'kar] *v.* caminhar, apoiando--se mais numa das pernas **SIN.** coxear

mancebo (man.ce.bo) [mɐ̃'sebu] *n.m.* indivíduo jovem; rapaz

mancha (man.cha) ['mɐ̃ʃɐ] *n.f.* pequena zona com coloração diferente (na pele, num tecido, etc.); nódoa

manchado (man.cha.do) [mɐ̃'ʃadu] *adj.* que tem manchas ou nódoas

manchar (man.char) [mɐ̃'ʃar] *v.* ⟨**+com**, **+de**⟩ pôr mancha em: *Manchou a camisola com sangue.* **SIN.** sujar

manchete (man.che.te) [mɐ̃'ʃɛt(ə)] *n.f.* notícia mais importante de um jornal ou de um noticiário

manco (man.co) ['mɐ̃ku] *adj.* coxo

mandachuva (man.da.chu.va)[AO] [mɐ̃dɐ'ʃuvɐ] *n.2g.* **1** pessoa importante; magnata **2** pessoa que lidera; chefe

manda-chuva (man.da-.chu.va) [mɐ̃dɐ'ʃuvɐ] *a nova grafia é* **mandachuva**[AO]

mandado (man.da.do) [mɐ̃'dadu] *adj.* enviado ■ *n.m.* ordem escrita

mandamento (man.da.men.to) [mɐ̃dɐ'mẽtu] *n.m.* **1** ordem **2** norma

mandão (man.dão) [mɐ̃'dɐ̃w̃] *adj.* ⟨*f.* mandona⟩ que gosta de dar ordens

mandar (man.dar) [mɐ̃'dar] *v.* **1** dar ordens: *Mandou o irmão ir dormir. Mandei fazer um casaco.* **2** ⟨**+em**⟩ dominar; governar: *Gosta de mandar nos outros.* **3** ⟨**+a**⟩ enviar; remeter: *mandar uma carta* **4** ⟨**+a**⟩ atirar; lançar: *Mandou a bola à parede.* ♦ **mandar-se** *coloq.* atirar-se: *Mandou-se da janela.*

mandarim (man.da.rim) [mɐ̃dɐ'rĩ] *n.m.* **1** funcionário do antigo império chinês **2** língua oficial da China

mandatar (man.da.tar) [mɐ̃dɐ'tar] *v.* **1** fazer-se representar por **2** delegar poder ou responsabilidade em

mandatário (man.da.tá.ri:o) [mɐ̃dɐ'tarju] *n.m.* **1** pessoa que recebe mandato ou procuração para agir em nome de alguém **2** pessoa que representa outra; representante

mandato (man.da.to) [mɐ̃'datu] *n.m.* poder dado por meio de votação a um político ou a um governo

mandíbula (man.dí.bu.la) [mɐ̃'dibulɐ] *n.f.* maxila inferior do homem e dos outros vertebrados

mandioca (man.di:o.ca) [mɐ̃'djɔkɐ] *n.f.* raiz comestível de uma planta com o mesmo nome usada como alimento

mando (man.do) ['mɐ̃du] *n.m.* autoridade; poder

mandrião (man.dri.ão) [mɐ̃'drjɐ̃w̃] *adj.* preguiçoso, vadio

mandriar (man.dri:ar) [mɐ̃'drjar] *v.* não fazer nada útil **SIN.** preguiçar; vadiar

mandriice (man.dri.i.ce) [mɐ̃dri'i(sə)] *n.f.* preguiça, vadiagem

maneira (ma.nei.ra) [mɐ'nɐjrɐ] *n.f.* **1** modo de ser ou de agir **2** método de realizar algo ■ **maneiras** *n.f.pl.* atitudes ou palavras que revelam boa educação ♦ *coloq.* **à maneira** como deve ser; **à maneira de** à moda de; como; **de maneira a/que** com o objetivo de; a fim de; **de maneira nenhuma** em caso algum; jamais; nunca; **de qualquer maneira** não obstante; no entanto

maneirinho (ma.nei.ri.nho) [mɐnɐj'riɲu] *adj.* **1** *coloq.* que se transporta com facilidade **2** *coloq.* adequado; jeitoso

maneirismo (ma.nei.ris.mo) [mɐnɐj'riʒmu] *n.m.* movimento que se desenvolveu em Itália no fim do séc. XVI e no séc. XVII como reação contra os valores clássicos renascentistas

maneirista (ma.nei.ris.ta) [mɐnɐj'riʃtɐ] *adj.2g.* **1** relativo ao maneirismo **2** afetado; rebuscado ■ *n.2g.* **1** artista que segue o maneirismo **2** pessoa que fala ou se exprime num estilo afetado ou rebuscado

manejar (ma.ne.jar) [mɐnə'ʒar] *v.* **1** mover com as mãos **2** trabalhar com

manejo (ma.ne.jo) [mɐ'nɐ(j)ʒu] *n.m.* ato de manejar alguma coisa

manequim (ma.ne.quim) [mɐnə'kĩ] *n.m.* boneco com forma humana usado para expor peças de roupa ■ *n.2g.* pessoa que desfila em passagens de modelo

maneta (**ma.ne.ta**) [mɐ'netɐ] *n.2g.* pessoa que não tem uma das mãos ou um braço ◆ *coloq.* **ir para o maneta** ficar sem efeito

manete (**ma.ne.te**) [ma'nɛt(ə)] *n.f.* alavanca de comando de um mecanismo

manga (**man.ga**) ['mɐ̃gɐ] *n.f.* **1** parte de peça de vestuário que cobre o braço **2** fruto comestível da mangueira **3** banda desenhada de origem japonesa ◆ **arregaçar as mangas** empenhar-se a fazer algo; **em mangas de camisa** só de camisa; sem casaco; **não ter nada na manga** não ter nada a esconder; ser honesto

mangar (**man.gar**) [mɐ̃'gar] *v.* ⟨**+de**⟩ fazer troça de **SIN.** troçar; zombar

mangonha (**man.go.nha**) [mɐ̃'goɲɐ] *n.f.* [ANG.] preguiça

mangueira (**man.guei.ra**) [mɐ̃'gɐjrɐ] *n.f.* **1** tubo de lona, borracha ou plástico para conduzir líquidos **2** árvore que produz a manga

mangueiral (**man.guei.ral**) [mɐ̃gɐj'raɫ] *n.m.* extenso aglomerado de mangueiras (árvores) em determinada área

mangungo (**man.gun.go**) [mɐ̃'gũgu] *n.m.* [MOÇ.] merenda; farnel

manha (**ma.nha**) ['mɐɲɐ] *n.f.* habilidade para enganar alguém; astúcia

manhã (**ma.nhã**) [mɐ'ɲɐ̃] *n.f.* tempo que vai do nascer do Sol até ao meio-dia

manhãzinha (**ma.nhã.zi.nha**) [mɐɲɐ̃'ziɲɐ] (*dim. de* manhã) *n.f.* início da manhã ◆ **de manhãzinha** muito cedo

manhoso (**ma.nho.so**) [mɐ'ɲozu] *adj.* astuto; malicioso

mania (**ma.ni.a**) [mɐ'niɐ] *n.f.* **1** hábito ou pensamento que se repete com frequência **2** preocupação excessiva com (alguma coisa)

maníaco (**ma.ní.a.co**) [mɐ'niɐku] *adj.* **1** relativo a mania **2** que tem mania(s)

manicómio (**ma.ni.có.mi:o**) [mɐni'kɔmju] *n.m.* hospital para pessoas com doenças mentais

manicura (**ma.ni.cu.ra**) [mɐni'kurɐ] *n.f.* profissional que trata das mãos e das unhas

manif (**ma.nif**) [ma'nif] *n.f. coloq.* manifestação

manifestação (**ma.ni.fes.ta.ção**) [mɐnifəʃtɐ'sɐ̃w̃] *n.f.* **1** revelação (de desejo, intenção, opinião) **2** conjunto de pessoas que se reúnem num lugar público para protestar contra alguma coisa ou para defender algo

manifestante (**ma.ni.fes.tan.te**) [mɐnifəʃ'tɐ̃t(ə)] *n.2g.* pessoa que participa numa manifestação

manifestar (**ma.ni.fes.tar**) [mɐnifəʃ'tar] *v.* **1** tornar manifesto; expor: *manifestar a sua opinião* **2** revelar; exprimir: *manifestar entusiasmo* ■ **manifestar-se 1** dar-se a conhecer; abrir-se: *O nosso inconsciente manifesta-se através de sonhos.* **2** ⟨**+sobre**⟩ expor a sua opinião: *Ele manifestou-se sobre a campanha.* **3** mostrar-se; revelar-se: *Os sintomas manifestaram-se muito cedo.*

manifesto (**ma.ni.fes.to**) [mɐni'fɛʃtu] *adj.* que pode ser visto; evidente; claro ■ *n.m.* declaração pública em que se defende uma ideia ou uma posição

manilha (**ma.ni.lha**) [mɐ'niʎɐ] *n.f.* **1** pulseira **2** carta de baralho com o algarismo sete

maninga (**ma.nin.ga**) [mɐ'nĩgɐ] *n.f.* [TIM.] feitiço para conquistar alguém; abanat

maningue (**ma.nin.gue**) [mɐ'nĩg(ə)] *adv.* [MOÇ.] muito

manipulação (**ma.ni.pu.la.ção**) [mɐnipulɐ'sɐ̃w̃] *n.f.* **1** ato de tocar ou preparar (objetos, substâncias) com as mãos **2** ato de influenciar alguém contra a sua vontade ◆ **manipulação genética** estudo e desenvolvimento de métodos e tecnologias que permitam alterar a constituição genética dos indivíduos

manipulado (**ma.ni.pu.la.do**) [mɐnipu'ladu] *adj.* **1** que foi ou é preparado à mão; manobrado **2** que foi ou é utilizado; manejado **3** diz-se do medicamento preparado à mão, em farmácia ou em serviço farmacêutico hospitalar, mediante prescrição médica **4** *pej.* viciado; pervertido

manipulador (**ma.ni.pu.la.dor**) [mɐnipulɐ'dor] *adj.* diz-se da pessoa que procura influenciar os comportamentos ou as opiniões de alguém

manipular (**ma.ni.pu.lar**) [mɐnipu'lar] *v.* **1** tocar ou preparar (objetos, substâncias) com as mãos **2** influenciar (alguém)

manípulo (**ma.ní.pu.lo**) [mɐ'nipulu] *n.m.* lugar por onde se pega em alguma coisa

manivela (**ma.ni.ve.la**) [mɐni'vɛlɐ] *n.f.* peça usada para imprimir movimento de rotação a eixos, rodas, etc.

manjar (**man.jar**) [mɐ̃'ʒar] *n.m.* comida saborosa; iguaria ■ *v. coloq.* comer

manjedoura (**man.je.dou.ra**) [mɐ̃ʒə'do(w)rɐ] *n.f.* tabuleiro em que se coloca comida para animais num estábulo

manjericão (**man.je.ri.cão**) [mɐ̃ʒəri'kɐ̃w̃] *n.m.* planta herbácea aromática, usada como condimento

manjerico (man.je.ri.co) [mɐ̃ʒə'riku] *n.m.* planta com folhas pequenas e aroma intenso

---

O **manjerico** é a planta mais popular das festas de São João, no Porto, e de Santo António, em Lisboa. Com folhas muito aromáticas, pequenas e pontiagudas, o manjerico é vendido tipicamente num vaso durante estas festas, normalmente acompanhado de uma rima popular.

---

manjerona (man.je.ro.na) [mɐ̃ʒə'ronɐ] *n.f.* planta muito aromática de caule avermelhado e flores esverdeadas, cujo óleo é usado em perfumaria

mano (ma.no) ['mɐnu] *n.m. coloq.* irmão

manobra (ma.no.bra) [mɐ'nɔbrɐ] *n.f.* **1** ato de fazer funcionar um aparelho ou um veículo **2** exercício militar **3** *fig.* modo de agir para conseguir algo; estratagema

manobrar (ma.no.brar) [mɐnu'brar] *v.* **1** fazer funcionar (um aparelho, um veículo) **2** usar (um instrumento)

manómetro (ma.nó.me.tro) [mɐ'nɔmətru] *n.m.* instrumento que mede a pressão dos fluidos

mansão (man.são) [mɐ̃'sɐ̃w̃] *n.f.* casa grande e luxuosa

mansarda (man.sar.da) [mɐ̃'sardɐ] *n.f.* vão do telhado de uma casa **SIN.** águas-furtadas

mansinho (man.si.nho) [mɐ̃'siɲu] *elem. da loc.* **de mansinho** com muito cuidado; sem fazer barulho

manso (man.so) ['mɐ̃su] *adj.* **1** brando; dócil **2** calmo; tranquilo

manta (man.ta) ['mɐ̃tɐ] *n.f.* cobertor

manteiga (man.tei.ga) [mɐ̃'tɐjgɐ] *n.f.* substância gorda que se extrai da nata do leite

manteigueira (man.tei.guei.ra) [mɐ̃tɐj'gɐjrɐ] *n.f.* recipiente em que se serve a manteiga

manter (man.ter) [mɐ̃'ter] *v.* **1** conservar; preservar **2** cumprir **3** segurar **4** reafirmar **5** pagar (a alguém) as despesas indispensáveis à vida

mantilha (man.ti.lha) [mɐ̃'tiʎɐ] *n.f.* véu de renda, largo e comprido, que faz parte do traje nacional das espanholas

mantimentos (man.ti.men.tos) [mɐ̃ti'mẽtuʃ] *n.m.pl.* alimentos

manto (man.to) ['mɐ̃tu] *n.m.* capa grande e comprida, que se usa sobre os ombros

mantra (man.tra) ['mɐ̃trɐ] *n.m.* (budismo, hinduísmo) fórmula sagrada que é repetida durante a meditação

manual (ma.nu:al) [mɐ'nwaɫ] *adj.2g.* feito à mão ■ *n.m.* **1** livro com explicações ou exercícios de uma disciplina escolar **2** folheto com indicações de utilização de uma máquina ou de um aparelho

manuelino (ma.nu:e.li.no) [mɐnwɛ'linu] *adj.* **1** relativo ao rei D. Manuel I (1469-1521) ou ao seu reinado **2** diz-se do estilo decorativo caracterí tico dos Descobrimentos

manufactura (ma.nu.fac.tu.ra) [mɐnufa'turɐ] *nova grafia é* **manufatura**[AO]

manufacturado (ma.nu.fac.tu.ra.do) [mɐnu tu'radu] *a nova grafia é* **manufaturado**[AO]

manufacturar (ma.nu.fac.tu.rar) [mɐnufatu'rar] *nova grafia é* **manufaturar**[AO]

manufatura (ma.nu.fa.tu.ra)[AO] [mɐnufa'turɐ] *n.* **1** fabrico manual **2** obra feita à mão

manufaturado (ma.nu.fa.tu.ra.do)[AO] [mɐnu tu'radu] *adj.* feito à mão

manufaturar (ma.nu.fa.tu.rar)[AO] [mɐnufatu'rar] fabricar à mão

manuscrever (ma.nus.cre.ver) [mɐnuʃkrə'ver] escrever à mão

manuscrito (ma.nus.cri.to) [mɐnuʃ'kritu] *adj.* es crito à mão ■ *n.m.* obra escrita à mão

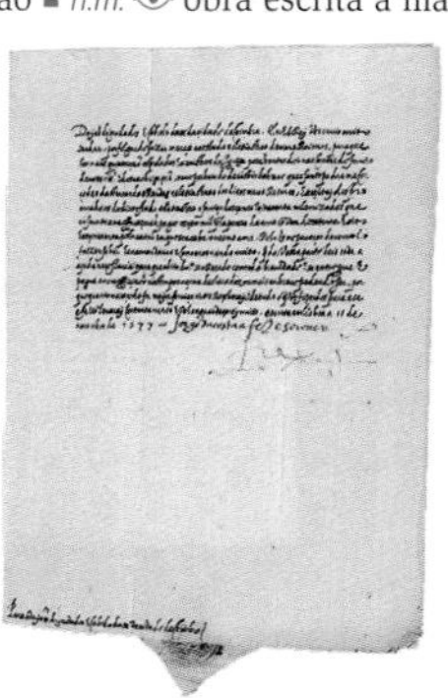

manuseamento (ma.nu.se:a.men.to) [mɐnu jɐ'mẽtu] *n.m.* utilização de algo com auxílio da mãos **SIN.** manuseio

manusear (ma.nu.se:ar) [mɐnu'zjar] *v.* mexer com as mãos; utilizar

manuseio (ma.nu.sei.o) [mɐnu'zɐju] *n.m.* ⇒ **manuseamento**

manutenção (ma.nu.ten.ção) [mɐnutẽ'sɐ̃w̃] *n.* ato de manter uma coisa de determinada maneira; conservação

mão (mão) ['mɐ̃w̃] *n.f.* **1** extremidade do braço humano, com cinco dedos, que serve para tocar e agarrar coisas **2** extremidade das patas dos animais **3** camada de tinta ou de cal; demão ♦ **dar a mão à palmatória** reconhecer um erro que se cometeu; **de mãos a abanar** sem nada; **em primeira mão** novo; **em segunda mão** que já foi usado; **estar à mão** estar próximo; **feito à mão** feito sem usar máquinas; **fora de mão** desviado; **mãos à obra!** expressão que se usa par incitar ao trabalho; **meter os pés pelas mãos** atrapalhar-se; ficar confundido; **não ter mãos a medir** estar muito ocupado; **pedir a mão de** pedir em casamento; **pôr as mãos no fogo por (alguém)** ter absoluta certeza da integridade de (alguém); (correspondência) **por mão própria** entregue diretamente ao próprio destinatário

mão-cheia (mão-.chei.a) [mɐ̃w̃'ʃɐjɐ] *n.f.* ⟨*pl.* mãos-cheias⟩ punhado

mão-de-obra (mão-.de-.o.bra) [mɐ̃w̃'dɔbrɐ] *a nova grafia é* **mão de obra**[AO]

mão de obra (mão de o.bra)[AO] [mɐ̃w̃'dɔbrɐ] *n.f.* ⟨*pl.* mãos de obra⟩ trabalho manual aplicado na construção de uma obra ou no fabrico de um produto

maoismo (mao.is.mo) [maw'iʒmu] *n.m.* desenvolvimento teórico e aplicação prática do marxismo-leninismo levado a efeito na China por Mao Tsé-Tung

maoista (mao.is.ta) [maw'iʃtɐ] *adj.2g.* relativo a Mao Tsé-Tung ou ao maoismo ■ *n.2g.* partidário do maoismo

mãos-largas (mãos-.lar.gas) [mɐ̃w̃ʒ'largɐʃ] *n.2g.2n.* pessoa muito generosa

mãos-livres (mãos-.li.vres) [mɐ̃w̃ʒ'livrəʃ] *n.m.2n., adj.inv.* (dispositivo de telecomunicação) que permite comunicar deixando as mãos livres

mãozinha (mão.zi.nha) [mɐ̃w̃'ziɲɐ] ⟨*dim. de* mão⟩ *n.f.* mão pequena ♦ **dar uma mãozinha** dar uma ajuda

mapa (ma.pa) ['mapɐ] *n.m.* representação em papel, cartolina ou outro material, de um país, de um continente ou de todo o mundo

mapa-múndi (ma.pa-.mún.di) [mapɐ'mũdi] *n.m.* ⟨*pl.* mapas-múndi⟩ mapa que representa toda a superfície da Terra

mapeamento (ma.pe:a.men.to) [mɐpjɐ'mẽtu] *n.m.* em informática, distribuição de regiões de memória ou de dados aí armazenados de modo a facilitar o acesso por diferentes utilizadores

mapear (ma.pe:ar) [mɐ'pjar] *v.* em informática, distribuir e disponibilizar regiões de memória ou dados

mapico (ma.pi.co) [mɐ'piku] *n.m.* [MOÇ.] dança executada ao som de tambores

mapira (ma.pi.ra) [mɐ'pirɐ] *n.f.* [MOÇ.] sorgo ou milho miúdo, usado na alimentação e no fabrico de um xarope

maple ['mɐjpl(ə)] *n.m.* poltrona baixa, inteiramente estofada

maqueta (ma.que.ta) [ma'kɛtɐ] *n.f.* representação em miniatura de um edifício, de uma ponte, etc.

maquete (ma.que.te) [ma'kɛt(ə)] *n.f.* ⇒ **maqueta**

maquetista (ma.que.tis.ta) [makə'tiʃtɐ] *n.2g.* autor(a) de maquetas

maquiagem (ma.qui:a.gem) [mɐ'kjaʒɐ̃j̃] *n.f.* [BRAS.] ⇒ **maquilhagem**

maquiar(-se) (ma.qui:ar(-se)) [mɐ'kjar(sə)] *v.* [BRAS.] ⇒ **maquilhar(-se)**

maquiavélico (ma.qui:a.vé.li.co) [mɐkjɐ'vɛliku] *adj.* que revela má-fé; traiçoeiro

maquilhador (ma.qui.lha.dor) [mɐkiʎɐ'dor] *n.m.* **1** aquele que maquilha **2** profissional que usa cosméticos e outros acessórios para adequar a aparência de um ator ao papel que desempenha

maquilhagem (ma.qui.lha.gem) [mɐki'ʎaʒɐ̃j̃] *n.f.* **1** aplicação de cosméticos no rosto; pintura **2** conjunto de produtos usados para maquilhar

maquilhar(-se) (ma.qui.lhar(-se)) [mɐki'ʎar(sə)] *v.* aplicar cosméticos no rosto de (alguém ou da própria pessoa) **SIN.** pintar(-se)

máquina (má.qui.na) ['makinɐ] *n.f.* qualquer utensílio formado de peças móveis ♦ **máquina registadora** aparelho que regista automaticamente os valores das vendas nos estabelecimentos comerciais, emitindo recibos; **máquina burocrática** qualquer organização ou entidade que funciona segundo determinadas leis ou regras fixas, geralmente de forma lenta e pouco eficiente

maquinação (ma.qui.na.ção) [mɐkinɐ'sɐ̃w̃] *n.f.* intriga; conspiração

maquinal (ma.qui.nal) [mɐki'nał] *adj.2g.* **1** relativo a máquina **2** automático

maquinar (ma.qui.nar) [mɐki'nar] *v.* planear em segredo **SIN.** tramar

maquinaria (ma.qui.na.ri.a) [mɐkinɐ'riɐ] *n.f.* conjunto de máquinas

maquineta (ma.qui.ne.ta) [mɐki'netɐ] *n.f.* máquina pequena

maquinismo (ma.qui.nis.mo) [mɐki'niʒmu] *n.m.* conjunto das peças de uma máquina

maquinista (ma.qui.nis.ta) [mɐki'niʃtɐ] *n.2g.* pessoa que conduz uma locomotiva

mar (mar) ['mar] *n.m.* **1** grande extensão de água salgada **2** *fig.* grande quantidade ♦ **mar de rosas** coisas muito boas

maracujá (ma.ra.cu.já) [mɐrɐku'ʒa] *n.m.* 👁 fruto redondo com interior amarelo ou vermelho-escuro quando maduro e com pequenas sementes

maracujazeiro **(ma.ra.cu.ja.zei.ro)** [mɐrɐku ʒɐ'zɐjru] *n.m.* arbusto trepador da América do Sul, cujo fruto é o maracujá

marado **(ma.ra.do)** [mɐ'radu] *adj. coloq.* maluco; tolo

marasmo **(ma.ras.mo)** [mɐ'raʒmu] *n.m.* **1** estado de apatia **2** tristeza; melancolia

maratona **(ma.ra.to.na)** [mɐrɐ'tonɐ] *n.f.* prova de corrida a pé num percurso longo (cerca de 42 km)

maratonista **(ma.ra.to.nis.ta)** [mɐrɐtu'niʃtɐ] *n.2g.* atleta que participa na maratona

maravilha **(ma.ra.vi.lha)** [mɐrɐ'viʎɐ] *n.f.* **1** aquilo que provoca admiração **2** beleza; perfeição ◆ **às mil maravilhas** muito bem; perfeitamente

maravilhado **(ma.ra.vi.lha.do)** [mɐrɐvi'ʎadu] *adj.* **1** admirado **2** encantado

maravilhar(-se) **(ma.ra.vi.lhar(-se))** [mɐrɐvi'ʎar(sə)] *v.* ⟨**+com**⟩ fascinar(-se); encantar(-se)

maravilhoso **(ma.ra.vi.lho.so)** [mɐrɐvi'ʎozu] *adj.* **1** admirável; magnífico **2** fantástico; sobrenatural

marca **(mar.ca)** ['markɐ] *n.f.* **1** sinal que se faz numa coisa para a distinguir de outra; distintivo **2** nome registado de um produto; etiqueta **3** traço deixado por algo ou alguém; rasto ◆ **passar das marcas** passar dos limites **SIN.** exceder-se

marcação **(mar.ca.ção)** [mɐr'kɐsɐ̃w̃] *n.f.* **1** colocação de um sinal; sinalização **2** reserva de bilhetes ou lugares (em restaurante, cinema, etc.) **3** fixação da data para (uma consulta, um compromisso)

marcado **(mar.ca.do)** [mɐr'kadu] *adj.* **1** que tem marca, sinal ou etiqueta **2** que se vê bem **3** que está reservado **4** que foi combinado

marcador **(mar.ca.dor)** [mɐrkɐ'dor] *adj.* que marca ▪ *n.m.* caneta com ponta de feltro

marcante **(mar.can.te)** [mɐr'kɐ̃t(ə)] *adj.2g.* **1** que deixa uma impressão ou recordação forte **2** que se destaca

marcar **(mar.car)** [mɐr'kar] *v.* **1** pôr marca, sinal ou etiqueta em **2** deixar uma impressão forte ◆ **marcar passo** não progredir

marcenaria **(mar.ce.na.ri.a)** [mɐrsənɐ'riɐ] *n.f.* **1** trabalho feito com madeira **2** oficina onde se fazem objetos em madeira

marceneiro **(mar.ce.nei.ro)** [mɐrsə'nɐjru] *n.m.* fabricante de objetos de madeira

marcha **(mar.cha)** ['marʃɐ] *n.f.* **1** caminhada **2** andamento **3** cortejo ◆ **estar em marcha** estar a decorrer; estar em funcionamento; **pôr em marcha** colocar em ação ou em funcionamento; ativar

marcha-atrás **(mar.cha-.a.trás)** [marʃa'traʃ] *n.f.* **1** num veículo, mudança que permite recuar **2** *fig.* recuo numa decisão ou atitude

marchar **(mar.char)** [mɐr'ʃar] *v.* andar; caminhar

marcial **(mar.ci:al)** [mɐr'sjaɫ] *adj.2g.* relativo guerra; bélico ◆ **lei marcial** lei que autoriza uso de força militar, em caso de emergência

marciano **(mar.ci:a.no)** [mɐr'sjɐnu] *adj.* relativo a planeta Marte ▪ *n.m.* suposto habitante de Marte

marco **(mar.co)** ['marku] *n.m.* **1** sinal que serve pa demarcar; baliza **2** facto importante ◆ **marco d correio** caixa, geralmente de forma cilíndrica, co uma ranhura, onde se deposita a correspondência

março **(mar.ço)**[AO] ['marsu] *n.m.* terceiro mês d ano civil

maré **(ma.ré)** [mɐ'rɛ] *n.f.* movimento periódico d subida e descida das águas do mar ◆ **maré alt** elevação máxima do nível do mar **SIN.** maré-chei

mareamento **(ma.re:a.men.to)** [mɐrjɐ'mẽtu] *n.r* enjoo (a bordo de uma embarcação)

marear **(ma.re:ar)** [mɐ'rjar] *v.* dirigir uma emba cação

marechal **(ma.re.chal)** [mɐrə'ʃaɫ] *n.2g.* militar co o posto mais elevado do exército ou da força a rea

maré-cheia **(ma.ré-.chei.a)** [mɐrɛ'ʃɐjɐ] *n.f.* ⟨*pl.* m rés-cheias⟩ nível mais alto a que sobe a maré **SI** preia-mar

maremoto **(ma.re.mo.to)** [mɐrə'mɔtu] *n.m.* esp cie de terramoto produzido no mar e que pod causar ondas com mais de 4 metros de altura

maresia **(ma.re.si.a)** [mɐrə'ziɐ] *n.f.* cheiro caract rístico do mar

marfim **(mar.fim)** [mɐr'fĩ] *n.m.* **1** material duro, d cor clara, de que são feitas as defesas do ele fante **2** substância branca e dura dos dentes

margarida **(mar.ga.ri.da)** [mɐrgɐ'ridɐ] *n.f.* flo branca com o centro amarelo que nasce de um planta com o mesmo nome

margarina **(mar.ga.ri.na)** [mɐrgɐ'rinɐ] *n.f.* substân cia parecida com a manteiga, que se usa par cozinhar ou para barrar o pão

margem **(mar.gem)** ['marʒɐ̃j] *n.f.* **1** parte ond uma coisa termina; borda **2** espaço em branc nos lados de uma página ◆ **à margem de** for do âmbito de; **margem de lucro** percentager ou valor acrescentado ao custo de produção d um bem ou serviço para determinar o seu preç de venda; **margem de manobra** grau de liber dade para agir; **pôr à margem** colocar de lado desprezar; **sem margem para dúvida(s)** com certeza absoluta; seguramente

marginal **(mar.gi.nal)** [mɐrʒi'naɫ] *adj.2g.* relativo margem ▪ *n.f.* estrada ou avenida situada a longo de um curso de água ▪ *n.2g.* pessoa qu vive à margem da lei ou que não está integrad na sociedade

marginalidade **(mar.gi.na.li.da.de)** [mɐrʒinɐli'dad(ə)] *n.f.* **1** qualidade do que é marginal **2** condição de quem vive à margem da lei ou da sociedade

marginalização **(mar.gi.na.li.za.ção)** [mɐrʒinɐlizɐ'sɐ̃w̃] *n.f.* ato ou efeito de marginalizar **SIN.** discriminação; segregação

marginalizado **(mar.gi.na.li.za.do)** [mɐrʒinɐli'zadu] *adj.* colocado à margem; segregado; discriminado

marginalizar **(mar.gi.na.li.zar)** [mɐrʒinɐli'zar] *v.* pôr de parte; discriminar

maria-café **(ma.ri.a-.ca.fé)** [mɐriɐkɐ'fɛ] *n.f.* [MOÇ.] pequeno animal invertebrado, de corpo segmentado, que se enrola em esfera para se proteger

maria-rapaz **(ma.ri.a-.ra.paz)** [mɐriɐʀɐ'paʃ] *n.f.* ⟨*pl.* marias-rapazes⟩ rapariga ou mulher com modos e gostos considerados próprios dos rapazes

maricas **(ma.ri.cas)** [mɐ'rikɐʃ] *n.m.2n.* **1** *pej.* indivíduo com modos e gostos considerados próprios do sexo feminino **2** *pej.* indivíduo homossexual ■ *n.2g.2n.* pessoa que tem medo de tudo; medricas; covarde ■ *adj.2g.* **1** *pej.* que tem modos e gostos considerados próprios do sexo feminino; efeminado **2** *pej.* que é homossexual

marido **(ma.ri.do)** [mɐ'ridu] *n.m.* homem com quem uma mulher está casada; esposo

marijuana **(ma.ri.ju:a.na)** [mɐri'ʒwɐnɐ] *n.f.* estupefaciente obtido das flores e folhas secas do cânhamo; maconha

marimba **(ma.rim.ba)** [mɐrĩ'bɐ] *n.f.* instrumento de percussão constituído por uma série de lâminas de madeira de tamanhos diferentes, cujo som é produzido pela percussão de baquetas nessas lâminas

marimbar-se **(ma.rim.bar-.se)** [mɐrĩ'bars(ə)] *v.* ⟨**+para**⟩ *coloq.* não fazer caso de; não dar importância a: *Ele está a marimbar-se para os teus problemas.*

marina **(ma.ri.na)** [mɐ'rinɐ] *n.f.* doca para barcos de recreio

marinada **(ma.ri.na.da)** [mɐri'nadɐ] *n.f.* molho feito com vinho, alhos, sal, loureiro, pimenta e outros aromas, para temperar carne antes de ser cozinhada; vinha-d'alhos

marinar **(ma.ri.nar)** [mɐri'nar] *v.* colocar em marinada ou vinha-d'alhos

marinha **(ma.ri.nha)** [mɐ'riɲɐ] *n.f.* conjunto das forças militares navais de um país ◆ **marinha mercante** setor ligado às atividades marítimas de transporte de um país; **marinha de guerra** conjunto das forças militares navais de um país preparadas para a guerra no mar

marinheiro **(ma.ri.nhei.ro)** [mɐri'ɲɐjru] *n.m.* **1** homem que trabalha a bordo de um barco ou navio **2** homem que sabe navegar ◆ **marinheiro de água doce** *coloq.* marinheiro jovem e inexperiente

marinho **(ma.ri.nho)** [mɐ'riɲu] *adj.* **1** relativo ao mar **2** diz-se do azul muito escuro

marioneta **(ma.ri:o.ne.ta)** [marju'nɛtɐ] *n.f.* **1** boneco articulado feito de pano e madeira, cujos movimentos são controlados por meio de fios **2** *fig.* pessoa muito influenciável

mariposa **(ma.ri.po.sa)** [mɐri'pɔzɐ] *n.f.* **1** inseto com quatro asas de cores vistosas, parecido com a borboleta **2** estilo de natação em que os braços são levantados sobre a cabeça enquanto se bate os pés para e cima e para baixo

mariquice **(ma.ri.qui.ce)** [mɐri'ki(sə)] *n.f.* *pej.* mania; capricho

mariquinhas **(ma.ri.qui.nhas)** [mɐri'kiɲɐʃ] *n.2g.2n.* pessoa que tem muito medo de tudo

mariscada **(ma.ris.ca.da)** [mɐriʃ'kadɐ] *n.f.* refeição preparada com diferentes tipos de marisco

marisco **(ma.ris.co)** [mɐ'riʃku] *n.m.* designação dos crustáceos e dos moluscos marítimos comestíveis

marisqueira **(ma.ris.quei.ra)** [mɐriʃ'kɐjrɐ] *n.f.* restaurante que serve marisco

marital **(ma.ri.tal)** [mɐri'taɫ] *adj.2g.* relativo a matrimónio; conjugal

marítimo **(ma.rí.ti.mo)** [mɐ'ritimu] *adj.* **1** relativo ao mar **2** situado à beira-mar

marketing ['marktĩg] *n.m.* conjunto de ações de estratégia comercial, desde o estudo do mercado até à venda propriamente dita

marmanjão **(mar.man.jão)** [mɐrmɐ̃'ʒɐ̃w̃] *n.m.* *coloq.* homem ou rapaz corpulento e com modos grosseiros

marmelada **(mar.me.la.da)** [mɐrmə'ladɐ] *n.f.* doce de marmelo, cozido em calda de açúcar

marmeleiro **(mar.me.lei.ro)** [mɐrmə'lɐjru] *n.m.* pequena árvore que produz marmelos

marmelo **(mar.me.lo)** [mɐr'mɛlu] *n.m.* 👁 fruto de sabor ácido e casca amarela, usado para fazer doces e compotas

marmita (mar.mi.ta) [mɐr'mitɐ] *n.f.* recipiente em metal para transportar e aquecer alimentos

mármore (már.mo.re) ['marmur(ə)] *n.m.* pedra calcária dura, fria e brilhante, utilizada em construção e em escultura

marmorista (mar.mo.ris.ta) [mɐrmu'riʃtɐ] *n.2g.* pessoa que trabalha em mármore

marmota (mar.mo.ta) [mɐr'mɔtɐ] *n.f.* **1** pescada jovem **2** roedor que tem por hábito cavar galerias, onde hiberna no tempo frio

marosca (ma.ros.ca) [mɐ'rɔʃkɐ] *n.f. coloq.* conspiração para enganar ou prejudicar alguém **SIN.** tramoia

marotice (ma.ro.ti.ce) [mɐru'ti(sə)] *n.f.* ato ou dito próprio de maroto **SIN.** travessura; traquinice

maroto (ma.ro.to) [mɐ'rotu] *adj.* que faz travessuras **SIN.** travesso; traquina

marquês (mar.quês) [mɐr'keʃ] *n.m.* título de nobreza entre o de duque e o de conde

marquesa (mar.que.sa) [mɐr'kezɐ] *n.f.* **1** esposa do marquês **2** cama onde se deitam os doentes para serem observados

marquise (mar.qui.se) [mar'kiz(ə)] *n.f.* varanda ou galeria envidraçada

marrabenta (mar.ra.ben.ta) [mɐʀɐ'bẽtɐ] *n.f.* [MOÇ.] dança típica de Maputo, em que os pés deslizam para os lados, enquanto se movem os quadris para a frente e para trás

marrada (mar.ra.da) [mɐ'ʀadɐ] *n.f.* pancada dada com os chifres ou com a cabeça; cabeçada

marrão (mar.rão) [mɐ'ʀɐ̃w̃] *adj. coloq.* diz-se do estudante que decora a matéria

marrar (mar.rar) [mɐ'ʀar] *v.* **1** dar uma pancada com os chifres ou com a cabeça **2** *coloq.* estudar muito; decorar (a matéria)

marreca (mar.re.ca) [mɐ'ʀɛkɐ] *n.f.* saliência nas costas ■ *n.2g.* pessoa corcunda

marreco (mar.re.co) [mɐ'ʀɛku] *adj. coloq.* que tem corcunda

marroquino (mar.ro.qui.no) [mɐʀu'kinu] *adj.* relativo a Marrocos ■ *n.m.* **1** natural ou habitante de Marrocos **2** língua árabe falada em Marrocos

marsupial (mar.su.pi:al) [mɐrsu'pjaɫ] *n.m.* mamífero que tem uma bolsa onde as mães colocam os filhos quando nascem para aí completarem o seu desenvolvimento

marsúpio (mar.sú.pi:o) [mɐr'supju] *n.m.* **1** bolsa cutânea existente na maioria dos mamíferos marsupiais fêmeas **2** bolsa de tecido para transportar um bebé, usada ao peito, às costas ou a tiracolo **SIN.** porta-bebés

marta (mar.ta) ['martɐ] *n.f.* mamífero carnívoro com focinho pontiagudo e pelo longo e sedoso

Marte (Mar.te) ['mart(ə)] *n.m.* planeta do sistema solar, situado entre a Terra e Júpiter

martelada (mar.te.la.da) [mɐrtə'ladɐ] *n.f.* pancada com martelo

martelar (mar.te.lar) [mɐrtə'lar] *v.* **1** bater com martelo em **2** *fig.* insistir; teimar

martelo (mar.te.lo) [mɐr'tɛlu] *n.m.* ferramenta com cabo de madeira usada para pregar pregos ou bater em alguma coisa ♦ **a martelo** à força; com esforço

mártir (már.tir) ['martir] *n.2g.* pessoa que sofre muito

martírio (mar.tí.ri:o) [mɐr'tirju] *n.m.* grande sofrimento

martirizar (mar.ti.ri.zar) [mɐrtiri'zar] *v.* **1** causar tortura a **2** atormentar ■ **martirizar-se** atormentar-se; afligir-se

marujo (ma.ru.jo) [mɐ'ruʒu] *n.m.* marinheiro

marxismo (mar.xis.mo) [mar'ksiʒmu] *n.m.* doutrina política e económica de Karl Marx (1818-1883), segundo a qual as mudanças ao longo da história se devem à luta entre classes sociais

marxista (mar.xis.ta) [mar'ksiʃtɐ] *adj.2g.* relativo ao marxismo ■ *n.2g.* pessoa defensora do marxismo

mas **(mas)** ['mɐʃ] *conj.* **1** [exprime contraste] porém; todavia: *Eu não estava lá, mas o meu pai estava.* **2** e sim: *Ele não é médico, mas (sim) enfermeiro.* **3** valor enfático: *Não comi nada, mas mesmo nada!* ■ *n.m.* defeito; dificuldade: *Há sempre um mas.* ◆ **nem mas nem meio mas!** expressão que usa quando não se admite objeções

mascar **(mas.car)** [mɐʃ'kar] *v.* mastigar sem engolir

máscara **(más.ca.ra)** ['maʃkɐrɐ] *n.f.* **1** objeto que representa uma face humana, animal ou imaginária, que se usa como disfarce (por exemplo, no Carnaval) **2** objeto usado para proteger o rosto ◆ **deixar cair a máscara** revelar o verdadeiro carácter ou a verdadeira intenção; **máscara antigás** equipamento de borracha adaptável ao rosto, destinado a proteger os olhos e as vias respiratórias de gases tóxicos ou asfixiantes

mascarada **(mas.ca.ra.da)** [mɐʃkɐ'radɐ] *n.f.* festa em que as pessoas usam máscaras; baile de máscaras

mascarado **(mas.ca.ra.do)** [mɐʃkɐ'radu] *adj.* disfarçado; fantasiado

mascarar **(mas.ca.rar)** [mɐʃkɐ'rar] *v.* **1** cobrir com máscara; fantasiar: *Mascarou o filho de pirata.* **2** esconder; ocultar ■ **mascarar-se** **⟨+de⟩** usar uma máscara; fantasiar-se: *Ela mascarou-se de bruxa.*

mascote **(mas.co.te)** [mɐʃ'kɔt(ə)] *n.f.* objeto, pessoa ou animal que se pensa que dá sorte

masculinidade **(mas.cu.li.ni.da.de)** [mɐʃkuli ni'dad(ə)] *n.f.* qualidade ou característica de homem; virilidade

masculino **(mas.cu.li.no)** [mɐʃku'linu] *adj.* **1** próprio de macho **2** relativo ao homem ■ *n.m.* género gramatical oposto ao género feminino

másculo **(más.cu.lo)** ['maʃkulu] *adj.* relativo ao homem; viril

masmorra **(mas.mor.ra)** [mɐʒ'moʀɐ] *n.f.* prisão subterrânea

masoquismo **(ma.so.quis.mo)** [mɐzu'kiʒmu] *n.m.* perversão sexual em que uma pessoa só obtém prazer sexual por meio de sofrimentos físicos ou morais a que se submete

masoquista **(ma.so.quis.ta)** [mɐzu'kiʃtɐ] *adj.2g.* relativo a masoquismo ■ *n.2g.* **1** pessoa que só obtém prazer sexual por meio de sofrimento **2** *coloq.* pessoa que procura a dor ou o sofrimento

massa **(mas.sa)** ['masɐ] *n.f.* **1** mistura de farinha com água ou outro líquido, que forma uma pasta **2** qualquer substância mole parecida com essa mistura **3** *coloq.* dinheiro ◆ **em massa** em grande quantidade; em grande número; **massa cinzenta** cérebro; inteligência; **massa folhada** massa feita de farinha de trigo que se estende com rolo e se dobra em camadas alternadas de manteiga, e que, depois de cozida, fica com a aparência de lâminas finas

massacrar **(mas.sa.crar)** [mɐsɐ'krar] *v.* **1** matar de forma cruel **2** *fig.* aborrecer; chatear

massacre **(mas.sa.cre)** [mɐ'sakr(ə)] *n.m.* morte de um grande número de pessoas ou animais provocada com crueldade **SIN.** matança

massagem **(mas.sa.gem)** [mɐ'saʒɐ̃j̃] *n.f.* compressão dos músculos do corpo com as mãos, para tratar um problema de saúde ou provocar relaxamento

---

Note-se que a palavra **massagem** escreve-se com **g** (e não com **j**).

---

massagista **(mas.sa.gis.ta)** [mɐsɐ'ʒiʃtɐ] *n.2g.* pessoa que faz massagens

massajar **(mas.sa.jar)** [mɐsɐ'ʒar] *v.* fazer massagem

massambala **(mas.sam.ba.la)** [mɐsɐ̃'balɐ] *n.f.* [ANG.] planta gramínea semelhante ao milho, cujo fruto é utilizado sob a forma de farinha e é a base de uma variedade de cerveja; sorgo

massaroca **(mas.sa.ro.ca)** [mɐsɐ'rɔkɐ] *n.f.* *coloq.* dinheiro

masseve **(mas.se.ve)** [mɐ'sɛv(ə)] *n.m.* [MOÇ.] dança tradicional executada ao som de um instrumento semelhante a um chocalho ■ *n.2g.* [MOÇ.] compadre; comadre

massificação **(mas.si.fi.ca.ção)** [mɐsifikɐ'sɐ̃w̃] *n.f.* processo de uniformização de comportamentos, valores ou de outros fatores culturais

massificar **(mas.si.fi.car)** [mɐsifi'kar] *v.* uniformizar (comportamentos, valores, etc.)

massinguita **(mas.sin.gui.ta)** [mɐsĩ'gitɐ] *n.f.* [MOÇ.] mau presságio; agouro

massivo **(mas.si.vo)** [mɐ'sivu] *adj.* **1** relativo a muitas pessoas **2** significativo

mass media [mas'mɛdjɐ] *n.m.2n.* conjunto dos meios de comunicação social (televisão, rádio, imprensa)

massudo **(mas.su.do)** [mɐ'sudu] *adj.* espesso; grosso

mastectomia **(mas.tec.to.mi.a)** [mɐʃtɛktu'miɐ] *n.f.* ablação total ou parcial da mama

mastigar **(mas.ti.gar)** [mɐʃti'gar] *v.* **1** triturar com os dentes **2** dizer com pouca clareza

mastodonte **(mas.to.don.te)** [mɐʃtu'dõt(ə)] *n.m.* mamífero fóssil de grande porte, semelhante ao elefante atual

mastro **(mas.tro)** ['maʃtru] *n.m.* **1** haste comprida, de madeira ou metal, que, nos barcos, sustenta as velas **2** pau em que se içam bandeiras

masturbação **(mas.tur.ba.ção)** [mɐʃturbɐ'sɐ̃w̃] *n.f.* obtenção de prazer sexual através do toque nos próprios órgãos genitais

masturbar-se **(mas.tur.bar-.se)** [mɐʃtur'bars(ə)] *v.* obter prazer sexual, estimulando os próprios órgãos genitais com a mão ou com um dispositivo eletrónico próprio

mata **(ma.ta)** ['matɐ] *n.f.* conjunto denso de árvores que cobrem uma vasta extensão de terreno **SIN.** floresta

matabichar **(ma.ta.bi.char)** [matɐbi'ʃar] *v.* [ANG., GB., MOÇ., STP.] tomar o pequeno-almoço

matabicho **(ma.ta.bi.cho)** [matɐ'biʃu] *n.m.* [ANG., GB., MOÇ., STP.] pequeno-almoço

mata-cavalo **(ma.ta-.ca.va.lo)** [matɐkɐ'valu] *elem. da loc.* **a mata-cavalo** a toda a velocidade

matador **(ma.ta.dor)** [mɐtɐ'dor] *n.m.,adj.* **1** (pessoa) que mata **2** *fig.* (o) que é sedutor

matadouro **(ma.ta.dou.ro)** [mɐtɐ'do(w)ru] *n.m.* lugar destinado à matança de animais para consumo

matagal **(ma.ta.gal)** [mɐtɐ'gał] *n.m.* bosque extenso e cerrado

matambira **(ma.tam.bi.ra)** [mɐtɐ̃'birɐ] *n.f.* [MOÇ.] dinheiro

matança **(ma.tan.ça)** [mɐ'tɐ̃sɐ] *n.f.* morte de um grande número de pessoas ou animais

matar **(ma.tar)** [mɐ'tar] *v.* **1** causar a morte a **2** abater (animal) **3** saciar: *matar a fome/sede* **4** cansar; estafar; fatigar: *Estas aulas de aeróbica matam-me!* **5** arruinar; destruir: *A chuva matou parte da colheita.* ▪ **matar-se** **1** tirar a própria vida **SIN.** suicidar-se **2** ⟨+a⟩ *fig.* cansar-se; fartar-se: *Ele mata-se a trabalhar.* ♦ *coloq.* **estar/ficar a matar** estar ou ficar muito bem; **matar o tempo** procurar entreter-se

match ['matʃ] *n.m.* partida entre dois ou mais jogadores; torneio

match point [matʃ'pɔjnt] *n.m.* ponto decisivo para o encerramento de um jogo (como no ténis ou no voleibol)

mate **(ma.te)** ['mat(ə)] *adj.* sem brilho; fosco ▪ *n.m.* **1** xeque-mate **2** arbusto cujas folhas são utilizadas para preparar chá

matemática **(ma.te.má.ti.ca)** [mɐtə'matikɐ] *n.f.* ciência que estuda os números

matematicamente **(ma.te.ma.ti.ca.men.te)** [mɐtəmatikɐ'mẽt(ə)] *adv.* com precisão; exatamente

matemático **(ma.te.má.ti.co)** [mɐtə'matiku] *adj.* relativo a matemática ▪ *n.m.* especialista em matemática

matéria **(ma.té.ri:a)** [mɐ'tɛrjɐ] *n.f.* **1** substância de que uma coisa é feita **2** disciplina escolar ♦ **em matéria de** no que diz respeito a; quanto a

material **(ma.te.ri:al)** [mɐtə'rjał] *adj.2g.* **1** relativo a matéria **2** físico ▪ *n.m.* **1** equipamento necessário a uma atividade **2** substância de que uma coisa é feita

materialismo **(ma.te.ri:a.lis.mo)** [mɐtərjɐ'liʒmu] *n.m.* **1** doutrina que defende que todos os fenómenos (naturais, sociais e mentais) são explicáveis pela matéria ou pelas condições materiais **2** atitude de procura exclusiva de bens e prazeres materiais

materialista **(ma.te.ri:a.lis.ta)** [mɐtərjɐ'liʃtɐ] *adj.2g.* **1** relativo ao materialismo **2** (pessoa) que só procura satisfação em bens materiais ▪ *n.2g.* **1** pessoa adepta do materialismo **2** pessoa que procura apenas bens e prazeres materiais

materializar(-se) **(ma.te.ri:a.li.zar(-se))** [mɐtərjɐli'zar(sə)] *v.* **1** tornar(-se) material **2** concretizar(-se); realizar(-se)

matéria-prima **(ma.té.ri:a-.pri.ma)** [mɐtɛrjɐ'primɐ] *n.f.* ⟨*pl.* matérias-primas⟩ substância principal utilizada no fabrico de alguma coisa

maternal **(ma.ter.nal)** [mɐtər'nał] *adj.2g.* próprio de mãe

maternidade **(ma.ter.ni.da.de)** [mɐtərni'dad(ə)] *n.f.* **1** situação da mulher que é mãe **2** hospital onde são acompanhadas mulheres grávidas e em trabalho de parto

materno **(ma.ter.no)** [mɐ'tɛrnu] *adj.* relativo a mãe

matete **(ma.te.te)** [ma'tet(ə)] *n.m.* [ANG.] papas de farinha de mandioca ou de milho cozida

matilha **(ma.ti.lha)** [mɐ'tiʎɐ] *n.f.* conjunto de cães de caça

matina **(ma.ti.na)** [mɐ'tinɐ] *n.f.* *coloq.* manhã ▪ **matinas** *n.f.pl.* primeira parte da missa, que se reza de manhã

matinal **(ma.ti.nal)** [mɐti'nał] *adj.2g.* relativo a manhã; que é próprio da manhã

matiné **(ma.ti.né)** [mati'nɛ] *n.f.* sessão de espetáculo que ocorre durante a tarde

matiz **(ma.tiz)** [mɐ'tiʃ] *n.m.* mistura ou combinação de várias cores

mato **(ma.to)** ['matu] *n.m.* terreno inculto coberto de plantas não cultivadas ♦ **ser mato** existir em abundância

matraca **(ma.tra.ca)** [mɐ'trakɐ] *n.f.* **1** instrumento de madeira formado de tábuas com argolas móveis que se agitam **2** *fig., coloq.* boca **3** *fig., coloq.* pessoa muito faladora

matraquilhos **(ma.tra.qui.lhos)** [mɐtrɐ'kiʎuʃ] *n.m.pl.* jogo de futebol de mesa, em que os jogadores deslocam uma pequena bola, usando varões a que estão presos bonecos que representam as duas equipas

matrecos (ma.tre.cos) [mɐ'trɛkuʃ] *n.m.pl.* ⇒ **matraquilhos**

matreiro (ma.trei.ro) [mɐ'trɐjru] *adj.* manhoso; astuto

matriarca (ma.tri.ar.ca) [mɐtri'arkɐ] *n.f.* ⟨*m.* patriarca⟩ **1** mulher considerada chefe de família **2** mulher que domina ou lidera um grupo

matrícula (ma.trí.cu.la) [mɐ'trikulɐ] *n.f.* **1** inscrição num estabelecimento de ensino **2** placa com o número de registo de um veículo

matricular(-se) (ma.tri.cu.lar(-se)) [mɐtriku'lar(sə)] *v.* ⟨**+em**⟩ inscrever(-se) em curso, colégio, etc.

matrimonial (ma.tri.mo.ni:al) [mɐtrimu'njał] *adj.2g.* relativo a matrimónio

matrimónio (ma.tri.mó.ni:o) [mɐtri'mɔnju] *n.m.* casamento

matriz (ma.triz) [mɐ'triʃ] *n.f.* **1** origem; fonte **2** molde para fundição **3** disposição de elementos matemáticos (geralmente números) num quadro retangular ou quadrado

matrona (ma.tro.na) [mɐ'tronɐ] *n.f. pej.* mulher de aspeto pesado

matsavo (mat.sa.vo) [mɐ'tsavu] *n.m.* [MOÇ.] hortaliça; verduras

matulão (ma.tu.lão) [mɐtu'lɐ̃w̃] *n.m.* ⟨*f.* matulona⟩ rapaz grande e corpulento

maturidade (ma.tu.ri.da.de) [mɐturi'dad(ə)] *n.f.* **1** estado ou condição de pleno desenvolvimento **2** período da vida entre a juventude e a velhice; meia-idade

matutar (ma.tu.tar) [mɐtu'tar] *v.* ⟨**+em**⟩ *coloq.* pensar em; cismar

matutino (ma.tu.ti.no) [mɐtu'tinu] *adj.* relativo a manhã; matinal ▪ *n.m.* jornal que é publicado de manhã

mau (mau) ['maw] *adj.* **1** que faz mal; prejudicial **ANT.** bom **2** de má qualidade **3** maldoso **4** grosseiro

mau-olhado (mau-.o.lha.do) [mawɔ'ʎadu] *n.m.* ⟨*pl.* maus-olhados⟩ olhar com o suposto poder de fazer mal a alguém

mauritano (mau.ri.ta.no) [mawri'tɐnu] *adj.* relativo à Mauritânia ▪ *n.m.* natural ou habitante da Mauritânia

mausoléu (mau.so.léu) [mawzu'lɛw] *n.m.* monumento funerário de grandes dimensões

maus-tratos (maus-.tra.tos) [mawʃ'tratuʃ] *n.m.pl.* crime praticado por quem agride alguém (a nível físico ou psicológico)

maxaca (ma.xa.ca) [mɐ'ʃakɐ] *n.m.* [MOÇ.] parentes

maxanana (ma.xa.na.na) [mɐʃɐ'nɐnɐ] *n.f.* [ANG.] refogado ou cozido de folhas de abóbora e quiabo, feito com azeite de dendê ou de amendoim e temperos

maxilar (ma.xi.lar) [maksi'lar] *n.m.* osso onde estão colocados os dentes

máxima (má.xi.ma) ['masimɐ] *n.f.* sentença que exprime uma regra moral

maximizar (ma.xi.mi.zar) [maksimi'zar] *v.* **1** dar o valor mais alto a **2** elevar ao mais alto grau

máximo (má.xi.mo) ['masimu] *adj.* que está acima de todos os da sua espécie ou género ▪ *n.m.* **1** valor mais elevado **2** ponto mais alto de alguma coisa; cúmulo

mazela (ma.ze.la) [mɐ'zɛlɐ] *n.f.* **1** ferida **2** doença; mal

MB *símbolo de* megabyte

MBA [ɛmbe'a] *n. m.* mestrado em Economia, Gestão, Finanças **OBS.** Sigla de *Master of Business Administration*

mboa (mbo.a) ['mboɐ] *n.f.* **1** [MOÇ.] folhas de aboboreira **2** [MOÇ.] legumes

MC [ɛm'se] *sigla de* Ministério da Cultura

me (me) [mə] *prn.pess.* designa a primeira pessoa do singular e indica a pessoa que fala ou escreve: *Viram-me na televisão.; Assustei-me com o cão.*

meada (me:a.da) ['mjadɐ] *n.f.* quantidade de fios enrolados

mealheiro (me:a.lhei.ro) [mjɐ'ʎɐjru] *n.m.* caixa de diversas formas onde se junta dinheiro

mecânica (me.câ.ni.ca) [mə'kɐnikɐ] *n.f.* conjunto de técnicas para construção e reparação de máquinas

mecânico (me.câ.ni.co) [mə'kɐniku] *adj.* **1** relativo a mecânica; automático **2** que é independente da vontade; maquinal ▪ *n.m.* operário especializado na reparação de máquinas e motores

mecanismo (me.ca.nis.mo) [məkɐ'niʒmu] *n.m.* **1** conjunto de peças que permitem o funcionamento de um aparelho, máquina ou motor **2** funcionamento semelhante ao de uma máquina; processo

mecanizar (me.ca.ni.zar) [məkɐni'zar] *v.* realizar por meio de máquina(s); automatizar

mecenas (me.ce.nas) [mə'senɐʃ] *n.2g.2n.* pessoa rica que apoia e promove a cultura

mecenato (me.ce.na.to) [məsə'natu] *n.m.* proteção dada às letras e às artes por pessoas ricas

mecha (me.cha) ['mɛʃɐ] *n.f.* ⇒ **madeixa**

meco (me.co) ['mɛku] *n.m.* poste pequeno para impedir a passagem de veículos

meda (me.da) ['medɐ] *n.f.* amontoado de feixes de trigo ou palha em forma de cone

medalha (me.da.lha) [mə'daʎɐ] *n.f.* prémio que se dá a alguém por uma vitória num concurso ou numa competição ♦ **reverso da medalha** lado mau de qualquer coisa

medalhão (me.da.lhão) [mədɐ'ʎɐ̃w̃] *n.m.* **1** objeto de adorno, oval ou circular, com relevo decorativo ou que contém um retrato, uma mecha de cabelo, etc. de alguém querido **2** quadro de moldura oval ou circular **3** posta de carne ou peixe

media ['mɛdjɐ] *n.m.pl.* meios de comunicação social

média (mé.di:a) ['mɛdjɐ] *n.f.* **1** quociente da divisão da soma dos valores considerados pelo número deles **2** valor que se obtém dividindo a soma de todas as notas pelo número de disciplinas ■ *n.m.pl.* meios de comunicação social ♦ **em média** por volta de; aproximadamente

mediação (me.di:a.ção) [mədjɐ'sɐ̃w̃] *n.f.* ato de servir de intermediário entre pessoas ou grupos, a fim de alcançar um consenso

mediador (me.di:a.dor) [mədjɐ'dor] *n.m.* pessoa que serve de intermediário num conflito, negócio, etc. **SIN.** intermediário

mediano (me.di:a.no) [mə'djɐnu] *adj.* **1** que não é grande nem pequeno; médio **2** nem muito bom nem muito mau

mediante (me.di:an.te) [mə'djɐ̃t(ə)] *prep.* **1** por meio de: *envio de publicidade mediante correio eletrónico* **2** a troco de: *Foi libertado mediante pagamento.*

mediar (me.di:ar) [mə'djar] *v.* **1** agir como mediador **2** estar entre (duas coisas)

mediateca (me.di:a.te.ca) [mədjɐ'tɛkɐ] *n.f.* local onde estão arquivados e disponíveis ao público aparelhagem e material acústico, visual e audiovisual relativo aos meios de informação

mediático (me.di:á.ti.co) [mə'djatiku] *adj.* próprio dos meios de comunicação social

mediatização (me.di:a.ti.za.ção) [mədjɐtizɐ'sɐ̃w̃] *n.f.* difusão através dos média

mediatizar (me.di:a.ti.zar) [mədjɐti'zar] *v.* difundir através dos média

medicação (me.di.ca.ção) [mədikɐ'sɐ̃w̃] *n.f.* utilização de medicamentos ou de outros processos curativos

medicamento (me.di.ca.men.to) [mədikɐ'mẽtu] *n.m.* substância usada para tratar uma doença **SIN.** fármaco; remédio

medição (me.di.ção) [mədi'sɐ̃w̃] *n.f.* ato ou efeito de medir

medicar (me.di.car) [mədi'kar] *v.* tratar com medicamentos

medicina (me.di.ci.na) [mədə'sinɐ] *n.f.* ciência que procura prevenir, curar ou atenuar as doenças ♦ **medicina alternativa** conjunto de técnicas terapêuticas de diagnóstico e tratamento (acupunctura, homeopatia, etc.), que utilizam processos diferentes dos usados na medicina convencional, procurando atacar as causas das doenças, e não os seus sintomas; **medicina preventiva** disciplina da medicina que se dedica ao estudo das diversas formas de prevenção das doenças e da promoção da saúde; **medicina popular** aplicação de técnicas terapêuticas simples e remédios feitos de substâncias naturais, fundados apenas na experiência e nos conhecimentos transmitidos de geração em geração; **medicina do trabalho** especialidade que se dedica à prevenção e ao tratamento de problemas de saúde decorrentes do exercício da atividade profissional

medicinal (me.di.ci.nal) [mədəsi'nał] *adj.2g.* **1** relativo a medicina **2** que cura; terapêutico

médico (mé.di.co) ['mɛdiku] *n.m.* pessoa formada em medicina que trata doenças ■ *adj.* relativo a medicina **SIN.** clínico

médico-cirurgião (mé.di.co-.ci.rur.gi.ão) [mɛdi kusirur'ʒjɐ̃w̃] *n.m.* ⟨*pl.* médicos-cirurgiões⟩ médico que se dedica à prática da cirurgia

medida (me.di.da) [mə'didɐ] *n.f.* **1** avaliação da altura, do peso ou do comprimento de algo; tamanho **2** quantidade de uma substância; dose **3** forma de agir; decisão ♦ **à medida de** de acordo com; consoante; segundo; **à medida que** durante o tempo em que; enquanto; **em certa medida** de certo modo; até certo ponto; **encher as medidas** satisfazer completamente; **na medida do possível** dentro daquilo que as circunstâncias permitem; **na medida em que** desde que; **passar as medidas** exceder os limites razoáveis; abusar; **tomar medidas** tomar precauções; fazer o necessário

medieval (me.di:e.val) [mədjɛ'vał] *adj.2g.* relativo à Idade Média

médio (mé.di:o) ['mɛdju] *adj.* **1** que está no meio; mediano **2** nem muito bom nem muito mau; razoável

medíocre (me.dí.o.cre) [mə'diukr(ə)] *adj.* que está abaixo da média ■ *n.m.* classificação escolar entre o mau e o suficiente

medir (me.dir) [mə'dir] *v.* **1** avaliar a medida de; calcular **2** ter a extensão, o comprimento ou a altura de ♦ **medir de alto a baixo** fitar com ar desdenhoso ou provocante; **medir as palavras** falar cautelosamente; **não ter mãos a medir** ter muito que fazer

meditação (me.di.ta.ção) [məditɐ'sɐ̃w̃] *n.f.* **1** ato de pensar ou meditar em; reflexão **2** exercício de concentração mental

meditar (me.di.tar) [mədi'tar] *v.* **1** ⟨**+em**, **+sobre**⟩ pensar; refletir: *Meditou na sua vida.* **2** praticar meditação

mediterrâneo **(me.di.ter.râ.ne:o)** [mɘditɘ'ʀɐnju] *adj.* relativo ao mar Mediterrâneo **SIN.** mediterrânico ■ **Mediterrâneo** *n.m.* mar continental que banha as costas da Ásia, do sul da Europa e do norte de África

mediterrânico **(me.di.ter.râ.ni.co)** [mɘditɘ'ʀɐniku] *adj.* ⇒ **mediterrâneo**

médium **(mé.di:um)** ['mɛdjũ] *n.2g.* pessoa supostamente capaz de comunicar com os espíritos dos mortos

mediúnico **(me.di:ú.ni.co)** [mɘ'djuniku] *adj.* relativo a médium

medo **(me.do)** ['medu] *n.m.* aquilo que se sente perante um perigo ou uma ameaça **SIN.** receio; temor ◆ **a medo** com hesitação; timidamente

medonho **(me.do.nho)** [mɘ'doɲu] *adj.* que causa medo **SIN.** assustador; terrível

medricas **(me.dri.cas)** [mɘ'drikɐʃ] *adj.inv.* que tem muito medo

medronho **(me.dro.nho)** [mɘ'droɲu] *n.m.* fruto de cor vermelha e polpa amarelada, do qual se faz uma aguardente

medroso **(me.dro.so)** [mɘ'drozu] *adj.* **1** que tem medo **ANT.** corajoso, valente **2** que se assusta facilmente **3** que é tímido

medula **(me.du.la)** [mɘ'dulɐ] *n.f.* substância mole contida no interior dos ossos ◆ **até à medula** profundamente; completamente; até ao âmago; **medula espinal** parte do sistema nervoso contida na coluna vertebral, que possui, na parte central, uma substância cinzenta (células nervosas) e, na parte periférica, uma substância branca (fibras nervosas), e que se designa impropriamente por medula; **medula óssea** tecido de consistência mole, que preenche o canal medular dos ossos compridos e as lacunas dos ossos esponjosos

medular **(me.du.lar)** [mɘdu'lar] *adj.2g.* relativo à medula

medusa **(me.du.sa)** [mɘ'duzɐ] *n.f.* animal marinho com o corpo gelatinoso em forma de campânula; alforreca

megabit [mɛgɐ'bit] *n.m.* ⟨*pl.* megabits⟩ medida de capacidade de memória correspondente a 1024 kilobits

megabyte [mɛgɐ'bajt(ɘ)] *n.m.* ⟨*pl.* megabytes⟩ unidade de medida de informação equivalente a um milhão de bytes

megafone **(me.ga.fo.ne)** [mɛgɐ'fɔn(ɘ)] *n.m.* altifalante

mega-hertz [mɛgɐ'ɛrtz] *n.m.* unidade de frequência equivalente a um milhão de hertz

megalítico **(me.ga.lí.ti.co)** [mɛgɐ'litiku] *adj.* diz-se do monumento formado por um ou vários megálitos

megálito **(me.gá.li.to)** [mɛ'galitu] *n.m.* 👁 grande bloco de pedra, usado em construções pré-históricas

megalomania **(me.ga.lo.ma.ni.a)** [mɛgɐlɔmɐ'niɐ] *n.f.* **1** gosto excessivo por aquilo que é grandioso; mania das grandezas **2** tendência para valorizar as próprias qualidades de modo excessivo

megalómano **(me.ga.ló.ma.no)** [mɛgɐ'lɔmɐnu] *n.m.* pessoa que sofre de megalomania

megawatt [mɛgɐ'wɔt] *n.m.* unidade de potência equivalente a um milhão de watts

megera **(me.ge.ra)** [mɘ'ʒɛrɐ] *n.f.* **1** mulher de temperamento violento **2** mulher cruel

meia **(mei.a)** ['mɐjɐ] *n.f.* peça de vestuário de malha que cobre o pé e a perna ◆ **a meias** por igual; **meia de leite** bebida preparada com leite e café servida numa chávena almoçadeira

meia-calça **(mei.a-.cal.ça)** [mɐjɐ'kałsɐ] *n.f.* ⇒ **meias-calças**

meia-estação **(mei.a-.es.ta.ção)** [mɐjɐ(i)ʃtɐ'sɐ̃w̃] *n.f.* época do ano de temperatura amena (primavera e outono)

meia-final **(mei.a-.fi.nal)** [mɐjɐfi'nał] *n.f.* ⟨*pl.* meias-finais⟩ competição que antecede a final de um campeonato; semifinal

meia-idade **(mei.a-.i.da.de)** [mɐjɐi'dad(ɘ)] *n.f.* ⟨*pl.* meias-idades⟩ época da vida de uma pessoa entre a maturidade e a velhice

meia-lua **(mei.a-.lu.a)** [mɐjɐ'luɐ] *n.f.* ⟨*pl.* meias-luas⟩ **1** aspeto da lua em forma de semicírculo **2** qualquer coisa com forma semicircular

meia-luz **(mei.a-.luz)** [mɐjɐ'luʃ] *n.f.* ⟨*pl.* meias-luzes⟩ luminosidade fraca; penumbra

meia-noite **(mei.a-.noi.te)** [mɐjɐ'nojt(ɘ)] *n.f.* ⟨*pl.* meias-noites⟩ momento que divide a noite em duas partes iguais

meia-pensão **(mei.a-.pen.são)** [mɐjɐpẽ'sɐ̃w̃] *n.f.* ⟨*pl.* meias-pensões⟩ regime turístico de hotel ou pensão em que as pessoas têm direito apenas ao pequeno-almoço e ao almoço ou jantar

meias-calças (mei.as-.cal.ças) [mɐjɐʃ'kałsɐʃ] *n.f.pl.* peça de vestuário interior de malha elástica, que cobre dos pés à cintura **SIN.** collants

meia-volta (mei.a-.vol.ta) [mɐjɐ'vɔłtɐ] *n.f.* **1** movimento giratório de 180° que um corpo dá sobre si próprio ou sobre um eixo **2** movimento através do qual uma tropa se coloca na direção oposta à que estava **3** nó simples dado em torno de um objeto **4** manobra em que o toureiro provoca o touro por trás para que o animal se volte e lhe sejam metidos os ferros ♦ **dar meia-volta** voltar atrás; recuar

meia-voz (mei.a-.voz) [mɐjɐ'vɔʃ] *n.f.* ⟨*pl.* meias-vozes⟩ tom de voz mais baixo que o normal

meigo (mei.go) ['mɐjgu] *adj.* carinhoso; terno

meiguice (mei.gui.ce) [mɐj'gi(sə)] *n.f.* demonstração de carinho; ternura

meio (mei.o) ['mɐju] *num.frac.* que é duas vezes menor que a unidade ■ *adj.* **1** metade de um **2** que está em posição intermédia; médio ■ *adv.* **1** um tanto; um pouco **2** não totalmente; quase ■ *n.m.* **1** parte de uma coisa que fica à mesma distância das suas extremidades **2** momento que separa em duas partes iguais um espaço de tempo **3** aquilo que serve para alcançar um fim; modo **4** grupo social ou profissional a que pertence uma pessoa; ambiente ♦ **meio ambiente** conjunto de fatores físicos e biológicos que rodeiam e influenciam os seres vivos; **meio de comunicação** canal ou cadeia de canais que permite a transmissão e a receção de mensagens entre uma fonte (emissor) e um destinatário (recetor); **no meio de** no centro de; **por meio de** com recurso a; através de

meio-campo (mei.o-.cam.po) [mɐju'kɐ̃pu] *n.m.* ⟨*pl.* meios-campos⟩ zona central do campo de futebol

meio-dia (mei.o-.di.a) [mɐju'diɐ] *n.m.* ⟨*pl.* meios-dias⟩ momento que divide o dia em duas partes iguais

meio-gordo (mei.o-.gor.do) [mɐju'gordu] *adj.* diz-se do alimento que contém um teor de gordura médio na sua composição

meio-irmão (mei.o-.ir.mão) [mɐjuir'mɐ̃w̃] *n.m.* ⟨*pl.* meios-irmãos⟩ irmão só por parte do pai ou só por parte da mãe

meio-termo (mei.o-.ter.mo) [mɐju'termu] *n.m.* ⟨*pl.* meios-termos⟩ **1** solução intermédia; consenso **2** equilíbrio; moderação

mel (mel) ['mɛł] *n.m.* ⟨*pl.* meles méis⟩ substância doce fabricada pelas abelhas a partir do néctar das flores

melaço (me.la.ço) [mə'lasu] *n.m.* **1** líquido espesso, escuro e de sabor amargo, obtido com resíduo na fabricação do açúcar **2** *fig.* coisa muito doce

melado (me.la.do) [mə'ladu] *adj.* **1** que tem mel **2** muito doce; muito açucarado **3** que tem consistência viscosa; pegajoso **4** *coloq., fig.* muito sentimental; lamecha

melancia (me.lan.ci.a) [məlɐ̃'siɐ] *n.f.* grande fruto oval ou arredondado, de casca verde, com polpa vermelha e sementes escuras

melancolia (me.lan.co.li.a) [məlɐ̃ku'liɐ] *n.f.* tristeza profunda

melancólico (me.lan.có.li.co) [məlɐ̃'kɔliku] *adj.* **1** que sofre de melancolia **SIN.** triste **2** que provoca melancolia

melanina (me.la.ni.na) [məlɐ'ninɐ] *n.f.* pigmento que determina a coloração dos olhos, da pele e dos pelos

melanoma (me.la.no.ma) [məlɐ'nomɐ] *n.m.* tumor (benigno ou maligno) na pele e no olho

melão (me.lão) [mə'lɐ̃w̃] *n.m.* fruto de forma oval, com casca verde ou amarela, sementes no interior e polpa doce e suculenta

melga (mel.ga) ['mɛłgɐ] *n.f.* mosquito que habita em locais húmidos com vegetação abundante ■ *n.2g. coloq.* pessoa importuna ou maçadora

melhor (me.lhor) [mə'ʎɔr] *adj.2g.* **1** que é superior em qualidade, valor ou importância **ANT.** pior **2** que está menos doente ■ *n.m.* **1** aquilo que é mais acertado ou mais conveniente **2** o que é considerado superior a tudo ou a todos ♦ **levar a melhor** vencer

melhora (me.lho.ra) [mə'ʎɔrɐ] *n.f.* restabelecimento da saúde; recuperação

melhoramento (me.lho.ra.men.to) [məʎurɐ'mẽtu] *n.m.* mudança para melhor; melhoria

melhorar (me.lho.rar) [məʎu'rar] *v.* **1** tornar melhor; aperfeiçoar **2** tornar-se melhor; aperfeiçoar-se **3** abrandar (o mau tempo)

melhoras (me.lho.ras) [mə'ʎɔrɐʃ] *n.f.pl.* ⇒ **melhora**

melhoria (me.lho.ri.a) [məʎu'riɐ] *n.f.* **1** mudança para melhor **2** recuperação da saúde **3** avanço; progresso

melindrado (me.lin.dra.do) [məlĩ'dradu] *adj.* ofendido

melindrar(-se) (me.lin.drar(-se)) [məlĩ'drar(sə)] *v.* **⟨+com⟩** ofender(-se); magoar(-se): *A sua atitude melindrou-a.*

melindroso (me.lin.dro.so) [məlĩ'drozu] *adj.* **1** diz-se da pessoa que se ofende com facilidade **2** que deve ser tratado com cuidado; delicado

meloa (me.lo.a) [mə'loɐ] *n.f.* fruto semelhante ao melão, mas mais pequeno e esférico

melodia (me.lo.di.a) [məlu'diɐ] *n.f.* conjunto de sons agradáveis ao ouvido

melódico (me.ló.di.co) [mə'lɔdiku] *adj.* **1** relativo a melodia **2** que tem melodia; melodioso

melodioso (me.lo.di:o.so) [məlu'djozu] *adj.* que é agradável ao ouvido **SIN.** harmonioso

melodrama (me.lo.dra.ma) [mɛlɔ'drɐmɐ] *n.m.* **1** peça de teatro de carácter popular com enredo complicado e sentimentos exagerados **2** *coloq.* comportamento ou sentimento exagerado

melodramático (me.lo.dra.má.ti.co) [mɛlɔdrɐ'matiku] *adj.* relativo a melodrama

melro (mel.ro) ['mɛłʀu] *n.m.* **1** 👁 pássaro com plumagem preta e bico amarelo-alaranjado **2** *fig.* pessoa finória ou espertalhona

membrana (mem.bra.na) [mẽ'brɐnɐ] *n.f.* película, animal ou vegetal, que envolve e protege os órgãos, as células ou elementos destas; pele

membro (mem.bro) ['mẽbru] *n.m.* **1** cada um dos quatro apêndices do corpo de animais e do homem que servem para andar (as pernas) e agarrar ou segurar (os braços) **2** pessoa que pertence a uma associação; sócio

memorando (me.mo.ran.do) [məmu'rɐ̃du] *n.m.* **1** anotação para lembrar qualquer coisa; apontamento **2** aviso por escrito; participação

memorável (me.mo.rá.vel) [məmu'ravɛł] *adj.2g.* célebre; notável

memória (me.mó.ri:a) [mə'mɔrjɐ] *n.f.* **1** capacidade que as pessoas têm de recordar coisas passadas **2** lembrança que uma pessoa tem de outra, que está longe ou que morreu **3** parte de certos dispositivos eletrónicos onde se guarda informação ◆ **de memória** de cabeça; de cor; **memória de elefante** grande capacidade de memorização (de uma pessoa); **memória descritiva** documento escrito que acompanha o projeto de uma obra e onde se apresentam dados técnicos e se descreve o plano de construção (materiais a utilizar, tipos de acabamento, etc.); **memória visual** capacidade de recordar pessoas, coisas ou factos vistos anteriormente; **refrescar a memória** relembrar um assunto ou pormenor quase esquecido; **ter memória curta** esquecer com grande facilidade; **varrer da memória** esquecer completamente; **vir à memória** lembrar-se

memorial (me.mo.ri:al) [məmu'rjał] *n.m.* **1** relato de lembranças ou de factos notáveis **2** monumento comemorativo

memorização (me.mo.ri.za.ção) [məmurizɐ'sɐ̃w̃] *n.f.* ato de fixar na memória

memorizar (me.mo.ri.zar) [məmuri'zar] *v.* fixar na memória; decorar

menção (men.ção) [mẽ'sɐ̃w̃] *n.f.* referência (a algo ou a alguém) ◆ **menção honrosa** distinção honorífica atribuída a algo ou alguém que disputou um concurso e que, não tendo sido premiado, demonstrou ter valor

mencionado (men.ci:o.na.do) [mẽsju'nadu] *adj.* referido

mencionar (men.ci:o.nar) [mẽsju'nar] *v.* referir

mendigar (men.di.gar) [mẽdi'gar] *v.* **1** pedir esmola **2** pedir com insistência; suplicar

mendigo (men.di.go) [mẽ'digu] *n.m.* pessoa que pede esmolas **SIN.** pedinte

meneio (me.nei.o) [mə'nɐju] *n.m.* **1** balanço; oscilação **2** movimento do corpo; gesto

menina (me.ni.na) [mə'ninɐ] *n.f.* criança ou adolescente do sexo feminino **SIN.** rapariga ◆ **a menina dos olhos de alguém** alguém, animal ou objeto favorito ou de que se gosta muito

meninge (me.nin.ge) [mə'nĩʒ(ə)] *n.f.* cada uma das três membranas que envolvem o encéfalo e a medula espinal

meningite (me.nin.gi.te) [mənĩ'ʒit(ə)] *n.f.* inflamação das meninges

meninice (me.ni.ni.ce) [məni'ni(sə)] *n.f.* primeiro período da vida humana, que vai do nascimento até à adolescência **SIN.** infância

menino (me.ni.no) [mə'ninu] *n.m.* criança ou adolescente do sexo masculino **SIN.** rapaz

menir (me.nir) [mə'nir] *n.m.* monumento megalítico composto por uma pedra grande e alta, fixa no solo na vertical

menisco (me.nis.co) [mə'niʃku] *n.m.* cartilagem de certas articulações dos ossos

menopausa (me.no.pau.sa) [mɛnɔ'pawzɐ] *n.f.* fim dos ciclos menstruais na mulher (geralmente entre os 45 e os 50 anos de idade)

menor (me.nor) [mə'nɔr] *adj.2g.* inferior em número, tamanho ou intensidade; mais pequeno ANT. maior ■ *n.2g.* pessoa que ainda não atingiu a maioridade

menoridade (me.no.ri.da.de) [mənuri'dad(ə)] *n.f.* estado da pessoa que ainda não atingiu 18 anos

menos (me.nos) ['menuʃ] *adv.* **1** em menor quantidade; em menor número: *Devias fumar menos.; O barulho já se ouve menos.* ANT. mais **2** ⟨**+do que**⟩ [introduz o grau comparativo]: *Este livro é menos interessante do que o anterior.* **3** ⟨**+de**⟩ [introduz o grau superlativo]: *Ele é o menos inteligente (de todos).* ■ *det.,prn.indef.* em menor quantidade: *Tenho menos trabalho.* ■ *prep.* **1** exceto: *Estamos abertos todos os dias menos à segunda-feira.* **2** exprime a operação de subtração: *Quatro menos dois são dois.* ■ *n.m.* **1** sinal de subtração ou de quantidade negativa (-) **2** o que tem menor importância: *Isso é o menos!* ◆ **a menos que** a não ser que; **nem mais nem menos** exatamente; com rigor

menosprezar (me.nos.pre.zar) [mənuʃprə'zar] *v.* diminuir o valor ou a importância de; desprezar

menosprezo (me.nos.pre.zo) [mənuʃ'prezu] *n.m.* desvalorização da qualidade ou da importância de; desprezo

menos-valia (me.nos-.va.li.a) [menuʒvɐ'liɐ] *n.f.* diferença negativa entre o preço de venda e o preço de compra

mensageiro (men.sa.gei.ro) [mẽsɐ'ʒɐjru] *n.m.* aquele que leva e traz mensagens ou encomendas SIN. portador

mensagem (men.sa.gem) [mẽ'saʒɐ̃j] *n.f.* recado ou notícia; comunicação

---

Mensagem é o título de uma das obras mais conhecidas de Fernando Pessoa, publicada em 1934.

---

mensal (men.sal) [mẽ'saɫ] *adj.2g.* relativo a mês

mensalidade (men.sa.li.da.de) [mẽsɐli'dad(ə)] *n.f.* quantia que se paga ou recebe por mês; mesada

menstruação (mens.tru:a.ção) [mẽʃtrwɐ'sɐ̃w̃] *n.f.* perda de sangue, com origem no útero, que acontece uma vez por mês nas mulheres adultas que não estão grávidas

menstrual (mens.tru:al) [mẽʃ'trwaɫ] *adj.,n 2g.* relativo a menstruação

menstruar (mens.tru:ar) [mẽʃ'trwar] *v.* ter a menstruação

mensurável (men.su.rá.vel) [mẽsu'ravɛɫ] *adj.2g.* que se pode medir

menta (men.ta) ['mẽtɐ] *n.f.* planta aromática com flores brancas ou rosadas, usada como condimento e em chás, pastas de dentes, etc.

mental (men.tal) [mẽ'taɫ] *adj.2g.* relativo à mente ou ao pensamento

mentalidade (men.ta.li.da.de) [mẽtɐli'dad(ə)] *n.f.* forma de pensar de um indivíduo, de um grupo ou de um povo

mentalizar (men.ta.li.zar) [mẽtɐli'zar] *v.* **1** imaginar **2** convencer ■ **mentalizar-se** convencer-se

mente (men.te) ['mẽt(ə)] *n.f.* **1** inteligência; razão **2** imaginação; perceção ◆ **passar pela mente** vir à ideia; lembrar; **ter em mente** tencionar

mentecapto (men.te.cap.to) [mẽtə'kaptu] *adj.* que perdeu o uso da razão; louco

mentir (men.tir) [mẽ'tir] *v.* dizer que uma coisa é verdadeira, sabendo que é falsa

mentira (men.ti.ra) [mẽ'tirɐ] *n.f.* afirmação contrária à verdade SIN. falsidade

mentiroso (men.ti.ro.so) [mẽti'rozu] *adj.* **1** que diz mentiras **2** que não é verdadeiro; falso ■ *n.m.* pessoa que diz mentiras

mentol (men.tol) [mẽ'tɔɫ] *n.m.* álcool extraído da essência da hortelã-pimenta

mentor (men.tor) [mẽ'tor] *n.m.* pessoa que serve de guia SIN. orientador

menu [mə'nu] *n.m.* **1** lista de pratos disponíveis num restaurante SIN. ementa; lista **2** lista que aparece no ecrã de certos dispositivos eletrónicos, com as opções de um programa

meramente (me.ra.men.te) [mɛrɐ'mẽt(ə)] *adv.* simplesmente; unicamente

mercado (mer.ca.do) [mər'kadu] *n.m.* **1** lugar público onde se vendem alimentos e outros produtos **2** compra e venda de produtos; comércio ◆ **mercado de capitais** mercado em que se negoceia com capitais, sobretudo através da compra e venda de ações; **mercado de trabalho** relação entre a oferta e a procura de empregos num país ou numa região em determinado período; **mercado negro** comércio ilegal ou clandestino, a preços elevados, de bens ou produtos raros ou muito procurados

mercadoria (mer.ca.do.ri.a) [mərkɐdu'riɐ] *n.f.* qualquer produto que se pode comprar ou vender

mercantil (mer.can.til) [mərkɐ̃'tiɫ] *adj.2g.* relativo a comércio SIN. comercial

mercê (mer.cê) [mər'se] *n.f.* **1** favor **2** graça ◆ **à mercê de** dependendo de; **mercê de** graças a

mercearia (mer.ce:a.ri.a) [mərsjɐ'riɐ] *n.f.* loja onde se vendem alimentos e produtos de uso doméstico

merceeiro (mer.ce.ei.ro) [mər'sjɐjru] *n.m.* funcionário ou dono de mercearia

mercenário (mer.ce.ná.ri:o) [mərsə'narju] *n.m.* soldado que combate num exército estrangeiro a troco de dinheiro

merchandising [mɛrʃẽ'dajzĩg] *n.m.* conjunto de técnicas de promoção da venda de um produto através da sua apresentação, disposição nos postos de venda e meios de distribuição

mercúrio (mer.cú.ri:o) [mər'kurju] *n.m.* metal prateado e líquido, usado em termómetros e barómetros

mercurocromo (mer.cu.ro.cro.mo) [mərkurɔ'krɔmu] *n.m.* solução vermelho-escura, usada como desinfetante de feridas

merecedor (me.re.ce.dor) [mərəsə'dor] *adj.* que merece (alguma coisa)

merecer (me.re.cer) [mərə'ser] *v.* **1** ser digno de **2** ter direito a

merecido (me.re.ci.do) [mərə'sidu] *adj.* devido; justo

merenda (me.ren.da) [mə'rẽdɐ] *n.f.* refeição ligeira; lanche

merendar (me.ren.dar) [mərẽ'dar] *v.* comer a merenda; lanchar

merengue (me.ren.gue) [mə'rẽg(ə)] *n.m.* massa feita de claras de ovo batidas com açúcar, usada para cobrir bolos

meretriz (me.re.triz) [mərə'triʃ] *n.f.* prostituta

mergulhador (mer.gu.lha.dor) [mərguʎɐ'dor] *n.m.* pessoa que mergulha para fazer estudos debaixo de água

mergulhar (mer.gu.lhar) [mərgu'ʎar] *v.* **1** ⟨**+em**⟩ meter em líquido; imergir: *Mergulhei o biscoito no chá.* **2** lançar-se à água: *Ele mergulhou no rio.* **3** descer de forma brusca: *A ave mergulhou sobre a presa.* **4** ⟨**+em**⟩ *fig.* concentrar-se (numa tarefa ou atividade): *mergulhar em meditação profunda*

mergulho (mer.gu.lho) [mər'guʎu] *n.m.* salto para a água

meridiano (me.ri.di:a.no) [məri'djɐnu] *n.m.* círculo máximo que passa pelos polos e divide a Terra em dois hemisférios

meridional (me.ri.di:o.nal) [məridju'nal] *adj.2g.* **1** relativo a meridiano **2** situado no Sul; austral

Meritíssimo (Me.ri.tís.si.mo) [məri'tisimu] *n.m.* forma de tratamento que se dá aos juízes

mérito (mé.ri.to) ['mɛritu] *n.m.* qualidade de quem merece aplauso ou recompensa; valor

mero (me.ro) ['mɛru] *adj.* simples; comum ◆ **por mero acaso** de modo acidental; sem contar

mês (mês) ['meʃ] *n.m.* cada um dos doze períodos em que se divide o ano

mesa (me.sa) ['mezɐ] *n.f.* móvel com tampo horizontal, sobre o qual se come, trabalha, etc. ◆ **mesa de luz** mesa com tampo de vidro translúcido ou acrílico, sob o qual há uma fonte de luz, usada para ver negativos, películas ou slides; **mesa de mistura** painel onde estão instalados equipamentos próprios para fazer a edição e reprodução de sons; **por baixo da mesa** de maneira oculta de modo ilegal

mesada (me.sa.da) [mə'zadɐ] *n.f.* quantia que se paga por mês; mensalidade

mesa-de-cabeceira (me.sa-.de-.ca.be.cei.ra) [mezɐdəkɐbə'sɐjrɐ] *a nova grafia é* **mesa de cabeceira**[AO]

mesa de cabeceira (me.sa de ca.be.cei.ra)[AO] [mezɐdəkɐbə'sɐjrɐ] *n.f.* ⟨*pl.* mesas de cabeceira⟩ pequeno móvel, junto à cabeceira da cama

mesa-redonda (me.sa-.re.don.da) [mezɐʀə'dõdɐ] *n.f.* ⟨*pl.* mesas-redondas⟩ debate entre especialistas de um determinado assunto

mescla (mes.cla) ['mɛʃklɐ] *n.f.* coisa composta por elementos diferentes; mistura

mesclado (mes.cla.do) [mɛʃ'kladu] *adj.* misturado; combinado

mesclar (mes.clar) [mɛʃ'klar] *v.* ⟨**+com**⟩ misturar; combinar

mesma (mes.ma) ['meʒmɐ] *adv.* sem alteração; de maneira idêntica

mesmo (mes.mo) ['meʒmu] *det.,prn.dem.* **1** de identidade igual; não outro: *Foi o mesmo empregado de ontem.* **2** o próprio; em pessoa: *Ele mesmo veio falar connosco.* **3** semelhante; parecido: *Temos os mesmos gostos.* ■ *n.m.* a mesma coisa; a mesma pessoa: *Estás sempre a dizer o mesmo.; Não pareces o mesmo esta noite.* ■ *adv.* **1** exatamente; justamente: *Era mesmo isto que eu queria.* **2** até; inclusive: *Mesmo ele não concordou com a proposta.* **3** realmente; de facto: *Vais mesmo à festa?* ◆ **dar ao mesmo** ser igual; **ficar na mesma** não se alterar; **mesmo assim** apesar disso; **mesmo que** [+ *conj.*] ainda que; embora

mesosfera (me.sos.fe.ra) [mɛzɔʃ'fɛrɐ] *n.f.* camada do interior da Terra, entre a litosfera e o núcleo central

mesquinhez (mes.qui.nhez) [məʃki'ɲeʃ] *n.f.* **1** qualidade de mesquinho **2** falta de generosidade; avareza

mesquinho (mes.qui.nho) [məʃ'kiɲu] *adj.* **1** avarento **2** insignificante

mesquita (mes.qui.ta) [məʃ'kitɐ] *n.f.* local de culto da religião muçulmana

messianismo (mes.si:a.nis.mo) [məsjɐ'niʒmu] *n.m.* crença na vinda do Messias

Messias (Mes.si.as) [mə'siɐʃ] *n.m.2n.* **1** redentor prometido por Deus e anunciado pelos profetas **2** na religião cristã, Jesus Cristo

mestiçagem (mes.ti.ça.gem) [məʃti'saʒɐ̃j] *n.f.* cruzamento de raças ou de espécies diferentes

mestiço (mes.ti.ço) [məʃ'tisu] *n.m.* **1** pessoa com pais de raças diferentes **2** animal nascido do cruzamento de espécies diferentes

mestrado (mes.tra.do) [məʃ'tradu] *n.m.* grau académico que se segue à licenciatura e precede o doutoramento

mestrando (mes.tran.do) [məʃ'trɐ̃du] *n.m.* aluno de um curso de mestrado

mestre (mes.tre) ['mɛʃtr(ə)] *n.m.* ⟨*f.* mestra⟩ **1** pessoa que ensina **2** especialista numa ciência ou numa arte ■ *n.2g.* pessoa que possui o mestrado

mestre-de-cerimónias (mes.tre-.de-.ce.ri.mó.ni:as) [mɛʃtrədəsəri'mɔnjɐʃ] *a nova grafia é* **mestre de cerimónias**AO

mestre de cerimónias (mes.tre de ce.ri.mó.ni:as)AO [mɛʃtrədəsəri'mɔnjɐʃ] *n.m.* ⟨*pl.* mestres de cerimónias⟩ **1** pessoa encarregada do protocolo em atos oficiais **2** pessoa que apresenta um espetáculo de variedades

mestre-de-obras (mes.tre-.de-.o.bras) [mɛʃ trə'dɔbrɐʃ] *a nova grafia é* **mestre de obras**AO

mestre de obras (mes.tre de o.bras)AO [mɛʃ trə'dɔbrɐʃ] *n.m.* ⟨*pl.* mestres de obras⟩ pessoa que dirige trabalhos de construção civil

mestria (mes.tri.a) [məʃ'triɐ] *n.f.* **1** conhecimento profundo de uma arte ou disciplina **2** habilidade na execução de uma obra; perícia

mesura (me.su.ra) [mə'zurɐ] *n.f.* cumprimento cerimonioso; reverência; vénia

meta (me.ta) ['mɛtɐ] *n.f.* **1** linha de chegada numa competição desportiva **2** objetivo; fim

metabolismo (me.ta.bo.lis.mo) [mətɐbu'liʒmu] *n.m.* conjunto dos processos químicos necessários à formação, desenvolvimento e renovação das estruturas celulares, e à produção de energia num organismo vivo

metacarpo (me.ta.car.po) [mɛtɐ'karpu] *n.m.* parte da mão entre o carpo e os dedos

metade (me.ta.de) [mə'tad(ə)] *n.f.* cada uma das duas partes iguais em que se divide uma unidade

metadona (me.ta.do.na) [mɛtɐ'donɐ] *n.f.* substância sintetizada a partir do ópio, usada no tratamento da toxicodependência

metafísica (me.ta.fí.si.ca) [mətɐ'fizikɐ] *n.f.* **1** disciplina que se ocupa dos princípios essenciais do ser e do conhecimento **2** qualquer sistema filosófico que se dedica à procura do sentido ou significado do real e da vida humana

metafísico (me.ta.fí.si.co) [mətɐ'fiziku] *adj.* **1** relativo à metafísica **2** transcendente **3** *fig.* difícil de entender; obscuro

metáfora (me.tá.fo.ra) [mə'tafurɐ] *n.f.* figura que consiste no uso de uma realidade concreta para exprimir uma ideia abstrata

metafórico (me.ta.fó.ri.co) [mətɐ'fɔriku] *adj.* em que há metáfora; figurado

metal (me.tal) [mə'taɫ] *n.m.* elemento químico, bom condutor do calor e da eletricidade

metálico (me.tá.li.co) [mə'taliku] *adj.* **1** próprio de metal **2** que é feito de metal

metalinguagem (me.ta.lin.gua.gem) [mɛtɐ lĩ'gwaʒɐ̃j] *n.f.* linguagem utilizada para descrever outras linguagens

metalurgia (me.ta.lur.gi.a) [mətɐlur'ʒiɐ] *n.f.* indústria de produção de metais

metalúrgico (me.ta.lúr.gi.co) [mətɐ'lurʒiku] *adj.* relativo a metalurgia

metamorfose (me.ta.mor.fo.se) [mətɐmur'fɔz(ə)] *n.f.* mudança de forma; transformação

metanol (me.ta.nol) [mətɐ'nɔɫ] *n.m.* álcool metílico ou álcool da madeira

metástase (me.tás.ta.se) [mə'taʃtɐz(ə)] *n.f.* foco secundário de uma doença disseminado a partir de um foco principal

metatarso (me.ta.tar.so) [mɛtɐ'tarsu] *n.m.* parte do pé entre o tarso e os dedos

metediço (me.te.di.ço) [mətə'disu] *adj.* que se mete em assuntos alheios **SIN.** intrometido

meteórico (me.te:ó.ri.co) [mə'tjɔriku] *adj.* **1** relativo a meteoro **2** *fig.* muito rápido; fugaz

meteorito (me.te:o.ri.to) [mətju'ritu] *n.m.* corpo mineral, sólido, vindo do espaço, que cai na Terra

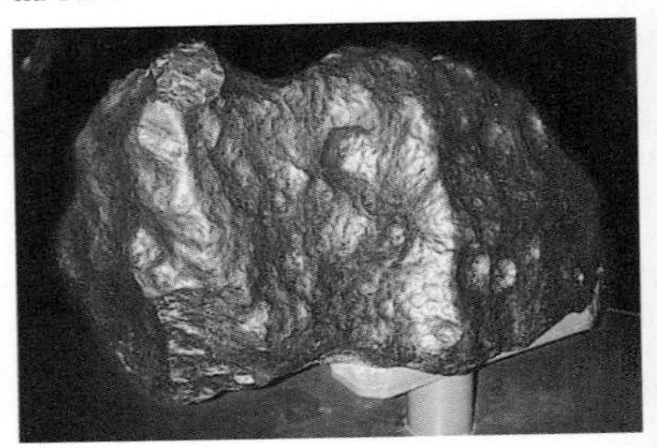

meteoro (me.te:o.ro) [mə'tjɔru] *n.m.* corpo sólido que, ao entrar na atmosfera terrestre, produz um raio luminoso e que é visível durante pouco tempo

meteorologia (me.te:o.ro.lo.gi.a) [mətjurulu'ʒiɐ] *n.f.* ciência que estuda os fenómenos atmosféricos, permitindo fazer a previsão do tempo

meteorológico (me.te:o.ro.ló.gi.co) [mətjuru'lɔ ʒiku] *adj.* relativo a meteorologia

eteorologista (me.te:o.ro.lo.gis.ta) [mətjuru lu'ʒiʃtɐ] *n.2g.* especialista em meteorologia

eter (me.ter) [mə'ter] *v.* **1** ⟨**+em**⟩ colocar dentro; introduzir: *meter a ficha na tomada; meter as mãos nos bolsos* **2** incluir: *A festa mete dança.* **3** ⟨**+em**⟩ *pop.* colocar: *meter a panela no fogão* **4** admitir (alguém) ao serviço; empregar: *Ele meteu uma pessoa nova no departamento.* **5** (veículo) fazer funcionar (alavanca das velocidades): *O João meteu a segunda na subida.* ▪ **meter-se 1** ⟨**+em**⟩ fechar-se; isolar-se: *Ele ficou chateado e meteu-se no quarto.* **2** ⟨**+em**⟩ envolver-se: *O tipo meteu-se em negócios obscuros.* ◆ *coloq.* **meter água** enganar-se; errar; **meter os pés pelas mãos** atrapalhar-se

> Não confundir **meter** (introduzir) com **pôr** (colocar em cima): *A mãe* **meteu** *o carro na garagem. Ele* **pôs** *a mesa para o almoço.*

etical (me.ti.cal) [məti'kał] *n.m.* unidade monetária de Moçambique

eticuloso (me.ti.cu.lo.so) [mətiku'lozu] *adj.* que presta atenção aos pormenores **SIN.** minucioso

etido (me.ti.do) [mə'tidu] *adj.* **1** que está envolvido **2** intrometido

etódico (me.tó.di.co) [mə'tɔdiku] *adj.* que tem método **SIN.** ordenado

étodo (mé.to.do) ['mɛtudu] *n.m.* maneira ordenada de fazer as coisas; ordem

etodologia (me.to.do.lo.gi.a) [mətudulu'ʒiɐ] *n.f.* conjunto de regras ou processos usados numa ciência, arte ou disciplina

etonímia (me.to.ní.mi:a) [mətu'nimjɐ] *n.f.* figura de estilo que consiste em usar um atributo para representar o todo

etralhadora (me.tra.lha.do.ra) [mətrɐʎɐ'dorɐ] *n.f.* arma de fogo automática que dispara balas de modo rápido e sucessivo

étrica (mé.tri.ca) ['mɛtrikɐ] *n.f.* conjunto das regras de composição e organização de versos; versificação

étrico (mé.tri.co) ['mɛtriku] *adj.* **1** relativo a métrica ou a versificação **2** diz-se do sistema de medidas que tem por base o metro

etro (me.tro) ['mɛtru] *n.m.* **1** unidade de medida de comprimento (símbolo: m) **2** *coloq.* metropolitano

etrô (me.trô) [mɛ'tro] *n.m.* [BRAS.] ⇒ **metro 2**

etrópole (me.tró.po.le) [mə'trɔpul(ə)] *n.f.* **1** cidade grande ou capital de um país **2** nação, relativamente às suas colónias ou províncias ultramarinas

metropolitano (me.tro.po.li.ta.no) [mətrupu li'tɐnu] *n.m.* meio de transporte rápido, total ou parcialmente subterrâneo

metrossexual (me.tros.se.xu:al) [mɛtrɔsɛ'kswał] *n.m.* indivíduo urbano do sexo masculino que valoriza e cuida da sua aparência e vestuário

meu (meu) ['mew] *det.,prn.poss.* ⟨*f.* minha⟩ **1** relativo a mim, primeira pessoa do singular, e indica geralmente posse ou pertença: *O meu carro é novo.; Este livro é meu?* **2** *coloq.* usa-se para chamar alguém: *Anda cá, meu!*

mexer (me.xer) [mə'ʃer] *v.* **1** mover **2** agitar **3** tocar **4** alterar ▪ **mexer-se 1** deslocar-se **2** apressar-se ◆ **pôr-se a mexer** sair apressadamente

mexericar (me.xe.ri.car) [məʃəri'kar] *v.* bisbilhotar

mexerico (me.xe.ri.co) [məʃə'riku] *n.m.* comentário ou boato sobre alguém **SIN.** bisbilhotice

mexicano (me.xi.ca.no) [məʃi'kɐnu] *adj.* relativo ao México ▪ *n.m.* pessoa natural do México

mexido (me.xi.do) [mə'ʃidu] *adj.* **1** (pessoa) dinâmico **2** (objeto) revolvido

mexilhão (me.xi.lhão) [məʃi'ʎɐ̃w̃] *n.m.* molusco comestível, com concha muito escura

mezinha (me.zi.nha) [mɛ'ziɲɐ] *n.f. coloq.* remédio caseiro

mezzo soprano [mɛdzoso'prano] *n.m.* **1** voz feminina entre a de contralto e a de soprano **2** cantora com essa voz

mfúcua (mfú.cu:a) ['mfukwɐ] *n.m.* [MOÇ.] espírito maligno que executa uma vingança

mi (mi) ['mi] *n.m.* terceira nota da escala musical

miadela (mi:a.de.la) [mjɐ'dɛlɐ] *n.f.* som produzido pelo gato **SIN.** miado

miar (mi:ar) ['mjar] *v.* dar mios (o gato)

miau (mi.au) ['mjaw] *n.m.* **1** voz do gato; miado **2** *infant.* gato

mica (mi.ca) ['mikɐ] *n.f.* pequena quantidade; bocado

micar (mi.car) [mi'kar] *v.* **1** *coloq.* olhar fixamente para **2** *coloq.* entender; compreender

micção (mic.ção) [mi'ksɐ̃w̃] *n.f.* ato ou efeito de urinar

micose (mi.co.se) [mi'kɔz(ə)] *n.f.* infeção causada por um fungo

micota (mi.co.ta) [mi'kɔtɐ] *adj.2g.* [MOÇ.] diz-se da pessoa que é muito magra

micro (mi.cro) ['mikrɔ] *n.m. coloq.* microfone

micróbio (mi.cró.bi:o) [mi'krɔbju] *n.m.* ser vivo tão pequeno que só pode ser visto ao microscópio e que pode causar doenças

microbiologia (mi.cro.bi:o.lo.gi.a) [mikrɔbju lu'ʒiɐ] *n.f.* disciplina que estuda os micróbios

microchip [mikrɔ'ʃip] *n.m.* ⇒ **microprocessador**

microclima (mi.cro.cli.ma) [mikrɔ'klimɐ] *n.m.* variação particular de clima numa determinada região

microfilme (mi.cro.fil.me) [mikrɔ'fiłm(ə)] *n.m.* filme em que estão fotografadas, em dimensões muito reduzidas, páginas de livros, documentos, etc.

microfone (mi.cro.fo.ne) [mikrɔ'fɔn(ə)] *n.m.* aparelho que permite a ampliação de sons

microonda (mi.cro.on.da) [mikrɔ'õdɐ] *a nova grafia é* **micro-onda**AO

micro-onda (mi.cro-.on.da)AO [mikrɔ'õdɐ] *n.f.* radiação eletromagnética ■ **micro-ondas** *n.m.2n.* forno de cozinha acionado por radiações eletromagnéticas

microprocessador (mi.cro.pro.ces.sa.dor) [mikrɔprusəsɐ'dor] *n.m.* circuito integrado cujos componentes são montados numa pequena pastilha de silício ou outro material semicondutor; microchip

microrganismo (mi.cror.ga.nis.mo) [mikrɔrgɐ'niʒmu] *n.m.* organismo animal ou vegetal de dimensões microscópicas; micróbio

microscópico (mi.cros.có.pi.co) [mikruʃ'kɔpiku] *adj.* **1** que só é visível ao microscópio **2** *fig.* muito pequeno; minúsculo

microscópio (mi.cros.có.pi:o) [mikruʃ'kɔpju] *n.m.* instrumento ótico que dá imagens ampliadas de coisas ou seres que não são visíveis a olho nu

mictório (mic.tó.ri:o) [mi'ktɔrju] *n.m.* lugar público onde as pessoas podem urinar

migalha (mi.ga.lha) [mi'gaʎɐ] *n.f.* pedaço muito pequeno de pão ou de outro alimento farináceo ■ **migalhas** *n.f.pl.* restos; sobras

migas (mi.gas) ['migɐʃ] *n.f.pl.* pedaços de pão ensopados em caldo ou em sopa

migração (mi.gra.ção) [migrɐ'sɐ̃w̃] *n.f.* **1** deslocação de pessoas de um país para outro **2** deslocação de espécies animais de uma região para outra em determinadas épocas do ano

migrar (mi.grar) [mi'grar] *v.* deslocar-se de um país para outro ou de uma região para outra

migratório (mi.gra.tó.ri:o) [migrɐ'tɔrju] *adj.* relativo a migração

mija (mi.ja) ['miʒɐ] *n.f.* **1** *coloq.* ato ou efeito de mijar; micção **2** *coloq.* urina

mijar (mi.jar) [mi'ʒar] *v. coloq.* urinar

mijo (mi.jo) ['miʒu] *n.m. coloq.* urina

mil (mil) ['mił] *num.card.* **1** novecentos mais cem; um milhar **2** *fig.* muitos ■ *n.m.* o número 1000 ◆ **mil e um** muitos

milagre (mi.la.gre) [mi'lagr(ə)] *n.m.* **1** facto extraordinário, que não se pode explicar por causas naturais e que é geralmente atribuído a Deus **2** acontecimento que provoca admiração ou espanto

milagreiro (mi.la.grei.ro) [milɐ'grɐjru] *adj.* que faz milagres

milagroso (mi.la.gro.so) [milɐ'grozu] *adj.* fora do comum; extraordinário

milando (mi.lan.do) [mi'lɐ̃du] *n.m.* [MOÇ.] discussão; briga

milenar (mi.le.nar) [milə'nar] *adj.2g.* que tem mil anos ou mais; milenário

milenário (mi.le.ná.ri:o) [milə'narju] *adj.* ⇒ **milenar**

milénio (mi.lé.ni:o) [mi'lɛnju] *n.m.* período de mil anos

milésimo (mi.lé.si.mo) [mi'lɛzimu] *num.ord.* que ocupa o lugar número 1000 ■ *n.m.* **1** cada uma das mil partes iguais em que se dividiu uma unidade **2** *fig.* espaço de tempo muito reduzido; instante

milha (mi.lha) ['miʎɐ] *n.f.* unidade de distância usada nos países de língua inglesa e equivalente a 1609 metros

milhão (mi.lhão) [mi'ʎɐ̃w̃] *num.card.* mil vezes mil ■ *n.m.* **1** o número 1 000 000 **2** *fig.* grande quantidade

milhar (mi.lhar) [mi'ʎar] *n.m.* mil unidades

milhentos (mi.lhen.tos) [mi'ʎẽtuʃ] *adj.* número indeterminado e muito elevado

milho (mi.lho) ['miʎu] *n.m.* **1** planta hortícola que produz grãos, usados para fazer pão **2** *coloq.* dinheiro

milho-rei (mi.lho-.rei) [miʎu'ʀɐj] *n.m.* ⟨*pl.* milhos-reis⟩ *coloq.* milho de grão vermelho

milícia (mi.lí.ci:a) [mə'lisjɐ] *n.f.* **1** exército de um país **2** organização de cidadãos armados que pretendem defender pela força um grupo ou uma região

miligrama (mi.li.gra.ma) [mili'grɐmɐ] *n.m.* milésima parte do grama (símbolo: mg)

mililitro (mi.li.li.tro) [mili'litru] *n.m.* milésima parte do litro (símbolo: ml)

milímetro (mi.lí.me.tro) [mi'limətru] *n.m.* milésima parte do metro (símbolo: mm)

milionário (mi.li:o.ná.ri:o) [milju'narju] *n.m.* pessoa muito rica

milionésimo (mi.li:o.né.si.mo) [milju'nɛzimu] *n.m.* cada uma das partes iguais de uma unidade dividida num milhão de partes

militância (mi.li.tân.ci:a) [məli'tɐ̃sjɐ] *n.f.* defesa ativa de uma causa

militante (mi.li.tan.te) [məli'tɐ̃t(ə)] *n.2g.* **1** pessoa que combate; combatente **2** pessoa que defende uma causa ou uma ideia

militar (mi.li.tar) [məli'tar] *adj.,n 2g.* relativo à guerra ou a exército ■ *n.2g.* pessoa que faz parte dos quadros permanentes das forças armadas *v.* **1** combater; lutar **2** defender de modo ativo (causa, ideia)

milongo (mi.lon.go) [mi'lõgu] *n.m.* [ANG.] medicamento; remédio

mim (mim) ['mĩ] *prn.pess.* designa a primeira pessoa do singular e indica a pessoa que fala ou escreve: *Ele gosta de mim.*

mimado (mi.ma.do) [mi'madu] *adj.* **1** tratado com mimo **2** que tem mimo em excesso; caprichoso

mimalhice (mi.ma.lhi.ce) [mimɐ'ʎi(sə)] *n.f.* qualidade ou ato de mimalho

mimalho (mi.ma.lho) [mi'maʎu] *adj.* que é muito mimado

mimar (mi.mar) [mi'mar] *v.* dar mimo a; acarinhar

mimetismo (mi.me.tis.mo) [mimə'tiʒmu] *n.m.* **1** fenómeno de imitação que se observa em certas espécies que adquirem a aparência do meio em que se encontram **2** adaptação ao meio **3** qualquer forma de imitação

mímica (mí.mi.ca) ['mimikɐ] *n.f.* expressão do pensamento por meio de gestos

mímico (mí.mi.co) ['mimiku] *adj.* relativo a mímica; gestual

mimo (mi.mo) ['mimu] *n.m.* **1** demonstração de carinho **2** pessoa ou coisa delicada **3** artista que faz mímica

mimosa (mi.mo.sa) [mi'mɔzɐ] *n.f.* flor amarela que nasce de uma árvore com o mesmo nome

mimoso (mi.mo.so) [mi'mozu] *adj.* gracioso; encantador

min *símbolo de* minuto

mina (mi.na) ['minɐ] *n.f.* **1** galeria subterrânea para extração de minerais **2** nascente de água **3** engenho explosivo **4** *fig.* fonte de riqueza

minar (mi.nar) [mi'nar] *v.* **1** abrir mina em **2** colocar mina(s) **3** *fig.* estragar

minarete (mi.na.re.te) [minɐ'ret(ə)] *n.m.* torre alta e estreita de mesquita

mindinho (min.di.nho) [mĩ'diɲu] *n.m.* dedo mínimo da mão

mineiro (mi.nei.ro) [mi'nɐjru] *adj.* relativo a mina ▪ *n.m.* homem que trabalha numa mina

mineral (mi.ne.ral) [minə'raɫ] *n.m.* corpo natural, sólido ou líquido, que se encontra no solo ou na água, como o sal, o carvão e o calcário

mineralogia (mi.ne.ra.lo.gi.a) [minərɐlu'ʒiɐ] *n.f.* disciplina que estuda e classifica os minerais

mineralogista (mi.ne.ra.lo.gis.ta) [minərɐlu'ʒiʃtɐ] *n.2g.* especialista em mineralogia

minério (mi.né.ri:o) [mi'nɛrju] *n.m.* mineral de que se podem extrair metais ou substâncias não metálicas

mingar (min.gar) [mĩ'gar] *v. coloq.* ⇒ **minguar**

mingau (min.gau) [mĩ'gaw] *n.m.* [BRAS.] papas de farinha de trigo ou da flor da mandioca

míngua (mín.gua) ['mĩgwɐ] *n.f.* **1** escassez **2** carência

minguante (min.guan.te) [mĩ'gwɐ̃t(ə)] *adj.2g.* que diminui; decrescente ▪ *n.m.* fase que se segue à lua cheia e vai diminuindo até à lua nova, em que só uma parte da superfície visível é iluminada

minguar (min.guar) [mĩ'gwar] *v.* **1** tornar-se menor **SIN.** diminuir **2** ser cada vez mais raro **SIN.** escassear

minhoca (mi.nho.ca) [mi'ɲɔkɐ] *n.f.* verme de corpo alongado e mole, sem patas, frequente nos lugares húmidos ♦ **ter minhocas na cabeça** **1** ter ideias preconcebidas **2** ter pensamentos maldosos ou confusos

minhoto (mi.nho.to) [mi'ɲotu] *adj.* relativo ao Minho (região no noroeste de Portugal) ▪ *n.m.* pessoa natural do Minho

miniatura (mi.ni:a.tu.ra) [minjɐ'turɐ] *n.f.* imagem ou objeto muito pequeno

minibar (mi.ni.bar) [mini'bar] *n.m.* **1** pequeno frigorífico com bebidas, existente nos quartos de hotéis, para os hóspedes se servirem **2** nos comboios, carrinho que circula pelas carruagens e em que se vendem bebidas, sanduíches, etc.

minifúndio (mi.ni.fún.di:o) [mini'fũdju] *n.m.* pequena propriedade rústica

minigolfe (mi.ni.gol.fe) [mini'gɔɫf(ə)] *n.m.* jogo que se pratica num campo de golfe muito pequeno

mínima (mí.ni.ma) ['minimɐ] *n.f.* **1** valor mais baixo observado em determinado fenómeno, num dado período: *A temperatura mínima foi de 2 °C.* **2** figura musical de valor igual a metade de uma semibreve ♦ *coloq.* **não ligar a mínima** não dar importância a; ignorar

minimalismo (mi.ni.ma.lis.mo) [minimɐ'liʒmu] *n.m.* **1** conceção que reduz ao mínimo os elementos de uma obra, acentuando a sua estrutura **2** estilo caracterizado por grande concisão e simplicidade

minimalista (mi.ni.ma.lis.ta) [minimɐ'liʃtɐ] *adj.2g.* **1** (arte) que reduz ao mínimo os elementos constitutivos de uma obra **2** que revela grande concisão e simplicidade ▪ *n.2g.* **1** artista adepto do minimalismo **2** pessoa que defende ou adota um estilo conciso e simples

minimizar (mi.ni.mi.zar) [minimi'zar] *v.* **1** reduzir ao mínimo; diminuir **2** *fig.* desvalorizar

mínimo (mí.ni.mo) ['minimu] *adj.* ⟨*superl. de* pequeno⟩ mais pequeno ▪ *n.m.* menor valor de alguma coisa

minissaia (mi.nis.sai.a) [mini'sajɐ] *n.f.* saia muito curta, geralmente acima do joelho

minissérie (mi.nis.sé.ri:e) [mini'sɛrji] *n.f.* série televisiva apresentada num número reduzido de episódios

ministerial (mi.nis.te.ri:al) [məniʃtə'rjaɫ] *adj.2g.* relativo a ministro ou a ministério

ministério (mi.nis.té.ri:o) [məniʃ'tɛrju] *n.m.* departamento do Governo chefiado por um ministro ♦ **ministério público** magistratura judicial cujos representantes simbolizam o Estado junto de cada tribunal para garantir a aplicação e o cumprimento das leis

ministra (mi.nis.tra) [mə'niʃtrɐ] *n.f.* mulher que dirige um ministério

ministrar (mi.nis.trar) [məniʃ'trar] *v.* **1** dar a tomar (um medicamento) **2** transmitir (conhecimentos)

ministro (mi.nis.tro) [mə'niʃtru] *n.m.* homem que dirige um ministério

minorar (mi.no.rar) [minu'rar] *v.* tornar menor; diminuir

minorca (mi.nor.ca) [mi'nɔrkɐ] *n.2g. coloq.* pessoa de estatura muito baixa

minoria (mi.no.ri.a) [minu'riɐ] *n.f.* pequeno grupo de pessoas existente dentro de um grupo maior ♦ **minoria étnica** conjunto de pessoas com características étnicas diferentes das do grupo dominante e que, por vezes, são alvo de discriminação por parte desse grupo

minoritário (mi.no.ri.tá.ri:o) [minuri'tarju] *adj.* relativo a minoria; que está em minoria

minúcia (mi.nú.ci:a) [mi'nusjɐ] *n.f.* detalhe; pormenor

minucioso (mi.nu.ci:o.so) [minu'sjozu] *adj.* detalhado; pormenorizado

minúscula (mi.nús.cu.la) [mi'nuʃkulɐ] *n.f.* uma das duas formas de representar as letras do alfabeto, que corresponde ao tamanho menor; letra pequena

minúsculo (mi.nús.cu.lo) [mi'nuʃkulu] *adj.* **1** que é muito pequeno; reduzido **2** diz-se da letra de tamanho menor; pequena

minuta (mi.nu.ta) [mi'nutɐ] *n.f.* **1** fórmula escrita com os elementos necessários ao preenchimento de documentos oficiais; modelo **2** primeira redação de um texto; rascunho ♦ **à la minuta** de imediato

minuto (mi.nu.to) [mi'nutu] *n.m.* **1** período de tempo formado por 60 segundos (símbolo: min) **2** *fig.* instante; momento ♦ **por minutos** por muito pouco tempo

minzangala (min.zan.ga.la) [mĩ'zɐ̃galɐ] *n.f.* [ANG.] juventude; rapaziada

mio (mi.o) ['miu] *n.m.* ⇒ **miadela**

mioleira (mi:o.lei.ra) [mju'lɐjrɐ] *n.f.* **1** miolos **2** *fig.* juízo

miolo (mi:o.lo) ['mjolu] *n.m.* parte interior do pão

miongos (mi:on.gos) [mj'õgus] *n.m.pl.* [ANG.] regiã renal; rins; quadris

míope (mí.o.pe) ['miup(ə)] *n.2g.* pessoa que te miopia

miopia (mi:o.pi.a) ['mjupiɐ] *n.f.* deficiência visu que dificulta a visão à distância

miosótis (mi.o.só.tis) [mio'zɔtiʃ] *n.2g.2n.* 👁 plan com flores pequenas e azuis

mira (mi.ra) ['mirɐ] *n.f.* peça usada numa arm para fazer pontaria

mirabolante (mi.ra.bo.lan.te) [mirɐbu'lɐ̃t(ə *adj.2g.* espetacular; surpreendente

mirada (mi.ra.da) [mi'radɐ] *n.f.* ato de mirar SI olhadela

miradouro (mi.ra.dou.ro) [mirɐ'do(w)ru] *n.m.* l gar elevado, de onde se pode observar a pais gem SIN. mirante

miragem (mi.ra.gem) [mi'raʒɐ̃j] *n.f.* imagem q uma pessoa pensa estar a ver, mas que não real; ilusão

mirandês (mi.ran.dês) [mirɐ̃'deʃ] *n.m.* língua f lada em Miranda do Douro, que é a segunda lí gua oficial de Portugal

mirante (mi.ran.te) [mi'rɐ̃t(ə)] *n.m.* **1** local situac a maior ou menor altitude, de onde pode ver- um vasto horizonte SIN. miradouro **2** construçã envidraçada, no cimo de um edifício ou num l gar elevado, de onde é possível desfrutar c uma vista panorâmica

mirar (mi.rar) [mi'rar] *v.* olhar

mirone (mi.ro.ne) [mi'rɔn(ə)] *n.m.* observador

mirra (mir.ra) ['miʀɐ] *n.f.* planta tropical cuja cas liberta uma resina oleosa e aromática

mirrado (mir.ra.do) [mi'ʀadu] *adj.* **1** murcho **2** mag

mirrar (mir.rar) [mi'ʀar] *v.* **1** murchar **2** emagrece

mirtilo (mir.ti.lo) [mir'tilu] *n.m.* planta com frut em forma de bagas, de cor azulada ou negra

misantropo (mi.san.tro.po) [mizɐ̃'tropu] *n.* **1** indivíduo que não gosta de conviver com o tras pessoas **2** indivíduo que revela tristeza ou melancolia

miscelânea (mis.ce.lâ.ne:a) [miʃsəˈlɐnjɐ] *n.f.* mistura de coisas diferentes

miserável (mi.se.rá.vel) [mizəˈravɛɫ] *adj.2g.* **1** que está na miséria; muito pobre **2** mesquinho; avarento

miseravelmente (mi.se.ra.vel.men.te) [mizəravɛɫˈmẽt(ə)] *adv.* de um modo desgraçado, triste

miséria (mi.sé.ri:a) [miˈzɛrjɐ] *n.f.* falta de meios para sobreviver; pobreza extrema

misericórdia (mi.se.ri.cór.di:a) [mizəriˈkɔrdjɐ] *n.f.* piedade; compaixão

misericordioso (mi.se.ri.cor.di:o.so) [mizərikurˈdjozu] *adj.* que perdoa as faltas ou as ofensas; bondoso

mísero (mí.se.ro) [ˈmizəru] *adj.* **1** muito pobre; miserável **2** muito pequeno; insignificante

missa (mis.sa) [ˈmisɐ] *n.f.* cerimónia religiosa celebrada por um membro da Igreja

missal (mis.sal) [miˈsaɫ] *n.m.* livro que contém orações e festas religiosas

missanga (mis.san.ga) [miˈsɐ̃gɐ] *n.f.* pequena conta de vidro para enfeitar colares, pulseiras, etc.

missão (mis.são) [miˈsɐ̃w̃] *n.f.* dever a cumprir; obrigação

míssil (mís.sil) [ˈmisiɫ] *n.m.* projétil com uma carga explosiva que se lança a grande velocidade em direção a um alvo

missionário (mis.si:o.ná.ri:o) [misjuˈnarju] *n.m.* **1** pessoa encarregada de realizar uma missão **2** pessoa que se dedica a divulgar uma causa ou uma religião

missiva (mis.si.va) [miˈsivɐ] *n.f.* carta que se manda a alguém

mistela (mis.te.la) [miʃˈtɛlɐ] *n.f.* mistura de coisas diversas; mixórdia; confusão

míster (mís.ter) [ˈmiʃtɛr] *n.m.* **1** treinador de futebol **2** *coloq.* vencedor de um concurso de beleza

mistério (mis.té.ri:o) [miʃˈtɛrju] *n.m.* aquilo que não se conhece ou que não se consegue explicar **SIN.** segredo

misteriosamente (mis.te.ri:o.sa.men.te) [miʃtərjɔzɐˈmẽt(ə)] *adv.* **1** de maneira misteriosa **2** sem explicação

misterioso (mis.te.ri:o.so) [miʃtəˈrjozu] *adj.* **1** inexplicável **2** secreto

mística (mís.ti.ca) [ˈmiʃtikɐ] *n.f.* vida contemplativa e religiosa

misticismo (mis.ti.cis.mo) [miʃtiˈsiʒmu] *n.m.* **1** crença em forças e seres sobrenaturais **2** crença na possibilidade de comunicação direta com o divino ou a divindade **3** tendência para a vida contemplativa

místico (mís.ti.co) [ˈmiʃtiku] *adj.* **1** espiritual **2** contemplativo **3** sobrenatural

mistificação (mis.ti.fi.ca.ção) [miʃtifikɐˈsɐ̃w̃] *n.f.* **1** ato de induzir alguém a acreditar numa mentira **2** coisa falsa ou enganadora; farsa

misto (mis.to) [ˈmiʃtu] *adj.* misturado; combinado

mistura (mis.tu.ra) [ˈmiʃˈturɐ] *n.f.* junção de várias coisas diferentes; combinação

misturada (mis.tu.ra.da) [miʃtuˈradɐ] *n.f. coloq.* conjunto de coisas misturadas

misturado (mis.tu.ra.do) [miʃtuˈradu] *adj.* composto de elementos diferentes; combinado

misturador (mis.tu.ra.dor) [miʃturɐˈdor] *n.m.* **1** aparelho para misturar substâncias **2** betoneira **3** recipiente para misturar bebidas

misturadora (mis.tu.ra.do.ra) [miʃturɐˈdorɐ] *n.f.* aparelho usado para esmagar e misturar alimentos

misturar(-se) (mis.tu.rar(-se)) [miʃtuˈrar(sə)] *v.* ⟨**+com**⟩ juntar(-se); combinar(-se): *Misture o açúcar com os ovos. Misturou-se com a multidão.*

mítico (mí.ti.co) [ˈmitiku] *adj.* **1** relativo a mito **2** fabuloso; lendário

mitigar (mi.ti.gar) [mitiˈgar] *v.* tornar mais brando, mais suave ou menos intenso

mito (mi.to) [ˈmitu] *n.m.* **1** relato das proezas dos deuses e heróis da Antiguidade; lenda **2** ideia que é geralmente aceite, mas que não é verdadeira

mitologia (mi.to.lo.gi.a) [mituluˈʒiɐ] *n.f.* conjunto dos mitos de um povo ou de uma civilização

mitológico (mi.to.ló.gi.co) [mituˈlɔʒiku] *adj.* relativo aos mitos ou a mitologia; lendário

mitra (mi.tra) [ˈmitrɐ] *n.f.* 👁 chapéu alto e largo, fino na parte superior, com duas fitas pendentes, usado em ocasiões solenes pelo Papa, bispos, arcebispos e cardeais

mitral (mi.tral) [miˈtraɫ] *adj.2g.* que tem forma de mitra ▪ *n.f.* válvula situada entre a aurícula e o ventrículo esquerdos, que permite a passagem de sangue da aurícula esquerda para o ventrículo esquerdo

miudagem (mi:u.da.gem) [mju'daʒɐ̃j] *n.f.* conjunto de crianças

miudeza (mi:u.de.za) [mju'dezɐ] *n.f.* **1** artigo de pouco valor; bugiganga **2** coisa sem importância; ninharia

miudinho (mi:u.di.nho) [mju'diɲu] *adj.* **1** muito pequeno **2** minucioso

miúdo (mi:ú.do) ['mjudu] *adj.* **1** muito pequeno **2** minucioso; pormenorizado ▪ *n.m.* menino; rapaz ▪ **miúdos** *n.m.pl.* vísceras de animais ♦ **trocar em miúdos** explicar pormenorizadamente

mixórdia (mi.xór.di:a) [mi'ʃɔrdjɐ] *n.f. coloq.* mistura confusa de coisas **SIN.** barafunda; confusão

ml *símbolo de* mililitro

m-learning [ɛm'lɐrnĩg] *n.m.* aprendizagem através de equipamentos móveis, como telemóveis e PDAs

mm *símbolo de* milímetro

MMS [ɛmɛm'ɛs] *n. m.* serviço de mensagens multimédia que permite enviar e receber mensagens de texto com imagem, áudio e/ou vídeo **OBS.** Sigla de *Multimedia Message Service*

mnemónica (mne.mó.ni.ca) [mnə'mɔnikɐ] *n.f.* técnica para memorizar coisas, que utiliza exercícios como associação de ideias ou factos difíceis de reter a outros mais simples ou mais familiares, combinações de imagens, números, etc.

mó (mó) ['mɔ] *n.f.* pedra de moinho que tritura e mói o grão dos cereais e da azeitona ♦ *coloq.* **estar na mó de baixo/cima** estar com dificuldades/em boa situação

moagem (mo:a.gem) ['mwaʒɐ̃j] *n.f.* **1** ato de moer (cereais) **2** indústria ou fábrica de transformação dos cereais em farinha

móbil (mó.bil) ['mɔbiɫ] *n.m.* motivo; causa

mobilar (mo.bi.lar) [mubi'lar] *v.* colocar móveis em (sala, quarto, escritório, etc.)

mobília (mo.bí.li:a) [mu'biljɐ] *n.f.* conjunto de móveis **SIN.** mobiliário

mobiliário (mo.bi.li:á.ri:o) [mubi'ljarju] *n.m.* ⇒ **mobília**

mobilidade (mo.bi.li.da.de) [mubəli'dad(ə)] *n.f.* **1** característica do que se move **2** possibilidade de ir de um lugar para outro rapidamente

mobilização (mo.bi.li.za.ção) [mubəlizɐ'sɐ̃w̃] *n.f.* **1** conjunto de medidas (convocação de tropas, etc.) de preparação de um país para determinada ação militar **2** convocação de pessoas para que participem numa iniciativa de carácter cívico ou político

mobilizar (mo.bi.li.zar) [mubəli'zar] *v.* **1** pôr em ação (pessoas, recursos, etc.) **2** convocar (pessoas) uma para iniciativa de carácter cívico ou político **3** pôr em circulação (capitais que estavam imobilizados)

moca (mo.ca) ['mɔkɐ] *n.f.* **1** pedaço de pau; cacete **2** *coloq.* bebedeira ♦ *coloq.* **de partir a moca** de rir às gargalhadas

moça (mo.ça) ['mosɐ] *n.f.* rapariga

moçambicano (mo.çam.bi.ca.no) [musɐ̃bi'kɐnu] *adj.* relativo à República de Moçambique ▪ *n.m.* pessoa natural de Moçambique

moção (mo.ção) [mu'sɐ̃w̃] *n.f.* apresentação de um assunto para ser discutido em assembleia; proposta; **moção de censura** proposta pela qual um ou mais grupos parlamentares criticam a política do governo, procurando levar à sua demissão, caso a moção obtenha a maioria dos votos; **moção de confiança** proposta apresentada pelo governo ou por um grupo parlamentar com o objetivo de levar a assembleia a adotar um voto de confiança em relação a uma medida ou a um programa político

moçárabe (mo.çá.ra.be) [mu'sarɐb(ə)] *n.2g.* cristão que durante o domínio muçulmano na Península Ibérica se converteu ao islamismo, reconvertendo-se depois da Reconquista Cristã

mocassim (mo.cas.sim) [mɔka'sĩ] *n.m.* calçado de pele, confortável, sem tacão e com a sola revirada dos lados e à frente

mochila (mo.chi.la) [mu'ʃilɐ] *n.f.* saco que se transporta às costas

mocho (mo.cho) ['moʃu] *n.m.* ave de rapina noturna, com cabeça grande e com visão e audição muito apuradas

mocidade (mo.ci.da.de) [musi'dad(ə)] *n.f.* juventude

moço (mo.ço) ['mosu] *n.m.* rapaz

moda (mo.da) ['mɔdɐ] *n.f.* conjunto de gostos, opiniões ou formas de agir aceites por um dado grupo numa determinada época ♦ **à moda de** à maneira de; **estar fora de moda** estar desatualizado; **estar na moda** seguir as tendências de vestuário, gostos musicais ou outros

modal (mo.dal) [mu'daɫ] *adj.2g.* relativo a moda ou a modo

modalidade (mo.da.li.da.de) [mudɐli'dad(ə)] *n.f.* cada uma das atividades desportivas

modelar (mo.de.lar) [mudə'lar] *adj.2g.* que serve de modelo; exemplar ▪ *v.* fazer o molde de

modelo (mo.de.lo) [mu'delu] *n.m.* **1** representação de um objeto em tamanho reduzido **2** aquilo que serve de exemplo; referência ▪ *n.2g.* pessoa que participa em desfiles de roupa ♦ **modelo económico** construção teórica que procura defini uma dada estrutura económica, as suas relações internas, a sua evolução e os fatores que a determinam, bem como as medidas necessárias para equilibrar o sistema de produção; **passar modelos** participar em desfiles de moda; **ser um modelo de virtudes** apresentar apenas qualidades; não ter defeitos

modem [mɔ'dɛm] *n.m.* ⟨*pl.* modems⟩ aparelho eletrónico que permite a transmissão de dados de um computador por linha telefónica

moderação **(mo.de.ra.ção)** [mudərɐ'sɐ̃w̃] *n.f.* **1** prudência **2** equilíbrio

moderado **(mo.de.ra.do)** [mudə'radu] *adj.* **1** prudente **2** equilibrado

moderador **(mo.de.ra.dor)** [mudərɐ'dor] *n.m.* pessoa que dirige um debate

moderar **(mo.de.rar)** [mudə'rar] *v.* **1** regular **2** conter ▪ **moderar-se** evitar excessos; controlar-se

modernice **(mo.der.ni.ce)** [mudər'ni(sə)] *n.f.* **1** *pej.* moda adotada apenas pela novidade e não pelo seu valor real **2** *pej.* preferência por tudo o que é moderno

modernidade **(mo.der.ni.da.de)** [mudərni'dad(ə)] *n.f.* **1** coisa nova ou recente; novidade **2** tempo presente; atualidade

nodernismo **(mo.der.nis.mo)** [mudər'niʒmu] *n.m.* (arte, literatura) movimento de renovação estética que marcou as primeiras décadas do século XX

nodernista **(mo.der.nis.ta)** [mudər'niʃtɐ] *adj.2g.* relativo ou pertencente ao modernismo ▪ *n.2g.* artista seguidor do modernismo

nodernização **(mo.der.ni.za.ção)** [mudərnizɐ'sɐ̃w̃] *n.f.* adaptação aos métodos modernos; atualização

nodernizar **(mo.der.ni.zar)** [mudərni'zar] *v.* tornar moderno ▪ **modernizar-se** tornar-se moderno

ioderno **(mo.der.no)** [mu'dɛrnu] *adj.* **1** que segue o gosto ou as tendências da moda **2** atual; recente

iodéstia **(mo.dés.ti:a)** [mu'dɛʃtjɐ] *n.f.* falta de vaidade; simplicidade

iodesto **(mo.des.to)** [mu'dɛʃtu] *adj.* que não é vaidoso; simples

iódico **(mó.di.co)** ['mɔdiku] *adj.* **1** cujo valor é baixo **2** moderado

iodificação **(mo.di.fi.ca.ção)** [mudifikɐ'sɐ̃w̃] *n.f.* alteração

iodificado **(mo.di.fi.ca.do)** [mudifi'kadu] *adj.* alterado

iodificador **(mo.di.fi.ca.dor)** [mudifikɐ'dor] *n.m.* **1** aquilo que modifica **2** palavra ou expressão que não é obrigatória na frase, mas que altera o sentido da frase

modificar(-se) **(mo.di.fi.car(-se))** [mudifi'kar(sə)] *v.* alterar(-se); mudar(-se)

modista **(mo.dis.ta)** [mu'diʃtɐ] *n.f.* mulher que confeciona, por medida, roupa de senhora ou criança

modo **(mo.do)** ['mɔdu] *n.m.* **1** forma de ser ou de estar **2** maneira de se exprimir; estilo **3** maneira de fazer algo; método **4** cada uma das variações que os verbos apresentam para exprimir a atitude do sujeito em relação à ação ♦ **de modo que** de maneira que, para; **de modo a** com o objetivo de **SIN.** para

modulação **(mo.du.la.ção)** [mudulɐ'sɐ̃w̃] *n.f.* **1** variação da intensidade de um som **2** na música, passagem de um tom para outro **3** alteração subtil de cor ou de tonalidade **4** *fig.* melodia; suavidade

módulo **(mó.du.lo)** ['mɔdulu] *n.m.* **1** unidade ou peça que pode ser combinada com outras para formar um todo **2** parte separável de uma nave espacial

moeda **(mo:e.da)** ['mwɛdɐ] *n.f.* **1** peça, geralmente metálica e circular, que serve para comprar e vender coisas **2** unidade utilizada num país como padrão para fixar o preço das coisas ♦ **pagar na mesma moeda** retribuir o bem com o bem e o mal com o mal

---

A **moeda** usada em Portugal é o euro, que começou a circular no início de 2002. Até então, era usado o escudo.

---

moela **(mo:e.la)** ['mwɛlɐ] *n.f.* parte musculosa do tubo digestivo de muitos animais

moer **(mo:er)** ['mwer] *v.* esmagar; triturar

mofo **(mo.fo)** ['mofu] *n.m.* aglomerado de fungos, que se desenvolve na matéria orgânica em decomposição **SIN.** bolor; ranço

mogno **(mog.no)** ['mɔgnu] *n.m.* **1** árvore tropical produtora de madeira avermelhada, muito usada no fabrico de móveis **2** madeira dessa árvore

moído **(mo:í.do)** ['mwidu] *adj.* esmagado; triturado

moinho **(mo:i.nho)** ['mwiɲu] *n.m.* **1** aparelho para moer grãos de cereais **2** lugar onde se moem cereais ♦ **moinhos de vento** coisas irrealizáveis

---

A palavra **moinho** escreve-se sem acento agudo no i.

---

moiro **(moi.ro)** ['mojru] *n.m.* ⇒ **mouro**

moita **(moi.ta)** ['mojtɐ] *n.f.* mata espessa de plantas rasteiras

mola (mo.la) ['mɔlɐ] *n.f.* **1** utensílio usado para prender ou segurar objetos **2** peça que serve para impulsionar por meio de pressão

molar (mo.lar) [mu'lar] *n.m.* dente situado em cada um dos lados do maxilar, cuja função é mastigar os alimentos

moldar (mol.dar) [moɫ'dar] *v.* **1** ajustar ao molde **2** adaptar ■ **moldar-se** ⟨+a⟩ adaptar-se: *moldar--se às circunstâncias*

moldável (mol.dá.vel) [moɫ'davɛɫ] *adj.2g.* **1** que se pode moldar **2** que se adapta facilmente

moldávio (mol.dá.vi:o) [moɫ'davju] *adj.* relativo à Moldávia ■ *n.m.* **1** pessoa natural da República da Moldávia (na Europa oriental) **2** língua românica falada na Moldávia

molde (mol.de) ['mɔɫd(ə)] *n.m.* peça usada como modelo; forma

moldura (mol.du.ra) [moɫ'durɐ] *n.f.* armação de madeira ou outro material, que se coloca à volta de espelhos, pinturas ou fotografias **SIN.** caixilho

mole (mo.le) ['mɔl(ə)] *adj.* **1** que se dobra com facilidade; macio **ANT.** duro **2** que está sem força; fraco

molécula (mo.lé.cu.la) [mu'lɛkulɐ] *n.f.* parte mais pequena de um corpo ou de uma substância, composta de um ou mais átomos

molecular (mo.le.cu.lar) [mulɛku'lar] *adj.2g.* relativo a molécula

moleirinha (mo.lei.ri.nha) [mulɐj'riɲɐ] *n.f. coloq.* cabeça

moleiro (mo.lei.ro) [mu'lɐjru] *n.m.* dono ou trabalhador de um moinho

molenga (mo.len.ga) [mu'lẽgɐ] *adj.,n.2g.* ⇒ **molengão**

molengão (mo.len.gão) [mulẽ'gɐ̃w̃] *n.m. coloq.* preguiçoso

moleque (mo.le.que) [mu'lɛk(ə)] *n.m.* [BRAS.] rapaz de rua; garoto

molestar (mo.les.tar) [muləʃ'tar] *v.* **1** incomodar **2** maltratar

moléstia (mo.lés.ti:a) [mu'lɛʃtjɐ] *n.f.* **1** doença; mal **2** abatimento moral; dor

moleza (mo.le.za) [mu'lezɐ] *n.f.* **1** falta de consistência; elasticidade **2** *fig.* falta de energia; apatia; preguiça

molha (mo.lha) ['mɔʎɐ] *n.f.* queda de chuva sobre alguém

molhado (mo.lha.do) [mu'ʎadu] *adj.* que tem água; húmido **ANT.** seco ◆ **chover no molhado** insistir numa coisa já resolvida ou esclarecida; insistir em vão; perder o seu tempo

molhar (mo.lhar) [mu'ʎar] *v.* mergulhar num líquido; humedecer **ANT.** secar

molhe (mo.lhe) ['mɔʎ(ə)] *n.m.* muro à entrada d um porto de mar

molho (mo.lho)[1] ['mɔʎu] *n.m.* conjunto de cois unidas; feixe ◆ **de molho** imerso em água d rante algum tempo; *coloq.* **estar de molho** est doente; *coloq.* **tudo ao molho (e fé em Deu 1** concorrência em grande quantidade (de pe soas) **2** de forma desorganizada

molho (mo.lho)[2] ['moʎu] *n.m.* caldo em que se r fogam alimentos, ou que os acompanha

> Note-se a diferença entre molho (ó) de chaves e molho (ô) de tomate.

molungo (mo.lun.go) [mu'lũgu] *n.m.* **1** [MOÇ.] De **2** [MOÇ.] céu

molusco (mo.lus.co) [mu'luʃku] *n.m.* animal inve tebrado com corpo mole, protegido por un concha calcária

momentâneo (mo.men.tâ.ne:o) [mumẽ'tɐnj *adj.* muito rápido

momento (mo.men.to) [mu'mẽtu] *n.m.* **1** espa de tempo breve; instante **2** tempo em que al acontece; ocasião ◆ **de momento** no presen **SIN.** agora; **de um momento para o outro** modo inesperado **SIN.** subitamente

mona (mo.na) ['monɐ] *n.2g.* [ANG.] filho; filha; bento

monacal (mo.na.cal) [munɐ'kaɫ] *adj.2g.* ⇒ **monástico**

monarca (mo.nar.ca) [mu'narkɐ] *n.2g.* rei; rainha

monarquia (mo.nar.qui.a) [munɐr'kiɐ] *n.f.* forn de governo em que o poder é exercido por u rei ou por uma rainha

monárquico (mo.nár.qui.co) [mu'narkiku] *adj.* lativo a monarquia ■ *n.m.* defensor da monarqu

monástico (mo.nás.ti.co) [mu'naʃtiku] *adj.* **1** rel tivo a monge **2** relativo à vida num mosteir conventual

monção (mon.ção) [mõ'sɐ̃w̃] *n.f.* **1** vento peri dico, característico do sul e sudeste da Ásia **2** e tação da chuvas durante o verão, na Índia e n sudeste asiático

monegasco (mo.ne.gas.co) [munə'gaʃku] *adj.* r lativo ao Mónaco ■ *n.m.* pessoa natural do M naco

monetário (mo.ne.tá.ri:o) [munə'tarju] *adj.* rel tivo a dinheiro ou a moeda

monge (mon.ge) ['mõʒ(ə)] *n.m.* membro de un ordem religiosa

> Note-se que a palavra monge escreve-se com g (e não com j), embora a forma feminina, monja, se escreva com j.

ongolismo (mon.go.lis.mo) [mõgu'liʒmu] *n.m.* deficiência congénita profunda, associada a uma alteração no cromossoma 21 (três em vez de dois, por isso chamada trissomia 21), que se manifesta por atraso mental mais ou menos profundo e por características fisionómicas específicas, sobretudo pela face achatada e pela junção dos ossos nasais

ongoloide (mon.go.loi.de)[AO] [mõgu'lɔjd(ə)] *adj.,n.2g.* que ou pessoa que sofre de mongolismo

ongolóide (mon.go.lói.de) [mõgu'lɔjd(ə)] *a nova grafia é* **mongoloide**[AO]

onhé (mo.nhé) [mɔ'ɲɛ] *n.2g.* **1** [MOÇ.] *pej.* mestiço de árabe e negro **2** [MOÇ.] *pej.* comerciante de ascendência árabe, indiana ou paquistanesa

onitor (mo.ni.tor) [muni'tor] *n.m.* ecrã do computador

onitorização (mo.ni.to.ri.za.ção) [munituri zɐ'sɐ̃w̃] *n.f.* supervisão; controlo

onitorizar (mo.ni.to.ri.zar) [munituri'zar] *v.* **1** supervisionar; controlar **2** supervisionar e analisar dados fornecidos por um aparelho eletrónico

ono (mo.no) ['monu] *n.m.* **1** *coloq.* pessoa sem iniciativa **2** *coloq.* coisa inútil ou sem valor

onocromático (mo.no.cro.má.ti.co) [mɔnɔk rɔ'matiku] *adj.* que tem uma só cor

onocultura (mo.no.cul.tu.ra) [mɔnɔkuɫ'turɐ] *n.f.* sistema de exploração do solo com especialização num único produto

onogamia (mo.no.ga.mi.a) [mɔnɔgɐ'miɐ] *n.f.* **1** sistema de organização familiar em que cada pessoa tem apenas um cônjuge **2** qualidade de monógamo

onógamo (mo.nó.ga.mo) [mu'nɔgɐmu] *adj.* **1** (pessoa) que tem um só cônjuge **2** (animal) que acasala apenas com uma fêmea

onografia (mo.no.gra.fi.a) [mɔnɔgrɐ'fiɐ] *n.f.* trabalho escrito acerca de determinado assunto, pessoa ou região; tese

onograma (mo.no.gra.ma) [mɔnɔ'grɐmɐ] *n.m.* conjunto entrelaçado das letras iniciais de um nome

onolingue (mo.no.lin.gue) [mɔnɔ'lĩg(ə)] *adj.2g.* diz-se do texto ou dicionário escrito numa única língua

onólogo (mo.nó.lo.go) [mu'nɔlugu] *n.m.* **1** cena representada por um só ator, que fala consigo próprio **2** fala de alguém consigo próprio

onoparental (mo.no.pa.ren.tal) [mɔnɔpɐrẽ'taɫ] *adj.2g.* diz-se da família em que só está presente um dos progenitores (a mãe ou o pai)

onopólio (mo.no.pó.li:o) [munu'pɔlju] *n.m.* **1** situação de mercado em que um único vendedor controla toda a oferta de um serviço ou de uma mercadoria **2** privilégio de fabricar ou vender certas mercadorias sem concorrência; exclusividade

monopolizar (mo.no.po.li.zar) [munupuli'zar] *v.* **1** ter o monopólio de; possuir o exclusivo de **2** *fig.* concentrar em si

monospermo (mo.nos.per.mo) [mɔnɔʃ'pɛrmu] *adj.* que tem apenas uma semente

monossilábico (mo.nos.si.lá.bi.co) [mɔnɔsi'la biku] *adj.* diz-se da palavra que tem uma sílaba

monossílabo (mo.nos.sí.la.bo) [mɔnɔ'silɐbu] *n.m.* palavra que tem uma única sílaba

monoteísmo (mo.no.te.ís.mo) [mɔnɔtɐ'iʒmu] *n.m.* sistema religioso ou doutrina filosófica que admite uma única divindade **ANT.** politeísmo

monoteísta (mo.no.te.ís.ta) [mɔnɔtɐ'iʃtɐ] *adj.2g.* relativo a monoteísmo ▪ *n.2g.* pessoa adepta do monoteísmo

monotonia (mo.no.to.ni.a) [munutu'niɐ] *n.f.* **1** falta de variedade **2** aborrecimento

monótono (mo.nó.to.no) [mu'nɔtunu] *adj.* **1** que não muda **2** aborrecido

monovolume (mo.no.vo.lu.me) [mɔnɔvu'lum(ə)] *n.m.* veículo automóvel cujos bancos podem ser removidos ou dispostos de forma diferente, permitindo um melhor aproveitamento do espaço interior

monóxido (mo.nó.xi.do) [mɔ'nɔksidu] *n.m.* óxido que contém um átomo de oxigénio

monstro (mons.tro) ['mõʃtru] *n.m.* **1** ser imaginário com aspeto terrível **2** animal ou objeto enorme ♦ **monstro sagrado** artista (sobretudo de cinema) especialmente talentoso/a; celebridade

monstruosidade (mons.tru:o.si.da.de) [mõʃ trwuzi'dad(ə)] *n.f.* **1** característica do que é monstruoso **2** ser ou coisa que apresenta deformação **3** *fig.* coisa extraordinária ou descomunal **4** *fig.* atitude ou comportamento cruel ou imoral

monstruoso (mons.tru:o.so) [mõʃ'trwozu] *adj.* **1** horrível **2** enorme

monta-cargas (mon.ta-.car.gas) [mõtɐ'kargɐʃ] *n.m.2n.* elevador destinado a mercadorias ou cargas

montado (mon.ta.do) [mõ'tadu] *n.m.* terreno onde existem sobreiros e azinheiras e onde os porcos pastam

montagem (mon.ta.gem) [mõ'taʒɐ̃j] *n.f.* **1** instalação das peças de um sistema ou de um equipamento **2** organização das cenas de um filme

monta-livros (mon.ta-.li.vros) [mõtɐ'livruʃ] *n.m.2n.* pequeno elevador utilizado para transporte de livros ou cargas pouco pesadas entre diferentes andares de um edifício

mon<u>ta</u>nha (mon.ta.nha) [mõ'tɐɲɐ] *n.f.* 👁 elevação natural de terreno, mais alta do que o monte

montanha-<u>ru</u>ssa (mon.ta.nha-.rus.sa) [mõtɐ ɲɐ'ʀusɐ] *n.f.* ⟨*pl.* montanhas-russas⟩ divertimento composto por uma armação na qual deslizam, a grande velocidade, pequenos compartimentos abertos, com bancos onde se sentam as pessoas

monta<u>nhis</u>mo (mon.ta.nhis.mo) [mõtɐ'ɲiʒmu] *n.m.* atividade de marcha ou escalada em montanha (até aos 2500 metros)

monta<u>nhis</u>ta (mon.ta.nhis.ta) [mõtɐ'ɲiʃtɐ] *n.2g.* pessoa que faz montanhismo

monta<u>nho</u>so (mon.ta.nho.so) [mõtɐ'ɲozu] *adj.* **1** que tem muitas montanhas **2** escarpado; acidentado

mon<u>tan</u>te (mon.tan.te) [mõ'tɐ̃t(ə)] *n.m.* quantia (de dinheiro) ♦ **a montante de** para o lado da nascente de um rio

mon<u>tão</u> (mon.tão) [mõ'tɐ̃w̃] *n.m.* conjunto de coisas acumuladas

mon<u>tar</u> (mon.tar) [mõ'tar] *v.* **1** pôr(-se) sobre (um cavalo): *Posso montar o teu cavalo?* **2** fazer a montagem de: *montar uma estante* **SIN.** instalar **3** estabelecer: *montar um negócio* **4** editar (filme) **5** decorar (uma casa) **6** organizar (peça de teatro) **7** ⟨**+a**⟩ ascender; subir: *Os estragos montam a 2 mil euros.*

<u>mon</u>te (mon.te) ['mõt(ə)] *n.m.* **1** elevação de terreno mais baixa do que a montanha **2** conjunto de coisas acumuladas ♦ **a monte 1** em desordem **2** não cultivado; **andar a monte** andar fugido; **aos montes** em grande quantidade; **monte de vénus** proeminência da púbis da mulher; **por montes e vales** por todos os lados

mon<u>tês</u> (mon.tês) [mõ'teʃ] *adj.2g.* próprio dos montes ou das montanhas

<u>mon</u>tra (mon.tra) ['mõtrɐ] *n.f.* numa loja, lugar envidraçado onde se expõem os artigos para venda **SIN.** vitrina

monumen<u>tal</u> (mo.nu.men.tal) [munumẽ'taɫ] *adj.2g.* **1** muito importante **2** muito grande

monu<u>men</u>to (mo.nu.men.to) [munu'mẽtu] *n.m.* **1** 👁 construção de grandes dimensões e grand[e] valor artístico **2** obra arquitetónica que relembr[a] um facto ou uma pessoa ♦ **monumento nacio[nal]** obra considerada oficialmente relevante par[a] a memória coletiva de uma nação, devendo se[r] conservada

mo<u>que</u>ca (mo.que.ca) [mu'kɛkɐ] *n.f.* **1** [ANG.] gu[i]sado de peixe com fatias de pão torrado **2** [BRAS.] guisado de peixe ou marisco, que também pod[e] ser feito com carne ou com ovos

mora<u>be</u>za (mo.ra.be.za) [morɐ'bɛzɐ] *n.f.* [CV.] ama[]bilidade; gentileza

mo<u>ra</u>da (mo.ra.da) [mu'radɐ] *n.f.* **1** lugar onde s[e] mora; casa **2** indicação do lugar onde se vive; endereço ♦ **última morada 1** sepultura; túmul[o] **2** cemitério

mora<u>di</u>a (mo.ra.di.a) [murɐ'diɐ] *n.f.* casa indepen[]dente; vivenda

mora<u>dor</u> (mo.ra.dor) [murɐ'dor] *n.m.* habitant[e]; residente

mo<u>ral</u> (mo.ral) [mu'raɫ] *n.f.* **1** conjunto de regras d[e] conduta que permitem distinguir o bem e o m[al] **2** lição que se retira de alguma coisa

morali<u>da</u>de (mo.ra.li.da.de) [murɐli'dad(ə)] *n[.f.]* **1** qualidade do que é moral **2** significado mor[al] de certos contos ou fábulas

mora<u>lis</u>ta (mo.ra.lis.ta) [murɐ'liʃtɐ] *n.2g.* **1** pess[oa] que defende o moralismo **2** *pej.* pessoa que d[e]fende princípios morais rígidos, revelando p[or] vezes intolerância ■ *adj.2g.* **1** relativo a mor[al] **2** próprio de moralismo **3** instrutivo; educativo

morali<u>zar</u> (mo.ra.li.zar) [murɐli'zar] *v.* **1** adequ[ar] aos princípios da moral **2** ensinar por meio d[e] princípios morais **3** corrigir os costumes de **4** r[e]fletir publicamente sobre a moral

mo<u>ran</u>go (mo.ran.go) [mu'rɐ̃gu] *n.m.* fruto do m[o]rangueiro, pequeno, saboroso e vermelho quand[o] maduro

orangueiro (mo.ran.guei.ro) [murɐ̃'gɐjru] *n.m.* planta herbácea e rastejante, produtora de morangos

orar (mo.rar) [mu'rar] *v.* **1** ⟨+em⟩ habitar; residir: *Ele mora num grande apartamento.* **2** ⟨+com⟩ coabitar; viver com: *Ele mora com dois estudantes espanhóis.*

órbido (mór.bi.do) ['mɔrbidu] *adj.* **1** relativo a doença; patológico **2** (corpo, estado) sem ânimo ou energia **3** (gosto, sentimento) que revela depravação ou perversidade

orcão (mor.cão) [mur'kɐ̃w̃] *n.m. coloq.* pessoa lenta ou aparvalhada; lorpa

orcego (mor.ce.go) [mur'segu] *n.m.* mamífero voador noturno, que se pendura de cabeça para baixo quando dorme

orcela (mor.ce.la) [mur'sɛlɐ] *n.f.* espécie de chouriço feito com sangue de porco

ordaça (mor.da.ça) [mur'dasɐ] *n.f.* **1** tira de pano ou de outro material com que se tapa a boca a uma pessoa, impedindo-a de falar ou de gritar **2** peça de couro ou de metal que se coloca no focinho de certos animais para que não mordam; açaime **3** *fig.* repressão de ideias ou de opiniões

ordaz (mor.daz) [mur'daʃ] *adj.2g.* **1** que agride **2** irónico

ordedura (mor.de.du.ra) [murdə'durɐ] *n.f.* dentada; ferradela

order (mor.der) [mur'der] *v.* dar dentada(s) em: *O teu cão mordeu o João.* **SIN.** ferrar ▪ **morder-se** atormentar-se; apoquentar-se

ordidela (mor.di.de.la) [murdi'dɛlɐ] *n.f.* dentada; ferradela

ordiscar (mor.dis.car) [murdiʃ'kar] *v.* morder com pouca força e várias vezes

ordomo (mor.do.mo) [mɔr'domu] *n.m.* administrador de casa ou estabelecimento por conta de outrem

oreno (mo.re.no) [mu'renu] *adj.* que tem a pele acastanhada

orfes (mor.fes) ['mɔrfəʃ] *n.m.2n. coloq.* comida

orfina (mor.fi.na) [mur'finɐ] *n.f.* substância extraída do ópio e usada como analgésico e narcótico

orfologia (mor.fo.lo.gi.a) [murfulu'ʒiɐ] *n.f.* **1** estudo da forma exterior dos seres vivos **2** disciplina que estuda as formas e modificações das palavras

orfológico (mor.fo.ló.gi.co) [murfu'lɔʒiku] *adj.* relativo a morfologia

orfossintáctico (mor.fos.sin.tác.ti.co) [mɔrfɔsĩ'tatiku] *a nova grafia é* **morfossintático**[AO]

morfossintático (mor.fos.sin.tá.ti.co)[AO] [mɔrfɔsĩ'tatiku] *adj.* relativo à morfossintaxe

morgue (mor.gue) ['mɔrg(ə)] *n.f.* lugar onde se fazem autópsias e se identificam cadáveres

moribundo (mo.ri.bun.do) [muri'bũdu] *adj.* que está a morrer

morna (mor.na) ['mɔrnɐ] *n.f.* **1** canção popular de Cabo Verde, de andamento lento e carácter sentimental, interpretada ao som de viola e cavaquinho **2** dança popular executada ao som daquela música

morno (mor.no) ['mornu] *adj.* que está pouco quente

moroso (mo.ro.so) [mu'rozu] *adj.* **1** lento **2** demorado

morrer (mor.rer) [mu'ʀer] *v.* **1** deixar de viver; falecer **ANT.** nascer **2** chegar ao fim; acabar ♦ **não morrer de amores por 1** não gostar de (algo) **2** não simpatizar com (alguém); *coloq.* **ser de morrer 1** ser muito feio **2** ser de rir; ser engraçado

morrinha (mor.ri.nha) [mu'ʀiɲɐ] *n.f.* chuva miúda e persistente

morro (mor.ro) ['moʀu] *n.m.* monte com pouca altura; colina

morsa (mor.sa) ['mɔrsɐ] *n.f.* mamífero anfíbio das regiões polares, semelhante à foca, cujo macho tem dentes muito compridos

morse (mor.se) ['mɔr(sə)] *n.m.* sistema de comunicação que utiliza combinações de traços e pontos

mortadela (mor.ta.de.la) [murtɐ'dɛlɐ] *n.f.* espécie de salame grande, preparado com carne de porco ou de boi

mortal (mor.tal) [mur'taɫ] *adj.2g.* que provoca a morte; mortífero **ANT.** imortal

mortalha (mor.ta.lha) [mur'taʎɐ] *n.f.* **1** pedaço de papel fino, usado para enrolar tabaco e fazer cigarros **2** pano com que se envolve o cadáver que vai ser sepultado

mortalidade (mor.ta.li.da.de) [murtɐli'dad(ə)] *n.f.* **1** condição do que é mortal **ANT.** imortalidade **2** número de mortes ocorridas num dado período de tempo numa região

mortandade (mor.tan.da.de) [murtɐ̃'dad(ə)] *n.f.* grande número de mortes **SIN.** carnificina; matança

morte (mor.te) ['mɔrt(ə)] *n.f.* **1** fim da vida ou da existência **ANT.** nascimento, vida **2** desaparecimento de algo; fim ♦ **desafiar a morte** expor-se ao perigo; arriscar a vida; **morte súbita** em desporto, situação em que, após um empate, ganha quem primeiro marcar pontos; *coloq.* **pensar na morte da bezerra** estar distraído ou absorto nos seus próprios pensamentos; *irón.* **ser a morte do artista** ser um fracasso; **ver a morte de perto** passar por uma situação em que a própria vida está em risco, mas da qual se consegue escapar por pouco

mortiço (mor.ti.ço) [mur'tisu] *adj.* **1** que está a morrer **2** que está sem forças **3** que não tem brilho

mortífero (mor.tí.fe.ro) [mur'tifəru] *adj.* que provoca a morte **SIN.** mortal

morto (mor.to) ['mortu] *adj.* **1** que morreu; falecido **ANT.** vivo **2** que não tem vida ou movimento **3** *fig.* muito cansado; exausto ▪ *n.m.* pessoa que morreu ♦ **morto por** com muita vontade de

mortuário (mor.tu:á.ri:o) [mur'twarju] *n.f.* relativo à morte; fúnebre

mosaico (mo.sai.co) [mu'zajku] *n.m.* conjunto de pequenas placas de pedra, vidro ou cerâmica, ligadas por cimento, usadas para cobrir paredes e pavimentos

mosca (mos.ca) ['moʃkɐ] *n.f.* pequeno inseto com duas asas e aparelho bucal adaptado para sugar ♦ **estar às moscas** estar vazio ou abandonado; **não fazer mal a uma mosca** ser incapaz de prejudicar alguém

mosca-morta (mos.ca-.mor.ta) [moʃkɐ'mɔrtɐ] *n.2g.* ⟨*pl.* moscas-mortas⟩ **1** *pej.* pessoa pouco dinâmica ou indolente **2** *pej.* pessoa sonsa ou dissimulada

moscardo (mos.car.do) [muʃ'kardu] *n.m.* mosca grande

moscatel (mos.ca.tel) [muʃkɐ'tɛɫ] *adj.,n 2g.* designativo de uma casta de uva muito saborosa e aromática ▪ *n.m.* **1** vinho feito dessa uva **2** variedade de figo, maçã, laranja e pera

mosquiteiro (mos.qui.tei.ro) [muʃki'tɐjru] *n.m.* rede muito fina usada como cortinado à volta da cama para proteger as pessoas das picadas de mosquitos

mosquito (mos.qui.to) [muʃ'kitu] *n.m.* inseto pequeno com patas longas, antenas finas e duas asas transparentes, que pica e pode transmit doenças

mossa (mos.sa) ['mɔsɐ] *n.f.* **1** pancada ou pressã ligeira; amolgadela **2** *coloq.* perturbação emoci nal; abalo ♦ **fazer mossa** incomodar; **não faze mossa** não incomodar

mostarda (mos.tar.da) [muʃ'tardɐ] *n.f.* **1** semen picante, usada como condimento **2** molho prep rado com essa semente ♦ *coloq.* **chegar a mo tarda ao nariz** ficar zangado; irritar-se

mosteiro (mos.tei.ro) [muʃ'tɐjru] *n.m.* local onc vive uma comunidade religiosa **SIN.** convento

mosto (mos.to) ['moʃtu] *n.m.* sumo das uvas ant da fermentação

mostra (mos.tra) ['mɔʃtrɐ] *n.f.* apresentação; e posição ♦ **à mostra** à vista

mostrador (mos.tra.dor) [muʃtrɐ'dor] *n.m.* par do relógio onde são indicadas as horas

mostrar (mos.trar) [muʃ'trar] *v.* colocar à vist exibir ▪ **mostrar-se** revelar-se; aparecer

mostruário (mos.tru:á.ri:o) [muʃ'trwarju] *n.m.* a mário ou local envidraçado que serve para e bir produtos ou objetos **SIN.** vitrina

mota (mo.ta) ['mɔtɐ] *n.f. coloq.* ⇒ **motorizada**

motard [mɔ'tar] *n.2g.* **1** pessoa que conduz un motocicleta **2** pessoa que se dedica ao motoc clismo

mote (mo.te) ['mɔt(ə)] *n.m.* **1** estrofe no início c um poema, cuja ideia central é desenvolvida n versos **2** tema **3** divisa

motel (mo.tel) [mɔ'tɛɫ] *n.m.* hotel situado junto uma estrada

motherboard [madɐr'bɔrd] *n.f.* ⇒ **placa-mãe**

motim (mo.tim) [mu'tĩ] *n.m.* revolta; insurreição

motivação (mo.ti.va.ção) [mutivɐ'sɐ̃w̃] *n.f.* caus que leva alguém a agir de determinada forma

motivado (mo.ti.va.do) [muti'vadu] *adj.* **1** qu tem motivo ou causa; causado **2** que revela int resse; estimulado

motivador (mo.ti.va.dor) [mutivɐ'dor] *adj.* qu motiva **SIN.** estimulante

motivar (mo.ti.var) [muti'var] *v.* **1** causar **2** es mular

motivo (mo.ti.vo) [mu'tivu] *n.m.* causa; razão

moto (mo.to) ['mɔtɔ] *n.f. coloq.* ⇒ **motorizada** **moto quatro** veículo de quatro ou mais roda próprio para terrenos acidentados

motocicleta (mo.to.ci.cle.ta) [mɔtɔsi'klɛtɐ] *r* veículo de duas rodas, com um pequeno motor pedais

motociclismo (mo.to.ci.clis.mo) [mɔtɔsi'kliʒm *n.m.* atividade que consiste em corridas de mot cicletas

motociclista (mo.to.ci.clis.ta) [mɔtɔsi'kliʃtɐ] *n.2g.* **1** pessoa que conduz uma motocicleta **2** pessoa que participa em corridas de motocicletas

motociclo (mo.to.ci.clo) [mɔtɔ'siklu] *n.m.* veículo com duas ou três rodas e motor de cilindrada superior a 50 cm3

motocross [mɔtɔ'krɔs] *n.m.* corrida de motociclos e motorizadas, em circuito fechado e piso acidentado

motoqueiro (mo.to.quei.ro) [mɔtɔ'kɐjru] *n.m. coloq.* ⇒ **motard**

motor (mo.tor) [mu'tor] *n.m.* **1** mecanismo que põe uma máquina em movimento **2** aquilo o que dá impulso ◆ **motor de busca/pesquisa** na internet, programa que permite procurar informações a partir de uma palavra-chave ou de uma combinação de palavras

motoreta (mo.to.re.ta) [mutu'retɐ] *n.f.* motocicleta de baixa potência

motorista (mo.to.ris.ta) [mutu'riʃtɐ] *n.2g.* pessoa que conduz um veículo motorizado

motorizada (mo.to.ri.za.da) [muturi'zadɐ] *n.f.* veículo de duas ou três rodas, com motor de cilindrada inferior a 50 cm³

motorizado (mo.to.ri.za.do) [muturi'zadu] *adj.* que tem motor

motosserra (mo.tos.ser.ra) [mɔtɔ'sɛʀɐ] *n.f.* serra elétrica para cortar árvores

motricidade (mo.tri.ci.da.de) [mutrisi'dad(ə)] *n.f.* capacidade de se mover ou de fazer algo mover-se

motriz (mo.triz) [mu'triʃ] *adj.* que move ou serve para mover

mouco (mou.co) ['mo(w)ku] *adj. coloq.* que ouve mal; surdo

mouro (mou.ro) ['mo(w)ru] *adj.* dos Mouros ▪ *n.m.* membro de um povo árabe que conquistou a Península Ibérica **2** seguidor do islamismo; muçulmano **3** *fig.* pessoa que trabalha muito

mousse ['mu(sə)] *n.f.* **1** doce cremoso feito com claras de ovo batidas e um ingrediente aromático (chocolate, limão ou outro) que se serve frio **2** creme fofo usado para barbear, modelar o penteado, etc.

movediço (mo.ve.di.ço) [muvə'disu] *adj.* **1** que se move muito **2** que muda de posição

móvel (mó.vel) ['mɔvɛɫ] *adj.2g.* **1** que pode ser movido ou deslocado **2** que está sujeito a mudanças ▪ *n.m.* peça de mobiliário

mover (mo.ver) [mu'ver] *v.* **1** mudar de lugar ou de posição SIN. deslocar **2** mexer **3** ⟨+a⟩ encorajar; instigar: *Ele moveu a amiga a participar na corrida.* **4** ⟨+contra⟩ instaurar contra: *Ele moveu um processo contra o vizinho* **5** comover ▪ **mover-se** **1** mudar-se para outro lugar SIN. deslocar-se **2** comover-se

movimentado (mo.vi.men.ta.do) [muvimẽ'tadu] *adj.* **1** deslocado **2** agitado

movimentar (mo.vi.men.tar) [muvimẽ'tar] *v.* pôr em movimento; mover

movimento (mo.vi.men.to) [muvi'mẽtu] *n.m.* **1** mudança de lugar ou de posição; deslocação **2** circulação de pessoas ou de veículos; trânsito **3** grupo de pessoas reunidas para defender uma causa ou uma ideia

mozarela (mo.za.re.la) [muzɐ'rɛlɐ] *n.m.* queijo, macio e esbranquiçado, que deve ser consumido fresco

MP3 [ɛmpe'treʃ] *n.m.* **1** formato que permite a compressão de ficheiros áudio **2** aparelho portátil que permite armazenar e reproduzir ficheiros áudio

MPEG [ɛm'pɛgɛ] formato de compressão de dados para vídeo digital OBS. Sigla de *Moving Picture Experts Group*

muamba (mu:am.ba) ['mwɐ̃bɐ] *n.f.* [ANG.] guisado de galinha, carne de vaca ou peixe, temperado com azeite de dendê

muana (mu:a.na) ['mwɐna] *n.2g.* [MOÇ.] criança; jovem

muco (mu.co) ['muku] *n.m.* secreção viscosa das mucosas

mucosa (mu.co.sa) [mu'kɔzɐ] *n.f.* membrana que reveste certas cavidades do organismo que estão em comunicação com o exterior (por exemplo, o nariz)

mucoso (mu.co.so) [mu'kozu] *adj.* **1** que contém muco **2** semelhante a muco

muçulmano (mu.çul.ma.no) [musuɫ'mɐnu] *adj.* relativo à doutrina do profeta Maomé ▪ *n.m.* pessoa que segue a doutrina de Maomé

muda (mu.da) ['mudɐ] *n.f.* **1** processo periódico de renovação da pele ou do pelo em certas espécies animais **2** conjunto de peças de roupa para serem trocadas

mudado (mu.da.do) [mu'dadu] *adj.* alterado; modificado

mudança (mu.dan.ça) [mu'dɐ̃sɐ] *n.f.* alteração; modificação

mudar (mu.dar) [mu'dar] *v.* **1** alterar **2** deslocar **3** substituir ■ **mudar-se 1** trocar de roupa **2** ir (viver ou trabalhar) para outro local

mudez (mu.dez) [mu'deʃ] *n.f.* **1** incapacidade para falar **2** ausência de sons; silêncio

mudo (mu.do) ['mudu] *adj.* **1** que não consegue falar **2** que está calado **3** diz-se do filme que não tem som gravado

muesli (mu:es.li) [mwɛʒ'li] *n.m.* mistura de flocos de cereal (geralmente aveia e trigo) e frutos que se comem com leite ou com iogurte

mufana (mu.fa.na) [mu'fɐnɐ] *n.m.* [MOÇ.] criança

mufete (mu.fe.te) [mu'fet(ə)] *n.m.* [ANG.] prato típico, preparado com peixe com escamas e tripas, assado na brasa com limão e jindungo

muffin ['mɐfin] *n.m.* ⟨*pl.* muffins⟩ pequeno bolo em forma de queque, geralmente com frutos secos

mugido (mu.gi.do) [mu'ʒidu] *n.m.* voz do boi, do carneiro, da cabra e de outros bovídeos

mugir (mu.gir) [mu'ʒir] *v.* soltar mugidos (boi, carneiro, cabra e outros bovídeos)

muito (mui.to) ['mũj̃tu] *det.,prn.indef.* em grande quantidade; em grande número: *Tenho muito trabalho.; Muitos dos meus amigos desistiram.* **ANT.** pouco ■ *adv.* **1** em grande quantidade; bastante: *Ontem, bebeste muito.* **2** com força; com intensidade: *Choveu muito esta noite.* **3** [numa forma comparativa] bastante: *És muito mais velho do que ela.*

mujimbo (mu.jim.bo) [mu'ʒĩbu] *n.m.* [ANG.] boato

mula (mu.la) ['mulɐ] *n.f.* fêmea do burro

mulato (mu.la.to) [mu'latu] *n.m.* pessoa descendente de mãe branca e pai negro (ou vice-versa)

muleta (mu.le.ta) [mu'letɐ] *n.f.* bastão usado como apoio para caminhar **SIN.** bengala

mulher (mu.lher) [mu'ʎɛr] *n.f.* **1** pessoa adulta do sexo feminino **2** esposa ♦ **mulher de armas/pulso** mulher forte, lutadora e com capacidades de exercer o poder; **mulher fatal** mulher extremamente atraente e sedutora; **mulher perdida/de má vida** prostituta

mulheraça (mu.lhe.ra.ça) [muʎə'rasɐ] *n.f. coloq.* mulher alta e corpulenta

mulher-a-dias (mu.lher-.a-.di.as) [muʎɛrɐ'diɐʃ] *a nova grafia é* **mulher a dias**[AO]

mulher a dias (mu.lher a di.as)[AO] [muʎɛrɐ'diɐʃ] *n.f.* ⟨*pl.* mulheres a dias⟩ empregada doméstica que recebe um salário por cada dia ou hora de trabalho

mulherengo (mu.lhe.ren.go) [muʎə'rẽgu] *adj.* **1** diz-se do homem que só pensa em conquistar mulheres **2** *pej.* que tem modos ou gostos co[...]derados femininos; efeminado

mulherio (mu.lhe.ri.o) [muʎə'riu] *n.m. co[...]* grande número de mulheres

multa (mul.ta) ['mułtɐ] *n.f.* quantia em dinhe[...] que uma pessoa tem de pagar quando não cu[...]pre uma norma ou uma lei; sanção

multar (mul.tar) [muł'tar] *v.* aplicar uma multa

multibanco (mul.ti.ban.co) [mułti'bɐ̃ku] *n.m.* [...]tema bancário que permite levantar dinheiro, [...]zer consultas e pagamentos mediante a intro[...]ção de um cartão magnético com código secre[...] numa máquina própria

multicolor (mul.ti.co.lor) [mułtiku'lor] *adj.2g.* [...] tem muitas cores

multicolorido (mul.ti.co.lo.ri.do) [mułtikulu'r[...] *adj.* que tem muitas cores

multicultural (mul.ti.cul.tu.ral) [mułtikułtu'[...] *adj.2g.* **1** relativo a várias culturas **2** constitu[...] por pessoas de várias culturas

multiculturalismo (mul.ti.cul.tu.ra.lis.mo) [[...]tikułturɐ'liʒmu] *n.m.* existência de várias cultu[...] num grupo ou num país

multidão (mul.ti.dão) [mułti'dɐ̃w̃] *n.f.* grande [...]mero de pessoas

multidisciplinar (mul.ti.dis.ci.pli.nar) [mułtid[...]pli'nar] *adj.* relativo a várias disciplinas

multifacetado (mul.ti.fa.ce.ta.do) [muł[...]sə'tadu] *adj.* que tem várias faces ou vários as[...]tos

multifunções (mul.ti.fun.ções) [mułtifũ's[...] *adj.inv.* designativo dos aparelhos ou equipam[...]tos que reúnem várias funções

multilingue (mul.ti.lin.gue) [mułti'lĩg(ə)] *ad[...]* **1** (texto) escrito em diversas línguas **2** (pes[...]) que fala diversas línguas

multimédia (mul.ti.mé.di:a) [mułti'mɛdjɐ] *n[...]* tecnologia que combina vários meios de exp[...]são, como o texto, a imagem e o som

multimilionário (mul.ti.mi.li:o.ná.ri:o) [mułt[...]ju'narju] *adj.,n.m.* que ou indivíduo que é mu[...]simo rico

multinacional (mul.ti.na.ci:o.nal) [mułtinɐsju'[...] *n.f.* empresa que tem atividades e negócios [...] vários países

multipartidário (mul.ti.par.ti.dá.ri:o) [mułt[...]ti'darju] *adj.* relativo ou pertencente a vários pa[...]dos políticos

multiplicação (mul.ti.pli.ca.ção) [mułtiplikɐ's[...] *n.f.* **1** ato ou efeito de multiplicar; reprodu[...] **2** operação matemática que consiste em rep[...] um número tantas vezes quantas são as un[...]des de outro

multiplicador **(mul.ti.pli.ca.dor)** [mułtiplikɐ'dor] *adj.* que se multiplica ou reproduz ■ *n.m.* número pelo qual outro é multiplicado

multiplicando **(mul.ti.pli.can.do)** [mułtipli'kɐ̃du] *n.m.* número que é multiplicado por outro

multiplicar **(mul.ti.pli.car)** [mułtipli'kar] *v.* **1** aumentar a quantidade de; reproduzir **2** ⟨+por⟩ fazer uma multiplicação: *multiplicar dois por quatro* ■ **multiplicar-se** crescer em número; reproduzir-se

multiplicativo **(mul.ti.pli.ca.ti.vo)** [mułtiplikɐ'tivu] *adj.* **1** que provoca multiplicação **2** diz-se do numeral que indica multiplicação

multiplicidade **(mul.ti.pli.ci.da.de)** [mułtiplisi'dad(ə)] *n.f.* variedade; diversidade ◆ **grau de multiplicidade de um fator primo** expoente que esse fator representa na decomposição de um número em fatores primos

múltiplo **(múl.ti.plo)** ['mułtiplu] *adj.* **1** que tem várias partes **2** composto por elementos diversos **3** diz-se do número que contém outro um número exato de vezes (por exemplo, 20 é múltiplo de 5)

multirracial **(mul.tir.ra.ci:al)** [mułtiʀɐ'sjał] *adj.2g.* **1** relativo a várias raças **2** que é composto por diferentes grupos raciais

multirrisco **(mul.tir.ris.co)** [mułti'ʀiʃku] *n.m.2n., adj.inv.* (seguro) que contempla vários tipos de riscos

multiusos **(mul.ti.u.sos)** [mułti'uzuʃ] *adj.inv.* que pode servir para várias funções

múmia **(mú.mi:a)** ['mumjɐ] *n.f.* cadáver embalsamado

mundano **(mun.da.no)** [mũ'dɐnu] *adj.* relativo ao mundo ou à sociedade

mundial **(mun.di:al)** [mũ'djał] *adj.2g.* relativo a todo o mundo **SIN.** universal ■ *n.m.* campeonato no qual participam diversos países

mundividência **(mun.di.vi.dên.ci:a)** [mũdivi'dẽsjɐ] *n.f.* visão ou conceção do mundo

mundo **(mun.do)** ['mũdu] *n.m.* **1** conjunto de todos os astros e planetas; universo **2** planeta Terra **3** a totalidade das pessoas; humanidade ◆ **coisa do outro mundo** coisa fora do comum; **fim do mundo** lugar distante ou afastado; **meio mundo** muitas pessoas; **vir ao mundo** nascer

mungir **(mun.gir)** [mũ'ʒir] *v.* ordenhar

munição **(mu.ni.ção)** [muni'sɐ̃w̃] *n.f.* cartuchos e balas necessários para fazer fogo

municipal **(mu.ni.ci.pal)** [munisi'pał] *adj.2g.* relativo a município

munícipe **(mu.ní.ci.pe)** [mu'nisip(ə)] *n.2g.* pessoa que habita num município

município **(mu.ni.cí.pi:o)** [muni'sipju] *n.m.* zona administrada por uma câmara municipal

munido **(mu.ni.do)** [mu'nidu] *adj.* **1** abastecido **2** preparado

munir(-se) **(mu.nir(-se))** [mu'nir(sə)] *v.* ⟨**+de**⟩ prover(-se) do necessário **SIN.** abastecer(-se)

mural **(mu.ral)** [mu'rał] *adj.2g.* relativo a muro ■ *n.m.* pintura feita num muro ou numa parede

muralha **(mu.ra.lha)** [mu'raʎɐ] *n.f.* muro que protege uma fortaleza

murar **(mu.rar)** [mu'rar] *v.* cercar com muro; fortificar

murchar **(mur.char)** [mur'ʃar] *v.* perder a frescura ou a força; secar

murcho **(mur.cho)** ['murʃu] *adj.* que perdeu a frescura ou a força; seco

murmurar **(mur.mu.rar)** [murmu'rar] *v.* dizer em voz baixa; segredar **SIN.** sussurrar

murmúrio **(mur.mú.ri:o)** [mur'murju] *n.m.* som abafado de vozes **SIN.** sussurro

muro **(mu.ro)** ['muru] *n.m.* parede que cerca determinada área

murro **(mur.ro)** ['muʀu] *n.m.* soco

musa **(mu.sa)** ['muzɐ] *n.f.* mulher que dá inspiração (a um poeta ou a um artista)

musaranho **(mu.sa.ra.nho)** [muzɐ'rɐɲu] *n.m.* pequeno animal mamífero com pelagem densa, patas curtas e focinho longo

musculação **(mus.cu.la.ção)** [muʃkulɐ'sɐ̃w̃] *n.f.* conjunto de exercícios para fortalecer os músculos

musculado **(mus.cu.la.do)** [muʃku'ladu] *adj.* robusto; forte

muscular **(mus.cu.lar)** [muʃku'lar] *adj.2g.* relativo a músculo

musculatura **(mus.cu.la.tu.ra)** [muʃkulɐ'turɐ] *n.f.* conjunto dos músculos do corpo

músculo **(mús.cu.lo)** ['muʃkulu] *n.m.* órgão formado por tecido que se contrai, e que produz os movimentos do corpo ◆ *coloq.* **fazer músculo** armar-se em forte

musculoso **(mus.cu.lo.so)** [muʃku'lozu] *adj.* muito forte; robusto

museu **(mu.seu)** [mu'zew] *n.m.* lugar onde estão reunidas e expostas obras de arte e objetos de interesse cultural, científico, etc.

musgo **(mus.go)** ['muʒgu] *n.m.* planta rasteira que cresce em lugares húmidos

música (mú.si.ca) ['muzikɐ] *n.f.* **1** arte de combinar vários sons com harmonia **2** conjunto de sons agradáveis ♦ *coloq.* **dançar conforme a música** agir de acordo com as circunstâncias; **dar música a alguém** tentar enganar, convencer ou seduzir alguém com discurso hábil e encantador

musical (mu.si.cal) [muzi'kaɫ] *adj.2g.* **1** relativo a música **2** harmonioso ■ *n.m.* filme ou espetáculo com música, canto e dança

musicalidade (mu.si.ca.li.da.de) [muzikɐli'dad(ə)] *n.f.* sonoridade agradável ou harmoniosa

musicar (mu.si.car) [muzi'kar] *v.* compor música

music-hall [muzi'kɔɫ] *n.m.* **1** espetáculo variado com cenas musicais, danças, etc. **2** lugar onde se pode assistir a espetáculos musicais e de variedades **SIN.** café-concerto

músico (mú.si.co) ['muziku] *n.m.* **1** pessoa que compõe peças musicais **2** pessoa que toca um instrumento musical

musselina (mus.se.li.na) [musə'linɐ] *n.f.* tecido leve e transparente, de algodão, lã ou seda

mutação (mu.ta.ção) [mutɐ'sɐ̃w̃] *n.f.* alteração de forma **SIN.** transformação ♦ **mutação genética** alteração súbita na composição genética de u[m] indivíduo, sem relação com os ascendentes

mutante (mu.tan.te) [mu'tɐ̃t(ə)] *n.2g.* **1** ser viv[o] que sofreu mutação **2** ser imaginário, resultan[te] da mutação da espécie humana

mutável (mu.tá.vel) [mu'tavɛɫ] *adj.2g.* que pod[e] mudar; alterável

mutilação (mu.ti.la.ção) [mutilɐ'sɐ̃w̃] *n.f.* amput[a]ção de uma parte do corpo

mutilado (mu.ti.la.do) [muti'ladu] *adj.* que perde[u] um órgão ou uma parte do corpo; amputado

mutilar (mu.ti.lar) [muti'lar] *v.* **1** cortar um órgã[o] ou uma parte do corpo **2** *fig.* retirar uma par[te] importante de

mutuamente (mu.tu:a.men.te) [mutwɐ'mẽt(ə)] *adv.* um ao outro **SIN.** reciprocamente

mútuo (mú.tu:o) ['mutwu] *adj.* que acontece d[e] uma pessoa para outra e vice-versa **SIN.** rec[í]proco

muzongue (mu.zon.gue) [mu'zõg(ə)] *n.m.* [ANG] caldo de peixes variados, cozidos com mandio[ca] e óleo de palma

N

n ['ɛn] *n.m.* consoante, décima quarta letra do alfabeto, que está entre as letras *m* e *o*

N *símbolo de* Norte

nabiça (na.bi.ça) [nɐ'bisɐ] *n.f.* rama do nabo

nabo (na.bo) ['nabu] *n.m.* **1** planta herbácea, com tubérculo arredondado, de cor branca ou roxa **2** tubérculo comestível dessa planta **3** *coloq.* pessoa estúpida ◆ *coloq.* **tirar nabos da púcara** interrogar alguém disfarçada ou indiretamente

nação (na.ção) [nɐ'sɐ̃w̃] *n.f.* **1** conjunto de pessoas que vivem num território, partilham a língua, a história e a cultura, e têm um governo único **2** território onde vivem essas pessoas; país; pátria

nacional (na.ci:o.nal) [nɐsju'naɫ] *adj.2g.* **1** relativo a uma nação **2** que pertence a uma nação

nacionalidade (na.ci:o.na.li.da.de) [nɐsjunɐli'dad(ə)] *n.f.* **1** estado de quem pertence a uma nação; naturalidade **2** conjunto de características de uma nação

nacionalismo (na.ci:o.na.lis.mo) [nɐsjunɐ'liʒmu] *n.m.* **1** defesa dos interesses nacionais **2** movimento que defende a independência de uma região

nacionalista (na.ci:o.na.lis.ta) [nɐsjunɐ'liʃtɐ] *adj.2g.* relativo a nacionalismo; patriótico ■ *n.2g.* **1** pessoa que defende os interesses de uma nação **2** pessoa que defende a independência de uma região

nacionalização (na.ci:o.na.li.za.ção) [nɐsjunɐlizɐ'sɐ̃w̃] *n.f.* apropriação por um Estado de uma indústria ou outra atividade económica anteriormente explorada por uma entidade privada

nacionalizar (na.ci:o.na.li.zar) [nɐsjunɐli'zar] *v.* **1** tornar nacional; naturalizar **2** conceder (a estrangeiro) o direito de cidadania **SIN.** naturalizar **3** transformar em propriedade do Estado ■ **nacionalizar-se** adquirir os direitos e privilégios de cidadão nacional **SIN.** naturalizar-se

naco (na.co) ['naku] *n.m.* pedaço; porção

nada (na.da) ['nadɐ] *prn.indef.* coisa nenhuma: *Ele hoje ainda não fez nada.* **ANT.** tudo ■ *adv.* de modo nenhum: *A casa não foi nada cara.* ■ *n.m.* **1** o que não existe; o vazio: *Ele surgiu do nada.* **2** pequena porção ou quantidade: *A sopa precisa de um nada de sal.* ◆ **como se nada fosse** sem dar atenção ou importância a; **dar em nada** não obter qualquer resultado; **de nada!** exclamação em resposta a um agradecimento; **nada de novo** nenhuma novidade; **nada disso** de forma alguma; **nada feito** sem resultado; **nada mais nada menos** precisamente; **não dar nada por** não atribuir valor a; **não dar por nada** não notar/reparar; **por tudo e por nada** por qualquer coisa

nadador (na.da.dor) [nɐdɐ'dor] *n.m.* pessoa que pratica natação

nadador-salvador (na.da.dor-.sal.va.dor) [nɐdɐdorsaɫvɐ'dor] *n.m.* ⟨*pl.* nadadores-salvadores⟩ profissional que vigia as praias e faz operações de salvamento; banheiro

nadar (na.dar) [nɐ'dar] *v.* **1** mover-se na água usando os braços e as pernas: *Não sei nadar.* **2** ⟨**+em**⟩ estar mergulhado num líquido: *O arroz nadava na calda.* **3** ⟨**+em**⟩ possuir em abundância: *Ele nada em dinheiro.* **4** ⟨**+em**⟩ estar muito largo (peça de vestuário ou calçado): *Ela nada completamente no vestido* ◆ **ficar a nadar** ficar sem perceber nada

nádega (ná.de.ga) ['nadəgɐ] *n.f.* cada uma das partes carnudas situadas ao fundo das costas; rabo

nadinha (na.di.nha) [nɐ'diɲɐ] ⟨*dim. de* nada⟩ *n.m.* **1** parte muito pequena **2** coisa nenhuma

nado (na.do) ['nadu] *n.m.* prática de natação ◆ **a nado** nadando

nado-morto (na.do-.mor.to) [nadu'mortu] *n.m.* ⟨*pl.* nados-mortos⟩ feto que foi expulso sem vida do útero materno

naftalina (naf.ta.li.na) [nɐftɐ'linɐ] *n.f.* **1** designação comum do naftaleno **2** substância utilizada para proteger tecidos, roupas, peles, etc., de traças e outros insetos

náilon (nái.lon) ['najlɔn] *n.m.* ⇒ **nylon**

naipe (nai.pe) ['najp(ə)] *n.m.* cada um dos quatro grupos de cartas de um baralho

nalgum (nal.gum) [naɫ'gũ] *contr. de prep.* em + *pron. indef.* algum

namibiano (na.mi.bi:a.no) [nɐmi'bjɐnu] *adj.* relativo à Namíbia ■ *n.m.* natural ou habitante da Namíbia

namorada (na.mo.ra.da) [nɐmu'radɐ] *n.f.* rapariga que namora

namoradeiro (na.mo.ra.dei.ro) [nɐmurɐ'dɐjru] *adj.* que gosta de namorar; que namora muito

namorado (na.mo.ra.do) [nɐmu'radu] *n.m.* rapaz que namora

namorar (na.mo.rar) [nɐmu'rar] *v.* **1** ⟨**+com**⟩ manter uma relação amorosa: *Ele namora com uma atriz.* **2** *fig.* desejar; cobiçar: *Ela anda a namorar aqueles sapatos há meses.*

namoro (na.mo.ro) [nɐ'moru] *n.m.* relação amorosa entre namorados

nanar (na.nar) [nɐ'nar] *v. infant.* dormir

nanquim (nan.quim) [nɐ̃'kĩ] *n.m.* **1** tinta preta utilizada em desenhos e aguarelas **2** desenho feito com essa tinta

não (não) ['nɐ̃w̃] *adv.* de modo nenhum ■ *n.m.* resposta negativa; recusa ♦ **a não ser que** exceto se; salvo se; **pelo sim, pelo não** na dúvida

não-contável (não-.con.tá.vel) [nɐ̃w̃kõ'tavɛɫ] *a nova grafia é* **não contável**[AO]

não contável (não con.tá.vel)[AO] [nɐ̃w̃kõ'tavɛɫ] *adj.2g.* diz-se do nome que se refere a algo que não se pode enumerar ou em que não é possível distinguir partes singulares

não-cumprimento (não-.cum.pri.men.to) [nɐ̃w̃ kũpri'mẽtu] *a nova grafia é* **não cumprimento**[AO]

não cumprimento (não cum.pri.men.to)[AO] [nɐ̃w̃kũpri'mẽtu] *n.m.* recusa em cumprir (uma lei, um regulamento); desobediência

não-fumador (não-.fu.ma.dor) [nɐ̃w̃fumɐ'dor] *a nova grafia é* **não fumador**[AO]

não fumador (não fu.ma.dor)[AO] [nɐ̃w̃fumɐ'dor] *n.m.* ⟨*pl.* não fumadores⟩ pessoa que não fuma

napa (na.pa) ['napɐ] *n.f.* **1** pele fina e macia, usada na confeção de luvas, bolsas, etc. **2** material sintético semelhante a essa pele

naquele (na.que.le) [nɐ'kel(ə)] *contr. de prep.* em + *det.* ou *pron. dem.* aquele

naquilo (na.qui.lo) [nɐ'kilu] *contr. de prep.* em + *pron. dem.* aquilo

narcisismo (nar.ci.sis.mo) [narsi'ziʒmu] *n.m.* amor excessivo por si próprio

narcisista (nar.ci.sis.ta) [narsi'ziʃtɐ] *adj.2g.* que sente uma admiração excessiva por si próprio

narciso (nar.ci.so) [nar'sizu] *n.m.* 👁 flor aromática, amarela ou branca, que nasce de uma planta com o mesmo nome

narcótico (nar.có.ti.co) [nɐr'kɔtiku] *n.m.* substância que reduz a sensibilidade e que pode causar dependência; droga

narcotraficante (nar.co.tra.fi.can.te) [narkɔtrɐfi'kɐ̃t(ə)] *n.2g.* pessoa que se dedica ao tráfico de drogas

narcotráfico (nar.co.trá.fi.co) [narkɔ'trafiku] *n.m.* tráfico de drogas

narigudo (na.ri.gu.do) [nɐri'gudu] *adj.* que tem um nariz grande

narina (na.ri.na) [nɐ'rinɐ] *n.f.* cada uma das duas aberturas do nariz

nariz (na.riz) [nɐ'riʃ] *n.m.* **1** órgão do olfato, situado entre os olhos e a boca, que faz parte do sistema respiratório **2** focinho dos animais ♦ **dar/bater com o nariz na porta** não conseguir aquilo que se procurava; **meter o nariz em** intrometer-se em; **torcer o nariz** mostrar desagrado ou má vontade

narração (nar.ra.ção) [nɐʀɐ'sɐ̃w̃] *n.f.* **1** relato de um acontecimento ou de uma série de factos, reais ou imaginários, por meio de palavras **2** história; conto

narrador (nar.ra.dor) [nɐʀɐ'dor] *n.m.* pessoa que conta uma história

narrar (nar.rar) [nɐ'ʀar] *v.* contar (um facto, uma história); relatar

narratário (nar.ra.tá.ri:o) [nɐʀɐ'tarju] *n.m.* destinatário de um texto narrativo

narrativa (nar.ra.ti.va) [nɐʀɐ'tivɐ] *n.f.* **1** ato ou processo de narrar **2** relato de um acontecimento ou de uma série de factos, reais ou imaginários, por meio de palavras **3** história; conto

narrativo (nar.ra.ti.vo) [nɐʀɐ'tivu] *adj.* **1** relativo à narração **2** que tem forma de narração

narratologia (nar.ra.to.lo.gi.a) [nɐʀɐtulu'ʒiɐ] *n.f.* disciplina que se dedica ao estudo da narrativa

nasal (na.sal) [nɐ'saɫ] *adj.2g.* relativo ao nariz

nasalidade (na.sa.li.da.de) [nɐzɐli'dad(ə)] *n.f.* qualidade do som nasal

nasalização (na.sa.li.za.ção) [nɐzɐlizɐ'sɐ̃w̃] *n.f.* processo em que uma vogal adquire som nasal

nascença (nas.cen.ça) [nɐʃ'sẽsɐ] *n.f.* **1** ato de nascer **SIN.** nascimento **2** início de alguma coisa **SIN.** princípio; começo ♦ **à nascença** no momento do nascimento; no início; **de nascença** desde o início; desde o nascimento **SIN.** inato

nascente (nas.cen.te) [nɐʃ'sẽt(ə)] *adj.2g.* **1** que nasce **2** que está a começar ■ *n.m.* lado onde nasce o Sol; este; leste ■ *n.f.* lugar onde nasce um curso de água; fonte

nascer (nas.cer) [nɐʃ'ser] *v.* **1** iniciar (uma pessoa, um animal) a vida de modo autónomo **ANT.** morrer **2** brotar (planta) **3** aparecer **4** começar

nascimento (nas.ci.men.to) [nɐʃsi'mẽtu] *n.m.* **1** início da vida um ser vivo fora do ventre materno; nascença **ANT.** morte **2** aparecimento **3** começo

ata (na.ta) ['natɐ] *n.f.* **1** camada gordurosa que se forma à superfície do leite e que é usada para fazer manteiga **2** *fig.* a melhor parte de algo

atação (na.ta.ção) [nɐtɐ'sɐ̃w̃] *n.f.* atividade ou desporto que consiste em nadar

atal (na.tal) [nɐ'taɫ] *adj.2g.* relativo ao local ou data do nascimento ▪ **Natal** *n.m.* festa anual em que se comemora o nascimento de Jesus Cristo (25 de dezembro)

Em Portugal, o **Natal** é cristão. No entanto, é caracterizado por tradições como o Pai Natal, o bolo-rei, a árvore de Natal e a respetiva iluminação, o peru e as prendas.

---

atalício (na.ta.lí.ci:o) [nɐtɐ'lisju] *adj.* **1** relativo ao dia do nascimento **2** relativo ao Natal

atalidade (na.ta.li.da.de) [nɐtɐli'dad(ə)] *n.f.* número de nascimentos ocorridos num dado período de tempo numa região

atividade (na.ti.vi.da.de) [nɐtivi'dad(ə)] *n.f.* **1** nascimento (especialmente de Jesus Cristo e dos santos) **2** festa do Natal

ativo (na.ti.vo) [nɐ'tivu] *n.2g.* pessoa que é natural do lugar onde vive SIN. indígena

ato (na.to) ['natu] *adj.* que nasceu com a pessoa SIN. congénito; natural

'ATO ['natu] *n. f.* Organização do Tratado do Atlântico Norte (OTAN) OBS. Sigla de *North Atlantic Treaty Organization*

atural (na.tu.ral) [nɐtu'raɫ] *adj.2g.* **1** relativo à natureza; próprio da natureza **2** que não sofreu modificação nem mistura; puro **3** que não foi planeado; espontâneo **4** que nasceu em; oriundo ♦ **ser natural de** ter nascido em

aturalidade (na.tu.ra.li.da.de) [nɐturɐli'dad(ə)] *n.f.* **1** qualidade do que é natural SIN. simplicidade **2** lugar onde se nasceu SIN. origem

aturalismo (na.tu.ra.lis.mo) [nɐturɐ'liʒmu] *n.m.* movimento surgido na segunda metade do século XIX, que defendia a imitação direta e o mais fiel possível da natureza

aturalista (na.tu.ra.lis.ta) [nɐturɐ'liʃtɐ] *adj.2g.* relativo ao naturalismo ▪ *n.2g.* **1** pessoa que se dedica ao estudo das ciências naturais **2** pessoa partidária do naturalismo

aturalização (na.tu.ra.li.za.ção) [nɐturɐlizɐ'sɐ̃w̃] *n.f.* ato pelo qual uma pessoa se torna legalmente cidadão de um país estrangeiro

aturalizar (na.tu.ra.li.zar) [nɐturɐli'zar] *v.* **1** conceder (a estrangeiro) o estatuto e os direitos de cidadão **2** tornar nacional; nacionalizar **3** adaptar (animais, plantas) a clima ou ambiente diferente SIN. aclimatar ▪ **naturalizar-se** tornar-se cidadão de um país estrangeiro

natureza (na.tu.re.za) [nɐtu'rezɐ] *n.f.* **1** conjunto de elementos (animais, árvores, mares, rios, montanhas, etc.) do mundo físico que não foram criados pelo Homem **2** traços próprios de uma pessoa (comportamento, maneira de falar, de pensar, etc.); temperamento **3** conjunto de características de um animal ou de uma coisa; tipo

natureza-morta (na.tu.re.za-.mor.ta) [nɐturezɐ'mɔrtɐ] *n.f.* ⟨*pl.* naturezas-mortas⟩ representação de seres inanimados

naturismo (na.tu.ris.mo) [nɐtu'riʒmu] *n.m.* teoria que propõe um regime de vida próximo da natureza

naturista (na.tu.ris.ta) [nɐtu'riʃtɐ] *adj.2g.* **1** relativo a naturismo **2** que defende o naturismo ▪ *n.2g.* pessoa que defende o naturismo

nau (nau) ['naw] *n.f.* navio antigo de velas redondas

naufragar (nau.fra.gar) [nawfrɐ'gar] *v.* ir ao fundo (um navio)

naufrágio (nau.frá.gi:o) [naw'fraʒju] *n.m.* perda de um navio no mar

náufrago (náu.fra.go) ['nawfrɐgu] *n.m.* pessoa que sobreviveu a um naufrágio

náusea (náu.se:a) ['nawzjɐ] *n.f.* vontade de vomitar; enjoo

nauseabundo (nau.se:a.bun.do) [nawzjɐ'bũdu] *adj.* **1** que produz náuseas **2** nojento; repugnante

náutica (náu.ti.ca) ['nawtikɐ] *n.f.* arte ou ciência de navegar; navegação

náutico (náu.ti.co) ['nawtiku] *adj.* relativo à navegação

naval (na.val) [nɐ'vaɫ] *adj.2g.* relativo a navios ou a navegação

navalha (na.va.lha) [nɐ'vaʎɐ] *n.f.* instrumento cortante com uma lâmina que se dobra para dentro do cabo

navalhada (na.va.lha.da) [nɐvɐ'ʎadɐ] *n.f.* golpe feito com navalha

nave (na.ve) ['nav(ə)] *n.f.* **1** veículo, tripulado ou não, próprio para explorar o espaço e para fazer viagens entre planetas **2** espaço central de uma igreja, que vai do pórtico até o altar

navegação (na.ve.ga.ção) [nɐvəgɐ'sɐ̃w̃] *n.f.* **1** viagem ou transporte por mar, lago ou rio **2** arte e ciência de dirigir um barco **3** na internet, ato de fazer pesquisas em diversas páginas através da rede

navegador (na.ve.ga.dor) [nɐvəgɐ'dor] *n.m.* **1** pessoa que navega **2** especialista em navegação marítima ou aérea

navegar (na.ve.gar) [nɐvə'gar] *v.* **1** viajar por mar **2** consultar páginas da internet

navegável (na.ve.gá.vel) [nɐvəˈgavɛɫ] *adj.2g.* em que se pode navegar

navio (na.vi.o) [nɐˈviu] *n.m.* barco grande ◆ *coloq.* **ficar a ver navios** não conseguir aquilo que se desejava

navio-escola (na.vi.o-.es.co.la) [nɐviu(i)ʃˈkɔlɐ] *n.m.* ⟨*pl.* navios-escola⟩ navio onde os futuros oficiais fazem a sua instrução

navio-hospital (na.vi.o-.hos.pi.tal) [nɐviuɔʃpiˈtaɫ] *n.m.* navio que se destina a recolher e tratar feridos e doentes

nazi (na.zi) [naˈzi] *adj.2g.* relativo a nazismo ■ *n.2g.* pessoa partidária do nazismo

nazismo (na.zis.mo) [naˈziʒmu] *n.m.* doutrina política e social, imperialista e totalitária, baseada em ideias de superioridade de raça, que foi adotada pelo partido fundado por Hitler (1889-1945)

N.B. fórmula que chama a atenção para algo importante ou complementar **OBS.** Abreviatura de *nota bene*

neblina (ne.bli.na) [nəˈblinɐ] *n.f.* névoa densa e baixa

nebulosidade (ne.bu.lo.si.da.de) [nəbuluziˈdad(ə)] *n.f.* **1** estado do que é nebuloso **2** camada de nuvens em suspensão na atmosfera

nebuloso (ne.bu.lo.so) [nəbuˈlozu] *adj.* **1** coberto de névoa ou de nuvens; enevoado; nublado **2** que não se vê bem; pouco nítido; indistinto

necessaire [neseˈsɛr(ə)] *n.m.* bolsa ou estojo de senhora para objetos de uso pessoal ou de toilette

necessário (ne.ces.sá.ri:o) [nəsəˈsarju] *adj.* **1** que é essencial **SIN.** fundamental; indispensável **2** que se deve fazer

necessidade (ne.ces.si.da.de) [nəsəsiˈdad(ə)] *n.f.* **1** aquilo que é absolutamente necessário **2** dever; obrigação **3** pobreza extrema; miséria ◆ *coloq.* **fazer as necessidades** defecar ou urinar; **por necessidade** por imposição material ou moral

necessitado (ne.ces.si.ta.do) [nəsəsiˈtadu] *adj.* **1** que tem necessidade de **2** diz-se da pessoa que não tem aquilo que é necessário para sobreviver (alimentos, roupa, etc.)

necessitar (ne.ces.si.tar) [nəsəsiˈtar] *v.* ⟨**+de**⟩ ter necessidade de; precisar de: *Necessito da tua ajuda.*

necrófago (ne.cró.fa.go) [nəˈkrɔfɐgu] *adj.,n.m.* (animal) que se alimenta de cadáveres ou substâncias em decomposição

necrologia (ne.cro.lo.gi.a) [nəkruluˈʒiɐ] *n.f.* **1** registo das pessoas falecidas numa determinada data ou durante um dado período **2** parte de uma publicação periódica onde se noticiam falecimentos

necrópole (ne.cró.po.le) [nəˈkrɔpul(ə)] *n.f.* **1** nas cidades antigas, escavação subterrânea onde se sepultavam os mortos **2** local onde se enterram cadáveres; cemitério

néctar (néc.tar) [ˈnɛktar] *n.m.* **1** solução açucarada produzida pelas flores e plantas, que as abelhas usam para fazer o mel **2** qualquer bebida deliciosa

nectarina (nec.ta.ri.na) [nɛktɐˈrinɐ] *n.f.* 👁 variedade de pêssego cuja pele é lisa e sem pelos

NEE [ɛnɛˈɛ] *sigla de* Necessidades Educativas Especiais

neerlandês (ne:er.lan.dês) [njerlɐ̃ˈdeʃ] *adj.* dos Países Baixos ■ *n.m.* **1** pessoa de nacionalidade neerlandesa **2** língua falada sobretudo nos Países Baixos e na Bélgica

nefasto (ne.fas.to) [nəˈfaʃtu] *adj.* **1** prejudicial **2** trágico

nega (ne.ga) [ˈnɛgɐ] *n.f.* **1** *coloq.* recusa; rejeição **2** *gír.* nota negativa

negação (ne.ga.ção) [nəgɐˈsɐ̃w̃] *n.f.* **1** ato de afirmar que uma coisa não é verdadeira **2** ato de dizer que não a uma pergunta ou a um pedido; recusa

negar (ne.gar) [nəˈgar] *v.* **1** dizer não: *Foi questionado e negou tudo.* **2** afirmar que algo não é verdadeiro ou não existe: *Negou a sua participação no crime.* **3** recusar; rejeitar: *Negou aos funcionários um dia de folga.* ■ **negar-se** ⟨**+a**⟩ recusar-se: *Negou-se a prestar declarações.*

negativa (ne.ga.ti.va) [nəgɐˈtivɐ] *n.f.* **1** negação **2** recusa **3** nota escolar abaixo do nível médio

negativo (ne.ga.ti.vo) [nəgɐˈtivu] *adj.* **1** que exprime negação **ANT.** positivo **2** diz-se do número precedido do sinal menos **3** diz-se da temperatura abaixo de zero graus centígrados ■ *n.m.* prova fotográfica em que as partes claras do objeto fotografado aparecem escuras e vice-versa

negligência (ne.gli.gên.ci:a) [nəgliˈʒẽsjɐ] *n.f.* falta de cuidado; desleixo

negligenciar (ne.gli.gen.ci:ar) [nəgliʒẽˈsjar] *v.* não dar atenção a **SIN.** descuidar

negligente (ne.gli.gen.te) [nəgliˈʒẽt(ə)] *adj.2g.* descuidado; desleixado

negociação (ne.go.ci:a.ção) [nəgusjɐˈsɐ̃w̃] *n.f.* ato ou processo de negociar; acordo

negociador (ne.go.ci:a.dor) [nəgusjɐˈdor] *n.m.* pessoa que se ocupa de negócios de outras pessoas; intermediário

negociante (ne.go.ci:an.te) [nəgu'sjɐ̃t(ə)] *n.2g.* pessoa que faz negócios; comerciante

negociar (ne.go.ci:ar) [nəgu'sjar] *v.* **1** ⟨**+com**⟩ fazer negócios **2** ⟨**+com**⟩ estabelecer acordo com

negociável (ne.go.ci:á.vel) [nəgu'sjavɛɫ] *adj.2g.* **1** que se pode vender ou comprar **2** diz-se do preço que pode baixar ou subir por meio de um acordo

negócio (ne.gó.ci:o) [nə'gɔsju] *n.m.* **1** transação comercial **2** acordo; contrato

negra (ne.gra) ['negrɐ] *n.f.* **1** nódoa escura na pele causada por pancada ou embate **2** mulher de raça negra

negrito (ne.gri.to) [nə'gritu] *n.m.* tipo de traço mais grosso que o normal usado nos textos impressos para destacar palavras; negro

negro (ne.gro) ['negru] *adj.* de cor muito escura; preto ■ *n.m.* **1** cor do carvão ou da pelagem do corvo **2** homem de raça negra

nele (ne.le) ['nel(ə)] *contr. de prep.* em + *pron. pess.* ele

nem (nem) ['nɐ̃j] *conj.* **1** também não: *Não comeu arroz nem batatas.* **2** e não: *Não veio nem avisou.* ■ *adv.* **1** não: *Nem penses em fazer isso.* **2** sequer: *Não tenho tempo nem para comer.* ♦ **nem que** ainda que; mesmo que: *Não saio de casa, nem que faça sol todo o dia.*; **que nem** como; do mesmo modo: *Come que nem um leão.*

nenecar (ne.ne.car) [nɛnɛ'kar] *v.* [MOÇ.] embalar (uma criança); adormecer

nenhum (ne.nhum) [nə'ɲũ] *det.,prn.indef.* **1** nem um: *Nenhum dos livros teve sucesso.* **2** qualquer: *Isso não tem nenhuma garantia.* ♦ *coloq.* **não fazer nenhum** não fazer nada; não trabalhar

nenúfar (ne.nú.far) [nə'nufar] *n.m.* planta aquática com folhas largas e flores brancas ou amarelas

neoclassicismo (ne.o.clas.si.cis.mo) [nɛɔklɐsi'siʒmu] *n.m.* movimento surgido na segunda metade do século XVIII que preconizava a imitação dos modelos clássicos

neoclássico (ne.o.clás.si.co) [nɛɔ'klasiku] *adj.* relativo ao neoclassicismo ■ *n.m.* pessoa que segue os modelos do neoclassicismo

neologia (ne.o.lo.gi.a) [nɛɔlu'ʒiɐ] *n.f.* processo de criação de palavras novas ou de novas aceções numa língua

neologismo (ne.o.lo.gis.mo) [nɛɔlu'ʒiʒmu] *n.m.* **1** palavra ou expressão nova numa língua ou sentido novo de uma palavra ou expressão já existente **2** emprego de palavras ou de expressões novas para representar novas realidades

néon (né.on) ['nɛɔn] *n.m.* **1** gás nobre, muito bom condutor elétrico, usado em lâmpadas e anúncios luminosos **2** peixe que habita em mares quentes e tem uma coloração brilhante

neonazi (ne.o.na.zi) [nɛɔna'zi] *n.2g.* pessoa partidária do neonazismo

neonazismo (ne.o.na.zis.mo) [nɛɔna'ziʒmu] *n.m.* movimento político inspirado nas ideologias racistas do nazismo, caracterizado por atitudes xenófobas

neoplastia (ne.o.plas.ti.a) [nɛɔplɐʃ'tiɐ] *n.f.* restauração de tecidos orgânicos destruídos através de operação plástica

neozelandês (ne.o.ze.lan.dês) [nɛɔzəlɐ̃'deʃ] *adj.* relativo à Nova Zelândia (no Oceano Pacífico) ■ *n.m.* pessoa natural da Nova Zelândia

nepalês (ne.pa.lês) [nəpɐ'leʃ] *adj.* relativo ao Nepal ■ *n.m.* **1** pessoa natural do Nepal (Ásia Central) **2** língua indo-europeia falada no Nepal

népia (né.pi:a) ['nɛpjɐ] *n.f. coloq.* coisa nenhuma; nada

nepotismo (ne.po.tis.mo) [nəpu'tiʒmu] *n.m.* preferência dada por favor e não por mérito; favoritismo

Neptuno (Nep.tu.no) [nɛ'ptunu] *n.m.* planeta do sistema solar, situado entre Urano e Plutão

nervo (ner.vo) ['nervu] *n.m.* órgão em forma de cordão, que conduz e transmite impulsos nervosos do cérebro para as diversas partes do corpo ♦ **andar com os nervos à flor da pele 1** andar muito enervado **2** irritar-se com facilidade; **causar/meter nervos** irritar; enervar; **ter os nervos em franja** estar muito nervoso

nervosismo (ner.vo.sis.mo) [nərvu'ziʒmu] *n.m.* estado de quem está inquieto ou irritado; tensão nervosa; irritabilidade

nervoso (ner.vo.so) [nər'vozu] *adj.* **1** relativo a nervo **2** que está inquieto ou irritado; tenso

nervura (ner.vu.ra) [nər'vurɐ] *n.f.* **1** canal condutor de seiva que se encontra nas folhas das plantas **2** prega fina e longa numa superfície ou num tecido

nêspera (nês.pe.ra) ['neʃpərɐ] *n.f.* fruto arredondado de casca amarelada e mole, doce e com vários caroços

nespereira (nes.pe.rei.ra) [nəʃpə'rɐjrɐ] *n.f.* árvore que produz nêsperas

nesse (nes.se) ['ne(sə)] *contr. de prep.* em + *det.* ou *pron. dem.* esse

neste (nes.te) ['neʃt(ə)] *contr. de prep.* em + *det.* ou *pron. dem.* este

net ['nɛt] *n.f.* [também com maiúscula] *coloq.* internet

neta (ne.ta) ['nɛtɐ] *n.f.* filha do filho ou da filha

netiqueta (ne.ti.que.ta) [nɛti'ketɐ] *n.f.* conjunto de regras e conselhos a utilizar na internet

neto (ne.to) ['nɛtu] *n.m.* filho do filho ou da filha

network ['nɛtwɐrk] *n.f.* rede de computadores ligados entre si

neura (neu.ra) ['newrɐ] *n.f. coloq.* mau humor; irritação

neurocirurgia (neu.ro.ci.rur.gi.a) [newrɔsirur'ʒiɐ] *n.f.* cirurgia do sistema nervoso

neurocirurgião (neu.ro.ci.rur.gi.ão) [newrɔsirur'ʒjɐ̃w̃] *n.m.* especialista em cirurgia do sistema nervoso

neurologia (neu.ro.lo.gi.a) [newrulu'ʒiɐ] *n.f.* especialidade médica que se dedica ao estudo e tratamento de doenças do sistema nervoso central e periférico

neurologista (neu.ro.lo.gis.ta) [newrulu'ʒiʃtɐ] *n.2g.* especialista em doenças do sistema nervoso

neurónio (neu.ró.ni:o) [new'rɔnju] *n.m.* célula nervosa com todos os seus prolongamentos

neurose (neu.ro.se) [new'rɔz(ə)] *n.f.* distúrbio psicológico caracterizado por perturbações afetivas e emocionais

neurótico (neu.ró.ti.co) [new'rɔtiku] *adj.* que manifesta perturbações afetivas e emocionais

neutral (neu.tral) [new'traɫ] *adj.2g.* **1** imparcial; neutro **2** (país) que não participa em conflitos existentes entre outros países

neutralidade (neu.tra.li.da.de) [newtrɐli'dad(ə)] *n.f.* qualidade de neutral; imparcialidade

neutralização (neu.tra.li.za.ção) [newtrɐlizɐ'sɐ̃w̃] *n.f.* **1** ato de colocar em posição neutra ou imparcial **2** perda de utilidade ou de validade; anulação **3** redução de uma força militar inimiga, por meio de uma ofensiva

neutralizar (neu.tra.li.zar) [newtrɐli'zar] *v.* **1** tornar neutro ou imparcial **2** tornar nulo ou inútil; anular **3** destruir ou reduzir (uma força inimiga) por meio de ataque

neutrão (neu.trão) [new'trɐ̃w̃] *n.m.* partícula elementar de massa ligeiramente maior que a do protão, sem carga elétrica, existente nos átomos

neutro (neu.tro) ['newtru] *adj.* **1** diz-se da pessoa que não torna partido contra ou a favor de alguém envolvido numa discussão ou disputa **SIN.** imparcial **2** diz-se do género das palavras que não são masculinas nem femininas

nevão (ne.vão) [nə'vɐ̃w̃] *n.m.* queda de neve muito forte

nevar (ne.var) [nə'var] *v.* cair neve

Note-se que o verbo **nevar** conjuga-se apenas na terceira pessoa do singular e exprime uma ação que não tem sujeito: *Ainda não nevou este ano.*

---

neve (ne.ve) ['nɛv(ə)] *n.f.* **1** chuva de cristais de gelo em flocos, formados quando o vapor de água suspenso na atmosfera congela **2** flocc brancos desses cristais

névoa (né.vo:a) ['nɛvwɐ] *n.f.* nevoeiro pouc denso

nevoeiro (ne.vo.ei.ro) [nə'vwɐjru] *n.m.* nebulos dade formada por gotículas de água suspens na camada mais baixa da atmosfera

nevralgia (ne.vral.gi.a) [nəvraɫ'ʒiɐ] *n.f.* dor inten provocada pela lesão de um nervo

nevrálgico (ne.vrál.gi.co) [nə'vraɫʒiku] *adj.* rel tivo a nevralgia

nevrite (ne.vri.te) [nə'vrit(ə)] *n.f.* inflamação (um nervo

newsletter [niuz'lɛtɐr] *n.f.* boletim periódico (uma organização, empresa ou outra entidad contendo informações sobre as suas atividad e/ou serviços, e enviado por correio eletróni aos seus subscritores

nexo (ne.xo) ['nɛksu] *n.m.* **1** ligação; conexão **2** r lação lógica; sentido

nhabedja (nha.bed.ja) [ndɐ'bɛdʒɐ] *n.f.* [CV.] senho idosa

nhobedje (nho.bed.je) [ndɐ'bɛdʒ(ə)] *n.m.* [CV.] s nhor idoso

nhoca (nho.ca) ['ɲɔkɐ] *n.f.* [MOÇ.] cobra; serpente

NIB ['nib] *sigla de* Número de Identificação Bancári

nicho (ni.cho) ['niʃu] *n.m.* cavidade numa parec para colocação de uma imagem, estátua, etc.

nicles (ni.cles) ['nikləʃ] *adv. coloq.* coisa nenhum nada

nico (ni.co) ['niku] *n.m. coloq.* quantidade muito p quena; bocadinho

nicotina (ni.co.ti.na) [niku'tinɐ] *n.f.* substânc com cheiro intenso existente no tabaco

nidificar (ni.di.fi.car) [nidifi'kar] *v.* fazer o ninho

NIF ['nif] *sigla de* Número de Identificação Fiscal

nigeriano (ni.ge.ri:a.no) [niʒə'rjɐnu] *adj.* relativo Nigéria ■ *n.m.* natural ou habitante da Nigéria

niilismo (ni.i.lis.mo) [nii'liʒmu] *n.m.* doutrina qu nega a existência de qualquer realidade substa cial

niilista (ni.i.lis.ta) [nii'liʃtɐ] *adj.2g.* relativo ao ni lismo ■ *n.2g.* pessoa partidária do niilismo

nimbo (nim.bo) ['nĩbu] *n.m.* **1** nuvem escura, e pessa, baixa, de contornos vagos, que se desfa em chuva ou neve **2** círculo dourado que rodei as cabeças dos santos; auréola

ninfa (nin.fa) ['nĩfɐ] *n.f.* **1** divindade feminin grega que habitava os rios, as fontes, os bosque e as montanhas **2** inseto no estádio intermédi entre a larva e a fase adulta

ninfomaníaco (nin.fo.ma.ní.a.co) [nĩfɔmɐ'niɐku] *adj.* que tem um desejo sexual compulsivo e excessivo

ninguém (nin.guém) [nĩ'gɐ̃j̃] *prn.indef.* **1** nenhuma pessoa: *Não está cá ninguém.* **2** qualquer pessoa: *Ele sabe isso melhor do que ninguém.*

ninhada (ni.nha.da) [ni'ɲadɐ] *n.f.* **1** conjunto dos animais nascidos do mesmo parto **2** ovos ou aves recém-nascidas contidas num ninho

ninharia (ni.nha.ri.a) [niɲɐ'riɐ] *n.f.* coisa pouco importante ou de pouco valor **SIN.** ninharia

ninho (ni.nho) ['niɲu] *n.m.* **1** construção feita pelas aves com paus, ervas secas e musgo para aí porem os ovos **2** *fig.* casa

nipónico (ni.pó.ni.co) [ni'pɔniku] *adj.* relativo ao Japão ■ *n.m.* pessoa natural do Japão

níquel (ní.quel) ['nikɛɫ] *n.m.* elemento com o número atómico 28 e símbolo Ni, que é um metal esbranquiçado, magnético, pouco alterável ao ar

niquento (ni.quen.to) [ni'kẽtu] *adj.* que se preocupa com ninharias

niquice (ni.qui.ce) [ni'ki(sə)] *n.f.* **1** esquisitice **2** bagatela; ninharia

nirvana (nir.va.na) [nir'vɐnɐ] *n.m.* (budismo) extinção do desejo, da aversão e da ignorância que conduz à libertação de todo o sofrimento

nisso (nis.so) ['nisu] *contr. de prep.* em + *pron. dem.* isso

nisto (nis.to) ['niʃtu] *contr. de prep.* em + *pron. dem.* isto

nitidamente (ni.ti.da.men.te) [nitidɐ'mẽt(ə)] *adv.* **1** com nitidez **2** com clareza

nitidez (ni.ti.dez) [niti'deʃ] *n.f.* característica do que é nítido; qualidade daquilo que se vê ou se ouve bem **SIN.** clareza

nítido (ní.ti.do) ['nitidu] *adj.* **1** que se vê ou que se ouve bem **SIN.** claro **2** que é fácil de compreender

nitrato (ni.tra.to) [ni'tratu] *n.m.* sal derivado do ácido nítrico

nitrogénio (ni.tro.gé.ni:o) [nitrɔ'ʒɛnju] *n.m.* elemento químico gasoso, sem cor, que constitui a maior parte do ar

nitroglicerina (ni.tro.gli.ce.ri.na) [nitrɔglisə'rinɐ] *n.f.* substância líquida com propriedades explosivas, usada na preparação de dinamite

nível (ní.vel) ['nivɛɫ] *n.m.* **1** instrumento que serve para verificar se um plano está horizontal **2** grau de elevação relativamente a um plano ou padrão; altura **3** *fig.* categoria; competência ◆ **a todos os níveis** em todos os sentidos; **de nível** de grau ou categoria superior; **ter nível** ser de classe ou categoria superior

nivelamento (ni.ve.la.men.to) [nivəlɐ'mẽtu] *n.m.* **1** ato de tornar plano **2** ato de colocar ao mesmo nível; equiparação

nivelar (ni.ve.lar) [nivə'lar] *v.* **1** tornar (uma superfície) horizontal **2** colocar no mesmo nível; equiparar; igualar

no (no) ['nu] *contr. de prep.* em + *det. art. def.* ou *pron. dem.* o

nó (nó) ['nɔ] *n.m.* **1** laço apertado **2** ponto do caule e dos ramos onde se inserem as folhas **3** articulação das falanges dos dedos ◆ **dar o nó** casar(-se); **nó górdio 1** entrelaçamento difícil de desatar **2** *fig.* problema de difícil resolução; **cortar o nó górdio** sair de uma situação embaraçosa; vencer uma dificuldade; **nó na garganta** sensação de pressão na garganta, por efeito de qualquer comoção

nobel (no.bel) ['nɔbɛɫ] *n.m.* [também com maiúscula] prémio que é atribuído anualmente às pessoas que se destacaram pelo seu contributo nos domínios da Física, Medicina, Literatura, Química, Economia e Paz ■ *n.2g.* pessoa galardoada com aquele prémio

nobre (no.bre) ['nɔbr(ə)] *adj.2g.* **1** que faz parte da nobreza; aristocrata; fidalgo **2** que revela bons sentimentos; generoso ■ *n.2g.* pessoa que pertence à nobreza; aristocrata; fidalgo

nobreza (no.bre.za) [nu'brezɐ] *n.f.* **1** classe dos nobres; aristocracia **2** generosidade **3** distinção

noção (no.ção) [nu'sɐ̃w̃] *n.f.* conhecimento básico que se tem de algo; ideia geral

nocivo (no.ci.vo) [nu'sivu] *adj.* que causa dano ou prejuízo **SIN.** prejudicial

noctívago (noc.tí.va.go)[AO] [nɔ'ktivɐgu] *a grafia preferível é* **notívago**[AO]

nocturno (noc.tur.no) [nɔ'turnu] *a nova grafia é* **noturno**[AO]

nódoa (nó.do:a) ['nɔdwɐ] *n.f.* mancha deixada numa superfície por uma substância que tinge ou suja ◆ **nódoa negra** mancha azulada na pele, causada por pancada ou embate

nódulo (nó.du.lo) ['nɔdulu] *n.m.* **1** pequeno nó **2** estrutura anatómica constituída por uma massa de células que tem uma dada função **3** em medicina, pequena saliência em forma de nó

nogueira (no.guei.ra) [nu'gɐjrɐ] *n.f.* árvore de copa larga e boa madeira, que produz nozes

noia (noi.a)[AO] ['nɔjɐ] *n.f. coloq.* paranoia; mania; afetação

nóia (nói.a) ['nɔjɐ] *a nova grafia é* **noia**[AO]

noitada (noi.ta.da) [noj'tadɐ] *n.f.* festa ou trabalho que dura toda a noite ◆ **fazer uma noitada** passar uma noite sem dormir, em atividade lúdica ou profissional

noite (noi.te) ['nojt(ə)] *n.f.* **1** tempo em que o Sol está abaixo do horizonte **ANT.** dia **2** ausência de claridade; escuridão ◆ **ao cair da noite** quando anoitece; **boa noite** cumprimento usado à noite;

de noite todos os gatos são pardos em certas situações tudo se confunde, não sendo possível determinar as diferenças; **noite e dia** sem parar; incessantemente; **passar a noite em claro/branco** passar a noite sem dormir

noiva (noi.va) ['nojvɐ] *n.f.* **1** mulher que vai casar **2** mulher que casou recentemente

noivado (noi.va.do) [noj'vadu] *n.m.* período de tempo em que alguém está noivo/a de outra pessoa

noivar (noi.var) [noj'var] *v.* ficar noivo ou noiva

noivo (noi.vo) ['nojvu] *n.m.* **1** homem que vai casar **2** homem que casou recentemente

nojento (no.jen.to) [nu'ʒẽtu] *adj.* que causa nojo **SIN.** repugnante

nojice (no.ji.ce) [nu'ʒi(sə)] *n.f.* **1** coisa repugnante **2** coisa mal executada ou sem valor

nojo (no.jo) ['noʒu] *n.m.* sentimento de aversão por alguma coisa **SIN.** repugnância

nómada (nó.ma.da) ['nɔmɐdɐ] *adj.2g.* diz-se da pessoa ou do povo que não tem habitação fixa, que muda frequentemente de lugar (em busca de pastagens, alimentos, etc.); errante

nomadismo (no.ma.dis.mo) [nɔmɐ'diʒmu] *n.m.* modo de vida de quem está sempre a mudar de habitação ou de ocupação, em geral em busca de alimentos, novas pastagens para o gado, etc.

nome (no.me) ['nom(ə)] *n.m.* **1** palavra ou conjunto de palavras que serve para designar um animal, uma pessoa, uma coisa ou um lugar; designação **2** palavra com que se designam pessoas, coisas, animais, qualidades, estados ou ações, e que pode variar em género e número; substantivo **3** *fig.* boa reputação; fama ♦ **chamar nomes** insultar

nomeação (no.me:a.ção) [numjɐ'sɐ̃w̃] *n.f.* **1** eleição de uma pessoa para um cargo ou uma função **2** escolha de alguém para receber um prémio

nomeadamente (no.me:a.da.men.te) [numjadɐ'mẽt(ə)] *adv.* **1** em particular; especialmente **2** sobretudo; principalmente

nomeado (no.me:a.do) [nu'mjadu] *adj.* **1** eleito **2** escolhido

nomear (no.me:ar) [nu'mjar] *v.* **1** designar pelo nome; chamar **2** dar nome a; denominar **3** indicar (alguém) para um cargo ou uma função

nomenclatura (no.men.cla.tu.ra) [numẽklɐ'turɐ] *n.f.* conjunto organizado dos termos de uma determinada área (científica, técnica ou artística) com respetivas definições; terminologia

nominal (no.mi.nal) [numi'naɫ] *adj.2g.* **1** relativo a nome **2** que só existe em nome

nominativo (no.mi.na.ti.vo) [numinɐ'tivu] *adj.* **1** que contém nome(s); nominal **2** (cheque, título) emitido em nome de alguém ▪ *n.m.* (declinação) caso que exprime a função de sujeito ou o seu predicativo

nonagésimo (no.na.gé.si.mo) [nonɐ'ʒɛzimu] *num.ord.* que ocupa o lugar número 90

nono (no.no) ['nonu] *num.ord.* que ocupa o lugar número 9

nora (no.ra) ['nɔrɐ] *n.f.* **1** esposa do filho **2** 👁 mecanismo próprio para tirar água dos poços ♦ *coloq.* **andar/estar/ver-se à nora** ver-se em dificuldades

nordeste (nor.des.te) [nɔr'dɛʃt(ə)] *n.m.* ponto entre o norte e o este (símbolo: NE)

nordestino (nor.des.ti.no) [nɔrdəʃ'tinu] *adj.* relativo à região Nordeste do Brasil ▪ *n.m.* pessoa natural do Nordeste do Brasil

nórdico (nór.di.co) ['nɔrdiku] *adj.* relativo aos países do Norte da Europa ▪ *n.m.* pessoa natural de um dos países do Norte da Europa

norma (nor.ma) ['nɔrmɐ] *n.f.* regra de procedimento ♦ **por norma** geralmente; em regra

normal (nor.mal) [nɔr'maɫ] *adj.2g.* **1** de acordo com a norma; regular **2** que é comum; habitual

normalidade (nor.ma.li.da.de) [nɔrmɐli'dad(ə)] *n.f.* qualidade ou estado de normal

normalização (nor.ma.li.za.ção) [nɔrmɐlizɐ'sɐ̃w̃] *n.f.* **1** ato de fazer voltar ao estado normal; regularização **2** estabelecimento de norma(s); uniformização

normalizado (nor.ma.li.za.do) [nɔrmɐli'zadu] *adj.* regularizado; uniformizado

normalizar (nor.ma.li.zar) [nɔrmɐli'zar] *v.* **1** fazer voltar ao estado normal; regularizar **2** estabelecer norma(s) para; uniformizar

normalmente (nor.mal.men.te) [nɔrmaɫ'mẽt(ə)] *adv.* **1** geralmente **2** de modo natural

normativo (nor.ma.ti.vo) [nɔrmɐ'tivu] *adj.* **1** relativo a norma **2** que serve de norma

noroeste (no.ro:es.te) [nɔ'rwɛʃt(ə)] *n.m.* ponto entre o norte e o oeste (símbolo: NO)

nortada (nor.ta.da) [nɔr'tadɐ] *n.f.* vento frio que sopra do norte

norte (nor.te) ['nɔrt(ə)] *n.m.* **1** ponto cardeal situado na ponta do eixo da Terra, na direção oposta ao sul (símbolo: N) **2** *fig.* direção; rumo ♦ **perder o norte** desorientar-se; desnortear-se

norte-americano (nor.te-.a.me.ri.ca.no) [nɔrtɐmɐri'kɐnu] *adj.* **1** relativo à América do Norte **2** relativo aos Estados Unidos da América ■ *n.m.* ⟨*pl.* norte-americanos⟩ **1** pessoa natural da América do Norte **2** pessoa natural dos Estados Unidos da América

nortear(-se) (nor.te:ar(-se)) [nɔr'tjar(sə)] *v.* ⟨**+por**⟩ *fig.* orientar(-se); guiar(-se)

nortenho (nor.te.nho) [nɔr'tɐ(j)ɲu] *adj.* relativo ao norte de Portugal

norueguês (no.ru:e.guês) [nɔrwɛ'geʃ] *adj.* relativo à Noruega (no Norte da Europa) ■ *n.m.* **1** pessoa natural da Noruega **2** língua falada na Noruega

nos (nos) ['nuʃ] *prn.pess.* designa a primeira pessoa do plural e indica o conjunto de pessoas em que se inclui quem fala ou escreve: *Ele não nos viu.; Encontramo-nos todos em minha casa.*

nós (nós) ['nɔʃ] *prn.pess.* designa a primeira pessoa do plural e indica o conjunto de pessoas em que se inclui quem fala ou escreve: *Nós saímos ontem à noite.; Perguntaram por nós depois do concerto.*

Não confundir **nós** (pronome pessoal da 1.ª pessoa do plural) com **noz** (fruto da nogueira): *Nós andamos na mesma escola. Fizemos compota de noz.*

---

nosso (nos.so) ['nɔsu] *det.,prn.poss.* relativo a nós, primeira pessoa do plural, e indica geralmente posse ou pertença: *O nosso computador avariou.; Isto é nosso?*

nostalgia (nos.tal.gi.a) [nuʃtał'ʒiɐ] *n.f.* sentimento de tristeza e saudade causado pela falta de alguém ou pela lembrança de um lugar SIN. melancolia; tristeza

nostálgico (nos.tál.gi.co) [nuʃ'tałʒiku] *adj.* **1** relativo a nostalgia SIN. melancólico; triste **2** que faz sentir nostalgia

nota (no.ta) ['nɔtɐ] *n.f.* **1** observação escrita; apontamento **2** bilhete para lembrar algo; anotação **3** sinal que representa um som musical, a sua duração e altura **4** classificação atribuída por um professor a um aluno ou por um júri a um concorrente; avaliação **5** 👁 dinheiro em papel ♦ *coloq.* **estar cheio da nota** ter muito dinheiro; **nota preta** muito dinheiro; fortuna

notabilidade (no.ta.bi.li.da.de) [nutɐbəli'dad(ə)] *n.f.* **1** qualidade daquilo que é notável; fama **2** pessoa notável

notabilizar(-se) (no.ta.bi.li.zar(-se)) [nutɐbəli'zar(sə)] *v.* ⟨**+por**, **+em**, **+com**⟩ tornar(-se) notável: *Ele notabilizou-se no campo da culinária.* SIN. distinguir(-se)

notado (no.ta.do) [nu'tadu] *adj.* **1** anotado **2** observado

notar (no.tar) [nu'tar] *v.* **1** tomar nota de; anotar **2** reparar em; observar

notariado (no.ta.ri:a.do) [nutɐ'rjadu] *n.m.* **1** ofício de notário **2** conjunto dos notários

notarial (no.ta.ri:al) [nutɐ'rjał] *adj.2g.* **1** relativo a notário **2** atestado pelo notário

notário (no.tá.ri:o) [nu'tarju] *n.m.* pessoa formada em Direito que autentica documentos e reconhece assinaturas

notável (no.tá.vel) [nu'tavɛł] *adj.2g.* **1** digno de nota ou de referência **2** que merece admiração; ilustre **3** que é importante; significativo

notebook ['nowtbuk] *n.m.* computador portátil, leve e de tamanho reduzido

notícia (no.tí.ci:a) [nu'tisjɐ] *n.f.* informação sobre algo que não se sabia; novidade ■ **notícias** *n.f.pl.* informações de interesse geral transmitidas por rádio, televisão ou pelos jornais ♦ **dar notícia de** dar a conhecer; informar; **ser notícia** ser novidade; estar em destaque

noticiar (no.ti.ci:ar) [nuti'sjar] *v.* transmitir notícia(s); informar; anunciar

noticiário (no.ti.ci:á.ri:o) [nuti'sjarju] *n.m.* relato de notícias transmitido pela rádio ou pela televisão

noticioso (no.ti.ci:o.so) [nuti'sjozu] *adj.* **1** relativo a ou que contém notícia(s) **2** que recolhe e divulga notícias

notificação (no.ti.fi.ca.ção) [nutifikɐ'sɐ̃w̃] *n.f.* **1** ato de dar a conhecer; participação **2** ordem judicial; intimação **3** documento que contém um aviso; advertência

notificar (no.ti.fi.car) [nutifi'kar] *v.* ⟨**+de**⟩ dar conhecimento de (facto, notícia): *O polícia notificou-o do acidente.* SIN. avisar

notívago (no.tí.va.go)AO [nɔ'(k)tivɐgu] ou **noctívago**AO *adj.,n.m.* **1** que ou o que anda de noite ou que tem hábitos noturnos **2** que ou o que gosta da vida noturna, frequentando locais de diversão que funcionam durante esse período

notoriedade (no.to.ri:e.da.de) [nuturjɛ'dad(ə)] *n.f.* **1** fama **2** publicidade

notório (no.tó.ri:o) [nu'tɔrju] *adj.* conhecido de todos; público

noturno (no.tur.no)AO [nɔ'turnu] *adj.* **1** relativo à noite **2** que acontece durante a noite **3** diz-se do animal que realiza as suas atividades durante a noite (como o morcego, por exemplo)

noutro (nou.tro) ['no(w)tru] *contr. de prep.* em + *pron. dem.* outro

nova (no.va) ['nɔvɐ] *n.f.* notícia recente; novidade

novamente (no.va.men.te) [nɔvɐ'mẽt(ə)] *adv.* de novo; outra vez

novato (no.va.to) [nu'vatu] *n.m.* **1** estudante que frequenta pela primeira vez um curso ou uma escola **SIN.** caloiro **2** pessoa ingénua ou inexperiente

nove (no.ve) ['nɔv(ə)] *num.card.* oito mais um ■ *n.m.* o número 9 ◆ **cheio de nove horas** vaidoso; emproado

novecentos (no.ve.cen.tos) [nɔvə'sẽtuʃ] *num.card.* oitocentos mais cem ■ *n.m.* o número 900

nove-horas (no.ve-.ho.ras) [nɔ'vɔrɐʃ] *n.f.pl. coloq.* qualidade do que é cerimonioso e chique ◆ *coloq.* **cheio de nove-horas** vaidoso, presunçoso ou petulante

novela (no.ve.la) [nu'vɛlɐ] *n.f.* **1** composição do género do romance, mas mais curta **2** série transmitida em episódios na televisão

novelista (no.ve.lis.ta) [nuvə'liʃtɐ] *adj.,n.2g.* que ou pessoa que escreve novelas

novelo (no.ve.lo) [nu'velu] *n.m.* bola de fio enrolado

novembro (no.vem.bro)AO [nu'vẽbru] *n.m.* décimo primeiro mês do ano civil

novena (no.ve.na) [nu'venɐ] *n.f.* oração feita durante nove dias consecutivos

noventa (no.ven.ta) [nu'vẽtɐ] *num.card.* oitenta mais dez ■ *n.m.* o número 90

noviciado (no.vi.ci:a.do) [nuvi'sjadu] *n.m.* período de preparação pelo qual passam os candidatos ao ingresso numa ordem ou congregação

noviço (no.vi.ço) [nu'visu] *n.m.* candidato ao ingresso numa ordem ou congregação antes de pronunciar os votos definitivos

novidade (no.vi.da.de) [nuvi'dad(ə)] *n.f.* **1** característica daquilo que é novo **2** coisa nova **3** primeira informação sobre algo **4** produto (livro, peça de roupa, etc.) que acaba de ser lançado no mercado

novilho (no.vi.lho) [nu'viʎu] *n.m.* boi jovem

novíssimo (no.vís.si.mo) [nu'visimu] *adj.* ⟨*superl. de* novo⟩ completamente novo; muito recente

novo (no.vo) ['novu] *adj.* **1** que tem pouca idade; jovem **ANT.** velho **2** que ainda não foi usado **3** inexperiente ◆ **de novo** outra vez; novamente; **novo em folha** que ainda não foi usado ou estreado

novo-rico (no.vo-.ri.co) [novu'ʀiku] *n.m.* ⟨*pl.* novos-ricos⟩ pessoa de classe social baixa que enriqueceu rapidamente e que exibe essa riqueza de forma ostensiva

novo-riquismo (no.vo-.ri.quis.mo) [novuʀi'kiʒmu] *n.m.* ⟨*pl.* novos-riquismos⟩ **1** qualidade de quem é novo-rico **2** estilo de vida ou gosto próprio de novo-rico

noz (noz) ['nɔʃ] *n.f.* fruto da nogueira, cuja parte comestível está contida numa casca muito dura

> Não confundir **noz** (fruto da nogueira) com **nós** (pronome pessoal da 1.ª pessoa do plural): *Fizemos compota de **noz**. **Nós** andamos na mesma escola.*

noz-moscada (noz-.mos.ca.da) [nɔʒmuʃ'kadɐ] *n.f.* ⟨*pl.* nozes-moscadas⟩ semente acastanhada com o aspeto de uma pequena noz, utilizada como condimento

NR [ɛn'ɛʀ] (jornalismo) *sigla de* Nota da Redação

NT [ɛn'te] *sigla de* Nota do Tradutor

ntuculo (ntu.cu.lo) [ntu'kulu] *n.m.* [MOÇ.] sobrinho; neto; bisneto

nu (nu) ['nu] *adj.* que está sem roupa **SIN.** despido ◆ **pôr a nu** pôr a descoberto; revelar

NU [ɛnu] *sigla de* Nações Unidas

nuance [nu'ɐ̃(sə)] *n.f.* **1** gradação de cor; tonalidade **2** diferença ligeira; subtileza

nublado (nu.bla.do) [nu'bladu] *adj.* diz-se do céu coberto de nuvens

nublar(-se) (nu.blar(-se)) [nu'blar(sə)] *v.* cobrir(-se) de nuvens **SIN.** enevoar(-se)

nuca (nu.ca) ['nukɐ] *n.f.* parte posterior e superior do pescoço

nuclear (nu.cle:ar) [nu'kljar] *adj.2g.* **1** relativo a núcleo **2** essencial; principal

núcleo (nú.cle:o) ['nuklju] *n.m.* **1** parte central de alguma coisa; centro **2** grupo; aglomeração

nudez (nu.dez) [nu'deʃ] *n.f.* **1** estado de quem está nu **2** ausência de roupa

nudismo (nu.dis.mo) [nu'diʒmu] *n.m.* prática da nudez completa ao ar livre

nudista (nu.dis.ta) [nu'diʃtɐ] *adj.2g.* relativo ao nudismo ■ *n.2g.* pessoa que pratica nudismo

nulidade (nu.li.da.de) [nuli'dad(ə)] *n.f.* **1** qualidade do que não tem valor **2** *coloq.* pessoa incompetente

nulo (nu.lo) ['nulu] *adj.* **1** sem efeito ou valor; inválido **2** que não existe; inexistente

num (num) ['nũ] *contr. de prep.* em + *det. art. indef* um

numeração (nu.me.ra.ção) [numərɐ'sɐ̃w̃] *n.f.* ordenação numérica

numerado (nu.me.ra.do) [numə'radu] *adj.* **1** que tem número(s) **2** colocado em ordem numérica

numerador (nu.me.ra.dor) [numərɐ'dor] *n.m.* numa fração, termo que indica quantas partes se tomaram da unidade

numeral (nu.me.ral) [numə'rał] *adj.2g.* relativo a número ■ *n.m.* palavra que indica uma quantidade numérica ou a ordem numa série

numerar (nu.me.rar) [numə'rar] *v.* **1** pôr número(s) em **2** colocar por ordem numérica

numérico (nu.mé.ri.co) [nu'mɛriku] *adj.* relativo a número(s)

número (nú.me.ro) ['numəru] *n.m.* **1** expressão de uma quantidade; algarismo **2** exemplar de uma publicação periódica (jornal, revista, etc.) **3** categoria de nome, adjetivos, verbos, determinantes e pronomes que indica os valores de singular e plural ◆ **em números redondos** aproximadamente; **fazer número** figurar sem ser realmente útil, só para aumentar o número

numerologia (nu.me.ro.lo.gi.a) [numərulu'ʒiɐ] *n.f.* estudo da simbologia dos números e da sua influência sobre o carácter e o destino humanos

numeroso (nu.me.ro.so) [numə'rozu] *adj.* que apresenta grande quantidade; abundante

numerus clausus [numəruʃ'klauzuʃ] *n.m.* número fixo estipulado de pessoas a integrar certo grupo

numismática (nu.mis.má.ti.ca) [numiʒ'matikɐ] *n.f.* ciência que estuda as moedas e as medalhas

nunca (nun.ca) ['nũkɐ] *adv.* em nenhum momento; jamais ◆ **mais do que nunca** mais do que em qualquer outra altura passada; **nunca mais** nenhuma vez; **quase nunca** raramente

nupcial (nup.ci:al) [nu'psjał] *adj.2g.* relativo a casamento

núpcias (núp.ci:as) ['nupsjɐʃ] *n.f.pl.* casamento

NUT ['nut] *sigla de* Nomenclatura de Unidade Territorial

nutrição (nu.tri.ção) [nutri'sɐ̃w̃] *n.f.* alimentação; sustento

nutricionista (nu.tri.ci:o.nis.ta) [nutrisju'niʃtɐ] *n.2g.* especialista em problemas alimentares

nutrido (nu.tri.do) [nu'tridu] *adj.* **1** alimentado **2** robusto

nutriente (nu.tri:en.te) [nu'trjẽt(ə)] *n.m.* substância indispensável à manutenção das funções vitais do organismo; alimento

nutrir (nu.trir) [nu'trir] *v.* **1** alimentar **2** ⟨**+por**⟩ sentir por: *Ela nutre um grande amor pelos pais.*

nutritivo (nu.tri.ti.vo) [nutri'tivu] *adj.* que alimenta; alimentício

nuvem (nu.vem) ['nuvɐ̃j] *n.f.* conjunto de pequenas gotas de água que se mantêm no ar ◆ **estar nas nuvens** estar distraído

nylon ['najlɔn] *n.m.* **1** fibra sintética e resistente, utilizada na indústria têxtil **2** tecido que utiliza esse material

O

o[1] ['ɔ] *n.m.* vogal, décima quinta letra do alfabeto, que está entre as letras *n* e *p*

o[2] ['u] *det.art.def.* antes de um nome, indica o seu género e número: *o livro, o rapaz* ■ *prn.pess.* substitui ele ou uma palavra referida antes: *Viu o pai e cumprimentou-o.* ■ *prn.dem.* substitui *este, esse, aquele*: *Na foto, o Ivo é o da direita.*

O *símbolo de* oeste ■ *símbolo de* oxigénio

ó (ó) ['ɔ] *interj.* usada para chamar alguém

oásis (o.á.sis) [ɔ'aziʃ] *n.m.2n.* região fértil no meio do deserto, onde existe água

obcecado (ob.ce.ca.do) [ɔbsə'kadu] *adj.* obstinado; teimoso

obedecer (o.be.de.cer) [ɔbədə'ser] *v.* **1** ⟨+a⟩ fazer aquilo que alguém manda: *obedecer aos pais* **SIN.** cumprir **ANT.** desobedecer **2** ⟨+a⟩ agir de acordo com: *obedecer às regras* **3** ⟨+a⟩ estar em conformidade com: *Todo o equipamento obedece aos mais elevados padrões de qualidade.*

obediência (o.be.di:ên.ci:a) [ɔbə'djẽsjɐ] *n.f.* **1** qualidade de obediente; cumprimento **ANT.** desobediência **2** ato de obedecer

obediente (o.be.di:en.te) [ɔbə'djẽt(ə)] *adj.2g.* que obedece

obelisco (o.be.lis.co) [ɔbə'liʃku] *n.m.* monumento em forma de pilar, com base quadrangular e ponta em forma de pirâmide

obesidade (o.be.si.da.de) [ɔbəzi'dad(ə)] *n.f.* excesso de peso

obeso (o.be.so) [ɔ'bezu] *adj.* que tem excesso de peso **SIN.** gordo

óbito (ó.bi.to) ['ɔbitu] *n.m.* morte de uma pessoa **SIN.** falecimento

obituário (o.bi.tu:á.ri:o) [ɔbi'twarju] *n.m.* registo de óbitos ocorridos num dado período

objeção (ob.je.ção)[AO] [ɔbʒɛ'sɐ̃w̃] *n.f.* **1** argumento que se opõe a algo que foi dito antes **2** dificuldade em concretizar alguma coisa ♦ **objeção de consciência** recusa de cumprir o serviço militar por razões de consciência (filosóficas, religiosas, etc.)

objecção (ob.jec.ção) [ɔbʒɛ'sɐ̃w̃] *a nova grafia é* **objeção**[AO]

objectar (ob.jec.tar) [ɔbʒɛ'tar] *a nova grafia é* **objetar**[AO]

objectiva (ob.jec.ti.va) [ɔbʒɛ'tivɐ] *a nova grafia é* **objetiva**[AO]

objectivamente (ob.jec.ti.va.men.te) [ɔbʒɛtivɐ'mẽt(ə)] *a nova grafia é* **objetivamente**[AO]

objectivar (ob.jec.ti.var) [ɔbʒɛti'var] *a nova grafia é* **objetivar**[AO]

objectividade (ob.jec.ti.vi.da.de) [ɔbʒɛtivi'dad(ə)] *a nova grafia é* **objetividade**[AO]

objectivo (ob.jec.ti.vo) [ɔbʒɛ'tivu] *a nova grafia é* **objetivo**[AO]

objecto (ob.jec.to) [ɔ'bʒɛtu] *a nova grafia é* **objeto**[AO]

objetar (ob.je.tar)[AO] [ɔbʒɛ'tar] *v.* opor-se a

objetiva (ob.je.ti.va)[AO] [ɔbʒɛ'tivɐ] *n.f.* lente ou sistema de lentes de uma máquina fotográfica

objetivamente (ob.je.ti.va.men.te)[AO] [ɔbʒɛtivɐ'mẽt(ə)] *adv.* **1** de modo objetivo **2** com imparcialidade

objetivar (ob.je.ti.var)[AO] [ɔbʒɛti'var] *v.* tornar objetivo ou concreto

objetividade (ob.je.ti.vi.da.de)[AO] [ɔbʒɛtivi'dad(ə)] *n.f.* **1** característica do que é objetivo **SIN.** subjetividade **2** qualidade do que é imparcial

objetivo (ob.je.ti.vo)[AO] [ɔbʒɛ'tivu] *adj.* **1** diz-se da pessoa que atua ou toma decisões sem pensar nas suas preferências pessoais; imparcial **2** diz-se da opinião ou do comportamento que é muito claro; direto ■ *n.m.* finalidade; propósito

objeto (ob.je.to)[AO] [ɔ'bʒɛtu] *n.m.* **1** coisa material que pode ser percebida pelos sentidos **2** assunto de que trata uma ciência, uma conversa ou uma investigação ♦ **objeto direto** complemento direto; **objeto indireto** complemento indireto

oblíquo (o.blí.quo) [ɔ'blikwu] *adj.* **1** que não é perpendicular nem paralelo; inclinado **2** que não é direito ou reto; indireto

obliterador (o.bli.te.ra.dor) [ɔblitərɐ'dor] *n.m.* máquina de controlo e obliteração de selos, títulos de transporte

oboé (o.bo:é) [ɔ'bwɛ] *n.m.* instrumento musical de sopro, feito de madeira, em forma de tubo cónico

obra (o.bra) ['ɔbrɐ] *n.f.* **1** trabalho literário, científico ou artístico **2** ação praticada por alguém **3** edifício ou estrutura que está em construção ♦ **obra de arte** objeto de grande qualidade e beleza criado por um artista; **obra de referência** dicionário, enciclopédia ou outra obra que se consulta para obter rapidamente informações sobre determinado assunto; **por obra e graça** graças à intervenção de; por causa de

obra-prima **(o.bra-.pri.ma)** [ɔbrɐ'primɐ] *n.f.* ⟨*pl.* obras-primas⟩ o mais belo ou perfeito trabalho de um artista ou de uma época: *Para mim, «A Mensagem» de Fernando Pessoa é uma obra-prima.*

obrar **(o.brar)** [ɔ'brar] *v.* expelir excrementos pelo ânus; defecar

obreiro **(o.brei.ro)** [ɔ'brɐjru] *n.m.* **1** trabalhador; operário **2** pessoa que participa no desenvolvimento de uma ideia ou de um projeto

obrigação **(o.bri.ga.ção)** [ɔbrigɐ'sɐ̃w̃] *n.f.* **1** dever; encargo **2** compromisso; responsabilidade ♦ **estar/ficar em obrigação** dever ou ficar a dever favores

obrigado **(o.bri.ga.do)** [ɔbri'gadu] *adj.* imposto; forçado ■ *interj.* usada para agradecer

Note-se que a palavra **obrigado**, usada como interjeição, varia em género e número consoante seja um homem (*Obrigado!*) ou uma mulher (*Obrigada!*).

obrigar **(o.bri.gar)** [ɔbri'gar] *v.* **1** ⟨**+a**⟩ impor a obrigação: *Não me podes obrigar a ir!* **2** ⟨**+a**⟩ exigir: *Isso obriga a uma atenção redobrada.* **3** ⟨**+a**⟩ forçar; constranger: *Obrigaram-no a abrir a porta.* ■ **obrigar-se** **1** ⟨**+a**⟩ contrair obrigação **2** ⟨**+a**⟩ forçar-se

obrigatoriedade **(o.bri.ga.to.ri:e.da.de)** [ɔbrigɐturjɛ'dad(ə)] *n.f.* **1** obrigação **2** necessidade

obrigatório **(o.bri.ga.tó.ri:o)** [ɔbrigɐ'tɔrju] *adj.* **1** imposto **2** indispensável

obs. *abreviatura de* observação

obscenidade **(obs.ce.ni.da.de)** [ɔbʃsəni'dad(ə)] *n.f.* **1** qualidade do que é obsceno; indecência **2** ato, dito, cena ou imagem obscena

obsceno **(obs.ce.no)** [ɔbʃ'senu] *adj.* **1** contrário à decência e ao pudor; indecente **2** que choca pela crueldade ou vulgaridade; chocante

obscurecer **(obs.cu.re.cer)** [ɔbʃkurə'ser] *v.* tornar escuro ou confuso

obscuridade **(obs.cu.ri.da.de)** [ɔbʃkuri'dad(ə)] *n.f.* **1** ausência de luz; escuridão **2** falta de clareza

obscuro **(obs.cu.ro)** [ɔbʃ'kuru] *adj.* **1** escuro **2** confuso

obséquio **(ob.sé.qui:o)** [ɔ'bzɛkju] *n.m.* serviço prestado por amizade ou delicadeza; favor

observação **(ob.ser.va.ção)** [ɔbsərvɐ'sɐ̃w̃] *n.f.* **1** ato de olhar para algo **2** estudo atento **3** comentário crítico

observador **(ob.ser.va.dor)** [ɔbsərvɐ'dor] *adj.,n.m.* que ou aquele que observa

observância **(ob.ser.vân.ci:a)** [ɔbsər'vɐ̃sjɐ] *n.f.* **1** cumprimento (de ordem, regulamento) **2** cumprimento rigoroso da disciplina de uma ordem religiosa

observar **(ob.ser.var)** [ɔbsər'var] *v.* **1** olhar para **2** estudar atentamente **3** obedecer a (leis, regras)

observatório **(ob.ser.va.tó.ri:o)** [ɔbsərvɐ'tɔrju] *n.m.* edifício próprio para observações meteorológicas ou astronómicas

observável **(ob.ser.vá.vel)** [ɔbsər'vavɛɫ] *adj.2g.* que se pode observar

obsessão **(ob.ses.são)** [ɔbsə'sɐ̃w̃] *n.f.* ideia fixa; cisma

obsessivo **(ob.ses.si.vo)** [ɔbsə'sivu] *adj.* **1** relativo a obsessão **2** diz-se da ideia que está sempre na cabeça de alguém (mesmo que não se queira pensar nela)

obsoleto **(ob.so.le.to)** [ɔbsu'letu] *adj.* antiquado; ultrapassado

obstáculo **(obs.tá.cu.lo)** [ɔbʃ'takulu] *n.m.* **1** barreira que os atletas têm de transpor **2** aquilo que impede ou atrapalha o movimento; impedimento

obstante **(obs.tan.te)** [ɔbʃ'tɐ̃t(ə)] *adj.2g.* que impede ♦ **não obstante** apesar de; contudo

obstar **(obs.tar)** [ɔbʃ'tar] *v.* **1** ⟨**+a**⟩ causar estorvo a: *Nada obsta a que vás embora.* **2** ⟨**+a**⟩ opor-se: *O pai obstou ao casamento da filha.*

obstetra **(obs.te.tra)** [ɔbʃ'tɛtrɐ] *n.2g.* especialista em obstetrícia

obstetrícia **(obs.te.trí.ci:a)** [ɔbʃtɛ'trisjɐ] *n.f.* parte da medicina que trata da gravidez e do parto

obstinação **(obs.ti.na.ção)** [ɔbʃtinɐ'sɐ̃w̃] *n.f.* **1** persistência **2** teimosia

obstinado **(obs.ti.na.do)** [ɔbʃti'nadu] *adj.* **1** persistente **2** teimoso

obstipação **(obs.ti.pa.ção)** [ɔbʃtipɐ'sɐ̃w̃] *n.f.* dificuldade em defecar; prisão de ventre

obstrução **(obs.tru.ção)** [ɔbʃtru'sɐ̃w̃] *n.f.* impedimento

obstruir **(obs.tru.ir)** [ɔbʃtru'ir] *v.* impedir a passagem de

obtenção **(ob.ten.ção)** [ɔbtẽ'sɐ̃w̃] *n.f.* ato ou meio de obter algo; aquisição

obter **(ob.ter)** [ɔb'ter] *v.* **1** conseguir **2** ganhar

obturador **(ob.tu.ra.dor)** [ɔbturɐ'dor] *n.m.* dispositivo da máquina fotográfica que regula o tempo de exposição

obturar **(ob.tu.rar)** [ɔbtu'rar] *v.* tapar; fechar

obtuso **(ob.tu.so)** [ɔb'tuzu] *adj.* **1** diz-se do ângulo que tem mais de 90º **2** diz-se da pessoa pouco inteligente

óbvio **(ób.vi:o)** ['ɔbvju] *adj.* evidente; claro

ocasião (o.ca.si.ão) [okɐ'sjɐ̃w̃] *n.f.* oportunidade ♦ **a ocasião faz o ladrão** as circunstâncias influenciam o comportamento; **dar ocasião a** originar, causar; **de ocasião 1** com preço muito em conta **2** que já não é novo; usado; **por ocasião de** no tempo de

ocasionado (o.ca.si:o.na.do) [ɔkɐzju'nadu] *adj.* causado; provocado

ocasional (o.ca.si:o.nal) [okɐzju'naɫ] *adj.2g.* que acontece por acaso **SIN.** acidental; casual

ocasionar (o.ca.si:o.nar) [okɐzju'nar] *v.* causar; provocar

ocaso (o.ca.so) [ɔ'kazu] *n.m.* momento em que o Sol desaparece no horizonte **SIN.** poente

occipital (oc.ci.pi.tal) [ɔksipi'taɫ] *adj.2g.* diz-se do osso situado na parte posterior e inferior do crânio

OCDE [ɔsede'ɛ] *sigla de* Organização para a Cooperação e Desenvolvimento Económico

oceanário (o.ce:a.ná.ri:o) [ɔsjɐ'narju] *n.m.* 👁 construção semelhante a um enorme aquário para observação e estudo de animais marinhos

oceânico (o.ce:â.ni.co) [ɔ'sjɐniku] *adj.* **1** relativo a oceano; marítimo **2** relativo à Oceânia

oceano (o.ce:a.no) [ɔ'sjɐnu] *n.m.* grande massa de água salgada que rodeia os continentes e cobre grande parte da superfície terrestre

oceanografia (o.ce:a.no.gra.fi.a) [ɔsjɐnugrɐ'fiɐ] *n.f.* ciência que estuda os oceanos

oceanográfico (o.ce:a.no.grá.fi.co) [ɔsjɐnu'grafiku] *adj.* relativo ao estudo dos oceanos

ocidental (o.ci.den.tal) [ɔsidẽ'taɫ] *adj.2g.* **1** relativo ao ocidente **2** natural do ocidente

ocidentalizar (o.ci.den.ta.li.zar) [ɔsidẽtɐli'zar] *v.* dar carácter ocidental a ■ **ocidentalizar-se** adaptar-se à civilização e cultura ocidentais

ocidente (o.ci.den.te) [ɔsi'dẽt(ə)] *n.m.* **1** lado do horizonte onde o Sol se põe **SIN.** oeste **2** região situada a oeste

ócio (ó.ci:o) ['ɔsju] *n.m.* **1** descanso; repouso **2** falta de ocupação; preguiça

ociosidade (o.ci:o.si.da.de) [ɔsjuzi'dad(ə)] *n.f.* falta de ocupação; preguiça

ocioso (o.ci:o.so) [ɔ'sjozu] *adj.* preguiçoso

oclusão (o.clu.são) [ɔklu'zɐ̃w̃] *n.f.* **1** ato ou efeito de fechar **2** impedimento de passagem ou de circulação

oclusivo (o.clu.si.vo) [ɔklu'zivu] *adj.* (som) em cuja produção intervém oclusão momentânea da cavidade bucal

oco (o.co) ['oku] *adj.* **1** que não tem nada dentro; vazio **2** *fig.* que não tem sentido; fútil

ocorrência (o.cor.rên.ci:a) [ɔku'ʀẽsjɐ] *n.f.* acontecimento; facto

ocorrer (o.cor.rer) [ɔku'ʀer] *v.* **1** acontecer; suceder: *Ocorreu uma coisa inesperada.* **2** lembrar; vir à memória: *Não me ocorreu que não estavas em casa.*

ocre (o.cre) ['ɔkr(ə)] *n.m.* mineral de cor amarelada, avermelhada ou acastanhada, que se utiliza no fabrico de tintas

octano (oc.ta.no) [ɔ'ktɐnu] *n.m.* hidrocarboneto saturado existente na gasolina

octogenário (oc.to.ge.ná.ri:o) [ɔktɔʒə'narju] *n.m.* pessoa que está na casa dos 80 anos de idade

octogésimo (oc.to.gé.si.mo) [ɔktɔ'ʒɛzimu] *adj.* que ocupa o lugar número 80 ■ *num.frac.* que resulta da divisão de um todo por 80

octogonal (oc.to.go.nal) [ɔktɔgu'naɫ] *adj.2g.* **1** diz-se da figura geométrica formada por oito ângulos e oito lados **2** diz-se do sólido cuja base é um octógono

octógono (oc.tó.go.no) [ɔ'ktɔgunu] *n.m.* polígono de oito lados e oito ângulos

octossílabo (oc.tos.sí.la.bo) [ɔktɔ'silɐbu] *n.m.* palavra com oito sílabas

ocular (o.cu.lar) [ɔku'lar] *adj.2g.* relativo à vista

oculista (o.cu.lis.ta) [ɔku'liʃtɐ] *n.2g.* pessoa que fabrica ou vende óculos

óculo (ó.cu.lo) ['ɔkulu] *n.m.* instrumento equipado com lentes de aumento, próprio para ver ao longe ■ **óculos** *n.m.pl.* sistema de duas lentes fixas numa armação que se apoia no nariz e nas orelhas, para auxiliar a visão ou para proteger a vista

ocultar (o.cul.tar) [ɔkuɫ'tar] *v.* **1** esconder: *Ela ocultou o rosto.* **2** encobrir: *ocultar a verdade*

ocultismo (o.cul.tis.mo) [ɔkuɫ'tiʒmu] *n.m.* **1** crença na existência de realidades ocultas, não captadas pelos sentidos **2** conjunto das artes ou ciências ocultas (magia, adivinhação, astrologia, espiritismo, etc.)

ocultista (o.cul.tis.ta) [ɔkuɫ'tiʃtɐ] *adj.2g.* relativo a ocultismo ■ *n.2g.* pessoa que estuda e/ou pratica o ocultismo

oculto (o.cul.to) [ɔ'kuɫtu] *adj.* **1** escondido **2** ignorado

ocupação (o.cu.pa.ção) [ɔkupɐ'sɐ̃w̃] *n.f.* **1** ato de invadir ou tomar posse de um lugar **2** atividade ou trabalho que ocupa o tempo de alguém

ocupacional (o.cu.pa.ci:o.nal) [ɔkupɐsju'naɫ] *adj.2g.* **1** relativo a ocupação, atividade ou trabalho **2** (terapia) que recomenda uma ocupação regular específica como meio de recuperação

ocupado (o.cu.pa.do) [ɔku'padu] *adj.* **1** que tem muitas coisas para fazer; atarefado **2** que não está livre; preenchido

ocupante (o.cu.pan.te) [ɔku'pɐ̃t(ə)] *n.2g.* **1** pessoa que ocupa um lugar **2** pessoa ou força militar que toma posse de um lugar; invasor

ocupar (o.cu.par) [ɔku'par] *v.* **1** preencher (um espaço): *A mesa ocupa quase toda a sala de jantar.* **2** invadir (um território): *ocupar um país* **3** dar ocupação a (alguém): *Ocupou o filho com os trabalhos de casa.* ■ **ocupar-se** ⟨**+de**⟩ dedicar-se a: *Não posso ocupar-me disso agora.*

odalisca (o.da.lis.ca) [ɔdɐ'liʃkɐ] *n.f.* mulher de harém

ode (o.de) ['ɔd(ə)] *n.f.* composição poética lírica própria para ser cantada

odiar (o.di:ar) [o'djar] *v.* ter ódio a; detestar **ANT.** amar

ódio (ó.di:o) ['ɔdju] *n.m.* sentimento de aversão por algo ou por alguém **SIN.** raiva; rancor

odioso (o.di:o.so) [o'djozu] *adj.* **1** que provoca ódio **SIN.** detestável **2** que é muito desagradável

odisseia (o.dis.sei.a) [ɔdi'sɐjɐ] *n.f.* viagem longa, cheia de aventuras e dificuldades

odontalgia (o.don.tal.gi.a) [ɔdõtaɫ'ʒiɐ] *n.f.* dor de dentes

odontologia (o.don.to.lo.gi.a) [ɔdõtulu'ʒiɐ] *n.f.* especialidade médica que se ocupa das doenças e da higiene dos dentes

odontologista (o.don.to.lo.gis.ta) [ɔdõtulu'ʒiʃtɐ] *n.2g.* profissional que trata das doenças dos dentes

odor (o.dor) [ɔ'dor] *n.m.* cheiro; aroma

odre (o.dre) ['odr(ə)] *n.m.* saco feito de pele, usado para transporte de líquidos

oeste (o.es.te) [ɔ'ɛʃt(ə)] *n.m.* ponto cardeal e direção onde o Sol se põe (símbolo: O) **SIN.** ocidente; poente

ofegante (o.fe.gan.te) [ɔfə'gɐ̃t(ə)] *adj.2g.* que respira com dificuldade

ofegar (o.fe.gar) [ɔfə'gar] *v.* **1** respirar com dificuldade **2** *fig.* estar muito cansado

ofender(-se) (o.fen.der(-se)) [ɔfẽ'der(sə)] *v.* ⟨**+com**⟩ magoar(-se); melindrar(-se)

ofendido (o.fen.di.do) [ɔfẽ'didu] *adj.* magoado; melindrado

ofensa (o.fen.sa) [ɔ'fẽsɐ] *n.f.* palavra ou ato que fere a sensibilidade de alguém; insulto

ofensiva (o.fen.si.va) [ɔfẽ'sivɐ] *n.f.* ataque

ofensivo (o.fen.si.vo) [ɔfẽ'sivu] *adj.* **1** que ofende ou magoa **2** que é próprio de ataque

oferecer (o.fe.re.cer) [ɔfərə'ser] *v.* **1** dar como presente **2** pôr à disposição **3** propor; sugerir

oferenda (o.fe.ren.da) [ɔfə'rẽdɐ] *n.f.* oferta; dádiva

oferta (o.fer.ta) [ɔ'fɛrtɐ] *n.f.* **1** presente; prenda **2** proposta; sugestão

ofertar (o.fer.tar) [ɔfər'tar] *v.* oferecer

ofertório (o.fer.tó.ri:o) [ɔfər'tɔrju] *n.m.* **1** parte da missa em que o sacerdote oferece a hóstia e o cálice **2** oferta; dádiva

offline [ɔf'lajn(ə)] *adj.inv.* (dispositivo eletrónico, sistema informático) que não está ligado à rede ou à internet

offshore [ɔf'ʃɔr(ə)] *n.m.* local que não está sujeito à legislação fiscal do país de que faz parte

oficial (o.fi.ci:al) [ɔfi'sjaɫ] *adj.2g.* **1** feito por um governo ou por uma autoridade competente **2** solene; formal ■ *n.2g.* categoria de graduação mais elevada das forças armadas

oficialização (o.fi.ci:a.li.za.ção) [ɔfisjɐlizɐ'sɐ̃w̃] *n.f.* **1** ato de tornar oficial ou público **2** submissão à orientação do Estado

oficializar (o.fi.ci:a.li.zar) [ɔfisjɐli'zar] *v.* tornar oficial

oficialmente (o.fi.ci:al.men.te) [ɔfisjaɫ'mẽt(ə)] *adv.* **1** de modo oficial **2** por encargo da autoridade ou do Governo

oficina (o.fi.ci.na) [ɔfi'sinɐ] *n.f.* **1** lugar onde se exerce um ofício; atelier **2** lugar onde se reparam automóveis; garagem

ofício (o.fí.ci:o) [ɔ'fisju] *n.m.* **1** atividade manual ou mecânica **2** profissão **3** função

oficioso (o.fi.ci:o.so) [ɔfi'sjozu] *adj.* (informação) que provém de departamento governamental ou de um órgão de informação, embora sem carácter oficial

oftalmologia (of.tal.mo.lo.gi.a) [ɔftaɫmulu'ʒiɐ] *n.f.* parte da medicina que estuda e trata as doenças dos olhos

oftalmológico (of.tal.mo.ló.gi.co) [ɔftaɫmu'lɔʒiku] *adj.* relativo à oftalmologia

oftalmologista (of.tal.mo.lo.gis.ta) [ɔftaɫmulu'ʒiʃtɐ] *n.2g.* especialista em doenças dos olhos

ofuscante (o.fus.can.te) [ɔfuʃ'kɐ̃t(ə)] *adj.2g.* **1** que ofusca **2** deslumbrante

ofuscar (o.fus.car) [ɔfuʃ'kar] *v.* **1** impedir a vista de **2** perturbar a visão (por meio de luz intensa) **3** deslumbrar; maravilhar

ogiva (o.gi.va) [ɔ'ʒivɐ] *n.f.* **1** ⊙ ângulo formado por dois arcos que se cruzam na parte superior **2** parte cónica de um projétil

ogival (o.gi.val) [ɔʒi'vaɫ] *adj.2g.* **1** relativo a ogiva **2** em forma de ogiva

OGM [ɔʒe'ɛm] *sigla de* Organismo Geneticamente Modificado

ogre (o.gre) ['ɔgr(ə)] *n.m.* nos contos de fadas, monstro ou gigante que come pessoas

oh (oh) [ɔ] *interj.* exprime admiração, espanto, alegria, tristeza ou dor

oi (oi) ['oj] *interj.* [BRAS.] usa-se para cumprimentar ou chamar alguém

oiro (oi.ro) ['ojru] *n.m.* ⇒ **ouro**

oitava (oi.ta.va) [oj'tavɐ] *n.f.* **1** estrofe de oito versos **2** intervalo entre duas notas musicais do mesmo nome, distanciadas oito graus **3** espaço de oito dias em que se celebra uma festa religiosa

oitavo (oi.ta.vo) [oj'tavu] *adj.* que ocupa o lugar número 8 ■ *num.frac.* que resulta da divisão de um todo por 8 ■ *n.m.* uma das oito partes iguais em que se dividiu uma unidade

oitavos-de-final (oi.ta.vos-.de-.fi.nal) [ojtavuʒd(ə)fi'nal] *a nova grafia é* **oitavos de final**AO

oitavos de final (oi.ta.vos de fi.nal)AO [ojtavuʒd(ə)fi'nal] *n.m.pl.* provas eliminatórias de uma competição com dezasseis jogadores ou equipas que disputam oito jogos

oitenta (oi.ten.ta) [oj'tẽtɐ] *num.card.* setenta mais dez ■ *n.m.* o número 80

oito (oi.to) ['ojtu] *num.card.* sete mais um ■ *n.m.* o número 8 ◆ **ficar feito num oito** ficar em mau estado; **ou oito ou oitenta** ou tudo ou nada

oitocentista (oi.to.cen.tis.ta) [ojtusẽ'tiʃtɐ] *adj.2g.* relativo ao século XIX

oitocentos (oi.to.cen.tos) [ojtu'sẽtuʃ] *num.card.* setecentos mais cem ■ *n.m.* **1** o número 800 **2** o século XIX

OK [ɔ'kɐj] *adv.* sim; entendido; certamente ■ *adj.* bom; certo; perfeito

olá (o.lá) [ɔ'la] *interj.* usa-se para saudar ou chamar alguém

olaré (o.la.ré) [ɔlɐ'rɛ] *interj. coloq.* exprime satisfação ou admiração

olaria (o.la.ri.a) [ɔlɐ'riɐ] *n.f.* **1** fabrico de objetos em barro **2** oficina onde se fabricam objetos de barro **3** peça de barro

oleado (o.le:a.do) [ɔ'ljadu] *adj.* que tem óleo ■ *n.m.* tecido impermeável

olear (o.le:ar) [ɔ'ljar] *v.* untar com óleo

oleiro (o.lei.ro) [ɔ'lɐjru] *n.m.* homem que faz louça de barro

óleo (ó.le:o) ['ɔlju] *n.m.* líquido gorduroso, inflamável, que não se pode dissolver na água ◆ **óleo de amendoim** óleo amarelado extraído de amendoim, utilizado na alimentação como substituto do azeite; **óleo de soja** substância extraída de sementes de soja, utilizada na alimentação e na indústria; **óleo essencial** qualquer óleo de origem vegetal usado em perfumaria

oleoduto (o.le:o.du.to) [ɔljɔ'dutu] *n.m.* canalização que transporta petróleo ou derivados a grandes distâncias

oleosidade (o.le:o.si.da.de) [ɔljuzi'dad(ə)] *n.f.* qualidade do que é oleoso

oleoso (o.le:o.so) [ɔ'ljozu] *adj.* **1** que tem óleo **2** que tem gordura; gorduroso

olfactivo (ol.fac.ti.vo) [ɔɫfɐ'tivu] *a nova grafia é* **olfativo**AO

olfacto (ol.fac.to) [ɔɫ'fatu] *a nova grafia é* **olfato**AO

olfativo (ol.fa.ti.vo)AO [ɔɫfɐ'tivu] *adj.* relativo a olfato

olfato (ol.fa.to)AO [ɔɫ'fatu] *n.m.* sentido do cheiro

olhadela (o.lha.de.la) [ɔʎɐ'dɛlɐ] *n.f.* olhar rápido relance de olhos

olhar (o.lhar) [ɔ'ʎar] *v.* **1** ver; observar: *Ela olhou-o por alguns instantes. Para onde estás a olhar* **2** ⟨**+por**⟩ tratar de; proteger: *olhar pelos filhos* **3** ⟨**+para**⟩ encarar: *Tens de olhar para as coisas de outra maneira.* ■ *n.m.* expressão dos olhos ◆ **não**

olhar para trás não hesitar; **olhar para a frente** pensar no futuro

olheira (**o.lhei.ra**) [u'ʎɐjrɐʃ] *n.f.* [geralmente plural] círculo arroxeado que aparece por vezes à volta dos olhos, geralmente devido a cansaço, insónia ou doença

olheiras (**o.lhei.ras**) [ɔ'ʎɐjrɐʃ] *n.f.pl.* manchas escuras debaixo dos olhos

olhinho (**o.lhi.nho**) [o'ʎiɲu] ⟨*dim. de* olho⟩ *n.m.* olho pequeno ♦ **fazer olhinhos (a alguém)** mostrar interesse (por alguém)

olho (**o.lho**) ['oʎu] *n.m.* órgão da visão ♦ **a olho nu** sem auxílio de lentes; **não pregar olho** não conseguir dormir

olho-de-boi (**o.lho-.de-.boi**) [oʎudə'boj] *n.m.* ⟨*pl.* olhos-de-boi⟩ abertura circular ou elíptica, em tetos ou paredes, para dar luz ao interior do edifício **SIN.** claraboia

oligarquia (**o.li.gar.qui.a**) [ɔligɐr'kiɐ] *n.f.* **1** governo em que o poder está concentrado nas mãos de um pequeno número de pessoas **2** *fig.* predomínio de um grupo ou de um pequeno número de pessoas

olimpíada (**o.lim.pí.a.da**) [olĩ'piɐdɐ] *n.f.* **1** (Grécia Antiga) período de quatro anos decorridos entre duas celebrações consecutivas dos Jogos Olímpicos **2** competição em determinada área de conhecimento, em que podem participar pessoas de diversas nacionalidades ▪ **olimpíadas** *n.f.pl.* competição desportiva internacional, em que estão representadas diversas modalidades, e que se realiza de quatro em quatro anos num país decidido previamente **SIN.** jogos olímpicos

olímpico (**o.lím.pi.co**) [o'lĩpiku] *adj.* relativo a olimpíadas ♦ **jogos olímpicos** competição desportiva que se realiza de quatro em quatro anos, e na qual estão representados diversos países e diversas modalidades

olival (**o.li.val**) [ɔli'vaɫ] *n.m.* terreno plantado de oliveiras

oliveira (**o.li.vei.ra**) [ɔli'vɐjrɐ] *n.f.* árvore cujo fruto é a azeitona

olmo (**ol.mo**) ['oɫmu] *n.m.* árvore de grande porte, com folhas caducas e frutos sem pedúnculo

ombreira (**om.brei.ra**) [õ'brɐjrɐ] *n.f.* parte do vestuário correspondente ao ombro

ombro (**om.bro**) ['õbru] *n.m.* parte superior do braço ♦ **encolher os ombros** mostrar-se indiferente

ómega (**ó.me.ga**) ['ɔməgɐ] *n.m.* vigésima quarta e última letra do alfabeto grego, correspondente ao *o* fechado

omeleta (**o.me.le.ta**) [ɔmə'lɛtɐ] *n.f.* alimento preparado com ovos batidos e enrolados em forma de almofada

omelete (**o.me.le.te**) [ɔmə'lɛt(ə)] *n.f.* ⇒ **omeleta**

omissão (**o.mis.são**) [omi'sɐ̃w̃] *n.f.* falta; lacuna

omisso (**o.mis.so**) [o'misu] *adj.* **1** em que há omissão **2** que ficou por fazer ou dizer **3** (lei, regulamento) que não previu todos os casos possíveis

omitir (**o.mi.tir**) [omi'tir] *v.* não mencionar

omnipotência (**om.ni.po.tên.ci:a**) [ɔmnipu'tẽsjɐ] *n.f.* poder ilimitado

omnipotente (**om.ni.po.ten.te**) [ɔmnipu'tẽt(ə)] *adj.2g.* que tem poder ilimitado

omnipresença (**om.ni.pre.sen.ça**) [ɔmniprə'zẽsɐ] *n.f.* faculdade de estar em todos os lugares ao mesmo tempo

omnipresente (**om.ni.pre.sen.te**) [ɔmniprə'zẽt(ə)] *adj.2g.* que está em todos os lugares

omnisciência (**om.nis.ci:ên.ci:a**) [ɔmniʃ'sjẽsjɐ] *n.f.* conhecimento absoluto

omnisciente (**om.nis.ci:en.te**) [ɔmniʃ'sjẽt(ə)] *adj.2g.* que sabe tudo

omnívoro (**om.ní.vo.ro**) [ɔ'mnivuru] *adj.* que se alimenta de substâncias animais e vegetais

omoplata (**o.mo.pla.ta**) [ɔmɔ'platɐ] *n.f.* osso do esqueleto que constitui a parte posterior do ombro

OMS [ɔɛm'ɛs] *sigla de* Organização Mundial de Saúde

onça (**on.ça**) ['õsɐ] *n.f.* **1** mamífero carnívoro, semelhante ao leopardo, de pelo acinzentado ou acastanhado, com manchas escuras **2** unidade de medida de peso, equivalente a cerca de 30 gramas

oncologia (**on.co.lo.gi.a**) [õkulu'ʒiɐ] *n.f.* especialidade médica que se dedica ao estudo dos tumores

oncológico (**on.co.ló.gi.co**) [õku'lɔʒiku] *adj.* relativo a oncologia

onda (**on.da**) ['õdɐ] *n.f.* **1** massa de água que se eleva e desloca nos mares e rios; vaga **2** *fig.* grande quantidade de pessoas, animais ou coisas que se sucedem **3** *fig.* aquilo que desperta grande interesse; moda ♦ *coloq.* **fazer ondas** levantar problemas ou complicações; **ir na onda** **1** deixar-se levar ou enganar **2** seguir alguém

onde (**on.de**) ['õd(ə)] *adv.* **1** no lugar em que: *Não há barulho onde moro.* **2** em que lugar: *Onde vives?* ▪ *prn.rel.* no qual; em que: *A casa onde habito é pequena.* ♦ **onde quer que** em qualquer lugar que

---

Não confundir **onde** (advérbio que indica permanência) com **aonde** (advérbio que indica movimento): *Onde moras? Aonde vais agora?*

---

ondulação (**on.du.la.ção**) [õdulɐ'sɐ̃w̃] *n.f.* movimento semelhante ao das ondas

ondulado (**on.du.la.do**) [õdu'ladu] *adj.* **1** que tem ondas **2** que apresenta ondulações **3** diz-se do cabelo frisado

ondulante (**on.du.lan.te**) [õdu'lɐ̃t(ə)] *adj.2g.* **1** que tem ondas **2** que tem curvas; irregular

ondular (on.du.lar) [õdu'lar] *v.* **1** formar ondas **2** frisar (o cabelo)

ondulatório (on.du.la.tó.ri:o) [õdulɐ'tɔrju] *adj.* **1** relativo a onda **2** que forma onda(s)

ONG [ɔɛn'ʒe] *sigla de* Organização Não Governamental

ônibus (ô.ni.bus) ['onibuʃ] *n.m.2n.* [BRAS.] autocarro

onírico (o.ní.ri.co) [ɔ'niriku] *adj.* relativo a sonho

ónix (ó.nix) ['ɔniks] *n.m.2n.* pedra semipreciosa com várias cores em riscas paralelas

online [ɔn'lajn] *adj.inv.* **1** (programa, serviço) que está disponível em rede **2** (utilizador) que está a usar a internet

onomástica (o.no.más.ti.ca) [ɔnu'maʃtikɐ] *n.f.* estudo da etimologia, das transformações e da classificação dos nomes próprios

onomástico (o.no.más.ti.co) [ɔnu'maʃtiku] *adj.* relativo aos nomes próprio

onomatopaico (o.no.ma.to.pai.co) [ɔnɔmɐtu'pajku] *adj.* relativo a onomatopeia

onomatopeia (o.no.ma.to.pei.a) [ɔnɔmɐtu'pɐjɐ] *n.f.* palavra que imita sons produzidos por animais, objetos ou fenómenos naturais

ontem (on.tem) ['õtɐ̃j] *adv.* no dia anterior ao de hoje ♦ **de ontem para hoje** de repente; rapidamente

ONU [ɔ'nu] *sigla de* Organização das Nações Unidas

onze (on.ze) ['õz(ə)] *num.card.* dez mais um ■ *n.m.* o número 11

oó (o.ó) [ɔ'ɔ] *n.m. infant.* sono ♦ **fazer oó** dormir

OPA ['ɔpɐ] *sigla de* Oferta Pública de Aquisição

opacidade (o.pa.ci.da.de) [ɔpɐsi'dad(ə)] *n.f.* **1** qualidade de opaco; falta de transparência **2** sombra espessa; lugar sombrio

opaco (o.pa.co) [ɔ'paku] *adj.* **1** que não deixa passar a luz **2** escuro; sombrio

opção (op.ção) [ɔ'psɐ̃w̃] *n.f.* escolha

opcional (op.ci:o.nal) [ɔpsju'naɫ] *adj.2g.* que não é obrigatório SIN. facultativo

open ['o(w)pən] *n.m.* ⟨*pl.* opens⟩ competição em que podem participar amadores e profissionais

OPEP [ɔ'pɛp] *sigla de* Organização dos Países Exportadores de Petróleo

ópera (ó.pe.ra) ['ɔpərɐ] *n.f.* representação teatral cantada, com acompanhamento de uma orquestra

operação (o.pe.ra.ção) [ɔpərɐ'sɐ̃w̃] *n.f.* **1** cálculo matemático **2** intervenção cirúrgica ♦ **operação stop** conjunto de ações de vigilância realizadas pela polícia, em certos pontos de uma estrada, mandando parar as viaturas para controlar e detetar possíveis infrações

operacional (o.pe.ra.ci:o.nal) [ɔpərɐsju'naɫ] *adj.2g.* que está pronto para ser utilizado

operado (o.pe.ra.do) [ɔpə'radu] *adj.* **1** que foi realizado **2** que sofreu uma intervenção cirúrgica

operador (o.pe.ra.dor) [ɔpərɐ'dor] *n.m.* **1** médico que faz intervenções cirúrgicas; cirurgião **2** símbolo matemático que indica uma operação a realizar ♦ **operador de câmara** profissional que se ocupa da captação e registo de imagens através de uma máquina de filmar

operadora (o.pe.ra.do.ra) [ɔpərɐ'dorɐ] *n.f.* empresa que presta certos serviços

operar (o.pe.rar) [ɔpə'rar] *v.* fazer uma operação

operariado (o.pe.ra.ri:a.do) [ɔpərɐ'rjadu] *n.m.* classe dos trabalhadores

operário (o.pe.rá.ri:o) [ɔpə'rarju] *n.m.* trabalhador (de uma fábrica ou indústria)

operatório (o.pe.ra.tó.ri:o) [ɔpərɐ'tɔrju] *adj.* **1** relativo a operação **2** que é próprio para intervenções cirúrgicas

operável (o.pe.rá.vel) [ɔpə'ravɛɫ] *adj.2g.* que se pode operar

opereta (o.pe.re.ta) [ɔpə'retɐ] *n.f.* peça de teatro acompanhada de música

opinar (o.pi.nar) [ɔpi'nar] *v.* ⟨**+sobre**⟩ emitir opinião: *O João opinou sobre a situação*

opinião (o.pi.ni.ão) [ɔpi'njɐ̃w̃] *n.f.* maneira de pensar sobre algo; julgamento; perspetiva ♦ **opinião pública** conjunto das opiniões partilhadas pela maioria dos membros de uma sociedade

ópio (ó.pi:o) ['ɔpju] *n.m.* **1** substância obtida de algumas espécies de papoilas, utilizada como narcótico **2** droga que se obtém a partir dessa substância **3** *fig.* aquilo que causa adormecimento; entorpecimento

opíparo (o.pí.pa.ro) [ɔ'piparu] *adj.* **1** sumptuoso; magnificente **2** rico; abundante

oponente (o.po.nen.te) [ɔpu'nẽt(ə)] *adj.2g.* que se opõe ■ *n.2g.* pessoa que se opõe a algo ou a alguém SIN. adversário

oponível (o.po.ní.vel) [ɔpu'nivɛɫ] *adj.2g.* que se pode opor

opor (o.por) [ɔ'por] *v.* **1** colocar contra **2** pôr frente a frente **3** pôr em contraste ■ **opor-se** **1** ser contrário a **2** ⟨**+a**⟩ não aceitar

oportunamente (o.por.tu.na.men.te) [ɔpurtunɐ'mẽt(ə)] *adv.* na ocasião própria; no momento certo

oportunidade (o.por.tu.ni.da.de) [ɔpurtuni'dad(ə)] *n.f.* ocasião conveniente ou favorável

oportunismo (o.por.tu.nis.mo) [ɔpurtu'niʒmu] *n.m.* atitude da pessoa que age de modo a salvaguardar sempre os seus próprios interesses

portunista (o.por.tu.nis.ta) [ɔpurtu'niʃtɐ] *n.2g.* pessoa que age apenas em proveito próprio

portuno (o.por.tu.no) [ɔpur'tunu] *adj.* que chega ou acontece no momento certo **SIN.** apropriado; conveniente

posição (o.po.si.ção) [ɔpuzi'sɐ̃w̃] *n.f.* **1** ato ou efeito de opor ou de se opor; resistência **2** contraste

positor (o.po.si.tor) [ɔpuzi'tor] *n.m.* adversário; rival

posto (o.pos.to) [ɔ'poʃtu] *adj.* que se opõe **SIN.** contrário

pressão (o.pres.são) [ɔprə'sɐ̃w̃] *n.f.* **1** sensação de falta de ar; aperto **2** sujeição imposta pela força ou por uma autoridade; tirania

pressivo (o.pres.si.vo) [ɔprə'sivu] *adj.* **1** que oprime **2** que provoca falta de ar **3** que provoca angústia

pressor (o.pres.sor) [ɔprə'sor] *adj.,n.m.* que ou aquele que oprime

primido (o.pri.mi.do) [ɔpri'midu] *adj.* **1** que sofre opressão **2** sufocado **3** angustiado

primir (o.pri.mir) [ɔpri'mir] *v.* **1** apertar; comprimir **2** submeter de forma violenta **3** afligir; angustiar

ptar (op.tar) [ɔ'ptar] *v.* ⟨**+entre**, **+por**⟩ escolher: *Pode optar entre dois serviços. Ele optou por ficar em Portugal.*

ptica (óp.ti.ca) ['ɔtikɐ] *a nova grafia é* **ótica**[AO]

ptico (óp.ti.co) ['ɔtiku] *a nova grafia é* **ótico**[AO]

ptimismo (op.ti.mis.mo) [ɔti'miʒmu] *a nova grafia é* **otimismo**[AO]

ptimista (op.ti.mis.ta) [ɔti'miʃtɐ] *a nova grafia é* **otimista**[AO]

ptimização (op.ti.mi.za.ção) [ɔtimizɐ'sɐ̃w̃] *a nova grafia é* **otimização**[AO]

ptimizar (op.ti.mi.zar) [ɔtimi'zar] *a nova grafia é* **otimizar**[AO]

ptimo (óp.ti.mo) ['ɔtimu] *a nova grafia é* **ótimo**[AO]

pulência (o.pu.lên.ci:a) [ɔpu'lẽsjɐ] *n.f.* **1** grande quantidade de bens; riqueza **2** grande luxo; fausto

pulento (o.pu.len.to) [ɔpu'lẽtu] *adj.* **1** abundante; abastado **2** magnífico; luxuoso

ra (o.ra) ['ɔrɐ] *conj.* **1** mas: *Ele adorou o livro; ora, eu detestei-o.* **2** portanto; pois bem: *Se quisesse vir, tinha dito; ora, se não disse, é porque não vem.* ▪ *adv.* agora; neste momento: *de ora em diante* ◆ **de ora em diante** daqui para a frente; no futuro; **ora!** exclamação que exprime impaciência, menosprezo ou dúvida; (valor alternativo) **ora... ora...** quer... quer...: *ora a pé, ora de carro*; **por ora** para já; neste momento

oração (o.ra.ção) [ɔrɐ'sɐ̃w̃] *n.f.* **1** invocação a Deus ou aos santos; prece **2** conjunto de palavras ordenadas que formam um sentido completo e que respeitam as regras gramaticais; frase

oracional (o.ra.ci:o.nal) [ɔrɐsju'naɫ] *adj.2g.* relativo a oração

oráculo (o.rá.cu.lo) [ɔ'rakulu] *n.m.* **1** resposta de uma divindade; revelação **2** vontade de Deus anunciada pelos profetas; profecia

orador (o.ra.dor) [ɔrɐ'dor] *n.m.* pessoa que faz um discurso em público

oral (o.ral) [ɔ'raɫ] *adj.2g.* **1** relativo à boca; bucal **2** realizado através da fala; verbal ▪ *n.f.* prova ou parte de exame baseada em perguntas e respostas realizadas verbalmente

oralidade (o.ra.li.da.de) [ɔrɐli'dad(ə)] *n.f.* **1** qualidade do que é oral **2** parte oral de uma língua

oralmente (o.ral.men.te) [ɔraɫ'mẽt(ə)] *adv.* através da fala; verbalmente

orangotango (o.ran.go.tan.go) [ɔrɐ̃gu'tɐ̃gu] *n.m.* macaco grande com braços longos, pernas curtas, pelo comprido avermelhado e sem cauda

orar (o.rar) [ɔ'rar] *v.* ⟨**+a**, **+por**⟩ rezar: *orar a Deus; orar pela paz*

oratória (o.ra.tó.ri:a) [ɔrɐ'tɔrjɐ] *n.f.* arte de falar em público

oratório (o.ra.tó.ri:o) [ɔrɐ'tɔrju] *adj.* relativo a oratória ▪ *n.m.* **1** local destinado às orações **2** pequeno altar

órbita (ór.bi.ta) ['ɔrbitɐ] *n.f.* **1** trajetória de um planeta à volta do Sol **2** cavidade óssea, na face, onde se situa o olho

orbital (or.bi.tal) [ɔrbi'taɫ] *adj.2g.* relativo a órbita

orca (or.ca) ['ɔrkɐ] *n.f.* animal aquático com dorso negro e ventre branco, barbatana dorsal triangular e dentes aguçados, que se alimenta de baleias, focas e peixes

orçamental (or.ça.men.tal) [orsɐ'mẽtaɫ] *adj.2g.* relativo a orçamento

orçamento (or.ça.men.to) [orsɐ'mẽtu] *n.m.* cálculo aproximado do custo de (uma obra, um serviço, etc.)

orçar (or.çar) [ɔr'sar] *v.* **1** fazer o orçamento de **SIN.** estimar **2** andar por; rondar

ordem (or.dem) ['ɔrdɐ̃j̃] *n.f.* **1** boa arrumação **2** sequência de coisas ordenadas **3** determinação de uma autoridade superior **4** comunidade religiosa ▪ **Ordem** associação de pessoas que exercem a mesma profissão (Ordem dos Médicos, Ordem dos Advogados, etc.) ◆ **à ordem** cujo dinheiro pode ser levantado a qualquer altura; **da/na ordem de** cerca de; que ronda; **de primeira ordem** de excelente qualidade; **estar na ordem do dia** estar na moda; **meter na ordem** obrigar ao cumprimento do dever; disciplinar; **ordem de pagamento** autorização dada por pessoa ou entidade responsável para que seja paga determinada quantia; **ordem de serviço** comunicação escrita dirigida aos funcionários de uma empresa/instituição para informação e futura execução de determinadas normas; **ordem do dia** conjunto de assuntos que se pretende discutir ou resolver num prazo ou numa sessão; **por ordem** de forma ordenada ou sucessiva

ordenação (or.de.na.ção) [ɔrdənɐ'sɐ̃w̃] *n.f.* **1** disposição ordenada de coisas; arrumação **2** disposição de elementos de um conjunto segundo uma ordem **3** lei; regulamento

ordenada (or.de.na.da) [ɔrdə'nadɐ] *n.f.* (geometria) uma das coordenadas que determinam a posição de um ponto em relação a um sistema de eixos

ordenadamente (or.de.na.da.men.te) [ɔrdənadɐ'mẽt(ə)] *adv.* **1** segundo uma ordem **2** calmamente

ordenado (or.de.na.do) [ɔrdə'nadu] *adj.* **1** arrumado **2** calmo **3** determinado ■ *n.m.* ⇒ **salário**

ordenar (or.de.nar) [ɔrdə'nar] *v.* **1** pôr por ordem **2** arrumar **3** determinar

ordenha (or.de.nha) [ɔr'dɐ(j)ɲɐ] *n.f.* **1** ato ou processo de retirar o leite das tetas de vacas, cabras, etc. **2** quantidade de leite ordenhado

ordenhar (or.de.nhar) [ɔrdə'ɲar] *v.* tirar leite de (vaca, cabra ou ovelha)

ordinal (or.di.nal) [ɔrdi'nał] *adj.2g.* diz-se do numeral que indica a ordem ou posição num conjunto

ordinário (or.di.ná.ri:o) [ɔrdi'narju] *adj.* **1** comum; habitual **2** mal-educado; grosseiro

orégão (o.ré.gão) [ɔ'rɛgɐ̃w̃] *n.m.* planta herbácea, aromática, utilizada como condimento

orelha (o.re.lha) [o'rɐ(j)ʎɐ] *n.f.* parte externa do ouvido dos mamíferos ♦ **arrebitar a orelha** pôr-se à escuta; **até às orelhas** completamente; **de trás da orelha** muito bom; magnífico

orelheira (o.re.lhei.ra) [orə'ʎɐjrɐ] *n.f.* **1** orelha de porco **2** prato feito com orelha de porco

orfanato (or.fa.na.to) [ɔrfɐ'natu] *n.m.* estabelecimento que abriga crianças órfãs ou abandonadas

órfão (ór.fão) ['ɔrfɐ̃w̃] *n.m.* ⟨*f.* órfã, *pl.* órfãos⟩ criança que perdeu um dos pais ou ambos

orfeão (or.fe.ão) [ɔr'fjɐ̃w̃] *n.m.* grupo ou escola que se dedica ao canto coral

organdi (or.gan.di) [ɔrgɐ̃'di] *n.m.* tecido leve e transparente, com um tratamento especial que lhe dá consistência

orgânica (or.gâ.ni.ca) [ɔr'gɐnikɐ] *n.f.* norma ou modelo que regula o funcionamento de (um grupo, uma atividade)

orgânico (or.gâ.ni.co) [ɔr'gɐniku] *adj.* **1** relativo órgão ou organismo **2** diz-se do alimento produzido sem fertilizantes ou pesticidas sintéticos

organigrama (or.ga.ni.gra.ma) [ɔrgɐni'grɐmɐ] *n.m.* representação gráfica da estrutura de uma organização ou instituição

organismo (or.ga.nis.mo) [ɔrgɐ'niʒmu] *n.m.* **1** ser vivo **2** corpo humano **3** instituição

organista (or.ga.nis.ta) [ɔrgɐ'niʃtɐ] *n.2g.* pessoa que toca órgão

organização (or.ga.ni.za.ção) [ɔrgɐnizɐ'sɐ̃w̃] *n.f.* **1** modo de organizar algo; preparação **ANT.** desorganização **2** grupo que tem um objetivo comum; organismo

organizacional (or.ga.ni.za.ci:o.nal) [ɔrgɐnizɐsju'nał] *adj.,n 2g.* relativo a organização

organizado (or.ga.ni.za.do) [ɔrgɐni'zadu] *adj.* **1** ordenado **ANT.** desorganizado **2** arrumado **3** metódico

organizador (or.ga.ni.za.dor) [ɔrgɐnizɐ'dor] *n.m.* pessoa que organiza algo

organizar (or.ga.ni.zar) [ɔrgɐni'zar] *v.* **1** ordenar **ANT.** desorganizar **2** arrumar **3** estruturar

organograma (or.ga.no.gra.ma) [ɔrgɐnɔ'grɐmɐ] *n.m.* representação gráfica da estrutura de uma organização ou instituição

órgão (ór.gão) ['ɔrgɐ̃w̃] *n.m.* **1** parte do corpo de um ser vivo que cumpre uma função específica: *O coração é um órgão muito importante.* **2** instrumento musical com teclas, geralmente portátil **3** organização ou estabelecimento de utilidade pública ou privada; **órgãos de soberania** entidades que representam os poderes do Estado (Presidente da República, Assembleia da República, Governo e Tribunais) ♦ **órgão de comunicação social** qualquer publicação periódica, empresa noticiosa, empresa jornalística, operador radiofónica ou televisiva

orgasmo (or.gas.mo) [ɔr'gaʒmu] *n.m.* **1** ponto mais intenso de excitação de um órgão (particularmente dos órgãos sexuais); clímax **2** grau máximo do prazer sexual

orgia (or.gi.a) [ɔr'ʒiɐ] *n.f.* **1** festa indisciplinada em que se come e bebe em excesso e/ou onde há promiscuidade sexual; bacanal **2** *fig.* devassidão **3** *fig.* excesso

orgulhar-se (or.gu.lhar-.se) [ɔrgu'ʎars(ə)] *v.* ⟨**+de**⟩ sentir orgulho de; envaidecer-se: *Orgulhamo-nos muito de pertencer à equipa.*

orgulho (or.gu.lho) [ɔr'guʎu] *n.m.* **1** sentimento ou atitude de quem se julga superior às outras pessoas; vaidade **2** satisfação de uma pessoa por ter feito algo bom ou por ter conseguido alguma coisa; amor-próprio

orgulhoso (or.gu.lho.so) [ɔrguˈʎozu] *adj.* **1** vaidoso **2** arrogante

orientação (o.ri:en.ta.ção) [ɔrjẽtɐˈsɐ̃w̃] *n.f.* **1** localização; posição **2** direção; rumo **3** modelo; guia ◆ **orientação educacional** conjunto de processos pedagógicos que consistem em guiar os estudantes na escolha dos ramos de ensino em função das suas aptidões e dos seus gostos; **orientação profissional** conjunto de processos pelos quais os indivíduos são aconselhados na escolha da profissão

orientador (o.ri:en.ta.dor) [ɔrjẽtɐˈdor] *n.m.* pessoa que orienta; guia

oriental (o.ri:en.tal) [ɔrjẽˈtaɫ] *adj.2g.* **1** relativo ao oriente **2** natural do oriente

orientar (o.ri:en.tar) [ɔrjẽˈtar] *v.* indicar a direção de; guiar ■ **orientar-se** determinar a posição em que se está, de acordo com os pontos cardeais

oriente (o.ri:en.te) [ɔˈrjẽt(ə)] *n.m.* **1** lado do horizonte onde nasce o Sol **SIN.** este; leste; nascente **2** região situada a leste

orifício (o.ri.fí.ci:o) [ɔriˈfisju] *n.m.* pequena abertura **SIN.** buraco; furo

origâmi (o.ri.gâ.mi) [ɔriˈgɐmi] *n.m.* arte de dobrar e recortar papel, criando formas e figuras

origem (o.ri.gem) [oˈriʒɐ̃j̃] *n.f.* **1** ponto de partida; princípio **2** local de nascimento; nacionalidade **3** aquilo que provoca algo; causa

originado (o.ri.gi.na.do) [oriʒiˈnadu] *adj.* **1** gerado por **2** nascido em **3** causado por

original (o.ri.gi.nal) [oriʒiˈnaɫ] *adj.2g.* **1** inicial **2** inovador **3** excecional

originalidade (o.ri.gi.na.li.da.de) [oriʒinɐliˈdad(ə)] *n.f.* **1** capacidade para criar coisas; criatividade **2** qualidade do que é novo; inovação

originar (o.ri.gi.nar) [oriʒiˈnar] *v.* **1** dar origem a; iniciar **2** ser a causa de; causar

originário (o.ri.gi.ná.ri:o) [oriʒiˈnarju] *adj.* que tem determinada origem; proveniente

Órion (ó.ri:on) [ˈɔrjõ] *n.m.* constelação equatorial, localizada a norte da Lebre, com sete estrelas visíveis a olho nu

oriundo (o.ri:un.do) [ɔˈrjũdu] *adj.* ⇒ **originário**

orixá (o.ri.xá) [ɔriˈʃa] *n.m.* designação genérica das divindades veneradas pelos Iorubas do Sudoeste da Nigéria, do Benim e do Norte do Togo, que representam as forças da natureza e foram levadas para o Brasil pelos escravos negros, tendo sido incorporadas por outras religiões

orla (or.la) [ˈɔrlɐ] *n.f.* **1** terreno que rodeia um rio, lago ou lagoa; margem **2** extremidade inferior de uma peça de roupa ou de um tecido

ornado (or.na.do) [ɔrˈnadu] *adj.* decorado; enfeitado

ornamental (or.na.men.tal) [ornɐmẽˈtaɫ] *adj.2g.* relativo a ornamento

ornamentar (or.na.men.tar) [ornɐmẽˈtar] *v.* decorar; enfeitar

ornamento (or.na.men.to) [ornɐˈmẽtu] *n.m.* decoração; enfeite

ornar (or.nar) [orˈnar] *v.* ⇒ **ornamentar**

ornitologia (or.ni.to.lo.gi.a) [ɔrnituluˈʒiɐ] *n.f.* ciência que estuda as aves

orquestra (or.ques.tra) [ɔrˈkɛʃtrɐ] *n.f.* grupo de músicos que tocam diferentes instrumentos musicais

orquestração (or.ques.tra.ção) [ɔrkəʃtrɐˈsɐ̃w̃] *n.f.* **1** adaptação de uma composição musical a uma orquestra **2** organização de um evento, uma campanha política, etc.

orquestral (or.ques.tral) [ɔrkəʃˈtraɫ] *adj.2g.* **1** relativo a orquestra **2** que pertence a uma orquestra

orquestrar (or.ques.trar) [ɔrkəʃˈtrar] *v.* **1** adaptar a uma orquestra **2** organizar

orquídea (or.quí.de:a) [orˈkidjɐ] *n.f.* **1** planta herbácea, cujas flores se agrupam em cachos e têm formas exóticas **2** 👁 flor dessa planta

ortodoxo (or.to.do.xo) [ɔrtɔˈdɔksu] *adj.* **1** que segue os padrões ou dogmas estabelecidos; tradicionalista; conservador **2** *pej.* que não tolera a novidade ou a diferença; conservador ■ *n.m.* **1** pessoa que segue com rigor uma doutrina estabelecida **2** cristão membro da Igreja Ortodoxa ◆ **Igreja Ortodoxa** conjunto dos cristãos do Oriente que se desligou da obediência ao Papa em 1054

ortoépia (or.to.é.pi:a) [ɔrtɔˈɛpjɐ] *n.f.* **1** parte da gramática que se dedica ao estudo da pronúncia correta dos sons **2** pronúncia correta

ortografar (or.to.gra.far) [ɔrtugrɐˈfar] *v.* escrever corretamente

ortografia (or.to.gra.fi.a) [ɔrtugrɐˈfiɐ] *n.f.* **1** escrita correta das palavras **2** maneira de escrever

ortográfico (or.to.grá.fi.co) [ɔrtuˈgrafiku] *adj.* relativo à ortografia

ortónimo (or.tó.ni.mo) [ɔrˈtɔnimu] *n.m.* nome verdadeiro ou real de uma pessoa

ortopedia (or.to.pe.di.a) [ɔrtɔpə'diɐ] *n.f.* parte da medicina que trata das deformações de ossos, articulações, músculos e tendões

ortopédico (or.to.pé.di.co) [ɔrtɔ'pɛdiku] *adj.* relativo a ortopedia

ortopedista (or.to.pe.dis.ta) [ɔrtɔpə'diʃtɐ] *n.2g.* especialista em ortopedia

orvalhada (or.va.lha.da) [ɔrvɐ'ʎadɐ] *n.f.* **1** formação de orvalho **2** orvalho que se formou durante a noite

orvalhado (or.va.lha.do) [ɔrvɐ'ʎadu] *adj.* coberto de orvalho

orvalhar (or.va.lhar) [ɔrvɐ'ʎar] *v.* **1** cair orvalho **2** chuviscar

orvalho (or.va.lho) [ɔr'vaʎu] *n.m.* humidade da atmosfera que se condensa e deposita em gotas no solo e na vegetação quando a temperatura desce muito durante a noite

óscar (ós.car) ['ɔʃkar] *n.m.* **1** [também com maiúscula] prémio atribuído anualmente pela Academia de Hollywood, a pessoas da indústria do cinema **2** [também com maiúscula] estatueta dourada que representa esse prémio

oscilação (os.ci.la.ção) [oʃsilɐ'sɐ̃w̃] *n.f.* **1** movimento de um lado para o outro; balanço **2** mudança de estado ou de posição; variação **3** falta de decisão; hesitação

oscilante (os.ci.lan.te) [oʃsi'lɐ̃t(ə)] *adj.2g.* **1** que oscila **2** *fig.* hesitante

oscilar (os.ci.lar) [oʃsi'lar] *v.* **1** balançar **2** ⟨**+entre**⟩ variar **3** ⟨**+em**, **+entre**⟩ hesitar

ósculo (ós.cu.lo) ['ɔʃkulu] *n.m.* beijo

osmose (os.mo.se) [ɔʒ'mɔz(ə)] *n.f.* **1** passagem do solvente de uma solução através de uma membrana porosa que dificulta a passagem do soluto **2** *fig.* influência recíproca

ossada (os.sa.da) [ɔ'sadɐ] *n.f.* conjunto dos ossos de um cadáver

ossário (os.sá.ri:o) [ɔ'sarju] *n.f.* lugar onde se guardam ossos nos cemitérios

ossatura (os.sa.tu.ra) [ɔsɐ'turɐ] *n.f.* conjunto dos ossos dos vertebrados **SIN.** esqueleto

ósseo (ós.se:o) ['ɔsju] *adj.* **1** relativo a osso **2** formado por osso

osso (os.so) ['osu] *n.m.* cada uma das peças duras que formam o esqueleto dos vertebrados ◆ **osso duro de roer** grande dificuldade; **ossos do ofício** dificuldades e encargos inerentes a um ofício, cargo ou emprego

ostensivo (os.ten.si.vo) [oʃtẽ'sivu] *adj.* **1** evidente **2** provocador

ostentação (os.ten.ta.ção) [oʃtẽtɐ'sɐ̃w̃] *n.f.* **1** demonstração de orgulho ou vaidade **2** exibição de luxo ou riqueza

ostentar (os.ten.tar) [oʃtẽ'tar] *v.* **1** exibir com aparato **2** revelar; mostrar

osteopata (os.te:o.pa.ta) [ɔʃtjɔ'patɐ] *n.2g.* especialista em tratamentos de ossos

osteopatia (os.te:o.pa.ti.a) [ɔʃtjɔpɐ'tiɐ] *n.f.* qualquer doença de ossos

osteoporose (os.te:o.po.ro.se) [ɔʃtjɔpu'rɔz(ə)] *n.f.* doença em que os ossos vão ficando porosos e frágeis e podem partir com mais facilidade

ostra (os.tra) ['oʃtrɐ] *n.f.* molusco de concha rugosa que produz pérolas

OTAN [ɔ'tɐ̃] *sigla de* Organização do Tratado do Atlântico Norte

otário (o.tá.ri:o) [ɔ'tarju] *adj.,n.m. coloq.* palerma

ótica (ó.ti.ca)[AO] ['ɔtikɐ] *n.f.* **1** parte da física que estuda a luz e os fenómenos da visão **2** ponto de vista; perspetiva

ótico (ó.ti.co)[AO] ['ɔtiku] *adj.* **1** relativo a ótica **2** relativo à visão ou aos olhos **3** diz-se do nervo que liga o olho ao cérebro e que transmite as impressões causadas pela luz na retina

otimismo (o.ti.mis.mo)[AO] [ɔti'miʒmu] *n.m.* tendência para encarar as coisas de uma forma positiva e confiante **ANT.** pessimismo

otimista (o.ti.mis.ta)[AO] [ɔti'miʃtɐ] *adj.2g.* **1** relativo a otimismo **ANT.** pessimista **2** que revela otimismo ■ *n.2g.* pessoa que encara tudo de uma forma positiva e confiante

otimização (o.ti.mi.za.ção)[AO] [ɔtimizɐ'sɐ̃w̃] *n.f.* obtenção do melhor rendimento de algo

otimizar (o.ti.mi.zar)[AO] [ɔtimi'zar] *v.* **1** tornar ótimo **2** reestruturar com o objetivo de obter o maior rendimento possível **3** resolver (problema) com critério de otimização

ótimo (ó.ti.mo)[AO] ['ɔtimu] ⟨*superl. de* bom⟩ *adj.* magnífico; excelente **ANT.** péssimo

otite (o.ti.te) [ɔ'tit(ə)] *n.f.* inflamação do ouvido

otorrino (o.tor.ri.no) [ɔtɔ'ʀinu] *n.m. coloq.* otorrinolaringologista

otorrinolaringologia (o.tor.ri.no.la.rin.go.lo.gi.a) [ɔtɔʀinɔlɐrĩgulu'ʒiɐ] *n.f.* parte da medicina que trata dos ouvidos, do nariz e da laringe

otorrinolaringologista (o.tor.ri.no.la.rin.go.lo.gis.ta) [ɔtɔʀinɔlɐrĩgulu'ʒiʃtɐ] *n.2g.* especialista em otorrinolaringologia

ou (ou) [o(w)] *conj.* **1** indica a) alternativa: *Vens ou ficas?*; b) incerteza: *Sim ou não?*; c) aproximação: *Para o jantar, somos umas 10 ou 12 pessoas.*; d) equivalência: *um metro ou cem centímetros* **2** de outro modo; por outras palavras: *um minuto, ou sessenta segundos* **3** liga palavras indicando alternativa: *Ou vamos ao cinema ou ao teatro.* ◆ *coloq.* **ou sim, ou sopas** ou sim, ou não

ougado (ou.ga.do) [o(w)'gadu] *adj. coloq.* desejoso; ansioso

ourado (ou.ra.do) [o(w)'radu] *adj.* que tem tonturas ou vertigens; tonto

ourar (ou.rar) [o(w)'rar] *v.* sentir tonturas

ouriço (ou.ri.ço) [o(w)'risu] *n.m.* 1 ⇒ **ouriço-cacheiro** 2 fruto do castanheiro que contém as sementes (castanhas)

ouriço-cacheiro (ou.ri.ço-.ca.chei.ro) [o(w)risu ka'ʃɐjru] *n.m.* ⟨*pl.* ouriços-cacheiros⟩ mamífero insetívoro terrestre, cujo corpo está coberto de espinhos curtos e lisos

ouriço-do-mar (ou.ri.ço-.do-.mar) [o(w)risu du'mar] *n.m.* ⟨*pl.* ouriços-do-mar⟩ animal marinho com carapaça dura e com o corpo coberto de espinhos

ourives (ou.ri.ves) [o(w)'rivəʃ] *n.m.2n.* fabricante ou vendedor de objetos de ourivesaria

ourivesaria (ou.ri.ve.sa.ri.a) [o(w)rivəzɐ'riɐ] *n.f.* loja onde se vendem objetos de ouro e prata

ouro (ou.ro) ['o(w)ru] *n.m.* metal amarelo e brilhante, usado no fabrico de joias e de moedas ■ **ouros** *n.m.pl.* naipe de cartas em que cada ponto é representado por um losango vermelho ♦ **ouro sobre azul** excelente, ótimo

ousadia (ou.sa.di.a) [o(w)zɐ'diɐ] *n.f.* coragem; audácia

ousado (ou.sa.do) [o(w)'zadu] *adj.* corajoso; audaz

ousar (ou.sar) [o(w)'zar] *v.* ter coragem para; atrever-se a

outdoor [awt'dɔr] *n.m.* painel, letreiro luminoso, cartaz, etc. com propaganda, exposto ao ar livre e colocado em pontos bem visíveis, geralmente de grandes dimensões

outeiro (ou.tei.ro) [o(w)'tɐjru] *n.m.* pequena elevação de terreno SIN. colina

outlet [awt'lɛt] *n.m.* centro comercial ou loja onde os produtos são comercializados a preços baixos

outonal (ou.to.nal) [o(w)tu'naɫ] *adj.2g.* relativo a outono

outono (ou.to.no)[AO] [o(w)'tonu] *n.f.* estação do ano depois do verão e antes do inverno

outorgante (ou.tor.gan.te) [o(w)tur'gɐ̃t(ə)] *adj.,n.2g.* que ou pessoa que outorga ou concede algo

outorgar (ou.tor.gar) [o(w)tur'gar] *v.* 1 conceder 2 declarar em escritura pública

output [awt'put] *n.m.* saída de dados de um sistema informático para um meio externo

outrem (ou.trem) ['o(w)trɐ̃j] *prn.indef.* outra(s) pessoa(s): *Ele trabalha por conta de outrem.*

outro (ou.tro) ['o(w)tru] *det.,prn.indef.* 1 não o mesmo; diferente: *Ele frequentou outra escola.* 2 semelhante; igual: *Nunca vi outro como aquele.* 3 mais um: *Pediu outro bolo.* ♦ **outro qualquer** qualquer que seja; quem quer que seja; **outro que tal** outro semelhante; **outro tanto** a mesma coisa; a mesma quantidade

outrora (ou.tro.ra) [o(w)'trɔrɐ] *adv.* antigamente; noutros tempos

outsourcing [awt'so(w)rsĩg] *n.m.* contratação externa de serviços ou recursos por parte de uma organização; subcontratação

outubro (ou.tu.bro)[AO] [o(w)'tubru] *n.m.* décimo mês do ano civil

ouvido (ou.vi.do) [o(w)'vidu] *n.m.* órgão da audição ♦ **ao ouvido** em voz baixa; em segredo; **de ouvido** sem estudo; sem conhecimento direto; **entrar por um ouvido e sair pelo outro** não prestar atenção; **ser todo ouvidos** prestar muita atenção

ouvidor (ou.vi.dor) [o(w)vi'dor] *n.m.* pessoa que ouve; ouvinte

ouvinte (ou.vin.te) [o(w)'vĩt(ə)] *n.2g.* 1 pessoa que ouve 2 pessoa que assiste a conferência, discurso ou programa 3 na comunicação oral, pessoa que recebe os enunciados produzidos pelo locutor

ouvir (ou.vir) [o(w)'vir] *v.* escutar

ova (o.va) ['ɔvɐ] *n.f.* ovário dos peixes ♦ *coloq.* **uma ova!** exclamação que indica espanto ou recusa

ovação (o.va.ção) [ɔvɐ'sɐ̃w̃] *n.f.* aclamação pública; aplauso

oval (o.val) [ɔ'vaɫ] *adj.2g.* que tem forma de ovo

ovar (o.var) [ɔ'var] *v.* pôr ou criar ovos ou ovas (os peixes)

ovário (o.vá.ri:o) [ɔ'varju] *n.m.* órgão do aparelho reprodutor feminino, onde se produzem os óvulos

ovelha (o.ve.lha) [ɔ'vɐ(j)ʎɐ] *n.f.* fêmea do carneiro ♦ **ovelha ranhosa/ronhosa** pessoa indesejável ou mal vista; **ovelha negra** elemento de um grupo que sobressai pelas suas más qualidades

overbooking [ovɐr'bukĩg] *n.m.* reserva ou venda de bilhetes ou lugares em número superior aos bilhetes ou lugares disponíveis para um dado voo

overdose [ovɛr'dɔz(ə)] *n.f.* ingestão de dose excessiva de droga ou de medicamento

ovino (o.vi.no) [o'vinu] *adj.* relativo a ovelha ou a carneiro

ovíparo (o.ví.pa.ro) [ɔ'vipɐru] *adj.* diz-se do animal que se desenvolve num ovo fora do corpo materno

ovívoro (o.ví.vo.ro) [ɔ'vivuru] *adj.* diz-se do animal que se alimenta de ovos

óvni (óv.ni) ['ɔvni] *n.m.* objeto voador não identificado, supostamente de origem extraterrestre

ovo (o.vo) ['ovu] *n.m.* corpo duro e arredondado produzido pelas fêmeas dos pássaros e répteis, que contém o embrião ♦ **ovo de Colombo** algo aparentemente difícil que se revela fácil quando demonstrada ou realizada por outra pessoa

ovolactovegetariano (o.vo.lac.to.ve.ge.ta.ri:a.no) [ɔvɔlaktɔvəʒətɐ'rjɐnu] *adj.,n.m.* que(m) se alimenta apenas de produtos de origem vegetal, ovos e laticínios

ovos-moles (o.vos-.mo.les) [ɔvuʒ'mɔləʃ] *n.m.pl.* doce feito com ovos e açúcar

---

Os **ovos-moles** são um doce típico de Aveiro, produzidos originalmente por freiras em conventos da região. A massa dos ovos--moles é muito cremosa, obtida da mistura de açúcar em ponto e ovos muito frescos. É vendida de diversas maneiras, como por exemplo, envolvida numa massa especial de farinha (hóstia) e moldada em várias formas (peixes, conchas, búzios, etc.) ou usada como recheio de diversos bolos.

---

ovovivíparo (o.vo.vi.ví.pa.ro) [ɔvɔvi'vipɐru] *adj.* diz-se do animal que se desenvolve num ovo dentro do corpo da fêmea

ovulação (o.vu.la.ção) [ɔvulɐ'sɐ̃w̃] *n.f.* libertação do óvulo maduro do ovário

ovular (o.vu.lar) [ɔvu'lar] *adj.,n 2g.* **1** relativo a óvulo **2** em forma de óvulo ■ *v.* libertar um óvulo (ou óvulos) do ovário para possível fertilização

óvulo (ó.vu.lo) ['ɔvulu] *n.m.* **1** célula sexual feminina que se forma no ovário **2** corpúsculo que contém a célula sexual feminina e que origina a semente

oxalá (o.xa.lá) [oʃɐ'la] *interj.* exprime o desejo de que algo aconteça

oxidação (o.xi.da.ção) [ɔksidɐ'sɐ̃w̃] *n.f.* **1** fixação de oxigénio num corpo **2** criação de ferrugem

oxidar (o.xi.dar) [ɔksi'dar] *v.* enferrujar(-se)

oxidável (o.xi.dá.vel) [ɔksi'davɛɫ] *adj.2g.* que pode oxidar

óxido (ó.xi.do) ['ɔksidu] *n.m.* composto de oxigénio com outro elemento

oxigenação (o.xi.ge.na.ção) [ɔksiʒənɐ'sɐ̃w̃] *n.f.* **1** ato de fornecer oxigénio a **2** aplicação de água oxigenada (no cabelo, por exemplo)

oxigenar (o.xi.ge.nar) [ɔksiʒə'nar] *v.* **1** combinar com oxigénio **2** fornecer oxigénio **3** aplicar água oxigenada (no cabelo, por exemplo)

oxigénio (o.xi.gé.ni:o) [ɔksi'ʒɛnju] *n.m.* gás invisível e sem cheiro, que se encontra na atmosfera e é indispensável à vida animal e vegetal

oximoro (o.xi.mo.ro) [ɔksi'mɔru] *n.m.* figura que consiste em reunir palavras de sentido oposto ou contraditório

oxítono (o.xí.to.no) [ɔ'ksitunu] *adj.* (palavra) que tem o acento tónico na última sílaba; agudo

ozono (o.zo.no) [ɔ'zonu] *n.m.* gás azulado que protege a Terra dos raios solares perigosos ♦ **buraco do ozono** região da alta atmosfera onde a camada de ozono se tornou muito fina ou desapareceu; **camada de ozono** camada final da atmosfera que envolve a Terra e que absorve as radiações libertadas pelo Sol, protegendo da sua ação negativa

P

p ['pe] *n.m.* consoante, décima sexta letra do alfabeto, que está entre as letras *o* e *q*

p. *abreviatura de* página

pá (pá) ['pa] *n.f.* utensílio com uma parte achatada e um cabo, usado para cavar

Pã (Pã) ['pɐ̃] *n.m.* na tradição greco-latina, deus dos pastores

pacato (pa.ca.to) [pɐ'katu] *adj.* calmo; tranquilo

pacemaker [pɐjs'mɐjkɐr] *n.m.* aparelho que estimula o músculo do coração, regulariza as contrações cardíacas e normaliza o pulsar do coração

pachola (pa.cho.la) [pɐ'ʃɔlɐ] *adj.,n.2g.* **1** (pessoa) que é indolente **2** (pessoa) que só muito dificilmente se irrita **3** (pessoa) que gosta de dizer graçolas

pachorra (pa.chor.ra) [pɐ'ʃoʀɐ] *n.f.* **1** *coloq.* paciência; calma **2** *coloq.* lentidão; vagar

pachorrento (pa.chor.ren.to) [pɐʃu'ʀẽtu] *adj.* **1** *coloq.* paciente; calmo **2** *coloq.* lento; vagaroso

paciência (pa.ci:ên.ci:a) [pɐ'sjẽsjɐ] *n.f.* qualidade de quem espera com calma ◆ **perder a paciência** irritar-se; **ter uma paciência de Job/santo** ser muito paciente

paciente (pa.ci:en.te) [pɐ'sjẽt(ə)] *adj.2g.* que tem paciência; calmo ■ *n.2g.* pessoa que está receber cuidados médicos; doente

pacientemente (pa.ci:en.te.men.te) [pɐsjẽtə'mẽt(ə)] *adv.* **1** com capacidade para suportar contrariedades de forma calma **2** com perseverança

pacificação (pa.ci.fi.ca.ção) [pɐsifikɐ'sɐ̃w̃] *n.f.* restabelecimento da paz **SIN.** reconciliação

pacificar (pa.ci.fi.car) [pɐsifi'kar] *v.* **1** restabelecer a paz; reconciliar **2** acalmar; tranquilizar

pacífico (pa.cí.fi.co) [pɐ'sifiku] *adj.* **1** que é aceite ou admitido sem discussão **2** tranquilo; sossegado **3** relativo ao oceano Pacífico ■ **Pacífico** *n.m.* oceano que que banha a Ásia e a Oceânia a oeste e as costas ocidentais do continente americano a leste

pacifismo (pa.ci.fis.mo) [pɐsi'fiʒmu] *n.m.* defesa da paz mundial e do desarmamento

pacifista (pa.ci.fis.ta) [pɐsi'fiʃtɐ] *adj.2g.* **1** relativo a pacifismo **2** que defende o pacifismo ■ *n.2g.* pessoa que defende o pacifismo

paço (pa.ço) ['pasu] *n.m.* palácio real

> Não confundir **paço** (palácio) com **passo** (movimento do pé e forma do verbo *passar*).

pacote (pa.co.te) [pɐ'kɔt(ə)] *n.m.* pequeno embrulho ◆ **pacote laboral** conjunto articulado de medidas ou leis que regulamentam as condições de trabalho e os direitos de trabalhadores e empregadores (duração de contratos, horários de trabalho, política salarial, etc.)

pacóvio (pa.có.vi:o) [pɐ'kɔvju] *adj.,n.m.* ignorante; imbecil

pacto (pac.to) ['paktu] *n.m.* acordo entre duas ou mais pessoas **SIN.** ajuste; combinação

pactuar (pac.tu:ar) [pɐ'ktwar] *v.* ⟨**+com**⟩ fazer pacto com; acordar

padaria (pa.da.ri.a) [padɐ'riɐ] *n.f.* estabelecimento onde se fabrica ou vende pão

padecer (pa.de.cer) [pɐdə'ser] *v.* **1** ⟨**+de**⟩ sofrer (dor física ou moral) **2** ⟨**+de**⟩ estar doente: *padecer de uma doença incurável* **3** ⟨**+de**⟩ carecer de; ser desprovido de: *Esta tese padece de argumentos.*

padecimento (pa.de.ci.men.to) [pɐdəsi'mẽtu] *n.m.* **1** sofrimento **2** doença

padeiro (pa.dei.ro) [pa'dɐjru] *n.m.* homem que fabrica ou vende pão

padrão (pa.drão) [pɐ'drɐ̃w̃] *n.m.* **1** modelo oficial de pesos e medidas **2** desenho que se repete

padrasto (pa.dras.to) [pɐ'draʃtu] *n.m.* homem em relação aos filhos da esposa

padre (pa.dre) ['padr(ə)] *n.m.* sacerdote

padre-nosso (pa.dre-.nos.so) [padrə'nɔsu] *n.m.* ⟨*pl.* padre(s)-nossos⟩ ⇒ **pai-nosso**

padrinho (pa.dri.nho) [pɐ'driɲu] *n.m.* **1** testemunha em casamento ou batizado **2** *fig.* protetor

padroeiro (pa.dro:ei.ro) [pɐ'drwɐjru] *n.m.* santo escolhido como protetor de um lugar

padronizar (pa.dro.ni.zar) [pɐdruni'zar] *v.* estabelecer o padrão de **SIN.** uniformizar

pág. *abreviatura de* página

paga (pa.ga) ['pagɐ] *n.f.* **1** pagamento; recompensa **2** *fig.* agradecimento; gratidão

pagamento (pa.ga.men.to) [pɐgɐ'mẽtu] *n.m.* **1** ato de pagar **2** salário **3** prestação

paganismo (pa.ga.nis.mo) [pɐgɐ'niʒmu] *n.m.* **1** (para os primeiros Cristãos) religião caracterizada pela crença em diversos deuses e pelo culto prestado a imagens; politeísmo **2** conjunto das pessoas consideradas pagãs **3** estado de quem não é/foi batizado

pagão (**pa.gão**) [pɐ'gɐ̃w̃] *adj.* que presta culto a vários deuses

pagar (**pa.gar**) [pɐ'gar] *v.* **1** dar dinheiro em troca de um bem ou de um serviço **2** retribuir (um gesto delicado, uma amabilidade) **3** sofrer um castigo (por algo mau que se fez)

página (**pá.gi.na**) ['paʒinɐ] *n.f.* **1** cada um dos lados de uma folha de papel **2** na internet, conjunto de informações (textos, imagens, ligações) que podem ser consultados utilizando um programa de navegação ◆ **a páginas tantas** a certa altura; em determinado momento; **virar a página** ultrapassar uma dificuldade

paginação (**pa.gi.na.ção**) [pɐʒinɐ'sɐ̃w̃] *n.f.* **1** disposição gráfica dos elementos que constituem as páginas de livros ou outras publicações **2** numeração das páginas de uma publicação **3** sequência ordenada de páginas de qualquer publicação **4** conjunto de páginas de uma publicação

paginador (**pa.gi.na.dor**) [pɐʒinɐ'dor] *n.m.* pessoa responsável pelo trabalho de paginação de uma publicação (disposição dos blocos de texto, ilustrações, etc., nas páginas)

paginar (**pa.gi.nar**) [pɐʒi'nar] *v.* **1** colocar o número da página em livro ou publicação **2** dispor os elementos nas páginas de livros ou outras publicações

pago (**pa.go**) ['pagu] *adj.* **1** que se pagou **2** que recebeu pagamento

pagode (**pa.go.de**) [pɐ'gɔd(ə)] *n.m.* **1** 👁 templo de certas religiões orientais, em forma de torre, com telhados em cada andar terminados em pontas curvadas para cima **2** divertimento ruidoso; pândega; borga

pai (**pai**) ['paj] *n.m.* **1** homem que tem filho(s) **SIN.** progenitor **2** animal do sexo masculino que deu origem a uma ou mais crias **3** autor; criador ■ **pais** *n.m.pl.* a mãe e o pai **SIN.** progenitores ◆ **pai espiritual** pessoa que serve de modelo a outra em questões de consciência guia espiritual; **Pa[i] Natal** personagem representada por um velh[o] de barbas brancas e roupas vermelhas, que, n[a] noite de Natal, supostamente distribui presente[s] pelas crianças

pai-de-santo (**pai-.de-.san.to**) [pajdə'sɐ̃tu] *a nov[a] grafia é* **pai de santo**[AO]

pai de santo (**pai de san.to**)[AO] [pajdə'sɐ̃tu] *n.m.* ⟨*p[l.]* pais de santo⟩ [BRAS.] chefe espiritual responsáve[l] por certas práticas de origem popular (como [o] candomblé)

painel (**pai.nel**) [paj'nɛɫ] *n.m.* **1** pintura feita sobr[e] tela ou madeira **2** quadro onde estão instalado[s] os instrumentos de controlo de um mecanismo

pai-nosso (**pai-.nos.so**) [paj'nɔsu] *n.m.* ⟨*pl.* pais-nossos⟩ oração que começa com essas palavra[s] ◆ **ensinar o pai-nosso ao vigário** pretender en[-]sinar a uma pessoa o que ela já sabe

paintball [pɐjnt'bɔl] *n.m.* atividade desportiva radi[-]cal, de estratégia e lazer, em que as equipas par[-]ticipantes tentam acertar umas nas outras com bolas de tinta disparadas por uma pistola

paio (**pai.o**) ['paju] *n.m.* enchido grosso de lomb[o] de porco

pairar (**pai.rar**) [paj'rar] *v.* **1** estar suspenso no a[r] **SIN.** flutuar **2** estar quase a acontecer **SIN.** amea[-]çar

país (**pa.ís**) [pɐ'iʃ] *n.m.* **1** território administrad[o] por um governo próprio **SIN.** nação **2** terra ond[e] que se nasceu **SIN.** pátria

paisagem (**pai.sa.gem**) [paj'zaʒɐ̃j̃] *n.f.* extensão d[e] terreno que se consegue ver de um lugar **SIN.** vist[a]

paisagismo (**pai.sa.gis.mo**) [pajzɐ'ʒiʒmu] *n.m* conjunto das questões relativas ao ambiente [e] ao ordenamento da paisagem com vista ao apro[-]veitamento dos espaços públicos pelo homem

paisagista (**pai.sa.gis.ta**) [pajzɐ'ʒiʃtɐ] *n.2g.* **1** ar[-]tista que representa paisagens nas suas obra[s] **2** arquiteto que projeta e organiza os espaço[s] públicos de forma a integrá-los no meio físic[o] circundante

paisagístico (**pai.sa.gís.ti.co**) [pajzɐ'ʒiʃtiku] *ad[j.]* relativo a paisagem

paisana (**pai.sa.na**) [paj'zɐnɐ] *elem. da loc.* **à pai[-]sana** sem traje militar; à civil

paixão (**pai.xão**) [paj'ʃɐ̃w̃] *n.f.* **1** amor muito in[-]tenso **2** gosto forte por alguma coisa **SIN.** entu[-]siasmo

paixoneta (**pai.xo.ne.ta**) [pajʃu'netɐ] *n.f.* inclina[-]ção amorosa passageira e pouco intensa

paizinho (**pai.zi.nho**) [paj'ziɲu] ⟨*dim. de* pai⟩ *n.f.* pa[i] **SIN.** papá

pajem (**pa.jem**) ['paʒɐ̃j̃] *n.m.* rapaz que acompa[-]nhava um príncipe, um senhor ou uma dama

pala **(pa.la)** ['palɐ] *n.f.* **1** parte do boné que protege os olhos **2** parte do sapato que cobre o pé ♦ *coloq.* **à pala de** à custa de

palacete **(pa.la.ce.te)** [pɐlɐ'set(ə)] *n.m.* pequeno palácio

palácio **(pa.lá.ci:o)** [pɐ'lasju] *n.m.* **1** residência grande e sumptuosa onde vive um rei ou um chefe de Estado **2** grande edifício onde funcionam serviços públicos: *Palácio da Justiça*

paladar **(pa.la.dar)** [pɐlɐ'dar] *n.m.* **1** sentido que permite distinguir os sabores; gosto **2** *coloq.* sabor

palanque **(pa.lan.que)** [pɐ'lɐ̃k(ə)] *n.m.* estrado de madeira, com degraus, para instalar espectadores em festas ao ar livre; tribuna

palatal **(pa.la.tal)** [pɐlɐ'taɫ] *adj.2g.* relativo ao palato

palato **(pa.la.to)** [pɐ'latu] *n.m.* região côncava na parte superior da cavidade bucal que a separa das cavidades nasais

palavra **(pa.la.vra)** [pɐ'lavrɐ] *n.f.* conjunto de letras ou de sons que têm sentido **SIN.** termo; vocábulo ♦ **medir as palavras** falar cautelosamente; **palavra de honra** expressão que se usa para garantir a alguém que se está a falar verdade ou que se vai cumprir aquilo que se promete; **palavras cruzadas** passatempo que consiste em preencher com letras as casas de um quadriculado, de modo a formar palavras que se cruzam e se podem ler de cima para baixo e da esquerda para a direita

palavra-chave **(pa.la.vra-.cha.ve)** [pɐlavrɐ'ʃav(ə)] *n.f.* ⟨*pl.* palavras-chave⟩ **1** palavra que resume o significado de uma obra, de um texto, etc. **2** palavra ou expressão que inicia uma operação em certos dispositivos eletrónicos

palavra-guia **(pa.la.vra-.gui.a)** [pɐlavrɐ'giɐ] *n.f.* ⟨*pl.* palavras-guias palavras-guia⟩ num dicionário ou numa enciclopédia, palavra que aparece destacada no cimo das páginas e que indica a primeira entrada da página da esquerda e a última entrada da página da direita **SIN.** cabeça

palavrão **(pa.la.vrão)** [pɐlɐ'vrɐ̃w̃] *n.m.* palavra grosseira; asneira

palavra-passe **(pa.la.vra-.pas.se)** [pɐlavrɐ'pas(ə)] *n.f.* ⇒ **password**

palavras-cruzadas **(pa.la.vras-.cru.za.das)** [pɐlavrɐʃkru'zadɐʃ] *n.f.pl.* passatempo que consiste em preencher, com letras a descobrir, partindo de dados fornecidos, as casas de um quadriculado, de modo a formar palavras que se cruzam na vertical e na horizontal

palavreado **(pa.la.vre:a.do)** [pɐlɐ'vrjadu] *n.m.* conjunto de palavras sem importância

palavrinha **(pa.la.vri.nha)** [pɐlɐ'vriɲɐ] ⟨*dim.* de palavra⟩ *n.f.* **1** palavra curta **2** conversa breve

palco **(pal.co)** ['paɫku] *n.m.* parte do teatro onde os atores representam

paleio **(pa.lei.o)** [pɐ'lɐju] *n.m. coloq.* conversa amigável; cavaqueira

paleolítico **(pa.le:o.lí.ti.co)** [paljɔ'litiku] *n.m.* período mais antigo da pré-história

paleontologia **(pa.le:on.to.lo.gi.a)** [pɐljõtulu'ʒiɐ] *n.f.* ciência que estuda os seres vivos que existiram ao longo dos tempos geológicos, através dos conhecimentos obtidos a partir do estudo dos fósseis animais e vegetais

palerma **(pa.ler.ma)** [pɐ'lɛrmɐ] *adj.,n.2g.* parvo; idiota

palermice **(pa.ler.mi.ce)** [pɐlɛr'mi(sə)] *n.f.* parvoíce; idiotice

palestiniano **(pa.les.ti.ni:a.no)** [pɐləʃti'njɐnu] *adj.* relativo ao Estado da Palestina (no Médio Oriente) ■ *n.m.* pessoa natural da Palestina

palestino **(pa.les.ti.no)** [pɐləʃ'tinu] *adj.,n.m.* ⇒ **palestiniano**

palestra **(pa.les.tra)** [pɐ'lɛʃtrɐ] *n.f.* exposição oral sobre determinado tema **SIN.** conferência

paleta **(pa.le.ta)** [pɐ'letɐ] *n.f.* placa usada pelos pintores para dispor e combinar as tintas

palete **(pa.le.te)** [pa'lɛt(ə)] *n.f.* plataforma de madeira sobre a qual se empilha carga a fim de ser transportada em grandes blocos

palha **(pa.lha)** ['paʎɐ] *n.f.* caules secos de alguns cereais ♦ **não mexer uma palha** não fazer nada; não trabalhar

palhaçada **(pa.lha.ça.da)** [pɐʎɐ'sadɐ] *n.f.* **1** dito ou ato próprio de palhaço **2** brincadeira que faz rir

palhaço **(pa.lha.ço)** [pɐ'ʎasu] *n.m.* personagem de circo que diverte as pessoas com os seus gestos e piadas ♦ **fazer alguém de palhaço** enganar ou troçar de alguém

palha-d'aço **(pa.lha-.d'a.ço)** [paʎɐ'dasu] *n.f.* emaranhado de fios de aço ou de alumínio, geralmente usado como esfregão em limpezas domésticas

palheiro **(pa.lhei.ro)** [pɐ'ʎɐjru] *n.m.* lugar onde se guarda a palha

palheta **(pa.lhe.ta)** [pɐ'ʎetɐ] *n.f.* pequena peça que serve para fazer soar as cordas de um instrumento musical

palhinha **(pa.lhi.nha)** [pɐ'ʎiɲɐ] *n.f.* tubo de plástico muito fino para sorver líquidos

palhota **(pa.lho.ta)** [pɐ'ʎɔtɐ] *n.f.* cabana coberta de colmo ou palha

paliativo **(pa.li:a.ti.vo)** [pɐljɐ'tivu] *n.m.* **1** remédio ou tratamento que alivia mas não cura a doença **2** *fig.* medida ou iniciativa que serve para atenuar um problema ou protelar uma crise

palidez (pa.li.dez) [pɐli'deʃ] *n.f.* perda de cor nas faces

pálido (pá.li.do) ['palidu] *adj.* **1** (rosto, pele) que perdeu a cor normal **2** (cor, luz) claro; pouco intenso

pálio (pá.li:o) ['palju] *n.m.* armação sustentada por varas, que se conduz em cortejos e procissões

palitar (pa.li.tar) [pɐli'tar] *v.* limpar (dentes) com palito

paliteiro (pa.li.tei.ro) [pɐli'tɐjru] *n.m.* utensílio onde se guardam palitos

palito (pa.li.to) [pɐ'litu] *n.m.* pauzinho aguçado que se usa para limpar entre os dentes

palma (pal.ma) ['pałmɐ] *n.f.* face interna da mão ■ **palmas** *n.f.pl.* gesto usado para aplaudir alguém, batendo com as mãos uma na outra repetidas vezes; aplausos ◆ **bater palmas** aplaudir; **conhecer como a palma da sua mão** conhecer muito bem; **levar a palma a** alcançar a vitória sobre

palmada (pal.ma.da) [pał'madɐ] *n.f.* pancada com a palma da mão

palmar (pal.mar) [pał'mar] *adj.2g.* relativo à palma da mão

palmarés (pal.ma.rés) [pałmɐ'rɛʃ] *n.m.2n.* lista dos prémios ou das pessoas premiadas numa competição

palmatória (pal.ma.tó.ri:a) [pałmɐ'tɔrjɐ] *n.f.* pequena peça de madeira com um cabo, antigamente usada como instrumento de castigo para bater na palma da mão ◆ **erro de palmatória** erro muito grave

palmeira (pal.mei.ra) [pał'mɐjrɐ] *n.f.* árvore das regiões quentes, com tronco fino e alto e grandes folhas no cimo

palmier [pał'mje] *n.m.* bolo fino que se confeciona enrolando sobre si mesmas, várias vezes, duas extremidades de uma massa folhada, cortada depois em fatias

palmilha (pal.mi.lha) [pał'miʎɐ] *n.f.* peça que cobre a sola do calçado

palmo (pal.mo) ['pałmu] *n.m.* distância que vai da ponta do dedo polegar à ponta do dedo mínimo, com a mão aberta ◆ **não ver um palmo à frente do nariz 1** não ver nada à sua frente (por causa da escuridão, nevoeiro, etc.) **2** não entender nada; **palmo a palmo** gradualmente; progressivamente; **sete palmos de terra** sepultura

palmtop [palm'tɔp] *n.m.* ⟨*pl.* palmtops⟩ computador portátil de dimensão reduzida

PALOP [pa'lɔp] *sigla de* Países Africanos de Língua Oficial Portuguesa

palpação (pal.pa.ção) [pałpɐ'sɐ̃w̃] *n.f.* toque com os dedos ou com a mão inteira

palpar (pal.par) [pał'par] *v.* tocar com os dedos ou com as mãos

palpável (pal.pá.vel) [pał'pavɛł] *adj.2g.* **1** que pode ser tocado **2** que pode ser visto; percetível

pálpebra (pál.pe.bra) ['pałpəbrɐ] *n.f.* membrana que recobre os olhos

palpitação (pal.pi.ta.ção) [pałpitɐ'sɐ̃w̃] *n.f.* movimento trémulo

palpitante (pal.pi.tan.te) [pałpi'tɐ̃t(ə)] *adj.2g.* **1** que palpita **2** que mostra sinais de vida **3** *fig.* emocionante

palpitar (pal.pi.tar) [pałpi'tar] *v.* **1** ter palpitações **2** bater (o coração) **3** agitar-se

palpite (pal.pi.te) [pał'pit(ə)] *n.m.* pressentimento

palrador (pal.ra.dor) [pałʀɐ'dor] *adj.,n.m.* falador

palrar (pal.rar) [pał'ʀar] *v.* **1** começar a falar (um bebé) **2** falar muito; tagarelar

paludismo (pa.lu.dis.mo) [pɐlu'diʒmu] *n.f.* doença crónica causada por parasitas no sangue e transmitida ao homem por um mosquito; malária

panaca (pa.na.ca) [pɐ'nakɐ] *adj.* [BRAS.] *coloq.* imbecil; idiota

panaceia (pa.na.cei.a) [pɐnɐ'sɐjɐ] *n.f.* **1** planta ou substância que supostamente cura todas as doenças **2** *fig.* remédio ou solução para todos os males

panaché [pana'ʃe] *n.m.* bebida composta por uma mistura de cerveja com um refrigerante com sabor a lima

panado (pa.na.do) [pɐ'nadu] *n.m.* filete frito de peixe ou carne, previamente passado por ovo e pão ralado **SIN.** escalope

panamense (pa.na.men.se) [pɐnɐ'mẽ(sə)] *adj.2g* relativo ao Panamá ■ *n.2g.* pessoa natural do Panamá (América Central)

panar (pa.nar) [pɐ'nar] *v.* cobrir (alimento) de pão ralado antes de fritar

panca (pan.ca) ['pɐ̃kɐ] *n.f. coloq.* mania

pança (pan.ça) ['pɐ̃sɐ] *n.f. coloq.* barriga

pancada (pan.ca.da) [pɐ̃'kadɐ] *n.f.* **1** golpe com a mão, com um pau, etc. **2** choque; embate **3** *coloq.* mania ◆ **às três pancadas** de forma atabalhoada e sem cuidado

pancadaria (pan.ca.da.ri.a) [pɐ̃kɐdɐ'riɐ] *n.f.* **1** situação de desordem em que ocorrem agressões físicas **2** tareia; sova

pâncreas (pân.cre:as) ['pɐ̃krjɐʃ] *n.m.2n.* glândula alongada que faz parte do sistema digestivo, que está situada atrás do estômago

pancreático (pan.cre:á.ti.co) [pɐ̃'krjatiku] *adj.* **1** relativo ao pâncreas **2** diz-se do líquido segregado pelo pâncreas

panda (pan.da) ['pɐ̃dɐ] *n.m.* mamífero carnívoro com o corpo coberto de manchas brancas e pretas, que vive nas florestas da Ásia e se alimenta quase só de bambus (atualmente, esta espécie está em vias de extinção)

ândega (pân.de.ga) ['pɐ̃dɐgɐ] *n.f.* grande divertimento **SIN.** borga; patuscada

ândego (pân.de.go) ['pɐ̃dɐgu] *n.m.* indivíduo alegre ou divertido

andeireta (pan.dei.re.ta) [pɐ̃dɐj'retɐ] *n.f.* ◈ instrumento musical que se toca com a mão e é formado por um arco de madeira guarnecido de guizos e que possui ou não uma pele esticada

andemia (pan.de.mi.a) [pɐ̃də'miɐ] *n.f.* epidemia que alastra rapidamente e que afeta simultaneamente um grande número de pessoas em diferentes países

andemónio (pan.de.mó.ni:o) [pɐ̃də'mɔnju] *n.m.* grande confusão **SIN.** balbúrdia

anegírico (pa.ne.gí.ri.co) [pɐnə'ʒiriku] *n.m.* **1** composição em prosa ou em verso em que se louvam e celebram virtudes de determinadas personalidades, ações, etc. **2** elogio solene

anela (pa.ne.la) [pɐ'nɛlɐ] *n.f.* recipiente alto de metal em que se cozinham alimentos

anelão (pa.ne.lão) [pɐnɛ'lɐ̃w̃] ⟨*aum. de* panela⟩ *n.m.* panela grande

anelinha (pa.ne.li.nha) [pɐnə'liɲɐ] ⟨*dim. de* panela⟩ *n.f.* **1** panela pequena **2** *coloq.* grupo de pessoas que se juntam para prejudicar alguém

anfletário (pan.fle.tá.ri:o) [pɐ̃flə'tarju] *adj.* **1** relativo a panfleto **2** irónico; satírico **3** violento; agressivo

anfleto (pan.fle.to) [pɐ̃'fletu] *n.m.* folheto informativo ou publicitário

ânico (pâ.ni.co) ['pɐniku] *n.m.* medo muito forte e súbito; terror

anificação (pa.ni.fi.ca.ção) [pɐnifikɐ'sɐ̃w̃] *n.f.* estabelecimento onde se fabrica ou vende pão

anike [pa'nik(ə)] *n.m.* pastel de massa folhada com recheio doce ou salgado

ano (pa.no) ['pɐnu] *n.m.* tecido de algodão, linho, lã ou seda ♦ **dar pano para mangas** dar azo a comentários; dar que falar; **não estar com paninhos quentes** não ter contemplações; não transigir; **pano de fundo 1** tela situada no fundo do palco num teatro **2** paisagem **3** conjunto de circunstâncias que rodeiam um acontecimento; **panos quentes** medidas ou afirmações que visam contornar uma situação difícil ou adiar uma solução; **por baixo do pano** às escondidas; **ter pano para mangas 1** ter muito sobre que falar **2** ter assunto/material para muito tempo

panóplia (pa.nó.pli:a) [pɐ'nɔpljɐ] *n.f.* **1** conjunto de objetos ou acessórios necessários ao desempenho de um trabalho ou de uma atividade **2** conjunto de elementos da mesma espécie ou usados para o mesmo fim

panorama (pa.no.ra.ma) [pɐnu'rɐmɐ] *n.m.* **1** extensão de paisagem que se vê de um lugar elevado; vista **2** *fig.* visão geral; perspetiva

panorâmica (pa.no.râ.mi.ca) [pɐnu'rɐmikɐ] *n.f.* **1** vista que abrange uma grande extensão de terreno **2** exposição geral da obra de um artista ou de uma corrente artística

panorâmico (pa.no.râ.mi.co) [pɐnu'rɐmiku] *adj.* que permite uma vista ampla

panqueca (pan.que.ca) [pɐ̃'kɛkɐ] *n.f.* massa fina de farinha, leite e ovos, que se coze ligeiramente numa frigideira e se serve com recheio salgado ou doce

pantanal (pan.ta.nal) [pɐ̃tɐ'naɫ] *n.m.* grande extensão de pântanos

pantanas (pan.ta.nas) [pɐ̃'tɐnɐʃ] *elem. da loc.* **em pantanas** em desordem; em desalinho total

pântano (pân.ta.no) ['pɐ̃tɐnu] *n.m.* terreno coberto de água parada

pantanoso (pan.ta.no.so) [pɐ̃tɐ'nozu] *adj.* alagado; lamacento

panteão (pan.te.ão) [pɐ̃'tjɐ̃w̃] *n.m.* edifício nacional onde se depositam os restos mortais das pessoas consideradas heróis da pátria

pantera (pan.te.ra) [pɐ̃'tɛrɐ] *n.f.* animal felino, com focinho curto, longos dentes caninos e pelo negro ou às manchas, que vive em África e na Ásia

pantufa (pan.tu.fa) [pɐ̃'tufɐ] *n.f.* sapato confortável que se usa em casa, geralmente feito de tecido quente ou forrado a pelo

pão (pão) ['pɐ̃w̃] *n.m.* alimento feito de farinha amassada com água e fermento, que se coze no forno ♦ **comer o pão que o Diabo amassou** passar muitos trabalhos ou muitas dificuldades; **estar a pão e água** estar na miséria; **pão, pão, queijo, queijo** com franqueza

pão-de-ló (pão-.de-.ló) [pɐ̃w̃də'lɔ] *a nova grafia é* **pão de ló**[AO]

pão de ló (pão de ló)[AO] [pɐ̃w̃də'lɔ] *n.m.* ⟨*pl.* pães de ló⟩ bolo muito fofo, preparado com farinha, ovos e açúcar, que é típico da Páscoa

papa (pa.pa) ['papɐ] *n.f.* **1** alimento espesso preparado com farinha, leite e outros ingredientes, usado na alimentação de bebés **2** *coloq.* qualquer alimento; comida ■ **Papa** *n.m.* chefe da Igreja Católica **SIN.** Santo Padre ♦ **não ter papas na língua** dizer tudo o que se pensa

papá (pa.pá) [pɐ'pa] *n.m. infant.* pai ■ **papás** *n.m.pl. infant.* pais (a mãe e o pai)

papado (pa.pa.do) [pɐ'padu] *n.m.* **1** cargo ou dignidade de Papa **2** tempo que dura esse cargo

papa-figos (pa.pa-.fi.gos) [papɐ'figuʃ] *n.m.2n.* ave migratória com bico forte e plumagem amarela e preta

papagaio (pa.pa.gai.o) [pɐpɐ'gaju] *n.m.* **1** ave com penas muito coloridas, geralmente de tom verde, e grande bico curvo, que consegue imitar palavras **2** *fig.* pessoa que fala muito; tagarela **3** brinquedo de papel preso por um fio, que as crianças lançam ao vento

papaia (pa.pai.a) [pɐ'pajɐ] *n.f.* fruto das regiões quentes, de forma alongada, polpa alaranjada e sementes pretas

papaieira (pa.pai.ei.ra) [pɐpaj'ɐjrɐ] *n.f.* planta tropical produtora de papaias

papal (pa.pal) [pɐ'paɫ] *adj.2g.* relativo ao Papa

papamóvel (pa.pa.mó.vel) [papɐ'mɔvɛɫ] *n.m.* veículo blindado usado pelo papa nas suas aparições públicas

papanicolau (pa.pa.ni.co.lau) [papɐniku'law] *n.m.* exame vaginal que consiste na recolha de líquido ou tecido do colo do útero para rastrear a existência de cancro ou outras doenças

papão (pa.pão) [pɐ'pɐ̃w̃] *n.m.* ser imaginário com que se mete medo às crianças

papar (pa.par) [pɐ'par] *v. infant.* comer

paparazzi [papa'ratsi] *n.m.pl.* fotógrafos que fotografam figuras públicas sem autorização

paparicar (pa.pa.ri.car) [pɐpɐri'kar] *v.* tratar com carinho **SIN.** acarinhar

paparicos (pa.pa.ri.cos) [pɐpɐ'rikuʃ] *n.m.pl.* **1** iguaria saborosa **2** mimo; carícia

paparoca (pa.pa.ro.ca) [pɐpɐ'rɔkɐ] *n.f. coloq.* comida

papeira (pa.pei.ra) [pɐ'pɐjrɐ] *n.f.* doença contagiosa que afeta as glândulas salivares, provocando febre e inchaço na parte interior do rosto e no pescoço

papel (pa.pel) [pɐ'pɛɫ] *n.m.* **1** folha fina de matéria vegetal, para desenhar, pintar, escrever, fazer embrulhos, etc.; **papel de alumínio** folha muito fina de alumínio utilizada para revestir e embalar produtos, sobretudo alimentos; **papel higiénico** papel muito fino, solúvel na água, apresentado em rolos e usado para limpeza individual, nos quartos de banho; **papel vegetal** papel fino e transparente, usado para fazer decalques ou cópias **2** parte da representação que cabe a cada ator num filme ou numa peça **3** dever; obrigação; função **4** dinheiro em notas ♦ **de papel passado** de acordo com a lei; **fazer um triste/brilhante papel** fazer má/boa figura; **ficar no papel** não se concretizar/realizar; **pôr no papel** (compromisso, contrato, negócio) formalizar

papelada (pa.pe.la.da) [pɐpə'ladɐ] *n.f.* **1** grande quantidade de papéis **2** conjunto de papéis em desordem

papelão (pa.pe.lão) [pɐpə'lɐ̃w̃] *n.m.* **1** papel grosso; cartão **2** depósito para recolha de papel para ser reciclado **3** *fig.* comportamento ridículo; **fazer um papelão** ter um comportamento ridículo ou dececionante

papelaria (pa.pe.la.ri.a) [pɐpəlɐ'riɐ] *n.f.* loja onde se vende material escolar, de desenho e de escritório

papeleira (pa.pe.lei.ra) [pɐpə'lɐjrɐ] *n.f.* móvel onde se guardam papéis; secretária

papel-moeda (pa.pel-.mo:e.da) [pɐpɛɫ'mwɛdɐ] *n.m.* papel representativo de determinado valor emitido por um banco do Estado e com a mesma função da moeda metálica

papila (pa.pi.la) [pɐ'pilɐ] *n.f.* pequena saliência em forma de cone que existe na superfície de um órgão; **papila gustativa** grupo de células da língua que permite distinguir os sabores

papiro (pa.pi.ro) [pɐ'piru] *n.m.* **1** planta própria de terrenos inundados, de que os antigos Egípcios faziam folhas para escrever **2** antigo manuscrito feito sobre essas folhas

papo (pa.po) ['papu] *n.m.* estômago das aves ◆ *coloq.* **estar no papo** ter a certeza de ter alcançado alguma coisa

papo-furado (pa.po-.fu.ra.do) [papufu'radu] *n.m.* ⟨*pl.* papos-furados⟩ [BRAS.] *coloq.* conversa fiada; treta

papoila (pa.poi.la) [pɐ'pojlɐ] *n.f.* planta cujas flores têm geralmente pétalas vermelhas

papo-seco (pa.po-.se.co) [papu'seku] *n.m. coloq.* pão pequeno de farinha de trigo fina

paprica (pa.pri.ca) [pɐ'prikɐ] *n.f.* condimento em pó, preparado com pimentão-doce

paquete (pa.que.te) [pɐ'ket(ə)] *n.m.* **1** navio de transporte de passageiros, carga e correspondência **2** empregado que faz pequenos serviços; moço de recados

paquiderme (pa.qui.der.me) [pɐki'dɛrm(ə)] *n.m.* mamífero corpulento, não ruminante e de pele muito espessa

paquistanês (pa.quis.ta.nês) [pɐkiʃtɐ'neʃ] *adj.* relativo ao Paquistão ▪ *n.m.* pessoa natural do Paquistão (Ásia)

par (par) ['par] *adj.* **1** igual; semelhante **2** diz-se do número divisível por dois ▪ *n.m.* **1** conjunto de duas coisas ou de dois animais; parelha **2** conjunto de duas pessoas; casal ◆ **estar a par de** estar informado sobre **SIN.** saber

para (pa.ra) ['pɐrɐ] *prep.* introduz expressões que designam: a) direção: *O terraço está voltado para sul.*; b) lugar: *Foi para os Açores.*; c) tempo: *Vou de férias para a semana.*; d) objetivo; intenção: *Saiu para trabalhar. Veio para te ver.*; e) destinatário: *Fiz isto para ti.*; f) perspetiva: *Para ele, não é importante.* ◆ **para com** relativamente a: *Foi muito simpático para com os colegas.*; (exprime fim) **para que** a fim de que: *Fiz tudo para que o negócio corresse bem.*

parabenizar (pa.ra.be.ni.zar) [pɐrɐbəni'zar] *v.* [BRAS.] dar os parabéns a

parabéns (pa.ra.béns) [pɐrɐ'bɐ̃jʃ] *n.m.pl.* palavras ou gestos de cumprimento **SIN.** felicitações; **dar os parabéns a alguém** cumprimentar alguém por aniversário, vitória ou acontecimento feliz

parábola (pa.rá.bo.la) [pɐ'rabulɐ] *n.f.* **1** narrativa alegórica que transmite uma mensagem por meio de comparação ou analogia **2** narrativa alegórica que encerra um preceito moral ou religioso **3** (geometria) curva plana, cujos pontos distam igualmente de um ponto fixo, chamado foco, e de uma reta chamada diretriz, ambos situados no plano da curva **4** (geometria) curva de interseção de uma superfície cónica de revolução com um plano paralelo a uma geratriz da superfície

parabólica (pa.ra.bó.li.ca) [pɐrɐ'bɔlikɐ] *n.f.* antena redonda que capta programas de televisão via satélite

para-brisas (pa.ra-.bri.sas)^AO [parɐ'brizɐʃ] *n.m.2n.* chapa de vidro ou plástico colocada na frente do veículo para proteger o condutor

pára-brisas (pá.ra-.bri.sas) [parɐ'brizɐʃ] *a nova grafia é* **para-brisas**^AO

paracetamol (pa.ra.ce.ta.mol) [pɐrɐsɛtɐ'mɔɫ] *n.m.* substância que suprime ou atenua a dor e combate a subida de temperatura do corpo

para-choques (pa.ra-.cho.ques)^AO [parɐ'ʃɔkəʃ] *n.m.2n.* dispositivo colocado na parte da frente e na parte de trás de um veículo para atenuar um choque

pára-choques (pá.ra-.cho.ques) [parɐ'ʃɔkəʃ] *a nova grafia é* **para-choques**^AO

parada (pa.ra.da) [pɐ'radɐ] *n.f.* demonstração de força militar

paradeiro (pa.ra.dei.ro) [pɐrɐ'dɐjru] *n.m.* lugar onde alguém se encontra

paradigma (pa.ra.dig.ma) [pɐrɐ'digmɐ] *n.m.* **1** exemplo que serve como modelo; padrão **2** (gramática) modelo de declinação ou conjugação

paradigmático (pa.ra.dig.má.ti.co) [pɐrɐdi'gmatiku] *adj.* **1** relativo a paradigma **2** que serve de paradigma; exemplar

paradisíaco (pa.ra.di.sí.a.co) [pɐrɐdi'ziɐku] *adj.* **1** relativo ao Paraíso; divino **2** muito agradável; maravilhoso

parado (pa.ra.do) [pɐ'radu] *adj.* que não se move **SIN.** imóvel

paradoxal (pa.ra.do.xal) [pɐrɐdɔ'ksaɫ] *adj.2g.* **1** em que há paradoxo **2** que não é lógico; contraditório

paradoxo (pa.ra.do.xo) [pɐrɐ'dɔksu] *n.m.* falta de coerência ou de lógica **SIN.** contradição

parafernália (pa.ra.fer.ná.li:a) [pɐrɐfər'naljɐ] *n.f.* conjunto de objetos necessários a uma profissão ou atividade

parafina (pa.ra.fi.na) [pɐrɐ'finɐ] *n.f.* substância sólida e branca, semelhante à cera, que é uma mistura de hidrocarbonetos, de elevada massa molecular

paráfrase (pa.rá.fra.se) [pɐ'rafrɐz(ə)] *n.f.* **1** explicação ou nova apresentação de um texto para o tornar mais claro **2** tradução livre; interpretação

parafuso (pa.ra.fu.so) [pɐrɐ'fuzu] *n.m.* peça cilíndrica ou cónica, com rosca, para fixar duas peças ◆ **entrar em parafuso** ficar muito nervoso, sem conseguir raciocinar; *coloq.* **ter um parafuso a menos** ser mentalmente desequilibrado

paragem (pa.ra.gem) [pɐ'raʒɐ̃j] *n.f.* **1** ato ou efeito de parar; pausa **2** local onde os autocarros param para largar e receber passageiros ◆ **paragem cardíaca** interrupção do batimento do coração de pessoa em que se observa perda de consciência

parágrafo (pa.rá.gra.fo) [pɐ'ragrɐfu] *n.m.* bloco de texto indicado pela mudança de linha

paraguaio **(pa.ra.guai.o)** [pɐrɐ'gwaju] *adj.* relativo ao Paraguai ▪ *n.m.* pessoa natural do Paraguai (América do Sul)

paraíso **(pa.ra.í.so)** [pɐrɐ'izu] *n.m.* **1** lugar de felicidade eterna, segundo algumas religiões **2** sítio muito belo e agradável ◆ **paraíso fiscal** país ou Estado onde se fazem grandes depósitos bancários e onde empresas multinacionais estabelecem filiais, tirando proveito dos baixos impostos ou da isenção fiscal

para-lamas **(pa.ra-.la.mas)**[AO] [parɐ'lɐmɐʃ] *n.m.2n.* peça curva que cobre a roda dos veículos para proteger de salpicos, pedras, etc.

pára-lamas **(pá.ra-.la.mas)** [parɐ'lɐmɐʃ] *a nova grafia é* **para-lamas**[AO]

paralela **(pa.ra.le.la)** [pɐrɐ'lɛlɐ] *n.f.* cada uma de duas retas que estão no mesmo plano e nunca se cruzam

paralelepípedo **(pa.ra.le.le.pí.pe.do)** [pɐrɐlɛlə'pipədu] *n.m.* sólido geométrico limitado por seis paralelogramos, sendo os opostos iguais entre si

paralelismo **(pa.ra.le.lis.mo)** [pɐrɐlə'liʒmu] *n.m.* **1** posição de duas linhas paralelas **2** semelhança; analogia; correspondência

paralelo **(pa.ra.le.lo)** [pɐrɐ'lɛlu] *adj.* diz-se das linhas ou superfícies que estão sempre à mesma distância uma da outra ▪ *n.m.* comparação entre duas coisas; confronto

paralelogramo **(pa.ra.le.lo.gra.mo)** [pɐrɐlɛlu'grɐmu] *n.m.* quadrilátero plano que tem os lados opostos paralelos e iguais

paralisação **(pa.ra.li.sa.ção)** [pɐrɐlizɐ'sɐ̃w̃] *n.f.* **1** interrupção de uma atividade **2** perda de movimento ou da sensibilidade numa parte do corpo

paralisado **(pa.ra.li.sa.do)** [pɐrɐli'zadu] *adj.* **1** (processo) interrompido; parado **2** (pessoa) atacado de paralisia **3** (músculo) entorpecido

paralisar **(pa.ra.li.sar)** [pɐrɐli'zar] *v.* **1** tornar paralítico **2** fazer parar

paralisia **(pa.ra.li.si.a)** [pɐrɐli'ziɐ] *n.f.* **1** impossibilidade de agir **2** incapacidade de mover o corpo ou uma parte do corpo

paralítico **(pa.ra.lí.ti.co)** [pɐrɐ'litiku] *n.m.* pessoa que sofre de paralisia

paramédico **(pa.ra.mé.di.co)** [pɐrɐ'mɛdiku] *n.m.* pessoa especialmente treinada para prestar cuidados médicos de emergência

paramento **(pa.ra.men.to)** [pɐrɐ'mẽtu] *n.m.* veste com que o sacerdote celebra a missa

parâmetro **(pa.râ.me.tro)** [pɐ'rɐmətru] *n.m.* norma; padrão

paramilitar **(pa.ra.mi.li.tar)** [pɐrɐmili'tar] *adj.2g.* (corpo, organização) organizado como um exército, mas que não pertence às forças militares regulares

paramiloidose **(pa.ra.mi.loi.do.se)** [pɐrɐmilɔj'dɔz(ə)] *n.f.* doença hereditária, de evolução crónica, caracterizada pela degeneração progressiva das estruturas, nomeadamente do sistema nervoso periférico **SIN.** doença dos pezinhos

parança **(pa.ran.ça)** [pɐ'rɐ̃sɐ] *n.f.* **1** pausa **2** descanso ◆ **sem parança** sem parar; sem ter descanso

paranoia **(pa.ra.noi.a)**[AO] [pɐrɐ'nɔjɐ] *n.f.* **1** perturbação mental que toma a forma de um delírio sistematizado, caracterizado por uma interpretação falsa da realidade, uma desconfiança extrema e mania de perseguição **2** *fig.* desconfiança extrema **3** *fig.* mania de grandeza(s) ◆ *coloq.* **entrar em paranoia** perder o controlo da situação; descontrolar-se **SIN.** desatinar

paranóia **(pa.ra.nói.a)** [pɐrɐ'nɔjɐ] *a nova grafia é* **paranoia**[AO]

paranoico **(pa.ra.noi.co)**[AO] [pɐrɐ'nɔjku] *adj.* **1** relativo a paranoia **2** *coloq.* que sofre de paranoia **3** *coloq.* que revela desconfiança excessiva ou injustificada; tresloucado ▪ *n.m.* **1** *coloq.* pessoa que sofre de paranoia **2** *coloq.* pessoa que se comporta de forma estranha e desconfiada, sem razão para tal

paranóico **(pa.ra.nói.co)** [pɐrɐ'nɔjku] *a nova grafia é* **paranoico**[AO]

paranormal **(pa.ra.nor.mal)** [pɐrɐnɔr'maɫ] *adj.2g.* **1** que está fora do normal **2** que não é explicável de forma científica ▪ *n.m.* conjunto de fenómenos que não é possível explicar de forma científica; sobrenatural ▪ *n.2g.* pessoa que tem qualidades ou poderes considerados fora do normal

paraolimpíadas **(pa.ra.o.lim.pí.a.das)** [pɐrɐolĩ'piɐdɐʃ] *n.f.pl.* competição desportiva internacional, de estrutura e objetivo idênticos aos das olimpíadas, destinada a atletas com deficiência(s); Jogos Paraolímpicos

paraolímpico **(pa.ra.o.lím.pi.co)** [pɐrɐolĩ'piku] *adj.* relativo às paraolimpíadas

parapeito **(pa.ra.pei.to)** [pɐrɐ'pɐjtu] *n.m.* parte da janela usada como apoio para os braços ou para os cotovelos

parapente **(pa.ra.pen.te)** [parɐ'pẽt(ə)] *n.m.* aparelho desportivo semelhante a um paraquedas retangular, com o qual se salta de um monte para descer planando

paraplegia **(pa.ra.ple.gi.a)** [pɐrɐplɛ'ʒiɐ] *n.f.* paralisia total ou parcial das pernas e da parte inferior do tronco

paraplégico **(pa.ra.plé.gi.co)** [pɐrɐ'plɛʒiku] *adj.* **1** relativo a paraplegia **2** que sofre de paraplegia; paralisado ▪ *n.m.* pessoa que sofre de paraplegia

paraquedas **(pa.ra.que.das)**[AO] [parɐ'kɛdɐʃ] *n.m.2n.* aparelho formado por um tecido preso a correias que se abre para diminuir a velocidade de queda de uma pessoa que se lança de uma grande altura

◆ **cair de paraquedas** aparecer ou acontecer de forma inesperada

pára-quedas (pá.ra-.que.das) [parɐ'kɛdɐʃ] *a nova grafia é* **paraquedas**AO

paraquedismo (pa.ra.que.dis.mo)AO [parɐkə'diʒmu] *n.m.* atividade que consiste em saltar de paraquedas de um avião ou de um helicóptero

pára-quedismo (pá.ra-.que.dis.mo) [parɐkə'diʒmu] *a nova grafia é* **paraquedismo**AO

paraquedista (pa.ra.que.dis.ta)AO [parɐkə'diʃtɐ] *n.2g.* pessoa que se lança de paraquedas

pára-quedista (pá.ra-.que.dis.ta) [parɐkə'diʃtɐ] *a nova grafia é* **paraquedista**AO

parar (pa.rar) [pɐ'rar] *v.* **1** deixar de andar **2** deixar de funcionar **3** interromper **4** estacionar ◆ **sem parar** de forma ininterrupta; continuamente

para-raios (pa.ra-.rai.os)AO [parɐ'ʀajuʃ] *n.m.2n.* haste metálica colocada no alto dos edifícios, para os proteger dos raios

pára-raios (pá.ra-.rai.os) [parɐ'ʀajuʃ] *a nova grafia é* **para-raios**AO

parasita (pa.ra.si.ta) [pɐrɐ'zitɐ] *adj.2g.* diz-se do organismo que vive noutro organismo, alimentando-se dele ■ *n.2g.* ser que vive à custa de outro

parasitar (pa.ra.si.tar) [pɐrɐzi'tar] *v.* **1** alimentar-se à custa de (outro organismo) **2** viver à custa de (outra pessoa)

parassíntese (pa.ras.sín.te.se) [pɐrɐ'sĩtəz(ə)] *n.f.* processo de formação de palavras através da adição simultânea de um prefixo e de um sufixo à forma de base

paratexto (pa.ra.tex.to) [pɐrɐ'tɐjʃtu] *n.m.* conjunto de enunciados que enquadram um texto e que têm como função apresentá-lo, garantindo uma receção/leitura adequada (nome do autor, do editor, título, subtítulo, etc.)

para-vento (pa.ra-.ven.to)AO [parɐ'vẽtu] *n.m.* estrutura desdobrável que inclui um pano ou plástico protetor assente em estacas, que é usada sobretudo nas praias para proteger contra o vento

pára-vento (pá.ra-.ven.to) [parɐ'vẽtu] *a nova grafia é* **para-vento**AO

parceiro (par.cei.ro) [pɐr'sɐjru] *n.m.* **1** sócio **2** companheiro

parcela (par.ce.la) [pɐr'sɛlɐ] *n.f.* pequena parte de um todo **SIN.** fração

parcelado (par.ce.la.do) [pɐrsə'ladu] *adj.* **1** (terreno) dividido em parcelas **2** (pagamento) faseado

parcelamento (par.ce.la.men.to) [pɐrsəlɐ'mẽtu] *n.m.* **1** divisão (de terras, verbas) **2** fragmentação (de objetos)

parceria (par.ce.ri.a) [pɐrsə'riɐ] *n.f.* reunião de pessoas que têm um objetivo ou um projeto comum **SIN.** sociedade

parcial (par.ci:al) [pɐr'sjaɫ] *adj.2g.* **1** que faz parte de um todo **2** que se realiza em partes

parcialidade (par.ci:a.li.da.de) [pɐrsjɐli'dad(ə)] *n.f.* **1** qualidade de parcial **2** preferência que se dá a pessoa ou grupo favorito; favoritismo **3** falta de isenção ou de objetividade; injustiça

parcialmente (par.ci:al.men.te) [pɐrsjaɫ'mẽt(ə)] *adv.* **1** de modo parcial **2** em partes

parco (par.co) ['parku] *adj.* **1** moderado **2** escasso

parcómetro (par.có.me.tro) [pɐr'kɔmətru] *n.m.* aparelho que serve para medir o tempo de estacionamento de um veículo automóvel em parque público ou em certas ruas; parquímetro

pardal (par.dal) [pɐr'daɫ] *n.m.* pequeno pássaro acinzentado ou acastanhado, que vive geralmente perto das habitações humanas

pardo (par.do) ['pardu] *adj.* de cor escura, entre o branco e o preto; acinzentado

parecença (pa.re.cen.ça) [pɐrə'sẽsɐ] *n.f.* semelhança; analogia

parecer (pa.re.cer) [pɐrə'ser] *v.* **1** ter parecença com; ser semelhante a: *O João parece o pai.* **2** ter a aparência de: *Ele parece tímido.* **3** ser a opinião de alguém sobre alguma coisa: *Parece-me muito importante investir na educação.* **4** ser provável: *Parece que hoje vai chover.* ■ **parecer-se** ⟨+com⟩ ser semelhante a: *Parece-se bastante com a tia.* ■ *n.m.* opinião; julgamento ◆ **parece mal!** expressão usada quando se desaprova algo

parecido (pa.re.ci.do) [pɐrə'sidu] *adj.* semelhante; análogo

paredão (pa.re.dão) [pɐrə'dɐ̃w̃] *n.m.* **1** parede grande **2** 👁 muro elevado e forte, construído geralmente para reter as águas (de mar, rio, etc.)

parede (pa.re.de) [pɐ'red(ə)] *n.f.* elemento estrutural que delimita ou divide um espaço ◆ **conversar/falar com as paredes 1** falar consigo próprio, sem interlocutor **2** refletir; **encostar à parede** forçar a tomar uma decisão; **levar à parede** vencer ou derrotar; **subir pelas paredes** irritar-se; enfurecer-se

parelha (pa.re.lha) [pɐ'rɐ(j)ʎɐ] *n.f.* **1** conjunto de dois animais **SIN.** par **2** conjunto formado por duas coisas ou pessoas

parental (pa.ren.tal) [pɐrẽ'taɫ] *adj.,n 2g.* **1** relativo a pai ou a mãe **2** relativo a parente

parente (pa.ren.te) [pɐ'rẽt(ə)] *n.2g.* pessoa que pertence à mesma família

parentesco (pa.ren.tes.co) [pɐrẽ'teʃku] *n.m.* **1** relação que existe entre pessoas que pertencem à mesma família **2** *fig.* semelhança

parênteses (pa.rên.te.ses) [pɐ'rẽtəzəʃ] *n.m.pl.* **1** frase ou período que se intercala num texto para dar informação adicional **2** sinal gráfico ( ) que identifica e delimita palavras ou frases num texto **3** sinal matemático que indica que as operações colocadas dentro dele se devem considerar efetuadas **4** *fig.* desvio momentâneo do tema de conversa ou do assunto em discussão **SIN.** digressão ♦ **parênteses curvos** sinal gráfico ( ) usado para Isolar palavras ou frases num texto; **parênteses retos** sinais constituídos por traços verticais com pequenos traços horizontais [ ]

parêntesis (pa.rên.te.sis) [pɐ'rẽtəziʃ] *n.m.2n.* ⇒ **parênteses**

pargo (par.go) ['pargu] *n.m.* peixe de coloração vermelha com reflexos dourados, que vive nas águas temperadas do Atlântico e do Mediterrâneo

paridade (pa.ri.da.de) [pɐri'dad(ə)] *n.f.* **1** analogia; semelhança **2** igualdade; equivalência

parietal (pa.ri:e.tal) [pɐrjɛ'taɫ] *adj.2g.* **1** relativo a parede **2** relativo a cada um dos dois ossos curvos e achatados que se situam em ambos os lados do crânio

parir (pa.rir) [pɐ'rir] *v.* **1** dar à luz (filho, cria) **2** *fig.* criar (algo novo)

parisiense (pa.ri.si:en.se) [pɐri'zjẽ(sə)] *adj.,n 2g.* de Paris (capital de França) ▪ *n.2g.* natural de Paris

parka ['parkɐ] *n.f.* casaco com capuz, de material impermeável

parlamentar (par.la.men.tar) [pɐrlɐmẽ'tar] *adj.2g.* relativo ao parlamento ▪ *n.2g.* membro de um parlamento

parlamento (par.la.men.to) [pɐrlɐ'mẽtu] *n.m.* **1** instituição formada por deputados eleitos pelos cidadãos que tem por função elaborar e aprovar as leis que regem o país **SIN.** assembleia **2** edifício onde os deputados se reúnem

Sendo um órgão de soberania consagrado na Constituição Portuguesa, o **Parlamento** é composto por uma única câmara, a Assembleia da República.

parmesão (par.me.são) [pɐrmə'zɐ̃w̃] *adj.,n.m.* (queijo) fabricado com leite desnatado e açafrão, à maneira de Parma ▪ *adj.* de Parma (cidade italiana) ▪ *n.m.* natural de Parma

pároco (pá.ro.co) ['paruku] *n.m.* sacerdote que é responsável por uma paróquia **SIN.** padre

paródia (pa.ró.di:a) [pɐ'rɔdjɐ] *n.f.* **1** obra que imita outra **2** *coloq.* pândega; divertimento

parodiar (pa.ro.di:ar) [pɐru'djar] *v.* imitar com propósitos irónicos ou cómicos

parolice (pa.ro.li.ce) [pɐru'li(sə)] *n.f.* **1** *pej.* qualidade de parolo **2** *pej.* ato ou dito próprio de parolo

parolo (pa.ro.lo) [pɐ'rolu] *adj.* **1** *pej.* grosseiro **2** *pej.* ingénuo **3** *pej.* que tem mau gosto

paronímia (pa.ro.ní.mi:a) [pɐru'nimjɐ] *n.f.* relação entre palavras com pronúncias e grafias parecidas mas significados diferentes

parónimo (pa.ró.ni.mo) [pɐ'rɔnimu] *n.m.* palavra com pronúncia e grafia semelhante a outra, mas com significado diferente

paróquia (pa.ró.qui:a) [pɐ'rɔkjɐ] *n.f.* comunidade sob orientação espiritual de um pároco

paroquial (pa.ro.qui:al) [pɐru'kjaɫ] *adj.,n 2g.* relativo a paróquia

paroquiano (pa.ro.qui:a.no) [pɐru'kjɐnu] *adj.,n.m.* habitante de uma paróquia

parótida (pa.ró.ti.da) [pɐ'rɔtidɐ] *n.f.* cada uma das glândulas salivares situadas atrás das orelhas

paroxítono (pa.ro.xí.to.no) [pɐrɔ'ksitunu] *adj.* (palavra) que tem o acento tónico na penúltima sílaba; grave

parque (par.que) ['park(ə)] *n.m.* **1** terreno com jardins e espaços de lazer **2** reserva natural para proteção de espécies animais e vegetais ♦ **parque de campismo** espaço de lazer devidamente equipado e organizado para permitir o alojamento das pessoas em tendas e caravanas; **parque de diversões** espaço de lazer, geralmente ao ar livre, equipado com diversas estruturas (montanha-russa, carrosséis, carrinhos de choque, etc.); **parque de estacionamento** área de um edifício ou zona delimitada ao ar livre, própria para guardar temporariamente automóveis, mediante pagamento; **parque infantil** espaço, geralmente delimitado, equipado com instalações próprias para as crianças brincarem

parquê (par.quê) [par'ke] *n.m.* **1** revestimento do chão formado por pequenos tacos de madeira **2** pavimento revestido com esses tacos

parquímetro (par.quí.me.tro) [pɐr'kimətru] *n.m.* aparelho que serve para medir o tempo de estacionamento de um veículo automóvel em parque público ou em certas ruas; parcómetro

parra (par.ra) ['paʀɐ] *n.f.* folha de videira ♦ **muita parra e pouca uva** expressão usada quando alguém se gaba ou promete muito, mas faz pouco do que afirma

parricídio (par.ri.cí.di:o) [pɐʀi'sidju] *n.m.* assassinato de pai, mãe, ou ascendente próximo

parte (par.te) ['part(ə)] *n.f.* **1** porção de um todo; fração **2** divisão de uma obra ♦ **à parte 1** exceto **2** em particular **3** de lado; **posto de parte** abandonado; esquecido; **tomar parte em** participar em

parteira (par.tei.ra) [pɐr'tɐjrɐ] *n.f.* mulher que assiste a partos

partição (par.ti.ção) [pɐrti'sɐ̃w̃] *n.f.* divisão

participação (par.ti.ci.pa.ção) [pɐrtisipɐ'sɐ̃w̃] *n.f.* **1** colaboração (numa atividade, despesa, etc.) **2** informação; comunicação

participante (par.ti.ci.pan.te) [pɐrtisi'pɐ̃t(ə)] *n.2g.* pessoa que participa em alguma coisa (num projeto, numa discussão)

participar (par.ti.ci.par) [pɐrtisi'par] *v.* **1** ⟨**+em**⟩ tomar parte em: *Eles participam na corrida.* **2** ⟨**+a**⟩ informar; comunicar: *A nova aquisição futebolística foi participada aos sócios e adeptos.* **3** ⟨**+a**⟩ fazer queixa (de); denunciar: *Participou o caso à polícia.*

participativo (par.ti.ci.pa.ti.vo) [pɐrtisipɐ'tivu] *adj.* que gosta de participar

particípio (par.ti.cí.pi:o) [pɐrti'sipju] *n.m.* forma nominal do verbo que funciona como adjetivo: *molhado; parado; vendido*

partícula (par.tí.cu.la) [pɐr'tikulɐ] *n.f.* **1** pequena parte **2** coisa muito pequena

particular (par.ti.cu.lar) [pɐrtiku'lar] *adj.2g.* **1** relativo apenas a certos seres, coisas ou pessoas; específico **2** que é próprio de cada pessoa; pessoal; privado ♦ **em particular** especialmente; concretamente

particularidade (par.ti.cu.la.ri.da.de) [pɐrtikulɐri'dad(ə)] *n.f.* característica própria de algo ou de alguém **SIN.** especificidade

particularizar (par.ti.cu.la.ri.zar) [pɐrtikulɐri'zar] *v.* **1** descrever em pormenor **2** distinguir; destacar ▪ **particularizar-se** distinguir-se; destacar-se

particularmente (par.ti.cu.lar.men.te) [pɐrtikular'mẽt(ə)] *adv.* **1** em especial **2** em segredo

partida (par.ti.da) [pɐr'tidɐ] *n.f.* **1** saída **ANT.** chegada **2** brincadeira **3** competição desportiva ♦ **à partida** em princípio

partidário (par.ti.dá.ri:o) [pɐrti'darju] *adj.,n.m.* **1** membro ou simpatizante de um partido político **2** defensor de uma ideia ou de um movimento; adepto

partidarismo (par.ti.da.ris.mo) [pɐrtidɐ'riʒmu] *n.m.* defesa cega e exagerada de um partido político; sectarismo

partido (par.ti.do) [pɐr'tidu] *n.m.* associação de pessoas com a mesma ideologia ou opinião política ♦ **ser um bom partido** ter uma situação económica e/ou social vantajosa; **tomar partido de** estar do lado de; defender

partilha (par.ti.lha) [pɐr'tiʎɐ] *n.f.* divisão em partes

partilhar (par.ti.lhar) [pɐrti'ʎar] *v.* **1** dividir em partes; repartir **2** participar de

partir (par.tir) [pɐr'tir] *v.* **1** quebrar **2** ir embora **3** quebrar-se ♦ **a partir de** a começar em

partitivo (par.ti.ti.vo) [pɐrti'tivu] *adj.* que reparte ▪ *n.m.* palavra que designa uma parte de um todo

partitura (par.ti.tu.ra) [pɐrti'turɐ] *n.f.* conjunto de indicações impressas ou manuscritas com as partes de uma composição musical

parto (par.to) ['partu] *n.m.* processo de expulsão do feto do corpo da mãe; nascimento

part-time [part'tajm] *adj.inv.* (atividade, trabalho) que não abrange o horário completo ▪ *adv.* a meio tempo ▪ *n.m.* trabalho com horário reduzido

parturiente (par.tu.ri:en.te) [pɐrtu'rjẽt(ə)] *n.f.* mulher que se encontra em trabalho de parto ou que acaba de dar à luz

parvo (par.vo) ['parvu] *adj.,n.m.* idiota; pateta

parvoíce (par.vo:í.ce) [pɐr'vwi(sə)] *n.f.* idiotice

parvónia (par.vó.ni:a) [pɐr'vɔnjɐ] *n.f. coloq., pej.* pequena localidade pouco desenvolvida

pascácio (pas.cá.ci:o) [pɐʃ'kasju] *adj. coloq.* lorpa; idiota

pascal (pas.cal) [pɐʃ'kał] *adj.2g.* relativo à Páscoa

Páscoa (Pás.co:a) ['paʃkwɐ] *n.f.* festa anual dos Cristãos em que se comemora a ressurreição de Jesus Cristo

pascoal (pas.co:al) [pɐʃ'kwał] *adj.2g.* ⇒ **pascal**

pasmaceira (pas.ma.cei.ra) [pɐʒmɐ'sɐjrɐ] *n.f.* coisa ou situação sem interesse **SIN.** monotonia

pasmado (pas.ma.do) [pɐʒ'madu] *adj.* muito admirado **SIN.** espantado

pasmar (pas.mar) [pɐʒ'mar] *v.* **1** causar admiração **2** olhar fixamente **3** ficar admirado

pasmo (pas.mo) ['paʒmu] *n.m.* surpresa; admiração; espanto

paso doble [pasɔ'dɔblɛ] *n.m.* **1** dança rápida, de origem espanhola, executada em ritmo de marcha **2** música com que se acompanha essa dança

paspalhão (pas.pa.lhão) [pɐʃpɐ'ʎɐ̃w̃] *adj.,n.m.* **1** *pej.* inútil **2** *pej.* tolo; parvo; lorpa

pasquim (pas.quim) [pɐʃ'kĩ] *n.m.* **1** jornal ou folheto difamatório **2** *pej.* jornal sem qualidade

passa (pas.sa) ['pasɐ] *n.f.* uva seca

passada (pas.sa.da) [pɐ'sadɐ] *n.f.* movimento feito com os pés ao andar; passo

passadeira (pas.sa.dei.ra) [pɐsɐ'dɐjrɐ] *n.f.* **1** tapete estreito e comprido **2** numa rua, faixa destinada à passagem de peões

passadiço (pas.sa.di.ço) [pɐsɐ'disu] *n.m.* **1** passagem estreita **2** caminho, em geral de madeira, junto à praia

passado (pas.sa.do) [pɐ'sadu] *adj.* **1** que passou ou que aconteceu **2** que perdeu a atualidade; antiquado ■ *n.m.* tempo anterior ao presente

passador (pas.sa.dor) [pɐsɐ'dor] *n.m.* **1** indivíduo que troca objetos falsos por verdadeiros **2** *coloq.* traficante de droga **3** utensílio de cozinha com pequenos orifícios, usado para escorrer alimentos

passageiro (pas.sa.gei.ro) [pɐsɐ'ʒɐjru] *adj.* que dura pouco tempo; breve ■ *n.m.* pessoa que utiliza um meio de transporte; viajante

passagem (pas.sa.gem) [pɐ'saʒɐ̃j] *n.f.* **1** ato ou efeito de passar **2** lugar por onde se passa **3** bilhete de viagem ♦ **de passagem** rapidamente; superficialmente; **estar de passagem** permanecer pouco tempo; **passagem de ano** mudança de um ano para outro, à meia-noite do dia 31 de dezembro; **passagem de modelos** mostra de peças de vestuário e acessórios, apresentados ao público por manequins que desfilam num estrado; **passagem de nível** cruzamento de uma rua ou estrada com uma linha de caminho de ferro situada ao mesmo nível

passaporte (pas.sa.por.te) [pasɐ'pɔrt(ə)] *n.m.* documento oficial de identificação de um cidadão fora do seu país de origem, e onde se registam as autorizações de entrada e saída relativamente a países estrangeiros

passar (pas.sar) [pɐ'sar] *v.* **1** atravessar; percorrer **2** filtrar; coar **3** transmitir; comunicar ♦ **deixar passar** não impedir a passagem/o acesso a; **passar por cima de** não ter em conta; não considerar

passarada (pas.sa.ra.da) [pɐsɐ'radɐ] *n.f.* grande quantidade de pássaros

passarela (pas.sa.re.la) [pɐsɐ'rɛlɐ] *n.f.* passagem em plano superior por onde desfilam manequins exibindo vestuário, candidatos em concursos de beleza, etc.

pássaro (pás.sa.ro) ['pasɐru] *n.m.* ave pequena ou média

passaroco (pas.sa.ro.co) [pɐsɐ'roku] *n.m.* pássaro pequeno

passatempo (pas.sa.tem.po) [pasɐ'tẽpu] *n.m.* ocupação dos tempos livres **SIN.** diversão; divertimento

passe (pas.se) ['pa(sə)] *n.m.* **1** cartão que permit usar os transportes públicos mediante um paga mento, geralmente mensal **2** passagem da bol feita por um jogador a outro da sua equipa

passear (pas.se:ar) [pɐ'sjar] *v.* ir a algum luga para se descontrair ou para apreciar a paisagen ♦ *coloq.* **mandar passear** mandar embora d forma indelicada

passeata (pas.se:a.ta) [pɐ'sjatɐ] *n.f.* pequeno pas seio

passeio (pas.sei.o) [pɐ'sɐju] *n.m.* **1** ato ou efeito d passear **2** parte lateral de uma rua destinada ao peões

passe-partout [paspar'tu] *n.m.* moldura para foto grafias

passerelle [pasə'rɛl(ə)] *n.f.* ⇒ **passarela**

passe-vite [pasə'vit(ə)] *n.m.* ⟨*pl.* passe-vites⟩ utensí lio culinário usado para esmagar batata ou legu mes cozinhados

passional (pas.si:o.nal) [pɐsju'naɫ] *adj.2g.* **1** rela tivo a paixão **2** (crime) provocado por paixão

passiva (pas.si.va) [pɐ'sivɐ] *n.f.* conjugação do verbos transitivos que indica que a ação é so frida pelo sujeito da frase

passível (pas.sí.vel) [pɐ'sivɛɫ] *adj.2g.* que está su jeito a determinada situação ou a determinado risco; suscetível de

passividade (pas.si.vi.da.de) [pɐsivi'dad(ə)] *n.* **1** inatividade **2** indiferença

passivo (pas.si.vo) [pɐ'sivu] *adj.* **1** que não ten atividade; inativo **2** que sofre uma ação **3** diz-s do verbo ou da frase em que o sujeito sofre a ação

passo (pas.so) ['pasu] *n.m.* espaço percorrido de cada vez que se desloca e pousa o pé no chão ♦ **a dois passos** muito perto; **marcar passo** nã progredir; **passo a passo** lentamente; devagar (exprime contraste) **ao passo que** enquanto

> Não confundir **passo** (movimento do pé e forma do verbo *passar*) com **paço** (palácio).

password ['paswɐrd(ə)] *n.f.* ⟨*pl.* passwords⟩ conjunto de caracteres que identificam o utilizador de um dispositivo eletrónico e que permitem o acesso a dados, programas ou sistemas; senha de acesso

pasta (pas.ta) ['paʃtɐ] *n.f.* **1** pequena mala onde se guardam livros, cadernos, documentos, etc. **2** substância mole; creme ♦ **passar a pasta** transferir a responsabilidade de um trabalho para alguém

pastagem (pas.ta.gem) [pɐʃ'taʒɐ̃j] *n.f.* terreno com erva onde o gado pasta **SIN.** pasto

pastar (pas.tar) [pɐʃ'tar] *v.* comer erva ou vegetação rasteira

pastel **(pas.tel)** [pɐʃ'tɛɫ] *n.m.* **1** porção de massa recheada de carne picada, peixe, doce, etc., que se frita ou se coze no forno **2** tipo de pintura a seco com lápis de cores suaves **3** cor suave, como a desses lápis

pastelão **(pas.te.lão)** [pɐʃtə'lɐ̃w̃] *n.m.* **1** empadão de massa folhada com recheio **2** *coloq., pej.* pessoa preguiçosa ou indolente

pastelaria **(pas.te.la.ri.a)** [pɐʃtəlɐ'riɐ] *n.f.* loja onde se preparam e vendem bolos e doces

pasteleiro **(pas.te.lei.ro)** [pɐʃtə'lɐjru] *n.m.* fabricante ou vendedor de bolos e doces

pasteurização **(pas.teu.ri.za.ção)** [pɐʃtewrizɐ'sɐ̃w̃] *n.f.* processo de conservação dos alimentos em que estes são aquecidos a uma temperatura não superior a 100 °C e arrefecidos depois rapidamente, de forma a eliminar os germes

pasteurizado **(pas.teu.ri.za.do)** [pɐʃtewri'zadu] *adj.* que foi submetido ao processo de pasteurização

pasteurizar **(pas.teu.ri.zar)** [pɐʃtewri'zar] *v.* submeter (laticínios e outros alimentos) à pasteurização

pastiche **(pas.ti.che)** [pɐʃ'tiʃ(ə)] *n.m.* imitação ou decalque de uma obra literária ou artística, frequentemente com objetivos satíricos ou humorísticos

pastilha **(pas.ti.lha)** [pɐʃ'tiʎɐ] *n.f.* **1** comprimido **2** guloseima de açúcar com corantes e sabor a frutos ◆ **engolir a pastilha** suportar algo desagradável; **pastilha elástica** guloseima fabricada com goma de certas plantas, com consistência elástica e pegajosa, que não se dissolve com a mastigação

pasto **(pas.to)** ['paʃtu] *n.m.* **1** terreno coberto de erva onde o gado procura alimento **2** erva que serve de alimento ao gado

pastor **(pas.tor)** [pɐʃ'tor] *n.m.* homem que guarda o gado ◆ **pastor alemão** **1** raça de cães, de grande porte, constituição robusta, focinho longo e pontiagudo, orelhas espetadas, pelo grosso e curto, e geralmente usado como cão de guarda **2** cão dessa raça

pastoral **(pas.to.ral)** [pɐʃtu'raɫ] *adj.2g.* **1** relativo a pastor **2** rústico; campestre ■ *n.f.* carta dirigida aos padres ou aos fiéis pelo Papa ou por um bispo

pastorear **(pas.to.re:ar)** [pɐʃtu'rjar] *v.* levar o gado ao pasto

pastorícia **(pas.to.rí.ci:a)** [pɐʃtu'risjɐ] *n.f.* atividade de levar animais a pastar e de os vigiar

pastorício **(pas.to.rí.ci:o)** [pɐʃtu'risju] *adj.* relativo a pastor ou a pastorícia

pastoril **(pas.to.ril)** [pɐʃtu'riɫ] *adj.2g.* **1** próprio de pastor **SIN.** campestre **2** relativo à vida e aos costumes do campo

pastoso **(pas.to.so)** [pɐʃ'tozu] *adj.* que tem a consistência viscosa; pegajoso

pata **(pa.ta)** ['patɐ] *n.f.* **1** pé e perna de um animal **2** fêmea do pato ◆ *coloq.* **à pata** à mão; **meter a pata** **1** cometer uma gafe **2** estragar uma situação

pataca **(pa.ta.ca)** [pɐ'takɐ] *n.f.* **1** moeda usada em Macau **2** *fig.* moeda corrente **3** *fig.* qualquer soma em dinheiro ◆ **meia pataca** quantia insignificante

pataco **(pa.ta.co)** [pɐ'taku] *n.m. coloq.* dinheiro ◆ **estar sem pataco** não ter dinheiro; **não valer um pataco** não ter valor nenhum

patada **(pa.ta.da)** [pɐ'tadɐ] *n.f.* pancada com a pata ou com o pé

patamar **(pa.ta.mar)** [pɐtɐ'mar] *n.m.* espaço entre dois lanços de uma escada

patanisca **(pa.ta.nis.ca)** [pɐtɐ'niʃkɐ] *n.f.* isca de bacalhau envolta em farinha e depois frita

patarata **(pa.ta.ra.ta)** [pɐtɐ'ratɐ] *adj.2g.* pedante; afetado

patareco **(pa.ta.re.co)** [pɐtɐ'rɛku] *adj. coloq.* pateta

patavina **(pa.ta.vi.na)** [pɐtɐ'vinɐ] *n.f. coloq.* coisa nenhuma; nada ◆ **não perceber patavina** não compreender nada

patê **(pa.tê)** [pa'te] *n.m.* preparação de consistência pastosa e sabor forte e condimentado, confecionada a partir de carne, peixe ou legumes

patego **(pa.te.go)** [pɐ'tegu] *n.m.* **1** *coloq.* ingénuo; simplório **2** *coloq.* grosseiro; rude

patela **(pa.te.la)** [pɐ'tɛlɐ] *n.f.* **1** disco de ferro usado no jogo da malha **2** jogo que consiste em lançar discos de ferro, a fim de derrubar pequenas estacas colocadas na vertical; jogo da malha

patente **(pa.ten.te)** [pɐ'tẽt(ə)] *adj.2g.* **1** que não deixa dúvida(s); claro; evidente **2** que está aberto a todos; acessível ■ *n.f.* **1** documento que indica o autor ou o proprietário de uma invenção e que o autoriza a fabricá-la ou vendê-la **2** posto militar

patentear **(pa.ten.te:ar)** [pɐtẽ'tjar] *v.* **1** tornar patente; mostrar **2** registar (invenção, criação) com patente **3** conceder patente

paternal **(pa.ter.nal)** [pɐtər'naɫ] *adj.2g.* relativo a pai; próprio de pai **SIN.** paterno

paternalismo **(pa.ter.na.lis.mo)** [pɐtərnɐ'liʒmu] *n.m. pej.* atitude protetora de mais

paternidade **(pa.ter.ni.da.de)** [pɐtərni'dad(ə)] *n.f.* **1** qualidade ou condição de pai **2** vínculo sanguíneo entre pai(s) e filho(s)

paterno **(pa.ter.no)** [pɐ'tɛrnu] *adj.* ⇒ **paternal**

pateta (pa.te.ta) [pa'tɛtɐ] *adj.,n.2g.* tolo; palerma

patetice (pa.te.ti.ce) [patɛ'ti(sə)] *n.f.* tolice; palermice

patético (pa.té.ti.co) [pa'tɛtiku] *adj.* que desperta piedade; comovente; tocante

patifaria (pa.ti.fa.ri.a) [pɐtifɐ'riɐ] *n.f.* comportamento próprio de patife **SIN.** maldade

patife (pa.ti.fe) [pɐ'tif(ə)] *adj.,n.2g.* malandro

patim (pa.tim) [pɐ'tĩ] *n.m.* calçado com rodas ou lâminas, próprio para patinar ♦ **patim em linha** patim com quatro rodas dispostas numa só linha, de forma a permitir movimentos mais rápidos

patinador (pa.ti.na.dor) [pɐtinɐ'dor] *n.m.* pessoa que faz patinagem

patinagem (pa.ti.na.gem) [pɐti'naʒɐ̃j] *n.f.* desporto em que se usam patins

patinar (pa.ti.nar) [pɐti'nar] *v.* **1** deslocar-se sobre patins **2** deslizar; escorregar

patinhar (pa.ti.nhar) [pɐti'ɲar] *v.* **1** agitar a água, como fazem os patos **2** bater com os pés ou as mãos na água

patinho (pa.ti.nho) [pɐ'tiɲu]⟨*dim. de* pato⟩ *n.m.* pato pequeno ou jovem ♦ **cair como um patinho** deixar-se enganar; **patinho feio** pessoa considerada feia ou sem valor, em comparação com as outras pessoas

pátio (pá.ti:o) ['patju] *n.m.* espaço aberto no interior de uma construção ou entre edifícios

pato (pa.to) ['patu] *n.m.* 👁 ave aquática, de bico largo e achatado e patas espalmadas

patogénico (pa.to.gé.ni.co) [patɔ'ʒɛniku] *adj.* que provoca doença(s)

patologia (pa.to.lo.gi.a) [pɐtulu'ʒiɐ] *n.f.* estudo das doenças

patológico (pa.to.ló.gi.co) [pɐtu'lɔʒiku] *adj.* **1** relativo a doença **2** *fig.* excessivo; doentio

patologista (pa.to.lo.gis.ta) [pɐtulu'ʒiʃtɐ] *n.2g.* especialista em patologia

patranha (pa.tra.nha) [pɐ'trɐɲɐ] *n.f. coloq.* mentira

patrão (pa.trão) [pɐ'trɐ̃w̃] *n.m.* ⟨*f.* patroa, *pl.* patrões⟩ proprietário de uma loja ou de uma empresa em relação aos seus empregados; chefe

pátria (pá.tri:a) ['patrjɐ] *n.f.* país onde uma pessoa nasceu; terra natal

patriarca (pa.tri.ar.ca) [pɐtri'arkɐ] *n.m.* ⟨*f.* matriarca⟩ **1** homem mais velho da família, respeitado pela sua idade e sabedoria; chefe de família **2** título de alguns bispos católicos

patriarcado (pa.tri.ar.ca.do) [pɐtriɐr'kadu] *n.m.* **1** cargo ou dignidade de patriarca **2** diocese subordinada a um patriarca

patriarcal (pa.tri.ar.cal) [pɐtriɐr'kaɫ] *adj.2g.* **1** relativo a patriarca **2** digno de respeito; respeitável

patrimonial (pa.tri.mo.ni:al) [pɐtrimu'njaɫ] *adj.2g.* relativo a património

património (pa.tri.mó.ni:o) [pɐtri'mɔnju] *n.m.* **1** conjunto de bens de uma família, de uma instituição ou de um país **2** *fig.* riqueza

pátrio (pá.tri:o) ['patrju] *adj.* **1** relativo à pátria; nacional **2** relativo aos pais; paternal

patriota (pa.tri:o.ta) [pɐ'trjɔtɐ] *n.2g.* pessoa que manifesta amor e orgulho pela sua pátria

patriótico (pa.tri:ó.ti.co) [pɐ'trjɔtiku] *adj.* que tem amor à pátria

patriotismo (pa.tri:o.tis.mo) [pɐtrju'tiʒmu] *n.m.* sentimento de amor e orgulho em relação à pátria

patrocinador (pa.tro.ci.na.dor) [pɐtrusinɐ'dor] *n.m.* pessoa que patrocina; promotor

patrocinar (pa.tro.ci.nar) [pɐtrusi'nar] *v.* dar apoio ou ajuda a; auxiliar

patrocínio (pa.tro.cí.ni:o) [pɐtru'sinju] *n.m.* ajuda (sobretudo financeira); apoio; auxílio

patronal (pa.tro.nal) [pɐtru'naɫ] *adj.2g.* relativo a patrão

patronato (pa.tro.na.to) [pɐtru'natu] *n.m.* classe dos patrões ou proprietários de empresas

patrono (pa.tro.no) [pɐ'tronu] *n.m.* defensor; protetor

patrulha (pa.tru.lha) [pɐ'truʎɐ] *n.f.* **1** ronda de vigilância **2** grupo de soldados encarregado de fazer rondas

patrulhamento (pa.tru.lha.men.to) [pɐtruʎɐ'mẽtu] *n.m.* vigilância feita por patrulhas

patrulhar (pa.tru.lhar) [pɐtru'ʎar] *v.* vigiar

patuscada (pa.tus.ca.da) [pɐtuʃ'kadɐ] *n.f.* festa com muita comida e bebida **SIN.** farra; pândega

patusco (pa.tus.co) [pɐ'tuʃku] *adj.* **1** que gosta de patuscadas; pândego **2** que gosta de se divertir e de divertir os outros; brincalhão

pau (pau) ['paw] *n.m.* pedaço de madeira fino e comprido ▪ **paus** *n.m.pl.* naipe de cartas em que cada ponto é representado por um trevo preto ♦ **pôr-se a pau** ficar alerta

pau-a-pique (pau-.a-.pi.que) [pawɐ'pik(ə)] *a nova grafia é* **pau a pique**[AO]

pau a pique (pau a pi.que)[AO] [pawɐ'pik(ə)] *n.m.* ⟨*pl.* paus a pique⟩ [ANG., CV., GB., MOÇ., STP.] técnica de construção de paredes com uma trama de ripas ou varas coberta de barro

pau-brasil (pau-.bra.sil) [pawbrɐ'ziɫ] *n.m.* ⟨*pl.* paus-brasil⟩ **1** árvore tropical (atualmente rara) que fornece madeira avermelhada e tinta da mesma cor **2** madeira dessa árvore

pau-de-cabeleira (pau-.de-.ca.be.lei.ra) [pawdə kɐbə'lɐjrɐ] *a nova grafia é* **pau de cabeleira**[AO]

pau de cabeleira (pau de ca.be.lei.ra)[AO] [pawdə kɐbə'lɐjrɐ] *n.m.* ⟨*pl.* paus de cabeleira⟩ pessoa que acompanha um par de namorados

paul (pa.ul) [pɐ'uɫ] *n.m.* ⟨*pl.* pauis⟩ pântano

paulada (pau.la.da) [paw'ladɐ] *n.f.* pancada com pau **SIN.** cacetada

paulatino (pau.la.ti.no) [pawlɐ'tinu] *adj.* **1** que se faz aos poucos **SIN.** devagar **2** realizado em etapas **SIN.** progressivo

pauliteiro (pau.li.tei.ro) [pawli'tɐjru] *n.m.* participante na dança dos paulitos (dança popular, típica de Miranda do Douro, no Norte de Portugal)

Os **Pauliteiros de Miranda** são um grupo de oito homens que executam uma dança folclórica, simulando uma luta com paus ao som da gaita de foles. Podendo executar cerca de cinquenta conjuntos de danças diferentes, os pauliteiros dançam com um traje típico e com castanholas nas mãos, para além dos paus.

paulito (pau.li.to) [paw'litu] *n.m.* **1** pedaço redondo de madeira usado como alvo em certos jogos **2** cada um dos paus usados para marcar o ritmo na dança dos paulitos, típica de Miranda do Douro (Norte de Portugal)

pau-mandado (pau-.man.da.do) [pawmɐ̃'dadu] *n.m.* ⟨*pl.* paus-mandados⟩ *pej.* pessoa que aceita fazer tudo o que se lhe mande; joguete

paupérrimo (pau.pér.ri.mo) [paw'pɛʀimu] ⟨*superl. de* pobre⟩ *adj.* muito pobre

pau-preto (pau-.pre.to) [paw'pretu] *n.m.* ⟨*pl.* paus-pretos⟩ **1** árvore tropical que fornece madeira muito resistente e escura, quase preta **2** madeira dessa árvore

pausa (pau.sa) ['pawzɐ] *n.f.* **1** paragem de curta duração **SIN.** intervalo **2** silêncio entre notas musicais

pausado (pau.sa.do) [paw'zadu] *adj.* lento; vagaroso

pau-santo (pau-.san.to) [paw'sɐ̃tu] *n.m.* ⟨*pl.* paus-santos⟩ **1** árvore tropical de folhas grandes, que fornece madeira de boa qualidade e resina **2** madeira dessa árvore

pauta (pau.ta) ['pawtɐ] *n.f.* **1** conjunto das cinco linhas paralelas em que se escrevem as notas de música **2** lista de nomes dos alunos de uma turma ou de um curso

pautado (pau.ta.do) [paw'tadu] *adj.* (papel) com linhas

pautar (pau.tar) [paw'tar] *v.* **1** traçar linhas à maneira de pauta: *pautar papel* **2** moderar; controlar **3** ⟨**+por**⟩ guiar; orientar: *pautar a educação por valores morais* ■ **pautar-se** ⟨**+por**⟩ guiar-se; orientar-se: *Este projeto pauta-se por ideias arrojadas.*

pavão (pa.vão) [pɐ'vɐ̃w̃] *n.m.* ⟨*f.* pavoa⟩ ave galinácea cuja cauda, no macho, se levanta em leque

pavilhão (pa.vi.lhão) [pɐvi'ʎɐ̃w̃] *n.m.* **1** construção de madeira ou de outro material facilmente desmontável **2** parte externa do ouvido dos mamíferos

pavimentar (pa.vi.men.tar) [pɐvimẽ'tar] *v.* cobrir (rua, estrada) com material próprio

pavimento (pa.vi.men.to) [pɐvi'mẽtu] *n.m.* **1** chão **2** revestimento do solo

pavio (pa.vi.o) [pɐ'viu] *n.m.* cordão fino, revestido de cera, que serve para acender velas **SIN.** torcida ♦ **de fio a pavio** do princípio ao fim

pavonear(-se) (pa.vo.ne:ar(-se)) [pɐvu'njar(sə)] *v.* mostrar(-se) com vaidade **SIN.** exibir(-se)

pavor (pa.vor) [pɐ'vor] *n.m.* medo muito forte **SIN.** terror

pavoroso (pa.vo.ro.so) [pɐvu'rozu] *adj.* que causa pavor **SIN.** assustador; terrível

paz (paz) ['paʃ] *n.f.* **1** ausência de guerra ou conflitos **2** harmonia; tranquilidade ♦ **fazer as pazes com** reconciliar-se com

PC *n.m.* computador pessoal

Pç. *abreviatura de* praça

PDA [pede'a] *n. m.* agenda eletrónica sem teclado, em que o registo de informação é efetuado através de um instrumento semelhante a uma caneta **OBS.** Sigla de *Personal Digital Assistant*

Pe *abreviatura de* padre

PE [pe'ɛ] *sigla de* Parlamento Europeu

pé (pé) ['pɛ] *n.m.* **1** parte do corpo humano que se articula com a extremidade inferior da perna **2** pata de um animal **3** segmento da folha que a prende ao ramo ou ao tronco ♦ **a pé 1** fora da cama **2** a caminhar; **ao pé de** muito perto de; junto de; *coloq.* **bater o pé** teimar; **com o pé direito** bem; **de pé 1** em posição vertical **2** tal como combinado; válido; **do pé para a mão** de um momento para o outro; de repente; **dos pés à cabeça** totalmente; **em pé de igualdade** no mesmo nível; **estar de pé atrás** estar com reservas; sentir desconfiança; **estar em pé de guerra** estar em conflito com; **meter o pé na argola** cometer uma falta ou uma indiscrição;

meter os pés pelas mãos confundir-se ao fazer ou dizer alguma coisa; atrapalhar-se; **não arredar pé 1** não se deslocar **2** não ceder; **não ter pés nem cabeça** não fazer sentido; ser absurdo; **negar a pés juntos** negar com firmeza; **pé ante pé** sem fazer barulho; **ter os pés (bem assentes) na terra** ser realista; ser objetivo

peão (pe.ão) ['pjɐ̃w̃] *n.m.* ⟨*pl.* peões⟩ **1** pessoa que anda a pé **2** peça do jogo do xadrez

Não confundir **peão** (pessoa) com **pião** (brinquedo).

pebolim (pe.bo.lim) [pəbu'lĩ] *n.m.* [BRAS.] matraquilhos

peça (pe.ça) ['pɛsɐ] *n.f.* **1** cada uma das partes de um todo **2** obra teatral ou musical ◆ *coloq.* **ser má peça** ter mau carácter; não ser de confiança

pecado (pe.ca.do) [pə'kadu] *n.m.* violação de um princípio religioso

pecador (pe.ca.dor) [pəkɐ'dor] *n.m.* pessoa que comete um pecado

pecaminoso (pe.ca.mi.no.so) [pəkɐmi'nozu] *adj.* **1** relativo a pecado **2** em que existe pecado

pecar (pe.car) [pə'kar] *v.* **1** violar um princípio religioso; cometer um pecado **2** incorrer em erro; cometer falta contra **3** ⟨**+por**⟩ ser censurável por: *O seu projeto peca por falta de criatividade.*

pechincha (pe.chin.cha) [pə'ʃĩʃɐ] *n.f.* coisa que se compra por um preço muito baixo

pechisbeque (pe.chis.be.que) [pəʃiʒ'bɛk(ə)] *n.m.* **1** liga de cobre e zinco que imita ouro; ouro falso **2** objeto de pouco valor

pé-coxinho (pé-.co.xi.nho) [pɛku'ʃiɲu] *n.m.* ⟨*pl.* pés-coxinhos⟩ ato de caminhar ou saltar com um pé só, suspendendo o outro ◆ **ao pé-coxinho** com um pé no ar e outro no chão

pecuária (pe.cu:á.ri:a) [pə'kwarjɐ] *n.f.* atividade ou indústria de criação de gado

pecuário (pe.cu:á.ri:o) [pə'kwarju] *adj.* relativo a pecuária

peculiar (pe.cu.li:ar) [pəku'ljar] *adj.2g.* que é próprio de algo ou de alguém **SIN.** característico; específico

peculiaridade (pe.cu.li:a.ri.da.de) [pəkuljɐri'dad(ə)] *n.f.* característica particular ou especial; especificidade

pecuniário (pe.cu.ni:á.ri:o) [pəku'njarju] *adj.* relativo a dinheiro

pedaço (pe.da.ço) [pə'dasu] *n.m.* parte de um todo **SIN.** bocado; porção

pedagogia (pe.da.go.gi.a) [pədɐgu'ʒiɐ] *n.f.* ciência que trata da educação e do ensino

pedagógico (pe.da.gó.gi.co) [pədɐ'gɔʒiku] *adj.* **1** relativo a pedagogia **2** que ensina; educativo

pedagogo (pe.da.go.go) [pədɐ'gogu] *n.m.* educador; professor

pedal (pe.dal) [pə'daɫ] *n.m.* alavanca de um mecanismo que se aciona com o pé

pedalada (pe.da.la.da) [pədɐ'ladɐ] *n.f.* **1** impulso dado com o pé no pedal **2** *coloq.* força; energia

pedalar (pe.da.lar) [pədɐ'lar] *v.* **1** mover o pedal (de máquina, piano, etc.) **2** andar de bicicleta

pedante (pe.dan.te) [pə'dɐ̃t(ə)] *adj.,n.2g.* diz-se da pessoa que exibe qualidades ou conhecimentos que não tem **SIN.** presumido; pretensioso

pé-de-atleta (pé-.de-.a.tle.ta) [pɛdɐ'tlɛtɐ] *a nova grafia é* **pé de atleta**[AO]

pé de atleta (pé de a.tle.ta)[AO] [pɛdɐ'tlɛtɐ] *n.m.* ⟨*pl.* pés de atleta⟩ doença de pele causada por fungos, que provoca inflamação entre os dedos dos pés

pé-de-cabra (pé-.de-.ca.bra) [pɛdə'kabrɐ] *a nova grafia é* **pé de cabra**[AO]

pé de cabra (pé de ca.bra)[AO] [pɛdə'kabrɐ] *n.m.* ⟨*pl.* pés de cabra⟩ alavanca de metal com a ponta fendida, que serve para arrancar pregos

pé-de-galinha (pé-.de-.ga.li.nha) [pɛdəgɐ'liɲɐ] *n.m.* ⟨*pl.* pés-de-galinha⟩ ruga no canto externo do olho

pé-de-galo (pé-.de-.ga.lo) [pɛdə'galu] *n.m.* ⟨*pl.* pés-de-galo⟩ planta trepadeira, aromática, produtora de frutos simples; lúpulo

pé-de-meia (pé-.de-.mei.a) [pɛdə'mɐjɐ] *n.m.* ⟨*pl.* pés-de-meia⟩ quantia economizada e guardada para o caso de ser necessária

pederasta (pe.de.ras.ta) [pədə'raʃtɐ] *n.m.* **1** homem que pratica ato sexual com rapaz jovem **2** *pej.* homossexual

pedestal (pe.des.tal) [pədəʃ'taɫ] *n.m.* base de uma estátua ou coluna ◆ **pôr num pedestal** dedicar grande admiração a

pedestre (pe.des.tre) [pə'dɛʃtr(ə)] *adj.2g.* **1** que anda a pé **2** percorrido a pé **3** diz-se da estátua que representa uma pessoa de pé

pé-de-vento (pé-.de-.ven.to) [pɛdə'vẽtu] *a nova grafia é* **pé de vento**[AO]

pé de vento (pé de ven.to)[AO] [pɛdə'vẽtu] *n.m.* ⟨*pl.* pés de vento⟩ rajada de vento; ventania ◆ **fazer um pé de vento** causar um escândalo ou uma grande confusão

pediatra (pe.di:a.tra) [pə'djatrɐ] *n.2g.* médico(a) de crianças

pediatria (pe.di:a.tri.a) [pədjɐ'triɐ] *n.f.* ramo da medicina que trata das doenças das crianças

pediátrico (pe.di:á.tri.co) [pə'djatriku] *adj.* relativo a pediatria

pedicura (pe.di.cu.ra) [pədi'kurɐ] *n.2g.* profissional que trata dos pés e das unhas; calista

pedido (pe.di.do) [pə'didu] *n.m.* **1** ato de pedir; solicitação **2** ordem de compra; encomenda

pedigree [pɛdi'gri] *n.m.* **1** genealogia de um animal de raça pura **2** certificado que atesta a pureza de linhagem de um animal

pedinchar (pe.din.char) [pədĩ'ʃar] *v.* pedir muito e repetidamente

pedinte (pe.din.te) [pə'dĩt(ə)] *n.2g.* pessoa que pede esmola **SIN.** mendigo

pedir (pe.dir) [pə'dir] *v.* **1** dizer o que se pretende; solicitar **2** implorar **3** exigir **4** mendigar ◆ **pedir a palavra** pedir autorização para falar

pé-direito (pé-.di.rei.to) [pɛdi'rɐjtu] *n.m.* ⟨*pl.* pés-direitos⟩ distância entre o nível superior do pavimento e o nível inferior do teto de um compartimento ou de um andar

peditório (pe.di.tó.ri:o) [pədi'tɔrju] *n.m.* recolha de dinheiro para fins de solidariedade

pedofilia (pe.do.fi.li.a) [pədɔfi'liɐ] *n.f.* **1** atração sexual patológica de um adulto por crianças **2** prática de atos sexuais com crianças, considerada crime

pedófilo (pe.dó.fi.lo) [pə'dɔfilu] *adj.* relativo a pedofilia ■ *n.m.* **1** pessoa que sente atração sexual por crianças **2** pessoa que pratica pedofilia

pedra (pe.dra) ['pɛdrɐ] *n.f.* **1** matéria mineral dura que se encontra no solo **2** peça de certos jogos de tabuleiro ◆ **pedra filosofal 1** fórmula imaginária para converter qualquer metal em ouro **2** coisa muito rara e valiosa mas difícil de atingir; **pedra preciosa** mineral de grande valor que é utilizado para fabricar joias

pedrada (pe.dra.da) [pə'dradɐ] *n.f.* pancada ou ferimento provocado por uma pedra

pedrado (pe.dra.do) [pə'dradu] *adj. coloq.* entorpecido por efeito de álcool ou de droga

pedra-pomes (pe.dra-.po.mes) [pɛdrɐ'pɔməʃ] *n.f.* ⟨*pl.* pedras-pomes⟩ rocha vulcânica, acinzentada, que se utiliza para polir ou limpar

pedregoso (pe.dre.go.so) [pədrə'gozu] *adj.* que tem muitas pedras

pedregulho (pe.dre.gu.lho) [pədrə'guʎu] *n.m.* pedra grande

pedreira (pe.drei.ra) [pə'drɐjrɐ] *n.f.* lugar de onde se extrai pedra

pedreiro (pe.drei.ro) [pə'drɐjru] *n.m.* homem que trabalha em pedra

pedúnculo (pe.dún.cu.lo) [pə'dũkulu] *n.m.* haste de flor ou fruto; pé

peeling ['piliŋ] *n.m.* tratamento estético em que são removidas as camadas superficiais da pele

pega (pe.ga)[1] ['pɛgɐ] *n.f.* **1** parte por onde se segura um objeto (uma mala, um tacho, etc.); asa **2** pequeno pano ou tecido para tirar os tachos e panelas do lume **3** (tauromaquia) ato de agarrar o touro com as mãos **4** *fig.* discussão; briga

pega (pe.ga)[2] ['pegɐ] *n.f.* **1** pássaro de cabeça e bico negro, barriga branca e cauda comprida **2** *cal.* prostituta

pegada (pe.ga.da) [pə'gadɐ] *n.f.* marca de pé ou de pata no solo ◆ **pegada ecológica** quantidade de terra e água necessária para sustentar as gerações atuais, calculada a partir dos recursos gastos por determinada população

pegado (pe.ga.do) [pə'gadu] *adj.* **1** colado; preso **2** unido; junto

pegajoso (pe.ga.jo.so) [pəgɐ'ʒozu] *adj.* que pega ou cola facilmente; viscoso

pegar (pe.gar) [pə'gar] *v.* **1** ⟨**+em**⟩ agarrar; segurar: *Peguei na mala e fui embora.* **2** colar; aderir: *Peguei as fotografias à parede.* **3** criar raízes (planta) **4** começar a funcionar (veículo): *O carro não pega.* **5** transmitir por contacto ou contágio (doença) **6** agarrar a uma superfície (comida ao lume) **7** atear (fogo) **8** ter tendência a generalizar-se (hábito, moda) **9** segurar (o touro pelos chifres) **10** *coloq.* começar (trabalho, atividade): *Eu pego às nove.* **11** ⟨**+com**⟩ *coloq.* implicar; embirrar (com alguém): *O professor está sempre a pegar comigo.* **12** *coloq.* resultar: *A desculpa não pegou.* ■ **pegar-se 1** colar-se; aderir: *Esta substância pega-se às mãos.* **2** transmitir-se por contacto ou contágio (doença): *Esta doença não se pega.* **3** desentender-se (pessoas): *Eles pegam-se constantemente.* ◆ **é pegar ou largar** num negócio, aceitar ou rejeitar

peido (pei.do) ['pɐjdu] *n.m. cal.* porção de gases expelida pelo ânus; traque

peito (pei.to) ['pɐjtu] *n.m.* **1** parte da frente do tronco, entre o pescoço e o abdómen **2** seio; mama ◆ **dar o peito** amamentar; **tomar a peito 1** empenhar-se em **2** ficar ofendido com

peitoral (pei.to.ral) [pɐjtu'raɫ] *adj.2g.* **1** relativo ao peito **2** diz-se do medicamento que é benéfico para o peito

peitoril (pei.to.ril) [pɐjtu'riɫ] *n.m.* rebordo da janela que serve de apoio; parapeito

peixaria (pei.xa.ri.a) [pɐjʃɐ'riɐ] *n.f.* loja onde se vende peixe

peixe (pei.xe) ['pɐjʃ(ə)] *n.m.* animal vertebrado, aquático, com o corpo coberto de escamas, que respira por guelras e tem barbatanas ■ **Peixes** *n.m.pl.* décimo segundo signo do Zodíaco (19 de fevereiro a 20 de março) ◆ **estar como peixe na água** sentir-se muito bem (num lugar ou numa situação)

peixe-aranha (pei.xe-.a.ra.nha) [pɐjʃɐ'rɐɲɐ] *n.m.* ⟨*pl.* peixes-aranha⟩ peixe de corpo alongado e espinhos venenosos na primeira barbatana dorsal

peixe-espada (pei.xe-.es.pa.da) [pɐjʃəʃ'padɐ] *n.m.* ⟨*pl.* peixes-espada⟩ peixe com o corpo muito alongado, prateado e brilhante

peixeira (pei.xei.ra) [pɐj'ʃɐjrɐ] *n.f.* **1** mulher que vende peixe **2** *coloq.* mulher que fala alto e de forma grosseira

peixeiro (pei.xei.ro) [pɐj'ʃɐjru] *n.m.* homem que vende peixe

peixe-voador (pei.xe-.vo:a.dor) [pɐjʃəvwɐ'dor] *n.m.* peixe dos mares tropicais, também encontrado no Algarve, cujas barbatanas lhe permitem saltar e ficar algum tempo acima das águas

pejorativo (pe.jo.ra.ti.vo) [pəʒurɐ'tivu] *adj.* **1** diz-se da palavra ou da expressão que tem um sentido negativo **2** que expressa menosprezo; que rebaixa

pela (pe.la)AO ['pɛlɐ] *n.m.* bola de borracha usada em alguns jogos

péla (pé.la) ['pɛlɐ] *a nova grafia é* **pela**AO

pelada (pe.la.da) [pə'ladɐ] *n.f.* falta de cabelo numa parte do couro cabeludo

pelado (pe.la.do) [pə'ladu] *adj.* **1** que não tem pelo ou cabelo **2** que não tem casca; descascado **3** [BRAS.] sem roupa; nu

pelagem (pe.la.gem) [pə'laʒɐ̃j] *n.f.* conjunto dos pelos que cobrem o corpo dos animais mamíferos

pelar (pe.lar) [pə'lar] *v.* tirar a pele, o pelo ou a casca a ■ **pelar-se** ⟨**+por**⟩ *coloq.* gostar muito de

pele (pe.le) ['pɛl(ə)] *n.f.* **1** parte exterior do corpo dos humanos e dos vertebrados **2** parte externa dos frutos e legumes; casca ◆ **arriscar a pele** correr risco(s); **pele de galinha** pele arrepiada por causa de frio, susto, etc.; **salvar a pele** livrar-se de situação indesejada; **sentir na pele** passar por experiência (geralmente dolorosa); **ser só pele e osso** ser/estar muito magro

pele-vermelha (pe.le-.ver.me.lha) [pɛləvər'mɐ(j)ʎɐ] *n.2g.* ⟨*pl.* peles-vermelhas⟩ índio norte-americano

pelicano (pe.li.ca.no) [pəli'kɐnu] *n.m.* 👁 grande pássaro de bico comprido, com uma bolsa onde guarda o peixe que apanha

película (pe.lí.cu.la) [pə'likulɐ] *n.f.* pele ou membrana fina

pelintra (pe.lin.tra) [pə'lĩtrɐ] *adj.2g.* **1** pobre e mal vestido; maltrapilho **2** presunçoso nos modos e na apresentação

pelo (pe.lo)1AO ['pelu] *n.m.* revestimento composto por pequenos fios que cobre a pele dos mamíferos ◆ **em pelo** sem roupa; nu

pelo (pe.lo)2 ['pelu] *contr. de prep.* por + *det. art. def.* o

pêlo (pê.lo) ['pelu] *a nova grafia é* **pelo**AO

pelotão (pe.lo.tão) [pəlu'tɐ̃w̃] *n.m.* grupo de soldados escolhidos para determinada tarefa

pelote (pe.lo.te) [pə'lɔt(ə)] *n.m. coloq.* estado de quem está despido; nudez ◆ **em pelote** sem roupa; nu

pelourinho (pe.lou.ri.nho) [pəlo(w)'riɲu] *n.m.* coluna de pedra ou madeira num lugar público, onde eram exibidos e castigados os criminosos

pelouro (pe.lou.ro) [pə'lo(w)ru] *n.m.* **1** cada um dos departamentos em que se divide uma câmara municipal ou uma junta de freguesia **2** área de atuação; competência

peluche (pe.lu.che) [pə'luʃ(ə)] *n.m.* **1** tecido macio e muito felpudo de um lado e liso do outro **2** boneco feito desse tecido

peludo (pe.lu.do) [pə'ludu] *adj.* que tem muito(s) pelo(s)

pélvico (pél.vi.co) ['pɛɫviku] *adj.* relativo à pelve

pélvis (pél.vis) ['pɛɫviʃ] *n.f.2n.* cavidade óssea na parte inferior do tronco humano **SIN.** bacia

pemba (pem.ba) ['pẽbɐ] *n.f.* [ANG., MOÇ.] espécie de argila usada pelo curandeiro para riscar ou marcar aquilo que pretende proteger dos maus espíritos

pena (pe.na) ['penɐ] *n.f.* **1** cobertura do corpo das aves **2** sentimento de compaixão; dó ◆ **valer a pena** merecer o esforço

penacho (pe.na.cho) [pə'naʃu] *n.m.* conjunto de penas que constitui um tufo

penal (pe.nal) [pə'naɫ] *adj.2g.* **1** relativo a penas judiciais **2** que aplica penas judiciais

penalidade (pe.na.li.da.de) [pənɐli'dad(ə)] *n.f.* castigo por um crime ou delito; punição ◆ **grande penalidade** no futebol, castigo máximo por falta cometida por um jogador dentro da sua grande área, e que consiste num pontapé a 11 metros da baliza, que só pode ser defendido pelo guarda-redes **SIN.** penálti

penalizar (pe.na.li.zar) [pənɐli'zar] *v.* **1** aplicar pena ou castigo a **2** pôr em desvantagem

penálti (pe.nál.ti) [pɛ'naɫti] *n.m.* no futebol, castigo máximo por falta cometida por um jogador dentro da sua grande área, e que consiste num pontapé a 11 metros da baliza, que só pode ser defendido pelo guarda-redes

penar (pe.nar) [pə'nar] *v.* **1** sentir pena **2** sofrer (dor, aflição)

penca (pen.ca) ['pẽkɐ] *n.f.* **1** variedade de couve, de folhas grossas, com caule curto e talos carnudos, usada em culinária **2** *coloq.* nariz grande

pendente (pen.den.te) [pẽ'dẽt(ə)] *adj.2g.* **1** que está pendurado; suspenso **2** que ainda não está decidido ou resolvido

pender (pen.der) [pẽ'der] *v.* **1** ⟨**+de**, **+em**⟩ estar pendurado **2** ⟨**+para**⟩ estar inclinado: *pender para a direita* **3** ⟨**+para**⟩ ter preferência por: *pender para as artes* **4** estar iminente: *Uma desgraça pendia sobre a sua vida.*

pendular (pen.du.lar) [pẽdu'lar] *adj.2g.* **1** relativo a pêndulo **2** que oscila ■ *n.m.* comboio muito rápido que tem suspensão oscilante

pêndulo (pên.du.lo) ['pẽdulu] *n.m.* **1** corpo pesado que está pendurado num ponto fixo e que oscila num movimento de vaivém **2** peça metálica que regula o movimento do relógio

pendura (pen.du.ra) [pẽ'durɐ] *n.2g. coloq.* pessoa que se diverte à custa dos outros; borlista

pendurado (pen.du.ra.do) [pẽdu'radu] *adj.* **1** suspenso; pendente **2** *coloq.* endividado

pendurar (pen.du.rar) [pẽdu'rar] *v.* suspender e fixar (numa corda, num gancho)

penedo (pe.ne.do) [pə'nedu] *n.m.* rochedo; penhasco

peneira (pe.nei.ra) [pə'nɐjrɐ] *n.f.* utensílio redondo com o fundo em rede, para filtrar ■ **peneiras** *n.f.pl. coloq.* vaidade ◆ *coloq.* **ter peneiras** ser muito vaidoso

peneirar (pe.nei.rar) [pənɐj'rar] *v.* fazer passar pela peneira **SIN.** coar; filtrar

peneirento (pe.nei.ren.to) [pənɐj'rẽtu] *adj. coloq.* que se considera melhor que os outros **SIN.** vaidoso

penetração (pe.ne.tra.ção) [pənətrɐ'sɐ̃w̃] *n.f.* passagem para o interior de; entrada

penetrante (pe.ne.tran.te) [pənə'trẽt(ə)] *adj.2g.* **1** que penetra **2** *fig.* perspicaz

penetrar (pe.ne.trar) [pənə'trar] *v.* **1** entrar **2** invadir

penha (pe.nha) ['pɐ(j)ɲɐ] *n.f.* penhasco

penhasco (pe.nhas.co) [pə'ɲaʃku] *n.m.* grande rochedo escarpado

penhor (pe.nhor) [pə'ɲor] *n.m.* **1** entrega de coisa móvel ou imóvel como garantia de uma obrigação assumida **2** objeto, móvel ou imóvel, que garante o pagamento de uma dívida; sinal

penhora (pe.nho.ra) [pə'ɲɔrɐ] *n.f.* apreensão judicial dos bens do devedor para, à custa deles, serem pagos os credores

penhorado (pe.nho.ra.do) [pəɲu'radu] *adj.* que foi apreendido em penhora

penhorar (pe.nho.rar) [pəɲu'rar] *v.* **1** apreender, por meio de execução judicial, os bens de (um devedor) **2** entregar como garantia

penicilina (pe.ni.ci.li.na) [pənisi'linɐ] *n.f.* antibiótico extraído de um fungo

penico (pe.ni.co) [pə'niku] *n.m. coloq.* bacio; pote

península (pe.nín.su.la) [pə'nĩsulɐ] *n.f.* porção de terra cercada de água por todos os lados, exceto por um

peninsular (pe.nin.su.lar) [pənĩsu'lar] *adj.2g.* relativo a península

pénis (pé.nis) ['pɛniʃ] *n.m.2n.* órgão sexual masculino

penitência (pe.ni.tên.ci:a) [pəni'tẽsjɐ] *n.f.* **1** arrependimento por um erro que se cometeu **2** pena imposta pelo padre à pessoa que se confessa, como forma de arrependimento pelos seus pecados

penitenciária (pe.ni.ten.ci:á.ri:a) [pənitẽ'sjarjɐ] *n.f.* prisão; cadeia

penitenciário (pe.ni.ten.ci:á.ri:o) [pənitẽ'sjarju] *adj.* **1** relativo ao sistema de prisão em células separadas **2** relativo a penitência

penitente (pe.ni.ten.te) [pəni'tẽt(ə)] *n.2g.* pessoa que confessa os seus pecados a um padre

penoso (pe.no.so) [pə'nozu] *adj.* **1** que provoca dor ou sofrimento; aflitivo **2** difícil de fazer ou de suportar; árduo

pensador (pen.sa.dor) [pẽsɐ'dor] *n.m.* **1** aquele que pensa ou reflete **2** filósofo

pensamento (pen.sa.men.to) [pẽsɐ'mẽtu] *n.m.* **1** ato ou faculdade de pensar **2** mente **3** ideia **4** opinião

pensão (pen.são) [pẽ'sɐ̃w̃] *n.f.* **1** hotel simples; hospedaria **2** quantia que alguém recebe regularmente; renda ◆ **pensão de alimentos** prestação mensal em dinheiro que alguém é obrigado a pagar a um filho ou a um cônjuge, por força de uma decisão judicial

pensão-completa (pen.são-.com.ple.ta) [pẽsɐ̃w̃ kõ'plɛtɐ] *n.f.* regime turístico em que as pessoas têm direito a todas as refeições diárias incluídas no valor do pacote de férias que adquiriram

pensar (pen.sar) [pẽ'sar] *v.* **1** refletir sobre **2** racionar **3** imaginar **4** ter certa opinião ◆ **pensar alto** racionar, falando para si mesmo em voz alta

pensativo (pen.sa.ti.vo) [pẽsɐ'tivu] *adj.* que está concentrado nos seus próprios pensamentos **SIN.** absorto

pênsil (pên.sil) ['pẽsił] *adj.2g.* **1** suspenso; pendurado **2** construído sobre abóbadas ou colunas

pensionista (pen.si:o.nis.ta) [pẽsju'niʃtɐ] *n.2g.* pessoa que recebe uma pensão ou reforma

penso (pen.so) ['pẽsu] *n.m.* cobertura protetora que se aplica numa ferida **SIN.** curativo; **penso rápido** pequeno adesivo que se aplica sobre um ferimento ligeiro ◆ **penso higiénico** faixa com fibras absorventes usada para conter o fluxo de sangue durante o período menstrual

pentacampeão (pen.ta.cam.pe.ão) [pẽtɐkẽ'pjɐ̃w̃] *adj.,n.m.* (atleta, equipa) que se sagrou campeão pela quinta vez em competição ou prova desportiva

pentágono (pen.tá.go.no) [pẽ'tagunu] *n.m.* polígono de cinco lados

pentassílabo (pen.tas.sí.la.bo) [pẽtɐ'silɐbu] *n.m.* palavra com cinco sílabas

pentatlo (pen.ta.tlo) [pẽ'tatlu] *n.m.* prova desportiva que inclui corrida, salto, lançamento do disco, lançamento do dardo e luta

pente (pen.te) ['pẽt(ə)] *n.m.* objeto com dentes, usado para alisar ou compor o cabelo ◆ **passar a pente fino** verificar com o máximo cuidado; analisar de uma ponta à outra

penteado (pen.te:a.do) [pẽ'tjadu] *n.m.* arranjo e disposição dos cabelos

pentear(-se) (pen.te:ar(-se)) [pẽ'tjar(sə)] *v.* passar o pente pelo cabelo (de alguém ou de si próprio) para o desemaranhar e/ou arranjar

Pentecostes (Pen.te.cos.tes) [pẽtə'kɔʃtəʃ] *n.m.* festa católica celebrada 50 dias depois da Páscoa

penugem (pe.nu.gem) [pə'nuʒɐ̃j̃] *n.f.* pelo macio e curto

penúltimo (pe.núl.ti.mo) [pə'nułtimu] *adj.* que está logo antes do último

penumbra (pe.num.bra) [pə'nũbrɐ] *n.f.* ponto de passagem da luz para a sombra **SIN.** meia-luz

penúria (pe.nú.ri:a) [pə'nurjɐ] *n.f.* pobreza extrema; miséria

pepino (pe.pi.no) [pə'pinu] *n.m.* legume alongado e com casca verde, que se come cru, geralmente em saladas

pepita (pe.pi.ta) [pə'pitɐ] *n.f.* grão ou palheta de metal, sobretudo ouro

pequenada (pe.que.na.da) [pəkə'nadɐ] *n.f.* conjunto de crianças de pouca idade

pequenez (pe.que.nez) [pəkə'neʃ] *n.f.* **1** qualidade do que é pequeno **2** qualidade do que tem pouco valor ou pouca importância; insignificância

pequenino (pe.que.ni.no) [pəkə'ninu] ⟨*dim. de* pequeno⟩ *adj.* que é muito pequeno; reduzido ■ *n.m.* rapaz de pouca idade; menino

pequeno (pe.que.no) [pə'kenu] *adj.* **1** que tem tamanho reduzido **ANT.** grande **2** que é pouco extenso **SIN.** curto **3** que está na infância **4** que tem pouco valor **SIN.** insignificante ■ *n.m.* rapaz de pouca idade **SIN.** menino

pequeno-almoço (pe.que.no-.al.mo.ço) [pəkenwał'mosu] *n.m.* ⟨*pl.* pequenos-almoços⟩ primeira refeição do dia, que se toma de manhã

pequeno-burguês (pe.que.no-.bur.guês) [pəkenɔbur'geʃ] *adj.* **1** relativo à pequena burguesia **2** *pej.* (mentalidade, visão) tacanho; limitado; apegado a preconceitos ■ *n.m.* ⟨*pl.* pequeno-burgueses⟩ **1** pessoa que pertence à camada mais baixa da classe burguesa **2** *pej.* pessoa com espírito tacanho e preconceituoso

pequerrucho (pe.quer.ru.cho) [pəkə'ʀuʃu] *n.m.* *coloq.* menino muito pequeno

pera (pe.ra)AO ['perɐ] *n.f.* ⟨*pl.* peras⟩ **1** fruto da pereira **2** porção de barba na parte inferior do queixo

pêra (pê.ra) ['perɐ] *a nova grafia é* **pera**AO

perante (pe.ran.te) [pə'rɐ̃t(ə)] *prep.* **1** diante de; na presença de: *O testamento foi assinado perante duas testemunhas.* **2** em consequência de; face a: *Perante esta situação, tivemos de aceitar o desafio.*

perca (per.ca) ['pɛrkɐ] *n.f.* **1** 👁 peixe de água doce, cuja carne é muito apreciada **2** *coloq.* perda

percalço (per.cal.ço) [pər'kałsu] *n.m.* situação imprevista e desagradável **SIN.** obstáculo; transtorno

per capita [pɛr'kapita] *loc.* por pessoa; para cada pessoa

perceba (per.ce.ba) [pər'sebɐ] *n.f.* crustáceo marinho comestível que vive agarrado às rochas e a corpos submersos

percebe (per.ce.be) [pər'seb(ə)] *n.m.* ⇒ **perceba**

perceber (per.ce.ber) [pərsə'ber] *v.* **1** conhecer por meio dos sentidos **2** compreender; entender

perceção (per.ce.ção)AO [pərsɛ'sɐ̃w̃] *n.f.* **1** faculdade de conhecer por meio dos sentidos; intuição **2** entendimento; compreensão

percentagem (per.cen.ta.gem) [pərsẽ'taʒɐ̃j̃] *n.f.* **1** proporção em relação a cem **2** lucro

percentual (per.cen.tu:al) [pərsẽ'twał] *adj.2g.* relativo a percentagem ■ *n.m.* percentagem

percepção (per.cep.ção) [pərsɛ'sɐ̃w̃] *a nova grafia é* **perceção**AO

perceptível **(per.cep.tí.vel)** [pərsɛ'tivɛɫ] *a nova grafia é* **percetível**AO

perceptivo **(per.cep.ti.vo)** [pərsɛ'tivu] *a nova grafia é* **percetivo**AO

percetível **(per.ce.tí.vel)**AO [pərsɛ'tivɛɫ] *adj.2g.* que pode ser percebido **SIN.** compreensível; inteligível

percetivo **(per.ce.ti.vo)**AO [pərsɛ'tivu] *adj.* **1** relativo à perceção **2** que tem a capacidade de perceber **3** *fig.* perspicaz

percevejo **(per.ce.ve.jo)** [pərsə'vɐ(j)ʒu] *n.m.* inseto de cor verde, com corpo achatado, que lança mau cheiro

percorrer **(per.cor.rer)** [pərku'ʀer] *v.* **1** passar ao longo de **2** perfazer; completar

percurso **(per.cur.so)** [pər'kursu] *n.m.* caminho percorrido ou a percorrer; trajeto

percussão **(per.cus.são)** [pərku'sɐ̃w̃] *n.f.* **1** técnica de bater em instrumentos musicais para produzir sons **2** conjunto de instrumentos em que o som é produzido através de batimentos (ferrinhos, bateria, pratos)

percussionista **(per.cus.si:o.nis.ta)** [pərkusju'niʃtɐ] *n.2g.* pessoa que toca instrumentos de percussão

perda **(per.da)** ['perdɐ] *n.f.* **1** privação (de algo que se tinha ou da presença de alguém); falta **2** desaparecimento (de carta, encomenda, objeto); extravio

perdão **(per.dão)** [pər'dɐ̃w̃] *n.m.* ato de perdoar (uma falta, uma ofensa); desculpa

perdedor **(per.de.dor)** [pərdə'dor] *n.m.* aquele que perde

perder **(per.der)** [pər'der] *v.* **1** ficar privado de (algo, alguém) **2** não encontrar (um objeto) **3** não chegar a tempo (de um transporte) **4** não estar presente (numa aula, num espetáculo) **5** sofrer uma derrota (num jogo, numa competição) ♦ **perder os sentidos** desmaiar

perdição **(per.di.ção)** [pərdi'sɐ̃w̃] *n.f.* **1** situação de desgraça **2** desonra **3** *coloq.* tentação

perdidamente **(per.di.da.men.te)** [pərdidɐ'mẽt(ə)] *adv.* com muita intensidade; de modo excessivo

perdido **(per.di.do)** [pər'didu] *adj.* **1** (objeto) que desapareceu **2** (correspondência) que se extraviou **3** (recordação) que foi esquecido **4** (estado de saúde) que não tem salvação ou esperança **5** (pessoa) que se comporta de forma imoral

perdigão **(per.di.gão)** [pərdi'gɐ̃w̃] *n.m.* macho da perdiz

perdigoto **(per.di.go.to)** [pərdi'gotu] *n.m.* **1** filhote de perdiz **2** salpico de saliva

perdigueiro **(per.di.guei.ro)** [pərdi'gɐjru] *n.m.* cão que caça perdizes

perdiz **(per.diz)** [pər'diʃ] *n.f.* ave com bico e pequena cauda avermelhada e plumagem cinzenta, que faz o ninho no solo

perdoar **(per.do:ar)** [pər'dwar] *v.* conceder perdão; desculpar

perdoável **(per.do:á.vel)** [pər'dwavɛɫ] *adj.2g.* **1** que se pode perdoar **2** que merece perdão

perdulário **(per.du.lá.ri:o)** [pərdu'larju] *adj.* que gasta muito (sobretudo dinheiro) **SIN.** gastador

perdurar **(per.du.rar)** [pərdu'rar] *v.* durar muito

perecer **(pe.re.cer)** [pərə'ser] *v.* **1** morrer **2** acabar

peregrinação **(pe.re.gri.na.ção)** [pərəgrinɐ'sɐ̃w̃] *n.f.* viagem a um lugar santo

peregrino **(pe.re.gri.no)** [pərə'grinu] *n.m.* pessoa que faz uma viagem a um lugar santo

pereira **(pe.rei.ra)** [pə'rɐjrɐ] *n.f.* árvore que produz as peras

peremptório **(pe.remp.tó.ri:o)** [pərẽ'tɔrju] *a nova grafia é* **perentório**AO

perene **(pe.re.ne)** [pə'rɛn(ə)] *adj.2g.* que dura muito tempo; que não tem fim **SIN.** eterno; perpétuo

perentório **(pe.ren.tó.ri:o)**AO [pərẽ'tɔrju] *adj.* que tem a palavra final; determinante; decisivo

perfazer **(per.fa.zer)** [pərfɐ'zer] *v.* **1** completar (um número, um valor) **2** terminar de fazer

perfeccionismo **(per.fec.ci:o.nis.mo)**AO [pərfɛ(k)sju'niʒmu] ou **perfecionismo**AO *n.m.* vontade obsessiva de atingir a perfeição

perfeccionista **(per.fec.ci:o.nis.ta)**AO [pərfɛ(k)sju'niʃtɐ] ou **perfecionista**AO *adj.,n.2g.* que ou pessoa procura a perfeição de forma obsessiva

perfeição **(per.fei.ção)** [pərfɐj'sɐ̃w̃] *n.f.* **1** qualidade daquilo que é perfeito **2** pessoa ou coisa perfeita

perfeitamente **(per.fei.ta.men.te)** [pərfɐjtɐ'mẽt(ə)] *adv.* **1** completamente; totalmente **2** com perfeição; muito bem

perfeito **(per.fei.to)** [pər'fɐjtu] *adj.* que não tem defeito **SIN.** exemplar; impecável

pérfido **(pér.fi.do)** ['pɛrfidu] *adj.* desleal; traidor

perfil **(per.fil)** [pər'fiɫ] *n.m.* **1** linha de contorno de um rosto ou de um objeto visto de lado **2** descrição dos traços gerais de algo ou de alguém ♦ **de perfil** de lado; lateralmente

perfilhar **(per.fi.lhar)** [pərfi'ʎar] *v.* **1** reconhecer legalmente como filho **2** adotar (uma ideia, um princípio)

performance [pər'fɔrmɐ̃(sə)] *n.f.* ⟨*pl.* performances⟩ desempenho (de função ou cargo); atuação

perfumado (per.fu.ma.do) [pərfu'madu] *adj.* que tem perfume **SIN.** cheiroso

perfumar (per.fu.mar) [pərfu'mar] *v.* colocar perfume

perfumaria (per.fu.ma.ri.a) [pərfumɐ'riɐ] *n.f.* loja onde se vendem perfumes

perfume (per.fu.me) [pər'fum(ə)] *n.m.* **1** produto que se usa no corpo ou nas roupas para cheirar bem **2** cheiro agradável (de flores, por exemplo); odor

perfurar (per.fu.rar) [pərfu'rar] *v.* fazer furo(s) em; furar

pergaminho (per.ga.mi.nho) [pərgɐ'miɲu] *n.m.* pele de carneiro, cabra, ovelha ou cordeiro, preparada para nela se escrever

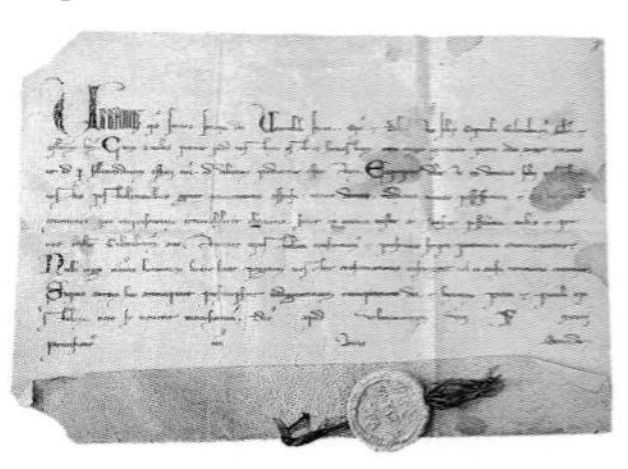

pergunta (per.gun.ta) [pər'gũtɐ] *n.f.* **1** palavra ou frase com que se faz uma interrogação **2** pedido de informação **3** questão colocada num teste ou numa prova ♦ **pergunta de algibeira** pergunta feita a uma pessoa com o objetivo de a confundir ou embaraçar

perguntar (per.gun.tar) [pərgũ'tar] *v.* **1** fazer pergunta(s) a; questionar **2** pedir uma informação **3** ⟨**+por**⟩ tentar saber; indagar ▪ **perguntar-se** interrogar-se a si próprio; questionar-se

pericarpo (pe.ri.car.po) [pəri'karpu] *n.m.* parte externa do fruto, tirando as sementes

perícia (pe.rí.ci:a) [pə'risjɐ] *n.f.* **1** habilidade **2** competência

periclitante (pe.ri.cli.tan.te) [pərikli'tɐ̃t(ə)] *adj.2g.* que se encontra em risco; que corre perigo

periferia (pe.ri.fe.ri.a) [pərifə'riɐ] *n.f.* **1** linha que delimita um corpo pelo lado de fora; contorno **2** região afastada do centro de uma cidade

periférico (pe.ri.fé.ri.co) [pəri'fɛriku] *adj.* **1** relativo a periferia **2** situado na periferia

perífrase (pe.rí.fra.se) [pə'rifrɐz(ə)] *n.f.* figura de estilo que consiste em dizer em várias palavras o que poderia ser dito numa só; circunlóquio

perifrástico (pe.ri.frás.ti.co) [pəri'fraʃtiku] *adj.* **1** expresso por perífrase **2** (conjugação) que consta de um verbo auxiliar, no tempo que se quer conjugar, e de um verbo principal, no gerúndio ou no infinitivo: *Tenho de estudar português. Fui vendo televisão enquanto fazia o jantar.*

perigo (pe.ri.go) [pə'rigu] *n.m.* situação que ameaça a existência de um animal, de uma pessoa ou de um objeto **SIN.** risco ♦ **correr perigo** estar numa situação de risco

perigoso (pe.ri.go.so) [pəri'gozu] *adj.* em que há perigo **SIN.** arriscado

perímetro (pe.rí.me.tro) [pə'rimətru] *n.m.* **1** contorno de uma figura plana **2** medida desse contorno

periodicidade (pe.ri:o.di.ci.da.de) [pərjudisi'dad(ə)] *n.f.* característica do que é periódico; frequência

periódico (pe.ri:ó.di.co) [pə'rjɔdiku] *adj.* que acontece em intervalos regulares; frequente; cíclico ▪ *n.m.* publicação (jornal, revista, etc.) que é colocada à venda em dias fixos

período (pe.rí.o.do) [pə'riudu] *n.m.* **1** cada uma das três divisões do ano escolar, com época de férias entre elas **2** intervalo de tempo; época **3** frase que contém uma ou mais orações e que tem sentido completo **4** fluxo menstrual

peripécia (pe.ri.pé.ci:a) [pəri'pɛsjɐ] *n.f.* acontecimento inesperado ou imprevisto; incidente

periquito (pe.ri.qui.to) [pəri'kitu] *n.m.* pequeno pássaro com penas amarelas, verdes ou azuis e com cauda longa

periscópio (pe.ris.có.pi:o) [pəriʃ'kɔpju] *n.m.* instrumento de observação usado em submarinos

peritagem (pe.ri.ta.gem) [pəri'taʒɐ̃j] *n.f.* exame feito por perito(s)

perito (pe.ri.to) [pə'ritu] *n.m.* especialista

perjúrio (per.jú.ri:o) [pər'ʒurju] *n.m.* **1** falso testemunho ou falsa declaração **2** renúncia a crença

permanecer (per.ma.ne.cer) [pərmɐnə'ser] *v.* **1** ⟨**+em**⟩ demorar-se em (certo lugar): *permanecer sentado; permanecer em silêncio* **2** conservar-se; manter-se: *Temos de permanecer atentos.*

permanência (per.ma.nên.ci:a) [pərmɐ'nẽsjɐ] *n.f.* **1** qualidade de permanente; continuidade **2** demora num dado lugar

permanente (per.ma.nen.te) [pərmɐ'nẽt(ə)] *adj.2g.* que permanece no tempo **SIN.** duradouro; estável

permeabilidade (per.me:a.bi.li.da.de) [pərmjɐbili'dad(ə)] *n.f.* qualidade do que é permeável

permear (per.me:ar) [pər'mjar] *v.* passar através de **SIN.** atravessar

permeável (per.me:á.vel) [pər'mjavɛɫ] *adj.2g.* que se deixa atravessar pela água, pelo ar, etc.

permeio (per.mei.o) [pər'mɐju] *elem. da loc.* **de permeio** no meio; entre si; entretanto

permilagem (per.mi.la.gem) [pərmi'laʒɐ̃j] *n.f.* proporção em relação a mil; número de partes em cada mil

permissão (per.mis.são) [pərmi'sɐ̃w̃] *n.f.* autorização; consentimento

permissível (per.mis.sí.vel) [pərmi'sivɛɫ] *adj.2g.* que se pode permitir; tolerável

permissivo (per.mis.si.vo) [pərmi'sivu] *adj.* que perdoa (faltas ou erros) com facilidade; tolerante; indulgente

permitir (per.mi.tir) [pərmi'tir] *v.* autorizar; consentir

permuta (per.mu.ta) [pər'mutɐ] *n.f.* troca de coisas entre os respetivos donos

permutar (per.mu.tar) [pərmu'tar] *v.* ⟨**+com**, **+por**⟩ trocar (uma coisa por outra)

perna (per.na) ['pɛrnɐ] *n.f.* parte de cada um dos membros inferiores do homem, entre o joelho e o pé ♦ **com uma perna às costas** com grande facilidade; **estar de pernas para o ar 1** estar invertido **2** estar confuso ou desarrumado; **esticar as pernas** andar a pé para desentorpecer as pernas; **passar a perna a alguém 1** suplantar alguém **2** prejudicar alguém; *coloq.* **pernas, para que te quero** exclamação que exprime o desejo de fugir rapidamente; **ter alguém à perna** ser incomodado ou perseguido por alguém

pernalta (per.nal.ta) [pər'naɫtɐ] *adj.* diz-se da ave com pernas longas e sem penas

perneta (per.ne.ta) [pər'netɐ] *adj.2g.* que tem falta de uma perna

pernicioso (per.ni.ci:o.so) [pərni'sjozu] *adj.* que faz mal **SIN.** nocivo

pernil (per.nil) [pər'niɫ] *n.m.* **1** parte mais fina da perna do porco e de outros animais **2** *coloq.* perna magra ♦ *coloq.* **esticar o pernil** morrer

pernoitar (per.noi.tar) [pərnoj'tar] *v.* ⟨**+em**⟩ passar a noite: *Ele pernoitou na pousada da juventude.*

pero (pe.ro)[AO] ['peru] *n.m.* **1** variedade de maçã alongada e doce **2** *coloq.* murro ♦ **são como um pero** de boa saúde; forte e saudável

pêro (pê.ro) ['peru] *a nova grafia é* **pero**[AO]

pérola (pé.ro.la) ['pɛrulɐ] *n.f.* 👁 pequena bola branca e dura, produzida por algumas ostras e usada como joia ♦ **deitar pérolas a porcos** dar algo valioso a quem não sabe apreciá-lo ou não o merece

perónio (pe.ró.ni:o) [pə'rɔnju] *n.m.* osso longo situado na face externa da perna

perpendicular (per.pen.di.cu.lar) [pərpẽdiku'lar] *adj.2g.* diz-se de uma linha ou de uma superfície que, cortando outra, forma com ela ângulos retos

perpendicularmente (per.pen.di.cu.lar.men.te) [pərpẽdikular'mẽt(ə)] *adv.* de modo perpendicular, isto é, formando ângulo reto

perpetrar (per.pe.trar) [pərpə'trar] *v.* cometer (geralmente ato condenável)

perpetuado (per.pe.tu:a.do) [pərpɛ'twadu] *adj.* que se tornou perpétuo

perpetuar (per.pe.tu:ar) [pərpɛ'twar] *v.* **1** fazer durar para sempre; tornar perpétuo **2** assegurar a continuidade de (espécie, raça) **3** transmitir de forma duradoura

perpétuo (per.pé.tu:o) [pər'pɛtwu] *adj.* que dura sempre; que não tem fim **SIN.** eterno; perene

perplexidade (per.ple.xi.da.de) [pərplɛksi'dad(ə)] *n.f.* admiração; espanto

perplexo (per.ple.xo) [pər'plɛksu] *adj.* admirado; espantado

perro (per.ro) ['peʀu] *adj.* **1** que é difícil de abrir ou de fechar **2** que não funciona

persa (per.sa) ['pɛrsɐ] *adj.2g.* relativo à antiga Pérsia (atual Irão, país da Ásia) ■ *n.2g.* pessoa natural da antiga Pérsia ■ *n.m.* **1** língua oficial do Irão **2** gato doméstico de pelo longo, originário do Médio Oriente

perscrutar (pers.cru.tar) [pərʃkru'tar] *v.* **1** investigar com rigor **2** tentar conhecer

perseguição (per.se.gui.ção) [pərsəgi'sɐ̃w̃] *n.f.* ato ou efeito de perseguir

perseguir (per.se.guir) [pərsə'gir] *v.* **1** ir ou correr atrás de **2** importunar **3** castigar

perseverança (per.se.ve.ran.ça) [pərsəvə'rɐ̃sɐ] *n.f.* qualidade de quem não desiste **SIN.** persistência

perseverante (per.se.ve.ran.te) [pərsəvə'rɐ̃t(ə)] *adj.2g.* que revela firmeza; que não desiste **SIN.** persistente

persiana (per.si:a.na) [pər'sjɐnɐ] *n.f.* espécie de cortina de ripas finas e móveis

pérsico (pér.si.co) ['pɛrsiku] *adj.* relativo à Pérsia

persistência (per.sis.tên.ci:a) [pərsiʃ'tẽsjɐ] *n.f.* qualidade de persistente **SIN.** perseverança

persistente (per.sis.ten.te) [pərsiʃ'tẽt(ə)] *adj.2g.* **1** que não desiste facilmente; obstinado; perseverante **2** diz-se da folha de planta que não cai durante as estações frias

persistir **(per.sis.tir)** [pərsiʃ'tir] *v.* **1** ser constante **2** ⟨**+em**⟩ insistir: *Ela persiste na busca da verdade.* **3** continuar a existir: *Persistem algumas dúvidas.*

personagem **(per.so.na.gem)** [pərsu'naʒɐ̃j̃] *n.2g.* **1** figura humana criada por um autor e representada por um ator ou por uma atriz numa peça de teatro ou num filme **2** pessoa notável

personagem-tipo **(per.so.na.gem-.ti.po)** [pərsunaʒɐ̃j̃'tipu] *n.m./f.* ⟨*pl.* personagens-tipo⟩ figura que representa um determinado tipo de comportamento humano

personalidade **(per.so.na.li.da.de)** [pərsunɐli'dad(ə)] *n.f.* **1** maneira de ser de cada pessoa, que a distingue das outras; carácter **2** pessoa conhecida ou notável; celebridade

personalizado **(per.so.na.li.za.do)** [pərsunɐli'zadu] *adj.* **1** feito a pensar no gosto de uma determinada pessoa **2** diz-se do cartão ou documento que tem inscrito o nome do utilizador

personalizar **(per.so.na.li.zar)** [pərsunɐli'zar] *v.* **1** tornar pessoal **2** adaptar à personalidade de **3** atribuir qualidades humanas a

personificação **(per.so.ni.fi.ca.ção)** [pərsunifikɐ'sɐ̃w̃] *n.f.* **1** pessoa que representa um dado modelo ou princípio; protótipo **2** atribuição de características humanas a seres animados ou inanimados

personificar **(per.so.ni.fi.car)** [pərsunifi'kar] *v.* **1** ser a personificação de; representar **2** atribuir qualidades humanas a

perspectiva **(pers.pec.ti.va)** [pərʃpɛ'tivɐ] *a nova grafia é* **perspetiva**[AO]

perspetiva **(pers.pe.ti.va)**[AO] [pərʃpɛ'tivɐ] *n.f.* **1** técnica de representar os objetos que dá a ilusão de profundidade **2** ponto de vista

perspicácia **(pers.pi.cá.ci:a)** [pərʃpi'kasjɐ] *n.f.* qualidade de perspicaz **SIN.** sagacidade

perspicaz **(pers.pi.caz)** [pərʃpi'kaʃ] *adj.2g.* esperto; sagaz

persuadir **(per.su:a.dir)** [pərswɐ'dir] *v.* ⟨**+a**⟩ levar (alguém) a mudar de atitude ou de opinião; convencer: *Persuadiu o pai a ir ao médico.* ■ **persuadir-se** ⟨**+de**⟩ convencer-se; ser levado a acreditar em

persuasão **(per.su:a.são)** [pərswa'zɐ̃w̃] *n.f.* **1** ato ou efeito de persuadir **2** opinião firme; convicção

persuasivo **(per.su:a.si.vo)** [pərswa'zivu] *adj.* que é capaz de persuadir **SIN.** convincente

pertença **(per.ten.ça)** [pər'tẽsɐ] *n.f.* posse de alguma coisa; propriedade

pertencente **(per.ten.cen.te)** [pərtẽ'sẽt(ə)] *adj.2g.* **1** que pertence a; que faz parte de **2** próprio de; relativo a

pertencer **(per.ten.cer)** [pərtẽ'ser] *v.* **1** ⟨**+a**⟩ ser propriedade: *Este livro pertence ao João.* **2** ⟨**+a**⟩ ser membro: *Portugal pertence à União Europeia* **3** ⟨**+a**⟩ dizer respeito: *Esses livros pertencem a outro tema.* **4** ⟨**+a**⟩ ser das atribuições ou da competência: *Estas funções pertencem à Margarida.*

pertences **(per.ten.ces)** [pər'tẽsəʃ] *n.m.pl.* **1** bens que pertencem a alguém **2** objetos de uso pessoal

pertinência **(per.ti.nên.ci:a)** [pərti'nẽsjɐ] *n.f.* característica do que vem a propósito e é adequado; oportunidade; relevância

pertinente **(per.ti.nen.te)** [pərti'nẽt(ə)] *adj.2g.* **1** apropriado; oportuno **2** relevante; importante

perto **(per.to)** ['pɛrtu] *adj.* que está próximo; vizinho **ANT.** longe ■ *adv.* muito próximo de; junto de ♦ **ao perto** a pouca distância; próximo **perto de 1** próximo de **2** cerca de; aproximadamente

perturbação **(per.tur.ba.ção)** [pərturbɐ'sɐ̃w̃] *n.f.* **1** desordem **2** confusão **3** abalo emocional

perturbado **(per.tur.ba.do)** [pərtur'badu] *adj.* **1** confuso **2** abalado

perturbador **(per.tur.ba.dor)** [pərturbɐ'dor] *adj.* que causa perturbação

perturbar **(per.tur.bar)** [pərtur'bar] *v.* **1** causar perturbação; agitar **2** fazer perder a calma ou o controlo; abalar

peru **(pe.ru)** [pə'ru] *n.m.* grande ave doméstica de penas pretas, com cauda grande e que, no macho, abre em leque

perua **(pe.ru.a)** [pə'ruɐ] *n.f.* **1** fêmea do peru **2** [BRAS.] *coloq.* mulher vistosa

peruca **(pe.ru.ca)** [pə'rukɐ] *n.f.* cabeleira postiça

perversão **(per.ver.são)** [pərvər'sɐ̃w̃] *n.f.* **1** alteração do estado normal **2** depravação; corrupção **3** desvio patológico das tendências e dos comportamentos afetivos e éticos considerados normais

perversidade **(per.ver.si.da.de)** [pərvərsi'dad(ə)] *n.f.* **1** crueldade; maldade **2** depravação; corrup ção **3** ato ou comportamento contrário às leis e à moral, com intenção de causar sofrimento a alguém

perverso (per.ver.so) [pər'vɛrsu] *adj.* malvado; cruel

perverter (per.ver.ter) [pərvər'ter] *v.* **1** tornar perverso; corromper **2** deturpar; desvirtuar

pesadelo (pe.sa.de.lo) [pəzɐ'delu] *n.m.* sonho que causa medo ou angústia

pesado (pe.sa.do) [pə'zadu] *adj.* **1** que pesa muito **2** *fig.* difícil; árduo

pêsames (pê.sa.mes) ['pezɐməʃ] *n.m.pl.* manifestação de tristeza pela morte de alguém **SIN.** condolências; sentimentos

pesar (pe.sar) [pə'zar] *v.* **1** avaliar o peso de **2** calcular **3** influenciar **4** ter peso elevado ■ *n.m.* dor; mágoa

pesaroso (pe.sa.ro.so) [pəzɐ'rozu] *adj.* **1** triste **2** arrependido

pesca (pes.ca) ['pɛʃkɐ] *n.f.* técnica e atividade de captura de peixes

pescada (pes.ca.da) [pəʃ'kadɐ] *n.f.* peixe de cor acinzentada, esbranquiçado no ventre, muito usado na alimentação

pescadinha (pes.ca.di.nha) [pəʃkɐ'diɲɐ] *n.f.* pescada pequena **SIN.** marmota

pescado (pes.ca.do) [pəʃ'kadu] *n.m.* **1** aquilo que se pescou **2** qualquer peixe usado na alimentação humana

pescador (pes.ca.dor) [pəʃkɐ'dor] *n.m.* indivíduo que pesca

pescar (pes.car) [pəʃ'kar] *v.* **1** apanhar peixe ou marisco **2** *coloq.* entender; perceber: *Não pesco nada das aulas de filosofia.*

pescaria (pes.ca.ri.a) [pəʃkɐ'riɐ] *n.f.* **1** arte ou indústria de pescar **2** grande quantidade de peixe que se pescou

pescoço (pes.co.ço) [pəʃ'kosu] *n.m.* parte do corpo entre a cabeça e o tronco ◆ **até ao pescoço** até ao máximo; até onde se pode suportar

peseta (pe.se.ta) [pə'zetɐ] *n.f.* antiga unidade monetária de Espanha

peso (pe.so) ['pezu] *n.m.* **1** resultado da força da gravidade sobre os corpos **2** pedaço de ferro usado como padrão nas balanças **3** aquilo que é transportado; carga **4** *fig.* tarefa ou situação difícil de suportar; fardo ◆ **em peso 1** em grande quantidade **2** na totalidade; **ganhar peso** engordar; **perder peso** emagrecer; **ter dois pesos e duas medidas** ter critérios diferentes em circunstâncias similares; **tirar um peso de cima de** livrar de um problema ou de uma responsabilidade; **valer o seu peso em ouro** ter grande valor

pesponto (pes.pon.to) [pəʃ'põtu] *n.m.* técnica de costura em que se fazem pontos sobrepostos

pesqueiro (pes.quei.ro) [pəʃ'kɐjru] *adj.* **1** relativo a pesca **2** próprio para pescar ■ *n.m.* barco de pesca

pesquisa (pes.qui.sa) [pəʃ'kizɐ] *n.f.* **1** investigação **2** procura ◆ **pesquisa de mercado** recolha e análise de dados relativos aos hábitos e às preferências dos consumidores

pesquisar (pes.qui.sar) [pəʃki'zar] *v.* **1** investigar **2** procurar

pêssego (pês.se.go) ['pesəgu] *n.m.* fruto comestível do pessegueiro, com casca amarelada ou avermelhada e caroço no interior

pêssego-careca (pês.se.go-.ca.re.ca) [pesəgu kɐ'rɛkɐ] *n.m.* variedade de pêssego que se caracteriza pela pele lisa, sem pelos, e pela polpa macia **SIN.** nectarina

pessegueiro (pes.se.guei.ro) [pəsə'gɐjru] *n.m.* árvore que produz os pêssegos

pessimismo (pes.si.mis.mo) [pɛsi'miʒmu] *n.m.* tendência para ver sempre o lado pior das coisas **ANT.** otimismo

pessimista (pes.si.mis.ta) [pɛsi'miʃtɐ] *adj.2g.* **1** relativo a pessimismo **ANT.** otimista **2** que revela pessimismo ■ *n.2g.* pessoa que encara tudo de uma forma negativa e que espera sempre o pior

péssimo (pés.si.mo) ['pɛsimu] ⟨*superl. de* mau⟩ *adj.* muito mau **ANT.** ótimo

pessoa (pes.so.a) [pə'soɐ] *n.f.* **1** ser humano; criatura **2** cada uma das formas de verbos e pronomes usadas para referir quem fala (1.ª pessoa), a quem se fala (2.ª pessoa) ou de quem se fala (3.ª pessoa) ◆ **em pessoa** fisicamente; pessoalmente; **pessoa coletiva** unidade jurídica que resulta de um agrupamento humano organizado, independente dos indivíduos que o formam e capaz de contrair obrigações e exercer direitos; **pessoa física** ser humano enquanto sujeito de direitos e de deveres; **por interposta pessoa** por intermédio de alguém

pessoal (pes.so:al) [pə'swał] *adj.2g.* **1** relativo a pessoa **2** próprio de cada pessoa; individual **3** diz-se do pronome que representa a pessoa gramatical ■ *n.m. coloq.* grupo de amigos

pessoalmente (pes.so:al.men.te) [pəswał'mẽt(ə)] *adv.* **1** em pessoa; diretamente **2** de um ponto de vista pessoal

pestana (pes.ta.na) [pəʃ'tɐnɐ] *n.f.* conjunto de pelos que nascem nas pálpebras ◆ *coloq.* **queimar as pestanas 1** estudar muito **2** ler muito

pestanejar (pes.ta.ne.jar) [pəʃtɐnə'ʒar] *v.* agitar as pestanas, abrindo e fechando os olhos ◆ **sem pestanejar 1** sem fazer o menor movimento **2** sem hesitar

peste (pes.te) ['pɛʃt(ə)] *n.f.* **1** doença infeciosa e contagiosa **2** *fig.* criança traquina ♦ **peste negra** forma pulmonar de peste, caracterizada por hemorragias subcutâneas, que assolou a Europa durante a Idade Média; **peste bubónica** doença que se manifesta pelo aparecimento de gânglios linfáticos entumecidos (bubões), especialmente na virilha

pesticida (pes.ti.ci.da) [pɛʃti'sidɐ] *n.m.* inseticida usado para proteger as plantas dos parasitas

pestilência (pes.ti.lên.ci:a) [pəʃti'lẽsjɐ] *n.f.* **1** doença contagiosa; peste **2** mau cheiro; fedor

pestilento (pes.ti.len.to) [pəʃti'lẽtu] *adj.* **1** que transmite peste **2** que cheira muito mal

pesto ['pɛʃtɔ] *n.m.* molho de manjericão com azeite, pinhões, queijo e alho

peta (pe.ta) ['petɐ] *n.f.* mentira

pétala (pé.ta.la) ['pɛtɐlɐ] *n.f.* cada um dos órgãos em forma de folha que compõem a corola de uma flor

petardo (pe.tar.do) [pə'tardu] *n.m.* **1** peça de fogo de artifício que produz um estalo ao rebentar **2** *coloq.* chuto com muita força

petição (pe.ti.ção) [pəti'sɐ̃w̃] *n.f.* pedido ou requerimento feito por escrito

petinga (pe.tin.ga) [pə'tĩgɐ] *n.f.* sardinha pequena

petiscar (pe.tis.car) [pətiʃ'kar] *v.* comer pouca quantidade de; provar

petisco (pe.tis.co) [pə'tiʃku] *n.m.* alimento muito saboroso **SIN.** iguaria; pitéu

petiz (pe.tiz) [pə'tiʃ] *n.m.* menino; rapaz; garoto

petroleiro (pe.tro.lei.ro) [pətru'lɐjru] *n.m.* navio próprio para transportar petróleo

petróleo (pe.tró.le:o) [pə'trɔlju] *n.m.* óleo natural muito escuro que se extrai do subsolo e que é usado na produção de gasolina e de outras substâncias

petrolífero (pe.tro.lí.fe.ro) [pətru'lifəru] *adj.* relativo a petróleo

petrologia (pe.tro.lo.gi.a) [pətrulu'ʒiɐ] *n.f.* ramo da geologia que estuda os mecanismos de formação das rochas, através da sua distribuição, da sua estrutura e das suas propriedades

petulante (pe.tu.lan.te) [pətu'lɐ̃t(ə)] *adj.2g.* **1** que é muito vaidoso ou arrogante **2** atrevido; insolente

peúga (pe:ú.ga) ['pjugɐ] *n.f.* meia curta para homem

peugada (peu.ga.da) [pew'gadɐ] *n.f.* **1** marca que o pé deixa no solo; pegada **2** *fig.* vestígio; sinal

pevide (pe.vi.de) [pə'vid(ə)] *n.f.* semente achatada de alguns frutos e abóboras

p.ex. *abreviatura de* por exemplo

pez (pez) ['peʃ] *n.m.* **1** espécie de resina que se extrai do pinheiro e de outras plantas **2** substância negra, pegajosa, que se obtém da destilação do alcatrão; piche

pezinho (pe.zi.nho) [pɛ'ziɲu] (*dim. de* pé) *n.m.* pé pequeno ♦ **com pezinhos de lã** sem fazer barulho; com muito cuidado

p.f. *abreviatura de* por favor

pH *n.m.* medida do carácter ácido ou alcalino de uma solução

pia (pi.a) ['piɐ] *n.f.* bacia fixa na parede para lavar mãos, louça, alimentos, etc. ♦ **pia batismal** recipiente para conter a água benta usada no batismo

piaçaba (pi:a.ça.ba) [pja'sabɐ] *n.f.* **1** planta tropical que produz fibras utilizadas em vassouras e noutros objetos **2** fibra dessa planta

piada (pi:a.da) ['pjadɐ] *n.f.* **1** graça **2** anedota ♦ **ter piada 1** ser divertido **2** ter interesse

piamente (pi:a.men.te) [pjɐ'mẽt(ə)] *adv.* **1** com devoção **2** com convicção

pianista (pi:a.nis.ta) [pjɐ'niʃtɐ] *n.2g.* pessoa que toca piano

piano (pi:a.no) ['pjɐnu] *n.m.* instrumento musical de teclas com cordas percutidas por martelos

piano-bar (pi:a.no-.bar) [pjɐnu'bar] *n.m.* estabelecimento onde se servem bebidas e se ouve música ao vivo, executada ao piano

pião (pi.ão) ['pjɐ̃w̃] *n.m.* **1** brinquedo de madeira em forma de pera com uma ponta metálica, que se lança com força com auxílio de um fio, fazendo-o girar sobre a ponta **2** *coloq.* movimento brusco de inversão do sentido de marcha de um automóvel

> Não confundir **pião** (brinquedo) com **peão** (pessoa).

piar (pi:ar) ['pjar] *v.* dar pios (a ave)

PIB ['pib] *sigla de* Produto Interno Bruto

pica (pi.ca) ['pikɐ] *n.f. infant.* injeção

picada (pi.ca.da) [pi'kadɐ] *n.f.* **1** mordedura de inseto **2** ferida feita com objeto pontiagudo

picadeiro (pi.ca.dei.ro) [pikɐ'dɐjru] *n.m.* **1** lugar onde se treinam cavalos **2** local onde se fazem exercícios de equitação

picadela (pi.ca.de.la) [pikɐ'dɛlɐ] *n.f.* ⇒ **picada**

picado (pi.ca.do) [pi'kadu] *adj.* **1** ferido por objeto pontiagudo **2** cortado em pequenos pedaços ♦ *n.m.* mistura de carne ou peixe cortado aos bocadinhos ou triturado

picadora (pi.ca.do.ra) [pikɐ'dorɐ] *n.f.* utensílio próprio para picar carne, peixe, legumes e outros alimentos; trituradora

icante (pi.can.te) [pi'kẽt(ə)] *adj.2g.* **1** diz-se do alimento que provoca ardência; apimentado **2** *fig.* malicioso; provocador

ica-pau (pi.ca-.pau) [pikɐ'paw] *n.m.* ⟨*pl.* pica-paus⟩ ave trepadora que usa o seu bico forte para perfurar os troncos de árvores à procura de insetos para comer

icar (pi.car) [pi'kar] *v.* **1** ferir com objeto pontiagudo **2** fazer furo(s) em **3** cortar em pequenos pedaços

icardia (pi.car.di.a) [pikɐr'diɐ] *n.f.* **1** patifaria; velhacaria **2** disputa

icareta (pi.ca.re.ta) [pikɐ'retɐ] *n.f.* utensílio de ferro para escavar terrenos duros

iche (pi.che) ['piʃ(ə)] *n.m.* substância negra, pegajosa, que se obtém da destilação do alcatrão

icheleiro (pi.che.lei.ro) [piʃə'lɐjru] *n.m.* indivíduo que instala e repara canalizações, aparelhos sanitários, cilindros, etc. **SIN.** canalizador

ickles ['pikləʃ] *n.m.2n.* legumes conservados em vinagre e usados como aperitivo ou acompanhamento

ico (pi.co) ['piku] *n.m.* **1** monte ou montanha com o topo em forma de bico **2** ponto mais elevado; auge **3** órgão pontiagudo de certas plantas; espinho

icotado (pi.co.ta.do) [piku'tadu] *n.m.* conjunto de furos feitos em sequência num papel, para facilitar o seu corte à mão

icotar (pi.co.tar) [piku'tar] *v.* fazer furos seguidos em; perfurar

icuinhas (pi.cu:i.nhas) [pi'kwiɲɐʃ] *adj.inv.* diz-se da pessoa que é muito exigente em relação a pormenores; minucioso

iedade (pi:e.da.de) [pjɛ'dad(ə)] *n.f.* **1** compaixão pelo sofrimento de alguém; dó; pena **2** devoção religiosa; religiosidade

iedoso (pi:e.do.so) [pjɛ'dozu] *adj.* **1** que tem piedade; bondoso **2** devoto; religioso

iegas (pi:e.gas) ['pjɛgɐʃ] *adj.inv.* diz-se da pessoa muito sensível ou mimada **SIN.** lamecha

ieguice (pi:e.gui.ce) [pjɛ'gi(sə)] *n.f.* atitude própria de pessoa piegas

iela (pi:e.la) ['pjɛlɐ] *n.f.* *coloq.* bebedeira

iercing ['pirsĩg] *n.m.* ⟨*pl.* piercings⟩ **1** perfuração da pele em diferentes partes do corpo **2** brinco usado em diferentes partes do corpo

ierrot [pjɛ'ro] *n.m.* **1** personagem tradicional do teatro francês, caracterizada pela roupa branca e larga, gola grande franzida e cara pintada de branco **2** representação dessa personagem (máscara de Carnaval, etc.)

ifar (pi.far) [pi'far] *v.* *coloq.* deixar de funcionar

pífaro (pí.fa.ro) ['pifɐru] *n.m.* 👁 instrumento de sopro semelhante à flauta, com som agudo

pigmentação (pig.men.ta.ção) [pigmẽtɐ'sɐ̃w̃] *n.f.* cor obtida a partir de pigmentos; coloração

pigmento (pig.men.to) [pi'gmẽtu] *n.m.* substância que dá cor

pijama (pi.ja.ma) [pi'ʒɐmɐ] *n.m.* conjunto de calça e casaco ou camisola para dormir

pila (pi.la) ['pilɐ] *n.f.* *coloq.* pénis

pilantra (pi.lan.tra) [pi'lɐ̃trɐ] *n.2g.* *coloq.* pessoa desonesta ou com mau carácter

pilar (pi.lar) [pi'lar] *n.m.* coluna que sustenta uma construção

pilates (pi.la.tes) [pi'latəʃ] *n.m.2n.* método de exercício físico que procura melhorar a flexibilidade, a força muscular, a postura física e a respiração

pilha (pi.lha) ['piʎɐ] *n.f.* **1** aparelho que fornece energia elétrica **2** *coloq.* conjunto de coisas colocadas umas sobre as outras; monte

pilhagem (pi.lha.gem) [pi'ʎaʒɐ̃j] *n.f.* roubo; saque

pilhão (pi.lhão) [pi'ʎɐ̃w̃] *n.m.* depósito público para recolha de pilhas gastas para reciclagem

pilhar (pi.lhar) [pi'ʎar] *v.* roubar; saquear

piloro (pi.lo.ro) [pi'lɔru] *n.m.* orifício que dá passagem do estômago para o intestino delgado

piloso (pi.lo.so) [pi'lozu] *adj.* que tem pelos **SIN.** peludo

pilotagem (pi.lo.ta.gem) [pilu'taʒɐ̃j] *n.f.* técnica de condução de um veículo

pilotar (pi.lo.tar) [pilu'tar] *v.* conduzir (um veículo) **SIN.** guiar

piloto (pi.lo.to) [pi'lotu] *n.m.* pessoa que conduz um navio, um avião ou um carro de corridas ◆ **piloto automático** dispositivo que mantém a rota de um avião ou navio sem necessitar de intervenção humana

pílula (pí.lu.la) ['pilulɐ] *n.f.* **1** medicamento que evita a conceção; contracetivo oral **2** medicamento em forma de pequena bola destinado a ser engolido inteiro; comprimido **3** *fig.* coisa desagradável ou difícil de suportar ◆ **dourar a pílula** procurar tornar agradável uma coisa penosa, usando palavras lisonjeiras; **engolir a pílula** decidir-se a fazer uma coisa penosa; deixar-se convencer; **pílula do dia seguinte** fármaco que evita que o óvulo fecundado adira à parede do útero, quando tomado nas 72 horas a seguir à fecundação

pimba (pim.ba) ['pĩbɐ] *interj.* indica um acontecimento imprevisto ou o fim de uma ação ■ *adj.2g. coloq.* que é considerado de mau gosto

pimenta (pi.men.ta) [pi'mẽtɐ] *n.f.* **1** planta de origem oriental, cujos frutos têm sabor picante **2** pó obtido das bagas daquela planta e usado como tempero

pimentão (pi.men.tão) [pimẽ'tɐ̃w̃] *n.m.* fruto de uma planta com o mesmo nome, usado em culinária e na preparação de colorau

pimenteiro (pi.men.tei.ro) [pimẽ'tɐjru] *n.m.* **1** planta que produz os pimentos **2** recipiente onde se serve a pimenta

pimento (pi.men.to) [pi'mẽtu] *n.m.* fruto do pimenteiro, de forma cónica e sabor por vezes picante

pimpão (pim.pão) [pĩ'pɐ̃w̃] *adj.* **1** fanfarrão **2** altivo **3** elegante

pimpolho (pim.po.lho) [pĩ'poʎu] *n.m.* **1** renovo da videira **2** *fig., coloq.* criança pequena e robusta **3** *fig., coloq.* rapazinho

pin ['pin] *n.m.* ⟨*pl.* pins⟩ pequena peça que se prende na roupa através de um fecho ou de uma ponta afiada

PIN ['pin] *n. m.* número de identificação pessoal que permite o acesso a um terminal de multibanco ou a um sistema telefónico **OBS.** Sigla de *Personal Identification Number*

pináculo (pi.ná.cu.lo) [pi'nakulu] *n.m.* parte mais alta de edifício ou monte

pinça (pin.ça) ['pĩsɐ] *n.f.* utensílio usado para prender, segurar ou apertar

píncaro (pín.ca.ro) ['pĩkɐru] *n.m.* **1** ponto mais alto de uma construção **2** ponto mais elevado de um monte **3** *fig.* ponto máximo; auge ♦ **pôr nos píncaros da Lua** elogiar muito **SIN.** enaltecer

pincel (pin.cel) [pĩ'sɛɫ] *n.m.* instrumento formado por um cabo de madeira, com pelos sintéticos ou de animais numa das extremidades, que serve para pintar

pincelada (pin.ce.la.da) [pĩsə'ladɐ] *n.f.* **1** traço feito com pincel **2** pintura rápida ou superficial ♦ **dar a última pincelada** dar os últimos retoques

pincelar (pin.ce.lar) [pĩsə'lar] *v.* pintar com pincel

pinga (pin.ga) ['pĩgɐ] *n.f.* **1** partícula de um líquido que cai; gota **2** *coloq.* vinho ♦ **ficar sem pinga de sangue** ficar pálido ou paralisado de susto ou de medo

pingado (pin.ga.do) [pĩ'gadu] *adj.* **1** que pingou **2** coberto de pingos **3** diz-se do café com umas gotas de leite

pingar (pin.gar) [pĩ'gar] *v.* **1** soltar pingos **2** chover pouco; chuviscar

pingente (pin.gen.te) [pĩ'ʒẽt(ə)] *n.m.* **1** objeto em forma de pingo **2** enfeite que se pendura

pingo (pin.go) ['pĩgu] *n.m.* **1** partícula líquida que cai; gota **2** pequena porção de alguma coisa **3** café com leite em chávena pequena

> No norte de Portugal, um **pingo** designa um café com um pouco de leite servido numa chávena pequena; no sul do país, é chamado **garoto**.

pingue-pongue (pin.gue-.pon.gue) [pĩgə'põg(ə)] *n.m.* jogo semelhante ao ténis que se joga com raquetes e uma bola, sobre uma mesa dividida ao meio por uma rede **SIN.** ténis de mesa

pinguim (pin.guim) [pĩ'gwĩ] *n.m.* 👁 ave com asas curtas, patas espalmadas e plumagem preta com uma faixa branca na frente, que vive no polo sul

pinha (pi.nha) ['piɲɐ] *n.f.* fruto do pinheiro ♦ *coloq.* **à pinha** completamente cheio

pinhal (pi.nhal) [pi'ɲaɫ] *n.m.* terreno onde crescem pinheiros

pinhão (pi.nhão) [pi'ɲɐ̃w̃] *n.m.* semente do pinheiro

pinheiro (pi.nhei.ro) [pi'ɲɐjru] *n.m.* árvore com folhas em forma de agulha, útil pela madeira e resina que fornece

pinho (pi.nho) ['piɲu] *n.m.* madeira dos pinheiros

pino (pi.no) ['pinu] *n.m.* **1** ponto mais alto a que chega o Sol **2** posição vertical do corpo, com a cabeça para baixo

pinote (pi.no.te) [pi'nɔt(ə)] *n.m.* **1** salto do cavalo quando dá coices **2** *coloq.* salto; pulo

pinta (pin.ta) ['pĩtɐ] *n.f.* pequeno círculo ou pequena mancha

pintadela (pin.ta.de.la) [pĩtɐ'dɛlɐ] *n.f.* pintura rápida ou ligeira

pintainho (pin.ta.i.nho) [pĩtɐ'iɲu] *n.m.* filhote de galinha

pintalgado (pin.tal.ga.do) [pĩtaɫ'gadu] *adj.* que tem pintas de várias cores; sarapintado

intalgar (pin.tal.gar) [pĩtaɫ'gar] *v.* pintar com várias cores; sarapintar

intar (pin.tar) [pĩ'tar] *v.* **1** cobrir com cores ou com tinta; colorir **2** exercer a profissão de pintor

intarroxo (pin.tar.ro.xo) [pĩtɐ'ʀoʃu] *n.m.* pequeno pássaro sedentário de bico resistente, grosso e cónico, que se alimenta de grãos e sementes

intassilgo (pin.tas.sil.go) [pĩtɐ'siɫgu] *n.m.* pequeno pássaro de plumagem colorida e um canto agradável

into (pin.to) ['pĩtu] *n.m.* pintainho

intor (pin.tor) [pĩ'tor] *n.m.* ⟨*f.* pintora⟩ **1** profissional que faz as pinturas numa construção **2** artista que pinta

intura (pin.tu.ra) [pĩ'turɐ] *n.f.* **1** arte e técnica de pintar **2** obra executada por pintor; quadro

io (pi.o) ['piu] *n.m.* **1** voz de certas aves **2** *coloq.* voz; fala ♦ **perder o pio** ficar em silêncio; não conseguir responder

iô (pi:ô) ['pjo] *n.m.* [ANG.] criança; garoto

iolho (pi:o.lho) ['pjoʎu] *n.m.* inseto parasita do homem e de outros animais

ioneiro (pi:o.nei.ro) [pju'nɐjru] *n.m.* **1** pessoa que vai viver para uma região ainda não habitada **2** pessoa que faz ou descobre algo que ninguém conhecia; precursor

ionés (pi:o.nés) [pjɔ'nɛʃ] *n.m.* espécie de prego de cabeça larga e chata, usado para fixar papéis

ior (pi:or) ['pjɔr] *adj.2g.* mais grave **ANT.** melhor ■ *adv.* menos bem ♦ **de mal a pior** cada vez pior

iorar (pi:o.rar) [pju'rar] *v.* **1** ficar pior **2** tornar-se pior

iorio (pi:o.ri.o) [pju'riu] *n.m. coloq.* aquilo que há de pior ♦ **ser do piorio** portar-se muito mal

ipa (pi.pa) ['pipɐ] *n.f.* recipiente cilíndrico de madeira para guardar vinho, azeite, etc.

iparote (pi.pa.ro.te) [pipɐ'rɔt(ə)] *n.m.* pancada com pouca força

ipi (pi.pi) [pi'pi] *n.m.* **1** *infant.* urina: *fazer pipi* **2** *infant.* órgão sexual ■ *adj.,n.2g. pej.* (pessoa) que é muito afetada ou que se arranja com cuidado excessivo

ipo (pi.po) ['pipu] *n.m.* pequena pipa; barril ♦ *pop.* **andar de pipo** estar grávida

ipoca (pi.po.ca) [pi'pɔkɐ] *n.f.* grão de milho estalado no lume, que se come simples ou com açúcar, sal ou manteiga

ipocar (pi.po.car) [pipu'kar] *v.* estalar como pipoca

ique (pi.que) ['pik(ə)] *loc.* **a pique** na vertical

iquenique (pi.que.ni.que) [pikə'nik(ə)] *n.m.* refeição ao ar livre, no campo

piquete (pi.que.te) [pi'ket(ə)] *n.m.* grupo de pessoas nomeadas por turnos para determinado serviço, de modo a assegurar qualquer emergência

pira (pi.ra) ['pirɐ] *n.f.* fogueira

pirado (pi.ra.do) [pi'radu] *adj. coloq.* que endoideceu; maluco; doido

pirâmide (pi.râ.mi.de) [pi'rɐmid(ə)] *n.f.* **1** sólido geométrico que tem por base um polígono e por lados uma série de triângulos reunidos num vértice comum **2** 👁 construção que tem a forma desse sólido

piranha (pi.ra.nha) [pi'rɐɲɐ] *n.f.* peixe de água doce, carnívoro e muito voraz, com dentes cortantes

pirão (pi.rão) [pi'rɐ̃w̃] *n.m.* [ANG.] papa de farinha de mandioca feita com caldo de peixe cozido e temperada com azeite de dendê ou azeite de oliveira; funje

pirar (pi.rar) [pi'rar] *v. coloq.* perder o juízo; enlouquecer ■ **pirar-se** *coloq.* ir-se embora; desaparecer

pirata (pi.ra.ta) [pi'ratɐ] *n.m.* marinheiro que ataca e rouba navios ♦ **pirata do ar** pessoa que toma como reféns os passageiros e a tripulação de um avião

pirataria (pi.ra.ta.ri.a) [pirɐtɐ'riɐ] *n.f.* **1** apropriação dos bens que pertencem a alguém; roubo **2** reprodução de livros ou textos, gravações de som ou imagens, sem autorização do autor

piratear (pi.ra.te:ar) [pirɐ'tjar] *v.* **1** tomar posse dos bens de alguém; roubar **2** fazer cópias ilegais de obras, gravações, imagens, etc.

pires (pi.res) ['pirəʃ] *n.m.* prato pequeno, sobre o qual se coloca uma chávena

pirex (pi.rex) [pi'rɛks] *n.m.* **1** tipo de vidro com grande resistência às variações bruscas de temperatura e aos ataques químicos **2** recipiente feito desse vidro

pirilampo (pi.ri.lam.po) [piri'lɐ̃pu] *n.m.* inseto que brilha na escuridão

pirilau (pi.ri.lau) [piri'law] *n.m. infant.* pénis

piripíri (pi.ri.pí.ri) [piri'piri] *n.m.* **1** espécie de malagueta muito picante **2** molho muito picante preparado com pimentão vermelho

piro (pi.ro) ['piru] *n.m. coloq.* fuga ♦ **pôr-se no piro** fugir

piroga (pi.ro.ga) [pi'rɔgɐ] *n.f.* embarcação estreita e achatada, feita de um tronco de árvore escavado

pirómano (pi.ró.ma.no) [pi'rɔmɐnu] *n.m.* pessoa que tem a mania de pegar fogo; incendiário

piropo (pi.ro.po) [pi'ropu] *n.m.* cumprimento simpático ou agradável que se dirige a alguém **SIN.** elogio

piroso (pi.ro.so) [pi'rozu] *adj. coloq.* que tem mau gosto **SIN.** parolo

pirotecnia (pi.ro.tec.ni.a) [pirɔtɛ'kniɐ] *n.f.* uso de explosivos ou de fogo de artifício

pirotécnico (pi.ro.téc.ni.co) [pirɔ'tɛkniku] *adj.* relativo a pirotecnia

pirralho (pir.ra.lho) [pi'ʀaʎu] *n.m.* criança; garoto

pirueta (pi.ru:e.ta) [pi'rwetɐ] *n.f.* movimento circular sobre um pé; rodopio

pisada (pi.sa.da) [pi'zadɐ] *n.f.* **1** pisadela **2** pegada; rasto ♦ **seguir as pisadas de alguém** seguir o exemplo de alguém

pisadela (pi.sa.de.la) [pizɐ'dɛlɐ] *n.f.* pisada leve **SIN.** calcadela

pisadura (pi.sa.du.ra) [pizɐ'durɐ] *n.f.* nódoa negra

pisa-papéis (pi.sa-.pa.péis) [pizɐpɐ'pɐjʃ] *n.m.2n.* objeto que se põe sobre papéis soltos para que não se espalhem

pisar (pi.sar) [pi'zar] *v.* **1** calcar com os pés **2** magoar com o pé

pisca (pis.ca) ['piʃkɐ] *n.m.* ⇒ **pisca-pisca**

pisca-pisca (pis.ca-.pis.ca) [piʃkɐ'piʃkɐ] *n.m.* ⟨*pl.* pisca-piscas⟩ dispositivo de sinalização que tem uma luz intermitente, e que é usado para indicar a mudança de direção de um veículo

piscar (pis.car) [piʃ'kar] *v.* **1** fechar e abrir muitas vezes (os olhos) **2** dar sinal de luzes (num veículo) ♦ **num piscar de olhos** num curto espaço de tempo

piscatório (pis.ca.tó.ri:o) [piʃkɐ'tɔrju] *adj.* relativo a pesca

piscina (pis.ci.na) [piʃ'sinɐ] *n.f.* grande reservatório contendo água, usado para a prática de natação ou de mergulho

pisco (pis.co) ['piʃku] *adj.* que pisca os olhos ■ *n.m.* **1** pequena ave sedentária com mancha vermelha por baixo do bico, na garganta e no peito **2** *coloq.* pessoa que come pouco

piso (pi.so) ['pizu] *n.m.* **1** pavimento **2** andar de um edifício

pista (pis.ta) ['piʃtɐ] *n.f.* **1** rasto; vestígio **2** recinto para espetáculos, jogos ou corridas **3** parte do aeroporto onde aterram e de onde descolam os aviões

pistácio (pis.tá.ci:o) [piʃ'tasju] *n.m.* grão comestível, semelhante a uma pequena amêndoa de tom esverdeado, utilizado em culinária e pastelaria

pistão (pis.tão) [piʃ'tɐ̃w̃] *n.m.* **1** peça que se move num corpo cilíndrico por pressão de um fluido **2** num instrumento de sopro de metal, válvula que distingue as notas quando é acionada

pistola (pis.to.la) [piʃ'tɔlɐ] *n.f.* arma de fogo de pequeno alcance, que se dispara com uma só mão

pitada (pi.ta.da) [pi'tadɐ] *n.f.* pequena porção de qualquer coisa ♦ **não perder pitada** não perder nenhum pormenor; aproveitar todas as oportunidades

pitar (pi.tar) [pi'tar] *v.* [ANG.] comer

piteira (pi.tei.ra) [pi'tɐjrɐ] *n.f.* planta de folhas espessas e espinhosas, que fornece fibras têxteis

pitéu (pi.téu) [pi'tɛw] *n.m. coloq.* petisco; gulodice

pito (pi.to) ['pitu] *n.m.* **1** *coloq.* pintainho; pint **2** [GB.] flauta de bambu

pitoresco (pi.to.res.co) [pitu'reʃku] *adj.* **1** digno de ser pintado **2** que diverte; divertido

pitosga (pi.tos.ga) [pi'tɔʒgɐ] *adj.,n.2g. coloq.* que ou pessoa que vê mal

pivete (pi.ve.te) [pi'vet(ə)] *n.m.* **1** *coloq.* criança **2** *coloq.* mau cheiro

pivô (pi.vô) [pi'vo] *n.m.* **1** haste metálica que suporta um dente **2** apresentador de um noticiário da televisão

pivot [pi'vo] *n.m.* ⇒ **pivô**

píxel (pí.xel) ['piksɛɫ] *n.m.* menor elemento de uma imagem digital

pixelizado (pi.xe.li.za.do) [piksəli'zadu] *adj.* (imagem) que foi ampliado de forma a ficar distorcido

piza (pi.za) ['pizɐ] *n.f.* ⇒ **pizza**

pizaria (pi.za.ri.a) [pizɐ'riɐ] *n.f.* ⇒ **pizzaria**

pizza ['pizɐ] *n.f.* ⟨*pl.* pizzas⟩ prato italiano feito de massa de pão, de forma arredondada, coberta com molho de tomate, queijo, orégãos e outros ingredientes (cogumelos, presunto, azeitonas etc.) e cozida no forno

pizzaria (piz.za.ri.a) [pizɐ'riɐ] *n.f.* **1** estabelecimento onde se fazem e/ou vendem pizzas **2** restaurante onde se servem pizzas

PJ [pe'ʒɔtɐ] *sigla de* Polícia Judiciária

placa (pla.ca) ['plakɐ] *n.f.* **1** folha de metal, vidro etc. **2** espécie de tabuleta com inscrição **3** dentadura postiça ♦ **placa bacteriana** depósito de bactérias de cor esbranquiçada que se forma na superfície dos dentes e das gengivas

placa-mãe (pla.ca-.mãe) [plakɐ'mɐ̃j] *n.f.* ⟨*pl.* placas-mãe⟩ placa de circuitos eletrónicos que contém a unidade central de processamento de um computador, suportes para circuitos integrados e fichas de expansão; motherboard

placard [pla'kar] *n.m.* **1** quadro onde se registam os pontos marcados numa competição desportiva **2** quadro onde se afixam cartazes publicitários

placebo (pla.ce.bo) [plɐ'sebu] *n.m.* preparado neutro, ministrado em substituição de um medicamento, com o objetivo de provocar as reações psicológicas normalmente associadas a essa terapia

placenta (pla.cen.ta) [plɐ'sẽtɐ] *n.f.* órgão que une o feto à parede do útero materno durante a gestação e que assegura a nutrição através do cordão umbilical

plácido (plá.ci.do) ['plasidu] *adj.* **1** sereno; tranquilo **2** brando; suave

plafond [pla'fõ] *n.m.* **1** limite de despesas autorizadas pelo orçamento de Estado **2** limite de crédito autorizado por um banco a um cliente

plagiador (pla.gi:a.dor) [plɐʒjɐ'dor] *n.m.* pessoa que apresenta como sua uma obra de outrem; imitador

plagiar (pla.gi:ar) [plɐ'ʒjar] *v.* apresentar como sua uma obra de outrem; imitar (uma obra ou um trabalho de alguém)

plágio (plá.gi:o) ['plaʒju] *n.m.* apresentação feita por alguém do trabalho de outra pessoa como se fosse seu

plaina (plai.na) ['plajnɐ] *n.f.* 👁 ferramenta manual de carpintaria própria para aplainar, desbastar e alisar madeira

planador (pla.na.dor) [plɐnɐ'dor] *n.m.* aparelho que se mantém no ar sem recurso a energia motriz

planalto (pla.nal.to) [plɐ'naɫtu] *n.m.* terreno elevado e plano

planar (pla.nar) [plɐ'nar] *v.* **1** sustentar-se no ar sem mover as asas (aves) ou usar o motor (aviões) **2** estar suspenso no ar; pairar

plâncton (plânc.ton) ['plɐ̃ktɔn] *n.m.* conjunto de seres marinhos microscópicos

planeamento (pla.ne:a.men.to) [plɐnjɐ'mẽtu] *n.m.* **1** planificação de um trabalho ou projeto **2** organização de programas e atividades culturais, sociais, etc.; programação ♦ **planeamento familiar** conjunto de meios que permitem a um casal planear o número de filhos que pretende ter

planear (pla.ne:ar) [plɐ'njar] *v.* **1** fazer o plano de; planificar **2** ter a intenção de; tencionar

planeta (pla.ne.ta) [plɐ'netɐ] *n.m.* corpo que descreve uma órbita em torno do Sol, com gravidade suficiente para ter uma forma quase esférica e para garantir a ausência de outros objetos na sua órbita ♦ **planeta anão** corpo que descreve uma órbita em torno do Sol, com gravidade suficiente para ter uma forma quase esférica, mas insuficiente para garantir a ausência de outros objetos na sua órbita, e que não é um satélite

> Note-se que **planeta** é um nome masculino.

planetário (pla.ne.tá.ri:o) [plɐnə'tarju] *n.m.* edifício com uma cúpula onde se faz a projeção dos movimentos dos corpos do sistema solar

planície (pla.ní.ci:e) [plɐ'nisji] *n.f.* 👁 grande extensão de terreno plano **SIN.** pradaria

planificação (pla.ni.fi.ca.ção) [plɐnifikɐ'sɐ̃w̃] *n.f.* **1** ato ou efeito de planificar **2** definição dos objetivos de um trabalho ou de uma tarefa e dos meios para os atingir

planificar (pla.ni.fi.car) [plɐnifi'kar] *v.* fazer um plano para

plano (pla.no) ['plɐnu] *adj.* em que não há diferenças de nível; liso ■ *n.m.* **1** superfície plana **2** projeto de algo a realizar ♦ **plano de pormenor** projeto minucioso de uma área restrita; **plano inclinado** superfície que traça um declive mais ou menos acentuado; **primeiro/grande plano** plano que está mais próximo do observador

planta **(plan.ta)** ['plɐ̃tɐ] *n.f.* **1** organismo vegetal **2** plano de uma ponte, jardim, cidade, etc. **3** parte inferior do pé **4** mapa de um lugar ♦ *fig.* **planta de estufa** pessoa com a saúde muito frágil

plantação **(plan.ta.ção)** [plɐ̃tɐ'sɐ̃w̃] *n.f.* **1** ato ou efeito de plantar **2** aquilo que é plantado; cultura **3** terreno plantado

plantão **(plan.tão)** [plɐ̃'tɐ̃w̃] *n.m.* **1** serviço de vigia distribuído diariamente a um soldado dentro do aquartelamento **2** soldado que faz esse serviço **3** serviço noturno ou em horas normalmente sem serviço realizado em hospital, farmácia, esquadra, etc. ♦ *coloq.* **estar de plantão** estar de vigia; estar à espera

plantar **(plan.tar)** [plɐ̃'tar] *v.* **1** cultivar; semear **2** pôr; colocar **3** *fig.* estimular o desenvolvimento de

plantel **(plan.tel)** [plɐ̃'tɛɫ] *n.m.* grupo de atletas ou de técnicos selecionados entre os melhores

plantio **(plan.ti.o)** [plɐ̃'tiu] *n.m.* **1** ato ou efeito de plantar **2** terreno plantado; plantação

planura **(pla.nu.ra)** [plɐ'nurɐ] *n.f.* **1** planície **2** planalto

plaqueta **(pla.que.ta)** [plɐ'ketɐ] *n.f.* placa pequena

plasma **(plas.ma)** ['plaʒmɐ] *n.m.* parte líquida do sangue

plástica **(plás.ti.ca)** ['plaʃtikɐ] *n.f.* operação cirúrgica destinada a alterar por razões estéticas ou a reconstruir devido a traumatismo qualquer parte do corpo

plasticina **(plas.ti.ci.na)** [plɐʃti'sinɐ] *n.f.* espécie de massa plástica, facilmente moldável, que serve para modelar

plástico **(plás.ti.co)** ['plaʃtiku] *n.m.* material facilmente moldável, utilizado para fazer embalagens e vários objetos de uso corrente

plastificado **(plas.ti.fi.ca.do)** [plɐʃtifi'kadu] *adj.* revestido de película plástica

plastificar **(plas.ti.fi.car)** [plɐʃtifi'kar] *v.* revestir (documento, livro, etc.) de uma película plástica transparente

plataforma **(pla.ta.for.ma)** [plɐtɐ'fɔrmɐ] *n.f.* **1** superfície plana e horizontal elevada **2** rampa de lançamento de projéteis

plátano **(plá.ta.no)** ['platɐnu] *n.m.* árvore de grande porte e com folhas largas

plateia **(pla.tei.a)** [plɐ'tɐjɐ] *n.f.* **1** numa sala de espetáculos, local destinado aos espectadores no andar inferior **2** conjunto de espectadores que ocupam esse local

platina **(pla.ti.na)** [plɐ'tinɐ] *n.f.* metal branco e brilhante, muito denso

platónico **(pla.tó.ni.co)** [plɐ'tɔniku] *adj.* **1** relativo ao filósofo Platão **2** *fig.* ideal; espiritual

plausível **(plau.sí.vel)** [plaw'zivɛɫ] *adj.2g.* que se pode admitir ou aceitar; razoável

playback [plɐj'bɛk] *n.m.* ⟨*pl.* playbacks⟩ técnica que consiste em apresentar uma pessoa a cantar ou a falar, mas em que o som apresentado é uma gravação, e não a voz da própria pessoa

playboy [plɐj'bɔj] *n.m.* indivíduo com fama de conquistador, geralmente elegante e com uma vida social intensa

play-off [plɐj'ɔf] *n.m.* jogo ou série de jogos finais que visam determinar o vencedor entre adversários ou equipas que empataram num campeonato ou num torneio

plebe **(ple.be)** ['plɛb(ə)] *n.f.* na Roma antiga, classe mais baixa da sociedade; povo

plebeu **(ple.beu)** [plə'bew] *adj.* **1** relativo à plebe **2** que não pertence à nobreza ■ *n.m.* ⟨*f.* plebeia⟩ membro da classe inferior na Roma antiga

plenamente **(ple.na.men.te)** [plenɐ'mẽt(ə)] *adv.* totalmente; completamente

plenário **(ple.ná.ri:o)** [plə'narju] *n.m.* **1** conjunto de membros de uma associação, reunidos numa assembleia **2** local onde se reúnem esses membros

plenitude **(ple.ni.tu.de)** [pləni'tud(ə)] *n.f.* estado do que é inteiro ou completo **SIN.** totalidade

pleno **(ple.no)** ['plenu] *adj.* **1** cheio; repleto **2** inteiro; completo

pleonasmo **(ple:o.nas.mo)** [plju'naʒmu] *n.m.* redundância de termos para expressar uma ideia: *Ele saiu para fora.*

pleura **(pleu.ra)** ['plewrɐ] *n.f.* membrana que recobre o pulmão

plinto **(plin.to)** ['plĩtu] *n.m.* **1** aparelho de ginástica para saltos **2** base de coluna ou pedestal

plug-in [plɐ'gin] *n.m.* ficheiro informático que adiciona funcionalidades a um programa

pluma **(plu.ma)** ['plumɐ] *n.f.* pena (de ave)

plumagem **(plu.ma.gem)** [plu'maʒɐ̃j] *n.f.* conjunto das penas de uma ave

plural **(plu.ral)** [plu'raɫ] *adj.2g.* **1** que indica mais de um **ANT.** singular **2** *fig.* variado; diversificado ■ *n.m.* que indica a pluralidade em nomes, adjetivos, determinantes e verbos, opondo-se ao singular

pluralidade **(plu.ra.li.da.de)** [plurɐli'dad(ə)] *n.f.* **1** multiplicidade; diversidade **2** maioria

pluralismo **(plu.ra.lis.mo)** [plurɐ'liʒmu] *n.m.* sistema que defende a pluralidade de partidos políticos ou de opiniões

pluricelular **(plu.ri.ce.lu.lar)** [plurisəlu'lar] *adj.2g.* diz-se do ser vivo constituído por várias células

luridisciplinar (plu.ri.dis.ci.pli.nar) [pluridiʃsi pli'nar] *adj.2g.* relativo a várias disciplinas ou ramos de conhecimento

lurilingue (plu.ri.lin.gue) [pluri'lĩg(ə)] *adj.2g.* ⇒ **multilingue**

lutão (Plu.tão) [plu'tɐ̃w̃] *n.m.* um dos planetas anões do sistema solar, localizado na cintura de Kuiper

lutónio (plu.tó.ni:o) [plu'tɔnju] *n.m.* elemento com o número atómico 94 e símbolo Pu, que se obtém de certas reações nucleares

luvial (plu.vi:al) [plu'vjał] *adj.2g.* relativo a chuva

luviosidade (plu.vi:o.si.da.de) [pluvjuzi'dad(ə)] *n.f.* quantidade de chuva caída numa dada região durante um certo período

luvioso (plu.vi:o.so) [plu'vjozu] *adj.* que traz ou anuncia chuva; chuvoso

.m. pós-meridiano (depois do meio-dia) **OBS.** Abreviatura de *post meridiem*

ME [peɛm'ɛ] *sigla de* pequenas e médias empresas

.M.P. *abreviatura de* por mão própria

NB [peɛn'be] *sigla de* Produto Nacional Bruto

neu (pneu) ['pnew] *n.m.* **1** arco de borracha que protege as rodas dos veículos **2** *coloq.* gordura acumulada na cintura de uma pessoa

neumático (pneu.má.ti.co) [pnew'matiku] *adj.* que funciona com ar comprimido

neumologia (pneu.mo.lo.gi.a) [pnewmulu'ʒiɐ] *n.f.* estudo dos pulmões

neumonia (pneu.mo.ni.a) [pnewmu'niɐ] *n.f.* inflamação dos pulmões

NL [peɛn'ɛł] *sigla de* Plano Nacional de Leitura

ó (pó) ['pɔ] *n.m.* **1** fragmentos que estão suspensos no ar **SIN.** poeira **2** substância moída até ficar reduzida a partículas muito pequenas ♦ *coloq.* **pós de perlimpimpim** pós imaginários que provocam efeitos mágicos

obre (po.bre) ['pɔbr(ə)] *adj.* **1** que tem poucos meios de sobrevivência **ANT.** rico **2** que tem pouca qualidade **3** que é pouco produtivo

obretana (po.bre.ta.na) [pubrə'tɐnɐ] *n.2g.* ⇒ **pobretão**

obretão (po.bre.tão) [pubrə'tɐ̃w̃] ⟨*aum. de* pobre⟩ *n.m. coloq.* pessoa muito pobre; miserável

obreza (po.bre.za) [pu'brezɐ] *n.f.* **1** falta de meios económicos para viver; miséria **2** *fig.* falta de alguma coisa; carência ♦ **pobreza franciscana** pobreza extrema

oça (po.ça) ['posɐ] *n.f.* cova pouco profunda e com água

oção (po.ção) [pu'sɐ̃w̃] *n.f.* líquido para beber com propriedades medicinais ♦ **poção mágica** bebida com propriedades mágicas

pochete (po.che.te) [pɔ'ʃɛt(ə)] *n.f.* pequena bolsa geralmente utilizada na mão, a tiracolo ou presa à cintura

pocilga (po.cil.ga) [pu'siłgɐ] *n.f.* **1** curral de porcos **2** *coloq.* lugar muito sujo

poço (po.ço) ['posu] *n.m.* cavidade profunda aberta no solo para se tirar água ♦ **poço de ar** fenómeno atmosférico que altera a estabilidade dos aviões, fazendo-os perder altitude por instantes; **ser um poço de sabedoria** ter muitos conhecimentos; **um poço sem fundo** ser muito discreto; ser impenetrável

poda (po.da) ['pɔdɐ] *n.f.* corte de ramos de árvores ou arbustos ♦ *coloq.* **saber da poda** ser perito

podar (po.dar) [pu'dar] *v.* cortar os ramos inúteis de árvores ou vinhas

podcast [pɔd'kaʃt] *n.m.* programa de rádio em formato digital, que se pode descarregar da internet e reproduzir num computador ou num leitor portátil

pó-de-arroz (pó-.de-.ar.roz) [pɔdɐ'ʀoʃ] *a nova grafia é* **pó de arroz**[AO]

pó de arroz (pó de ar.roz)[AO] [pɔdɐ'ʀoʃ] *n.m.* ⟨*pl.* pós de arroz⟩ produto de beleza cuja base é o amido do grão de arroz reduzido a pó muito fino

podengo (po.den.go) [pu'dẽgu] *n.m.* **1** raça de cães com orelhas hirtas, pernas compridas e fortes e pelo liso ou áspero **2** cão dessa raça, muito usado na caça ao coelho

poder (po.der) [pu'der] *v.* **1** ter a possibilidade de: *Podemos dizer a verdade.* **2** ter autorização para: *Não posso ir à festa. Aqui, pode-se fumar.* **3** ser capaz de: *Posso nadar durante horas.* **4** ser possível: *Pode ter acontecido alguma coisa.* **5** ⟨**+com**⟩ conseguir suportar (peso, carga): *Podes com os sacos?* **6** ⟨**+com**⟩ *coloq.* aguentar: *Não posso com mentiras!* ■ *n.m.* **1** direito ou capacidade de decidir e/ou agir **2** capacidade de agir sobre algo **SIN.** influência **3** autoridade ♦ **plenos poderes** concessão de poderes a alguém para a execução de um ato expressamente indicado; **poder de compra** capacidade financeira de um grupo social ou de uma pessoa para adquirir produtos e serviços; **poder executivo** órgão de soberania do Estado, responsável por fazer executar as leis **SIN.** governo; **poder judicial** órgão de soberania do Estado ao qual compete aplicar as sanções por transgressão das leis; **poder legislativo** órgão de soberania do Estado encarregado de elaborar e discutir as leis

poderoso (po.de.ro.so) [pudə'rozu] *adj.* **1** forte **2** poderoso **3** influente

pódio (pó.di:o) ['pɔdju] *n.m.* plataforma com degraus, onde os atletas vencedores de uma prova recebem as suas medalhas

podre (po.dre) ['podr(ə)] *adj.2g.* que está em decomposição; estragado

podridão (po.dri.dão) [pudri'dɐ̃w̃] *n.f.* **1** estado de podre **2** decomposição; putrefação **3** *fig.* perda de sentido moral; corrupção

poeira (po.ei.ra) ['pwɐjrɐ] *n.f.* terra reduzida a pó ♦ **deitar poeira para os olhos de alguém** tentar enganar ou ludibriar alguém; **levantar poeira** causar confusão

poeirento (po.ei.ren.to) [pwɐj'rẽtu] *adj.* **1** coberto de poeira **2** *fig.* antigo; antiquado

poema (po:e.ma) ['pwemɐ] *n.m.* obra em verso ♦ **poema sinfónico** composição musical para orquestra, geralmente em um só movimento, cujo tema se baseia num pensamento ou numa obra de carácter filosófico ou literário; **poema em prosa** obra em prosa com musicalidade poética

poente (po:en.te) ['pwẽt(ə)] *n.m.* região do horizonte onde o Sol se põe **SIN.** ocaso; ocidente; oeste

poesia (po:e.si.a) [pwɛ'ziɐ] *n.f.* **1** composição em verso **2** arte de compor versos

poeta (po:e.ta) ['pwɛtɐ] *n.m.* ⟨*f.* poetisa⟩ autor de poemas

poética (po:é.ti.ca) ['pwɛtikɐ] *n.f.* **1** arte de compor versos **2** estudo sobre poesia

poético (po:é.ti.co) ['pwɛtiku] *adj.* **1** relativo à poesia **2** belo; encantador

poetisa (po:e.ti.sa) [pwɛ'tizɐ] *n.f.* ⟨*m.* poeta⟩ autora de poemas

poio (poi.o) ['poju] *n.m.* *coloq.* monte de excrementos

pois (pois) ['pojʃ] *conj.* **1** [exprime causa] porque: *Não se via nada, pois estava nevoeiro.* **2** [exprime consequência] portanto: *Está cansado e não lhe apetece, pois, sair.* **3** [exprime contraste] mas: *Tenho um bom emprego! - Pois eu não!* ▪ *adv.* sim; claro: *Pois, eu sei! Pois é!* ▪ *interj.* exprime concordância: *Saí ontem, pois!* ♦ **pois não** certamente que sim: *Posso entrar? - Pois não!*; **pois não?** usado no fim de uma frase interrogativa: *Não vais dizer nada, pois não?*; **pois sim** exprime ironia, dúvida: *Acha que consegue tudo sozinho? Pois sim!*

poisar (poi.sar) [poj'zar] *v.* ⇒ **pousar**

poiso (poi.so) ['pojzu] *n.m.* ⇒ **pouso**

polaco (po.la.co) [pu'laku] *adj.* relativo à Polónia ▪ *n.m.* **1** pessoa natural da Polónia **2** língua oficial da Polónia

polar (po.lar) [pu'lar] *adj.2g.* **1** relativo aos polos **2** que está situado próximo dos polos **3** que é próprio das regiões polares e frias

polaridade (po.la.ri.da.de) [pulɐri'dad(ə)] *n.f.* **1** propriedade de um íman ou de uma agulha magnética de tomar a direção dos polos **2** propriedade que os geradores elétricos têm de fo[r]necer a corrente sempre no mesmo sentido

polarização (po.la.ri.za.ção) [pulɐrizɐ'sɐ̃w̃] *n[.f.]* **1** modificação de uma radiação luminosa qu[e] faz com que as ondas refletidas deixem de apr[e]sentar propriedades idênticas em todas as dir[e]ções em torno da direção da sua propagaç[ão] **2** concentração de forças, esforços ou influê[n]cias num único ponto ou questão (por oposiç[ão] a outro) **3** posicionamento em extremos oposto[s]

polca (pol.ca) ['pɔłkɐ] *n.f.* **1** dança de ritmo vivo [e] dois tempos **2** música com a qual se execu[ta] essa dança

poldro (pol.dro) ['połdru] *n.m.* cavalo com m[e]nos de quatro anos **SIN.** potro

polegada (po.le.ga.da) [pulə'gadɐ] *n.f.* medi[da] igual ao comprimento da segunda falange d[o] dedo polegar

polegar (po.le.gar) [pulə'gar] *n.m.* dedo mais p[e]queno e grosso da mão

poleiro (po.lei.ro) [pu'lɐjru] *n.m.* vara existen[te] nas gaiolas ou capoeiras, onde as aves pousam

polémica (po.lé.mi.ca) [pu'lɛmikɐ] *n.f.* discuss[ão] que provoca opiniões muito diferentes **SIN.** co[n]trovérsia

polémico (po.lé.mi.co) [pu'lɛmiku] *adj.* que pr[o]voca opiniões muito diferentes **SIN.** controvers[o;] discutível

pólen (pó.len) ['pɔlɛn] *n.m.* ⟨*pl.* pólenes⟩ pó prod[u]zido pelos estames das flores

polícia (po.lí.ci:a) [pu'lisjɐ] *n.f.* força encarrega[da] de manter a ordem pública e de garantir que [as] leis são cumpridas ▪ *n.2g.* pessoa que pertence [a] essa força pública; agente policial

policial (po.li.ci:al) [puli'sjał] *adj.2g.* **1** relativo à p[o]lícia **2** que envolve crime(s) ▪ *n.m.* filme ou liv[ro] em que há situações de crime e mistério

policiamento (po.li.ci:a.men.to) [pulisjɐ'mẽt[u]] *n.m.* vigilância feita pela polícia

olidesportivo (po.li.des.por.ti.vo) [pɔlidəʃ ɔur'tivu] *adj.,n.m.* (recinto) que pode ser utilizado para a prática de diversas modalidades desportivas

olido (po.li.do) [pu'lidu] *adj.* **1** que recebeu verniz ou lustro; envernizado **2** *fig.* educado **ANT.** indelicado; grosseiro

oliedro (po.li:e.dro) [pɔ'ljɛdru] *n.m.* sólido que tem muitas faces planas

oliéster (po.li:és.ter) [pɔ'ljɛʃtɛr] *n.m.* plástico sintético

olifonia (po.li.fo.ni.a) [pɔlifu'niɐ] *n.f.* conjunto harmonioso de sons

oligamia (po.li.ga.mi.a) [pɔligɐ'miɐ] *n.f.* **1** regime familiar ou união legítima em que uma pessoa tem vários cônjuges ao mesmo tempo **2** estado da pessoa que é polígama

oligâmico (po.li.gâ.mi.co) [pɔli'gɐmiku] *adj.* relativo a poligamia

olígamo (po.lí.ga.mo) [pu'ligɐmu] *adj.* **1** relativo à poligamia **2** (pessoa) que tem mais de um cônjuge ao mesmo tempo ■ *n.m.* pessoa que tem mais de um cônjuge ao mesmo tempo

oliglota (po.li.glo.ta) [pɔli'glɔtɐ] *n.2g.* pessoa que fala muitas línguas

olígono (po.lí.go.no) [pu'ligunu] *n.m.* figura plana limitada por segmentos de reta

olimento (po.li.men.to) [puli'mẽtu] *n.m.* **1** ato ou efeito de polir (uma superfície) **2** brilho (de uma superfície polida)

olinizar (po.li.ni.zar) [pulini'zar] *v.* provocar a fecundação da flor, utilizando o pólen

oliomielite (po.li:o.mi:e.li.te) [pɔljɔmjɛ'lit(ə)] *n.f.* doença infeciosa que ataca as células da medula espinal e do bolbo raquidiano, e que causa paralisia

olipo (pó.li.po) ['pɔlipu] *n.m.* crescimento de tecido ou tumor que se desenvolve numa membrana mucosa

olir (po.lir) [pu'lir] *v.* **1** envernizar **2** *fig.* educar

olissemia (po.lis.se.mi.a) [pɔlisə'miɐ] *n.f.* qualidade das palavras que possuem mais de um sentido

olissilábico (po.lis.si.lá.bi.co) [pɔlisi'labiku] *adj.* que tem mais de três sílabas

olissílabo (po.lis.sí.la.bo) [pɔli'silɐbu] *n.m.* palavra com mais de três sílabas

olitécnico (po.li.téc.ni.co) [pɔli'tɛkniku] *adj.* **1** que abrange várias artes ou ciências **2** diz-se do ensino superior, ministrado em estabelecimentos públicos, particulares ou cooperativos não universitários, que conferem os graus de licenciado e de mestre a profissionais especializados em áreas técnicas ■ *n.m.* estabelecimento que ministra esse tipo de ensino

politeísmo (po.li.te.ís.mo) [pɔlitɐ'iʒmu] *n.m.* religião que admite vários deuses **ANT.** monoteísmo

politeísta (po.li.te.ís.ta) [pɔlitɐ'iʃtɐ] *adj.2g.* relativo a politeísmo ■ *n.2g.* pessoa que defende o politeísmo

política (po.lí.ti.ca) [pu'litikɐ] *n.f.* **1** forma de governar um país e de se relacionar com outros países **2** estratégia; tática ◆ **política económica** conjunto de iniciativas de um governo destinadas a influenciar as decisões dos agentes económicos, no sentido da concretização de determinados objetivos; **política externa** relações entre diferentes países ou Estados; **política fiscal** conjunto de medidas tomadas pelo governo relativamente ao orçamento, incluindo a fixação de impostos e o controlo dos gastos públicos

politicamente (po.li.ti.ca.men.te) [pulitikɐ'mẽt(ə)] *adv.* **1** do ponto de vista político **2** no que diz respeito ao poder político **3** com diplomacia; delicadamente ◆ **politicamente correto** que está de acordo com as convenções dominantes no seio de uma comunidade

político (po.lí.ti.co) [pu'litiku] *adj.* relativo a política ■ *n.m.* indivíduo que se dedica à política

politraumatizado (po.li.trau.ma.ti.za.do) [pɔli trawmɐti'zadu] *adj.,n.m.* que ou pessoa que sofreu diversos traumatismos

polivalente (po.li.va.len.te) [pɔlivɐ'lẽt(ə)] *adj.2g.* **1** relativo a vários domínios ou atividades **2** (pessoa) que exerce diversas funções **3** (edifício) que pode servir para diversos fins

polo (po.lo)[AO] ['pɔlu] *n.m.* **1** cada um dos dois pontos que se encontram nos extremos da superfície terrestre: *Polo Norte; Polo Sul* **2** camisa desportiva de algodão, com gola e manga curta **3** desporto de equipa semelhante ao hóquei, jogado num campo relvado, a cavalo, e com um taco muito comprido **4** *fig.* lugar ou ponto oposto a outro **SIN.** extremo **5** *fig.* centro de atividade ou de interesse ◆ **polo universitário** área onde estão agrupadas algumas faculdades ou escolas de uma universidade

pólo (pó.lo) ['pɔlu] *a nova grafia é* **polo**[AO]

polo-aquático (po.lo-.a.quá.ti.co)[AO] [pɔlwɐ'kwa tiku] *n.m.* jogo praticado em piscina, entre duas equipas compostas por seis jogadores e um guarda-redes, e em que cada equipa procura introduzir a bola na baliza contrária

pólo-aquático (pó.lo-.a.quá.ti.co) [pɔlwɐ'kwa tiku] *a nova grafia é* **polo-aquático**[AO]

polpa (pol.pa) ['poɫpɐ] *n.f.* **1** parte carnuda dos frutos e de alguns legumes **2** carne sem osso nem gordura ◆ **polpa dentária** tecido conjuntivo, mole e avermelhado que preenche a cavidade central de um dente

poltrona (pol.tro.na) [pot'tronɐ] *n.f.* cadeira de braços, geralmente estofada

poluente (po.lu:en.te) [pu'lwẽt(ə)] *adj.2g.* que polui ■ *n.m.* substância que causa poluição

poluição (po.lu:i.ção) [pulwi'sɐ̃w̃] *n.f.* **1** perda de qualidade do meio ambiente causada por substâncias nocivas; contaminação **2** sujidade existente no ar, nos rios, mares, etc.

poluir (po.lu:ir) [pu'lwir] *v.* tornar sujo ou impuro; contaminar

polvilhar (pol.vi.lhar) [potvi'ʎar] *v.* espalhar pó ou farinha sobre

polvo (pol.vo) ['potvu] *n.m.* molusco com oito tentáculos munidos de ventosas

pólvora (pól.vo.ra) ['pɔtvurɐ] *n.f.* substância explosiva ◆ **descobrir a pólvora** descobrir algo que já era conhecido

polvorosa (pol.vo.ro.sa) [putvu'rɔzɐ] *n.f.* grande agitação

pomada (po.ma.da) [pu'madɐ] *n.f.* preparado farmacêutico pastoso e mole para uso externo

pomar (po.mar) [pu'mar] *n.m.* terreno plantado de árvores de fruto

pomba (pom.ba) ['põbɐ] *n.f.* fêmea do pombo

pombal (pom.bal) [põ'bat] *n.m.* lugar onde se criam ou abrigam pombas

pombinho (pom.bi.nho) [põ'biɲu] ⟨*dim. de* pombo⟩ *n.m.* pombo jovem; borracho ■ **pombinhos** *n.m.pl.* casal de namorados ou de noivos

pombo (pom.bo) ['põbu] *n.m.* ave com cabeça pequena e bico curto, plumagem densa e macia, e cor que varia segundo as espécies

pombo-correio (pom.bo-.cor.rei.o) [põbu ku'ʀɐju] *n.m.* ⟨*pl.* pombos-correios⟩ pombo que pode ser usado para levar mensagens

pompa (pom.pa) ['põpɐ] *n.f.* **1** aparato; ostentação **2** luxo; esplendor ◆ **com pompa e circunstância** de forma solene; de acordo com a etiqueta

pompom (pom.pom) [põ'põ] *n.m.* pequena bola de fios de lã, usada como enfeite (em gorro, xaile, etc.)

pomposo (pom.po.so) [põ'pozu] *adj.* **1** ostensivo **2** luxuoso

ponche (pon.che) ['põʃ(ə)] *n.m.* bebida alcoólica preparada com chá, rum ou conhaque, açúcar, limão e passas, que geralmente se serve quente

ponderação (pon.de.ra.ção) [põdərɐ'sɐ̃w̃] *n.f.* reflexão; prudência

ponderado (pon.de.ra.do) [põdə'radu] *adj.* refletido; prudente

ponderar (pon.de.rar) [põdə'rar] *v.* pensar muito sobre; refletir

pónei (pó.nei) ['pɔnɐj] *n.m.* cavalo pequeno

ponta (pon.ta) ['põtɐ] *n.f.* **1** extremidade aguçada SIN. bico **2** *fig.* pequena quantidade; pequena porção ◆ **de ponta a ponta** do princípio ao fim

pontada (pon.ta.da) [põ'tadɐ] *n.f.* dor aguda de pouca duração; fisgada

ponta-de-lança (pon.ta-.de-.lan.ça) [põtɐdə'lɐ̃s...] *a nova grafia é* **ponta de lança**AO

ponta de lança (pon.ta de lan.ça)AO [põtɐdə'lɐ̃s...] *n.2g.* ⟨*pl.* pontas de lança⟩ (futebol) jogador mais avançado; goleador; atacante

pontal (pon.tal) [põ'tat] *n.m.* ponta de terra que entra pelo mar ou pelo rio

pontão (pon.tão) [põ'tɐ̃w̃] *n.m.* pequena ponte

pontapé (pon.ta.pé) [põtɐ'pɛ] *n.m.* pancada com a ponta do pé; chuto ◆ **aos pontapés** em grande quantidade; **correr a pontapé** mandar embora de forma violenta

pontaria (pon.ta.ri.a) [põtɐ'riɐ] *n.f.* ato de apontar uma arma de fogo na direção do alvo ◆ **fazer pontaria** apontar cuidadosamente para o alvo

ponte (pon.te) ['põt(ə)] *n.f.* construção que liga dois lugares separados por um rio, vale, etc. ◆ **fazer a ponte entre** estabelecer ligação ou contacto entre; **fazer ponte** não trabalhar num dia útil entre um feriado e um fim de semana

ponteado (pon.te:a.do) [põ'tjadu] *adj.* coberto ou marcado com pequenos pontos ■ *n.m.* desenho realizado por meio de pequenos pontos

ponteiro (pon.tei.ro) [põ'tɐjru] *n.m.* espécie de agulha que indica as horas, os minutos e os segundos no mostrador do relógio

pontiagudo (pon.ti:a.gu.do) [põtjɐ'gudu] *adj.* que tem ponta aguçada SIN. afiado

> Note-se que a palavra **pontiagudo** escreve-se com **i** (e não com **e**).

pontificado (pon.ti.fi.ca.do) [põtifi'kadu] *n.m.* **1** na Igreja católica, função de pontífice **2** período em que se exerce essa função

pontífice (pon.tí.fi.ce) [põ'tifi(sə)] *n.m.* **1** dignitário eclesiástico; bispo **2** chefe supremo da Igreja Católica; Papa

ponto (pon.to) ['põtu] *n.m.* **1** pequena mancha redonda **2** sinal que se coloca sobre as letras *i* e *j* **3** sinal de pontuação . que indica o fim de um período **4** classificação atribuída a uma pergunta ou prova de uma competição **5** pedaço de linha que fica entre dois furos de agulha, quando se cose **6** no teatro, pessoa que ajuda os atores a dizer os seus textos, quando eles se esquecem ◆ **dois pontos** sinal de pontuação (:) que representa, na escrita, uma pequena pausa da linguagem oral; **em ponto** à hora exata; **ponto cardeal** cada uma das quatro direções correspondentes ao norte, ao sul, ao leste e ao oeste; **ponto de exclamação** sinal gráfico (!) usado no fim de frases que exprimem admiração, alegria, dor, etc.; **ponto de interrogação** sinal gráfico (?) para indicar que a frase é uma pergunta; **ponto de vista** modo particular de encarar um assunto ou um problema; **ponto e vírgula** sinal de pontuação (;) que indica uma pausa mais longa do que a da vírgula e mais breve do que a do ponto; **ponto final** sinal de pontuação (.) que indica o fim de um período; **ponto por ponto** em pormenor; **pôr os pontos nos ii** esclarecer todas as dúvidas

ontuação (pon.tu:a.ção) [põtwɐ'sɐ̃w̃] *n.f.* **1** ato ou efeito de pontuar; classificação **2** colocação dos sinais ortográficos na escrita

ontual (pon.tu:al) [põ'twał] *adj.2g.* **1** que cumpre o horário combinado **2** exato; preciso

ontualidade (pon.tu:a.li.da.de) [põtwɐli'dad(ə)] *n.f.* qualidade das pessoas que cumprem os horários estabelecidos: *Chegaste mesmo a horas. Isso é que é uma pontualidade britânica!*

ontuar (pon.tu:ar) [põ'twar] *v.* **1** num texto, usar sinais de pontuação **2** num jogo ou numa prova, marcar pontos

op ['pɔp] *adj.inv.,n.m.* diz-se do tipo de música com ritmo forte e que usa instrumentos elétricos

opa (po.pa) ['popɐ] *n.f.* parte posterior do navio oposta à proa

pó (po.pó) [pɔ'pɔ] *n.m. infant.* automóvel

pulação (po.pu.la.ção) [pupulɐ'sɐ̃w̃] *n.f.* **1** número de pessoas que habitam uma região ou um país **2** conjunto dos habitantes de uma região ou de um país ◆ **população absoluta** número total de habitantes de uma região; **população ativa** percentagem de pessoas disponíveis para exercerem atividades produtivas numa dada população

populacional (po.pu.la.ci:o.nal) [pupulɐsju'nał] *adj.2g.* relativo a população **SIN.** demográfico

popular (po.pu.lar) [pupu'lar] *adj.2g.* **1** relativo ao povo; próprio do povo **ANT.** impopular **2** que agrada ao povo

popularidade (po.pu.la.ri.da.de) [pupulɐri'dad(ə)] *n.f.* característica do que é conhecido e apreciado por muitas pessoas; fama

popularizar (po.pu.la.ri.zar) [pupulɐri'zar] *v.* dar a conhecer a um grande número de pessoas; divulgar ■ **popularizar-se** tornar-se conhecido e apreciado por muitas pessoas

populoso (po.pu.lo.so) [pupu'lozu] *adj.* que tem muitos habitantes; muito povoado

pop-up [pɔp'ɐp] *n.f.* numa página de Internet ou num programa de computador, janela que se abre automaticamente, em geral com informação extra ou publicidade

póquer (pó.quer) ['pɔkɛr] *n.m.* jogo de cartas para dois ou mais jogadores, em que se fazem apostas, ganhando a pessoa que conseguir a combinação de naipes vencedora

por (por) [pur] *prep.* indicativa de meio ou modo: *Enviei por email.*; b) causa: *Agi por medo.*; c) lugar: *Andei pela praia.*; d) tempo aproximado: *Emprestei o livro por uns dias.*; e) preço: *Comprei umas calças por 20€.*; f) fim: *Trabalhei por dinheiro.*; g) distribuição: *Dividimos a despesa por dez pessoas.* ◆ **cá por mim** pela minha parte; na minha opinião; **por entre** pelo meio de; através de; **um por um** um de cada vez; à vez

pôr (pôr) ['por] *v.* **1** colocar; dispor **2** montar; instalar **3** juntar; incluir **4** vestir (roupa) **5** calçar (sapatos) **6** apresentar (dúvida, problema) **7** denominar; atribuir (nome) **8** preparar (mesa) antes de uma refeição **9** expelir (ovo) do corpo ■ **pôr-se 1** desaparecer no horizonte (o Sol) **2** tornar-se; ficar ◆ **pôr a salvo** tirar do perigo; salvar

> Não confundir **pôr** (colocar em cima) com **meter** (introduzir): *Ele **pôs** a mesa para o almoço. A mãe **meteu** o carro na garagem.*

porão (po.rão) [pu'rɐ̃w̃] *n.m.* parte de um navio ou avião destinada à carga

porca (por.ca) ['pɔrkɐ] *n.f.* **1** fêmea do porco **2** peça de metal ou madeira com um orifício e rosca, onde se mete um parafuso

porcalhão (por.ca.lhão) [purkɐ'ʎɐ̃w̃] *adj.* que é muito sujo; imundo

porção (por.ção) [pur'sɐ̃w̃] *n.f.* parte de alguma coisa **SIN.** bocado; pedaço

porcaria (por.ca.ri.a) [purkɐ'riɐ] *n.f.* **1** acumulação de sujidade; sujeira **2** *coloq.* coisa sem valor ou sem qualidade

porcelana (por.ce.la.na) [pursə'lɐnɐ] *n.f.* objeto de cerâmica fina e frágil

porco (por.co) ['porku] *adj.* sujo; imundo ■ *n.m.* animal doméstico, gordo e rosado, com patas curtas revestidas por cascos ♦ **dormir como um porco** dormir profundamente

porco-espinho (por.co-.es.pi.nho) [porkw(i)ʃ'piɲu] *n.m.* ⟨*pl.* porcos-espinhos⟩ pequeno mamífero roedor, com corpo revestido de picos que se eriçam

pôr-do-sol (pôr-.do-.sol) [pordu'sɔɫ] *a nova grafia é* **pôr do sol**[AO]

pôr do sol (pôr do sol)[AO] [pordu'sɔɫ] *n.m.* ⟨*pl.* pores do sol⟩ momento em que o Sol desaparece no horizonte **SIN.** ocaso; poente

porém (po.rém) [pu'rɐ̃j] *conj.* [exprime contraste] mas; todavia; apesar disso: *Eu não estava lá, porém o meu pai estava.*

pormenor (por.me.nor) [purmə'nɔr] *n.m.* característica particular **SIN.** detalhe ♦ **em pormenor** minuciosamente; detalhadamente; **entrar em pormenores** descrever com todos os detalhes

pormenorizadamente (por.me.no.ri.za.da.men.te) [purmənurizadɐ'mẽt(ə)] *adv.* com todos os pormenores; em detalhe

pormenorizado (por.me.no.ri.za.do) [purmənu ri'zadu] *adj.* descrito com pormenores **SIN.** detalhado

pormenorizar (por.me.no.ri.zar) [purmənuri'zar] *v.* descrever, referindo todas as características particulares

porno (por.no) ['pornu] *adj.2g. coloq.* pornográfico

pornografia (por.no.gra.fi.a) [purnugrɐ'fiɐ] *n.f.* **1** representação de elementos sexuais explícitos ou de situações obscenas em fotografias, revistas, filmes, ou outros suportes, com o objetivo de despertar o desejo sexual **2** indústria de produção de revistas, fotografias, filmes e outros materiais que exploram elementos sexuais explícitos

pornográfico (por.no.grá.fi.co) [purnu'grafiku] *adj.* **1** relativo a pornografia **2** (filme) que apresenta sexo explícito ou situações obscenas, com o objetivo de despertar o desejo sexual **3** indecente; imoral

poro (po.ro) ['pɔru] *n.m.* cada um dos orifícios da pele humana ou de uma superfície (madeira, por exemplo)

poroso (po.ro.so) [pu'rozu] *adj.* **1** que tem muitos poros **2** que deixa passar fluidos; absorvente

porquanto (por.quan.to) [pur'kwɐ̃tu] *conj.* [exprime causa] porque; visto que; uma vez que: *Não se via nada, porquanto estava nevoeiro.*

porque (por.que) ['purk(ə)] *conj.* por causa de; uma vez que; já que: *Eu canto porque estou feliz.* ■ *adv.* qual a razão; por que motivo: *Porque f taste? Não sei porque vieram.*

Não confundir **porque** (por causa de) com **por que** (a razão pela qual): *Molharam-se porque estava a chover. A professora explicou por que faltou.*

porquê (por.quê) [pur'ke] *adv.* por que razã *Chegaste tarde! Porquê?* ■ *n.m.* causa; motivo: *nho de descobrir o porquê de tanto segredo.*

porquinho-da-índia (por.qui.nho-.da-.ín.di [purkiɲudɐ'ĩdjɐ] *n.m.* ⟨*pl.* porquinhos-da-índia⟩ p queno mamífero roedor de corpo robusto e p nas curtas, usado em experiências de laborató

porra (por.ra) ['poʀɐ] *interj. cal.* designativa de ir tação, impaciência ou descontentamento

porrada (por.ra.da) [pu'ʀadɐ] *n.f. cal.* tareia; sova

porreiro (por.rei.ro) [pu'ʀɐjru] *adj. coloq.* ótim excelente

porta (por.ta) ['pɔrtɐ] *n.f.* peça, geralmente reta gular, de madeira ou de outro material, q serve para entrada ou saída de um espaço chado ♦ **à porta fechada** em privado; **de por em porta** de casa em casa; ao domicílio; **es às portas da morte** estar prestes a morrer; **var com a porta na cara** receber uma respo negativa; **pela porta do cavalo** sorrateiramen **por portas travessas** de modo indireto; p meios ilícitos

porta-aviões (por.ta-.a.vi.ões) [pɔrta'vjõjʃ] *n.m.* navio para transporte de aviões

porta-bagagens (por.ta-.ba.ga.gens) [pɔ bɐ'gaʒɐ̃jʃ] *n.m.2n.* prateleira ou espaço onde passageiros de um meio de transporte pode colocar a sua bagagem

porta-bandeira (por.ta-.ban.dei.ra) [pɔ bɐ̃'dɐjrɐ] *n.2g.* pessoa que leva a bandeira dura uma cerimónia

porta-bebés (por.ta-.be.bés) [pɔrtɐbɛ'bɛʃ] *n.m.* espécie de bolsa para transportar um beb usada ao peito, às costas ou a tiracolo

portabilidade (por.ta.bi.li.da.de) [purtɐbili'dad *n.f.* **1** qualidade do que é portável **2** característ de um componente informático que permite u lizá-lo em diferentes tipos de computadores

porta-chaves (por.ta-.cha.ves) [pɔrtɐ'ʃavəʃ] *n.m* estojo ou pequeno objeto com uma argola, p prio para guardar chaves

portada (por.ta.da) [pur'tadɐ] *n.f.* peça desdob vel, colocada do lado de fora ou de dentro uma janela

portador (por.ta.dor) [purtɐ'dor] *n.m.* pessoa q leva alguma coisa a alguém

porta-estandarte (por.ta-.es.tan.dar.te) [pɔrtɐ(i)ʃtɐ̃'dart(ə)] *n.2g.* ⇒ **porta-bandeira**

portagem (por.ta.gem) [pur'taʒɐ̃j] *n.f.* **1** imposto que se paga entrada de algumas cidades, pontes ou estradas **2** lugar onde se cobra esse imposto

portal (por.tal) [pur'taɫ] *n.m.* **1** porta principal de um edifício **2** sítio da internet que permite ao utilizador ter acesso a notícias, informação meteorológica, compras e outros serviços

porta-luvas (por.ta-.lu.vas) [pɔrtɐ'luvɐʃ] *n.m.2n.* pequeno compartimento, geralmente fechado, ao lado do volante de um automóvel, para guardar pequenos objetos ou documentos

porta-moedas (por.ta-.mo:e.das) [pɔrtɐ'mwɛdɐʃ] *n.m.2n.* pequena bolsa para transportar dinheiro

portanto (por.tan.to) [pur'tɐ̃tu] *conj.* [exprime consequência] por conseguinte; logo: *Já estou pronta, portanto não te atrases.*

portão (por.tão) [pur'tɐ̃w̃] *n.m.* porta grande

porta-retratos (por.ta-.re.tra.tos) [pɔrtɐʀə'tratuʃ] *n.m.2n.* moldura para colocar fotografias, com suporte para ficar em pé

porta-revistas (por.ta-.re.vis.tas) [pɔrtɐʀə'viʃtɐʃ] *n.m.2n.* pequeno móvel ou suporte para revistas e jornais

portaria (por.ta.ri.a) [purtɐ'riɐ] *n.f.* **1** átrio ou porta principal de um edifício **2** documento oficial com ordens ou instruções para serem cumpridas

portar-se (por.tar-.se) [pur'tars(ə)] *v.* ter determinado comportamento SIN. comportar-se

portátil (por.tá.til) [pur'tatiɫ] *adj.2g.* que pode ser transportado; que não é fixo ▪ *n.m.* computador pequeno que pode ser transportado com facilidade

porta-voz (por.ta-.voz) [pɔrtɐ'vɔʃ] *n.m.* ⟨*pl.* porta-vozes⟩ pessoa que fala em nome de outra ou em nome de um grupo

porte (por.te) ['pɔrt(ə)] *n.m.* **1** aquilo que é transportado; mercadoria **2** preço do transporte dessa carga; taxa **3** tamanho; estatura

portefólio (por.te.fó.li:o) [pɔrt'fɔlju] *n.m.* **1** pasta utilizada para guardar papéis, desenhos, mapas, etc. **2** dossier de projetos e trabalhos para apresentar numa reunião, entrevista, etc.

porteiro (por.tei.ro) [pur'tɐjru] *n.m.* indivíduo que guarda a portaria de um edifício ♦ **porteiro eletrónico** aparelho que estabelece a comunicação entre o exterior e o interior de um edifício, permitindo controlar a entrada e saída de pessoas

portfólio (port.fó.li:o) [pɔrt'fɔlju] *n.m.* ⇒ **portefólio**

pórtico (pór.ti.co) ['pɔrtiku] *n.m.* átrio cuja abóbada é sustentada por colunas ou pilares na frente de um edifício

portista (por.tis.ta) [pur'tiʃtɐ] *adj.,n 2g.* relativo ao clube desportivo Futebol Clube do Porto ▪ *n.2g.* adepto ou jogador desse clube

porto (por.to) ['portu] *n.m.* **1** local na costa ou num rio onde as embarcações podem ancorar **2** vinho do Porto, produzido na região do Douro (Portugal) ♦ **chegar a bom porto** terminar algo com sucesso

porto-riquenho (por.to-.ri.que.nho) [portuʀi'kɐ(j)ɲu] *adj.* relativo a Porto Rico ▪ *n.m.* ⟨*pl.* porto-riquenhos⟩ pessoa natural de Porto Rico (nas Antilhas)

portuário (por.tu:á.ri:o) [pur'twarju] *adj.* relativo a porto

portucalense (por.tu.ca.len.se) [purtukɐ'lẽ(sə)] *adj.2g.* designativo do condado que está na origem da formação de Portugal

portuense (por.tu:en.se) [pur'twẽ(sə)] *adj.2g.* relativo ao Porto ▪ *n.2g.* pessoa natural do Porto

português (por.tu.guês) [purtu'geʃ] *adj.* relativo a Portugal ▪ *n.m.* **1** pessoa natural de Portugal **2** língua oficial de Portugal, Brasil, Angola, Cabo Verde, Guiné-Bissau, Moçambique, São Tomé e Príncipe e de Timor-Leste, também falada em Macau e Goa

Sendo usada por mais de 200 milhões de falantes, o **português** é a língua oficial de diversos países como Angola, Brasil, Cabo Verde, Guiné-Bissau, Moçambique, Portugal, São tomé e Príncipe e Timor-leste. Estes países formam a CPLP (Comunidade dos Países de Língua Portuguesa), criada em 1996.

porventura **(por.ven.tu.ra)** [purvẽ'turɐ] *adj.* por acaso; talvez

porvir **(por.vir)** [pur'vir] *n.m.* futuro

posar **(po.sar)** [pu'zar] *v.* servir de modelo para um fotógrafo, pintor ou escultor

pós-doutoramento **(pós-.dou.to.ra.men.to)** [pɔʒdo(w)turɐ'mẽtu] *n.m.* curso de especialização realizado numa instituição de pesquisa ou de ensino, depois de concluir o doutoramento

pose **(po.se)** ['pɔz(ə)] *n.f.* posição do corpo **SIN.** atitude; postura

posfácio **(pos.fá.ci:o)** [pɔʃ'fasju] *n.m.* esclarecimento no final de um livro

pós-graduação **(pós-.gra.du:a.ção)** [pɔʒgrɐdwɐ'sɐ̃w̃] *n.f.* grau de ensino que se destina, em geral, a pessoas que já concluíram um curso superior e que pretendem especializar-se numa dada área científica

pós-guerra **(pós-.guer.ra)** [pɔʒ'gɛʀɐ] *n.m.* ⟨*pl.* pós-guerras⟩ período imediatamente a seguir a uma guerra **SIN.** após-guerra

posição **(po.si.ção)** [puzi'sɐ̃w̃] *n.f.* **1** forma como uma pessoa ou coisa está colocada em relação ao espaço; disposição **2** maneira de colocar o corpo; postura **3** função de uma pessoa numa empresa ou numa organização; posto **4** lugar ocupado por uma pessoa no meio social ♦ **marcar posição** fazer valer a sua opinião

posicionamento **(po.si.ci:o.na.men.to)** [puzisjunɐ'mẽtu] *n.m.* **1** ato de colocar em determinada posição **2** adoção de um ponto de vista

posicionar **(po.si.ci:o.nar)** [puzisju'nar] *v.* colocar em determinada posição ▪ **posicionar-se** tomar determinada posição

positivismo **(po.si.ti.vis.mo)** [puziti'viʒmu] *n.m.* sistema que defende o conhecimento baseado em factos e dados da experiência sobre as especulações metafísicas ou teológicas

positivista **(po.si.ti.vis.ta)** [puziti'viʃtɐ] *adj.2g.* relativo ao positivismo ▪ *n.2g.* pessoa defensora do positivismo

positivo **(po.si.ti.vo)** [puzi'tivu] *adj.* **1** que diz sim; afirmativo **2** que não admite dúvida; certo **3** confiante; otimista **4** diz-se de um número maior que zero

pós-laboral **(pós-.la.bo.ral)** [pɔʒlɐbu'raɫ] *adj.2g.* ⟨*pl.* pós-laborais⟩ que ocorre depois do horário de trabalho

pós-modernismo **(pós-.mo.der.nis.mo)** [pɔʒmudər'niʒmu] *n.m.* ⟨*pl.* pós-modernismos⟩ corrente estética surgida na segunda metade do século XX, nos Estados Unidos da América, como forma de reação contra o racionalismo e o esgotamento dos modelos vanguardistas

pós-moderno **(pós-.mo.der.no)** [pɔʒmu'dɛrn *adj.* ⟨*pl.* pós-modernos⟩ relativo ao pós-modernism

pós-nupcial **(pós-.nup.ci:al)** [pɔʒnu'psjaɫ] *adj.2* ⟨*pl.* pós-nupciais⟩ que se realiza ou tem efeito l gal após o casamento

posologia **(po.so.lo.gi.a)** [puzulu'ʒiɐ] *n.f.* indic ção da dose adequada de um medicamento

pós-operatório **(pós-.o.pe.ra.tó.ri:o)** [pɔzɔ rɐ'tɔrju] *adj.* relativo ao período posterior a um cirurgia ▪ *n.m.* ⟨*pl.* pós-operatórios⟩ conjunto d exames e procedimentos posteriores a uma i tervenção cirúrgica

pós-parto **(pós-.par.to)** [pɔʒ'partu] *adj.inv.,n.m.* ⟨ pós-partos⟩ diz-se de ou período que se segue a parto

possante **(pos.san.te)** [pu'sɐ̃t(ə)] *adj.2g.* **1** robus **2** poderoso

posse **(pos.se)** ['pɔ(sə)] *n.f.* facto de possuir a guma coisa ▪ **posses** *n.f.pl.* riqueza; bens

possessão **(pos.ses.são)** [pusə'sɐ̃w̃] *n.f.* domíni posse

possessivo **(pos.ses.si.vo)** [pusə'sivu] *adj.* **1** rela tivo a posse **2** diz-se do determinante ou do pro nome que indica posse **3** diz-se da pesso egoísta, que quer tudo para si

possesso **(pos.ses.so)** [pu'sɛsu] *adj.* **1** que pens estar dominado pelo demónio **2** que está furioso irado

possibilidade **(pos.si.bi.li.da.de)** [pusibili'dad(ə *n.f.* **1** qualidade do que é possível **ANT.** imposs bilidade **2** oportunidade

possibilitar **(pos.si.bi.li.tar)** [pusibili'tar] *v.* torna possível

possível **(pos.sí.vel)** [pu'sivɛɫ] *adj.2g.* que pod existir ou ser feito **ANT.** impossível ▪ *n.m.* aquil que pode existir ou ser feito ♦ **é possível que** admissível que; pode ser que; **fazer os possi veis** esforçar-se ao máximo

possivelmente **(pos.si.vel.men.te)** [pusivɛɫ'mẽt(ə) *adv.* provavelmente; talvez

possuído **(pos.su:í.do)** [pu'swidu] *adj.* dominad por força oculta

possuidor **(pos.su:i.dor)** [puswi'dor] *n.m.* aquel que possui algo; dono

possuir **(pos.su:ir)** [pu'swir] *v.* **1** ter a posse d **2** ter em si

post ['pɔst] *n.m.* mensagem que se coloca onlin num grupo de discussão, num blogue

posta **(pos.ta)** ['pɔʃtɐ] *n.f.* pedaço de carne o peixe; fatia ♦ *coloq.* **arrotar postas de pescad** gabar-se sem motivo para tal; vangloriar-se; **pô em postas** fazer em pedaços; despedaçar

›stal (pos.tal) [puʃ'taɫ] *adj.2g.* relativo ao correio *n.m.* cartão com uma ilustração num dos lados · espaço para escrever no outro; bilhete-postal

›star (pos.tar) [puʃ'tar] *v.* **1** colocar (mensagem) ›um grupo de discussão ou num blogue **2** [BRAS.] ›ôr no correio (correspondência)

›ste (pos.te) ['pɔʃt(ə)] *n.m.* pau fixado no solo na ›ertical

›ster ['pɔʃtɛr] *n.m.* ⟨*pl.* posters⟩ **1** cartaz impresso, ›ecorativo ou publicitário **2** fotografia com o ta›nanho de um cartaz

›steridade (pos.te.ri.da.de) [puʃtəri'dad(ə)] *n.f.* › tempo futuro **2** gerações futuras **3** imortalidade

›sterior (pos.te.ri:or) [puʃtə'rjor] *adj.* **1** que ›contece depois **ANT.** anterior **2** situado atrás

›steriormente (pos.te.ri:or.men.te) [puʃtər ›r'mẽt(ə)] *adv.* depois

›stiço (pos.ti.ço) [puʃ'tisu] *adj.* artificial; falso

›stigo (pos.ti.go) [puʃ'tigu] *n.m.* pequena aber›ura numa porta ou numa parede, geralmente ›ara atendimento ao público; guiché

›st-it [poʃ'tit(ə)] *n.m.* pequeno papel com uma ›arte adesiva, usado para recados ou notas

›st meridiem [pɔstmɛri'djɛm] *loc.* depois do ›neio-dia

›st mortem [pɔst'mɔrtɛm] *loc.* após a morte

›sto (pos.to) ['poʃtu] *adj.* **1** colocado em deter›minado lugar **2** dito; afirmado ■ *n.m.* **1** emprego; ›argo **2** posição na hierarquia militar ♦ **estar a ›postos** estar pronto para; estar atento a; **posto ›que** se bem que **SIN.** embora

›s-tónico (pós-.tó.ni.co) [pɔʃ'tɔniku] *adj.* (vogal, ›ílaba) que está depois da vogal ou da sílaba tó›nica de uma palavra

›st scriptum [pɔst'skriptum] *n.m.* aquilo que se ›screve ou se acrescenta no final de uma carta, ›depois da assinatura

›stulado (pos.tu.la.do) [puʃtu'ladu] *n.m.* **1** prin›cípio que é tido como verdadeiro, sem necessi›dade de demonstração **2** ponto de partida de um ›aciocínio ou de uma argumentação; premissa

›stumo (pós.tu.mo) ['pɔʃtumu] *adj.* que acon›tece depois da morte de alguém

›stura (pos.tu.ra) [puʃ'turɐ] *n.f.* **1** ato ou efeito ›de pôr ovos **2** posição do corpo **3** comporta›mento; atitude

›s-venda (pós-.ven.da) [pɔʒ'vẽdɐ] *adj.inv.* rela›tivo ao período que se segue à compra de um ›bem ou serviço ■ *n.m.* período que se segue à ›compra de um bem ou serviço, durante o qual é ›garantida assistência técnica pelo fornecedor ou ›pelo vendedor

›ota (po.ta) ['pɔtɐ] *n.f.* molusco de corpo alongado ›e com pequenos tentáculos

potássio (po.tás.si:o) [pu'tasju] *n.m.* metal alcalino cujos sais são utilizados como adubos

potável (po.tá.vel) [pu'tavɛɫ] *adj.2g.* diz-se da água que se pode beber

pote (po.te) ['pɔt(ə)] *n.m.* **1** grande recipiente de barro para líquidos **2** *coloq.* bacio ♦ *coloq.* **a potes** em grande quantidade; em abundância

potência (po.tên.ci:a) [pu'tẽsjɐ] *n.f.* **1** capacidade de mover algo; força **2** país com um grande poder económico e militar ♦ **em potência** diz-se daquilo que tem possibilidade de vir a ser real, mas que para já é apenas uma possibilidade

potencial (po.ten.ci:al) [putẽ'sjaɫ] *adj.2g.* que existe como possibilidade; que ainda não é real, mas que pode vir a ser ■ *n.m.* **1** força ou capacidade de alguém para atingir um objetivo **2** conjunto de qualidades inatas de uma pessoa

potencialidade (po.ten.ci:a.li.da.de) [putẽsjɐli'dad(ə)] *n.f.* possibilidade

potenciar (po.ten.ci:ar) [putẽ'sjar] *v.* **1** elevar um número a um expoente **2** intensificar; reforçar

potente (po.ten.te) [pu'tẽt(ə)] *adj.2g.* forte; vigoroso

potro (po.tro) ['potru] *n.m.* cavalo jovem, com menos de um ano de idade

pouca-vergonha (pou.ca-.ver.go.nha) [po(w)kɐ vər'goɲɐ] *n.f.* ⟨*pl.* poucas-vergonhas⟩ *coloq.* ato indecente; descaramento

pouco (pou.co) ['po(w)ku] *det.,prn.indef.* em pequena quantidade; em pequeno número: *Teve pouco tempo para acabar o projeto.; Contenta-se com pouco.;* **ANT.** muito ■ *adv.* não muito: *Tenho pouco que fazer.* ■ *n.m.* **1** pequena quantidade: *É preciso saber um pouco de tudo.* **2** pequeno período de tempo: *Espera um pouco!* ♦ **a pouco e pouco** gradualmente; **fazer pouco de** troçar de; **há pouco** ainda agora; **por um pouco** quase

poucochinho (pou.co.chi.nho) [po(w)ku'ʃiɲu] ⟨*dim. de* pouco⟩ *n.m.* **1** muito pouco **2** pedaço pequeno

poupa (pou.pa) ['po(w)pɐ] *n.f.* **1** tufo de penas existente na cabeça de algumas aves **2** saliência do penteado, que lembra um tufo de penas

poupado (pou.pa.do) [po(w)'padu] *adj.* **1** que gasta dinheiro com moderação **2** que não foi atingido por (algo negativo e com consequências más)

poupança (pou.pan.ça) [po(w)'pɐ̃sɐ] *n.f.* moderação das despesas **SIN.** economia

poupar (pou.par) [po(w)'par] *v.* **1** juntar dinheiro **2** gastar (dinheiro) com moderação **SIN.** economizar **3** evitar; reduzir (energia, esforço) **4** deixar escapar (ocasião, oportunidade) ■ **poupar-se 1** ⟨**+de**⟩ proteger-se de (esforço, incómodo) **2** ⟨**+a**⟩ esquivar-se a (coisa desagradável)

pouquinho (pou.qui.nho) [po(w)'kiɲu] ⟨*dim. de* pouco⟩ *n.m.* quantidade muito pequena; pequena parte ■ *adv.* muito pouco

pouquíssimo (pou.quís.si.mo) [po(w)'kisimu] ⟨*superl. de* pouco⟩ *adj.* muito pouco; quase nada

pousada (pou.sa.da) [po(w)'zadɐ] *n.f.* casa que recebe hóspedes; hospedaria **SIN.** albergue; hospedaria; pensão ♦ **pousada de juventude** estalagem para jovens com camaratas e quartos individuais a preços reduzidos

pousar (pou.sar) [po(w)'zar] *v.* **1** colocar no chão ou noutro lugar **2** fixar (o olhar) **3** aterrar (avião)

pousio (pou.si.o) [po(w)'ziu] *n.m.* período, geralmente de um ano, em que as terras não são semeadas, para repousarem

pouso (pou.so) ['po(w)zu] *n.m.* **1** lugar onde uma ave descansa do voo **2** lugar onde alguém repousa temporariamente; refúgio

povo (po.vo) ['povu] *n.m.* conjunto dos habitantes de um país, região, cidade ou vila

povoação (po.vo:a.ção) [puvwɐ'sɐ̃w̃] *n.f.* **1** ato ou efeito de povoar **2** lugar povoado

povoado (po.vo:a.do) [pu'vwadu] *adj.* **1** em que existem habitantes; habitado **2** cheio de gente; concorrido ■ *n.m.* pequena aglomeração de casas habitadas; povoação

povoar (po.vo:ar) [pu'vwar] *v.* **1** ocupar com habitantes; tornar habitado **2** ⟨**+de**⟩ encher

pp. *abreviatura de* páginas

p.p. *abreviatura de* próximo passado ■ *abreviatura de* pronto pagamento ■ *abreviatura de* por procuração

praça (pra.ça) ['prasɐ] *n.f.* **1** lugar público e amplo, rodeado de edifícios **2** mercado; feira **3** leilão; hasta pública ■ *n.2g.* militar com a categoria de graduação mais baixa das forças armadas ♦ **praça de alimentação** área, num centro comercial, reservada a todo o tipo de estabelecimentos de restauração com um grande número de lugares sentados; **praça de táxis** zona de estacionamento de táxis

praça-forte (pra.ça-.for.te) [prasɐ'fɔrt(ə)] *n.f.* ⟨*pl.* praças-fortes⟩ cidade ou povoação fortificada, construída num ponto estratégico

praceta (pra.ce.ta) [prɐ'setɐ] *n.f.* praça pequena

pradaria (pra.da.ri.a) [prɐdɐ'riɐ] *n.f.* grande extensão de terreno plano **SIN.** planície

prado (pra.do) ['pradu] *n.m.* campo coberto de erva e plantas silvestres

praga (pra.ga) ['pragɐ] *n.f.* **1** conjunto de insetos ou doenças que atacam plantas e animais **2** desejo de que algo de mau aconteça a alguém; maldição **3** grande desgraça; calamidade **4** grande quantidade de pessoas ou coisas que incomodam ♦ **rogar uma praga (a alguém)** lançar u maldição (a alguém); desejar mal (a alguém)

pragmática (prag.má.ti.ca) [prɐ'gmatikɐ] 1 conjunto de regras ou fórmulas que regul os atos e cerimónias oficiais; regras de etique protocolo **2** conjunto de considerações prátic sobre alguma coisa **3** disciplina que estuda as lações existentes entre os signos e os sujeitos lantes, no sentido de descrever o uso que es fazem da língua nas mais diversas situações comunicação

pragmático (prag.má.ti.co) [prɐ'gmatiku] *adj.* r lista; objetivo

praguejar (pra.gue.jar) [prɐgə'ʒar] *v.* dizer ou gar pragas; amaldiçoar

praia (prai.a) ['prajɐ] *n.f.* **1** faixa de terra cobe de areia que fica junto ao mar **2** margem de ou lago, coberta de areia, onde se pode tom banho ♦ **fazer praia** ir muitas vezes à praia, bretudo durante o verão; **praia fluvial** marge de um rio coberta de areia

praia-mar (prai.a-.mar) [prajɐ'mar] *n.f.* ⟨*pl.* pra -mares⟩ ⇒ **preia-mar**

pralinê (pra.li.nê) [prali'ne] *n.m.* preparação à ba de amêndoas e açúcar em caramelo que dep de endurecida é reduzida a pó

prancha (pran.cha) ['prɐ̃ʃɐ] *n.f.* **1** peça de made longa e estreita **2** plataforma de onde se po saltar para a água **3** conjunto das várias tir que compõem uma página de banda desenha **4** 👁 peça feita de um bloco permeável revesti de fibra de vidro, para a prática de desport aquáticos

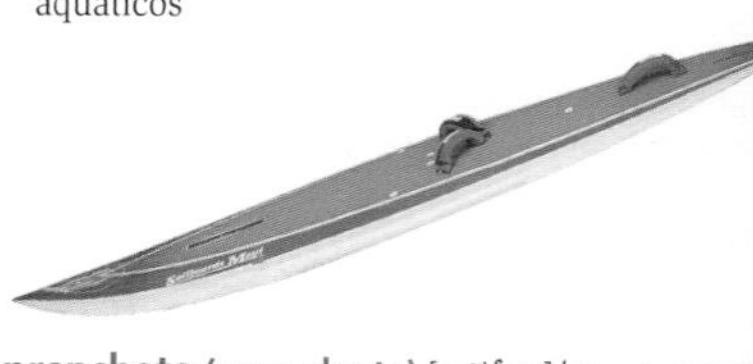

prancheta (pran.che.ta) [prɐ̃'ʃetɐ] ⟨*dim. de* pranch *n.f.* **1** prancha pequena ou estreita **2** mesa pr pria para desenhar

pranto (pran.to) ['prɐ̃tu] *n.m.* choro

prata (pra.ta) ['pratɐ] *n.f.* metal branco usado e joalharia

pratada (pra.ta.da) [prɐ'tadɐ] *n.f.* **1** quantida que um prato pode conter **2** prato complet mente cheio de comida

pratalhada (pra.ta.lha.da) [prɐtɐ'ʎadɐ] *n.f.* **1** co junto de objetos de prata **2** prato cheio; pratad

prataria (pra.ta.ri.a) [prɐtɐ'riɐ] *n.f.* conjunto objetos de prata

prateado (pra.te:a.do) [prɐ'tjadu] *adj.* **1** coberto com uma camada de prata **2** que é da cor da prata

pratear (pra.te:ar) [prɐ'tjar] *v.* **1** cobrir com uma camada de prata **2** pintar com a cor da prata

prateleira (pra.te.lei.ra) [prɐtə'lɐjrɐ] *n.f.* **1** divisão de armário ou estante **2** tábua horizontal fixa a uma parede, onde se colocam livros, louça, etc. ◆ **estar/ficar na prateleira** estar esquecido; ser ignorado; **pôr na prateleira** pôr de lado; desprezar

prática (prá.ti.ca) ['pratikɐ] *n.f.* **1** maneira de exercer uma atividade **2** forma habitual de agir; costume ◆ **na prática** na realidade; de facto; **pôr em prática** realizar; executar; **ter prática** ter experiência; ser perito

praticamente (pra.ti.ca.men.te) [pratikɐ'mẽt(ə)] *adv.* **1** de modo prático, concreto **2** aproximadamente; quase

praticante (pra.ti.can.te) [prɐti'kɐ̃t(ə)] *n.2g.* **1** pessoa que faz ou pratica algo; autor **2** pessoa que pratica (uma atividade, um desporto, uma religião)

praticar (pra.ti.car) [prɐti'kar] *v.* **1** fazer; realizar **2** exercer (uma atividade) com regularidade; exercitar

praticável (pra.ti.cá.vel) [prɐti'kavɛɫ] *adj.2g.* que se pode pôr em prática **SIN.** realizável

prático (prá.ti.co) ['pratiku] *adj.* **1** que é fácil de usar; funcional **2** que tem prática; experiente **3** que diz respeito às coisas materiais

prato (pra.to) ['pratu] *n.m.* **1** recipiente individual, geralmente circular, em que se come **2** conteúdo desse recipiente, que geralmente constitui uma refeição ■ **pratos** *n.m.pl.* instrumento musical de percussão, formado de duas peças circulares de metal ◆ **pôr em pratos limpos** esclarecer (alguma coisa)

praxar (pra.xar) [prɐ'ʃar] *v. gír.* integrar (estudantes do primeiro ano de um curso superior) através de atividades que lhes permitem conhecer o meio académico e novos colegas

praxe (pra.xe) ['praʃ(ə)] *n.f.* **1** aquilo que se faz habitualmente; costume **2** conjunto de regras de convivência em sociedade; etiqueta ◆ **praxe académica** conjunto de tradições, costumes e convenções próprios dos estudantes de instituições do ensino superior; **ser de praxe** ser a norma ou o procedimento mais correto

prazer (pra.zer) [prɐ'zer] *n.m.* **1** sensação muito agradável; alegria; satisfação **2** divertimento; distração

prazo (pra.zo) ['prazu] *n.m.* tempo determinado para a realização de uma coisa ◆ **a curto prazo** dentro de pouco tempo; brevemente; **a longo prazo** num tempo distante; dentro de muito tempo; **a prazo** em prestações; a crédito

preâmbulo (pre.âm.bu.lo) [pri'ɐ̃bulu] *n.m.* ⇒ **prólogo**

pré-aviso (pré-.a.vi.so) [prɛɐ'vizu] *n.m.* ⟨*pl.* pré-avisos⟩ aviso que se faz antes de uma coisa acontecer

pré-campanha (pré-.cam.pa.nha) [prɛkɐ̃'pɐɲɐ] *n.f.* período que antecede uma campanha eleitoral

precário (pre.cá.ri:o) [prə'karju] *adj.* **1** instável; incerto **2** frágil; delicado

preçário (pre.çá.ri:o) [prə'sarju] *n.m.* lista de preços

precaução (pre.cau.ção) [prəkaw'sɐ̃w̃] *n.f.* cautela; prevenção ◆ **à/por precaução** como medida de precaução; à cautela

precaver(-se) (pre.ca.ver(-se)) [prəkɐ'ver(sə)] *v.* ⟨**+contra**⟩ prevenir-se contra (algo negativo) **SIN.** acautelar(-se)

precavido (pre.ca.vi.do) [prəkɐ'vidu] *adj.* prevenido; prudente

prece (pre.ce) ['prɛ(sə)] *n.f.* **1** oração **2** súplica

precedência (pre.ce.dên.ci:a) [prəsə'dẽsjɐ] *n.f.* **1** situação do que vem antes **2** preferência; primazia

precedente (pre.ce.den.te) [prəsə'dẽt(ə)] *adj.2g.* anterior; antecedente ◆ **sem precedentes** único; inédito; nunca visto

preceder (pre.ce.der) [prəsə'der] *v.* ir ou estar na frente de; chegar ou acontecer antes **SIN.** anteceder

preceito (pre.cei.to) [prə'sɐjtu] *n.m.* regra; norma ◆ **a preceito** como deve ser; corretamente

preciosidade (pre.ci:o.si.da.de) [prəsjuzi'dad(ə)] *n.f.* **1** qualidade do que é precioso **2** objeto de grande valor; joia **3** virtude; qualidade

preciosismo (pre.ci:o.sis.mo) [prəsju'ziʒmu] *n.m.* *pej.* falta de naturalidade; afetação

precioso (pre.ci:o.so) [prə'sjozu] *adj.* **1** rico **2** valioso **3** raro

precipício (pre.ci.pí.ci:o) [prəsi'pisju] *n.m.* buraco profundo numa rocha; abismo

precipitação (pre.ci.pi.ta.ção) [prəsipitɐ'sɐ̃w̃] *n.f.* **1** pressa demasiada **2** falta de reflexão **3** quantidade de chuva, neve, granizo, etc. depositada no solo

precipitadamente (pre.ci.pi.ta.da.men.te) [prəsipitadɐ'mẽt(ə)] *adv.* **1** com pressa **2** sem pensar

precipitado (pre.ci.pi.ta.do) [prəsipi'tadu] *adj.* feito com precipitação **SIN.** imprudente; irrefletido

precipitar (pre.ci.pi.tar) [prəsipi'tar] *v.* **1** lançar de cima para baixo **2** apressar; antecipar **3** atirar-se contra ▪ **precipitar-se** agir sem pensar

precisamente (pre.ci.sa.men.te) [prəsizɐ'mẽt(ə)] *adv.* **1** com rigor **2** exatamente

precisão (pre.ci.são) [prəsi'zɐ̃w̃] *n.f.* rigor absoluto ou total; exatidão ANT. imprecisão

precisar (pre.ci.sar) [prəsi'zar] *v.* **1** ⟨+de⟩ ter necessidade de; necessitar: *Preciso de mais tempo.* **2** ⟨+de⟩ calcular ou indicar de modo preciso: *precisar uma fatura*

preciso (pre.ci.so) [prə'sizu] *adj.* rigoroso; exato ANT. impreciso

preço (pre.ço) ['presu] *n.m.* quantidade de dinheiro que é preciso pagar por um objeto ou um serviço; custo ♦ **ao preço da chuva** por um preço muito baixo; **a qualquer preço** custe o que custar; **não ter preço** não haver dinheiro que possa pagar; ter muito valor; **preço fixo** preço que não pode ser alterado

precoce (pre.co.ce) [prə'kɔ(sə)] *adj.* **1** que amadurece antes do tempo normal **2** que acontece antes do momento próprio; prematuro

preconceber (pre.con.ce.ber) [prəkõsə'ber] *v.* **1** conceber de antemão SIN. premeditar **2** imaginar com antecipação SIN. supor

preconcebido (pre.con.ce.bi.do) [prəkõsə'bidu] *adj.* **1** planeado antes **2** elaborado sem fundamento

preconceito (pre.con.cei.to) [prəkõ'sɐjtu] *n.m.* **1** opinião negativa que se tem sobre algo ou sobre alguém sem uma razão objetiva **2** sentimento de má vontade ou desprezo por algo ou alguém que nem se conhece bem; intolerância

preconceituoso (pre.con.cei.tu:o.so) [prəkõsɐj'twozu] *adj.* que tem preconceito(s) em relação a algo ou a alguém; intolerante

preconizar (pre.co.ni.zar) [prəkuni'zar] *v.* **1** recomendar; aconselhar **2** louvar; elogiar

pré-cozinhado (pré-.co.zi.nha.do) [prɛkuzi'ɲadu] *adj.* (alimento) que se cozinhou ou preparou previamente para consumo

precursor (pre.cur.sor) [prəkur'sor] *adj.,n.m.* **1** que ou aquele que abre caminho; que ou aquele que vai à frente **2** que ou aquele que anuncia ou prepara algo

predador (pre.da.dor) [prədɐ'dor] *n.m.* animal que caça outros animais para obter alimento

pré-datado (pré-.da.ta.do) [prɛdɐ'tadu] *adj.* ⟨*pl.* pré-datados⟩ (cheque) emitido para ser pago numa data futura

predecessor (pre.de.ces.sor) [prədəsə'sor] *n.m.* pessoa que precede (no tempo) outra pessoa SIN. antecessor

predestinação (pre.des.ti.na.ção) [prədəʃtinɐ'sɐ̃w̃] *n.f.* ato de decidir como será o destino de alguém antes de ele acontecer

predestinado (pre.des.ti.na.do) [prədəʃti'nadu] *adj.* **1** eleito por Deus ou por uma divindade **2** que está reservado para um destino excecional

predestinar (pre.des.ti.nar) [prədəʃti'nar] *v.* definir antecipadamente o destino de alguém; escolher

predial (pre.di:al) [prə'djał] *adj.2g.* relativo a prédio ou casa

predicado (pre.di.ca.do) [prədi'kadu] *n.m.* **1** qualidade particular de uma pessoa, coisa ou animal; característica **2** função sintática desempenhada pelo grupo verbal e pelos seus modificadores

predicativo (pre.di.ca.ti.vo) [prədikɐ'tivu] *adj.* **1** relativo ao predicado **2** diz-se do verbo que estabelece a ligação entre o sujeito e o predicativo do sujeito SIN. copulativo ♦ **predicativo do sujeito** palavra ou a expressão que estabelece uma relação de sentido com o sujeito

predileção (pre.di.le.ção)[AO] [prədilɛ'sɐ̃w̃] *n.f.* preferência

predilecção (pre.di.lec.ção) [prədilɛ'sɐ̃w̃] *a nova grafia é* **predileção**[AO]

predilecto (pre.di.lec.to) [prədi'lɛtu] *a nova grafia* **predileto**[AO]

predileto (pre.di.le.to)[AO] [prədi'lɛtu] *adj.* preferido; favorito

prédio (pré.di:o) ['prɛdju] *n.m.* edifício

predispor (pre.dis.por) [prədiʃ'por] *v.* **1** dispor antes; preparar **2** ⟨+a⟩ preparar-se para

predisposição (pre.dis.po.si.ção) [prədiʃpuzi'sɐ̃w̃] *n.f.* disposição ou tendência natural SIN. propensão

predisposto (pre.dis.pos.to) [prədiʃ'poʃtu] *adj.* preparado; pronto

predizer (pre.di.zer) [prədi'zer] *v.* dizer com antecedência o que vai acontecer

predominante (pre.do.mi.nan.te) [prədumi'nɐ̃t(ə)] *adj.2g.* superior em quantidade ou intensidade SIN. preponderante; prevalecente

predominar (pre.do.mi.nar) [prədumi'nar] *v.* **1** ter mais influência ou importância **2** ser em maior quantidade ou intensidade

predomínio (pre.do.mí.ni:o) [prədu'minju] *n.m.* **1** domínio sobre algo **2** facto de estar em maior quantidade ou em maior número; preponderância

preencher (pre:en.cher) [prjẽ'ʃer] *v.* **1** encher completamente **2** completar algo

preenchimento (pre:en.chi.men.to) [prjẽʃi'mẽtu] *n.m.* ato ou efeito de preencher

pré-escolar (pré-.es.co.lar) [prɛ(i)ʃ'kular] *adj.2g.* que é anterior à idade ou ao período escolar *n.m.* nível de educação destinado às crianças entre os 3 anos e a idade de entrada no 1.º ciclo do ensino básico

preestabelecer **(pre.es.ta.be.le.cer)** [prɛ(i)ʃtɐbələ'ser] *v.* estabelecer previamente

preestabelecido **(pre.es.ta.be.le.ci.do)** [prɛ(i)ʃtɐbələ'sidu] *adj.* que se estabeleceu previamente

preexistente **(pre.e.xis.ten.te)** [prɛiziʃ'tẽt(ə)] *adj.2g.* que existe (ou existiu) antes de outra coisa **SIN.** anterior

pré-fabricado **(pré-.fa.bri.ca.do)** [prɛfɐbri'kadu] *adj.* montado com peças ou partes construídas antes

prefaciador **(pre.fa.ci:a.dor)** [prəfɐsjɐ'dor] *n.m.* aquele que escreve um prefácio

prefácio **(pre.fá.ci:o)** [prə'fasju] *n.m.* texto breve, no início de um livro, que explica algo sobre o livro ou sobre o seu autor **SIN.** preâmbulo; prólogo

prefeito **(pre.fei.to)** [prə'fɐjtu] *n.m.* **1** no Brasil, chefe do poder executivo de um município **2** alto cargo eclesiástico no Vaticano **3** em França, governador de um departamento

prefeitura **(pre.fei.tu.ra)** [prəfɐj'turɐ] *n.f.* **1** cargo do prefeito **2** duração desse cargo **3** conjunto dos serviços de administração do prefeito departamental, em França **4** local onde estão instalados esses serviços **5** conjunto dos prefeitos **6** grupo de alunos de um seminário **7** cada uma das grandes divisões do Império Romano estabelecidas por Constantino **8** [BRAS.] edifício onde funcionam os órgãos da administração municipal ♦ **prefeitura apostólica** circunscrição eclesiástica que é o primeiro estádio da organização da hierarquia eclesiástica de um território

preferência **(pre.fe.rên.ci:a)** [prəfə'rẽsjɐ] *n.f.* **1** predileção **2** prioridade ♦ **de preferência** antes de tudo; se possível

preferencialmente **(pre.fe.ren.ci:al.men.te)** [prəfərẽsjaɫ'mẽt(ə)] *adv.* de preferência; por escolha pessoal

preferir **(pre.fe.rir)** [prəfə'rir] *v.* **1** ⟨+a⟩ ter preferência por; gostar mais de: *Prefiro ir ao cinema a ler um livro.* **2** escolher; optar por

preferível **(pre.fe.rí.vel)** [prəfə'rivɛɫ] *adj.2g.* que deve ser preferido; melhor

prefixação **(pre.fi.xa.ção)** [prəfiksɐ'sɐ̃w̃] *n.f.* formação de palavras por meio de prefixos

prefixo **(pre.fi.xo)** [prə'fiksu] *n.m.* elemento que se coloca no início de uma forma de base para formar uma nova palavra: *desmontar, infeliz, hipermercado, contracapa, super-homem*

prega **(pre.ga)** ['prɛgɐ] *n.f.* dobra; ruga

pregado **(pre.ga.do)** [prə'gadu] *adj.* preso (a alguma coisa)

pregador **(pre.ga.dor)** [prəgɐ'dor] *n.m.* indivíduo que prega ou que faz sermões

pregão **(pre.gão)** [prə'gɐ̃w̃] *n.m.* anúncio de produtos ou serviços feito em voz alta por vendedores ambulantes

pregar **(pre.gar)**[1] [prɛ'gar] *v.* fazer um discurso ou um sermão

pregar **(pre.gar)**[2] [prə'gar] *v.* fixar com prego(s); cravar ♦ **pregar uma partida** fazer uma brincadeira a alguém por divertimento

prego **(pre.go)** ['prɛgu] *n.m.* **1** haste metálica fina, aguçada num dos extremos e com cabeça no outro, que serve para fixar um objeto **2** *coloq.* bife grelhado que se come dentro do pão ♦ **nadar como um prego** não saber nadar; nadar bastante mal; **pôr no prego** empenhar

preguiça **(pre.gui.ça)** [prə'gisɐ] *n.f.* **1** falta de vontade de agir ou de trabalhar; indolência **2** mamífero desdentado com pelo longo e denso e garras longas e fortes, que se desloca muito devagar

preguiçar **(pre.gui.çar)** [prəgi'sar] *v.* **1** dar-se à preguiça **2** não fazer nada; mandriar

preguiceira **(pre.gui.cei.ra)** [prəgi'sɐjrɐ] *n.f.* **1** *coloq.* preguiça muito forte **2** cadeira articulada e comprida, com espaço para estender as pernas; espreguiçadeira

preguiçoso **(pre.gui.ço.so)** [prəgi'sozu] *adj.* que tem preguiça; indolente **ANT.** trabalhador

pré-história **(pré-.his.tó.ri:a)** [prɛ(i)ʃ'tɔrjɐ] *n.f.* ⟨*pl.* pré-histórias⟩ período da história da humanidade que vai até ao aparecimento de utensílios de metal e à invenção da escrita

pré-histórico **(pré-.his.tó.ri.co)** [prɛ(i)ʃ'tɔriku] *adj.* relativo à pré-história

preia-mar **(prei.a-.mar)** [prɐjɐ'mar] *n.f.* ⟨*pl.* preia-mares⟩ nível mais alto a que sobe a maré **SIN.** maré-cheia

pré-inscrição **(pré-.ins.cri.ção)** [prɛĩʃkri'sɐ̃w̃] *n.f.* inscrição provisória numa lista ou num serviço

prejudicado **(pre.ju.di.ca.do)** [prəʒudi'kadu] *adj.* **1** que sofreu prejuízo; lesado **2** avariado; danificado

prejudicar **(pre.ju.di.car)** [prəʒudi'kar] *v.* **1** causar prejuízo ou dano; lesar **2** avariar; danificar ■ **prejudicar-se** sofrer prejuízo ou dano

prejudicial **(pre.ju.di.ci:al)** [prəʒudi'sjaɫ] *adj.2g.* que causa prejuízo **SIN.** nocivo

prejuízo **(pre.ju.í.zo)** [prəʒu'izu] *n.m.* **1** dano **2** perda

prelado **(pre.la.do)** [prə'ladu] *n.m.* título honorífico de certos dignitários da Igreja

pré-lançamento **(pré-.lan.ça.men.to)** [prɛlɐ̃sɐ'mẽtu] *n.m.* sessão de apresentação de um livro, filme, produto, projeto, etc., destinada a um número restrito de pessoas, que ocorre antes do lançamento comercial

pré-lavado **(pré-.la.va.do)** [prɛlɐ'vadu] *adj.* **1** que foi previamente lavado **2** que foi tratado com o objetivo de libertar impurezas

preliminar **(pre.li.mi.nar)** [prəlimi'nar] *adj.2g.* que antecede o principal **SIN.** prévio

prelúdio **(pre.lú.di:o)** [prə'ludju] *n.m.* **1** aquilo que precede ou anuncia alguma coisa; introdução **2** peça musical tocada antes da execução de uma obra

prematuro **(pre.ma.tu.ro)** [prəmɐ'turu] *adj.* que acontece antes do momento próprio **SIN.** antecipado; precoce

premeditado **(pre.me.di.ta.do)** [prəmədi'tadu] *adj.* planeado com antecedência; deliberado

premeditar **(pre.me.di.tar)** [prəmədi'tar] *v.* decidir com antecedência **SIN.** arquitetar; planear

premente **(pre.men.te)** [prə'mẽt(ə)] *adj.2g.* urgente

premer **(pre.mer)** [prə'mer] *v.* ⇒ **premir**

premiado **(pre.mi:a.do)** [prə'mjadu] *n.m.* pessoa que recebeu um prémio

premiar **(pre.mi:ar)** [prə'mjar] *v.* ⟨**+com**, **+por**⟩ dar um prémio a **SIN.** galardoar; recompensar

prémio **(pré.mi:o)** ['prɛmju] *n.m.* **1** título e distinção atribuídos ao vencedor ou aos melhores classificados num concurso ou numa competição **2** retribuição em dinheiro por um serviço prestado; recompensa ◆ **prémio de consolação** prémio de valor simbólico que é dado a quem esteve perto de conseguir um prémio, mas não o alcançou; **prémio Nobel** prémio que é atribuído anualmente às pessoas que se destacaram pelo seu contributo nas seguintes áreas: Física, Medicina, Literatura, Química, Economia e Paz (prémio tem o nome do seu fundador, o eng nheiro sueco Alfred Nobel, 1833-1896)

premir **(pre.mir)** [prə'mir] *v.* fazer pressão c força sobre; carregar em **SIN.** premer

premissa **(pre.mis.sa)** [prə'misɐ] *n.f.* **1** proposiçã que antecede um raciocínio e em que se baseia conclusão **2** ponto de partida para um estudo c raciocínio; princípio

pré-molar **(pré-.mo.lar)** [prɛmu'lar] *adj.,n.m.* (cad um dos dentes) que se encontra entre os canin e os molares

premonição **(pre.mo.ni.ção)** [prəmuni'sɐ̃w̃] *n* **1** sensação que anuncia um facto; pressent mento **2** aviso prévio; advertência

premonitório **(pre.mo.ni.tó.ri:o)** [prəmuni'tɔrj *adj.* **1** relativo a premonição **2** que serve de a vertência **3** que revela algo; sintomático

pré-natal **(pré-.na.tal)** [prɛnɐ'taɫ] *adj.2g.* relativ ao período que antecede o nascimento

prenda **(pren.da)** ['prẽdɐ] *n.f.* objeto que se of rece (a alguém) **SIN.** oferta; presente

prendado **(pren.da.do)** [prẽ'dadu] *adj.* que tem qu lidades ou aptidões para determinada atividade

prender **(pren.der)** [prẽ'der] *v.* **1** atar: *prender mãos* **ANT.** soltar **2** segurar: *prender com alfinet* **3** capturar: *prender um ladrão* ■ **prender-se 1** car preso a (algo) **2** ficar ligado a nível afetivo (alguém): *Durante as férias, prendeu-se ao amig* **3** ⟨**+a**, **+com**⟩ ter relação com: *Os acidentes pre dem-se com o excesso de velocidade.*

prensa **(pren.sa)** ['prẽsɐ] *n.f.* máquina para com primir certos corpos e espremer frutos, seme tes, etc.

prensado **(pren.sa.do)** [prẽ'sadu] *adj.* que se pre sou; comprimido

prensar **(pren.sar)** [prẽ'sar] *v.* apertar na prens comprimir

prenunciar **(pre.nun.ci:ar)** [prənũ'sjar] *v.* **1** prever que ainda não aconteceu **2** ser indício de; indicar

prenúncio **(pre.nún.ci:o)** [prə'nũsju] *n.m.* aqui que precede e anuncia um acontecimento; ind cio

pré-nupcial **(pré-.nup.ci:al)** [prɛnu'psjaɫ] *adj.2g.* ⟨ pré-nupciais⟩ anterior ao casamento

preocupação **(pre:o.cu.pa.ção)** [prjɔkupɐ'sɐ̃w̃] *n* ideia que perturba a tranquilidade de alguér **SIN.** inquietação

preocupado **(pre:o.cu.pa.do)** [prjɔku'padu] *ac* que tem preocupação **SIN.** inquieto

preocupante **(pre:o.cu.pan.te)** [prjɔku'pẽt(ə) *adj.2g.* que preocupa **SIN.** inquietante

reocupar(-se) **(pre:o.cu.par(-se))** [prjɔku'par(sə)] *v.* causar preocupação ou ficar preocupado **SIN.** inquietar(-se)

ré-operatório **(pré-.o.pe.ra.tó.ri:o)** [prɛɔpərɐ'tɔrju] *adj.* relativo ao período anterior a uma cirurgia ▪ *n.m.* ⟨*pl.* pré-operatórios⟩ conjunto de exames e procedimentos anteriores a uma intervenção cirúrgica

ré-pagamento **(pré-.pa.ga.men.to)** [prɛpɐgɐ'mẽtu] *n.m.* ⟨*pl.* pré-pagamentos⟩ pagamento efetuado antes de fazer o pedido de um produto ou de um serviço

reparação **(pre.pa.ra.ção)** [prəpɐrɐ'sɐ̃w̃] *n.f.* **1** ato ou efeito de preparar; organização: *A preparação do evento ficou a cargo de uma empresa especializada.* **2** elaboração; execução: *O tempo de preparação do prato é de 25 min.* **3** treino; formação: *É preciso uma boa preparação para conseguir ganhar a competição.*

reparado **(pre.pa.ra.do)** [prəpɐ'radu] *adj.* pronto para; disposto a ▪ *n.m.* produto químico ou farmacêutico

reparar **(pre.pa.rar)** [prəpɐ'rar] *v.* **1** dispor algo para ser utilizado: *Vou preparar a carne para o jantar.* **2** organizar: *preparar as lições* **3** elaborar; confecionar: *preparar uma refeição* **4** planear: *preparar uma festa* ▪ **preparar-se 1** arranjar-se; vestir-se: *Preparou-se para sair.* **2** ⟨**+para**⟩ estar prestes a: *Os alunos preparam-se para entrar na sala.*

reparativos **(pre.pa.ra.ti.vos)** [prəpɐrɐ'tivuʃ] *n.m.pl.* medidas que se tomam para que algo se concretize

reparatório **(pre.pa.ra.tó.ri:o)** [prəpɐrɐ'tɔrju] *adj.* que prepara; que serve para preparar

reparo **(pre.pa.ro)** [prə'paru] *n.m.* ⇒ **preparação**

reponderância **(pre.pon.de.rân.ci:a)** [prəpõdə'rɐ̃sjɐ] *n.f.* estado ou condição do que predomina **SIN.** predomínio, superioridade

reponderante **(pre.pon.de.ran.te)** [prəpõdə'rɐ̃t(ə)] *adj.2g.* superior em quantidade ou intensidade **SIN.** predominante; prevalecente

reposição **(pre.po.si.ção)** [prəpuzi'sɐ̃w̃] *n.f.* palavra invariável que liga elementos da frase

---

Não confundir **preposição** (com **e**) com **proposição** (com **o**).

---

reposicional **(pre.po.si.ci:o.nal)** [prəpuzisju'naɫ] *adj.2g.* relativo a preposição; em que há preposição

repotência **(pre.po.tên.ci:a)** [prəpu'tẽsjɐ] *n.f.* abuso do poder ou da autoridade que se tem

repotente **(pre.po.ten.te)** [prəpu'tẽt(ə)] *adj.2g.* que exerce o poder ou a autoridade sem respeitar regras

pré-primária **(pré-.pri.má.ri:a)** [prɛpri'marjɐ] *n.f.* ⇒ **pré-escolar**

pré-primário **(pré-.pri.má.ri:o)** [prɛpri'marju] *adj.* ⇒ **pré-escolar**

prepúcio **(pre.pú.ci:o)** [prə'pusju] *n.m.* prega da pele que cobre a extremidade do pénis

pré-reforma **(pré-.re.for.ma)** [prɛʀə'fɔrmɐ] *n.f.* ⟨*pl.* pré-reformas⟩ reforma antes da data normal ou prevista; reforma antecipada

pré-requisito **(pré-.re.qui.si.to)** [prɛʀəkə'zitu] *n.m.* ⟨*pl.* pré-requisitos⟩ condição essencial para alcançar ou obter alguma coisa

prerrogativa **(prer.ro.ga.ti.va)** [prəʀugɐ'tivɐ] *n.f.* **1** direito inerente a um cargo ou a uma profissão **2** privilégio; apanágio

presa **(pre.sa)** ['prezɐ] *n.f.* **1** aquilo que um animal caça para comer **2** dente canino saliente (como o do elefante e do javali) **3** garra de ave de rapina

presbitério **(pres.bi.té.ri:o)** [prəʒbi'tɛrju] *n.m.* **1** residência do pároco **2** igreja paroquial

presbítero **(pres.bí.te.ro)** [prəʒ'bitəru] *n.m.* sacerdote; padre

prescindir **(pres.cin.dir)** [prəʃsĩ'dir] *v.* ⟨**+de**⟩ passar sem; renunciar a: *Vamos ter de prescindir de alguns luxos.*

prescrever **(pres.cre.ver)** [prəʃkrə'ver] *v.* **1** determinar; estabelecer **2** receitar (medicamento, tratamento) **3** ficar sem efeito (um prazo, um direito)

prescrição **(pres.cri.ção)** [prəʃkri'sɐ̃w̃] *n.f.* **1** indicação exata; determinação **2** receita médica **3** fim (de um prazo, de um direito)

prescrito **(pres.cri.to)** [prəʃ'kritu] *adj.* **1** determinado **2** receitado **3** que perdeu a validade

pré-seleção **(pré-.se.le.ção)**[AO] [prɛsəlɛ'sɐ̃w̃] *n.f.* ⟨*pl.* pré-seleções⟩ primeira seleção ou escolha

pré-selecção **(pré-.se.lec.ção)** [prɛsəlɛ'sɐ̃w̃] *a nova grafia é* **pré-seleção**[AO]

presença **(pre.sen.ça)** [prə'zẽsɐ] *n.f.* facto de alguém estar num dado lugar; comparência ◆ **na presença de** em face de; diante de; **ter presença** ter boa apresentação; **presença de espírito** serenidade perante situações delicadas ou difíceis

presenciar **(pre.sen.ci:ar)** [prəzẽ'sjar] *v.* assistir a; observar

presente **(pre.sen.te)** [prə'zẽt(ə)] *adj.2g.* **1** que está no lugar em que se fala **ANT.** ausente **2** que está à vista ▪ *n.m.* **1** tempo atual **2** oferta; prenda **3** tempo verbal que situa a ação no momento atual

presentear **(pre.sen.te:ar)** [prəzẽ'tjar] *v.* ⟨**+com**⟩ dar presente a: *Presenteei o João com um livro.* **SIN.** oferecer

presépio (pre.sé.pi:o) [prəˈzɛpju] *n.m.* representação do nascimento de Cristo num estábulo

preservação (pre.ser.va.ção) [prəzərvɐˈsɐ̃w̃] *n.f.* proteção; defesa

preservar (pre.ser.var) [prəzərˈvar] *v.* proteger; defender

preservativo (pre.ser.va.ti.vo) [prəzərvɐˈtivu] *n.m.* capa de borracha flexível que se coloca no pénis durante o ato sexual, para evitar a gravidez e proteger de doenças sexualmente transmissíveis

presidência (pre.si.dên.ci:a) [prəziˈdẽsjɐ] *n.f.* cargo ou função de presidente

presidencial (pre.si.den.ci:al) [prəzidẽˈsjaɫ] *adj.2g.* relativo a presidência ou a presidente ▪ **presidenciais** *n.f.pl.* eleições para escolher o presidente da República

presidente (pre.si.den.te) [prəziˈdẽt(ə)] *n.2g.* **1** pessoa que desempenha o cargo mais alto numa assembleia ou numa instituição **2** chefe de Estado em algumas repúblicas; **Presidente da República** chefe de Estado numa república

presidiário (pre.si.di:á.ri:o) [prəziˈdjarju] *n.m.* indivíduo condenado a cumprir pena num presídio; detido

presídio (pre.sí.di:o) [prəˈzidju] *n.m.* instituição penal onde as pessoas condenadas pela justiça cumprem a pena; prisão

presidir (pre.si.dir) [prəziˈdir] *v.* ⟨**+a**⟩ exercer as funções de presidente; governar; dirigir: *presidir a uma empresa*

presilha (pre.si.lha) [prəˈziʎɐ] *n.f.* tira de pano ou couro que se une a outra por meio de fecho, botão ou fivela, para prender alguma coisa

preso (pre.so) [ˈprezu] *adj.* **1** atado; ligado **2** detido (na prisão) ▪ *n.m.* indivíduo detido; prisioneiro

pressa (pres.sa) [ˈprɛsɐ] *n.f.* **1** necessidade de fazer algo com rapidez; urgência **2** característica do que é rápido; velocidade ♦ **a toda a pressa** sem demora; **feito à pressa** feito atabalhoadamente

presságio (pres.sá.gi:o) [prəˈsaʒju] *n.m.* pressentimento; previsão

pressão (pres.são) [prəˈsɐ̃w̃] *n.f.* **1** força exercida sobre um determinado ponto de uma superfície **2** *fig.* ação para tentar influenciar ou obrigar alguém ♦ **estar sob pressão** estar sobrecarregado de (problemas, trabalho, etc.); **fazer pressão** procurar convencer alguém; coagir; **pressão atmosférica** pressão exercida pela atmosfera terrestre num determinado ponto; **pressão arterial** tensão exercida pelo sangue nas paredes das artérias

pressentimento (pres.sen.ti.men.to) [prəsẽtiˈmẽtu] *n.m.* sentimento instintivo de que algo vai acontecer; palpite

pressentir (pres.sen.tir) [prəsẽˈtir] *v.* sentir a
cipadamente o que vai acontecer; prever

pressionado (pres.si:o.na.do) [prəsjuˈnadu]
que sofreu ou sofre pressão

pressionar (pres.si:o.nar) [prəsjuˈnar] *v.* **1**
pressão sobre (algo); comprimir **2** exerce
fluência sobre (alguém)

pressupor (pres.su.por) [prəsuˈpor] *v.* **1** supo
tecipadamente; imaginar **2** dar a entender;
sumir

pressuposição (pres.su.po.si.ção) [prəs
ˈsɐ̃w̃] *n.f.* opinião formada com base em ap
cias ou probabilidades; conjetura

pressuposto (pres.su.pos.to) [prəsuˈpoʃtu]
que se pressupôs ▪ *n.m.* **1** suposição **2** conc
prévia

prestação (pres.ta.ção) [prəʃtɐˈsɐ̃w̃] *n.f.*
umas das parcelas do pagamento periódic
uma dívida

prestar (pres.tar) [prəʃˈtar] *v.* **1** dar; conc
2 ter utilidade **3** ser bom ou conveniente par

prestável (pres.tá.vel) [prəʃˈtavɛɫ] *adj.2g.* **1**
pode ter utilidade **2** que gosta de ajudar

prestes (pres.tes) [ˈprɛʃtəʃ] *adj.inv.* **1** que
quase a; próximo **2** preparado; pronto ♦ **e**
prestes a estar quase a

prestígio (pres.tí.gi:o) [prəʃˈtiʒju] *n.m.* **1** f
2 importância

préstimo (prés.ti.mo) [ˈprɛʃtimu] *n.m.* **1** utili
2 valor

presumido (pre.su.mi.do) [prəzuˈmidu] *adj.*
doso; presunçoso

presumir (pre.su.mir) [prəzuˈmir] *v.* supor; jul

presumível (pre.su.mí.vel) [prəzuˈmivɛɫ] *a*
que se pode presumir ou supor

presunção (pre.sun.ção) [prəzũˈsɐ̃w̃] *n.f.* vaid
afetação

presunçoso (pre.sun.ço.so) [prəzũˈsozu] *adj.*
doso; presumido

presunto (pre.sun.to) [prəˈzũtu] *n.m.* carn
perna do porco, depois de salgada e curada

pretendente (pre.ten.den.te) [prətẽˈdẽt(ə)]
pessoa que pretende algo **SIN.** candidato

pretender (pre.ten.der) [prətẽˈder] *v.* **1** des
2 solicitar

pretensão (pre.ten.são) [prətẽˈsɐ̃w̃] *n.f.* **1** de
de obter algo **2** solicitação

pretensioso (pre.ten.si:o.so) [prətẽˈsjozu] *adj.*
vaidoso; presumido

pretenso (pre.ten.so) [prəˈtẽsu] *adj.* suposto;
ginado

pretérito (pre.té.ri.to) [prə'tɛritu] *n.m.* tempo verbal que situa a ação num tempo anterior ao presente **SIN.** passado

pretexto (pre.tex.to) [prə'tɐjʃtu] *n.m.* **1** motivo que se apresenta para não revelar a verdadeira razão de algo; desculpa **2** razão; ocasião ◆ **a pretexto de** com o fim aparente de; **a pretexto de tudo e de nada** por razão insignificante

preto (pre.to) ['pretu] *adj.* de cor muito escura, como o carvão; negro **ANT.** branco ■ *n.m.* cor negra; negro ◆ **preto no branco** de forma clara; por escrito

preto-e-branco (pre.to-.e-.bran.co) [pretwi 'brɐ̃ku] *adj.inv.* **1** que tem partes pretas e partes brancas **2** (filme) que não é colorido **3** (fotografia) impressa apenas com a cor preta e os seus meios-tons ■ *n.m.2n.* combinação das cores preta e branca, ou de branco, preto e diversas tonalidades de cinzento

prevalecente (pre.va.le.cen.te) [prəvɐlə'sẽt(ə)] *adj.2g.* que é superior em quantidade ou intensidade **SIN.** predominante; preponderante

prevalecer (pre.va.le.cer) [prəvɐlə'ser] *v.* **1** ser superior em importância; predominar **2** continuar a existir; permanecer

prevaricação (pre.va.ri.ca.ção) [prəvɐrikɐ'sɐ̃w̃] *n.f.* **1** falha no cumprimento de um dever por interesse pessoal ou má-fé; abuso de poder **2** transgressão (de norma ou princípio)

prevaricador (pre.va.ri.ca.dor) [prəvɐrikɐ'dor] *adj.,n.m.* que ou aquele que prevarica

prevaricar (pre.va.ri.car) [prəvɐri'kar] *v.* **1** faltar, por interesse ou má-fé, aos seus deveres profissionais **2** abusar do exercício das suas funções, cometendo injustiças ou lesando os interesses alheios **3** transgredir uma norma ou um princípio

prevenção (pre.ven.ção) [prəvẽ'sɐ̃w̃] *n.f.* conjunto de medidas para prevenir um mal; precaução ◆ **estar de prevenção** estar alerta

prevenido (pre.ve.ni.do) [prəvə'nidu] *adj.* **1** que tomou medidas para evitar algo; precavido **2** que foi informado de algo; avisado

prevenir (pre.ve.nir) [prəvə'nir] *v.* **1** tomar medidas para evitar (algo): *prevenir um acidente; prevenir as doenças* **2** ⟨**+de**⟩ avisar com antecedência: *Preveni o João do perigo que corria.* **3** ⟨**+contra**⟩ resguardar: *Preveni-o contra os assaltantes.* ■ **prevenir-se** ⟨**+contra**⟩ preparar-se: *prevenir-se contra uma inundação*

preventivo (pre.ven.ti.vo) [prəvẽ'tivu] *adj.* que previne; que serve para prevenir

prever (pre.ver) [prə'ver] *v.* antever; calcular

previamente (pre.vi:a.men.te) [prɛvjɐ'mẽt(ə)] *adv.* **1** com antecedência **2** anteriormente

prévio (pré.vi:o) ['prɛvju] *adj.* **1** que acontece antes de outra coisa; anterior **2** que antecede o principal; preliminar

previsão (pre.vi.são) [prəvi'zɐ̃w̃] *n.f.* **1** sentimento instintivo de que algo vai acontecer; pressentimento **2** cálculo antecipado de alguma coisa

previsível (pre.vi.sí.vel) [prəvi'zivɛɫ] *adj.2g.* que se pode prever

previsto (pre.vis.to) [prə'viʃtu] *adj.* **1** pressentido **2** calculado

prezado (pre.za.do) [prə'zadu] *adj.* estimado; querido

prezar (pre.zar) [prə'zar] *v.* ter apreço ou simpatia por **SIN.** apreciar; estimar

prima (pri.ma) ['primɐ] *n.f.* filha do tio ou da tia

prima-dona (pri.ma-.do.na) [primɐ'donɐ] *n.f.* ⟨*pl.* primas-donas⟩ cantora principal de uma ópera

primária (pri.má.ri:a) [pri'marjɐ] *n.f.* antiga designação do primeiro ciclo do ensino básico

primário (pri.má.ri:o) [pri'marju] *adj.* **1** que está primeiro; primitivo **2** que é fácil de compreender; simples; elementar **3** relativo a uma fase inicial (de um processo, de uma evolução ou de uma doença)

primata (pri.ma.ta) [pri'matɐ] *n.m.* mamífero com dentição completa e membros desenvolvidos, com cinco dedos, o primeiro dos quais é oponível aos restantes

primavera (pri.ma.ve.ra)[AO] [primɐ'vɛrɐ] *n.f.* estação do ano antes do verão e depois do inverno

primaveril (pri.ma.ve.ril) [primɐvə'riɫ] *adj.2g.* **1** relativo a primavera **2** que lembra a primavera

primazia (pri.ma.zi.a) [primɐ'ziɐ] *n.f.* **1** preferência **2** primeiro lugar

primeira (pri.mei.ra) [pri'mɐjrɐ] *n.f.* mudança mais potente de um veículo, utilizada sobretudo no arranque ◆ **à primeira** à primeira vista; de uma só vez; **de primeira** da melhor qualidade; excelente

primeira-dama (pri.mei.ra-.da.ma) [primɐj rɐ'dɐmɐ] *n.f.* ⟨*pl.* primeiras-damas⟩ esposa de um Chefe de Estado

primeira-volta (pri.mei.ra-.vol.ta) [primɐj rɐ'vɔɫtɐ] *n.f.* primeira série de dezassete jogos de um campeonato de futebol

primeiro (pri.mei.ro) [pri'mɐjru] *num.ord.* que ocupa o lugar número 1 ■ *n.m.* pessoa ou coisa que ocupa a posição número 1 ■ *adv.* em primeiro lugar ◆ **primeiro que** antes que; até que; **primeiro que tudo** antes de mais nada

primeiro-ministro (pri.mei.ro-.mi.nis.tro) [pri mɐjrumi'niʃtru] *n.m.* ⟨*pl.* primeiros-ministros⟩ chefe de governo (num sistema parlamentar)

primitivo (pri.mi.ti.vo) [primi'tivu] *adj.* **1** que é o primeiro a existir; inicial **2** relativo aos primeiros tempos da vida humana; original **3** que não tem instrução; que não evoluiu **4** *fig.* rudimentar; rude **5** diz-se da palavra que serve para formar outras palavras

primo ['primu] *n.m.* filho do tio ou da tia

primogénito (pri.mo.gé.ni.to) [primɔ'ʒɛnitu] *n.m.* filho que nasceu em primeiro lugar; primeiro filho

primor (pri.mor) [pri'mor] *n.m.* **1** beleza **2** perfeição

primordial (pri.mor.di:al) [primur'djał] *adj.2g.* **1** relativo aos primeiros tempos de alguma coisa; primitivo **2** que é o mais importante; essencial

primórdio (pri.mór.di:o) [pri'mɔrdju] *n.m.* fase de criação (de algo) **SIN.** princípio ▪ **primórdios** *n.m.pl.* primeiros tempos da existência de alguma coisa (por exemplo, de uma cultura ou de uma civilização)

primoroso (pri.mo.ro.so) [primu'rozu] *adj.* **1** muito belo **2** perfeito

princesa (prin.ce.sa) [prĩ'sezɐ] *n.f.* filha de reis; esposa de um príncipe

principado (prin.ci.pa.do) [prĩsi'padu] *n.m.* país independente governado por um príncipe ou uma princesa

principal (prin.ci.pal) [prĩsi'pał] *adj.2g.* que é o primeiro em importância, valor ou posição; fundamental; essencial ▪ *n.m.* **1** aquilo que é mais importante; o fundamental; o essencial **2** pessoa que chefia; chefe

príncipe (prín.ci.pe) ['prĩsəp(ə)] *n.m.* **1** filho de reis **2** membro de uma família real ♦ **príncipe consorte** marido de uma rainha

principesco (prin.ci.pes.co) [prĩsi'peʃku] *adj.* **1** relativo a príncipe; próprio de príncipe **2** *fig.* sumptuoso; rico; opulento

principiante (prin.ci.pi:an.te) [prĩsi'pjɐ̃t(ə)] *adj.2g.* que começa a aprender algo **SIN.** novato ▪ *n.2g.* pessoa que começa a aprender alguma coisa

principiar (prin.ci.pi:ar) [prĩsi'pjar] *v.* começar; iniciar

princípio (prin.cí.pi:o) [prĩ'sipju] *n.m.* **1** momento em que uma coisa começa; começo; início **ANT.** fim **2** ponto de partida; origem **3** regra de conduta; norma ♦ **a/no princípio** no começo; no início; **em princípio** em termos gerais

prior (pri.or) [pri'or] *n.m.* pároco (em certas freguesias)

prioridade (pri.o.ri.da.de) [priuri'dad(ə)] *n.f.* **1** qualidade do que está em primeiro lugar **2** direito de passar à frente dos outros; primazia

prioritário (pri.o.ri.tá.ri:o) [priuri'tarju] *adj.* **1** que é mais importante **2** que tem prioridade

prisão (pri.são) [pri'zɐ̃w̃] *n.f.* **1** ato ou efeito de prender (alguém) **SIN.** detenção **2** lugar onde se está preso **SIN.** cadeia; **prisão preventiva** prisão efetuada em caso de suspeita de um delito quando há fortes indícios da autoria, para evitar a fuga do alegado autor, a destruição de provas ou a continuação da prática do crime; **prisão perpétua** detenção, numa cadeia, até ao final da vida **3** *fig.* aquilo que limita a ação ou a liberdade ♦ **prisão de ventre** dificuldade em defecar, causada por retenção das fezes

prisional (pri.si:o.nal) [prizju'nał] *adj.2g.* relativo à prisão ♦ **estabelecimento prisional** lugar onde as pessoas condenadas a penas de prisão cumprem as suas penas

prisioneiro (pri.si:o.nei.ro) [prizju'nɐjru] *n.m.* pessoa que está presa

prisma (pris.ma) ['priʒmɐ] *n.m.* **1** 👁 sólido limitado por duas faces iguais e paralelas (bases) **2** *fig.* ponto de vista; perspetiva

privação (pri.va.ção) [privɐ'sɐ̃w̃] *n.f.* falta de coisas necessárias **SIN.** carência

privacidade (pri.va.ci.da.de) [privɐsi'dad(ə)] *n.f.* vida privada ou particular; intimidade

privada (pri.va.da) [pri'vadɐ] *n.f.* [BRAS.] sanita; retrete

privado (pri.va.do) [pri'vadu] *adj.* **1** que não é público **SIN.** particular; íntimo **2** que não pertence ao Estado ♦ **em privado** a sós

privar (pri.var) [pri'var] *v.* **1** ⟨**+de**⟩ tirar (algo a alguém): *Privaram o João do dinheiro extra.* **2** ⟨**+de**⟩ impedir (algo a alguém); proibir: *A dieta priva-o de comer o bolo de chocolate.* **3** ⟨**+com**⟩ conviver de modo familiar com: *privar com a alta sociedade* ▪ **privar-se** ⟨**+de**⟩ renunciar a: *Privou-se de comer o bolo de chocolate.*

privativo (pri.va.ti.vo) [privɐ'tivu] *adj.* **1** reservado a certas pessoas; exclusivo **2** que é próprio de uma pessoa ou de um grupo; específico

privatização (pri.va.ti.za.ção) [privɐtizɐ'sɐ̃w̃] *n.f.* transferência de um bem que pertence ao Estado para o setor privado

privatizado (pri.va.ti.za.do) [privɐti'zadu] *adj.* que se privatizou; que se tornou privado

privatizar **(pri.va.ti.zar)** [privɐti'zar] *v.* transferir (um bem que pertence ao Estado) para o setor privado

privilegiado **(pri.vi.le.gi:a.do)** [privilə'ʒjadu] *adj.* **1** que goza de privilégio; beneficiado **2** que é muito rico; abastado

privilegiar **(pri.vi.le.gi:ar)** [privilə'ʒjar] *v.* **1** conceder privilégio a; beneficiar **2** dar preferência a; preferir

privilégio **(pri.vi.lé.gi:o)** [privi'lɛʒju] *n.m.* vantagem concedida apenas a uma pessoa ou a um grupo **SIN.** regalia

pró **(pró)** ['prɔ] *adv.* a favor de; em defesa de ■ *n.m.* aspeto positivo; conveniência ◆ **os prós e os contras** as vantagens e as desvantagens

proa **(pro.a)** ['proɐ] *n.f.* parte da frente do navio

proactividade **(pro.ac.ti.vi.da.de)** [prɔɐtivi'dad(ə)] *a nova grafia é* **proatividade**[AO]

pró-activo **(pró-.ac.ti.vo)** [prɔa'tivu] *a nova grafia é* **pró-ativo**[AO]

proatividade **(pro.a.ti.vi.da.de)**[AO] [prɔɐtivi'dad(ə)] *n.f.* capacidade de prever algo ou de fazer com que algo aconteça, tomando a iniciativa

pró-ativo **(pró-.a.ti.vo)**[AO] [prɔa'tivu] *adj.* **1** que tende a criar ou a controlar uma situação, tomando a iniciativa e não apenas reagindo a ela **2** que realiza certas atividades que poderão trazer benefícios no futuro

probabilidade **(pro.ba.bi.li.da.de)** [prubɐbili'dad(ə)] *n.f.* **1** característica do que é provável **2** possibilidade de algo vir a acontecer

problema **(pro.ble.ma)** [pru'blemɐ] *n.m.* **1** dificuldade que é necessário resolver **2** exercício de matemática que consiste em calcular quantidades desconhecidas a partir de quantidades conhecidas **3** situação complexa ou incómoda

problemática **(pro.ble.má.ti.ca)** [prublə'matikɐ] *n.f.* conjunto de problemas ou dúvidas sobre determinado assunto

problemático **(pro.ble.má.ti.co)** [prublə'matiku] *adj.* **1** relativo a problema **2** que é difícil de compreender; complicado

procedência **(pro.ce.dên.ci:a)** [prusə'dẽsjɐ] *n.f.* **1** ponto de partida; origem **2** razão; causa

procedente **(pro.ce.den.te)** [prusə'dẽt(ə)] *adj.2g.* **1** originário; proveniente **2** que tem razão de ser; lógico

proceder **(pro.ce.der)** [prusə'der] *v.* **1** agir de determinada forma; atuar: *proceder com cautela* **2** ter origem em: *Este vocábulo procede do latim.* **3** ⟨**+de**⟩ descender de **4** ⟨**+a**⟩ levar a efeito: *proceder a investigações*

procedimento **(pro.ce.di.men.to)** [prusədi'mẽtu] *n.m.* **1** maneira de proceder ou de agir; comportamento **2** modo de fazer algo; método

processador **(pro.ces.sa.dor)** [prusəsɐ'dor] *n.m.* circuito integrado que constitui o órgão central do computador ◆ **processador de texto** programa de computador usado para criar, modificar, guardar e imprimir texto

processamento **(pro.ces.sa.men.to)** [prusəsɐ'mẽtu] *n.m.* **1** formação de um processo **2** organização e tratamento de dados num dispositivo eletrónico a fim de classificar, ordenar ou obter informações; **processamento de dados** tratamento sistemático de dados, por meio de computadores ou de outros dispositivos eletrónicos; **processamento de texto** processo de redação, edição, formatação e impressão de textos com recurso a computador

processar **(pro.ces.sar)** [prusə'sar] *v.* **1** instaurar um processo judicial **2** tratar dados ou informações num dispositivo eletrónico ■ **processar-se** desenvolver-se (um processo)

processo **(pro.ces.so)** [pru'sɛsu] *n.m.* **1** ação judicial **2** modo de fazer determinada coisa; método

procissão **(pro.cis.são)** [prusi'sɐ̃w̃] *n.f.* cortejo religioso

proclamação **(pro.cla.ma.ção)** [pruklɐmɐ'sɐ̃w̃] *n.f.* declaração pública e solene

proclamar **(pro.cla.mar)** [pruklɐ'mar] *v.* declarar publicamente; anunciar

procriação **(pro.cri:a.ção)** [prukrjɐ'sɐ̃w̃] *n.f.* reprodução

procriar **(pro.cri:ar)** [pru'krjar] *v.* **1** fazer nascer; gerar **2** reproduzir-se

procura **(pro.cu.ra)** [prɔ'kurɐ] *n.f.* busca ◆ **à procura de** tentando encontrar

procuração **(pro.cu.ra.ção)** [prɔkurɐ'sɐ̃w̃] *n.f.* **1** autorização que uma pessoa dá a outra para agir em seu nome **2** documento legal que confere essa autorização

procurador **(pro.cu.ra.dor)** [prɔkurɐ'dor] *n.m.* **1** pessoa incumbida de tratar dos assuntos de outrem **2** pessoa que serve de intermediário; mediador **3** membro de uma assembleia legislativa ou deliberativa

procurador-geral **(pro.cu.ra.dor-.ge.ral)** [prɔkurɐdorʒə'raɫ] *n.m.* ⟨*pl.* procuradores-gerais⟩ magistrado proposto pelo Governo e nomeado pelo Presidente da República, que ocupa o topo da hierarquia do Ministério Público

procuradoria **(pro.cu.ra.do.ri.a)** [prɔkurɐdu'riɐ] *n.f.* **1** cargo de procurador **2** local onde trabalha o procurador

procuradoria-geral (**pro.cu.ra.do.ri.a-.ge.ral**) [prɔkurɐduriɐʒə'rał] *n.f.* ⟨*pl.* procuradorias-gerais⟩ instituição dirigida pelo procurador-geral, onde funcionam os serviços centrais do Ministério Público

procurar (**pro.cu.rar**) [prɔku'rar] *v.* tentar achar algo que se perdeu ou que se desconhece; buscar

prodígio (**pro.dí.gi:o**) [pru'diʒju] *n.m.* coisa ou pessoa que causa grande admiração **SIN.** maravilha

produção (**pro.du.ção**) [prudu'sɐ̃w̃] *n.f.* **1** ato ou efeito de produzir; criação **2** conjunto de bens produzidos pela agricultura e pela indústria

produtividade (**pro.du.ti.vi.da.de**) [pruduti vi'dad(ə)] *n.f.* capacidade de produzir resultado no desempenho de determinada função; rendimento

produtivo (**pro.du.ti.vo**) [prudu'tivu] *adj.* **1** relativo a produção **2** que produz muito; fértil **ANT.** produtivo **3** que dá rendimento; vantajoso

produto (**pro.du.to**) [pru'dutu] *n.m.* **1** aquilo que é produzido para ser vendido **SIN.** artigo **2** resultado de um trabalho ou de uma atividade **SIN.** fruto; obra **3** em matemática, resultado da operação de multiplicação ◆ **produto interno bruto** valor do conjunto da produção total de um país e das compras feitas ao exterior durante determinado período

produtor (**pro.du.tor**) [prudu'tor] *n.m.* **1** indivíduo que produz bens ou mercadorias; fabricante **2** criador; autor

produzir (**pro.du.zir**) [prudu'zir] *v.* **1** fabricar **2** criar

proeminência (**pro:e.mi.nên.ci:a**) [prwemi'nẽsjɐ] *n.f.* **1** estado de proeminente **2** saliência; relevo **3** elevação de terreno **4** *fig.* destaque; relevo

proeminente (**pro:e.mi.nen.te**) [prwemi'nẽt(ə)] *adj.2g.* **1** saliente; elevado **2** (pessoa) notável; distinto

proeza (**pro:e.za**) ['prwezɐ] *n.f.* ato que revela coragem **SIN.** façanha

prof (**prof**) ['prɔf(ə)] *n.2g. coloq.* professor; professora

profanação (**pro.fa.na.ção**) [prufɐnɐ'sɐ̃w̃] *n.f.* **1** desrespeito ou violação daquilo que é santo; sacrilégio **2** irreverência contra pessoa ou coisa que merece respeito; afronta

profanar (**pro.fa.nar**) [prufɐ'nar] *v.* **1** desrespeitar uma coisa sagrada (como uma igreja ou um cemitério) **2** tratar mal algo que merece respeito

profano (**pro.fa.no**) [pru'fɐnu] *adj.* **1** que não é sagrado **2** que não é religioso; secular

profecia (**pro.fe.ci.a**) [prufə'siɐ] *n.f.* previsão de acontecimentos futuros

proferir (**pro.fe.rir**) [prufə'rir] *v.* pronunciar em voz alta; dizer

professar (**pro.fes.sar**) [prufə'sar] *v.* **1** reconhecer publicamente **2** exercer **3** seguir (religião, crença) **4** proferir votos solenes

professor (**pro.fes.sor**) [prufə'sor] *n.m.* ⟨*f.* professora⟩ pessoa que dá aulas

profeta (**pro.fe.ta**) [pru'fɛtɐ] *n.m.* ⟨*f.* profetisa⟩ aquele que fala em nome de Deus e que anuncia os acontecimentos futuros

profético (**pro.fé.ti.co**) [pru'fɛtiku] *adj.* **1** relativo a profeta ou a profecia **2** que antevê o futuro

profetizar (**pro.fe.ti.zar**) [prufəti'zar] *v.* **1** predizer o futuro **2** anunciar antecipadamente

profiláctico (**pro.fi.lác.ti.co**) [prɔfi'latiku] *a nova grafia é* **profilático**[AO]

profilático (**pro.fi.lá.ti.co**)[AO] [prɔfi'latiku] *adj.* que serve para prevenir doenças **SIN.** preventivo

profissão (**pro.fis.são**) [prufi'sɐ̃w̃] *n.f.* trabalho que uma pessoa faz regularmente e pelo qual recebe um salário **SIN.** emprego; atividade profissional; **profissão liberal** qualquer atividade lucrativa (que não seja de natureza comercial ou industrial) que se exerce por conta própria ◆ **profissão de fé** declaração pública de uma crença religiosa, de uma opinião política, um sentimento, etc.

profissional (**pro.fis.si:o.nal**) [prufisju'nał] *adj.2g.* **1** relativo a profissão **2** diz-se da atividade praticada como ofício, e não como passatempo **3** diz-se da pessoa muito competente

profissionalismo (**pro.fis.si:o.na.lis.mo**) [prufis junɐ'liʒmu] *n.m.* cumprimento do trabalho com rigor e competência

profissionalizar(-se) (**pro.fis.si:o.na.li.zar(-se)**) [prufisjunɐli'zar(sə)] *v.* **1** tornar(-se) profissional **2** integrar(-se) numa profissão

profiterole (**pro.fi.te.ro.le**) [prɔfitə'rɔl(ə)] *n.m.* pequeno bolo arredondado de massa fofa, geralmente recheado com creme e coberto com chocolate quente

profundamente (**pro.fun.da.men.te**) [prufũ dɐ'mẽt(ə)] *adv.* **1** intimamente **2** de modo intenso

profundeza (**pro.fun.de.za**) [prufũ'dezɐ] *n.f.* ⇒ **profundidade**

profundidade (**pro.fun.di.da.de**) [prufũdi'dad(ə)] *n.f.* **1** qualidade de profundo **2** distância que vai da superfície ou da entrada até ao fundo

profundo (**pro.fun.do**) [pru'fũdu] *adj.* **1** cujo fundo está a uma grande distância da superfície; fundo **2** íntimo **3** inacessível **4** muito extenso **5** perspicaz

profusamente (**pro.fu.sa.men.te**) [prufuzɐ'mẽt(ə)] *adv.* abundantemente; largamente

profusão (**pro.fu.são**) [prufu'zɐ̃w̃] *n.f.* grande quantidade; abundância

progenitor (pro.ge.ni.tor) [pruʒəni'tor] *n.m.* **1** pai **2** antepassado

prognóstico (prog.nós.ti.co) [prɔ'gnɔʃtiku] *n.m.* **1** previsão do que vai acontecer feita a partir de sinais ou indícios **2** sinal de um acontecimento futuro; indício

programa (pro.gra.ma) [pru'grɐmɐ] *n.m.* **1** descrição escrita das diversas partes de uma cerimónia, espetáculo ou concurso **2** plano dos temas abordados numa disciplina ou num curso **3** emissão de rádio ou de televisão **4** projeto; plano **5** conjunto de instruções que um computador é capaz de seguir para executar uma tarefa

programação (pro.gra.ma.ção) [prugrɐmɐ'sɐ̃w̃] *n.f.* **1** ato de estabelecer um programa; planeamento; planificação **2** conjunto de programas emitidos por uma estação de rádio ou de televisão

programador (pro.gra.ma.dor) [prugrɐmɐ'dor] *n.m.* **1** pessoa que organiza programas **2** profissional que desenvolve programas de computador ou de certos dispositivos eletrónicos

programar (pro.gra.mar) [prugrɐ'mar] *v.* **1** organizar programas **2** fazer planos para; planear

programático (pro.gra.má.ti.co) [prugrɐ'matiku] *adj.* relativo a programa

progredir (pro.gre.dir) [prugrə'dir] *v.* avançar; evoluir

progressão (pro.gres.são) [prugrə'sɐ̃w̃] *n.f.* **1** aumento gradual **2** progresso; evolução

progressista (pro.gres.sis.ta) [prugrə'siʃtɐ] *adj.2g.* **1** relativo a progresso **2** que defende o progresso

progressivo (pro.gres.si.vo) [prugrə'sivu] *adj.* que avança gradualmente, por etapas **SIN.** gradual

progresso (pro.gres.so) [pru'grɛsu] *n.m.* **1** movimento para a frente; avanço **2** mudança para melhor; evolução

proibição (pro.i.bi.ção) [pruibi'sɐ̃w̃] *n.f.* ato de proibir alguma coisa **SIN.** impedimento; interdição

proibido (pro.i.bi.do) [prui'bidu] *adj.* **1** que não é permitido; interdito **2** que é contrário à lei; ilegal

proibir (pro.i.bir) [prui'bir] *v.* não permitir **SIN.** impedir; interdizer; interditar

proibitivo (pro.i.bi.ti.vo) [pruibi'tivu] *adj.* **1** que proíbe ou que impede **2** diz-se do preço muito elevado

projeção (pro.je.ção)[AO] [pruʒɛ'sɐ̃w̃] *n.f.* **1** lançamento a grande distância **2** exibição de imagens numa tela ou num ecrã **3** representação de um ou mais pontos de um sólido geométrico sobre um ou vários planos

projecção (pro.jec.ção) [pruʒɛ'sɐ̃w̃] *a nova grafia é* **projeção**[AO]

projectar (pro.jec.tar) [pruʒɛ'tar] *a nova grafia é* **projetar**[AO]

projéctil (pro.jéc.til) [pru'ʒɛtiɫ] *a nova grafia é* **projétil**[AO]

projectista (pro.jec.tis.ta) [pruʒɛ'tiʃtɐ] *a nova grafia é* **projetista**[AO]

projecto (pro.jec.to) [pru'ʒɛtu] *a nova grafia é* **projeto**[AO]

projector (pro.jec.tor) [pruʒɛ'tor] *a nova grafia é* **projetor**[AO]

projetar (pro.je.tar)[AO] [pruʒɛ'tar] *v.* **1** lançar para longe; atirar **2** fazer um projeto ou uma planta de (uma casa, uma ponte, etc.) **3** fazer incidir (luz, sombra, raio) numa direção **4** fazer a projeção de (uma figura geométrica)

projétil (pro.jé.til)[AO] [pru'ʒɛtiɫ] *n.m.* peça disparada por uma arma de fogo; bala

projetista (pro.je.tis.ta)[AO] [pruʒɛ'tiʃtɐ] *adj.,n.2g.* **1** (pessoa) que elabora projetos **2** (pessoa) que maquina ou trama

projeto (pro.je.to)[AO] [pru'ʒɛtu] *n.m.* **1** intenção de fazer algo **SIN.** propósito **2** esboço de um trabalho a realizar **SIN.** plano ◆ **projeto de lei** proposta apresentada a uma assembleia legislativa para ser discutida e convertida em lei

projetor (pro.je.tor)[AO] [pruʒɛ'tor] *n.m.* aparelho que projeta imagens sobre uma tela, utilizando diapositivos, filmes, etc.

prol (prol) ['prɔɫ] *n.m.* **em prol de** a favor de

prole (pro.le) ['prɔl(ə)] *n.f.* conjunto de pessoas que descendem de outras **SIN.** descendência

proletariado (pro.le.ta.ri:a.do) [prulətɐ'rjadu] *n.m.* classe dos trabalhadores; operariado

proletário (pro.le.tá.ri:o) [prulə'tarju] *n.m.* **1** membro da classe proletária; operário **2** indivíduo pobre que vive do seu trabalho mal remunerado ▪ *adj.* relativo ao proletariado

proliferação (pro.li.fe.ra.ção) [prulifərɐ'sɐ̃w̃] *n.f.* **1** multiplicação **2** aumento

proliferar (pro.li.fe.rar) [prulifə'rar] *v.* **1** multiplicar-se **2** aumentar

prólogo (pró.lo.go) ['prɔlugu] *n.m.* texto breve, no início de um livro, que explica algo sobre o livro ou sobre o seu autor **SIN.** preâmbulo; prefácio

prolongado (pro.lon.ga.do) [prulõ'gadu] *adj.* **1** aumentado **2** demorado

prolongamento (pro.lon.ga.men.to) [prulõgɐ'mẽtu] *n.m.* **1** aumento da extensão ou da duração **2** período adicional num jogo, quando as equipas estão empatadas

prolongar (pro.lon.gar) [prulõ'gar] *v.* aumentar; alongar

promessa (pro.mes.sa) [pru'mɛsɐ] *n.f.* **1** garantia dada a alguém de que se vai fazer algo **2** compromisso perante Deus ou os santos de oferecer algo (oração, sacrifício, penitência) para obter uma graça ou um benefício

prometedor (pro.me.te.dor) [prumətə'dor] *adj.* **1** que promete **SIN.** promissor **2** que dá esperança

prometer (pro.me.ter) [prumə'ter] *v.* **1** obrigar-se a fazer ou a dar algo **2** dar esperanças de **3** fazer uma promessa

prometido (pro.me.ti.do) [prumə'tidu] *adj.* **1** que se prometeu **2** que está reservado **3** que está noivo

promiscuidade (pro.mis.cu:i.da.de) [prumiʃkwi'dad(ə)] *n.f.* **1** mistura confusa ou desordenada **2** relacionamento sexual com muitos parceiros diferentes

promíscuo (pro.mís.cu:o) [pru'miʃkwu] *adj.* **1** misturado; desordenado **2** (relação) que ocorre por acaso; ocasional **3** (pessoa) que tem relações sexuais com inúmeros parceiros

promissor (pro.mis.sor) [prumi'sor] *adj.* ⇒ **prometedor**

promissória (pro.mis.só.ri:a) [prumi'sɔrjɐ] *n.f.* título que representa uma quantia em depósito a prazo

promoção (pro.mo.ção) [prumu'sɐ̃w̃] *n.f.* **1** acesso a uma categoria superior **2** técnica para aumentar a venda de um produto através de publicidade, redução de preço, etc.

promocional (pro.mo.ci:o.nal) [prumusju'naɫ] *adj.2g.* relativo a promoção

promotor (pro.mo.tor) [prumu'tor] *n.m.* pessoa que promove; impulsionador

promover (pro.mo.ver) [prumu'ver] *v.* **1** dar impulso a; desenvolver **2** ser a causa de; gerar **3** elevar a um cargo ou a uma categoria superior

promulgação (pro.mul.ga.ção) [prumuɫgɐ'sɐ̃w̃] *n.f.* publicação de lei ou decreto

promulgar (pro.mul.gar) [prumuɫ'gar] *v.* publicar oficialmente (lei ou decreto)

pronome (pro.no.me) [pru'nom(ə)] *n.m.* palavra que se usa em vez de um nome ou de um grupo nominal

pronominal (pro.no.mi.nal) [prunumi'naɫ] *adj.2g.* **1** relativo a pronome **2** equivalente a pronome **3** diz-se do verbo conjugado com um pronome pessoal átono

prontamente (pron.ta.men.te) [prõtɐ'mẽt(ə)] *adv.* sem demora; rapidamente

prontidão (pron.ti.dão) [prõti'dɐ̃w̃] *n.f.* facilidade e rapidez a fazer alguma coisa; desembaraço

prontificar-se (pron.ti.fi.car-.se) [prõtifi'kars(ə)] *v.* oferecer-se; dispor-se

pronto (pron.to) ['prõtu] *adj.* **1** terminado **2** disposto **3** preparado **4** rápido

> Note-se que a palavra **pronto**, quando é usada como interjeição, não varia em género nem em número: *Pronto! Já está!*

pronto-a-vestir (pron.to-.a-.ves.tir) [prõtwɐvəʃ'tir] *n.m.* ⟨*pl.* prontos-a-vestir⟩ **1** vestuário de confeção produzido em diferentes medidas à escala industrial, para ser vestido tal como é apresentado ou depois de sofrer pequenos ajustes **2** loja comercial onde se vende vestuário deste tipo

pronto-socorro (pron.to-.so.cor.ro) [prõtusu'koʀu] *n.m.* **1** viatura destinada a transportar ao hospital doentes ou feridos, em casos de urgência **2** veículo que serve para conduzir prontamente os bombeiros, material ou qualquer pessoal para acudir a um sinistro

prontuário (pron.tu:á.ri:o) [prõ'twarju] *n.m.* livro com informações úteis sobre as principais dificuldades de uma língua, organizadas de modo a permitir uma pesquisa rápida ♦ **prontuário ortográfico** livro que regista a forma correta de escrever as palavras de uma língua

pronúncia (pro.nún.ci:a) [pru'nũsjɐ] *n.f.* **1** modo de dizer as palavras **2** modo de dizer as palavras, característico de uma pessoa ou de uma região; sotaque

> Não confundir **pronúncia** (sotaque) com **pronuncia** (forma do verbo pronunciar): *Ele tem pronúncia do norte. Ela pronuncia bem as palavras.*

pronunciar (pro.nun.ci:ar) [prunũ'sjar] *v.* expressar oralmente; articular (sons) ■ **pronunciar-se** dar a sua opinião; manifestar-se

propagação (pro.pa.ga.ção) [prupɐgɐ'sɐ̃w̃] *n.f.* **1** reprodução (de seres vivos) **2** difusão (de ideias, notícias, etc.) **3** transmissão (de doença) por contágio

propaganda (pro.pa.gan.da) [prupɐ'gɐ̃dɐ] *n.f.* **1** divulgação de uma ideia ou de um programa (político, religioso, etc.) **2** difusão de uma mensagem publicitária; publicidade

propagar (pro.pa.gar) [prupɐ'gar] *v.* **1** multiplicar **2** espalhar **3** divulgar

proparoxítono (pro.pa.ro.xí.to.no) [prɔpɐrɔ'ksitunu] *adj.* ⇒ **esdrúxulo**

propensão (pro.pen.são) [prupẽ'sɐ̃w̃] *n.f.* tendência inata **SIN.** inclinação; vocação

propenso (pro.pen.so) [pru'pẽsu] *adj.* **1** com tendência para; inclinado **2** favorável; propício

propiciar (pro.pi.ci:ar) [prupi'sjar] *v.* dar (a alguém) a oportunidade de **SIN.** proporcionar

propício (**pro.pí.ci:o**) [pru'pisju] *adj.* **1** favorável **2** adequado

propina (**pro.pi.na**) [pru'pinɐ] *n.f.* quantia que se paga em determinadas instituições de ensino (geralmente superior)

propor (**pro.por**) [pru'por] *v.* sugerir ■ **propor-se** oferecer-se

proporção (**pro.por.ção**) [prupur'sɐ̃w̃] *n.f.* relação entre coisas ou entre partes de um todo; comparação

proporcionado (**pro.por.ci:o.na.do**) [prupursju'nadu] *adj.* harmonioso; equilibrado

proporcional (**pro.por.ci:o.nal**) [prupursju'naɫ] *adj.2g.* **1** relativo a proporção **2** equilibrado; harmonioso

proporcionalidade (**pro.por.ci:o.na.li.da.de**) [prupursjunɐli'dad(ə)] *n.f.* **1** característica do que é proporcional **2** simetria **3** equilíbrio

proporcionar (**pro.por.ci:o.nar**) [prupursju'nar] *v.* dar (a alguém) a oportunidade de **SIN.** propiciar

proposição (**pro.po.si.ção**) [prupuzi'sɐ̃w̃] *n.f.* **1** proposta; sugestão **2** frase; discurso

---

Não confundir **proposição** (com **o**) com **preposição** (com **e**).

---

proposicional (**pro.po.si.ci:o.nal**) [prupuzisju'naɫ] *adj.2g.* relativo a proposição

propositadamente (**pro.po.si.ta.da.men.te**) [prupuzitadɐ'mẽt(ə)] *adv.* de propósito; com intenção

propositado (**pro.po.si.ta.do**) [prupuzi'tadu] *adj.* feito com propósito ou intenção **SIN.** intencional; premeditado

propósito (**pro.pó.si.to**) [pru'pɔzitu] *n.m.* **1** decisão **2** intenção ◆ **a propósito** no momento certo ou oportuno; por falar nisso; **a propósito de** a respeito de; **de propósito** com intenção

proposta (**pro.pos.ta**) [pru'pɔʃtɐ] *n.f.* sugestão

proposto (**pro.pos.to**) [pru'poʃtu] *adj.* sugerido

propriamente (**pro.pri:a.men.te**) [prɔprjɐ'mẽt(ə)] *adv.* exatamente

propriedade (**pro.pri.e.da.de**) [pruprie'dad(ə)] *n.f.* **1** característica de alguma coisa; qualidade **2** aquilo que pertence a uma pessoa; bem

proprietário (**pro.pri.e.tá.ri:o**) [pruprie'tarju] *n.m.* dono

próprio (**pró.pri:o**) ['prɔprju] *adj.* **1** que pertence ao sujeito da frase **2** adequado; conveniente **3** diz-se do nome que designa um ser específico **ANT.** comum

propulsão (**pro.pul.são**) [prupuɫ'sɐ̃w̃] *n.f.* **1** impulso para a frente **2** força que provoca a deslocação de um corpo

prorrogação (**pror.ro.ga.ção**) [pruʀugɐ'sɐ̃w̃] *n.f.* adiamento

prorrogar (**pror.ro.gar**) [pruʀu'gar] *v.* adiar; prolongar

prosa (**pro.sa**) ['prɔzɐ] *n.f.* **1** texto que não é escrito em verso **2** conversa informal

prosaico (**pro.sai.co**) [pru'zajku] *adj.* comum; vulgar

prosódia (**pro.só.di:a**) [pru'zɔdjɐ] *n.f.* disciplina que estuda a pronúncia correta das palavras; ortoépia

prosopopeia (**pro.so.po.pei.a**) [pruzupu'pɐjɐ] *n.f.* **1** figura de estilo que consiste em atribuir características humanas a outros seres animados ou inanimados e em que pessoas ausentes ou mortas falam **2** *fig.* discurso empolado

prospeção (**pros.pe.ção**)[AO] [pruʃpɛ'sɐ̃w̃] *n.f.* **1** observação minuciosa; pesquisa **2** método de investigação realizado junto de membros de uma população; sondagem **3** conjunto de técnicas para determinar o valor económico de um jazigo ou de uma região mineira

prospecção (**pros.pec.ção**) [pruʃpɛ'sɐ̃w̃] *a nova grafia é* **prospeção**[AO]

prospecto (**pros.pec.to**) [pruʃ'pɛtu] *a nova grafia é* **prospeto**[AO]

prosperar (**pros.pe.rar**) [pruʃpə'rar] *v.* **1** progredir **2** enriquecer

prosperidade (**pros.pe.ri.da.de**) [pruʃpəri'dad(ə)] *n.f.* **1** progresso **2** riqueza

próspero (**prós.pe.ro**) ['prɔʃpəru] *adj.* **1** que tem êxito; bem-sucedido **2** rico; abastado

prospeto (**pros.pe.to**)[AO] [pruʃ'pɛtu] *n.m.* impresso informativo ou publicitário **SIN.** folheto

prosseguimento (**pros.se.gui.men.to**) [prusəgi'mẽtu] *n.m.* continuação

prosseguir (**pros.se.guir**) [prusə'gir] *v.* continuar

próstata (**prós.ta.ta**) ['prɔʃtɐtɐ] *n.f.* glândula sexual masculina, situada em volta da parte inicial da uretra

prostituição (**pros.ti.tu:i.ção**) [pruʃtitwi'sɐ̃w̃] *n.f.* **1** atividade que consiste em cobrar dinheiro por atos sexuais **2** exploração de pessoas a nível sexual, com vista a ganhar dinheiro

prostituir-se (**pros.ti.tu:ir-.se**) [pruʃti'twirs(ə)] *v.* **1** praticar atividades sexuais a troco de dinheiro **2** *fig.* corromper-se em troca de favores

prostituta (**pros.ti.tu.ta**) [pruʃti'tutɐ] *n.f.* mulher que pratica atividades sexuais a troco de dinheiros

prostituto (**pros.ti.tu.to**) [pruʃti'tutu] *n.m.* homem que pratica atividades sexuais a troco de dinheiro

prostrar (**pros.trar**) [pruʃ'trar] *v.* **1** lançar por terra **2** extinguir; destruir **3** *fig.* desanimar; abater **4** *fig.* tornar fraco ■ **prostrar-se** *fig.* humilhar-se; curvar-se

protagonismo (**pro.ta.go.nis.mo**) [prɔtɐgu'niʒmu] *n.m.* **1** papel principal numa narrativa, num filme ou numa peça **2** posição de destaque ocupada por alguém

protagonista (pro.ta.go.nis.ta) [prɔtɐgu'niʃtɐ] *n.2g.* **1** personagem principal de uma obra **2** pessoa que ocupa um lugar de destaque

protão (pro.tão) [prɔ'tɐ̃w̃] *n.m.* partícula de eletricidade positiva

proteção (pro.te.ção)AO [prutɛ'sɐ̃w̃] *n.f.* **1** apoio **2** defesa **3** revestimento ♦ **proteção civil** conjunto de meios e medidas destinados a socorrer uma população, em caso de desastres naturais ou situações de conflito armado; **proteção ambiental/da natureza** conjunto de medidas destinadas a garantir a preservação das características próprias de um ambiente e a promover a utilização sustentada dos recursos naturais

protecção (pro.tec.ção) [prutɛ'sɐ̃w̃] *a nova grafia é* **proteção**AO

proteccionismo (pro.tec.ci:o.nis.mo) [prutɛsju'niʒmu] *a nova grafia é* **protecionismo**AO

protecionismo (pro.te.ci:o.nis.mo)AO [prutɛsju'niʒmu] *n.m.* conjunto de medidas de proteção da indústria ou comércio de um país, baseado em legislação que proíbe ou dificulta a importação de determinados produtos e no lançamento de impostos sobre produtos estrangeiros

protector (pro.tec.tor) [prutɛ'tor] *a nova grafia é* **protetor**AO

proteger (pro.te.ger) [prutə'ʒer] *v.* **1** apoiar **2** defender

protegido (pro.te.gi.do) [prutə'ʒidu] *adj.* **1** apoiado **2** defendido ▪ *n.m.* **1** pessoa que recebe proteção ou ajuda **2** pessoa que goza de privilégios

proteína (pro.te.í.na) [prɔtɐ'inɐ] *n.f.* composto orgânico constituído por carbono, oxigénio, hidrogénio, azoto e, por vezes, enxofre e fósforo, que representa uma parte essencial da massa dos seres vivos

protelação (pro.te.la.ção) [prutəlɐ'sɐ̃w̃] *n.f.* adiamento

protelar (pro.te.lar) [prutə'lar] *v.* adiar (compromisso, evento) para outra data ou ocasião

prótese (pró.te.se) ['prɔtəz(ə)] *n.f.* peça artificial que substitui um órgão do corpo ou parte de um órgão

protestante (pro.tes.tan.te) [prutəʃ'tɐ̃t(ə)] *n.2g.* pessoa pertencente a uma das igrejas que se separaram da Igreja Católica, ou a um dos grupos que se constituíram em resultado da Reforma

protestantismo (pro.tes.tan.tis.mo) [prutəʃtɐ̃'tiʒmu] *n.m.* conjunto de doutrinas e de igrejas dissidentes da Igreja Católica romana ou oriundas da Reforma religiosa do século XVI

protestar (pro.tes.tar) [prutəʃ'tar] *v.* manifestar-se contra; reclamar

protesto (pro.tes.to) [pru'tɛʃtu] *n.m.* **1** expressão de desacordo ou de recusa **2** queixa contra alguma coisa; reclamação

protetor (pro.te.tor)AO [prutɛ'tor] *adj.* que protege ou defende ▪ *n.m.* pessoa que protege alguém ou alguma coisa ♦ **protetor solar** produto (creme, loção) usado especialmente na praia para proteger a pele dos efeitos nocivos das radiações ultravioleta

protocolar (pro.to.co.lar) [prɔtɔku'lar] *adj.2g.* **1** relativo a protocolo **2** de acordo com o protocolo; formal

protocolo (pro.to.co.lo) [prɔtɔ'kɔlu] *n.m.* **1** conjunto de normas que regem atos públicos ou solenes; cerimonial; etiqueta **2** acordo estabelecido entre empresas ou países

protótipo (pro.tó.ti.po) [prɔ'tɔtipu] *n.m.* **1** modelo padrão **2** modelo (de automóvel, avião, etc.) para servir de teste antes do fabrico em série

protuberância (pro.tu.be.rân.ci:a) [prutubə'rɐ̃sjɐ] *n.f.* saliência

protuberante (pro.tu.be.ran.te) [prutubə'rɐ̃t(ə)] *adj.2g.* saliente

prova (pro.va) ['prɔvɐ] *n.f.* **1** aquilo que mostra ou confirma uma verdade; demonstração **2** exame, teste **3** competição desportiva **4** concurso ♦ **prova de fogo** situação ou experiência difícil por que tem de se passar e que é determinante para alcançar um determinado objetivo

provação (pro.va.ção) [pruvɐ'sɐ̃w̃] *n.f.* grande sofrimento

provado (pro.va.do) [pru'vadu] *adj.* **1** demonstrado **2** experimentado

provador (pro.va.dor) [pruvɐ'dor] *n.m.* pessoa cuja profissão consiste em provar vinhos

provar (pro.var) [pru'var] *v.* **1** demonstrar **2** experimentar

provável (pro.vá.vel) [pru'vavɛɫ] *adj.2g.* que pode acontecer; possível **ANT.** improvável

provedor (pro.ve.dor) [pruvə'dor] *n.m.* pessoa que dirige certas instituições de assistência ♦ **provedor da Justiça** pessoa que preside ao órgão do Estado (provedoria) ao qual os cidadãos se podem dirigir para defender os seus direitos, liberdades, garantias e interesses legítimos

provedoria (pro.ve.do.ri.a) [pruvədu'riɐ] *n.f.* **1** cargo de provedor **2** gabinete do provedor ♦ **provedoria da Justiça** órgão do Estado de carácter independente que visa servir de mediador entre os cidadãos e o sistema administrativo, assegurando a defesa e a promoção dos direitos, liberdades, garantias e interesses legítimos dos cidadãos

proveito **(pro.vei.to)** [pru'vɐjtu] *n.m.* vantagem; lucro ♦ **em proveito de** em benefício de

proveitoso **(pro.vei.to.so)** [pruvɐj'tozu] *adj.* **1** útil **2** vantajoso

proveniência **(pro.ve.ni:ên.ci:a)** [pruvə'njẽsjɐ] *n.f.* origem

proveniente **(pro.ve.ni:en.te)** [pruvə'njẽt(ə)] *adj.2g.* originário

prover **(pro.ver)** [pru'ver] *v.* fornecer; abastecer: *prover o mercado* ■ **prover-se** ⟨**+de**⟩ abastecer--se: *prover-se de roupa*

provérbio **(pro.vér.bi:o)** [pru'vɛrbju] *n.m.* frase de origem popular que contém um conselho ou um ensinamento (como "amor com amor se paga" e "cão que ladra não morde") **SIN.** ditado; máxima

proveta **(pro.ve.ta)** [pru'vetɐ] *n.f.* vaso de vidro, estreito e cilíndrico, para recolher gases ou medir quantidades de líquidos; tubo de ensaio

providência **(pro.vi.dên.ci:a)** [pruvi'dẽsjɐ] *n.f.* medida que se toma para promover um bem ou evitar um mal **SIN.** prevenção ■ **Providência** Deus ♦ **providência cautelar** processo judicial, com carácter de urgência, destinado a evitar, pela demora inevitável do processo principal, dano ou lesão num determinado direito, tornando este inútil quando for proferida a sentença

providenciar **(pro.vi.den.ci:ar)** [pruvidẽ'sjar] *v.* tomar medidas para

providente **(pro.vi.den.te)** [pruvi'dẽt(ə)] *adj.2g.* **1** que toma providências ou medidas necessárias a qualquer coisa **2** que é cauteloso; prudente

provido **(pro.vi.do)** [pru'vidu] *adj.* munido; dotado

província **(pro.vín.ci:a)** [pru'vĩsjɐ] *n.f.* zona interior de um país

provincial **(pro.vin.ci:al)** [pruvĩ'sjaɫ] *adj.2g.* **1** relativo a província **2** que é típico da província

provinciano **(pro.vin.ci:a.no)** [pruvĩ'sjɐnu] *adj.* **1** relativo ou pertencente a província **2** *pej.* pouco desenvolvido; atrasado

provir **(pro.vir)** [pru'vir] *v.* **1** ⟨**+de**⟩ derivar; resultar: *A boa nota no exame proveio de muito estudo.* **2** ⟨**+de**⟩ ter origem; proceder: *Essa população provém da Ásia.*

provisão **(pro.vi.são)** [pruvi'zɐ̃w̃] *n.f.* **1** fornecimento; abastecimento **2** acumulação de coisas; reserva

provisório **(pro.vi.só.ri:o)** [pruvi'zɔrju] *adj.* passageiro; temporário

provitamina **(pro.vi.ta.mi.na)** [prɔvitɐ'minɐ] *n.f.* substância natural que o organismo transforma numa vitamina

provocação **(pro.vo.ca.ção)** [pruvukɐ'sɐ̃w̃] *n.f.* desafio

provocador **(pro.vo.ca.dor)** [pruvukɐ'dor] *adj.* **1** que provoca **2** causador

provocante **(pro.vo.can.te)** [pruvu'kɐ̃t(ə)] *adj.2g.* que provoca ou desafia **SIN.** provocador

provocar **(pro.vo.car)** [pruvu'kar] *v.* desafiar

provocatório **(pro.vo.ca.tó.ri:o)** [pruvukɐ'tɔrju] *adj.* que contém provocação; que desafia

provoco **(pro.vo.co)** [pru'voku] *n.m.* [MOÇ.] provocação

proxeneta **(pro.xe.ne.ta)** [prɔʃə'netɐ] *n.2g.* pessoa que recebe rendimentos da prostituição de outrem

proximidade **(pro.xi.mi.da.de)** [prɔsimi'dad(ə)] *n.f.* qualidade do que está próximo **SIN.** vizinhança

próximo **(pró.xi.mo)** ['prɔsimu] *adj.* **1** que se segue; seguinte **2** que está perto; vizinho **3** que está quase a acontecer; prestes

prudência **(pru.dên.ci:a)** [pru'dẽsjɐ] *n.f.* **1** cautela **2** calma

prudente **(pru.den.te)** [pru'dẽt(ə)] *adj.2g.* **1** cauteloso **2** sensato

prumo **(pru.mo)** ['prumu] *n.m.* instrumento composto de uma peça metálica suspensa num fio, que é usado para verificar se uma parede está na vertical ♦ **a prumo** na vertical

prurido **(pru.ri.do)** [pru'ridu] *n.f.* sensação que dá vontade de coçar a pele **SIN.** comichão

P.S. [pe'ɛs] *n. m.* o que se acrescenta a uma mensagem escrita, depois da assinatura **OBS.** Abreviatura de *post scriptum*

pseudónimo **(pseu.dó.ni.mo)** [psew'dɔnimu] *n.m.* nome escolhido por uma pessoa para proteger a sua identidade

psicanálise **(psi.ca.ná.li.se)** [psikɐ'naliz(ə)] *n.f.* método criado por Sigmund Freud (1856-1939) para investigação e tratamento de casos de neurose e psicose, que assenta na exploração dos conteúdos inconscientes das palavras, ações e produções imaginárias de uma pessoa

psicanalista **(psi.ca.na.lis.ta)** [psikɐnɐ'liʃtɐ] *n.2g.* especialista em psicanálise

psicanalítico **(psi.ca.na.lí.ti.co)** [psikɐnɐ'litiku] *adj.* relativo a psicanálise

psicologia **(psi.co.lo.gi.a)** [psikulu'ʒiɐ] *n.f.* estudo das atividades mentais e do comportamento de alguém

psicológico **(psi.co.ló.gi.co)** [psiku'lɔʒiku] *adj.* relativo a psicologia

psicólogo **(psi.có.lo.go)** [psi'kɔlugu] *n.m.* especialista em psicologia

psicomotricidade **(psi.co.mo.tri.ci.da.de)** [psikɔmutrisi'dad(ə)] *n.f.* capacidade de coordenar os movimentos corporais através da mente

psicopata (psi.co.pa.ta) [psikɔ'patɐ] *n.2g.* pessoa que sofre de uma doença mental

psicose (psi.co.se) [psi'kɔz(ə)] *n.f.* doença mental em que a personalidade se desintegra de forma profunda, com perturbações da perceção, do raciocínio e do comportamento

psicossomático (psi.cos.so.má.ti.co) [psikɔsu'matiku] *adj.* relativo aos distúrbios orgânicos e funcionais favorecidos ou agravados por fatores psíquicos

psicotécnico (psi.co.téc.ni.co) [psikɔ'tɛkniku] *adj.* (exame, teste) que tem como objetivo revelar as aptidões profissionais de uma pessoa

psicoterapeuta (psi.co.te.ra.peu.ta) [psikɔtərɐ'pewtɐ] *n.2g.* especialista em psicoterapia

psique (psi.que) ['psik(ə)] *n.f.* **1** mente humana **2** conjunto dos processos mentais ou fenómenos psíquicos de uma pessoa

psiquiatra (psi.qui:a.tra) [psi'kjatrɐ] *n.2g.* especialista em psiquiatria

psiquiatria (psi.qui:a.tri.a) [psikjɐ'triɐ] *n.f.* ramo da medicina que estuda as perturbações mentais

psiquiátrico (psi.qui:á.tri.co) [psi'kjatriku] *adj.* relativo à psiquiatria

psíquico (psí.qui.co) ['psikiku] *adj.* que diz respeito à mente

psiu (psiu) ['psiw] *interj.* usada para chamar alguém ou para impor silêncio

PSP [peɛs'pe] *sigla de* Polícia de Segurança Pública

pub ['pɐb] *n.m.* ⟨*pl.* pubs⟩ **1** bar de estilo inglês onde se servem bebidas alcoólicas **2** estabelecimento noturno onde se servem bebidas e se ouve música

puberdade (pu.ber.da.de) [pubər'dad(ə)] *n.f.* conjunto das transformações físicas e psicológicas que ocorrem quando uma criança se torna adolescente

púbico (pú.bi.co) ['pubiku] *adj.* relativo ao púbis

púbis (pú.bis) ['pubiʃ] *n.m.2n.* **1** parte anterior do osso ilíaco **2** parte triangular do baixo abdómen, coberta de pelos nos adultos

publicação (pu.bli.ca.ção) [publikɐ'sɐ̃w̃] *n.f.* **1** ato ou efeito de publicar **2** obra publicada **3** jornal ou revista

publicamente (pu.bli.ca.men.te) [publikɐ'mẽt(ə)] *adv.* em público; à vista de todos

publicar (pu.bli.car) [publi'kar] *v.* **1** divulgar **2** editar

publicidade (pu.bli.ci.da.de) [publisi'dad(ə)] *n.f.* técnica para dar a conhecer um produto ou um conjunto de produtos

publicitar (pu.bli.ci.tar) [publisi'tar] *v.* **1** tornar público; divulgar **2** fazer publicidade a

publicitário (pu.bli.ci.tá.ri:o) [publisi'tarju] *adj.* relativo a publicidade ■ *n.m.* pessoa que trabalha em publicidade

público (pú.bli.co) ['publiku] *adj.* **1** que pertence a todos; comum **2** que todos conhecem **3** que se faz para todos ■ *n.m.* **1** conjunto da população; povo **2** pessoas que assistem a um espetáculo; assistência

público-alvo (pú.bli.co-.al.vo) [publi'kwałvu] *n.m.* ⟨*pl.* públicos-alvo⟩ grupo de consumidores com características comuns (sexo, idade, profissão, etc.) a quem se dirige uma mensagem ou uma campanha publicitária

púcara (pú.ca.ra) ['pukɐrɐ] *n.f.* púcaro pequeno

púcaro (pú.ca.ro) ['pukɐru] *n.m.* pequeno vaso com asa, geralmente de barro

pudera (pu.de.ra) [pu'dɛrɐ] *interj.* usada para confirmar ou acentuar o que alguém disse antes

pudico (pu.di.co) [pu'diku] *adj.* **1** tímido **2** reservado

pudim (pu.dim) [pu'dĩ] *n.m.* doce de consistência cremosa, feito geralmente com leite e ovos, que é cozido no forno ou em banho-maria

pudor (pu.dor) [pu'dor] *n.f.* sentimento de vergonha ou de timidez

puericultura (pu:e.ri.cul.tu.ra) [pwɛrikuł'turɐ] *n.f.* especialidade que se dedica ao estudo do desenvolvimento físico e psíquico das crianças, desde a gestação até à puberdade

pueril (pu:e.ril) [pwɛ'ril] *adj.2g.* **1** próprio de criança(s); infantil **2** fútil; frívolo

pufe (pu.fe) ['puf(ə)] *n.m.* assento baixo, geralmente de forma circular, sem apoio para as costas e os braços, com enchimento leve e fofo

pugilismo (pu.gi.lis.mo) [puʒi'liʒmu] *n.m.* combate em que dois adversários se confrontam com socos, usando luvas apropriadas; boxe

pugilista (pu.gi.lis.ta) [puʒi'liʃtɐ] *n.2g.* praticante de pugilismo; boxeur

pujança (pu.jan.ça) [pu'ʒɐ̃sɐ] *n.f.* grande força; vigor; robustez

pujante (pu.jan.te) [pu'ʒɐ̃t(ə)] *adj.2g.* que tem pujança; vigoroso; forte; robusto

pular (pu.lar) [pu'lar] *v.* dar pulos **SIN.** saltar

pulga (pul.ga) ['pułgɐ] *n.f.* pequeno inseto parasita do homem e de outros animais, que pode transmitir doenças através da sua picada ◆ **estar com a pulga atrás da orelha** estar desconfiado; **estar em pulgas** estar irrequieto ou ansioso

pulgão (pul.gão) [puł'gɐ̃w̃] *n.m.* inseto parasita que suga a seiva das plantas

pulha (pu.lha) ['puʎɐ] *adj.2g.* **1** *coloq.* desprezível **2** *coloq.* indecente ■ *n.2g. coloq.* pessoa sem caráter ou sem dignidade; patife

pulinho (pu.li.nho) [pu'liɲu] ⟨*dim. de* pulo⟩ *n.m.* **1** pulo pequeno **2** visita rápida

pulmão **(pul.mão)** [puɫ'mɐ̃w̃] *n.m.* órgão situado no tórax, que faz parte do sistema respiratório ♦ **a plenos pulmões** com voz alta e forte; **ter bons pulmões** ter uma voz forte

pulmonar **(pul.mo.nar)** [puɫmu'nar] *adj.2g.* relativo a pulmão

pulo **(pu.lo)** ['pulu] *n.m.* salto ♦ **aos pulos** **1** dando saltos **2** com a pulsação acelerada; **dar um pulo** **1** ir rapidamente a (algum lugar) **2** crescer muito em pouco tempo

pulôver **(pu.lô.ver)** [pu'lovɛr] *n.m.* ⟨*pl.* pulôveres⟩ camisola exterior de malha, com ou sem mangas, que se veste pela cabeça

púlpito **(púl.pi.to)** ['puɫpitu] *n.m.* tribuna elevada, numa igreja, de onde o padre fala

pulsação **(pul.sa.ção)** [puɫsɐ'sɐ̃w̃] *n.f.* batimento do coração e das artérias

pulsar **(pul.sar)** [puɫ'sar] *v.* bater (o coração); palpitar

pulseira **(pul.sei.ra)** [puɫ'sɐjrɐ] *n.f.* joia ou argola que se usa em volta do pulso

pulso **(pul.so)** ['puɫsu] *n.m.* articulação do antebraço com a mão

pulverizador **(pul.ve.ri.za.dor)** [puɫvərizɐ'dor] *n.m.* dispositivo que espalha um pó ou um líquido em gotas minúsculas **SIN.** vaporizador

pulverizar **(pul.ve.ri.zar)** [puɫvəri'zar] *v.* **1** reduzir a pó **2** vaporizar

pum **(pum)** ['pũ] *interj.* imita o ruído produzido pela queda de um objeto ou por uma explosão

puma **(pu.ma)** ['pumɐ] *n.f.* mamífero felino e carnívoro de grande porte, da América do Sul

pumba **(pum.ba)** ['pũbɐ] *interj.* imita o som produzido pela queda de uma pessoa ou de um objeto

punção **(pun.ção)** [pũ'sɐ̃w̃] *n.f.* picada no corpo com objeto pontiagudo para retirar um líquido ou introduzir um medicamento

pungente **(pun.gen.te)** [pũ'ʒẽt(ə)] *adj.2g.* **1** (sensação) agudo; penetrante **2** (sabor) picante; azedo

punhado **(pu.nha.do)** [pu'ɲadu] *n.m.* pequena quantidade

punhal **(pu.nhal)** [pu'ɲaɫ] *n.m.* arma com um cabo e uma lâmina curta

punhalada **(pu.nha.la.da)** [puɲɐ'ladɐ] *n.f.* **1** golpe ou ferimento feito com punhal **2** *fig.* ofensa; traição

punho **(pu.nho)** ['puɲu] *n.m.* **1** mão fechada **2** pulso **3** parte da manga que cerca o pulso

punição **(pu.ni.ção)** [puni'sɐ̃w̃] *n.f.* castigo

punir **(pu.nir)** [pu'nir] *v.* ⟨**+com**, **+por**⟩ castigar: *Puniu o aluno por ter copiado.*

punível **(pu.ní.vel)** [pu'nivɛɫ] *adj.2g.* que pode ser punido ou castigado

punk ['pɐ̃k] *n.m.* movimento juvenil de contestação dos valores e da ordem social vigente que teve início na Grã-Bretanha na década de 1970 e se caracterizou por sinais exteriores de provocação (no vestuário, cortes de cabelo, piercings, etc.) ■ *adj.2g.* relativo àquele movimento ■ *n.2g.* pessoa, geralmente jovem, adepta desse movimento

pupila **(pu.pi.la)** [pu'pilɐ] *n.f.* abertura, no centro da íris, que regula a entrada de luz no olho

pupilo **(pu.pi.lo)** [pu'pilu] *n.m.* **1** aluno; discípulo **2** criança protegida por alguém

puré **(pu.ré)** [pu'rɛ] *n.m.* creme preparado com alimentos cozidos e esmagados

pureza **(pu.re.za)** [pu'rezɐ] *n.f.* **1** qualidade do que é puro ou autêntico **2** ausência de maldade; inocência

purgante **(pur.gan.te)** [pur'gɐ̃t(ə)] *n.m.* medicamento que se utiliza para facilitar a evacuação das fezes; laxante

purgatório **(pur.ga.tó.ri:o)** [purgɐ'tɔrju] *adj.* que limpa ou purifica ■ *n.m. fig.* qualquer lugar onde se sofre ■ **Purgatório** no catolicismo, lugar onde se purificam as almas dos justos, antes de entrarem no céu

purificação **(pu.ri.fi.ca.ção)** [purifikɐ'sɐ̃w̃] *n.f.* eliminação de todas as impurezas **SIN.** limpeza

purificador **(pu.ri.fi.ca.dor)** [purifikɐ'dor] *adj.* que purifica ■ *n.m.* **1** aquilo que purifica **2** aparelho destinado a purificar (água, ar, líquidos)

purificante **(pu.ri.fi.can.te)** [purifi'kɐ̃t(ə)] *adj.2g.* que purifica; que serve para purificar

purificar(-se) **(pu.ri.fi.car(-se))** [purifi'kar(sə)] *v.* **1** tornar(-se) puro **SIN.** limpar **2** tornar(-se) moralmente puro

purismo **(pu.ris.mo)** [pu'riʒmu] *n.m.* **1** preocupação excessiva com a pureza ou o rigor da linguagem ou com a correção gramatical **2** defesa rigorosa e intransigente da pureza de uma tradição

purista **(pu.ris.ta)** [pu'riʃtɐ] *n.2g.* **1** pessoa demasiado escrupulosa com a pureza da linguagem ou da expressão (verbal ou escrita) **2** pessoa que defende de modo rigoroso e intransigente uma tradição; ortodoxo

puritanismo (pu.ri.ta.nis.mo) [puritɐ'niʒmu] *n.m.* **1** conjunto de princípios defendidos por um movimento protestante que pretende praticar um cristianismo puro e fazer uma interpretação literal das Escrituras **2** severidade excessiva em relação a questões de ordem moral; moralismo

puritano (pu.ri.ta.no) [puri'tɐnu] *adj.* **1** relativo ao puritanismo **2** que é membro de um movimento que defende uma interpretação literal das Escrituras **3** que revela grande severidade em relação à moral; moralista ■ *n.m.* pessoa adepta do puritanismo

puro (pu.ro) ['puru] *adj.* **1** limpo **2** autêntico **3** límpido **4** inocente

puro-sangue (pu.ro-.san.gue) [puru'sɐ̃g(ə)] *n.m.* ⟨*pl.* puros-sangues⟩ animal (especialmente cavalo) de raça pura, cuja reprodução é feita a partir de animais com qualidades idênticas

púrpura (púr.pu.ra) ['purpurɐ] *n.f.* **1** substância corante vermelho-escura **2** cor vermelho-escura, semelhante ao roxo

purpurina (pur.pu.ri.na) [purpu'rinɐ] *n.f.* pó brilhante, prateado ou dourado, que é usado em trabalhos manuais, pinturas, etc.

pus (pus) ['puʃ] *n.m.* líquido espesso e amarelado que se forma numa ferida infecionada

puto (pu.to) ['putu] *n.m. coloq.* miúdo; garoto

putrefação (pu.tre.fa.ção)[AO] [putrəfa'sɐ̃w̃] *n.f.* decomposição da matéria orgânica **SIN.** apodrecimento

putrefacção (pu.tre.fac.ção) [putrəfa'sɐ̃w̃] *a nova grafia é* **putrefação**[AO]

putrefacto (pu.tre.fac.to) [putrə'faktu] *adj.* **1** (matéria orgânica, cadáver) que se encontra em decomposição **2** (alimento) que apodreceu; podre

puxa (pu.xa) ['puʃa] *interj.* exprime admiração, aborrecimento ou impaciência

puxado (pu.xa.do) [pu'ʃadu] *adj.* que exige muito esforço; difícil

puxador (pu.xa.dor) [puʃɐ'dor] *n.m.* peça de madeira, porcelana ou metal, por onde se puxa para abrir portas e gavetas

puxão (pu.xão) [pu'ʃɐ̃w̃] *n.m.* ato de puxar com força; esticão

puxar (pu.xar) [pu'ʃar] *v.* **1** mover (algo) para perto de si **2** arrastar **3** esticar **4** tirar

puzzle ['pɐzl(ə)] *n.m.* ⟨*pl.* puzzles⟩ **1** jogo que consiste em combinar pequenas peças diferentes para formar uma imagem única (uma figura, um mapa, etc.) **2** *fig.* problema difícil de resolver; quebra-cabeças

PVD [peve'de] *sigla de* Países em Vias de Desenvolvimento

PVP [peve'pe] *sigla de* Preço de Venda ao Público

Q

q ['ke] *n.m.* consoante, décima sétima letra do alfabeto, que está entre as letras *p* e *r*

q.b. *abreviatura de* quanto baste

QI [kə'i] *sigla de* Quociente de Inteligência

quadra **(qua.dra)** ['kwadrɐ] *n.f.* **1** conjunto de quatro versos **2** qualquer período de tempo; época

quadradinho **(qua.dra.di.nho)** [kwɐdrɐ'diɲu] ⟨*dim. de* quadrado⟩ *n.m.* quadrado pequeno ♦ **história aos quadradinhos** banda desenhada

quadrado **(qua.dra.do)** [kwɐ'dradu] *n.m.* polígono com quatro lados iguais e quatro ângulos retos ■ *adj.* **1** que tem quatro lados iguais e quatro ângulos retos **2** *coloq.* diz-se da pessoa baixa e gorda **3** *coloq.* diz-se da pessoa pouco sensível ou pouco inteligente ♦ **aos quadrados** que tem a forma semelhante a um cubo

quadragésimo **(qua.dra.gé.si.mo)** [kwɐdrɐ'ʒɛzimu] *adj.* que ocupa a posição número 40 ■ *num.frac.* que resulta da divisão de um todo por 40 ■ *n.m.* **1** pessoa ou coisa que ocupa a posição número 40 **2** uma das quarenta partes em que se dividiu uma unidade

quadrangular **(qua.dran.gu.lar)** [kwɐdrɐ̃gu'lar] *adj.2g.* formado por quatro ângulos; que tem quatro cantos

quadrângulo **(qua.drân.gu.lo)** [kwɐ'drɐ̃gulu] *n.m.* polígono com quatro lados

quadrante **(qua.dran.te)** [kwɐ'drɐ̃t(ə)] *n.m.* **1** cada uma das quatro partes em que se divide uma circunferência **2** arco de 90° **3** mostrador de um relógio solar **4** antigo instrumento de navegação que permitia medir a altura dos astros e calcular a latitude

quadratura **(qua.dra.tu.ra)** [kwɐdrɐ'turɐ] *n.f.* **1** (geometria) processo de transformação de uma dada superfície num quadrado de área igual à dessa superfície **2** posição de dois astros que distam entre si 90°, quando vistos da Terra **3** quarto crescente ou quarto minguante da Lua

quadríceps **(qua.drí.ceps)** [kwɐ'drisɛps] *n.m.2n.* ⇒ **quadricípite**

quadricípite **(qua.dri.cí.pi.te)** [kwɐdri'sipit(ə)] *n.m.* grande músculo exterior da perna

quadrícula **(qua.drí.cu.la)** [kwɐ'drikulɐ] *n.f.* pequeno quadrado

quadriculado **(qua.dri.cu.la.do)** [kwɐdriku'ladu] *adj.* dividido em pequenos quadrados

quadrienal **(qua.dri:e.nal)** [kwɐ'drjɛnał] *adj.2g.* que sucede de quatro em quatro anos

quadriga **(qua.dri.ga)** [kwɐ'drigɐ] *n.f.* antigo carro de duas rodas puxado por quatro cavalos

quadril **(qua.dril)** [kwɐ'driɫ] *n.m.* região do corpo entre a cintura e a coxa; anca

quadrilátero **(qua.dri.lá.te.ro)** [kwɐdri'latəru] *n.m.* polígono com quatro lados

quadrilha **(qua.dri.lha)** [kwɐ'driʎɐ] *n.f.* grupo de ladrões ou bandidos

quadringentésimo **(qua.drin.gen.té.si.mo)** [kwɐdrĩʒẽ'tɛzimu] *num.ord.* que ocupa o lugar número 400 ■ *n.m.* **1** pessoa ou coisa que ocupa a posição número 400 **2** uma das quatrocentas partes em que se dividiu uma unidade

quadrissílabo **(qua.dris.sí.la.bo)** [kwɐdri'silɐbu] *n.m.* palavra com quatro sílabas

quadro **(qua.dro)** ['kwadru] *n.m.* **1** objeto quadrado ou retangular que se coloca numa parede para nele se escrever **2** obra de pintura ou desenho

quadrúpede **(qua.drú.pe.de)** [kwɐ'drupəd(ə)] *n.m.* animal que tem quatro patas

quadruplicar **(qua.dru.pli.car)** [kwɐdrupli'kar] *v.* multiplicar por quatro

quádruplo **(quá.dru.plo)** ['kwadruplu] *num.mult.* que contém quatro vezes a mesma quantidade ■ *n.m.* valor ou quantidade quatro vezes maior

qual **(qual)** ['kwał] *prn.rel.* precedido de artigo definido, refere a pessoa ou coisa mencionada anteriormente: *Visitei a Rita, a qual fazia anos; Li o livro, o qual me foi oferecido.* ■ *prn.interr.* **1** que coisa ou que pessoa: *Qual delas?* **2** de que natureza; de que qualidade: *Qual é a tua opinião?* ■ *conj.* como; que nem: *Calou-se, qual criança mimada.* ♦ **cada qual** cada um; **qual quê!** exclamação que exprime discordância; **tal e qual** exatamente; assim mesmo

qualidade **(qua.li.da.de)** [kwɐli'dad(ə)] *n.f.* **1** característica positiva de uma pessoa; dom **2** característica de uma coisa; atributo ♦ **de qualidade** com valor; **na qualidade de** a título de; na função de; **qualidade de vida** situação de equilíbrio nas condições sociais, económicas e ambientais de existência dos seres vivos

qualificação **(qua.li.fi.ca.ção)** [kwɐlifikɐ'sɐ̃w̃] *n.f.* **1** preparação específica para um cargo ou uma função; habilitação **2** apuramento para uma competição ou para um concurso; classificação

qualificado (qua.li.fi.ca.do) [kwɐlifi'kadu] *adj.* apto; habilitado

qualificar (qua.li.fi.car) [kwɐlifi'kar] *v.* ⟨**+de**⟩ atribuir uma qualidade a: *Qualificaram o João de muito inteligente.* ■ **qualificar-se** ⟨**+para**⟩ ser considerado apto para: *Eles não conseguiram qualificar-se para as finais.*

qualificativo (qua.li.fi.ca.ti.vo) [kwɐlifikɐ'tivu] *adj.* **1** que qualifica **2** que exprime uma qualidade ■ *n.m.* palavra que serve para qualificar (alguém ou alguma coisa)

qualificável (qua.li.fi.cá.vel) [kwɐlifi'kavɛɫ] *adj.2g.* que se pode qualificar

qualitativamente (qua.li.ta.ti.va.men.te) [kwɐlitɐtivɐ'mẽt(ə)] *adv.* **1** de modo qualitativo **2** em relação à qualidade

qualitativo (qua.li.ta.ti.vo) [kwɐlitɐ'tivu] *adj.* relativo a qualidade

qualquer (qual.quer) [kwaɫ'kɛr] *prn.indef.* designa pessoa ou coisa indeterminada: *Traz um amigo qualquer.; Qualquer um dos livros é bom.* ■ *det.indef.* **1** um, uma; algum, alguma: *Qualquer dia vou visitar-te.; Qualquer rapariga sabe isso.* **2** não importa qual: *Diz-me uma razão qualquer.* **3** todo, toda: *Qualquer pessoa sabe isso.*

quando (quan.do) ['kwɐ̃du] *adv.* em que tempo ou época: *Quando voltas?* ■ *conj.* **1** no momento em que: *Quando chegares, telefona-me.* **2** sempre que: *Quando faz sol, vou à praia.* **3** logo que: *Quando puder, vou aí.* **4** ainda que; apesar de: *Contou tudo, quando eu lhe tinha pedido segredo.* ♦ **de vez em quando** às vezes; **quando muito** na melhor das hipóteses; no máximo; **quando não** caso contrário

quantia (quan.ti.a) [kwɐ̃'tiɐ] *n.f.* soma em dinheiro **SIN.** importância; verba

quântico (quân.ti.co) ['kwɐ̃tiku] *adj.* relativo à teoria dos quanta, segundo a qual a emissão ou absorção de energia se faz de maneira descontínua e por múltiplos inteiros de uma mesma quantidade

quantidade (quan.ti.da.de) [kwɐ̃ti'dad(ə)] *n.f.* **1** qualidade daquilo que pode ser medido ou contado **2** número, peso ou volume de alguma coisa **3** grande número de coisas ou pessoas ♦ **em grande quantidade** em abundância

quantificação (quan.ti.fi.ca.ção) [kwɐ̃tifikɐ'sɐ̃w̃] *n.f.* determinação da quantidade de (algo); avaliação

quantificador (quan.ti.fi.ca.dor) [kwɐ̃tifikɐ'dor] *n.m.* palavra que antecede o nome e dá informações sobre a quantidade, o número ou a parte da coisa referida

quantificar (quan.ti.fi.car) [kwɐ̃tifi'kar] *v.* determinar a quantidade de; avaliar

quantificável (quan.ti.fi.cá.vel) [kwɐ̃tifi'kavɛɫ] *adj.2g.* que se pode quantificar

quantitativamente (quan.ti.ta.ti.va.men.te) [kwɐ̃titɐtivɐ'mẽt(ə)] *adv.* **1** de modo quantitativo **2** em relação à quantidade

quantitativo (quan.ti.ta.ti.vo) [kwɐ̃titɐ'tivu] *adj.* **1** relativo a quantidade **2** que indica quantidade

quanto (quan.to) ['kwɐ̃tu] *det.,prn.interr.* que número ou quantidade de pessoas ou coisas: *Quanto dinheiro tens?; Quantos somos?* ■ *adv.* **1** em que quantidade; quão grande: *Quanto custa?/Quanto é?* **2** com que intensidade; como: *Eles não sabem quanto aquela mulher tem sofrido.* ♦ **quanto a** no que respeita a; relativamente a; **quanto antes** o mais depressa possível; **tanto quanto** segundo; conforme; todo o que

quão (quão) ['kwɐ̃w̃] *adv.* **1** quanto **2** como

quá-quá (quá-.quá) [kwa'kwa] *n.m.* **1** *infant.* grasnar do pato **2** pato

quarenta (qua.ren.ta) [kwɐ'rẽtɐ] *num.card.* trinta mais dez ■ *n.m.* o número 40

quarentão (qua.ren.tão) [kwɐrẽ'tɐ̃w̃] *n.m.* ⟨*f.* quarentona⟩ pessoa com idade entre os 40 e os 50 anos

quarentena (qua.ren.te.na) [kwɐrẽ'tenɐ] *n.f.* **1** período de quarenta dias **2** período de isolamento de pessoas com doenças contagiosas ♦ **de quarentena** de reserva; de lado

Quaresma (Qua.res.ma) [kwɐ'rɛʒmɐ] *n.f.* período de 40 dias que decorre entre a Quarta-Feira de Cinzas e o Domingo de Páscoa

quarta (quar.ta) ['kwartɐ] *n.f.* **1** mudança de velocidade a seguir à terceira **2** *coloq.* quarta-feira

quarta-feira (quar.ta-.fei.ra) [kwartɐ'fɐjrɐ] *n.f.* ⟨*pl.* quartas-feiras⟩ quarto dia da semana

quarteirão (quar.tei.rão) [kwɐrtɐj'rɐ̃w̃] *n.m.* **1** a quarta parte de um cento; 25 unidades **2** terreno quadrangular formado por quatro ruas que se cruzam duas a duas **3** conjunto de casas situadas nesse terreno

quartel (quar.tel) [kwɐr'tɛɫ] *n.m.* **1** conjunto de instalações onde se alojam forças militares **2** período de 25 anos

quartel-general (quar.tel-.ge.ne.ral) [kwɐrtɛɫʒənə'raɫ] *n.m.* ⟨*pl.* quartéis-generais⟩ instalações que funcionam como sede de comando de uma região militar e que são ocupadas por oficiais generais

quarteto (quar.te.to) [kwar'tetu] *n.m.* conjunto de quatro vozes ou quatro instrumentos musicais

quarto (quar.to) ['kwartu] *adj.* que ocupa o lugar número 4 ■ *num.frac.* que resulta da divisão d um todo por 4 ▪ *n.m.* **1** uma das quatro partes em que se dividiu o todo; a quarta parte **2** quinze minutos **3** divisão de uma casa onde se dorme **4** cada uma das fases da lua em que só se vê um quarto desse planeta ♦ **quarto crescente** fase da lua nos sete dias antes da lua cheia; **quarto minguante** fase da lua nos sete dias seguintes à lua cheia

quarto de banho (quar.to de ba.nho) [kwartu də'bɐɲu] *n.m.* divisão de uma habitação destinada aos cuidados de higiene

quartos-de-final (quar.tos-.de-.fi.nal) [kwartuʒ dəfi'naɫ] *a nova grafia é* **quartos de final**[AO]

quartos de final (quar.tos de fi.nal)[AO] [kwartuʒ dəfi'naɫ] *n.m.2n.* provas eliminatórias que envolvem oito jogadores ou equipas, dos quais apenas quatro são apurados para a meia-final

quartzo (quart.zo) ['kwartzu] *n.m.* mineral encontrado em diversas rochas

quase (qua.se) ['kwaz(ə)] *adv.* **1** a pouca distância de; perto **2** aproximadamente **3** por um triz

quaternário (qua.ter.ná.ri:o) [kwɐtər'narju] *adj.* diz-se do compasso (musical) que tem quatro tempos iguais

quatro (qua.tro) ['kwatru] *num.card.* três mais um ▪ *n.m.* o número 4 ♦ *coloq.* **ficar de quatro** apaixonar-se

quatrocentos (qua.tro.cen.tos) [kwatru'sẽtuʃ] *num.card.* trezentos mais cem ▪ *n.m.* o número 400

que (que) ['k(ə)] *prn.rel.* o qual: *O livro que lhe dei é um best-seller.* ▪ *prn.interr.* qual coisa?: *Que fazes aí?* ▪ *adv.* exprime intensidade; quão; como: *Que belo dia!* ▪ *det.interr.* introduz pergunta sobre alguma coisa ou alguém: *Que horas são? Que livro compraste?* ▪ *conj.* **1** introduz uma oração que completa o sentido de outra: *O João sabia que estava atrasado.* **2** introduz o segundo termo de uma comparação: *Ele é mais alto (do) que o primo.* **3** introduz uma causa; porque: *Não saias que está a chover muito.* **4** usa-se com valor enfático: *Tão simpático que ele é!*

quê (quê) ['ke] *prn.interr.* como? ▪ *n.m.* **1** coisa indefinida ou vaga **2** dificuldade ♦ **não há de quê** fórmula de cortesia usada como resposta a agradecimento manifestado por outrem; **sem quê nem p'ra quê** sem motivo aparente; sem razão; **um não sei quê** algo incerto ou indefinido

quebra (que.bra) ['kɛbrɐ] *n.f.* **1** separação dos elementos de um todo; desagregação **2** diminuição parcial; redução **3** interrupção; falha

quebra-cabeças (que.bra-.ca.be.ças) [kɛbrɐ kɐ'besɐʃ] *n.m.2n.* **1** jogo que consiste em encaixar peças para formar uma imagem, um mapa, etc. **2** problema difícil de resolver; dificuldade

quebradiço (que.bra.di.ço) [kəbrɐ'disu] *adj.* que se quebra com facilidade **SIN.** frágil

quebrado (que.bra.do) [kə'bradu] *adj.* **1** partido; fraturado **2** interrompido **3** (regra, lei) desrespeitado; transgredido **4** (promessa) que não se cumpriu **5** *fig.* (pessoa) cansado; exausto

quebra-luz (que.bra-.luz) [kɛbrɐ'luʃ] *n.m.* ⟨*pl.* quebra-luzes⟩ peça de candeeiro que serve para atenuar a intensidade da luz; abajur

quebra-mar (que.bra-.mar) [kɛbrɐ'mar] *n.m.* ⟨*pl.* quebra-mares⟩ paredão que protege as embarcações das ondas ou das correntes; molhe

quebra-nozes (que.bra-.no.zes) [kɛbrɐ'nɔzəʃ] *n.m.2n.* instrumento utilizado para partir a casca de nozes e avelãs

quebrar (que.brar) [kə'brar] *v.* **1** partir **2** interromper

queda (que.da) ['kɛdɐ] *n.f.* **1** tombo **2** diminuição

queda-d'água (que.da-.d'á.gua) [kɛdɐ'dagwɐ] *n.f.* corrente de água que cai formando cachão

queijada (quei.ja.da) [kɐj'ʒadɐ] *n.f.* pastel feito com leite, ovos, queijo, açúcar e massa de trigo

queijaria (quei.ja.ri.a) [kɐjʒɐ'riɐ] *n.f.* fábrica de queijos

queijeira (quei.jei.ra) [kɐj'ʒɐjrɐ] *n.f.* prato coberto com uma tampa, próprio para guardar queijo

queijo (quei.jo) ['kɐjʒu] *n.m.* alimento produzido a partir da nata do leite, que é comprimida e posta a secar

queima (quei.ma) ['kɐjmɐ] *n.f.* **1** destruição pelo fogo **2** incineração (de lixo ou resíduos) ♦ **Queima das Fitas** festa dos estudantes do ensino superior, realizada todos os anos no mês de maio, em que se celebra o fim do respetivo ano académico

A **Queima das Fitas** é uma importante festa estudantil, originária da Universidade de Coimbra e atualmente celebrada também noutras academias do país.

queimada (quei.ma.da) [kɐj'madɐ] *n.f.* queima de mato para preparar o terreno para plantar

queimadela (quei.ma.de.la) [kɐjmɐ'dɛlɐ] *n.f.* queimadura leve ou superficial

queimadura (quei.ma.du.ra) [kɐjmɐ'durɐ] *n.f.* lesão produzida na pele por fogo ou calor excessivo

queimar (quei.mar) [kɐj'mar] *v.* **1** consumir pelo fogo **2** pôr fogo a **3** escaldar ▪ **queimar-se 1** incendiar-se **2** sofrer queimaduras

queima-roupa (quei.ma-.rou.pa) [kɐjmɐ'ʀo(w)pɐ] *elem. da loc.* **à queima-roupa** muito de perto; repentinamente; violentamente

queixa (quei.xa) ['kɐjʃɐ] *n.f.* **1** reclamação **2** lamento ♦ **fazer queixa de (alguém)** denunciar (alguém)

queixa-crime (quei.xa-.cri.me) [kɐjʃɐ'krim(ə)] *n.f.* ⟨*pl.* queixas-crime(s)⟩ participação de uma ocorrência a uma autoridade policial ou judicial, que dá origem a um processo criminal

queixar-se (quei.xar-.se) [kɐj'ʃars(ə)] *v.* **1** manifestar tristeza ou dor: *Está sempre a queixar-se.* **2** ⟨**+a**, **+de**⟩ denunciar um mal ou uma ofensa que se recebeu: *Queixou-se do barulho à polícia.* **3** ⟨**+de**⟩ mostrar-se ressentido ou ofendido: *Queixava-se de que ninguém o levava a sério* **4** ⟨**+de**⟩ expor sintomas de mal-estar ou doença: *Ele queixava-se de dores de cabeça.*

queixinhas (quei.xi.nhas) [kɐj'ʃiɲɐʃ] *adj.inv.* que está sempre a denunciar as faltas dos outros ♦ **fazer queixinhas (de alguém)** denunciar (alguém)

queixo (quei.xo) ['kɐjʃu] *n.m.* região saliente do maxilar inferior ♦ **de queixo caído** admirado; boquiaberto; **tremer/bater o queixo** tremer de frio, febre, etc.

queixoso (quei.xo.so) [kɐj'ʃozu] *n.m.* pessoa que apresenta queixa

queixume (quei.xu.me) [kɐj'ʃum(ə)] *n.m.* lamento ou choro continuado **SIN.** lamúria

quelha (que.lha) ['kɐ(j)ʎɐ] *n.f.* rua estreita; viela

quem (quem) ['kɐ̃j̃] *prn.rel.* **1** o qual, a qual, os quais, as quais: *Este é o rapaz com quem falaste.* **2** a pessoa ou as pessoas que: *Não viu quem lá estava na cantina.* ▪ *prn.interr.* que pessoa?; que pessoas?: *Quem chegou?* ♦ **quem quer que seja** qualquer pessoa/um

queniano (que.ni:a.no) [kɛ'njɐnu] *adj.* relativo ao Quénia ▪ *n.m.* pessoa natural do Quénia

quente (quen.te) ['kẽt(ə)] *adj.2g.* que tem ou que produz calor **ANT.** frio

queque (que.que) ['kɛk(ə)] *n.m.* pequeno bolo fofo, preparado com manteiga, ovos e açúcar

quer (quer) ['kɛr] *conj.* liga palavras indicando alternativa: *Quer queiram, quer não. Quer chova, quer faça sol.*

querela (que.re.la) [kə'rɛlɐ] *n.f.* **1** acusação ou denúncia **2** discussão; conflito

querer (que.rer) [kə'rer] *v.* **1** ter vontade: *Queres jogar futebol?* **SIN.** desejar **2** ter intenção: *Eu quero ir ao cinema.* **SIN.** pretender **3** ambicionar: *Ela quer ser advogada.* **4** ⟨**+a**⟩ ter afeto: *Eu quero muito ao meu sobrinho.* **5** exigir; ordenar: *Quero silêncio!* ▪ *n.m.* **1** vontade **2** afeto ♦ **por querer** de propósito; voluntariamente; **quer dizer** ou melhor; **querer dizer 1** ter intenção de dizer **2** significar; **sem querer** involuntariamente

querido (que.ri.do) [kə'ridu] *adj.* muito estimado; muito apreciado ▪ *n.m.* pessoa amada

quermesse (quer.mes.se) [kər'mɛ(sə)] *n.f.* festa popular com leilão e venda de prendas, para fins de beneficência

querubim (que.ru.bim) [kəru'bĩ] *n.m.* 👁 anjo

questão (ques.tão) [kəʃ'tɐ̃w̃] *n.f.* **1** assunto **2** discussão **3** pergunta ♦ **em questão** de que se está a falar; **fazer questão** manifestar grande interesse ou vontade; **fora de questão** que não será considerado; **fugir à questão** mudar de assunto

questionar (ques.ti:o.nar) [kəʃtju'nar] *v.* **1** levantar questão sobre: *Ele questionou a decisão do árbitro.* **SIN.** discutir **2** ⟨**+sobre**⟩ colocar questões: *Questionou uma testemunha sobre o acidente.* **SIN.** interrogar; indagar ▪ **questionar-se** ⟨**+sobre**⟩ interrogar-se; indagar-se: *Questiono-me se eles serão felizes.*

questionário (ques.ti:o.ná.ri:o) [kəʃtju'narju] *n.m.* lista de perguntas

questionável (ques.ti:o.ná.vel) [kəʃtju'navɛɫ] *adj.2g.* que se pode (ou deve) questionar; discutível; duvidoso

quetzal (quet.zal) [kɛ'tzaɫ] *n.m.* ave da América Central com plumagem brilhante, verde e vermelha, e cauda muito longa

quezília (que.zí.li:a) [kə'ziljɐ] *n.f.* **1** briga **2** antipatia **3** transtorno

quiçá (qui.çá) [ki'sa] *adv.* talvez; porventura

quiche ['kiʃ(ə)] *n.f.* torta salgada de massa que brada, recheada com um preparado de ovos leite ou natas que pode incluir legumes, fiambre, presunto, atum, etc.

quicuanga (qui.cu:an.ga) [ki'kwɐ̃gɐ] *n.f.* [ANG.] bolo em forma de pão feito de farinha de mandioca, água e sal, que é cozido ao sol

quieto (qui:e.to) ['kjɛtu] *adj.* **1** que não se mexe; parado **2** calmo; tranquilo

quilate (qui.la.te) [ki'lat(ə)] *n.m.* unidade de medida para avaliação do teor de ouro puro no ouro comercial, atribuindo-se ao ouro puro o valor de 24 quilates

quilha (qui.lha) ['kiʎɐ] *n.f.* peça de um navio que vai da proa à popa

quilo (qui.lo) ['kilu] *n.m.* ⇒ **quilograma**

quilocaloria (qui.lo.ca.lo.ri.a) [kilɔkɐlu'riɐ] *n.f.* mil calorias (símbolo: kcal)

quilograma (qui.lo.gra.ma) [kilu'grɐmɐ] *n.m.* mil gramas (símbolo: kg)

quilo-hertz [kilɔ'ɛrtz] *n.m.* unidade de medida da frequência de ondas radioelétricas igual a 1000 hertz

quilolitro (qui.lo.li.tro) [kilɔ'litru] *n.m.* unidade de medida de capacidade, de símbolo kl, que equivale a 1000 litros

quilometragem (qui.lo.me.tra.gem) [kilumə'traʒɐ̃j] *n.f.* medida em quilómetros

quilómetro (qui.ló.me.tro) [ki'lɔmətru] *n.m.* mil metros (símbolo: km)

quilowatt (qui.lo.watt) [kilɔ'wɔt] *n.m.* unidade de medida de potência, de símbolo kW, que equivale a 1000 watts

quimbundo (quim.bun.do) [kĩ'bũdu] *n.m.* língua banta falada em Angola

quimera (qui.me.ra) [ki'mɛrɐ] *n.f.* ideia impossível de realizar **SIN.** ilusão; utopia

quimérico (qui.mé.ri.co) [ki'mɛriku] *adj.* fantástico; imaginário

química (quí.mi.ca) ['kimikɐ] *n.f.* ciência que estuda a composição e as propriedades dos elementos da natureza, as suas transformações e a forma como reagem entre si

químico (quí.mi.co) ['kimiku] *adj.* relativo a química ▪ *n.m.* especialista em química

quimioterapia (qui.mi:o.te.ra.pi.a) [kimjɔtərɐ'piɐ] *n.f.* tratamento de doenças por meio de substâncias químicas sintetizadas

quimo (qui.mo) ['kimu] *n.m.* massa formada pelos alimentos que se encontram no estômago, depois da digestão

quimono (qui.mo.no) [ki'monu] *n.m.* túnica comprida, de trespasse e mangas largas, que se aperta com um cinto, usada em artes marciais

quina (qui.na) ['kinɐ] *n.f.* **1** carta, peça de dominó ou face de dado com cinco pintas **2** no jogo do loto, série horizontal de cinco números

quingentésimo (quin.gen.té.si.mo) [kwĩʒẽ'tɛzimu] *num.ord.* que, numa série, ocupa a posição imediatamente a seguir à quadringentésima nonagésima nona ▪ *num.frac.* que resulta da divisão de um todo por quinhentos

quinhão (qui.nhão) [ki'ɲɐ̃w̃] *n.m.* ⇒ **quota**

quinhentista (qui.nhen.tis.ta) [kiɲẽ'tiʃtɐ] *adj.2g.* relativo ao século XVI

quinhentos (qui.nhen.tos) [ki'ɲẽtuʃ] *num.card.* quatrocentos mais cem ▪ *n.m.* **1** o número 500 **2** o século XVI

quinquagenário (quin.qua.ge.ná.ri:o) [kwĩkwɐʒə'narju] *n.m.* pessoa com cerca de 50 anos de idade

quinquagésimo (quin.qua.gé.si.mo) [kwĩkwɐ'ʒɛzimu] *adj.* que ocupa o lugar número 50 ▪ *num.frac.* que resulta da divisão de um todo por 50 ▪ *n.m.* uma das cinquenta partes em que se dividiu o todo

quinquilharia (quin.qui.lha.ri.a) [kĩkiʎɐ'riɐ] *n.f.* bugiganga

quinta (quin.ta) ['kĩtɐ] *n.f.* **1** casa de campo com terreno para criar animais ou para praticar agricultura **2** num automóvel, mudança de velocidade a seguir à quarta **3** *coloq.* quinta-feira ♦ *coloq.* **estar nas suas sete quintas** encontrar-se numa situação desejada e agradável

quinta-essência (quin.ta-.es.sên.ci:a) [kĩtɐi'sẽsjɐ] *n.f.* ⟨*pl.* quinta-essências⟩ **1** o que há de melhor e mais subtil em qualquer coisa; essencial **2** o mais alto grau; auge

quinta-feira (quin.ta-.fei.ra) [kĩtɐ'fɐjrɐ] *n.f.* ⟨*pl.* quintas-feiras⟩ quinto dia da semana

quintal (quin.tal) [kĩ'taɫ] *n.m.* terreno com jardim ou horta, junto de uma casa

quinteto (quin.te.to) [kĩ'tetu] *n.m.* conjunto de cinco instrumentos musicais ou de cinco vozes

quinto (quin.to) ['kĩtu] *adj.* que ocupa o lugar número 5 ▪ *num.frac.* que resulta da divisão de um todo por 5 ▪ *n.m.* uma das cinco partes em que se dividiu uma unidade; quinta parte

quíntuplo (quín.tu.plo) ['kĩtuplu] *num.mult.* que contém cinco vezes a mesma quantidade ▪ *n.m.* valor ou quantidade cinco vezes maior

quinze (quin.ze) ['kĩz(ə)] *num.card.* dez mais cinco ▪ *n.m.* o número 15

quinzena (quin.ze.na) [kĩ'zenɐ] *n.f.* período de quinze dias

quinzenal (quin.ze.nal) [kĩzə'naɫ] *adj.2g.* **1** relativo a quinzena **2** que acontece de 15 em 15 dias

quiosque **(qui:os.que)** ['kjɔʃk(ə)] *n.m.* pequena loja, numa rua ou num jardim, onde se vendem jornais e revistas

quiproquó **(qui.pro.quó)** [kwiprɔ'kwɔ] *n.m.* confusão; equívoco

quiquia **(qui.qui.a)** [ki'kiɐ] *n.f.* [GB.] mocho

quisimussi **(qui.si.mus.si)** [kizimu'si] *n.m.* **1** [MOÇ.] festa do Natal **2** [MOÇ.] festas do fim do ano

quissanje **(quis.san.je)** [ki'sɐ̃ʒ(ə)] *n.m.* [ANG.] instrumento musical formado por uma série de lâminas sonoras dispostas sobre uma tábua de madeira

quisto **(quis.to)** ['kiʃtu] *n.m.* acumulação de uma substância mole num órgão ou num tecido, que provoca aumento de volume desse órgão ou tecido

quitare **(qui.ta.re)** [ki'tar(ə)] *n.m.* [ANG.] dinheiro

quite **(qui.te)** ['kit(ə)] *adj.2g.* livre de dívida ou de obrigação ◆ **estamos quites!** estamos empatados!

quivi **(qui.vi)** [ki'vi] *n.m.* ⇒ **kiwi**

quizomba **(qui.zom.ba)** [ki'zõbɐ] *n.f.* **1** [ANG.] batuque **2** [ANG.] festa; divertimento **3** dança muito movimentada de origem angolana

quociente **(quo.ci:en.te)** [kɔ'sjẽt(ə)] *n.m.* resultado de uma divisão ◆ **quociente de inteligência** valor médio da inteligência de uma pessoa expresso em números

quórum **(quó.rum)** ['kwɔrũ] *n.m.* número de pessoas necessário para se tomar uma decisão numa assembleia

quota **(quo.ta)** ['kɔtɐ] *n.f.* parte de um todo que pertence a cada pessoa **SIN.** quinhão

quota-parte **(quo.ta-.par.te)** [kɔtɐ'part(ə)] *n.f.* ⟨*pl.* quotas-partes⟩ **1** parte proporcional com que cada pessoa contribui para a realização de algo **2** parte que cada um deve receber na partição de uma quantia

quotidiano **(quo.ti.di:a.no)** [kɔti'djɐnu] *adj.* que acontece todos os dias ■ *n.m.* aquilo que se faz todos os dias; dia a dia

R

r ['ɛʀ(ə)] *n.m.* consoante, décima oitava letra do alfabeto, que está entre as letras *q* e *s*

R. *abreviatura de* rua

rã (rã) ['ʀɐ̃] *n.f.* batráquio de cor verde, com olhos salientes e patas longas, que vive junto de charcos e riachos

rabanada (ra.ba.na.da) [ʀɐbɐ'nadɐ] *n.f.* **1** fatia de pão frita depois de embebida em leite e passada por ovo: *No Natal, fazemos sempre rabanadas para a consoada.* **2** ventania repentina, forte e violenta: *uma rabanada de vento*

rabanete (ra.ba.ne.te) [ʀɐbɐ'net(ə)] *n.m.* planta, cuja raiz é um pequeno tubérculo comestível de cor vermelha

rabi (ra.bi) [ʀa'bi] *n.m.* sacerdote judaico

rabigo (ra.bi.go) [ʀɐ'bigu] *adj.* **1** que mexe muito com o rabo **2** que nunca está quieto; irrequieto; agitado

rabino (ra.bi.no) [ʀɐ'binu] *adj.* irrequieto; travesso ■ *n.m.* sacerdote judaico

rabiscar (ra.bis.car) [ʀɐbiʃ'kar] *v.* fazer rabiscos em: *Ele rabiscou os meus cadernos.*

rabisco (ra.bis.co) [ʀɐ'biʃku] *n.m.* letra ou traço mal feito: *Ele não conseguia perceber os seus próprios rabiscos.*

rabo (ra.bo) ['ʀabu] *n.m.* **1** extremidade posterior, mais ou menos longa, do corpo de muitos animais SIN. cauda **2** nádegas ◆ **aqui é que a porca torce o rabo** aqui é que está a dificuldade; **fugir com o rabo à seringa** evitar responsabilidades; **meter o rabo entre as pernas** dar-se por vencido; admitir uma derrota

rabo-de-cavalo (ra.bo-.de-.ca.va.lo) [ʀabudə kɐ'valu] *a nova grafia é* **rabo de cavalo**[AO]

rabo de cavalo (ra.bo de ca.va.lo)[AO] [ʀabudə kɐ'valu] *n.m.* ⟨*pl.* rabos de cavalo⟩ penteado em que o cabelo é puxado atrás e preso de forma a cair como a cauda de um cavalo

rabo-de-saia (ra.bo-.de-.sai.a) [ʀabudə'sajɐ] *a nova grafia é* **rabo de saia**[AO]

rabo de saia (ra.bo de sai.a)[AO] [ʀabudə'sajɐ] *n.m.* ⟨*pl.* rabos de saia⟩ *coloq.* mulher

rabugento (ra.bu.gen.to) [ʀɐbu'ʒẽtu] *adj.* que está impaciente ou com mau humor SIN. resmungão

Note-se que a palavra **rabugento** escreve-se com **g** (e não com **j**).

rabugice (ra.bu.gi.ce) [ʀɐbu'ʒi(sə)] *n.f.* **1** qualidade de rabugento; resmunguice **2** mau humor; irritação

rabujar (ra.bu.jar) [ʀɐbu'ʒar] *v.* resmungar

raça (ra.ça) ['ʀasɐ] *n.f.* grupo de pessoas que apresentam características hereditárias comuns, como a cor da pele ou do cabelo, o feitio dos olhos, etc. ◆ *coloq.* **acabar com a raça de** matar; destruir; (animal) **de raça** que provém de boa espécie; **ter raça 1** ter classe; ter elegância **2** ter valor

ração (ra.ção) [ʀɐ'sɐ̃w̃] *n.f.* porção de alimento necessária para consumo diário de um ser humano ou de um animal

racha (ra.cha) ['ʀaʃɐ] *n.f.* fenda; abertura: *A parede tem uma grande racha.*

rachar (ra.char) [ʀɐ'ʃar] *v.* **1** abrir ao meio; partir **2** ferir, abrindo: *Ele rachou a cabeça.* ◆ **de rachar** muito intenso; **ou vai ou racha!** é agora ou nunca!; tem de ser!

racial (ra.ci:al) [ʀɐ'sjał] *adj.2g.* **1** relativo a raça **2** próprio da raça

rácio (rá.ci:o) ['ʀasju] *n.m.* relação entre dois valores

raciocinar (ra.ci:o.ci.nar) [ʀɐsjusi'nar] *v.* ⟨**+sobre**⟩ pensar; refletir: *Não consigo raciocinar com tanto barulho.*

raciocínio (ra.ci:o.cí.ni:o) [ʀɐsju'sinju] *n.m.* **1** encadeamento de ideias que leva a uma conclusão: *fazer um raciocínio* **2** pensamento

racional (ra.ci:o.nal) [ʀɐsju'nał] *adj.2g.* **1** que tem a capacidade de raciocinar: *O homem é um ser racional.* **2** que está de acordo com a razão SIN. sensato

racionalidade (ra.ci:o.na.li.da.de) [ʀɐsjunɐli'dad(ə)] *n.f.* **1** qualidade do que é racional; sensatez **2** faculdade de usar a razão

racionalismo (ra.ci:o.na.lis.mo) [ʀɐsjunɐ'liʒmu] *n.f.* doutrina que afirma a superioridade da razão para compreender a realidade e alcançar o conhecimento

racionalista (ra.ci:o.na.lis.ta) [ʀɐsjunɐ'liʃtɐ] *adj.2g.* **1** relativo a racionalismo **2** seguidor do racionalismo ■ *n.2g.* pessoa que segue o racionalismo

racionalização (ra.ci:o.na.li.za.ção) [ʀɐsjunɐli zɐ'sɐ̃w̃] *n.f.* ato de racionalizar

racionalizar (ra.ci:o.na.li.zar) [ʀɐsjunɐli'zar] *v.* 1 procurar compreender ou explicar de forma lógica 2 organizar (algo) de modo eficaz e produtivo

racionalmente (ra.ci:o.nal.men.te) [ʀɐsju nał'mẽt(ə)] *adv.* 1 de acordo com a razão 2 de forma eficaz

racionamento (ra.ci:o.na.men.to) [ʀɐsjunɐ'mẽtu] *n.m.* distribuição ou venda de bens essenciais (comida, água, etc.) de forma controlada, para assegurar uma distribuição justa entre as pessoas

racionar (ra.ci:o.nar) [ʀɐsju'nar] *v.* distribuir ou vender de forma controlada: *É preciso racionar o açúcar.*

racismo (ra.cis.mo) [ʀa'siʒmu] *n.m.* 1 tratamento injusto ou desigual dado a alguém por causa da sua raça; discriminação racial 2 teoria que afirma a superioridade de uma raça em relação a outra(s)

racista (ra.cis.ta) [ʀa'siʃtɐ] *adj.2g.* relativo a racismo: *Ele fez uns comentários racistas.* ■ *n.2g.* pessoa que defende ideias ou atitudes próprias do racismo

radar (ra.dar) [ʀa'dar] *n.m.* técnica ou equipamento que serve para localizar objetos distantes

radiação (ra.di:a.ção) [ʀɐdjɐ'sɐ̃w̃] *n.f.* 1 emissão de raios luminosos ou de calor 2 energia emitida sob a forma de partículas ou de ondas

radiador (ra.di:a.dor) [ʀɐdjɐ'dor] *n.m.* 1 aquecedor 2 dispositivo destinado a arrefecer motores: *O radiador do carro avariou-se.*

radiante (ra.di:an.te) [ʀɐ'djɐ̃t(ə)] *adj.2g.* 1 que emite raios 2 que está muito contente

radicado (ra.di.ca.do) [ʀɐdi'kadu] *adj.* 1 que se radicou; enraizado 2 (pessoa) residente: *Ele está radicado em França.*

radical (ra.di.cal) [ʀɐdi'kał] *adj.2g.* 1 relativo a raiz 2 básico; fundamental 3 drástico; profundo 4 diz-se da atividade desportiva que exige esforço e que envolve algum perigo: *Ele gosta de desportos radicais.* ■ *n.m.* parte invariável de uma palavra, que contém o seu sentido básico

radicalismo (ra.di.ca.lis.mo) [ʀɐdikɐ'liʒmu] *n.m.* 1 sistema político que defende reformas profundas na organização social 2 doutrina ou comportamento extremista e inflexível

radicalista (ra.di.ca.lis.ta) [ʀɐdikɐ'liʃtɐ] *adj.2g.* 1 relativo a radicalismo 2 partidário do radicalismo ■ *n.2g.* pessoa partidária do radicalismo

radicalizar(-se) (ra.di.ca.li.zar(-se)) [ʀɐdikɐli'zar(sə)] *v.* 1 tornar(-se) radical ou extremo; extremar(-se) 2 piorar; agravar(-se)

radicar (ra.di.car) [ʀɐdi'kar] *v.* 1 fazer penetrar 2 ter origem ■ **radicar-se** ⟨+em⟩ instalar-se (numa casa): *Radicou-se no Canadá.*

rádio (rá.di:o) ['ʀadju] *n.m.* 1 aparelho recetor de sons radiofónicos: *Desliga o rádio!* 2 osso do antebraço ■ *n.f.* estação radiodifusora que transmite programas de entretenimento, informação , etc.: *Eu trabalho na rádio. Gosto de ouvir rádio.*

radioactividade (ra.di:o.ac.ti.vi.da.de) [ʀadjuati vi'dad(ə)] *a nova grafia é* **radioatividade**[AO]

radioactivo (ra.di:o.ac.ti.vo) [ʀadjua'tivu] *a nova grafia é* **radioativo**[AO]

radioatividade (ra.di:o.a.ti.vi.da.de)[AO] [ʀadjuati vi'dad(ə)] *n.f.* propriedade de certos elementos para emitir radiações quando se produz a decomposição dos seus átomos

radioativo (ra.di:o.a.ti.vo)[AO] [ʀadjua'tivu] *adj.* que contém radioatividade

rádio-despertador (rá.di:o-.des.per.ta.dor) [ʀadjudəʃpərtɐ'dor] *n.m.* aparelho de rádio com funções de despertador

radiodifusão (ra.di:o.di.fu.são) [ʀadjudifu'zɐ̃w̃] *n.f.* difusão ou transmissão de sons e/ou imagens através de ondas hertzianas

radiofonia (ra.di:o.fo.ni.a) [ʀadjɔfu'niɐ] *n.f.* sistema de transmissão do som por ondas hertzianas

radiofónico (ra.di:o.fó.ni.co) [ʀadjɔ'fɔniku] *adj.* 1 relativo a radiofonia 2 divulgado pela rádio

radiografar (ra.di:o.gra.far) [ʀadjugrɐ'far] *v.* fazer radiografia de (órgão ou parte do corpo)

radiografia (ra.di:o.gra.fi.a) [ʀadjugrɐ'fiɐ] *n.f.* fotografia do interior do corpo obtida por meio de radiações: *tirar uma radiografia*

radiogravador (ra.di:o.gra.va.dor) [ʀadjugrɐ vɐ'dor] *n.m.* aparelho que recebe sinais radiofónicos, permitindo efetuar gravações desse sinal num suporte apropriado (geralmente fita magnética) e ouvir o que se encontra gravado

radiologista (ra.di:o.lo.gis.ta) [ʀadjulu'ʒiʃtɐ] *adj.,n.2g.* especialista em radiologia

rádio-pirata (rá.di:o-.pi.ra.ta) [ʀadjupi'ratɐ] *n.f.* ⟨*pl.* rádios-piratas⟩ estação radiofónica que opera sem as devidas licenças

radioso (ra.di:o.so) [ʀɐ'djozu] *adj.* 1 brilhante 2 muito alegre

radiotáxi (ra.di:o.tá.xi) [ʀadjɔ'taksi] *n.m.* táxi munido de um recetor de rádio, através do qual comunica com a central do serviço a que pertence

radioterapia (ra.di:o.te.ra.pi.a) [ʀadjɔtərɐ'piɐ] *n.f.* método de tratamento por meio de radiações

rafeiro (ra.fei.ro) [ʀɐ'fɐjru] *n.m.* cão sem raça definida, resultante do cruzamento de diversas raças

ráfia (rá.fi:a) ['ʀafjɐ] *n.f.* 1 palmeira que fornece fibras resistentes e flexíveis 2 fio obtido dessas fibras

rafting ['ʀaftĩg] *n.m.* desporto aquático praticado num barco insuflável, e que consiste em descer rios com correntes rápidas e percursos acidentados

râguebi **(râ.gue.bi)** ['ʀɐgəbi] *n.m.* jogo entre duas equipas de quinze jogadores, cujo objetivo é levar uma bola oval para além da linha de fundo do adversário ou fazê-la passar entre os dois postes da baliza

raia **(rai.a)** ['ʀajɐ] *n.f.* peixe com o corpo achatado e com uma cauda larga ◆ **passar/tocar as raias** ultrapassar/atingir certos limites

raiado **(rai.a.do)** [ʀaj'adu] *adj.* que tem riscas

raiar **(rai.ar)** [ʀaj'ar] *v.* **1** emitir raios luminosos **2** surgir no horizonte (Sol)

raide **(rai.de)** ['ʀajd(ə)] *n.m.* **1** ataque militar surpresa **2** ação policial breve e imprevista

rail ['ʀajl] *n.m.* barra horizontal, geralmente feita de metal, destinada a separar fluxos de tráfego ou a proteger uma via

rainha **(ra.i.nha)** [ʀɐ'iɲɐ] *n.f.* ⟨*m.* rei⟩ **1** soberana de um reino ou esposa de um rei **2** segunda peça mais importante do jogo do xadrez **3** ⇒ **abelha-mestra**

A palavra **rainha** escreve-se sem acento agudo no **i**.

---

raio **(rai.o)** ['ʀaju] *n.m.* **1** traço de luz que sai de um foco luminoso: *raio de sol* **2** descarga elétrica que durante as tempestades se manifesta entre duas nuvens, sendo acompanhado de luz (relâmpago) e de estrondo (trovão) **3** segmento de reta que une o centro de uma circunferência a qualquer ponto da circunferência ◆ **como um raio** abruptamente; repentinamente; **raios o partam!** exclamação que exprime irritação, impaciência ou indignação; **raio X** radiografia

raiva **(rai.va)** ['ʀajvɐ] *n.f.* **1** fúria; cólera **2** doença grave que pode ser transmitida ao homem através da mordedura de um animal, geralmente de um cão

raivoso **(rai.vo.so)** [ʀaj'vozu] *adj.* **1** que sofre de raiva **2** furioso

raiz **(ra.iz)** [ʀɐ'iʃ] *n.f.* ⟨*pl.* raízes⟩ **1** parte da planta que a liga à terra e permite a absorção de água e dos alimentos necessários **2** parte interior de alguma coisa; base **3** parte invariável de uma palavra, que é comum às palavras da mesma família; radical ◆ **até à raiz do cabelo** até ao limite

---

Note-se que a palavra **raiz** se escreve sem acento agudo no **i** no singular, mas no plural leva acento: *as raízes da planta*.

---

rajá **(ra.já)** [ʀa'ʒa] *n.m.* rei ou príncipe indiano

rajada **(ra.ja.da)** [ʀɐ'ʒadɐ] *n.f.* aumento súbito da força do vento

rajado **(ra.ja.do)** [ʀɐ'ʒadu] *adj.* ⇒ **raiado**

ralação **(ra.la.ção)** [ʀɐlɐ'sɐ̃w̃] *n.f.* **1** preocupação **2** aborrecimento

ralado **(ra.la.do)** [ʀɐ'ladu] *adj.* **1** passado pelo ralador **2** preocupado **3** aborrecido

ralador **(ra.la.dor)** [ʀɐlɐ'dor] *n.m.* utensílio de cozinha com uma lâmina e orifícios, usado para ralar alimentos

ralar **(ra.lar)** [ʀɐ'lar] *v.* **1** passar (alimentos) pelo ralador **SIN.** moer **2** causar preocupação a ■ **ralar-se** ⟨**+com**⟩ ficar preocupado: *Não te rales com isso!*

ralé **(ra.lé)** [ʀɐ'lɛ] *n.f. pej.* camada mais baixa da sociedade

ralenti [ʀalɐ̃'ti] *n.m.* **1** andamento mais lento de um motor **2** técnica de filmagem e de apresentação de uma cena em velocidade mais lenta que o normal; câmara lenta ◆ **au *ralenti*** de modo lento; vagarosamente

ralhar **(ra.lhar)** [ʀɐ'ʎar] *v.* ⟨**+a**, **+com**⟩ repreender em voz alta: *Eu ralhei ao/com o João.*

ralhete **(ra.lhe.te)** [ʀɐ'ʎet(ə)] *n.m.* censura em voz alta **SIN.** repreensão

rali **(ra.li)** [ʀa'li] *n.m.* corrida de veículos motorizados em estradas públicas, com provas cronometradas; **rali paper** prova automobilística dividida em etapas em que os concorrentes têm de percorrer um determinado percurso num dado tempo e responder a um questionário que envolve perguntas e resolução de tarefas

rally [ʀa'li] *n.m.* ⇒ **rali**

ralo **(ra.lo)** ['ʀalu] *n.m.* **1** tampa com orifícios para coar líquidos **2** peça com buracos que se adapta a uma porta para deixar passar o ar

RAM ['ram] memória de acesso aleatório **OBS.** Sigla de *Random Access Memory*

rama **(ra.ma)** ['ʀɐmɐ] *n.f.* conjunto de ramos e folhas de uma planta **SIN.** ramada; ramagem ◆ **em rama** em estado bruto; **pela rama** de maneira superficial

ramada **(ra.ma.da)** [ʀɐ'madɐ] *n.f.* ⇒ **rama**

ramadão **(ra.ma.dão)**[AO] [ʀɐmɐ'dɐ̃w̃] *n.m.* nono mês do ano maometano, consagrado ao jejum entre o nascer e o pôr do sol

ramagem **(ra.ma.gem)** [ʀɐ'maʒɐ̃j̃] *n.f.* ⇒ **rama**

ramal **(ra.mal)** [ʀɐ'maɫ] *n.m.* subdivisão de uma estrada ou de uma linha; ramificação

ramalheira **(ra.ma.lhei.ra)** [ʀɐmɐ'ʎɐjrɐ] *n.f.* ⇒ **rama**

ramalhete **(ra.ma.lhe.te)** [ʀɐmɐ'ʎet(ə)] *n.m.* pequeno ramo de flores

rameira **(ra.mei.ra)** [ʀɐ'mɐjrɐ] *n.f. pej.* mulher que pratica atividades sexuais por dinheiro; prostituta

ramificação (ra.mi.fi.ca.ção) [ʀɐmifikɐ'sɐ̃w̃] *n.f.* divisão em ramos; subdivisão

ramificar(-se) (ra.mi.fi.car(-se)) [ʀɐmifi'kar(sə)] *v.* **1** subdividir(-se) em ramos ou raízes **2** *fig.* alastrar(-se); estender(-se)

ramo (ra.mo) ['ʀɐmu] *n.m.* **1** parte da planta que nasce do tronco ou do caule; galho **2** porção de flores ligadas por um laço ou por uma fita

rampa (ram.pa) ['ʀɐ̃pɐ] *n.f.* plano inclinado **SIN.** declive

rancho (ran.cho) ['ʀɐ̃ʃu] *n.m.* **1** grupo folclórico **2** comida feita para soldados e marinheiros **3** propriedade rural americana

ranço (ran.ço) ['ʀɐ̃su] *n.m.* cheiro próprio do que tem humidade ou de substância em decomposição **SIN.** mofo

rancor (ran.cor) [ʀɐ̃'kor] *n.f.* **1** mágoa; ressentimento: *guardar rancor a alguém* **2** ódio profundo

rancoroso (ran.co.ro.so) [ʀɐ̃ku'rozu] *adj.* cheio de rancor

rançoso (ran.ço.so) [ʀɐ̃'sozu] *adj.* que tem ranço

rand ['ʀɐ̃d] *n.m.* ⟨*pl.* rands⟩ unidade monetária da África do Sul

ranger (ran.ger) [ʀɐ̃'ʒer] *v.* **1** roçar os dentes uns nos outros **2** produzir um som áspero, causado por fricção; chiar

rangido (ran.gi.do) [ʀɐ̃'ʒidu] *n.m.* som áspero causado por atrito

ranho (ra.nho) ['ʀɐɲu] *n.m.* secreção das mucosas nasais

ranhoso (ra.nho.so) [ʀɐ'ɲozu] *adj.* **1** que tem ranho **2** que não se assoa

ranhura (ra.nhu.ra) [ʀɐ'ɲurɐ] *n.f.* fenda estreita e comprida

ranking ['ʀɐ̃kĩg] *n.m.* ⟨*pl.* rankings⟩ lista oficial dos melhores classificados numa atividade ou numa modalidade desportiva

rap ['ʀɛp] *n.m.* estilo musical em que as palavras não são cantadas, mas ditas rápida e com ritmo

rapadela (ra.pa.de.la) [ʀɐpɐ'dɛlɐ] *n.f.* ato de rapar

rapado (ra.pa.do) [ʀɐ'padu] *adj.* **1** que se rapou **2** (cabelo, barba) cortado rente **3** (campo) sem vegetação

rapar (ra.par) [ʀɐ'par] *v.* **1** cortar rente **2** tirar, raspando

rapariga (ra.pa.ri.ga) [ʀɐpɐ'rigɐ] *n.f.* mulher jovem; adolescente

rapaz (ra.paz) [ʀɐ'paʃ] *n.m.* homem jovem; adolescente

rapaziada (ra.pa.zi:a.da) [ʀɐpɐ'zjadɐ] *n.f.* conjunto de rapazes ou de rapazes e raparigas

rapazinho (ra.pa.zi.nho) [ʀɐpɐ'ziɲu] ⟨*dim. de* rapaz⟩ *n.m.* menino

rapazola (ra.pa.zo.la) [ʀɐpɐ'zɔlɐ] ⟨*dim. de* rapaz⟩ *n.m.* **1** rapaz pequeno **2** homem adulto que se comporta como um rapaz

rapé (ra.pé) [ʀɐ'pɛ] *n.m.* tabaco moído para cheirar

rapel (ra.pel) [ʀa'pɛɫ] *n.m.* técnica e desporto radical em que se desce uma superfície vertical ou muito inclinada através de um sistema de cordas

rapidamente (ra.pi.da.men.te) [rapidɐ'mẽt(ə)] *adv.* **1** depressa **2** em pouco tempo **3** com urgência

rapidez (ra.pi.dez) [ʀɐpi'deʃ] *n.f.* qualidade do que é rápido **SIN.** pressa; velocidade

rápido (rá.pi.do) ['ʀapidu] *adj.* **1** veloz **ANT.** lento **2** breve ■ *adv.* com rapidez; depressa

rapinar (ra.pi.nar) [ʀɐpi'nar] *v.* roubar

rapioqueiro (ra.pi:o.quei.ro) [ʀɐpju'kɐjru] *adj.* diz-se da pessoa que gosta de festas ou patuscadas

raposa (ra.po.sa) [ʀɐ'pozɐ] *n.f.* 👁 mamífero carnívoro muito ágil, com pelo denso, focinho pontiagudo e cauda comprida

raposo (ra.po.so) [ʀɐ'pozu] *n.m.* macho da raposa

rappel [ʀa'pɛɫ] *n.m.* processo de descida de uma montanha ou parede alta com a ajuda de uma corda

rapsódia (rap.só.di:a) [ʀɐ'pzɔdjɐ] *n.f.* peça musical formada a partir de trechos ou temas de canções populares

raptar (rap.tar) [ʀɐ'ptar] *v.* levar alguém do lugar onde se encontra, usando violência, a fim de exigir dinheiro para a sua libertação

rapto (rap.to) ['ʀaptu] *n.m.* ato de levar alguém usando violência, a fim de exigir dinheiro para a sua libertação

raptor (rap.tor) [ʀa'ptor] *n.m.* aquele que rapta

raqueta (ra.que.ta) [ʀa'kɛtɐ] *n.f.* objeto formado por uma parte oval ou circular com uma rede e um cabo, usado em jogos como o pingue-pongue, o ténis e o badminton

raquete (ra.que.te) [ʀa'kɛt(ə)] *n.f.* ⇒ **raqueta**

raquítico (ra.quí.ti.co) [ʀɐ'kitiku] *adj.* **1** que sofre de raquitismo **2** pouco desenvolvido

raquitismo (ra.qui.tis.mo) [ʀɐki'tiʒmu] *n.m.* doença da infância que causa deformações ósseas por carência de vitamina D

raramente (ra.ra.men.te) [ʀarɐ'mẽt(ə)] *adv.* poucas vezes

rarear(-se) (ra.re:ar(-se)) [ʀɐ'rjar(sə)] *v.* **1** tornar(-se) raro ou menos denso **2** tornar(-se) pouco frequente

rarefazer (ra.re.fa.zer) [ʀɐrəfɐ'zer] *v.* **1** tornar menos denso **2** tornar menos numeroso

rarefeito (ra.re.fei.to) [ʀɐrə'fɐjtu] *adj.* diminuído em espessura ou densidade

raridade (ra.ri.da.de) [ʀɐri'dad(ə)] *n.f.* **1** qualidade do que é raro **2** objeto pouco vulgar

raro (ra.ro) ['ʀaru] *adj.* que acontece poucas vezes; pouco frequente; invulgar **ANT.** frequente

rasante (ra.san.te) [ʀɐ'zɐ̃t(ə)] *adj.2g.* **1** que vai muito próximo ou paralelo a **2** diz-se do voo a baixa altitude, próximo do solo

rasar (ra.sar) [ʀɐ'zar] *v.* **1** tornar raso ou plano; nivelar **2** tocar de leve; roçar

rasca (ras.ca) ['ʀaʃkɐ] *adj.2g.* **1** de má qualidade **2** ordinário; reles ◆ *coloq.* **à rasca** em dificuldades; em apuros

rascunhar (ras.cu.nhar) [ʀɐʃku'ɲar] *v.* fazer o rascunho de; esboçar

rascunho (ras.cu.nho) [ʀɐʃ'kuɲu] *n.m.* esboço de um texto ou de um desenho: *fazer um rascunho; papel de rascunho*

rasgado (ras.ga.do) [ʀɐʒ'gadu] *adj.* **1** que se rasgou **2** que é alongado **3** que é espaçoso ou extenso

rasgão (ras.gão) [ʀɐʒ'gɐ̃w̃] *n.m.* **1** fenda em papel ou tecido **2** golpe ou ferida na pele feito com objeto cortante

rasgar (ras.gar) [ʀɐʒ'gar] *v.* **1** romper **2** ferir **3** cavar (a terra) ▪ **rasgar-se** romper-se

rasgo (ras.go) ['ʀaʒgu] *n.m.* **1** rasgão **2** *fig.* ímpeto **3** *coloq.* desembaraço; energia ◆ **de um rasgo** de uma só vez

raso (ra.so) ['ʀazu] *adj.* **1** plano; liso **2** rente; rasteiro

raspa (ras.pa) ['ʀaʃpɐ] *n.f.* fragmento de algo que se raspou **SIN.** apara

raspadinha (ras.pa.di.nha) [ʀɐʃpɐ'diɲɐ] *n.f.* jogo de azar em que se raspa o revestimento de uma porção de um cartão para descobrir se se tem algum prémio

raspador (ras.pa.dor) [ʀɐʃpɐ'dor] *n.m.* utensílio que serve para raspar

raspagem (ras.pa.gem) [ʀɐʃ'paʒɐ̃j̃] *n.f.* ato ou efeito de raspar

raspanete (ras.pa.ne.te) [ʀɐʃpɐ'net(ə)] *n.m. coloq.* pequeno ralhete

raspão (ras.pão) [ʀɐʃ'pɐ̃w̃] *n.m.* arranhão ◆ **de raspão** ao de leve **SIN.** superficialmente

raspar (ras.par) [ʀɐʃ'par] *v.* **1** desbastar **2** alisar **3** ralar (fruta, legumes) ▪ **raspar-se** *coloq.* fugir; desaparecer

rasteira (ras.tei.ra) [ʀɐʃ'tɐjrɐ] *n.f.* movimento rápido em que se mete uma perna entre as pernas de outra pessoa para a fazer cair ◆ **passar uma rasteira a alguém** fazer com que alguém caia; procurar enganar ou prejudicar alguém

rasteiro (ras.tei.ro) [ʀɐʃ'tɐjru] *adj.* **1** que se estende pelo chão **2** que se ergue pouco acima do chão

rastejante (ras.te.jan.te) [ʀɐʃtə'ʒɐ̃t(ə)] *adj.2g.* que rasteja

rastejar (ras.te.jar) [ʀɐʃtə'ʒar] *v.* **1** arrastar-se sobre o ventre **2** mover-se tocando o chão **3** *fig.* humilhar-se

rastilho (ras.ti.lho) [ʀɐʃ'tiʎu] *n.m.* fio coberto de pólvora ou de outra substância explosiva: *atear o rastilho*

rasto (ras.to) ['ʀaʃtu] *n.m.* **1** pegada **2** indício: *Ele desapareceu sem deixar rasto.* ◆ **de rastos** rastejando; em situação difícil; muito cansado

rastrear (ras.tre:ar) [ʀɐʃ'trjar] *v.* **1** seguir o rasto de **2** investigar; inquirir **3** submeter alguém a testes para detetar (uma doença)

rastreio (ras.trei.o) [ʀɐʃ'trɐju] *n.m.* **1** realização de testes para detetar sinais de doença; despistagem: *Fazer o rastreio do cancro da mama.* **2** deteção dos vestígios deixados por alguém ou algo

rastro (ras.tro) ['ʀaʃtru] *n.m.* ⇒ **rasto**

rasura (ra.su.ra) [ʀɐ'zurɐ] *n.f.* letras ou palavras que se riscaram ou rasparam num texto escrito, de modo a tornarem-se inválidas ou a serem substituídas

rasurar (ra.su.rar) [ʀɐzu'rar] *v.* raspar ou riscar letras ou palavras num texto, para as tornar inválidas ou substituir por outras

ratar (ra.tar) [ʀɐ'tar] *v.* morder como um rato **SIN.** roer

ratazana (ra.ta.za.na) [ʀɐtɐ'zɐnɐ] *n.f.* **1** mamífero roedor maior que o rato, de cor cinzenta **2** fêmea do rato

raticida (ra.ti.ci.da) [ʀɐti'sidɐ] *n.m.* produto próprio para matar ratos

ratificação (ra.ti.fi.ca.ção) [ʀɐtifikɐ'sɐ̃w̃] *n.f.* ato de ratificar; confirmação

ratificar (ra.ti.fi.car) [ʀɐtifi'kar] *v.* **1** confirmar; validar (promessa, ato, declaração, etc.) **2** comprovar; corroborar

ratinho (ra.ti.nho) [ʀɐ'tiɲu] ⟨*dim. de* rato⟩ *n.m.* **1** rato pequeno **2** *coloq.* vontade de comer

rato (ra.to) ['ʀatu] *n.m.* **1** pequeno mamífero roedor de focinho pontiagudo, orelhas grandes e cauda comprida **2** dispositivo que permite executar funções no computador sem usar o teclado ◆ *coloq.* **fino como um rato** muito esperto; *coloq.* **ter um rato no estômago** ter muita fome; **rato de biblioteca** indivíduo que frequenta assiduamente bibliotecas para consultar livros e documentos

ratoeira (ra.to.ei.ra) [ʀɐ'twɐjrɐ] *n.f.* **1** armadilha para caçar ratos **2** *fig.* manobra para enganar alguém; cilada ◆ **cair na ratoeira** deixar-se apanhar ou enganar

rave ['ʀɐjv(ə)] *n.f.* ⟨*pl.* raves⟩ festa realizada em grandes espaços, que geralmente dura a noite inteira, em que se juntam pessoas apreciadoras de música e de dança

ravina (ra.vi.na) [ʀɐ'vinɐ] *n.f.* declive de terreno provocado por enxurrada **SIN.** barranco

raviólis (ra.vi.óis) [ʀɐ'vjɔjʃ] *n.m.pl.* prato, de origem italiana, constituído por pequenos pastéis de massa alimentícia com recheio muito fino de carne, peixe ou legumes

razão (ra.zão) [ʀɐ'zɐ̃w̃] *n.f.* **1** faculdade de raciocinar; inteligência **2** motivo para determinada atitude; justificação **3** relação entre duas quantidades ◆ **ter razão** estar certo

razia (ra.zi.a) [ʀɐ'ziɐ] *n.f.* **1** invasão violenta, com saque e destruição **2** destruição total

razoável (ra.zo:á.vel) [ʀɐ'zwavɛɫ] *adj.2g.* **1** aceitável; admissível **2** médio; suficiente

razoavelmente (ra.zo:a.vel.men.te) [ʀɐzwavɛɫ'mẽt(ə)] *adv.* **1** de modo razoável **2** bem; bastante

RDIS [ɛr'diʃ] serviço que permite comunicações digitais **OBS.** Sigla de *Rede Digital Integrada de Serviços*

ré (ré) ['ʀɛ] *n.f.* **1** parte de trás do navio ⟨*m.* réu⟩ **2** mulher acusada num julgamento ■ *n.m.* segunda nota da escala musical

reabastecer(-se) (re:a.bas.te.cer(-se)) [ʀjɐbɐʃtə'ser(sə)] *v.* abastecer(-se) novamente de

reabastecimento (re:a.bas.te.ci.men.to) [ʀjɐbɐʃtəsi'mẽtu] *n.m.* novo abastecimento

reabertura (re:a.ber.tu.ra) [ʀjɐbər'turɐ] *n.f.* ato de reabrir ou de abrir novamente

reabilitação (re:a.bi.li.ta.ção) [ʀjɐbilitɐ'sɐ̃w̃] *n.f.* **1** ato ou efeito de reabilitar **2** recuperação da estima ou da reputação **3** recuperação da saúde física ou mental

reabilitar (re:a.bi.li.tar) [ʀjɐbili'tar] *v.* recuperar

reabrir (re:a.brir) [ʀjɐ'brir] *v.* abrir de novo

reação (re:a.ção)[AO] [ʀja'sɐ̃w̃] *n.f.* **1** resposta a um estímulo **2** ação oposta a outra ◆ **reação em cadeia 1** reação nuclear que se mantém depois de começada, e que se desenvolve nos reatores nucleares pelo facto de haver uma emissão de mais de dois neutrões em cada cisão **2** *fig.* sequência de acontecimentos que ocorrem por causa e efeito; **reação nuclear** interação entre um núcleo atómico e uma partícula ou um fotão bombardeante, com criação de um novo núcleo e a possível ejeção de uma ou mais partículas

reacção (re:ac.ção) [ʀja'sɐ̃w̃] *a nova grafia é* **reação**[AO]

reaccionário (re:ac.ci:o.ná.ri:o) [ʀjasju'narju] *a nova grafia é* **reacionário**[AO]

reacender (re:a.cen.der) [ʀjɐsẽ'der] *v.* **1** tornar a acender **2** estimular; renovar

reacionário (re:a.ci:o.ná.ri:o)[AO] [ʀjasju'narju] *adj.,n.m.* que ou o que defende uma posição contrária à evolução social ou política

reactivar (re:ac.ti.var) [ʀjati'var] *a nova grafia é* **reativar**[AO]

reactor (re:ac.tor) [ʀja'tor] *a nova grafia é* **reator**[AO]

readaptação (re:a.dap.ta.ção) [ʀjɐdɐptɐ'sɐ̃w̃] *n.f.* **1** ato de readaptar **2** adaptação de um ser vivo a novas condições ou a um novo ambiente

readaptar(-se) (re:a.dap.tar(-se)) [ʀjɐdɐ'ptar(sə)] *v.* ⟨**+a**⟩ tornar a adaptar(-se): *Teve de se readaptar ao mercado de trabalho.*

readmitir (re:ad.mi.tir) [ʀjɐdmi'tir] *v.* tornar a admitir

readquirir (re:ad.qui.rir) [ʀjɐdki'rir] *v.* tornar a adquirir

reafirmar (re:a.fir.mar) [ʀjɐfir'mar] *v.* **1** afirmar de novo **2** confirmar; corroborar

reagente (re:a.gen.te) [ʀjɐ'ʒẽt(ə)] *adj.2g.* **1** que reage **2** que provoca uma reação química ■ *n.m.* substância que provoca uma reação química

reagir (re:a.gir) [ʀjɐ'ʒir] *v.* **1** ⟨**+a**⟩ ter uma reação: *reagir à notícia* **2** ⟨**+a**⟩ responder: *O doente não está a reagir ao tratamento.* **3** ⟨**+contra**⟩ opor-se: *reagir contra o pessimismo*

reajustar (re:a.jus.tar) [ʀjɐʒuʃ'tar] *v.* ajustar de novo

reajuste (re:a.jus.te) [ʀjɐ'ʒuʃt(ə)] *n.m.* ato ou efeito de reajustar

real (re:al) ['ʀjaɫ] *adj.2g.* **1** que existe de verdade; verdadeiro **ANT.** irreal **2** relativo a rei ou realeza ■ *n.m.* **1** tudo o que existe de verdade; realidade **2** unidade monetária do Brasil

realçar (re:al.çar) [ʀjaɫ'sar] *v.* fazer sobressair **SIN.** destacar; salientar

realce (re:al.ce) ['ʀjaɫ(sə)] *n.m.* relevo; destaque

realejo (re:a.le.jo) [ʀjɐ'lɐ(j)ʒu] *n.m.* instrumento musical semelhante a um órgão portátil, que se faz tocar movendo uma manivela

realeza (re:a.le.za) [ʀjɐ'lezɐ] *n.f.* **1** cargo de rei ou de rainha **2** monarquia **3** família real

realidade (re:a.li.da.de) [ʀjɐli'dad(ə)] *n.f.* **1** qualidade do que é real **2** aquilo que existe de facto; o real ◆ **na realidade** de facto; efetivamente; **realidade virtual** realidade artificial que introduz o utilizador num mundo fictício criado pelo computador

realismo (re:a.lis.mo) [ʀjɐ'liʒmu] *n.m.* **1** atitude de compreensão e aceitação prática e objetiva da realidade **2** movimento do final do século XIX que defende a representação do real de forma exata e objetiva

realista (re:a.lis.ta) [ʀjɐ'liʃtɐ] *adj.2g.* relativo a realismo ■ *n.2g.* **1** pessoa que defende o realismo na arte e na literatura **2** pessoa que tem espírito prático e objetivo

realização (re:a.li.za.ção) [ʀjɐlizɐ'sɐ̃w̃] *n.f.* **1** concretização; execução **2** acompanhamento da execução de filme, peça ou programa televisivo

realizador (re:a.li.za.dor) [ʀjɐlizɐ'dor] *n.m.* **1** aquele que realiza **2** pessoa responsável pela direção técnica e artística de filme, peça ou programa televisivo

realizar (re:a.li.zar) [ʀjɐli'zar] *v.* **1** tornar real **2** pôr em prática **3** fazer **4** cumprir ■ **realizar-se** **1** concretizar-se **2** cumprir-se

realmente (re:al.men.te) [ʀjaɫ'mẽt(ə)] *adv.* na realidade; verdadeiramente

reanimação (re:a.ni.ma.ção) [ʀjɐnimɐ'sɐ̃w̃] *n.f.* **1** ato de reanimar **2** conjunto de meios utilizados para fazer alguém recuperar as funções vitais (circulação, respiração, etc.)

reanimar (re:a.ni.mar) [ʀjɐni'mar] *v.* **1** dar novas forças **2** dar novo ânimo

reaparecer (re:a.pa.re.cer) [ʀjɐpɐrə'ser] *v.* aparecer de novo

reaparecimento (re:a.pa.re.ci.men.to) [ʀjɐpɐrəsi'mẽtu] *n.m.* ato de voltar a aparecer

reaproveitamento (re:a.pro.vei.ta.men.to) [ʀjɐpruvɐjtɐ'mẽtu] *n.m.* ato ou efeito de reaproveitar; reutilização

reaproveitar (re:a.pro.vei.tar) [ʀjɐpruvɐj'tar] *v.* voltar a aproveitar

reaproximar(-se) (re:a.pro.xi.mar(-se)) [ʀjɐprɔsi'mar(sə)] *v.* **1** ⟨**+de**⟩ aproximar(-se) novamente **2** ⟨**+de**⟩ reconciliar(-se)

reatar (re:a.tar) [ʀjɐ'tar] *v.* **1** recomeçar (algo interrompido) **2** restabelecer (um contacto, uma relação)

reativar (re:a.ti.var)[AO] [ʀjati'var] *v.* ativar de novo

reator (re:a.tor)[AO] [ʀja'tor] *n.m.* **1** motor dos aviões a jato, que utiliza apenas a força de reação propulsiva **2** dispositivo que produz energia utilizável por meio de reação nuclear em cadeia controlada

reaver (re:a.ver) [ʀjɐ'ver] *v.* tornar a ter **SIN.** recuperar

reavivar (re:a.vi.var) [ʀjɐvi'var] *v.* **1** fazer relembrar; recordar **2** dar novo ânimo a; reacender ■ **reavivar-se** fazer-se sentir com maior intensidade

rebaixa (re.bai.xa) [ʀə'bajʃɐ] *n.f.* baixa de preços

rebaixar (re.bai.xar) [ʀəbaj'ʃar] *v.* **1** tornar mais baixo **2** humilhar ■ **rebaixar-se** humilhar-se

rebanho (re.ba.nho) [ʀə'bɐɲu] *n.m.* conjunto de animais (ovelhas, cabras) guardados por um pastor

rebate (re.ba.te) [ʀə'bat(ə)] *n.m.* sinal de alarme tocado com o sino ◆ **rebate de consciência** arrependimento; remorso; **tocar a rebate** alertar para alguma coisa; avisar

rebater (re.ba.ter) [ʀəbɐ'ter] *v.* **1** bater novamente **2** contestar; refutar **3** repelir; afastar **4** voltar a datilografar ou a digitar (texto) **5** deitar sobre uma superfície horizontal (banco, etc.)

rebelar-se (re.be.lar-.se) [ʀəbə'lars(ə)] *v.* ⟨**+contra**⟩ revoltar-se; opor-se: *Rebelou-se contra a injustiça.*

rebelde (re.bel.de) [ʀə'bɛɫd(ə)] *adj.2g.* **1** que se revoltou; revolucionário **2** que não obedece; indisciplinado ■ *n.2g.* **1** pessoa que se revolta **2** pessoa que não obedece

rebeldia (re.bel.di.a) [ʀəbɛɫ'diɐ] *n.f.* **1** oposição **2** desobediência **3** teimosia

rebelião (re.be.li.ão) [ʀəbə'ljɐ̃w̃] *n.f.* revolta

rebentação (re.ben.ta.ção) [ʀəbẽtɐ'sɐ̃w̃] *n.f.* local onde o mar bate contra os rochedos ou a praia

rebentar (re.ben.tar) [ʀəbẽ'tar] *v.* **1** explodir **2** surgir **3** desabrochar **4** quebrar com violência

rebento (re.ben.to) [ʀə'bẽtu] *n.m.* **1** início do desenvolvimento de um ramo, folha ou flor; botão **2** *fig.* filho; descendente

rebobinar (re.bo.bi.nar) [ʀəbɔbi'nar] *v.* enrolar de novo (filme, fita)

rebocador (re.bo.ca.dor) [ʀəbukɐ'dor] *n.m.* navio que reboca outro(s) navio(s)

rebocar (re.bo.car) [ʀəbu'kar] *v.* puxar (veículo ou barco) por meio de cabo ou corda

reboco (re.bo.co) [ʀə'boku] *n.m.* camada de argamassa que se aplica na construção para alisar e regularizar superfícies (como paredes e tetos)

rebolar (re.bo.lar) [ʀəbu'lar] *v.* fazer mover como uma bola

reboque (re.bo.que) [ʀə'bɔk(ə)] *n.m.* ato ou processo de rebocar (um veículo, um barco) ♦ **andar a reboque** estar dependente de alguém; **levar alguém a reboque** levar alguém contra a sua vontade

rebordo (re.bor.do) [ʀə'bordu] *n.m.* borda voltada para fora

rebuçado (re.bu.ça.do) [ʀəbu'sadu] *n.m.* guloseima que se chupa, feita com açúcar solidificado, com aromas

rebuliço (re.bu.li.ço) [ʀəbu'lisu] *n.m.* grande movimento **SIN.** agitação; confusão

rebuscado (re.bus.ca.do) [ʀəbuʃ'kadu] *adj.* **1** que foi procurado novamente **2** *fig.* apurado; requintado **3** *fig., pej.* com falta de simplicidade; artificial; afetado

recado (re.ca.do) [ʀə'kadu] *n.m.* mensagem curta, oral ou escrita, que uma pessoa dirige a outra

recaída (re.ca.í.da) [ʀəkɐ'idɐ] *n.f.* **1** novo aparecimento dos sinais de uma doença que estava quase curada **2** repetição de um hábito ou de um comportamento (sobretudo negativo)

recair (re.ca.ir) [ʀəkɐ'ir] *v.* **1** repetir (hábito ou comportamento negativo) **2** piorar (de doença)

recalcamento (re.cal.ca.men.to) [ʀəkałkɐ'mẽtu] *n.m.* defesa automática e inconsciente, pela qual se rejeita algo (atitude, sentimento, etc.), que se reprime

recalcar (re.cal.car) [ʀəkał'kar] *v.* **1** calcar muitas vezes **2** reprimir; refrear **3** *fig.* insistir

recambiar (re.cam.bi:ar) [ʀəkɐ̃'bjar] *v.* devolver; reenviar

recanto (re.can.to) [ʀə'kɐ̃tu] *n.m.* lugar mais afastado

recapitulação (re.ca.pi.tu.la.ção) [ʀəkɐpitulɐ'sɐ̃w̃] *n.f.* **1** repetição dos pontos fundamentais **2** sumário; resumo

recapitular (re.ca.pi.tu.lar) [ʀəkɐpitu'lar] *v.* **1** repetir **2** relembrar

recarga (re.car.ga) [ʀə'kargɐ] *n.f.* **1** repetição de um ataque militar ou policial **2** no futebol, novo remate depois de a bola ter sido devolvida pelo adversário ou pelo poste da baliza **3** nova dose de um produto que se aplica à embalagem anterior quando esta acaba

recarregar (re.car.re.gar) [ʀəkɐʀə'gar] *v.* **1** fazer novo ataque **2** no futebol, rematar novamente **3** colocar nova dose (numa embalagem)

recarregável (re.car.re.gá.vel) [ʀəkɐʀə'gavɛł] *adj.2g.* que pode ser recarregado

recatado (re.ca.ta.do) [ʀəkɐ'tadu] *adj.* **1** discreto; reservado **2** escondido; resguardado

recauchutagem (re.cau.chu.ta.gem) [ʀəkawʃu'taʒɐ̃j̃] *n.f.* aplicação de nova camada de borracha a pneus desgastados pelo uso

recauchutar (re.cau.chu.tar) [ʀəkawʃu'tar] *v.* **1** restaurar; reparar (algo gasto) **2** recuperar (energia, força)

recear (re.ce:ar) [ʀə'sjar] *v.* **1** ⟨+por⟩ ter receio ou medo de: *Receio pelos meus filhos.* **SIN.** temer **2** ter quase a certeza; acreditar: *Receio que ele não volte.*

receber (re.ce.ber) [ʀəsə'ber] *v.* **1** tomar ou aceitar aquilo que é oferecido, dado ou mandado **2** admitir **3** cobrar **4** acolher

receção (re.ce.ção)[AO] [ʀəsɛ'sɐ̃w̃] *n.f.* **1** chegada; acolhimento **2** local de um edifício onde se recebem clientes, visitantes, etc.

rececionista (re.ce.ci:o.nis.ta)[AO] [ʀəsɛsju'niʃtɐ] *n.2g.* pessoa que trabalha na receção de um hotel, de uma empresa, etc.

receio (re.cei.o) [ʀə'sɐju] *n.m.* medo; temor

receita (re.cei.ta) [ʀə'sɐjtɐ] *n.f.* **1** indicação escrita de um medicamento e do modo de o aplicar feita por um médico a um doente **2** informação sobre os ingredientes e o modo de preparar alimentos

receitar (re.cei.tar) [ʀəsɐj'tar] *v.* **1** passar uma receita médica **2** *fig.* recomendar; aconselhar

recém-casado (re.cém-.ca.sa.do) [ʀəsɐ̃j̃kɐ'zadu] *n.m.* ⟨*pl.* recém-casados⟩ pessoa que casou há pouco tempo

recém-chegado (re.cém-.che.ga.do) [ʀəsɐ̃j̃ʃə'gadu] *n.m.* ⟨*pl.* recém-chegados⟩ pessoa que chegou há pouco tempo

recém-licenciado (re.cém-.li.cen.ci:a.do) [ʀəsɐ̃j̃lisẽ'sjadu] *adj.,n.m.* (pessoa) que obteve recentemente o grau académico de licenciatura

recém-nascido (re.cém-.nas.ci.do) [ʀəsɐ̃j̃nɐʃ'sidu] *n.m.* ⟨*pl.* recém-nascidos⟩ criança que nasceu há pouco tempo

recenseamento (re.cen.se:a.men.to) [ʀəsẽsjɐ'mẽtu] *n.m.* **1** ato de recensear **2** enumeração estatística dos indivíduos, das empresas, das habitações ou de outras características de interesse de um país ou região; censo

recensear (re.cen.se:ar) [ʀəsẽ'sjar] *v.* **1** efetuar o recenseamento de **2** fazer o inventário de

recente (re.cen.te) [ʀə'sẽt(ə)] *adj.2g.* **1** que aconteceu há pouco tempo; fresco **2** que tem pouco tempo de vida; novo

recentemente (re.cen.te.men.te) [ʀəsẽtə'mẽt(ə)] *adv.* há pouco tempo

receoso (re.ce:o.so) [ʀə'sjozu] *adj.* que tem receio **SIN.** medroso; temeroso

recepção (re.cep.ção) [ʀəsɛ'sɐ̃w̃] *a nova grafia é* **receção**AO

recepcionista (re.cep.ci:o.nis.ta) [ʀəsɛsju'niʃtɐ] *a nova grafia é* **rececionista**AO

receptáculo (re.cep.tá.cu.lo) [ʀəsɛ'takulu] *a nova grafia é* **recetáculo**AO

receptar (re.cep.tar) [ʀəsɛ'tar] *a nova grafia é* **recetar**AO

receptividade (re.cep.ti.vi.da.de) [ʀəsɛtivi'dad(ə)] *a nova grafia é* **recetividade**AO

receptivo (re.cep.ti.vo) [ʀəsɛ'tivu] *a nova grafia é* **recetivo**AO

receptor (re.cep.tor) [ʀəsɛ'tor] *a nova grafia é* **recetor**AO

recessão (re.ces.são) [ʀəsə'sɐ̃w̃] *n.f.* **1** crise económica **2** recuo

recessivo (re.ces.si.vo) [ʀəsə'sivu] *adj.* **1** relativo a recessão **2** (carácter) em biologia, diz-se do carácter que permanece oculto perante aquele que é dominante

recetáculo (re.ce.tá.cu.lo)AO [ʀəsɛ'takulu] *n.m.* **1** recipiente para guardar algo **2** extremidade alargada da haste de uma planta que sustenta e protege as flores

recetar (re.ce.tar)AO [ʀəsɛ'tar] *v.* **1** comprar ou encobrir de forma consciente (produto de um crime) **2** dar abrigo a (criminoso)

recetividade (re.ce.ti.vi.da.de)AO [ʀəsɛtivi'dad(ə)] *n.f.* disposição para receber ou aceitar impressões, opiniões, sugestões, etc. **SIN.** disponibilidade

recetivo (re.ce.ti.vo)AO [ʀəsɛ'tivu] *adj.* **1** compreensivo; acolhedor **2** aberto a sugestões, opiniões, conselhos, etc.

recetor (re.ce.tor)AO [ʀəsɛ'tor] *n.m.* **1** aquele que recebe algo **2** aparelho que recebe as ondas emitidas pelos transmissores **3** na comunicação, agente que recebe a mensagem

rechamada (re.cha.ma.da) [ʀəʃɐ'madɐ] *n.f.* sistema dos aparelhos telefónicos que permite ao seu utilizador, no caso de uma chamada ter a linha ocupada ou não ter sido atendida, deixar um pedido de aviso de quando o número pretendido estiver disponível, sendo nessa altura automaticamente reativada a marcação do número para o qual se pretende falar

recheado (re.che:a.do) [ʀə'ʃjadu] *adj.* que tem recheio

rechear (re.che:ar) [ʀə'ʃjar] *v.* ⟨+com⟩ colocar recheio em: *Recheou o bolo com creme.* **SIN.** encher

> Note-se que **rechear** escreve-se com **ch** (e não com **x**).

recheio (re.chei.o) [ʀə'ʃɐju] *n.m.* **1** aquilo que recheia ou enche alguma coisa **2** preparado com que se enchem certos animais ou certos tipos de massa

rechonchudo (re.chon.chu.do) [ʀəʃõ'ʃudu] *adj.* que é gordo; anafado

recibo (re.ci.bo) [ʀə'sibu] *n.m.* documento que comprova o facto de se ter recebido alguma coisa (sobretudo dinheiro) **SIN.** fatura

reciclado (re.ci.cla.do) [ʀəsi'kladu] *adj.* que passou por um processo de reciclagem **SIN.** reaproveitado

reciclagem (re.ci.cla.gem) [ʀəsi'klaʒɐ̃j] *n.f.* **1** reaproveitamento de materiais (vidro, papel, etc.) **2** atualização dos conhecimentos profissionais

reciclar (re.ci.clar) [ʀəsi'klar] *v.* **1** reaproveitar (materiais) **2** atualizar (conhecimentos)

reciclável (re.ci.clá.vel) [ʀəsi'klavɛɫ] *adj.2g.* que se pode reciclar

recidiva (re.ci.di.va) [ʀəsi'divɐ] *n.f.* **1** reaparecimento dos sintomas de uma doença que já tinha sido curada **2** *fig.* repetição de ato ou comportamento

recife (re.ci.fe) [ʀə'sif(ə)] *n.m.* 👁 conjunto de rochedos a pouca profundidade, perto da costa

recinto (re.cin.to) [ʀə'sĩtu] *n.m.* espaço fechado

recipiente (re.ci.pi:en.te) [ʀəsi'pjẽt(ə)] *n.m.* qualquer objeto que pode conter alguma coisa

reciprocamente (re.ci.pro.ca.men.te) [ʀəsiprukɐ'mẽt(ə)] *adv.* um ao outro **SIN.** mutuamente

reciprocidade (re.ci.pro.ci.da.de) [ʀəsiprusi'dad(ə)] *n.f.* qualidade do que é recíproco; relação ou correspondência mútua

recíproco (re.cí.pro.co) [ʀə'sipruku] *adj.* que se faz ou se dá em troca de algo semelhante **SIN.** mútuo

recital (re.ci.tal) [ʀəsi'taɫ] *n.m.* apresentação de uma peça musical ou sessão em que são recitados textos poéticos

recitar (re.ci.tar) [ʀəsi'tar] *v.* ler (texto poético) em voz alta **SIN.** declamar

reclamação (**re.cla.ma.ção**) [ʀəklɐmɐ'sɐ̃w̃] *n.f.* protesto; queixa

reclamar (**re.cla.mar**) [ʀəklɐ'mar] *v.* **1** ⟨**+de**, **+contra**⟩ protestar; queixar-se: *Reclamaram da comida.* **2** exigir; reivindicar: *Reclamaram os seus direitos.*

reclame (**re.cla.me**) [ʀɛ'klɐm(ə)] *n.m.* mensagem publicitária; anúncio

reclinar (**re.cli.nar**) [ʀəkli'nar] *v.* encostar **SIN.** recostar ▪ **reclinar-se** encostar-se

recluso (**re.clu.so**) [ʀə'kluzu] *adj.,n.m.* **1** que ou aquele que está preso **2** que ou o que vive recolhido em convento

recobrar (**re.co.brar**) [ʀəku'brar] *v.* recuperar

recoleção (**re.co.le.ção**)[AO] [ʀəkulɛ'sɐ̃w̃] *n.f.* recolha dos bens que a natureza fornece (frutos, raízes, caça, peixe, etc.)

recolecção (**re.co.lec.ção**) [ʀəkulɛ'sɐ̃w̃] *a nova grafia é* **recoleção**[AO]

recolector (**re.co.lec.tor**) [ʀəkulɛ'tor] *a nova grafia é* **recoletor**[AO]

recoletor (**re.co.le.tor**)[AO] [ʀəkulɛ'tor] *adj.* diz-se do sistema económico ou do povo que baseia a sua atividade na recolha daquilo que a natureza fornece, através da caça, da pesca e da apanha de vegetais

recolha (**re.co.lha**) [ʀə'koʎɐ] *n.f.* **1** ato de recolher **2** garagem onde se guardam automóveis

recolher (**re.co.lher**) [ʀəku'ʎer] *v.* **1** guardar **2** colher **3** receber **4** reunir ▪ **recolher-se** deitar-se para descansar ◆ **recolher obrigatório** medida excecional imposta pelo governo em situações de conflitos sociais que implicam risco de violência física, obrigando as pessoas a permanecer em suas casas durante determinado período, sobretudo noturno

recolhido (**re.co.lhi.do**) [ʀəku'ʎidu] *adj.* **1** que se recolheu **2** que se juntou ou reuniu **3** abrigado **4** retirado; isolado

recolhimento (**re.co.lhi.men.to**) [ʀəkuʎi'mẽtu] *n.m.* **1** isolamento **2** reflexão

recomeçar (**re.co.me.çar**) [ʀəkumə'sar] *v.* começar novamente **SIN.** reiniciar

recomeço (**re.co.me.ço**) [ʀəku'mesu] *n.m.* novo começo

recomendação (**re.co.men.da.ção**) [ʀəkumẽdɐ'sɐ̃w̃] *n.f.* **1** conselho **2** aviso

recomendado (**re.co.men.da.do**) [ʀəkumẽ'dadu] *adj.* aconselhado

recomendar (**re.co.men.dar**) [ʀəkumẽ'dar] *v.* aconselhar; indicar

recomendável (**re.co.men.dá.vel**) [ʀəkumẽ'davɛɫ] *adj.2g.* **1** aconselhável **2** digno de respeito e admiração

recompensa (**re.com.pen.sa**) [ʀəkõ'pẽsɐ] *n.f.* prémio; compensação

recompensar (**re.com.pen.sar**) [ʀəkõpẽ'sar] *v.* premiar; compensar

recompor (**re.com.por**) [ʀəkõ'por] *v.* compor de novo; reorganizar ▪ **recompor-se** acalmar-se

reconciliação (**re.con.ci.li:a.ção**) [ʀəkõsiljɐ'sɐ̃w̃] *n.f.* restauração da paz entre pessoas que estavam zangadas

reconciliado (**re.con.ci.li:a.do**) [ʀəkõsi'ljadu] *adj.* que fez as pazes

reconciliar (**re.con.ci.li:ar**) [ʀəkõsi'ljar] *v.* restaurar a paz entre pessoas que estavam zangadas ▪ **reconciliar-se** fazer as pazes

recôndito (**re.côn.di.to**) [ʀə'kõditu] *adj.* **1** escondido; retirado **2** desconhecido; oculto

reconduzir (**re.con.du.zir**) [ʀəkõdu'zir] *v.* **1** conduzir novamente a determinado lugar **2** devolver

reconfortante (**re.con.for.tan.te**) [ʀəkõfur'tẽt(ə)] *adj.2g.* que consola; animador

reconfortar (**re.con.for.tar**) [ʀəkõfur'tar] *v.* consolar; animar

reconforto (**re.con.for.to**) [ʀəkõ'fortu] *n.m.* **1** restituição das forças ou da energia **2** consolação

reconhecer (**re.co.nhe.cer**) [ʀəkuɲə'ser] *v.* **1** identificar (alguém que já se conhece) **2** aceitar como verdadeiro; admitir

reconhecido (**re.co.nhe.ci.do**) [ʀəkuɲə'sidu] *adj.* **1** identificado **2** admitido como verdadeiro **3** agradecido

reconhecimento (**re.co.nhe.ci.men.to**) [ʀəkuɲəsi'mẽtu] *n.m.* **1** identificação (de uma pessoa) **2** gratidão (por algo que se recebeu)

reconhecível (**re.co.nhe.cí.vel**) [ʀəkuɲə'sivɛɫ] *adj.2g.* que se pode reconhecer

reconquista (**re.con.quis.ta**) [ʀəkõ'kiʃtɐ] *n.f.* recuperação de algo que se tinha perdido ▪ **Reconquista** entre os séculos VIII e XV, movimento de recuperação dos territórios da Península Ibérica que tinham sido conquistados pelos muçulmanos

reconquistar (**re.con.quis.tar**) [ʀəkõkiʃ'tar] *v.* recuperar

reconsiderar (**re.con.si.de.rar**) [ʀəkõsidə'rar] *v.* pensar melhor **SIN.** repensar

reconstituição (**re.cons.ti.tu:i.ção**) [ʀəkõʃtitwi'sɐ̃w̃] *n.f.* **1** ato ou efeito de reconstituir **2** nova organização **3** recuperação

reconstituir(-se) (**re.cons.ti.tu:ir(-se)**) [ʀəkõʃti'twir(sə)] *v.* **1** constituir(-se) de novo; recompor(-se) **2** restabelecer(-se)

reconstrução (**re.cons.tru.ção**) [ʀəkõʃtru'sɐ̃w̃] *n.f.* ato ou efeito de reconstruir

reconstruir (re.cons.tru.ir) [Rəkõʃtru'ir] *v.* construir de novo

reconstrutivo (re.cons.tru.ti.vo) [Rəkõʃtru'tivu] *adj.* **1** que reconstrói **2** (cirurgia) que procura reconstituir partes do corpo que sofreram lesão

recontagem (re.con.ta.gem) [Rəkõ'taʒɐ̃j] *n.f.* nova contagem

recontar (re.con.tar) [Rəkõ'tar] *v.* **1** tornar a contar **2** narrar de novo

reconversão (re.con.ver.são) [Rəkõvər'sɐ̃w̃] *n.f.* nova conversão (de valor, moeda, etc.)

reconverter (re.con.ver.ter) [Rəkõvər'ter] *v.* efetuar nova conversão

recordação (re.cor.da.ção) [Rəkurdɐ'sɐ̃w̃] *n.f.* aquilo que se conserva na memória **SIN.** lembrança

recordar (re.cor.dar) [Rəkur'dar] *v.* **1** trazer à memória coisas passadas; lembrar **ANT.** esquecer **2** ter semelhança com ■ **recordar-se** vir à memória; lembrar-se

recorde (re.cor.de) [Rɛ'kɔrd(ə)] *n.m.* o melhor resultado obtido numa atividade ou numa prova desportiva, que ultrapassa os resultados anteriores

recordista (re.cor.dis.ta) [Rɛkɔr'diʃtɐ] *n.2g.* pessoa que obtém o melhor resultado até à data numa atividade ou numa prova desportiva

recorrente (re.cor.ren.te) [Rəku'Rẽt(ə)] *adj.2g.* que se repete ■ *adj.,n 2g.* que(m) recorre de um despacho ou sentença judicial

recorrer (re.cor.rer) [Rəku'Rer] *v.* **1** ⟨+a⟩ pedir ajuda a: *Ele não sabia a quem recorrer.* **2** ⟨+a⟩ servir-se de; usar: *recorrer à violência*

recortado (re.cor.ta.do) [Rəkur'tadu] *adj.* **1** que se recortou **2** destacado

recortar (re.cor.tar) [Rəkur'tar] *v.* **1** cortar seguindo uma linha ou um tracejado **2** retirar cortando **3** fazer sobressair

recorte (re.cor.te) [Rə'kɔrt(ə)] *n.m.* **1** pedaço que se recortou (de jornal ou revista) **2** contorno de uma figura ou de um objeto

recostar (re.cos.tar) [Rəkuʃ'tar] *v.* encostar **SIN.** reclinar ■ **recostar-se** encostar-se

recozer (re.co.zer) [Rəku'zer] *v.* **1** tornar a cozer **2** cozer demasiado

recrear (re.cre:ar) [Rə'krjar] *v.* causar prazer a; divertir; entreter ■ **recrear-se** divertir-se; entreter-se

recreativo (re.cre:a.ti.vo) [Rəkrjɐ'tivu] *adj.* que diverte ou que dá prazer **SIN.** lúdico

recreio (re.crei.o) [Rə'krɐju] *n.m.* **1** divertimento; lazer **2** intervalo entre aulas **3** na escola, lugar fora da sala de aula onde se pode brincar, jogar à bola, etc.

recriação (re.cri:a.ção) [Rəkrjɐ'sɐ̃w̃] *n.f.* nova criação

recriar (re.cri:ar) [Rə'krjar] *v.* criar de novo

recriminar (re.cri.mi.nar) [Rəkrimi'nar] *v.* **1** culpabilizar; acusar **2** censurar; criticar

recruta (re.cru.ta) [Rə'krutɐ] *n.2g.* soldado durante o período de instrução básica ■ *n.f.* instrução militar básica, feita antes da especialidade

recrutamento (re.cru.ta.men.to) [Rəkrutɐ'mẽtu] *n.m.* **1** conjunto de operações pelas quais são escolhidas as pessoas que vão prestar serviço militar **2** processo de seleção de funcionários para preenchimento de vagas

recrutar (re.cru.tar) [Rəkru'tar] *v.* **1** convocar para o serviço militar **2** reunir (pessoas)

recta (rec.ta) ['Rɛtɐ] *a nova grafia é* **reta**[AO]

rectangular (rec.tan.gu.lar) [Rɛtɐ̃gu'lar] *a nova grafia é* **retangular**[AO]

rectângulo (rec.tân.gu.lo) [Rɛ'tɐ̃gulu] *a nova grafia é* **retângulo**[AO]

rectidão (rec.ti.dão) [Rɛti'dɐ̃w̃] *a nova grafia é* **retidão**[AO]

rectificação (rec.ti.fi.ca.ção) [Rɛtifikɐ'sɐ̃w̃] *a nova grafia é* **retificação**[AO]

rectificar (rec.ti.fi.car) [Rɛtifi'kar] *a nova grafia é* **retificar**[AO]

rectilíneo (rec.ti.lí.ne:o) [Rɛti'linju] *a nova grafia é* **retilíneo**[AO]

recto (rec.to) ['Rɛtu] *a nova grafia é* **reto**[AO]

récua (ré.cu:a) ['Rɛkwɐ] *n.f.* conjunto de éguas

recuar (re.cu:ar) [Rə'kwar] *v.* andar para trás **ANT.** avançar

recuo (re.cu.o) [Rə'kuu] *n.m.* movimento para trás

recuperação (re.cu.pe.ra.ção) [Rəkupərɐ'sɐ̃w̃] *n.f.* **1** ato ou efeito de recuperar algo **2** restabelecimento (de saúde)

recuperador (re.cu.pe.ra.dor) [Rəkupərɐ'dor] *adj.* que recupera ■ *n.m.* aparelho utilizado para aproveitar materiais ou energias

recuperar (re.cu.pe.rar) [Rəkupə'rar] *v.* reaver (algo que se tinha perdido) ■ **recuperar-se** voltar ao estado de saúde normal; restabelecer-se

recurso (re.cur.so) [Rə'kursu] *n.m.* meio para resolver um problema; solução

recusa (re.cu.sa) [Rə'kuzɐ] *n.f.* **1** rejeição **2** negação

recusar (re.cu.sar) [Rəku'zar] *v.* **1** não aceitar **2** negar

redação (re.da.ção)[AO] [Rəda'sɐ̃w̃] *n.f.* **1** trabalho escolar que consiste em desenvolver um tema proposto pelo professor ou de escolha livre; composição **2** conjunto das pessoas que escrevem os artigos de um jornal, revista, etc.

redacção (re.dac.ção) [ʀədaˈsɐ̃w̃] *a nova grafia é* **redação**[AO]

redactor (re.dac.tor) [ʀədaˈtor] *a nova grafia é* **redator**[AO]

redactorial (re.dac.to.ri:al) [ʀədatuˈrjaɫ] *a nova grafia é* **redatorial**[AO]

redator (re.da.tor)[AO] [ʀədaˈtor] *n.m.* pessoa que escreve os artigos de um jornal, de uma revista ou de um canal de televisão

redatorial (re.da.to.ri:al)[AO] [ʀədatuˈrjaɫ] *adj.2g.* relativo a redação ou a redator

rede (re.de) [ˈʀed(ə)] *n.f.* malha para apanhar peixes e outros animais

rédea (ré.de:a) [ˈʀɛdjɐ] *n.f.* **1** correia que se prende ao freio de um animal de montar **2** *fig.* controlo; direção ◆ **com rédea curta** sem liberdade; com restrições; **soltar as rédeas** deixar à vontade; dar liberdade; **tomar as rédeas** assumir o controlo ou a direção

redemoinhar (re.de.mo:i.nhar) [ʀədəmwiˈɲar] *v.* **1** formar redemoinho **2** dar voltas; girar

redemoinho (re.de.mo:i.nho) [ʀədəˈmwiɲu] *n.m.* **1** movimento em espiral **2** massa de água ou de ar que descreve esse movimento

redenção (re.den.ção) [ʀədẽˈsɐ̃w̃] *n.f.* salvação (religiosa)

redentor (re.den.tor) [ʀədẽˈtor] *adj.* que redime ou liberta ■ **Redentor** *n.m.* Jesus Cristo

rede social (re.de so.ci:al) [ʀedəsuˈsjaɫ] *n.f.* site ou página da internet onde se criam relações entre pessoas e/ou organizações com interesses comuns através da publicação de comentários, fotos, hiperligações, etc.

redigir (re.di.gir) [ʀədiˈʒir] *v.* escrever

redil (re.dil) [ʀəˈdiɫ] *n.m.* curral para cabras ou ovelhas

redimensionamento (re.di.men.si:o.na.men.to) [ʀədimẽsjunɐˈmẽtu] *n.m.* ato ou efeito de redimensionar

redimensionar (re.di.men.si:o.nar) [ʀədimẽsjuˈnar] *v.* **1** calcular novamente as dimensões de **2** atribuir importância diferente a

redimir(-se) (re.di.mir(-se)) [ʀədiˈmir(sə)] *v.* ⟨**+de**⟩ libertar ou arrepender-se de uma falta ou de um pecado: *Redimiu-se da falta cometida.*

redistribuir (re.dis.tri.bu:ir) [ʀədiʃtriˈbwir] *v.* tornar a distribuir

redobrado (re.do.bra.do) [ʀəduˈbradu] *adj.* **1** aumentado para o dobro **2** muito mais forte

redobrar (re.do.brar) [ʀəduˈbrar] *v.* aumentar; multiplicar

redoma (re.do.ma) [ʀəˈdomɐ] *n.f.* tubo de vidro fechado para proteger peças delicadas ◆ **pôr numa redoma** proteger de forma excessiva; **viver numa redoma** viver isolado ou excessivamente protegido

redondamente (re.don.da.men.te) [ʀədõdɐˈmẽt(ə)] *adv.* totalmente; completamente; absolutamente ◆ **cair redondamente** estatelar-se

redondeza (re.don.de.za) [ʀədõˈdezɐ] *n.f.* qualidade do que é redondo ■ **redondezas** *n.f.pl.* lugares próximos ou vizinhos **SIN.** arredores

redondilha (re.don.di.lha) [ʀədõˈdiʎɐ] *n.f.* verso de cinco sílabas métricas (redondilha menor) ou de sete sílabas métricas (redondilha maior)

redondo (re.don.do) [ʀəˈdõdu] *adj.* **1** que tem forma de círculo **2** esférico; circular **3** *fig.* gordo ◆ **cair redondo** tombar desamparado

redor (re.dor) [ʀəˈdɔr] *n.m.* espaço à volta de alguma coisa; roda ◆ **ao/em redor** em volta; à volta

redução (re.du.ção) [ʀəduˈsɐ̃w̃] *n.f.* diminuição

redundância (re.dun.dân.ci:a) [ʀədũˈdɐ̃sjɐ] *n.f.* repetição de palavras ou de ideias

redundante (re.dun.dan.te) [ʀədũˈdɐ̃t(ə)] *adj.2g* repetitivo; excessivo

redutível (re.du.tí.vel) [ʀəduˈtivɛɫ] *adj.2g.* suscetível de redução ou conversão

redutor (re.du.tor) [ʀəduˈtor] *adj.* que reduz ou diminui

reduzido (re.du.zi.do) [ʀəduˈzidu] *adj.* **1** diminuído **2** escasso

reduzir (re.du.zir) [ʀəduˈzir] *v.* **1** diminuir; limitar: *reduzir as despesas; reduzir a velocidade* **2** ⟨**+a**⟩ converter: *reduzir a cinzas* ■ **reduzir-se** ⟨**+a**⟩ limitar-se: *O esforço reduz-se a isto.*

reedição (re.e.di.ção) [ʀəidiˈsɐ̃w̃] *n.f.* nova edição de uma obra

reedificar (re.e.di.fi.car) [ʀəidifiˈkar] *v.* **1** edificar de novo **SIN.** reconstruir **2** restaurar

reeditar (re.e.di.tar) [ʀəidiˈtar] *v.* fazer nova edição de

reeducação (re.e.du.ca.ção) [ʀəidukɐˈsɐ̃w̃] *n.f.* **1** nova educação **2** processo de recuperação de faculdades físicas ou psíquicas afetadas

reeducar (re.e.du.car) [ʀəiduˈkar] *v.* **1** educar novamente **2** proporcionar nova educação a (alguém) com vista à reintegração em meio social **SIN.** reabilitar **3** fazer readquirir faculdades físicas ou psíquicas

reeleger **(re.e.le.ger)** [ʀəilə'ʒer] *v.* eleger novamente

reeleição **(re.e.lei.ção)** [ʀəilɐj'sɐ̃w̃] *n.f.* nova eleição

reeleito **(re.e.lei.to)** [ʀəi'lɐjtu] *adj.* que foi eleito novamente

reembolsar **(re:em.bol.sar)** [ʀjẽboɫ'sar] *v.* **1** pagar o que se deve; indemnizar **2** devolver (dinheiro)

reembolso **(re:em.bol.so)** [ʀjẽ'boɫsu] *n.m.* **1** pagamento do que se deve; indemnização **2** devolução de dinheiro ◆ **contra reembolso** a pagar pelo destinatário no momento da receção; à cobrança

reencaminhar **(re:en.ca.mi.nhar)** [ʀjẽkɐmi'ɲar] *v.* **1** indicar de novo o caminho a seguir **2** passar (alguém ou algo) à pessoa ou entidade competente **3** fazer passar (chamada telefónica ou email) para

reencarnação **(re:en.car.na.ção)** [ʀjẽkɐrnɐ'sɐ̃w̃] *n.f.* crença de que a alma humana, após a morte do corpo, passa para outro corpo

reencarnar **(re:en.car.nar)** [ʀjẽkɐr'nar] *v.* (alma) entrar num corpo diferente do que ocupava anteriormente

reencontrar **(re:en.con.trar)** [ʀjẽkõ'trar] *v.* encontrar novamente

reencontro **(re:en.con.tro)** [ʀjẽ'kõtru] *n.m.* novo encontro

reentrância **(re:en.trân.ci:a)** [ʀjẽ'trɐ̃sjɐ] *n.f.* curva ou ângulo para dentro

reenviar **(re:en.vi:ar)** [ʀjẽ'vjar] *v.* **1** tornar a enviar **2** devolver

reenvio **(re:en.vi.o)** [ʀjẽ'viu] *n.m.* **1** novo envio **2** devolução

reescrever **(re.es.cre.ver)** [ʀəiʃkrə'ver] *v.* escrever novamente

reescrita **(re.es.cri.ta)** [ʀə(i)ʃ'kritɐ] *n.f.* **1** ato de voltar a escrever algo **2** aquilo que se escreveu novamente

reescrito **(re.es.cri.to)** [ʀə(i)ʃ'kritu] *adj.* que foi escrito novamente

reestruturação **(re.es.tru.tu.ra.ção)** [ʀəiʃtrutu rɐ'sɐ̃w̃] *n.f.* nova organização

reestruturar **(re.es.tru.tu.rar)** [ʀəiʃtrutu'rar] *v.* reorganizar

refastelado **(re.fas.te.la.do)** [ʀəfɐʃtə'ladu] *adj.* sentado ou deitado de modo cómodo

refastelar-se **(re.fas.te.lar.-.se)** [ʀəfɐʃtə'lars(ə)] *v.* sentar-se ou deitar-se em lugar muito cómodo; estirar-se

refazer **(re.fa.zer)** [ʀəfɐ'zer] *v.* **1** tornar a fazer **2** consertar; reparar

refeição **(re.fei.ção)** [ʀəfɐj'sɐ̃w̃] *n.f.* conjunto de alimentos que se tomam de cada vez a certas horas do dia

refeito **(re.fei.to)** [ʀə'fɐjtu] *adj.* **1** feito de novo **2** consertado; reparado

refeitório **(re.fei.tó.ri:o)** [ʀəfɐj'tɔrju] *n.m.* sala onde se servem refeições **SIN.** cantina

refém **(re.fém)** [ʀə'fɐ̃j̃] *n.2g.* ⟨*pl.* reféns⟩ pessoa que é mantida contra a sua vontade em determinado lugar e que normalmente é libertada quando o raptor obtém aquilo que pretende

referência **(re.fe.rên.ci:a)** [ʀəfə'rẽsjɐ] *n.f.* ato de referir alguma coisa **SIN.** alusão; citação; menção

referenciar **(re.fe.ren.ci:ar)** [ʀəfərẽ'sjar] *v.* **1** fazer referência a; mencionar **2** localizar; situar

referendar **(re.fe.ren.dar)** [ʀəfərẽ'dar] *v.* **1** submeter (um assunto de interesse nacional) a referendo **2** assinar (documento) como responsável

referendo **(re.fe.ren.do)** [ʀəfə'rẽdu] *n.m.* pergunta que se faz à população sobre um assunto de interesse nacional e que é respondida por meio de votação

referente **(re.fe.ren.te)** [ʀəfə'rẽt(ə)] *adj.2g.* que se refere; relativo ▪ *n.m.* entidade (animal, pessoa, coisa) real ou imaginária a que uma palavra se refere

referido **(re.fe.ri.do)** [ʀəfə'ridu] *adj.* relatado; mencionado

referir **(re.fe.rir)** [ʀəfə'rir] *v.* aludir; mencionar: *Referiu o nome dela.* ▪ **referir-se** **1** ⟨**+a**⟩ aludir; mencionar: *Referes-te à peça que vimos ontem?* **2** ⟨**+a**⟩ dizer respeito a: *As contas referem-se ao mês passado.*

refestelado **(re.fes.te.la.do)** [ʀəfəʃtə'ladu] *adj.* ⇒ **refastelado**

refestelar-se **(re.fes.te.lar-.se)** [ʀəfəʃtə'lars(ə)] *v.* ⇒ **refastelar-se**

refilão **(re.fi.lão)** [ʀəfi'lɐ̃w̃] *adj.* que refila ▪ *n.m.* ⟨*f.* refilona⟩ pessoa que responde de forma grosseira **SIN.** resmungão; respondão

refilar **(re.fi.lar)** [ʀəfi'lar] *v.* ⟨**+com**⟩ responder de forma grosseira: *Ele refila constantemente com aquele empregado.* **SIN.** resmungar

refinação **(re.fi.na.ção)** [ʀəfinɐ'sɐ̃w̃] *n.f.* ⇒ **refinaria**

refinado **(re.fi.na.do)** [ʀəfi'nadu] *adj.* **1** que é muito fino **2** delicado; requintado

refinar **(re.fi.nar)** [ʀəfi'nar] *v.* **1** tornar mais fino **2** tornar mais requintado

refinaria **(re.fi.na.ri.a)** [ʀəfinɐ'riɐ] *n.f.* fábrica onde se refina um produto

reflectido **(re.flec.ti.do)** [ʀəflɛ'tidu] *a nova grafia é* **refletido**[AO]

reflectir **(re.flec.tir)** [ʀəflɛ'tir] *a nova grafia é* **refletir**[AO]

reflector (re.flec.tor) [ʀəflɛ'tor] *a nova grafia é* **refletor[AO]**

refletido (re.fle.ti.do)[AO] [ʀəflɛ'tidu] *adj.* **1** reproduzido numa superfície refletora; espelhado **2** dito ou feito com reflexão; ponderado

refletir (re.fle.tir)[AO] [ʀəflɛ'tir] *v.* **1** ⟨**+em**⟩ reproduzir a imagem de: *A sua imagem refletiu-se na água.* **2** ⟨**+em**, **+sobre**⟩ pensar: *refletir sobre um problema* **3** *fig.* exprimir; revelar: *Os seus olhos refletiam alegria.* ▪ **refletir-se** ⟨**+em**⟩ recair sobre; incidir: *O comportamento reflete-se nas notas.*

refletor (re.fle.tor)[AO] [ʀəflɛ'tor] *adj.* que reflete ▪ *n.m.* aparelho ou espelho destinado a refletir a luz

reflexão (re.fle.xão) [ʀəflɛ'ksɐ̃w̃] *n.f.* ato de pensar muito em; ponderação

reflexivo (re.fle.xi.vo) [ʀəflɛ'ksivu] *adj.* **1** que reflete **2** diz-se do verbo ou do pronome que indica uma ação que recai sobre o sujeito que a pratica; reflexo

reflexo (re.fle.xo) [ʀə'flɛksu] *adj.* diz-se do verbo ou do pronome que indica uma ação que recai sobre o sujeito que a pratica; reflexivo ▪ *n.m.* **1** efeito produzido pela luz refletida **2** resposta ou reação a um estímulo

reflorescer (re.flo.res.cer) [ʀəflurəʃ'ser] *v.* **1** tornar a florescer **2** rejuvenescer

reflorestação (re.flo.res.ta.ção) [ʀəflurəʃtɐ'sɐ̃w̃] *n.f.* plantação de novas árvores numa floresta

refluxo (re.flu.xo) [ʀə'fluksu] *n.m.* movimento das águas do mar quando a maré baixa

refogado (re.fo.ga.do) [ʀəfu'gadu] *n.m.* prato feito com molho de cebola, alho e outros ingredientes; guisado

refogar (re.fo.gar) [ʀəfu'gar] *v.* cozinhar em refogado; guisar

reforçado (re.for.ça.do) [ʀəfur'sadu] *adj.* aumentado em força ou em espessura; mais resistente

reforçar (re.for.çar) [ʀəfur'sar] *v.* tornar mais forte **SIN.** fortalecer

reforço (re.for.ço) [ʀə'forsu] *n.m.* aquilo que serve para reforçar algo; aumento de força

reforma (re.for.ma) [ʀə'fɔrmɐ] *n.f.* **1** nova organização; modificação **2** situação das pessoas que deixam de trabalhar por atingirem determinada idade ou por doença **3** pensão que essas pessoas recebem por mês

reformado (re.for.ma.do) [ʀəfur'madu] *adj.* **1** modificado **2** que obteve a reforma ▪ *n.m.* pessoa que deixou de trabalhar por idade ou por doença

reformar (re.for.mar) [ʀəfur'mar] *v.* dar nova forma ou aparência a; modificar ▪ **reformar-se** obter a reforma

reformular (re.for.mu.lar) [ʀəfurmu'lar] *v.* **1** dar nova forma a; modificar **2** dizer de outra maneira

refractário (re.frac.tá.ri:o) [ʀəfra'tarju] *a nova grafia é* **refratário[AO]**

refrão (re.frão) [ʀə'frɐ̃w̃] *n.m.* verso ou versos que se repetem no fim da cada grupo de versos de um poema

refratário (re.fra.tá.ri:o)[AO] [ʀəfra'tarju] *adj.* **1** que resiste a influências físicas ou químicas **2** insubmisso; rebelde ▪ *n.m.* jovem apurado para o serviço militar mas que não se apresenta na sua unidade

refreado (re.fre:a.do) [ʀə'frjadu] *adj.* contido; reprimido

refrear (re.fre:ar) [ʀə'frjar] *v.* **1** conter (o cavalo) com o freio **2** reprimir; conter ▪ **refrear-se** dominar-se; conter-se

refrescante (re.fres.can.te) [ʀəfrəʃ'kɐ̃t(ə)] *adj.2g.* que refresca; refrigerante

refrescar (re.fres.car) [ʀəfrəʃ'kar] *v.* tornar fresco; refrigerar

refresco (re.fres.co) [ʀə'freʃku] *n.m.* bebida que serve para matar a sede ou aliviar o calor, e que se toma fresca **SIN.** refrigerante

refrigeração (re.fri.ge.ra.ção) [ʀəfriʒərɐ'sɐ̃w̃] *n.f.* **1** ato ou processo de tornar algo mais fresco **2** redução artificial da temperatura

refrigerador (re.fri.ge.ra.dor) [ʀəfriʒərɐ'dor] *adj.* que torna fresco; que refrigera ▪ *n.m.* utensílio ou aparelho que produz frio

refrigerante (re.fri.ge.ran.te) [ʀəfriʒə'rɐ̃t(ə)] *n.m.* ⇒ **refresco**

refrigerar (re.fri.ge.rar) [ʀəfriʒə'rar] *v.* **1** fazer baixar a temperatura de **SIN.** arrefecer **2** dar sensação de frescura a **SIN.** refrescar

refugiado (re.fu.gi:a.do) [ʀəfu'ʒjadu] *n.m.* pessoa que abandona o seu país e procura abrigo num outro país, geralmente para escapar a perseguição, guerra, etc.

refugiar-se (re.fu.gi:ar-.se) [ʀəfu'ʒjars(ə)] *v.* procurar refúgio; abrigar-se; esconder-se

refúgio (re.fú.gi:o) [ʀə'fuʒju] *n.m.* lugar onde alguém se refugia **SIN.** abrigo; esconderijo

refugo (re.fu.go) [ʀə'fugu] *n.m.* aquilo que sobra, depois de escolhido o melhor

refulgente (re.ful.gen.te) [ʀəfuɫ'ʒẽt(ə)] *adj.2g.* **1** resplandecente **2** *fig.* esplêndido

refutar (re.fu.tar) [ʀəfu'tar] *v.* **1** afirmar o contrário; opor-se a **2** não aceitar

rega (re.ga) ['ʀɛgɐ] *n.f.* ato ou processo de regar

regaço (re.ga.ço) [ʀə'gasu] *n.m.* cavidade formada pelo abdómen e pelas coxas quando se está sentado **SIN.** colo

regada (re.ga.da) [Rə'gadɐ] *n.f.* terreno banhado por curso de água

regador (re.ga.dor) [Rəgɐ'dor] *n.m.* recipiente com um bico, próprio para regar plantas

regalado (re.ga.la.do) [Rəgɐ'ladu] *adj.* muito satisfeito; deleitado

regalar(-se) (re.ga.lar(-se)) [Rəgɐ'lar(sə)] *v.* ⟨**+a**, **+com**⟩ causar ou sentir grande prazer (a alguém ou a si mesmo): *Regalou-se com o vinho.*

regalia (re.ga.li.a) [Rəgɐ'liɐ] *n.f.* vantagem; privilégio

regalo (re.ga.lo) [Rə'galu] *n.m.* grande prazer; satisfação

regar (re.gar) [Rə'gar] *v.* molhar (as plantas)

regata (re.ga.ta) [Rə'gatɐ] *n.f.* competição entre embarcações

regatear (re.ga.te:ar) [Rəgɐ'tjar] *v.* **1** discutir o preço de **2** discutir com modos grosseiros; refilar

regateiro (re.ga.tei.ro) [Rəgɐ'tɐjru] *n.m.* **1** aquele que discute o preço **2** *coloq.* aquele que fala ou discute de modo grosseiro

regato (re.ga.to) [Rə'gatu] *n.m.* pequeno ribeiro

regelado (re.ge.la.do) [Rəʒə'ladu] *adj.* **1** muito frio; gélido **2** congelado

regelar (re.ge.lar) [Rəʒə'lar] *v.* transformar em gelo; congelar ▪ **regelar-se** ficar gelado; congelar-se

regência (re.gên.ci:a) [Rə'ʒẽsjɐ] *n.f.* ato de reger ou dirigir; direção; governo

regeneração (re.ge.ne.ra.ção) [Rəʒənərɐ'sɐ̃w̃] *n.f.* nova formação ou nova organização; reconstituição

regenerar (re.ge.ne.rar) [Rəʒənə'rar] *v.* formar de novo; reconstituir ▪ **regenerar-se** formar-se novamente; reconstituir-se

regente (re.gen.te) [Rə'ʒẽt(ə)] *n.2g.* **1** pessoa que rege ou que governa **2** numa escola, professor que é responsável por uma disciplina

reger (re.ger) [Rə'ʒer] *v.* governar; dirigir ▪ **reger-se** ⟨**+por**⟩ orientar-se; regular-se: *Ele rege-se por princípios éticos.*

reggae ['Rɛgɐj] *n.m.* estilo musical que uniu os ritmos populares da Jamaica com o jazz e o rhythm and blues, na década de 1960

região (re.gi.ão) [Rə'ʒjɐ̃w̃] *n.f.* parte de um país **SIN.** zona ◆ **região demarcada** área geográfica cujas características de solo, clima, etc., permitem produzir vinhos de qualidade reconhecida e que dispõe de um estatuto legal específico

regicídio (re.gi.cí.di:o) [Rɛʒi'sidju] *n.m.* assassinato de um rei ou uma rainha

regime (re.gi.me) [Rə'ʒim(ə)] *n.m.* **1** sistema político de um país **2** dieta alimentar

regimento (re.gi.men.to) [Rəʒi'mẽtu] *n.m.* unidade militar composta por dois ou mais batalhões

régio (ré.gi:o) ['Rɛʒju] *adj.* **1** relativo a rei; real **2** *fig.* magnífico

regional (re.gi:o.nal) [Rəʒju'naɫ] *adj.2g.* referente a uma região

regionalismo (re.gi:o.na.lis.mo) [Rəʒjunɐ'liʒmu] *n.m.* palavra ou expressão própria de uma região

regionalização (re.gi:o.na.li.za.ção) [Rəʒjunɐlizɐ'sɐ̃w̃] *n.f.* divisão de um território em regiões

regionalizar (re.gi:o.na.li.zar) [Rəʒjunɐli'zar] *v.* dividir um país ou território em áreas políticas e administrativas regionais

registador (re.gis.ta.dor) [Rəʒiʃtɐ'dor] *n.m.* **1** pessoa que regista **2** aparelho que regista automaticamente certos movimentos ou variações

registar (re.gis.tar) [Rəʒiʃ'tar] *v.* **1** tomar nota de (algo); anotar **2** fazer o registo de (alguém ou alguma coisa); inscrever

registo (re.gis.to) [Rə'ʒiʃtu] *n.m.* **1** ato ou efeito de registar; inscrição **2** caderno ou livro onde se anotam informações que se desejam guardar ◆ **registo civil** documento em que se regista e se tornam públicos os atos e factos da vida das pessoas (nascimento, casamento, etc.); **registo predial** documento em que se regista e se torna pública a situação jurídica de um prédio a fim de garantir a segurança no comércio jurídico imobiliário; **ser digno de registo** ser merecedor de referência ou lembrança

rego (re.go) ['Regu] *n.m.* **1** sulco para escoar água; vala **2** ruga entre as dobras da pele

regougar (re.gou.gar) [Rəgo(w)'gar] *v.* **1** emitir a voz (a raposa) **2** *fig.* resmungar

regozijar(-se) (re.go.zi.jar(-se)) [Rəguzi'ʒar(sə)] *v.* ⟨**+com**⟩ causar ou sentir alegria: *regozijar-se com o triunfo de um amigo*

regozijo (re.go.zi.jo) [Rəgu'ziʒu] *n.m.* grande satisfação; prazer

regra (re.gra) ['Rɛgrɐ] *n.f.* norma; regulamento ◆ **em regra** em princípio; geralmente; **não há regra**

sem exceção/senão nenhuma regra se pode generalizar de modo que inclua todos os casos; **por via de regra** quase sempre; **regra de três (simples)** cálculo matemático que tem por objetivo encontrar o quarto termo de uma proporção em que os outros três termos já são conhecidos

regrado (re.gra.do) [ʀə'gradu] *adj.* que tem disciplina; moderado

regravável (re.gra.vá.vel) [ʀəgrɐ'vavɛɫ] *adj.2g.* que se pode voltar a gravar

regredir (re.gre.dir) [ʀəgrə'dir] *v.* ⟨+a⟩ retroceder: *A doença regrediu.*

regressão (re.gres.são) [ʀəgrə'sɐ̃w̃] *n.f.* **1** ato de voltar; regresso **2** ato de regredir; retrocesso

regressar (re.gres.sar) [ʀəgrə'sar] *v.* ⟨**+a**, **+de**⟩ voltar ao ponto de partida: *regressar de uma viagem* **SIN.** retornar

regressivo (re.gres.si.vo) [ʀəgrə'sivu] *adj.* **1** que regressa ou que volta para trás **2** que se faz do fim para o princípio

regresso (re.gres.so) [ʀə'grɛsu] *n.m.* volta ao ponto de partida **SIN.** retorno

régua (ré.gua) ['ʀɛgwɐ] *n.f.* objeto com que se traçam linhas retas

reguada (re.gua.da) [ʀɛ'gwadɐ] *n.f.* pancada com a régua

regueifa (re.guei.fa) [ʀə'gɐjfɐ] *n.f.* **1** pão branco entrançado **2** *coloq.* prega de gordura no corpo

regueira (re.guei.ra) [ʀə'gɐjrɐ] *n.f.* **1** sulco ou rego por onde passa água **2** pequeno curso de água

reguila (re.gui.la) [ʀə'gilɐ] *adj.* **1** *coloq.* malandro **2** *coloq.* refilão

regulação (re.gu.la.ção) [ʀəgulɐ'sɐ̃w̃] *n.f.* **1** definição ou estabelecimento de regras **2** conjunto de normas ou regras **3** ato de fazer funcionar algo corretamente

regulado (re.gu.la.do) [ʀəgu'ladu] *adj.* **1** que está de acordo com as regras **2** que funciona corretamente

regulador (re.gu.la.dor) [ʀəgulɐ'dor] *adj.* que serve para regular

regulamentação (re.gu.la.men.ta.ção) [ʀəgulɐmẽtɐ'sɐ̃w̃] *n.f.* **1** ato de definir ou impor regras **2** conjunto de regras que orientam uma atividade, uma empresa ou uma instituição

regulamentar (re.gu.la.men.tar) [ʀəgulɐmẽ'tar] *adj.2g.* **1** relativo a regulamento **2** que está de acordo com as regras ■ *v.* estabelecer regra(s); impor regras

regulamento (re.gu.la.men.to) [ʀəgulɐ'mẽtu] *n.m.* conjunto de regras (de uma empresa, associação, escola, etc.)

regular (re.gu.lar) [ʀəgu'lar] *adj.2g.* **1** que não varia **ANT.** irregular **2** que está de acordo com as regras **3** diz-se do verbo cujo radical não se altera e que segue o modelo da conjugação a que pertence ■ *v.* estabelecer regra(s); impor regras ♦ *coloq.* **não regular bem** não ter juízo

regularidade (re.gu.la.ri.da.de) [ʀəgulɐri'dad(ə)] *n.f.* **1** qualidade do que é regular **ANT.** irregularidade **2** ordem; harmonia

regularização (re.gu.la.ri.za.ção) [ʀəgulɐrizɐ'sɐ̃w̃] *n.f.* **1** ato de tornar regular **2** correção

regularizar (re.gu.la.ri.zar) [ʀəgulɐri'zar] *v.* **1** tornar regular **2** pôr em ordem

regularmente (re.gu.lar.men.te) [ʀəgular'mẽt(ə)] *adv.* **1** frequentemente; geralmente **2** nem bem nem mal; razoavelmente

régulo (ré.gu.lo) ['ʀɛgulu] *n.m.* **1** rei jovem **2** chefe de um povo ou de um Estado africano

rei (rei) ['ʀɐj] *n.m.* ⟨*f.* rainha⟩ **1** homem que governa uma monarquia **SIN.** soberano **2** peça mais importante do jogo do xadrez ♦ **rei morto, rei posto** quando um lugar fica disponível, é logo preenchido; **sem rei nem roque** à toa; sem governo; **ter/trazer o rei na barriga** ser arrogante

reiki ['ʀɐjki] *n.m.* forma de terapia em que, pelas mãos, se procura equilibrar a energia vital de uma pessoa

reimportar (re.im.por.tar) [ʀəĩpur'tar] *v.* tornar a importar

reimpressão (re.im.pres.são) [ʀəĩprə'sɐ̃w̃] *n.f.* nova tiragem de uma obra impressa, geralmente sem modificações na apresentação ou no conteúdo

reimprimir (re.im.pri.mir) [ʀəĩpri'mir] *v.* fazer nova impressão (de livro, jornal, etc.)

reinado (rei.na.do) [ʀɐj'nadu] *n.m.* **1** governo de um rei ou de uma rainha **2** duração desse governo

reinante (rei.nan.te) [ʀɐj'nɐ̃t(ə)] *adj.2g.* **1** que reina; que desempenha a função de rei ou rainha **2** que domina; dominante

reinar (rei.nar) [ʀɐj'nar] *v.* **1** governar como rei ou rainha **2** ter influência ou poder sobre; dominar **3** estar em uso ou em vigor

reincidência (re.in.ci.dên.ci:a) [ʀəĩsi'dẽsjɐ] *n.f.* **1** ato ou efeito de reincidir **2** ato de cometer novamente um delito ou crime

reincidente (re.in.ci.den.te) [ʀəĩsi'dẽt(ə)] *adj.,n.2g.* que ou pessoa que reincide

reincidir (re.in.ci.dir) [ʀəĩsi'dir] *v.* **1** repetir um ato **2** cometer novamente um delito ou um crime

reineta (rei.ne.ta) [ʀɐj'netɐ] *n.f.* variedade de maçã de sabor ligeiramente ácido

reiniciar (re.i.ni.ci:ar) [ʀəini'sjar] *v.* iniciar novamente **SIN.** recomeçar

reino (rei.no) ['ʀɐjnu] *n.m.* Estado governado por um rei ou por uma rainha

reinserção (re.in.ser.ção) [ʀəĩsər'sɐ̃w̃] *n.f.* ato ou efeito de reinserir

reinserir (re.in.se.rir) [ʀəĩsə'rir] *v.* inserir novamente

reinstalar(-se) (re.ins.ta.lar(-se)) [ʀəĩʃtɐ'lar(sə)] *v.* tornar a instalar(-se)

reintegração (re.in.te.gra.ção) [ʀəĩtəgrɐ'sɐ̃w̃] *n.f.* ato ou efeito de reintegrar(-se)

reintegrar(-se) (re.in.te.grar(-se)) [ʀəĩtə'grar(sə)] *v.* integrar(-se) de novo (em grupo ou sociedade)

reiteração (rei.te.ra.ção) [ʀɐjtərɐ'sɐ̃w̃] *n.f.* ato de reiterar; repetição

reiterar (rei.te.rar) [ʀɐjtə'rar] *v.* **1** fazer ou dizer novamente **SIN.** repetir **2** confirmar

reitor (rei.tor) [ʀɐj'tor] *n.m.* diretor de uma universidade ou de uma ordem religiosa

reitoria (rei.to.ri.a) [ʀɐjtu'riɐ] *n.f.* **1** cargo de reitor **2** local onde trabalha um reitor

reivindicação (rei.vin.di.ca.ção) [ʀɐjvĩdikɐ'sɐ̃w̃] *n.f.* exigência; reclamação

reivindicar (rei.vin.di.car) [ʀɐjvĩdi'kar] *v.* exigir; reclamar

reivindicativo (rei.vin.di.ca.ti.vo) [ʀɐjvĩdikɐ'tivu] *adj.* relativo a reivindicação

rejeição (re.jei.ção) [ʀəʒɐj'sɐ̃w̃] *n.f.* recusa

rejeitar (re.jei.tar) [ʀəʒɐj'tar] *v.* não aceitar; recusar

rejeitável (re.jei.tá.vel) [ʀəʒɐj'tavɛɫ] *adj.2g.* que se pode ou deve rejeitar

rejuvenescer (re.ju.ve.nes.cer) [ʀəʒuvənəʃ'ser] *v.* **1** tornar jovem **2** parecer mais jovem

rejuvenescimento (re.ju.ve.nes.ci.men.to) [ʀəʒuvənəʃsi'mẽtu] *n.m.* ato ou efeito de rejuvenescer

rela (re.la) ['ʀɛlɐ] *n.f.* **1** armadilha para pássaros **2** pequeno batráquio sem cauda, de cor verde e com a extremidade de cada dedo em forma de disco **3** brinquedo com som semelhante ao que é produzido por esse batráquio

relação (re.la.ção) [ʀəlɐ'sɐ̃w̃] *n.f.* **1** ligação entre factos ou pessoas **2** lista; listagem ▪ **relações** *n.f.pl.* conjunto de pessoas conhecidas ou amigas ◆ **cortar relações com alguém** zangar-se com alguém; deixar de se relacionar com alguém; **em relação a** relativamente a; quanto a

relacionado (re.la.ci:o.na.do) [ʀəlɐsju'nadu] *adj.* **1** que tem relação com **2** que diz respeito a

relacionamento (re.la.ci:o.na.men.to) [ʀəlɐsjunɐ'mẽtu] *n.m.* **1** capacidade de conviver com outras pessoas **2** ligação entre pessoas; relação

relacionar (re.la.ci:o.nar) [ʀəlɐsju'nar] *v.* fazer a relação de ▪ **relacionar-se ⟨+com⟩** manter relação com; dar-se: *Relacionava-se bem com os sogros.*

relações públicas (re.la.ções pú.bli.cas) [ʀəlɐsõjʃ'publikɐʃ] *n.f.pl.* conjunto de atividades informativas sobre uma empresa, uma sociedade ou um grupo, de modo a promover uma boa relação com o público ▪ *n.2g.2n.* profissional cuja função consiste em dar a conhecer ao público uma empresa, uma sociedade ou um grupo, transmitindo destes uma boa imagem

relâmpago (re.lâm.pa.go) [ʀə'lɐ̃pɐgu] *n.m.* clarão resultante de trovoada ◆ **num relâmpago** num instante; rapidamente

relampejar (re.lam.pe.jar) [ʀəlɐ̃pə'ʒar] *v.* **1** produzir-se um relâmpago **2** brilhar de repente

relançar (re.lan.çar) [ʀəlɐ̃'sar] *v.* lançar de novo (produto, livro, etc.)

relance (re.lan.ce) [ʀə'lɐ̃(sə)] *n.m.* vista de olhos ◆ **de relance** superficialmente

relatar (re.la.tar) [ʀəlɐ'tar] *v.* fazer o relato de **SIN.** contar

relatividade (re.la.ti.vi.da.de) [ʀəlɐtivi'dad(ə)] *n.f.* qualidade de relativo ◆ **teoria da relatividade** teoria formulada por Einstein (1879-1955), que alargou os conceitos de espaço, tempo e movimento, tendo provocado profundas alterações na física clássica

relativismo (re.la.ti.vis.mo) [ʀəlɐti'viʒmu] *n.m.* **1** qualidade de relativo **2** doutrina que afirma a relatividade do conhecimento humano e a impossibilidade de conhecer a verdade absoluta

relativo (re.la.ti.vo) [ʀəlɐ'tivu] *adj.* **1** que se refere a **2** que tem relação com **3** diz-se da palavra que estabelece uma relação entre duas frases, referindo-se à a palavra ou expressão que a antecede

relato (re.la.to) [ʀə'latu] *n.m.* **1** ato ou efeito de relatar **2** descrição; narração **3** reportagem de uma competição desportiva

relatório (re.la.tó.ri:o) [ʀəlɐ'tɔrju] *n.m.* **1** relato minucioso **2** relato mais ou menos oficial que explica como algo se passou

relaxado (re.la.xa.do) [ʀəla'ʃadu] *adj.* descontraído; descansado

relaxamento (re.la.xa.men.to) [ʀəlaʃɐ'mẽtu] *n.m.* descontração; alívio

relaxante (re.la.xan.te) [ʀəla'ʃɐ̃t(ə)] *adj.2g.* que relaxa; que descontrai

relaxar (re.la.xar) [ʀəla'ʃar] *v.* descontrair-se

relegar (re.le.gar) [ʀələ'gar] *v.* **1** ⟨+a⟩ pôr em segundo plano: *Relegaram o escritor ao esquecimento.* **2** ⟨+em⟩ passar (responsabilidade, decisão, etc.) a outra pessoa: *Muitos pais relegam a educação dos filhos nos professores.* **3** ⟨+para⟩

afastar de um lugar para outro: *Relegou o meu livro para o canto da sala.*

relembrar (re.lem.brar) [Rəlẽ'brar] *v.* voltar a lembrar; recordar

relento (re.len.to) [Rə'lẽtu] *n.m.* humidade da noite; orvalho ◆ **ao relento** ao ar livre; no exterior

reler (re.ler) [Rə'ler] *v.* ler novamente

reles (re.les) ['Rɛləʃ] *adj.inv.* **1** de má qualidade **2** ordinário; desprezível

relevância (re.le.vân.ci:a) [Rələ'vɐ̃sjɐ] *n.f.* importância

relevante (re.le.van.te) [Rələ'vɐ̃t(ə)] *adj.2g.* importante

relevar (re.le.var) [Rələ'var] *v.* **1** pôr em relevo; fazer sobressair **2** importar; ser conveniente **3** desculpar; perdoar ■ **relevar-se** salientar-se; sobressair

relevo (re.le.vo) [Rə'levu] *n.m.* **1** saliência **2** elevações ou depressões de terreno **3** destaque ◆ **dar relevo a/pôr em relevo** fazer sobressair; salientar

religião (re.li.gi.ão) [Rəli'ʒjɐ̃w̃] *n.f.* conjunto de crenças, ideias e rituais relacionados com a existência de um ser supremo

religiosa (re.li.gi:o.sa) [Rəli'ʒjɔzɐ] *n.f.* freira

religiosidade (re.li.gi:o.si.da.de) [Rəliʒjuzi'dad(ə)] *n.f.* **1** qualidade do que é religioso **2** tendência para aceitar a existência de um ser supremo

religioso (re.li.gi:o.so) [Rəli'ʒjozu] *adj.* relativo a religião; próprio da religião ■ *n.m.* frade; monge

relinchar (re.lin.char) [Rəlĩ'ʃar] *v.* soltar relinchos (o cavalo, o burro)

relincho (re.lin.cho) [Rə'lĩʃu] *n.m.* voz do cavalo

relíquia (re.lí.qui:a) [Rə'likjɐ] *n.f.* coisa preciosa, rara ou antiga

relógio (re.ló.gi:o) [Rə'lɔʒju] *n.m.* aparelho que marca as horas, os minutos e, por vezes os segundos (pode também indicar o dia da semana, o mês e o ano) ◆ **relógio biológico** conjunto de fatores fisiológicos que regulam o ritmo do corpo humano

Note-se que **relógio** escreve-se com g, mas **relojoaria** e **relojoeiro** escrevem-se com j.

relojoaria (re.lo.jo:a.ri.a) [Rəluʒwɐ'riɐ] *n.f.* estabelecimento onde se fabricam, consertam ou vendem relógios

relojoeiro (re.lo.jo.ei.ro) [Rəlu'ʒwɐjru] *n.m.* aquele que faz, vende ou conserta relógios

relutância (re.lu.tân.ci:a) [Rəlu'tɐ̃sjɐ] *n.f.* **1** oposição; resistência **2** hesitação

relutante (re.lu.tan.te) [Rəlu'tɐ̃t(ə)] *adj.2g.* **1** que resiste **2** hesitante

reluzente (re.lu.zen.te) [Rəlu'zẽt(ə)] *adj.2g.* brilhante

reluzir (re.lu.zir) [Rəlu'zir] *v.* brilhar muito

relva (rel.va) ['Rɛɫvɐ] *n.f.* erva baixa, geralmente tratada

relvado (rel.va.do) [Rɛɫ'vadu] *n.m.* **1** terreno coberto de relva **2** campo de futebol

relvar (rel.var) [Rɛɫ'var] *v.* cobrir de relva

remador (re.ma.dor) [Rəmɐ'dor] *n.m.* aquele que rema

remar (re.mar) [Rə'mar] *v.* mover os remos de um barco para o fazer deslocar

rematado (re.ma.ta.do) [Rəmɐ'tadu] *adj.* acabado; pronto

rematar (re.ma.tar) [Rəmɐ'tar] *v.* **1** acabar; concluir **2** lançar a bola à baliza; concluir uma jogada

remate (re.ma.te) [Rə'mat(ə)] *n.m.* **1** acabamento; conclusão **2** lançamento da bola para a baliza do adversário

remedeio (re.me.dei.o) [Rəmə'dɐju] *n.m.* **1** ato de remediar **2** substituto provisório e precário

remediado (re.me.di:a.do) [Rəmə'djadu] *adj.* diz-se da pessoa que tem o suficiente para sobreviver

remediar (re.me.di:ar) [Rəmə'djar] *v.* **1** tratar **2** corrigir **3** resolver

remédio (re.mé.di:o) [Rə'mɛdju] *n.m.* **1** aquilo o que serve para prevenir ou tratar uma doença; medicamento **2** solução para um problema ◆ **para grandes males, grandes remédios** para vencer grandes problemas é necessário tomar medidas extremas; **sem remédio** sem solução; **ser remédio santo** resultar na perfeição

remela (re.me.la) [Rə'mɛlɐ] *n.f.* substância amarelada que se acumula na união das pálpebras

remeloso (re.me.lo.so) [Rəmə'lozu] *adj.* que tem remelas

remendado (re.men.da.do) [Rəmẽ'dadu] *adj.* que tem remendo(s)

remendar (re.men.dar) [Rəmẽ'dar] *v.* pôr remendos em; consertar

remendo (re.men.do) [ʀə'mẽdu] *n.m.* pedaço de pano, couro, etc., com que se conserta uma peça de roupa ou um objeto

remessa (re.mes.sa) [ʀə'mɛsɐ] *n.f.* **1** ato de remeter; envio **2** aquilo que se envia

remesso (re.mes.so) [ʀə'mesu] *n.m.* lançamento; arremesso

remetente (re.me.ten.te) [ʀəmə'tẽt(ə)] *n.2g.* pessoa que envia ou remete (alguma coisa)

remeter (re.me.ter) [ʀəmə'ter] *v.* enviar; mandar

remexer (re.me.xer) [ʀəmə'ʃer] *v.* ⟨**+em**⟩ mexer muito; revolver: *Remexeu as gavetas à procura das chaves. Remexeu na minha mala.*

remexido (re.me.xi.do) [ʀəmə'ʃidu] *adj.* muito mexido; revolvido

reminiscência (re.mi.nis.cên.ci:a) [ʀəməniʃ'sẽsjɐ] *n.f.* **1** recordação de algo passado **2** lembrança vaga

remissão (re.mis.são) [ʀəmi'sɐ̃w̃] *n.f.* **1** indicação que se faz num livro, enviando o leitor para outro ponto ou outra página desse livro **2** perdão pelos pecados cometidos

remo (re.mo) ['ʀemu] *n.m.* vara comprida de madeira, terminada em forma de pá, usada para fazer mover um barco

remoção (re.mo.ção) [ʀəmu'sɐ̃w̃] *n.f.* mudança de um lugar para o outro; afastamento

remodelação (re.mo.de.la.ção) [ʀəmudəlɐ'sɐ̃w̃] *n.f.* modificação da forma ou do aspeto de

remodelar (re.mo.de.lar) [ʀəmudə'lar] *v.* dar nova forma ou novo aspeto a

remoer (re.mo:er) [ʀə'mwer] *v.* **1** moer de novo **2** repetir o que já foi dito **3** pensar muito (num assunto)

remoinho (re.mo:i.nho) [ʀə'mwiɲu] *n.m.* ⇒ **redemoinho**

remontar (re.mon.tar) [ʀəmõ'tar] *v.* ⟨**+a**⟩ ter origem (em determinada época); datar de: *Este edifício remonta ao início do século.*

remorso (re.mor.so) [ʀə'mɔrsu] *n.m.* arrependimento

remoto (re.mo.to) [ʀə'mɔtu] *adj.* **1** que aconteceu há muito tempo **SIN.** distante; longínquo **2** muito afastado no espaço

remover (re.mo.ver) [ʀəmu'ver] *v.* **1** afastar **2** retirar

removível (re.mo.ví.vel) [ʀəmu'vivɛɫ] *adj.2g.* que se pode remover

remuneração (re.mu.ne.ra.ção) [ʀəmunərɐ'sɐ̃w̃] *n.f.* **1** salário **2** recompensa

remunerar (re.mu.ne.rar) [ʀəmunə'rar] *v.* pagar um salário

rena (re.na) ['ʀenɐ] *n.f.* 👁 mamífero ruminante robusto, com chifres desenvolvidos e cascos adaptados para andar na neve, que vive nas regiões frias do Norte da Europa

renal (re.nal) [ʀə'naɫ] *adj.2g.* relativo aos rins

renascentista (re.nas.cen.tis.ta) [ʀənɐʃsẽ'tiʃtɐ] *adj.2g.* relativo ao Renascimento

renascer (re.nas.cer) [ʀənɐʃ'ser] *v.* **1** nascer de novo **2** reaparecer **3** recuperar forças

renascimento (re.nas.ci.men.to) [ʀənɐʃsi'mẽtu] *n.m.* **1** ato ou efeito de renascer **2** reaparecimento ■ **Renascimento** movimento cultural e artístico dos séculos XV e XVI, que se baseou nos modelos da Antiguidade clássica grega e romana

renda (ren.da) ['ʀẽdɐ] *n.f.* **1** obra de malha feita com fio e que forma desenhos **2** dinheiro que se recebe regularmente

rendado (ren.da.do) [ʀẽ'dadu] *adj.* que tem renda(s); enfeitado com renda(s)

render (ren.der) [ʀẽ'der] *v.* **1** dar lucro **2** dar resultado ■ **render-se 1** admitir uma derrota **2** entregar as armas

rendez-vous [ʀẽ'devu] *n.m.* ⟨*pl.* rendez-vous⟩ **1** encontro combinado **2** ponto de encontro

rendição (ren.di.ção) [ʀẽdi'sɐ̃w̃] *n.f.* ato de se render ou de admitir uma derrota **SIN.** capitulação

rendimento (ren.di.men.to) [ʀẽdi'mẽtu] *n.m.* **1** produtividade **2** lucro **3** salário

renegado (re.ne.ga.do) [ʀənə'gadu] *adj.,n.m.* **1** que ou o que renega a sua religião, as suas crenças, ou os seus ideais **2** que ou o que é desprezado ou rejeitado

renegar (re.ne.gar) [ʀənə'gar] *v.* **1** abandonar (ideia, crença, religião) **2** rejeitar **3** negar **4** trair

renhido (re.nhi.do) [ʀə'ɲidu] *adj.* disputado com muita animação ou entusiasmo; animado

renitente (re.ni.ten.te) [ʀəni'tẽt(ə)] *adj.2g.* que resiste; resistente

renome (re.no.me) [ʀə'nom(ə)] *n.m.* boa reputação; fama

renovação (re.no.va.ção) [ʀənuvɐ'sɐ̃w̃] *n.f.* **1** restauro **2** melhoria **3** recomeço

renovar (re.no.var) [ʀənu'var] *v.* **1** restaurar **2** melhorar **3** recomeçar

renovável (re.no.vá.vel) [ʀənu'vavɛɫ] *adj.2g.* **1** que se pode renovar **2** diz-se da energia ou do recurso que provém de fontes naturais (como o vento, a água e o sol) e que, portanto, se renova

rentabilidade (ren.ta.bi.li.da.de) [ʀẽtɐbili'dad(ə)] *n.f.* qualidade de rentável, do que rende ou dá lucro

rentabilizar (ren.ta.bi.li.zar) [ʀẽtabili'zar] *v.* tornar rentável ou lucrativo

rentável (ren.tá.vel) [ʀẽ'tavɛɫ] *adj.2g.* que produz bom rendimento **SIN.** lucrativo

rente (ren.te) ['ʀẽt(ə)] *adv.* pelo pé; pela raiz

renúncia (re.nún.ci:a) [ʀə'nũsjɐ] *n.f.* **1** abandono de um cargo ou de uma função **2** desistência

> Não confundir **renúncia** (desistência) com **renuncia** (forma do verbo renunciar): *O clube lamentou a renúncia do treinador. O cristão não renuncia a fé.*

renunciar (re.nun.ci:ar) [ʀənũ'sjar] *v.* **1** abandonar um cargo ou uma função **2** ⟨+a⟩ desistir de: *renunciar aos direitos de uma herança*

reorganizar (re:or.ga.ni.zar) [ʀjɔrgɐni'zar] *v.* **1** organizar de novo **2** reformar **3** melhorar

repa (re.pa) ['ʀepɐ] *n.f.* tira de cabelo que cai sobre a testa; franja

reparação (re.pa.ra.ção) [ʀəpɐrɐ'sɐ̃w̃] *n.f.* conserto; arranjo

reparar (re.pa.rar) [ʀəpɐ'rar] *v.* **1** consertar: *Reparou a máquina de lavar.* **2** ⟨+em⟩ observar: *Repara no que estás a fazer!*

reparo (re.pa.ro) [ʀə'paru] *n.m.* chamada de atenção **SIN.** advertência

repartição (re.par.ti.ção) [ʀəpɐrti'sɐ̃w̃] *n.f.* **1** divisão de algo em partes; distribuição **2** local onde funciona um serviço de atendimento público

repartir (re.par.tir) [ʀəpɐr'tir] *v.* separar em partes; distribuir; dividir

repatriar (re.pa.tri:ar) [ʀəpɐ'trjar] *v.* fazer (alguém) voltar à pátria ■ **repatriar-se** voltar à pátria por vontade própria

repelente (re.pe.len.te) [ʀəpə'lẽt(ə)] *adj.2g.* **1** que repele **2** repugnante ■ *n.m.* substância que se aplica na pele para afastar insetos

repelir (re.pe.lir) [ʀəpə'lir] *v.* afastar de si **SIN.** rejeitar

repenicar (re.pe.ni.car) [ʀəpəni'kar] *v.* produzir sons agudos e repetidos

repensar (re.pen.sar) [ʀəpẽ'sar] *v.* pensar outra vez; reconsiderar

repente (re.pen.te) [ʀə'pẽt(ə)] *n.m.* **1** movimento espontâneo e irrefletido **SIN.** ímpeto **2** dito ou gesto repentino e irrefletido ♦ **de repente** subitamente; **num repente** num instante

repentinamente (re.pen.ti.na.men.te) [ʀəpẽtinɐ'mẽt(ə)] *adv.* de repente; subitamente

repentino (re.pen.ti.no) [ʀəpẽ'tinu] *adj.* súbito; imprevisto

repercussão (re.per.cus.são) [ʀəpərku'sɐ̃w̃] *n.f.* efeito; consequência

repercutir(-se) (re.per.cu.tir(-se)) [ʀəpərku'tir(sə)] *v.* **1** (som, luz) refletir(-se) **2** ter impacto sobre **SIN.** refletir-se

repertório (re.per.tó.ri:o) [ʀəpər'tɔrju] *n.m.* **1** lista de assuntos apresentados por determinada ordem **2** conjunto de obras musicais ou dramáticas de um autor, de um grupo ou de uma época

repescagem (re.pes.ca.gem) [ʀəpəʃ'kaʒɐ̃j̃] *n.f.* fase de um exame ou de uma competição desportiva, em que aqueles que tinham sido eliminados anteriormente disputam o direito de competir com os restantes participantes

repetente (re.pe.ten.te) [ʀəpə'tẽt(ə)] *n.2g.* estudante que repete um ano letivo ou uma disciplina (por ter reprovado)

repetição (re.pe.ti.ção) [ʀəpəti'sɐ̃w̃] *n.f.* **1** ato de voltar a fazer alguma coisa **2** nova ocorrência (de um fenómeno) **3** figura de estilo que consiste em repetir diversas vezes a mesma palavra ou frase

repetidamente (re.pe.ti.da.men.te) [ʀəpətidɐ'mẽt(ə)] *adv.* muitas vezes; frequentemente

repetido (re.pe.ti.do) [ʀəpə'tidu] *adj.* **1** que acontece mais de uma vez **2** que existe em número elevado ou em excesso

repetir (re.pe.tir) [ʀəpə'tir] *v.* tornar a dizer ou a fazer ■ **repetir-se** acontecer novamente

repetitivo (re.pe.ti.ti.vo) [ʀəpəti'tivu] *adj.* em que há repetição

repicar (re.pi.car) [ʀəpi'kar] *v.* tocar repetidamente (o sino)

repleto (re.ple.to) [ʀə'plɛtu] *adj.* muito cheio

réplica (ré.pli.ca) ['ʀɛplikɐ] *n.f.* **1** resposta **2** imitação

replicar (re.pli.car) [ʀəpli'kar] *v.* responder discordando **SIN.** contestar; ripostar

repolho (re.po.lho) [ʀə'poʎu] *n.m.* variedade de couve cujas folhas crescem formando um conjunto apertado, com forma arredondada

repontar (re.pon.tar) [ʀəpõ'tar] *v.* responder de modo desagradável **SIN.** refilar

repor (re.por) [ʀə'por] *v.* **1** tornar a pôr **2** devolver

reportagem (re.por.ta.gem) [ʀəpur'taʒɐ̃j̃] *n.f.* trabalho de informação em que um jornalista descreve em pormenor determinado tema ou acontecimento

reportar-se (re.por.tar-.se) [Rəpur'tars(ə)] *v.* ⟨+a⟩ dizer respeito a; aludir a: *O relatório reporta-se ao ano passado.*

repórter (re.pór.ter) [Rə'pɔrtɛr] *n.2g.* pessoa que faz reportagens

reportório (re.por.tó.ri:o) [Rəpur'tɔrju] *n.m.* ⇒ **repertório**

reposição (re.po.si.ção) [Rəpuzi'sɐ̃w̃] *n.f.* **1** ato de colocar de novo ou voltar a pôr no mesmo lugar **2** ato de voltar ao estado anterior **3** restituição; devolução

reposteiro (re.pos.tei.ro) [Rəpuʃ'tɐjru] *n.m.* espécie de cortinado grosso utilizado para adorno e/ou resguardo de janelas ou portas

repousar (re.pou.sar) [Rəpo(w)'zar] *v.* descansar

repouso (re.pou.so) [Rə'po(w)zu] *n.m.* **1** descanso **2** imobilidade

repovoar (re.po.vo:ar) [Rəpu'vwar] *v.* povoar novamente de pessoas (uma região), de peixes (um rio), de animais ou árvores (uma floresta)

repreender (re.pre:en.der) [Rəprjẽ'der] *v.* dar uma repreensão a **SIN.** censurar; ralhar

repreensão (re.pre:en.são) [Rəprjẽ'sɐ̃w̃] *n.f.* crítica severa **SIN.** censura; ralhete

repreensivo (re.pre:en.si.vo) [Rəprjẽ'sivu] *adj.* que envolve repreensão

represa (re.pre.sa) [Rə'prezɐ] *n.f.* construção feita para travar um curso de água **SIN.** açude

represália (re.pre.sá.li:a) [Rəprə'zaljɐ] *n.f.* vingança

representação (re.pre.sen.ta.ção) [Rəprəzẽtɐ'sɐ̃w̃] *n.f.* **1** imagem, desenho ou pintura que representa algo ou alguém **2** espetáculo teatral; encenação **3** interpretação de um papel no cinema, no teatro ou na televisão; atuação

representante (re.pre.sen.tan.te) [Rəprəzẽ'tɐ̃t(ə)] *n.2g.* pessoa que representa outra(s) pessoa(s) ou uma organização

representar (re.pre.sen.tar) [Rəprəzẽ'tar] *v.* **1** dar uma imagem de; retratar **2** ser a imagem de; simbolizar **3** interpretar (um papel)

representativo (re.pre.sen.ta.ti.vo) [Rəprəzẽtɐ'tivu] *adj.* que representa

repressão (re.pres.são) [Rəprə'sɐ̃w̃] *n.f.* ato de reprimir ou conter (sentimento, movimento, etc.)

repressivo (re.pres.si.vo) [Rəprə'sivu] *adj.* que serve para reprimir

reprimenda (re.pri.men.da) [Rəpri'mẽdɐ] *n.f.* repreensão; censura

reprimir (re.pri.mir) [Rəpri'mir] *v.* **1** conter (lágrimas, riso, sentimento) **2** combater (um hábito, um movimento) ▪ **reprimir-se** conter os próprios sentimentos, gestos, etc.; dominar-se

reprodução (re.pro.du.ção) [Rəprudu'sɐ̃w̃] *n.f.* **1** facto de se fazer uma cópia de alguma coisa; imitação **2** facto de dar vida a outros seres da mesma espécie; multiplicação

reprodutivo (re.pro.du.ti.vo) [Rəprudu'tivu] *adj.* **1** que produz de novo **2** relativo a reprodução

reprodutor (re.pro.du.tor) [Rəprudu'tor] *adj.* **1** que reproduz **2** que serve para a reprodução

reproduzir (re.pro.du.zir) [Rəprudu'zir] *v.* **1** produzir de novo **2** copiar; imitar **3** contar ou mostrar com pormenor ▪ **reproduzir-se** multiplicar-se

reprografia (re.pro.gra.fi.a) [Rəprugrɐ'fiɐ] *n.f.* reprodução de documentos que recorre a diversos processos, como fotocópia e microfilme

reprovação (re.pro.va.ção) [Rəpruvɐ'sɐ̃w̃] *n.f.* **1** rejeição; condenação **2** não aprovação (num exame); chumbo

reprovado (re.pro.va.do) [Rəpru'vadu] *adj.* **1** rejeitado **2** chumbado

reprovar (re.pro.var) [Rəpru'var] *v.* **1** rejeitar **2** chumbar (num exame)

reprovável (re.pro.vá.vel) [Rəpru'vavɛɫ] *adj.2g.* que merece reprovação **SIN.** condenável

réptil (rép.til) ['Rɛptiɫ] *n.m.* ⟨*pl.* répteis⟩ animal vertebrado de sangue frio, com o corpo coberto por escamas ou placas, que se desloca rastejando

república (re.pú.bli.ca) [Rɛ'publikɐ] *n.f.* forma de governo em que os cidadãos elegem os seus representantes e o chefe de Estado para exercerem o poder em nome do povo ◆ **república das bananas** *pej.* país que não garante o cumprimento das leis; situação caótica ou de ilegalidade

---

A **República Portuguesa** foi proclamada em Lisboa a 5 de outubro de 1910, data que é feriado nacional em Portugal.

---

republicano (re.pu.bli.ca.no) [Rɛpubli'kɐnu] *adj.* relativo a república ▪ *n.m.* pessoa que defende a república

repudiar (re.pu.di:ar) [Rəpu'djar] *v.* rejeitar

repúdio (re.pú.di:o) [Rə'pudju] *n.m.* ato de repudiar ou rejeitar

repugnância (re.pug.nân.ci:a) [Rəpu'gnɐ̃sjɐ] *n.f.* **1** sensação de mal-estar ou enjoo **2** sentimento de antipatia ou aversão

repugnante **(re.pug.nan.te)** [ʀəpu'gnɐ̃t(ə)] *adj.2g.* **1** que provoca mal-estar ou enjoo **2** que causa antipatia ou aversão

repugnar **(re.pug.nar)** [ʀəpu'gnar] *v.* causar desagrado ou aversão

repulsa **(re.pul.sa)** [ʀə'puɫsɐ] *n.f.* sentimento de aversão ou repugnância

repulsivo **(re.pul.si.vo)** [ʀəpuɫ'sivu] *adj.* que causa repulsa **SIN.** repugnante

reputação **(re.pu.ta.ção)** [ʀəputɐ'sɐ̃w̃] *n.f.* **1** opinião que se tem sobre alguém **2** fama; prestígio

reputado **(re.pu.ta.do)** [ʀəpu'tadu] *adj.* que tem boa fama; considerado

repuxar **(re.pu.xar)** [ʀəpu'ʃar] *v.* **1** puxar para trás **2** esticar muito

repuxo **(re.pu.xo)** [ʀə'puʃu] *n.m.* jato de água que sai com força e se eleva

requalificar **(re.qua.li.fi.car)** [ʀəkwɐlifi'kar] *v.* **1** qualificar novamente **2** melhorar (espaço público) a nível ambiental, urbanístico, etc.

requeijão **(re.quei.jão)** [ʀəkɐj'ʒɐ̃w̃] *n.m.* queijo fresco, feito a partir do soro do leite

requerente **(re.que.ren.te)** [ʀəkə'rẽt(ə)] *adj.,n.2g.* que ou pessoa que faz um pedido por meio de requerimento

requerer **(re.que.rer)** [ʀəkə'rer] *v.* **1** pedir (por escrito) **2** exigir **3** ser digno de

requerimento **(re.que.ri.men.to)** [ʀəkəri'mẽtu] *n.m.* documento escrito que contém um pedido ou uma reivindicação

requiem ['ʀɛkjɛm] *n.m.* **1** conjunto de orações pelos defuntos, na liturgia católica **2** composição musical sobre essas orações

requintado **(re.quin.ta.do)** [ʀəkĩ'tadu] *adj.* elegante; delicado

requinte **(re.quin.te)** [ʀə'kĩt(ə)] *n.m.* elegância; delicadeza

requisição **(re.qui.si.ção)** [ʀəkəzi'sɐ̃w̃] *n.f.* pedido ♦ **requisição civil** conjunto de medidas, com carácter excecional, definidas pelo Governo com o objetivo de assegurar o funcionamento regular de serviços públicos ou de setores considerados fundamentais, numa situação de greve

requisitar **(re.qui.si.tar)** [ʀəkəzi'tar] *v.* pedir

requisito **(re.qui.si.to)** [ʀəkə'zitu] *n.m.* condição necessária para se atingir um objetivo; exigência

rês **(rês)** ['ʀeʃ] *n.f.* ⟨*pl.* reses⟩ animal quadrúpede cuja carne é utilizada para a alimentação humana

rescaldo **(res.cal.do)** [ʀəʃ'kaɫdu] *n.m.* **1** calor proveniente de um incêndio **2** resultado de alguma coisa

rescindir **(res.cin.dir)** [ʀəʃsĩ'dir] *v.* **1** anular; invalidar (contrato) **2** romper; quebrar

rescisão **(res.ci.são)** [ʀəʃsi'zɐ̃w̃] *n.f.* anulação de (contrato)

rés-do-chão **(rés-.do-.chão)** [ʀɛʒdu'ʃɐ̃w̃] *a nova grafia é* **rés do chão**[AO]

rés do chão **(rés do chão)**[AO] [ʀɛʒdu'ʃɐ̃w̃] *n.m.2n.* pavimento de uma casa ou de um prédio que fica ao nível do solo

resenha **(re.se.nha)** [ʀə'zɐ(j)ɲɐ] *n.f.* descrição pormenorizada

reserva **(re.ser.va)** [ʀə'zɛrvɐ] *n.f.* **1** marcação antecipada de um lugar (em espetáculo, hotel, etc.) **2** aquilo que se guarda para utilizar mais tarde **3** timidez; acanhamento **4** extensão de terreno destinada à proteção de espécies animais e vegetais ♦ **sem reserva** sem restrições; sem limites; **ter de reserva** guardar para uma necessidade ou emergência

reservado **(re.ser.va.do)** [ʀəzər'vadu] *adj.* **1** marcado (lugar em espetáculo, hotel, etc.) **2** guardado para mais tarde **3** tímido **4** protegido

reservar **(re.ser.var)** [ʀəzər'var] *v.* **1** guardar; armazenar **2** marcar antecipadamente

reservatório **(re.ser.va.tó.ri:o)** [ʀəzərvɐ'tɔrju] *n.m.* lugar próprio para armazenar alguma coisa **SIN.** depósito; recipiente

resfriado **(res.fri:a.do)** [ʀəʃ'frjadu] *n.m.* gripe

resgatar **(res.ga.tar)** [ʀəʒgɐ'tar] *v.* **1** libertar **2** recuperar **3** pagar (uma dívida)

resgate **(res.ga.te)** [ʀəʒ'gat(ə)] *n.m.* **1** libertação de alguém mediante pagamento **2** preço pago por essa libertação **3** pagamento de uma dívida

resguardado **(res.guar.da.do)** [ʀəʒgwɐr'dadu] *adj.* **1** coberto **2** protegido

resguardar **(res.guar.dar)** [ʀəʒgwɐr'dar] *v.* **1** cobrir **2** proteger

resguardo **(res.guar.do)** [ʀəʒ'gwardu] *n.m.* abrigo; proteção

residência **(re.si.dên.ci:a)** [ʀəzi'dẽsjɐ] *n.f.* lugar onde se mora **SIN.** domicílio; lar

residencial **(re.si.den.ci:al)** [ʀəzidẽ'sjaɫ] *adj.2g.* relativo a residência ▪ *n.f.* casa que aceita hóspedes; pensão

residente **(re.si.den.te)** [ʀəzi'dẽt(ə)] *n.2g.* pessoa que vive em determinado lugar **SIN.** habitante

residir **(re.si.dir)** [ʀəzi'dir] *v.* **1** ⟨**+em**⟩ morar em; habitar: *residir no estrangeiro* **2** ⟨**+em**⟩ consistir; encontrar-se: *O problema reside no carburador.*

residual **(re.si.du:al)** [ʀəzi'dwaɫ] *adj.2g.* relativo a resíduo

resíduo **(re.sí.du:o)** [ʀə'zidwu] *n.m.* **1** aquilo que sobra ou resta de alguma coisa; resto **2** qualquer substância que resulta de uma operação industrial ou de um processo químico

---

Note-se que **resíduo** escreve-se com s (e não com z).

---

esignação (re.sig.na.ção) [Rəzignɐ'sɐ̃w̃] *n.f.* **1** aceitação (de um mal ou de uma injustiça) sem revolta **2** renúncia a um cargo ou a uma função; abdicação

esignado (re.sig.na.do) [Rəzi'gnadu] *adj.* que aguenta um mal ou uma injustiça sem se revoltar **SIN.** conformado

esignar (re.sig.nar) [Rəzi'gnar] *v.* renunciar a; abdicar de ▪ **resignar-se** submeter-se (a um mal ou a uma injustiça); conformar-se

esina (re.si.na) [Rə'zinɐ] *n.f.* produto natural, viscoso, que se extrai de alguns vegetais

esinoso (re.si.no.so) [Rezi'nozu] *adj.* **1** que tem resina **2** pegajoso; viscoso

esistência (re.sis.tên.ci:a) [Rəziʃ'tẽsjɐ] *n.f.* **1** qualidade do que é resistente **2** capacidade de suportar algo (como frio, fome, dor) **3** oposição; reação

esistente (re.sis.ten.te) [Rəziʃ'tẽt(ə)] *adj.,n.2g.* que ou pessoa que resiste **SIN.** forte

esistir (re.sis.tir) [Rəziʃ'tir] *v.* **1** ⟨+a⟩ aguentar: *resistir ao calor* **2** ⟨+a⟩ lutar; defender-se: *resistir aos ataques do inimigo* **3** ⟨+a⟩ opor-se: *Resistiu à tentação de comer o bolo de chocolate.*

esma (res.ma) ['Reʒmɐ] *n.f.* **1** conjunto de quinhentas folhas de papel **2** grande quantidade de coisas

esmungão (res.mun.gão) [Rəʒmũ'gɐ̃w̃] *adj.* que está impaciente ou com mau humor; rabugento ▪ *n.m.* ⟨*f.* resmungona⟩ pessoa que responde de forma grosseira **SIN.** refilão; respondão

esmungar (res.mun.gar) [Rəʒmũ'gar] *v.* falar em voz baixa, com mau humor

esmunguice (res.mun.gui.ce) [Rəʒmũ'gi(sə)] *n.f. coloq.* hábito de resmungar

esolução (re.so.lu.ção) [Rəzulu'sɐ̃w̃] *n.f.* **1** decisão **2** solução

esoluto (re.so.lu.to) [Rəzu'lutu] *adj.* decidido; determinado

esolver (re.sol.ver) [Rəzoɫ'ver] *v.* decidir; determinar ▪ **resolver-se** decidir-se

esolvido (re.sol.vi.do) [Rəzoɫ'vidu] *adj.* combinado; acertado

espectivo (res.pec.ti.vo) [Rəʃpɛ'tivu] *a nova grafia é* **respetivo**[AO]

espeitado (res.pei.ta.do) [Rəʃpɐj'tadu] *adj.* tratado com respeito; considerado

espeitador (res.pei.ta.dor) [Rəʃpɐjtɐ'dor] *adj.* que respeita; que monstra respeito

espeitante (res.pei.tan.te) [Rəʃpɐj'tẽt(ə)] *adj.2g.* que diz respeito; relativo

espeitar (res.pei.tar) [Rəʃpɐj'tar] *v.* **1** cumprir regras ou compromissos assumidos **2** ter respeito ou consideração por

respeitável (res.pei.tá.vel) [Rəʃpɐj'tavɛɫ] *adj.2g.* **1** que é digno de respeito **2** bastante grande; considerável

respeito (res.pei.to) [Rəʃ'pɐjtu] *n.m.* sentimento de consideração por alguém; deferência ♦ **a respeito de** relativamente a; quanto à; **de respeito** notável

respeitoso (res.pei.to.so) [Rəʃpɐj'tozu] *adj.* que demonstra respeito; atencioso

respetivo (res.pe.ti.vo)[AO] [Rəʃpɛ'tivu] *adj.* relativo a cada um; próprio

respiração (res.pi.ra.ção) [Rəʃpirɐ'sɐ̃w̃] *n.f.* movimento de inspiração (entrada de ar nos pulmões) e de expiração (saída de ar dos pulmões) ♦ **respiração assistida** método de respiração artificial em que se utilizam meios mecânicos ou manuais para assegurar uma ventilação eficaz; **respiração artificial** aquela que é mantida com o auxílio de meios artificiais (ventiladores, por exemplo)

respiradouro (res.pi.ra.dou.ro) [Rəʃpirɐ'do(w)ru] *n.m.* orifício destinado a deixar entrar e sair o ar

respirar (res.pi.rar) [Rəʃpi'rar] *v.* fazer entrar e sair o ar nos pulmões

respiratório (res.pi.ra.tó.ri:o) [Rəʃpirɐ'tɔrju] *adj.* **1** relativo a respiração **2** que serve para respirar

respirável (res.pi.rá.vel) [Rəʃpi'ravɛɫ] *adj.2g.* que se pode respirar

respiro (res.pi.ro) [Rəʃ'piru] *n.m.* ato ou efeito de respirar; respiração

resplandecente (res.plan.de.cen.te) [Rəʃplẽdə'sẽt(ə)] *adj.2g.* muito brilhante

resplandecer (res.plan.de.cer) [Rəʃplẽdə'ser] *v.* brilhar muito

resplendor (res.plen.dor) [Rəʃplẽ'dor] *n.m.* brilho intenso

respondão (res.pon.dão) [Rəʃpõ'dɐ̃w̃] *n.m.* ⟨*f.* respondona⟩ pessoa que responde de forma grosseira **SIN.** refilão; resmungão

responder (res.pon.der) [Rəʃpõ'der] *v.* **1** dizer ou escrever em resposta; retorquir: *responder que sim/não* **2** ⟨+por⟩ responsabilizar-se por: *Eu respondo por ele.*

responsabilidade (res.pon.sa.bi.li.da.de) [Rəʃpõsɐb(i)li'dad(ə)] *n.f.* **1** dever que uma pessoa tem de assumir as consequências dos seus atos **ANT.** irresponsabilidade **2** qualidade de quem é acusado de alguma coisa; culpa ♦ **chamar (alguém) à responsabilidade** chamar (alguém) para prestar contas dos seus atos; **responsabilidade civil** carácter daquele que deve, por força da lei, reparar os prejuízos feitos a outrem

responsabilização (res.pon.sa.bi.li.za.ção) [ʀəʃpõsɐbilizɐ'sɐ̃w̃] *n.f.* atribuição de responsabilidade (a alguém)

responsabilizar(-se) (res.pon.sa.bi.li.zar(-se)) [ʀəʃpõsɐbili'zar(sə)] *v.* ⟨+por⟩ atribuir ou assumir a responsabilidade: *Responsabilizou o filho pelos seus erros.*

responsável (res.pon.sá.vel) [ʀəʃpõ'savɛɫ] *adj.2g.* **1** que assume a responsabilidade dos seus atos ANT. irresponsável **2** que cumpre os seus deveres e compromissos ▪ *n.2g.* pessoa que ocupa uma posição de chefia dentro de um grupo

resposta (res.pos.ta) [ʀəʃ'poʃtɐ] *n.f.* **1** ato ou efeito de responder **2** solução de um problema ou de um teste **3** reação a um estímulo

ressabiado (res.sa.bi:a.do) [ʀəsa'bjadu] *adj.* **1** desconfiado **2** melindrado; ofendido

ressaca (res.sa.ca) [ʀə'sakɐ] *n.f.* **1** movimento das ondas que se quebram contra um obstáculo **2** *coloq.* mal-estar provocado por excesso de bebidas alcoólicas

ressaltar (res.sal.tar) [ʀəsaɫ'tar] *v.* **1** tornar saliente; dar relevo a **2** sobressair; destacar-se

ressalto (res.sal.to) [ʀə'saɫtu] *n.m.* salto de um corpo ou de um projétil depois de bater numa superfície ou num outro corpo SIN. ricochete

ressalva (res.sal.va) [ʀə'saɫvɐ] *n.f.* **1** nota ou observação que emenda algo num texto ou documento **2** certidão de isenção do serviço militar **3** condição; restrição

ressarcir (res.sar.cir) [ʀəsar'sir] *v.* compensar um mal ou prejuízo causado SIN. indemnizar ▪ **ressarcir-se** compensar-se

ressentido (res.sen.ti.do) [ʀəsẽ'tidu] *adj.* diz-se da pessoa que está magoada ou ofendida SIN. melindrado

ressentimento (res.sen.ti.men.to) [ʀəsẽti'mẽtu] *n.m.* sentimento de tristeza causado por uma ofensa ou injustiça SIN. melindre

ressentir-se (res.sen.tir-.se) [ʀəsẽ'tirs(ə)] *v.* **1** sentir-se ofendido; melindrar-se: *ressentir-se com o amigo* **2** ⟨+de⟩ sentir os efeitos de (alguma coisa): *A saúde começou a ressentir-se do abuso do álcool.*

ressequido (res.se.qui.do) [ʀəsə'kidu] *adj.* **1** que está muito seco **2** muito magro; mirrado

ressequir (res.se.quir) [ʀəsə'kir] *v.* **1** fazer perder a humidade **2** perder a humidade; secar

ressoar (res.so:ar) [ʀə'swar] *v.* soar com força; ecoar

ressonância (res.so.nân.ci:a) [ʀəsu'nɐ̃sjɐ] *n.f.* **1** propriedade de aumentar a intensidade de um som **2** repercussão de sons; eco ◆ **ressonância magnética** método de diagnóstico por imagem que usa um campo magnético para obter imagens de estruturas e órgãos internos

ressonar (res.so.nar) [ʀəsu'nar] *v.* respirar com ruído durante o sono SIN. roncar

ressurgir (res.sur.gir) [ʀəsur'ʒir] *v.* surgir novamente SIN. reaparecer

ressurreição (res.sur.rei.ção) [ʀəsuʀɐj'sɐ̃w̃] *n.* **1** ato de voltar à vida, depois da morte **2** reaparecimento

ressuscitado (res.sus.ci.ta.do) [ʀəsuʃsi'tadu] *a*[dj.] **1** que voltou à vida **2** que reapareceu

ressuscitar (res.sus.ci.tar) [ʀəsuʃsi'tar] *v.* **1** voltar à vida, depois da morte **2** aparecer novamente **3** *fig.* tornar mais intenso; renovar

restabelecer (res.ta.be.le.cer) [ʀəʃtɐbələ'ser] **1** fazer existir novamente **2** pôr novamente em bom estado ▪ **restabelecer-se** recuperar saúde; curar-se

restabelecimento (res.ta.be.le.ci.men.to) [ʀ[ə]ʃtɐbələsi'mẽtu] *n.m.* **1** regresso ao estado ou à situação anterior **2** conserto **3** recuperação da saúde

restante (res.tan.te) [ʀəʃ'tɐ̃t(ə)] *adj.2g.* que resta; que sobra ▪ *n.m.* aquilo que resta ou sobra

restar (res.tar) [ʀəʃ'tar] *v.* ficar como resto SIN. sobrar

restauração (res.tau.ra.ção) [ʀəʃtawrɐ'sɐ̃w̃] *n*[.f.] **1** ato de estabelecer novamente (um sistema político, por exemplo) **2** conserto ou reparação de algo **3** setor de atividade relacionado com restaurantes

---

Restauração da Independência é o nome dado à revolta iniciada em 1 de dezembro de 1640 que pôs o domínio dos reis de Espanha em Portugal. Comemora-se anualmente em Portugal um feriado no dia 1 de dezembro.

---

restaurante (res.tau.ran.te) [ʀəʃtaw'rɐ̃t(ə)] *n.*[m.] estabelecimento onde se preparam e servem refeições

restaurar (res.tau.rar) [ʀəʃtaw'rar] *v.* **1** estabelecer novamente **2** consertar; reparar

restauro (res.tau.ro) [ʀəʃ'tawru] *n.m.* **1** trabalho de recuperação de obras de arte, construções etc. **2** conserto; reparação

restituição (res.ti.tu:i.ção) [ʀəʃtitwi'sɐ̃w̃] *n.f.* entrega de uma coisa à pessoa a quem pertence SIN. devolução

restituir (res.ti.tu:ir) [ʀəʃti'twir] *v.* devolver

resto (res.to) ['ʀɛʃtu] *n.m.* **1** aquilo que fica de um todo; sobra **2** em matemática, resultado de uma subtração; diferença ◆ **de resto** além do mais; aliás; **restos mortais** cadáver; ossada

restrição (res.tri.ção) [ʀəʃtri'sɐ̃w̃] *n.f.* condição que limita ou restringe SIN. limitação

restringir (res.trin.gir) [ʀəʃtrĩ'ʒir] *v.* 1 tornar mais estreito ou apertado 2 impor limites; limitar

restritivo (res.tri.ti.vo) [ʀəʃtri'tivu] *adj.* que restringe ou limita SIN. limitativo

restrito (res.tri.to) [ʀəʃ'tritu] *adj.* 1 pequeno; reduzido 2 limitado

resultado (re.sul.ta.do) [ʀəzuɫ'tadu] *n.m.* 1 efeito de uma ação; consequência 2 produto de uma operação matemática 3 situação final de uma competição, expressa em números

resultante (re.sul.tan.te) [ʀəzuɫ'tɐ̃t(ə)] *adj.2g.* que resulta SIN. consequente

resultar (re.sul.tar) [ʀəzuɫ'tar] *v.* 1 ser consequência ou efeito de 2 dar bom resultado

resumidamente (re.su.mi.da.men.te) [ʀəzumi dɐ'mẽt(ə)] *adv.* em resumo

resumido (re.su.mi.do) [ʀəzu'midu] *adj.* 1 abreviado 2 conciso

resumir (re.su.mir) [ʀəzu'mir] *v.* dizer ou explicar em poucas palavras SIN. abreviar; condensar

resumo (re.su.mo) [ʀə'zumu] *n.m.* apresentação curta e rápida de um texto, de um assunto, de um filme ou de uma ideia SIN. síntese; sumário ♦ **em resumo** em síntese

Note-se que **resumo** escreve-se com s (e não com z).

resvalar (res.va.lar) [ʀəʒvɐ'lar] *v.* cair por um declive; escorregar

resvés (res.vés) [ʀɛʒ'vɛʃ] *adj.2g.* exato; justo ■ *adv.* 1 à justa 2 na medida certa

reta (re.ta)[AO] ['ʀɛtɐ] *n.f.* linha que segue sempre a mesma direção ♦ **à reta** na medida exata

retábulo (re.tá.bu.lo) [ʀə'tabulu] *n.m.* painel de madeira pintado que decora a parte de trás de um altar

retaguarda (re.ta.guar.da) [ʀɛtɐ'gwardɐ] *n.f.* parte posterior de um objeto ou de um lugar; traseira ANT. frente, vanguarda

retalhar (re.ta.lhar) [ʀətɐ'ʎar] *v.* 1 cortar em pedaços 2 ferir com instrumento cortante

retalhista (re.ta.lhis.ta) [ʀətɐ'ʎiʃtɐ] *n.2g.* pessoa que vende a retalho

retalho (re.ta.lho) [ʀə'taʎu] *n.m.* 1 pedaço de tecido que sobra de uma peça 2 parte de um todo; fração ♦ **vender a retalho** vender quantidades pequenas

retaliação (re.ta.li:a.ção) [ʀətɐljɐ'sɐ̃w̃] *n.f.* ato de retaliar; represália

retaliar (re.ta.li:ar) [ʀətɐ'ljar] *v.* exercer represália sobre SIN. vingar(-se)

retangular (re.tan.gu.lar)[AO] [ʀɛtɐ̃gu'lar] *adj.* que tem a forma de um retângulo

retângulo (re.tân.gu.lo)[AO] [ʀɛ'tɐ̃gulu] *n.m.* paralelogramo com ângulos retos

retardar (re.tar.dar) [ʀətɐr'dar] *v.* 1 atrasar 2 demorar

retenção (re.ten.ção) [ʀətẽ'sɐ̃w̃] *n.f.* ato ou efeito de reter

reter (re.ter) [ʀə'ter] *v.* 1 não deixar sair ou escapar; manter 2 fazer parar; deter 3 reprimir; conter

retesar (re.te.sar) [ʀətə'zar] *v.* esticar

reticências (re.ti.cên.ci:as) [ʀəti'sẽsjɐʃ] *n.f.pl.* sinal de pontuação ... que indica uma pausa ou interrupção do sentido da frase

reticente (re.ti.cen.te) [ʀəti'sẽt(ə)] *adj.2g.* 1 prudente; reservado 2 hesitante; indeciso

retidão (re.ti.dão)[AO] [ʀɛti'dɐ̃w̃] *n.f.* 1 qualidade do que é reto 2 honestidade

retido (re.ti.do) [ʀə'tidu] *adj.* 1 que se demorou em determinado lugar 2 que foi preso; detido 3 que se reprimiu; contido

retificação (re.ti.fi.ca.ção)[AO] [ʀɛtifikɐ'sɐ̃w̃] *n.f.* correção; emenda

retificar (re.ti.fi.car)[AO] [ʀɛtifi'kar] *v.* corrigir; emendar

retilíneo (re.ti.lí.ne:o)[AO] [ʀɛti'linju] *adj.* que tem a forma de uma linha reta

retina (re.ti.na) [ʀə'tinɐ] *n.f.* membrana interna do globo ocular onde se formam as imagens

retinir (re.ti.nir) [ʀətə'nir] *v.* produzir um som forte, agudo e repetido

retirada (re.ti.ra.da) [ʀəti'radɐ] *n.f.* 1 saída; abandono 2 recuo de tropas ♦ **bater em retirada** retirar-se de um combate

retirado (re.ti.ra.do) [ʀəti'radu] *adj.* 1 diz-se do lugar distante ou sem habitantes SIN. isolado 2 diz-se da pessoa que vive afastada do convívio com outras pessoas

retirar (re.ti.rar) [ʀəti'rar] *v.* **1** tirar do sítio onde está **2** fazer sair **3** desviar ■ **afastar-se** ir embora; afastar-se

retiro (re.ti.ro) [ʀə'tiru] *n.m.* **1** lugar afastado das grandes cidades **2** afastamento voluntário de uma pessoa para um lugar sossegado, geralmente para descanso ou reflexão

reto (re.to)[AO] ['ʀɛtu] *adj.* **1** sem curvatura; direito **2** honesto; íntegro ■ *n.m.* parte terminal do intestino

retocar (re.to.car) [ʀətu'kar] *v.* dar retoques em; aperfeiçoar

retoma (re.to.ma) [ʀə'tɔmɐ] *n.f.* **1** recuperação económica **2** aceitação de um objeto usado por parte de uma loja na compra de um objeto semelhante

retomar (re.to.mar) [ʀətu'mar] *v.* **1** recuperar **2** recomeçar

retoque (re.to.que) [ʀə'tɔk(ə)] *n.m.* **1** correção final; aperfeiçoamento **2** última demão (de tinta)

retorcer (re.tor.cer) [ʀətur'ser] *v.* **1** torcer muito **2** torcer novamente ■ **retorcer-se** dobrar uma parte do corpo; contorcer-se

retorcido (re.tor.ci.do) [ʀətur'sidu] *adj.* **1** muito torcido; deformado **2** *fig.* diz-se do temperamento difícil (de uma pessoa); complicado **3** *fig.* diz-se do estilo pouco claro (ao falar ou ao escrever); rebuscado

retórica (re.tó.ri.ca) [ʀɛ'tɔrikɐ] *n.f.* arte de falar bem

retórico (re.tó.ri.co) [ʀɛ'tɔriku] *adj.* relativo a retórica ■ *n.m.* **1** especialista em retórica **2** *fig., pej.* pessoa que fala de modo pretensioso e superficial

retornado (re.tor.na.do) [ʀətur'nadu] *adj.* que regressa ao lugar de onde partiu ■ *n.m.* pessoa que regressou a Portugal vinda das antigas colónias ultramarinas, depois da descolonização (após o 25 de abril de 1974)

retornar (re.tor.nar) [ʀətur'nar] *v.* voltar ao ponto de partida **SIN.** regressar

retorno (re.tor.no) [ʀə'tornu] *n.m.* **1** regresso **2** devolução

retorquir (re.tor.quir) [ʀətur'kir] *v.* responder

retrair (re.tra.ir) [ʀətrɐ'ir] *v.* **1** puxar para si, rapidamente **2** encolher; contrair ■ **retrair-se** **1** encolher-se; contrair-se **2** afastar-se do convívio com alguém; isolar-se **3** *fig.* não se manifestar; conter-se

retratado (re.tra.ta.do) [ʀətrɐ'tadu] *adj.* **1** cuja imagem foi reproduzida, através de pintura, desenho ou fotografia **2** descrito com todos os pormenores

retratar (re.tra.tar) [ʀətrɐ'tar] *v.* **1** tirar o retrat a; fotografar **2** fazer o retrato de; pintar

retrato (re.tra.to) [ʀə'tratu] *n.m.* **1** imagem d uma pessoa reproduzida por fotografia, pintur etc. **2** descrição pormenorizada de algo

retrato-robô (re.tra.to-.ro.bô) [ʀətratuʀɔ'bo] *n.r* retrato aproximado de uma pessoa desaparecid ou procurada pela polícia, feito por um desenh dor, a partir da descrição das testemunhas

retrete (re.tre.te) [ʀə'trɛt(ə)] *n.f.* sanita

retribuição (re.tri.bu:i.ção) [ʀətribwi'sɐ̃w̃] *n* aquilo que se dá em troca de um favor ou de u trabalho; remuneração; recompensa

retribuir (re.tri.bu:ir) [ʀətri'bwir] *v.* dar retribu ção ou recompensa

retroactivo (re.tro.ac.ti.vo) [ʀɛtrɔa'tivu] *a no grafia é* **retroativo**[AO]

retroativo (re.tro.a.ti.vo)[AO] [ʀɛtrɔa'tivu] *adj.* qu tem efeito sobre factos passados

retroceder (re.tro.ce.der) [ʀətrusə'der] *v.* and para trás **SIN.** recuar

retrocesso (re.tro.ces.so) [ʀətru'sɛsu] *n.m.* mov mento para trás; recuo

retrógrado (re.tró.gra.do) [ʀə'trɔgrɐdu] *adj.* di -se da pessoa que se opõe ao progresso

retroprojector (re.tro.pro.jec.tor) [ʀɛtrɔpr ʒɛ'tor] *a nova grafia é* **retroprojetor**[AO]

retroprojetor (re.tro.pro.je.tor)[AO] [ʀɛtrɔp ʒɛ'tor] *n.m.* projetor que reproduz imagens de u acetato, ampliando-as numa tela ou numa p rede

retrosaria (re.tro.sa.ri.a) [ʀətruzɐ'riɐ] *n.f.* lo onde se vendem retroses e outros objetos pa costura (linhas, botões, etc.)

retrospectiva (re.tros.pec.ti.va) [ʀɛtrɔʃpɛ'tivɐ] *nova grafia é* **retrospetiva**[AO]

retrospectivo (re.tros.pec.ti.vo) [ʀɛtrɔʃpɛ'tivu] *nova grafia é* **retrospetivo**[AO]

retrospetiva (re.tros.pe.ti.va)[AO] [ʀɛtrɔʃpɛ'tivɐ] *n.* apresentação de algo passado; recapitulação

retrospetivo (re.tros.pe.ti.vo)[AO] [ʀɛtrɔʃpɛ'tiv *adj.* relativo a factos passados

retroversão (re.tro.ver.são) [ʀɛtrɔvər'sɐ̃w̃] *n* tradução para a língua original de um texto tr duzido

retrovisor (re.tro.vi.sor) [ʀɛtrɔvi'zor] *n.m.* espelh de um veículo automóvel que dá as imagens d objetos que estão atrás do condutor

retumbante (re.tum.ban.te) [ʀətũ'bɐ̃t(ə)] *adj.2* **1** que provoca estrondo **2** *fig.* extraordinário

réu (réu) ['ʀɛw] *n.m.* ⟨*f.* ré⟩ pessoa acusada num ju gamento

reumático (reu.má.ti.co) [ʀewˈmatiku] *adj.* **1** relativo a reumatismo **2** que sofre de reumatismo

reumatismo (reu.ma.tis.mo) [ʀewmɐˈtiʒmu] *n.m.* doença que causa dor nas articulações

reumatologia (reu.ma.to.lo.gi.a) [ʀewmɐtuluˈʒiɐ] *n.f.* disciplina que estuda as doenças reumáticas e os seus tratamentos

reunião (re:u.ni.ão) [ʀjuˈnjɐ̃w̃] *n.f.* **1** junção de coisas que estavam separadas **2** encontro de pessoas num mesmo lugar

reunir (re:u.nir) [ʀjuˈnir] *v.* **1** unir de novo; juntar **2** participar numa reunião

reutilização (re:u.ti.li.za.ção) [ʀjutilizɐˈsɐ̃w̃] *n.f.* **1** nova utilização de algo **2** aproveitamento de materiais usados, como vidro, papel e plástico para serem novamente utilizados

reutilizar (re:u.ti.li.zar) [ʀjutiliˈzar] *v.* **1** utilizar novamente **2** aproveitar (vidro, papel, etc.) para nova utilização, após reciclagem

reutilizável (re:u.ti.li.zá.vel) [ʀjutiliˈzavɛɫ] *adj.2g.* **1** que permite nova utilização **2** que se pode utilizar novamente depois de reciclado

réveillon [ʀevɐˈjõ] *n.m.* ⟨*pl.* réveillons⟩ festa de fim de ano

revelação (re.ve.la.ção) [ʀəvəlɐˈsɐ̃w̃] *n.f.* **1** ato de revelar algo (um segredo, um sentimento, uma opinião); divulgação **2** aquilo que surge de repente como um conhecimento ou experiência nova; descoberta **3** operação em que se submete uma película fotográfica a um tratamento químico para fazer aparecer as imagens aí reproduzidas

revelar (re.ve.lar) [ʀəvəˈlar] *v.* **1** pôr a descoberto **2** manifestar; divulgar **3** fazer aparecer uma imagem fotográfica numa película

revelia (re.ve.li.a) [ʀəvəˈliɐ] *n.f.* qualidade de quem não se submete a uma ordem vigente; rebeldia; desobediência ◆ **à revelia** de modo ignorado; sem se fazer notar

revenda (re.ven.da) [ʀəˈvẽdɐ] *n.f.* venda de algo que foi comprado antes

revendedor (re.ven.de.dor) [ʀəvẽdəˈdor] *n.m.* pessoa ou loja que vende produtos que foram comprados para depois serem vendidos

revender (re.ven.der) [ʀəvẽˈder] *v.* **1** tornar a vender **2** vender aquilo que se comprou

rever (re.ver) [ʀəˈver] *v.* **1** tornar a ver **2** fazer a revisão de; corrigir

reverência (re.ve.rên.ci:a) [ʀəvəˈrẽsjɐ] *n.f.* **1** respeito por alguém; consideração **2** cumprimento respeitoso; vénia

reverendo (re.ve.ren.do) [ʀəvəˈrẽdu] *n.m.* **1** tratamento dado aos sacerdotes, em geral **2** padre; sacerdote

reversível (re.ver.sí.vel) [ʀəvərˈsivɛɫ] *adj.2g.* **1** que pode retroceder **2** que pode regressar ao estado original **3** (roupa, tecido) suscetível de ser utilizado pelos dois lados

reverso (re.ver.so) [ʀəˈvɛrsu] *n.m.* lado oposto ou contrário ◆ **o reverso da medalha** o lado mau de algo que antes foi apresentado como bom

reverter (re.ver.ter) [ʀəvərˈter] *v.* **1** voltar ao ponto de partida; retroceder: *reverter para o estado inicial* **2** ⟨**+para**⟩ ser destinado a: *O lucro reverte para/a favor do João.*

revés (re.vés) [ʀəˈvɛʃ] *n.m.* ⟨*pl.* reveses⟩ desgraça

revestimento (re.ves.ti.men.to) [ʀəvəʃtiˈmẽtu] *n.m.* aquilo que reveste ou serve para revestir SIN. cobertura

revestir (re.ves.tir) [ʀəvəʃˈtir] *v.* cobrir

revezar (re.ve.zar) [ʀəvəˈzar] *v.* substituir(-se) alternadamente

revigorar (re.vi.go.rar) [ʀəviguˈrar] *v.* dar ou adquirir novo vigor

revirar (re.vi.rar) [ʀəviˈrar] *v.* **1** tornar a virar **2** virar do avesso **3** remexer; revolver **4** provocar náuseas, mal-estar **5** mover de modo circular (os olhos)

reviravolta (re.vi.ra.vol.ta) [ʀəvirɐˈvɔɫtɐ] *n.f.* **1** volta rápida sobre o próprio corpo; pirueta **2** mudança brusca de uma situação

revisão (re.vi.são) [ʀəviˈzɐ̃w̃] *n.f.* **1** ato ou efeito de rever **2** nova leitura (de um texto, de um trabalho)

> Note-se que **revisão** escreve-se com **s** (e não com **z**).

revisor (re.vi.sor) [ʀəviˈzor] *n.m.* pessoa que confere os bilhetes ou passes em transportes públicos

revista (re.vis.ta) [ʀəˈviʃtɐ] *n.f.* **1** publicação periódica **2** exame minucioso

revistar (re.vis.tar) [ʀəviʃˈtar] *v.* **1** passar revista a **2** examinar

revisto (re.vis.to) [ʀəˈviʃtu] *adj.* **1** examinado **2** corrigido

revitalizar (re.vi.ta.li.zar) [ʀəvitɐliˈzar] *v.* dar nova vida a SIN. revigorar

reviver (re.vi.ver) [ʀəviˈver] *v.* **1** tornar a viver **2** adquirir nova vida **3** relembrar

revogação (re.vo.ga.ção) [ʀəvugɐˈsɐ̃w̃] *n.f.* ato ou efeito de revogar; anulação

revogar (re.vo.gar) [ʀəvuˈgar] *v.* declarar sem efeito SIN. anular

revogável (re.vo.gá.vel) [ʀəvuˈgavɛɫ] *adj.2g.* que pode ser revogado; anulável

revolta (re.vol.ta) [ʀə'vɔɫtɐ] *n.f.* **1** sentimento de indignação causado por uma injustiça, por exemplo; fúria **2** manifestação violenta de um grupo de pessoas contra um governo ou uma situação; motim; rebelião

revoltado (re.vol.ta.do) [ʀəvoɫ'tadu] *adj.* **1** furioso **2** que se insurgiu contra a autoridade

revoltante (re.vol.tan.te) [ʀəvoɫ'tɐ̃t(ə)] *adj.2g.* **1** que revolta **2** que provoca indignação

revoltar(-se) (re.vol.tar(-se)) [ʀəvoɫ'tar(sə)] *v.* **1** incitar à revolta ou pôr em revolta **2** indignar(-se)

revolto (re.vol.to) [ʀə'voɫtu] *adj.* **1** remexido; revolvido **2** diz-se do cabelo despenteado **SIN.** desgrenhado **3** diz-se do mar agitado; tumultuoso

revoltoso (re.vol.to.so) [ʀəvoɫ'tozu] *adj.* que se revoltou **SIN.** rebelde; revoltado

revolução (re.vo.lu.ção) [ʀəvulu'sɐ̃w̃] *n.f.* **1** movimento, por vezes violento, destinado a modificar a política ou as instituições de um país **2** *fig.* transformação profunda

revolucionar (re.vo.lu.ci:o.nar) [ʀəvulusju'nar] *v.* **1** causar revolta **2** pôr em desordem **3** provocar alteração profunda em

revolucionário (re.vo.lu.ci:o.ná.ri:o) [ʀəvulusju'narju] *adj.* relativo a revolução ■ *n.m.* **1** pessoa que participa numa revolução **2** pessoa que defende alterações profundas

revolver (re.vol.ver) [ʀəvoɫ'ver] *v.* mover de baixo para cima **SIN.** agitar; remexer

revólver (re.vól.ver) [ʀə'vɔɫvɛr] *n.m.* pequena arma de fogo com um cilindro giratório e cano curto

reza (re.za) ['ʀɛzɐ] *n.f.* oração; prece

rezar (re.zar) [ʀə'zar] *v.* dizer orações **SIN.** orar

ria (ri.a) ['ʀiɐ] *n.f.* braço de rio, onde se pode andar de barco; canal

riacho (ri:a.cho) ['ʀjaʃu] *n.m.* rio pequeno **SIN.** regato; ribeiro

ribalta (ri.bal.ta) [ʀi'baɫtɐ] *n.f.* **1** série de luzes à frente do palco, entre este e a orquestra **2** *fig.* teatro; palco **3** *fig.* arte do espetáculo

ribanceira (ri.ban.cei.ra) [ʀibɐ̃'sɐjrɐ] *n.f.* margem de um rio, elevada e íngreme

ribeira (ri.bei.ra) [ʀi'bɐjrɐ] *n.f.* curso de água maior que o regato e menor que o rio; pequeno rio **SIN.** ribeiro

ribeirinho (ri.bei.ri.nho) [ʀibɐj'riɲu] *adj.* **1** que vive junto de um rio **2** situado na margem de um rio

ribeiro (ri.bei.ro) [ʀi'bɐjru] *n.m.* rio pequeno **SIN.** regato; riacho

ricaço (ri.ca.ço) [ʀi'kasu] ⟨*aum. de* rico⟩ *n.m.* *coloq.* homem muito rico

rícino (rí.ci.no) ['ʀisinu] *n.m.* arbusto de cujas sementes se extrai um óleo purgante (óleo de rícino)

rico (ri.co) ['ʀiku] *adj.* **1** que tem dinheiro ou bens valiosos **ANT.** pobre **2** produtivo; fértil

ricochete (ri.co.che.te) [ʀiku'ʃet(ə)] *n.m.* salto de um corpo ou de um projétil depois de bater numa superfície ou noutro corpo **SIN.** ressalto

ridente (ri.den.te) [ʀi'dẽt(ə)] *adj.2g.* **1** alegre; contente **2** florido; viçoso

ridicularizar (ri.di.cu.la.ri.zar) [ʀidikulɐri'zar] *v.* **1** rir de; zombar **2** humilhar

ridículo (ri.dí.cu.lo) [ʀi'dikulu] *adj.* **1** que provoca riso ou troça **SIN.** caricato **2** que tem pouca importância ou pouco valor **SIN.** insignificante ♦ **prestar-se/dar-se ao ridículo** apresentar-se ou proceder de forma a provocar riso ou troça

rifa (ri.fa) ['ʀifɐ] *n.f.* **1** sorteio realizado por meio de bilhetes numerados **2** bilhete numerado para esse sorteio

rifar (ri.far) [ʀi'far] *v.* **1** sortear por meio de bilhetes numerados **2** *coloq.* desfazer-se; separa-se

rigidez (ri.gi.dez) [ʀiʒi'deʃ] *n.f.* **1** estado ou qualidade do que é rígido; dureza **2** severidade na forma de pensar ou de agir; austeridade

rígido (rí.gi.do) ['ʀiʒidu] *adj.* **1** duro; rijo **2** severo austero

rigor (ri.gor) [ʀi'gor] *n.m.* **1** severidade; rispidez **2** exatidão; precisão **ANT.** imprecisão **3** intolerância ♦ **a rigor** de acordo com as exigências **em (bom) rigor** com precisão; exatamente

rigoroso (ri.go.ro.so) [ʀigu'rozu] *adj.* **1** severo **2** exato **3** intolerante

rijo (ri.jo) ['ʀiʒu] *adj.* **1** duro; resistente **2** forte; robusto

rim (rim) ['ʀĩ] *n.m.* ⟨*pl.* rins⟩ cada um dos dois órgãos cuja função é filtrar o sangue e produzir a urina

rima (ri.ma) ['ʀimɐ] *n.f.* som final repetido em dois ou mais versos

rimado (ri.ma.do) [ʀi'madu] *adj.* que tem rima

rimar (ri.mar) [ʀi'mar] *v.* formar rima

rímel (rí.mel) ['ʀimɛɫ] *n.m.* produto usado para colorir as pestanas

ringue (rin.gue) ['ʀĩg(ə)] *n.m.* estrado quadrado cercado por cordas, para a prática de boxe e outros desportos

rinite (ri.ni.te) [ʀi'nit(ə)] *n.f.* inflamação da mucosa do nariz

rinoceronte (ri.no.ce.ron.te) [ʀinɔsə'rõt(ə)] *n.m.* animal mamífero robusto, com cabeça grande, um ou dois chifres e pele muito grossa, que habita as regiões quentes da África e da Ásia

rinque (rin.que) ['Rĩk(ə)] *n.m.* recinto plano e resguardado, próprio para patinagem

rio (ri.o) ['Riu] *n.m.* **1** curso natural de água que desagua no mar, num lago ou noutro rio **2** *fig.* grande quantidade de coisas

ripa (ri.pa) ['Ripɐ] *n.f.* pedaço de madeira comprido e estreito

ripar (ri.par) [Ri'par] *v.* **1** cortar ou rasgar, formando ripas **2** pentear (cabelo) em direção à raiz, para dar volume **3** extrair as faixas de áudio digital de um CD ou DVD para outro tipo de suporte

ripostar (ri.pos.tar) [Ripuʃ'tar] *v.* responder discordando **SIN.** contestar; replicar

riqueza (ri.que.za) [Ri'kezɐ] *n.f.* **1** posse de grande quantidade de bens e dinheiro; fortuna; luxo **ANT.** pobreza **2** grande quantidade de alguma coisa; abundância

rir (rir) ['Rir] *v.* mostrar alegria através de sons e movimentos do rosto **ANT.** chorar

risada (ri.sa.da) [Ri'zadɐ] *n.f.* gargalhada

risca (ris.ca) ['Riʃkɐ] *n.f.* traço; linha ◆ **à risca** com rigor

riscado (ris.ca.do) [Riʃ'kadu] *adj.* **1** que tem risco(s) ou traço(s); listrado **2** marcado com riscos (para sublinhar ou apagar)

riscar (ris.car) [Riʃ'kar] *v.* **1** fazer riscos em **2** sublinhar **3** apagar

risco (ris.co) ['Riʃku] *n.m.* **1** traço **2** plano; planta **3** perigo ◆ **em risco de** em perigo de; quase a; **risco de vida** possibilidade de morrer (sobretudo quando se está ferido ou doente)

riso (ri.so) ['Rizu] *n.m.* **1** ato ou efeito de rir; risada **ANT.** choro **2** expressão de alegria ou de satisfação

risonho (ri.so.nho) [Ri'zoɲu] *adj.* **1** que ri; sorridente **2** que exprime alegria; contente **3** que pode trazer alegria; prometedor

risota (ri.so.ta) [Ri'zɔtɐ] *n.f.* **1** sucessão de risos **2** *coloq.* atitude de gozo; galhofa

rispidez (ris.pi.dez) [Riʃpi'deʃ] *n.f.* **1** agressividade **2** dureza

ríspido (rís.pi.do) ['Riʃpidu] *adj.* **1** agressivo **2** duro

rissol (ris.sol) [Ri'sɔł] *n.m.* pastel em forma de meia lua, recheado de carne, peixe ou legumes, cuja massa é passada por ovo e pão ralado antes de se fritar

riste (ris.te) ['Riʃt(ə)] *n.m.* peça de ferro em que se apoia o cabo da lança ◆ **em riste** em posição de ataque **SIN.** erguido

ritmado (rit.ma.do) [Ri'tmadu] *adj.* que tem ritmo; cadenciado

ritmar (rit.mar) [Ri'tmar] *v.* **1** dar ritmo a; cadenciar **2** marcar o ritmo; acompanhar

rítmico (rít.mi.co) ['Ritmiku] *adj.* **1** relativo a ritmo **2** que tem ritmo

ritmo (rit.mo) ['Ritmu] *n.m.* **1** sucessão, a intervalos regulares, de um som ou de um movimento **2** velocidade com que se realiza um processo ou a uma atividade

rito (ri.to) ['Ritu] *n.m.* **1** conjunto de regras e cerimónias de uma religião; ritual **2** cerimónia que segue determinadas regras

ritual (ri.tu:al) [Ri'twał] *n.m.* **1** conjunto de regras e cerimónias de uma religião; rito **2** conjunto de regras a seguir em determinadas ocasiões; cerimonial; etiqueta

ritualismo (ri.tu:a.lis.mo) [Ritwɐ'liʒmu] *n.m.* conjunto dos ritos de uma religião ou seita

rival (ri.val) [Ri'vał] *adj.2g.* pessoa que compete com outra pela mesma coisa **SIN.** adversário; concorrente

rivalidade (ri.va.li.da.de) [Rivɐli'dad(ə)] *n.f.* concorrência; competição

rivalizar (ri.va.li.zar) [Rivɐli'zar] *v.* concorrer; competir

rixa (ri.xa) ['Riʃɐ] *n.f.* discussão violenta **SIN.** briga

roaming ['ro(w)mĩg] *n.m.* serviço proporcionado por operadores de serviços telefónicos sem fios que permite a um telemóvel continuar a receber e efetuar chamadas mesmo fora do país

robalo (ro.ba.lo) [Ru'balu] *n.m.* peixe que tem o dorso cheio de manchas escuras

robe (ro.be) ['Rɔb(ə)] *n.m.* peça de vestuário que se usa por cima da roupa de dormir **SIN.** roupão

robô (ro.bô) [Rɔ'bo] *n.m.* mecanismo automático capaz de executar tarefas em vez do homem

robot [Rɔ'bo] *n.m.* ⇒ **robô**

robustez (ro.bus.tez) [Rubuʃ'teʃ] *n.f.* **1** força física; vigor **2** solidez; resistência

robusto (ro.bus.to) [Ru'buʃtu] *adj.* **1** forte; vigoroso **2** sólido; resistente

roca (ro.ca) ['Rɔkɐ] *n.f.* pequena vara de madeira na qual se enrola o algodão, a lã ou o linho para ser fiado

roça (ro.ça) ['Rɔsɐ] *n.f.* **1** [BRAS.] terreno cultivado **2** [BRAS.] o campo (por oposição a cidade)

roçar (ro.çar) [Ru'sar] *v.* tocar de leve

rocha (ro.cha) ['Rɔʃɐ] *n.f.* **1** massa mineral que forma grande parte da crosta terrestre **2** grande bloco de pedra; rochedo; penedo

rochedo (ro.che.do) [Ru'ʃedu] *n.m.* rocha escarpada e alta **SIN.** penhasco

rochoso (ro.cho.so) [Ru'ʃozu] *adj.* **1** coberto de rochas **2** relativo a rocha

rock ['Rɔk] *n.m.* estilo musical surgido na década de 1950 nos Estados Unidos da América, que utiliza guitarras elétricas, baixo, bateria, diversos instrumentos de sopro e percussão, etc.

rococó (ro.co.có) [ʀɔkɔ'kɔ] *n.m.* estilo artístico que se desenvolveu no século XVIII, caracterizado pela utilização excessiva de ornamentos e cores

roda (ro.da) ['ʀɔdɐ] *n.f.* **1** peça circular que gira em volta de um eixo e que serve para imprimir movimento **2** grupo de pessoas dispostas em círculo **3** perímetro da saia ♦ **à roda de** à volta de (um lugar); cerca de (um dado valor); **correr sobre rodas** evoluir bem; não ter problemas; **roda dos alimentos** esquema em forma de círculo que representa os grupos de alimentos de acordo com a sua importância na alimentação e as quantidades diárias em que devem ser consumidos

rodada (ro.da.da) [ʀu'dadɐ] *n.f.* volta completa de uma roda

rodado (ro.da.do) [ʀu'dadu] *adj.* **1** que tem roda(s) **2** diz-se da saia que tem muita roda

rodagem (ro.da.gem) [ʀu'daʒɐ̃j] *n.f.* **1** fase inicial do funcionamento de um motor ou maquinismo **2** recolha e registo de imagens num filme; filmagem

roda-gigante (ro.da-.gi.gan.te) [ʀɔdɐʒi'gɐ̃t(ə)] *n.f.* ⟨*pl.* rodas-gigantes⟩ divertimento de feira formado por duas rodas paralelas que giram em volta de um eixo, com bancos oscilantes onde as pessoas se sentam

rodapé (ro.da.pé) [ʀɔdɐ'pɛ] *n.m.* **1** faixa que protege e remata a parte inferior de uma parede **2** nota no final de uma página ou na zona inferior de uma imagem de televisão

rodar (ro.dar) [ʀu'dar] *v.* **1** fazer girar ou andar à roda **2** fazer a rodagem de (um filme); filmar **3** mover-se em torno de um eixo; girar

roda-viva (ro.da-.vi.va) [ʀɔdɐ'vivɐ] *n.f.* ⟨*pl.* rodas--vivas⟩ **1** movimento contínuo; azáfama; agitação **2** grande confusão; barafunda; trapalhada

rodear (ro.de:ar) [ʀu'djar] *v.* andar à roda de; circundar: *rodear uma casa* ■ **rodear-se** ⟨**+de**⟩ conviver com: *Rodeou-se de amigos falsos.*

rodeio (ro.dei.o) [ʀu'dɐju] *n.m.* **1** volta em redor de alguma coisa; giro **2** modo de falar evitando referir o assunto principal; evasiva ♦ **estar com rodeios** usar de subterfúgios; **sem rodeios** sem subterfúgios; diretamente

rodela (ro.de.la) [ʀu'dɛlɐ] *n.f.* pequena roda em forma de disco

rodilha (ro.di.lha) [ʀu'diʎɐ] *n.f.* pano velho usado para fazer limpezas **SIN.** trapo

rodízio (ro.dí.zi:o) [ʀu'dizju] *n.m.* pequena roda que se fixa nos pés dos móveis para os deslocar com mais facilidade

rodopiar (ro.do.pi:ar) [ʀudu'pjar] *v.* **1** andar num rodopio **2** dar muitas voltas

rodopio (ro.do.pi.o) [ʀudu'piu] *n.m.* **1** rotação do corpo, tendo as pernas como eixo **2** série de voltas ou giros

rodovia (ro.do.vi.a) [ʀɔdɔ'viɐ] *n.f.* via destinada à circulação de veículos **SIN.** estrada

rodoviária (ro.do.vi:á.ri:a) [ʀɔdɔ'vjarjɐ] *n.f.* empresa que se dedica ao transporte rodoviário de pessoas e mercadorias

rodoviário (ro.do.vi:á.ri:o) [ʀɔdɔ'vjarju] *adj.* **1** relativo a rodovia **2** diz-se do transporte que se faz por estrada

roedor (ro.e.dor) [ʀuə'dor] *adj.* que rói ■ *n.m.* pequeno animal mamífero com um par de dentes incisivos longos e com os membros posteriores geralmente maiores que os anteriores (como por exemplo, o rato e o esquilo)

roer (ro:er) ['ʀwer] *v.* triturar com os dentes; desgastar ♦ **ser duro de roer** ser difícil de resolver; ser muito trabalhoso

rogar (ro.gar) [ʀu'gar] *v.* pedir por favor e com insistência **SIN.** implorar; suplicar

rogo (ro.go) ['ʀogu] *n.m.* **1** ato ou efeito de rogar **SIN.** súplica **2** pedido a um santo ou a Deus

roído (ro.í.do) [ʀu'idu] *adj.* **1** cortado com os dentes **2** que se corroeu; desgastado **3** *fig.* atormentado (com medo, ciúme, inveja, etc.)

rojão (ro.jão) [ʀu'ʒɐ̃w̃] *n.m.* bocado de carne ou redenho de porco frito na sua própria gordura ■ **rojões** *n.m.pl.* prato tradicional minhoto que consiste em pedaços de carne de porco fritas com batatas, sangue de porco e tripa enfarinhada

rojões (ro.jões) [ʀu'ʒõjʃ] *n.m.pl.* ⇒ **rojão** *n. m. pl.*

rol (rol) ['ʀɔɫ] *n.m.* série de coisas enumeradas **SIN.** lista

rola (ro.la) ['rolɐ] *n.f.* ave migratória pequena, semelhante ao pombo, com pelagem acinzentada

rolamento (ro.la.men.to) [ʀulɐ'mẽtu] *n.m.* mecanismo que permite a certos aparelhos rodar com menor atrito, diminuindo as perdas de energia

rolante (ro.lan.te) [ʀu'lɐ̃t(ə)] *adj.2g.* **1** que rola ou gira sobre si próprio **2** que se move sobre rodas ou ao longo de trilhos

rolar (ro.lar) [ʀu'lar] *v.* **1** fazer girar **2** mover-se sobre si mesmo **3** mover-se em círculos **4** passar; decorrer (tempo)

roldana (rol.da.na) [ʀoɫ'dɐnɐ] *n.f.* disco móvel em torno de um eixo, usado para levantar objetos pesados

roleta (ro.le.ta) [ʀu'letɐ] *n.f.* jogo de azar em que o número sorteado é aquele em que parar a bola de marfim que gira no prato giratório ♦ **roleta**

russa duelo ou jogo suicida em que uma pessoa, depois de meter uma única bala num revólver, faz girar o tambor e puxa o gatilho com a arma virada para si própria

rolha (ro.lha) ['roʎɐ] *n.f.* peça de cortiça ou de outra substância para meter no gargalo de garrafas ♦ **meter uma rolha na boca** reduzir ao silêncio

roliço (ro.li.ço) [ʀu'lisu] *adj.* gordo

roll-on [ro'lɔn] *n.m.* produto, em geral desodorizante, com uma bola rotativa por onde sai o conteúdo

rolo (ro.lo) ['ʀolu] *n.m.* **1** peça cilíndrica mais ou menos comprida **2** bolo enrolado; torta ♦ **rolo da massa** cilindro de madeira que se utiliza para estender a massa

romã (ro.mã) [ʀu'mɐ̃] *n.f.* fruto de forma arredondada, casca amarela ou avermelhada, com bagos vermelhos e sumarentos no interior

romagem (ro.ma.gem) [ʀu'maʒɐ̃j] *n.f.* viagem a um lugar santo **SIN.** peregrinação

romance (ro.man.ce) [ʀu'mɐ̃s(ə)] *n.m.* **1** obra literária de ficção, em prosa, mais longa que a novela e o conto **2** relação amorosa; namoro

romancista (ro.man.cis.ta) [ʀumɐ̃'siʃtɐ] *n.2g.* pessoa que escreve romances

românico (ro.mâ.ni.co) [ʀu'mɐniku] *n.m.* **1** estilo da arquitetura da Europa ocidental dos séculos XI e XII, caracterizado pelo predomínio das construções religiosas e pelo uso de arcos de volta perfeita **2** família de línguas derivadas do latim

romano (ro.ma.no) [ʀu'mɐnu] *adj.* relativo a Roma (cidade italiana) ■ *n.m.* **1** pessoa natural de Roma **2** língua falada na Roma antiga; latim

romântico (ro.mân.ti.co) [ʀu'mɐ̃tiku] *adj.* **1** relativo a romance **2** apaixonado; sentimental

romantismo (ro.man.tis.mo) [ʀumɐ̃'tiʒmu] *n.m.* (arte e literatura) movimento do início do século XIX que valorizou a imaginação, a subjetividade e o sonho, opondo-se às regras do classicismo

romaria (ro.ma.ri.a) [ʀumɐ'riɐ] *n.f.* **1** festa popular; arraial **2** viagem a um santuário; peregrinação

romãzeira (ro.mã.zei.ra) [ʀumɐ̃'zɐjrɐ] *n.f.* árvore que produz as romãs

rombo (rom.bo) ['ʀõbu] *n.m.* **1** grande buraco ou abertura **2** *fig.* grande perda de dinheiro

romeiro (ro.mei.ro) [ʀu'mɐjru] *n.m.* peregrino

romeno (ro.me.no) [ʀu'menu] *adj.* relativo à Roménia (no sudeste da Europa) ■ *n.m.* **1** pessoa natural da Roménia **2** língua falada na Roménia

rompante (rom.pan.te) [ʀõ'pɐ̃t(ə)] *n.m.* gesto brusco ou atitude repentina **SIN.** ímpeto; impulso ♦ **de rompante** de repente; de forma brusca

romper (rom.per) [ʀõ'per] *v.* **1** separar em pedaços; rasgar **2** passar através de **3** aparecer **4** nascer (o sol) **5** terminar (uma relação, um compromisso) ■ **romper-se** ficar em pedaços; rasgar-se

rompimento (rom.pi.men.to) [ʀõpi'mẽtu] *n.m.* **1** abertura de buraco ou de rasgão **2** interrupção de um processo **3** final de uma relação ou de um compromisso entre pessoas

roncar (ron.car) [ʀõ'kar] *v.* **1** respirar com ruído durante o sono; ressonar **2** produzir um som baixo e contínuo (um motor, por exemplo)

ronco (ron.co) ['ʀõku] *n.m.* **1** ruído forte produzido pela respiração de certas pessoas enquanto dormem **2** som próprio de um motor em funcionamento

ronda (ron.da) ['ʀõdɐ] *n.f.* serviço de vigilância noturna; inspeção

rondar (ron.dar) [ʀõ'dar] *v.* **1** passar em volta de **2** fazer a ronda de; vigiar

ronga (ron.ga) ['ʀõgɐ] *n.m.* língua falada em Moçambique e no Zimbábue

ronrom (ron.rom) [ʀõ'ʀõ] *n.m.* ruído produzido pela traqueia do gato, geralmente quando está contente ou tranquilo

ronronar (ron.ro.nar) [ʀõʀu'nar] *v.* fazer ronrom (o gato)

roque (ro.que) ['ʀɔk(ə)] *n.m.* no jogo do xadrez, movimento combinado do rei e de uma das torres

ror (ror) ['ʀor] *n.m. coloq.* grande quantidade

rosa (ro.sa) ['ʀɔzɐ] *n.f.* flor da roseira, com várias cores, com perfume agradável e caule geralmente coberto de espinhos ■ *n.m.* cor vermelha misturada com branco; cor-de-rosa

rosácea (ro.sá.ce:a) [ʀu'zasjɐ] *n.f.* abertura circular em parede, fechada por um vitral, em forma de rosa

rosado (ro.sa.do) [ʀu'zadu] *adj.* **1** que tem cor semelhante a cor-de-rosa **2** corado; avermelhado

rosa-dos-ventos (ro.sa-.dos-.ven.tos) [ʀɔzɐ duʒ'vẽtuʃ] *a nova grafia é* **rosa dos ventos**[AO]

rosa dos ventos (ro.sa dos ven.tos)[AO] [ʀɔzɐ duʒ'vẽtuʃ] *n.f.* ⟨*pl.* rosas dos ventos⟩ gráfico circular que mostra os pontos cardeais (norte, sul, este, oeste)

rosário (ro.sá.ri:o) [Ru'zarju] *n.m.* objeto formado por uma sucessão de contas enfiadas, cada uma das quais representa uma oração

rosbife (ros.bi.fe) [Roʒ'bif(ə)] *n.m.* pedaço de carne de vaca que se serve tostado por fora e mal passado por dentro

rosca (ros.ca) ['Roʃkɐ] *n.f.* volta em espiral

rosê (ro.sê) [Rɔ'ze] *adj.2g.* (vinho) um pouco rosado, obtido após um período de maceração das uvas mais curto do que para o vinho tinto, de forma que não complete a sua fermentação

roseira (ro.sei.ra) [Ru'zɐjrɐ] *n.f.* arbusto que dá rosas

roseiral (ro.sei.ral) [Ruzɐj'rał] *n.m.* plantação de roseiras

róseo (ró.se:o) ['Rɔzju] *adj.* relativo a rosa

rosmaninho (ros.ma.ni.nho) [Ruʒmɐ'niɲu] *n.m.* planta aromática com flores violetas ou brancas, usada em perfumaria e na medicina popular

rosnadela (ros.na.de.la) [Ruʒnɐ'dɛlɐ] *n.f.* ato ou efeito de rosnar

rosnar (ros.nar) [Ruʒ'nar] *v.* **1** emitir (o cão) um ruído ameaçador, mostrando os dentes **2** *fig.* falar em voz baixa ou por entre dentes

rossio (ros.si.o) [Ru'siu] *n.m.* praça grande

rosto (ros.to) ['Roʃtu] *n.f.* **1** cara; face **2** parte da frente de um objeto (uma moeda, um livro, etc.)

rota (ro.ta) ['Rɔtɐ] *n.f.* percurso de uma embarcação ou avião **SIN.** rumo

rotação (ro.ta.ção) [Rutɐ'sɐ̃w̃] *n.f.* movimento em torno de um eixo

rotativo (ro.ta.ti.vo) [Rutɐ'tivu] *adj.* **1** que faz rodar ou girar **2** que roda; giratório **3** que se faz em alternância

roteiro (ro.tei.ro) [Ru'tɐjru] *n.m.* indicação dos caminhos, ruas, etc. de uma região ou povoação **SIN.** itinerário

rotina (ro.ti.na) [Ru'tinɐ] *n.f.* hábito de fazer as coisas sempre da mesma maneira

rotineiro (ro.ti.nei.ro) [Ruti'nɐjru] *adj.* **1** relativo a rotina **2** que segue a rotina

roto (ro.to) ['Rotu] *adj.* rompido; rasgado

rottweiler [Rɔt'vajlɐr] *n.m.* cão grande, robusto com pelo macio, geralmente preto, muito usado como cão de guarda

rótula (ró.tu.la) ['Rɔtulɐ] *n.f.* pequeno osso situado na parte anterior da articulação do joelho

rotular (ro.tu.lar) [Rutu'lar] *v.* pôr rótulo em; etiquetar

rótulo (ró.tu.lo) ['Rɔtulu] *n.m.* etiqueta de uma embalagem que dá informações sobre o conteúdo

rotunda (ro.tun.da) [Ru'tũdɐ] *n.f.* praça de forma circular

roubalheira (rou.ba.lhei.ra) [Ro(w)bɐ'ʎɐjrɐ] *n.f. coloq.* preço exagerado; roubo

roubar (rou.bar) [Ro(w)'bar] *v.* tirar algo que pertence a alguém sem o seu consentimento

roubo (rou.bo) ['Ro(w)bu] *n.m.* **1** ato ou efeito de roubar **2** coisa roubada

rouco (rou.co) ['Ro(w)ku] *adj.* que tem voz áspera

roulotte [Ru'lɔt(ə)] *n.f.* ⟨*pl.* roulottes⟩ veículo que serve de habitação em passeios turísticos ou campismo e que se move atrelado a um automóvel; caravana

round ['Rawnd] *n.m.* cada um dos tempos em que se divide um combate de boxe; assalto

roupa (rou.pa) ['Ro(w)pɐ] *n.f.* conjunto de peças de vestuário ou de cama ◆ *coloq.* **chegar a roupa ao pelo** bater em (alguém); dar uma sova; **lavar roupa suja** revelar em público segredos ou factos pessoais

roupão (rou.pão) [Ro(w)'pɐ̃w̃] *n.m.* peça de roupa que se veste geralmente sobre o pijama ou a camisa de noite ou depois do banho

roupa-velha (rou.pa-.ve.lha) [Ro(w)pɐ'vɛʎɐ] *n.f.* ⟨*pl.* roupas-velhas⟩ **1** refeição preparada com restos de uma refeição anterior **2** [REG.] prato preparado com as sobras do bacalhau e dos legumes da ceia de Natal, refogadas em azeite e alho; farrapo-velho

roupeiro (rou.pei.ro) [Ro(w)'pɐjru] *n.m.* armário onde se guarda roupa

rouquidão (rou.qui.dão) [Ro(w)ki'dɐ̃w̃] *n.f.* alteração da voz para um tom áspero e baixo, geralmente causado por inflamação da laringe

router ['Rawtɐr] *n.m.* dispositivo que interliga duas ou mais redes de computadores

rouxinol (rou.xi.nol) [Ro(w)ʃi'nɔł] *n.m.* pequeno pássaro apreciado pelo seu canto

roxo (ro.xo) ['Roʃu] *n.m.* cor entre o vermelho e o violeta

R.S.F. *abreviatura de* resposta sem franquia

r.s.f.f. *abreviatura de* responder se faz favor

RTP [ɛrte'pe] *sigla de* Radiotelevisão Portuguesa

rua (ru.a) ['Ruɐ] *n.f.* caminho rodeado de casas ou árvores, dentro de uma povoação ◆ **andar na rua da amargura** encontrar-se num mau período da vida; estar numa situação difícil

ruandês (ru:an.dês) [Rwɐ̃'deʃ] *adj.* relativo ao Ruanda ■ *n.m.* natural ou habitante do Ruanda

rubéola (ru.bé.o.la) [Ru'bɛulɐ] *n.f.* doença contagiosa, semelhante ao sarampo, caracterizada por febre, dificuldade respiratória e manchas avermelhadas na pele

rubi (ru.bi) [ʀu'bi] *n.m.* mineral cristalizado de cor vermelha forte, utilizado em joalharia

rublo (ru.blo) ['ʀublu] *n.m.* unidade monetária da Bielorrússia, da Rússia, do Tajiquistão e do Usbequistão

rubor (ru.bor) [ʀu'bor] *n.m.* qualidade de rubro; cor vermelha

rubrica (ru.bri.ca) [ʀu'brikɐ] *n.f.* **1** assinatura abreviada **2** assunto; tema

rubricar (ru.bri.car) [ʀubri'kar] *v.* assinar de forma abreviada

rubro (ru.bro) ['ʀubru] *adj.* de cor vermelha forte ■ *n.m.* cor vermelha intensa ◆ **pôr ao rubro** **1** aquecer até ficar da cor do fogo **2** fazer atingir o ponto máximo do entusiasmo, da paixão, da fúria, etc.

ruço (ru.ço) ['ʀusu] *adj.* diz-se da pessoa que tem cabelo louro

rude (ru.de) ['ʀud(ə)] *adj.* que revela falta de educação ou de delicadeza **SIN.** grosseiro

rudemente (ru.de.men.te) [ʀudə'mẽt(ə)] *adv.* de modo rude; com rudeza

rudeza (ru.de.za) [ʀu'dezɐ] *n.f.* falta de educação; grosseria

rudimentar (ru.di.men.tar) [ʀudimẽ'tar] *adj.2g.* **1** simples **2** elementar

rudimento (ru.di.men.to) [ʀudi'mẽtu] *n.m.* elemento inicial ■ **rudimentos** *n.m.pl.* **1** primeiras noções de uma ciência ou arte **2** conhecimentos gerais de um assunto

ruela (ru:e.la) ['ʀwɛlɐ] (*dim. de* rua) *n.f.* rua pequena e estreita **SIN.** viela

rufar (ru.far) [ʀu'far] *v.* produzir rufos (tambor)

rufia (ru.fi.a) [ʀu'fiɐ] *n.m.* indivíduo que se envolve em brigas

rufo (ru.fo) ['ʀufu] *n.m.* som produzido pelo tambor

ruga (ru.ga) ['ʀugɐ] *n.f.* franzido natural da pele **SIN.** prega

rugby ['ʀɐgbi] *n.m.* desporto entre duas equipas de 15 jogadores que tentam levar uma bola oval até à linha de fundo ou fazê-la passar por entre os postes de uma baliza em forma de H

rugido (ru.gi.do) [ʀu'ʒidu] *n.m.* voz do leão, do tigre e de outros felinos

rugir (ru.gir) [ʀu'ʒir] *v.* soltar rugidos (o leão, o tigre e outros felinos)

rugoso (ru.go.so) [ʀu'gozu] *adj.* que tem rugas; engelhado **ANT.** liso

ruído (ru:í.do) ['ʀwidu] *n.m.* barulho; som ◆ **ruído de fundo** **1** som distante ou impercetível **2** num sistema elétrico, ruído que não depende da presença do sinal

ruidoso (ru:i.do.so) [ʀwi'dozu] *adj.* **1** que provoca ruído **SIN.** barulhento **2** em que há ruído

ruim (ru.im) [ʀu'ĩ] *adj.2g.* **1** mau **2** prejudicial

ruína (ru:í.na) ['ʀwinɐ] *n.f.* **1** restos ou destroços de um edifício **2** destruição **3** *fig.* decadência

ruir (ru:ir) ['ʀwir] *v.* **1** cair com estrondo e depressa (um edifício); desmoronar-se **2** *fig.* frustrar-se

ruivo (rui.vo) ['ʀujvu] *adj.* diz-se da pessoa que tem o cabelo de cor avermelhada ■ *n.m.* peixe marinho comestível, de cor vermelha

rum (rum) ['ʀũ] *n.m.* aguardente obtida da destilação do melaço depois de fermentado

rumar (ru.mar) [ʀu'mar] *v.* ⟨**+a**, **+para**⟩ ir em direção a; dirigir-se para: *rumar para Lisboa; rumar para o sucesso*

rumba (rum.ba) ['ʀũbɐ] *n.f.* dança popular de ritmo binário e sincopado

ruminação (ru.mi.na.ção) [ʀuminɐ'sɐ̃w̃] *n.f.* processo que acontece nos animais ruminantes, que mastigam os alimentos ligeiramente e os engolem, para mais tarde os mastigar de novo, engolindo-os no final

ruminante (ru.mi.nan.te) [ʀumi'nɐ̃t(ə)] *adj.2g.* diz-se do animal que rumina

ruminar (ru.mi.nar) [ʀumi'nar] *v.* **1** mastigar novamente os alimentos que voltam do estômago à boca **2** *fig.* cismar

rumo (ru.mo) ['ʀumu] *n.m.* **1** direção do navio ou do avião **2** destino; caminho **3** *fig.* orientação ◆ **sem rumo** sem saber para onde ir ou o que fazer **SIN.** desorientado

rumor (ru.mor) [ʀu'mor] *n.m.* **1** ruído confuso de vozes; burburinho **2** *fig.* boato

rumorejar (ru.mo.re.jar) [ʀumurə'ʒar] *v.* produzir rumor; sussurrar

rupestre (ru.pes.tre) [ʀu'pɛʃtr(ə)] *adj.2g.* **1** que cresce sobre os rochedos **2** diz-se da inscrição ou pintura que se encontra em rochedos

rupia (ru.pi.a) [ʀu'piɐ] *n.f.* unidade monetária da Índia, Indonésia, Maldivas, Maurícia, Nepal, Paquistão, Seicheles e Sri Lanca

ruptura (rup.tu.ra) [ʀu'turɐ] *a nova grafia é* **rutura**[AO]

rural (ru.ral) [ʀu'raɫ] *adj.2g.* relativo ao campo **SIN.** campestre; rústico

rusga (rus.ga) ['ʀuʒgɐ] *n.f.* busca feita de surpresa pela polícia, para prender pessoas suspeitas de crimes

russo (rus.so) ['ʀusu] *adj.* relativo à Rússia ■ *n.m.* **1** pessoa natural da Rússia **2** língua falada na Rússia

rústico (rús.ti.co) ['ʀuʃtiku] *adj.* **1** relativo ao campo; rural **2** simples; tosco

rutura (ru.tu.ra)[AO] [ʀu'turɐ] *n.f.* **1** fratura **2** corte de relações **3** interrupção **4** buraco

S

s ['ɛs] *n.m.* consoante, décima nona letra do alfabeto, que está entre as letras *r* e *t* ♦ **andar aos ss** andar aos ziguezagues

S *símbolo de* sul

S. *abreviatura de* são (santo)

S.A. *abreviatura de* Sociedade Anónima

sábado (sá.ba.do) ['sabɐdu] *n.m.* sétimo dia da semana

sabão (sa.bão) [sɐ'bɐ̃w̃] *n.m.* substância que serve para lavar e desengordurar (mãos, roupa, etc.)

sabático (sa.bá.ti.co) [sɐ'batiku] *adj.* relativo a um período de interrupção da atividade regular

sabedor (sa.be.dor) [sɐbə'dor] *adj.,n.m.* que ou aquele que sabe muito; conhecedor

sabedoria (sa.be.do.ri.a) [sɐbədu'riɐ] *n.f.* **1** qualidade de quem tem muitos conhecimentos **2** grande quantidade de conhecimentos adquiridos; erudição **3** bom senso; ponderação

saber (sa.ber) [sɐ'ber] *v.* **1** ⟨**+de**⟩ ter conhecimento ou informação de (algo): *Eu soube da situação pelo telefonema.* **2** ter muitos conhecimentos: *Não sei nada de computadores.* **3** ter a certeza de: *Eu sei que ele volta hoje.* **4** ter sabor ou gosto a: *saber a morango; saber a queimado* **5** ter jeito ou capacidade para: *Eu sei nadar.* ■ **saber-se** ser conhecido: *Sabe-se que a radiação nuclear provoca cancro.* ■ *n.m.* **1** conjunto de conhecimentos que se possui **SIN.** erudição; sabedoria **2** experiência que se adquiriu **SIN.** prática ♦ **dar a saber a** informar; **saber bem/mal** ter bom/mau gosto

sabiá (sa.bi:á) [sa'bja] *n.m.* pássaro de canto muito agradável, com plumagem avermelhada, cinzenta ou preta, com as partes inferiores lisas ou manchadas

sabichão (sa.bi.chão) [sɐbi'ʃɐ̃w̃] *n.m.* **1** pessoa que tem muitos conhecimentos **2** pessoa que se gaba de saber muitas coisas, mas que na verdade não sabe

sabido (sa.bi.do) [sɐ'bidu] *adj.* **1** que se sabe ou conhece; conhecido **2** que tem muitos conhecimentos; conhecedor **3** diz-se de quem procura enganar alguém; astuto; finório

sábio (sá.bi:o) ['sabju] *adj.,n.m.* que ou pessoa que tem muitos conhecimentos **SIN.** erudito

sabonete (sa.bo.ne.te) [sɐbu'net(ə)] *n.m.* sabão fino e perfumado, usado para lavar as mãos, a cara e o corpo

saboneteira (sa.bo.ne.tei.ra) [sɐbunə'tɐjrɐ] *n.f.* recipiente onde se coloca o sabonete ou o sabão no lavatório

sabor (sa.bor) [sɐ'bor] *n.m.* impressão (agradável ou desagradável) que certas substâncias deixam na boca **SIN.** gosto; paladar ♦ **ao sabor da maré** ao acaso; **ao sabor de** ao gosto de

saborear (sa.bo.re:ar) [sɐbu'rjar] *v.* **1** avaliar o sabor de; provar **2** comer devagar e com prazer **3** *fig.* apreciar; gozar

saboroso (sa.bo.ro.so) [sɐbu'rozu] *adj.* **1** que tem gosto ou sabor **2** que é agradável ao paladar

sabotagem (sa.bo.ta.gem) [sɐbu'taʒɐ̃j̃] *n.f.* **1** ato de sabotar **2** estrago intencional de objeto, mecanismo, meio de transporte, etc., para impedir o seu funcionamento

sabotar (sa.bo.tar) [sɐbu'tar] *v.* danificar um objeto, mecanismo, meio de transporte, etc., para impedir o seu funcionamento

sabre (sa.bre) ['sabr(ə)] *n.m.* espada curta

sabrina (sa.bri.na) [sɐ'brinɐ] *n.f.* sapato raso, leve e flexível, de pele ou tecido

sabugueiro (sa.bu.guei.ro) [sɐbu'gɐjru] *n.m.* árvore ou arbusto que produz flores brancas e tem propriedades medicinais

saca (sa.ca) ['sakɐ] *n.f.* saco grande; bolsa

saca-catálogo (sa.ca-.ca.tá.lo.go) [sakɐkɐ'talugu] *n.f.* capa de plástico transparente com furos laterais para argolas usada para guardar papéis

sacada (sa.ca.da) [sɐ'kadɐ] *n.f.* quantidade de coisas que cabem numa saca

sacana (sa.ca.na) [sɐ'kɐnɐ] *adj.,n.2g.* patife; canalha

sacar (sa.car) [sɐ'kar] *v.* tirar de repente e com força; arrancar

sacarina (sa.ca.ri.na) [sɐkɐ'rinɐ] *n.f.* substância que substitui o açúcar; adoçante

saca-rolhas (sa.ca-.ro.lhas) [sakɐʀoʎɐʃ] *n.m.2n.* instrumento com que se tiram as rolhas das garrafas

sacarose (sa.ca.ro.se) [sɐkɐ'rɔz(ə)] *n.f.* substância extraída da cana-de-açúcar e da beterraba usada como adoçante

sacerdote (sa.cer.do.te) [sɐsər'dɔt(ə)] *n.m.* ⟨*f.* sacerdotisa⟩ padre

sachar (sa.char) [sɐ'ʃar] *v.* escavar ou remover terra com uma pequena enxada

acho (sa.cho) [ˈsaʃu] *n.m.* enxada pequena para escavar a terra

achola (sa.cho.la) [sɐˈʃɔlɐ] *n.f.* enxada pequena de boca larga, usada para escavar a terra

aciar(-se) (sa.ci:ar(-se)) [sɐˈsjar(sə)] *v.* **1** comer ou beber até ficar satisfeito **2** *fig.* satisfazer(-se) plenamente

aciedade (sa.ci:e.da.de) [sɐsjɐˈdad(ə)] *n.f.* estado de quem está saciado ou completamente satisfeito

aco (sa.co) [ˈsaku] *n.m.* bolsa de pano, couro, plástico ou outro material, com uma abertura na parte superior, que serve para transportar objetos ♦ **saco amniótico** saco que contém o líquido amniótico (o líquido que envolve o feto) durante a gestação

aco-cama (sa.co-.ca.ma) [sakuˈkɐmɐ] *n.m.* ⟨*pl.* sacos-cama⟩ saco de tecido acolchoado usado para dormir dentro de uma tenda ou ao ar livre

acola (sa.co.la) [sɐˈkɔlɐ] *n.f.* bolsa que se usa a tiracolo

acralizar (sa.cra.li.zar) [sɐkrɐliˈzar] *v.* atribuir carácter sagrado a

acramento (sa.cra.men.to) [sɐkrɐˈmẽtu] *n.m.* **1** ritual sagrado da religião cristã **2** hóstia consagrada ♦ **Santíssimo Sacramento** a Eucaristia; a hóstia consagrada; **Últimos Sacramentos** os que são ministrados aos católicos que estão prestes a morrer

acrário (sa.crá.ri:o) [sɐˈkrarju] *n.m.* lugar onde se guardam objetos sagrados, como a hóstia consagrada

acrificado (sa.cri.fi.ca.do) [sɐkrifiˈkadu] *adj.* **1** que fez um sacrifício **2** que foi oferecido a uma divindade

acrificar (sa.cri.fi.car) [sɐkrifiˈkar] *v.* **1** oferecer em sacrifício a uma divindade **2** renunciar (algo ou alguém importante) voluntariamente em benefício de outrem: *Ela sacrificou os fins de semana e as férias.* **3** causar prejuízo a: *Sacrificou os professores.* ■ **sacrificar-se 1** sujeitar-se; submeter-se: *Teve de sacrificar-se para ganhar a vida.* **2** ⟨**+por**⟩ dedicar-se totalmente a: *Ele sacrificou-se pelos outros.*

acrifício (sa.cri.fí.ci:o) [sɐkriˈfisju] *n.m.* **1** oferta em honra de uma divindade **2** ato de perder alguma coisa para ajudar alguém: *fazer um sacrifício*

acrilégio (sa.cri.lé.gi:o) [sɐkriˈlɛʒju] *n.m.* falta de respeito pela religião ou pelas coisas sagradas

acrílego (sa.crí.le.go) [sɐˈkriləgu] *adj.* **1** que comete sacrilégio **2** em que há sacrilégio ■ *n.m.* aquele que comete sacrilégio

sacristão (sa.cris.tão) [sakriʃˈtɐ̃w̃] *n.m.* ⟨*f.* sacristã, *pl.* sacristães, sacristãos⟩ pessoa encarregada do arranjo da sacristia ou de uma igreja

sacristia (sa.cris.ti.a) [sakriʃˈtiɐ] *n.f.* casa junto à igreja onde se guardam os objetos de culto e as vestes dos sacerdotes

sacro (sa.cro) [ˈsakru] *adj.* sagrado; santo ■ *n.m.* osso ímpar da coluna vertebral, constituído por um conjunto de cinco vértebras fundidas, que se situa na região posterior da bacia

sacrococcígeo (sa.cro.coc.cí.ge:o) [sakrɔkɔkˈsiʒju] *adj.* relativo ao sacro e ao cóccix

sacudidela (sa.cu.di.de.la) [sɐkudiˈdɛlɐ] *n.f.* abanão

sacudido (sa.cu.di.do) [sɐkuˈdidu] *adj.* abanado; agitado

sacudir (sa.cu.dir) [sɐkuˈdir] *v.* **1** agitar várias vezes; abanar **2** livrar-se de; enxotar

sádico (sá.di.co) [ˈsadiku] *adj.* **1** relativo a sadismo **2** que pratica o sadismo ■ *n.m.* aquele que pratica o sadismo

sadio (sa.di:o) [saˈdiu] *adj.* **1** que tem boa saúde SIN. saudável **2** que é bom ou próprio para a saúde

sadismo (sa.dis.mo) [saˈdiʒmu] *n.m.* **1** perturbação em que a satisfação sexual é alcançada por meio do sofrimento infligido ao parceiro **2** perversão caracterizada pela obtenção de prazer com o sofrimento alheio; crueldade

sadomasoquismo (sa.do.ma.so.quis.mo) [sadɔmɐzuˈkiʒmu] *n.m.* perversão sexual em que o sadismo e o masoquismo estão associados

sadomasoquista (sa.do.ma.so.quis.ta) [sadɔmɐzuˈkiʃtɐ] *adj.,n.2g.* que ou pessoa que pratica sadomasoquismo

safa (sa.fa) [ˈsafɐ] *n.f. coloq.* borracha utilizada para apagar o que se escreveu ou desenhou ♦ **safa!** exclamação que exprime admiração, aborrecimento, alívio, etc.

safado (sa.fa.do) [sɐˈfadu] *adj.* **1** apagado com borracha **2** *coloq.* que não tem vergonha; descarado

safanão (sa.fa.não) [sɐfɐˈnɐ̃w̃] *n.m.* empurrão; abanão

safar (sa.far) [sɐˈfar] *v.* **1** *coloq.* apagar com borracha **2** *coloq.* salvar: *Os remédios é que o safaram.* ■ **safar-se 1** *coloq.* livrar-se; libertar-se: *Não te safas com essa facilidade.* **2** ⟨**+de**⟩ *coloq.* escapar; fugir: *Ele safou-se de ir para a prisão.*

safári (sa.fá.ri) [saˈfari] *n.m.* expedição para caçar ou observar animais selvagens

safio (sa.fi.o) [sɐˈfiu] *n.m.* peixe robusto e longo, com pele lisa, denominado congo quando adulto

safira (sa.fi.ra) [sɐˈfirɐ] *n.f.* pedra preciosa de cor azul

safo **(sa.fo)** ['safu] *adj.* que escapou; livre

safra **(sa.fra)** ['safrɐ] *n.f.* colheita

saga **(sa.ga)** ['sagɐ] *n.f.* história ou narrativa cheia de factos extraordinários; lenda

sagacidade **(sa.ga.ci.da.de)** [sɐgɐsi'dad(ə)] *n.f.* **1** capacidade para compreender rapidamente as coisas; perspicácia **2** habilidade para enganar alguém; manha

sagaz **(sa.gaz)** [sɐ'gaʃ] *adj.2g.* **1** esperto; perspicaz **2** manhoso; astuto

Sagitário **(Sa.gi.tá.ri:o)** [sɐʒi'tarju] *n.m.* nono signo zodiacal (22 de novembro a 21 de dezembro)

sagrado **(sa.gra.do)** [sɐ'gradu] *adj.* **1** relativo a Deus ou à religião; santo **2** que merece respeito profundo; venerável **3** que não se pode desrespeitar; inviolável

sagrar(-se) **(sa.grar(-se))** [sɐ'grar] *v.* ⟨**+a**⟩ dedicar(-se): *Sagrou a vida aos estudos. Sagrou-se à medicina.*

sagui **(sa.gui)** [sa'gwi] *n.m.* 👁 pequeno macaco, de pelagem macia e densa e cauda longa e fina

saia **(sai.a)** ['sajɐ] *n.f.* peça de vestuário feminino que se aperta na cintura e desce sobre as pernas até uma altura variável ◆ **estar agarrado às saias da mãe** depender demasiadamente da mãe

saia-calça **(sai.a-.cal.ça)** [sajɐ'kałsɐ] *n.f.* calças largas femininas, cortadas de uma forma que lhes dá aparência de saia, por vezes com uma prega que disfarça a parte onde as pernas se unem

saia-casaco **(sai.a-.ca.sa.co)** [sajɐkɐ'zaku] *n.m.* ⟨*pl.* saias-casaco⟩ conjunto constituído por uma saia e um casaco, geralmente feitos na mesma cor ou padrão e no mesmo tecido; tailleur

saibro **(sai.bro)** ['sajbru] *n.m.* areia grossa

saída **(sa.í.da)** [sɐ'idɐ] *n.f.* **1** lugar por onde se sai de algum sítio: *saída de emergência* **2** partida (de um lugar para outro) **3** interesse em comprar determinado produto; procura; venda **4** resposta ou observação engraçada, dita de repente; graça; piada ◆ **estar de saída** estar prestes a ir-se embora; **ter saída** vender-se bem; ter muita procura

saída-de-banho **(sa.í.da-.de-.ba.nho)** [sɐidɐ də'bɐɲu] *a nova grafia é* **saída de banho**[AO]

saída de banho **(sa.í.da de ba.nho)**[AO] [sɐi də'bɐɲu] *n.f.* ⟨*pl.* saídas de banho⟩ roupão, geralmente de tecido felpudo, que se utiliza após banho

saída-de-praia **(sa.í.da-.de-.prai.a)** [sɐidɐdə'pra *a nova grafia é* **saída de praia**[AO]

saída de praia **(sa.í.da de prai.a)**[AO] [sɐidɐdə'pra *n.f.* ⟨*pl.* saídas de praia⟩ peça de vestuário feminin que se utiliza por cima do fato de banho, b quíni, etc.

saído **(sa.í.do)** [sɐ'idu] *adj.* **1** saliente **2** atrevido

saiote **(sai.o.te)** [saj'ɔt(ə)] *n.m.* saia usada por d baixo de outra saia ou de vestido

sair **(sa.ir)** [sɐ'ir] *v.* **1** passar de dentro para fo **2** ir à rua **3** partir **4** ser publicado **5** ter sem lhança com **6** calhar em sorte ◆ **sair a** parecer-com; **sair-se bem** ter bom resultado; **sair-se m** ter mau resultado

> Note-se que todas as formas do verbo **sair** se escrevem com **i**, exceto a 3.ª pessoa do plural do presente do indicativo: *Eles saem de casa.*

sal **(sal)** ['sał] *n.m.* **1** substância branca que se d solve na água e se utiliza para conservar ou d sabor aos alimentos **2** *fig.* malícia; graça ■ **sa** *n.m.pl.* substância em pó que se usa para divers fins (para o banho, por exemplo, ou para rea mar uma pessoa que desmaiou)

sala **(sa.la)** ['salɐ] *n.f.* **1** compartimento de u casa onde se tomam as refeições (*sala de ja tar*), onde se recebem pessoas (*sala de visita* ou onde se convive (*sala de estar*) **2** qualqu compartimento amplo de um edifício, destina a diversos fins (*sala de espera, sala de reuniõ sala de cinema*, etc.) ◆ **fazer sala** entreter pessoas que se encontram em visita

salada **(sa.la.da)** [sɐ'ladɐ] *n.f.* **1** prato prepara com verduras e legumes crus ou cozidos, ov cozidos, etc., temperados com molho de azeite vinagre, maionese, ou outro **2** *fig.* confusão ◆ **s lada de frutas** sobremesa preparada com fru cruas cortadas em pedaços pequenos; **sala russa** prato preparado com legumes cozidos m turados com peixe e temperados com maionese

saladeira **(sa.la.dei.ra)** [sɐlɐ'dɐjrɐ] *n.f.* recipien onde se serve a salada

salamaleque **(sa.la.ma.le.que)** [sɐlɐmɐ'lɛk(ə)] *n* cumprimento exagerado, com gestos de reverê cia e vénias **SIN.** mesura; vénia

salamandra **(sa.la.man.dra)** [sɐlɐ'mɐ̃drɐ] *n.f.* **1** b tráquio semelhante ao lagarto, de pele brilhar e por vezes manchada de amarelo **2** fogão móv para aquecimento

salame **(sa.la.me)** [sɐ'lɐm(ə)] *n.m.* **1** chouriço carne de porco **2** doce em forma de rolo pre rado com chocolate e bolacha partida de forma grosseira

salão (sa.lão) [sɐ'lɐ̃w̃] *n.m.* sala grande

salariado (sa.la.ri:a.do) [sɐlɐ'rjadu] *n.m.* trabalhador que recebe um salário

salarial (sa.la.ri:al) [sɐlɐ'rjaɫ] *adj.2g.* relativo a salário

salário (sa.lá.ri:o) [sɐ'larju] *n.m.* quantidade de dinheiro que um funcionário recebe regularmente (em geral, no fim de cada mês) como forma de pagamento pelo seu trabalho **SIN.** ordenado; vencimento

salazarismo (sa.la.za.ris.mo) [sɐlɐzɐ'riʒmu] *n.m.* sistema político, económico e social, instituído em Portugal por Oliveira Salazar, e vigente de 1933 a 1970, caracterizado por autoritarismo, organização corporativista das atividades económicas, entendimento com a Igreja na base de uma Concordata (1940) e defesa intransigente das colónias do Ultramar

salazarista (sa.la.za.ris.ta) [sɐlɐzɐ'riʃtɐ] *adj.,n 2g.* relativo a Salazar (estadista português) ou ao salazarismo ■ *adj.,n.2g.* partidário do salazarismo

saldar (sal.dar) [saɫ'dar] *v.* **1** pagar (uma dívida) **2** vender a preços baixos

saldo (sal.do) ['saɫdu] *n.m.* diferença entre receitas e despesas ■ **saldos** *n.m.pl.* período de tempo em que os produtos que se vendem a preço mais baixo do que o normal, geralmente para esgotar o stock

saleiro (sa.lei.ro) [sa'lɐjru] *n.m.* recipiente onde se guarda ou serve sal

salgadinho (sal.ga.di.nho) [saɫgɐ'diɲu] *n.m.* alimento salgado servido como aperitivo; entrada

salgado (sal.ga.do) [saɫ'gadu] *adj.* **1** temperado com sal **ANT.** doce **2** que tem demasiado sal

salgalhada (sal.ga.lha.da) [saɫgɐ'ʎadɐ] *n.f. coloq.* confusão; trapalhada

salgar (sal.gar) [saɫ'gar] *v.* **1** conservar (alimento) em sal **2** temperar com sal

salgueiro (sal.guei.ro) [saɫ'gɐjru] *n.m.* árvore de ramos longos, finos e pendentes; chorão

saliência (sa.li:ên.ci:a) [sɐ'ljẽsjɐ] *n.f.* parte que sai de um plano ou de uma superfície; relevo

salientar (sa.li:en.tar) [sɐljẽ'tar] *v.* fazer sobressair: *A roupa salienta o que ele tem de melhor. Salientaram a importância dos vegetais.* **SIN.** destacar ■ **salientar-se** **1** ⟨**+de**, **+em**, **+entre**, **+por**⟩ destacar-se; evidenciar-se: *Os pormenores salientam-se naquele restaurante.* **2** ⟨**+como**⟩ tornar-se conhecido ou famoso: *Salientou-se com ator.* **3** comportar-se de maneira a chamar a atenção das pessoas: *Ele adora salientar-se.*

saliente (sa.li:en.te) [sɐ'ljẽt(ə)] *adj.2g.* **1** que sai do plano em que assenta; que se destaca; proeminente **2** *fig.* que chama a atenção; evidente

salina (sa.li.na) [sɐ'linɐ] *n.f.* 👁 terreno com água do mar, de onde se extrai o sal

salino (sa.li.no) [sɐ'linu] *adj.* **1** que contém sal **2** que tem as propriedades de um sal

salitre (sa.li.tre) [sɐ'litr(ə)] *n.m.* substância usada em fogos de artifício, explosivos e fósforos

saliva (sa.li.va) [sɐ'livɐ] *n.f.* líquido transparente produzido por glândulas situadas na boca, que facilita a ingestão dos alimentos **SIN.** cuspo

salivar (sa.li.var) [sɐli'var] *adj.2g.* relativo a saliva ■ *v.* segregar ou expelir saliva

salmão (sal.mão) [saɫ'mɐ̃w̃] *n.m.* **1** peixe de rio, de corpo alongado e coberto de escamas pequenas, cuja carne é rosada **2** cor avermelhada, como a desse peixe

salmo (sal.mo) ['saɫmu] *n.m.* cântico de louvor a Deus

salmonela (sal.mo.ne.la) [saɫmu'nɛlɐ] *n.f.* bactéria que pode causar febre tifoide, intoxicações alimentares e gastrenterites

salmonete (sal.mo.ne.te) [saɫmu'net(ə)] *n.m.* salmão pequeno

saloio (sa.loi.o) [sɐ'loju] *adj.* diz-se da pessoa que vive no campo **SIN.** aldeão; camponês

salpicado (sal.pi.ca.do) [saɫpi'kadu] *adj.* **1** marcado com pontos coloridos ou salpicos **2** disposto alternadamente; alternado

salpicão (sal.pi.cão) [saɫpi'kɐ̃w̃] *n.m.* chouriço grosso feito de carne do lombo do porco

salpicar (sal.pi.car) [saɫpi'kar] *v.* lançar pequenas gotas de um líquido sobre; borrifar

salpico (sal.pi.co) [saɫ'piku] *n.m.* **1** gota de um líquido que salta e borrifa **2** chuva fraca

salsa (sal.sa) ['saɫsɐ] *n.f.* **1** planta aromática que se utiliza como condimento **2** dança sul-americana

salsada (sal.sa.da) [saɫ'sadɐ] *n.f.* confusão; trapalhada

salsicha **(sal.si.cha)** [saɫ'siʃɐ] *n.f.* enchido pequeno, preparado com carne de porco temperada com sal e outros condimentos, que se come em cachorros, por exemplo

salsicharia **(sal.si.cha.ri.a)** [saɫsiʃɐ'riɐ] *n.f.* **1** fábrica de salsichas **2** loja onde se vendem salsichas

salsicheiro **(sal.si.chei.ro)** [saɫsi'ʃɐjru] *n.m.* fabricante ou vendedor de salsichas

saltada **(sal.ta.da)** [saɫ'tadɐ] *n.f.* **1** ato ou efeito de saltar; salto **2** viagem ou visita rápida

saltão **(sal.tão)** [saɫ'tɐ̃w̃] *adj.* que salta muito ■ *n.m.* inseto de corpo alongado com dois pares de asas e patas posteriores fortes, que se desloca aos saltos **SIN.** gafanhoto

salta-pocinhas **(sal.ta-.po.ci.nhas)** [saɫtɐpu'siɲɐʃ] *n.m.2n.* **1** indivíduo afetado que caminha em passo vagaroso **2** pessoa que não para quieta

saltar **(sal.tar)** [saɫ'tar] *v.* **1** dar saltos: *saltar à corda* **SIN.** pular **2** transpor com um salto: *Saltou a poça.* **3** ⟨**+de**⟩ atirar-se; lançar-se (para lugar): *saltar de um autocarro em andamento; saltar de paraquedas* **4** passar bruscamente de um assunto para outro: *Ele saltava de tema em tema.* **5** omitir: *Ele saltou três páginas do livro.*

salteado **(sal.te:a.do)** [saɫ'tjadu] *adj.* **1** não seguido; alternado **2** diz-se do alimento cozido em fogo forte com bastante gordura, com cuidado para não pegar ao fundo ◆ **saber de cor e salteado** saber muito bem

saltear **(sal.te:ar)** [saɫ'tjar] *v.* cozinhar (alimento) em gordura bem quente, mexendo-o para que não agarre ao fundo

saltimbanco **(sal.tim.ban.co)** [saɫtĩ'bɐ̃ku] *n.m.* artista que anda de lugar em lugar, apresentando-se em feiras, circos, etc.

saltitar **(sal.ti.tar)** [saɫti'tar] *v.* caminhar dando pequenos saltos

salto **(sal.to)** ['saɫtu] *n.m.* **1** movimento de elevação do corpo para transpor um espaço ou um obstáculo; pulo **2** parte do calçado que eleva o calcanhar; tacão **3** *fig.* subida repentina

salubre **(sa.lu.bre)** [sɐ'lubr(ə)] *adj.2g.* que faz bem à saúde **SIN.** sadio; saudável

salutar **(sa.lu.tar)** [sɐlu'tar] *adj.2g.* **1** que é bom para a saúde; benéfico **2** *fig.* que procura melhorar algo; construtivo

salva **(sal.va)** ['saɫvɐ] *n.f.* **1** bandeja de prata **2** saudação ◆ **salva de palmas** aplauso entusiástico coletivo **SIN.** ovação

salvação **(sal.va.ção)** [saɫvɐ'sɐ̃w̃] *n.f.* **1** libertação de alguém de uma situação de perigo ou de uma dificuldade **2** cumprimento; saudação **3** vitória; triunfo

salvador **(sal.va.dor)** [saɫvɐ'dor] *adj.* que salva ■ *n.m.* aquele que salva ou liberta ■ **Salvador** Jesus Cristo

salvaguarda **(sal.va.guar.da)** [saɫvɐ'gwardɐ] *n.f.* **1** proteção concedida por uma autoridade a alguém **2** aquilo que serve de garantia ou de proteção

salvaguardar **(sal.va.guar.dar)** [saɫvɐgwɐr'dar] *v.* **1** pôr a salvo; proteger **2** garantir; assegurar

salvamento **(sal.va.men.to)** [saɫvɐ'mẽtu] *n.m.* ato de ou efeito de salvar; salvação

salvar **(sal.var)** [saɫ'var] *v.* **1** livrar de perigo ou de dificuldade **2** proteger; preservar ■ **salvar-se** **1** livrar-se de perigo ou de dificuldade **2** escapar com vida; sobreviver

salva-vidas **(sal.va-.vi.das)** [saɫvɐ'vidɐʃ] *n.m.2n.* barco próprio para salvar pessoas em risco de afogamento

salve **(sal.ve)** ['saɫvɛ] *interj.* exprime saudação ou cumprimento

salvo **(sal.vo)** ['saɫvu] *adj.* **1** livre de perigo ou de doença **2** que não sofreu dano; ileso ■ *prep.* exceto; fora: *salvo raras exceções* ◆ **a salvo** em lugar seguro; **são e salvo** livre de perigo; **salvo se** a não ser que

salvo-conduto **(sal.vo-.con.du.to)** [saɫvukõ'dutu] *n.m.* ⟨*pl.* salvos-condutos⟩ licença escrita para percorrer livremente determinada zona

samaritano **(sa.ma.ri.ta.no)** [sɐmɐri'tɐnu] *adj. fig.* caridoso

samarra **(sa.mar.ra)** [sɐ'maʀɐ] *n.f.* 👁 casaco grosso de fazenda, com gola de pele

samba **(sam.ba)** ['sɐ̃bɐ] *n.m.* dança brasileira cantada, de origem africana, com ritmo rápido

sambar **(sam.bar)** [sɐ̃'bar] *v.* dançar ao som do samba

samurai **(sa.mu.rai)** [samu'raj] *n.m.* antigo guerreiro japonês, especialista na arte do sabre, que seguia um estrito código de honra e servia um senhor feudal

sanatório **(sa.na.tó.ri:o)** [sɐnɐ'tɔrju] *n.m.* estabelecimento destinado ao internamento de doentes

(sobretudo de doenças pulmonares, ósseas ou mentais)

sanção (san.ção) [sɐ̃'sɐ̃w̃] *n.f.* **1** aprovação de uma lei **2** pena prevista para quem não cumpre uma lei

sancionar (san.ci:o.nar) [sɐ̃sju'nar] *v.* **1** confirmar; aprovar **2** penalizar; castigar

sandália (san.dá.li:a) [sɐ̃'dalјɐ] *n.f.* calçado que só tem sola e correias ou fitas que a ligam ao pé

sande (san.de) ['sɐ̃d(ə)] *n.f. coloq.* ⇒ **sanduíche**

sandes (san.des) ['sɐ̃dəʃ] *n.f.2n. coloq.* ⇒ **sanduíche**

sanduíche (san.du:í.che) [sɐ̃'dwiʃ(ə)] *n.f.* conjunto de duas fatias de pão, entre as quais se põem alimentos (queijo, fiambre, salada, etc.)

saneamento (sa.ne:a.men.to) [sɐnjɐ'mẽtu] *n.m.* conjunto das instalações necessárias para assegurar a higiene e a saúde de uma população (como por exemplo, a canalização de água e a rede de esgotos)

sanefa (sa.ne.fa) [sɐ'nɛfɐ] *n.f.* tira larga de tecido colocada na horizontal na parte superior de uma janela ou porta, formando conjunto com a cortina ou reposteiro

sanfona (san.fo.na) [sɐ̃'fonɐ] *n.f.* **1** instrumento medieval de cordas, com teclas e uma caixa de ressonância dentro da qual gira uma roda, que é acionada através de uma manivela **2** *fig.* repetição de argumentos; palavreado

sangrar (san.grar) [sɐ̃'grar] *v.* verter sangue

sangrento (san.gren.to) [sɐ̃'grẽtu] *adj.* **1** de que sai sangue **2** que está coberto de sangue **3** que é muito violento; cruel

sangria (san.gri.a) [sɐ̃'griɐ] *n.f.* **1** ato de sangrar **2** sangue extraído ou derramado **3** bebida preparada com vinho tinto, água, açúcar, sumo de limão e pedaços de frutas

sangue (san.gue) ['sɐ̃g(ə)] *n.m.* líquido espesso e vermelho (composto de plasma, glóbulos brancos, glóbulos vermelhos e plaquetas) que circula nas artérias e nas veias ◆ **laços de sangue** relação de parentesco; **sangue arterial** sangue oxigenado nos pulmões e que circula nas artérias; **sangue azul** nobreza; fidalguia; **sangue venoso** sangue que as veias levam ao coração, para ser conduzido aos pulmões e aí receber oxigénio

sangue-frio (san.gue-.fri.o) [sɐ̃gə'friu] *n.m.* ⟨*pl.* sangues-frios⟩ serenidade; autodomínio ◆ **a sangue-frio 1** de modo violento **2** racionalmente

sanguessuga (san.gues.su.ga) [sɐ̃gə'sugɐ] *n.f.* **1** verme que vive em águas doces e tem ventosas em cada extremidade do corpo, através das quais suga o sangue de vertebrados **2** *fig., coloq.* pessoa que vive à custa de alguém, pedindo-lhe favores ou dinheiro

sanguinário (san.gui.ná.ri:o) [sɐ̃gi'narju] *adj.* **1** relativo a sangue **2** cruel; feroz

sanguíneo (san.guí.ne:o) [sɐ̃'ginju] *adj.* **1** relativo a sangue **2** que contém sangue **3** que é da cor do sangue

sanidade (sa.ni.da.de) [sɐni'dad(ə)] *n.f.* **1** qualidade do que tem saúde **2** conjunto de condições propícias à saúde; higiene

sanita (sa.ni.ta) [sɐ'nitɐ] *n.f.* lugar onde se eliminam as fezes e a urina **SIN.** sanita

sanitário (sa.ni.tá.ri:o) [sɐni'tarju] *adj.* **1** relativo à saúde e higiene **2** relativo a quarto de banho ■ **sanitários** *n.m.pl.* instalações próprias para higiene e necessidades pessoais, situadas em local público

sânscrito (sâns.cri.to) ['sɐ̃ʃkritu] *n.m.* antiga língua sagrada da Índia

santidade (san.ti.da.de) [sɐ̃ti'dad(ə)] *n.f.* **1** qualidade ou estado de santo **2** pureza; virtude ◆ **Sua Santidade** título ou forma de tratamento de alguns chefes religiosos, como o Papa e o Dalai-Lama

santificação (san.ti.fi.ca.ção) [sɐ̃tifikɐ'sɐ̃w̃] *n.f.* **1** ato ou efeito de santificar(-se) **2** processo de canonização

santificar (san.ti.fi.car) [sɐ̃tifi'kar] *v.* tornar santo

santinho (san.ti.nho) [sɐ̃'tiɲu] ⟨*dim. de* santo⟩ *n.m.* pequena estátua ou imagem de um santo ◆ **santinho/santinha!** exclamação usada quando se ouve alguém espirrar

Santíssimo (San.tís.si.mo) [sɐ̃'tisimu] *n.m.* na religião católica, hóstia consagrada

santo (san.to) ['sɐ̃tu] *adj.* relativo a Deus ou à religião; sagrado ■ *n.m.* **1** pessoa cujo valor foi reconhecido pela Igreja após a sua morte **2** *fig.* pessoa muito bondosa

santola (san.to.la) [sɐ̃'tɔlɐ] *n.f.* crustáceo semelhante a um caranguejo grande, com carapaça áspera e pernas longas e finas

santuário (san.tu:á.ri:o) [sɐ̃'twarju] *n.m.* lugar ou edifício consagrado a um culto ou religião; lugar santo

são (são) ['sɐ̃w̃] *adj.* **1** que tem saúde **2** que está em bom estado **3** que está curado **4** diz-se do fruto que não está podre ■ *n.m.* forma reduzida de santo, usada antes de nomes começados por consoante (como são Pedro, são Marcos, são Vicente, etc.) ◆ **são e salvo** fora de perigo; ileso

---

Não confundir **são** (*saudável*) com **são** (forma do verbo *ser*): *Ele é* ***são*** *como um pero. Elas* ***são*** *colegas de turma.*

---

são-bernardo (são-.ber.nar.do) [sɐ̃w̃bər'nardu] *n.m.* ⟨*pl.* são-bernardos⟩ cão grande dos Alpes, de pelo farto, ruivo e branco, treinado para descobrir viajantes enterrados na neve

são-tomense (são-.to.men.se) [sɐ̃w̃tu'mẽ(sə)] *adj.2g.* relativo a São Tomé e Príncipe ■ *n.2g.* pessoa natural de São Tomé e Príncipe

sapador (sa.pa.dor) [sɐpɐ'dor] *n.m.* **1** soldado que trabalha com materiais explosivos, abrindo galerias subterrâneas, etc. **2** bombeiro que pertence a um grupo encarregado de combater incêndios, fazer salvamentos e socorrer pessoas acidentadas

sapatada (sa.pa.ta.da) [sɐpɐ'tadɐ] *n.f.* pancada dada com a mão **SIN.** palmada

sapataria (sa.pa.ta.ri.a) [sɐpɐtɐ'riɐ] *n.f.* loja onde se vende calçado

sapateado (sa.pa.te:a.do) [sɐpɐ'tjadu] *n.m.* **1** dança em que o ritmo é marcado pelos sapatos **2** ritmo marcado com os pés

sapatear (sa.pa.te:ar) [sɐpɐ'tjar] *v.* dançar, batendo com o salto ou a sola do sapato no chão, de modo a produzir ruído

sapateira (sa.pa.tei.ra) [sɐpɐ'tɐjrɐ] *n.f.* **1** 👁 caranguejo grande, com carapaça de exterior liso, de aspeto semelhante ao da santola **2** móvel ou parte de um armário onde se guardam sapatos

sapateiro (sa.pa.tei.ro) [sɐpɐ'tɐjru] *n.m.* aquele que fabrica, vende ou conserta calçado

sapatilha (sa.pa.ti.lha) [sɐpɐ'tiʎɐ] *n.f.* calçado leve usado na prática de alguns desportos e com vestuário informal; ténis

sapato (sa.pa.to) [sɐ'patu] *n.m.* calçado de sola dura que cobre o pé ◆ **estar com a pedra no sapato** estar desconfiado

sapiência (sa.pi:ên.ci:a) [sɐ'pjẽsjɐ] *n.f.* **1** qualidade de sapiente **2** sabedoria; erudição

sapiente (sa.pi:en.te) [sɐ'pjẽt(ə)] *adj.2g.* sabedor; erudito

sapo (sa.po) ['sapu] *n.m.* batráquio semelhante à rã, com olhos salientes, pele áspera e membros posteriores desenvolvidos para o salto, que se alimenta de insetos ◆ **engolir sapos** suportar coisas desagradáveis

saque (sa.que) ['sak(ə)] *n.m.* roubo; pilhagem ◆ **a saque** à disposição dos ladrões, salteadores, etc.

saqué [sa'kɛ] *n.m.* bebida alcoólica japonesa, obtida pela fermentação do arroz, e geralmente servida quente

saquear (sa.que:ar) [sɐ'kjar] *v.* roubar; pilhar

saracotear(-se) (sa.ra.co.te:ar(-se)) [sɐrɐku'tjar(sə)] *v.* mover(-se) agitando o corpo

saraiva (sa.rai.va) [sɐ'rajvɐ] *n.f.* granizo

saraivada (sa.rai.va.da) [sɐraj'vadɐ] *n.f.* queda abundante de saraiva

saraivar (sa.rai.var) [sɐraj'var] *v.* cair saraiva **SIN.** granizar

sarampo (sa.ram.po) [sɐ'rɐ̃pu] *n.m.* doença infectocontagiosa, que ataca principalmente as crianças, provocando febre alta e cobrindo o corpo de pintas vermelhas

sarapintado (sa.ra.pin.ta.do) [sɐrɐpĩ'tadu] *adj.* que tem pintas de várias cores **SIN.** pintalgado

sarapintar (sa.ra.pin.tar) [sɐrɐpĩ'tar] *v.* pintar com diversas cores **SIN.** pintalgar

sarar (sa.rar) [sɐ'rar] *v.* **1** tornar são; curar **2** cicatrizar **3** *fig.* fazer desaparecer (dor, tristeza, etc.); apagar

sarau (sa.rau) [sɐ'raw] *n.m.* **1** reunião de pessoas que se encontram para ouvir música, poesia, dançar ou jogar **2** concerto musical que se realiza à noite

sarcasmo (sar.cas.mo) [sɐr'kaʒmu] *n.m.* ironia cruel, com que se procura insultar ou ofender alguém

sarcástico (sar.cás.ti.co) [sɐr'kaʃtiku] *adj.* que revela sarcasmo; irónico

sarcófago (sar.có.fa.go) [sɐr'kɔfɐgu] *n.m.* **1** caixão em que os Egípcios encerravam as múmias **2** túmulo

sarda (sar.da) ['sardɐ] *n.f.* pequena mancha castanha na pele

sardanisca (sar.da.nis.ca) [sɐrdɐ'niʃkɐ] *n.f.* pequeno lagarto insetívoro e trepador, frequente em muros e pedras **SIN.** lagartixa

sardão (sar.dão) [sɐr'dɐ̃w̃] *n.m.* espécie de lagarto de cor verde

sardento (sar.den.to) [sɐr'dẽtu] *adj.* que tem sardas

sardinha (sar.di.nha) [sɐr'diɲɐ] *n.f.* pequeno peixe vulgar na costa portuguesa ◆ **como sardinha em lata** muito apertado entre pessoas; sem poder mexer-se; **puxar a brasa à sua sardinha** defender os seus interesses

sardinhada (sar.di.nha.da) [sɐrdi'ɲadɐ] *n.f.* refeição em que o prato principal é sardinha assada

sardinheira (sar.di.nhei.ra) [sɐrdi'ɲɐjrɐ] *n.f.* planta com flores grandes de várias cores, cultivada como ornamental

sargaço (sar.ga.ço) [sɐr'gasu] *n.m.* algas marinhas flutuantes, de cor verde-escura ou acastanhada

sargento (sar.gen.to) [sɐr'ʒẽtu] *n.2g.* militar de graduação superior à de praça e inferior à de oficial

sari [sa'ri] *n.m.* traje feminino indiano, constituído por uma peça de tecido comprida que é enrolada à volta do corpo, formando uma das pontas a saia e a outra atravessando o tronco e pendendo sobre o ombro ou a cabeça

sarilho (sa.ri.lho) [sɐ'riʎu] *n.m.* **1** situação difícil; complicação **2** confusão; trapalhada

sarja (sar.ja) ['sarʒɐ] *n.f.* tecido resistente de algodão, linho ou lã

sarjeta (sar.je.ta) [sɐr'ʒetɐ] *n.f.* abertura existente nas ruas, ao lado dos passeios, para escoamento das águas **SIN.** valeta

sarna (sar.na) ['sarnɐ] *n.f.* doença de pele, contagiosa, provocada por um ácaro e que causa grande comichão ♦ *coloq.* **ter sarna para se coçar** ter problemas sérios para resolver

sarrabiscar (sar.ra.bis.car) [sɐʀɐbiʃ'kar] *v.* fazer sarrabiscos em **SIN.** gatafunhar

sarrabisco (sar.ra.bis.co) [sɐʀɐ'biʃku] *n.m.* desenho ou risco mal feito **SIN.** gatafunho

sarrabulho (sar.ra.bu.lho) [sɐʀɐ'buʎu] *n.m.* refeição preparada com sangue, miúdos de porco e banha derretida

Satanás (Sa.ta.nás) [sɐtɐ'naʃ] *n.m.* Diabo

satânico (sa.tâ.ni.co) [sɐ'tɐniku] *adj.* diabólico; infernal

satélite (sa.té.li.te) [sɐ'tɛlit(ə)] *n.m.* **1** planeta secundário que gira em torno de um planeta principal **2** aparelho enviado para o espaço para recolher dados e imagens da Terra e de outros planetas e para transmitir sinais de rádio e televisão

sátira (sá.ti.ra) ['satirɐ] *n.f.* **1** composição poética que ridiculariza os hábitos de uma época, de uma instituição ou de uma pessoa **2** discurso ou texto que critica ou ironiza algo ou alguém

satírico (sa.tí.ri.co) [sɐ'tiriku] *adj.* **1** relativo a sátira **2** sarcástico; mordaz

satirizar (sa.ti.ri.zar) [sɐtiri'zar] *v.* **1** criticar com sarcasmo; ridicularizar **2** escrever sátiras

satisfação (sa.tis.fa.ção) [sɐtiʃfɐ'sɐ̃w̃] *n.f.* contentamento; alegria ■ **satisfações** *n.f.pl.* explicação que se dá a alguém para um determinado comportamento (uma falta, um atraso, etc.); justificações; desculpas

satisfatório (sa.tis.fa.tó.ri:o) [sɐtiʃfɐ'tɔrju] *adj.* **1** que causa satisfação **2** razoável; aceitável

satisfaz (sa.tis.faz) [sɐtiʃ'faʃ] *n.m. gír.* classificação escolar entre o mau e o satisfaz bastante, ou entre o medíocre e o bom, consoante a escala usada

satisfazer (sa.tis.fa.zer) [sɐtiʃfɐ'zer] *v.* **1** ser suficiente: *As instalações não satisfazem.* **SIN.** bastar **2** realizar; cumprir (desejo, exigência, etc.): *Satisfazia-lhe todos os caprichos.* **3** contentar; agradar a: *A minha decisão não os satisfez.* **4** saciar (fome, sede): *Os legumes não me satisfazem.* ■ **satisfazer-se 1** ⟨+com⟩ contentar-se: *Ele satisfaz-se com pouco.* **2** ⟨+com⟩ saciar-se: *Só se satisfaz com um grande copo de leite.*

satisfeito (sa.tis.fei.to) [sɐtiʃ'fɐjtu] *adj.* **1** contente; alegre **2** saciado; farto **3** cumprido; realizado

saturação (sa.tu.ra.ção) [sɐturɐ'sɐ̃w̃] *n.f.* **1** estado de uma solução que contém o máximo de substância dissolvida a determinada temperatura **2** satisfação de um apetite ou de um desejo; saciedade **3** estado do que atingiu o limite (de força, de resistência, etc.); cansaço

saturado (sa.tu.ra.do) [sɐtu'radu] *adj.* **1** cheio **2** saciado **3** cansado

saturar (sa.tu.rar) [sɐtu'rar] *v.* **1** levar ao ponto de saturação **2** encher totalmente **3** saciar **4** cansar

Saturno (Sa.tur.no) [sɐ'turnu] *n.m.* planeta do sistema solar, com órbita entre a de Júpiter e a de Urano

saudação (sau.da.ção) [sɐudɐ'sɐ̃w̃] *n.f.* gesto ou palavra de cumprimento; felicitação

saudade (sau.da.de) [sɐu'dad(ə)] *n.f.* sentimento de tristeza pela ausência ou morte de uma pessoa ou pela perda de uma coisa de que se gostava muito ■ **saudades** *n.f.pl.* cumprimentos que se enviam a pessoas que estão longe ou que já não vemos há muito tempo

saudar (sau.dar) [sɐu'dar] *v.* cumprimentar; felicitar

saudável (sau.dá.vel) [sɐw'davɛɫ] *adj.2g.* **1** que tem saúde; são **ANT.** doente **2** que é bom para a saúde; benéfico

saúde (sa.ú.de) [sɐ'ud(ə)] *n.f.* **1** bom estado físico e mental; bem-estar **2** ausência de doença(s) **3** força física; robustez ♦ **beber à saúde de** beber em honra de; **saúde!** expressão que se usa quando se faz um brinde, quando se tocam os copos, ou quando alguém espirra; **ter uma saúde de ferro** ser muito saudável

saudita (sau.di.ta) [saw'ditɐ] *adj.2g.* da Arábia Saudita ■ *n.2g.* pessoa de nacionalidade saudita

saudosismo (sau.do.sis.mo) [sɐwdu'ziʒmu] *n.m.* (início do século XX) movimento nacionalista português, poético e filosófico, de carácter simbolista

saudoso (sau.do.so) [sɐw'dozu] *adj.* **1** que sente saudades **2** que provoca saudades

sauna (sau.na) ['sawnɐ] *n.f.* banho de vapor, geralmente a temperaturas elevadas

savana (sa.va.na) [sɐ'vɐnɐ] *n.f.* vegetação própria dos climas tropicais húmidos, em que predominam as plantas herbáceas e arbustos rasteiros

sável (sá.vel) ['savɛɫ] *n.m.* peixe marinho que se reproduz em água doce, tem o corpo em forma de lança e é coberto de escamas

savoir-faire [sa'vwarfɛr] *n.m.2n.* habilidade; jeito

saxofone (sa.xo.fo.ne) [saksɔ'fɔn(ə)] *n.m.* instrumento musical de sopro feito de metal

saxofonista (sa.xo.fo.nis.ta) [saksɔfu'niʃtɐ] *n.2g.* pessoa que toca saxofone

sazonal (sa.zo.nal) [sɐzu'naɫ] *adj.2g.* próprio de uma estação do ano

scanear (sca.ne:ar) [skɐ'njar] *v.* converter (texto ou imagem impressos) em dados digitais utilizando um aparelho de leitura ótica (scanner) **SIN.** digitalizar

scanner ['skɐnɛr] *n.m.* ⟨*pl.* scanners⟩ ⇒ **digitalizador**

scone ['skɔn(ə)] *n.m.* bolo pequeno, feito de farinha, ovos e leite, que geralmente se come com manteiga ou compota

scooter ['skutɐr] *n.f.* veículo motorizado de duas ou três rodas, normalmente sem caixa de mudanças tendo apenas um acelerador

screensaver [skrin'sɐjvɛr] *n.m.* protetor de ecrã do computador

SCUT ['skut] (via rodoviária) *sigla de* sem cobrança ao utente

s.d. *abreviatura de* sem data

se (se) [(sə)] *prn.pess.* designa a terceira pessoa do singular ou do plural: *Ela magoou-se na escola. Eles encontravam-se com frequência. Vendem-se apartamentos.* ■ *conj.* **1** no caso de; dado que: *Se puder, vou lá convosco.* **2** sempre que: *Se como chocolate, fico maldisposto.* **3** introduz uma frase interrogativa indireta: *Diz-me se queres ir ao cinema.* **4** usa-se para formular um convite: *E se fôssemos ao teatro?* **5** usa-se para formular um lamento: *Se eu soubesse o que sei hoje!* ♦ **se bem que** ainda que; **se não** no caso de não

sé (sé) ['sɛ] *n.f.* igreja principal **SIN.** catedral

seara (se:a.ra) ['sjarɐ] *n.f.* campo semeado de cereais ♦ **meter a foice em seara alheia** meter-se num assunto que não lhe diz respeito

sebáceo (se.bá.ce:o) [sə'basju] *adj.* **1** que tem sebo; gorduroso **2** que contém ou produz uma substância gordurosa

sebe (se.be) ['sɛb(ə)] *n.f.* vedação feita de ramos ou varas entrelaçadas

sebenta (se.ben.ta) [sə'bẽtɐ] *n.f.* caderno com apontamentos das aulas

sebento (se.ben.to) [sə'bẽtu] *adj.* muito sujo; imundo

sebo (se.bo) ['sebu] *n.m.* **1** substância segregada pelas glândulas sebáceas, que tem a função de proteger a pele **2** substância ou camada gordurosa ♦ *coloq.* **limpar o sebo a alguém** dar uma sova a alguém

séc. *abreviatura de* século

seca (se.ca) ['sɛkɐ] *n.f.* **1** falta de chuva **2** *fig.* coisa aborrecida; maçada

secador (se.ca.dor) [səkɐ'dor] *n.m.* **1** aparelho elétrico utilizado para secar o cabelo **2** pequeno aparelho que se usa para secar as mãos

secagem (se.ca.gem) [sə'kaʒɐ̃j] *n.f.* ato ou processo de secar

secante (se.can.te) [sə'kɐ̃t(ə)] *adj.2g.* **1** que faz secar **2** que aborrece ■ *n.f.* linha ou superfície que interseta outra

secar (se.car) [sə'kar] *v.* **1** fazer perder a humidade **2** tornar murcho **3** perder a humidade **4** murchar **5** deixar de correr (um líquido, um rio)

secção (sec.ção) [sɛ'ksɐ̃w̃] *n.f.* **1** divisão (de algo inteiro) em partes; corte **2** parte separada de um todo; parcela **3** cada uma das divisões de um serviço ou de uma empresa; departamento **4** divisão de coisas da mesma espécie

seco (se.co) ['seku] *adj.* **1** que não tem água nem humidade; enxuto **ANT.** molhado **2** diz-se do terreno sem vegetação; árido **3** diz-se de quem é muito magro **4** diz-se da flor que murchou **5** diz-se do alimento a que se extraiu a humidade para o conservar **6** *fig.* diz-se do gesto ou tom ríspido ♦ **a seco** sem benefício algum; **engolir em seco** calar o que estava prestes a dizer-se

secreção (se.cre.ção) [səkrə'sɐ̃w̃] *n.f.* conjunto das substâncias elaboradas pelas células, que podem ser ou não expelidas pelo organismo

ecretaria (se.cre.ta.ri.a) [səkrətɐ'riɐ] *n.f.* departamento de um serviço ou de uma empresa onde se trata da correspondência, da elaboração e arquivo de documentos, e onde se atende o público

ecretária (se.cre.tá.ri:a) [səkrə'tarjɐ] *n.f.* **1** móvel de escritório, geralmente com gavetas, onde se escreve e se guardam documentos; escrivaninha **2** mulher que trata da correspondência e de outros documentos, e que organiza reuniões de trabalho numa instituição ou numa empresa ◆ [BRAS.] **secretária eletrónica** atendedor de chamadas

ecretariado (se.cre.ta.ri:a.do) [səkrətɐ'rjadu] *n.m.* **1** função ou cargo de secretário **2** ⇒ **secretaria**

ecretário (se.cre.tá.ri:o) [səkrə'tarju] *n.m.* homem que trata da correspondência e de outros documentos, e que organiza reuniões de trabalho numa instituição ou numa empresa

ecretário-geral (se.cre.tá.ri:o-.ge.ral) [səkrətar juʒə'raɫ] *n.m.* ⟨*pl.* secretários-gerais⟩ líder de um partido político ou de uma organização

ecretismo (se.cre.tis.mo) [səkrə'tiʒmu] *n.m.* carácter do que se mantém secreto, do que não se divulga

ecreto (se.cre.to) [sə'krɛtu] *adj.* **1** que está em segredo; incógnito **2** que não é conhecido ou divulgado; confidencial **3** que não se manifesta; íntimo

ectário (sec.tá.ri:o) [sɛ'ktarju] *adj.* **1** relativo a seita religiosa **2** *fig.* diz-se da pessoa que apoia um grupo ou uma ideia de forma intolerante, sem admitir opiniões diferentes da sua; intolerante; intransigente

ectarismo (sec.ta.ris.mo) [sɛktɐ'riʒmu] *n.m.* **1** espírito limitado, pouco aberto **2** intolerância; intransigência

ector (sec.tor)AO [sɛ'ktor] *a grafia preferível é* **setor**AO

ectorial (sec.to.ri:al)AO [sɛktu'rjaɫ] *a grafia preferível é* **setorial**AO

ecular (se.cu.lar) [səku'lar] *adj.2g.* **1** relativo a século **2** que é muito antigo **3** diz-se do clérigo que não fez votos religiosos e não está sujeito a ordens monásticas

éculo (sé.cu.lo) ['sɛkulu] *n.m.* **1** período de cem anos **2** *fig.* muito tempo

ecundário (se.cun.dá.ri:o) [səkũ'darju] *adj.* **1** que está em segundo lugar **2** de menor importância; insignificante **3** diz-se do ensino intermédio entre o básico e o superior

ecura (se.cu.ra) [sə'kurɐ] *n.f.* **1** qualidade ou estado do que está seco **2** *fig.* frieza; rispidez

eda (se.da) ['sedɐ] *n.f.* **1** substância produzida pela larva do bicho-da-seda **2** tecido feito com essa substância

edativo (se.da.ti.vo) [sədɐ'tivu] *adj.,n.m.* calmante

sede (se.de)[1] ['sɛd(ə)] *n.f.* **1** lugar onde alguém se pode sentar ou fixar **2** lugar onde funciona um tribunal, uma administração ou um governo **3** lugar onde uma empresa tem o seu estabelecimento principal

sede (se.de)[2] ['sed(ə)] *n.f.* **1** sensação causada pela necessidade de beber **SIN.** secura **2** *fig.* desejo intenso; ânsia

sedentário (se.den.tá.ri:o) [sədẽ'tarju] *adj.2g.* **1** que está quase sempre sentado **2** que vive sempre na mesma região

sedentarismo (se.den.ta.ris.mo) [sədẽtɐ'riʒmu] *n.m.* qualidade de sedentário; inatividade

sedento (se.den.to) [sə'dẽtu] *adj.* **1** que tem muita sede **2** *fig.* que tem um grande desejo de alguma coisa; ávido

sediado (se.di:a.do) [sə'djadu] *adj.* que tem sede em determinado local

sedimentação (se.di.men.ta.ção) [sədimẽtɐ'sɐ̃w̃] *n.f.* **1** depósito de partículas em suspensão **2** acumulação de sedimentos em camadas, dando origem a rochas

sedimentar (se.di.men.tar) [sədimẽ'tar] *adj.2g.* **1** que contém sedimento(s) **2** diz-se da rocha resultante da consolidação de sedimentos ■ *v.* formar sedimento ■ **sedimentar-se** tornar-se firme ou sólido

sedimento (se.di.men.to) [sədi'mẽtu] *n.m.* **1** substâncias sólidas que são transportadas e depositadas pelo ar, pela água ou pelo gelo **2** parte sólida que se deposita no fundo de um recipiente; borra

sedoso (se.do.so) [sə'dozu] *adj.* **1** que tem sedas ou pelos **2** macio como a seda

sedução (se.du.ção) [sədu'sɐ̃w̃] *n.f.* **1** ato de seduzir ou de ser seduzido **2** atração por alguma coisa ou por alguém; fascínio

sedutor (se.du.tor) [sədu'tor] *adj.* que seduz ou atrai; fascinante ■ *n.m.* aquele que seduz

seduzir (se.du.zir) [sədu'zir] *v.* **1** atrair; encantar **2** enganar; subornar

SEF ['sɛf] *sigla de* Serviço de Estrangeiros e Fronteiras

segar (se.gar) [sə'gar] *v.* cortar (cereais, ervas) com instrumento próprio **SIN.** ceifar

> Não confundir **segar** (cortar cereais) com **cegar** (perder a visão).

segmentação (seg.men.ta.ção) [sɛgmẽtɐ'sɐ̃w̃] *n.f.* divisão em segmentos; fragmentação

segmentar (seg.men.tar) [sɛgmẽ'tar] *v.* dividir em segmentos; fragmentar

segmento (seg.men.to) [sɛ'gmẽtu] *n.m.* cada uma das partes em que se dividiu um todo; secção; porção ◆ **segmento de reta** parte de uma linha reta compreendida entre dois pontos

segredar (**se.gre.dar**) [səgrə'dar] *v.* dizer em segredo **SIN.** murmurar; segredar

segredo (**se.gre.do**) [sə'gredu] *n.m.* **1** coisa que não se deve contar a ninguém **2** aquilo que só poucas pessoas sabem; mistério; enigma **3** aquilo que se diz em voz baixa ao ouvido de alguém ◆ **em segredo** sem que ninguém saiba; sem testemunhas

segregação (**se.gre.ga.ção**) [səgrəgɐ'sɐ̃w̃] *n.f.* **1** separação; afastamento **2** ato de isolar pessoas ou grupos em função da sua condição social, cultural, etc. **SIN.** discriminação; marginalização

segregar (**se.gre.gar**) [səgrə'gar] *v.* **1** marginalizar; discriminar: *A sociedade segrega os pobres.* **2** produzir (secreção): *O pâncreas segrega insulina.*

seguida (**se.gui.da**) [sə'gidɐ] *n.f.* seguimento; continuação ◆ **de seguida** logo depois; sem interrupção; **em seguida** imediatamente; depois

seguido (**se.gui.do**) [sə'gidu] *adj.* sem interrupção; contínuo; consecutivo

seguidor (**se.gui.dor**) [səgi'dor] *n.m.* **1** pessoa que continua algo que outra pessoa começou **2** pessoa que segue uma ideia ou uma doutrina; adepto

seguimento (**se.gui.men.to**) [səgi'mẽtu] *n.m.* **1** acompanhamento **2** continuação **3** prolongamento **4** sequência

seguinte (**se.guin.te**) [sə'gĩt(ə)] *adj.2g.* que segue; imediato ■ *n.m.* **1** aquele ou aquilo que se segue **2** aquilo que acontece depois

seguir (**se.guir**) [sə'gir] *v.* **1** ir depois de **2** acompanhar **3** perseguir **4** espiar **5** percorrer **6** prestar atenção a **7** tomar como modelo **8** continuar **9** partir ■ **seguir-se** ser consequência de; resultar

segunda (**se.gun.da**) [sə'gũdɐ] *n.f.* mudança de velocidade a seguir à primeira ◆ **de segunda** de má qualidade

segunda-feira (**se.gun.da-.fei.ra**) [səgũdɐ'fɐjrɐ] *n.f.* ⟨*pl.* segundas-feiras⟩ segundo dia da semana

segundo (**se.gun.do**) [sə'gũdu] *num.ord.* que ocupa o lugar número 2: *no segundo andar; à segunda tentativa* ■ *n.m.* **1** sexagésima parte do minuto (símbolo: s) **2** espaço de tempo muito curto **3** *fig.* instante ■ *prep.,conj.* de acordo com; conforme: *segundo os médicos; segundo me disseram* ■ *adv.* em segundo lugar

segurado (**se.gu.ra.do**) [səgu'radu] *adj.* **1** (objeto, bem) que está no seguro **2** (pessoa, entidade) que tem seguro ■ *n.m.* aquele que paga o prémio do seguro, obtendo determinadas garantias estabelecidas no contrato

segurador (**se.gu.ra.dor**) [səgurɐ'dor] *adj.,n.m.* **1** que ou aquele que segura **2** que ou aquele que, segundo um contrato de seguro, se obriga a indemnizar o segurado de prejuízos eventuais

seguradora (**se.gu.ra.do.ra**) [səgurɐ'dorɐ] *n.f.* companhia de seguros

segurança (**se.gu.ran.ça**) [səgu'rɐ̃sɐ] *n.f.* **1** confiança; tranquilidade **2** firmeza; certeza ■ *n.2g.* pessoa cuja profissão é proteger alguém ou alguma coisa; guarda ◆ **segurança social** sistema de assistência e proteção económica que garante um conjunto de regalias sociais aos beneficiários em situações de reforma, doença, desemprego, etc.

segurar (**se.gu.rar**) [səgu'rar] *v.* **1** tornar seguro; fixar **2** agarrar; pegar **3** amparar; suster **4** controlar; dominar

seguro (**se.gu.ro**) [sə'guru] *adj.* **1** firme; preso **2** livre de cuidados; a salvo **3** certo; garantido **4** em que se pode confiar **5** eficaz; infalível ◆ **ir pelo seguro** proceder com cautela; **o seguro morreu de velho** quem se acautela evita muitos riscos

seio (**sei.o**) ['sɐju] *n.m.* **1** órgão que produz o leite na mulher e nas fêmeas; mama; peito **2** *fig.* parte interior de alguma coisa ◆ **no seio de** no interior de

seis (**seis**) ['sɐjʃ] *num.card.* cinco mais um ■ *n.m.* número 6

seiscentos (**seis.cen.tos**) [sɐjʃ'sẽtuʃ] *num.card.* quinhentos mais cem ■ *n.m.* o número 600

seita (**sei.ta**) ['sɐjtɐ] *n.f.* doutrina religiosa que se afasta da crença ou da opinião geral

seitã (**sei.tã**) [sɐj'tɐ̃] *n.m.* alimento rico em proteínas produzido a partir do trigo

seiva (**sei.va**) ['sɐjvɐ] *n.f.* líquido nutritivo que circula nas plantas

seixo (**sei.xo**) ['sɐjʃu] *n.m.* pedra pequena **SIN.** calhau

sela (**se.la**) ['sɛlɐ] *n.f.* assento que se coloca sobre o lombo do cavalo, onde o cavaleiro se senta

> Não confundir **sela** (assento) com **cela** (quarto; aposento).

selado (**se.la.do**) [sə'ladu] *adj.* **1** que tem sela (cavalo) **2** que tem selo (envelope, postal) **3** que foi confirmado (acordo, contrato)

selar (**se.lar**) [sə'lar] *v.* **1** pôr sela em (cavalo) **2** pôr selo em (envelope, postal) **3** confirmar (um acordo, um contrato)

seleção (**se.le.ção**)[AO] [səlɛ'sɐ̃w̃] *n.f.* **1** ato de selecionar; escolha; eleição **2** conjunto de coisas escolhidas **3** conjunto dos melhores atletas de uma modalidade desportiva, escolhidos para representar uma região ou um país ◆ **seleção natural** sobrevivência das espécies animais ou vegetais mais fortes

selecção (**se.lec.ção**) [səlɛ'sɐ̃w̃] *a nova grafia é* **seleção**[AO]

seleccionador (**se.lec.ci:o.na.dor**) [səlɛsjunɐ'dor] *a nova grafia é* **selecionador**[AO]

seleccionar (se.lec.ci:o.nar) [səlɛsju'nar] *a nova grafia é* **selecionar**AO

selecionador (se.le.ci:o.na.dor)AO [səlɛsjunɐ'dor] *n.m.* **1** aquele que faz uma seleção **2** aquele que escolhe e prepara um grupo de atletas ou jogadores para representar um clube, uma região ou um país numa competição desportiva

selecionar (se.le.ci:o.nar)AO [səlɛsju'nar] *v.* fazer a seleção de **SIN.** escolher

selectivo (se.lec.ti.vo) [səlɛ'tivu] *a nova grafia é* **seletivo**AO

selecto (se.lec.to) [sə'lɛtu] *a nova grafia é* **seleto**AO

selénio (se.lé.ni:o) [sə'lɛnju] *n.m.* elemento com o número atómico 34 e símbolo Se, não metal, análogo ao enxofre

seletivo (se.le.ti.vo)AO [səlɛ'tivu] *adj.* **1** relativo a seleção **2** que faz seleção

seleto (se.le.to)AO [sə'lɛtu] *adj.* **1** escolhido; selecionado **2** distinto; excelente

selim (se.lim) [sə'lĩ] *n.m.* assento triangular de bicicleta ou de motocicleta

selo (se.lo) ['selu] *n.m.* **1** pequeno papel retangular, adesivo numa das faces, destinado a pagar o envio de correspondência pelo correio **2** carimbo utilizado para autenticar documentos

selva (sel.va) ['sɛłvɐ] *n.f.* **1** floresta muito densa **2** terreno que não é cultivado e onde a vegetação cresce sem controlo **3** *fig.* grande quantidade de coisas

selvagem (sel.va.gem) [sɛł'vaʒɐ̃j̃] *adj.2g.* **1** próprio da selva **2** desabitado **3** feroz **4** *fig.* grosseiro

sem (sem) ['sɐ̃j̃] *prep.* indica falta, ausência ou exclusão: *sem asas; sem companhia; sem dinheiro*

Não confundir **sem** (preposição) com **cem** (número 100): *Ela saiu de casa* **sem** *dinheiro. Ele emprestou-lhe* **cem** *euros.*

---

sem-abrigo (sem-.a.bri.go) [sɐ̃jɐ'brigu] *n.2g.2n.* pessoa que não tem casa, que vive na rua

semáforo (se.má.fo.ro) [sə'mafuru] *n.m.* posto de sinalização colocado nos cruzamentos de ruas e estradas para regular o trânsito, através da mudança da cor das luzes (vermelho, amarelo e verde)

semana (se.ma.na) [sə'mɐnɐ] *n.f.* período de sete dias seguidos

semanada (se.ma.na.da) [səmɐ'nadɐ] *n.f.* quantia de dinheiro que se dá ou se recebe por semana

semanal (se.ma.nal) [səmɐ'nał] *adj.2g.* **1** relativo à semana **2** que se faz ou acontece uma vez por semana

semanalmente (se.ma.nal.men.te) [səmɐnał'mẽt(ə)] *adv.* **1** de sete em sete dias **2** uma vez por semana **3** todas as semanas

semanário (se.ma.ná.ri:o) [səmɐ'narju] *n.m.* jornal que se publica uma vez por semana ■ *adj.* ⇒ **semanal**

semântica (se.mân.ti.ca) [sə'mɐ̃tikɐ] *n.f.* disciplina que se ocupa da significação das palavras

semântico (se.mân.ti.co) [sə'mɐ̃tiku] *adj.* relativo a semântica

semblante (sem.blan.te) [sẽ'blɐ̃t(ə)] *n.m.* **1** expressão do rosto; face; cara **2** aparência; aspeto

semeado (se.me:a.do) [sə'mjadu] *adj.* **1** em que se lançaram sementes; cultivado **2** *fig.* espalhado; disperso

semeador (se.me:a.dor) [səmjɐ'dor] *n.m.* aquele que semeia

semear (se.me:ar) [sə'mjar] *v.* deitar sementes na terra para fazer germinar (cereais, legumes, etc.); cultivar ◆ **estar à mão de semear** estar muito perto; estar ao alcance da mão

semelhança (se.me.lhan.ça) [səmə'ʎɐ̃sɐ] *n.f.* qualidade do que é semelhante **SIN.** parecença

semelhante (se.me.lhan.te) [səmə'ʎɐ̃t(ə)] *adj.* parecido no aspeto, no carácter, etc.; idêntico ■ *n.m.* pessoa ou coisa da mesma espécie de outra

sémen (sé.men) ['sɛmɛn] *n.m.* líquido segregado pelos órgãos genitais masculinos, que contém os espermatozoides; esperma

semente (se.men.te) [sə'mẽt(ə)] *n.f.* **1** grão que se lança na terra para germinar, dando origem a uma nova planta **2** parte do fruto que provém do desenvolvimento do óvulo (vegetal) após a fecundação e que contém o embrião **3** origem; germe ◆ **ficar para semente** viver muito tempo

sementeira (se.men.tei.ra) [səmẽ'tɐjrɐ] *n.f.* **1** ato de semear **2** tempo em que se semeia

semestral (se.mes.tral) [səməʃ'trał] *adj.2g.* **1** relativo a semestre **2** que se faz ou acontece de seis em seis meses

semestre (se.mes.tre) [sə'mɛʃtr(ə)] *n.m.* período de seis meses seguidos

sem-fim (sem-.fim) [sɐ̃j'fĩ] *n.m.* ⟨*pl.* sem-fins⟩ **1** quantidade ou número indeterminado **2** extensão ilimitada; vastidão

semicerrado (se.mi.cer.ra.do) [səmisə'ʀadu] *adj.* meio cerrado; entreaberto

semicerrar (se.mi.cer.rar) [səmisə'ʀar] *v.* não fechar totalmente; deixar entreaberto

semicircular (se.mi.cir.cu.lar) [səmisirku'lar] *adj.2g.* relativo ao semicírculo

semicírculo (se.mi.cír.cu.lo) [səmi'sirkulu] *n.m.* metade de um círculo

semicolcheia (se.mi.col.chei:a) [səmikoł'ʃɐjɐ] *n.f.* figura musical que vale metade da colcheia

semicondutor (se.mi.con.du.tor) [səmikõdu'tor] *n.m.* substância com resistividade entre os bons condutores metálicos e os isoladores

semidobrado (se.mi.do.bra.do) [səmidu'bradu] *adj.* meio dobrado

semifinal (se.mi.fi.nal) [səmifi'nał] *n.f.* competição que antecede a final de um campeonato **SIN.** meia-final

semifinalista (se.mi.fi.na.lis.ta) [səmifinɐ'liʃtɐ] *n.2g.* atleta que participa numa semifinal

seminal (se.mi.nal) [səmi'nał] *adj.2g.* **1** relativo a sémen **2** que produz sémen

seminário (se.mi.ná.ri:o) [səmi'narju] *n.m.* **1** escola onde se formam os sacerdotes **2** congresso cultural ou científico **3** grupo de estudos que inclui pesquisa e debate

seminarista (se.mi.na.ris.ta) [səminɐ'riʃtɐ] *n.m.* aluno de um seminário

semínima (se.mí.ni.ma) [sə'minimɐ] *n.f.* figura musical que vale metade de uma mínima ou duas colcheias

semiótica (se.mi:ó.ti.ca) [sə'mjɔtikɐ] *n.f.* **1** em linguística, ciência que se dedica ao estudo dos signos **2** estudo das mudanças que a significação das palavras, como sinais das ideias, sofre no espaço ou no tempo **3** ciência que estuda os sinais ou sistemas de sinais utilizados na comunicação e o seu significado

semiprecioso (se.mi.pre.ci:o.so) [səmiprə'sjozu] *adj.* que tem valor inferior ao de uma pedra preciosa

semi-recta (se.mi-.rec.ta) [səmi'ʀɛtɐ] *a nova grafia é* **semirreta**[AO]

semirreta (se.mir.re.ta)[AO] [səmi'ʀɛtɐ] *n.f.* parte de uma reta limitada por um ponto

semita (se.mi.ta) [sə'mitɐ] *adj.2g.* **1** relativo aos Semitas **2** relativo a judeu ■ *n.2g.* pessoa pertencente aos Semitas ■ *n.m.2n.* [também com maiúscula] grupo étnico e linguístico oriundo da Ásia, cuja ascendência se atribui a Sem (filho de Noé), e que engloba os Hebreus, os Assírios, os Aramaicos, os Fenícios e os Árabes

semivogal (se.mi.vo.gal) [səmivu'gał] *n.f.* som intermédio entre a consoante e a vogal, que entra na formação de um ditongo juntamente com uma vogal

sem-número (sem-.nú.me.ro) [sɐ̃j'numəru] *n.m.2n.* **1** grande número **2** número indeterminado

sêmola (sê.mo.la) ['semulɐ] *n.f.* substância alimentar feita de grãos de cereais, geralmente utilizada em sopas, massas, etc.

sempre (sem.pre) ['sẽpr(ə)] *adv.* **1** em todo o tempo **2** sem fim; continuamente **3** afinal; finalmente ♦ **para sempre** definitivamente; eternamente; **sempre que** todas as vezes que

senado (se.na.do) [sə'nadu] *n.m.* **1** conjunto de representantes dos cidadãos encarregados de aprovar ou alterar as leis **2** assembleia formada por professores de diversas faculdades

senador (se.na.dor) [sənɐ'dor] *n.m.* membro do senado

senão (se.não) [sə'nɐ̃w̃] *prep.* exceto; a não ser: *Não come senão fruta.* ■ *conj.* de outro modo; caso contrário: *Despacha-te, senão não chegamos a horas.* ■ *n.m.* desvantagem; defeito: *Mas há um senão.*

Não confundir **senão** (de outro modo) com **se não** (no caso de não): *Fala mais alto senão não ouço. Se não chover, vamos sair.*

---

senegalense (se.ne.ga.len.se) [sənəgɐ'lẽ(sə)] *adj.,n.2g.* ⇒ **senegalês**

senegalês (se.ne.ga.lês) [sənəgɐ'leʃ] *adj.2g.* relativo ao Senegal ■ *n.m.* natural ou habitante do Senegal

senha (se.nha) ['sɐ(j)ɲɐ] *n.f.* **1** gesto combinado; sinal **2** bilhete usado para viajar em transportes públicos **3** palavra que um guarda dirige a alguém que dele se aproxima para identificação **4** sequência de letras ou algarismos que permite o acesso a um computador ou a um programa

senhor (se.nhor) [sə'ɲor] *n.m.* **1** tratamento de cerimónia dado ao homem com quem se fala ou a quem se escreve **2** dono; proprietário **3** homem de quem não se sabe o nome ♦ **ser senhor de si** não depender de ninguém; **ser senhor do seu nariz** não aceitar opiniões ou conselhos de ninguém

senhora (se.nho.ra) [sə'ɲorɐ] *n.m.* **1** tratamento de cerimónia dado à mulher com quem se fala ou a quem se escreve **2** dona; proprietária **3** mulher de quem não se sabe o nome **4** esposa em relação ao marido

senhorial (se.nho.ri:al) [səɲu'rjał] *adj.2g.* relativo à nobreza ou aristocracia

senhorio (se.nho.ri.o) [səɲu'riu] *n.m.* proprietário de um prédio que se encontra alugado

senil (se.nil) [sə'nił] *adj.2g.* relativo à velhice ou às pessoas velhas

senilidade (se.ni.li.da.de) [sənili'dad(ə)] *n.f.* estado de senil

sénior (sé.ni:or) ['sɛnjɔr] *adj.2g.* **1** que é o mais velho **2** que é o mais antigo em determinada atividade ■ *n.2g.* ⟨*pl.* seniores⟩ desportista, em geral, com mais de dezoito anos de idade

seno (se.no) ['senu] *n.m.* razão entre o cateto oposto a um ângulo de um triângulo retângulo e a hipotenusa

sensação (sen.sa.ção) [sẽsɐ'sɐ̃w̃] *n.f.* **1** impressão causada pelo meio exterior num órgão dos sentidos (gosto, visão, audição, etc.) **2** choque ou espanto causado por um acontecimento; emoção **3** conhecimento intuitivo; intuição ◆ **causar sensação** produzir uma impressão forte

sensacional (sen.sa.ci:o.nal) [sẽsɐsju'naɫ] *adj.2g.* **1** que produz uma sensação forte **2** extraordinário; fantástico

sensacionalista (sen.sa.ci:o.na.lis.ta) [sẽsɐsjunɐ'liʃtɐ] *adj.,n 2g.* que explora atitudes ou notícias chocantes para escandalizar ou chamar a atenção ■ *adj.,n.2g.* (pessoa) que causa sensação

sensatez (sen.sa.tez) [sẽsɐ'teʃ] *n.f.* **1** bom senso; equilíbrio **2** prudência; cautela

sensato (sen.sa.to) [sẽ'satu] *adj.* **1** que atua com sensatez; ajuizado **2** prudente; cauteloso

sensibilidade (sen.si.bi.li.da.de) [sẽsibili'dad(ə)] *n.f.* **1** faculdade de sentir **2** qualidade de sensível **3** facilidade em comover-se

sensibilização (sen.si.bi.li.za.ção) [sẽsibilizɐ'sɐ̃w̃] *n.f.* **1** ato ou efeito de sensibilizar **2** ato ou efeito de tornar sensível **3** alteração da resposta do organismo à presença de substâncias estranhas

sensibilizar (sen.si.bi.li.zar) [sẽsibili'zar] *v.* **1** tornar alguém sensível a (um problema, uma questão); chamar a atenção para **2** comover; emocionar **3** ficar comovido; emocionar-se

sensitivo (sen.si.ti.vo) [sẽsi'tivu] *adj.* **1** relativo aos sentidos **2** relativo às sensações

sensível (sen.sí.vel) [sẽ'sivɛɫ] *adj.2g.* **1** que tem sensibilidade **2** que é percebido pelos sentidos **3** que se comove com facilidade **4** muito delicado; frágil **5** bom; humano **6** que se ofende facilmente; suscetível

senso (sen.so) ['sẽsu] *n.m.* **1** capacidade de julgar; entendimento **2** prudência; sensatez ◆ **bom senso** capacidade para julgar e decidir corretamente; **senso comum** conjunto das opiniões sobre determinado tema que são aceites pela maioria das pessoas

sensor (sen.sor) [sẽ'sor] *n.m.* dispositivo eletrónico que reage a estímulos (luz, calor, som) e que serve para detetar corpos num local, localizar alvos, etc.

Não confundir **sensor** (dispositivo eletrónico) com **censor** (crítico).

sensorial (sen.so.ri:al) [sẽsu'rjaɫ] *adj.2g.* relativo a sensação

sensual (sen.su:al) [sẽ'swaɫ] *adj.2g.* **1** relativo aos sentidos **2** que é fisicamente atraente

sensualidade (sen.su:a.li.da.de) [sẽswɐli'dad(ə)] *n.f.* **1** qualidade de sensual **2** gosto pelos prazeres transmitidos pelos órgãos dos sentidos

sentar (sen.tar) [sẽ'tar] *v.* ⟨+em⟩ fazer sentar: *Sentaram-no na primeira fila.* ■ **sentar-se** ⟨+em⟩ assentar-se: *Eles sentaram-se no chão.*

sentença (sen.ten.ça) [sẽ'tẽsɐ] *n.f.* **1** decisão do juiz, depois de um julgamento, em relação a um crime ou delito **2** máxima

sentenciar (sen.ten.ci:ar) [sẽtẽ'sjar] *v.* **1** decidir por meio de sentença **2** condenar por sentença **3** *fig.* decidir

sentencioso (sen.ten.ci:o.so) [sẽtẽ'sjozu] *adj.* **1** em forma de sentença **2** que encerra sentença

sentido (sen.ti.do) [sẽ'tidu] *adj.* magoado; ofendido ■ *n.m.* **1** cada um dos órgãos de perceção das sensações (audição, visão, gosto, tato e olfato) **2** significado de uma palavra ou expressão **3** propósito; objetivo **4** direção; rumo ◆ **fazer sentido** ser lógico, coerente; **perder os sentidos** desmaiar

sentimental (sen.ti.men.tal) [sẽtimẽ'taɫ] *adj.2g.* **1** que diz respeito ao sentimento **2** que se comove facilmente; emotivo

sentimentalista (sen.ti.men.ta.lis.ta) [sẽtimẽtɐ'liʃtɐ] *n.2g.* pessoa que exagera os sentimentos e as emoções

sentimento (sen.ti.men.to) [sẽti'mẽtu] *n.m.* **1** capacidade de sentir **2** sensação subjetiva (de alegria, tristeza, amor, medo, etc.) em relação a alguém ou a alguma coisa ■ **sentimentos** *n.m.pl.* manifestação de tristeza pela morte de alguém **SIN.** pêsames

sentinela (sen.ti.ne.la) [sẽti'nɛlɐ] *n.f.* **1** soldado que guarda um posto **2** pessoa que vigia

sentir (sen.tir) [sẽ'tir] *v.* **1** perceber por meio dos sentidos **2** experimentar (um sentimento) **3** ser sensível a **4** pressentir **5** sofrer a ação de ■ **sentir-se** levar a mal; melindrar-se

separação (se.pa.ra.ção) [səpɐrɐ'sɐ̃w̃] *n.f.* **1** divisão; rutura **2** afastamento; distância

separadamente (se.pa.ra.da.men.te) [səpɐradɐ'mẽt(ə)] *adv.* **1** de modo separado **2** à parte **3** em intervalos regulares

separado (se.pa.ra.do) [səpɐ'radu] *adj.* **1** que está à parte; isolado; afastado **2** diz-se da pessoa que já não vive com o cônjuge

separador (se.pa.ra.dor) [səpɐrɐ'dor] *n.m.* **1** aquilo que serve para separar; divisória **2** folha de cartolina ou plástico que se coloca numa pasta de arquivo para separar papéis ou documentos

separar (se.pa.rar) [səpɐ'rar] *v.* **1** desunir (o que estava ligado) **2** pôr de lado **3** afastar **4** distinguir **5** dividir ■ **separar-se 1** desligar-se **2** afastar-se

separável (se.pa.rá.vel) [səpɐ'ravɛɫ] *adj.2g.* que se pode separar

septuagenário (sep.tu:a.ge.ná.ri:o) [sɛptwɐʒə'narju] *adj.,n.m.* que ou aquele que tem entre 70 e 79 anos de idade

septuagésimo (sep.tu:a.gé.si.mo) [sɛptwɐ'ʒɛzimu] *num.ord.* que ocupa o lugar número 70

séptuplo (sép.tu.plo)AO ['sɛptuplu] ou **sétuplo**AO *num.mult.* que contém sete vezes a mesma quantidade ■ *n.m.* valor ou quantidade sete vezes maior

sepulcral (se.pul.cral) [səpuł'krał] *adj.,n 2g.* **1** relativo a sepulcro **2** próprio de sepulcro **3** *fig.* fúnebre; sombrio **4** *fig.* medonho

sepulcro (se.pul.cro) [sə'pułkru] *n.m.* túmulo; sepultura

sepultado (se.pul.ta.do) [səpuł'tadu] *adj.* enterrado (em sepultura)

sepultar (se.pul.tar) [səpuł'tar] *v.* colocar numa sepultura; enterrar

sepultura (se.pul.tu.ra) [səpuł'turɐ] *n.f.* cova onde se enterram os cadáveres **SIN.** campa; túmulo

sequela (se.que.la) [sə'kwɛlɐ] *n.f.* **1** continuação de alguma coisa **2** consequência de uma doença

sequência (se.quên.ci:a) [sə'kwẽsjɐ] *n.f.* **1** seguimento; continuação **2** sucessão; série

sequencial (se.quen.ci:al) [səkwẽ'sjał] *adj.2g.* em que há sequência

sequer (se.quer) [sə'kɛr] *adv.* **1** ao menos; pelo menos **2** nem mesmo ♦ **nem sequer** nem ao menos

sequestrador (se.ques.tra.dor) [səkəʃtrɐ'dor] *n.m.* aquele que rapta alguém ou que desvia um avião ou outro meio de transporte

sequestrar (se.ques.trar) [səkəʃ'trar] *v.* **1** raptar uma pessoa, geralmente para pedir dinheiro em troca da sua libertação **2** desviar um avião ou outro meio de transporte, fazendo os passageiros reféns

sequestro (se.ques.tro) [sə'kɛʃtru] *n.m.* **1** rapto (de pessoa) **2** desvio (de avião)

séquito (sé.qui.to) ['sɛkitu] *n.f.* grupo de pessoas que acompanha alguém **SIN.** comitiva

ser (ser) ['ser] *v.* **1** ter determinada característica ou qualidade: *Ele é arquiteto. Eles são franceses. Ela é alta.* **2** apresentar-se em determinada condição ou estado: *Hoje, ele é rico.* **3** desempenhar uma função: *Nós somos professores.* **4** localizar-se: *O café é no centro da cidade.* **5** acontecer: *O evento é na cidade. Que foi?* **6** pertencer: *Este livro é do João.* **7** ⟨**+a**⟩ custar: *O livro é a cinco euros.* **8** ⟨**+de**⟩ ser natural de; originar: *Eu sou do Porto.* **9** ⟨**+por**⟩ mostrar-se favorável a: *Nós somos pela justiça.* **10** [uso impessoal] chegar um momento no tempo: *São dez horas. É dia.* **11** existir: *Penso, logo sou.* **12** forma a voz passiva seguido de um particípio passado: *Os candidatos são entrevistados por três pessoas.* ■ *n.m.* **1** ato de existir **SIN.** existência; vida **2** aquilo que existe e que tem vida **SIN.** ser vivo **3** indivíduo da espécie humana **SIN.** pessoa ♦ **a não ser** exceto; **não ser para menos** ter razão ou motivo suficiente para acontecer; **seja como for** de qualquer forma; **ser vivo** animal ou planta

---

O verbo **ser** usa-se para exprimir uma característica permanente de algo: *eu sou português*. («ser português» é uma propriedade que não muda na pessoa que fala). O verbo **estar** usa-se para expressar uma característica transitória de algo: *eu estou contente* («estar contente» é uma propriedade que pode mudar na pessoa que fala).

---

serão (se.rão) [sə'rɐ̃w̃] *n.m.* **1** trabalho feito à noite, fora do horário normal **2** reunião familiar à noite, depois do jantar

serapilheira (se.ra.pi.lhei.ra) [sərɐpi'ʎɐjrɐ] *n.f.* tecido grosseiro utilizado para envolver fardos, fazer sacos resistentes, etc.

sereia (se.rei.a) [sə'rɐjɐ] *n.f.* **1** 👁 ser lendário, com corpo de mulher da cintura para cima e corpo de peixe da cintura para baixo, que atraía os navegadores com o seu canto **2** *fig.* mulher muito bela e atraente

serenamente (se.re.na.men.te) [sərenɐ'mẽt(ə)] *adv.* com serenidade **SIN.** suavemente; tranquilamente

serenar (se.re.nar) [sərə'nar] *v.* **1** acalmar; sossegar **2** ficar calmo; acalmar-se

serenata (se.re.na.ta) [sərə'natɐ] *n.f.* concerto vocal ou instrumental realizado à noite e ao ar livre

serenidade (se.re.ni.da.de) [sərəni'dad(ə)] *n.f.* tranquilidade; calma

sereno (se.re.no) [sə'renu] *adj.* **1** tranquilo; calmo **2** ameno; agradável

seriação (se.ri:a.ção) [sərjɐ'sɐ̃w̃] *n.f.* colocação ou disposição em série; ordenação

série (sé.ri:e) ['sɛrji] *n.f.* **1** conjunto de coisas dispostas umas a seguir às outras; sequência **2** grupo de coisas ou de pessoas que têm algo em comum **3** filme ou programa transmitido em episódios na televisão ◆ **em série** sem interrupção; **fora de série** excecional; extraordinário

seriedade (se.ri:e.da.de) [sərjɛ'dad(ə)] *n.f.* **1** qualidade de quem ou daquilo que é sério **2** importância de um assunto ou de um facto; gravidade **3** honestidade; retidão

seringa (se.rin.ga) [sə'rĩgɐ] *n.f.* instrumento que serve para injetar ou retirar líquidos do organismo

sério (sé.ri:o) ['sɛrju] *adj.* **1** que não ri **2** grave **3** honesto ◆ **levar a sério** dar importância a

sermão (ser.mão) [sər'mɐ̃w̃] *n.m.* **1** discurso sobre um assunto religioso **2** *fig.* discurso longo e aborrecido para convencer alguém **3** *coloq.* repreensão; descompostura

seronegativo (se.ro.ne.ga.ti.vo) [sɛrɔnəgɐ'tivu] *adj.,n.m.* **1** que(m) não possui anticorpos no soro sanguíneo **2** que(m) não é portador do vírus da sida

seropositivo (se.ro.po.si.ti.vo) [sɛrɔpuzi'tivu] *n.m.* indivíduo que é portador de um vírus, como o vírus da sida

serpente (ser.pen.te) [sər'pẽt(ə)] *n.f.* **1** réptil de corpo comprido e em forma de cilindro, coberto de escamas e sem membros, que pode ser venenoso; cobra **2** *fig.* pessoa má ou traiçoeira

serpenteado (ser.pen.te:a.do) [sərpẽ'tjadu] *adj.* **1** que é parecido com o movimento das serpentes **2** que não forma uma linha reta; ondulado

serpentear (ser.pen.te:ar) [sərpẽ'tjar] *v.* andar aos ziguezagues, não seguindo um caminho reto

serpentina (ser.pen.ti.na) [sərpẽ'tinɐ] *n.f.* fita de papel colorido que se joga no Carnaval

serra (ser.ra) ['sɛʀɐ] *n.f.* **1** instrumento com uma lâmina de aço comprida e dentada, que se usa para cortar madeira, metais, etc. **2** grande extensão de montanhas ligadas umas às outras

serração (ser.ra.ção) [səʀɐ'sɐ̃w̃] *n.f.* oficina onde se serra madeira

serradura (ser.ra.du.ra) [səʀɐ'durɐ] *n.f.* ⇒ **serrim**

serralharia (ser.ra.lha.ri.a) [səʀɐʎɐ'riɐ] *n.f.* oficina onde se fazem trabalhos em ferro

serralheiro (ser.ra.lhei.ro) [səʀɐ'ʎɐjru] *n.m.* indivíduo que trabalha o ferro, especialmente em fechaduras, grades, etc.

serrania (ser.ra.ni.a) [səʀɐ'niɐ] *n.f.* **1** conjunto de serras; cordilheira **2** terreno montanhoso

serrano (ser.ra.no) [sə'ʀɐnu] *adj.* relativo a serra

serrar (ser.rar) [sə'ʀar] *v.* cortar com serra

serrilha (ser.ri.lha) [sə'ʀiʎɐ] *n.f.* **1** recorte em forma de dentes de serra **2** contorno com pequenas saliências num selo ou numa moeda

serrim (ser.rim) [sə'ʀĩ] *n.m.* partículas muito pequenas que se soltam da madeira quando é serrada; serradura

serrote (ser.ro.te) [sə'ʀɔt(ə)] *n.m.* tipo de serra com lâmina curta e geralmente mais larga numa das extremidades

sertã (ser.tã) [sər'tɐ̃] *n.f.* frigideira larga e pouco funda

sertão (ser.tão) [sər'tɐ̃w̃] *n.m.* região afastada da costa e distante de povoações; interior

servente (ser.ven.te) [sər'vẽt(ə)] *adj.2g.* que serve ■ *n.2g.* empregado que faz trabalhos de limpeza

serventia (ser.ven.ti.a) [sərvẽ'tiɐ] *n.f.* utilização; uso

serviçal (ser.vi.çal) [sərvi'saɫ] *n.2g.* pessoa que faz serviços domésticos

serviço (ser.vi.ço) [sər'visu] *n.m.* **1** ato ou efeito de servir **2** trabalho a fazer **3** profissão **4** uso **5** proveito **6** conjunto das peças usadas para servir refeições ◆ **ao serviço de** à disposição de; às ordens de; *irón.* **bonito/lindo serviço** expressão usada para exprimir censura, reprovação ou embaraço; *coloq.* **brincar em serviço** não se mostrar competente no exercício das suas funções profissionais; ter uma atitude irresponsável no trabalho; **estar de serviço** estar a exercer as suas funções profissionais; estar a trabalhar; **estar fora de serviço** não estar em funcionamento ou não se poder utilizar; **serviços mínimos** conjunto de serviços que se mantêm em funcionamento durante uma greve; **serviços secretos** organização secreta do Estado encarregada de obter e prestar informações de espionagem e contraespionagem; serviço de informações; inteligência; **serviço social** conjunto de medidas que visam proporcionar assistência a pessoas necessitadas de uma comunidade (apoio financeiro, médico, jurídico, etc.); **serviço militar** conjunto das atividades militares, de carácter voluntário ou obrigatório, realizadas pelos cidadãos de um país nas Forças Armadas durante um determinado período; **serviço fúnebre** cerimónia religiosa por alma de uma pessoa que faleceu

servidão (ser.vi.dão) [sərvi'dɐ̃w̃] *n.f.* condição de servo ou escravo **SIN.** escravidão

servido (ser.vi.do) [sər'vidu] *adj.* **1** usado; gasto **2** fornecido; provido

servidor (ser.vi.dor) [sərvi'dor] *n.m.* **1** computador que disponibiliza informação e serviços a outros computadores ligados em rede **2** sistema fornecedor de ligação à internet

sérvio (sér.vi:o) ['sɛrvju] *adj.* relativo à Sérvia (país do sudeste da Europa) ▪ *n.m.* **1** pessoa natural da Sérvia **2** língua falada na Sérvia

servir (ser.vir) [sər'vir] *v.* **1** trabalhar para (alguém, instituição): *servir o interesse público* **2** prestar qualquer serviço: *Serviu a empresa durante 40 anos.* **3** ⟨**+para**⟩ ser conveniente ou útil: *Esta máquina serve para embalar.* **SIN.** convir **4** pôr na mesa (alimento, refeição) **5** ter o tamanho adequado (roupa, calçado) **6** ser suficiente: *Qualquer coisa serve.* **7** ajudar; auxiliar: *Estou aqui para o servir.* **8** atender (cliente) **9** trabalhar, na casa de outrem, encarregando-se do serviço doméstico: *A Joana serviu naquela casa durante anos.* **10** em certos desportos, pôr a bola em jogo ▪ **servir-se 1** tirar para si (parte da comida ou bebida à disposição): *Sirva-se!* **2** dever ser consumido (alimento, bebida) em determinadas condições: *Este vinho serve-se gelado.* **3** ⟨**+de**⟩ fazer uso de (algo): *Posso servir-me do seu telefone?* **4** ⟨**+de**⟩ aproveitar-se de (alguém, algo): *Serviu-se do irmão para conseguir obter as informações que queria.*

servo (ser.vo) ['sɛrvu] *n.m.* na sociedade medieval, indivíduo ligado a uma terra e dependente de um senhor

servo-croata (ser.vo-.cro:a.ta) [sɛrvɔ'krwatɐ] *adj.2g.* relativo à Sérvia e à Croácia ▪ *n.m.* língua do grupo eslávico, falada por sérvios e croatas

sésamo (sé.sa.mo) ['sɛzɐmu] *n.m.* **1** planta tropical de cujas sementes se extrai um óleo muito apreciado **2** semente dessa planta, utilizada em culinária

sesmaria (ses.ma.ri.a) [səʒmɐ'riɐ] *n.f.* terreno não cultivado ◆ **lei das Sesmarias** lei do reinado de D. Fernando (1375) que obrigava os donos de terras abandonadas ou não cultivadas a entregá-las a pessoas desempregadas com o objetivo de desenvolver a agricultura

sessão (ses.são) [sə'sɐ̃w̃] *n.f.* tempo em que se realiza determinada atividade, reunião ou espetáculo

sessenta (ses.sen.ta) [sə'sẽtɐ] *num.card.* cinquenta mais dez ▪ *n.m.* o número 60

sesta (ses.ta) ['sɛʃtɐ] *n.f.* tempo de descanso depois do almoço

set ['sɛt] *n.m.* ⟨*pl.* sets⟩ cada uma das partes em que se divide um jogo de voleibol ou uma partida de ténis

seta (se.ta) ['sɛtɐ] *n.f.* **1** arma com a forma de uma haste pontiaguda; flecha **2** sinal com a forma desta arma que indica um sentido

sete (se.te) ['sɛt(ə)] *num.card.* seis mais um ▪ *n.m.* o número 7

setecentos (se.te.cen.tos) [sɛtə'sẽtuʃ] *num.card.* seiscentos mais cem ▪ *n.m.* **1** o número 700 **2** o século XVIII

seteira (se.tei.ra) [sə'tɐjrɐ] *n.f.* abertura estreita nos muros das fortificações e nas naus, por onde se disparavam as setas

setembro (se.tem.bro)[AO] [sə'tẽbru] *n.m.* nono mês do ano

setenta (se.ten.ta) [sə'tẽtɐ] *num.card.* sessenta mais dez ▪ *n.m.* o número 70

setentrional (se.ten.tri:o.nal) [sətẽtrju'naɫ] *adj.2g.* **1** situado a norte **2** que é natural do norte

sétimo (sé.ti.mo) ['sɛtimu] *adj.* que ocupa o lugar número 7 ▪ *num.frac.* que resulta da divisão de um todo por 7 ▪ *n.m.* uma das sete partes em que se dividiu uma unidade

setor (se.tor)[AO] [sɛ'ktor] ou **sector**[AO] *n.m.* **1** ramo ou secção de um serviço ou de uma empresa; departamento **2** subdivisão de uma região; zona ◆ **setor privado** conjunto das empresas que pertencem a pessoas físicas ou jurídicas de direito privado; **setor público** conjunto das empresas que pertencem a pessoas jurídicas de direito público

setorial (se.to.ri:al)[AO] [sɛktu'rjaɫ] ou **sectorial**[AO] *adj.2g.* relativo a setor

setter ['sɛtɛr] *n.m.* ⟨*pl.* setters⟩ cão de estatura média, com pelo longo, sedoso e ondulado, e temperamento calmo e afetuoso

seu (seu) ['sew] *det.,prn.poss.* ⟨*f.* sua⟩ **1** que lhe pertence; dele ou dela **2** que lhes pertence; deles ou delas

severidade (se.ve.ri.da.de) [səvəri'dad(ə)] *n.f.* **1** austeridade; rigor **2** rigidez; inflexibilidade

severo (se.ve.ro) [sə'vɛru] *adj.* **1** austero; rigoroso **2** rígido; inflexível **3** sério; grave

sevilhana (se.vi.lha.na) [səvi'ʎɐnɐ] *n.f.* **1** dança típica da Andaluzia (Espanha) **2** canção popular de Sevilha (Espanha)

sexagenário (se.xa.ge.ná.ri:o) [sɛksɐʒə'narju] *adj.,n.m.* que ou aquele que tem entre 60 e 69 anos de idade

sexagésimo (se.xa.gé.si.mo) [sɛksɐ'ʒɛzimu] *adj.* que ocupa o lugar número 60 ▪ *num.frac.* que resulta da divisão de um todo por 60 ▪ *n.m.* uma das sessenta partes em que se dividiu uma unidade

sex appeal [sɛksa'pil] *n.m.* poder de sedução; atração sexual

sexista (se.xis.ta) [sɛ'ksiʃtɐ] *adj.2g.* que discrimina com base no sexo

sexo (se.xo) ['sɛksu] *n.m.* **1** conjunto de características que distinguem o macho e a fêmea **2** órgãos sexuais do homem e da mulher ◆ **discutir**

o sexo dos anjos perder tempo com questões inúteis; **sexo forte** *fig.* os homens; **sexo fraco** *fig.* as mulheres

sexologia (se.xo.lo.gi.a) [sɛksulu'ʒiɐ] *n.f.* estudo da sexualidade e dos problemas com ela relacionados

sexta (sex.ta) ['sɐjʃtɐ] *n.f. coloq.* sexta-feira

sexta-feira (sex.ta-.fei.ra) [sɐjʃtɐ'fɐjrɐ] *n.f.* ⟨*pl.* sextas-feiras⟩ sexto dia da semana

sextante (sex.tan.te) [sɐjʃ'tɐ̃t(ə)] *n.m.* **1** instrumento usado a bordo de um navio ou de uma aeronave, que permite medir a altura dos astros **2** a sexta parte de um círculo; arco de 60 graus

sexto (sex.to) ['sɐjʃtu] *adj.* que ocupa o lugar número 6 ■ *num.frac.* que resulta da divisão de um todo por 6 ■ *n.m.* uma das seis partes em que se dividiu uma unidade

sêxtuplo (sêx.tu.plo) ['sɐjʃtuplu] *num.mult.* que contém seis vezes a mesma quantidade ■ *n.m.* valor ou quantidade seis vezes maior

sexuado (se.xu:a.do) [sɛ'kswadu] *adj.* que tem órgãos próprios para a reprodução

sexual (se.xu:al) [sɛ'kswaɫ] *adj.2g.* relativo ao sexo ou aos órgãos reprodutores

sexualidade (se.xu:a.li.da.de) [sɛkswɐli'dad(ə)] *n.f.* **1** conjunto das características físicas, fisiológicas e psicológicas que as pessoas apresentam, conforme o sexo a que pertencem **2** manifestação do instinto sexual nos seres vivos

sexy ['sɛksi] *adj.* **1** sexualmente atraente **2** que estimula o desejo sexual

s.f.f. *abreviatura de* se faz favor

shaker ['ʃɐjkɐr] *n.m.* recipiente usado para misturar ingredientes de um cocktail (bebida) **SIN.** misturador

shiatsu ['ʃjatsu] *n.m.* técnica terapêutica japonesa que utiliza a massagem em pontos precisos do corpo para estimular e redistribuir de modo equilibrado a circulação da energia

shopping ['ʃɔpĩg] *n.m.* centro comercial

shorts ['ʃɔrtəʃ] *n.m.2n.* calções curtos

shot ['ʃɔt] *n.m. coloq.* bebida muito alcoólica servida num copo pequeno e que se bebe num só gole

show ['ʃow] *n.m.* **1** espetáculo **2** *coloq.* coisa fantástica; maravilha

si (si) ['si] *n.m.* sétima nota da escala musical ■ *prn.pess.* **1** designa a terceira pessoa do singular ou do plural e indica a(s) pessoa(s) de quem se fala ou escreve: *Ela quer tudo para si. Eles só pensam em si.* **2** designa a terceira pessoa do singular e indica a pessoa a quem se fala ou escreve: *Cada um fale por si.* ♦ **fora de si** exaltado

SI [ɛs'i] *sigla de* Sistema Internacional de Unidades

siamês (si:a.mês) [sjɐ'meʃ] *n.m.* **1** pessoa ou animal que nasceu ligado a outro, partilhando um ou mais órgãos **2** 👁 gato com o corpo alongado e elegante, pelo curto e macio e olhos azuis

sibilante (si.bi.lan.te) [sibi'lɐ̃t(ə)] *adj.2g.* que produz um som agudo e prolongado

sicrano (si.cra.no) [si'krɐnu] *n.m.* indivíduo cujo nome não se conhece ou não se quer dizer **SIN.** sujeito

sida (si.da) ['sidɐ] *n.f.* doença causada pelo vírus da imunodeficiência humana, que destrói as defesas imunitárias do organismo

sideral (si.de.ral) [sidə'raɫ] *adj.2g.* **1** relativo aos astros ou às estrelas **2** próprio do céu; celeste

siderurgia (si.de.rur.gi.a) [sidərur'ʒiɐ] *n.f.* conjunto das técnicas empregadas para extrair o ferro dos seus minérios e trabalhá-lo com vista a diferentes aplicações

sidra (si.dra) ['sidrɐ] *n.f.* bebida alcoólica de baixa graduação obtida pela fermentação do sumo de maçã

sífilis (sí.fi.lis) ['sifiliʃ] *n.f.2n.* doença venérea contagiosa, transmissível por via sexual, sanguínea ou da mãe para o feto

sigilo (si.gi.lo) [si'ʒilu] *n.m.* segredo ♦ **sigilo bancário** proibição de divulgação, por parte das instituições de crédito, dos dados relativos aos seus clientes (nomes, números de contas, saldos, etc.)

sigiloso (si.gi.lo.so) [siʒi'lozu] *adj.* em que há sigilo

sigla (si.gla) ['siglɐ] *n.f.* sequência formada pelas letras ou sílabas iniciais de palavras (por exemplo, UE é a sigla de União Europeia, PALOP é a sigla de Países Africanos de Língua Oficial Portuguesa)

signatário (sig.na.tá.ri:o) [signɐ'tarju] *adj.,n.m.* que ou aquele que assina um documento

significação (sig.ni.fi.ca.ção) [signifikɐ'sɐ̃w̃] *n.f.* ⇒ **significado**

significado (sig.ni.fi.ca.do) [signifi'kadu] *n.m.* **1** aquilo que uma coisa significa ou representa **SIN.** significação **2** sentido de uma palavra ou de uma expressão **3** importância; valor

significante **(sig.ni.fi.can.te)** [signifi'kɐ̃t(ə)] *n.m.* conjunto de sons associados a um determinado significado numa língua

significar **(sig.ni.fi.car)** [signifi'kar] *v.* ter o significado ou o sentido de; querer dizer

significativo **(sig.ni.fi.ca.ti.vo)** [signifikɐ'tivu] *adj.* **1** que tem significado **2** que contém informação importante

signo **(sig.no)** ['signu] *n.m.* **1** símbolo; sinal **2** cada uma das doze partes em que se divide o zodíaco **3** cada um das doze constelações que correspondem a essas doze partes, e cada uma das figuras que as representam ◆ **sob o signo de** sob a influência de

sílaba **(sí.la.ba)** ['silɐbɐ] *n.f.* som ou conjunto de sons de uma palavra que se pronunciam de uma só vez

silábico **(si.lá.bi.co)** [si'labiku] *adj.* relativo a sílaba

silenciar **(si.len.ci:ar)** [silẽ'sjar] *v.* impor silêncio; calar

silêncio **(si.lên.ci:o)** [si'lẽsju] *n.m.* **1** ausência total de ruído **ANT.** barulho **2** sossego; calma ◆ **silêncio!** exclamação usada para mandar calar alguém

silenciosamente **(si.len.ci:o.sa.men.te)** [silẽsjɔzɐ'mẽt(ə)] *adv.* **1** sem fazer barulho; sem ruído **2** sem que ninguém note; em segredo

silencioso **(si.len.ci:o.so)** [silẽ'sjozu] *adj.* **1** que não fala; calado **2** que não produz ruído **3** calmo; sossegado

silhueta **(si.lhu:e.ta)** [si'ʎwetɐ] *n.f.* linha de contorno de um objeto ou de uma pessoa

silicone **(si.li.co.ne)** [sili'kɔn(ə)] *n.m.* substância plástica resistente à oxidação e repelente da água, muito utilizada no fabrico de tintas e vernizes e como isolador elétrico

silo **(si.lo)** ['silu] *n.m.* construção própria para guardar grãos

silo-auto **(si.lo-.au.to)** [silɔ'awtu] *n.m.* parque de estacionamento em edifício circular

silogismo **(si.lo.gis.mo)** [silu'ʒiʒmu] *n.m.* raciocínio dedutivo que parte de duas premissas para chegar a uma conclusão

silva **(sil.va)** ['siɫvɐ] *n.f.* arbusto silvestre, com caules longos cobertos de espinhos

silvado **(sil.va.do)** [siɫ'vadu] *n.m.* terreno onde crescem silvas

silvestre **(sil.ves.tre)** [siɫ'vɛʃtr(ə)] *adj.2g.* **1** que é próprio da selva; selvagem **2** diz-se da planta que dá flores ou frutos sem ser cultivada; espontâneo

silvo **(sil.vo)** ['siɫvu] *n.m.* som agudo

sim **(sim)** ['sĩ] *adv.* indica afirmação ou consentimento ■ *n.m.* consentimento ◆ **dar o sim** consentir; autorizar; **pelo sim, pelo não** por cautela

simbolicamente **(sim.bo.li.ca.men.te)** [sĩbɔlikɐ'mẽt(ə)] *adv.* **1** por meio de símbolos **2** em sentido figurado

simbólico **(sim.bó.li.co)** [sĩ'bɔliku] *adj.* **1** relativo a símbolo **2** que tem carácter de símbolo **3** que serve de símbolo

simbolismo **(sim.bo.lis.mo)** [sĩbu'liʒmu] *n.m.* **1** expressão de algo através de símbolos **2** conjunto ou sistema de símbolos

simbolista **(sim.bo.lis.ta)** [sĩbu'liʃtɐ] *adj.2g.* **1** relativo ao simbolismo **2** seguidor do simbolismo ■ *n.2g.* seguidor do simbolismo

simbolizar **(sim.bo.li.zar)** [sĩbuli'zar] *v.* ser o símbolo de; representar

símbolo **(sím.bo.lo)** ['sĩbulu] *n.m.* **1** objeto ou imagem que representa uma ideia ou um conceito (por exemplo, a pomba é o símbolo da paz) **2** sinal que representa uma instituição, uma empresa, um clube, etc.

simbologia **(sim.bo.lo.gi.a)** [sĩbulu'ʒiɐ] *n.f.* **1** estudo ou interpretação dos símbolos **2** conjunto de símbolos

simetria **(si.me.tri.a)** [simə'triɐ] *n.f.* **1** semelhança entre duas metades de alguma coisa **2** harmonia resultante da combinação de elementos diversos

simétrico **(si.mé.tri.co)** [si'mɛtriku] *adj.* **1** que tem simetria **2** que tem harmonia; equilibrado

similar **(si.mi.lar)** [simi'lar] *adj.2g.* que é da mesma natureza ou espécie **SIN.** parecido; semelhante

símio **(sí.mi:o)** ['simju] *n.m.* mamífero com corpo peludo, cérebro desenvolvido e membros superiores mais compridos do que os inferiores **SIN.** macaco

simpatia **(sim.pa.ti.a)** [sĩpɐ'tiɐ] *n.f.* inclinação natural de uma pessoa por alguém ou por alguma coisa; afeto

simpático **(sim.pá.ti.co)** [sĩ'patiku] *adj.* que é agradável; afável **ANT.** antipático

simpatizante **(sim.pa.ti.zan.te)** [sĩpati'zɐ̃t(ə)] *n.2g.* pessoa que apoia um partido, uma associação, uma teoria, etc.; apoiante

simpatizar **(sim.pa.ti.zar)** [sĩpɐti'zar] *v.* ⟨**+com**⟩ sentir simpatia por; gostar de

simples **(sim.ples)** ['sĩpləʃ] *adj.inv.* **1** que não é complicado **ANT.** complicado **2** fácil de resolver **3** sem mistura **4** comum **5** modesto **6** ingénuo

simplesmente **(sim.ples.men.te)** [sĩpləʒ'mẽt(ə)] *adv.* **1** com simplicidade **2** unicamente; apenas

simplicidade **(sim.pli.ci.da.de)** [sĩplisi'dad(ə)] *n.f.* **1** qualidade do que é simples **2** facilidade **3** modéstia **4** ingenuidade

simplicíssimo **(sim.pli.cís.si.mo)** [sĩpli'sisimu] ⟨*superl. de* simples⟩ *adj.* que é muito simples

simplificação (sim.pli.fi.ca.ção) [sĩplifikɐ'sɐ̃w̃] *n.f.* ato ou efeito de simplificar

simplificar (sim.pli.fi.car) [sĩplifi'kar] *v.* tornar simples; tornar mais simples

simplista (sim.plis.ta) [sĩ'pliʃtɐ] *adj.2g.* que evita ou ignora os aspetos mais complexos de uma questão

simplório (sim.pló.ri:o) [sĩ'plɔrju] *adj.* diz-se da pessoa que acredita em tudo o que lhe dizem ou que se deixa enganar com facilidade; ingénuo

simpósio (sim.pó.si:o) [sĩ'pɔzju] *n.m.* reunião científica para discutir determinado assunto; colóquio

simulação (si.mu.la.ção) [simulɐ'sɐ̃w̃] *n.f.* **1** falta de sinceridade; fingimento; dissimulação **2** experiência realizada para verificar o funcionamento de algo (de uma máquina, de um procedimento de emergência, etc.)

simulacro (si.mu.la.cro) [simu'lakru] *n.m.* **1** imitação; representação **2** disfarce; fingimento

simulado (si.mu.la.do) [simu'ladu] *adj.* que não é verdadeiro SIN. falso; fingido

simulador (si.mu.la.dor) [simulɐ'dor] *adj.,n.m.* que ou o que imita o funcionamento de algo

simular (si.mu.lar) [simu'lar] *v.* **1** fazer parecer real **2** fingir; aparentar

simultaneidade (si.mul.ta.nei.da.de) [simuɫtɐnɐj'dad(ə)] *n.f.* qualidade daquilo que acontece ao mesmo tempo que outra coisa

simultâneo (si.mul.tâ.ne:o) [simuɫ'tɐnju] *adj.* que acontece ao mesmo tempo que outra coisa

sina (si.na) ['sinɐ] *n.f. coloq.* sorte; destino

sinagoga (si.na.go.ga) [sinɐ'gɔgɐ] *n.f.* ◉ templo judeu

sinal (si.nal) [si'naɫ] *n.m.* **1** tudo o que representa ou faz lembrar alguma coisa **2** indício; marca **3** gesto com a mão, com os olhos ou com a cabeça; aceno **4** pinta na pele **5** imagem cujo desenho ou cor transmitem uma mensagem (como os sinais de trânsito, por exemplo) **6** representação gráfica convencional (como os sinais de pontuação, por exemplo) ◆ **sinal de pontuação** sinal gráfico (vírgula, ponto final, ponto e vírgula, etc.) que indica separação entre unidades de um texto escrito, tornando mais claras as pausas, entoações, etc.

sinaleiro (si.na.lei.ro) [sinɐ'lɐjru] *n.m.* indivíduo encarregado de regular o trânsito

sinalização (si.na.li.za.ção) [sinɐlizɐ'sɐ̃w̃] *n.f.* conjunto dos sinais instalados em estradas, caminhos de ferro, aeroportos, etc., para orientar e garantir a segurança das pessoas e dos veículos

sinalizar (si.na.li.zar) [sinɐli'zar] *v.* marcar por meio de sinais

sinceridade (sin.ce.ri.da.de) [sĩsəri'dad(ə)] *n.f.* qualidade de quem é sincero SIN. franqueza

sincero (sin.ce.ro) [sĩ'sɛru] *adj.* **1** franco **2** leal

síncope (sín.co.pe) ['sĩkup(ə)] *n.f.* **1** suspensão brusca e momentânea da atividade cardíaca **2** supressão de um fonema no meio de uma palavra

sincronia (sin.cro.ni.a) [sĩkru'niɐ] *n.f.* ocorrência em simultâneo de dois ou mais factos ou acontecimentos; simultaneidade

sincrónico (sin.cró.ni.co) [sĩ'krɔniku] *adj.* que se realiza ao mesmo tempo; simultâneo

sincronização (sin.cro.ni.za.ção) [sĩkrunizɐ'sɐ̃w̃] *n.f.* ato ou efeito de sincronizar

sincronizar (sin.cro.ni.zar) [sĩkruni'zar] *v.* **1** tornar simultâneo (movimento, ação, etc.) **2** ajustar; adaptar

sindético (sin.dé.ti.co) [sĩ'dɛtiku] *adj.* diz-se da coordenação cujos membros estão ligados por conjunção ou locução coordenativa

sindical (sin.di.cal) [sĩdi'kaɫ] *adj.2g.* relativo ou pertencente a sindicato

sindicalismo (sin.di.ca.lis.mo) [sĩdikɐ'liʒmu] *n.m.* movimento que procura agrupar os trabalhadores em associações para defender os seus interesses

sindicalista (sin.di.ca.lis.ta) [sĩdikɐ'liʃtɐ] *adj.2g.* relativo a sindicato ou a sindicalismo ■ *n.2g.* pessoa que apoia ou é membro de um sindicato

sindicalizar (sin.di.ca.li.zar) [sĩdikɐli'zar] *v.* organizar em sindicato ■ **sindicalizar-se** tornar-se membro de sindicato

sindicato (sin.di.ca.to) [sĩdi'katu] *n.m.* associação de trabalhadores que procura defender os seus interesses económicos e profissionais

síndroma (sín.dro.ma) ['sĩdrumɐ] *n.f.* ⇒ **síndrome**

síndrome (sín.dro.me) ['sĩdrum(ə)] *n.f.* doença

sinédoque (si.né.do.que) [si'nɛduk(ə)] *n.f.* figura de estilo que consiste em designar a parte pelo todo ou o todo pela parte, o plural pelo singular ou o singular pelo plural, etc.

sinergia (si.ner.gi.a) [sinər'ʒiɐ] *n.f.* **1** ação ou esforço conjuntos **2** associação de diversos sistemas (músculos, órgãos) para a realização de uma tarefa

sinestesia (si.nes.te.si.a) [sinəʃtə'ziɐ] *n.f.* combinação de sensações diferentes numa só expressão

sineta (si.ne.ta) [si'netɐ] (*dim. de* sino) *n.f.* sino pequeno

sinfonia (sin.fo.ni.a) [sĩfu'niɐ] *n.f.* composição musical destinada a ser executada por uma orquestra

sinfónico (sin.fó.ni.co) [sĩ'fɔniku] *adj.* relativo a sinfonia

singelo (sin.ge.lo) [sĩ'ʒɛlu] *adj.* simples; modesto

single ['sĩgl(ə)] *n.m.* disco gravado, de curta duração, geralmente com uma música ou canção em cada face

singrar (sin.grar) [sĩ'grar] *v.* **1** navegar à vela; velejar **2** *fig.* progredir; prosseguir **3** *fig.* ter êxito

singular (sin.gu.lar) [sĩgu'lar] *adj.2g.* **1** relativo a uma só pessoa **SIN.** individual **ANT.** plural **2** diz-se do número gramatical que indica uma só pessoa ou coisa: *uma árvore, uma casa* **3** que é único na sua espécie **4** que não é comum **SIN.** raro

singularidade (sin.gu.la.ri.da.de) [sĩgulɐri'dad(ə)] *n.f.* **1** qualidade de singular **2** característica distintiva; particularidade **3** qualidade do que é fora de vulgar, extraordinário

sinistrado (si.nis.tra.do) [siniʃ'tradu] *adj.,n.m.* ferido

sinistralidade (si.nis.tra.li.da.de) [siniʃtrɐli'dad(ə)] *n.f.* grau de ocorrência de sinistros

sinistro (si.nis.tro) [si'niʃtru] *adj.* ameaçador; assustador ■ *n.m.* acontecimento que provoca prejuízo, sofrimento ou morte; acidente

sino (si.no) ['sinu] *n.m.* objeto de bronze em forma de campânula, que geralmente está colocado em torres e em campanários ♦ **andar num sino** andar extremamente contente

sinonímia (si.no.ní.mi:a) [sinu'nimjɐ] *n.f.* igualdade ou semelhança de sentido entre duas ou mais palavras

sinónimo (si.nó.ni.mo) [si'nɔnimu] *n.m.* palavra que tem significado igual ou semelhante ao de outra **ANT.** antónimo

sinopse (si.nop.se) [si'nɔp(sə)] *n.f.* **1** resumo; síntese **2** breve apresentação do conteúdo de algo, de um artigo, livro, filme, etc.

sintáctico (sin.tác.ti.co) [sĩ'tatiku] *a nova grafia é* **sintático**[AO]

sintagma (sin.tag.ma) [sĩ'tagmɐ] *n.m.* sequência de palavras organizada em torno de um núcleo (nome, adjetivo, verbo, advérbio ou preposição); grupo

sintático (sin.tá.ti.co)[AO] [sĩ'tatiku] *adj.* **1** relativo à sintaxe **2** que obedece às regras da sintaxe

sintaxe (sin.ta.xe) [sĩ'ta(sə)] *n.f.* parte da gramática que trata da combinação das palavras e das frases no discurso

síntese (sín.te.se) ['sĩtəz(ə)] *n.f.* resumo dos pontos principais de um assunto ou de um texto **SIN.** sumário

sintético (sin.té.ti.co) [sĩ'tɛtiku] *adj.* **1** resumido; conciso **2** produzido por método artificial

sintetizador (sin.te.ti.za.dor) [sĩtətizɐ'dor] *n.m.* instrumento musical eletrónico capaz de criar e modificar sons, obtidos de modo artificial por meio de diversas técnicas

sintetizar (sin.te.ti.zar) [sĩtəti'zar] *v.* resumir; condensar

sintoma (sin.to.ma) [sĩ'tomɐ] *n.m.* **1** alteração no estado do organismo que indica que uma pessoa está doente **2** sinal de que algo vai acontecer; indício

sintomático (sin.to.má.ti.co) [sĩtu'matiku] *adj.* relativo a sintoma

sintomatologia (sin.to.ma.to.lo.gi.a) [sĩtumɐtulu'ʒiɐ] *n.f.* conjunto de sintomas próprios de uma doença

sintonia (sin.to.ni.a) [sĩtu'niɐ] *n.f.* harmonia; acordo

sintonizar (sin.to.ni.zar) [sĩtuni'zar] *v.* **1** ajustar (rádio, televisor) ao comprimento de onda da emissora pretendida **2** pôr de acordo; harmonizar

sinuoso (si.nu:o.so) [si'nwozu] *adj.* que tem curvas; tortuoso

sinusite (si.nu.si.te) [sinu'zit(ə)] *n.f.* inflamação da mucosa que reveste as cavidades nasais

sirene (si.re.ne) [si'rɛn(ə)] *n.f.* aparelho que produz um sinal sonoro de alarme ou de chamada

sírio (sí.ri:o) ['sirju] *adj.* relativo à Síria ■ *n.m.* pessoa natural da Síria

siroco (si.ro.co) [si'roku] *n.m.* vento quente e seco que sopra no mar Mediterrâneo, vindo do Norte de África

SIS ['siʃ] *sigla de* Serviço de Informações e Segurança

sisa (si.sa) ['sizɐ] *n.f.* imposto sobre a transmissão de bens imobiliários (por compra, venda ou doação)

sísmico (sís.mi.co) ['siʒmiku] *adj.* relativo a sismo

sismo (sis.mo) ['siʒmu] *n.m.* tremor de terra **SIN.** terramoto

sismografia (sis.mo.gra.fi.a) [siʒmugrɐ'fiɐ] *n.f.* descrição dos sismos por meio de um sismógrafo

sismógrafo (sis.mó.gra.fo) [siʒ'mɔgrɐfu] *n.m.* instrumento que regista a intensidade e a duração dos sismos

siso (si.so) ['sizu] *n.m.* bom senso; juízo ♦ **dente do siso** cada um dos últimos dentes molares que surgem normalmente por volta dos 20 anos de idade

sistema (sis.te.ma) [siʃ'temɐ] *n.m.* **1** qualquer forma de classificação ou ordenação: *sistema decimal* **2** conjunto de órgãos com funções semelhantes ou complementares: *sistema nervoso; sistema linfático* ♦ **sistema solar** conjunto do Sol e dos astros que estão sob a influência do seu campo de gravitação, que inclui os oito planetas (Mercúrio, Vénus, Terra, Marte, Júpiter, Saturno, Urano, Neptuno), os planetas anões (Plutão, Ceres e Éris), os satélites naturais e pequenos corpos celestes

sistemático (sis.te.má.ti.co) [siʃtə'matiku] *adj.* **1** relativo a sistema **2** que obedece a um sistema **3** *fig.* metódico; ordenado

sistematização (sis.te.ma.ti.za.ção) [siʃtəmɐtizɐ'sɐ̃w̃] *n.f.* organização de acordo com um sistema; classificação

sistematizado (sis.te.ma.ti.za.do) [siʃtəmɐti'zadu] *adj.* ordenado de determinada forma; classificado

sistematizar (sis.te.ma.ti.zar) [siʃtəmɐti'zar] *v.* organizar segundo determinado critério

sístole (sís.to.le) ['siʃtul(ə)] *n.f.* contração das paredes do coração que provoca a saída do sangue da aurícula para o ventrículo ou desta cavidade para as artérias

sisudo (si.su.do) [si'zudu] *adj.* **1** que não ri; sério **2** sensato; prudente

sitcom [sit'kɔm] *n.m.* ⟨*pl.* sitcoms⟩ série televisiva que retrata situações da vida em tom de comédia

site ['sajt(ə)] *n.m.* ⟨*pl.* sites⟩ página ou conjunto de páginas da internet onde se encontra informação sobre um tema, uma pessoa, uma empresa, etc. **SIN.** sítio

sítio (sí.ti:o) ['sitju] *n.m.* **1** local; lugar **2** povoação; localidade **3** página ou conjunto de páginas da internet onde se encontra informação sobre um tema, uma pessoa, uma empresa, etc. **SIN.** site

sito (si.to) ['situ] *adj.* situado; estabelecido

situação (si.tu:a.ção) [sitwɐ'sɐ̃w̃] *n.f.* **1** localização no espaço; posição **2** estado em se encontra uma pessoa ou uma coisa; circunstância **3** conjunto de circunstâncias económicas, políticas, etc., num dado momento; contexto

situado (si.tu:a.do) [si'twadu] *adj.* **1** localizado **2** estabelecido

situar (si.tu:ar) [si'twar] *v.* colocar em determinado lugar; localizar: *O mapa situa-vos no espaço.* ▪ **situar-se** ⟨**+em**⟩ estar em determinado lugar; localizar-se: *O hotel situa-se na zona norte da cidade.*

skate ['skɐjt] *n.m.* ⟨*pl.* skates⟩ pequena prancha de madeira ou plástico, assente em duas ou quatro rodas, usada como patim para os dois pés

sketch ['skɛtʃ] *n.m.* ⟨*pl.* sketches⟩ peça teatral, radiofónica ou televisiva muito curta, humorística, e com um número reduzido de atores

skinhead [ski'nɛd] *n.2g.* ⟨*pl.* skinheads⟩ jovem que normalmente pertence a um grupo que manifesta comportamento violento e defende posições racistas; cabeça-rapada

slalom ['slalɔm] *n.m.* ⟨*pl.* slaloms⟩ prova de esqui em que se desce um percurso sinuoso e em ziguezague, com obstáculos

slide ['slajd(ə)] *n.m.* ⟨*pl.* slides⟩ ⇒ **dispositivo**

slip ['slip] *n.m.* ⟨*pl.* slips⟩ calção muito curto e justo, usado como peça de roupa interior de homem ou senhora, ou como calção de banho

slogan ['slogan] *n.m.* ⟨*pl.* slogans⟩ frase curta e apelativa, usada para promover uma empresa ou um produto

slow ['slow] *n.m.* dança lenta, geralmente executada por pares

SLP [ɛsɛl'pe] *sigla de* Sociedade da Língua Portuguesa

SMAS [se'maʃ] *sigla de* Serviços Municipalizados de Água e Saneamento

smoking ['smokĩg] *n.m.* traje masculino de cerimónia, composto por casaco com lapela de cetim e calças a condizer, e usado com laço

SMS [ɛsɛm'ɛs] *n.m.* serviço de mensagens curtas ▪ *n.f.* mensagem de texto que é enviada de um telefone (móvel ou fixo) ou de um site para outro telefone

snack-bar [snɛk'bar] *n.m.* ⟨*pl.* snack-bares⟩ estabelecimento onde se servem refeições simples e rápidas

snifar (sni.far) [sni'far] *v. coloq.* inalar (substância em pó, especialmente droga)

snobe (sno.be) ['snɔb(ə)] *adj.,n.2g.* que ou pessoa que se julga superior às outras pessoas; arrogante; pedante

snobismo (sno.bis.mo) [snu'biʒmu] *n.m.* qualidade de snobe **SIN.** arrogância, presunção

snooker ['snukɐr] *n.m.* variedade do jogo de bilhar em que se utilizam 15 bolas vermelhas, 6 de outras cores e uma branca

snowboard [sno(w)'bɔrd] *n.m.* ⟨*pl.* snowboards⟩ **1** atividade que consiste em descer encostas cobertas de neve com uma pequena prancha com suportes para os pés, sem a ajuda de bastões **2** essa prancha

só (só) ['sɔ] *adj.* **1** que está sem companhia; sozinho; solitário **2** que está num local afastado; isolado **3** que é apenas um; único ▪ *adv.* apenas; somente; unicamente ♦ **a sós** sem companhia; isoladamente

soalheiro (so:a.lhei.ro) [swɐ'ʎɐjru] *adj.* que tem muito sol

soalho (so:a.lho) ['swaʎu] *n.m.* pavimento de madeira **SIN.** sobrado

soar (so:ar) ['swar] *v.* produzir som ♦ **soar mal/bem** ter um som (des)agradável

---

Não confundir **soar** (produzir som) com **suar** (transpirar).

---

sob (sob) ['sob] *prep.* **1** debaixo de: *Ele deitou-se sob uma árvore.* **2** no tempo de: *sob o reinado de D. Manuel*

soberania (so.be.ra.ni.a) [subərɐ'niɐ] *n.f.* **1** poder supremo de um soberano **2** conjunto dos poderes que formam uma nação politicamente organizada

---

Os **órgãos de soberania** consagrados na Constituição Portuguesa são o Presidente da República, a Assembleia da República, o Governo e os Tribunais.

---

soberano (so.be.ra.no) [subə'rɐnu] *n.m.* rei; monarca

soberba (so.ber.ba) [su'berbɐ] *n.f.* **1** arrogância **2** avareza

soberbo (so.ber.bo) [su'berbu] *adj.* **1** arrogante **2** avarento **3** magnífico

sobra (so.bra) ['sɔbrɐ] *n.f.* aquilo que resta; resto; excesso ♦ **de sobra** em excesso; bastante

sobrado (so.bra.do) [su'bradu] *n.m.* ⇒ **soalho**

sobranceiro (so.bran.cei.ro) [subrɐ̃'sɐjru] *adj.* **1** que se eleva sobre; elevado **2** arrogante; altivo

sobrancelha (so.bran.ce.lha) [subrɐ̃'sɐ(j)ʎɐ] *n.f.* conjunto de pelos por cima dos olhos **SIN.** sobrolho

sobrar (so.brar) [su'brar] *v.* restar; ficar

sobre (so.bre) ['sobr(ə)] *prep.* **1** em cima de: *O livro está pousado sobre a mesa.* **2** acerca de: *Trata-se de um filme sobre a vida do escritor.*

sobreaquecimento (so.bre.a.que.ci.men.to) [sobrɐkɛsi'mẽtu] *n.m.* **1** aquecimento excessivo **2** elevação da temperatura de um líquido acima do seu ponto de ebulição

sobreaviso (so.bre.a.vi.so) [sobrɐ'vizu] *n.m.* prevenção; precaução ♦ **estar de sobreaviso** estar prevenido; estar alerta

sobrecapa (so.bre.ca.pa) [sobrə'kapɐ] *n.f.* cobertura impressa de papel que reveste e protege a capa de um livro

sobrecarga (so.bre.car.ga) [sobrə'kargɐ] *n.f.* carga excessiva

sobrecarregar (so.bre.car.re.gar) [sobrəkɐʀə'gar] *v.* **1** carregar em excesso **2** obrigar a um esforço excessivo

sobredotado (so.bre.do.ta.do) [sobrədu'tadu] *adj.* que possui capacidades intelectuais ou físicas acima do que é considerado normal

sobreiro (so.brei.ro) [su'brɐjru] *n.m.* árvore de onde se extrai a cortiça

sobrelotação (so.bre.lo.ta.ção) [sobrəlutɐ'sɐ̃w̃] *n.f.* carga ou ocupação excessiva

sobrelotado (so.bre.lo.ta.do) [subrəlu'tadu] *adj.* muito cheio

sobremesa (so.bre.me.sa) [sobrə'mezɐ] *n.f.* doce ou fruta que se come no fim da refeição

sobrenatural (so.bre.na.tu.ral) [sobrənɐtu'raɫ] *adj.2g.* **1** que é superior às forças da natureza **2** extraordinário; maravilhoso

sobrenome (so.bre.no.me) [sobrə'nom(ə)] *n.m.* **1** apelido; nome de família **2** alcunha

sobrepor (so.bre.por) [sobrə'por] *v.* **1** colocar em cima ou por cima: *sobrepor tijolos* **2** acrescentar; juntar ▪ **sobrepor-se 1** colocar-se sobre **2** ⟨+a⟩ elevar-se acima de: *Uma nuvem sobrepunha-se aos prédios altos.*

sobreposição (so.bre.po.si.ção) [sobrəpuzi'sɐ̃w̃] *n.f.* **1** colocação de uma coisa por cima de outra **2** ato de acrescentar uma coisa a outra; junção

sobrescrito (so.bres.cri.to) [sobrəʃ'kritu] *n.m.* invólucro para carta ou cartão, geralmente em papel dobrado em forma de bolsa **SIN.** envelope

sobressair (so.bres.sa.ir) [sobrəsɐ'ir] *v.* estar ou ficar saliente; ressaltar; destacar-se

sobressaltado (so.bres.sal.ta.do) [sobrəsaɫ'tadu] *adj.* **1** inquieto; agitado **2** que acordou de repente

sobressaltar (so.bres.sal.tar) [sobrəsaɫ'tar] *v.* **1** surpreender **2** assustar ▪ **sobressaltar-se 1** ficar surpreendido **2** assustar-se

sobressalto (so.bres.sal.to) [sobrə'saɫtu] *n.m.* reação brusca causada por uma emoção forte; susto; agitação

sobresselente (so.bres.se.len.te) [sobrəsə'lẽt(ə)] *adj.2g.* diz-se da peça ou do objeto que se destina a substituir outra(o) em caso de avaria; que está de reserva

sobretaxa (so.bre.ta.xa) [sobrə'taʃɐ] *n.f.* valor adicional em relação ao estabelecido

sobretudo (so.bre.tu.do) [sobrə'tudu] *adv.* acima de tudo; principalmente ■ *n.m.* casaco masculino, largo e comprido, geralmente de tecido grosso, que se usa sobre a roupa para proteger do frio

Não confundir **sobretudo** (acima de tudo) com **sobre tudo** (sobre todas as coisas): *Ele foi simpático, sobretudo connosco. Já pensei sobre tudo.*

sobrevivência (so.bre.vi.vên.ci:a) [sobrəvi'vẽsjɐ] *n.f.* **1** continuação da vida ou da existência **2** qualidade do que resiste à passagem do tempo; continuidade

sobrevivente (so.bre.vi.ven.te) [sobrəvi'vẽt(ə)] *adj.,n.2g.* **1** que ou pessoa que escapou com vida a um desastre **2** que ou pessoa que continua viva depois de outras pessoas terem morrido

sobreviver (so.bre.vi.ver) [sobrəvi'ver] *v.* **1** ⟨+a⟩ continuar a viver depois de outra pessoa ter morrido: *sobreviver aos irmãos* **2** ⟨+a⟩ escapar a (um desastre ou uma situação de perigo): *Ele sobreviveu ao acidente.* **3** subsistir: *sobreviver com quase nada*

sobrevoar (so.bre.vo:ar) [sobrə'vwar] *v.* voar por cima de

sobriedade (so.bri:e.da.de) [subrjɐ'dad(ə)] *n.f.* **1** moderação; comedimento **2** estado de quem não está embriagado

sobrinha (so.bri.nha) [su'briɲɐ] *n.f.* filha de um irmão ou de uma irmã

sobrinha-neta (so.bri.nha-.ne.ta) [subriɲɐ'nɛtɐ] *n.f.* ⟨*pl.* sobrinhas-netas⟩ filha do sobrinho ou da sobrinha

sobrinho (so.bri.nho) [su'briɲu] *n.m.* filho de um irmão ou de uma irmã

sobrinho-neto (so.bri.nho-.ne.to) [subriɲu'nɛtu] *n.m.* ⟨*pl.* sobrinhos-netos⟩ filho do sobrinho ou da sobrinha

sóbrio (só.bri:o) ['sɔbrju] *adj.* **1** moderado; comedido **2** que não está embriagado

sobrolho (so.bro.lho) [su'broʎu] *n.m.* ⇒ **sobrancelha** ♦ **carregar/franzir o sobrolho** mostrar aparência severa

soca (so.ca) ['sɔkɐ] *n.f.* calçado simples, geralmente com base de madeira, em que se enfia o pé, ficando o calcanhar a descoberto

socalco (so.cal.co) [su'kaɫku] *n.m.* 👁 parcela de terreno mais ou menos plano, situado numa encosta, e amparado por um muro

socapa (so.ca.pa) [su'kapɐ] *elem. da loc.* **à socapa** às escondidas; rápido para não ser percebido

socar (so.car) [su'kar] *v.* dar socos em

sociabilizar(-se) (so.ci:a.bi.li.zar(-se)) [susjɐbili'zar(sə)] *v.* tornar(-se) social

social (so.ci:al) [su'sjaɫ] *adj.2g.* **1** relativo à sociedade **2** que vive em sociedade **3** que gosta de conviver com as outras pessoas; sociável

socialismo (so.ci:a.lis.mo) [susjɐ'liʒmu] *n.m.* doutrina que defende uma reforma da organização social, suprimindo as desigualdades e tornando coletivos os meios de produção

socialista (so.ci:a.lis.ta) [susjɐ'liʃtɐ] *adj.2g.* **1** relativo ao socialismo **2** partidário do socialismo ■ *n.2g.* partidário do socialismo

socialização (so.ci:a.li.za.ção) [susjɐlizɐ'sɐ̃w̃] *n.f.* adaptação de uma pessoa a um grupo social

socializar(-se) (so.ci:a.li.zar(-se)) [susjɐli'zar(sə)] *v.* **1** tornar(-se) social **2** integrar(-se) num grupo ou numa sociedade

sociável (so.ci:á.vel) [su'sjavɛɫ] *adj.2g.* que gosta de conviver com as outras pessoas **SIN.** afável

sociedade (so.ci:e.da.de) [susjɐ'dad(ə)] *n.f.* **1** conjunto de pessoas que vivem em determinado lugar, unidas por hábitos, costumes e leis **2** grupo de pessoas que se unem para atingir determinado objetivo; associação ♦ **sociedade anónima** empresa cujo capital se encontra dividido por sócios, que possuem ações livremente negociáveis, e que são responsáveis apenas pelo capital que subscreveram; **sociedade de consumo** sistema económico que estimula o consumo de bens não essenciais através de técnicas de publicidade; **sociedade de informação** modo de desenvolvimento social e económico que privilegia as atividades de produção e os serviços de distribuição de informação, satisfazendo as necessidades das pessoas e das empresas e proporcionando qualidade de vida e crescimento da atividade económica

sócio (só.ci:o) ['sɔsju] *n.m.* **1** membro de uma sociedade ou associação **2** companheiro; parceiro

sociocultural (so.ci:o.cul.tu.ral) [sɔsjɔkuɫtu'raɫ] *adj.2g.* relativo a aspetos culturais e sociais

socioeconómico (so.ci:o.e.co.nó.mi.co) [sɔsjɔi ku'nɔmiku] *adj.* relativo a fatores sociais e económicos

sócio-gerente (só.ci:o-.ge.ren.te) [sɔsjuʒə'rẽt(ə)] *n.m.* ⟨*pl.* sócios-gerentes⟩ sócio encarregado da administração de uma sociedade

sociolinguística (so.ci:o.lin.guís.ti.ca) [sɔsjɔ lĩ'gwiʃtikɐ] *n.f.* disciplina que se dedica ao estudo da relação entre a linguagem e os fatores sociais e culturais

sociologia (so.ci:o.lo.gi.a) [susjulu'ʒiɐ] *n.f.* ciência que se dedica ao estudo da organização e do funcionamento das sociedades humanas, incluindo as suas leis, instituições, valores, etc.

sociológico (so.ci:o.ló.gi.co) [susju'lɔʒiku] *adj.* relativo à sociologia

sociólogo (so.ci:ó.lo.go) [su'sjɔlugu] *n.m.* especialista em sociologia

soco (so.co)[1] ['soku] *n.m.* calçado com sola de madeira **SIN.** tamanco

soco (so.co)[2] ['soku] *n.m.* pancada com a mão fechada **SIN.** murro

socorrer (so.cor.rer) [suku'ʀer] *v.* prestar auxílio a; ajudar: *socorrer um amigo* ■ **socorrer-se** ⟨**+de**⟩ usar como ajuda: *Socorreu-se dos pais para pagar as dívidas.*

socorrismo (so.cor.ris.mo) [suku'ʀiʒmu] *n.m.* conjunto de procedimentos e meios usados para prestar os primeiros socorros a pessoas doentes ou feridas

socorrista (so.cor.ris.ta) [suku'ʀiʃtɐ] *n.2g.* pessoa que tem preparação própria para prestar os primeiros socorros em casos de acidente ou de doença súbita

socorro (so.cor.ro) [su'koʀu] *n.m.* assistência que se presta numa situação de perigo; auxílio; ajuda ■ *interj.* indica um pedido de ajuda ◆ **primeiros socorros** auxílio prestado por uma equipa especializada de médicos e enfermeiros a pessoas vítimas de acidente ou de doença súbita, antes de serem transportadas para o hospital

soda (so.da) ['sɔdɐ] *n.f.* **1** bebida gasosa **2** carbonato de sódio

sódio (só.di:o) ['sɔdju] *n.m.* elemento com o número atómico 11 e símbolo Na, que é um metal alcalino, mole, extremamente oxidável

sodomia (so.do.mi.a) [sudu'miɐ] *n.f.* sexo anal

sofá (so.fá) [su'fa] *n.m.* assento geralmente estofado, com encosto e braços

sofá-cama (so.fa-.ca.ma) [sufa'kɐmɐ] *n.m.* ⟨*pl.* sofás-camas⟩ sofá que tem um colchão debaixo do assento e que se transforma numa cama

sofisma (so.fis.ma) [su'fiʒmɐ] *n.m.* **1** raciocínio em se empregam argumentos falsos, simulando as regras da lógica, para enganar **2** *coloq.* engano

sofisticado (so.fis.ti.ca.do) [sufiʃti'kadu] *adj.* **1** feito com tecnologia avançada; complexo **2** que tem bom gosto; requintado

sofisticar (so.fis.ti.car) [sufiʃti'kar] *v.* aperfeiçoar; aprimorar

sôfrego (sô.fre.go) ['sofrəgu] *adj.* **1** que come ou bebe com muita pressa; voraz **2** que está muito desejoso; ansioso

sofreguidão (so.fre.gui.dão) [sofrəgui'dɐ̃w̃] *n.f.* **1** ato de comer ou beber com muita pressa; voracidade **2** desejo intenso de conseguir algo; ansiedade

sofrer (so.frer) [su'frer] *v.* **1** sentir dor(es); padecer **2** preocupar-se; afligir-se **3** aguentar; suportar

sofrimento (so.fri.men.to) [sufri'mẽtu] *n.m.* **1** dor física ou moral; padecimento **2** sentimento de tristeza profunda; angústia

software [sɔf'twɛr] *n.m.* conjunto dos meios não materiais (em oposição a hardware) que permitem o funcionamento do computador e o tratamento automático da informação

sogra (so.gra) ['sɔgrɐ] *n.f.* mãe da esposa ou mãe do marido

sogro (so.gro) ['sogru] *n.m.* pai da esposa ou pai do marido

soirée [swa'ʀe] *n.f.* ⟨*pl.* soirées⟩ **1** reunião noturna; serão **2** espetáculo noturno; sarau

soja (so.ja) ['sɔʒɐ] *n.f.* planta cujas sementes fornecem um óleo e proteínas com alto valor nutritivo

sol (sol) ['sɔɫ] *n.m.* **1** luz do Sol **2** quinta nota da escala musical ■ **Sol** 👁 estrela central do nosso sistema planetário, em torno da qual giram a Terra e os outros planetas ◆ **de sol a sol** durante todo o dia; de manhã à noite; **quer chova, quer faça sol** em qualquer circunstância

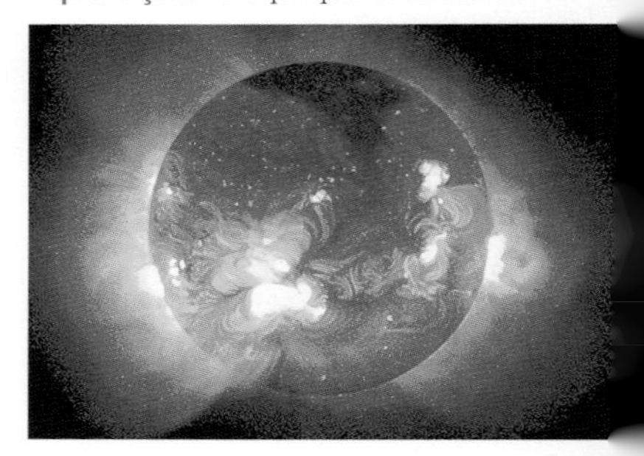

sola (so.la) ['sɔlɐ] *n.f.* **1** peça que forma a parte inferior do calçado **2** planta do pé ◆ *coloq.* **dar à sola** fugir; desaparecer

solar (so.lar) [su'lar] *adj.2g.* relativo ao Sol ■ *n.m.* casa nobre; palacete

solarengo (so.la.ren.go) [sulɐ'rẽgu] *adj.* relativo a solar (palacete)

solário (so.lá.ri:o) [su'larju] *n.m.* estabelecimento onde as pessoas se podem bronzear de modo artificial

solavanco (so.la.van.co) [sulɐ'vɐ̃ku] *n.m.* balanço de um veículo numa estrada com altos e baixos; abanão

solda (sol.da) ['sɔɫdɐ] *n.f.* liga metálica, fusível, usada para unir peças metálicas

soldado (sol.da.do) [soɫ'dadu] *n.2g.* militar da categoria de praça mais baixo da hierarquia do exército e da força aérea; **soldado raso** militar não graduado

soldar (sol.dar) [soɫ'dar] *v.* unir com solda

soldo (sol.do) ['soɫdu] *n.m.* salário de um militar ◆ **a soldo de** ao serviço de; às ordens de

soleira (so.lei.ra) [su'lɐjrɐ] *n.f.* **1** pedra ou madeira de uma porta que fica rente ao chão **2** limiar da porta

solene (so.le.ne) [su'lɛn(ə)] *adj.2g.* **1** que se faz com pompa; pomposo **2** que se celebra com cerimónias públicas; formal **3** sério; grave

solenidade (so.le.ni.da.de) [suləni'dad(ə)] *n.f.* **1** qualidade do que é solene **2** ato solene; cerimónia

soletrar (so.le.trar) [sulə'trar] *v.* ler devagar, pronunciando separadamente as letras de uma palavra, uma de cada vez

solfejar (sol.fe.jar) [soɫfə'ʒar] *v.* **1** ler um trecho musical, entoando-o ou pronunciando apenas o nome das notas **2** cantarolar uma melodia

solfejo (sol.fe.jo) [soɫ'fɐ(j)ʒu] *n.m.* exercício musical para se aprender a ler as notas

solha (so.lha) ['soʎɐ] *n.f.* **1** peixe de corpo achatado **2** *coloq.* bofetada

solicitação (so.li.ci.ta.ção) [sulisitɐ'sɐ̃w̃] *n.f.* pedido

solicitador (so.li.ci.ta.dor) [sulisitɐ'dor] *adj.,n.m.* que(m) solicita ■ *n.m.* profissional liberal que pratica atos de procuradoria por conta e no interesse de clientes

solicitar (so.li.ci.tar) [sulisi'tar] *v.* pedir

solícito (so.lí.ci.to) [su'lisitu] *adj.* **1** prestável; atencioso **2** diligente; cuidadoso

solidão (so.li.dão) [suli'dɐ̃w̃] *n.f.* estado de quem está só **SIN.** isolamento

solidariedade (so.li.da.ri:e.da.de) [sulidɐrjɛ'dad(ə)] *n.f.* ajuda que se dá a quem precisa; apoio

solidário (so.li.dá.ri:o) [suli'darju] *adj.* que presta auxílio a quem precisa; que ajuda

solidarizar (so.li.da.ri.zar) [sulidɐri'zar] *v.* tornar solidário

solidez (so.li.dez) [suli'deʃ] *n.f.* **1** segurança; firmeza **2** resistência; dureza

solidificação (so.li.di.fi.ca.ção) [sulidifikɐ'sɐ̃w̃] *n.f.* passagem de um líquido ao estado sólido

solidificar(-se) (so.li.di.fi.car(-se)) [sulidifi'kar(sə)] *v.* tornar(-se) sólido **SIN.** endurecer(-se)

sólido (só.li.do) ['sɔlidu] *adj.* **1** consistente **2** resistente **3** seguro ■ *n.m.* corpo que tem as três dimensões (comprimento, largura e altura)

solilóquio (so.li.ló.qui:o) [suli'lɔkju] *n.m.* monólogo

solista (so.lis.ta) [su'liʃtɐ] *n.2g.* pessoa que executa uma peça musical ou uma dança sozinha

solitária (so.li.tá.ri:a) [suli'tarjɐ] *n.f.* cela onde é isolado um preso rebelde ou violento

solitário (so.li.tá.ri:o) [suli'tarju] *adj.* **1** que vive em solidão; só **2** que está situado num lugar afastado; ermo

solo (so.lo) ['sɔlu] *n.m.* **1** chão; terra **2** melodia ou dança executada por uma só pessoa

solstício (sols.tí.ci:o) [sɔɫʃ'tisju] *n.m.* momento em que o Sol está mais afastado do equador

solta (sol.ta) ['soɫtɐ] *n.f.* libertação ◆ **à solta** em liberdade

soltar (sol.tar) [soɫ'tar] *v.* **1** libertar (o que estava preso) **ANT.** prender **2** desatar; desprender **3** lançar (aroma, som) ■ **soltar-se 1** libertar-se **2** desprender-se

solteirão (sol.tei.rão) [soɫtɐj'rɐ̃w̃] *adj.,n.m.* ⟨*f.* solteirona⟩ *coloq.* que ou aquele que nunca casou

solteiro (sol.tei.ro) [soɫ'tɐjru] *adj.,n.m.* que ou aquele que não casou

solto (sol.to) ['soɫtu] *adj.* **1** livre **2** desatado **3** largo **4** espalhado

solução (so.lu.ção) [sulu'sɐ̃w̃] *n.f.* **1** resposta certa a um teste ou problema matemático; resultado **2** resolução de um problema ou de uma dificuldade; conclusão **3** líquido com uma substância dissolvida

soluçar (so.lu.çar) [sulu'sar] *v.* **1** ter soluços **2** chorar

solucionar (so.lu.ci:o.nar) [sulusju'nar] *v.* encontrar a solução para (um problema, uma dificuldade) **SIN.** resolver

soluço (so.lu.ço) [su'lusu] *n.m.* **1** ruído provocado pela expulsão do ar que entra no peito quando há uma contração do diafragma (por exemplo, quando se come ou se bebe) **2** choro; gemido ◆

aos soluços de forma intermitente aos solavancos

soluto (so.lu.to) [su'lutu] *n.m.* substância dissolvida noutra

solúvel (so.lú.vel) [su'luvɛɫ] *adj.2g.* **1** que se pode dissolver (num líquido) **2** que pode ser resolvido; que tem solução

solvente (sol.ven.te) [soɫ'vẽt(ə)] *n.m.* substância líquida na qual outras substâncias se dissolvem

som (som) ['sõ] *n.m.* **1** aquilo que se percebe através dos ouvidos; sensação auditiva **2** ruído; barulho ◆ **alto e bom som** claramente; com clareza

soma (so.ma) ['somɐ] *n.f.* **1** operação que consiste em reunir num só número duas ou mais parcelas; adição **2** resultado de uma adição **3** quantia em dinheiro; verba **4** quantidade; número

somali (so.ma.li) [suma'li] *adj.* relativo à Somália ■ *n.m.* língua falada na Somália ■ *n.2g.* pessoa natural ou habitante da Somália

somar (so.mar) [su'mar] *v.* **1** juntar duas ou mais parcelas para achar o total **2** adicionar; acrescentar

somatório (so.ma.tó.ri:o) [sumɐ'tɔrju] *n.m.* **1** soma total **2** totalidade

sombra (som.bra) ['sõbrɐ] *n.f.* **1** espaço sem luz ou onde não existe luz direta; escuridão; obscuridade **2** parte escura de um desenho ou quadro **3** forma de alguém ou de algo em que apenas se percebe o contorno; silhueta ◆ **nem por sombras** de modo nenhum; nem pensar; **sombras chinesas** silhuetas feitas com as mãos em frente de uma luz, geralmente junto a uma parede, criando imagens diversas

sombreado (som.bre:a.do) [sõ'brjadu] *adj.* **1** em que há sombra(s) **2** escurecido **3** *fig.* triste

sombrinha (som.bri.nha) [sõ'briɲɐ] ⟨*dim. de* sombra⟩ *n.f.* guarda-sol pequeno

sombrio (som.bri.o) [sõ'briu] *adj.* **1** que tem ou que produz sombra **2** escuro **3** *fig.* triste

somente (so.men.te) [sɔ'mẽt(ə)] *adv.* apenas; só

somítico (so.mí.ti.co) [su'mitiku] *adj.,n.m.* que ou o que é apegado de mais ao dinheiro; avarento

sonambulismo (so.nam.bu.lis.mo) [sunẽbu'liʒmu] *n.m.* atividade física inconsciente que se manifesta durante o sono por atos mais ou menos coordenados (andar, falar, etc.)

sonâmbulo (so.nâm.bu.lo) [su'nẽbulu] *adj.,n.m.* que ou aquele que anda ou fala enquanto dorme

sonante (so.nan.te) [su'nẽt(ə)] *adj.2g.* que soa

sonata (so.na.ta) [su'natɐ] *n.f.* peça musical para um ou dois instrumentos

sonda (son.da) ['sõdɐ] *n.f.* **1** instrumento para conhecer a profundidade da água, perfurar terrenos, etc. **2** *fig.* pesquisa; investigação ◆ **sonda espacial** 👁 aparelho que se lança no espaço com instrumentos próprios para recolher informações

sondagem (son.da.gem) [sõ'daʒɐ̃j] *n.f.* **1** investigação feita com auxílio de sonda **2** pesquisa realizada através de perguntas feitas à população sobre determinado assunto

sondar (son.dar) [sõ'dar] *v.* **1** explorar ou medir com sonda **2** pesquisar (por meio de perguntas feitas às pessoas) **3** estudar profundamente

soneca (so.ne.ca) [su'nɛkɐ] *n.f. coloq.* sono curto

soneira (so.nei.ra) [su'nɐjrɐ] *n.f. coloq.* vontade forte de dormir

soneto (so.ne.to) [su'netu] *n.m.* composição poética de catorze versos dispostos em duas quadras seguidas de dois tercetos

sonhado (so.nha.do) [su'ɲadu] *adj.* **1** que só existe em sonhos; irreal **2** muito desejado; ansiado

sonhador (so.nha.dor) [suɲɐ'dor] *adj.,n.m.* **1** que ou pessoa que sonha **2** que ou pessoa que fantasia, que parece estar fora da realidade

sonhar (so.nhar) [su'ɲar] *v.* **1** ⟨**+com**⟩ ter sonhos: *Ontem sonhei com o meu cão.* **2** ⟨**+com**⟩ fantasiar; imaginar: *Ela sonha com coisas impossíveis de se realizarem.* ◆ **sonhar acordado** entregar-se a fantasias SIN. distrair-se; **sonhar alto** ter sonhos muito ambiciosos ou difíceis de concretizar

sonho (so.nho) ['soɲu] *n.m.* **1** conjunto de imagens e ideias que passam no espírito durante o sono **2** desejo intenso; aspiração **3** pequeno bolo leve e fofo, feito de farinha e ovos, frito e passado por calda de açúcar

sonífero (so.ní.fe.ro) [su'nifəru] *adj.* que produz sono ■ *n.m.* substância ou medicamento que induz o sono

sono (so.no) ['sonu] *n.m.* **1** estado de quem dorme **2** necessidade ou vontade de dormir ◆ [MOÇ.] **apa**

nhar sono adormecer; **tirar o sono a alguém** deixar alguém preocupado; perturbar alguém

sonolência (so.no.lên.ci:a) [sunu'lẽsjɐ] *n.f.* vontade de dormir; sono

sonolento (so.no.len.to) [sunu'lẽtu] *adj.* que tem sono; ensonado

sonoplastia (so.no.plas.ti.a) [sɔnɔplɐʃ'tiɐ] *n.f.* técnica de reconstituição artificial dos efeitos acústicos que constituem a parte sonora de um filme, espetáculo ou programa

sonoridade (so.no.ri.da.de) [sunuri'dad(ə)] *n.f.* **1** qualidade do que tem som **2** característica do que é agradável ao ouvido; musicalidade **3** som claro e nítido

sonorização (so.no.ri.za.ção) [sunurizɐ'sɐ̃w̃] *n.f.* técnica de reprodução e ampliação do som

sonorizar (so.no.ri.zar) [sunuri'zar] *v.* **1** tornar sonoro **2** instalar e manusear equipamento de reprodução e difusão de som em (certo local) **3** registar a parte sonora de (filme ou programa)

sonoro (so.no.ro) [su'nɔru] *adj.* **1** que produz ou amplia som **2** que tem um som claro e agradável; melodioso; harmonioso **3** que tem um som intenso; ruidoso

sonso (son.so) ['sõsu] *adj.* que finge ser ingénuo; dissimulado

sopa (so.pa) ['sopɐ] *n.f.* **1** alimento líquido de consistência variável preparado com legumes e, por vezes, leguminosas, massas, peixe e carne, cozidos em água **2** pedaço de pão embebido num caldo ou noutro líquido ◆ **cair como sopa no mel** acontecer exatamente como se desejava; **ou sim ou sopas** ou sim ou não; uma coisa ou outra

sopapo (so.pa.po) [su'papu] *n.m.* pancada com a mão, debaixo do queixo; murro ◆ **de sopapo** subitamente

sopé (so.pé) [su'pɛ] *n.m.* parte inferior de uma encosta; base

sopeira (so.pei.ra) [su'pɐjrɐ] *n.f.* **1** terrina para sopa **2** *coloq.* empregada doméstica

soporífero (so.po.rí.fe.ro) [supu'rifəru] *n.m.* substância que produz sono

soprano (so.pra.no) [su'prɐnu] *n.m.* timbre de voz mais agudo de mulher ou de rapaz muito jovem ■ *n.2g.* pessoa que tem esse tipo de voz

soprar (so.prar) [su'prar] *v.* **1** produzir sopro **2** encher de ar **3** *fig.* cochichar

sopro (so.pro) ['sopru] *n.m.* **1** ar expirado pela boca; hálito; bafo **2** vento fresco e brando; brisa; aragem

soquete (so.que.te) [sɔ'ket(ə)] *n.f.* meia curta; peúga

sórdido (sór.di.do) ['sɔrdidu] *adj.* **1** sujo **2** repugnante; obsceno **3** baixo; vil

sorna (sor.na) ['sɔrnɐ] *n.f. coloq.* vontade de dormir ou lentidão a fazer algo; preguiça ■ *n.2g.* pessoa muito lenta ou preguiçosa; indolente

soro (so.ro) ['soru] *n.m.* **1** líquido que se separa do leite e do sangue depois de coagulados **2** solução usada para alimentar ou hidratar uma pessoa doente, ou para lhe injetar medicamentos

sorrateiramente (sor.ra.tei.ra.men.te) [suʀɐtɐjrɐ'mẽt(ə)] *adv.* às escondidas; pela calada

sorrateiro (sor.ra.tei.ro) [suʀɐ'tɐjru] *adj.* **1** que faz as coisas às escondidas; dissimulado; disfarçado **2** que esconde as suas verdadeiras intenções; manhoso; matreiro

sorridente (sor.ri.den.te) [suʀi'dẽt(ə)] *adj.2g.* **1** que sorri; risonho; alegre **2** que anuncia algo de bom; prometedor; promissor

sorrir (sor.rir) [su'ʀir] *v.* **1** rir sem ruído **2** mostrar--se alegre **3** agradar **4** ser favorável

sorriso (sor.ri.so) [su'ʀizu] *n.m.* riso leve, sem som ◆ **sorriso amarelo** sorriso que revela desilusão ou embaraço; sorriso forçado

sorte (sor.te) ['sɔrt(ə)] *n.f.* **1** destino; fado **2** felicidade ◆ **à sorte** ao acaso; **por sorte** felizmente; **sorte grande** o primeiro prémio da lotaria

sorteado (sor.te:a.do) [sur'tjadu] *adj.* **1** escolhido por sorteio **2** que teve um prémio num sorteio **3** [ANG., MOÇ.] que tem muita sorte

sortear (sor.te:ar) [sur'tjar] *v.* **1** tirar à sorte (para decidir quem faz algo, quem recebe um prémio) **2** escolher por sorteio

sorteio (sor.tei.o) [sur'tɐju] *n.m.* **1** escolha (de pessoas ou coisas) ao acaso, escrevendo os nomes em papéis, bolas, etc. **2** distribuição de prémios em que se escolhem ao acaso os números dos bilhetes e o prémio é dado a quem tiver esses números

sortido (sor.ti.do) [sur'tidu] *adj.* **1** abastecido **2** variado ■ *n.m.* mistura de várias coisas

sortilégio (sor.ti.lé.gi:o) [surti'lɛʒju] *n.m.* **1** feitiço **2** encanto

sortudo (sor.tu.do) [sur'tudu] *n.m. coloq.* pessoa tem muita sorte SIN. felizardo

sorver (sor.ver) [sor'ver] *v.* **1** beber devagar, fazendo barulho **2** aspirar para dentro da boca; sugar

sorvete (sor.ve.te) [sur'vet(ə)] *n.m.* gelado

SOS [ɛsɔɛs] *n.m.* pedido de socorro numa situação de emergência

sósia (só.si:a) ['sɔzjɐ] *n.2g.* pessoa muito parecida com outra

soslaio (sos.lai.o) [suʒ'laju] *elem. da loc.* **de soslaio** de lado; de esguelha

sossegado (sos.se.ga.do) [susə'gadu] *adj.* quieto; calmo; tranquilo

sossegar (sos.se.gar) [susə'gar] *v.* **1** pôr em sossego; acalmar **2** ficar mais tranquilo; acalmar-se **3** adormecer

sossego (sos.se.go) [su'segu] *n.m.* ausência de agitação ou de barulho **SIN.** calma; tranquilidade

sótão (só.tão) ['sɔtɐ̃w̃] *n.m.* ⟨*pl.* sótãos⟩ compartimento entre o último andar e o telhado de uma casa

sotaque (so.ta.que) [su'tak(ə)] *n.m.* pronúncia característica de uma pessoa ou de pessoas de determinada região

soterrar(-se) (so.ter.rar(-se)) [sutə'ʀar(sə)] *v.* cobrir(-se) de terra **SIN.** enterrar(-se)

soturno (so.tur.no) [su'turnu] *adj.* **1** escuro; sombrio **2** triste; melancólico

soufflé [su'flɛ] *n.m.* refeição preparada com carne picada ou queijo e claras de ovo batidas, que cresce durante a cozedura no forno

soutien [su'tjẽ] *n.m.* ⇒ **sutiã**

souto (sou.to) ['so(w)tu] *n.m.* plantação de castanheiros

souvenir [suvə'nir] *n.m.* objeto característico de um lugar ou região, que se costuma trazer como recordação; lembrança

sova (so.va) ['sɔvɐ] *n.f.* tareia

sovaco (so.va.co) [su'vaku] *n.f.* cavidade por baixo da articulação do ombro **SIN.** axila

sovar (so.var) [su'var] *v.* dar uma sova em; bater em

soviético (so.vi:é.ti.co) [su'vjɛtiku] *adj.* relativo à antiga União Soviética ▪ *n.m.* pessoa natural da antiga União Soviética

sovina (so.vi.na) [su'vinɐ] *adj.,n.2g.* que ou pessoa que só pensa em juntar dinheiro e que não gosta de o gastar **SIN.** avarento

sozinho (so.zi.nho) [sɔ'ziɲu] *adj.* que não tem companhia; só

spa ['spa] *n.m.* **1** hotel ou estabelecimento comercial com tratamentos de saúde e/ou beleza, que incluem atividades físicas, massagens, banhos medicinais, etc. **2** estância termal

spam ['spɐm] *n.m.* **1** mensagem eletrónica não solicitada enviada a um grande número de pessoas **2** envio não solicitado de mensagens eletrónicas, geralmente com fins publicitários

sportinguista (spor.tin.guis.ta) [spɔrtĩ'giʃtɐ] *adj.2.g.* relativo ao clube desportivo Sporting Club de Portugal ▪ *n.2g.* adepto ou jogador desse clube

spray ['sprɐj] *n.m.* ⟨*pl.* sprays⟩ recipiente de onde sai um líquido em gotas muito finas; pulverizador

spread ['sprɛd] *n.m.* ⟨*pl.* spreads⟩ margem aplicada por um banco sobre o valor da taxa de juro de referência

sprint ['sprint] *n.m.* ⟨*pl.* sprints⟩ **1** aumento de velocidade na parte final ou em cada etapa de uma corrida (de atletismo ou ciclismo) **2** em atletismo e ciclismo, corrida de velocidade numa pequena distância

sprintar (sprin.tar) [sprĩ'tar] *v.* correr o mais depressa possível

sprinter [sprĩ'tɛr] *n.2g.* atleta ou corredor que obtém bons resultados nas provas de velocidade

squash ['skwɔʃ] *n.m.* desporto praticado em recinto fechado, em que dois jogadores lançam, com raquetes, uma bola contra uma parede

Sr(a). *abreviatura de* senhor(a)

S.S. *abreviatura de* Sua Santidade

staff ['staf] *n.m.* ⟨*pl.* staffs⟩ conjunto de pessoas que compõem os quadros de uma empresa ou instituição; pessoal

stand ['stɐ̃nd] *n.m.* ⟨*pl.* stands⟩ **1** espaço reservado a cada participante numa exposição ou feira **2** espaço de exposição e venda ao público; salão de vendas

standard ['stɐ̃dar] *adj.inv.* **1** sem característica especial; comum **2** que obedece a parâmetros convencionados ▪ *n.m.* padrão; modelo

status ['statuʃ] *n.m.2n.* **1** condição, circunstância ou estado em que se encontra algo ou alguém num determinado momento **2** distinção; prestígio

step ['stɛp] *n.m.* ginástica sincronizada em que se sobe e desce uma pequena plataforma ao som de música

stick ['stik] *n.m.* ⟨*pl.* sticks⟩ **1** espécie de taco recurvado na extremidade inferior, usado para conduzir ou bater a bola, no hóquei e no golfe **2** vara longa e flexível utilizada para incitar animais como o cavalo

Sto. *abreviatura de* santo

stock ['stɔk] *n.m.* ⟨*pl.* stocks⟩ **1** quantidade de mercadorias em armazém **2** reserva; provisão

stop ['stɔp] *n.m.* ⟨*pl.* stops⟩ **1** sinal de trânsito que indica paragem obrigatória **2** paragem

storyboard [stɔri'bɔrd] *n.m.* roteiro constituído por quadros organizados em sequência, acompanhado de indicações sonoras e informações técnicas, preparado para a apresentação de um filme, animação, programa ou projeto audiovisual

stress ['strɛs] *n.m.* tensão física, psicológica e mental, causada geralmente por ansiedade ou excesso de trabalho

stressado (stres.sa.do) [strɛ'sadu] *adj.* que se encontra sob pressão; tenso

stressante (stres.san.te) [strɛ'sɐ̃t(ə)] *adj.2g.* que provoca stress ou tensão

stressar (stres.sar) [strɛ'sar] *v.* provocar ou sentir stress ou tensão

stripper ['stripɛr] *n.2g.* ⟨*pl.* strippers⟩ pessoa que faz striptease

striptease [strip'tiz(ə)] *n.m.* ⟨*pl.* stripteases⟩ espetáculo no qual uma ou mais pessoas se despem aos poucos, ao som de música, com movimentos eróticos

strogonoff [strɔgɔ'nɔf] *n.m.* prato preparado geralmente com pedaços de carne de vaca, cogumelos e creme de natas ou de leite

suado (su:a.do) ['swadu] *adj.* coberto de suor; transpirado

suangue (su:an.gue) ['swɐ̃g(ə)] *n.m.* [TIM.] feiticeiro; bruxo

suão (su.ão) ['swɐ̃w̃] *adj.* diz-se do vento quente que sopra do sul

suar (su:ar) ['swar] *v.* verter suor pelos poros da pele; transpirar

---

Não confundir **suar** (transpirar) com **soar** (produzir som).

---

suástica (su:ás.ti.ca) ['swaʃtikɐ] *n.f.* **1** símbolo religioso de algumas civilizações antigas, em forma de cruz com as hastes dobradas para a esquerda **2** emblema da Alemanha de Hitler em forma de cruz com as hastes dobradas para a direita

suave (su:a.ve) ['swav(ə)] *adj.2g.* **1** agradável **2** delicado **3** pouco intenso

suavemente (su:a.ve.men.te) [swavə'mẽt(ə)] *adv.* **1** com suavidade; com delicadeza **2** a pouco e pouco; gradualmente

suavidade (su:a.vi.da.de) [swɐvi'dad(ə)] *n.f.* **1** doçura **2** delicadeza

suavizar (su:a.vi.zar) [swɐvi'zar] *v.* tornar suave; atenuar

suazilandês (su:a.zi.lan.dês) [swɐzilɐ̃'deʃ] *adj.* da Suazilândia (país do sul de África) ■ *n.m.* pessoa de nacionalidade suazilandesa

subalimentado (sub.a.li.men.ta.do) [subɐlimẽ'tadu] *adj.* em estado de carência alimentar

subalugar (sub.a.lu.gar) [subɐlu'gar] *v.* alugar a um terceiro, por certo tempo (o que se tomou de aluguer)

subaproveitado (sub.a.pro.vei.ta.do) [subɐpruvɐj'tadu] *adj.* de que não se tirou todo o proveito

subaquático (sub.a.quá.ti.co) [subɐ'kwatiku] *adj.* situado debaixo de água; que vive debaixo de água

subchefe (sub.che.fe) [sub'ʃɛf(ə)] *n.m.* funcionário imediatamente abaixo do chefe

subclasse (sub.clas.se) [sub'kla(sə)] *n.f.* grupo inferior à classe e superior à ordem

subconsciente (sub.cons.ci:en.te) [subkõʃ'sjẽt(ə)] *n.m.* nível da vida mental do qual uma pessoa tem pouca ou nenhuma consciência

subcontratar (sub.con.tra.tar) [subkõtrɐ'tar] *v.* realizar um contrato segundo o qual um produtor delega noutro parte das suas funções, mantendo, contudo, para si a responsabilidade pela encomenda do cliente

subdesenvolvido (sub.de.sen.vol.vi.do) [subdəzẽvoɫ'vidu] *adj.* pouco desenvolvido

súbdito (súb.di.to) ['subditu] *adj.,n.m.* que ou aquele que está sob o domínio de um rei, príncipe ou nobre

subdividir (sub.di.vi.dir) [subdivi'dir] *v.* **1** dividir mais uma vez (o resultado de uma outra divisão) **2** dividir em partes ou em ramos; ramificar

subdivisão (sub.di.vi.são) [subdivi'zɐ̃w̃] *n.f.* **1** nova divisão do que já está dividido **2** ramificação

subempreitada (sub.em.prei.ta.da) [subẽprɐj'tadɐ] *n.f.* contrato em que um terceiro se obriga perante o empreiteiro a executar uma obra a que este está vinculado

subentender (sub.en.ten.der) [subẽtẽ'der] *v.* perceber o que foi apenas sugerido; deduzir

subentendido (sub.en.ten.di.do) [subẽtẽ'didu] *adj.* que não é dito claramente **SIN.** implícito

subestimar (sub.es.ti.mar) [subəʃti'mar] *v.* não dar o devido valor a; desprezar

subida (su.bi.da) [su'bidɐ] *n.f.* **1** passagem para um ponto superior; ascensão **2** encosta por onde se sobe **3** aumento de preço ou de valor

subido (su.bi.do) [su'bidu] *adj.* **1** que está num nível elevado **2** que se levantou

subir (su.bir) [su'bir] *v.* **1** mover-se de baixo para cima **ANT.** descer **2** elevar-se **3** aumentar **4** trepar por **5** elevar **6** aumentar o preço de ◆ **subir à cabeça** perturbar a razão; sentir-se muito importante

subitamente (su.bi.ta.men.te) [subitɐ'mẽt(ə)] *adv.* de um momento para o outro; inesperadamente; repentinamente

súbito (sú.bi.to) ['subitu] *adj.* inesperado; repentino ◆ **de súbito** de repente; inesperadamente

subjectividade (sub.jec.ti.vi.da.de) [subʒɛti vi'dad(ə)] *a nova grafia é* **subjetividade**AO

subjectivo (sub.jec.ti.vo) [subʒɛ'tivu] *a nova grafia é* **subjetivo**AO

subjetividade (sub.je.ti.vi.da.de)AO [subʒɛti vi'dad(ə)] *n.f.* **1** característica daquilo que é subjetivo **ANT.** objetividade **2** domínio das sensações, dos gostos ou dos interesses da própria pessoa

subjetivo (sub.je.ti.vo)[AO] [subʒɛ'tivu] *adj.* **1** relativo a uma pessoa; pessoal **2** que não existe fora do sujeito **3** que atua de acordo com os próprios gostos ou interesses

subjugar (sub.ju.gar) [subʒu'gar] *v.* submeter pela força **SIN.** dominar

sublimar (su.bli.mar) [subli'mar] *v.* **1** tornar sublime **2** levantar bem alto **3** exaltar; engrandecer

sublime (su.bli.me) [su'blim(ə)] *adj.2g.* **1** grandioso **2** elevado **3** magnífico

sublinhado (su.bli.nha.do) [subli'ɲadu] *adj.* **1** que se sublinhou **2** *fig.* salientado; destacado ■ *n.m.* linha que se traça por baixo de uma palavra ou de uma frase para a destacar

sublinhar (su.bli.nhar) [subli'ɲar] *v.* **1** traçar uma linha por baixo de (uma ou mais palavras) **2** *fig.* fazer sobressair; destacar

sublocar (sub.lo.car) [sublu'kar] *v.* arrendar a um terceiro, por certo tempo (o que se tomou de arrendamento)

submarino (sub.ma.ri.no) [submɐ'rinu] *adj.* que anda debaixo das águas do mar ■ *n.m.* 👁 navio que se desloca debaixo de água

submergir (sub.mer.gir) [submər'ʒir] *v.* **1** meter debaixo de água; afundar **2** mergulhar

submerso (sub.mer.so) [sub'mɛrsu] *adj.* coberto pelas águas; afundado

submeter (sub.me.ter) [submə'ter] *v.* **1** ⟨+a⟩ procurar aprovação: *submeter o projeto ao conselho* **2** ⟨+a⟩ sujeitar; expor: *submeter alguém a uma vergonha pública* **3** subjugar: *submeter um adversário* ■ **submeter-se** ⟨+a⟩ sujeitar-se: *Submeti-me às circunstâncias.*

submissão (sub.mis.são) [submi'sɐ̃w̃] *n.f.* **1** ato ou efeito de (se) submeter **2** obediência; sujeição

submisso (sub.mis.so) [sub'misu] *adj.* **1** obediente **2** dócil

subnutrido (sub.nu.tri.do) [subnu'tridu] *adj.* ⇒ **subalimentado**

subordinação (su.bor.di.na.ção) [suburdinɐ'sɐ̃w̃] *n.f.* **1** dependência **2** obediência **3** relação de dependência de uma oração (subordinada) em relação a outra (subordinante)

subordinado (su.bor.di.na.do) [suburdi'nadu] *adj.* **1** sob a dependência de outra pessoa; dependente **2** diz-se da oração que desempenha uma função sintática relativamente a outra (chamada *subordinante*) ■ *n.m.* aquele que está sob as ordens de alguém

subordinante (su.bor.di.nan.te) [suburdi'nɐ̃t(ə)] *adj.2g.* **1** que subordina **2** diz-se da oração que estabelece uma relação de subordinação, não desempenhando função sintática na frase

subordinar (su.bor.di.nar) [suburdi'nar] *v.* colocar uma coisa na dependência de outra **SIN.** submeter; sujeitar

subordinativo (su.bor.di.na.ti.vo) [suburdinɐ'tivu] *adj.* **1** relativo a subordinação **2** diz-se da conjunção que introduz uma oração subordinada

subornar (su.bor.nar) [subur'nar] *v.* dar dinheiro a alguém em troca de algo ilegal

subornável (su.bor.ná.vel) [subur'navɛɫ] *adj.2g.* suscetível de ser subornado

suborno (su.bor.no) [su'bornu] *n.m.* **1** oferta de dinheiro a alguém para tentar obter algo ilegal **SIN.** corrupção **2** dinheiro com que se suborna alguém

subscrever (subs.cre.ver) [subʃkrə'ver] *v.* **1** escrever o próprio nome no fim de (uma carta, um documento); assinar **2** aprovar; aceitar **3** comprar antecipadamente números de um jornal ou de uma revista; assinar

subscrição (subs.cri.ção) [subʃkri'sɐ̃w̃] *n.f.* contrato que permite a uma pessoa receber determinado produto (revista, jornal, etc.) ou usufruir de um serviço (de telefone, internet etc.) durante um certo período **SIN.** assinatura

subscrito (subs.cri.to) [sub'ʃkritu] *adj.* (letra, número, símbolo) que é escrito ou impresso abaixo do alinhamento de outro carácter, geralmente em tamanho menor

subscritor (subs.cri.tor) [subʃkri'tor] *adj.,n.m.* que ou aquele que subscreve; assinante

subsequente (sub.se.quen.te) [subsə'kwẽt(ə)] *adj.2g.* que se segue; seguinte

subsidiar (sub.si.di:ar) [subsi'djar] *v.* dar subsídio a; financiar

subsídio (sub.sí.di:o) [su'bsidju] *n.m.* ajuda em dinheiro; financiamento

subsistência (sub.sis.tên.ci:a) [subsiʃ'tẽsjɐ] *n.f.* **1** manutenção da vida; sustento **2** conjunto de meios necessários à vida

subsistir (sub.sis.tir) [subsiʃ'tir] *v.* **1** continuar a existir; manter-se vivo **2** satisfazer as próprias necessidades; sustentar-se

subsolo (sub.so.lo) [sub'sɔlu] *n.m.* camada mais profunda do solo

substância **(subs.tân.ci:a)** [subʃ'tẽsjɐ] *n.f.* **1** qualquer espécie de matéria **2** parte essencial (de uma coisa) **3** parte mais nutritiva de um alimento **4** conteúdo (de alguma coisa)

substancial **(subs.tan.ci:al)** [subʃtẽ'sjaɫ] *adj.2g.* **1** nutritivo **2** essencial **3** considerável

substantivo **(subs.tan.ti.vo)** [subʃtẽ'tivu] *n.m.* ⇒ **nome**

substituição **(subs.ti.tu:i.ção)** [subʃtitwi'sɐ̃w̃] *n.f.* colocação de uma coisa ou de uma pessoa no lugar de outra SIN. troca

substituído **(subs.ti.tu:í.do)** [subʃti'twidu] *adj.* que foi colocado no lugar de outra coisa ou outra pessoa; trocado

substituir **(subs.ti.tu:ir)** [subʃti'twir] *v.* **1** colocar uma pessoa ou uma coisa no lugar de outra: *Ainda não tive tempo de substituir a lâmpada da sala.* **2** fazer as vezes de: *Não encontrei ninguém para me substituir aos sábados.* **3** tomar o lugar de: *Ele substituiu-o na presidência.*

substituível **(subs.ti.tu:í.vel)** [subʃti'twivɛɫ] *adj.2g.* que pode ser substituído

substituto **(subs.ti.tu.to)** [subʃti'tutu] *adj.* **1** que substitui **2** que se usa para fazer as vezes de outro ■ *n.m.* pessoa que exerce as funções de outra pessoa, que não está presente ou não está capaz de as exercer SIN. suplente

substrato **(subs.tra.to)** [subʃ'tratu] *n.m.* **1** parte essencial do ser SIN. essência **2** fundamento; base **3** subsolo

subterfúgio **(sub.ter.fú.gi:o)** [subtər'fuʒju] *n.m.* meio subtil de sair de uma dificuldade; evasiva

subterrâneo **(sub.ter.râ.ne:o)** [subtə'ʀɐnju] *adj.* **1** situado debaixo da terra **2** que se faz às escondidas ■ *n.m.* construção ou abertura natural debaixo da terra

subtil **(sub.til)** [su'btiɫ] *adj.2g.* **1** que é pouco espesso; ténue; fino **2** que percebe rapidamente as coisas; penetrante **3** *fig.* feito com delicadeza; delicado

subtileza **(sub.ti.le.za)** [subti'lezɐ] *n.f.* **1** delicadeza; suavidade **2** pormenor cujo entendimento exige perspicácia **3** capacidade de lidar com situações difíceis de forma hábil

subtítulo **(sub.tí.tu.lo)** [sub'titulu] *n.m.* título secundário

subtotal **(sub.to.tal)** [subtu'taɫ] *n.m.* resultado obtido a partir da soma de algumas parcelas; resultado parcial

subtração **(sub.tra.ção)**[AO] [subtra'sɐ̃w̃] *n.f.* operação que tem por fim saber, dados dois números, quanto falta ao menor para ser igual ao maior SIN. diminuição

subtracção **(sub.trac.ção)** [subtra'sɐ̃w̃] *a nova grafia é* **subtração**[AO]

subtractivo **(sub.trac.ti.vo)** [subtra'tivu] *a nova grafia é* **subtrativo**[AO]

subtrair **(sub.tra.ir)** [subtrɐ'ir] *v.* **1** fazer subtração de **2** diminuir **3** roubar

subtrativo **(sub.tra.ti.vo)**[AO] [subtra'tivu] *adj.* **1** relativo a subtração **2** que deve ser tirado; subtraído

suburbano **(su.bur.ba.no)** [subur'bɐnu] *adj.* **1** relativo a subúrbio **2** situado nos arredores de uma cidade

subúrbio **(su.búr.bi:o)** [su'burbju] *n.m.* zona ou bairro situado perto de uma cidade ■ **subúrbios** *n.m.pl.* redondezas; arredores

subvenção **(sub.ven.ção)** [subvẽ'sɐ̃w̃] *n.f.* ⇒ **subsídio**

subversão **(sub.ver.são)** [subvər'sɐ̃w̃] *n.f.* **1** insubordinação em relação às autoridades estabelecidas; revolta **2** perturbação do funcionamento normal ou da ordem de algo

subversivo **(sub.ver.si.vo)** [subvər'sivu] *adj.* **1** que subverte **2** revolucionário ■ *n.m.* aquele que procura destruir ou alterar a ordem estabelecida; revolucionário

subverter **(sub.ver.ter)** [subvər'ter] *v.* **1** voltar de baixo para cima **2** revolucionar **3** perturbar; transtornar **4** perverter; corromper

suca **(su.ca)** ['sukɐ] *interj.* **1** [MOÇ.] usa-se para expulsar alguém ou para exprimir reprovação ou rejeição **2** [MOÇ.] exprime espanto ou indignação

sucata **(su.ca.ta)** [su'katɐ] *n.f.* **1** depósito de objetos velhos ou usados **2** conjunto de coisas inúteis

sucateiro **(su.ca.tei.ro)** [sukɐ'tɐjru] *n.m.* aquele que negoceia em objetos velhos ou usados

sucção **(suc.ção)** [su'ksɐ̃w̃] *n.f.* **1** ato ou efeito de sugar (com a boca) **2** aspiração com aparelho próprio

suceder **(su.ce.der)** [susə'der] *v.* **1** vir ou acontecer depois **2** ocorrer (um facto) **3** ser substituto ou sucessor de (alguém)

sucedido **(su.ce.di.do)** [susə'didu] *adj.* acontecido; ocorrido

sucessão **(su.ces.são)** [susə'sɐ̃w̃] *n.f.* **1** sequência de coisas ou de pessoas; série **2** continuação; seguimento **3** transmissão de bens de uma pessoa que morreu; herança

sucessivamente **(su.ces.si.va.men.te)** [susəsivɐ'mẽt(ə)] *adv.* **1** um a seguir ao outro **2** várias vezes; repetidamente

sucessivo **(su.ces.si.vo)** [susə'sivu] *adj.* **1** que acontece sem interrupção; contínuo **2** que vem depois; seguinte

sucesso (su.ces.so) [su'sɛsu] *n.m.* resultado muito positivo **SIN.** êxito; triunfo

sucessor (su.ces.sor) [susə'sor] *adj.,n.m.* **1** que ou aquele que sucede a alguém (num cargo ou numa função) **2** que ou aquele que recebe uma herança; herdeiro

sucinto (su.cin.to) [su'sĩtu] *adj.* dito ou escrito em poucas palavras **SIN.** breve; conciso

suco (su.co) ['suku] *n.m.* líquido que se extrai da carne e dos vegetais **SIN.** sumo

sucre (su.cre) ['sukr(ə)] *n.m.* ⟨*pl.* sucres⟩ unidade monetária do Equador

suculento (su.cu.len.to) [suku'lẽtu] *adj.* **1** que tem muito suco; sumarento **2** que alimenta; nutritivo

sucumbir (su.cum.bir) [sukũ'bir] *v.* **1** cair sob o peso de **2** não resistir **3** morrer

sucursal (su.cur.sal) [sukur'saɫ] *n.f.* agência de uma loja ou de um banco; filial

sudanês (su.da.nês) [sudɐ'neʃ] *adj.* relativo ao Sudão ■ *n.m.* **1** natural ou habitante do Sudão **2** língua falada no Sudão

sudeste (su.des.te) [su'dɛʃt(ə)] *n.m.* ponto entre o sul e o este (símbolo: SE)

sudoeste (su.do:es.te) [su'dwɛʃt(ə)] *n.m.* ponto entre o sul e o oeste (símbolo: SO)

sudoku [sudɔ'ku] *n.m.* jogo formado por uma tabela em que o jogador deve preencher os quadrados vazios de forma a obter os algarismos de 1 a 9 em cada linha, coluna e quadrado de 3x3

sudoríparo (su.do.rí.pa.ro) [sudu'ripɐru] *adj.* **1** relativo a suor **2** que produz suor

sueca (su:e.ca) ['swɛkɐ] *n.f.* **1** mulher natural da Suécia **2** jogo de cartas com quatro jogadores em que cada um joga com dez cartas

sueco (su:e.co) ['swɛku] *adj.* relativo à Suécia (país do norte da Europa) ■ *n.m.* **1** indivíduo natural da Suécia **2** língua oficial da Suécia

sueste (su:es.te) ['swɛʃt(ə)] *n.m.* ⇒ **sudeste**

suficiência (su.fi.ci:ên.ci:a) [sufə'sjẽsjɐ] *n.f.* **1** quantidade que é suficiente **SIN.** abundância **2** conjunto de conhecimentos e qualidades de uma pessoa para determinado trabalho **SIN.** qualificação; habilitação

suficiente (su.fi.ci:en.te) [sufə'sjẽt(ə)] *adj.2g.* **1** que chega para o que é necessário; bastante **2** que está entre o bom e o mau; regular

sufixação (su.fi.xa.ção) [sufiksɐ'sɐ̃w̃] *n.f.* formação de palavras por meio de sufixos

sufixo (su.fi.xo) [su'fiksu] *n.m.* elemento que se coloca no fim de uma palavra para formar outra palavra

sufocação (su.fo.ca.ção) [sufukɐ'sɐ̃w̃] *n.f.* **1** perda da respiração **2** morte por asfixia **3** sensação de falta de ar

sufocante (su.fo.can.te) [sufu'kɐ̃t(ə)] *adj.2g.* **1** que causa falta de ar; asfixiante **2** diz-se do tempo muito quente e abafado

sufocar (su.fo.car) [sufu'kar] *v.* **1** impedir a respiração a; asfixiar **2** sentir dificuldade em respirar **3** *fig.* impedir a expressão de (uma vontade, um desejo, etc.); reprimir

sufoco (su.fo.co) [su'foku] *n.m.* dificuldade em respirar; asfixia

sufrágio (su.frá.gi:o) [su'fraʒju] *n.m.* **1** escolha por meio de voto; votação **2** voto, numa eleição **3** aprovação

sugar (su.gar) [su'gar] *v.* **1** absorver (um líquido) com a boca; chupar **2** retirar por sucção; aspirar **3** *fig.* obter algo de alguém por meios fraudulentos ou com violência; apropriar-se de

sugerir (su.ge.rir) [suʒə'rir] *v.* **1** fazer uma sugestão **2** propor **3** insinuar

sugestão (su.ges.tão) [suʒəʃ'tɐ̃w̃] *n.f.* **1** proposta **2** insinuação **3** inspiração

sugestionar (su.ges.ti:o.nar) [suʒəʃtju'nar] *v.* influenciar por meio de sugestão

sugestionável (su.ges.ti:o.ná.vel) [suʒəʃtju'navɛɫ] *adj.2g.* que se deixa influenciar facilmente

sugestivo (su.ges.ti.vo) [suʒəʃ'tivu] *adj.* **1** que sugere ou insinua **2** que atrai; insinuante; atraente

suíça (su:í.ça) ['swisɐ] *n.f.* barba que se deixa crescer em cada uma das partes laterais da face, junto das orelhas

suicida (su:i.ci.da) [swi'sidɐ] *adj.,n.2g.* que ou pessoa que se mata a si própria

suicidar-se (su:i.ci.dar-.se) [swisi'dars(ə)] *v.* causar a morte a si próprio; matar-se

suicídio (su:i.cí.di:o) [swi'sidju] *n.m.* ato de se matar, de tirar a própria vida

suíço (su:í.ço) ['swisu] *adj.* relativo à Suíça (país do centro da Europa) ■ *n.m.* pessoa natural da Suíça

suinicultor (su:i.ni.cul.tor) [swinikuɫ'tor] *n.m.* criador de porcos

suinicultura (su:i.ni.cul.tu.ra) [swinikuɫ'turɐ] *n.f.* criação de porcos

suíno (su:í.no) ['swinu] *adj.* relativo ao porco (animal) ■ *n.m.* porco

suite ['swit(ə)] *n.f.* ⟨*pl.* suites⟩ **1** quarto de dormir com quarto de banho anexo **2** composição instrumental com andamentos diversos

sujar(-se) (su.jar(-se)) [su'ʒar(sə)] *v.* ⟨**+com**⟩ tornar ou ficar sujo **ANT.** limpar

sujeição (su.jei.ção) [suʒɐj'sɐ̃w̃] *n.f.* obediência; submissão

sujeira (su.jei.ra) [su'ʒɐjrɐ] *n.f.* **1** ⇒ **sujidade 2** *fig.* coisa mal feita

sujeitar (su.jei.tar) [suʒɐj'tar] *v.* dominar; subjugar: *sujeitar o inimigo* ▪ **sujeitar-se 1** ⟨+a⟩ correr o risco de: *Ele sujeita-se a ter um acidente.* **2** ⟨+a⟩ submeter-se: *sujeitar-se a um insulto*

sujeito (su.jei.to) [su'ʒɐjtu] *n.m.* **1** pessoa de quem não se diz o nome; fulano **2** função desempenhada por um grupo nominal ou uma oração

sujidade (su.ji.da.de) [suʒi'dad(ə)] *n.f.* **1** estado do que está sujo **ANT.** limpeza **2** falta de limpeza; porcaria

sujo (su.jo) ['suʒu] *adj.* que não é ou não está limpo; que está coberto de sujeira **SIN.** imundo; porco **ANT.** limpo

sul (sul) ['suɫ] *n.m.* ponto cardeal situado na direção oposta ao norte (símbolo: S)

sul-africano (sul-.a.fri.ca.no) [sulɐfri'kɐnu] *adj.* relativo à África do Sul ▪ *n.m.* ⟨*pl.* sul-africanos⟩ pessoa natural da África do Sul

sul-americano (sul-.a.me.ri.ca.no) [sulɐmə ri'kɐnu] *adj.* relativo à América do Sul ▪ *n.m.* ⟨*pl.* sul-americanos⟩ pessoa natural da América do Sul

sulco (sul.co) ['suɫku] *n.m.* **1** rego feito pelo arado **2** rasto que o navio deixa na água **3** ruga; prega

sulfatar (sul.fa.tar) [suɫfɐ'tar] *v.* borrifar (plantas) com uma solução de sulfato de cobre e cal, para as proteger de determinadas doenças

sulfato (sul.fa.to) [suɫ'fatu] *n.m.* sal do ácido sulfúrico

sulfúrico (sul.fú.ri.co) [suɫ'furiku] *adj.* diz-se do ácido derivado do enxofre, que é muito corrosivo

sulfuroso (sul.fu.ro.so) [suɫfu'rozu] *adj.* que tem enxofre

sultana (sul.ta.na) [suɫ'tɐnɐ] *n.f.* **1** mulher ou filha do sultão **2** variedade de uva

sultão (sul.tão) [suɫ'tɐ̃w̃] *n.m.* título de certos príncipes muçulmanos

suma (su.ma) ['sumɐ] *n.f.* **1** resumo **2** essência ♦ **em suma** em resumo

sumarento (su.ma.ren.to) [sumɐ'rẽtu] *adj.* que tem muito sumo **SIN.** suculento

sumário (su.má.ri:o) [su'marju] *n.m.* resumo dos pontos principais de uma matéria ou de um tema **SIN.** síntese

sumativo (su.ma.ti.vo) [sumɐ'tivu] *adj.* **1** que resume **2** diz-se do teste que engloba os pontos principais de uma matéria

sumaúma (su.ma.ú.ma) [suma'umɐ] *n.f.* **1** árvore gigantesca, originária da América do Sul e da África, que fornece madeira macia e leve **2** fibras que envolvem as sementes dessa árvore, utilizadas para encher almofadas, colchões, etc.

sumiço (su.mi.ço) [su'misu] *n.m.* desaparecimento ♦ **dar sumiço** fazer desaparecer; **levar sumiço** desaparecer

sumidade (su.mi.da.de) [sumi'dad(ə)] *n.f.* **1** ponto mais alto; cume; topo **2** *fig.* pessoa de grande talento ou importância

sumir(-se) (su.mir(-se)) [su'mir(sə)] *v.* **1** (fazer) desaparecer **2** esconder(-se); ocultar(-se) **3** apagar(-se); extinguir(-se)

sumo (su.mo) ['sumu] *n.m.* líquido que se extrai dos frutos ou dos legumes; suco ▪ *adj.* **1** que é o mais elevado (em poder, categoria, etc.); supremo; máximo **2** que é muito grande; enorme ♦ **Sumo Pontífice** no catolicismo, papa

sumptuosidade (sump.tu:o.si.da.de) [sũptwu zi'dad(ə)] *n.f.* qualidade de sumptuoso

sumptuoso (sump.tu:o.so) [sũ'ptwozu] *adj.* em que há muito luxo

suor (su.or) [su'ɔr] *n.m.* **1** líquido salgado, incolor e de cheiro mais ou menos forte, eliminado através dos poros da pele **2** *fig.* esforço; sacrifício ♦ **sentir suores frios** sentir grande angústia

super (su.per) ['supɛr] *adj.2g. coloq.* de nível ou qualidade superior; excecional

superar (su.pe.rar) [supə'rar] *v.* **1** ser superior a; exceder **2** ir além de; ultrapassar **3** alcançar vitória sobre; vencer

superável (su.pe.rá.vel) [supə'ravɛɫ] *adj.2g.* que pode ser superado

superdotado (su.per.do.ta.do) [supɛrdu'tadu] *adj.,n.m.* [BRAS.] ⇒ **sobredotado**

superficial (su.per.fi.ci:al) [supərfi'sjaɫ] *adj.2g.* **1** que diz respeito à superfície de um corpo; externo **2** *fig.* que é pouco profundo; ligeiro **3** *fig.* que não chega ao mais importante; fútil

superficialidade (su.per.fi.ci:a.li.da.de) [supər fisjɐli'dad(ə)] *n.f.* **1** qualidade de superficial **2** falta de profundidade

superfície (su.per.fí.ci:e) [supər'fisji] *n.f.* **1** parte externa dos corpos **2** extensão de uma área delimitada **3** *fig.* aspeto exterior; aparência ♦ **à superfície** à tona; **superfície frontal** superfície de separação entre duas massas de ar

supérfluo (su.pér.flu:o) [su'pɛrflwu] *adj.* **1** que é mais do que se precisa; excessivo **2** que não é necessário; inútil

super-homem (su.per-.ho.mem) [supɛ'rɔmɐ̃j̃] *n.m.* ⟨*pl.* super-homens⟩ indivíduo com qualidades (força, inteligência, bondade, etc.) em grau superior ao que é próprio do ser humano

superior (su.pe.ri:or) [supə'rjor] *adj.* **1** que está acima de; elevado **ANT.** inferior **2** que tem maior altura; mais alto **3** que é de melhor qualidade;

muito bom ■ *n.2g.* pessoa que tem autoridade sobre outra; chefe

superioridade (su.pe.ri:o.ri.da.de) [supərjuri'dad(ə)] *n.f.* **1** qualidade do que é superior **2** autoridade **3** vantagem

superlativo (su.per.la.ti.vo) [supərlɐ'tivu] *adj.* grau do adjetivo ou do advérbio que exprime uma qualidade no grau mais elevado

superlotação (su.per.lo.ta.ção) [supɛrlutɐ'sɐ̃w̃] *n.f.* condição de um local ou meio de transporte em que os lugares se encontram todos ocupados; sobrelotação

superlotado (su.per.lo.ta.do) [supɛrlu'tadu] *adj.* muito cheio

superlotar (su.per.lo.tar) [supɛrlu'tar] *v.* encher demasiado

supermercado (su.per.mer.ca.do) [supɛrmər'kadu] *n.m.* estabelecimento de venda de produtos alimentares e artigos de uso corrente, expostos de forma sistemática, onde os clientes se servem

supermodelo (su.per.mo.de.lo) [supɛrmu'delu] *n.2g.* manequim muito célebre, muito procurado(a) por estilistas e fotógrafos; top model

superpotência (su.per.po.tên.ci:a) [supɛrpu'tẽsjɐ] *n.f.* país que se destaca pelo seu poder político, económico e militar

superpovoado (su.per.po.vo:a.do) [supɛrpu'vwadu] *adj.* que tem muitos ou demasiados habitantes

superprodução (su.per.pro.du.ção) [supɛrprudu'sɐ̃w̃] *n.f.* **1** produção em quantidade superior às possibilidades de absorção do mercado **2** filme, espetáculo ou programa produzido com elevado investimento e geralmente muito publicitado

supersónico (su.per.só.ni.co) [supɛr'sɔniku] *adj.* que se move com velocidade superior à velocidade do som

superstição (su.pers.ti.ção) [supərʃti'sɐ̃w̃] *n.f.* crença que não tem explicação lógica ou racional

supersticioso (su.pers.ti.ci:o.so) [supərʃti'sjozu] *adj.* **1** relativo a superstição **2** que tem superstição ■ *n.m.* pessoa que acredita em superstições

supervisão (su.per.vi.são) [supɛrvi'zɐ̃w̃] *n.f.* ato ou efeito de supervisionar; controlo

supervisionar (su.per.vi.si:o.nar) [supɛrvizju'nar] *v.* inspecionar; controlar

supervisor (su.per.vi.sor) [supɛrvi'zor] *n.m.* pessoa que supervisiona

suplantar (su.plan.tar) [suplɐ̃'tar] *v.* vencer; superar

suplementar (su.ple.men.tar) [suplәmẽ'tar] *adj.2g.* que serve de suplemento **SIN.** adicional

suplemento (su.ple.men.to) [suplə'mẽtu] *n.m.* **1** o que se dá a mais; complemento **2** aquilo que se acrescenta a um todo **3** caderno, geralmente ilustrado, que completa um número de um jornal

suplente (su.plen.te) [su'plẽt(ə)] *adj.,n.2g.* que ou pessoa que substitui outra **SIN.** substituto

súplica (sú.pli.ca) ['suplikɐ] *n.f.* pedido insistente **SIN.** rogo

suplicar (su.pli.car) [supli'kar] *v.* pedir muito **SIN.** rogar

suplício (su.plí.ci:o) [su'plisju] *n.m.* sofrimento moral ou físico muito intenso **SIN.** tormento; tortura

supor (su.por) [su'por] *v.* **1** admitir por hipótese **2** considerar **3** imaginar

suportar (su.por.tar) [supur'tar] *v.* **1** aguentar **2** sofrer

suportável (su.por.tá.vel) [supur'tavɛɫ] *adj.2g.* que se pode suportar

suporte (su.por.te) [su'pɔrt(ə)] *n.m.* aquilo que sustenta alguma coisa; apoio; base ◆ **suporte de informação** em informática, dispositivo destinado a armazenar informação (banda magnética, disco rígido, disquete, etc.)

suposição (su.po.si.ção) [supuzi'sɐ̃w̃] *n.f.* **1** ato ou efeito de supor **2** opinião que não se baseia em provas; hipótese

supositório (su.po.si.tó.ri:o) [supuzi'tɔrju] *n.m.* medicamento cónico que se introduz pelo ânus

supostamente (su.pos.ta.men.te) [supɔʃtɐ'mẽt(ə)] *adv.* supondo que é assim; por hipótese

suposto (su.pos.to) [su'poʃtu] *adj.* **1** admitido por hipótese; hipotético **2** imaginário; fictício

supracitado (su.pra.ci.ta.do) [suprɐsi'tadu] *adj.* citado anteriormente; mencionado

supranumerário (su.pra.nu.me.rá.ri:o) [suprɐnumə'rarju] *adj.* que excede o número estabelecido; excessivo ■ *n.m.* **1** funcionário que excede o número estabelecido ou fixado para um dado setor ou serviço; excedentário **2** funcionário que tem preferência para preencher a vaga de um efetivo

suprassumo (su.pras.su.mo)[AO] [suprɐ'sumu] *n.m.* grau mais elevado de alguma coisa; máximo; cúmulo

supra-sumo (su.pra-.su.mo) [suprɐ'sumu] *a nova grafia é* **suprassumo**[AO]

supremacia (su.pre.ma.ci.a) [suprəmɐ'siɐ] *n.f.* poder ou autoridade suprema **SIN.** superioridade

supremo (su.pre.mo) [su'premu] *adj.* **1** que está acima de tudo; superior **2** extremo; máximo **3** divino

supressão (su.pres.são) [suprə'sɐ̃w̃] *n.f.* **1** ato de retirar ou cortar uma parte de um todo; eliminação **2** falta de palavras ou frases num texto; omissão

suprimir (su.pri.mir) [supri'mir] *v.* **1** fazer desaparecer; eliminar **2** cortar; riscar **3** não mencionar; omitir

suprir (su.prir) [su'prir] *v.* **1** preencher (falta): *suprir uma carência* **2** substituir; remediar: *Ninguém pode suprir uma mãe.* **3** ⟨+de⟩ abastecer; prover: *Supriu a dispensa de leite.*

surdez (sur.dez) [sur'deʃ] *n.f.* perda total ou parcial da audição

surdina (sur.di.na) [sur'dinɐ] *n.f.* **1** peça móvel que se aplica a instrumentos para lhes abafar e suavizar a sonoridade **2** pedal esquerdo do piano **3** som baixo, abafado ◆ **em surdina** em voz baixa

surdo (sur.do) ['surdu] *adj.,n.m.* que ou aquele que não ouve ou ouve pouco ◆ **ser surdo como uma porta** ser completamente surdo; não ouvir nada

surdo-mudo (sur.do-.mu.do) [surdu'mudu] *adj.,n.m.* ⟨*pl.* surdos-mudos⟩ que ou aquele que não ouve nem fala

surf ['sɐrf] *n.m.* desporto em que o praticante acompanha o rebentar das ondas mantendo-se em equilíbrio sobre uma prancha

surfar (sur.far) [sur'far] *v.* **1** praticar surf **2** *gír.* percorrer a internet através de uma aplicação adequada (browser)

surfista (sur.fis.ta) [sur'fiʃtɐ] *adj.2g.* relativo a surf ■ *n.2g.* praticante de surf

surgir (sur.gir) [sur'ʒir] *v.* **1** erguer-se **2** aparecer **3** nascer **4** ocorrer

suricata (su.ri.ca.ta) [suri'katɐ] *n.m.* pequeno mamífero africano com cerca de meio metro de comprimento, pelagem acastanhada e cauda comprida, que se alimenta principalmente de insetos

surpreendente (sur.pre:en.den.te) [surprjẽ'dẽt(ə)] *adj.2g.* **1** que causa surpresa; inesperado **2** admirável; magnífico

surpreender (sur.pre:en.der) [surprjẽ'der] *v.* **1** causar surpresa: *O seu pedido de desculpas surpreendeu-me.* **2** apanhar (alguém) em flagrante: *A polícia surpreendeu os ladrões.* **3** causar admiração: *Os seus poemas surpreenderam-na.* SIN. admirar; espantar ■ **surpreender-se** ⟨+com⟩ ficar surpreendido: *Surpreendi-me com o crescimento da árvore.* SIN. admirar-se; espantar-se

surpreendido (sur.pre:en.di.do) [surprjẽ'didu] *adj.* **1** apanhado de repente, de surpresa **2** admirado; espantado

surpresa (sur.pre.sa) [sur'prezɐ] *n.f.* **1** espanto causado por algo inesperado; admiração **2** coisa ou facto que surpreende; novidade ◆ **de surpresa** de modo inesperado; de repente

surpreso (sur.pre.so) [sur'prezu] *adj.* espantado; surpreendido; perplexo

surra (sur.ra) ['suʀɐ] *n.f.* tareia; sova

surrar (sur.rar) [su'ʀar] *v.* bater em

surreal (sur.re:al) [su'ʀjaɫ] *adj.2g.* que está para além do real; estranho; absurdo

surrealismo (sur.re:a.lis.mo) [suʀjɐ'liʒmu] *n.m.* movimento surgido no segundo quartel do século XX, que valorizava a importância do sonho e do inconsciente, e a liberdade em relação a qualquer preocupação racional, moral ou estética

surrealista (sur.re:a.lis.ta) [suʀjɐ'liʃtɐ] *adj.2g.* **1** relativo a surrealismo **2** *fig.* bizarro; insólito ■ *n.2g.* artista ou escritor que segue o surrealismo

surripiar (sur.ri.pi:ar) [suʀi'pjar] *v. coloq.* tirar às escondidas; roubar

surtir (sur.tir) [sur'tir] *v.* ter como resultado; provocar ◆ **surtir efeito** dar bom resultado; ter êxito

surto (sur.to) ['surtu] *n.m.* **1** aumento rápido e significativo (de alguma coisa) **2** aparecimento repentino (de uma doença)

susceptibilidade (sus.cep.ti.bi.li.da.de) [suʃsɛtibili'dad(ə)] *a nova grafia é* **suscetibilidade**[AO]

susceptível (sus.cep.tí.vel) [suʃsɛ'tivɛɫ] *a nova grafia é* **suscetível**[AO]

suscetibilidade (sus.ce.ti.bi.li.da.de)[AO] [suʃsɛtibili'dad(ə)] *n.f.* tendência para se ofender ou melindrar; sensibilidade

suscetível (sus.ce.tí.vel)[AO] [suʃsɛ'tivɛɫ] *adj.2g.* **1** que pode sofrer alterações ou adquirir certas qualidades **2** que adoece facilmente **3** que se ofende com facilidade; sensível

suscitar (sus.ci.tar) [suʃsi'tar] *v.* fazer nascer ou aparecer SIN. originar

sushi ['suʃi] *n.m.* prato japonês que consiste num pequeno bolo de arroz cozido, com vinagre e doce, coberto com pedaços de peixe cru ou vegetais e em geral envolto em algas

suspeita (sus.pei.ta) [suʃ'pɐjtɐ] *n.f.* desconfiança ◆ **acima de qualquer suspeita** sem lugar para dúvidas

suspeitar (sus.pei.tar) [suʃpɐj'tar] *v.* **1** ⟨+de⟩ desconfiar: *A polícia suspeitava de homicídio.* **2** supor: *Suspeito que eles podem estar a mentir.*

suspeito (sus.pei.to) [suʃ'pɐjtu] *adj.* **1** que não inspira confiança **2** que se julga ser falsificado ou ilegal; duvidoso ■ *n.m.* indivíduo que se pensa ser o autor de um crime ou de um ato condenável

suspender (sus.pen.der) [suʃpẽ'der] *v.* **1** suster no ar; pendurar **2** interromper temporariamente **3** impedir de fazer **4** proibir durante certo tempo

suspensão (**sus.pen.são**) [suʃpẽ'sɐ̃w̃] *n.f.* **1** interrupção temporária ou definitiva (de uma atividade) **2** estado do que está suspenso ou pendurado **3** estado das partículas sólidas que flutuam num líquido

suspense [suʃ'pɐ̃(sə)] *n.m.* estado de ansiedade e impaciência em relação a algo que pode acontecer (num filme, numa situação); tensão

suspenso (**sus.pen.so**) [suʃ'pẽsu] *adj.* **1** pendurado; pendente **2** que flutua (num líquido) **3** parado; interrompido **4** *fig.* hesitante; perplexo

suspensórios (**sus.pen.só.ri:os**) [suʃpẽ'sɔrjuʃ] *n.m.pl.* tiras de tecido ou cabedal que seguram as calças, passando pelos ombros

suspirar (**sus.pi.rar**) [suʃpi'rar] *v.* **1** dar suspiros **2** ⟨**+por**⟩ desejar muito; ambicionar: *Estou a suspirar pelas férias.*

suspiro (**sus.pi.ro**) [suʃ'piru] *n.m.* **1** respiração mais ou menos prolongada produzida por dor, prazer, saudade, etc. **2** *fig.* lamento; gemido

sussurrar (**sus.sur.rar**) [susu'ʀar] *v.* dizer em voz baixa **SIN.** murmurar; segredar

sussurro (**sus.sur.ro**) [su'suʀu] *n.m.* **1** som baixo de vozes; murmúrio **2** barulho suave e continuado das folhas ou do vento **3** zumbido de certos insetos

sustenido (**sus.te.ni.do**) [suʃtə'nidu] *n.m.* sinal que indica que a nota à sua direita deve subir meio tom ■ *adj.* diz-se da nota que é alterada pelo sinal #

sustentação (**sus.ten.ta.ção**) [suʃtẽtɐ'sɐ̃w̃] *n.f.* **1** ato ou efeito de sustentar; apoio **2** conservação; manutenção

sustentáculo (**sus.ten.tá.cu.lo**) [suʃtẽ'takulu] *n.m.* suporte; apoio

sustentado (**sus.ten.ta.do**) [suʃtẽ'tadu] *adj.* **1** apoiado; financiado **2** (crescimento, medida) que mantém o equilíbrio de (algo)

sustentar (**sus.ten.tar**) [suʃtẽ'tar] *v.* **1** segurar por baixo; suportar **2** manter em equilíbrio; aguentar **3** garantir a subsistência de; alimentar

sustentável (**sus.ten.tá.vel**) [suʃtẽ'tavɛɫ] *adj.2g.* que se pode manter ou defender

sustento (**sus.ten.to**) [suʃ'tẽtu] *n.m.* **1** alimento **2** conservação **3** proteção

suster (**sus.ter**) [suʃ'ter] *v.* **1** segurar para que não caia; amparar **2** *fig.* conter; moderar

susto (**sus.to**) ['suʃtu] *n.m.* medo repentino; sobressalto ♦ **não ganhar para o susto 1** sobreviver a uma situação perigosa **2** assustar-se muito

sutiã (**su.ti:ã**) [su'tjɐ̃] *n.m.* peça de vestuário feminino que serve para amparar os seios

sutura (**su.tu.ra**) [su'turɐ] *n.f.* costura que une os rebordos de um corte ou de uma ferida

suturar (**su.tu.rar**) [sutu'rar] *v.* fazer sutura de (um corte, uma ferida)

SW *símbolo de* sudoeste

sweater ['swɛtɛr] *n.f.* ⇒ **sweatshirt**

sweatshirt [swɛ'tʃɐrt] *n.f.* ⟨*pl.* sweatshirts⟩ camisola de malha de algodão com mangas e gola com fecho ou botões

swing ['swĩg] *n.m.* estilo de música jazz muito popular nos anos 1930-40, geralmente tocado por bandas com muitos elementos, caracterizado por ritmo animado

T

t ['te] *n.m.* consoante, vigésima letra do alfabeto, que está entre as letras *s* e *u*

tabacaria (ta.ba.ca.ri.a) [tɐbɐkɐ'riɐ] *n.f.* loja onde se vende tabaco, jornais, revistas, etc.

tabaco (ta.ba.co) [tɐ'baku] *n.m.* plantas cujas folhas servem para fumar, cheirar ou mascar

tabágico (ta.bá.gi.co) [tɐ'baʒiku] *adj.* relativo a tabaco

tabagismo (ta.ba.gis.mo) [tɐbɐ'ʒiʒmu] *n.m.* consumo de tabaco

tabaqueira (ta.ba.quei.ra) [tɐbɐ'kɐjrɐ] *n.f.* **1** estojo para guardar tabaco **2** empresa ou fábrica produtora de tabaco

tabefe (ta.be.fe) [tɐ'bɛf(ə)] *n.m. coloq.* bofetada

tabela (ta.be.la) [tɐ'bɛlɐ] *n.f.* **1** quadro onde se registam nomes de pessoas e outras indicações (horários, preços, etc.) **2** lista de preços ◆ **à tabela** conforme o horário previsto

tabelar (ta.be.lar) [tɐbə'lar] *v.* **1** fazer constar de uma tabela **2** fixar o preço de **3** no futebol, jogar trocando passes de bola

taberna (ta.ber.na) [tɐ'bɛrnɐ] *n.f.* estabelecimento onde se vende vinho e se servem refeições ligeiras; tasca

tabique (ta.bi.que) [tɐ'bik(ə)] *n.m.* parede interior que divide um compartimento; divisória

tablet ['tablɐt] *n.m.* dispositivo eletrónico em formato retangular e com ecrã sensível ao toque, usado para organização pessoal, visualização e arquivo de vários tipos de ficheiros digitais, comunicação móvel e como entretenimento

tablete (ta.ble.te) [ta'blɛt(ə)] *n.f.* **1** comprimido ou alimento em forma de retângulo **2** barra de chocolate

tablier [ta'blje] *n.m.* (automóvel) painel onde se encontram os instrumentos de controlo

tabloide (ta.bloi.de)AO [tɐ'blɔjd(ə)] *n.m.* jornal pequeno, em geral, sensacionalista

tablóide (ta.blói.de) [tɐ'blɔjd(ə)] *a nova grafia é* **tabloide**AO

tabopan (ta.bo.pan) [tɐbɔ'pɐ̃] *n.m.* aglomerado de madeira

tabu (ta.bu) [ta'bu] *n.m.* proibição de determinados atos ou comportamentos por motivos culturais ou religiosos ■ *adj.2g.* que é proibido; interdito: *Esse é um assunto tabu cá em casa.*

tábua (tá.bu:a) ['tabwɐ] *n.f.* **1** peça de madeira plana, pouco espessa e relativamente larga: *tábua de engomar* **2** quadro para consulta de dados; índice; catálogo ◆ **tábua de salvação** aquilo que se usa como último recurso numa situação desesperada

tabuada (ta.bu:a.da) [tɐ'bwadɐ] *n.f.* tabela ou quadro que apresenta o resultado das quatro operações aritméticas feitas com os números de 1 a 10

tabuleiro (ta.bu.lei.ro) [tɐbu'lɐjru] *n.m.* **1** peça plana com um rebordo em volta **2** quadro de madeira com divisões para certos jogos **3** pavimento de uma ponte

tabuleta (ta.bu.le.ta) [tɐbu'letɐ] *n.f.* placa com avisos ou indicações úteis (direções, horários de funcionamento, proibições, etc.)

TAC ['tak] *sigla de* tomografia axial computorizada

taça (ta.ça) ['tasɐ] *n.f.* **1** copo pouco fundo e de boca larga, geralmente com pé **2** troféu, geralmente de prata, com a forma de um vaso largo com pé **3** competição desportiva; torneio

tacada (ta.ca.da) [tɐ'kadɐ] *n.f.* pancada com o taco ◆ **de uma tacada** de uma só vez

tacanho (ta.ca.nho) [tɐ'kɐɲu] *adj.* **1** que tem pequenas dimensões; acanhado **2** que tem vistas curtas; limitado **3** avarento; mesquinho

tacão (ta.cão) [tɐ'kɐ̃w̃] *n.m.* salto do calçado: *sapato de tacão alto/baixo*

tacha (ta.cha) ['taʃɐ] *n.f.* prego curto, de cabeça chata e larga ◆ **arreganhar a tacha** mostrar os dentes SIN. rir

---

Não confundir **tacha** (prego curto) com **taxa** (valor a pagar).

---

tachar (ta.char) [tɐ'ʃar] *v.* **1** atribuir característica (em geral negativa) ou defeito a **2** pregar tachas em

tacho (ta.cho) ['tɐʃu] *n.m.* **1** utensílio de barro ou de metal em que se cozinham os alimentos **2** *coloq.* emprego bem pago

tácito (tá.ci.to) ['tasitu] *adj.* implícito

taciturno (ta.ci.tur.no) [tɐsi'turnu] *adj.* **1** que fala pouco; reservado **2** triste; melancólico

taco (ta.co) ['taku] *n.m.* **1** haste com que se bate a bola em certos jogos (golfe, polo, hóquei, basebol e bilhar) **2** pedaço de madeira retangular, utilizado no revestimento de pisos **3** [MOÇ.] dinheiro ♦ **taco a taco** em situação idêntica; em pé de igualdade

tactear (tac.te:ar) [tɐ'tjar] *a nova grafia é* **tatear**[AO]

táctica (tác.ti.ca) ['tatikɐ] *a nova grafia é* **tática**[AO]

táctico (tác.ti.co) ['tatiku] *a nova grafia é* **tático**[AO]

táctil (tác.til)[AO] ['ta(k)tiɫ] ou **tátil**[AO] *adj.2g.* **1** relativo a tato **2** que pode ser tocado; palpável

tacto (tac.to) ['tatu] *a nova grafia é* **tato**[AO]

tacudo (ta.cu.do) [tɐ'kudu] *adj.* [MOÇ.] que tem muito taco (dinheiro); milionário

taekwondo [taj'kwõdu] *n.m.* arte marcial e exercício de combate semelhante ao karaté, que consiste em golpes vigorosos de mãos e pés

tafal-tafal (ta.fal-.ta.fal) [tafaɫta'faɫ] *n.f.* [GB.] logro; trafulhice

tagarela (ta.ga.re.la) [tɐgɐ'rɛlɐ] *adj.,n.2g.* que ou pessoa que fala muito

tagarelar (ta.ga.re.lar) [tɐgɐrə'lar] *v.* falar muito; palrar

tagarelice (ta.ga.re.li.ce) [tɐgɐrə'li(sə)] *n.f.* **1** hábito de falar muito **2** conversa sobre coisas pouco importantes

tai chi chuan [tajʃi'ʃwɐn] *n.m.* arte marcial, atualmente prática terapêutica ou relaxante, em que se executam movimentos lentos, privilegiando a concentração, o equilíbrio corporal, a flexibilidade e a respiração

tailandês (tai.lan.dês) [tajlɐ̃'deʃ] *adj.* relativo à Tailândia (país do sudeste da Ásia) ■ *n.m.* ⟨*f.* tailandesa⟩ **1** pessoa natural da Tailândia **2** língua oficial da Tailândia

tailleur [taj'ɐr] *n.m.* ⟨*pl.* tailleurs⟩ traje feminino composto por saia e casaco curto do mesmo tecido; saia-casaco

tainha (ta.i.nha) [tɐ'iɲɐ] *n.f.* peixe com corpo em forma de fuso e com riscas escuras longitudinais

> A palavra **tainha** escreve-se sem acento agudo no **i**.

takeaway [tɐjkɐ'wɐj] *n.m.* ⟨*pl.* takeaways⟩ restaurante ou secção de um estabelecimento que vende comida pronta para ser consumida em casa ou noutro lugar

tal (tal) ['taɫ] *det.,prn.dem.* este; esse; aquele; isto; isso; aquilo ■ *adj.2g.* igual; semelhante ■ *adv.* desse modo; assim ■ *n.2g.* certa pessoa; sujeito; fulano ♦ **como tal** sendo assim; por essa razão; **tal qual** exatamente; assim mesmo

tala (ta.la) ['talɐ] *n.f.* **1** placa usada com ligaduras para imobilizar um membro fraturado ou uma parte do corpo **2** qualquer objeto que aperta ou segura

talão (ta.lão) [tɐ'lɐ̃w̃] *n.m.* parte de um bilhete ou recibo com uma indicação breve do seu conteúdo ♦ [BRAS.] **talão de cheques** livro de cheques

talassoterapia (ta.las.so.te.ra.pi.a) [tɐlasɔtəɾɐ'piɐ] *n.f.* uso da água do mar, das algas marinhas e do clima marítimo para fins terapêuticos

talco (tal.co) ['taɫku] *n.m.* **1** mineral muito pouco duro e gorduroso ao tato **2** pó deste mineral, muito usado como artigo de higiene corporal

talento (ta.len.to) [tɐ'lẽtu] *n.m.* **1** capacidade com que se nasce ou que se adquire para fazer muito bem determinada coisa; jeito; habilidade: *Ele tem muito talento para a música.* **2** pessoa com essa capacidade: *Este músico é um grande talento do país.*

talentoso (ta.len.to.so) [tɐlẽ'tozu] *adj.* que tem muito talento; dotado

talha (ta.lha) ['taʎɐ] *n.f.* **1** corte; incisão **2** obra de arte em madeira

talhada (ta.lha.da) [tɐ'ʎadɐ] *n.f.* porção cortada de certos frutos grandes (melão, melancia, etc.); fatia grande

talhado (ta.lha.do) [tɐ'ʎadu] *adj.* **1** que foi cortado **2** adequado; apropriado

talhante (ta.lhan.te) [tɐ'ʎɐ̃t(ə)] *n.2g.* funcionário ou dono de um talho

talhar (ta.lhar) [tɐ'ʎar] *v.* **1** dividir em partes iguais; cortar **2** cortar (tecido) à medida do corpo **3** esculpir (pedra, madeira, etc.)

talhe (ta.lhe) ['taʎ(ə)] *n.m.* **1** forma; feitio **2** corte de uma peça de vestuário

talher (ta.lher) [tɐ'ʎɛr] *n.m.* conjunto de garfo, colher e faca ♦ **ser um bom talher** ser um apreciador de boa comida

talho (ta.lho) ['taʎu] *n.m.* estabelecimento onde se corta e se vende carne para a alimentação ♦ **vir a talho de foice** vir a propósito

talibã (ta.li.bã) [tali'bɐ̃] *n.m.* membro de um movimento islâmico extremista originário do Afeganistão

talisca (ta.lis.ca) [tɐ'liʃkɐ] *n.f.* [CV.] mandioca seca em bocados

talismã (ta.lis.mã) [tɐliʒ'mɐ̃] *n.m.* objeto que se usa para dar sorte ou proteger do azar **SIN.** amuleto

talk-show [tɔk'ʃow] *n.m.* ⟨*pl.* talk-shows⟩ programa de variedades com entrevistas, geralmente a pessoas célebres

talo (ta.lo) ['talu] *n.m.* corpo da planta não diferenciado em caule e folhas

taluda (ta.lu.da) [tɐ'ludɐ] *n.f. coloq.* o maior prémio da lotaria; sorte grande

talvez (tal.vez) [taɫ'veʃ] *adv.* possivelmente; provavelmente; porventura

tamanca (ta.man.ca) [tɐ'mɐ̃kɐ] *n.f.* calçado grosseiro de couro com base de madeira; soca

tamanco (ta.man.co) [tɐ'mɐ̃ku] *n.m.* calçado de couro grosseiro com base de madeira; soca

tamanho (ta.ma.nho) [tɐ'mɐɲu] *n.m.* **1** grandeza física (volume, área, comprimento, medida, etc.) **2** cada uma das medidas de roupa, geralmente expressas em número, que corresponde a uma dimensão do corpo humano (altura, peso, etc.): *O meu tamanho é o 34.* ■ *adj.* **1** tão grande; tão extenso: *Quem te disse tamanha mentira?* **2** tão forte; tão violento: *Apanhei tamanho susto que ia desmaiando.*

tâmara (tâ.ma.ra) ['tɐmɐrɐ] *n.f.* fruto alongado, carnudo e com caroço, que geralmente se come seco

também (tam.bém) [tɐ̃'bɐ̃j] *adv.* **1** do mesmo modo; da mesma forma; igualmente **2** além disso; ainda **3** por outro lado; mas; porém

tambor (tam.bor) [tɐ̃'bor] *n.m.* instrumento musical de percussão, formado por uma caixa cilíndrica cujos fundos são peles esticadas, sobre as quais se bate com duas baquetas

tamboril (tam.bo.ril) [tɐ̃bu'riɫ] *n.m.* peixe com cabeça grande e boca semicircular, com dentes pontiagudos

tampa (tam.pa) ['tɐ̃pɐ] *n.f.* peça móvel com que se tapa ou cobre um recipiente ou uma caixa ◆ *coloq.* **levar uma tampa** ser rejeitado

tampão (tam.pão) [tɐ̃'pɐ̃w̃] *n.m.* **1** tampa grande **2** peça com que se tapa o depósito de gasolina

tampo (tam.po) ['tɐ̃pu] *n.m.* parte superior e horizontal de uma mesa, cadeira, etc.

tanga (tan.ga) ['tɐ̃gɐ] *n.f.* **1** calções de banho de tamanho reduzido **2** peça de roupa usada à volta das ancas **3** [MOÇ.] vela de barco ◆ *coloq.* **dar tanga a (alguém)** divertir-se à custa de (alguém)

tangente (tan.gen.te) [tɐ̃'ʒẽt(ə)] *n.f.* linha que toca outra linha, sem a intersetar ◆ **à tangente** a custo, por pouco; **passar à tangente** obter a nota positiva mínima num teste ou num exame escolar

tangerina (tan.ge.ri.na) [tɐ̃ʒə'rinɐ] *n.f.* fruto amarelo-avermelhado, arredondado, com gomos sumarentos

tangerineira (tan.ge.ri.nei.ra) [tɐ̃ʒəri'nɐjrɐ] *n.f.* árvore que produz tangerinas

tango (tan.go) ['tɐ̃gu] *n.m.* dança de origem africana que se desenvolveu sobretudo na Argentina

tanque (tan.que) ['tɐ̃k(ə)] *n.m.* **1** reservatório para água e outros líquidos **2** carro de combate armado e blindado

tanso (tan.so) ['tɐ̃su] *adj.,n.m. coloq.* palerma; tolo; idiota

tanto (tan.to) ['tɐ̃tu] *prn.indef.* **1** tão numeroso **2** tão grande ■ *n.m.* **1** porção ou quantia indeterminada **2** extensão ou tamanho igual ao de outro ■ *adv.* **1** de tal modo **2** em tão grande quantidade **3** por tão longo espaço de tempo **4** a tal ponto **5** com tal insistência **6** com tal força ◆ **às tantas 1** muito tarde **2** a dado momento; **se tanto** quando muito; **tanto mais que** além de que; **tanto melhor** ainda bem; **tanto quanto** segundo; conforme

tantra (tan.tra) ['tɐ̃trɐ] *n.m.* conjunto de livros esotéricos anónimos que reúnem crenças, símbolos, rituais e práticas mágicas diversas, elaborados na Índia a partir do século VII

tântrico (tân.tri.co) ['tɐ̃triku] *adj.* relativo ao tantrismo

tantrismo (tan.tris.mo) [tɐ̃'triʒmu] *n.m.* técnica de coordenação entre a mente e o corpo

tão (tão) ['tɐ̃w̃] *adv.* **1** tanto **2** em tal grau **3** de tal maneira

taoismo (tao.is.mo) [taw'iʒmu] *n.m.* doutrina baseada sobretudo na existência dos opostos, o yin e o yang, na necessidade de equilíbrio desses opostos, e no *tao*, a harmonia total entre todas as coisas e todos os seres

tão-pouco (tão-.pou.co) [tɐ̃w̃'po(w)ku] *adv.* muito menos; também não; sequer

tão-somente (tão-.so.men.te) [tɐ̃w̃sɔ'mẽt(ə)] *adv.* unicamente; apenas

TAP ['tap] *sigla de* Transportes Aéreos Portugueses

tapa (ta.pa) ['tapɐ] *n.f.* alimento ligeiro, muito comum em Espanha, servido como entrada de uma refeição ou como prato principal

tapada (ta.pa.da) [tɐ'padɐ] *n.f.* **1** área de mata cercada e protegida, onde se cria caça **2** qualquer terreno cercado por um muro

tapado (ta.pa.do) [tɐ'padu] *adj.* **1** que tem tampa ou cobertura; coberto **2** cercado; vedado **3** entupido (o nariz) **4** *fig., coloq.* diz-se de quem não é inteligente; estúpido

tapar (ta.par) [tɐ'par] *v.* **1** cobrir com tampa, rolha, testo, etc. **2** entupir (nariz, ouvidos) **3** encobrir ■ **tapar-se** cobrir-se (com roupa, manta, etc.)

tapeçaria (ta.pe.ça.ri.a) [tɐpəsɐ'riɐ] *n.f.* tecido trabalhado ou bordado com que se revestem paredes, soalhos, etc.

tapete (ta.pe.te) [tɐ'pet(ə)] *n.m.* peça de lã ou de fibra, de tamanho variável, usada para cobrir pavimentos **SIN.** alcatifa; carpete ◆ **tapete rolante** mecanismo formado por uma superfície plana em movimento, usado por exemplo em aeroportos para transportar malas e mercadorias

tapioca (ta.pi:o.ca) [tɐ'pjɔkɐ] *n.f.* fécula extraída das raízes da mandioca

tapir (ta.pir) [ta'pir] *n.m.* mamífero de corpo pesado e focinho em forma de tromba, que vive nas florestas da América e da Ásia

tapume (ta.pu.me) [tɐ'pum(ə)] *n.m.* **1** vedação temporária **2** vedação de madeira, silvas ou ramos de árvore

taquicardia (ta.qui.car.di.a) [takikɐr'diɐ] *n.f.* aumento da frequência das pulsações cardíacas

tara (ta.ra) ['tarɐ] *n.f.* **1** embalagem de um produto **2** peso dessa embalagem **3** peso de um veículo sem carga **4** *coloq.* desequilíbrio mental; mania **5** *coloq.* pessoa ou coisa muito bonita

tarado (ta.ra.do) [tɐ'radu] *adj.* que sofre de desequilíbrio mental

tarântula (ta.rân.tu.la) [tɐ'rɐ̃tulɐ] *n.f.* 👁 aranha grande e peluda, cuja picada geralmente é venenosa

tardar (tar.dar) [tɐr'dar] *v.* **1** demorar; atrasar **2** chegar tarde **3** acontecer com atraso ◆ **não tardar** estar prestes a chegar; **sem mais tardar** imediatamente

tarde (tar.de) ['tard(ə)] *adv.* **1** fora de tempo; depois da hora combinada ou prevista: *chegar tarde; levantar-se tarde* **ANT.** cedo **2** perto do fim do dia; em hora avançada: *deitar-se tarde* ■ *n.f.* tempo que vai desde o meio-dia ao anoitecer

tardinha (tar.di.nha) [tɐr'diɲɐ] ⟨*dim. de* tarde⟩ *n.f.* fim da tarde; últimas horas da tarde

tardio (tar.di.o) [tɐr'diu] *adj.* **1** que acontece depois do tempo previsto **2** que se prolonga no tempo; demorado

tareco (ta.re.co) [tɐ'rɛku] *n.m. coloq.* gato

tarefa (ta.re.fa) [tɐ'rɛfɐ] *n.f.* trabalho que se deve fazer em certo tempo

tareia (ta.rei.a) [tɐ'rɐjɐ] *n.f.* sova; surra: *dar uma tareia*

tarifa (ta.ri.fa) [tɐ'rifɐ] *n.f.* tabela de preços cobrados por determinado serviço **SIN.** tarifário

tarifário (ta.ri.fá.ri:o) [tɐri'farju] *n.m.* ⇒ **tarifa**

tarot [ta'ro] *n.m.* **1** baralho de cartas composto por figuras simbólicas, utilizado para adivinhação **2** jogo em que se utilizam essas cartas

tarraxa (tar.ra.xa) [tɐ'ʀaʃɐ] *n.f.* **1** parafuso **2** cavilha

tarso (tar.so) ['tarsu] *n.m.* região posterior do esqueleto do pé

tártaro (tár.ta.ro) ['tartɐru] *n.m.* **1** depósito calcário que se acumula nos dentes; pedra **2** depósito que se forma em recipientes para líquidos

tartaruga (tar.ta.ru.ga) [tɐrtɐ'rugɐ] *n.f.* réptil com quatro patas curtas e corpo protegido por uma carapaça, que se desloca devagar

tarte (tar.te) ['tart(ə)] *n.f.* alimento (doce ou salgado) que consiste numa base de massa que vai ao forno e é recheada com frutas, compota, creme, legumes, carne ou peixe

tasca (tas.ca) ['taʃkɐ] *n.f.* estabelecimento onde se vende vinho e se servem refeições ligeiras; taberna

tatear (ta.te:ar)[AO] [tɐ'tjar] *v.* **1** apalpar **2** pesquisar

tática (tá.ti.ca)[AO] ['tatikɐ] *n.f.* forma hábil de conduzir um negócio, um jogo, etc. **SIN.** estratégia

tático (tá.ti.co)[AO] ['tatiku] *adj.* relativo a tática **SIN.** estratégico

tato (ta.to)[AO] ['tatu] *n.m.* **1** sentido que permite conhecer as coisas através do toque com a mão **2** capacidade para falar com alguém ou tratar de um assunto com delicadeza; jeito

tatu (ta.tu) [ta'tu] *n.m.* 👁 mamífero com o corpo protegido por uma carapaça muito dura, que se enrola em caso de ataque, e que é frequente no Brasil

tatuagem (ta.tu:a.gem) [tɐ'twaʒɐ̃j] *n.f.* desenho ou palavra que se grava na pele usando substâncias corantes: *fazer uma tatuagem*

tatuar (ta.tu:ar) [tɐ'twar] *v.* fazer tatuagem

tau (tau) ['taw] *interj.* imita o som de pancada, detonação, etc. ■ *n.m.* décima nona letra do alfabeto grego, correspondente ao *t*

taurino (tau.ri.no) [taw'rinu] *adj.* relativo a touro

tauromaquia (tau.ro.ma.qui.a) [tawrumɐ'kiɐ] *n.f.* arte de tourear

tauromáquico (tau.ro.má.qui.co) [tawru'makiku] *adj.* relativo a tauromaquia

tautau (tau.tau) [taw'taw] *n.m. infant.* palmada; bofetada

taxa (ta.xa) ['taʃɐ] *n.f.* valor que se paga pela utilização de um serviço: *cobrar uma taxa; taxa de juro* **SIN.** imposto

Não confundir **taxa** (valor a pagar) com **tacha** (prego curto).

taxar (ta.xar) [tɐ'ʃar] *v.* **1** lançar um imposto sobre **2** regular o preço de **SIN.** tabelar **3** limitar; restringir

taxativo (ta.xa.ti.vo) [tɐʃɐ'tivu] *adj.* **1** que taxa; limitativo; restritivo **2** que não se pode contestar; imperativo

táxi (tá.xi) ['taksi] *n.m.* automóvel que transporta pessoas mediante pagamento: *apanhar um táxi; chamar um táxi*

taxímetro (ta.xí.me.tro) [tɐ'ksimətru] *n.m.* aparelho instalado num táxi para marcar a quantia a pagar pelo trajeto efetuado

taxionomia (ta.xi:o.no.mi.a) [taksjunu'miɐ] *n.f.* classificação sistemática dos seres vivos com base nas suas características comuns

taxionómico (ta.xi:o.nó.mi.co) [taksju'nɔmiku] *adj.* relativo a taxionomia

taxista (ta.xis.ta) [ta'ksiʃtɐ] *n.2g.* pessoa que conduz um táxi

TB *símbolo de* terabyte

tchau (tchau) ['tʃaw] *interj.* adeus; até à vista

tchetcheno (tchet.che.no) [tʃɛ'tʃenu] *adj.* da República da Tchetchénia (república autónoma da Federação Russa) ■ *n.m.* pessoa de nacionalidade tchetchena

tchovar (tcho.var) [tʃɔ'var] *v.* [MOÇ.] empurrar

te (te) [t(ə)] *prn.poss.* **1** a ti: *Ontem vi-te no concerto.* **2** para ti: *Comprei-te um presente.*

tê (tê) ['te] *n.m.* régua em forma da letra T

tear (te:ar) ['tjar] *n.m.* máquina própria para tecer

teatral (te:a.tral) [tjɐ'traɫ] *adj.2g.* **1** relativo a teatro **2** *fig.* diz-se da expressão ou do gesto pouco natural; forçado

teatralizar (te:a.tra.li.zar) [tjɐtrɐli'zar] *v.* **1** adaptar ao teatro **2** *fig., pej.* dramatizar

teatro (te:a.tro) ['tjatru] *n.m.* **1** arte de representar **2** lugar onde se representam comédias, revistas, etc. **3** *fig.* lugar onde se deu um acontecimento

tecelagem (te.ce.la.gem) [təsə'laʒɐ̃j] *n.f.* **1** operação de tecer **2** ofício de tecelão

tecelão (te.ce.lão) [təsə'lɐ̃w̃] *n.m.* ⟨*f.* teceloa tecelã, *pl.* tecelões⟩ aquele que trabalha em teares

tecer (te.cer) [tə'ser] *v.* **1** entrelaçar fios para formar tecidos ou objetos (redes, cestas, etc.) **2** *fig.* compor (uma história) **3** *fig.* tramar (uma intriga)

tecido (te.ci.do) [tə'sidu] *n.m.* **1** qualquer obra de fios entrelaçados **2** conjunto de células associadas

tecla (te.cla) ['tɛklɐ] *n.f.* **1** cada uma das peças de um piano ou de um órgão que se pressionam com os dedos para se obter som **2** cada uma das peças das máquinas de escrever que, sob pressão dos dedos, faz imprimir o sinal que lhe corresponde ◆ **bater na mesma tecla** insistir no mesmo assunto **SIN.** teimar

teclado (te.cla.do) [tɛ'kladu] *n.m.* conjunto das teclas de um instrumento musical, aparelho ou máquina

teclar (te.clar) [tɛ'klar] *v.* **1** bater as teclas de (instrumento musical, telefone, etc.) **2** comunicar com alguém através do computador

teclista (te.clis.ta) [tɛ'kliʃtɐ] *n.2g.* pessoa que toca um instrumento de teclas

técnica (téc.ni.ca) ['tɛknikɐ] *n.f.* **1** aplicação prática dos conhecimentos de uma ciência ou de uma arte **2** modo de fazer alguma coisa

técnico (téc.ni.co) ['tɛkniku] *adj.* próprio de uma arte ou ciência ■ *n.m.* indivíduo especialista numa ciência, numa arte ou numa atividade; perito

tecno (tec.no) ['tɛknɔ] *n.m.* estilo de música para dançar, produzida por sintetizadores e com ritmo rápido

tecnologia (tec.no.lo.gi.a) [tɛknulu'ʒiɐ] *n.f.* conjunto dos instrumentos e processos específicos de qualquer arte, ofício ou técnica

tecnológico (tec.no.ló.gi.co) [tɛknu'lɔʒiku] *adj.* relativo a tecnologia

tecto (tec.to) ['tɛtu] *a nova grafia é* **teto**[AO]

tectónico (tec.tó.ni.co) [tɛ'ktɔniku] *adj.* relativo à estrutura da crosta terrestre

tédio (té.di:o) ['tɛdju] *n.m.* aborrecimento

teia (tei.a) ['tɐjɐ] *n.f.* **1** 👁 rede tecida por muitas espécies de aranhas **2** *fig.* enredo (de um filme, de uma história); intriga

teima (tei.ma) ['tɐjmɐ] *n.f.* ato de teimar; obstinação

teimar (tei.mar) [tɐj'mar] *v.* ⟨+em, +com⟩ insistir; persistir: *Ele teimou em ir.*

teimosia (tei.mo.si.a) [tɐjmu'ziɐ] *n.f.* insistência; obstinação

teimoso (tei.mo.so) [tɐj'mozu] *adj.* que teima **SIN.** obstinado

teína (te.í.na) [tɐ'inɐ] *n.f.* princípio ativo do chá, que pode funcionar como estimulante

tejadilho (te.ja.di.lho) [təʒɐ'diʎu] *n.m.* teto de um veículo

tela (te.la) ['tɛlɐ] *n.f.* **1** tecido de linho, lã, seda, etc. **2** pano grosso sobre o qual se pintam os quadros **3** quadro; pintura

telecarregamento (te.le.car.re.ga.men.to) [tɛlɛkɐʀəgɐ'mẽtu] *n.m.* aquisição de crédito telefónico por meios eletrónicos, nomeadamente por multibanco

telecomandar (te.le.co.man.dar) [tɛlɛkumɐ̃'dar] *v.* comandar à distância

telecomando (te.le.co.man.do) [tɛlɛku'mɐ̃du] *n.m.* comando à distância

telecomunicações (te.le.co.mu.ni.ca.ções) [tɛlɛkumunikɐ'sõjʃ] *n.f.pl.* sistema de comunicações em que se utilizam o telégrafo, a rádio, o telefone ou a televisão

teleconferência (te.le.con.fe.rên.ci:a) [tɛlɛkõfə'rẽsjɐ] *n.f.* conferência entre várias pessoas em locais diferentes através de tecnologias áudio e vídeo

teledisco (te.le.dis.co) [tɛlɛ'diʃku] *n.m.* filme de vídeo de curta duração destinado a apresentar e promover uma canção, um músico ou um grupo musical

teleférico (te.le.fé.ri.co) [tələ'fɛriku] *n.m.* pequeno elevador para transporte de pessoas ou de materiais, que rola sobre um cabo aéreo entre dois lugares altos ou com altitudes diferentes

telefilme (te.le.fil.me) [tɛlɛ'fiɫm(ə)] *n.m.* filme feito para se exibir em televisão

telefonadela (te.le.fo.na.de.la) [tələfunɐ'dɛlɐ] *n.f.* *coloq.* telefonema rápido

telefonar (te.le.fo.nar) [tələfu'nar] *v.* ⟨+a⟩ falar por telefone: *Telefonou aos pais para combinar um almoço de família.*

telefone (te.le.fo.ne) [tələ'fɔn(ə)] *n.m.* aparelho que serve para falar à distância: *falar ao telefone* ◆ [BRAS.] **telefone celular** telemóvel

telefonema (te.le.fo.ne.ma) [tələfu'nemɐ] *n.m.* comunicação transmitida ou recebida pelo telefone: *fazer/receber um telefonema*

telefonia (te.le.fo.ni.a) [tələfu'niɐ] *n.f.* antiga designação do aparelho de rádio

telefónico (te.le.fó.ni.co) [tələ'fɔniku] *adj.* relativo a telefone

telefonista (te.le.fo.nis.ta) [tələfu'niʃtɐ] *n.2g.* pessoa encarregada de fazer, atender e passar telefonemas (numa empresa, num hospital, etc.)

telegrafar (te.le.gra.far) [tələgrɐ'far] *v.* enviar uma mensagem usando um telégrafo

telegráfico (te.le.grá.fi.co) [tələ'grafiku] *adj.* **1** relativo a telégrafo **2** *fig.* breve; conciso

telégrafo (te.lé.gra.fo) [tə'lɛgrɐfu] *n.m.* aparelho para transmitir comunicações escritas à distância

telegrama (te.le.gra.ma) [tələ'grɐmɐ] *n.m.* comunicação por meio de telégrafo

telejornal (te.le.jor.nal) [tɛlɛjur'naɫ] *n.m.* noticiário transmitido pela televisão

telemarketing [tɛlɛ'markətĩg] *n.m.* promoção ou venda de produtos e serviços por telefone

telemática (te.le.má.ti.ca) [tɛlɛ'matikɐ] *n.f.* conjunto de serviços informáticos à distância através de uma rede de telecomunicações

telemóvel (te.le.mó.vel) [tɛlɛ'mɔvɛɫ] *n.m.* 👁 telefone portátil que estabelece comunicação com outros aparelhos sem necessitar de um cabo para a ligação à rede de telecomunicações

telemultibanco (te.le.mul.ti.ban.co) [tɛlɛmuɫti'bɐ̃ku] *n.m.* serviço que permite a realização de operações bancárias disponíveis nas caixas automáticas multibanco através de telemóvel

telenovela (te.le.no.ve.la) [tɛlɛnu'vɛlɐ] *n.f.* novela transmitida, em episódios, pela televisão

teleobjectiva (te.le.ob.jec.ti.va) [tɛlɛɔbʒɛ'tivɐ] *a nova grafia é* **teleobjetiva**[AO]

teleobjetiva (te.le.ob.je.ti.va)[AO] [tɛlɛɔbʒɛ'tivɐ] *n.f.* objetiva de máquina fotográfica ou de filmar com distância focal bastante grande

telepatia (te.le.pa.ti.a) [tələpɐ'tiɐ] *n.f.* transmissão do pensamento de uma pessoa para outra sem nenhum meio de comunicação natural

telepático (te.le.pá.ti.co) [tələ'patiku] *adj.* relativo à telepatia

teleponto (te.le.pon.to) [tɛlɛ'põtu] *n.m.* dispositivo eletrónico dotado de um ecrã no qual passa um texto que é lido por um locutor

teleprocessamento (te.le.pro.ces.sa.men.to) [tɛlɛprusəsɐ'mẽtu] *n.m.* processamento e transmis são de dados à distância através de equipamento informático

telescópico **(te.les.có.pi.co)** [tələʃ'kɔpiku] *adj.* **1** relativo a telescópio **2** que se vê apenas com telescópio

telescópio **(te.les.có.pi:o)** [tələʃ'kɔpju] *n.m.* instrumento para observação a grande distância, sobretudo dos astros

telespectador **(te.les.pec.ta.dor)**[AO] [tɛlɛʃpɛtɐ'dor] ou **telespetador**[AO] *n.m.* pessoa que assiste a um programa de televisão

teletexto **(te.le.tex.to)** [tɛlɛ'tɐjʃtu] *n.m.* **1** serviço de informação e publicidade, em modo gráfico, difundido em simultâneo com o serviço de televisão **2** texto desse serviço

teletrabalhador **(te.le.tra.ba.lha.dor)** [tɛlɛtrɐbɐʎɐ'dor] *n.m.* pessoa que exerce a sua atividade profissional no domicílio, recorrendo às novas tecnologias telemáticas (internet, email, etc.)

teletrabalho **(te.le.tra.ba.lho)** [tɛlɛtrɐ'baʎu] *n.m.* atividade profissional exercida geralmente no domicílio, recorrendo às novas tecnologias telemáticas (internet, email, etc.)

televenda **(te.le.ven.da)** [tɛlɛ'vẽdɐ] *n.f.* venda de produtos pela televisão ou por telefone

televisão **(te.le.vi.são)** [təlɐvi'zɐ̃w̃] *n.f.* **1** processo de transmissão de imagens e sons à distância, por meio de ondas eletromagnéticas ou por cabo **2** aparelho que recebe imagens e sons por esse processo; televisor

televisivo **(te.le.vi.si.vo)** [tələvi'zivu] *adj.* relativo a televisão

televisor **(te.le.vi.sor)** [tələvi'zor] *n.m.* aparelho que recebe imagens e sons à distância, por meio de ondas eletromagnéticas ou por cabo **SIN.** televisão

telha **(te.lha)** ['tɐ(j)ʎɐ] *n.f.* **1** peça de barro cozido ou de vidro usada na cobertura de edifícios **2** *fig.* mau humor **3** *fig.* mania; cisma ♦ *coloq.* **dar na telha** vir à ideia repentinamente; **estar com a telha** estar mal-humorado

telhado **(te.lha.do)** [tə'ʎadu] *n.m.* **1** parte externa e superior de um edifício, formada por telhas **2** cobertura de um edifício

telúrico **(te.lú.ri.co)** [tə'luriku] *adj.* relativo à Terra

tema **(te.ma)** ['temɐ] *n.m.* assunto sobre o qual se escreve ou fala; tópico

temática **(te.má.ti.ca)** [tə'matikɐ] *n.f.* conjunto dos temas de uma obra literária ou artística

temático **(te.má.ti.co)** [tə'matiku] *adj.* relativo a tema

temer **(te.mer)** [tə'mer] *v.* **1** ter medo de: *Não ter nada a temer. Não temo o inimigo.* **SIN.** recear **2** ⟨**+por**⟩ ter receio por: *Temo pela saúde do meu irmão.* **SIN.** preocupar-se

temerário **(te.me.rá.ri:o)** [təmə'rarju] *adj.* **1** audacioso; ousado **2** arriscado; perigoso

temeroso **(te.me.ro.so)** [təmə'rozu] *adj.* que sente temor **SIN.** medroso; receoso

temido **(te.mi.do)** [tə'midu] *adj.* receado

temível **(te.mí.vel)** [tə'mivɛɫ] *adj.2g.* **1** que deve ser temido **2** que causa medo

temor **(te.mor)** [tə'mor] *n.m.* **1** receio perante uma ameaça ou um perigo; medo **2** sentimento de profundo respeito e obediência; reverência

têmpera **(têm.pe.ra)** ['tẽpərɐ] *n.f.* **1** consistência que se dá aos metais mergulhando-os em água fria **2** carácter ou comportamento de uma pessoa

temperado **(tem.pe.ra.do)** [tẽpə'radu] *adj.* **1** diz-se do alimento que tem tempero; condimentado **2** diz-se do clima que não é muito quente nem muito frio; ameno

temperamental **(tem.pe.ra.men.tal)** [tẽpərɐmẽ'taɫ] *adj.2g.* **1** relativo a temperamento **2** que age repentinamente, sem pensar; impulsivo

temperamento **(tem.pe.ra.men.to)** [tẽpərɐ'mẽtu] *n.m.* **1** conjunto das características psicológicas e morais de uma pessoa; carácter; índole **2** personalidade forte de uma pessoa; génio

temperar **(tem.pe.rar)** [tẽpə'rar] *v.* **1** deitar tempero em **2** *fig.* suavizar; moderar

temperatura **(tem.pe.ra.tu.ra)** [tẽpərɐ'turɐ] *n.f.* **1** grau de calor ou de frio de um corpo ou de um lugar **2** excesso de calor no corpo; febre: *medir a temperatura*

tempero **(tem.pe.ro)** [tẽ'peru] *n.m.* substância (sal, pimenta, etc.) que se junta aos alimentos para realçar o seu sabor

tempestade **(tem.pes.ta.de)** [tẽpəʃ'tad(ə)] *n.f.* agitação violenta do ar, acompanhada de chuva e trovoada **SIN.** temporal ♦ **fazer uma tempestade num copo de água** causar uma grande agitação sem motivo forte

tempestuoso (tem.pes.tu:o.so) [tẽpəʃ'twozu] *adj.* **1** sujeito a tempestade **2** *fig.* agitado

templo (tem.plo) ['tẽplu] *n.m.* edifício destinado ao culto de uma religião **SIN.** igreja

tempo (tem.po) ['tẽpu] *n.m.* **1** sucessão de momentos, horas, dias, anos, em que se verificam os acontecimentos **2** condições atmosféricas num dado momento em determinado lugar **3** ocasião própria; oportunidade **4** época; período **5** flexão verbal que indica o momento em que a ação se realiza **6** demora; vagar **7** prazo ♦ **a tempo** com pontualidade; sem se atrasar; **a tempo e horas** no momento oportuno; a horas; **dar tempo ao tempo** esperar com paciência; **de tempos a tempos** de vez em quando; **matar o tempo** entreter-se; distrair-se; **meio tempo** intervalo

têmpora (têm.po.ra) ['tẽpurɐ] *n.f.* cada uma das regiões laterais da cabeça; fonte

temporada (tem.po.ra.da) [tẽpu'radɐ] *n.f.* **1** certo espaço de tempo; época **2** época destinada à realização de determinada atividade

temporal (tem.po.ral) [tẽpu'rał] *adj.2g.* **1** relativo às têmporas **2** relativo a tempo **3** que passa com o tempo; passageiro ■ *n.m.* agitação violenta do ar, acompanhada de chuva e trovoada; tempestade

temporário (tem.po.rá.ri:o) [tẽpu'rarju] *adj.* que dura só um certo tempo **SIN.** passageiro; provisório

temporizador (tem.po.ri.za.dor) [tẽpurizɐ'dor] *n.m.* interruptor que liga ou desliga um aparelho (aquecedor, etc.) automaticamente numa hora marcada no interruptor

tenacidade (te.na.ci.da.de) [tənɐsi'dad(ə)] *n.f.* **1** resistência **2** teimosia **3** firmeza

tenaz (te.naz) [tə'naʃ] *adj.2g.* **1** resistente **2** teimoso **3** firme ■ *n.f.* instrumento de ferro, próprio para agarrar alguma coisa; pinça

tencionar (ten.ci:o.nar) [tẽsju'nar] *v.* ter a intenção de; planear

tenda (ten.da) ['tẽdɐ] *n.f.* **1** barraca desmontável de tecido resistente utilizada por campistas, alpinistas, etc. **2** pequena loja de mercearia **3** barraca de feira

tendão (ten.dão) [tẽ'dɐ̃w̃] *n.m.* fibra que liga os músculos aos ossos ou a outros órgãos

tendência (ten.dên.ci:a) [tẽ'dẽsjɐ] *n.f.* **1** inclinação; propensão; vocação **2** orientação; direção

tendencioso (ten.den.ci:o.so) [tẽdẽ'sjozu] *adj.* que tem tendência para prejudicar alguém

tender (ten.der) [tẽ'der] *v.* **1** ⟨**+para**⟩ ter tendência ou inclinação para: *O meu filho tende para o desporto.* **2** ⟨**+a**⟩ ter por fim; destinar-se: *O discurso tendia a convencer os presentes.* **3** ⟨**+para**⟩ inclinar-se; voltar-se: *O avião tendeu para a esquerda.*

tendinite (ten.di.ni.te) [tẽdi'nit(ə)] *n.f.* inflamação de um ou mais tendões

tenebroso (te.ne.bro.so) [tənə'brozu] *adj.* **1** escuro; sombrio **2** assustador; medonho

tenente (te.nen.te) [tə'nẽt(ə)] *n.2g.* militar de posto imediatamente superior ao de alferes e inferior ao de capitão

tenente-coronel (te.nen.te-.co.ro.nel) [tə'nẽtə kuru'nɛł] *n.2g.* ⟨*pl.* tenentes-coronéis⟩ militar de posto imediatamente inferior ao de coronel e superior ao de major

ténia (té.ni:a) ['tɛnjɐ] *n.f.* verme parasita do intestino do homem e de muitos animais; bicha solitária

ténis (té.nis) ['tɛniʃ] *n.m.2n.* **1** jogo com bola e raquetas praticado num pavimento dividido ao meio por uma rede **2** sapatilha

ténis de mesa (té.nis de me.sa) [tɛniʒdə'mezɐ] *n.m.2n.* jogo semelhante ao ténis que se joga com raquetas e uma bola, sobre uma mesa dividida ao meio por uma rede **SIN.** pingue-pongue

tenista (te.nis.ta) [tə'niʃtɐ] *n.2g.* pessoa que joga ténis

tenor (te.nor) [tə'nor] *n.m.* **1** voz masculina mais aguda **2** cantor que possui esse tipo de voz

tenro (ten.ro) ['tẽʀu] *adj.* que se pode cortar ou mastigar com facilidade **SIN.** macio; mole

tensão (ten.são) [tẽ'sɐ̃w̃] *n.f.* **1** estado do que está esticado ou tenso **2** rigidez em certas partes do corpo **3** estado de ansiedade; irritação **4** agressividade entre duas ou mais pessoas; hostilidade ♦ **tensão arterial** pressão da corrente sanguínea sobre a parede das artérias

tenso (ten.so) ['tẽsu] *adj.* **1** estendido; esticado **2** teso; rígido **3** *fig.* que está nervoso; ansioso; preocupado

tentação (ten.ta.ção) [tẽtɐ'sɐ̃w̃] *n.f.* **1** desejo muito forte de fazer ou dizer alguma coisa **2** coisa ou pessoa que desperta a vontade de fazer algo

tentáculo (ten.tá.cu.lo) [tẽ'takulu] *n.m.* órgão que têm muitos animais e que serve para procurar e agarrar alimentos

tentador (ten.ta.dor) [tẽtɐ'dor] *adj.* **1** que provoca o desejo ou a vontade de (fazer ou dizer algo) **SIN.** aliciante; estimulante **2** que estimula

tentar (ten.tar) [tẽ'tar] *v.* **1** fazer um esforço para **2** seduzir **3** estimular

tentativa (ten.ta.ti.va) [tẽtɐ'tivɐ] *n.f.* **1** esforço para conseguir alguma coisa **2** experiência; teste

tento (ten.to) ['tẽtu] *n.m.* no futebol, ponto conseguido quando a bola entra na baliza adversária **SIN.** golo

ténue (té.nu:e) ['tɛnwə] *adj.2g.* fraco; débil

teologia (te:o.lo.gi.a) [tjulu'ʒiɐ] *n.f.* **1** estudo dos princípios de uma religião **2** estudo ou tratado acerca de Deus

teológico (te:o.ló.gi.co) [tju'lɔʒiku] *adj.* relativo a teologia ou a teólogo

teólogo (te:ó.lo.go) ['tjɔlugu] *n.m.* especialista em teologia

teor (te:or) ['tjor] *n.m.* **1** conteúdo de um texto **2** quantidade; percentagem **3** *fig.* qualidade; género

teorema (te:o.re.ma) [tju'remɐ] *n.m.* proposição que tem de ser demonstrada para ser admitida como verdadeira

teoria (te:o.ri.a) [tju'riɐ] *n.f.* **1** conjunto dos princípios fundamentais de uma arte ou de uma ciência **2** conhecimento organizado sobre determinado assunto ou tema

teórico (te:ó.ri.co) ['tjɔriku] *adj.* relativo a teoria ■ *n.m.* **1** pessoa que formula uma teoria **2** *coloq.* pessoa com pouco sentido prático

teórico-prático (te:ó.ri.co-.prá.ti.co) [tjɔrikɔ'pratiku] *adj.* **1** relativo simultaneamente à teoria e à prática **2** que envolve o estudo da teoria e a execução prática

teorizar (te:o.ri.zar) [tjuri'zar] *v.* **1** expor ou estabelecer teorias sobre: *teorizar os acontecimentos* **2** ⟨**+sobre**⟩ especular: *Ele teoriza sobre o que não conhece.*

tépido (té.pi.do) ['tɛpidu] *adj.* pouco quente **SIN.** morno

tequila (te.qui.la) [tə'kilɐ] *n.f.* bebida alcoólica mexicana feita da destilação do agave (planta sul-americana)

ter (ter) ['ter] *v.* **1** possuir: *ter um carro/uma casa* **2** apresentar: *ter olhos azuis/cabelos castanhos* **3** sentir: *Tenho frio/fome/dores de cabeça.* **4** ser pai/mãe de: *Eles têm dois filhos.* **5** usufruir de: *Tiveram um desconto de 50%.* **6** usar: *Ela tem um vestido azul.* **7** sofrer de (doença): *Ele teve pneumonia.* **8** conter: *O garrafão tinha mais de três litros de água.* **9** ⟨**+de, que**⟩ ser obrigado a: *Tenho de fazer o meu trabalho.* **10** considerar: *Sempre o tive por amigo.* **11** medir (extensão, comprimento, altura): *O muro tem três metros de altura/largura.* **12** dar à luz: *A Joana teve um bebé.* **13** contar de idade: *O João tem doze anos.* **14** ser composto de: *O livro tem mais de 200 páginas.* **15** usa-se como verbo auxiliar para formar tempos compostos: *Tenho saído muito.Tinha ido às compras.* ■ **ter-se** **1** considerar-se: *Ele tem-se como um sábio.* **2** ser consumido: *Acabou-se o leite.* **SIN.** esgotar-se ◆ **ir ter a** encaminhar-se para; dirigir-se para; **ir ter com** aproximar-se de; **não tem de quê** não há razão para agradecer; **ter a ver com** estar relacionado com; dizer respeito a

terabyte [tɛrɐ'bajt(ə)] *n.m.* medida da informação digital, equivalente a 1024 gigabytes

terapeuta (te.ra.peu.ta) [tərɐ'pewtɐ] *n.2g.* especialista na aplicação de tratamentos a pessoas doentes

terapêutica (te.ra.pêu.ti.ca) [tərɐ'pewtikɐ] *n.f.* ⇒ **terapia**

terapêutico (te.ra.pêu.ti.co) [tərɐ'pewtiku] *adj.* **1** relativo a terapêutica **2** que tem propriedades curativas; medicinal

terapia (te.ra.pi.a) [tərɐ'piɐ] *n.f.* meio usado para tratar determinada doença **SIN.** tratamento

terça (ter.ça) ['tersɐ] *n.f. coloq.* terça-feira

terça-feira (ter.ça-.fei.ra) [tersɐ'fɐjrɐ] *n.f.* ⟨*pl.* terças-feiras⟩ terceiro dia da semana

terceira (ter.cei.ra) [tər'sɐjrɐ] *n.f.* num veículo, mudança de velocidade a seguir à segunda

terceiro (ter.cei.ro) [tər'sɐjru] *num.ord.* que ocupa o lugar número 3 ◆ **terceira idade** faixa etária a partir dos 65 anos; **terceira via** corrente que defende a conciliação entre a economia de mercado e o ideário socialista

Terceiro Mundo (Ter.cei.ro Mun.do) [tərsɐjru'mũdu] *n.m.* conjunto dos países e povos menos desenvolvidos do mundo, do ponto de vista socioeconómico

terceto (ter.ce.to) [tər'setu] *n.m.* conjunto de três versos

terciário (ter.ci:á.ri:o) [tər'sjarju] *adj.* **1** que ocupa o terceiro lugar **2** relativo ao conjunto de atividades económicas que integra os serviços (comércio, transportes, finanças, educação, saúde, etc.)

terço (ter.ço) ['tersu] *n.m.* **1** cada uma das três partes em que foi dividida uma unidade **2** terça parte de um rosário

terçolho (ter.ço.lho) [tər'soʎu] *n.m.* inflamação na pálpebra

termal (ter.mal) [tər'maɫ] *adj.2g.* relativo a termas

termas (ter.mas) ['termɐʃ] *n.f.pl.* estabelecimento onde se fazem tratamentos com águas medicinais quentes

térmico (tér.mi.co) ['tɛrmiku] *adj.* **1** relativo a calor ou a termas **2** que conserva a temperatura do seu conteúdo

terminação (ter.mi.na.ção) [tərminɐ'sɐ̃w̃] *n.f.* **1** modo como uma coisa acaba **2** conclusão; fim **3** extremidade; ponta **4** parte final de uma palavra

terminal (ter.mi.nal) [tərmi'naɫ] *adj.2g.* relativo ao fim ou à extremidade **SIN.** final

terminantemente (ter.mi.nan.te.men.te) [tərminɐ̃tə'mẽt(ə)] *adv.* que não admite recusa; que não admite opção; de forma categórica

terminar (ter.mi.nar) [tərmi'nar] *v.* **1** (fazer) chegar ao fim: *terminar um contrato* **SIN.** acabar; concluir **2** pôr termo: *Eles terminaram a relação.* **SIN.** acabar **3** ⟨**+em**⟩ ter um limite: *A estrada termina em curva.*

término (tér.mi.no) ['tɛrminu] *n.m.* fim

terminologia (ter.mi.no.lo.gi.a) [tərminulu'ʒiɐ] *n.f.* conjunto organizado dos termos próprios de um determinada área (científica, técnica ou artística), geralmente acompanhados das respetivas definições; nomenclatura

térmita (tér.mi.ta) ['tɛrmitɐ] *n.f.* ⇒ **térmite**

térmite (tér.mi.te) ['tɛrmit(ə)] *n.f.* inseto que vive em comunidades dentro de ninhos construídos em regiões quentes e que se alimenta de madeira e de outras matérias vegetais

termo (ter.mo)[1] ['tɛrmu] *n.m.* recipiente composto de uma garrafa de vidro de parede dupla, revestida de material metálico ou plástico, para manter a temperatura dos líquidos colocados no seu interior **SIN.** garrafa térmica; garrafa-termo; termos

termo (ter.mo)[2] ['termu] *n.m.* **1** limite; prazo **2** fim; conclusão **3** palavra; vocábulo ◆ **em termos de** no que diz respeito a; **pôr termo a** acabar; concluir; **sem termo** sem fim

termodinâmica (ter.mo.di.nâ.mi.ca) [tɛrmɔdi'nɐmikɐ] *n.f.* estudo das relações entre o calor e as outras formas de energia

termómetro (ter.mó.me.tro) [tər'mɔmətru] *n.m.* instrumento para avaliar a temperatura dos corpos

termos (ter.mos) ['tɛrmuʃ] *n.m./f.2n.* ⇒ **termo**[1]

termosfera (ter.mos.fe.ra) [tɛrmɔʃ'fɛrɐ] *n.f.* camada atmosférica a grande altitude (de 95 a 500 km) caracterizada por grande subida da temperatura

termóstato (ter.mós.ta.to) [tər'mɔʃtɐtu] *n.m.* dispositivo que regula automaticamente a temperatura

ternário (ter.ná.ri:o) [tər'narju] *adj.* **1** que tem três elementos **2** que tem três tempos

terno (ter.no) ['tɛrnu] *adj.* meigo; afetuoso ◆ *coloq.* **dar um terno** cair

ternura (ter.nu.ra) [tər'nurɐ] *n.f.* qualidade do que é terno **SIN.** carinho; meiguice

ternurento (ter.nu.ren.to) [tərnu'rẽtu] *adj.* carinhoso; meigo

terra (ter.ra) ['tɛʀɐ] *n.f.* **1** parte sólida da superfície terrestre **2** terreno que pode ser pisado **SIN.** chão **3** parte do solo que é possível cultivar **4** região; localidade **5** país ▪ **Terra** planeta do sistema solar, no qual habitam o homem e os seres vivos conhecidos ◆ **deitar/lançar por terra** fazer cair; fazer fracassar; **ficar em terra** perder o meio de transporte; não partir; **terra batida** terreno compacto, natural, apreciado para a prática de alguns desportos e corridas de automóveis; **terra natal** lugar onde uma pessoa nasceu **SIN.** pátria

terra-a-terra (ter.ra-.a-.ter.ra) [tɛʀa'tɛʀɐ] *a nova grafia é* **terra a terra**[AO]

terra a terra (ter.ra a ter.ra)[AO] [tɛʀa'tɛʀɐ] *adj.inv.* **1** simples; natural **2** franco; sincero

terraço (ter.ra.ço) [tə'ʀasu] *n.m.* pavimento descoberto, no alto de uma casa ou de um prédio

terramoto (ter.ra.mo.to) [təʀɐ'mɔtu] *n.m.* tremor de terra **SIN.** sismo

terra-nova (ter.ra-.no.va) [tɛʀɐ'nɔvɐ] *n.m.* cão grande, de pelo comprido e macio, pertencente a uma raça originária da ilha da Terra Nova (no Canadá)

terraplenagem (ter.ra.ple.na.gem) [tɛʀɐplə'naʒẽj] *n.f.* conjunto de trabalhos de aterro e escavação para a execução de uma obra

terraplenar (ter.ra.ple.nar) [tɛʀɐplə'nar] *v.* fazer trabalhos de aterro e escavação necessários para a execução de determinada obra

terreno (ter.re.no) [tə'ʀenu] *adj.* próprio da Terra; terrestre ▪ *n.m.* espaço de terra mais ou menos extenso ◆ **ganhar terreno** numa corrida, aumentar a distância em relação a outros concorrentes; ter vantagem em relação a outras pessoas; **perder terreno** numa corrida, reduzir a distância em relação a outros concorrentes; perder vantagem em relação a outras pessoas

térreo (tér.re:o) ['tɛʀju] *adj.* diz-se do piso que fica ao nível do solo, do rés do chão

terrestre (ter.res.tre) [tə'ʀɛʃtr(ə)] *adj.2g.* **1** relativo à Terra; próprio da Terra **2** que vive na parte sólida do globo **3** que se realiza no solo

terrífico (ter.rí.fi.co) [tə'ʀifiku] *adj.* que causa terror

terrina (ter.ri.na) [tə'ʀinɐ] *n.f.* 👁 recipiente em que se serve a sopa

terriola (ter.ri:o.la) [tə'ʀjɔlɐ] *n.f.* povoação com poucas casas e poucos habitantes **SIN.** aldeola

territorial (ter.ri.to.ri:al) [təʀitu'rjaɫ] *adj.2g.* relativo a território

território (ter.ri.tó.ri:o) [təʀi'tɔrju] *n.m.* **1** grande extensão de terra **2** superfície de um país ou de um Estado **3** espaço natural ocupado por uma espécie

terrível (ter.rí.vel) [tə'ʀivɛɫ] *adj.2g.* medonho; assustador

terrivelmente (ter.ri.vel.men.te) [təriveɫ'mẽt(ə)] *adv.* **1** de forma assustadora **2** de modo intenso

terror (ter.ror) [tə'ʀor] *n.m.* **1** medo muito forte **SIN.** pavor **2** pessoa ou coisa que assusta

terrorismo (ter.ro.ris.mo) [təʀu'riʒmu] *n.m.* prática de atos violentos (com bombas, raptos, etc.), por motivos políticos ou religiosos

terrorista (ter.ro.ris.ta) [təʀu'riʃtɐ] *n.2g.* pessoa que pratica o terrorismo

tertúlia (ter.tú.li:a) [tər'tuljɐ] *n.f.* **1** reunião habitual de pessoas para troca de ideias sobre diversos temas **2** encontro de pessoas com interesses comuns

tesauro (te.sau.ro) [tə'zawru] *n.m.* **1** coleção exaustiva e ordenada de termos relativos a determinada área do conhecimento **2** dicionário que regista palavras associadas a outras a nível do sentido, apresentando sinónimos e, por vezes, antónimos

tese (te.se) ['tɛz(ə)] *n.f.* **1** teoria com que se explica ou defende uma determinada ideia **2** trabalho escrito para obtenção do grau de mestre ou doutor numa universidade

teso (te.so) ['tezu] *adj.* **1** esticado; tenso **2** imóvel; hirto **3** *coloq.* que não tem dinheiro

tesoura (te.sou.ra) [tə'zo(w)rɐ] *n.f.* instrumento cortante formado de duas lâminas que se movem em torno de um eixo comum

tesouraria (te.sou.ra.ri.a) [təzo(w)rɐ'riɐ] *n.f.* secção de uma instituição onde se fazem pagamentos e outras operações financeiras

tesoureiro (te.sou.rei.ro) [təzo(w)'rɐjru] *n.m.* pessoa que recebe, guarda e administra o dinheiro numa associação ou numa empresa

tesouro (te.sou.ro) [tə'zo(w)ru] *n.m.* **1** grande porção de dinheiro, joias ou objetos preciosos; riqueza **2** conjunto dos recursos financeiros (bens e dinheiro) de um país **3** *fig.* pessoa ou coisa muito valiosa para alguém

testa (tes.ta) ['tɛʃtɐ] *n.f.* parte da face situada entre as sobrancelhas e o couro cabeludo **SIN.** fronte

testamentário (tes.ta.men.tá.ri:o) [təʃtɐmẽ'tarju] *adj.* relativo a testamento ■ *n.m.* **1** indivíduo que executa ou faz executar as disposições de um testamento **2** indivíduo que herda por testamento; herdeiro

testamento (tes.ta.men.to) [təʃtɐ'mẽtu] *n.m.* **1** documento em que uma pessoa declara a quem deixa os seus bens depois de morrer **2** *fig.* carta muito longa ◆ **Antigo/Velho Testamento** conjunto dos livros da Bíblia anteriores ao nascimento de Jesus Cristo; **Novo Testamento** conjunto dos livros da Bíblia posteriores ao nascimento de Jesus Cristo

testar (tes.tar) [təʃ'tar] *v.* submeter a teste ou testes; experimentar

teste (tes.te) ['tɛʃt(ə)] *n.m.* **1** experiência; ensaio **2** prova; exame

testemunha (tes.te.mu.nha) [təʃtə'muɲɐ] *n.f.* pessoa que viu ou ouviu determinado facto e que é chamada para descrever o que viu ou ouviu

testemunhar (tes.te.mu.nhar) [təʃtəmu'ɲar] *v.* **1** dar testemunho de; atestar **2** confirmar; certificar **3** presenciar; ver

testemunho (tes.te.mu.nho) [təʃtə'muɲu] *n.m.* **1** depoimento de testemunha **2** prova **3** demonstração ◆ **em testemunho de** como prova de

testículo (tes.tí.cu.lo) [təʃ'tikulu] *n.m.* cada uma das glândulas genitais masculinas que produzem os espermatozoides

testo (tes.to) ['teʃtu] *n.m.* tampa de um tacho ou de uma panela

testosterona (tes.tos.te.ro.na) [tɛʃtɔʃtə'ronɐ] *n.f.* hormona sexual masculina que se forma nos testículos

teta (te.ta) ['tɛtɐ] *n.f.* glândula mamária; mama

tétano (té.ta.no) ['tɛtɐnu] *n.m.* doença infeciosa, caracterizada por contração dolorosa dos músculos do corpo e por convulsões

tetina (te.ti.na) [tə'tinɐ] *n.f.* peça de borracha em forma de mamilo que se adapta ao biberão

teto (te.to)[AO] ['tɛtu] *n.m.* **1** parte superior e interna de qualquer casa ou lugar **2** *fig.* casa; abrigo ◆ **viver debaixo do mesmo teto** viver na mesma casa

tetraplégico (te.tra.plé.gi.co) [tɛtrɐ'plɛʒiku] *adj.,n.m.* que(m) sofre de paralisia nos quatro membros

tetrassílabo (te.tras.sí.la.bo) [tɛtrɐ'silɐbu] *n.m.* palavra com quatro sílabas

tetravó (te.tra.vó) [tɛtrɐ'vɔ] *n.f.* mãe do trisavô ou da trisavó

tetravô (te.tra.vô) [tɛtrɐ'vo] *n.m.* pai do trisavô ou da trisavó

tétrico (té.tri.co) ['tɛtriku] *adj.* **1** muito triste **2** fúnebre **3** medonho

tétum (té.tum) ['tɛtũ] *n.m.* língua nacional e uma das línguas oficiais (juntamente com o português) de Timor Leste

teu (teu) ['tew] *det.,prn.poss.* ⟨*f.* tua⟩ relativo a ti, segunda pessoa do singular e indica geralmente posse ou pertença: *Levei o teu dicionário.; Este livro é teu?*

têxtil (têx.til) ['tɐjʃtiɫ] *adj.2g.* **1** relativo a tecido(s) **2** próprio para tecer

texto (tex.to) ['tɐjʃtu] *n.m.* **1** conjunto de palavras ou frases escritas de um autor ou de uma obra **2** qualquer material escrito que se destina a ser dito ou lido em voz alta

textual (tex.tu:al) [tɐjʃ'twaɫ] *adj.2g.* **1** relativo a texto **2** que reproduz fielmente o texto

textura (tex.tu.ra) [tɐjʃ'turɐ] *n.f.* **1** forma como se combinam as partículas ou elementos de uma coisa **2** aspeto dessa combinação **3** tecido; trama

texugo (te.xu.go) [tə'ʃugu] *n.m.* mamífero carnívoro, baixo e gordo, com focinho pontiagudo e pelagem rija, de cor negra e cinzenta

tez (tez) ['teʃ] *n.f.* pele (sobretudo do rosto)

TGV [teʒeve] *n.m.* comboio de alta velocidade

thriller ['trilɐr] *n.m.* ⟨*pl.* thrillers⟩ narrativa ficcional, peça de teatro ou filme caracterizado por uma atmosfera de suspense, geralmente assente numa intriga de crime, mistério ou espionagem

ti (ti) ['ti] *prn.pess.* designa a segunda pessoa do singular e indica a pessoa a quem se fala ou escreve: *Comprei-o para ti. Não vou sem ti.*

TI [te'i] *sigla de* tecnologias de informação

tia (ti.a) ['tiɐ] *n.f.* irmã do pai ou da mãe

tia-avó (ti.a-.a.vó) [tia'vɔ] *n.f.* ⟨*pl.* tias-avós⟩ irmã do avô ou da avó

tibetano (ti.be.ta.no) [tibə'tɐnu] *adj.* relativo ao Tibete ■ *n.m.* **1** pessoa natural do Tibete (leste da Ásia) **2** língua falada no Tibete

tíbia (tí.bi:a) ['tibjɐ] *n.f.* o mais grosso dos dois ossos da perna

TIC ['tik] *sigla de* Tecnologias de Informação e Comunicação

tifo (ti.fo) ['tifu] *n.m. coloq.* doença contagiosa, geralmente grave, causada por uma bactéria, a salmonela do tifo

tifoide (ti.foi.de)[AO] [ti'fɔjd(ə)] *adj.2g.* designativo de uma doença específica, contagiosa, geralmente grave, causada por uma bactéria, a salmonela do tifo, sendo também designada por tifo abdominal e, popularmente, por tifo

tifóide (ti.fói.de) [ti'fɔjd(ə)] *a nova grafia é* **tifoide**[AO]

tigela (ti.ge.la) [ti'ʒɛlɐ] *n.f.* vasilha de louça, côncava e sem asas, usada geralmente para sopa; malga ◆ *coloq.* **de meia tigela** de pouco valor sem importância

tigrado (ti.gra.do) [ti'gradu] *adj.* que tem malhas escuras, como a pele do tigre

tigre (ti.gre) ['tigr(ə)] *n.m.* mamífero carnívoro, de pelo amarelo escuro com listas negras, que vive na Ásia

tijoleira (ti.jo.lei.ra) [tiʒu'lɐjrɐ] *n.f.* peça de barro cozido, de formato regular e espessura reduzida, utilizada no revestimento de pavimentos e paredes

tijolo (ti.jo.lo) [ti'ʒolu] *n.m.* peça avermelhada de barro moldado e cozido ◆ *coloq.* **fazer tijolo** estar morto e sepultado

til (til) ['tiɫ] *n.m.* ⟨*pl.* tiles⟩ sinal ~ usado para indicar que a vogal ou o ditongo sobre o qual se coloca é pronunciado pelo nariz: *irmã; mão*

tília (tí.li:a) ['tiljɐ] *n.f.* planta cujas folhas e flores são utilizadas para preparar chá e medicamentos

tilintar (ti.lin.tar) [tilĩ'tar] *v.* produzir um som semelhante ao de campainhas ou moedas quando caem

timbale (tim.ba.le) [tĩ'bal(ə)] *n.m.* tambor com a forma de metade de uma esfera, de estrutura metálica e que se usa nas orquestras

timbila (tim.bi.la) [tĩ'bilɐ] *n.f.* [MOÇ.] instrumento de percussão semelhante a um xilofone formado por um teclado de madeira que se percute com duas baquetas

timbre (tim.bre) ['tĩbr(ə)] *n.m.* **1** carimbo; selo **2** qualidade que distingue um som de outro som **3** tom da voz humana

time (ti.me) ['tim(ə)] *n.m.* [BRAS.] equipa

time-sharing [tajmə'ʃɛrĩg] *n.m.* ⟨*pl.* time-sharings⟩ **1** sistema de partilha de uma propriedade de férias em que cada pessoa tem direito a utilizá-la durante uma época do ano preestabelecida **2** sistema que permite a utilização de um computador por diferentes pessoas simultaneamente

timidamente (ti.mi.da.men.te) [timidɐ'mẽt(ə)] *adv.* **1** com timidez **2** com receio

timidez (ti.mi.dez) [timi'deʃ] *n.f.* qualidade de quem é tímido **SIN.** acanhamento; vergonha

tímido (tí.mi.do) ['timidu] *adj.* **1** acanhado; envergonhado **2** medroso; receoso

timing ['tajmĩg] *n.m.* ⟨*pl.* timings⟩ tempo determinado para a realização de determinada tarefa ou atividade; prazo

timoneiro (ti.mo.nei.ro) [timu'nɐjru] *n.m.* **1** aquele que governa uma embarcação **2** *fig.* chefe; líder

timorense (ti.mo.ren.se) [timu'rẽ(sə)] *adj.* relativo a Timor ■ *n.2g.* pessoa natural de Timor

tímpano (tím.pa.no) ['tĩpɐnu] *n.m.* membrana fina que existe no interior do ouvido

tina (ti.na) ['tinɐ] *n.f.* recipiente para conter líquidos

tingir (tin.gir) [tĩ'ʒir] *v.* **1** ⟨**+de**⟩ dar uma cor nova ou diferente a: *tingir um fato* **SIN.** colorir **2** ⟨**+de**⟩ fazer manchas em: *Não tinge na lavagem.* **3** meter em tinta: *tingir de azul* ■ **tingir-se** adquirir determinada cor: *As uvas tingiram-se de roxo.*

tinha (ti.nha) ['tiɲɐ] *n.f.* doença de pele do homem e de alguns animais

tinhoso (ti.nho.so) [ti'ɲozu] *adj.* **1** que sofre de tinha **2** *coloq.* nojento

tinir (ti.nir) [ti'nir] *v.* produzir sons agudos ou metálicos

tino (ti.no) ['tinu] *n.m.* **1** capacidade de avaliar pessoas e coisas; juízo; bom senso **2** cuidado para evitar situações desagradáveis ou perigos; prudência ◆ **perder o tino** desorientar-se

tinta (tin.ta) ['tĩtɐ] *n.f.* líquido colorido para escrever, pintar, tingir, etc. ◆ *coloq.* **estar-se nas tintas para** não se importar com; não querer saber de

tinta-da-china (tin.ta-.da-.chi.na) [tĩtɐdɐ'ʃinɐ] *a nova grafia é* **tinta da China**[AO]

tinta da China (tin.ta da Chi.na)[AO] [tĩtɐdɐ'ʃinɐ] *n.f.* ⟨*pl.* tintas da China⟩ tinta preta utilizada em desenhos e aguarelas **SIN.** nanquim

tinteiro (tin.tei.ro) [tĩ'tɐjru] *n.m.* **1** pequeno recipiente com tinta para escrever **2** parte da impressora onde está depositada a tinta

tintim por tintim (tin.tim por tin.tim) [tĩtĩpur tĩ'tĩ] *loc.* com todos os pormenores; sem omitir nada

tinto (tin.to) ['tĩtu] *adj.* **1** tingido; colorido **2** diz-se do vinho de cor escura

tintura (tin.tu.ra) [tĩ'turɐ] *n.f.* solução de substratos vegetais ou minerais em álcool ou éter ◆ **tintura de iodo** solução alcoólica preparada com iodo e usada como desinfetante

tinturaria (tin.tu.ra.ri.a) [tĩturɐ'riɐ] *n.f.* estabelecimento onde se tingem tecidos

tio (ti.o) ['tiu] *n.m.* irmão do pai ou da mãe ◆ **ficar para tio** ficar solteiro não casar

tio-avô (ti.o-.a.vô) [tiuɐ'vo] *n.m.* ⟨*pl.* tios-avôs⟩ irmão do avô ou da avó

típico (tí.pi.co) ['tipiku] *adj.* **1** característico **2** simbólico

tipo (ti.po) ['tipu] *n.m.* **1** conjunto de características que distinguem uma classe **2** exemplar; modelo **3** *coloq.* qualquer indivíduo; fulano; sujeito

tipografia (ti.po.gra.fi.a) [tipugrɐ'fiɐ] *n.f.* **1** arte de composição e impressão de textos **2** oficina onde se realizam essas operações

tique (ti.que) ['tik(ə)] *n.m.* **1** movimento involuntário e repetitivo **2** movimento ou gesto próprio de determinada pessoa

tiquetaque (ti.que.ta.que) [tikə'tak(ə)] *n.m.* som regular e cadenciado, como o de um relógio

TIR ['tiʀ] *sigla de* Transportes Internacionais Rodoviários

tira (ti.ra) ['tirɐ] *n.f.* **1** pedaço de pano, papel ou outro material, mais comprido do que largo **2** na banda desenhada, faixa horizontal constituída por três ou mais quadros em que se conta uma história através de desenhos **3** risca; listra

tira-agrafos (ti.ra-.a.gra.fos) [tira'grafuʃ] *n.m.2n.* objeto para tirar os agrafos de folhas de papel, etc.

tiracolo (ti.ra.co.lo) [tirɐ'kɔlu] *n.m.* correia atravessada de um lado do pescoço para o outro lado do corpo, passando por baixo do braço ◆ **a tiracolo** de um ombro para o lado oposto

tiragem (ti.ra.gem) [ti'raʒɐ̃j] *n.f.* número de exemplares de uma publicação (jornal, livro, revista)

tiramisu [tirɐmi'su] *n.m.* doce preparado com camadas de bolo ou biscoitos de massa fofa, envolvidas em café e alternadas com camadas de creme de ovos, natas, queijo, rum ou conhaque

tirania (ti.ra.ni.a) [tirɐ'niɐ] *n.m.* **1** poder absoluto de um tirano **SIN.** despotismo; absolutismo **2** forma de governo baseada nesse poder **SIN.** ditadura

tirânico (ti.râ.ni.co) [ti'rɐniku] *adj.* **1** relativo a tirania ou a tirano **2** despótico; cruel

tirano (ti.ra.no) [ti'rɐnu] *n.m.* pessoa que exerce autoridade absoluta **SIN.** déspota

tira-nódoas (ti.ra-.nó.do:as) [tirɐ'nɔdwɐʃ] *n.m.2n.* substância própria para fazer desaparecer nódoas nos tecidos

tiranossauro (ti.ra.nos.sau.ro) [tirɐnɔ'sawru] *n.m.* grande dinossauro carnívoro e bípede, com pescoço curto e musculoso, membros anteriores fortes e com garras, e dentes muito grandes

tirar (ti.rar) [ti'rar] *v.* **1** fazer sair; arrancar; extrair **2** diminuir; reduzir **3** privar de **4** roubar **5** puxar ◆ **sem tirar nem pôr** exatamente; tal e qual; **tirar a limpo** esclarecer; investigar; **tirar partido de** aproveitar-se de

tira-teimas (ti.ra-.tei.mas) [tirɐ'tɐjmɐʃ] *n.m.2n.* **1** prova ou argumento muito forte **2** *coloq.* livro que ajuda a esclarecer dúvidas

tiritar (ti.ri.tar) [tiri'tar] *v.* tremer de frio ou de medo

tiro (ti.ro) ['tiru] *n.m.* disparo de arma de fogo ◆ *coloq.* **dar um tiro no escuro** proceder fortuitamente, procurando alcançar um objetivo; *coloq.* **dar um tiro no pé** proceder de forma irrefletida, tornando-se o próprio o único prejudicado; *coloq.* **sair o tiro pela culatra** ter o resultado contrário à expectativa; *coloq.* **ser tiro e queda** ter pontaria certeira; produzir efeito imediato; *coloq.* **ser um tiro 1** ser muito perto **2** ser muito rápido; **tiro ao alvo** desporto que consiste em disparar, com uma arma de fogo, arco ou flecha, sobre um alvo fixo ou móvel

tiroide (ti.roi.de)[AO] [ti'rɔjd(ə)] *n.f.* glândula situada na laringe, que exerce importante função no desenvolvimento humano

tiróide (ti.rói.de) [ti'rɔjd(ə)] *a nova grafia é* **tiroide**[AO]

tiroteio (ti.ro.tei.o) [tiru'tɐju] *n.m.* disparo sucessivo de tiros

tisana (ti.sa.na) [ti'zɐnɐ] *n.f.* bebida preparada com ervas medicinais; chá

tísico (tí.si.co) ['tiziku] *adj.,n.m.* **1** que ou pessoa que sofre de tuberculose pulmonar **SIN.** tuberculoso **2** *fig., pej.* que ou pessoa que é muito magra

titi (ti.ti) [ti'ti] *n.2g. infant.* tia; tio

titular (ti.tu.lar) [titu'lar] *n.2g.* **1** pessoa que possui algo; detentor **2** pessoa que ocupa um cargo ou uma função

titularidade (ti.tu.la.ri.da.de) [titulɐri'dad(ə)] *n.f.* **1** qualidade de titular **2** permanência no serviço ativo por parte de funcionários

título (tí.tu.lo) ['titulu] *n.m.* **1** designação de um livro, capítulo, jornal ou artigo, que geralmente indica o tema de que se trata **2** qualificação que exprime uma função, um cargo ou uma dignidade **3** grau concedido a alguém pelo seu trabalho ou mérito em determinada área ◆ **a título de** a pretexto de; na qualidade de

TMG [teɐm'ʒe] *sigla de* Tempo Médio de Greenwich

toa (to.a) ['toɐ] *n.f.* cabo para rebocar uma embarcação ◆ **à toa** ao acaso; sem motivo; em vão

toada (to:a.da) ['twadɐ] *n.f.* **1** cantiga com melodia simples e monótona **2** som confuso **3** rumor; boato

toalha (to:a.lha) ['twaʎɐ] *n.f.* **1** pano de linho, algodão ou outro material, usado para cobrir uma mesa **2** peça de felpo ou de outro material absorvente para secar o corpo

toalhão (to:a.lhão) [twɐ'ʎɐ̃w̃] *n.m.* toalha grande para secar o corpo depois do banho

toalheiro (to:a.lhei.ro) [twɐ'ʎɐjru] *n.m.* cabide ou suporte para pendurar toalhas

toalhete (to:a.lhe.te) [twɐ'ʎet(ə)] *n.m.* **1** lenço de papel húmido **2** toalha pequena

tobogã (to.bo.gã) [tɔbɔ'gɐ̃] *n.m.* **1** trenó baixo, com patins de metal, próprio para deslizar na neve **2** desporto praticado num trenó desse tipo, numa pista muito inclinada

toca (to.ca) ['tɔkɐ] *n.f.* **1** buraco no solo ou no tronco de uma árvore, onde se escondem animais (coelhos, esquilos, etc.); covil **2** *fig.* esconderijo; refúgio

tocado (to.ca.do) [tu'kadu] *adj.* **1** diz-se do fruto que começou a apodrecer; pisado **2** diz-se da pessoa que sentiu emoção; comovido; enternecido **3** *coloq.* diz-se da pessoa que está um pouco embriagada; alegre

tocador (to.ca.dor) [tukɐ'dor] *n.m.* aquele que toca

tocante (to.can.te) [tu'kɐ̃t(ə)] *adj.2g.* **1** que se relaciona com; relativo a **2** que provoca emoção; comovente

tocar (to.car) [tu'kar] *v.* **1** ⟨**+em**⟩ pôr a mão ou o dedo em: *Pede-se o favor de não tocar nos objetos expostos.* **2** executar uma peça musical: *Ele tocou um peça de Chopin.* **3** comover; sensibilizar: *Tocaram-me as suas palavras.* **4** caber (a alguém): *Toca a ti lavares a loiça.* **5** mencionar; falar: *Ele recusa-se a tocar nesse assunto.*

tocha (to.cha) ['tɔʃɐ] *n.f.* vela grande e grossa de cera **SIN.** archote; círio

toco (to.co) ['toku] *n.m.* parte do tronco ou da raiz que fica na terra após o corte de uma árvore

todavia (to.da.vi.a) [todɐ'viɐ] *conj.* [exprime contraste] mas; contudo; porém: *Eu não estava lá, todavia o meu pai estava.*

todo (to.do) ['todu] *det.,prn.indef.* **1** inteiro; completo; total **2** cada; qualquer; seja qual for ■ *adv.* completamente; inteiramente ■ *n.m.* **1** conjunto de partes que constituem uma unidade; soma; totalidade **2** aspeto geral de alguma coisa ◆ **ao todo** no conjunto; no total; **de todo** completamente; inteiramente

todo-o-terreno (to.do-.o-.ter.re.no) [todu tə'ʀenu] *a nova grafia é* **todo o terreno**[AO]

todo o terreno (to.do o ter.re.no)AO [todutə'ʀenu] *n.m.2n.* veículo automóvel com tração às quatro rodas, que se adapta a qualquer tipo de terreno

todo-poderoso (to.do-.po.de.ro.so) [todupudə'rozu] *adj.* ⟨*pl.* todo-poderosos⟩ que tem poder ilimitado

tofu [tɔ'fu] *n.m.* alimento preparado com leite de soja comprimido, reduzido a pasta

toga (to.ga) ['tɔgɐ] *n.f.* capa ou manto que os antigos romanos usavam sobre o corpo

togolês (to.go.lês) [tugu'leʃ] *adj.* relativo ao Togo ▪ *n.m.* natural ou habitante do Togo

toilette [twa'lɛt(ə)] *n.f.* **1** higiene pessoal **2** roupa de cerimónia ▪ *n.m.* quarto de banho num lugar público

tola (to.la) ['tɔlɐ] *n.f. coloq.* cabeça

toldar (tol.dar) [toɫ'dar] *v.* **1** cobrir com toldo **2** encobrir ▪ **toldar-se 1** tornar-se escuro **2** perder a transparência ou a limpidez

toldo (tol.do) ['toɫdu] *n.m.* cobertura para abrigar do sol ou da chuva

tolerância (to.le.rân.ci:a) [tulə'rɐ̃sjɐ] *n.f.* **1** compreensão; indulgência **2** respeito por maneiras de pensar ou de agir diferentes da nossa ♦ **tolerância zero** inflexibilidade na aplicação de sanções pelo não cumprimento de regras ou leis; **tolerância de ponto** permissão dada a um funcionário para não comparecer no serviço em determinados dias úteis

tolerante (to.le.ran.te) [tulə'rɐ̃t(ə)] *adj.2g.* que respeita opiniões e atitudes diferentes das suas **SIN.** compreensivo **ANT.** intolerante

tolerar (to.le.rar) [tulə'rar] *v.* **1** permitir; consentir **2** suportar (uma coisa desagradável)

tolerável (to.le.rá.vel) [tulə'ravɛɫ] *adj.2g.* **1** suportável **2** aceitável

tolher (to.lher) [tu'ʎer] *v.* dificultar (a ação, o movimento); impedir; paralisar: *Ele tolhia de frio.*

tolice (to.li.ce) [tu'li(sə)] *n.f.* coisa que se faz ou se diz sem pensar **SIN.** asneira; disparate; parvoíce

tolo (to.lo) ['tolu] *adj.,n.m.* **1** que ou aquele que não tem juízo; pateta **2** que ou aquele que enlouqueceu; maluco **3** que ou aquilo que não tem lógica; disparatado

tom (tom) ['tõ] *n.m.* **1** altura de um som **2** modo de dizer algo **3** intensidade de uma cor ♦ **dar o tom** indicar a(s) primeira(s) nota(s) que inicia(m) uma composição musical; **em tom de** à maneira de; **sair do tom** desafinar; destoar; **ser de bom/mau tom** ser de boa/má educação

toma (to.ma) ['tɔmɐ] *n.f.* **1** ato de tomar **2** porção; dose

tomada (to.ma.da) [tu'madɐ] *n.f.* **1** conquista pela força (de um lugar, de um território) **2** peça que se monta nas instalações elétricas para obter energia ou corrente

tomar (to.mar) [tu'mar] *v.* **1** pegar em; agarrar **2** conquistar **3** ficar com **4** ocupar **5** aceitar **6** beber **7** ingerir **8** considerar como

tomate (to.ma.te) [tu'mat(ə)] *n.m.* fruto de cor avermelhada, com casca lisa e brilhante e polpa suculenta, com grainhas, utilizado na alimentação, sobretudo em saladas

tomateiro (to.ma.tei.ro) [tumɐ'tɐjru] *n.m.* planta que produz tomates

tombar (tom.bar) [tõ'bar] *v.* **1** deitar abaixo; derrubar **2** cair **3** inclinar-se

tombo (tom.bo) ['tõbu] *n.m.* queda; trambolhão ♦ **andar aos tombos 1** andar aos trambolhões **2** sofrer muitas contrariedades inesperadas

tômbola (tôm.bo.la) ['tõbulɐ] *n.f.* **1** recipiente cilíndrico oco que roda sobre si mesmo, usado na realização de sorteios **2** espécie de lotaria com prémios variados

tomilho (to.mi.lho) [tu'miʎu] *n.m.* 👁 planta aromática, utilizada como condimento e na extração de óleos essenciais

tomo (to.mo) ['tomu] *n.m.* cada uma das partes de uma obra que é encadernada separadamente **SIN.** volume

tomografia (to.mo.gra.fi.a) [tumugrɐ'fiɐ] *n.f.* **1** técnica que utiliza os raios X para obter imagens de um órgão ou tecido **2** imagem obtida por esse processo ♦ **tomografia axial computorizada (TAC)** exame médico cujo objetivo é obter imagens detalhadas do interior do corpo humano

tona (to.na) ['tonɐ] *n.f.* película fina que cobre certos frutos; pele; casca ♦ **à tona** à superfície; **vir à tona 1** (um assunto) ser referido **2** (um facto, um problema) tornar-se conhecido

tonal (to.nal) [tu'naɫ] *adj.2g.* relativo a tom ou tonalidade musical

tonalidade (to.na.li.da.de) [tunɐli'dad(ə)] *n.f.* **1** variação de um som; modulação **2** variação de uma cor; matiz

tonel (to.nel) [tu'nɛɫ] *n.m.* recipiente para líquidos maior que uma pipa, formado por dois tampos planos e por aduelas unidas e presas por arcos metálicos

tonelada (to.ne.la.da) [tunə'ladɐ] *n.f.* peso de mil quilos

tonelagem (to.ne.la.gem) [tunə'laʒɐ̃j] *n.f.* capacidade de carga de um veículo expressa em toneladas

toner ['tonɐr] *n.m.* ⟨*pl.* toners⟩ tinta em pó ou em estado líquido utilizada nas impressoras a laser e nas fotocopiadoras

tónica (tó.ni.ca) ['tɔnikɐ] *n.f.* **1** vogal ou sílaba que se pronuncia com maior força **2** *fig.* destaque; ênfase ◆ **pôr a tónica em** dar mais relevo a; destacar

tónico (tó.ni.co) ['tɔniku] *adj.* **1** relativo ao tom **2** que dá força ou energia **3** que se pronuncia com maior intensidade (sílaba, vogal)

tonificar (to.ni.fi.car) [tunifi'kar] *v.* fortalecer (pele, músculo)

tonto (ton.to) ['tõtu] *adj.* **1** que tem tonturas **2** zonzo **3** pateta

tontura (ton.tu.ra) [tõ'turɐ] *n.f.* sensação de falta de equilíbrio **SIN.** vertigem

top ['tɔp] *n.m.* ⟨*pl.* tops⟩ **1** classificação mais elevada numa escala **2** lista de produtos mais vendidos **3** peça de roupa, geralmente feminina, que cobre a parte superior do corpo

topar (to.par) [tu'par] *v.* **1** ⟨**+com**⟩ encontrar pela frente: *Topou com os dois amigos.* **2** *coloq.* perceber; compreender: *Estou a topar!* **3** *coloq.* aceitar (convite, proposta): *Vou ao cinema? Topas?*

topázio (to.pá.zi:o) [tu'pazju] *n.m.* mineral meio transparente de cor amarela, usado como pedra preciosa

tópico (tó.pi.co) ['tɔpiku] *n.m.* questão principal de uma conversa, de um discurso ou de um debate **SIN.** assunto; tema

topless [tɔ'plɛs] *n.m.* utilização apenas da parte inferior do biquíni na praia ■ *adj.inv.* com os seios descobertos

top model [tɔp'mɔdɛɫ] *n.2g.* manequim muito célebre, muito procurado(a) por estilistas e fotógrafos; supermodelo

topo (to.po) ['topu] *n.m.* parte mais alta de alguma coisa **SIN.** cimo; cume

topografia (to.po.gra.fi.a) [tupugrɐ'fiɐ] *n.f.* **1** descrição minuciosa de uma região **2** representação no papel da configuração de um terreno, com as suas elevações e depressões

topográfico (to.po.grá.fi.co) [tupu'grafiku] *adj.* relativo a topografia

topónimo (to.pó.ni.mo) [tu'pɔnimu] *n.m.* nome de um lugar (cidade, vila, povoação, etc.)

toque (to.que) ['tɔk(ə)] *n.m.* **1** contacto com a mão **2** pancada; embate **3** som de um instrumento musical **4** sinal sonoro para chamar alguém ◆ **a toque de caixa** com muita pressa

torácico (to.rá.ci.co) [tɔ'rasiku] *adj.* relativo ao tórax

toranja (to.ran.ja) [tu'rɐ̃ʒɐ] *n.f.* fruto arredondado, com casca amarela, sumarento e de sabor ácido

tórax (tó.rax) ['tɔraks] *n.m.2n.* cavidade superior do tronco humano, onde se alojam os órgãos da respiração e da circulação

torção (tor.ção) [tur'sɐ̃w̃] *n.f.* **1** ato de torcer **2** estado de coisa torcida **3** lesão dos ligamentos das articulações

torcer (tor.cer) [tur'ser] *v.* **1** fazer girar sobre si: *Torceu a toalha encharcada.* **2** entortar: *A tábua torceu para a esquerda.* **3** deslocar (articulação, osso): *torcer um pé* **4** ⟨**+por**⟩ dar apoio: *Vou ficar a torcer por ti.* ■ **torcer-se** contrair-se; contorcer-se: *Torcia-se de dores.*

torcicolo (tor.ci.co.lo) [tursi'kɔlu] *n.m.* contração dos músculos do pescoço, que provoca dor

torcida (tor.ci.da) [tur'sidɐ] *n.f.* **1** cordão fino, revestido de cera, que serve para acender velas; pavio **2** [BRAS.] claque

torcido (tor.ci.do) [tur'sidu] *adj.* **1** torto **2** curvo **3** forçado

tordo (tor.do) ['tordu] *n.m.* 👁 pássaro de bico negro e cauda muito comprida, com canto muito agradável

tormenta (tor.men.ta) [tur'mẽtɐ] *n.f.* **1** tempestade violenta, sobretudo no mar; temporal **2** *fig.* grande agitação **3** *fig.* sofrimento

tormento (tor.men.to) [tur'mẽtu] *n.m.* **1** sofrimento físico muito forte **SIN.** suplício; tortura **2** grande aflição; angústia

tornado (tor.na.do) [tur'nadu] *n.m.* vento muito forte que sopra num movimento espiral sobre uma região, destruindo casas e arrancando árvores à medida que se desloca

tornar (tor.nar) [tur'nar] *v.* **1** voltar ao lugar de onde saiu; regressar **2** voltar a (situação ou tempo anterior) **3** repetir **4** devolver ■ **tornar-se** transformar-se ◆ **tornar a si** recuperar os sentidos

torneado (tor.ne:a.do) [tur'njadu] *adj.* **1** (peça, objeto) preparado ao torno **2** *fig.* (parte do corpo) que tem contornos ou formas elegantes

tornear (tor.ne:ar) [tur'njar] *v.* **1** dar forma arredondada a **2** circundar (espaço, lugar) **3** *fig.* evitar

torneio (tor.nei.o) [tur'nɐju] *n.m.* competição desportiva **SIN.** certame; concurso

torneira (tor.nei.ra) [tur'nɐjrɐ] *n.f.* peça que permite abrir, fechar ou regular o escoamento de um líquido ou de um gás contido num recipiente ou disponível numa canalização ◆ *coloq.* **abrir a torneira** falar/chorar muito; desabafar

torniquete (tor.ni.que.te) [turni'ket(ə)] *n.m.* **1** instrumento usado para deter temporariamente o fluxo sanguíneo por compressão das artérias **2** espécie de cruz móvel em posição horizontal, colocado na entrada de ruas ou estradas, para passagem de peões

torno (tor.no) ['tornu] *n.m.* aparelho onde se faz girar uma peça de madeira ou de metal que se quer trabalhar ◆ **em torno de** em volta de

tornozelo (tor.no.ze.lo) [turnu'zelu] *n.m.* cada uma das saliências ósseas da articulação da perna com o pé

toro (to.ro) ['tɔru] *n.m.* parte de tronco de árvore sem ramos **SIN.** cepo

torpe (tor.pe) ['tɔrp(ə)] *adj.2g.* **1** que entorpece **2** indigno **3** indecente; obsceno

torpedeiro (tor.pe.dei.ro) [turpə'dɐjru] *n.m.* barco destinado a conduzir e lançar torpedos

torpedo (tor.pe.do) [tur'pedu] *n.m.* arma submarina destinada a produzir explosões em navios

torpor (tor.por) [tur'por] *n.m.* **1** diminuição da sensibilidade ou do movimento numa parte do corpo **2** *fig.* indiferença; apatia

torrada (tor.ra.da) [tu'ʀadɐ] *n.f.* fatia de pão seca e estaladiça, que se come geralmente com manteiga

torradeira (tor.ra.dei.ra) [tuʀɐ'dɐjrɐ] *n.f.* aparelho elétrico que serve para torrar pão

torrado (tor.ra.do) [tu'ʀadu] *adj.* **1** seco por ação do sol ou do calor; tostado **2** queimado; esturricado

torrão (tor.rão) [tu'ʀɐ̃w̃] *n.m.* **1** pedaço de terra seca e dura **2** doce feito com amêndoas e açúcar ou mel **3** *fig.* terra natal; pátria

torrar (tor.rar) [tu'ʀar] *v.* **1** secar pela ação do sol ou do calor; tostar **2** queimar totalmente; esturricar

torre (tor.re) ['toʀ(ə)] *n.f.* construção alta e estreita que se destaca numa fortaleza, numa igreja ou num castelo ◆ **torre de Babel 1** na Bíblia, aquela que os descendentes de Noé tentaram edificar até ao céu e cujo projeto não foi concluído por punição de Deus que gerou confusão entre os trabalhadores fazendo-os falar diferentes línguas **2** *fig.* situação em que todos falam e ninguém se entende ou não está de acordo; **torre de controlo** edifício elevado do aeródromo a partir do qual se coordenam as descolagens e aterragens na pista; **torre de vigia** construção, geralmente elevada, onde se coloca a sentinela

torreão (tor.re.ão) [tu'ʀjɐ̃w̃] *n.m.* torre larga com ameias, construída sobre um castelo

torrencial (tor.ren.ci:al) [tuʀẽ'sjaɫ] *adj.2g.* **1** relativo ou semelhante a uma torrente **2** muito abundante; forte

torrencialmente (tor.ren.ci:al.men.te) [tuʀẽsjaɫ'mẽt(ə)] *adv.* **1** com força e velocidade; de modo impetuoso **2** em grande quantidade; em abundância

torrente (tor.ren.te) [tu'ʀẽt(ə)] *n.f.* curso de água muito rápido e forte

torresmo (tor.res.mo) [tu'ʀeʒmu] *n.m.* **1** tira de toucinho ou de banha frita **2** resíduo de carvão de pedra **3** *fig.* coisa muito torrada

tórrido (tór.ri.do) ['tɔʀidu] *adj.* muito quente **SIN.** ardente

torso (tor.so) ['torsu] *n.m.* parte do corpo humano formada pelos ombros, tórax e abdómen; tronco

torta (tor.ta) ['tɔrtɐ] *n.f.* massa enrolada e cozida com recheio doce ou salgado

tortilha (tor.ti.lha) [tur'tiʎɐ] *n.f.* omeleta não enrolada de ovos com batata e outros ingredientes

torto (tor.to) ['tortu] *adj.* **1** torcido **2** inclinado **3** vesgo ◆ **a torto e a direito** à toa; **responder torto** dar uma resposta grosseira

tortuoso (tor.tu:o.so) [tur'twozu] *adj.* **1** que tem curvas; sinuoso **2** *fig.* desleal; injusto

tortura (tor.tu.ra) [tur'turɐ] *n.f.* **1** sofrimento físico causado a uma pessoa para a obrigar a revelar algo **SIN.** suplício; tormento **2** grande aflição; angústia

torturado (tor.tu.ra.do) [turtu'radu] *adj.* **1** que sofreu tortura **2** muito angustiado; atormentado

torturar (tor.tu.rar) [turtu'rar] *v.* **1** submeter a tortura **2** afligir muito; atormentar

tosco (tos.co) ['toʃku] *adj.* feito sem cuidado ou sem perfeição **SIN.** grosseiro; rude

tosquia (tos.qui.a) [tuʃ'kiɐ] *n.f.* **1** corte da lã ou do pelo dos animais **2** época própria para cortar a lã ou o pelo dos animais **3** *coloq.* corte de cabelo

tosquiar (tos.qui:ar) [tuʃ'kjar] *v.* **1** cortar rente (a lã ou o pelo dos animais) **2** *coloq.* cortar o cabelo muito curto

tosse (tos.se) ['tɔ(sə)] *n.f.* expiração brusca, convulsa e ruidosa do ar contido nos pulmões

tossir (tos.sir) [tu'sir] *v.* ter tosse; expelir o ar dos pulmões com um movimento brusco e ruidoso

tosta (tos.ta) ['tɔʃtɐ] *n.f.* fatia de pão torrado; torrada

tostado (tos.ta.do) [tuʃ'tadu] *adj.* **1** torrado **2** queimado **3** bronzeado

tosta-mista (tos.ta-.mis.ta) [tɔʃtɐ'miʃtɐ] *n.f.* ⟨*pl.* tostas-mistas⟩ sanduíche feita com duas fatias de pão torrado recheadas com queijo e fiambre

tostão (tos.tão) [tuʃ'tɐ̃w̃] *n.m.* antiga moeda portuguesa ◆ **não valer um tostão (furado)** não ter valor; **sem um tostão** sem dinheiro **SIN.** teso

tostar (tos.tar) [tuʃ'tar] *v.* queimar levemente **SIN.** torrar

total (to.tal) [tu'taɫ] *adj.2g.* que forma um todo; a que não falta nada; completo; inteiro ■ *n.m.* **1** conjunto das diversas partes que formam um todo; totalidade **2** resultado de uma adição; soma

totalidade (to.ta.li.da.de) [tutɐli'dad(ə)] *n.m.* conjunto das diversas partes que formam um todo; todo

totalista (to.ta.lis.ta) [tutɐ'liʃtɐ] *n.2g.* pessoa que perfaz o total de pontos ou que possui a chave de um jogo

totalizar (to.ta.li.zar) [tutɐli'zar] *v.* **1** formar ou calcular o total de **2** perfazer um todo

totalmente (to.tal.men.te) [tutaɫ'mẽt(ə)] *adv.* completamente; inteiramente

totem (to.tem) ['tɔtẽj] *n.m.* 👁 símbolo considerado sagrado por uma tribo ou por um clã

totó (to.tó) [tɔ'tɔ] *adj. coloq.* pessoa acanhada ou tola ■ *n.m.* cabelo atado de cada um dos lados da cabeça

totobola (to.to.bo.la) [tɔtɔ'bɔlɐ] *n.m.* jogo em que se marcam os palpites dos resultados de jogos de futebol num impresso próprio, ganhando quem acertar nos treze resultados

totoloto (to.to.lo.to) [tɔtɔ'lotu] *n.m.* jogo em que se registam num boletim seis números de 1 a 49 e em que o primeiro prémio é atribuído a quem acertar nos números que forem sorteados

touca (tou.ca) ['to(w)kɐ] *n.f.* **1** peça de tecido ou de lã usada sobretudo por crianças **2** peça de plástico ou borracha para proteger o cabelo, no banho ou na natação

toucado (tou.ca.do) [to(w)'kadu] *n.f.* adorno feminino para o cabelo

toucador (tou.ca.dor) [to(w)kɐ'dor] *adj.* que touca ■ *n.m.* móvel com espelho para servir a quem se touca ou penteia

toucinho (tou.ci.nho) [to(w)'siɲu] *n.m.* camada de gordura por baixo da pele do porco

toucinho-do-céu (tou.ci.nho-.do-.céu) [to(w)siɲudu'sɛw] *a nova grafia é* **toucinho do céu**[AO]

toucinho do céu (tou.ci.nho do céu)[AO] [to(w)siɲudu'sɛw] *n.m.* ⟨*pl.* toucinhos do céu⟩ doce preparado com açúcar em ponto, gemas de ovos e amêndoas

toupeira (tou.pei.ra) [to(w)'pɐjrɐ] *n.f.* pequeno mamífero de olhos pequenos e pelagem densa, que escava a terra

tourada (tou.ra.da) [to(w)'radɐ] *n.f.* **1** espetáculo, realizado numa arena, em que se procura dominar um touro bravo **2** manada de touros **3** *fig.* situação de desordem; tumulto; confusão

tourear (tou.re:ar) [to(w)'rjar] *v.* enfrentar um touro numa arena, procurando distraí-lo com um pano vermelho, para depois o dominar

toureio (tou.rei.o) [to(w)'rɐju] *n.m.* ato ou efeito de tourear

toureiro (tou.rei.ro) [to(w)'rɐjru] *n.m.* aquele que tem como profissão enfrentar touros na arena

tournée [tur'ne] *n.f.* ⟨*pl.* tournées⟩ viagem com paragens que obedecem a um percurso e programa decididos antes, geralmente para dar espetáculos **SIN.** digressão

touro (tou.ro) ['to(w)ru] *n.m.* **1** animal bovino do sexo masculino, adulto e não castrado **2** *fig.* homem muito forte ■ **Touro** segundo signo do Zodíaco (20 de abril a 20 de maio)

tóxico (tó.xi.co) ['tɔksiku] *adj.* **1** que produz efeitos negativos no organismo **SIN.** venenoso **2** que contém veneno

toxicodependência (to.xi.co.de.pen.dên.ci:a) [tɔksikɔdəpẽ'dẽsjɐ] *n.f.* estado de quem depende do consumo de drogas

toxicodependente (to.xi.co.de.pen.den.te) [tɔksikɔdəpẽ'dẽt(ə)] *adj.,n.2g.* que ou pessoa que consume habitualmente drogas e que não consegue deixar de as consumir

toxina (to.xi.na) [tɔ'ksinɐ] *n.f.* substância tóxica proveniente do metabolismo de um organismo ou de parasitas

TPC [tepe'se] *sigla de* trabalho(s) para casa

TPI [tepe'i] *sigla de* Tribunal Penal Internacional

trabalhador (tra.ba.lha.dor) [trɐbɐʎɐ'dor] *adj.* **1** relativo a trabalho **2** que gosta de trabalhar; aplicado ▪ *n.m.* indivíduo que trabalha; empregado; operário; **trabalhador independente** aquele que trabalha por conta própria

trabalhão (tra.ba.lhão) [trɐbɐ'ʎɐ̃w̃] (*aum. de* trabalho) *n.m.* trabalho que exige um grande esforço **SIN.** canseira; trabalheira

trabalhar (tra.ba.lhar) [trɐbɐ'ʎar] *v.* **1** dar determinada forma a **2** fazer algum trabalho **3** ter uma profissão **4** funcionar (uma máquina, um aparelho)

trabalheira (tra.ba.lhei.ra) [trɐbɐ'ʎɐjrɐ] *n.f.* trabalho que exige um grande esforço **SIN.** canseira; trabalhão

trabalho (tra.ba.lho) [trɐ'baʎu] *n.m.* **1** emprego; atividade profissional **2** esforço necessário para realizar uma tarefa **3** obra feita; criação ♦ **dar trabalho** exigir esforço

trabalhoso (tra.ba.lho.so) [trɐbɐ'ʎozu] *adj.* **1** cansativo **2** difícil

traça (tra.ça) ['trasɐ] *n.f.* **1** pequeno inseto roedor **2** esboço; desenho **3** *coloq.* fome

traçado (tra.ça.do) [trɐ'sadu] *adj.* atravessado; cruzado ▪ *n.m.* plano de uma obra; planta; projeto

tração (tra.ção)[AO] [tra'sɐ̃w̃] *n.f.* **1** ação de uma força que desloca um objeto **2** ato de puxar, de movimentar ♦ **tração às quatro rodas** força de deslocação de um veículo distribuída pelos eixos traseiro e dianteiro

traçar (tra.çar) [trɐ'sar] *v.* **1** riscar **2** cruzar **3** fazer esboço ou plano de **4** roer

tracção (trac.ção) [tra'sɐ̃w̃] *a nova grafia é* **tração**[AO]

tracejado (tra.ce.ja.do) [trɐsə'ʒadu] *n.m.* linha formada pela sequência de pequenos traços

tracejar (tra.ce.jar) [trɐsə'ʒar] *v.* **1** fazer tracejado em **2** fazer traços; riscar

traço (tra.ço) ['trasu] *n.m.* **1** risco feito com lápis, caneta, pincel, etc. **2** vestígio; sinal **3** linha do rosto; fisionomia ♦ **traço de união** hífen

tractor (trac.tor) [tra'tor] *a nova grafia é* **trator**[AO]

tradição (tra.di.ção) [trɐdi'sɐ̃w̃] *n.f.* **1** transmissão oral de factos, lendas e costumes, de geração em geração **2** comportamentos e costumes de um povo ou de um grupo; hábito

tradicional (tra.di.ci:o.nal) [trɐdisju'naɫ] *adj.2g.* **1** relativo à tradição **2** que segue a tradição, sem querer alterá-la; conservador

tradicionalismo (tra.di.ci:o.na.lis.mo) [trɐdisjunɐ'liʒmu] *n.m.* atitude que rejeita qualquer mudança nas tradições ou nos antigos costumes; conservadorismo

tradicionalista (tra.di.ci:o.na.lis.ta) [trɐdisjunɐ'liʃtɐ] *adj.2g.* **1** relativo a tradicionalismo **2** conservador ▪ *n.2g.* pessoa adepta do tradicionalismo

tradicionalmente (tra.di.ci:o.nal.men.te) [trɐdisjunaɫ'mẽt(ə)] *adv.* **1** segundo os costumes antigos **2** habitualmente

tradução (tra.du.ção) [trɐdu'sɐ̃w̃] *n.f.* passagem daquilo que foi dito ou escrito numa língua para outra língua

tradutor (tra.du.tor) [trɐdu'tor] *adj.,n.m.* que ou aquele que traduz

tradutor-intérprete (tra.du.tor-.in.tér.pre.te) [trɐdutorĩ'tɛrprət(ə)] *n.m.* profissional que traduz textos escritos ou transpõe um discurso oral de uma língua para outra

traduzir (tra.du.zir) [trɐdu'zir] *v.* **1** ⟨**+de/para**⟩ passar (texto, discurso) de uma língua para outra: *Traduziu o texto para inglês.* **2** *fig.* exprimir; revelar: *A cara dele traduzia felicidade.* **3** *fig.* interpretar; explicar: *Não consigo traduzir o que sentimos naquele momento.* ▪ **traduzir-se** ⟨**+em**⟩ manifestar-se: *A doença traduz-se em cólicas fortes.*

tráfego (trá.fe.go) ['trafəgu] *n.m.* **1** movimento de veículos automóveis; trânsito **2** transporte de mercadorias

traficante (tra.fi.can.te) [trɐfi'kɐ̃t(ə)] *n.2g.* pessoa que se dedica ao comércio ilegal (de drogas, armas, etc.)

traficar (tra.fi.car) [trɐfi'kar] *v.* **1** fazer tráfico de **2** fazer negócios ilegais

tráfico (trá.fi.co) ['trafiku] *n.m.* comércio ilegal; contrabando

trafulha (tra.fu.lha) [trɐ'fuʎɐ] *adj.,n.2g.* *coloq.* aldrabão; intrujão

trafulhice (tra.fu.lhi.ce) [trɐfu'ʎi(sə)] *n.f.* *coloq.* intrujice; aldrabice

tragar (tra.gar) [trɐ'gar] *v.* **1** engolir de um trago **2** comer com avidez **3** *fig.* fazer desaparecer

tragédia (tra.gé.di:a) [trɐ'ʒɛdjɐ] *n.f.* **1** peça teatral que geralmente tem um final triste **2** situação que produz dor e sofrimento; desgraça

trágico (trá.gi.co) ['traʒiku] *adj.* **1** relativo a tragédia **2** que causa dor ou sofrimento

tragicomédia (tra.gi.co.mé.di:a) [trɐʒiku'mɛdjɐ] *n.f.* **1** obra dramática que contém simultaneamente elementos da tragédia e da comédia e cujo desenlace não é trágico **2** *fig.* situação em que se misturam acontecimentos trágicos e divertidos

trago (tra.go) ['tragu] *n.m.* gole ♦ **de um trago** de uma vez só

traição (trai.ção) [trajˈsɐ̃w̃] *n.f.* **1** deslealdade **2** infidelidade

traiçoeiro (trai.ço.ei.ro) [trajˈswɐjru] *adj.* **1** relativo a traição **2** desleal

traidor (trai.dor) [trajˈdor] *adj.,n.m.* que ou aquele que atraiçoa; traiçoeiro

trailer [ˈtrɐjlɐr] *n.m.* conjunto de excertos de um filme, geralmente apresentado para anunciar a sua estreia

traineira (trai.nei.ra) [trajˈnɐjrɐ] *n.f.* barco de pesca aparelhado com grandes redes

trair (tra.ir) [trɐˈir] *v.* **1** ser desleal a alguém **SIN.** atraiçoar **2** ser infiel a (mulher ou marido) **3** revelar (um segredo íntimo)

trajar (tra.jar) [trɐˈʒar] *v.* usar como vestuário; vestir

traje (tra.je) [ˈtraʒ(ə)] *n.m.* **1** conjunto de peças de roupa exterior; vestuário **2** vestuário próprio de um grupo, de uma região ou de uma profissão ◆ **estar em trajes menores** estar só com roupa interior

> Note-se que **traje** se escreve com j (e não com g).

trajecto (tra.jec.to) [trɐˈʒɛtu] *a nova grafia é* **trajeto**AO

trajectória (tra.jec.tó.ri:a) [trɐʒɛˈtɔrjɐ] *a nova grafia é* **trajetória**AO

trajeto (tra.je.to)AO [trɐˈʒɛtu] *n.m.* espaço percorrido ou a percorrer; percurso

trajetória (tra.je.tó.ri:a)AO [trɐʒɛˈtɔrjɐ] *n.f.* linha descrita por um corpo em movimento

tralha (tra.lha) [ˈtraʎɐ] *n.f.* **1** pequena rede de pesca **2** *coloq.* grande quantidade de objetos de pouco valor

trama (tra.ma) [ˈtrɐmɐ] *n.f.* **1** conjunto de fios que se cruzam num tecido; textura **2** sucessão de acontecimentos numa história; enredo **3** plano secreto para prejudicar alguém; conspiração

tramado (tra.ma.do) [trɐˈmadu] *adj.* **1** *coloq.* que foi organizado como uma trama ou intriga **2** *coloq.* que foi bem planeado

tramar (tra.mar) [trɐˈmar] *v.* **1** tecer **2** conspirar **3** enredar **4** prejudicar

trambolhão (tram.bo.lhão) [trɐ̃buˈʎɐ̃w̃] *n.m.* queda violenta, com ruído ◆ **andar aos trambolhões** sofrer desaires; ter dissabores

trâmite (trâ.mi.te) [ˈtrɐmit(ə)] *n.m.* caminho com direção determinada ▪ *n.m.2n.* **1** meios prescritos **2** via legal

tramoia (tra.moi.a)AO [trɐˈmɔjɐ] *n.f. coloq.* artimanha; embuste

tramóia (tra.mói.a) [trɐˈmɔjɐ] *a nova grafia é* **tramoia**AO

trampolim (tram.po.lim) [trɐ̃puˈlĩ] *n.m. fig.* prancha elástica que fornece impulso para uma pessoa saltar ou mergulhar

tranca (tran.ca) [ˈtrɐ̃kɐ] *n.f.* barra de ferro ou de madeira que segura por dentro uma porta

trança (tran.ça) [ˈtrɐ̃sɐ] *n.f.* madeixa de cabelos entrelaçados

trancar (tran.car) [trɐ̃ˈkar] *v.* **1** fechar com chave ou dispositivo: *trancar a porta* **2** riscar (documento escrito): *Trancou a ata.* ▪ **trancar-se** ⟨+em⟩ fechar-se; encerrar-se: *Trancou-se no quarto.*

tranche [ˈtrɐ̃ʃ(ə)] *n.f.* **1** parcela **2** fatia

tranquilamente (tran.qui.la.men.te) [trɐ̃kwilɐˈmẽt(ə)] *adv.* sem pressa; com calma **SIN.** calmamente

tranquilidade (tran.qui.li.da.de) [trɐ̃kwiliˈdad(ə)] *n.f.* ausência de agitação ou de inquietação **SIN.** calma; sossego

tranquilizador (tran.qui.li.za.dor) [trɐ̃kwilizɐˈdor] *adj.,n.m.* que ou o que tranquiliza

tranquilizante (tran.qui.li.zan.te) [trɐ̃kwiliˈzɐ̃t(ə)] *n.m.* medicamento utilizado para reduzir a sensação de ansiedade **SIN.** calmante

tranquilizar(-se) (tran.qui.li.zar(-se)) [trɐ̃kwiliˈzar(sə)] *v.* acalmar(-se); serenar(-se)

tranquilo (tran.qui.lo) [trɐ̃ˈkwilu] *adj.* calmo; sereno; sossegado

transação (tran.sa.ção)AO [trɐ̃zaˈsɐ̃w̃] *n.f.* operação comercial de compra ou venda; negócio

transacção (tran.sac.ção) [trɐ̃zaˈsɐ̃w̃] *a nova grafia é* **transação**AO

transaccionar (tran.sac.ci:o.nar) [trɐ̃zasjuˈnar] *a nova grafia é* **transacionar**AO

transacionar (tran.sa.ci:o.nar)AO [trɐ̃zasjuˈnar] *v.* fazer transações; negociar

transacto (tran.sac.to) [trɐ̃ˈzatu] *a nova grafia é* **transato**AO

transar (tran.sar) [trɐ̃ˈzar] *v.* [BRAS.] *coloq.* ter relações sexuais com

transatlântico **(tran.sa.tlân.ti.co)** [trɐ̃zɐ'tlɐ̃tiku] *adj.* **1** situado do outro lado do Atlântico **2** que atravessa o Atlântico

transato **(tran.sa.to)**[AO] [trɐ̃'zatu] *adj.* que já passou; anterior

transbordante **(trans.bor.dan.te)** [trɐ̃ʒbur'dɐ̃t(ə)] *adj.2g.* que transborda

transbordar **(trans.bor.dar)** [trɐ̃ʒbur'dar] *v.* **1** ⟨**+de**⟩ sair pelas bordas; derramar-se: *A água transbordou do copo* **2** ⟨**+de**⟩ manifestar(-se) de forma intensa: *Ele transborda de felicidade.*

transbordo **(trans.bor.do)** [trɐ̃ʃ'bordu] *n.m.* **1** ato de exceder os limites de; derramamento **2** passagem (de passageiros ou mercadorias) de um meio de transporte para outro

transcendência **(trans.cen.dên.ci:a)** [trɐ̃ʃsẽ'dẽsjɐ] *n.f.* qualidade do que é transcendente

transcendente **(trans.cen.den.te)** [trɐ̃ʃsẽ'dẽt(ə)] *adj.2g.* que ultrapassa o que é comum; superior; sublime

transcender **(trans.cen.der)** [trɐ̃ʃsẽ'der] *v.* **1** passar além de **2** ultrapassar; exceder

transcontinental **(trans.con.ti.nen.tal)** [trɐ̃ʃkõti nẽ'taɫ] *adj.2g.* que atravessa um continente

transcrever **(trans.cre.ver)** [trɐ̃ʃkrə'ver] *v.* escrever novamente (um texto); reproduzir; copiar

transcrição **(trans.cri.ção)** [trɐ̃ʃkri'sɐ̃w̃] *n.f.* reprodução (de um texto); cópia

transcrito **(trans.cri.to)** [trɐ̃ʃ'kritu] *adj.* que se transcreveu; reproduzido; copiado

transe **(tran.se)** ['trɐ̃z(ə)] *n.m.* **1** estado de exaltação; êxtase **2** situação de aflição; angústia

transeunte **(tran.se:un.te)** [trɐ̃'zjũt(ə)] *n.2g.* pessoa que se desloca a pé nas ruas **SIN.** peão

transexual **(tran.se.xu:al)** [trɐ̃sɛ'kswaɫ] *adj.,n.2g.* **1** que ou pessoa que se identifica muito com o sexo oposto **2** que ou pessoa que foi submetida a tratamento hormonal e cirúrgico para mudar de sexo

transferência **(trans.fe.rên.ci:a)** [trɐ̃ʃfə'rẽsjɐ] *n.f.* **1** mudança de um lugar para o outro **2** transmissão; passagem

transferidor **(trans.fe.ri.dor)** [trɐ̃ʃfəri'dor] *n.m.* utensílio de metal ou plástico em forma de semicírculo, próprio para medir ou traçar ângulos num desenho

transferir **(trans.fe.rir)** [trɐ̃ʃfə'rir] *v.* **1** ⟨**+para**⟩ mudar de um lugar para outro: *Transferiu o dinheiro para a conta da mãe.* **2** ⟨**+para**⟩ transmitir a outrem (bens, direitos): *Transferiu a casa para o nome da sobrinha.* **3** ⟨**+para**⟩ adiar (no tempo): *Transferiu a reunião para amanhã.* ▪ **transferir-se** ⟨**+para**⟩ ir para outro lugar: *O jogador transferiu-se para um grande clube.* **SIN.** mudar-se

transfiguração **(trans.fi.gu.ra.ção)** [trɐ̃ʃfigu rɐ'sɐ̃w̃] *n.f.* transformação; mudança

transfigurar **(trans.fi.gu.rar)** [trɐ̃ʃfigu'rar] *v.* **1** fazer alterar a figura ou o carácter de **2** fazer passar de um estado a outro; transformar ▪ **transfigurar-se** **1** mudar de figura ou de carácter **2** passar de um estado a outro; transformar-se

transformação **(trans.for.ma.ção)** [trɐ̃ʃfur mɐ'sɐ̃w̃] *n.f.* mudança de forma, de aspeto ou de hábitos; alteração

transformado **(trans.for.ma.do)** [trɐ̃ʃfur'madu] *adj.* que sofreu transformação; alterado

transformador **(trans.for.ma.dor)** [trɐ̃ʃfur mɐ'dor] *adj.* **1** que transforma **2** que regenera ▪ *n.m.* aparelho que que serve para transformar a tensão ou a intensidade de uma corrente elétrica

transformar(-se) **(trans.for.mar(-se))** [trɐ̃ʃ fur'mar(sə)] *v.* ⟨**+em**⟩ (fazer) mudar de forma, de aspeto ou de hábitos; causar ou sofrer alteração: *O casamento transformou-o. A sala transformou-se com a nova mobília.*

transfronteiriço **(trans.fron.tei.ri.ço)** [trɐ̃ʃfrõ tɐj'risu] *adj.* que atravessa fronteiras, envolvendo mais de um país

transfusão **(trans.fu.são)** [trɐ̃ʃfu'zɐ̃w̃] *n.f.* operação que consiste em passar sangue, plasma ou soro de uma pessoa (dador) para outra pessoa (recetor)

transgénico **(trans.gé.ni.co)** [trɐ̃'ʒɛniku] *adj.* **1** (animal, planta) que possui genes de outras espécies **2** (organismo, planta) que foi submetido a alteração do código genético

transgredir **(trans.gre.dir)** [trɐ̃ʒgrə'dir] *v.* **1** ir além de; ultrapassar **2** desobedecer a (uma regra, uma lei); infringir

transgressão **(trans.gres.são)** [trɐ̃ʒgrə'sɐ̃w̃] *n.f.* ato de desobedecer a uma regra ou uma lei **SIN.** infração

transgressor **(trans.gres.sor)** [trɐ̃ʒgrə'sor] *adj.,n.m.* que(m) transgride

transição **(tran.si.ção)** [trɐ̃zi'sɐ̃w̃] *n.f.* passagem de um lugar ou de um estado para outro; mudança

transigência **(tran.si.gên.ci:a)** [trɐ̃zi'ʒẽsjɐ] *n.f.* condescendência; tolerância

transigente **(tran.si.gen.te)** [trɐ̃zi'ʒẽt(ə)] *adj.2g.* tolerante; condescendente

transigir **(tran.si.gir)** [trɐ̃zi'ʒir] *v.* **1** chegar a um acordo; ceder **2** ser tolerante com; condescender

transístor **(tran.sís.tor)** [trɐ̃'ziʃtɔr] *n.m.* dispositivo eletrónico semicondutor, usado como amplificador, detetor e modulador

transitar **(tran.si.tar)** [trɐ̃zi'tar] *v.* **1** ⟨**+por**⟩ passar; andar; circular: *Os carros transitam por essa es-*

trada. **2** ⟨**+de**⟩ mudar de lugar, de estado, de condição, etc.: *transitar de ano letivo*

transitável (tran.si.tá.vel) [trẽzi'tavɛɫ] *adj.2g.* que permite a circulação (de pessoas, de veículos)

transitivo (tran.si.ti.vo) [trẽzi'tivu] *adj.* diz-se do verbo que pede um ou mais complementos

trânsito (trân.si.to) ['trẽzitu] *n.m.* **1** movimento de pessoas e veículos que utilizam uma via de comunicação; circulação **2** conjunto de veículos que circulam numa rua ou numa estrada

transitório (tran.si.tó.ri:o) [trẽzi'tɔrju] *adj.* que dura pouco tempo **SIN.** passageiro

translação (trans.la.ção) [trẽʒla'sɐ̃w̃] *n.f.* movimento da Terra em torno do Sol

transladação (trans.la.da.ção) [trẽʒlɐdɐ'sɐ̃w̃] *n.f.* ato ou efeito de transladar; transferência

transladar (trans.la.dar) [trẽʒlɐ'dar] *v.* ⟨**+para**⟩ transportar de um lugar para outro: *Transladaram os restos mortais para a catedral.* **SIN.** transferir; mudar

translineação (trans.li.ne:a.ção) [trẽʒlinjɐ'sɐ̃w̃] *n.f.* passagem de parte de uma palavra que não coube na linha de cima para o início da linha de baixo

translúcido (trans.lú.ci.do) [trẽʒ'lusidu] *adj.* que deixa passar a luz

transmissão (trans.mis.são) [trẽʒmi'sɐ̃w̃] *n.f.* **1** ato ou efeito de transmitir **2** comunicação verbal ou escrita **3** passagem (de conhecimento, hábito, cargo, etc.) **4** propagação (de uma doença) **5** emissão (de rádio ou televisão)

transmissível (trans.mis.sí.vel) [trẽʒmi'sivɛɫ] *adj.2g.* suscetível de transmissão

transmissor (trans.mis.sor) [trẽʒmi'sor] *adj.,n.m.* que ou aparelho que serve para transmitir algo

transmitir (trans.mi.tir) [trẽʒmi'tir] *v.* **1** ser condutor de (som, calor, frio, etc.); conduzir; transportar **2** passar para alguém (conhecimento, informação, mensagem); comunicar **3** transferir (um bem, um objeto) para a posse de outra pessoa **4** propagar (uma doença)

transmontano (trans.mon.ta.no) [trẽʒmõ'tɐnu] *adj.* **1** situado além dos montes **2** relativo ou pertencente a Trás-os-Montes, região do nordeste de Portugal ▪ *n.m.* natural ou habitante de Trás-os-Montes e Alto Douro

transmutar (trans.mu.tar) [trẽʒmu'tar] *v.* **1** transferir **2** transformar

transnacional (trans.na.ci:o.nal) [trẽʒnɐsju'naɫ] *adj.2g.* de que fazem parte muitos países

transoceânico (tran.so.ce:â.ni.co) [trẽzɔ'sjɐniku] *adj.* **1** que atravessa o oceano **2** que se situa além-mar; ultramarino

transparecer (trans.pa.re.cer) [trẽʃpɐrə'ser] *v.* aparecer através de; manifestar-se; revelar-se

transparência (trans.pa.rên.ci:a) [trẽʃpɐ'rẽsjɐ] *n.f.* **1** qualidade do que é transparente; limpidez **2** folha de plástico transparente que se usa no retroprojetor; acetato

transparente (trans.pa.ren.te) [trẽʃpɐ'rẽt(ə)] *adj.2g.* **1** que se deixa atravessar pela luz; límpido **2** *fig.* que é fácil de perceber; claro; evidente

transpiração (trans.pi.ra.ção) [trẽʃpirɐ'sɐ̃w̃] *n.f.* **1** eliminação do suor através dos poros da pele **2** líquido eliminado através da pele; suor

transpirar (trans.pi.rar) [trẽʃpi'rar] *v.* verter suor pelos poros da pele; suar

transplantação (trans.plan.ta.ção) [trẽʃplɐ̃tɐ'sɐ̃w̃] *n.f.* **1** ato de remover uma planta de um sítio para a plantar noutro sítio **2** ⇒ **transplante**

transplantar (trans.plan.tar) [trẽʃplɐ̃'tar] *v.* **1** remover uma planta de um sítio, plantando-a noutro **2** transferir um órgão de uma pessoa para outra

transplante (trans.plan.te) [trẽʃ'plɐ̃t(ə)] *n.m.* operação que consiste em mudar um órgão ou parte de um órgão de um corpo para outro corpo

transponível (trans.po.ní.vel) [trẽʃpu'nivɛɫ] *adj.2g.* que se pode transpor

transpor (trans.por) [trẽʃ'por] *v.* **1** ir além de; ultrapassar **2** passar por cima de; galgar

transportador (trans.por.ta.dor) [trẽʃpurtɐ'dor] *adj.* que transporta ▪ *n.m.* mecanismo ou aparelho usado para transportar coisas ou pessoas de um lugar para outro

transportadora (trans.por.ta.do.ra) [trẽʃpurtɐ'dorɐ] *n.f.* empresa que se dedica ao transporte de mercadorias

transportar (trans.por.tar) [trẽʃpur'tar] *v.* **1** levar de um lugar para outro **2** carregar consigo

transporte (trans.por.te) [trẽʃ'pɔrt(ə)] *n.m.* **1** ato ou efeito de transportar pessoas ou coisas de um lugar para outro **2** meio (veículo, animal, etc.) que se utiliza para levar pessoas ou coisas de um lugar para outro

transtornado (trans.tor.na.do) [trẽʃtur'nadu] *adj.* **1** desorganizado **2** perturbado a nível emocional

transtornar (trans.tor.nar) [trẽʃtur'nar] *v.* **1** alterar a ordem de; desorganizar **2** perturbar a nível emocional

transtorno (trans.tor.no) [trẽʃ'tornu] *n.m.* situação imprevista que causa incómodo ou perturbação **SIN.** contrariedade

transumância (tran.su.mân.ci:a) [trẽzu'mɐ̃sjɐ] *n.f.* deslocação periódica de gado ovino

transversal (trans.ver.sal) [trẽʒvər'saɫ] *adj.2g.* **1** disposto em ângulo reto **2** diz-se da rua que atravessa ou cruza outra rua ▪ *n.f.* linha ou reta que corta perpendicularmente outra; perpendicular

transversalmente (trans.ver.sal.men.te) [trɐ̃ʒ vərsaɫ'mẽt(ə)] *adv.* no sentido da largura

trapaça (tra.pa.ça) [trɐ'pasɐ] *n.f.* artifício para enganar ou prejudicar alguém **SIN.** burla; logro

trapaceiro (tra.pa.cei.ro) [trɐpɐ'sɐjru] *adj.,n.m.* batoteiro; intrujão

trapalhada (tra.pa.lha.da) [trɐpɐ'ʎadɐ] *n.f.* situação de desordem **SIN.** confusão

trapalhão (tra.pa.lhão) [trɐpɐ'ʎɐ̃w̃] *adj.,n.m.* ⟨*f.* trapalhona, *pl.* trapalhões⟩ que ou pessoa que faz ou diz coisas sem cuidado, de forma desordenada ou confusa; atabalhoado

trapalhice (tra.pa.lhi.ce) [trɐpɐ'ʎi(sə)] *n.f.* **1** situação confusa; confusão; trapalhada **2** trabalho mal feito

trapézio (tra.pé.zi:o) [trɐ'pɛzju] *n.m.* **1** aparelho para exercícios de ginástica **2** quadrilátero com dois lados desiguais e paralelos entre si

trapezista (tra.pe.zis.ta) [trɐpə'ziʃtɐ] *n.2g.* pessoa que faz acrobacias no trapézio

trapo (tra.po) ['trapu] *n.m.* pedaço de pano velho ou muito gasto **SIN.** farrapo ♦ *coloq.* **juntar os trapos** casar ir viver com

traque (tra.que) ['trak(ə)] *n.m.* porção de gases expelida pelo ânus

traqueia (tra.quei.a) [trɐ'kɐjɐ] *n.f.* canal, entre a laringe e os brônquios, que conduz o ar para os pulmões

traquejo (tra.que.jo) [trɐ'kɐ(j)ʒu] *n.m. coloq.* prática ou experiência em determinada atividade **SIN.** destreza; perícia; treino

traqueotomia (tra.que:o.to.mi.a) [trɐkjɔtu'miɐ] *n.f.* incisão da traqueia na qual se coloca um pequeno tubo para permitir que o ar chegue aos pulmões quando as vias respiratórias superiores estão obstruídas

traquina (tra.qui.na) [trɐ'kinɐ] *adj.,n.2g.* (criança) que é travessa e irrequieta **SIN.** endiabrado; travesso

traquinas (tra.qui.nas) [trɐ'kinɐʃ] *adj.inv.* ⇒ **traquina**

traquinice (tra.qui.ni.ce) [trɐki'ni(sə)] *n.f.* brincadeira própria de criança **SIN.** diabrura; travessura

trás (trás) ['traʃ] *prep.* **1 de trás** da parte posterior: *Ela saiu de trás do balcão.* **2 por trás** na parte posterior: *Atacaram-no por trás.*; na origem: *os motivos por trás da sua decisão* **3 para trás** para o lado posterior: *olhar/cair para trás* ▪ *interj.* indica a queda de um corpo ou uma pancada ♦ **vir de trás** ser antigo

---

Não confundir **trás** (atrás de) com **traz** (forma do verbo *trazer*): *Olhei para trás. O João traz o livro.*

---

traseira (tra.sei.ra) [trɐ'zɐjrɐ] *n.f.* parte de trás; retaguarda ▪ **traseiras** *n.f.pl.* parte posterior de um edifício

traseiro (tra.sei.ro) [trɐ'zɐjru] *adj.* que está situado atrás ▪ *n.m. coloq.* nádegas; rabo

trasladação (tras.la.da.ção) [trɐʒlɐdɐ'sɐ̃w̃] *n.f.* **1** transferência **2** versão **3** adiamento

trasladar (tras.la.dar) [trɐʒlɐ'dar] *v.* **1** mudar de um lugar para outro **SIN.** transferir **2** transpor de uma língua para outra **SIN.** traduzir **3** transferir para outra data **SIN.** adiar

traste (tras.te) ['traʃt(ə)] *n.m.* **1** peça de mobiliário velha e com pouco valor **2** *coloq.* pessoa de mau carácter

tratado (tra.ta.do) [trɐ'tadu] *n.m.* **1** estudo ou obra escrita sobre tema científico, artístico, etc. **2** aliança política entre dois ou mais países; pacto

tratador (tra.ta.dor) [trɐtɐ'dor] *adj.,n.m.* **1** que ou pessoa que trata ou cuida de algo **2** que ou o que trata de animais, especialmente cavalos

tratamento (tra.ta.men.to) [trɐtɐ'mẽtu] *n.m.* **1** comportamento em relação a alguém **2** modo de cumprimentar; cumprimento **3** forma de cuidar de um doente **4** processo de cura; terapia ♦ **tratamento de informação** recolha e elaboração de dados e obtenção dos respetivos resultados por meio de computador; **tratamento de choque** conjunto de medidas drásticas tomadas com o fim de alcançar o mais depressa possível o objetivo em causa

tratante (tra.tan.te) [trɐ'tɐ̃t(ə)] *n.2g.* pessoa que procede com má-fé; patife

tratar (tra.tar) [trɐ'tar] *v.* **1** proceder para com alguém de determinada forma: *tratar alguém com respeito; tratar pessoalmente* **2** ⟨**+de**⟩ ocupar-se de: *tratar dos negócios* **3** ⟨**+de**⟩ dar tratamento a: *O médico tratou da minha constipação.* **4** ⟨**+de**⟩ cuidar de: *Trata da tua vida.* **5** abordar; expor: *Trata o assunto com cuidado.* **6** ⟨**+por**⟩ chamar (alguém) de; designar por: *Enganei-me e tratei-o por João.* ▪ **tratar-se 1** receber cuidados médicos **2** ⟨**+de**⟩ estar em causa: *Trata-se de um assunto muito importante.*

trato (tra.to) ['tratu] *n.m.* **1** procedimento **2** convivência **3** delicadeza **4** acordo

trator (tra.tor)[AO] [tra'tor] *n.m.* veículo motorizado usado como reboque ou em trabalhos agrícolas

trauma (trau.ma) ['trawmɐ] *n.m.* **1** experiência dolorosa a nível emocional **2** ferimento, lesão ou contusão provocada por um agente externo; traumatismo

traumático (trau.má.ti.co) [traw'matiku] *adj.* relativo a trauma

traumatismo (trau.ma.tis.mo) [trawmɐ'tiʒmu] *n.m.* **1** ferimento, lesão ou contusão provocada por um agente externo; trauma **2** *fig.* choque emocional

traumatizar (trau.ma.ti.zar) [trawmɐti'zar] *v.* provocar trauma ou traumatismo em

trautear (trau.te:ar) [traw'tjar] *v.* cantarolar

travagem (tra.va.gem) [trɐ'vaʒɐ̃j] *n.f.* ato ou efeito de fazer parar um veículo usando o travão

trava-língua (tra.va-.lín.gua) [travɐ'lĩgwɐ] *n.m.* ⟨*pl.* trava-línguas⟩ passatempo que consiste em dizer, com clareza e muito depressa, frases com sílabas difíceis de pronunciar, ou sílabas formadas com os mesmos sons: *três tristes tigres*

travão (tra.vão) [trɐ'vɐ̃w̃] *n.m.* **1** mecanismo que faz parar ou abrandar o movimento; freio **2** *fig.* obstáculo; impedimento

travar (tra.var) [trɐ'var] *v.* **1** parar ou diminuir o movimento de **2** reduzir a velocidade de um veículo usando o travão **3** iniciar (um diálogo, uma luta) **4** *fig.* impedir a evolução de; refrear

trave (tra.ve) ['trav(ə)] *n.f.* peça de madeira grossa e comprida, que suporta um teto ou que serve de apoio a uma construção

través (tra.vés) [trɐ'vɛʃ] *n.m.* direção oblíqua ou diagonal; esguelha; soslaio ♦ **de través** de lado; obliquamente; transversalmente

travessa (tra.ves.sa) [trɐ'vɛsɐ] *n.f.* **1** peça de madeira atravessada que une duas tábuas **2** rua estreita e secundária **3** espécie de pente para segurar o cabelo **4** prato comprido em que se servem alimentos

travessão (tra.ves.são) [trɐvə'sɐ̃w̃] *n.m.* **1** sinal -, utilizado nos diálogos para marcar a fala dos interlocutores **2** gancho para prender o cabelo

travesseira (tra.ves.sei.ra) [trɐvə'sɐjrɐ] *n.f.* almofada mais curta do que o travesseiro

travesseiro (tra.ves.sei.ro) [trɐvə'sɐjru] *n.m.* almofada estreita e comprida

travessia (tra.ves.si.a) [trɐvə'siɐ] *n.f.* viagem a pé ou num transporte para percorrer uma longa distância

travesso (tra.ves.so) [trɐ'vesu] *adj.* que faz travessuras; que não para quieto **SIN.** endiabrado; irrequieto; travesso

travessura (tra.ves.su.ra) [trɐvə'surɐ] *n.f.* brincadeira própria de criança **SIN.** diabrura; traquinice

travesti (tra.ves.ti) [travɛʃ'ti] *n.2g.* pessoa que se veste com roupas associadas normalmente ao sexo oposto

travo (tra.vo) ['travu] *n.m.* gosto amargo

trazer (tra.zer) [trɐ'zer] *v.* **1** deslocar para cá **ANT.** levar **2** fazer-se acompanhar de **3** ser portador de (notícias, novidades) **4** ter como consequência **5** usar (roupa, chapéu, etc.)

trecho (tre.cho) ['trɐ(j)ʃu] *n.m.* fragmento de uma obra literária ou musical **SIN.** excerto ♦ **a breve trecho** dentro de pouco tempo **SIN.** brevemente

treco (tre.co) ['trɛku] *n.m. coloq.* mal-estar súbito

trégua (tré.gua) ['trɛgwɐ] *n.f.* interrupção temporária de um conflito, um incómodo, uma dor, etc.; alívio ♦ **não dar tréguas** não dar descanso

treinador (trei.na.dor) [trɐjnɐ'dor] *adj.,n.m.* que ou aquele que treina

treinar (trei.nar) [trɐj'nar] *v.* **1** preparar (um atleta) para uma competição através de exercícios apropriados; praticar **2** preparar (alguém) para o desempenho de uma atividade; exercitar **3** *fig.* acostumar; habituar

treino (trei.no) ['trɐjnu] *n.m.* **1** atividade física regular de uma pessoa ou de uma equipa para melhorar as suas capacidades ou para se preparar para uma competição; preparação **2** exercício regular de uma atividade; prática

trejeito (tre.jei.to) [trə'ʒɐjtu] *n.m.* contração da face que muda a expressão do rosto **SIN.** careta; esgar

trekking [trɛ'kĩg] *n.m.* desporto radical, com vários níveis de dificuldade, que consiste em fazer longas caminhadas em terrenos acidentados ou montanhosos, pernoitando ao relento em locais que integram o itinerário

trela (tre.la) ['trɛlɐ] *n.f.* tira de couro ou de metal usada para prender animais, sobretudo cães ♦ **dar trela** dar atenção ou confiança a alguém

trem (trem) ['trɐ̃j] *n.m.* **1** conjunto dos utensílios de cozinha **2** carruagem **3** [BRAS.] comboio ♦ **trem de aterragem** sistema de suporte de um avião, que se apoia no solo por meio de rodas

trema (tre.ma) ['tremɐ] *n.m.* sinal gráfico¨ formado por dois pontos justapostos, que em certas línguas se coloca sobre as vogais *i*, *e* ou *u*

tremelicar (tre.me.li.car) [trəməli'kar] *v.* **1** tremer de frio ou de susto **2** tremer repetidamente

tremelique (tre.me.li.que) [trəmə'lik(ə)] *n.m.* **1** ato de tremelicar **2** susto; medo

tremendamente (tre.men.da.men.te) [trəmẽdɐ'mẽt(ə)] *adv.* em grau ou intensidade muito elevada **SIN.** extremamente

tremendo (tre.men.do) [trə'mẽdu] *adj.* **1** horrível **2** formidável

tremer (tre.mer) [trə'mer] *v.* ⟨**+de**⟩ ter tremuras tiritar: *Ele treme de frio.*

tremido (tre.mi.do) [trə'midu] *adj.* que não está seguro; trémulo

tremoço (tre.mo.ço) [trə'mosu] *n.m.* semente em forma de pequeno grão de cor amarela utilizada na alimentação

tremor (tre.mor) [trə'mor] *n.m.* **1** agitação do corpo causada por susto, medo ou frio; estremecimento **2** grande agitação; abalo ◆ **tremor de terra** terramoto; sismo

trémulo (tré.mu.lo) ['trɛmulu] *adj.* **1** que treme ou estremece **2** que hesita; indeciso; vacilante

tremura (tre.mu.ra) [trə'murɐ] *n.f.* agitação do corpo causada por susto, medo ou frio; tremor

trenó (tre.nó) [trə'nɔ] *n.m.* veículo sem rodas, próprio para deslizar sobre a neve e sobre o gelo

trepadeira (tre.pa.dei.ra) [trəpɐ'dɐjrɐ] *n.f.* planta que cresce apoiando-se em suportes

trepador (tre.pa.dor) [trəpɐ'dor] *adj.* que trepa ■ *n.m.* **1** aquele que trepa **2** ciclista que se destaca em percursos de montanha

trepar (tre.par) [trə'par] *v.* ⟨+a⟩ subir a: *trepar a uma árvore; trepar um muro*

trepidação (tre.pi.da.ção) [trəpidɐ'sɐ̃w̃] *n.f.* **1** movimento produzido por um veículo em andamento; balanço **2** agitação rápida; estremecimento; abalo

três (três) ['treʃ] *num.card.* dois mais um ■ *n.m.* o número 3

tresandar (tre.san.dar) [trəzɐ̃'dar] *v.* ⟨+a⟩ exalar (cheiro, odor) em demasia: *tresandar a vinho*

tresloucado (tres.lou.ca.do) [trəʒlo(w)'kadu] *adj.,n.m.* doido; louco

trespassar (tres.pas.sar) [trəʃpɐ'sar] *v.* **1** transferir (uma loja) para outra pessoa **2** furar de lado a lado; perfurar (bala, seta, etc.)

trespasse (tres.pas.se) [trəʃ'pa(sə)] *n.m.* **1** transferência de uma loja para outra pessoa **2** ato de furar de um lado ao outro; perfuração

treta (tre.ta) ['tretɐ] *n.f.* **1** *coloq.* estratagema; manha **2** *coloq.* coisa ou objeto sem importância **3** *coloq.* aquilo que se diz para enganar alguém

trevas (tre.vas) ['trɛvɐʃ] *n.f.pl.* **1** ausência total de luz; escuridão **2** *fig.* falta de conhecimento; ignorância

trevo (tre.vo) ['trevu] *n.m.* 👁 planta leguminosa com três folhas

treze (tre.ze) ['trez(ə)] *num.card.* dez mais três ■ *n.m.* o número 13

trezentos (tre.zen.tos) [trə'zẽtuʃ] *num.card.* duzentos mais cem ■ *n.m.* **1** o número 300 **2** o século XIV

triagem (tri:a.gem) ['trjaʒɐ̃j̃] *n.f.* escolha; seleção

triangular (tri.an.gu.lar) [triɐ̃gu'lar] *adj.2g.* em forma de triângulo

triângulo (tri.ân.gu.lo) [tri'ɐ̃gulu] *n.m.* **1** figura geométrica que tem três ângulos e três lados **2** instrumento musical composto por um tubo em forma de triângulo, aberto num dos cantos e suspenso num fio, que se toca com uma vara de metal; ferrinhos

trianual (tri.a.nu:al) [triɐ'nwaɫ] *adj.2g.* **1** que ocorre três vezes por ano **2** que ocorre de três em três anos

triar (tri:ar) ['trjar] *v.* fazer a triagem de

triatlo (tri.a.tlo) [tri'atlu] *n.m.* conjunto de três provas ou modalidades diferentes

tribal (tri.bal) [tri'baɫ] *adj.2g.* relativo a tribo

tribo (tri.bo) ['tribu] *n.f.* conjunto de famílias que provêm de um tronco comum, sob a autoridade de um chefe

tribuna (tri.bu.na) [tri'bunɐ] *n.f.* **1** plataforma elevada de onde os oradores falam **2** lugar alto e reservado a autoridades, numa cerimónia ou sessão solene

tribunal (tri.bu.nal) [tribu'naɫ] *n.m.* **1** conjunto das pessoas que podem julgar e fazer cumprir a justiça **2** edifício onde se realizam os julgamentos

> Os **Tribunais** são um dos quatro órgãos de soberania portugueses. Independentes e apenas sujeitos à lei, compete-lhes administrar a justiça em nome de todos os cidadãos.

tributar (tri.bu.tar) [tribu'tar] *v.* lançar tributo sobre SIN. coletar

tributário (tri.bu.tá.ri:o) [tribu'tarju] *adj.* **1** relativo a imposto **2** que paga imposto

tributável (tri.bu.tá.vel) [tribu'tavɛɫ] *adj.2g.* que pode ou deve ser tributado

tributo (tri.bu.to) [tri'butu] *n.m.* **1** contribuição **2** homenagem

triciclo (tri.ci.clo) [tri'siklu] *n.m.* velocípede com três rodas

tricô (tri.cô) [tri'ko] *n.m.* trabalho de malha feito com agulhas, à mão ou à máquina

tricolor (tri.co.lor) [triku'lor] *adj.2g.* que tem três cores

tricot [tri'ko] *n.m.* ⇒ **tricô**

tricotar (tri.co.tar) [triku'tar] *v.* fazer tricô

tridimensional (tri.di.men.si:o.nal) [tridimẽsju'nał] *adj.2g.* **1** que tem três dimensões (comprimento, largura e altura) **2** diz-se da imagem que dá a sensação de relevo

trienal (tri.e.nal) [triɛ'nał] *adj.2g.* **1** que dura três anos **2** que se realiza de três em três anos

triénio (tri.é.ni:o) [tri'ɛnju] *n.m.* período de três anos

trifásico (tri.fá.si.co) [tri'faziku] *adj.* que tem três fases

trigémeo (tri.gé.me:o) [tri'ʒɛmju] *n.m.* pessoa que nasceu do mesmo parto que outros dois gémeos

trigésimo (tri.gé.si.mo) [tri'ʒɛzimu] *num.ord.* que ocupa o lugar número 30 ■ *n.m.* uma das trinta partes em que se dividiu uma unidade; a trigésima parte

trigo (tri.go) ['trigu] *n.m.* planta de cujo grão se obtém farinha, que é usada para fazer pão ◆ **separar o trigo do joio** separar o que é bom do que é mau

trigonometria (tri.go.no.me.tri.a) [trigunumə'triɐ] *n.f.* estudo das funções e relações trigonométricas, e da sua aplicação à resolução dos problemas relativos aos triângulos

trígrafo (trí.gra.fo) ['trigrɐfu] *n.m.* conjunto de três letras que representam um único som

trigueiro (tri.guei.ro) [tri'gɐjru] *adj.* **1** da cor do trigo maduro **2** semelhante a trigo **3** moreno

tríler (trí.ler) ['trilɐr] *n.m.* ⇒ **thriller**

trilha (tri.lha) ['triʎɐ] *n.f.* **1** caminho estreito **2** rasto; pista ◆ [BRAS.] **trilha sonora** banda sonora

trilhar (tri.lhar) [tri'ʎar] *v.* **1** calcar **2** entalar **3** percorrer **4** seguir

trilho (tri.lho) ['triʎu] *n.m.* **1** carril onde circulam os comboios, os elétricos, etc.. **2** caminho estreito e sinuoso entre vegetação ◆ **sair dos trilhos** desviar-se do comportamento que seria desejável

trilião (tri.li.ão) [tri'ljɐ̃w̃] *num.card.* um milhão de biliões; a unidade seguida de dezoito zeros (10^{18})

trilingue (tri.lin.gue) [tri'lĩg(ə)] *adj.2g.* **1** (texto) escrito em três línguas **2** (pessoa) que fala três línguas

trilo (tri.lo) ['trilu] *n.m.* articulação rápida e alternada de duas notas musicais conjuntas

trilogia (tri.lo.gi.a) [trilu'ʒiɐ] *n.f.* conjunto de três obras de um autor, ligadas por um tema comum

trimensal (tri.men.sal) [trimẽ'sał] *adj.2g.* que acontece três vezes por mês

trimestral (tri.mes.tral) [triməʃ'trał] *adj.2g.* que se realiza de três em três meses

trimestre (tri.mes.tre) [tri'mɛʃtr(ə)] *n.m.* período de três meses

trinca (trin.ca) ['trĩkɐ] *n.f.* golpe feito com os dentes; dentada

trincadela (trin.ca.de.la) [trĩkɐ'dɛlɐ] *n.f.* dentada; mordidela

trinca-espinhas (trin.ca-.es.pi.nhas) [trĩkɐ(i)ʃ'piɲɐʃ] *n.2g.2n. coloq.* pessoa alta e muito magra

trincar (trin.car) [trĩ'kar] *v.* **1** partir ou cortar com os dentes; morder **2** *coloq.* comer

trincha (trin.cha) ['trĩʃɐ] *n.f.* pincel largo e espalmado

trinchar (trin.char) [trĩ'ʃar] *v.* cortar em pedaços ou fatias (sobretudo carne)

trincheira (trin.chei.ra) [trĩ'ʃɐjrɐ] *n.f.* escavação de terreno, destinada a proteger soldados em combate

trinco (trin.co) ['trĩku] *n.m.* tranca da porta que se levanta ou faz correr por meio de chave

Trindade (Trin.da.de) [trĩ'dad(ə)] *n.f.* dogma do cristianismo, segundo o qual em Deus uno há três pessoas distintas (Pai, Filho e Espírito Santo)

trineta (tri.ne.ta) [tri'nɛtɐ] *n.f.* filha do bisneto ou da bisneta

trineto (tri.ne.to) [tri'nɛtu] *n.m.* filho do bisneto ou da bisneta

trinta (trin.ta) ['trĩtɐ] *num.card.* vinte mais dez ■ *n.m.* o número 30

trinta-e-um (trin.ta-.e-.um) [trĩtɐi'ũ] *n.m.2n.* **1** jogo cuja finalidade é perfazer trinta e um pontos ou aproximar-se desse número por defeito e nunca por excesso **2** *coloq.* tumulto; desordem **3** *coloq.* grande problema; complicação

trintão (trin.tão) [trĩ'tɐ̃w̃] *n.m.* ⟨*f.* trintona⟩ pessoa cuja idade se situa entre os 30 e os 40 anos

trintena (trin.te.na) [trĩ'tena] *n.f.* **1** grupo de trinta pessoas ou coisas **2** trigésima parte

trio (tri.o) ['triu] *n.m.* conjunto de três pessoas ou três coisas

tripa (tri.pa) ['tripɐ] *n.f. coloq.* intestino; barriga ■ **tripas** *n.f.pl.* feijoada preparada com parte dos intestinos da vaca ou da vitela **SIN.** dobrada ◆ **fazer das tripas coração** fazer um grande esforço para suportar algo com paciência; **pau de virar tripas** pessoa muito magra

tripar (tri.par) [tri'par] *v.* **1** ⟨**+com**⟩ *coloq.* descontrolar-se; desatinar: *Quando viu a cena, tripou!* **2** ⟨**+com**⟩ *coloq.* implicar: *Estás sempre a tripar comigo!*

tripé (tri.pé) [tri'pɛ] *n.m.* **1** suporte de três pernas articuladas **2** banco com três pés

tripeiro (tri.pei.ro) [tri'pɐjru] *adj. coloq.* relativo ao Porto **SIN.** portuense ■ *n.m. coloq.* pessoa natural da cidade do Porto

tripla (tri.pla) ['triplɐ] *n.f.* **1** peça com dois pinos que permite a ligação simultânea de três fichas à corrente **2** marcação dos três resultados possíveis (vitória, empate, derrota) num boletim de apostas mútuas (no totobola, por exemplo)

triplicado (tri.pli.ca.do) [tripli'kadu] *adj.* multiplicado por três ■ *n.m.* **1** terceiro exemplar de um original **2** segunda cópia

triplicar (tri.pli.car) [tripli'kar] *v.* multiplicar por três

triplo (tri.plo) ['triplu] *num.mult.* que contém três vezes a mesma quantidade ■ *n.m.* valor ou quantidade três vezes maior

tripulação (tri.pu.la.ção) [tripulɐ'sɐ̃w̃] *n.f.* conjunto de pessoas que trabalham num navio ou num avião

tripulante (tri.pu.lan.te) [tripu'lɐ̃t(ə)] *n.2g.* pessoa que trabalha a bordo de um navio, de um avião ou de uma nave espacial

tripular (tri.pu.lar) [tripu'lar] *v.* conduzir ou pilotar (um barco, um avião, uma nave)

trisavó (tri.sa.vó) [trizɐ'vɔ] *n.f.* mãe do bisavô ou da bisavó

trisavô (tri.sa.vô) [trizɐ'vo] *n.m.* pai do bisavô ou da bisavó

trissílabo (tris.sí.la.bo) [tri'silɐbu] *n.m.* palavra que tem três sílabas

trissomia (tris.so.mi.a) [trisu'miɐ] *n.f.* doença genética em que uma célula possui um cromossoma a mais

triste (tris.te) ['triʃt(ə)] *adj.2g.* **1** que causa tristeza; doloroso **ANT.** alegre, contente **2** que sente tristeza; melancólico **3** que tem falta de cor ou de alegria; sombrio

tristeza (tris.te.za) [triʃ'tezɐ] *n.f.* **1** qualidade ou estado de quem está triste; melancolia **ANT.** alegria **2** mágoa; aflição

tristonho (tris.to.nho) [triʃ'toɲu] *adj.* que tem aspeto ou expressão triste; melancólico

tritongo (tri.ton.go) [tri'tõgu] *n.m.* sequência, numa sílaba, formada por uma vogal e duas semivogais

trituradora (tri.tu.ra.do.ra) [triturɐ'dorɐ] *n.f.* aparelho elétrico com lâminas giratórias, para moer, bater, desfazer e misturar alimentos

triturar (tri.tu.rar) [tritu'rar] *v.* **1** reduzir a pó; picar **2** mastigar (alimentos); trincar

triunfador (tri.un.fa.dor) [triũfɐ'dor] *adj.* que triunfa **SIN.** vencedor; vitorioso ■ *n.m.* aquele que triunfa

triunfal (tri.un.fal) [triũ'faɫ] *adj.2g.* **1** relativo a triunfo **2** grandioso; magnífico **3** que foi bem-sucedido; vitorioso

triunfante (tri.un.fan.te) [triũ'fɐ̃t(ə)] *adj.2g.* que triunfa; que triunfou **SIN.** vencedor; vitorioso

triunfar (tri.un.far) [triũ'far] *v.* alcançar um triunfo ou uma vitória **SIN.** vencer

triunfo (tri.un.fo) [tri'ũfu] *n.m.* **1** vitória; glória **2** êxito; fama

trivial (tri.vi:al) [tri'vjaɫ] *adj.2g.* vulgar; banal

trivialidade (tri.vi:a.li.da.de) [trivjɐli'dad(ə)] *n.f.* dito ou coisa trivial; banalidade

triz (triz) ['triʃ] *n.m.* momento; instante ◆ **por um triz** por pouco

troca (tro.ca) ['trɔkɐ] *n.f.* **1** substituição de uma coisa por outra; mudança **2** entrega de uma coisa para obter outra, geralmente idêntica **3** partilha (de conhecimentos, de impressões, experiências, etc.) ◆ **por trocas e baldrocas** por meios fraudulentos; **troca de galhardetes** sequência de elogios ou acusações recíprocas

troça (tro.ça) ['trɔsɐ] *n.f.* aquilo que se diz ou se faz para ridicularizar alguém **SIN.** escárnio; zombaria ◆ **fazer troça** gozar; escarnecer

trocadilho (tro.ca.di.lho) [trukɐ'diʎu] *n.m.* jogo de palavras, geralmente com sons parecidos, que provoca confusão ou ambiguidade

trocado (tro.ca.do) [tru'kadu] *n.m.* dinheiro em moedas; trocos

trocar (tro.car) [tru'kar] *v.* **1** ⟨**+por**⟩ fazer a troca de (algo por algo): *Troquei os cromos por dinheiro.* **SIN.** permutar **2** ⟨**+por**⟩ tomar (coisa) em vez de outra: *Estou sempre a trocar o nome do teu irmão.* **SIN.** confundir **3** ⟨**+de**, **+por**⟩ substituir (uma coisa por outra): *Troquei a saia duas vezes.* **SIN.** mudar **4** converter (moeda ou nota de maior valor) em dinheiro miúdo: *trocar uma nota de €50* **5** partilhar (experiências, ideias) **6** ⟨**+por**⟩ devolver (objeto que se comprou por ter defeito, etc.): *Troquei as calças por uma saia.* ■ **trocar-se** mudar de roupa: *Daqui a pouco, vou-me trocar.*

troçar (tro.çar) [tru'sar] *v.* ⟨**+de**⟩ rir-se de algo ou de alguém; ridicularizar; gozar: *Ela troçou do João.*

troca-tintas (tro.ca-.tin.tas) [trɔkɐ'tĩtɐʃ] *n.2g.2n.* pessoa de pouco crédito; pessoa que está sempre a mudar de opinião

trocista (tro.cis.ta) [tru'siʃtɐ] *adj.,n.2g.* que ou pessoa que faz ou gosta de fazer troça

troco (tro.co) ['troku] *n.m.* **1** dinheiro que é devolvido quando se paga com uma nota ou com moedas de valor superior ao da conta **2** *fig.* resposta; réplica ◆ **a troco de** em resposta a; em contrapartida; em troca; **não dar troco** não ligar importância; não dar resposta **SIN.** ignorar

troço (tro.ço) ['trosu] *n.m.* **1** pedaço de pau tosco e grosso **2** pedaço de qualquer coisa **3** parte de uma estrada, de um rio, etc. **4** caule de certas plantas, especialmente couves

troféu (tro.féu) [tru'fɛw] *n.m.* qualquer símbolo de uma vitória, que é entregue ao vencedor de uma competição; taça

trólei (tró.lei) ['trɔlɐj] *n.m.* **1** transporte coletivo, movido a eletricidade, cujo motor está ligado a um cabo com corrente elétrica **2** mala portátil com pequenas rodas e geralmente com pega extensível

trolha (tro.lha) ['troʎɐ] *n.m.* operário que assenta a argamassa nas paredes, conserta telhados e faz outros trabalhos de construção civil

tromba (trom.ba) ['trõbɐ] *n.f.* **1** focinho saliente, muito alongado e flexível de alguns mamíferos, como o elefante **2** coluna de água que o vento levanta e faz girar **3** *coloq.* cara ◆ **estar de trombas** estar carrancudo ou zangado

tromba-d'água (trom.ba-.d'á.gua) [trõbɐ'dagwɐ] *n.f.* fenómeno meteorológico que consiste na formação progressiva de uma coluna de água que, tendo origem numa nuvem, se estende até ao mar, momento em que produz um redemoinho, ruidoso e violento, e sorve a água até ao seio da nuvem, que depois se descarrega em forte aguaceiro

trombeta (trom.be.ta) [trõ'betɐ] *n.f.* instrumento musical de sopro, formado por um tubo metálico e comprido

tromboflebite (trom.bo.fle.bi.te) [trõbɔflə'bit(ə)] *n.f.* inflamação da parede de uma veia, com formação de coágulos sanguíneos

trombone (trom.bo.ne) [trõ'bɔn(ə)] *n.m.* instrumento musical de sopro, formado por dois tubos encaixados um no outro, que se alongam ou encolhem

trombose (trom.bo.se) [trõ'bɔz(ə)] *n.f.* formação de coágulos sanguíneos no interior dos vasos onde circula o sangue

trombudo (trom.bu.do) [trõ'budu] *adj.* **1** que tem tromba **2** *fig.* carrancudo; mal-humorado

trompa (trom.pa) ['trõpɐ] *n.f.* instrumento musical de sopro, metálico e curvo, maior do que a trombeta

trompete (trom.pe.te) [trõ'pɛt(ə)] *n.m.* instrumento de sopro de metal, em forma de tubo alongado, que termina num cone

trompetista (trom.pe.tis.ta) [trõpə'tiʃtɐ] *n.2g.* pessoa que toca trompete

tronco (tron.co) ['trõku] *n.m.* **1** caule das árvores e dos arbustos, mais largo na base, junto à raiz **2** parte do corpo humano que suporta a cabeça e os membros **3** *fig.* geração **4** *fig.* origem

trono (tro.no) ['tronu] *n.m.* **1** cadeira imponente, geralmente colocada num lugar destacado, onde se sentam reis e rainhas em cerimónias solenes **2** poder de um rei ou de uma rainha; realeza

tropa (tro.pa) ['trɔpɐ] *n.f.* **1** conjunto de soldados; exército **2** conjunto de atividades realizadas durante determinado tempo com as forças armadas; serviço militar

tropeção (tro.pe.ção) [trupə'sɐ̃w̃] *n.m.* ato ou efeito de tropeçar; embate num obstáculo, que provoca desequilíbrio ou queda

tropeçar (tro.pe.çar) [trupə'sar] *v.* **1** ⟨**+em**⟩ embater com o pé em alguma coisa: *tropeçar numa pedra* **SIN.** esbarrar **2** ⟨**+em**⟩ não acertar em; errar: *Tropeçou numa pergunta apenas.*

trôpego (trô.pe.go) ['tropəgu] *adj.* que tem dificuldade em andar ou em manter o equilíbrio

tropical (tro.pi.cal) [trupi'kaɫ] *adj.2g.* **1** relativo aos trópicos **2** situado nos trópicos **3** diz-se do clima muito quente

trópico (tró.pi.co) ['trɔpiku] *n.m.* cada um dos dois círculos da esfera terrestre, paralelos ao equador, que dividem a Terra em duas zonas: zona quente e zona temperada (existem dois trópicos: o Trópico de Câncer, a norte do equador, e o Trópico de Capricórnio, a sul do equador)

troposfera (tro.pos.fe.ra) [trɔpɔʃ'fɛrɐ] *n.f.* camada atmosférica que está mais próxima da superfície terrestre (entre 10 km a 12 km de altitude)

trotador (tro.ta.dor) [trutɐ'dor] *adj.,n.m.* que ou o animal que trota

trotar (tro.tar) [tru'tar] *v.* andar a trote (o cavalo)

trote (tro.te) ['trɔt(ə)] *n.m.* modo de andar do cavalo entre o passo e o galope

trotineta (tro.ti.ne.ta) [trɔti'nɛtɐ] *n.f.* brinquedo infantil ou meio de transporte urbano individual formado por uma tábua montada sobre duas rodas, onde se apoia um pé enquanto se dá impulso com o outro, e com um guiador

trotinete (tro.ti.ne.te) [trɔti'nɛtə] *n.f.* ⇒ **trotineta**

trouxa (trou.xa) ['tro(w)ʃɐ] *n.f.* embrulho de roupa ▪ *adj.,n.2g. pej.* palerma; ingénuo

trouxa-de-ovos (trou.xa-.de-.o.vos) [tro(w)ʃɐ'dɔvuʃ] *a nova grafia é* **trouxa de ovos**[AO]

trouxa de ovos (trou.xa de o.vos)[AO] [tro(w)ʃɐ'dɔvuʃ] *n.f.* ⟨*pl.* trouxas de ovos⟩ doce preparado com fios de ovos e enrolado em forma de trouxa

trova (tro.va) ['trɔvɐ] *n.f.* **1** composição poética ligeira, de carácter mais ou menos popular **2** cantiga

trovador (tro.va.dor) [truvɐ'dor] *n.m.* na Idade Média, poeta que compunha e cantava poesia lírica

trovadoresco (tro.va.do.res.co) [truvɐdu'reʃku] *adj.* **1** relativo a trovador medieval **2** relativo à sua poesia

trovão (tro.vão) [tru'vɐ̃w̃] *n.m.* ruído que acompanha a descarga elétrica nas trovoadas

trovejar (tro.ve.jar) [truvə'ʒar] *v.* **1** soar um trovão **2** haver trovoada

---

Note-se que o verbo **trovejar** conjuga-se apenas na terceira pessoa do singular e exprime uma ação que não tem sujeito: *Trovejou muito ontem à noite.*

---

trovoada (tro.vo:a.da) [tru'vwadɐ] *n.f.* **1** série de trovões **2** grande estrondo

trucidar (tru.ci.dar) [trusi'dar] *v.* **1** matar com crueldade **2** *fig.* humilhar completamente

trufa (tru.fa) ['trufɐ] *n.f.* **1** cogumelo subterrâneo, escuro, aromático e comestível **2** doce preparado com chocolate, manteiga ou leite condensado e ovos, apresentado em forma de bolinha(s)

truncar (trun.car) [trũ'kar] *v.* **1** separar (uma parte do tronco) **2** cortar uma parte de **3** omitir uma parte importante de (obra literária, texto) **4** cortar (sólido geométrico) por um plano secante

trunfo (trun.fo) ['trũfu] *n.m.* **1** naipe que, em certos jogos de cartas, tem superioridade sobre os outros **2** cada uma das cartas desse naipe

truque (tru.que) ['truk(ə)] *n.m.* **1** forma habilidosa de fazer algo **2** ardil; manha

truta (tru.ta) ['trutɐ] *n.f.* peixe de água doce, carnívoro, de cor esverdeada ou azulada com manchas negras

truz (truz) ['truʃ] *interj.* ruído produzido pela queda de um corpo ou detonação de uma arma de fogo

truz-truz (truz-.truz) [truʃ'truʃ] *interj.* imita o ruído produzido pelo ato de bater a uma porta, para chamar quem está dentro

tsé-tsé (tsé-.tsé) [tsɛ'tsɛ] *n.f.* ⟨*pl.* tsé-tsés⟩ mosca africana, transmissora da doença do sono

t-shirt [ti'ʃɐrt] *n.f.* ⟨*pl.* t-shirts⟩ camisa de malha de algodão com manga curta

tsunami [tsu'nami] *n.m.* vaga marinha provocada por um tremor de terra submarino, uma erupção vulcânica ou por um tufão

tu (tu) ['tu] *prn.pess.* designa a pessoa com quem se fala: *Tu és corajoso.* ◆ **tratar por tu** ser familiar; ter à-vontade; **tu cá, tu lá** com familiaridade

---

O pronome **tu**, como forma de tratamento, é usado em situações informais, quando alguém se dirige a um familiar, um amigo ou alguém mais novo: T*u vens?*.

Você é mais formal e utiliza-se sempre com a 3.ª pessoa do singular: *Você vem amanhã?*. Esta forma de tratamento não é comum em Portugal, mas sim no Brasil, onde é usada em muitas situações.

---

tuba (tu.ba) ['tubɐ] *n.f.* instrumento de sopro de três pistões; trombeta

tubagem (tu.ba.gem) [tu'baʒɐ̃j̃] *n.f.* conjunto ou disposição de tubos; canalização

tubarão (tu.ba.rão) [tubɐ'rɐ̃w̃] *n.m.* peixe de grande porte e muito voraz, frequente nos mares quentes

tubarão-azul (tu.ba.rão-.a.zul) [tubɐrɐ̃w̃ɐ'zuɫ] *n.m.* ⟨*pl.* tubarões-azuis⟩ peixe de águas tropicais e temperadas, com cerca de 4 metros de comprimento, focinho longo, dorso azul-escuro e ventre branco

tubarão-branco (tu.ba.rão-.bran.co) [tubɐrɐ̃w̃'brɐ̃ku] *n.m.* ⟨*pl.* tubarões-brancos⟩ o mais feroz e agressivo dos tubarões, de tom cinzento-claro, com barbatana caudal em forma de meia-lua e dentes triangulares

tubarão-martelo (tu.ba.rão-.mar.te.lo) [tubɐrɐ̃w̃mɐr'tɛlu] *n.m.* ⟨*pl.* tubarões-martelo⟩ tubarão com cabeça achatada e larga dos lados, como um martelo, que vive em águas tropicais e temperadas, tem cerca de 4 metros de comprimento, dorso castanho-acinzentado e partes inferiores brancas

tubarão-tigre (tu.ba.rão-.ti.gre) [tubɐrɐ̃w̃'tigr(ə)] *n.m.* ⟨*pl.* tubarões-tigre⟩ tubarão forte e muito agressivo, com cerca de 7 metros de comprimento e 1 tonelada de peso, e dentes triangulares, adaptados a rasgar carne

tubérculo (tu.bér.cu.lo) [tu'bɛrkulu] *n.m.* caule grosso, geralmente subterrâneo, com folhas reduzidas e carregadas de reservas nutritivas

tuberculose (tu.ber.cu.lo.se) [tubɛrku'lɔz(ə)] *n.f.* doença infeciosa caracterizada pela presença de lesões nodulares nos tecidos, sobretudo nos pulmões

tuberculoso (tu.ber.cu.lo.so) [tubɛrku'lozu] *adj.* **1** relativo a tuberculose **2** relativo a tubérculo ■ *n.m.* aquele que sofre de tuberculose

tubo (tu.bo) ['tubu] *n.m.* **1** canal cilíndrico, aberto nas duas extremidades, por onde podem passar líquidos, gases, etc. **2** embalagem cilíndrica fechada numa ponta e aberta na outra, própria para conter pós, cremes, etc. ◆ **tubo de ensaio** pequeno tubo de vidro, fechado numa das pontas, usado em experiências de laboratório; **tubo digestivo** conjunto de órgãos por onde passam os alimentos para serem assimilados pelo organismo

tubular (tu.bu.lar) [tubu'lar] *adj.2g.* em forma de tubo

tucano (tu.ca.no) [tu'kɐnu] *n.m.* 👁 ave trepadora com bico grande e longo e plumagem de cores fortes (vermelha, laranja, verde ou preta)

tudo (tu.do) ['tudu] *prn.indef.* **1** a totalidade das coisas **ANT.** nada **2** aquilo que é mais importante **3** *coloq.* todas as pessoas ◆ **estar por tudo** estar disposto a aguentar tudo; **mais que tudo** em primeiro lugar **SIN.** principalmente

tufão (tu.fão) [tu'fɐ̃w̃] *n.m.* vento tempestuoso e muito violento

tufo (tu.fo) ['tufu] *n.m.* porção de plantas, flores, penas, etc., muito juntas

túji (tú.ji) ['tuʒi] *n.m.* [ANG., MOÇ.] excremento; porcaria

tule (tu.le) ['tul(ə)] *n.m.* tecido transparente de seda ou de algodão

tulipa (tu.li.pa) [tu'lipɐ] *n.f.* ⇒ **túlipa**

túlipa (tú.li.pa) ['tulipɐ] *n.f.* **1** planta com caule liso que dá flores vistosas, em forma de cálices **2** flor dessa planta

tumba (tum.ba) ['tũbɐ] *n.f.* sepultura

tumefação (tu.me.fa.ção)[AO] [tuməfa'sɐ̃w̃] *n.f.* inchaço

tumefacção (tu.me.fac.ção) [tuməfa'sɐ̃w̃] *a nova grafia é* **tumefação**[AO]

tumor (tu.mor) [tu'mor] *n.m.* aumento do volum de uma parte de tecido ou de um órgão

tumular (tu.mu.lar) [tumu'lar] *adj.2g.* relativo a tú mulo

túmulo (tú.mu.lo) ['tumulu] *n.m.* **1** cova onde s enterram os cadáveres **SIN.** sepultura **2** 👁 mo numento funerário em memória de alguém

tumulto (tu.mul.to) [tu'mułtu] *n.m.* **1** moviment desordenado **2** motim; revolta

tumultuoso (tu.mul.tu:o.so) [tumuł'twozu] *a* agitado; desordeiro

túnel (tú.nel) ['tunɛł] *n.m.* passagem subterrânea

tungo (tun.go) ['tũgu] *n.m.* [ANG.] pau para constru ção de cubatas; trave

túnica (tú.ni.ca) ['tunikɐ] *n.f.* peça de vestuári ampla, com ou sem mangas

tunisiano (tu.ni.si:a.no) [tuni'zjɐnu] *adj.* relativo Tunísia ■ *n.m.* pessoa natural da Tunísia (Nort de África)

tunisino (tu.ni.si.no) [tuni'zinu] *adj.* relativo à Tu nísia (Norte da África) ■ *n.m.* natural ou hab tante da Tunísia

tupperware [tɐpɐ'rwɛr] *n.m.* recipiente de plás tico, com tampa hermética, usado para conse var alimentos

turbante (tur.ban.te) [tur'bɐ̃t(ə)] *n.m.* banda de te cido que se enrola à volta da cabeça e que usada pelos homens em certos países orienta (Índia, Paquistão, etc.)

turbilhão (tur.bi.lhão) [turbi'ʎɐ̃w̃] *n.m.* **1** vent tempestuoso que sopra girando **2** *fig.* grande ag tação

turbina (tur.bi.na) [tur'binɐ] *n.f.* motor cujo mov mento é provocado pelo impulso de uma co rente (água, ar, vapor, gases quentes, etc.)

turbo (tur.bo) ['turbu] *n.m.* pequena turbina qu ao comprimir os gases de escape, permite a mentar o rendimento do automóvel

turbodiesel [turbɔ'dizɛɫ] *n.m.* **1** motor com um turbocompressor, alimentado a diesel **2** veículo com esse motor

turbulência (tur.bu.lên.ci:a) [turbu'lẽsjɐ] *n.f.* **1** qualidade de turbulento **2** agitação; tumulto

turbulento (tur.bu.len.to) [turbu'lẽtu] *adj.* **1** que não está sossegado; irrequieto **2** em que há muito movimento; agitado

turco (tur.co) ['turku] *adj.* **1** relativo à Turquia (país situado no sudeste da Europa, junto à Ásia) **2** diz-se do tecido felpudo usado em toalhas de banho e roupões ■ *n.m.* **1** pessoa natural da Turquia **2** língua oficial da Turquia

turino (tu.ri.no) [tu'rinu] *adj.* diz-se de uma raça de gado bovino

turismo (tu.ris.mo) [tu'riʒmu] *n.m.* **1** atividade de viajar, de conhecer lugares diferentes daquele onde se vive habitualmente **2** conjunto dos serviços necessários para essa atividade

turista (tu.ris.ta) [tu'riʃtɐ] *n.2g.* pessoa que viaja por recreio

turística (tu.rís.ti.ca) [tu'riʃtikɐ] *n.f.* segunda classe, nos aviões

turístico (tu.rís.ti.co) [tu'riʃtiku] *adj.* relativo a turismo

turma (tur.ma) ['turmɐ] *n.f.* **1** grupo de estudantes que seguem o mesmo programa e compõem uma sala de aulas; classe **2** [BRAS.] grupo de amigos; pessoal

turno (tur.no) ['turnu] *n.m.* grupo de pessoas que se revezam em certos serviços ou atos; vez; ordem ♦ **por seu turno** por sua vez

turquês (tur.quês) [tur'keʃ] *n.f.* utensílio de metal, semelhante a uma tenaz, que serve para apertar ou arrancar um objeto

turquesa (tur.que.sa) [tur'kezɐ] *n.f.* pedra preciosa de cor azul

turra (tur.ra) ['tuʀɐ] *n.f.* **1** *coloq.* pancada com a testa **2** *fig.* teima; birra ♦ **andar às turras** andar em conflito com

turrão (tur.rão) [tu'ʀɐ̃w̃] *adj.* teimoso; casmurro

turvar (tur.var) [tur'var] *v.* tornar turvo ou opaco; embaciar; escurecer ■ **turvar-se** ficar turvo ou opaco; embaciar-se; escurecer

turvo (tur.vo) ['turvu] *adj.* **1** que perdeu a limpidez ou a transparência; embaciado; escuro **2** *fig.* confuso; desorientado

tuta-e-meia (tu.ta-.e-.mei.a) [tutɐi'mɐjɐ] *n.f.* ⟨*pl.* tutas-e-meia⟩ *coloq.* preço muito baixo SIN. bagatela; ninharia

tutano (tu.ta.no) [tu'tɐnu] *n.m.* **1** substância mole que preenche as cavidades dos ossos; medula **2** *fig.* parte mais íntima de alguma coisa; âmago ♦ **até ao tutano** completamente; *coloq.* **chupar (alguém) até ao tutano** explorar (alguém) sem deixar nada

tutela (tu.te.la) [tu'tɛlɐ] *n.f.* **1** autoridade legal sobre uma pessoa menor ou incapaz **2** *fig.* proteção

tutelar (tu.te.lar) [tutə'lar] *adj.2g.* relativo a tutela ■ *v.* **1** pôr sob tutela **2** proteger como tutor

tutor (tu.tor) [tu'tor] *n.m.* **1** pessoa a quem, por lei, é confiada a tutela de alguém **2** *fig.* protetor

tutoria (tu.to.ri.a) [tutu'riɐ] *n.f.* estabelecimento onde estão internados, sob tutela, menores, geralmente delinquentes ou abandonados

tutorial (tu.to.ri:al) [tutu'rjal] *n.m.* série de instruções que explicam o funcionamento de um determinado programa

tutti frutti [tuti'fruti] *adj.inv.* constituído por ou aromatizado com diversos frutos

tutu (tu.tu) [tu'tu] *n.m. infant.* nádegas; rabo

TV [te've] *sigla de* televisão

twist ['twist] *n.m.* ⟨*pl.* twists⟩ dança de origem norte-americana, caracterizada por um ritmo rápido e movimentos ágeis de pernas, braços e quadris

U

u [u] *n.m.* vogal, vigésima primeira letra do alfabeto, que está entre as letras *t* e *v*

UA [ua] *sigla de* União Africana

uau (u.au) [u'aw] *interj.* exprime surpresa, admiração, alegria

ubiquidade (u.bi.qui.da.de) [ubikwi'dad(ə)] *n.f.* dom de estar ao mesmo tempo em toda parte

UCI [usɛ'i] *sigla de* Unidade de Cuidados Intensivos

ucraniano (u.cra.ni:a.no) [ukrɐ'njɐnu] *adj.* relativo à Ucrânia (país do leste da Europa) ▪ *n.m.* **1** pessoa natural da Ucrânia **2** língua falada na Ucrânia

UE [u'ɛ] *sigla de* União Europeia

UEFA [u'ɛfa] *n. f.* União Europeia de Futebol **OBS.** Sigla de *Union Européenne de Football Association*

ufa (u.fa) ['ufɐ] *interj.* exprime alívio, cansaço ou admiração

uh (uh) [u] *interj.* exprime dor, repugnância ou intenção de assustar alguém

UHF [uaga'ɛf] frequência ultra-alta **OBS.** Sigla de *ultra high frequency*

ui (ui) ['uj] *interj.* exprime dor, espanto, surpresa ou repugnância

uísque (u:ís.que) ['wĩʃk(ə)] *n.m.* ⇒ **whisky**

uivar (ui.var) [uj'var] *v.* dar uivos (o lobo, a raposa, o cão)

uivo (ui.vo) ['ujvu] *n.m.* voz do lobo, da raposa e do cão

úlcera (úl.ce.ra) ['uɫsərɐ] *n.f.* lesão na pele ou num tecido, de cicatrização difícil; ferida; chaga

ulceração (ul.ce.ra.ção) [uɫsərɐ'sɐ̃w̃] *n.f.* **1** processo de formação de uma úlcera **2** conjunto de úlceras

ulmeiro (ul.mei.ro) [uɫ'mɐjru] *n.m.* árvore de grande porte, folhas caducas e madeira sólida e resistente

ulterior (ul.te.ri:or) [uɫtə'rjor] *adj.2g.* que está, vem ou sucede depois; posterior

última (úl.ti.ma) ['uɫtimɐ] *n.f.* notícia ou informação mais recente; novidade

ultimação (ul.ti.ma.ção) [uɫtimɐ'sɐ̃w̃] *n.f.* **1** conclusão; finalização **2** acabamento; aperfeiçoamento

ultimamente (ul.ti.ma.men.te) [uɫtimɐ'mẽt(ə)] *adv.* nos últimos tempos; há pouco tempo **SIN.** recentemente

ultimar (ul.ti.mar) [uɫti'mar] *v.* pôr fim a; conclui[r]; terminar ▪ **ultimar-se** chegar ao fim; concluir-s[e]

ultimato (ul.ti.ma.to) [uɫti'matu] *n.m.* última pr[o]posta ou conjunto de condições que uma pess[oa] apresenta a outra

último (úl.ti.mo) ['uɫtimu] *adj.* **1** que está no fi[m] de todos os outros; final: *Hoje é o último dia [d]o ano.* **2** mais recente; atual: *As últimas notícias [di]zem que não houve vítimas.* **3** que ocupa o lug[ar] mais baixo; inferior **4** que não volta atrás; defin[i]tivo **5** mais pequeno; mínimo ▪ *n.m.* o que est[á] depois de todos ♦ **por último** por fim; fina[l]mente

ultra (ul.tra) ['uɫtrɐ] *adj.,n.2g.* extremista; radical

ultraconservador (ul.tra.con.ser.va.dor) [uɫt[rɐ]kõsərvɐ'dor] *adj.,n.m.* que(m) defende o tradiciona[l] opondo-se à mudança

ultrajar (ul.tra.jar) [uɫtrɐ'ʒar] *v.* insultar; injuriar

ultraje (ul.tra.je) [uɫ'traʒ(ə)] *n.m.* insulto; injúria

ultraleve (ul.tra.le.ve) [uɫtrɐ'lɛv(ə)] *n.m.* 👁 aviã[o] pequeno, de um ou dois lugares, com um mot[or] pouco potente

ultramar (ul.tra.mar) [uɫtrɐ'mar] *n.m.* região mui[to] distante, situada do outro lado do mar

ultramarino (ul.tra.ma.ri.no) [uɫtrɐmɐ'rinu] *a[dj.]* relativo ou pertencente ao ultramar

ultrapassado (ul.tra.pas.sa.do) [uɫtrɐpɐ'sadu] *a[dj.]* **1** que se ultrapassou **2** superado; vencido **3** ant[i]quado; desatualizado

ultrapassagem (ul.tra.pas.sa.gem) [uɫtrɐpɐ's[a]ʒɐ̃j] *n.f.* passagem de um veículo para diante d[e] outro que circula no mesmo sentido

ultrapassar (ul.tra.pas.sar) [uɫtrɐpɐ'sar] *v.* **1** passar para a frente de um veículo ou uma pessoa que circula no mesmo sentido **2** passar além de; transpor **3** ser superior a; exceder

ultrapasteurização (ul.tra.pas.teu.ri.za.ção) [uɫtrɐpɐʃtewrizɐ'sɐ̃w̃] *n.f.* processo de tratamento do leite em que este é aquecido a uma temperatura muito elevada durante alguns segundos, sendo arrefecido logo a seguir, de forma a eliminar bactérias

ultrapasteurizado (ul.tra.pas.teu.ri.za.do) [uɫtrɐpɐʃtewri'zadu] *adj.* diz-se do leite que foi tratado por meio de ultrapasteurização

ultra-romantismo (ul.tra-.ro.man.tis.mo) [uɫtrɐʀumɐ̃'tiʒmu] *a nova grafia é* **ultrarromantismo**[AO]

ultrarromantismo (ul.trar.ro.man.tis.mo)[AO] [uɫtrɐʀumɐ̃'tiʒmu] *n.m.* corrente literária após o romantismo, e que levou ao extremo o desespero e a sentimentalidade

ultra-secreto (ul.tra-.se.cre.to) [uɫtrɐsə'krɛtu] *a nova grafia é* **ultrassecreto**[AO]

ultra-som (ul.tra-.som) [uɫtrɐ'sõ] *a nova grafia é* **ultrassom**[AO]

ultra-sónico (ul.tra-.só.ni.co) [uɫtrɐ'sɔniku] *a nova grafia é* **ultrassónico**[AO]

ultrassecreto (ul.tras.se.cre.to)[AO] [uɫtrɐsə'krɛtu] *adj.* que é altamente secreto

ultrassom (ul.tras.som)[AO] [uɫtrɐ'sõ] *n.m.* onda sonora de frequência superior ao limite dos sons audíveis

ultrassónico (ul.tras.só.ni.co)[AO] [uɫtrɐ'sɔniku] *adj.* **1** relativo a ultrassom **2** ⇒ **supersónico**

ultravioleta (ul.tra.vi:o.le.ta) [uɫtrɐvju'letɐ] *adj.inv.* diz-se da radiação emitida pelo sol que não é visível

um (um) [ũ] *det.art.indef.* ⟨*f.* uma⟩ antecede um nome, indicando referência imprecisa e indeterminada: *um rapaz; uns livros* ■ *prn.indef.* **1** alguma pessoa; alguém **2** alguma coisa; algum; algo ■ *num.card.* a unidade ■ *n.m.* **1** o número 1 **2** o que, numa série, ocupa o primeiro lugar ◆ **não dar uma para a caixa** não fazer nada acertado; **nem um nem outro** nenhum dos dois; **um a um** um de cada vez; **um e outro** ambos

umbigo (um.bi.go) [ũ'bigu] *n.m.* cicatriz abdominal resultante do corte do cordão umbilical

umbila (um.bi.la) [ũ'bilɐ] *n.f.* [ANG.] árvore ou arbusto de folhas caducas e madeira escura avermelhada, usada para construir móveis, canoas, etc.

umbilical (um.bi.li.cal) [ũbili'kaɫ] *adj.2g.* **1** referente ao umbigo **2** diz-se do cordão que une o feto à mãe

úmero (ú.me.ro) ['uməru] *n.m.* osso longo que vai do ombro ao cotovelo

unânime (u.nâ.ni.me) [u'nɐnim(ə)] *adj.2g.* **1** que está de acordo **2** que exprime a vontade de todos

unanimidade (u.na.ni.mi.da.de) [unɐnimi'dad(ə)] *n.f.* conformidade geral de ideias, pensamentos, opiniões, votos, etc.; concordância ◆ **por unanimidade** por consenso; por vontade de todos

unção (un.ção) [ũ'sɐ̃w̃] *n.f.* aplicação de óleos sagrados numa pessoa

undécimo (un.dé.ci.mo) [ũ'dɛsimu] *num.ord.* que ocupa o lugar número 11 **SIN.** décimo primeiro

underscore [ɐ̃dɐr'skɔr] *n.m.* sinal gráfico (_) usado em informática, comum em endereços eletrónicos

UNESCO [u'neʃku] *n. f.* Organização das Nações Unidas para a Educação, Ciência e Cultura **OBS.** Sigla de *United Nations Educational, Scientific and Cultural Organization*

ungir (un.gir) [ũ'ʒir] *v.* **1** untar com óleo **2** dar a extrema-unção a

unha (u.nha) ['uɲɐ] *n.f.* lâmina quase transparente que reveste a extremidade dos dedos dos pés e das mãos ◆ **com unhas e dentes** com determinação; com vontade; **meter a unha** vender caro **SIN.** explorar; **ser unha com carne com alguém** ser íntimo de alguém

unhas-de-fome (u.nhas-.de-.fo.me) [uɲɐʒdə'fɔm(ə)] *a nova grafia é* **unhas de fome**[AO]

unhas de fome (u.nhas de fo.me)[AO] [uɲɐʒdə'fɔm(ə)] *n.2g.2n. pej.* pessoa somítica

união (u.ni.ão) [u'njɐ̃w̃] *n.f.* **1** ato ou efeito de unir; ligação **2** casamento **3** pacto

unicamente (u.ni.ca.men.te) [unikɐ'mẽt(ə)] *adv.* apenas; só

UNICEF [unisɛf] *n.f.* Fundo das Nações Unidas para a Infância

unicelular (u.ni.ce.lu.lar) [unisəlu'lar] *adj.2g.* que é constituído por uma única célula

único (ú.ni.co) ['uniku] *adj.* **1** que é só um; singular **2** exclusivo **3** excecional

unicolor (u.ni.co.lor) [uniku'lor] *adj.2g.* que só tem uma cor **SIN.** monocromático

unicorne (u.ni.cor.ne) [uni'kɔrn(ə)] *adj.2g.* que tem apenas um corno ou ponta

unicórnio (u.ni.cór.ni:o) [uni'kɔrnju] *n.m.* animal fabuloso, com corpo de cavalo e um chifre no meio da testa **SIN.** licorne

unidade (u.ni.da.de) [uni'dad(ə)] *n.f.* **1** qualidade do que forma um todo **2** número um; base da numeração **3** qualquer quantidade que serve para comparar grandezas da mesma espécie **4** objeto único **5** *fig.* coerência; harmonia; uniformidade ◆ **unidade de medida** grandeza que se toma para medir outra da mesma espécie; **unidade lexical** palavra ou combinação de palavras dotada(s) de significado

unido **(u.ni.do)** [u'nidu] *adj.* **1** que forma um todo juntamente com outros elementos **2** que está ligado a **3** *fig.* coerente; harmonioso; uniforme

unificação **(u.ni.fi.ca.ção)** [unifikɐ'sɐ̃w̃] *n.f.* união de coisas que estavam separadas

unificar(-se) **(u.ni.fi.car(-se))** [unifi'kar(sə)] *v.* **1** tornar(-se) uno ou unido **2** tornar(-se) uniforme

uniforme **(u.ni.for.me)** [uni'fɔrm(ə)] *adj.2g.* **1** que tem a mesma forma ou o mesmo aspeto **SIN.** semelhante **2** diz-se do adjetivo que tem a mesma forma para o masculino e para o feminino: *inteligente; fácil; feliz* ■ *n.m.* vestuário usado por todos os membros de uma instituição ou de um serviço (profissional, militar, etc.) **SIN.** farda

uniformidade **(u.ni.for.mi.da.de)** [unifurmi'dad(ə)] *n.f.* **1** regularidade **2** coerência **3** harmonia

uniformização **(u.ni.for.mi.za.ção)** [unifurmizɐ'sɐ̃w̃] *n.f.* ato ou efeito de uniformizar

uniformizar **(u.ni.for.mi.zar)** [unifurmi'zar] *v.* **1** tornar igual ou semelhante; normalizar **2** fazer vestir um uniforme; fardar

unigénito **(u.ni.gé.ni.to)** [uni'ʒɛnitu] *adj.* único gerado

unilateral **(u.ni.la.te.ral)** [unilɐtə'raɫ] *adj.2g.* **1** situado só de um lado **2** que só trata um dos aspetos de (uma questão, um tema); parcial **3** que é decidido apenas por uma das pessoas ou partes envolvidas

unilingue **(u.ni.lin.gue)** [uni'lĩg(ə)] *adj.2g.* escrito ou transmitido numa só língua

unipessoal **(u.ni.pes.so.al)** [unipə'swaɫ] *adj.2g.* **1** relativo a uma só pessoa **2** que consta de uma só pessoa **3** (verbo) que apenas se conjuga na terceira pessoa do singular e do plural

unir **(u.nir)** ['unir] *v.* **1** reunir num todo; unificar: *unir as forças; unir esforços* **2** (fazer) aderir: *Uniu o papel ao plástico.* **3** pôr em contacto; ligar: *Uniu as pontas do fio. O corredor une os dois quartos.* **4** casar: *O padre uniu-os.* ■ **unir-se** **1** ⟨+a⟩ ficar em contacto com; ligar-se: *Os quartos unem-se ao corredor.* **2** ⟨+a⟩ juntar-se a um grupo, partido, etc.; aderir a: *Uniram-se ao partido da terra.* **3** casar-se

unissexo **(u.nis.se.xo)** [uni'sɛksu] *adj.inv.* que se destina aos dois sexos

uníssono **(u.nís.so.no)** [u'nisunu] *adj.* **1** que tem um som da mesma frequência que outro **2** *fig.* unânime; consensual ◆ **em uníssono** ao mesmo tempo; em coro

unitário **(u.ni.tá.ri:o)** [uni'tarju] *adj.* relativo a uni dade

univalve **(u.ni.val.ve)** [uni'vaɫv(ə)] *adj.2g.* diz-se d concha que é formada por uma só parte

universal **(u.ni.ver.sal)** [univər'saɫ] *adj.2g.* **1** rela tivo ou pertencente ao universo inteiro **SIN.** glc bal; mundial **2** que é comum a toda a Terr **3** que diz respeito a todas as pessoas

universalidade **(u.ni.ver.sa.li.da.de)** [univərs li'dad(ə)] *n.f.* **1** qualidade do que é universal **2** tc talidade; generalidade

universalizar(-se) **(u.ni.ver.sa.li.zar(-se))** [univə sɐli'zar(sə)] *v.* tornar(-se) universal **SIN.** general zar

universalmente **(u.ni.ver.sal.men.te)** [univə saɫ'mẽt(ə)] *adv.* **1** em todo o mundo **SIN.** globa mente **2** por todas as pessoas

universidade **(u.ni.ver.si.da.de)** [univərsi'dad(ə) *n.f.* estabelecimento de ensino superior, públicc particular ou cooperativo, que confere os grau de licenciado, mestre e doutor

universitário **(u.ni.ver.si.tá.ri:o)** [univərsi'tarju *adj.* relativo a universidade

universo **(u.ni.ver.so)** [uni'vɛrsu] *n.m.* **1** conjunt de todas as coisas que existem no tempo e n espaço **SIN.** mundo **2** a Terra e os seus habitar tes **3** o sistema solar

unívoco **(u.ní.vo.co)** [u'nivuku] *adj.* que só admit uma interpretação; inequívoco

uno **(u.no)** ['unu] *adj.* **1** que não se pode divid **2** único; singular

untar **(un.tar)** [ũ'tar] *v.* cobrir com substância go durosa **SIN.** besuntar; olear

unto **(un.to)** ['ũtu] *n.m.* qualquer substância gordu rosa **SIN.** gordura

upa **(u.pa)** ['upɐ] *interj.* **1** usada para incitar alguér a levantar-se ou a subir **2** exprime esforço ao le vantar um peso

upgrade [ɐp'grɐjd] *n.m.* ⇒ **atualização 2**

upload [ɐp'lowd] *n.m.* transferência de ficheiros d um computador local para um remoto

urânio **(u.râ.ni:o)** [u'rɐnju] *n.m.* elemento metálic e radioativo

Urano **(U.ra.no)** [u'rɐnu] *n.m.* planeta do sistem solar, cuja órbita fica entre a de Saturno e a d Neptuno

urbanismo **(ur.ba.nis.mo)** [urbɐ'niʒmu] *n.m.* cor junto das questões relativas à organização da cidades

urbanista **(ur.ba.nis.ta)** [urbɐ'niʃtɐ] *adj.,n.2g.* qu ou pessoa que se dedica a questões ou a trab lhos de urbanismo

urbanístico (ur.ba.nís.ti.co) [urbɐ'niʃtiku] *adj.* **1** relativo a urbanização **2** relativo a arquitetura urbana

urbanização (ur.ba.ni.za.ção) [urbɐnizɐ'sɐ̃w̃] *n.f.* **1** criação e desenvolvimento de construções nas cidades **2** zona ou edifício onde habitam muitas pessoas

urbanizar (ur.ba.ni.zar) [urbɐni'zar] *v.* tornar (um lugar) habitável; construir habitações

urbano (ur.ba.no) [ur'bɐnu] *adj.* relativo ou pertencente à cidade

urbe (ur.be) ['urb(ə)] *n.f.* cidade

urdir (ur.dir) [ur'dir] *v.* **1** tecer; fiar **2** *fig.* maquinar; tramar

ureia (u.rei.a) [u'rɐjɐ] *n.f.* substância cristalina que entra na composição da urina

uréter (u.ré.ter) [u'rɛtɛr] *n.m.* canal que conduz a urina do rim para a bexiga

uretra (u.re.tra) [u'rɛtrɐ] *n.f.* canal que conduz a urina da bexiga para o exterior

urgência (ur.gên.ci:a) [ur'ʒẽsjɐ] *n.f.* **1** necessidade de fazer algo depressa; pressa **2** situação que exige uma solução ou intervenção médica rápida; emergência **3** serviço de um hospital onde se prestam cuidados médicos de emergência ◆ **com urgência** rapidamente de imediato

urgente (ur.gen.te) [ur'ʒẽt(ə)] *adj.2g.* **1** que tem de ser feito com rapidez **2** que não pode faltar; indispensável

urgentemente (ur.gen.te.men.te) [urʒẽtə'mẽt(ə)] *adv.* com urgência; sem demora

urgir (ur.gir) [ur'ʒir] *v.* **1** ser urgente **2** não permitir demora ou atraso

urina (u.ri.na) [u'rinɐ] *n.f.* líquido que é segregado pelos rins e expelido pelo aparelho urinário

urinar (u.ri.nar) [uri'nar] *v.* expelir a urina

urinário (u.ri.ná.ri:o) [uri'narju] *adj.* relativo a urina

urinol (u.ri.nol) [uri'nɔɫ] *n.m.* local próprio para urinar; mictório

URL [uɛr'ɛɫ] sistema que localiza recursos na internet através da atribuição de nomes e endereços **OBS.** Sigla de *Uniform Resource Locator*

urna (ur.na) ['urnɐ] *n.f.* **1** caixa onde se recolhem os votos, numa eleição **2** caixa retangular em que se enterram os mortos; caixão ◆ **ir às urnas** participar numa eleição **SIN.** votar

urologia (u.ro.lo.gi.a) [urulu'ʒiɐ] *n.f.* especialidade médica que se ocupa das doenças do aparelho urinário dos dois sexos e do sistema reprodutor masculino

urologista (u.ro.lo.gis.ta) [urulu'ʒiʃtɐ] *n.2g.* especialista em urologia

urrar (ur.rar) [u'ʀar] *v.* **1** dar urros; rugir **2** berrar

urro (ur.ro) ['uʀu] *n.m.* **1** voz forte e aguda de alguns animais; rugido **2** grito forte de uma pessoa; berro

Ursa Maior (Ur.sa Mai.or) [ursɐmɐj'ɔr] *n.f.* constelação boreal formada por 7 estrelas utilizadas para se encontrar a Estrela Polar, também denominada *Carro de David* e *Caçarola*

Ursa Menor (Ur.sa Me.nor) [ursɐmə'nɔr] *n.f.* constelação formada por 7 estrelas, com disposição idêntica à da Ursa Maior, também denominada *Carro Pequeno*

urso (ur.so) ['ursu] *n.m.* grande mamífero carnívoro, de pelo denso, pescoço curto e orelhas pequenas e arredondadas ◆ **fazer figura de urso** fazer uma figura ridícula

urso-branco (ur.so-.bran.co) [ursu'brɐ̃ku] *n.m.* ⟨*pl.* ursos-brancos⟩ ⇒ **urso-polar**

urso-polar (ur.so-.po.lar) [ursupu'lar] *n.m.* ⟨*pl.* ursos-polares⟩ grande urso branco que vive no polo norte, carnívoro e com e patas adaptadas para nadar

urticária (ur.ti.cá.ri:a) [urti'karjɐ] *n.f.* mancha avermelhada na pele, acompanhada de comichão

urtiga (ur.ti.ga) [ur'tigɐ] *n.f.* planta herbácea com folhas revestidas de pelos que segregam uma substância que provoca irritação na pele

urubu (u.ru.bu) [uru'bu] *n.m.* ave de rapina de grande porte, com plumagem sobretudo preta e cabeça nua, que se alimenta da carne de animais mortos

uruguaio (u.ru.guai.o) [uru'gwaju] *adj.* relativo a Uruguai ■ *n.m.* pessoa natural do Uruguai (América do Sul)

urze (ur.ze) ['urz(ə)] *n.f.* planta que nasce em terrenos incultos, com flores pequenas e raízes grossas

usabilidade (u.sa.bi.li.da.de) [uzɐbili'dad(ə)] *n.f.* característica de um produto que se adapta de forma adequada ao objetivo para o qual foi concebido, o que implica simplicidade e facilidade na utilização

usado (u.sa.do) [u'zadu] *adj.* **1** que foi experimentado; que teve uso **2** que não é novo; gasto

usar (u.sar) [u'zar] *v.* **1** pôr em uso ou em prática **SIN.** utilizar **2** ter o hábito de; costumar **3** utilizar (tempo, dinheiro) de forma útil, ou não **SIN.** gastar **4** trazer vestido ou calçado **5** servir-se de (alguém) ▪ **usar-se** estar em uso

USB [uɛs'be] tipo de conexão para ligação de periféricos (pen, impressoras, scanners, etc.) a computador, televisão, leitor de DVD, etc. **OBS.** Sigla de *Universal Serial Bus*

uso (u.so) ['uzu] *n.m.* **1** utilização; emprego (de alguma coisa para determinado fim) **2** hábito; costume ◆ **pôr/trazer a uso** passar a usar habitualmente; **ter muito uso** estar gasto

usual (u.su:al) [u'zwaɫ] *adj.2g.* **1** que se faz ou se usa habitualmente **SIN.** comum; habitual **2** que é frequente

usuário (u.su:á.ri:o) [u'zwarju] *adj.,n.m.* que ou pessoa que usufrui de algo por direito de uso

usucapião (u.su.ca.pi.ão) [uzukɐ'pjɐ̃w̃] *n.f.* aquisição de um direito sobre algo pela posse prolongada no tempo

usufruir (u.su.fru.ir) [uzufru'ir] *v.* ⟨**+de**⟩ ter o direito de gozar algo: *usufruir de bom rendimento* **SIN.** possuir

usufruto (u.su.fru.to) [uzu'frutu] *n.m.* **1** direito de gozar de (um bem que pertence a outra pessoa) **2** ato de aproveitar algo que dá prazer

usura (u.su.ra) [u'zurɐ] *n.f.* **1** juro superior ao estabelecido por lei **SIN.** especulação; agiotagem **2** lucro excessivo

usurário (u.su.rá.ri:o) [uzu'rarju] *adj.,n.m.* que ou pessoa que empresta e exige juros superiores aos estabelecidos por lei

usurpação (u.sur.pa.ção) [uzurpɐ'sɐ̃w̃] *n.f.* ato ou efeito de se apoderar de forma violenta ou astuciosa de algo que pertence a outrem

usurpar (u.sur.par) [uzur'par] *v.* **1** apoderar-se de algo com violência ou manha **2** possuir alguma coisa sem ter direito a ela

utensílio (u.ten.sí.li:o) [utẽ'silju] *n.m.* qualquer instrumento de trabalho; ferramenta

utente (u.ten.te) [u'tẽt(ə)] *n.2g.* pessoa que utiliza um bem ou um serviço

útero (ú.te.ro) ['utəru] *n.m.* órgão que faz parte do aparelho genital feminino, situado na cavidade pélvica entre a bexiga e o reto, onde se gera e se desenvolve o feto, que é expulso no final da gestação

útil (ú.til) ['utiɫ] *adj.2g.* **1** que serve para alguma coisa **ANT.** inútil **2** que tem vantagem; proveitoso **3** diz-se do dia em que se trabalha, em que não é feriado ◆ **juntar o útil ao agradável** aumentar um benefício com outro

utilidade (u.ti.li.da.de) [utəli'dad(ə)] *n.f.* **1** proveito **2** vantagem **3** objeto útil

utilitário (u.ti.li.tá.ri:o) [utəli'tarju] *adj.* relativo a utilidade ▪ *n.m.* **1** automóvel ligeiro destinado ao transporte de mercadorias **2** programa cujo objetivo é melhorar uma função do sistema operativo ou de uma aplicação

utilização (u.ti.li.za.ção) [utəlizɐ'sɐ̃w̃] *n.f.* ato, efeito ou modo de utilizar algo; uso **SIN.** emprego; uso

utilizador (u.ti.li.za.dor) [utəlizɐ'dor] *adj.* que utiliza ▪ *n.m.* **1** aquele que utiliza algo **2** pessoa que utiliza um programa informático ou um computador

utilizar (u.ti.li.zar) [utəli'zar] *v.* **1** fazer uso de; usar; empregar **2** obter vantagem de; aproveitar

utilizável (u.ti.li.zá.vel) [utəli'zavɛɫ] *adj.2g.* que se pode utilizar

utopia (u.to.pi.a) [utu'piɐ] *n.f.* ideia ou projeto impossível de realizar **SIN.** fantasia. quimera

utópico (u.tó.pi.co) [u'tɔpiku] *adj.* **1** relativo a utopia **SIN.** fantástico; irreal **2** que é próprio da imaginação

UV [u've] *sigla de* ultravioleta

uva (u.va) ['uvɐ] *n.f.* fruto da videira, que tem a forma de baga arredondada, rica em açúcar, e que nasce em cachos ◆ **uva passa** uva seca

uva-passa (u.va-.pas.sa) [uvɐ'pasɐ] *n.f.* ⟨*pl.* uvas-passas⟩ bago de uva seca; passa

úvula (ú.vu.la) ['uvulɐ] *n.f.* saliência carnuda da parte posterior do véu palatino

V

(v) ['ve] *n.m.* consoante, vigésima segunda letra do alfabeto, que está entre as letras *u* e *w*

['ve] *n.m.* em numeração romana, número 5 ■ *símbolo de* volt

A [ve'a] *sigla de* valor acrescentado

AB [vea'be] *sigla de* valor acrescentado bruto

aca (va.ca) ['vakɐ] *n.f.* mamífero muito apreciado pelo leite que produz; fêmea do boi ◆ *coloq.* **fazer uma vaquinha** juntar-se a outras pessoas para dividir uma despesa; *coloq.* **nem que a vaca tussa** aconteça o que acontecer; **vaca sagrada** pessoa ou entidade respeitada e incontestada; *coloq.* **voltar à vaca-fria** voltar a falar no mesmo assunto

acaria (va.ca.ri.a) [vɐkɐ'riɐ] *n.f.* **1** curral onde se recolhem as vacas **2** manada de vacas

acilante (va.ci.lan.te) [vɐsi'lɐ̃t(ə)] *adj.2g.* **1** que está pouco seguro; instável **2** que oscila; trémulo **3** que tem dúvidas; hesitante

acilar (va.ci.lar) [vɐsi'lar] *v.* **1** andar sem firmeza; cambalear **2** oscilar **3** hesitar

acina (va.ci.na) [vɐ'sinɐ] *n.f.* substância que se introduz no corpo, geralmente com uma seringa, para prevenir determinadas doenças: *apanhar uma vacina; vacina da gripe*

acinação (va.ci.na.ção) [vɐsinɐ'sɐ̃w̃] *n.f.* ato de vacinar alguém

acinado (va.ci.na.do) [vɐsi'nadu] *adj.* que se vacinou: *Eu estou vacinada contra a gripe.* ◆ **ser maior e vacinado** ter idade para saber o que é melhor para si próprio

acinar (va.ci.nar) [vɐsi'nar] *v.* **1** ⟨**+contra**⟩ introduzir uma vacina no organismo, a fim de imunizar contra determinada doença: *vacinar os meninos contra a varicela* **2** ⟨**+contra**⟩ *fig.* preparar para situações desagradáveis: *Fiquei vacinado contra aquele grupo musical.*

ácuo (vá.cu:o) ['vakwu] *adj.* vazio; oco ■ *n.m.* espaço onde não existem moléculas nem átomos; vazio

ade retro [vadɛ'ʀɛtrɔ] *loc.* que exprime a vontade de afastar algo considerado negativo ou mau

adiagem (va.di:a.gem) [va'djaʒɐ̃j̃] *n.f.* situação de quem não quer trabalhar nem estudar **SIN.** ociosidade; vagabundagem

adiar (va.di:ar) [va'djar] *v.* **1** viver sem ter uma ocupação (trabalho, estudo, etc.); não fazer nada útil **2** ⟨**+por**⟩ passear de um lado para outro: *vadiar pelas ruas* **SIN.** vaguear

adio (va.di.o) [va'diu] *adj.,n.m.* que ou aquele que não quer trabalhar nem estudar **SIN.** vagabundo

vaga (va.ga) ['vagɐ] *n.f.* **1** massa de água que se eleva e desloca nos mares e rios; onda **2** lugar ou espaço que não está ocupado **3** cargo disponível numa empresa ou num serviço: *Ainda há vagas para me inscrever no curso?*

vagabundagem (va.ga.bun.da.gem) [vɐgɐbũ'daʒɐ̃j̃] *n.f.* condição ou vida de vagabundo **SIN.** ociosidade; vadiagem

vagabundear (va.ga.bun.de:ar) [vɐgɐbũ'djar] *v.* **1** levar vida de vagabundo **SIN.** vadiar **2** ⟨**+por**⟩ andar sem rumo certo: *vagabundear pelas ruas* **SIN.** vaguear

vagabundo (va.ga.bun.do) [vɐgɐ'bũdu] *adj.,n.m.* ⇒ **vadio**

vaga-lume (va.ga-.lu.me) [vagɐ'lum(ə)] *n.m.* ⟨*pl.* vaga-lumes⟩ inseto que brilha na escuridão **SIN.** pirilampo

vagamente (va.ga.men.te) [vagɐ'mẽt(ə)] *adv.* **1** de modo vago ou distante; com pouca nitidez **2** de forma pouco intensa; ligeiramente: *A cara dele é vagamente familiar.*

vagão (va.gão) [va'gɐ̃w̃] *n.m.* carruagem de um comboio: *vagão de carga; vagão de passageiros*

vagão-restaurante (va.gão-.res.tau.ran.te) [vagɐ̃w̃ʀəʃtaw'rɐ̃t(ə)] *n.m.* carruagem onde se servem refeições aos passageiros

vagar (va.gar) [vɐ'gar] *v.* ficar vago; estar livre ■ *n.m.* **1** tempo livre **2** lentidão ◆ **com vagar** sem pressa **SIN.** lentamente

vagarosamente (va.ga.ro.sa.men.te) [vɐgɐrɔzɐ'mẽt(ə)] *adv.* devagar; lentamente

vagaroso (va.ga.ro.so) [vɐgɐ'rozu] *adj.* feito sem pressa **SIN.** demorado; lento

vagem (va.gem) ['vaʒɐ̃j̃] *n.f.* fruto alongado de algumas plantas, como o do feijoeiro

vagina (va.gi.na) [vɐ'ʒinɐ] *n.f.* órgão sexual feminino

vaginal (va.gi.nal) [vɐʒi'naɫ] *adj.2g.* relativo a vagina

vago (va.go) ['vagu] *adj.* **1** que não está ocupado: *Este lugar está vago?* **SIN.** desocupado; livre **2** (tempo) livre: *nas horas vagas*

vaguear (va.gue:ar) [vɐ'gjar] *v.* **1** ⟨**+por**⟩ andar sem rumo certo: *vaguear pelas ruas* **SIN.** errar; vagabundear **2** andar sobre as ondas **SIN.** flutuar **3** *fig.* divagar

vaiar (vai.ar) [va'jar] *v.* manifestar desagrado em relação a algo ou alguém por meio de gritos e assobios; apupar: *O público vaiou o jogador da equipa adversária.*

vaidade **(vai.da.de)** [vaj'dad(ə)] *n.f.* **1** característica de quem gosta muito de ser elogiado ou admirado **2** qualidade de quem se julga melhor do que os outros; presunção **3** sentimento de orgulho

vaidoso **(vai.do.so)** [vaj'dozu] *adj.* **1** que gosta muito de ser elogiado ou admirado **2** que se julga melhor do que os outros; presunçoso **3** orgulhoso

vaivém **(vai.vém)** [vaj'vẽj] *n.m.* ⟨*pl.* vaivéns⟩ **1** movimento oscilatório **SIN.** balanço **2** nave espacial preparada para efetuar viagens entre a Terra e uma estação colocada em órbita

vala **(va.la)** ['valɐ] *n.f.* cova; fosso

vale **(va.le)** ['val(ə)] *n.m.* **1** planície entre duas montanhas ou colinas **2** valor escrito que representa uma oferta: *vale de desconto* ♦ **vale de lágrimas** **1** lugar ou tempo de grande sofrimento **2** o mundo enquanto local de sofrimento; **vale postal** tipo de cheque usado pelos correios

valentão **(va.len.tão)** [vɐlẽ'tɐ̃w̃] ⟨*aum. de* valente⟩ *n.m.* **1** aquele que é muito valente **2** fanfarrão; gabarola

valente **(va.len.te)** [vɐ'lẽt(ə)] *adj.2g.* que não tem medo **SIN.** corajoso; destemido **ANT.** medroso

valentia **(va.len.ti.a)** [vɐlẽ'tiɐ] *n.f.* coragem

valer **(va.ler)** [vɐ'ler] *v.* **1** ter valor ou preço: *A joia vale muito dinheiro.* **SIN.** custar **2** corresponder em (valor): *Isto vale ouro.* **SIN.** equivaler **3** ter valor ou crédito: *valer muito; não valer nada* **4** ser digno de (algo): *Esse comentário não vale a nossa atenção.* **SIN.** merecer **5** ser permitido: *Isso não vale!* **6** ⟨**+a**⟩ ajudar; socorrer: *Apenas a Joana valeu ao irmão.* ▪ **valer-se** ⟨**+de**⟩ servir-se de: *valer-se de um direito* ♦ **a valer** **1** a sério **2** em grande quantidade

valeta **(va.le.ta)** [vɐ'letɐ] *n.f.* fosso estreito dos lados das ruas ou estradas para escoamento das águas

valete **(va.le.te)** [va'lɛt(ə)] *n.m.* **1** escudeiro jovem representado em carta de jogar, cujo valor é geralmente inferior à dama e ao rei **2** carta com essa figura

validação **(va.li.da.ção)** [vɐlidɐ'sɐ̃w̃] *n.f.* ato de tornar algo válido

validade **(va.li.da.de)** [vɐli'dad(ə)] *n.f.* **1** qualidade do que é válido ou legal **2** estado daquilo que está dentro do prazo (de utilização, de consumo): *data de validade; dentro da validade*

validar **(va.li.dar)** [vɐli'dar] *v.* tornar válido ou legal

válido **(vá.li.do)** ['validu] *adj.* **1** que tem validade legal: *O bilhete é válido por um ano; A promoção é válida até 31 de agosto.* **2** que tem valor **3** correto; certo

valioso **(va.li:o.so)** [vɐ'ljozu] *adj.* que tem grande valor **SIN.** precioso

valor **(va.lor)** [vɐ'lor] *n.m.* **1** conjunto de características ou qualidades que permitem apreciar uma coisa ou uma pessoa; mérito: *dar valor a algo/alguém; valor sentimental* **2** quantia em dinheiro pela qual uma coisa pode ser vendida ou comprada; preço: *Comprou um carro no valor de 30 000 euros.*

valorização **(va.lo.ri.za.ção)** [vɐlurizɐ'sɐ̃w̃] *n.f.* **1** aumento do valor ou do preço de algo **2** atribuição de maior importância a algo ou alguém **3** reconhecimento das qualidades de algo ou de alguém

valorizar **(va.lo.ri.zar)** [vɐluri'zar] *v.* **1** aumentar o valor de: *As obras vão valorizar o apartamento.* **2** atribuir mais importância a **3** reconhecer o valor de: *Valorizo muito a tua ajuda.* **4** dar destaque a; realçar

valsa **(val.sa)** ['vaɫsɐ] *n.f.* **1** dança de salão em ritmo ternário, muito popular no século XVIII, em que os pares rodam sobre si próprios **2** composição que acompanha essa dança

valsar **(val.sar)** [vaɫ'sar] *v.* dançar a valsa

válvula **(vál.vu.la)** ['vaɫvulɐ] *n.f.* dispositivo que permite a passagem de uma substância em determinado sentido, fechando e abrindo uma cavidade ou orifício

vampiro **(vam.pi.ro)** [vɐ̃'piru] *n.m.* **1** morcego que suga o sangue de alguns animais **2** ser imaginário que, durante a noite, suga o sangue das pessoas

vandalismo **(van.da.lis.mo)** [vɐ̃dɐ'liʒmu] *n.m.* destruição violenta de bens públicos, obras de arte e monumentos

vandalizar **(van.da.li.zar)** [vɐ̃dɐli'zar] *v.* destruir de forma selvagem (bens públicos ou privados)

vândalo **(vân.da.lo)** ['vɐ̃dɐlu] *n.m.* pessoa que destrói bens públicos, obras de arte e monumentos por maldade **SIN.** selvagem

vangloriar-se **(van.glo.ri:ar-.se)** [vɐ̃glu'rjars(ə)] *v.* ⟨**+de**⟩ falar das próprias qualidades ou méritos, exagerando-os: *Vangloriou-se de ter sido promovido.* **SIN.** gabar-se

vanguarda **(van.guar.da)** [vɐ̃'gwardɐ] *n.f.* **1** primeira linha; frente; dianteira **ANT.** retaguarda **2** conjunto de ideias ou de pessoas que propõem algo novo, muito diferente daquilo que se fazia antes ♦ **de vanguarda** que é totalmente novo **SIN.** inovador; **na vanguarda** à frente; na dianteira

vanguardismo **(van.guar.dis.mo)** [vɐ̃gwɐr'diʒmu] *n.m.* movimento artístico e cultural com características inovadoras

vanguardista **(van.guar.dis.ta)** [vɐ̃gwɐr'diʃtɐ] *adj.2g.* relativo a vanguarda; progressista ▪ *n.2g.* pessoa que, pelas suas ideias inovadoras ou ra dicais, tem um papel precursor na sociedade; progressista

vantagem (van.ta.gem) [vɐ̃'taʒɐ̃j] *n.f.* **1** proveito; lucro: *tirar vantagem de alguma coisa* **ANT.** desvantagem **2** superioridade; vitória: *estar em vantagem*

vantajoso (van.ta.jo.so) [vɐ̃tɐ'ʒozu] *adj.* proveitoso; lucrativo

vão (vão) ['vɐ̃w̃] *adj.* **1** vazio; oco **2** que não tem importância **SIN.** insignificante ▪ *n.m.* ⟨*pl.* vãos⟩ espaço vazio ♦ **em vão** sem razão **SIN.** inutilmente; **vão de escada** espaço compreendido entre os degraus de um andar e o andar superior

vapor (va.por) [vɐ'por] *n.m.* substância no estado gasoso ♦ **a todo o vapor** muito depressa **SIN.** rapidamente

vaporização (va.po.ri.za.ção) [vɐpurizɐ'sɐ̃w̃] *n.f.* passagem de uma substância do estado líquido ao estado gasoso

vaporizador (va.po.ri.za.dor) [vɐpurizɐ'dor] *adj.* que vaporiza; que serve para vaporizar ▪ *n.m.* aparelho próprio para fazer passar um líquido para o estado gasoso

vaporizar (va.po.ri.zar) [vɐpuri'zar] *v.* **1** fazer passar do estado líquido ao estado gasoso: *O calor vaporiza a água.* **2** ⟨**+com**⟩ pulverizar; borrifar: *Vaporizou-a com perfume.*

vaporoso (va.po.ro.so) [vɐpu'rozu] *adj.* **1** cheio de vapores **2** que exala vapores **3** *fig.* leve; subtil; delicado **4** *fig.* transparente

vaqueiro (va.quei.ro) [vɐ'kɐjru] *n.m.* indivíduo que guarda ou trata de gado bovino

vaquinha (va.qui.nha) [vɐ'kiɲɐ] ⟨*dim. de* vaca⟩ *n.f.* vaca pequena ♦ **fazer uma vaquinha** juntar-se com outras pessoas para partilhar uma despesa

vara (va.ra) ['varɐ] *n.f.* **1** haste fina e comprida **2** conjunto de porcos

varanda (va.ran.da) [vɐ'rɐ̃dɐ] *n.f.* 👁 balcão no exterior de um edifício; terraço

varão (va.rão) [vɐ'rɐ̃w̃] *n.m.* **1** indivíduo do sexo masculino **2** vara grande de ferro ou de outro metal

vareja (va.re.ja) [vɐ'rɐ(j)ʒɐ] *n.f.* mosca grande

varejar (va.re.jar) [vɐrə'ʒar] *v.* **1** sacudir com vara para fazer cair os frutos maduros das árvores **2** fustigar

vareta (va.re.ta) [vɐ'retɐ] *n.f.* vara da armação do guarda-chuva

variação (va.ri:a.ção) [vɐrjɐ'sɐ̃w̃] *n.f.* **1** conjunto de mudanças em alguém ou em alguma coisa **SIN.** modificação **2** passagem (de uma substância) de um estado a outro

variado (va.ri:a.do) [vɐ'rjadu] *adj.* diverso; sortido

variante (va.ri:an.te) [vɐ'rjɐ̃t(ə)] *adj.2g.* que muda ou varia; variável ▪ *n.f.* **1** alteração de um plano ou de um projeto; modificação **2** caminho alternativo; desvio **3** forma alternativa de uma palavra

variar (va.ri:ar) [vɐ'rjar] *v.* tornar ou ficar diferente; mudar; alterar: *Temos que variar o método de trabalho. Ela varia muito de penteado.*

variável (va.ri:á.vel) [vɐ'rjavɛɫ] *adj.2g.* **1** que varia; que pode variar **2** diz-se da palavra cuja terminação sofre alteração, conforme o género, o número, o tempo e a pessoa

varicela (va.ri.ce.la) [vɐri'sɛlɐ] *n.f.* doença infecto-contagiosa, comum na infância, caracterizada por bolhas na pele e febre alta

variedade (va.ri:e.da.de) [vɐrjɛ'dad(ə)] *n.f.* **1** conjunto de coisas diferentes: *O restaurante tem uma grande variedade de pratos.* **SIN.** diversidade; multiplicidade **2** característica daquilo que é formado por elementos diferentes

varina (va.ri.na) [vɐ'rinɐ] *n.f.* vendedora ambulante de peixe

varinha (va.ri.nha) [vɐ'riɲɐ] ⟨*dim. de* vara⟩ *n.f.* vara pequena e estreita ♦ **varinha de condão** pequena vara com que as fadas e os mágicos fazem ou desfazem encantamentos, nos contos populares; **varinha mágica** utensílio elétrico usado para triturar ou bater alimentos

varino (va.ri.no) [vɐ'rinu] *n.m.* **1** pequeno barco que se faz deslocar com a ajuda de uma vara comprida **2** natural ou habitante de Ovar

varíola (va.rí.o.la) [vɐ'riulɐ] *n.f.* doença infeciosa, muito contagiosa, caracterizada por febre, dores no corpo, vómitos e bolhas na pele

vários (vá.ri:os) ['varjuʃ] *prn.indef.* diversos; muitos

variz (va.riz) [vɐ'riʃ] *n.f.* veia dilatada e saliente (sobretudo nas pernas)

varredela (var.re.de.la) [vɐʀə'dɛlɐ] *n.f.* limpeza rápida ou superficial com a vassoura; vassourada

varredor **(var.re.dor)** [vɐʀə'dor] *n.m.* pessoa que tem por ofício varrer espaços públicos (jardins, passeios, etc.)

varrer **(var.rer)** [vɐ'ʀer] *v.* **1** limpar com a vassoura: *varrer o quarto* **2** fazer deslocar-se: *O vento varreu as folhas.* **3** *fig.* destruir; devastar: *O incêndio varreu o bosque.* ■ **varrer-se** *coloq.* desvanecer-se; dissipar-se: *Varreu-se-me da ideia.* ◆ **varrer (algo) do mapa** fazer desaparecer

varrido **(var.ri.do)** [vɐ'ʀidu] *adj.* **1** que foi limpo com vassoura **2** que desapareceu; eliminado **3** que perdeu o juízo; louco: *doido varrido*

várzea **(vár.ze:a)** ['varzjɐ] *n.f.* planície cultivada nas margens de um rio

vascular **(vas.cu.lar)** [vɐʃku'lar] *adj.2g.* relativo ou pertencente a vasos, sobretudo sanguíneos: *acidente vascular cerebral; sistema vascular*

vasculhar **(vas.cu.lhar)** [vɐʃku'ʎar] *v.* procurar cuidadosamente; revistar; remexer

vasectomia **(va.sec.to.mi.a)** [vɐzɛktu'miɐ] *n.f.* operação cirúrgica que consiste no corte parcial ou total dos canais deferentes, sendo um método contracetivo masculino

vaselina **(va.se.li.na)** [vɐzə'linɐ] *n.f.* substância pastosa constituída por hidrocarbonetos sólidos e líquidos, derivada do petróleo, usada na preparação de medicamentos de uso externo

vasilha **(va.si.lha)** [vɐ'ziʎɐ] *n.f.* qualquer vaso para líquidos

vasilhame **(va.si.lha.me)** [vɐzi'ʎɐm(ə)] *n.m.* conjunto de recipientes próprios para líquidos

vaso **(va.so)** ['vazu] *n.m.* **1** objeto que serve para conter líquidos **2** recipiente para colocar plantas ou flores **3** órgão em forma de tubo, por onde circula o sangue: *vaso sanguíneo* ◆ [BRAS.] **vaso sanitário** retrete; sanita

vassalagem **(vas.sa.la.gem)** [vɐsɐ'laʒɐ̃j] *n.f.* relação de dependência entre um senhor feudal e um vassalo **SIN.** submissão; sujeição

vassalo **(vas.sa.lo)** [vɐ'salu] *n.m.* no sistema feudal, indivíduo que jurava fé e fidelidade a um senhor feudal, a quem pagava um tributo

vassoira **(vas.soi.ra)** [vɐ'sojrɐ] *n.f.* ⇒ **vassoura**

vassoura **(vas.sou.ra)** [vɐ'so(w)rɐ] *n.f.* utensílio formado por um cabo de madeira ou de plástico, com pelos ou fibras na extremidade, usado para varrer o chão

vassourada **(vas.sou.ra.da)** [vɐso(w)'radɐ] *n.f.* **1** limpeza rápida ou superficial com a vassoura; varredela **2** pancada dada com uma vassoura

vassoureiro **(vas.sou.rei.ro)** [vɐso(w)'rɐjru] *n.m.* aquele que faz ou vende vassouras

vastidão **(vas.ti.dão)** [vɐʃti'dɐ̃w̃] *n.f.* **1** grande extensão (de terreno, propriedade) **SIN.** imensidão **2** grande tamanho ou quantidade

vasto **(vas.to)** ['vaʃtu] *adj.* **1** que é muito extenso; amplo **SIN.** imenso **2** que é muito grande em tamanho ou quantidade

vaticano **(va.ti.ca.no)** [vɐti'kɐnu] *adj.* do Vaticano ■ **Vaticano** *n.m.* conjunto das instituições que auxiliam o papa no governo da Igreja católica

vaticinar **(va.ti.ci.nar)** [vɐtisi'nar] *v.* predizer; prever

vaticínio **(va.ti.cí.ni:o)** [vɐti'sinju] *n.m.* prognóstico; previsão

vazão **(va.zão)** [vɐ'zɐ̃w̃] *n.f.* **1** esvaziamento de um líquido contido num recipiente; escoamento **2** *fig.* saída; venda (de produtos) ◆ **dar vazão a** **1** (um líquido) deixar sair ou correr **2** (um processo, um trabalho) dar solução ou andamento a

vazar **(va.zar)** [vɐ'zar] *v.* **1** despejar; derramar **2** tirar o conteúdo de; esvaziar

vazio **(va.zi.o)** [vɐ'ziu] *adj.* **1** que não contém nada; desocupado; vago **ANT.** cheio **2** que só contém ar; oco ■ *n.m.* espaço que não é ocupado por matéria; vácuo

VCI [vese'i] *sigla de* Via de Cintura Interna

vd. fórmula com que se remete o leitor para um outro texto ou para outra entrada **OBS.** Abreviatura de *vide*

veado **(ve:a.do)** ['vjadu] *n.m.* 👁 mamífero ruminante, de grande porte, com chifres (no macho) extensos; cervo

vector **(vec.tor)** [vɛ'tor] *a nova grafia é* **vetor**[AO]

vectorial **(vec.to.ri:al)** [vɛtu'rjaɫ] *a nova grafia é* **vetorial**[AO]

vedação **(ve.da.ção)** [vədɐ'sɐ̃w̃] *n.f.* construção feita de ramos ou varas entrelaçadas, usada para fechar ou proteger terrenos **SIN.** sebe

vedado (ve.da.do) [və'dadu] *adj.* **1** bem fechado (recipiente, terreno) **2** em que não se pode entrar ou passar (espaço, rua)

vedar (ve.dar) [və'dar] *v.* **1** tapar com vedação **2** proibir ou impedir o acesso a

vedeta (ve.de.ta) [və'detɐ] *n.f.* artista principal de uma peça de teatro ou de um filme

veemência (ve:e.mên.ci:a) [vje'mẽsjɐ] *n.f.* intensidade; vigor

veemente (ve:e.men.te) [vje'mẽt(ə)] *adj.2g.* intenso; vigoroso

vegan ['vegɐn] *adj.2g.* **1** relativo ou pertencente a veganismo **2** que não utiliza alimentos ou produtos de origem animal ■ *n.2g.* pessoa adepta do veganismo

veganismo (ve.ga.nis.mo) [vegɐ'niʒmu] *n.m.* sistema alimentar que exclui os alimentos de origem animal, como carne, peixe, ovos, leite, mel (e qualquer derivado destes), associado à rejeição de qualquer produto de origem animal (peles, sedas, etc.)

vegetação (ve.ge.ta.ção) [vəʒətɐ'sɐ̃w̃] *n.f.* conjunto das plantas de uma região ou de um país

vegetal (ve.ge.tal) [vəʒə'taɫ] *adj.2g.* **1** relativo a planta; que vem de planta **2** semelhante a planta

vegetar (ve.ge.tar) [vəʒə'tar] *v.* **1** *fig.* viver de forma apenas física, sem atividade mental **2** *fig.* levar uma vida monótona ou aborrecida

vegetariano (ve.ge.ta.ri:a.no) [vəʒətɐ'rjɐnu] *adj.,n.m.* que ou aquele que se alimenta só (ou de preferência) de vegetais

veia (vei.a) ['vɐjɐ] *n.f.* **1** vaso sanguíneo **2** *fig.* disposição; vocação

veicular (vei.cu.lar) [vɐiku'lar] *v.* transmitir; difundir ■ *adj.2g.* relativo a veículo

veículo (ve.í.cu.lo) [vɐ'ikulu] *n.m.* **1** qualquer meio usado para transportar mercadorias, pessoas ou animais: *veículo ligeiro; veículo pesado* **2** automóvel; carro

veio (vei.o) ['vɐju] *n.m.* **1** fio de água corrente **2** fenda na superfície da pedra ou da madeira

vela (ve.la) ['vɛlɐ] *n.f.* **1** pano forte para impelir navios, barcos, etc. **2** rolo de cera, com pavio, que serve para iluminar

velado (ve.la.do) [və'ladu] *adj.* **1** coberto com véu **2** tapado **3** disfarçado

velar (ve.lar) [və'lar] *v.* **1** cobrir com véu: *velar o rosto* **2** tapar; ocultar: *As nuvens velavam o prédio.* **3** não dormir de noite: *Os guardas velavam durante toda a noite.* **4** ficar acordado durante a noite junto de (doente, defunto): *A enfermeira velou-o toda a noite.* **5** ⟨+por⟩ cuidar; zelar: *Tenho de velar pelos meus interesses.* ■ *adj.,n 2g.* (som consonântico) produzido pelo contacto do dorso da língua com o véu palatino

velcro ['vɛɫkru] *n.m.* conjunto de duas tiras que aderem uma à outra, utilizadas para fechar peças de roupa, sacos e sapatilhas

veleidade (ve.lei.da.de) [vəlɐj'dad(ə)] *n.f.* **1** presunção; vaidade **2** capricho

veleiro (ve.lei.ro) [və'lɐjru] *n.m.* embarcação com velas, que se desloca movida pela força do vento

velejador (ve.le.ja.dor) [vələʒɐ'dor] *adj.,n.m.* que(m) navega em barco à vela

velejar (ve.le.jar) [vələ'ʒar] *v.* navegar num barco à vela

velhacaria (ve.lha.ca.ri.a) [vəʎɐkɐ'riɐ] *n.f.* **1** ato ou procedimento malévolo ou traiçoeiro **2** qualidade de pessoa maldosa

velhaco (ve.lha.co) [və'ʎaku] *adj.,n.m.* traiçoeiro; patife

velharia (ve.lha.ri.a) [vəʎɐ'riɐ] *n.f.* objeto antigo, que já não se usa **SIN.** antiguidade

velhice (ve.lhi.ce) [və'ʎi(sə)] *n.f.* **1** estado do que é velho **2** período da vida em que uma pessoa tem muitos anos; idade avançada

velhinho (ve.lhi.nho) [vɛ'ʎiɲu] ⟨*dim. de* velho⟩ *n.m.* homem idoso e frágil; velhote

velho (ve.lho) ['vɛʎu] *adj.* **1** que tem muito tempo de vida ou de existência **2** que tem muita idade **ANT.** novo

velhote (ve.lho.te) [vɛ'ʎɔt(ə)] *adj. coloq.* que é muito velho ■ *n.m.* **1** *coloq.* pessoa de idade avançada **2** *coloq.* pai

velocidade (ve.lo.ci.da.de) [vəlusi'dad(ə)] *n.f.* **1** qualidade do que é veloz **SIN.** rapidez **2** movimento rápido ou apressado

velocípede (ve.lo.cí.pe.de) [vəlu'sipəd(ə)] *n.m.* veículo de duas rodas que giram por meio do impulso que os pés dão aos pedais

velocista (ve.lo.cis.ta) [vəlu'siʃtɐ] *n.2g.* pessoa que pratica corridas de velocidade

velório (ve.ló.ri:o) [və'lɔrju] *n.m.* ato de permanecer junto de uma pessoa que morreu, antes do seu enterro ou da sua cremação

veloz (ve.loz) [və'lɔʃ] *adj.2g.* que se desloca a grande velocidade **SIN.** rápido

velozmente (ve.loz.men.te) [vəlɔʒ'mẽt(ə)] *adv.* a grande velocidade **SIN.** rapidamente

veludo (ve.lu.do) [və'ludu] *n.m.* tecido de seda ou algodão, com pelo curto e macio de um dos lados

vencedor (ven.ce.dor) [vẽsə'dor] *adj.,n.m.* que ou aquele que vence **SIN.** vitorioso

vencer (ven.cer) [vẽ'ser] *v.* conseguir uma vitória sobre **SIN.** ganhar; triunfar

vencido (ven.ci.do) [vẽ'sidu] *adj.* derrotado ■ *n.m.* aquele que sofreu uma derrota

vencimento (ven.ci.men.to) [vẽsi'mẽtu] *n.m.* ordenado; salário

venda (ven.da) ['vẽdɐ] *n.f.* **1** ato ou efeito de vender: *A casa está à venda. A venda do imóvel vai trazer muitos lucros.* **2** faixa de pano com que se tapam os olhos

vendar (ven.dar) [vẽ'dar] *v.* tapar (os olhos) com venda

vendaval (ven.da.val) [vẽdɐ'vał] *n.m.* vento muito forte; temporal

vendável (ven.dá.vel) [vẽ'davɛł] *adj.2g.* **1** que pode ser vendido **2** que se vende bem

vendedeira (ven.de.dei.ra) [vẽdə'dɐjrɐ] *n.f. coloq.* mulher que vende **SIN.** vendedora

vendedor (ven.de.dor) [vẽdə'dor] *n.m.* ⟨*f.* vendedora⟩ pessoa que vende

vender (ven.der) [vẽ'der] *v.* **1** ceder a troco de uma determinada quantia: *Vendi-lhe o meu carro por 1000 euros.* **2** trabalhar como vendedor de: *Ele vende carros há dez anos.* **3** ser bem aceite no mercado: *O dicionário vende bem.* **4** *fig.* trair por interesse: *Era capaz de vender a própria mãe!* ■ **vender-se** ⟨**+a**⟩ deixar-se subornar: *Vendeu-se por pouco.*

vendido (ven.di.do) [vẽ'didu] *adj.* **1** que se vendeu **2** *fig.* que traiu por dinheiro **3** *fig.* que se deixou subornar

veneno (ve.ne.no) [və'nenu] *n.m.* **1** qualquer substância que, tomada ou aplicada a um organismo, lhe destrói ou altera as funções vitais **2** *coloq.* intenção maldosa; maldade

venenoso (ve.ne.no.so) [vənə'nozu] *adj.* **1** que tem veneno; tóxico **2** diz-se do comentário em que há intenção maldosa; cruel

veneração (ve.ne.ra.ção) [vənərɐ'sɐ̃w̃] *n.f.* **1** profundo respeito por algo ou alguém; reverência **2** adoração; estima: *Ela tem veneração pelo pai.*

venerar (ve.ne.rar) [vənə'rar] *v.* adorar; respeitar

venerável (ve.ne.rá.vel) [vənə'ravɛł] *adj.2g.* digno de veneração ou respeito **SIN.** respeitável

venezuelano (ve.ne.zu:e.la.no) [vənəzwɛ'lɐnu] *adj.* relativo à Venezuela (país da América do Sul) ■ *n.m.* pessoa natural da Venezuela

vénia (vé.ni:a) ['vɛnjɐ] *n.f.* inclinação que se faz com a cabeça para cumprimentar alguém ou mostrar respeito: *fazer uma vénia* **SIN.** mesura; reverência

venoso (ve.no.so) [və'nozu] *adj.* relativo a veia

A palavra **ventoinha** escreve-se sem acento agudo no i.

---

venta (ven.ta) ['vẽtɐ] *n.f.* cada uma das aberturas do nariz **SIN.** narina ■ **ventas** *n.f.pl.* **1** *coloq.* rosto **2** *coloq.* focinho ♦ *coloq.* **ir às ventas** esbofetear; **levar/apanhar nas ventas** ser esbofeteado

ventania (ven.ta.ni.a) [vẽtɐ'niɐ] *n.f.* vento forte e contínuo

ventilação (ven.ti.la.ção) [vẽtilɐ'sɐ̃w̃] *n.f.* entrada de ar num lugar fechado; arejamento

ventilado (ven.ti.la.do) [vẽti'ladu] *adj.* **1** que possui ventilação **2** que tem boa circulação de ar; arejado **3** diz-se do cereal limpo da palha **4** *fig.* discutido em debate; debatido **5** *fig.* recetivo ao que é novo; arejado

ventilador (ven.ti.la.dor) [vẽtilɐ'dor] *n.m.* aparelho que renova o ar num espaço fechado

ventilar (ven.ti.lar) [vẽti'lar] *v.* fazer entrar ar num espaço fechado; arejar

vento (ven.to) ['vẽtu] *n.m.* **1** deslocação do ar **2** *fig.* influência; causa; impulso ♦ **contra ventos e marés** contra todos os obstáculos; **de vento em popa** com êxito; sem dificuldades; **dizer/espalhar aos quatro ventos** dizer alto, para todas as pessoas ouvirem

ventoinha (ven.to:i.nha) [vẽ'twiɲɐ] *n.f.* aparelho para ventilação, formado por uma roda com pás que giram, provocando corrente de ar

---

A palavra **ventoinha** escreve-se sem acento agudo no i.

---

ventosa (ven.to.sa) [vẽ'tɔzɐ] *n.f.* **1** órgão de certos seres vivos, com que eles se fixam ou com que aspiram os alimentos **2** peça de borracha que se aplica sobre uma superfície e que fica presa devido à pressão exercida

ventoso (ven.to.so) [vẽ'tozu] *adj.* **1** que tem vento muito forte **2** que está exposto ao vento

ventre (ven.tre) ['vẽtr(ə)] *n.m.* parte do corpo humano onde se encontram o estômago e os intestinos **SIN.** abdómen; barriga

ventricular (ven.tri.cu.lar) [vẽtriku'lar] *adj.2g.* relativo a ventrículo

ventrículo (ven.trí.cu.lo) [vẽ'trikulu] *n.m.* cada uma das duas cavidades inferiores do coração

ventríloquo (ven.trí.lo.quo) [vẽ'trilukwu] *n.m.* pessoa que produz sons vocais sem quase mover os lábios

ventura (ven.tu.ra) [vẽ'turɐ] *n.f.* **1** acaso; destino **2** boa sorte; felicidade

Vénus (Vé.nus) ['vɛnuʃ] *n.f.* planeta do sistema solar, cuja órbita fica entre a de Mercúrio e a da Terra

ver (ver) ['ver] *v.* **1** usar o sentido da vista; olhar: *Não vejo a estrada por causa do nevoeiro.* **2** assistir a; presenciar: *Ontem vi um filme muito bom.* ■ **ver-se 1** olhar para si próprio; contemplar-se **2** manter relação ou contacto com; conviver com **3** considerar-se; reconhecer-se: *Ele vê-se como uma pessoa aventureira.* ♦ **a meu ver** segundo a minha opinião; **até ver** por enquanto; para já

veracidade (ve.ra.ci.da.de) [vərɐsi'dad(ə)] *n.f.* verdade; exatidão

veraneante (ve.ra.ne:an.te) [vərɐ'njẽt(ə)] *adj.,n.2g.* que(m) passa o verão, ou parte dele, fora da sua residência habitual

verão (ve.rão)[AO] [və'rɐ̃w̃] *n.f.* estação do ano depois da primavera e antes do outono

verba (ver.ba) ['verbɐ] *n.f.* soma em dinheiro para determinado fim **SIN.** quantia

verbal (ver.bal) [vər'bał] *adj.2g.* **1** que se faz de viva voz; oral **2** que diz respeito a palavra(s) **3** relativo a verbo

verbalizado (ver.ba.li.za.do) [vərbɐli'zadu] *adj.* **1** expresso por palavras; dito **2** transformado em verbo

verbalizar (ver.ba.li.zar) [vərbɐli'zar] *v.* exprimir por meio de palavras, oralmente

verbalmente (ver.bal.men.te) [vərbał'mẽt(ə)] *adv.* por meio de palavras (ditas, e não escritas); de viva voz **SIN.** oralmente

verbete (ver.be.te) [vər'bet(ə)] *n.m.* **1** pequeno papel avulso onde se escreve um apontamento **2** entrada e suas aceções, em dicionário, glossário, etc.

verbo (ver.bo) ['verbu] *n.m.* palavra variável que designa uma ação, um processo ou um estado e que pode apresentar marcas de pessoa, número, modo, tempo, voz e aspeto

verdade (ver.da.de) [vər'dad(ə)] *n.f.* **1** qualidade do que é verdadeiro; realidade **ANT.** ficção **2** franqueza; sinceridade **ANT.** falsidade; mentira **3** exatidão; rigor **ANT.** imprecisão ♦ **faltar à verdade** não dizer a verdade **SIN.** mentir; **na verdade** de facto **SIN.** realmente

verdadeiramente (ver.da.dei.ra.men.te) [vərdɐdɐjrɐ'mẽt(ə)] *adv.* **1** com verdade **2** realmente **3** em grau muito elevado

verdadeiro (ver.da.dei.ro) [vərdɐ'dɐjru] *adj.* **1** que diz a verdade; que não mente **ANT.** falso **2** real; autêntico: *joias verdadeiras* **3** certo; exato **4** franco; sincero

verde (ver.de) ['verd(ə)] *adj.2g.* **1** que é da cor da relva **2** que não está maduro **3** *fig.* inexperiente

verde-alface (ver.de-.al.fa.ce) [verdał'fa(sə)] *adj.inv.,n.m.* (tom) verde-claro vivo, como o da alface

verde-claro (ver.de-.cla.ro) [verdə'klaru] *n.m.* ⟨*pl.* verdes-claros⟩ tom claro de verde

verde-escuro (ver.de-.es.cu.ro) [verdəʃ'kuru] *n.m.* ⟨*pl.* verdes-escuros⟩ tom escuro de verde

verde-garrafa (ver.de-.gar.ra.fa) [verdəgɐ'ʀafɐ] *adj.inv.* (cor) que tem um tom de verde muito escuro ■ *n.m.* verde-escuro

verdejante (ver.de.jan.te) [vərdə'ʒɐ̃t(ə)] *adj.2g.* que é verde; que se torna verde

verdejar (ver.de.jar) [vərdə'ʒar] *v.* **1** ter cor verde **2** tornar-se verde

verdete (ver.de.te) [vər'det(ə)] *n.m.* substância de cor verde que se forma na superfície de objetos de cobre expostos à humidade

verdura (ver.du.ra) [vər'durɐ] *n.f.* cor verde das plantas ■ **verduras** *n.f.pl.* legumes usados na alimentação humana **SIN.** hortaliça

vereador (ve.re:a.dor) [vɛrjɐ'dor] *n.m.* membro de uma câmara municipal

vereda (ve.re.da) [və'redɐ] *n.f.* caminho estreito **SIN.** atalho

veredito (ve.re.di.to)[AO] [vərə'diktu] ou **veredicto**[AO] *n.m.* decisão; sentença

verga (ver.ga) ['vergɐ] *n.f.* vara fina e flexível; vime

vergar (ver.gar) [vər'gar] *v.* **1** dobrar em arco; curvar: *O João vergou o arame.* **2** *fig.* submeter; dominar: *Conseguiu vergá-lo.* ■ **vergar-se 1** curvar-se: *Vergou-se para apertar os sapatos.* **2** ceder ao peso de: *A prateleira vergou-se com as malas em cima.* **3** ⟨**+a**⟩ *fig.* submeter-se; humilhar-se: *Vergou-se à vontade da mãe.*

vergonha (ver.go.nha) [vər'goɲɐ] *n.f.* **1** timidez: *Ele tem vergonha de falar em público.* **2** humilhação: *O jogo foi uma vergonha para a equipa.* **3** coisa mal feita

vergonhoso (ver.go.nho.so) [vərgu'ɲozu] *adj.* que causa vergonha; embaraçoso

verídico (ve.rí.di.co) [və'ridiku] *adj.* verdadeiro

verificação (ve.ri.fi.ca.ção) [vərifikɐ'sɐ̃w̃] *n.f.* **1** exame **2** confirmação

verificar (ve.ri.fi.car) [vərifi'kar] *v.* examinar; confirmar ■ **verificar-se** acontecer; realizar-se

verme (ver.me) ['vɛrm(ə)] *n.m.* **1** minhoca; larva **2** *fig.* pessoa má ou desprezível

vermelhidão (ver.me.lhi.dão) [vərməʎi'dɐ̃w̃] *n.f.* **1** cor vermelha **2** *fig.* rubor nas faces

vermelho (ver.me.lho) [vər'mɐ(j)ʎu] *adj.* **1** que é da cor do sangue **2** *fig.* corado (nas faces) ▪ *n.m.* cor do sangue; encarnado; rubro

vermelho-escuro (ver.me.lho-.es.cu.ro) [vərmɐ(j)ʎuʃ'kuru] *n.m.* ⟨*pl.* vermelhos-escuros⟩ tom escuro de vermelho

vernáculo (ver.ná.cu.lo) [vər'nakulu] *n.m.* língua própria de um país ou de uma região; idioma nacional ▪ *adj.* **1** próprio do país a que pertence; nacional **2** (língua) que conserva a pureza original; genuíno, sem estrangeirismos

verniz (ver.niz) [vər'niʃ] *n.m.* **1** substância própria para polir móveis **2** produto que se aplica sobre as unhas para lhes dar brilho ou cor ◆ **estalar o verniz** perder as maneiras ou a compostura

verosímil (ve.ro.sí.mil) [vəru'zimił] *adj.2g.* **1** que parece ser verdadeiro; provável **2** em que se pode acreditar; credível

verosimilhança (ve.ro.si.mi.lhan.ça) [vəruzimi'ʎɐ̃sɐ] *n.f.* qualidade do que é verosímil

verruga (ver.ru.ga) [və'ʀugɐ] *n.f.* saliência dura que aparece na pele (sobretudo no rosto e nas mãos)

versado (ver.sa.do) [vər'sadu] *adj.* **1** tratado; discutido (assunto, problema) **2** conhecedor; perito (pessoa)

versão (ver.são) [vər'sɐ̃w̃] *n.f.* **1** modo de contar um facto ou uma história; interpretação **2** tradução de um texto de uma língua para outra **3** cada uma das alterações de um texto, de um filme ou de um programa em relação ao original

versar (ver.sar) [vər'sar] *v.* ⟨**+sobre**⟩ tratar de (assunto, tema): *A conversa versou (sobre) o polémico referendo.*

versátil (ver.sá.til) [vər'satił] *adj.2g.* **1** que se adapta facilmente a novas situações; flexível **2** que muda muito (de opinião, de humor, etc.); instável

versatilidade (ver.sa.ti.li.da.de) [vərsɐtili'dad(ə)] *n.f.* **1** flexibilidade **2** instabilidade

versejar (ver.se.jar) [vərsə'ʒar] *v.* compor versos

versículo (ver.sí.cu.lo) [vər'sikulu] *n.m.* **1** cada uma das divisões de um capítulo da Bíblia **2** pequeno verso tirado das Escrituras

versificação (ver.si.fi.ca.ção) [vərsifikɐ'sɐ̃w̃] *n.f.* arte de compor versos

versificar (ver.si.fi.car) [vərsifi'kar] *v.* **1** pôr em verso **2** compor versos

verso (ver.so) ['vɛrsu] *n.m.* **1** cada uma das linhas de um texto poético **2** parte de trás de qualquer objeto; reverso

versus ['vɛrsuʃ] *prep.* contra (abreviatura: vs.): *escolas públicas versus escolas privadas*

vértebra (vér.te.bra) ['vɛrtəbrɐ] *n.f.* cada um dos ossos que formam a coluna vertebral

vertebrado (ver.te.bra.do) [vərtə'bradu] *adj.* que possui vértebras ▪ *n.m.* animal que possui coluna vertebral

vertebral (ver.te.bral) [vərtə'brał] *adj.2g.* **1** relativo às vértebras **2** que é composto por vértebras

vertente (ver.ten.te) [vər'tẽt(ə)] *n.f.* **1** declive de uma montanha; encosta **2** ponto de vista; perspetiva

verter (ver.ter) [vər'ter] *v.* **1** entornar (um líquido): *verter água numa tigela* **2** ⟨**+para**⟩ traduzir (um texto)

vertical (ver.ti.cal) [vərti'kał] *adj.2g.* **1** perpendicular ao plano horizontal **2** colocado de pé ▪ *n.f.* linha que forma um ângulo reto com uma superfície plana (horizontal)

verticalidade (ver.ti.ca.li.da.de) [vərtikɐli'dad(ə)] *n.f.* **1** posição vertical **2** *fig.* carácter honesto; integridade

vértice (vér.ti.ce) ['vɛrti(sə)] *n.m.* ponto onde se encontram duas linhas de um ângulo

vertigem (ver.ti.gem) [vər'tiʒɐ̃j̃] *n.f.* sensação de falta de equilíbrio: *ter vertigens; causar vertigens* SIN. tontura

vertiginoso (ver.ti.gi.no.so) [vərtiʒi'nozu] *adj.* **1** que causa vertigem **2** *fig.* que é muito intenso e rápido

very-light [vɛri'lajt] *n.m.* ⟨*pl.* very-lights⟩ foguete luminoso e colorido disparado de uma pistola e utilizado como sinal

vesgo (ves.go) ['veʒgu] *adj. coloq.* que sofre de estrabismo; estrábico

vesícula (ve.sí.cu.la) [və'zikulɐ] *n.f.* pequeno saco, semelhante à bexiga, onde se acumula a bílis

vespa (ves.pa) ['veʃpɐ] *n.f.* 👁 inseto semelhante à abelha, com um ferrão na extremidade posterior do abdómen

véspera (vés.pe.ra) ['vɛʃpərɐ] *n.f.* dia imediatamente anterior a outro: *véspera de Natal*; **de véspera** no dia anterior

veste (ves.te) ['vɛʃt(ə)] *n.f.* vestuário; roupa

vestiário (ves.ti:á.ri:o) [vəʃ'tjarju] *n.m.* lugar onde as pessoas se vestem ou onde guardam a roupa

vestibular (ves.ti.bu.lar) [vəʃtibu'lar] *n.m.* [BRAS.] exame que permite o ingresso nos cursos superiores

vestíbulo (ves.tí.bu.lo) [vəʃ'tibulu] *n.m.* **1** pátio de entrada; átrio **2** cavidade do labirinto ósseo do ouvido interno

vestido (ves.ti.do) [vəʃ'tidu] *adj.* coberto com roupa ■ *n.m.* peça de vestuário feminino, que cobre o tronco e as pernas

vestígio (ves.tí.gi:o) [vəʃ'tiʒju] *n.m.* **1** pegada; pisada **2** *fig.* indício; sinal

vestir (ves.tir) [vəʃ'tir] *v.* cobrir com roupa: *Vesti o casaco. Já vestiste o bebé?* ■ **vestir-se 1** usar (roupa): *Vestia uma saia azul. Que tamanho vestes?* **2** ⟨**+de**⟩ fantasiar-se; mascarar-se: *Vestiu o filho de pirata.*

vestuário (ves.tu:á.ri:o) [vəʃ'twarju] *n.m.* conjunto de peças para vestir

vetar (ve.tar) [vɛ'tar] *v.* **1** impedir através do veto **2** não autorizar

veterano (ve.te.ra.no) [vətə'rɐnu] *n.m.* **1** pessoa que serviu muitos anos como militar **2** *fig.* pessoa que exerceu durante muito tempo um dado serviço ou tem muita prática de determinada atividade **3** *gír.* estudante universitário que ultrapassou o número de anos estabelecido para o seu curso completo

veterinária (ve.te.ri.ná.ri:a) [vətəri'narjɐ] *n.f.* **1** especialidade médica que se dedica ao diagnóstico e tratamento das doenças dos animais; medicina veterinária **2** médica que trata animais

veterinário (ve.te.ri.ná.ri:o) [vətəri'narju] *n.m.* médico que trata animais

veto (ve.to) ['vɛtu] *n.m.* proibição; impedimento

vetor (ve.tor)AO [vɛ'tor] *n.m.* segmento de reta orientado

vetorial (ve.to.ri:al)AO [vɛtu'rjaɫ] *adj.2g.* relativo a vetor

véu (véu) ['vɛw] *n.m.* **1** tecido geralmente fino com que se cobre o rosto ou a cabeça **2** *fig.* tudo o que serve para encobrir ou esconder ♦ **tirar o véu a** desvendar; descobrir; **véu palatino** órgão membranoso, móvel, situado atrás da abóbada palatina

vexame (ve.xa.me) [vɛ'ʃɐm(ə)] *n.m.* **1** vergonha **2** humilhação

vexar (ve.xar) [vɛ'ʃar] *v.* envergonhar; humilhar

vez (vez) ['veʃ] *n.f.* **1** momento em que se faz alguma coisa; ocasião; oportunidade **2** momento em que uma pessoa deve fazer algo; turno **3** posição de uma pessoa numa fila ou numa sequência ■ **vezes** *n.f.pl.* sinal da multiplicação, representado pelo x ♦ **às vezes** em algumas ocasiões; **de vez** para sempre **SIN.** definitivamente; **de vez em quando** algumas vezes, mas não muitas; **em vez de** em lugar de **SIN.** em substituição de; **fazer as vezes de** desempenhar as funções de outra pessoa na sua ausência **SIN.** substituir; **por vezes** em algumas ocasiões; **tirar a vez** ocupar o lugar que era destinado a alguém; **uma vez que** dado que; visto que

---

Não confundir **vez** (ocasião) com **vês** (forma do verbo *ver*): *Deixa lá, fica para a próxima vez. Vês como tinha razão?*

VHF [veaga'ɛf] frequência muito alta **OBS.** Sigla de *very high frequency*

VHS [veaga'ɛs] sistema de leitura e gravação de programas de vídeo **OBS.** Sigla de *video home system*

via (vi.a) ['viɐ] *n.f.* **1** caminho que leva de um lugar a outro **SIN.** estrada **2** *fig.* meio para obter uma coisa ou alcançar um resultado; método: *Resolvemos o assunto pela via diplomática.* **3** cópia válida de uma carta ou de um documento: *Pedi uma segunda via da carta de condução.* ■ *prep.* através de; por: *transmissão do jogo via satélite* ♦ **chegar a vias de facto** agredir fisicamente; andar à pancada; **em vias de desenvolvimento** que ainda não atingiu o nível de progresso (económico e social) dos países considerados desenvolvidos, mas que já não é considerado subdesenvolvido; **em vias de extinção** que está (quase) a desaparecer; **estar em vias de** estar quase a; estar prestes a; **por via das dúvidas** para evitar enganos; à cautela; **Via Láctea** conjunto de estrelas de que fazem parte o Sol e o sistema solar, que é visível à noite, quando o céu está limpo, em forma de mancha esbranquiçada e comprida; **via pública** qualquer rua, avenida ou outro espaço onde as pessoas circulam; **via rápida** estrada larga com acessos condicionados e, geralmente, sem cruzamentos; **vias respiratórias** conjunto de órgãos do aparelho respiratório que conduzem o ar até aos pulmões

viabilidade (vi:a.bi.li.da.de) [vjɐbili'dad(ə)] *n.f.* capacidade de realização de alguma coisa

viabilizar (vi:a.bi.li.zar) [vjɐbili'zar] *v.* tornar possível ou realizável; possibilitar

viação (vi:a.ção) [vjɐ'sɐ̃w̃] *n.f.* **1** meio de transporte **2** conjunto das ruas ou estradas de uma região ou de um país

viaduto (vi:a.du.to) [vjɐ'dutu] *n.m.* ponte sobre um vale ou uma estrada para trânsito de comboios ou de automóveis

via-férrea (vi.a-.fér.re:a) [viɐ'fɛʀjɐ] *n.f.* ⟨*pl.* vias-férreas⟩ caminho de ferro

viagem (vi:a.gem) ['vjaʒɐ̃j̃] *n.f.* deslocação (de alguém) de um lugar para outro utilizando um meio de transporte (avião, barco, comboio, etc.)

Note-se que **viagem** se escreve com **g**, mas **viajar** escreve-se com **j**.

---

viajado (vi:a.ja.do) [vjɐ'ʒadu] *adj.* que fez muitas viagens

viajante (vi:a.jan.te) [vjɐ'ʒɐ̃t(ə)] *adj.,n.2g.* que ou pessoa que viaja

viajar (vi:a.jar) [vjɐ'ʒar] *v.* **1** fazer uma viagem **2** percorrer (um lugar, um país) em viagem; visitar

via-sacra (vi.a-.sa.cra) [viɐ'sakrɐ] *n.f.* ⟨*pl.* vias-sacras⟩ oração geralmente feita diante de pequenas cruzes ou quadros que representam cenas da Paixão de Cristo

viatura (vi:a.tu.ra) [vjɐ'turɐ] *n.f.* qualquer veículo para transporte de pessoas ou coisas

viável (vi:á.vel) ['vjavɛɫ] *adj.2g.* que pode ser realizado; concretizável

víbora (ví.bo.ra) ['viburɐ] *n.f.* serpente muito venenosa

víbora-de-chifre (ví.bo.ra-.de-.chi.fre) [viburɐ də'ʃifr(ə)] *n.f.* ⟨*pl.* víboras-de-chifre⟩ víbora africana que tem sobre os olhos duas saliências parecidas com chifres

vibração (vi.bra.ção) [vibrɐ'sɐ̃w̃] *n.f.* **1** balanço; oscilação **2** trepidação; tremor

vibrador (vi.bra.dor) [vibrɐ'dor] *n.m.* aparelho que produz ou transmite vibrações

vibrante (vi.bran.te) [vi'brɐ̃t(ə)] *adj.2g.* **1** que vibra; vibratório **2** diz-se do som intenso; forte **3** *fig.* alegre; entusiástico

vibrar (vi.brar) [vi'brar] *v.* **1** entrar em vibração: *O edifício vibrava com a música.* **2** produzir vibração em: *A estrada de buracos vibrava o carro.* **3** ⟨**+com**, **+de**⟩ sentir forte interesse ou felicidade: *Ela vibrava de felicidade.*

vibratório (vi.bra.tó.ri:o) [vibrɐ'tɔrju] *adj.* que vibra

vice-almirante (vi.ce-.al.mi.ran.te) [visaɫmi'rɐ̃t(ə)] *n.2g.* ⟨*pl.* vice-almirantes⟩ oficial general da marinha de patente inferior à de almirante

vice-campeão (vi.ce-.cam.pe:ão) [visɐ̃kɐ̃'pjɐ̃w̃] *n.m.* ⟨*f.* vice-campeã, *pl.* vice-campeões⟩ pessoa ou clube que ficou em segundo lugar num campeonato

vice-cônsul (vi.ce-.côn.sul) [visə'kõsuɫ] *n.m.* ⟨*f.* vice-consulesa, *pl.* vice-cônsules⟩ pessoa que substitui o cônsul nas suas ausências

vicentino (vi.cen.ti.no) [visẽ'tinu] *adj.* relativo ao escritor português Gil Vicente (1465-1536)

Considerado o «pai do teatro português», **Gil Vicente** foi o principal representante da literatura renascentista portuguesa. Entre as suas obras destacam-se «Auto da Índia» (1509), «Auto da Barca do Inferno» (1517) ou «Farsa de Inês Pereira» (1527).

vice-presidente (vi.ce-.pre.si.den.te) [visəprəzi'dẽt(ə)] *n.2g.* ⟨*pl.* vice-presidentes⟩ pessoa que desempenha as funções de presidente, quando este está ausente

vice-primeiro-ministro (vi.ce-.pri.mei.ro-.mi.nis.tro) [visəprimɐjrumi'niʃtru] *n.m.* ⟨*pl.* vice-primeiros-ministros⟩ ministro que substitui o primeiro-ministro, na sua ausência

vice-rei (vi.ce-.rei) [visə'ʀɐj] *n.m.* ⟨*f.* vice-rainha, *pl.* vice-reis⟩ representante do rei numa província de um reino, ou num território subordinado a um reino

vice-reitor (vi.ce-.rei.tor) [visəʀɐj'tor] *n.m.* ⟨*pl.* vice-reitores⟩ pessoa que substitui o reitor na sua ausência

vice-versa (vi.ce-.ver.sa) [visə'vɛrsɐ] *adv.* **1** em sentido contrário **2** mutuamente; reciprocamente

viciado (vi.ci:a.do) [vi'sjadu] *adj.,n.m.* dependente de um vício

viciante (vi.ci:an.te) [vi'sjɐ̃t(ə)] *adj.2g.* que cria vício

viciar (vi.ci:ar) [vi'sjar] *v.* **1** ⟨**+em**⟩ tornar dependente: *O tabaco viciou-o.* **2** falsificar: *viciar documentos* ■ **viciar-se 1** ⟨**+em**⟩ tornar-se dependente de: *Viciou-se na droga.* **2** corromper-se; depravar-se

vício (ví.ci:o) ['visju] *n.m.* **1** aquilo que se faz muitas vezes; costume **2** hábito de tomar determinada substância (droga, medicamento, álcool), que é prejudicial à saúde e do qual é muito difícil uma pessoa libertar-se **3** erro (sobretudo de linguagem)

viçoso (vi.ço.so) [vi'sozu] *adj.* **1** coberto de verdura **2** *fig.* forte; vigoroso

vida (vi.da) ['vidɐ] *n.f.* **1** estado de atividade dos animais e das plantas; existência **ANT.** morte **2** tempo que decorre desde o nascimento até à morte **3** modo de viver **4** *fig.* vitalidade ◆ **andar na má vida** prostituir-se; **dar a vida por** sacrificar-se por; **entre a vida e a morte** em risco iminente de morrer; **ganhar a vida** exercer uma atividade profissional para conseguir obter meios de subsistência; **meter-se na vida de** intrometer-se nos assuntos pessoais de; **pôr fim/termo à vida** suicidar-se; **vida de cão** vida cheia de trabalhos ou dificuldades

vide ['vid(ə)] *n.f.* ⇒ **videira**

videira (vi.dei.ra) [vi'dɐjrɐ] *n.f.* arbusto de troncos retorcidos que produz as uvas **SIN.** vide; vinha

vidente (vi.den.te) [vi'dẽt(ə)] *n.2g.* **1** pessoa a quem se atribui o conhecimento, por meios sobrenaturais, das coisas divinas **2** pessoa que prevê acontecimentos

vídeo (ví.de:o) ['vidju] *n.m.* **1** sistema de gravação de imagens e sons que se podem reproduzir num ecrã **2** aparelho que permite gravar ou reproduzir imagens e sons **3** filme gravado por esse processo

videoamador (vi.de:o.a.ma.dor) [vidjɔɐmɐ'dor] *n.m.* pessoa que filma videocassetes como passatempo, mas que não é profissional

videocassete **(vi.de:o.cas.se.te)** [vidjɔka'sɛt(ə)] *n.f.* pequena caixa que contém fita magnética na qual se registam imagens e sons que se podem reproduzir num aparelho de vídeo ligado a um televisor

videochamada **(vi.de:o.cha.ma.da)** [vidjɔ ʃɐ'madɐ] *n.f.* comunicação telefónica com imagem e som em simultâneo

videoclipe **(vi.de:o.cli.pe)** [vidjɔ'klip(ə)] *n.m.* filme de vídeo de curta duração destinado a apresentar ou promover uma canção, um músico ou um grupo musical; teledisco

videoclube **(vi.de:o.clu.be)** [vidjɔ'klub(ə)] *n.m.* estabelecimento onde se alugam ou compram filmes gravados em DVD ou em videocassetes

videoconferência **(vi.de:o.con.fe.rên.ci:a)** [vid jɔkõfə'rẽsjɐ] *n.f.* debate transmitido em direto, usando equipamento de vídeo

videogame [vidjɔ'gɐjm] *n.m.* ⇒ **videojogo**

videogravador **(vi.de:o.gra.va.dor)** [vidjɔgrɐ vɐ'dor] *n.m.* aparelho que capta mensagens audiovisuais, faz gravações em videocassetes e reproduz o que está gravado nessas cassetes

videojogo **(vi.de:o.jo.go)** [vidjɔ'ʒogu] *n.m.* jogo em que se manipulam imagens num ecrã, numa consola ou numa televisão

videoporteiro **(vi.de:o.por.tei.ro)** [vidjɔpur'tɐjru] *n.m.* dispositivo eletrónico que permite ver e falar do interior de um edifício com a pessoa se encontra à porta

videoteca **(vi.de:o.te.ca)** [vidjɔ'tɛkɐ] *n.f.* **1** coleção de filmes gravados em vídeo **2** local onde se podem ver ou alugar obras gravadas em vídeo

videotexto **(vi.de:o.tex.to)** [vidjɔ'tɐjʃtu] *n.m.* sistema que permite ver informações diversas num ecrã de televisão

videovigilância **(vi.de:o.vi.gi.lân.ci:a)** [vidjɔvi ʒi'lɐ̃sjɐ] *n.f.* vigilância feita com recurso a sistemas de vídeo (câmaras de filmar, sistemas de deteção automática de movimento, etc.)

vidraça **(vi.dra.ça)** [vi'drasɐ] *n.f.* **1** lâmina de vidro **2** caixilho com vidros

vidraceiro **(vi.dra.cei.ro)** [vidrɐ'sɐjru] *n.m.* fabricante ou vendedor de vidros

vidrado **(vi.dra.do)** [vi'dradu] *adj.* **1** diz-se da louça revestida de uma substância brilhante **2** diz-se dos olhos sem brilho **3** *fig.* diz-se da pessoa encantada com algo ou com alguém; apaixonado

vidrão **(vi.drão)** [vi'drɐ̃w̃] *n.m.* recipiente onde é colocado o vidro para ser reciclado

vidraria **(vi.dra.ri.a)** [vidrɐ'riɐ] *n.f.* **1** fábrica de vidro **2** loja onde se vendem vidros

vidro **(vi.dro)** ['vidru] *n.m.* **1** substância sólida, transparente e frágil **2** lâmina que se coloca num caixilho, em janelas e portas

vieira **(vi.ei.ra)** ['vjɐjrɐ] *n.f.* 👁 molusco marinho bivalve

viela **(vi:e.la)** ['vjɛlɐ] *n.f.* rua estreita

viés **(vi:és)** ['vjɛʃ] *elem. da loc.* **de viés** na diagonal

vietnamita **(vi:et.na.mi.ta)** [vjɛtnɐ'mitɐ] *adj.2g.* relativo ao Vietname ■ *n.2g.* pessoa natural do Vietname

viga **(vi.ga)** ['vigɐ] *n.f.* elemento estrutural de betão armado, aço ou madeira, que suporta a maior parte das cargas de uma construção

vigarice **(vi.ga.ri.ce)** [vigɐ'ri(sə)] *n.f.* burla; fraude

vigário **(vi.gá.ri:o)** [vi'garju] *n.m.* *coloq.* padre; sacerdote ◆ *coloq.* **conto do vigário** aquilo que se diz ou se faz para enganar alguém **SIN.** burla; **ensinar o Pai-Nosso ao vigário** pretender ensinar a uma pessoa aquilo que ela já sabe

vigarista **(vi.ga.ris.ta)** [vigɐ'riʃtɐ] *n.2g.* pessoa que engana outra(s) através de meios fraudulentos **SIN.** burlão; trapaceiro

vigarizar **(vi.ga.ri.zar)** [vigɐri'zar] *v.* enganar; burlar

vigência **(vi.gên.ci:a)** [vi'ʒẽsjɐ] *n.f.* tempo durante o qual uma coisa vigora; duração

vigente **(vi.gen.te)** [vi'ʒẽt(ə)] *adj.2g.* que está em vigor

vigésimo **(vi.gé.si.mo)** [vi'ʒɛzimu] *num.ord.* que ocupa o lugar número 20 ■ *num.frac.* que resulta da divisão de um todo por 20 ■ *n.m.* uma das dez partes em que se dividiu uma unidade; a vigésima parte

vigia **(vi.gi.a)** [vi'ʒiɐ] *n.f.* **1** pequena janela nos camarotes dos navios **2** vigilância ■ *n.2g.* pessoa que faz vigilância; sentinela; guarda

vigiar **(vi.gi:ar)** [vi'ʒjar] *v.* observar atentamente; espiar

vigilância **(vi.gi.lân.ci:a)** [viʒi'lɐ̃sjɐ] *n.f.* **1** ato de vigiar alguma coisa **2** atenção; cuidado

vigilante **(vi.gi.lan.te)** [viʒi'lɐ̃t(ə)] *adj.2g.* que vigia; atento; cuidadoso ■ *n.2g.* profissional que guarda algo; segurança; guarda

vigília **(vi.gí.li:a)** [vi'ʒiljɐ] *n.f.* **1** condição de quem está acordado **2** celebração que se faz de noite, na véspera de uma festa sagrada

vigor **(vi.gor)** [vi'gor] *n.m.* força; energia ◆ **em vigor** que se encontra em uso; **entrar em vigor** ter início; começar; **pôr em vigor** fazer vigorar; ordenar

vigorar **(vi.go.rar)** [vigu'rar] *v.* ser válido

vigoroso **(vi.go.ro.so)** [vigu'rozu] *adj.* robusto; forte

VIH [veiɐ'ga] *sigla de* Vírus da Imunodeficiência Humana

viking ['vikĩg] *adj.,n 2g.* relativo aos Vikings (antigo povo de navegadores e guerreiros escandinavos) ■ *n.2g.* membro dos Vikings

vil (vil) ['viɫ] *adj.2g.* mesquinho; desprezível

vila (vi.la) ['vilɐ] *n.f.* povoação maior do que uma aldeia e mais pequena do que uma cidade

vilancete (vi.lan.ce.te) [vilɐ̃'set(ə)] *n.m.* composição poética que apresenta um mote (tema da composição) de 2 ou 3 versos, seguido de uma ou várias voltas, e cujos versos são de medida pequena

vilão (vi.lão) [vi'lɐ̃w̃] *adj.* desprezível; vil ■ *n.m.* ⟨*pl.* vilãos, vilães, vilões⟩ **1** homem mau ou desprezível **2** num filme ou numa peça de teatro, personagem que representa a maldade

vimaranense (vi.ma.ra.nen.se) [vimɐrɐ'nẽ(sə)] *adj.2g.* relativo a Guimarães ■ *n.2g.* pessoa natural de Guimarães

vime (vi.me) ['vim(ə)] *n.m.* vara flexível com que se fazem cestos

vinagre (vi.na.gre) [vi'nagr(ə)] *n.m.* produto da fermentação do vinho e de outras substâncias alcoólicas

vinagrete (vi.na.gre.te) [vinɐ'gret(ə)] *n.m.* molho preparado com azeite, vinagre, sal, pimenta e salsa

vincar (vin.car) [vĩ'kar] *v.* fazer vincos em; marcar dobrando

vinco (vin.co) ['vĩku] *n.m.* marca deixada por uma dobra SIN. prega

vincular(-se) (vin.cu.lar(-se)) [vĩku'lar(sə)] *v.* ⟨**+a**⟩ ligar(-se); unir(-se): *Vinculou o João a um contrato.*

vinculativo (vin.cu.la.ti.vo) [vĩkulɐ'tivu] *adj.* que vincula ou serve para vincular

vínculo (vín.cu.lo) ['vĩkulu] *n.m.* **1** laço; nó **2** *fig.* ligação; parentesco

vinda (vin.da) ['vĩdɐ] *n.f.* **1** regresso **2** chegada

vindima (vin.di.ma) [vĩ'dimɐ] *n.f.* **1** apanha das uvas **2** época em que se faz a colheita das uvas

vindimador (vin.di.ma.dor) [vĩdimɐ'dor] *n.m.* aquele que colhe as uvas

vindimar (vin.di.mar) [vĩdi'mar] *v.* apanhar as uvas

vindouro (vin.dou.ro) [vĩ'do(w)ru] *adj.* que há de vir; que há de acontecer SIN. futuro

vingança (vin.gan.ça) [vĩ'gɐ̃sɐ] *n.f.* ato de fazer mal a uma pessoa como resposta a uma maldade que essa pessoa fez antes SIN. desforra; represália

vingar (vin.gar) [vĩ'gar] *v.* **1** fazer alguém pagar por mal ou ofensa que tenha causado: *Ele jurou vingar o irmão.* **2** ter bom êxito: *A loja vingou.* ■ **vingar-se** ⟨**+de**⟩ castigar alguém por uma ofensa anterior: *vingar-se de um insulto* SIN. desforrar-se

vingativo (vin.ga.ti.vo) [vĩgɐ'tivu] *adj.* **1** em que há vingança **2** que tem prazer em vingar-se

vinha (vi.nha) ['viɲɐ] *n.f.* **1** terreno plantado de videiras **2** arbusto de troncos retorcidos que produz as uvas; videira

vinha-d'alhos (vi.nha-.d'a.lhos) [viɲɐ'daʎuʃ] *n.f.* molho para temperar carne antes de a cozinhar

vinheta (vi.nhe.ta) [vi'ɲetɐ] *n.f.* **1** cada um dos quadrados ou retângulos que constituem a sequência da história na banda desenhada **2** pequena gravura ou ornamento que ilustra um texto

vinho (vi.nho) ['viɲu] *n.m.* bebida alcoólica que se obtém do sumo das uvas fermentado

vinícola (vi.ní.co.la) [vi'nikulɐ] *adj.* relativo à produção de vinho

vinicultor (vi.ni.cul.tor) [vinikuɫ'tor] *n.m.* pessoa que se dedica à cultura e à produção do vinho

vinicultura (vi.ni.cul.tu.ra) [vinikuɫ'turɐ] *n.f.* produção de vinho

vinil (vi.nil) [vi'niɫ] *n.m.* composto usado no fabrico de plásticos

vintage ['vĩtɐdʒ(ə)] *n.m.* **1** ano de colheita de um vinho **2** vinho de excelente qualidade, que provém de uma única colheita

vinte (vin.te) ['vĩt(ə)] *num.card.* dez mais dez ■ *n.m.* o número 20 ◆ **dar no vinte** acertar; adivinhar; ganhar

vintena (vin.te.na) [vĩ'tenɐ] *n.f.* conjunto de vinte unidades

viola (vi:o.la) ['vjɔlɐ] *n.f.* instrumento musical de cordas, com caixa de madeira em forma de 8 ◆ *coloq.* **meter a viola no saco** ficar em silêncio (por não ter razão ou argumento); calar-se

violação (vi:o.la.ção) [vjulɐ'sɐ̃w̃] *n.f.* ato de não respeitar uma regra ou uma lei; infração

violador (vi:o.la.dor) [vjulɐ'dor] *n.m.* pessoa que não cumpre uma regra ou uma lei; infrator

violão (vi:o.lão) [vju'lɐ̃w̃] *n.m.* viola grande

violar (vi:o.lar) [vju'lar] *v.* **1** não respeitar uma lei ou uma regra **2** ter relação sexual com uma pessoa contra a sua vontade

violeiro (vi:o.lei.ro) [vju'lɐjru] *n.m.* fabricante ou vendedor de violas

violência (vi:o.lên.ci:a) [vju'lẽsjɐ] *n.f.* **1** utilização da força física para magoar alguém; brutalidade **2** intensidade de alguma coisa; força

violentar (vi:o.len.tar) [vjulẽ'tar] *v.* exercer violência sobre; forçar ■ **violentar-se** fazer algo contra a própria vontade; obrigar-se a

violentíssimo (vi:o.len.tís.si.mo) [vjulẽ'tisimu] ⟨*superl. de* violento⟩ *adj.* muito violento

violento (vi:o.len.to) [vju'lẽtu] *adj.* 1 que usa força física para conseguir algo; brutal 2 forte; intenso 3 agitado; tumultuoso

violeta (vi:o.le.ta) [vju'letɐ] *n.f.* planta que dá flores arroxeadas e muito perfumadas ▪ *n.m.* cor da ametista (pedra preciosa) ou da flor chamada violeta

violinista (vi:o.li.nis.ta) [vjuli'niʃtɐ] *n.2g.* pessoa que toca violino

violino (vi:o.li.no) [vju'linu] *n.m.* 👁 instrumento musical de cordas, que se toca com um arco

violista (vi:o.lis.ta) [vjɔ'liʃtɐ] *n.2g.* pessoa que toca viola

violoncelista (vi:o.lon.ce.lis.ta) [vjulõsə'liʃtɐ] *n.2g.* pessoa que toca violoncelo

violoncelo (vi:o.lon.ce.lo) [vjulõ'sɛlu] *n.m.* 👁 instrumento musical de cordas, maior que o violino

violonista (vi:o.lo.nis.ta) [vjulu'niʃtɐ] *n.2g.* pessoa que toca violão

VIP ['vip] pessoa muito importante OBS. Sigla de *Very Important Person*

vir (vir) ['vir] *v.* 1 chegar; aparecer 2 regressar; voltar ♦ **vir à baila** surgir (um assunto, um nome) numa conversa; **vir ao mundo** nascer; **vir a tempo** chegar no momento oportuno

vira-casaca (vi.ra-.ca.sa.ca) [virɐkɐ'zakɐ] *n.2g.* ⟨*pl.* vira-casacas⟩ pessoa que muda frequentemente de opinião

virado (vi.ra.do) [vi'radu] *adj.* 1 dobrado 2 dirigido 3 remexido

viragem (vi.ra.gem) [vi'raʒẽj] *n.f.* 1 mudança de rumo 2 passagem de um estado para outro; transição

viral (vi.ral) [vi'raɫ] *adj.2g.* relativo a vírus

vira-lata (vi.ra-.la.ta) [virɐ'latɐ] *n.2g.* ⟨*pl.* vira-latas⟩ 1 *coloq.* cão ou cadela sem raça definida; rafeiro 2 *coloq.* qualquer animal doméstico sem raça definida

virar (vi.rar) [vi'rar] *v.* 1 mudar de direção: *virar à esquerda/à direita* 2 inverter; voltar: *virou a cabeça* 3 pôr do avesso: *virar uma camisola* 4 entornar: *virar a água sobre a mesa* 5 *fig.* fazer mudar de opinião, de partido, etc.: *Conversou com ele e virou-o completamente.* ▪ **virar-se** ⟨**+para**⟩ voltar-se: *virar-se para o lado*

vira-vento (vi.ra-.ven.to) [virɐ'vẽtu] *n.m.* ⟨*pl.* vira-ventos⟩ ⇒ **ventoinha**

viravolta (vi.ra.vol.ta) [virɐ'vɔɫtɐ] *n.f.* 1 cambalhota 2 contratempo

virgem (vir.gem) ['virʒẽj] *adj.* 1 diz-se da pessoa que não teve relações sexuais 2 diz-se da terra ainda não cultivada ▪ **Virgem** *n.f.* 1 mãe de Jesus Cristo; Virgem Maria 2 sexto signo do Zodíaco (23 de agosto a 22 de setembro)

virgindade (vir.gin.da.de) [virʒĩ'dad(ə)] *n.f.* qualidade ou estado de virgem

vírgula (vír.gu.la) ['virgulɐ] *n.f.* sinal de pontuação , que indica uma pausa, uma enumeração, ou que serve para ligar elementos de uma frase

vírico (ví.ri.co) ['viriku] *adj.* relativo a vírus

viril (vi.ril) [vi'riɫ] *adj.2g.* 1 relativo a homem 2 que tem características consideradas próprias do homem 3 corajoso; forte

virilha (vi.ri.lha) [vi'riʎɐ] *n.f.* região situada no ângulo superior da coxa

virilidade (vi.ri.li.da.de) [virili'dad(ə)] *n.f.* 1 aparência masculina 2 energia; vigor

virose (vi.ro.se) [vi'rɔz(ə)] *n.f.* qualquer doença causada por um vírus

virote (vi.ro.te) [vi'rɔt(ə)] *n.m.* 1 seta curta, forte e grossa 2 *coloq.* grande atividade; azáfama ♦ *coloq.*

andar num virote andar muito atarefado ou muito apressado

virtual (vir.tu:al) [vir'twał] *adj.2g.* **1** que se pode realizar; possível **2** que é simulado por computador

virtualidade (vir.tu:a.li.da.de) [virtwɐli'dad(ə)] *n.f.* qualidade do que é virtual; possibilidade de (algo) acontecer

virtude (vir.tu.de) [vir'tud(ə)] *n.f.* **1** qualidade muito boa de uma pessoa **2** disposição para fazer boas ações; retidão ◆ **em virtude de** por causa de; em consequência de

virtuosismo (vir.tu:o.sis.mo) [virtwu'ziʒmu] *n.m.* qualidade daquele que tem grande talento de execução, em particular no domínio das belas-artes, sobretudo na música

virtuoso (vir.tu:o.so) [vir'twozu] *adj.* **1** honesto **2** talentoso

vírus (ví.rus) ['viruʃ] *n.m.2n.* **1** agente infecioso de muitas doenças **2** programa que pode danificar alguns ficheiros do computador e que é capaz de se reproduzir

visado (vi.sa.do) [vi'zadu] *adj.* (cheque, documento) submetido a visto ■ *n.m.,adj.* (indivíduo) que é mencionado por alguma razão

visão (vi.são) [vi'zɐ̃w̃] *n.f.* **1** faculdade de ver **2** modo de julgar **3** ilusão

visar (vi.sar) [vi'zar] *v.* **1** ter como objetivo **2** referir-se a **3** apontar a arma a

víscera (vís.ce.ra) ['viʃsərɐ] *n.f.* qualquer órgão desenvolvido que está alojado no tórax e no abdómen

visceral (vis.ce.ral) [viʃsə'rał] *adj.2g.* relativo a víscera

visconde (vis.con.de) [viʃ'kõd(ə)] *n.m.* ⟨*f.* viscondessa⟩ título de nobreza imediatamente inferior ao de conde e superior ao de barão

viscose (vis.co.se) [viʃ'kɔz(ə)] *n.f.* substância utilizada no fabrico de sedas artificiais e películas fotográficas e de cinema

viscosidade (vis.co.si.da.de) [viʃkuzi'dad(ə)] *n.f.* **1** característica do que é viscoso **2** propriedade dos fluidos de oferecerem resistência ao escoamento (nos líquidos diminui quando a temperatura aumenta, nos gases aumenta com o aumento da temperatura)

viscoso (vis.co.so) [viʃ'kozu] *adj.* pegajoso

viseense (vi.se:en.se) [vi'zjẽ(sə)] *adj.2g.* natural de Viseu ■ *n.2g.* pessoa natural de Viseu

viseira (vi.sei.ra) [vi'zɐjrɐ] *n.f.* pala de boné ou de capacete

visibilidade (vi.si.bi.li.da.de) [vizibili'dad(ə)] *n.f.* qualidade ou estado do que é visível

visigodo (vi.si.go.do) [vizi'godu] *n.m.* membro do antigo povo germânico que invadiu a Península Ibérica a partir do século IV

visionário (vi.si:o.ná.ri:o) [vizju'narju] *n.m.* **1** pessoa que julga ver coisas fantásticas **2** pessoa que acredita em ideais; sonhador

visita (vi.si.ta) [vi'zitɐ] *n.f.* **1** ato ou efeito de visitar algo ou alguém **2** pessoa que visita outra pessoa ou um lugar ◆ **de visita** de passagem

visitante (vi.si.tan.te) [vizi'tɐ̃t(ə)] *n.2g.* pessoa que visita um lugar ou outra(s) pessoa(s)

visitar (vi.si.tar) [vizi'tar] *v.* **1** ir a casa de uma pessoa para passar algum tempo com ela **2** ir a um lugar (cidade, país, museu) para o conhecer

visível (vi.sí.vel) [vi'zivɛł] *adj.2g.* que pode ser visto **SIN.** evidente; patente

visivelmente (vi.si.vel.men.te) [vizivɛł'mẽt(ə)] *adv.* de modo visível **SIN.** claramente

vislumbrar (vis.lum.brar) [viʒlũ'brar] *v.* **1** ver ao longe, de forma pouco clara; entrever **2** ter uma ideia vaga sobre; conjeturar **3** aparecer gradualmente; despontar

vison [vi'zõ] *n.m.* **1** mamífero carnívoro, parecido com a lontra, de pele pardacenta, macia e luzidia **2** pele desse mamífero **3** peça de vestuário feita com a pele desse mamífero

visor (vi.sor) [vi'zor] *n.m.* **1** dispositivo através do qual se pode verificar o enquadramento do objeto que se pretende fotografar ou filmar **2** monitor de computador; ecrã

vista (vis.ta) ['viʃtɐ] *n.f.* **1** ato ou efeito de ver; visão **2** aquilo que se vê; panorama **3** *coloq.* órgãos da visão; olhos ◆ **a perder de vista** a grande distância; **dar nas vistas** chamar a atenção; **fazer vista grossa** fingir que não vê; **ponto de vista** modo de ver ou julgar um assunto **SIN.** perspetiva

visto (vis.to) ['viʃtu] *adj.* **1** percebido pela visão: *Passaram sem ser vistos.* **2** considerado: *ser bem visto* ■ *n.m.* declaração de uma autoridade que examinou um documento ■ *prep.* por causa de ◆ **pelos vistos** a julgar por aquilo que se sabe; ao que parece; **visto que** dado que; uma vez que: *Visto que é feriado, as lojas estão fechadas.*

vistoria (vis.to.ri.a) [viʃtu'riɐ] *n.f.* revista; inspeção

vistoriar (vis.to.ri:ar) [viʃtu'rjar] *v.* revistar; inspecionar

vistoso (vis.to.so) [viʃ'tozu] *adj.* **1** que se vê bem **2** que dá nas vistas

visual (vi.su:al) [vi'zwał] *adj.2g.* **1** relativo a vista ou a visão **2** obtido através da visão **3** que é efeito através de imagens

visualização (vi.su:a.li.za.ção) [vizwɐlizɐ'sɐ̃w̃] *n.f.* **1** capacidade de formar imagens visuais de coisas que não estão presentes **2** aquilo que é visível no monitor

visualizar (vi.su:a.li.zar) [vizwɐli'zar] *v.* **1** converter (uma ideia, um projeto) em imagem **2** fazer surgir num ecrã de certos dispositivos eletrónicos

vital (vi.tal) [vi'taɫ] *adj.2g.* **1** relativo à vida **2** *fig.* essencial; fundamental

vitalício (vi.ta.lí.ci:o) [vitɐ'lisju] *adj.* que dura toda a vida

vitalidade (vi.ta.li.da.de) [vitɐli'dad(ə)] *n.f.* força física ou mental; energia

vitamina (vi.ta.mi.na) [vitɐ'minɐ] *n.f.* substância, fornecida por alimentos frescos ou por medicamentos, indispensável ao equilíbrio fisiológico do indivíduo

vitamínico (vi.ta.mí.ni.co) [vitɐ'miniku] *adj.* relativo a vitaminas

vitela (vi.te.la) [vi'tɛlɐ] *n.f.* cria da vaca

vitelo (vi.te.lo) [vi'telu] *n.m.* novilho; bezerro

viticultor (vi.ti.cul.tor) [vitikuɫ'tor] *n.m.* pessoa que cultiva vinhas

vítima (ví.ti.ma) ['vitimɐ] *n.f.* **1** pessoa que sofreu um acidente, um ataque ou uma doença **2** criatura que foi oferecida em sacrifício a uma divindade **3** pessoa que sofre uma situação de agressividade ou discriminação

vitimar (vi.ti.mar) [viti'mar] *v.* **1** causar dano a **2** causar a morte de **3** tornar-se vítima; sacrificar-se

vitória (vi.tó.ri:a) [vi'tɔrjɐ] *n.f.* triunfo; sucesso ♦ **cantar vitória** vangloriar-se de um sucesso que desejava alcançar

vitorioso (vi.to.ri:o.so) [vitu'rjozu] *adj.* que alcançou uma vitória **SIN.** vencedor

vitral (vi.tral) [vi'traɫ] *n.m.* vidraça formada de pedaços de vidro coloridos que formam desenhos

vitrina (vi.tri.na) [vi'trinɐ] *n.f.* armário ou local onde se expõem os artigos para venda **SIN.** montra; mostruário

vitrine (vi.tri.ne) [vi'trin(ə)] *n.f.* **1** montra envidraçada onde se expõem objetos para venda **2** armário ou qualquer móvel envidraçado onde se expõem ou resguardam objetos

vitrocerâmica (vi.tro.ce.râ.mi.ca) [vitrɔsə'rɐmikɐ] *n.f.* matéria cerâmica que possui grande resistência e é utilizada para revestimentos e em aplicações industriais

viúva (vi:ú.va) ['vjuvɐ] *n.f.* mulher a quem morreu o marido

viuvez (vi:u.vez) [vju'veʃ] *n.f.* estado da pessoa a quem morreu o marido ou a esposa

viúvo (vi:ú.vo) ['vjuvu] *n.m.* homem a quem morreu a esposa

viva (vi.va) ['vivɐ] *n.m.* **1** expressão com que saúda ou se deseja felicidade a alguém **2** grito de aplauso ou de vitória ♦ **viva!** usa-se para exprimir aprovação, entusiasmo e alegria, ou quando alguém espirra

vivacidade (vi.va.ci.da.de) [vivɐsi'dad(ə)] *n.f.* **1** energia; entusiasmo **2** esperteza; perspicácia

vivaço (vi.va.ço) [vi'vasu] *adj. coloq.* que é muito esperto

vivalma (vi.val.ma) [vi'vaɫmɐ] *n.f.* alguma pessoa; alguém ♦ **nem vivalma** ninguém

vivaz (vi.vaz) [vi'vaʃ] *adj.2g.* diz-se da planta cujos órgãos subterrâneos vivem durante vários anos, sendo a parte aérea renovada todos os anos

viveiro (vi.vei.ro) [vi'vɐjru] *n.m.* recinto próprio para a criação e reprodução de animais e plantas

vivência (vi.vên.ci:a) [vi'vẽsjɐ] *n.f.* **1** modo como alguém vive **2** aquilo que se viveu; experiência

vivenda (vi.ven.da) [vi'vẽdɐ] *n.f.* casa; moradia

viver (vi.ver) [vi'ver] *v.* **1** ter vida; existir: *enquanto eu viver; viver até à idade de...* **2** ⟨**+em**, **+com**⟩ morar; residir: *viver em Londres; viver com os pais* **3** experimentar; vivenciar: *Ontem ele viveu uma experiência alucinante!* **4** gozar; aproveitar: *Ela é que sabe viver!* **5** ⟨**+de**⟩ subsistir; sobreviver: *viver dos rendimentos* **6** ⟨**+de**⟩ alimentar-se: *Ele vive de vegetais apenas.*

víveres (ví.ve.res) ['vivərəʃ] *n.m.pl.* alimentos; mantimentos

vivido (vi.vi.do) [vi'vidu] *adj.* que se viveu; experimentado

vivo (vi.vo) ['vivu] *adj.* **1** que vive; que tem vida **ANT.** morto **2** esperto; travesso ♦ **ao vivo** transmitido no momento em que ocorre

vizinhança (vi.zi.nhan.ça) [vəzi'ɲɐ̃sɐ] *n.f.* **1** qualidade do que está próximo; proximidade **2** conjunto de pessoas que vivem perto umas das outras

vizinho (vi.zi.nho) [vɐ'ziɲu] *adj.* que fica junto; próximo ■ *n.m.* pessoa que mora perto de outra(s) pessoa(s)

vizir (vi.zir) [vi'zir] *n.m.* governador ou ministro de um reino muçulmano

voador (vo:a.dor) [vwɐ'dor] *adj.* **1** que voa; volante **2** *fig.* que se desloca a grande velocidade; muito veloz ■ *n.m.* aparelho com rodas para as crianças aprenderem a andar

voar (vo:ar) ['vwar] *v.* **1** deslocar-se no ar com auxílio de asas ou de membros semelhantes **2** *fig.* deslocar-se a grande velocidade ♦ **voar/sonhar alto** ter grandes ambições

vocabular (vo.ca.bu.lar) [vukɐbu'lar] *adj.2g.* relativo a vocábulo

vocabulário (vo.ca.bu.lá.ri:o) [vukɐbu'larju] *n.m.* **1** conjunto das palavras de uma língua; léxico **2** conjunto das palavras e expressões de uma língua utilizadas por uma pessoa ou por um grupo

vocábulo (vo.cá.bu.lo) [vu'kabulu] *n.m.* palavra

vocação (vo.ca.ção) [vukɐ'sɐ̃w̃] *n.f.* gosto que uma pessoa sente por determinada atividade ou arte **SIN.** inclinação; propensão; tendência

vocacional (vo.ca.ci:o.nal) [vukɐsju'nał] *adj.2g.* relativo a vocação

vocal (vo.cal) [vu'kał] *adj.2g.* **1** relativo a voz **2** diz-se da música interpretada por meio de vozes **ANT.** instrumental

vocálico (vo.cá.li.co) [vu'kaliku] *adj.* **1** relativo às vogais **2** constituído por vogais

vocalista (vo.ca.lis.ta) [vukɐ'liʃtɐ] *n.2g.* pessoa que canta num grupo ou numa banda

vocativo (vo.ca.ti.vo) [vukɐ'tivu] *n.m.* palavra ou expressão usada para chamar alguém

você (vo.cê) [vɔ'se] *prn.pess.* **1** forma de tratamento entre pessoas que não se conhecem muito bem **2** *coloq.* forma de tratamento entre pessoas próximas

---

Utilizado sempre com a 3.ª pessoa do singular, o pronome **você** é usado em situações formais em Portugal, mas no Brasil é comum tanto em situações formais como informais.

---

vodca (vod.ca) ['vɔdkɐ] *n.f.* ⇒ **vodka**

vodka ['vɔdkɐ] *n.m./f.* bebida alcoólica de origem russa preparada à base de cereais (centeio, cevada, arroz, etc.)

vodu (vo.du) [vu'du] *n.m.* **1** culto de origem africana, semelhante ao candomblé, praticado no Brasil e nas Antilhas (sobretudo no Haiti), que combina elementos de magia com influências cristãs **2** praticante desse culto

voga (vo.ga) ['vɔgɐ] *n.f.* **1** movimento dos remos **2** moda; popularidade ♦ **estar em voga** estar na moda

vogal (vo.gal) [vu'gał] *n.f.* uma das seguintes letras do alfabeto: *a, e, i, o, u* ♦ **vogal temática** vogal que identifica o paradigma de flexão a que pertencem os verbos (há três vogais temáticas nas formas do infinitivo: *-a, -e, -i,* correspondentes à 1.ª, 2.ª e 3.ª conjugações)

voice mail [vɔjs(ə)'mɐjl] *n.m.* sistema eletrónico que guarda as mensagens telefónicas recebidas, para serem ouvidas mais tarde

VoIP ['vɔjp] serviço de voz pela internet **OBS.** Sigla de *voice over internet protocol*

vol. *abreviatura de* volume

volante (vo.lan.te) [vu'lɐ̃t(ə)] *adj.2g.* que voa; voador ■ *n.m.* peça circular com que se dirige um veículo automóvel

volátil (vo.lá.til) [vu'latił] *adj.2g.* **1** que voa **2** que se evapora

volatilizar (vo.la.ti.li.zar) [vulɐtili'zar] *v.* evaporar

vólei (vó.lei) ['vɔlɐj] *n.m. coloq.* ⇒ **voleibol**

voleibol (vo.lei.bol) [vɔlɐj'bɔł] *n.m.* jogo entre duas equipas de seis jogadores, separadas por uma rede horizontal, em que os jogadores atiram uma bola por cima da rede para o campo do adversário, que tem de a devolver, sem a deixar tocar no chão

voleibolista (vo.lei.bo.lis.ta) [vɔlɐjbu'liʃtɐ] *n.2g.* praticante de voleibol

volfrâmio (vol.frâ.mi:o) [voł'frɐmju] *n.m.* elemento químico usado em filamentos de lâmpadas incandescentes

volt ['vɔłt] *n.m.* ⟨*pl.* volts⟩ unidade de medida de potencial elétrico, de diferença de potencial, de tensão elétrica e de força eletromotriz

volta (vol.ta) ['vɔłtɐ] *n.f.* **1** regresso **2** movimento circular **3** pequeno passeio **4** mudança ♦ **à volta de** cerca de **SIN.** aproximadamente; **volta e meia** de vez em quando

voltagem (vol.ta.gem) [voł'taʒɐ̃j̃] *n.f.* força de um gerador elétrico (em volts)

voltar (vol.tar) [voł'tar] *v.* **1** tornar a vir; reaparecer **2** recomeçar; retomar **3** pôr do avesso; remexer ■ **voltar-se 1** mudar de posição, colocando-se de frente para; virar-se **2** dirigir-se para; encaminhar-se ♦ **voltar com a palavra atrás** não cumprir aquilo que se tinha dito ou prometido

volte-face [vɔłtə'fa(sə)] *n.m.* ⟨*pl.* volte-faces⟩ mudança súbita de opinião, de atitude, de circunstâncias ou de acontecimentos; reviravolta

volume (vo.lu.me) [vu'lum(ə)] *n.m.* **1** espaço ocupado por um corpo; tamanho **2** intensidade do som; altura **3** conjunto de cadernos impressos e reunidos numa capa; livro

volumoso (vo.lu.mo.so) [vulu'mozu] *adj.* **1** que tem grande volume **2** intenso; forte

voluntariado (vo.lun.ta.ri:a.do) [vulũtɐ'rjadu] *n.m.* **1** ato de realizar uma atividade por vontade própria, geralmente para ajudar alguém **2** conjunto de pessoas que realizam uma atividade por vontade própria

voluntário (vo.lun.tá.ri:o) [vulũ'tarju] *adj.* de livre vontade ▪ *n.m.* pessoa que se oferece para fazer alguma coisa

volúpia (vo.lú.pi:a) [vu'lupjɐ] *n.f.* **1** prazer; deleite **2** prazer sexual

volúvel (vo.lú.vel) [vu'luvɛɫ] *adj.2g.* que muda com frequência ou com facilidade **SIN.** inconstante; instável

volver (vol.ver) [voɫ'ver] *v.* **1** ⟨**+a**⟩ regressar; tornar: *volver a casa* **2** virar; voltar: *volver os olhos*

volvido (vol.vi.do) [voɫ'vidu] *adj.* decorrido; passado (tempo)

vomitado (vo.mi.ta.do) [vumi'tadu] *n.m.* matérias do estômago expelidas pela boca ▪ *adj.* **1** sujo pelo vómito **2** *fig.* expelido; cuspido

vomitar (vo.mi.tar) [vumi'tar] *v.* expelir pela boca substâncias contidas no estômago

vómito (vó.mi.to) ['vɔmitu] *n.m.* **1** ato ou efeito de vomitar **2** movimento que provoca a expulsão de substâncias contidas no estômago

vontade (von.ta.de) [võ'tad(ə)] *n.f.* **1** faculdade de querer alguma coisa; desejo; intenção **2** capacidade que uma pessoa tem de fazer ou não fazer algo **3** desejo muito forte ◆ **à vontade** descontraidamente; sem formalidades; **boa vontade** disposição favorável para qualquer pessoa ou coisa

voo (vo.o) ['vou] *n.m.* **1** modo de locomoção, através dos ares, próprio das aves **2** deslocação de aeronaves através do ar

voracidade (vo.ra.ci.da.de) [vurɐsi'dad(ə)] *n.f.* **1** avidez; sofreguidão **2** *fig.* ímpeto destruidor

voraz (vo.raz) [vu'raʃ] *adj.2g.* **1** que come com sofreguidão **2** que come em excesso; comilão; glutão

vos (vos) [vuʃ] *prn.pess.* designa a segunda pessoa do plural e indica as pessoas (ou a pessoa, no tratamento formal) a quem se fala ou escreve: *Eu não vos vi.*

vós (vós) ['vɔʃ] *prn.pess.* designa a segunda pessoa do plural e indica as pessoas a quem se fala ou escreve: *Isso depende de vós. Não iremos sem vós.*

Não confundir **vós** (pronome pessoal da 2.ª pessoa do plural) com **voz** (faculdade de falar): *Nós não vamos; ide vós! Ele está sem voz por causa da gripe.*

---

vossemecê (vos.se.me.cê) [vɔsəmə'se] *prn.pess. coloq.* designa a segunda pessoa do singular e indica a pessoa com quem se fala ou a quem se escreve

vosso (vos.so) ['vɔsu] *det.,prn.poss.* relativo a vós, segunda pessoa do plural, e indica geralmente posse ou pertença: *Não percebo a vossa ideia.; Isto é vosso?*

votação (vo.ta.ção) [vutɐ'sɐ̃w̃] *n.f.* escolha por meio de votos: *Foi decidido por votação secreta.* **SIN.** eleição

votar (vo.tar) [vu'tar] *v.* **1** ⟨**+por**⟩ dar o seu voto numa eleição ou numa votação: *Votei pela continuação do projeto.* **2** ⟨**+em**⟩ aprovar ou eleger por meio de voto: *Votei no meu candidato.*

voto (vo.to) ['vɔtu] *n.m.* **1** ato de votar (numa eleição): *Eles obtiveram 70% dos votos.* **2** promessa: *Ela fez um voto de castidade.* **3** expressão de um desejo: *Faço votos de que tudo corra pelo melhor.* ◆ **ter voto na matéria** ser competente para

vovó (vo.vó) [vɔ'vɔ] *n.f. infant.* mãe do pai ou da mãe; avó

vovô (vo.vô) [vo'vo] *n.m. infant.* pai do pai ou da mãe; avô

voz (voz) ['vɔʃ] *n.f.* **1** som produzido pela laringe com o ar que sai dos pulmões; faculdade de falar **2** modificação em certos verbos para indicar se o sujeito pratica ou sofre uma ação; **voz passiva** significação dos verbos transitivos que indica que o sujeito sofre a ação expressa pelo verbo (por oposição a voz ativa) **3** parte vocal de um trecho musical **4** *fig.* opinião **5** *fig.* boato; notícia ◆ **a meia voz** em voz baixa; **de viva voz** oralmente (e não por escrito); **levantar a voz a alguém** falar com alguém num tom elevado e/ou irritado; **ter voz ativa** ter direito de falar ou discutir

vozeirão (vo.zei.rão) [vuzɐj'rɐ̃w̃] *n.m.* voz forte e grossa: *Aquela mulher tem um vozeirão!*

voz-off (voz-.off) [vɔ'zɔf(ə)] *n.f.* voz que comenta os acontecimentos, sem que os espectadores vejam a pessoa que fala

vs. fórmula com que se indica uma oposição ou um contraste **OBS.** Abreviatura de *versus*

v.s.f.f. *abreviatura de* volte (a página), se faz favor

vulcânico (vul.câ.ni.co) [vuɫ'kɐniku] *adj.* relativo a vulcão: *Foi detetada atividade vulcânica naquela área.*

vulcanismo (vul.ca.nis.mo) [vuɫkɐ'niʒmu] *n.m.* conjunto de manifestações vulcânicas e fenómenos com elas relacionados

vulcanologia (vul.ca.no.lo.gi.a) [vuɫkɐnulu'ʒiɐ] *n.f.* ciência que estuda os fenómenos vulcânicos

vulcão (vul.cão) [vuɫ'kɐ̃w̃] *n.m.* ⟨*pl.* vulcões⟩ abertura na crusta terrestre por onde são expelidas substâncias em fusão (lava): *O vulcão da Islândia entrou em atividade.*

vulgar (vul.gar) [vuł'gar] *adj.2g.* **1** que é frequente ou usual; comum; habitual: ***O teu irmão é um tipo fora do vulgar.*** **2** de má qualidade; reles; ordinário: ***Ele falou de um modo vulgar.***

vulgaridade (vul.ga.ri.da.de) [vułgɐri'dad(ə)] *n.f.* **1** qualidade do que é vulgar **2** banalidade

vulgarismo (vul.ga.ris.mo) [vułgɐ'riʒmu] *n.m.* **1** característica do que é comum; vulgaridade **2** palavra grosseira; palavrão

vulgarizar(-se) (vul.ga.ri.zar(-se)) [vułgɐri'zar(sə)] *v.* **1** tornar(-se) conhecido **SIN.** divulgar(-se) **2** tornar(-se) comum **SIN.** banalizar(-se)

vulgarmente (vul.gar.men.te) [vułgar'mẽt(ə)] *adv.* habitualmente; normalmente: ***ser vulgarmente conhecido por***

vulnerável (vul.ne.rá.vel) [vułnə'ravɛł] *adj.2g.* **1** que pode ser atingido ou ferido **SIN.** frágil **2** que tem poucas defesas **3** *fig.* diz-se do ponto fraco de uma pessoa, coisa ou questão

vulto (vul.to) ['vułtu] *n.m.* **1** figura que se vê mal; sombra **2** *fig.* pessoa importante ♦ **de vulto** que é importante

vulva (vul.va) ['vułvɐ] *n.f.* conjunto das partes externas do aparelho genital feminino

W

w (w) ['dɐblju] *n.m.* vigésima terceira letra do alfabeto, que está entre as letras *v* e *x*

W *símbolo de* oeste

waffle ['wɔfɐł] *n.m.* doce em forma de bolacha que se assa numa grelha, podendo servir-se coberto de chocolate, geleia, canela, etc.

walkie-talkie [wɔki'tɔki] *n.m.* ⟨*pl.* walkie-talkies⟩ pequeno aparelho emissor e recetor de rádio que se pode usar para comunicar a curta distância

walkman® [wɔłkmɐn] *n.m.* ⟨*pl.* walkmans⟩ pequeno aparelho de rádio ou cassetes com auscultadores

WAP ['wɔp] protocolo de aplicações sem fio que permite o acesso móvel à internet **OBS.** Sigla de *wireless application protocol*

watt ['wɔt] *n.m.* unidade de potência (símbolo: W)

watt-hora (watt-.ho.ra) [wɔtə'ɔrɐ] *n.m.* unidade de medida de energia equivalente à energia desenvolvida em 1 hora pela potência de 1 watt

WC [dɐbljuse] *n.m.* casa de banho

web ['wɛb] *n.f.* rede mundial de computadores; internet

webcam [wɛb'kɛm] *n.f.* pequena câmara de vídeo digital que se liga ao computador, ou que integra certos dispositivos eletrónicos, permitindo captar e enviar imagens em tempo real

web design [wɛbdi'zajn] *n.m.* criação da arquitetura de um site na internet

web designer [wɛbdi'zajnɐr] *n.m.* criação da arquitetura de um sítio na internet

webmaster [wɛb'maʃtɐr] *n.2g.* pessoa responsável pela edição ou pela administração de um site na internet

western ['wɛstɛrn] *n.m.* **1** filme que retrata a conquista do Oeste norte-americano **2** esse género de filmes

whisky ['wiski] *n.m.* ⟨*pl.* whiskies⟩ bebida alcoólica feita a partir da fermentação de cereais: *Queria um whisky com gelo.*

windsurf [wĩd'sɐrf] *n.m.* desporto náutico praticado sobre uma prancha com vela: *Ele pratica windsurf todos os dias.*

windsurfista (wind.sur.fis.ta) [wĩdsɐr'fiʃtɐ] *n.2g.* pessoa que pratica windsurf

wireless ['wajrəlɛs] *adj.inv.* que não necessita de fios ou cabos ■ *n.m.* **1** ligação sem fios **2** sistema de telecomunicações sem fios, que utiliza ondas eletromagnéticas

won [won] *n.m.* ⟨*pl.* wons⟩ unidade monetária da Coreia do Norte e da Coreia do Sul

workshop [wɔrk'ʃɔp] *n.m.* ⟨*pl.* workshops⟩ **1** sessão em que se discute ou elabora um trabalho prático sobre um dado tema e em que os participantes trocam experiências e conhecimentos **2** oficina; atelier

wrestling ['rɛs(t)lĩg] *n.m.* modalidade de combate coreografado entre duas pessoas que aplicam golpes e chaves ensaiados para causar efeito dramático, vencendo quem derrubar o adversário

WWW [dɐbljudɐblju'dɐblju] rede mundial de comunicação **OBS.** Sigla de World Wide Web

x [ˈʃiʃ] *n.m.* **1** consoante, vigésima quarta letra do alfabeto, que está entre as letras *w* e *y* **2** (equação, problema) símbolo de incógnita

X [ˈʃiʃ] *n.m.* em numeração romana, número 10

x-acto (x-.ac.to) [ʃiˈzatu] *a nova grafia é* **x-ato**[AO]

xadrez (xa.drez) [ʃɐˈdreʃ] *n.m.* **1** jogo entre duas pessoas que se joga num tabuleiro com casas pretas e brancas, dispostas em filas verticais e horizontais **2** padrão de tecido de cores dispostas em quadrados e alternadas: *saia de xadrez* **3** [BRAS.] *coloq.* cadeia; prisão: *Ele está no xadrez.*

xaile (xai.le) [ˈʃajl(ə)] *n.m.* peça de vestuário em forma de triângulo que se usa sobre os ombros

xamã (xa.mã) [ʃɐˈmɐ̃] *n.m.* feiticeiro, sacerdote e curandeiro em certas culturas africanas e ameríndias

xarope (xa.ro.pe) [ʃɐˈrɔp(ə)] *n.m.* solução líquida açucarada com medicamento, usada para a tosse, etc.: *Aconselho-te a tomares um xarope para a tosse.*

x-ato (x-.a.to)[AO] [ʃiˈzatu] *n.m.* ⟨*pl.* x-atos⟩ instrumento cortante com uma lâmina que se pode recolher, usado para cortar papel

xelindró (xe.lin.dró) [ʃəlĩˈdrɔ] *n.m. coloq.* cadeia; prisão

xenofilia (xe.no.fi.li.a) [ʃənɔfiˈliɐ] *n.f.* simpatia pelos estrangeiros ou por tudo o que é estrangeiro

xenófilo (xe.nó.fi.lo) [ʃəˈnɔfilu] *adj.,n.m.* que ou pessoa que tem simpatia por estrangeiros ou pelo que é estrangeiro

xenofobia (xe.no.fo.bi.a) [ʃənɔfuˈbiɐ] *n.f.* antipatia pelas pessoas ou coisas estrangeiras

xenófobo (xe.nó.fo.bo) [ʃəˈnɔfubu] *adj.,n.m.* que ou aquele que detesta o que é estrangeiro

xeque (xe.que) [ˈʃɛk(ə)] *n.m.* **1** chefe de tribo árabe **2** no jogo do xadrez, ataque ao rei ou à rainha ◆ **pôr em xeque 1** colocar em situação embaraçosa **2** colocar em dúvida

---

Não confundir **xeque** (chefe árabe) com **cheque** (ordem de pagamento).

---

xeque-mate (xe.que-.ma.te) [ʃɛk(ə)ˈmat(ə)] *n.m.* ⟨*pl.* xeques-mates, xeques-mate⟩ lance que põe fim ao jogo do xadrez: *fazer xeque-mate*

xerez (xe.rez) [ʃəˈreʃ] *n.m.* vinho branco, seco, produzido na região de Andaluzia

xerife (xe.ri.fe) [ʃəˈrif(ə)] *n.m.* magistrado em certas povoações norte-americanas

xerox [ʃɛˈrɔks] *adj.,n.2g.2n.* **1** [BRAS.] que ou máquina que, através de um processo de reprografia a seco, reproduz texto ou imagem **2** [BRAS.] diz-se de ou essa técnica de reprodução **3** [BRAS.] que ou cópia que se obtém por essa técnica

xetetê (xe.te.tê) [ʃeteˈte] *adj.2g.* [ANG.] diz-se do nariz achatado; esborrachado

xexé (xe.xé) [ʃɛˈʃɛ] *adj.2g. coloq.* envelhecido; senil: *Ele está a ficar um pouco xexé.*

xibongo (xi.bon.go) [ʃiˈbõgu] *n.m.* [MOÇ.] nome de família; apelido

xicandarinha (xi.can.da.ri.nha) [ʃikɐ̃dɐˈriɲɐ] *n.f.* [MOÇ.] chaleira

xícara (xí.ca.ra) [ˈʃikɐrɐ] *n.f.* ⇒ **chávena**

xicombelo (xi.com.be.lo) [ʃikõˈbɛlu] *n.m.* [MOÇ.] pedido; súplica

xicuembo (xi.cu:em.bo) [ʃiˈkw̃ẽbu] *n.m.* **1** [MOÇ.] deus; divindade **2** [MOÇ.] espírito de um antepassado **3** [MOÇ.] feitiço; bruxaria

xigono (xi.go.no) [ʃiˈgonu] *n.m.* [MOÇ.] fantasma

xigugo (xi.gu.go) [ʃiˈgugu] *n.m.* [MOÇ.] casebre

xilindró (xi.lin.dró) [ʃilĩˈdrɔ] *n.m.* [BRAS.] *coloq.* cadeia; prisão

xilofone (xi.lo.fo.ne) [ʃilɔˈfɔn(ə)] *n.m.* instrumento musical formado por lâminas de metal ou madeira que se tocam com baquetas

xilofonista (xi.lo.fo.nis.ta) [ʃilɔfu'niʃtɐ] *n.2g.* pessoa que toca xilofone

xiluva (xi.lu.va) [ʃi'luvɐ] *n.f.* [MOÇ.] flor

xipefo (xi.pe.fo) [ʃi'pefu] *n.m.* [MOÇ.] candeeiro; lamparina

xisto (xis.to) ['ʃiʃtu] *n.m.* rocha composta de placas finas dispostas em camadas: *Aquelas casas são feitas de xisto.*

xistoso (xis.to.so) [ʃiʃ'tozu] *adj.* relativo ao xisto

xitimela (xi.ti.me.la) [ʃiti'mɛlɐ] *n.m.* **1** [MOÇ.] navio **2** [MOÇ.] comboio

xitolo (xi.to.lo) [ʃi'tolu] *n.m.* [MOÇ.] cantina

xiu (xiu) ['ʃiw] *interj.* usa-se para mandar calar ou para pedir silêncio

xixi (xi.xi) [ʃi'ʃi] *n.m. coloq.* urina; **fazer xixi** urinar

y ['ipsilɔn] *n.m.* vigésima quinta letra do alfabeto, que está entre as letras *x* e *z*

yang ['jɐ̃g] *n.m.* (filosofia chinesa) princípio masculino que representa a atividade, o calor e a luminosidade (uma das forças essenciais da natureza, juntamente com o yin)

yen ['jɛn] *n.m.* ⟨*pl.* yenes⟩ unidade monetária do Japão; iene

yin ['jin] *n.m.* (filosofia chinesa) princípio feminino que representa a passividade, a frieza e a obscuridade (uma das forças essenciais da natureza, juntamente com o yang)

yoga ['jɔgɐ] *n.m.* ⇒ **ioga**

yuan [iwan] *n.m.* ⟨*pl.* yuans⟩ unidade monetária da China

yuppie ['jupi] *n.2g.* ⟨*pl.* yuppies⟩ jovem bem-sucedido que ocupa cargo de responsabilidade ou de direção numa organização financeira ou comercial e revela gosto por bens materiais de valor elevado

Z

z ['ze] *n.m.* consoante, vigésima sexta letra do alfabeto, que está depois do *y*

zagueiro (za.guei.ro) [zɐ'gɐjru] *n.m.* [BRAS.] no futebol, defesa

zaire (zai.re) ['zajr(ə)] *n.m.* unidade monetária da República Democrática do Congo (ex-Zaire)

zairense (zai.ren.se) [zaj'rẽ(sə)] *adj.2g.* relativo à República do Zaire, antigo nome da República Democrática do Congo ■ *n.2g.* pessoa natural da República do Zaire, antigo nome da República Democrática do Congo

zambe (zam.be) [zɐ̃'bɛ] *n.m.* [ANG.] deus

zambiano (zam.bi:a.no) [zɐ̃'bjɐnu] *adj.* relativo à Zâmbia ■ *n.m.* pessoa natural da Zâmbia

zanga (zan.ga) ['zɐ̃gɐ] *n.f.* desentendimento entre pessoas: *Ele teve uma zanga com um colega.* **SIN.** desavença

zangado (zan.ga.do) [zɐ̃'gadu] *adj.* **1** que está de mau humor **SIN.** irritado **2** chateado; desavindo: *Ele está zangado com a irmã.*

zângão (zân.gão) ['zɐ̃gɐ̃w̃] *n.m.* 👁 macho da abelha, que não produz mel **SIN.** abelhão

Note-se que **zângão** escreve-se com acento circunflexo no primeiro a.

zangar-se (zan.gar-.se) [zɐ̃'gar(sə)] *v.* **1** ⟨+com⟩ ficar zangado: *Ele zangou-se com o vizinho de cima.* **SIN.** irritar-se; aborrecer-se **2** ⟨+com⟩ cortar relações com (alguém): *Ela zangou-se com o namorado.*

zapping ['zapĩg] *n.m.* mudança rápida e consecutiva de canal de televisão, através de um comando à distância: *fazer zapping*

zaragata (za.ra.ga.ta) [zɐrɐ'gatɐ] *n.f.* **1** *coloq.* desordem; algazarra; confusão **2** briga; rixa

zarolho (za.ro.lho) [zɐ'roʎu] *adj.* **1** que é cego de um olho **SIN.** vesgo **2** que tem um desvio num ou em ambos os olhos

zarpar (zar.par) [zɐr'par] *v.* **1** ⟨+de⟩ partir (embarcação); levantar âncora: *O navio zarpou.* **2** ⟨+de⟩ *coloq.* ir-se embora; partir: *Zarpei dali para fora.*

zarzuela (zar.zu:e.la) [zɐr'zwɛlɐ] *n.f.* obra dramática e musical espanhola

zás (zás) ['zaʃ] *interj.* **1** imitação de som produzido por uma pancada ou queda **SIN.** pumba! **2** indicação de ação rápida e decidida

zau (zau) ['zaw] *n.m.* [ANG.] elefante

zebra (ze.bra) ['zebrɐ] *n.f.* 👁 mamífero africano com pelagem listrada de faixas escuras

zebrado (ze.bra.do) [zə'bradu] *adj.* raiado; listrado ■ *n.m.* [BRAS.] passadeira (de rua)

ZEE [zeɛ'ɛ] *sigla de* Zona Económica Exclusiva

zéfiro (zé.fi.ro) ['zɛfiru] *n.m.* vento brando e agradável

zelador (ze.la.dor) [zəlɐ'dor] *n.m.* **1** pessoa que zela **2** empregado que fiscaliza um serviço

zelar (ze.lar) [zə'lar] *v.* **1** ⟨+por⟩ tomar conta de (alguém, algo): *Ele zelava pelo irmão mais novo* **SIN.** cuidar **2** ⟨+por⟩ tomar medidas para que algo se realize: *Ele tem de zelar pelos seus interesses para conseguir ser promovido.*

zelo (ze.lo) ['zelu] *n.m.* **1** cuidado **2** dedicação: *Ele tem muito zelo por tudo o que faz.*

zeloso (ze.lo.so) [zə'lozu] *adj.* cuidadoso; atento: *Ele é um condutor zeloso.*

zen ['zɛn] *n.m.* (budismo) ramo que privilegia a meditação sem objeto ou a pura concentração do espírito, insistindo em posturas corporais específicas ■ *adj.inv.* relativo ao zen

zé-ninguém (zé-.nin.guém) [zɛnĩ'gɐ̃j] *n.m.* ⟨*pl.* zés-ninguém⟩ pessoa pouco importante

zénite (zé.ni.te) ['zɛnit(ə)] *n.m.* **1** ponto da esfera celeste que, relativamente a cada lugar da Terra, é encontrado pela vertical levantada desse lugar

2 *fig.* ponto mais elevado; apogeu: *Ele atingiu o zénite da sua carreira.*

zé-povinho (zé-.po.vi.nho) [zɛpu'viɲu] *n.m.* ⟨*pl.* zés-povinhos⟩ figura que representa o homem comum, o povo

zero (ze.ro) ['zɛru] *num.card.* número que representa a ausência de quantidade ▪ *n.m.* **1** algarismo 0 **2** nada; coisa nenhuma **3** ponto de origem numa escala **4** *fig.* coisa ou pessoa sem nenhum valor ♦ **começar do zero** começar com poucos ou nenhuns recursos; **estar a zero** não perceber nada; **ser um zero à esquerda** não valer nada; não saber nada

zeta (ze.ta) ['zɛtɐ] *n.m.* nome da sexta letra do alfabeto grego

zigoto (zi.go.to) [zi'gotu] *n.m.* célula resultante da união do espermatozoide com o óvulo; ovo

ziguezague (zi.gue.za.gue) [zigə'zag(ə)] *n.m.* **1** linha com muitas curvas **2** modo de andar que descreve essa linha: *andar aos ziguezagues* ♦ **aos ziguezagues** formando linha quebrada ou sinuosa

ziguezaguear (zi.gue.za.gue:ar) [zigəzɐ'gjar] *v.* **1** andar aos ziguezagues **2** descrever curva(s) irregular(es) **3** *fig.* vaguear

zimbabuano (zim.ba.bu:a.no) [zĩbɐ'bwɐnu] *adj.* relativo ao Zimbábue ▪ *n.m.* natural ou habitante do Zimbábue

zimbório (zim.bó.ri:o) [zĩ'bɔrju] *n.m.* parte superior e exterior da cúpula de um edifício

zincar (zin.car) [zĩ'kar] *v.* revestir de zinco

zinco (zin.co) ['zĩku] *n.m.* metal branco-azulado, brilhante, muito usado como revestimento, em canalizações, etc.

zincografia (zin.co.gra.fi.a) [zĩkɔgrɐ'fiɐ] *n.f.* **1** arte de gravar ou imprimir sobre lâminas de zinco **2** gravura em zinco

zínia (zí.ni:a) ['zinjɐ] *n.f.* **1** planta ornamental originária de África, com flores muito coloridas **2** flor dessa planta

zip ['zip] *n.m.* técnica e formato de compressão e armazenamento de ficheiros

zipar (zi.par) [zi'par] *v.* comprimir (um ficheiro) para armazenamento de dados

zoar (zo:ar) ['zwar] *v.* produzir ruído ao voar (um inseto); zumbir

zodiacal (zo.di:a.cal) [zudjɐ'kał] *adj.2g.* relativo a zodíaco

zodíaco (zo.dí.a.co) [zu'diɐku] *n.m.* **1** [também com maiúscula] zona da esfera celeste que o Sol parece percorrer num ano, por onde se distribuem as 12 constelações **2** [também com maiúscula] conjunto dos doze signos que representam as cons telações da esfera celeste

zombar (zom.bar) [zõ'bar] *v.* ⟨**+de**⟩ troçar; goza *Ele zombou da ideia dela.*

zombaria (zom.ba.ri.a) [zõbɐ'riɐ] *n.f.* ato de troça de alguém **SIN.** gozo; troça

zombie ['zõbi] *n.m.* ser sem alma que voltou vida depois de morto ▪ *n.2g.* *fig.* pessoa sem ene gia ou vivacidade

zona (zo.na) ['zonɐ] *n.f.* **1** espaço limitado; regiã área: *Ele vive nesta zona.* **2** cada uma das parte da superfície terrestre a que corresponde dete minado clima

zongola (zon.go.la) [zõ'golɐ] *n.m.* [ANG.] espião

zonzo (zon.zo) ['zõzu] *adj.* atordoado; tonto: *Sint -me um pouco zonzo.*

zoo (zo:o) ['zwu] *n.m.* *coloq.* jardim zoológico: *O tem, fui ao zoo com os meus primos.*

zoologia (zo.o.lo.gi.a) [zuulu'ʒiɐ] *n.f.* ciência qu estuda os animais

zoológico (zo.o.ló.gi.co) [zuu'lɔʒiku] *adj.* perten cente ou relativo à zoologia: *jardim zoológico*

zoólogo (zo.ó.lo.go) [zu'ɔlugu] *n.m.* especialist em zoologia

zoom ['zum] *n.m.* **1** objetiva de máquina fotográ fica ou de câmara de filmar de distância foca variável **2** enquadramento com esse tipo d lente, que permite a aproximação ou o afasta mento do objeto focado, sem afastamento o aproximação reais da câmara: *fazer zoom*

zumbido (zum.bi.do) [zũ'bidu] *n.m.* **1** ruído produ zido por certos insetos, como a abelha, a mosca etc.: *O zumbido da mosca está a incomodar-m* **2** impressão nos ouvidos semelhante ao ruíd que os insetos fazem: *Sinto um zumbido nos ouv dos.*

zumbir (zum.bir) [zũ'bir] *v.* **1** produzir ruído a voar (abelha, mosca, etc.) **SIN.** zunir **2** percebe (ouvido) um ruído surdo e constante, seme lhante ao que é produzido pelos insetos quand esvoaçam

zungueiro (zun.guei.ro) [zũ'gɐjru] *n.m.* [ANG.] ven dedor ambulante

zunir (zu.nir) [zu'nir] *v.* **1** produzir ruído ao voa (abelha, mosca, etc.) **SIN.** zumbir **2** produzir u som agudo e intenso: *Um vento forte zunia du rante a noite.* **SIN.** sibilar

zunzum (zun.zum) [zũ'zũ] *n.m.* **1** rumor de voze **2** zumbido de inseto

zurrar (zur.rar) [zu'ʀar] *v.* dar zurros (o burro)

zurro (zur.ro) ['zuʀu] *n.m.* voz do burr

Anexos

Gramática portuguesa

Sílabas e divisão silábica

As palavras são formadas por sons ou fonemas que, por sua vez, formam sílabas. Chama-se **sílaba** a um conjunto de letras que se pronunciam de uma só vez. Uma palavra pode ter uma, duas, três ou mais sílabas.

Quanto ao número de sílabas, as palavras classificam-se em:
monossílabos – quando têm uma só sílaba (pai, tu)
dissílabos – quando têm duas sílabas (dado, casa)
trissílabos – quando têm três sílabas (baleia, menina)
polissílabos – quando têm mais de três sílabas (avaliação, consoante)

Em todas as palavras há uma sílaba que se pronuncia com mais força. A essa sílaba chama-se **sílaba tónica**. As restantes sílabas são chamadas de **sílabas átonas**.

A sílaba tónica de uma palavra pode ser a última, a penúltima ou a antepenúltima. Conforme a posição da sílaba tónica, as palavras classificam-se em:
agudas – quando a sílaba tónica é a última (pé, café)
graves – quando a sílaba tónica é a penúltima (casa, saúde)
esdrúxulas – quando a sílaba tónica é a antepenúltima (ângulo, mágico)

Nomes

As palavras que indicam nomes de pessoas, animais ou objetos chamam-se **nomes** ou **substantivos**. Também são nomes ou substantivos as palavras que indicam ações, qualidades e estados.

Os nomes podem ser:
comuns – palavras que se referem a pessoas, coisas ou animais, sem as individualizar (criança, mesa, gato)
próprios – palavras que mencionam determinada pessoa, uma povoação, rio ou outra coisa que se pretende individualizar (Carla, Amazónia)
coletivos – palavras que, mesmo no singular, indicam conjuntos de pessoas, animais da mesma espécie ou coisas (bando, arquipélago)

Adjetivos

Chamam-se **adjetivos** qualificativos às palavras que indicam como são as pessoas, as coisas, os lugares ou os animais, atribuindo-lhes qualidades. Os adjetivos concordam sempre em género e em número com os nomes que qualificam e podem escrever-se antes ou depois deles (Está um *belo dia*. É uma *mulher bonita*).

Existem três graus dos adjetivos:

normal – o adjetivo indica apenas a qualidade do nome, sem a aumentar nem a diminuir (quente, bom)

comparativo – o adjetivo permite estabelecer uma comparação entre dois ou mais nomes (mais quente, melhor)

superlativo – o adjetivo indica a qualidade do nome num grau muito elevado (o mais quente/quentíssimo, o melhor/ótimo)

Determinantes e pronomes

Chamam-se **determinantes** às palavras que aparecem antes dos nomes e que determinam o seu género, número, posição e quantidade (*Os* meninos, *As* casas).

Os **pronomes** são palavras que são utilizadas em vez dos nomes (*O João* fez um discurso → *Ele* fez um discurso).

Os pronomes podem ser:

pessoais – representam as pessoas gramaticais

possessivos – indicam a qual das pessoas gramaticais pertencem os objetos

demonstrativos – indicam os nomes, determinando o lugar que ocupam (maior ou menor proximidade de quem fala)

relativos – referem-se a uma palavra ou sentido já referido e servem para ligar duas afirmações

interrogativos – servem para introduzir perguntas, direta ou indiretamente

indefinidos – indicam os seres de um modo vago e indeterminado

Artigos definidos e indefinidos

Os **artigos** escrevem-se antes dos nomes, com os quais concordam sempre em género e em número. Na língua portuguesa há dois tipos de artigos:

definidos – determinam um ser (pessoa, animal ou objeto) entre diversos da mesma espécie

indefinidos – indicam um ser indeterminado (pessoa, animal ou objeto) entre outros da mesma espécie

	artigos definidos		**artigos indefinidos**	
	masculino	feminino	masculino	feminino
singular	o	a	um	uma
plural	os	as	uns	umas

Pronomes **pessoais**

	1.ª pessoa	2.ª pessoa	3.ª pessoa
singular	eu me, mim comigo	tu te, ti contigo	ele, ela se, si consigo o, a lhe
plural	nós nos connosco	vós vos convosco	eles, elas se, si consigo os, as lhes

Determinantes e pronomes **possessivos**

	singular		**plural**	
	masculino	feminino	masculino	feminino
um possuidor	meu teu seu	minha tua sua	meus teus seus	minhas tuas suas
vários possuidores	nosso vosso seu	nossa vossa sua	nossos vossos seus	nossas vossas suas

Determinantes e pronomes **demonstrativos**

	singular		**plural**	
	masculino	feminino	masculino	feminino
variáveis	este esse aquele o mesmo o outro o tal	esta essa aquela a mesma a outra a tal	estes esses aqueles os mesmo os outros os tais	estas essas aquelas as mesmas as outras as tais
invariáveis	isto, isso, aquilo			

Pronomes **relativos**

	singular		**plural**	
	masculino	feminino	masculino	feminino
variáveis	cujo quanto qual	cuja quanta qual	cujos quantos quais	cujas quantas quais
invariáveis	que, quem			

Determinantes e pronomes **interrogativos**

	singular		plural	
	masculino	feminino	masculino	feminino
variáveis	quanto? qual?	quanta? qual?	quantos? quais?	quantas? quais?
invariáveis	que?, quem?			

Determinantes e pronomes **indefinidos**

	singular		plural	
	masculino	feminino	masculino	feminino
variáveis	algum nenhum outro todo um certo muito pouco qualquer	alguma nenhuma outra toda uma certa muita pouca qualquer	alguns nenhuns outros todos uns certos muitos poucos quaisquer	algumas nenhumas outras todas umas certas muitas poucas quaisquer
invariáveis	algo, alguém, ninguém, nada, tudo, outrem			

Verbos

Verbos são palavras que indicam ações ou introduzem qualidades e estados e são as palavras mais variáveis da língua portuguesa.

O verbo é a palavra principal do grupo verbal e concorda sempre com o grupo nominal em número (singular ou plural).

Quanto à sua função, um verbo pode ser **principal** (quando transmite o sentido da frase) ou **auxiliar** (quando é utilizado na formação dos tempos compostos e da voz passiva).

Os verbos têm formas diferentes conforme a **pessoa** e o **número**. A pessoa corresponde a quem pratica a ação ou a quem o verbo se refere: eu, tu, ele, nós, vós, eles. O número pode ser singular ou plural. Também variam em **modo** e **tempo**. Estas variações das formas verbais são chamadas flexões.

Os tempos verbais indicam o momento da realização da ação:

passado – indica que os factos já aconteceram
presente – indica que os factos acontecem agora
futuro – indica que os factos ainda irão acontecer

Muitas vezes usam-se as formas verbais do presente para indicar ações que se passarão no futuro. Essas formas verbais são chamadas de **presente-futuro** (Hoje vou ao cinema).

Os modos verbais são os seguintes:

indicativo – indica que a ação é uma realidade ou uma certeza (Eu fui ao supermercado, Ele é jogador de futebol)
conjuntivo – exprime a ação como uma possibilidade ou uma dúvida (Não acredito que ele faça isso. Se eu ganhasse a lotaria, faria uma viagem)
condicional – indica que a ação depende de uma condição (Eu iria, se ele me convidasse)
imperativo – apresenta a ação como uma ordem, um pedido ou um conselho (Faz os trabalhos de casa)
infinitivo – exprime a ação de forma indeterminada (É preciso trabalhar. Mandei-o sair)

Ao conjunto ordenado das flexões dos verbos em todos os seus modos, tempos, pessoas, números e vozes chama-se **conjugação verbal**.

Conjugações

No infinitivo, os verbos portugueses apresentam as terminações **-ar**, **-er** ou **-ir**, exceto o verbo **pôr** e os seus compostos. Sendo assim, os verbos portugueses agrupam-se em três conjugações:

1.ª conjugação – verbos terminados em **-ar**
2.ª conjugação – verbos terminados em **-er** e **-or**
3ª conjugação – verbos terminados em **-ir**

Modelos de conjugação verbal

Verbos regulares	1.ª conjugação -ar	2.ª conjugação -er	3.ª conjugação -ir
presente do indicativo	estudo estudas estuda estudamos estudais estudam	como comes come comemos comeis comem	parto partes parte partimos partis partem
pretérito imperfeito do indicativo	estudava estudavas estudava estudávamos estudáveis estudavam	comia comias comia comíamos comíeis comiam	partia partias partia partíamos partíeis partiam
pretérito perfeito do indicativo	estudei estudaste estudou estudámos / estudamos estudastes estudaram	comi comeste comeu comemos comestes comeram	parti partiste partiu partimos partistes partiram
pretérito mais-que--perfeito do indicativo	estudara estudaras estudara estudáramos estudáreis estudaram	comera comeras comera comêramos comêreis comeram	partira partiras partira partíramos partíreis partiram
futuro do indicativo	estudarei estudarás estudará estudaremos estudareis estudarão	comerei comerás comerá comeremos comereis comerão	partirei partirás partirá partiremos partireis partirão
condicional	estudaria estudarias estudaria estudaríamos estudaríeis estudariam	comeria comerias comeria comeríamos comeríeis comeriam	partiria partirias partiria partiríamos partiríeis partiriam
presente do conjuntivo	estude estudes estude estudemos estudeis estudem	coma comas coma comamos comais comam	parta partas parta partamos partais partam
pretérito imperfeito do conjuntivo	estudasse estudasses estudasse estudássemos estudásseis estudassem	comesse comesses comesse comêssemos comêsseis comessem	partisse partisses partisse partíssemos partísseis partissem
futuro do conjuntivo	estudar estudares estudar estudarmos estudardes estudarem	comer comeres comer comermos comerdes comerem	partir partires partir partirmos partirdes partirem
infinitivo impessoal	estudar	comer	partir
imperativo	estuda estudai	come comei	parte parti
particípio passado	estudado	comido	partido
gerúndio	estudando	comendo	partindo

Verbos regulares	caber	cobrir	crer
presente do indicativo	caibo cabes cabe cabemos cabeis cabem	cubro cobres cobre cobrimos cobris cobrem	creio crês crê cremos credes creem
pretérito imperfeito do indicativo	cabia cabias cabia cabíamos cabíeis cabiam	cobria cobrias cobria cobríamos cobríeis cobriam	cria crias cria críamos críeis criam
pretérito perfeito do indicativo	coube coubeste coube coubemos coubestes couberam	cobri cobriste cobriu cobrimos cobristes cobriram	cri creste creu cremos crestes creram
pretérito mais-que-perfeito do indicativo	coubera couberas coubera coubéramos coubéreis couberam	cobrira cobriras cobrira cobríramos cobríreis cobriram	crera creras crera crêramos crêreis creram
futuro do indicativo	caberei caberás caberá caberemos cabereis caberão	cobrirei cobrirás cobrirá cobriremos cobrireis cobrirão	crerei crerás crerá creremos crereis crerão
condicional	caberia caberias caberia caberíamos caberíeis caberiam	cobriria cobririas cobriria cobriríamos cobriríeis cobririam	creria crerias creria creríamos creríeis creriam
presente do conjuntivo	caiba caibas caiba caibamos caibais caibam	cubra cubras cubra cubramos cubrais cubram	creia creias creia creiamos creiais creiam
pretérito imperfeito do conjuntivo	coubesse coubesses coubesse coubéssemos coubésseis coubessem	cobrisse cobrisses cobrisse cobríssemos cobrísseis cobrissem	cresse cresses cresse crêssemos crêsseis cressem
futuro do conjuntivo	couber couberes couber coubermos couberdes couberem	cobrir cobrires cobrir cobrirmos cobrirdes cobrirem	crer creres crer crermos crerdes crerem
infinitivo impessoal	caber	cobrir	crer
imperativo	cabe caiba caibamos cabei caibam	cobre cubra cubramos cobri cubram	crê creia creiamos crede creiam
particípio passado	cabido	coberto	crido
gerúndio	cabendo	cobrindo	crendo

Verbos irregulares	despir	dizer	estar
presente do indicativo	dispo despes despe despimos despis despem	digo dizes diz dizemos dizeis dizem	estou estás está estamos estais estão
pretérito imperfeito do indicativo	despia despias despia despíamos despíeis despiam	dizia dizias dizia dizíamos dizíeis diziam	estava estavas estava estávamos estáveis estavam
pretérito perfeito do indicativo	despi despiste despiu despimos despistes despiram	disse disseste disse dissemos dissestes disseram	estive estiveste esteve estivemos estivestes estiveram
pretérito mais-que--perfeito do indicativo	despira despiras despira despíramos despíreis despiram	dissera disseras dissera disséramos disséreis disseram	estivera estiveras estivera estivéramos estivéreis estiveram
futuro do indicativo	despirei despirás despirá despiremos despireis despirão	direi dirás dirá diremos direis dirão	estarei estarás estará estaremos estareis estarão
condicional	despiria despirias despiria despiríamos despiríeis despiriam	diria dirias diria diríamos diríeis diriam	estaria estarias estaria estaríamos estaríeis estariam
presente do conjuntivo	dispa dispas dispa dispamos dispais dispam	diga digas diga digamos digais digam	esteja estejas esteja estejamos estejais estejam
pretérito imperfeito do conjuntivo	despisse despisses despisse despíssemos despísseis despissem	dissesse dissesses dissesse disséssemos dissésseis dissessem	estivesse estivesses estivesse estivéssemos estivésseis estivessem
futuro do conjuntivo	despir despires despir despirmos despirdes despirem	disser disseres disser dissermos disserdes disserem	estiver estiveres estiver estivermos estiverdes estiverem
infinitivo impessoal	despir	dizer	estar
imperativo	despe dispa dispamos despi dispam	diz diga digamos dizei digam	está esteja estejamos estai estejam
particípio passado	despido	dito	estado
gerúndio	despindo	dizendo	estando

Verbos irregulares	fazer	fugir	haver
presente do indicativo	faço fazes faz fazemos fazeis fazem	fujo foges foge fugimos fugis fogem	hei hás há havemos / hemos haveis / heis hão
pretérito imperfeito do indicativo	fazia fazias fazia fazíamos fazíeis faziam	fugia fugias fugia fugíamos fugíeis fugiam	havia havias havia havíamos havíeis haviam
pretérito perfeito do indicativo	fiz fizeste fez fizemos fizestes fizeram	fugi fugiste fugiu fugimos fugistes fugiram	houve houveste houve houvemos houvestes houveram
pretérito mais-que--perfeito do indicativo	fizera fizeras fizera fizéramos fizéreis fizeram	fugira fugiras fugira fugíramos fugíreis fugiram	houvera houveras houvera houvéramos houvéreis houveram
futuro do indicativo	farei farás fará faremos fareis farão	fugirei fugirás fugirá fugiremos fugireis fugirão	haverei haverás haverá haveremos havereis haverão
condicional	faria farias faria faríamos faríeis fariam	fugiria fugirias fugiria fugiríamos fugiríeis fugiriam	haveria haverias haveria haveríamos haveríeis haveriam
presente do conjuntivo	faça faças faça façamos façais façam	fuja fujas fuja fujamos fujais fujam	haja hajas haja hajamos hajais hajam
pretérito imperfeito do conjuntivo	fizesse fizesses fizesse fizéssemos fizésseis fizessem	fugisse fugisses fugisse fugíssemos fugísseis fugissem	houvesse houvesses houvesse houvéssemos houvésseis houvessem
futuro do conjuntivo	fizer fizeres fizer fizermos fizerdes fizerem	fugir fugires fugir fugirmos fugirdes fugirem	houver houveres houver houvermos houverdes houverem
infinitivo impessoal	fazer	fugir	haver
imperativo	faz faça façamos fazei façam	foge fuja fujamos fugi fujam	há haja hajamos havei hajam
particípio passado	feito	fugido	havido
gerúndio	fazendo	fugindo	havendo

Verbos irregulares	ir	medir	ouvir
presente do indicativo	vou vais vai vamos / imos ides / is vão	meço medes mede medimos medis medem	ouço / oiço ouves ouve ouvimos ouvis ouvem
pretérito imperfeito do indicativo	ia ias ia íamos íeis iam	media medias media medíamos medíeis mediam	ouvia ouvias ouvia ouvíamos ouvíeis ouviam
pretérito perfeito do indicativo	fui foste foi fomos fostes foram	medi mediste mediu medimos medistes mediram	ouvi ouviste ouviu ouvimos ouvistes ouviram
pretérito mais-que--perfeito do indicativo	fora foras fora fôramos fôreis foram	medira mediras medira medíramos medíreis mediram	ouvira ouviras ouvira ouvíramos ouvíreis ouviram
futuro do indicativo	irei irás irá iremos ireis irão	medirei medirás medirá mediremos medireis medirão	ouvirei ouvirás ouvirá ouviremos ouvireis ouvirão
condicional	iria irias iria iríamos iríeis iriam	mediria medirias mediria mediríamos mediríeis mediriam	ouviria ouvirias ouviria ouviríamos ouviríeis ouviriam
presente do conjuntivo	vá vás vá vamos vades vão	meça meças meça meçamos meçais meçam	ouça / oiça ouças / oiças ouça / oiça ouçamos / oiçamos ouçais / oiçais ouçam / oiçam
pretérito imperfeito do conjuntivo	fosse fosses fosse fôssemos fôsseis fossem	medisse medisses medisse medíssemos medísseis medissem	ouvisse ouvisses ouvisse ouvíssemos ouvísseis ouvissem
futuro do conjuntivo	for fores for formos fordes forem	medir medires medir medirmos medirdes medirem	ouvir ouvires ouvir ouvirmos ouvirdes ouvirem
infinitivo impessoal	ir	medir	ouvir
imperativo	vai vá vamos ide vão	mede meça meçamos medi meçam	ouve ouça / oiça ouçamos / oiçamos ouvi ouçam / oiçam
particípio passado	ido	medido	ouvido
gerúndio	indo	medindo	ouvindo

Verbos irregulares	pôr	saber	ser
presente do indicativo	ponho pões põe pomos pondes põem	sei sabes sabe sabemos sabeis sabem	sou és é somos sois são
pretérito imperfeito do indicativo	punha punhas punha púnhamos púnheis punham	sabia sabias sabia sabíamos sabíeis sabiam	era eras era éramos éreis eram
pretérito perfeito do indicativo	pus puseste pôs pusemos pusestes puseram	soube soubeste soube soubemos soubestes souberam	fui foste foi fomos fostes foram
pretérito mais-que- -perfeito do indicativo	pusera puseras pusera puséramos puséreis puseram	soubera souberas soubera soubéramos soubéreis souberam	fora foras fora fôramos fôreis foram
futuro do indicativo	porei porás porá poremos poreis porão	saberei saberás saberá saberemos sabereis saberão	serei serás será seremos sereis serão
condicional	poria porias poria poríamos poríeis poriam	saberia saberias saberia saberíamos saberíeis saberiam	seria serias seria seríamos seríeis seriam
presente do conjuntivo	ponha ponhas ponha ponhamos ponhais ponham	saiba saibas saiba saibamos saibais saibam	seja sejas seja sejamos sejais sejam
pretérito imperfeito do conjuntivo	pusesse pusesses pusesse puséssemos pusésseis pusessem	soubesse soubesses soubesse soubéssemos soubésseis soubessem	fosse fosses fosse fôssemos fôsseis fossem
futuro do conjuntivo	puser puseres puser pusermos puserdes puserem	souber souberes souber soubermos souberdes souberem	for fores for formos fordes forem
infinitivo impessoal	pôr	saber	ser
imperativo	põe ponha ponhamos ponde ponham	sabe saiba saibamos sabei saibam	sê seja sejamos sede sejam
particípio passado	posto	sabido	sido
gerúndio	pondo	sabendo	sendo

Verbos irregulares	trazer	ver	vir
presente do indicativo	trago trazes traz trazemos trazeis trazem	vejo vês vê vemos vedes veem	venho vens vem vimos vindes vêm
pretérito imperfeito do indicativo	trazia trazias trazia trazíamos trazíeis traziam	via vias via víamos víeis viam	vinha vinhas vinha vínhamos vínheis vinham
pretérito perfeito do indicativo	trouxe trouxeste trouxe trouxemos trouxestes trouxeram	vi viste viu vimos vistes viram	vim vieste veio viemos viestes vieram
pretérito mais-que-perfeito do indicativo	trouxera trouxeras trouxera trouxéramos trouxéreis trouxeram	vira viras vira víramos víreis viram	viera vieras viera viéramos viéreis vieram
futuro do indicativo	trarei trarás trará traremos trareis trarão	verei verás verá veremos vereis verão	virei virás virá viremos vireis virão
condicional	traria trarias traria traríamos traríeis trariam	veria verias veria veríamos veríeis veriam	viria virias viria viríamos viríeis viriam
presente do conjuntivo	traga tragas traga tragamos tragais tragam	veja vejas veja vejamos vejais vejam	venha venhas venha venhamos venhais venham
pretérito imperfeito do conjuntivo	trouxesse trouxesses trouxesse trouxéssemos trouxésseis trouxessem	visse visses visse víssemos vísseis vissem	viesse viesses viesse viéssemos viésseis viessem
futuro do conjuntivo	trouxer trouxeres trouxer trouxermos trouxerdes trouxerem	vir vires vir virmos virdes virem	vier vieres vier viermos vierdes vierem
infinitivo impessoal	trazer	ver	vir
imperativo	traz traga tragamos trazei tragam	vê veja vejamos vede vejam	vem venha venhamos vinde venham
particípio passado	trazido	visto	vindo
gerúndio	trazendo	vendo	vindo

Numerais e medidas

Numerais

Números cardinais			
0	zero	40	quarenta
1	um	43	quarenta e três
2	dois	44	quarenta e quatro
3	três	50	cinquenta
4	quatro	55	cinquenta e cinco
5	cinco	56	cinquenta e seis
6	seis	60	sessenta
7	sete	67	sessenta e sete
8	oito	68	sessenta e oito
9	nove	70	setenta
10	dez	75	setenta e cinco
11	onze	79	setenta e nove
12	doze	80	oitenta
13	treze	87	oitenta e sete
14	catorze	88	oitenta e oito
15	quinze	90	noventa
16	dezasseis	92	noventa e dois
17	dezassete	100	cem
18	dezoito	101	cento e um
19	dezanove	200	duzentos
20	vinte	300	trezentos
21	vinte e um	400	quatrocentos
22	vinte e dois	500	quinhentos
23	vinte e três	600	seiscentos
24	vinte e quatro	700	setecentos
25	vinte e cinco	800	oitocentos
26	vinte e seis	900	novecentos
27	vinte e sete	1000	mil
28	vinte e oito	2000	dois mil
29	vinte e nove	1 000 000	um milhão
30	trinta	1 000 000 000	mil milhões
31	trinta e um		
32	trinta e dois		

Números ordinais	
1.°	primeiro
2.°	segundo
3.°	terceiro
4.°	quarto
5.°	quinto
6.°	sexto
7.°	sétimo
8.°	oitavo
9.°	nono
10.°	décimo
11.°	décimo primeiro; undécimo
12.°	décimo segundo; duodécimo
13.°	décimo terceiro
14.°	décimo quarto
15.°	décimo quinto
16.°	décimo sexto
17.°	décimo sétimo
18.°	décimo oitavo
19.°	décimo nono
20.°	vigésimo
21.°	vigésimo primeiro
22.°	vigésimo segundo
30.°	trigésimo
31.°	trigésimo primeiro
32.°	trigésimo segundo
40.°	quadragésimo
50.°	quinquagésimo
60.°	sexagésimo
70.°	septuagésimo
80.°	octogésimo
90.°	nonagésimo
100.°	centésimo
101.°	centésimo primeiro
200.°	ducentésimo
500.°	quingentésimo
1000.°	milésimo
1 000 000.°	milionésimo

Números fracionários	
1/2	meio
1/3	um terço
2/3	dois terços
1/4	um quarto
2/4	dois quartos
1/5	um quinto
4/5	quatro quintos
1/6	um sexto
2/6	dois sextos
3/7	três sétimos
5/7	cinco sétimos
1/8	oito avos
4/9	quatro nonos
8/9	oito nonos
1/10	um décimo
6/10	seis décimos
1/11	onze avos
1/12	doze avos; um duodécimo
1/20	vinte avos; um vigésimo
1/100	cem avos; um centésimo
1/1 000	mil avos; um milésimo
1/1 000 000	um milionésimo

Números multiplicativos
duplo
triplo
quádruplo
quíntuplo
sêxtuplo
séptuplo
óctuplo
nónuplo
décuplo
cêntuplo

Medidas

Medidas de comprimento	
mm	milímetro
cm	centímetro
dm	decímetro
m	metro
dam	decâmetro
hm	hectómetro
km	quilómetro

Medidas de superfície	
mm^2	milímetro quadrado
cm^2	centímetro quadrado
dm^2	decímetro quadrado
m^2	metro quadrado
a	are
ha	hectare
km^2	quilómetro quadrado

Medidas de massa	
mg	miligrama
cg	centigrama
dg	decigrama
g	grama
dag	decagrama
hg	hectograma
kg	quilo(grama)
t	tonelada

Medidas de capacidade	
ml	mililitro
cl	centilitro
dl	decilitro
l	litro
dal	decalitro
hl	hectolitro
kl	quilolitro

Medidas de volume	
mm^3	milímetro cúbico
cm^3	centímetro cúbico
dm^3	decímetro cúbico
m^3	metro cúbico
km^3	quilómetro cúbico

Dificuldades ortográficas

à ou **há**

À é a contração da preposição *a* com o artigo definido feminino *a (Foram à praia/Almoço à uma hora em ponto)* ou com o pronome demonstrativo feminino *a (Uma pulseira igual à que lhe dei)* e leva acento grave.

Há é a terceira pessoa do singular do presente do indicativo do verbo *haver*: indica tempo decorrido (*Há cinco anos*) e substitui o verbo *existir* (*Há muitas canetas no estojo*).

acerca de, a cerca de, há cerca de

Acerca de é uma locução preposicional que significa **a respeito de** ou **sobre**, e nunca leva acento: *Sabes algo acerca do livro?*

A cerca de é a preposição *a*, normalmente pedida pelo verbo, seguida da expressão constituída pelo advérbio *cerca* e a preposição *de*, e significa **à volta de, aproximadamente** ou **perto de**: *A casa fica a cerca de três quilómetros.*

Há cerca de pode ser uma expressão de tempo que significa **tempo aproximado** (*Há cerca de dez meses, deu-se o acidente*) ou uma forma do verbo *haver* mais a expressão *cerca de* que indica **à volta de, aproximadamente** (*Há cerca de vinte livros na caixa*).

afim ou a fim de (que)

Afim é um adjetivo, sempre escrito numa palavra só, que admite o plural **afins** e significa **que tem afinidade com** (*Saber muito de ciências afins* à matemática) e **que é semelhante** (*É um caso afim*).

A fim de (que) é uma locução que exprime finalidade, sendo equivalente a **para, com o objetivo de**:
- **a fim de** + infinitivo: *Comprou o carro a fim de se poder deslocar mais rapidamente.*
- **a fim de que** + conjuntivo: *Comprou o carro a fim de que se pudesse deslocar mais rapidamente.*

com certeza ou concerteza

Com certeza é uma locução adverbial composta pela preposição *com* e o substantivo *certeza* e é errado juntá-las numa palavra só. Tem a função de advérbio e pode ser substituída por **certamente** *(Com certeza esqueceram-se de telefonar)*, **decerto** *(Com certeza enganaram-se no sítio)*, **talvez** *(Foram a outro lado, com certeza por sugestão do João)* e **sem dúvida** *(É com certeza um engano).*

A forma **concerteza** não existe.

com tudo ou contudo

A expressão **com tudo** é constituída pela preposição *com* e pelo pronome invariável *tudo*: *Estadia de sete noites com tudo incluído.*

Contudo é uma conjunção e significa **mas, porém, todavia, no entanto**: *Comprei os dois livros, contudo não os trouxe comigo.*

de certo ou decerto

A expressão **de certo** é constituída pela preposição *de* e o advérbio *certo* e significa **de verdadeiro**: *Afinal, o que há de certo sobre o caso?*

Decerto é um advérbio que significa **com certeza**: *Decerto comeu alguma coisa que lhe fez mal.*

de mais ou demais

De mais é uma locução adverbial que significa **excessivamente** (*Comemos de mais*) e **muito** (*O filme foi bom de mais*). Pode ainda tratar-se da preposição *de* seguida do advérbio *mais* (*Ele gostou de mais duas coisas*).

Demais é um advérbio equivalente a **além disso** (*Decidiu não comprar o carro; demais, não tinha dinheiro suficiente*). Pode ainda ser empregue como determinante ou pronome demonstrativo com significado de **os restantes, outros** (*Os demais não se manifestaram*).

de trás ou detrás

De trás é uma locução adverbial constituída pelas preposições *de* e *trás*, equivalendo a **da parte posterior** (*Viu a camisola de frente e de trás*) e **em último lugar** (*Eu estava no carro de trás* ou **antes** (*O assunto vem de trás*).

Detrás é um advérbio que significa **na parte posterior** (*Aqui detrás, está o cão*) ou **depois** (*Primeiro, vinha a Maria e, detrás, o João*).

hás de ou hades

Hás de associa uma forma do verbo *haver* (*hás*) a uma preposição (*de*). As preposições não têm plural.

Com o Acordo Ortográfico de 1990, o hífen das ligações da preposição *de* às formas monossilábicas do verbo *haver* foi suprimido: **hás de**.

Em Português, existe a palavra «Hades», grafada com inicial maiúscula e representa o deus dos mortos.

havia ou haviam

Quando o verbo *haver* é usado como impessoal com o sentido de **existir**, não tem plural, sendo obrigatório o uso da 3.ª pessoa do singular: *Havia duas casas.*

Como auxiliar (embora raramente utilizado), o verbo *haver* equivale a **ter**, concorda com o sujeito e pode ser conjugado em todas as pessoas gramaticais: *Eles haviam dito que iam.*

morrido ou **morto**

O verbo *morrer* tem dois particípios: o regular, **morrido**, e o irregular **morto**.
O particípio regular é usado nos tempos compostos com os verbos *ter* e *haver*: *O cão tinha/havia morrido.*
O particípio irregular é usado com o verbo *estar* nos tempos da voz passiva com o verbo *ser*: *O cão estava morto.*

obrigado ou **obrigada**

O adjetivo **obrigado** é usado de forma interjetiva para exprimir agradecimento. Varia em género e número consoante o sujeito:
– se o sujeito for uma pessoa do sexo masculino, usa-se *obrigado*;
– se o sujeito for uma pessoa do sexo feminino, usa-se *obrigada*.

onde ou **aonde**

Onde é um advérbio que expressa a ideia de permanência, referindo situações de lugar sem movimento. Pode ser interrogativo, sendo equivalente a **em que lugar**: *Onde está o João?* Pode também ser relativo, significando **no lugar em que**: *O lugar onde vives é calmo.*

Aonde é utilizado com verbos de movimento. Como interrogativo, quer dizer **a que lugar, para que lugar**: *Aonde foste de manhã?* Como relativo, significa **a que** ou **ao qual**: *O cinema aonde fui é grande.*

porque ou **por que**

Ambas as formas exprimem causa.

Porque é equivalente a **uma vez que, já que**: *O João saiu porque tinha de ir fazer compras.* Enquanto advérbio interrogativo de causa, é seguido de um verbo: *Porque saiu o António?*

Por que usa-se ligado a substantivos, como *razão, motivo*: *Desconheço por que razão a Maria não veio.* Em interrogativas, vem seguido de um substantivo, sendo equivalente a **por qual**: *Por que gramáticas aprendeste?*

pronto ou **prontos**

Pronto é frequentemente usado como bordão, ou seja, como uma palavra que se repete ao falar ou escrever. Neste caso, é sempre invariável e pode, dependendo do contexto, ser uma forma de passar de um assunto para a sua conclusão ou exprimir coisas muito diferentes, tais como emoção, alívio, desagrado, irritação, etc.: *E, pronto, as razões são essas.*

Quando usado como adjetivo, *pronto* concorda em género e número com o substantivo que qualifica: *As malas ficaram prontas.*

senão ou **se não**

Senão é uma preposição que equivale a **exceto** (*Todos, senão o António, foram ao cinema*) e **caso contrário** (*Fala mais alto senão não ouço*).

Se não é a combinação da conjunção condicional *se* com advérbio de negação *não* e significa **no caso de não**: *Se não chover, vamos à praia.*

sobre tudo ou **sobretudo**

Sobre tudo é uma expressão constituída por *sobre* (preposição) e *tudo* (pronome indefinido invariável). É equivalente a **acerca de todas as coisas**: *Já pensei sobre tudo.*

Sobretudo é um advérbio, equivalente a **especialmente**, **acima de tudo**, **principalmente**: *O João é simpático, sobretudo com as crianças.*

Também pode ser um substantivo, designando o **casaco de agasalho usado como proteção contra o frio**: *O João trouxe o sobretudo.*

ter a ver ou **ter a haver**

A expressão **ter a ver** é usada em vez da expressão mais correta *ter que ver* e vem acompanhada de um complemento introduzido pela preposição *com* e significa **ter relação (com)**, **dizer respeito (a)**: *Eu não tenho nada a ver com o problema.*

Ter a haver vem acompanhada de um complemento direto e significa **ter a receber**: *O João tem a haver dez euros.*

ter de ou **ter que**

Ter de exprime uma obrigação, uma necessidade ou um desejo, e é equivalente a **dever**, **precisar** ou **querer**.

Ter que equivale a dizer **ter algo para**. Usa-se quando o antecedente *que* é indefinido (*ter muitas coisas que contar, ter muito que contar*).

trás ou **traz**

Trás uma preposição equivalente a **atrás de** e **após** *(ano trás ano)* e é usada em várias expressões com o sentido de **parte ou lado posterior** *(Ele caiu para trás).*

Traz é a 3.ª pessoa do singular do presente do indicativo do verbo *trazer*: *O João traz o livro.*

Mensagens de texto (SMS)

Abreviaturas

bj, bjs	beijo, beijos
c	com
cmg	comigo
c/o	como
ctg	contigo
dp	depois
dsc	desculpa
fds	fim de semana
hj	hoje
k	que, quê
lol	gargalhadas
mm	mesmo
msg	mensagem
mt	muito
n	não
obg	obrigado
od	onde
p, pa	para
pc	pouco
pf	por favor
ptt	portanto
pq	porque
q	que
qd	quando
qq	qualquer
qt	quanto
s	se
tas	estás
tb	também
td	tudo
tds	todos

Smileys

:-)	feliz, alegre, a rir
;-)	piscadela
:-(	triste, aborrecido
:-/	desagrado, estranheza
:-D	muito feliz, gargalhadas
:-'(	a chorar
:-X	sem comentários
:-O	admiração, surpresa
:-P	com a língua de fora
:-#	com raiva
:-S	confuso
:-*	beijo

Email

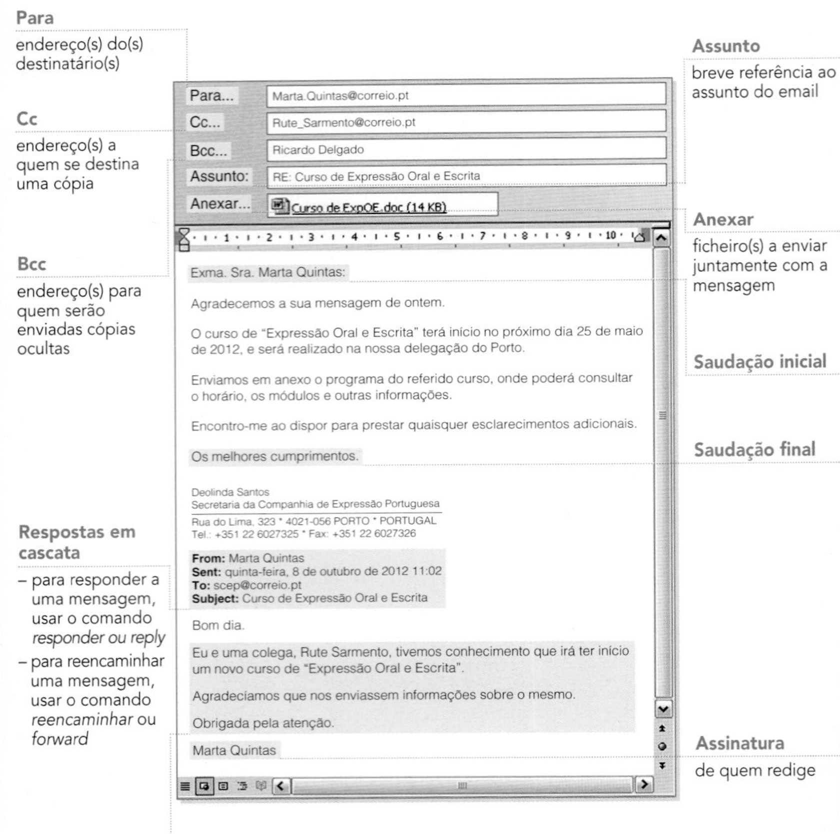

Corpo da mensagem

- combinar maiúsculas com minúsculas como na escrita comum
- separar parágrafos com linhas em branco
- ter em atenção a correção ortográfica e gramatical
- evitar o uso de maiúsculas
- não abusar da pontuação
- ser claro e objetivo

Carta informal

Saudação inicial

escreve-se à esquerda
- *Caro Tiago: / Caro Tiago,*
- *Caro amigo: / Caro amigo,*
- *Tiago: / Tiago,*
- *Olá, Tiago: / Olá, Tiago*
- *Estimado amigo*
- *Prezado amigo*

Porto, 10 de dezembro de 2011

Querido Tiago,

Espero que esteja tudo bem contigo e que as férias estejam a correr bem.

Desde que cá estou, ainda não tinha tido tempo para te escrever. Na escola, já tenho alguns amigos e os colegas de turma são muito simpáticos.

Os meus vizinhos do andar de baixo são um bocadinho estranhos e muito barulhentos. A minha mãe passa a vida a reclamar...

Este ano não vamos de férias com vocês. Não queres aparecer por cá? Quero andar de bicicleta e ir à praia. Era bom que pudesses vir. Fala com os teus pais!

Muitos beijinhos,

Rita

Data

(local, dia, mês, ano) geralmente em cima à direita, mas também pode ser escrita à esquerda

Texto

introdução, desenvolvimento e conclusão num estilo informal

Saudação final
- *Um (grande) abraço,*
- *Um abraço do amigo,*
- *Um beijinho, / Um beijo,*
- *Muitos beijos, / Muitos beijinhos,*
- *Com amizade sincera,*

Assinatura

de quem redige

Carta formal

Remetente

identificação (nome, morada, contactos) no canto superior esquerdo

LIVROS.NET
R. S. Bernardo da Paz, n.° 123
1300-113 Lisboa
Telef.: + 351 21 832 153
Email: livrosnet@web.com

Lisboa, 9 de outubro de 2011

Exmo. Senhor

Vimos agradecer a sua amável carta de 4 de abril p.p., que mereceu a nossa melhor atenção.

Agradecemos igualmente as suas valiosas sugestões, que contribuirão para melhorar a prestação dos nossos serviços.

Gratos por todo o interesse demonstrado, desde já nos colocamos ao dispor para qualquer outra sugestão que queira fazer o favor de nos enviar.

Com os nossos melhores cumprimentos,

Inês Pinto

(Departamento de Vendas)

Data

(local, dia, mês, ano) geralmente em cima à direita, mas também pode ser escrita à esquerda

Saudação inicial

escreve-se à esquerda
- *Exmo. Sr. Director*
- *Senhor...*
- *Caro Senhor...*
- *Meu caro senhor*

Texto

introdução, desenvolvimento e conclusão num estilo formal

Saudação final
- *Atenciosamente*
- *Respeitosamente*
- *Com a mais elevada estima*
- *Com as melhores saudações*

Assinatura

de quem redige, com referência ao departamento ou cargo

Resposta a um anúncio

Remetente
identificação (nome, morada, contactos) no canto superior esquerdo

Destinatário
à direita

Data
(local, dia, mês, ano) em cima à direita ou à esquerda

Fonte do anúncio
referência ao anúncio a que se está a responder

Função
especificar a função ou cargo a que se concorre

Breve apresentação
resumo da experiência profissional

Anexos

Apelo à entrevista

Saudação final

Assinatura

Nuno Lopes
R. do Norte, 320
4705-162 Braga
Telef.: +351 253 365326
Fax: +351 253 365327
Email: nlopes@correio.pt

Departamento de Recursos Humanos
STM, S.A.
Av. Francisco Sá, n.° 89
1080 Braga

Braga, 23 de outubro de 2009

Estimados Senhores,

Em resposta ao anúncio, publicado no Expresso do dia 10 do corrente mês, n.° 460 D/09, venho apresentar a minha candidatura à vaga de Técnico Superior de Turismo.

O meu nome é Nuno Lopes e sou licenciado em Hotelaria pelo Instituto Superior de Hotelaria do Minho.
Dada a minha formação na área de turismo, assim como a experiência profissional adquirida, considero possuir a aptidão necessária para desempenhar o lugar em causa.

Junto envio o meu *curriculum vitae* para vossa apreciação, bem como a fotografia solicitada.

Estou à disposição de V. Excelências para qualquer informação que considerem necessária.

Cumprimentos,

Nuno Lopes

Carta comercial

Timbre
firma, morada, contactos, e por vezes, logótipo

Data
à direita

COSMETICA, LDA
R. da Circunvalação, 321
2560-583 Torres Vedras
Telef.: + 351 235 046 151
Fax: + 351 235 046 152
Email: cosmetica@web.com

Porto, 17 de outubro de 2011

Destinatário
à esquerda, nome e morada duas ou três linhas abaixo da data

Perfumes e cosmética
R. do Brasil, 201
2400-827 Leiria

Referência
permite localizar a carta anterior

1553/06-DC-st

Assunto
descrição breve do assunto

Assunto: Envio de Tabela de Preços

Vocativo
- *Excelentíssimo Senhor*
- *Estimado Senhor*
- *Caro Sr. Dr.*

Exmos. Senhores,

Vimos por este meio informar que a nossa Tabela de Preços, em anexo, entrará em vigor a partir de 17 de dezembro de 2011, inclusive.

Estamos à vossa disposição para quaisquer esclarecimentos.

Encerramento
a dois espaços por baixo do texto e sem ponto final, normalmente com vírgula
- *Cordialmente*
- *Atentamente*
- *Sem outro assunto de momento*

Os nossos melhores cumprimentos,

Assinatura
à esquerda e a dois espaços da despedida, referindo o departamento ou cargo do remetente

Madalena Rocha
(Departamento Comercial)

Anexos

Documentos anexos: Tabela de Preços

Convite

Saudação inicial

Caro Cliente,

Motivo

Local, data, hora

A gerência da LARIDEIAS tem o prazer de convidar V. Ex.ª para visitar a nossa exposição na Feira de Comérico e Indústria, que se realizará de 14 a 20 de maio, no Parque de Exposições, em Matosinhos, Porto, das 09:00 às 22:00 horas.

Terá oportunidade de conhecer toda a nossa linha de produtos, além de obter informações sobre as novas tendências de mercado.

Encerramento
demonstrar vontade de poder contar com a presença do convidado

Esperamos que nos honre com a sua presença.

Assinatura
apenas o nome do remetente, sem mencionar qualquer cargo ou título

Cordialmente

Marco Gomes

Guia do Acordo Ortográfico

Alfabeto

As letras **k**, **w** e **y** passam oficialmente a fazer parte do alfabeto português, que é, deste modo, constituído por vinte e seis letras.

a A (á)	n N (ene)
b B (bê)	o O (ó)
c C (cê)	p P (pê)
d D (dê)	q Q (quê)
e E (é)	r R (erre)
f F (efe)	s S (esse)
g G (gê ou guê)	t T (tê)
h H (agá)	u U (u)
i I (i)	v V (vê)
j J (jota)	**w W** (**dâblio** ou **duplo v**)
k K (**capa** ou **cá**)	x X (xis)
l L (ele)	**y Y** (**ípsilon** ou **i grego**)
m M (eme)	z Z (zê)

Nota: Os nomes das letras acima apresentados não excluem outras formas de as designar.

Usos de *k*, *w*, e *y*

Nomes de pessoas (antropónimos) e seus derivados originários de línguas estrangeiras

Darwin – darwinismo
Kant – kantiano
Yang – yanguiano

Nomes de localidades (topónimos) e seus derivados originários de línguas estrangeiras

Koweit – koweitiano
Washington – washingtoniano
Yorkshire – yorkshiriano

Siglas, símbolos e unidades de medida internacionais

km
watt
WC

Palavras de origem estrangeira de uso corrente

kart
windsurf
yoga

As palavras derivadas de nomes próprios estrangeiros mantêm as combinações de letras e o trema próprios das línguas de origem: *garrettiano* (de Garrett), *mülleriano* (de Müller) e *shakespeariano* (de Shakespeare).

Sequências consonânticas

O Acordo Ortográfico elimina as consoantes *c* e *p* nas palavras em que essas letras não são pronunciadas.

Supressão gráfica de consoantes mudas

cc > c	*accionar > acionar* *leccionar > lecionar* *reaccionário > reacionário*
cç > ç	*acção > ação* *colecção > coleção* *direcção > direção*
ct > t	*colectivo > coletivo* *dialecto > dialeto* *electricidade > eletricidade*
pc > c	*decepcionar > dececionar* *excepcional > excecional* *recepcionista > rececionista*
pç > ç	*adopção > adoção* *excepção > exceção* *percepção > perceção*

pt > t	*óptimo* > *ótimo* *peremptório* > *perentório* (*N.B.: mpt* > ***nt***)

Nota: Sempre que as consoantes *c* e *p* são pronunciadas, mantêm-se: *facto, captura.*

Grafia dupla: oscilação da pronúncia

Nos casos em que as consoantes *c* e *p* podem ser ou não pronunciadas, é possível escrever de duas formas.

carácter / caráter
característica / caraterística
infeccionar / infecionar
interruptor / interrutor
intersecção / interseção
perfeccionismo / perfecionismo
sector / setor

Acentuação gráfica

O Acordo Ortográfico elimina alguns acentos gráficos e considera outros facultativos.

Supressão do acento

Palavras graves com ditongos tónicos *ói*

bóia > *boia*
heróico > *heroico*

Formas verbais graves terminadas em *-êem*

crêem > *creem*
dêem > *deem*

Palavras graves, homógrafas de palavras átonas.

pára (verbo parar) → *para*
para (preposição)

péla (verbo pelar) → *pela*
pela (contração)

pélo (verbo pelar) ➔ *pelo*
pêlo (nome) ➔ *pelo*
pelo (contração)

pêra (nome) ➔ *pera*
pera (antiga preposição)

pêro (nome) ➔ *pero*
pero (antiga conjunção)

pólo (nome) ➔ *polo*
pôlo (nome) ➔ *polo*
polo (contração)

Nota: A distinção entre as palavras referidas acima passa a estabelecer-se pelo contexto no qual são usadas.

Formas verbais de *arguir* e *redarguir* perdem o acento no *ú* na flexão do presente do indicativo

argúis, argúi, argúem > *arguis, argui, arguem*
redargúis, redargúi, redargúem > *redarguis, redargui, redarguem*

Uso facultativo do acento

Formas verbais terminadas em *-ámos* no pretérito perfeito do indicativo

amámos / amamos

Forma verbal da primeira pessoa do plural do presente do conjuntivo do verbo *dar*

dêmos / demos

Nome feminino que significa "molde" ou "recipiente"

forma / fôrma

Formas de verbos terminados em *-guar*, *-quar* e *-quir*

averigue / averígue

Hifenização

O Acordo Ortográfico reformula e simplifica as regras do uso do hífen.

Uso do hífen

Compostos que designam espécies zoológicas ou botânicas

estrela-do-mar
couve-flor

Palavras onde o 1.° elemento é um prefixo e o 2.° elemento começa por *h*

*anti-**h**erói*
*pré-**h**istória*

Palavras em que o prefixo termina na mesma vogal com que começa o 2.° elemento

*ant**i-i**nflamatório*
*contr**a-a**tacar*

Palavras em que o prefixo termina na mesma consoante com que começa o 2.° elemento

*hipe**r-r**ealista*
*inte**r-r**elação*

Palavras com os prefixos acentuados graficamente, como, por exemplo, *pós-*, *pré-* e *pró-*

***pós**-graduação*
***pré**-fabricado*
***pró**-ativo*

Palavras com os prefixos *ex-* (com o sentido de "estado anterior" ou "cessamento") e *vice-*

***ex**-combatente*
***vice**-presidente*

Palavras com os prefixos *circum-* e *pan-*, quando o 2.° elemento começa por vogal, *h*, *m* ou *n*

*pa**n-a**fricano*
*pa**n-h**elenista*
*circu**m-m**urado*
*circu**m-n**avegação*

Supressão do hífen

Compostos em que se perdeu a noção de composição

manda-chuva > *mandachuva*
pára-quedas > *paraquedas*

Palavras em que o prefixo termina em vogal e o 2.° elemento começa por *r* ou *s*, duplicando-se a consoante

*ant**i-r**eflexo* > *anti**rr**eflexo*
*contr**a-s**enso* > *contra**ss**enso*
*ultr**a-s**om* > *ultra**ss**om*

Palavras em que o prefixo termina em vogal diferente da que começa o 2.° elemento

auto-estrada > *autoestrada*
extra-escolar > *extraescolar*

Palavras com o prefixo *co-*, mesmo quando o 2.° elemento começa por *o*

co-ocorrência > *coocorrência*
co-piloto > *copiloto*

Na maior parte das locuções

caminho-de-ferro > *caminho de ferro*
fim-de-semana > *fim de semana*

Verbo *haver* acompanhado da preposição *de*

hei-de > *hei de*
hás-de > *hás de*

Minúsculas e maiúsculas

O Acordo Ortográfico reduz o emprego da inicial maiúscula e em alguns casos o seu uso passa a ser facultativo.

Uso de minúscula

Meses e estações do ano

Janeiro > ***j**aneiro*
Verão > ***v**erão*

Pontos cardeais e colaterais, exceto quando designam regiões ou quando se usam os símbolos correspondentes

*Viajei de **n**orte a **s**ul do país.*
*A minha família é do **N**orte.*

Todos os usos de ***f**ulano*, ***s**icrano* e ***b**eltrano*

Uso facultativo: minúscula ou maiúscula

Disciplinas escolares, cursos e domínios de saber

*matemática / **M**atemática*
*medicina / **M**edicina*

Lugares públicos, templos e edifícios

rua da Restauração / Rua da Restauração
igreja do Carmo / Igreja do Carmo
palácio da Bolsa / Palácio da Bolsa

Formas de tratamento

senhor doutor Luís Rocha / Senhor Doutor Luís Rocha
senhor professor / Senhor Professor

Nomes sagrados

santa Filomena / Santa Filomena
são Gonçalo / São Gonçalo

Nomes de livros ou obras (bibliónimos), exceto o primeiro elemento e os nomes próprios, que têm necessariamente de aparecer em maiúscula

O Crime do Padre Amaro / O crime do padre Amaro
Memorial do Convento / Memorial do convento
O Cavaleiro da Dinamarca / O cavaleiro da Dinamarca
A Fada Oriana / A fada Oriana

Translineação

A translineação segue, de um modo geral, a divisão silábica das palavras, isto é, a sua soletração.

Quando o hífen de uma palavra coincide com o fim da linha, é obrigatório repeti-lo na linha seguinte.

Fui com a minha irmã ao
mercado e comprámos couve-
-flor, cenoura, tomate e grão-
-de-bico.

Nota: A repetição do hífen na linha seguinte era já prática corrente, mas não era obrigatória.

Países de língua oficial portuguesa

PORTUGAL

República Portuguesa

Nacionalidade:	português (m.), portuguesa (f.)
Capital:	Lisboa
Moeda:	euro
Línguas:	português; mirandês
Sistema político:	República Parlamentar
Divisão territorial:	18 distritos e 2 regiões autónomas

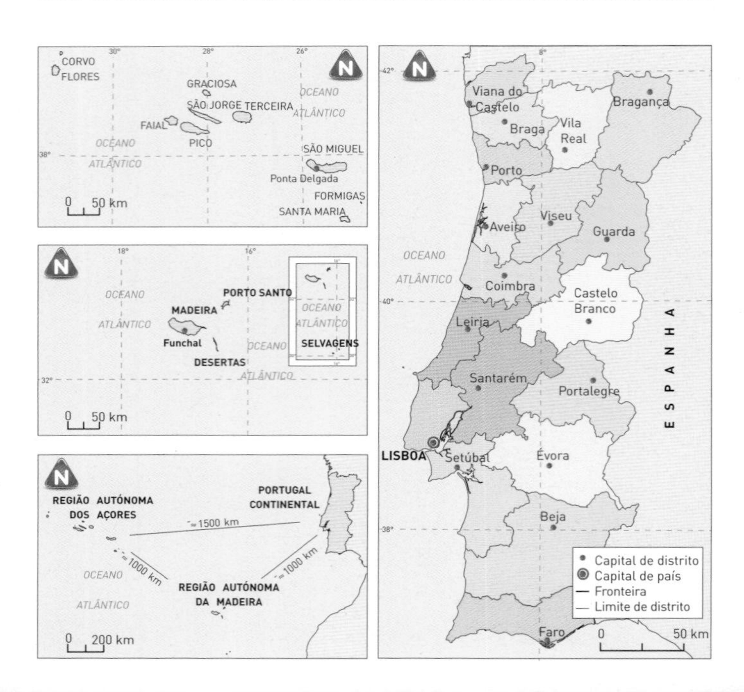

ANGOLA

República de Angola

Nacionalidade:	angolano (m.), angolana (f.)
Capital:	Luanda
Moeda:	kuanza
Línguas:	português
Sistema político:	República Presidencialista
Divisão territorial:	18 províncias

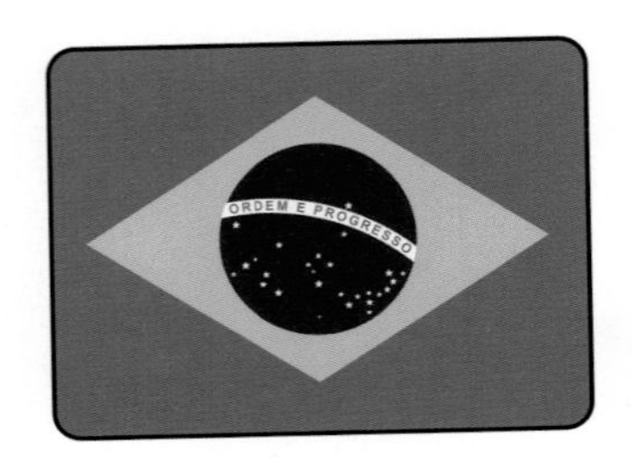

BRASIL

República Federativa do Brasil

Nacionalidade:	brasileiro (m.), brasileira (f.)
Capital:	Brasília
Moeda:	real
Línguas:	português
Sistema político:	República Federativa Presidencialista
Divisão territorial:	26 estados e 1 distrito federal

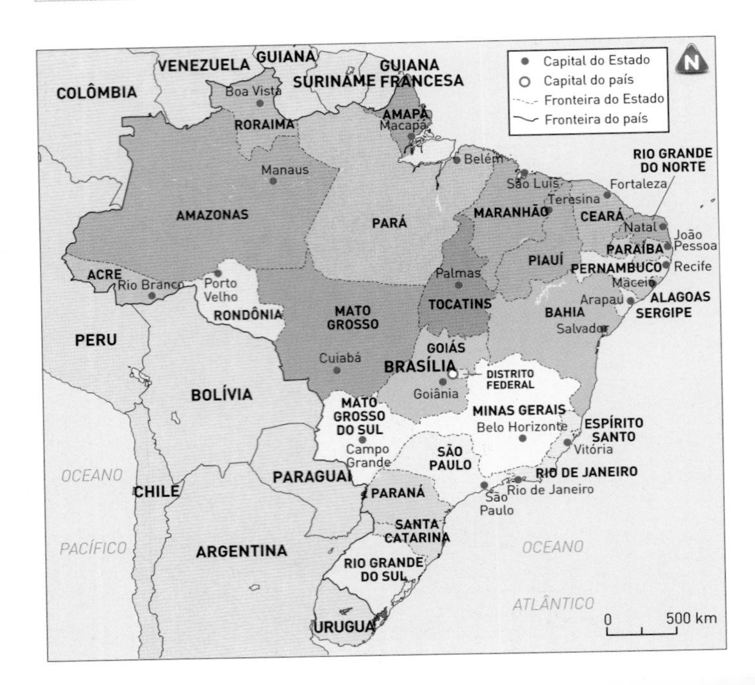

CABO VERDE

República de Cabo Verde

Nacionalidade:	cabo-verdiano (m.), cabo-verdiana (f.)
Capital:	Cidade da Praia
Moeda:	escudo cabo-verdiano
Línguas:	português
Sistema político:	República Democrática Presidencialista
Divisão territorial:	22 concelhos

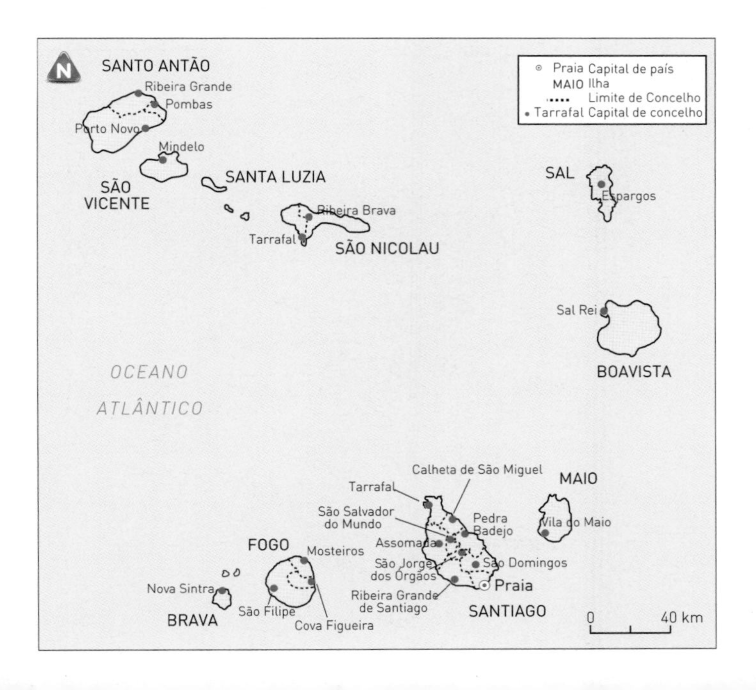

GUINÉ-BISSAU

República da Guiné-Bissau

Nacionalidade:	guineense
Capital:	Bissau
Moeda:	Franco CFA
Línguas:	português
Sistema político:	República Partidária
Divisão territorial:	8 regiões e a capital

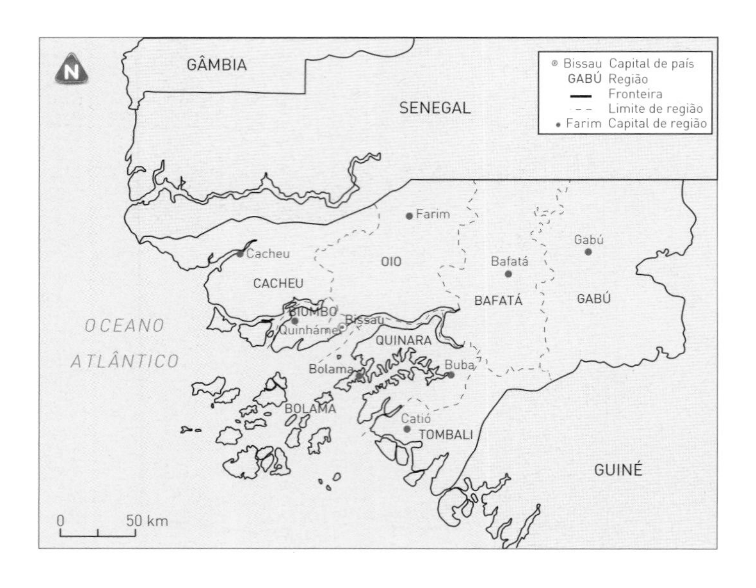

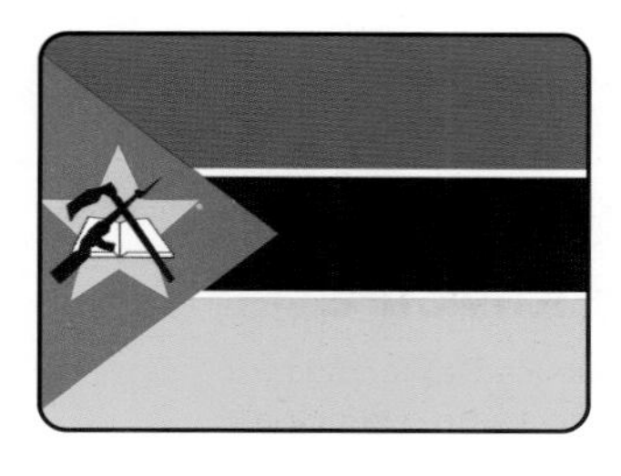

MOÇAMBIQUE

República de Moçambique

Nacionalidade:	moçambicano (m.), moçambicana (f.)
Capital:	Maputo
Moeda:	metical
Línguas:	português
Sistema político:	República Presidencialista
Divisão territorial:	11 províncias

SÃO TOMÉ E PRÍNCIPE

República Democrática de São Tomé e Príncipe

Nacionalidade:	são-tomense ou santomense (m. ou f.)
Capital:	São Tomé
Moeda:	dobra
Línguas:	português
Sistema político:	República Semipresidencialista
Divisão territorial:	6 distritos e 1 região autónoma

TIMOR-LESTE

República Democrática de Timor Leste

Nacionalidade:	timorense (m. ou f.)
Capital:	Díli
Moeda:	dólar americano
Línguas:	português; tétum
Sistema político:	República Parlamentarista
Divisão territorial:	13 distritos

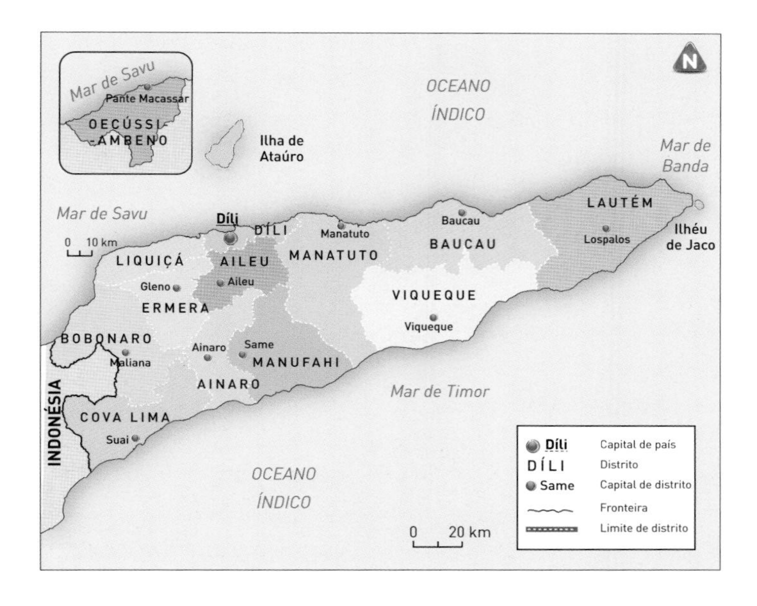

Quadros temáticos

Casa

O fumo
A antena de televisão
A árvore
A chaminé
O telhado
A vedação
As traseiras
A garagem
A janela
A varanda
A porta de entrada
O lado direito
O lado esquerdo
A planta
O vaso
O escorrega
As escadas
A relva
A parte da frente da casa

O sótão
O quarto
A casa de banho de serviço
A casa de banho
O escritório
O primeiro andar
A sala de estar
A despensa
A cozinha
As escadas
O *hall* de entrada
A sala de jantar
O rés do chão

Quarto

As malas
O roupeiro
O cabide
O interruptor
Levantar-se
A cama
Ressonar
O despertador
O lençol
O pijama
A almofada
O cobertor
A mesa de
cabeceira
O tapete
O roupão / o robe
O frasco de perfume
A cómoda
O bebé
A escova do cabelo
A caminha do bebé
A bola
O pufe
O ursinho de peluche

Escritório

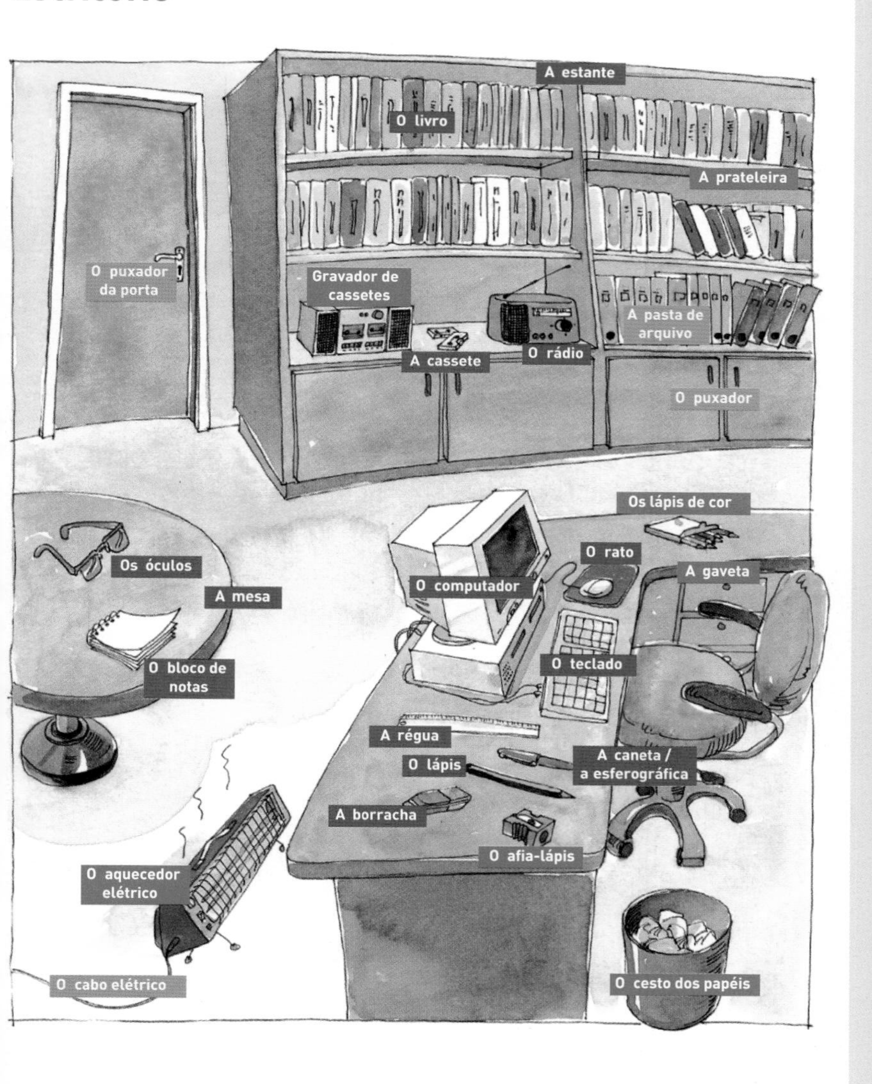
A estante
O livro
A prateleira
O puxador da porta
Gravador de cassetes
A pasta de arquivo
A cassete
O rádio
O puxador
Os lápis de cor
O rato
A gaveta
Os óculos
O computador
A mesa
O bloco de notas
O teclado
A régua
O lápis
A caneta / a esferográfica
A borracha
O afia-lápis
O aquecedor elétrico
O cabo elétrico
O cesto dos papéis

Supermercado

PROMOÇÃO
O cartaz
1+1=3
O chouriço
As bolachas
O feijão
Os cereais
Os ovos
Os preços
Os ananases
As cerejas
Os melões
Os pimentos
As cebolas
As uvas
O carrinho das compras
As cenouras
0,100 €
As couves
cesto das compras
As etiquetas
As batatas
Os morangos
A alface
Os tomates
Os limões
As peras
Os pêssegos
Os figos

Roupas

O lenço
A camisa
Os sapatos
A T-shirt
As luvas
O vestido
As bermudas
Os óculos de sol
O cinto
O anel
As meias
A blusa
O colar
As calças de licra
A pulseira
A carteira
As meias
O blusão
O casaco comprido
O fato de banho
O casaco
Os brincos
A écharpe
O avental
A saia
O top
Os jeans / as calças de ganga
As cuequinhas
A camisola de gola alta
As sandálias
Os calções
Os sapatos de tacão alto
Os sapatos rasos
O chapéu
A gabardina

Os sapatos
A camisa
A T-shirt
A sweatshirt
O calção de banho
Os boxers / as cuecas
O pulóver sem mangas
O chapéu
O slip
Os jeans / as calças de ganga
O cachecol
Os óculos de sol
A camisola de gola alta
O casaco
As sandálias
O casaco
A gabardina / o anoraque
O relógio
O fato
A gravata
As calças
O fato de treino
As luvas
As meias
As sapatilhas / os ténis
Os óculos
As barbatanas
O colete
As botas
O cinto
O boné

Corpo humano

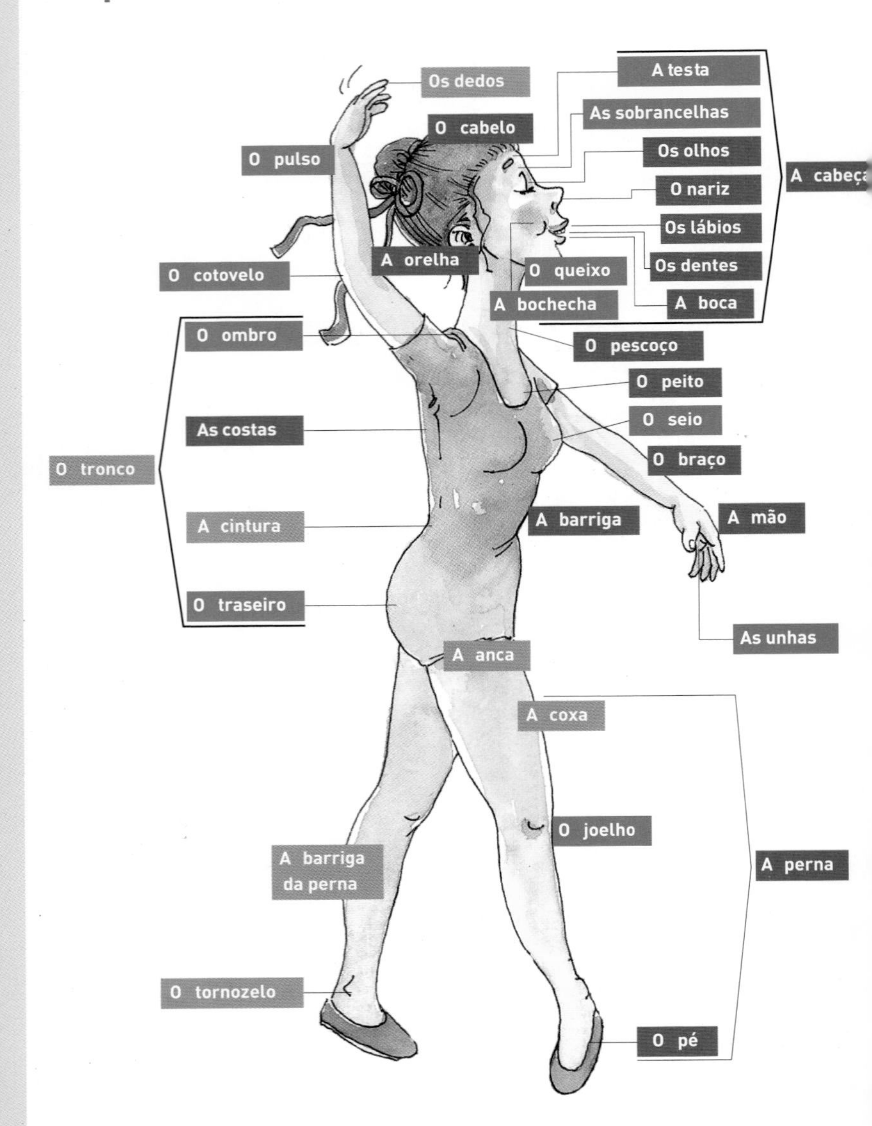